ELEMENTAL

DICCIONARIO
DIDÁCTICO
DE ESPAÑOL

DICCIONARIO
DIDÁCTICO
DE ESPAÑOL
ELEMENTAL

ediciones sm Joaquín Turina, 39 - 28044 Madrid

PROYECTO EDITORIAL Y DIRECCIÓN
Concepción Maldonado González

ASESORAMIENTO Y REVISIÓN
Mercedes Benedicto
María Dolores Crehuet
Pilar Pulido

EQUIPO DE REDACCIÓN
Nieves Almarza Acedo
María Luisa Álvarez Rubio
Mireia Casaus Armentano
Inés García García
Teresa Gutiérrez Carreras

VOCABULARIO MÍNIMO DEFINIDOR
Alejandro Fajardo Aguirre
Humberto Hernández Hernández

ILUSTRACIÓN
Javier Aramburu
José Eizaguirre
César Escolar
Estudio Imagen Tres
Jacinto Rodríguez

FOTOGRAFÍA
Javier Calbet, Sonsoles Prada, J. M. Navia, Archivo SM,
Yolanda Álvarez, EFE, J. M. Ruiz, Pedro Carrión, SIPA-PRESS,
AGE FOTOSTOCK, Amaro Olivares, ORONOZ, AISA, FIRO-FOTO,
Fernando López-Aranguren, El Camaleón, Museo del Louvre,
Julio Rodríguez, Jesús Sancho, Exposición Edades del Hombre,
José Luis González, GRÉVOL, Juan Gabriel Pallarés, José Julián Rico,
Jordi Sierra, ZARDOYA.

DISEÑO DE CUBIERTA
Alfonso Ruano
César Escolar
Estudio SM

FOTOCOMPOSICIÓN
Grafilia, SL

Primera edición: junio 1994
Segunda edición: abril 1995
Tercera edición: abril 1996

Comercializa: CESMA, SA. Aguacate, 43. 28044 Madrid

© EDICIONES SM. Joaquín Turina, 39. 28044 Madrid
ISBN: 84-348-4307-2. Depósito legal: M. 6473-1996
Impreso en España-*Printed in Spain*. Imprenta SM. Joaquín Turina 39. 28044 Madrid.

PRÓLOGO

(por Antonio Mingote, de la Real Academia Española)

¿Qué es Elemental

Es un diccionario

diccionario [sustantivo masculino] Libro en el que se explica lo que significan las palabras: *En este diccionario, las palabras aparecen por orden alfabético.*

¿Para qué sirve?

Para saber qué significa una palabra

pancarta [sustantivo femenino] Trozo grande de tela en el que se escribe algo para que lo vean los demás: *Fuimos al partido con una pancarta para animar a nuestro equipo.*

Para saber cómo se pronuncia una palabra

[jazz [sustantivo masculino] Música que tiene muchos cambios de ritmo y que se toca con gran libertad: *El contrabajo y el saxofón son los instrumentos típicos del jazz.* □ [Es una palabra inglesa. Se pronuncia «yas»].

Para saber cómo se escribe una palabra

transcurrir [verbo] Pasar el tiempo o los acontecimientos: *Todo transcurrió con normalidad.* □ [También se escribe *trascurrir*]. SINÓNIMOS: correr, discurrir.

Para saber cómo se usa una palabra

san [adjetivo] Santo: *San Cristóbal es el patrón de los conductores.* □ [Va siempre delante de un nombre propio de hombre, menos con *Domingo, Tomás* y *Tomé: San Carlos, Santo Tomás*].

Para aprender curiosidades de una palabra

boutique [sustantivo] [femenino] Tienda especializada en la venta de un tipo de productos: *En esta boutique de ropa se venden vestidos de fiesta.* □ [Es una palabra francesa. Se pronuncia «butík». Su plural es *boutiques*].

Para saber cómo son las cosas

flexo [sustantivo] [masculino] Lámpara para poner encima de una mesa y que sólo ilumine una parte de ella: *En cada mesa de la biblioteca hay un flexo.* □ FAMILIA: → flexión.

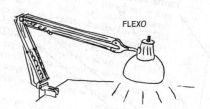

FLEXO

Para aprender a elegir

bocazas [sustantivo] Persona que habla demasiado o que sólo dice cosas tontas: *No seas bocazas y no vayas contando el secreto por ahí.* □ [No varía en masculino y en femenino, ni en singular y plural. Es despectivo y se usa como insulto]. FAMILIA: → boca.

¿Cómo se usa Elemental?

Las palabras están colocadas por orden alfabético

En la parte superior hay dos palabras: son la primera y la última de cada página.

En todas las páginas aparece el abecedario para ayudarte a saber en qué letra estás si tienes que seguir buscando hacia adelante o hacia atrás.

La letra más negra nos dice que estamos en la 'F'.

Hay palabras que se escriben igual y significan cosas distintas

Estas palabras no se repiten; se definen todas en el mismo sitio y se diferencian con números.

---

fisonomía

a
b
c
d
e
f
g
h
i
j
k
l
m
n
ñ
o
p
q
r
s
t
u
v

cidos: *La física nuclear estudia la composición del átomo.*

fisonomía [sustantivo] [femenino] **1** Aspecto exterior de una persona: *No recuerdo bien su fisonomía, pero resultaba una persona muy atractiva.* **2** Aspecto externo de algo: *En los últimos años ha cambiado mucho la fisonomía de mi ciudad.*

flaco, ca [adjetivo] Con pocas carnes: *Debes comer más, que estás muy flaco.* □ SINÓNIMOS: delgado. CONTRARIOS: gordo, obeso.

flamante [adjetivo] Nuevo y con muy buen aspecto: *Llegó en un flamante coche deportivo.* □ [No varía en masculino y en femenino].

flamenco, ca 1 [adjetivo] Que falta al respeto a los demás: *No te pongas flamenca conmigo, porque me chivo a mamá.* **2** [adjetivo o sustantivo masculino] Forma de cantar y de bailar característica de Andalucía: *Me gusta mucho bailar flamenco.* ⚡ página 117. **3** [sustantivo masculino] Ave con las patas y el cuello muy largos, y con las plumas en tonos rosas: *El flamenco es parecido a una cigüeña.* ⚡ página 20. □ [El significado **1** se usa mucho en la expresión *ponerse flamenco*].

flan 1 [sustantivo masculino] Dulce que se hace en un molde con huevos, leche y azúcar: *El flan me gusta más que las natillas.* **2** [expresión] **estar hecho un flan** Estar muy nervioso: *El primer día de clase siempre voy al colegio hecho un flan.* □ [El significado **2** es coloquial].

flas o **[flash** [sustantivo masculino] Luz que se enciende en una cámara de fotos cuando se hacen fotografías en sitios con poca luz: *Si haces fotos de noche tienes que usar el flas.* □ [Flash es una palabra inglesa. Su plural es flases]. ⚡ página 348.

flauta [sustantivo] [femenino] Instrumento musical que consiste en un tubo con agujeros y que se toca soplando: *La flauta es un instrumento de viento.* □ FAMILIA: flautista. ⚡ página 606.

flautista [sustantivo] Músico que toca la flauta: *Una niña de mi clase es flautista en la or-*

Para salir de aq flechas. □ SINÓN chazo.

flechazo [sustant] [mascu] flecha: *El sold* hombro. **2** Am otra de repen porque, en cu mos el uno o

fleco [sustantivo] [masculino] de hilos que da termina □ [Se usa n

flemón [porque se una mue

flequ te: por **flex** si xi si r

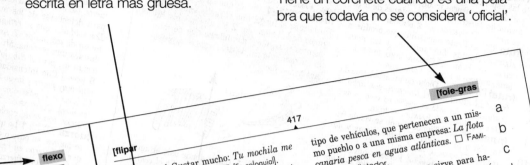

La palabra que buscamos está escrita en letra más gruesa.

Tiene un corchete cuando es una palabra que todavía no se considera 'oficial'.

FLEMÓN

FLEXO

---

flexo

la dirección de las saeta. FAMILIA: fle-

erida hecha con una bió un flechazo en el na persona siente por uestro fue un flechazo s vimos, nos enamora- □ FAMILIA: → flecha.

o formado por una serie n de una tela: Mi bufan- os por los dos extremos. ural]. FAMILIA: flequillo.

ulto que sale en la cara chado la encía: Me duele ha salido un flemón.

[sustantivo] Pelo que cae sobre la fren- [masculino] Pelo que cae sobre la fren- ue cortarme un poco el flequillo, tapa los ojos. □ FAMILIA: → fleco.

[adjetivo] **1** Que se dobla fácilmente rse: El plástico es una materia fle- Que puede cambiar según sean la o los deseos de los demás: Es una flexible y comprende nuestro punto aunque sea distinto del suyo. □ [No masculino y en femenino]. CONTRARIOS: le, rígido. FAMILIA: → flexión.

n [femenino] Movimiento que consiste en r una parte del cuerpo: En el gimnasio nos muchas flexiones. □ FAMILIA: flexi- inflexible, flexo.

o [sustantivo] [masculino] Lámpara para poner encima una mesa y que sólo ilumine una parte ella: En cada mesa de la biblioteca hay flexo. □ FAMILIA: → flexión.

[**flipar**

[**flipar** [verbo] Gustar mucho: Tu mochila me flipa un montón, colega. □ [Es coloquial].

flojo, ja [adjetivo] **1** Poco apretado o poco ti- rante: No te ates tan flojos los cordones de los zapatos. **2** Sin fuerza o sin energía: Des- pués de la gripe me quedé muy flojo. **3** Con poco interés: Tienes que estudiar más, por- que vas muy flojo en lengua. □ SINÓNIMOS: débil. CONTRARIOS: **1** fuerte. **2** potente, enér- gico, poderoso. FAMILIA: aflojar.

flor [sustantivo] [femenino] **1** Parte de la planta donde se encuentran los órganos para la reproduc- ción: El clavel es la flor que más me gusta. páginas 346-347. **2** Alabanza o piropo: A todos nos gusta que nos echen flores. **3** Lo mejor de algo: A tu edad estás en la flor de la vida. **4** [expresión] **a flor de piel** En la su- perficie: Hoy tengo los nervios a flor de piel. **ni flores** Ni idea: Yo de francés, ni flores, porque nunca lo he estudiado. □ [El signifi- cado **2** se usa más en plural. La expresión ni flores es coloquial]. FAMILIA: flora, florecer, florero, florido, floripondio, florista, floristería.

flora [sustantivo] [femenino] Conjunto de las plantas carac- terísticas de una zona: El cacto es típico de la flora del desierto. □ FAMILIA: → flor.

florecer [verbo] **1** Echar flores una planta: En primavera las plantas florecen. **2** Desa- rrollarse o nacer algo: En esta zona florecie- ron hace años los negocios textiles. □ [Es irre- gular y se conjuga como PARECER]. FAMILIA: → flor.

florero [sustantivo] [masculino] Recipiente más alto que an- cho que se usa para poner flores: Puse en un florero el ramo que me regalaron. □ SI- NÓNIMOS: jarrón. FAMILIA: → flor.

florido, da [adjetivo] Con muchas flores: En primavera, los campos están floridos. □ FA- MILIA: → flor.

floripondio [sustantivo] [masculino] Adorno exagerado: No me gustan los vestidos llenos de lazos y flo- ripondios. □ [Es despectivo]. FAMILIA: → flor.

florista [sustantivo] Persona que trabaja ven- diendo plantas y flores: La florista me dijo que enviarían el ramo a la hora que yo di- jese. □ [No varía en masculino y en femenino]. FA- MILIA: → flor.

floristería [sustantivo] [femenino] Tienda donde se venden plantas y flores: En esa floristería preparan unos ramos preciosos. □ FAMILIA: → flor.

[sustantivo] Conjunto de barcos, o de otro

---

tipo de vehículos, que pertenecen a un mis- mo pueblo o a una misma empresa: La flota canaria pesca en aguas atlánticas. □ FAMI- LIA: flotar, flotador.

flotador [sustantivo] [masculino] Objeto que sirve para ha- cer que algo flote en el agua: Todavía no sé nadar y por eso me baño con flotador. □ FAMILIA: → flota.

flotar [verbo] **1** Estar algo en un líquido sin hundirse: La madera flota en el agua. **2** Es- tar algo en el aire sin tocar el suelo: El humo del cigarro flotaba por la habitación. **3** Notarse algo en el ambiente: La alegría flota en clase el día de las vacaciones. □ FAMILIA: → flota.

fluir [verbo] **1** Correr un líquido o un gas: El agua del manantial fluye entre las rocas. **2** Salir las palabras o las ideas con mucha fa- cilidad: Estoy tan nervioso que no me fluyen las palabras. □ [Lo i se cambia en y delante de a, e, o, como en HUIR].

flúor [sustantivo] [masculino] Gas de color amarillento que se emplea para muchas cosas distintas: El flúor es muy bueno para combatir la caries. □ FAMILIA: fluorescente.

fluorescente [sustantivo] [masculino] Tubo de cristal que emite luz y que funciona porque tiene un gas en su interior: En la cocina de mi casa hay dos fluorescentes. □ FAMILIA: → flúor.

fluvial [adjetivo] De los ríos o relacionado con ellos: Este río es tan ancho y tan profundo que permite la navegación fluvial. □ [No va- ría en masculino y en femenino].

foca [sustantivo] [femenino] Animal que vive en zonas muy frías y que tiene una gruesa capa de grasa bajo la piel: Las focas son mamíferos.

foco [sustantivo] [masculino] **1** Lámpara eléctrica que da mucha luz: Los focos iluminaron el escena- rio. página 158. **2** Punto de donde sale algo que se extiende en distintas direccio- nes: Esta hoguera es un foco de calor. □ FA- MILIA: enfocar.

fofo, fa [adjetivo] Blando y sin una forma de- finida: Si no haces deporte, los músculos te pondrán fofos.

fogata [sustantivo] [femenino] Fuego que se hace al aire li- bre: Recogimos leña para encender una fo- gata. □ SINÓNIMOS: hoguera. FAMILIA: → fuego.

[**foie-gras** [sustantivo] [masculino] Alimento en form

---

a
b
c
d
e
f
g
h
i
j
k
l
m
n
ñ
o
p

[**foie-gras**

frotar [verbo] Pasar muchas veces una cosa sobre otra con fuerza: Al fregar los cacharros, los frotamos con el estropajo.

fructífero, ra [adjetivo] Que resulta útil o bueno para algo: Mis esfuerzos han sido fructíferos y he conseguido lo que quería. □ SINÓNIMOS: provechoso, beneficioso. FAMILIA: → fruta.

frustrar [verbo] 1 Quitar a alguien la alegría o las esperanzas: No dejes que nada te frustre. 2 Hacer fracasar un intento: La tormenta ha frustrado nuestros planes de ir de excursión. □ SINÓNIMOS: 2 abortar.

fruta [sustantivo femenino] Fruto comestible que producen algunas plantas: Las naranjas y las manzanas son frutas. □ FAMILIA: fruto, frutal, frutería, frutero, fructífero, lavafrutas.

frutal [adjetivo o sustantivo masculino] Dicho de un árbol, que da fruta: El naranjo y el limonero son árboles frutales. □ [Cuando es adjetivo no varía en masculino y en femenino]. FAMILIA: → fruta.

frutería [sustantivo femenino] Tienda donde se vende fruta: Fui a la frutería y compré fresas y naranjas. □ FAMILIA: → fruta.

frutero, ra 1 [sustantivo] Persona que vende fruta: Mi frutera me ha dicho que hoy las peras eran exquisitas. 2 [sustantivo masculino] Recipiente para colocar y servir la fruta: ¿Me das un plátano del frutero, por favor? □ FAMILIA: → fruta.

fruto [sustantivo masculino] 1 Parte de la planta que tiene dentro las semillas: Las nueces y las avellanas son frutos secos. 2 Producto de las plantas y de la tierra: Durante la cosecha se recoge el fruto de los campos. 3 Lo que es resultado de algo: Este despiste ha sido fruto del cansancio. 4 Ganancia o beneficio que se obtiene de algo: Hay que aprender a sacar fruto de los propios errores. □ SINÓNIMOS: 3 producto, consecuencia. 4 provecho. FAMILIA: → fruta.

fucsia [adjetivo o sustantivo masculino] De un color rosa muy vivo: El fucsia es un color muy llamativo. □ [Cuando es adjetivo no varía en masculino y en femenino]. ☙ página 160.

fuego [sustantivo masculino] 1 Calor y luz que se desprenden de una materia que arde: El fuego sirve para alumbrar. 2 Esta materia que arde cuando es tan grande que destruye todo lo que encuentra: Los bomberos apa-

un arma: Los ... defenderse. 4 Parte de una coci... calientan los alimentos: Pon el puré en el fuego para que se vaya calentando. 5 [expresión] **fuegos artificiales** Cohetes y otro tipo de luces que se encienden en el cielo: En las fiestas de mi pueblo todas las noches hay fuegos artificiales. ☙ página 343. **jugar con fuego** Hacer algo peligroso para divertirse: Conducir demasiado rápido es jugar con fuego. □ SINÓNIMOS: 2 incendio. 4 hogar. FAMILIA: fogata.

fuelle [sustantivo masculino] 1 Objeto que sirve para que arda más el fuego: Con el fuelle se aviva el fuego de la chimenea. 2 En algunos instrumentos musicales, mecanismo que permite la entrada y la salida del aire: Los acordeones tienen fuelle.

FUELLE

fuente [sustantivo femenino] 1 Lugar donde sale el agua que va por debajo de la tierra: En el centro de la plaza hay una fuente. ☙ páginas 17, 497. 2 Especie de plato grande donde se sirven los alimentos: Que cada uno se sirva de la fuente las croquetas que quiera. 3 Lo que da inicio a algo: El agua es una fuente de energía.

fuera [adverbio] 1 En el exterior: Te han llamado por teléfono cuando estabas fuera. No dejes las cosas fuera de su sitio. 2 Hacia el exterior: El profesor me echó fuera de clase por estar hablando. 3 Que no está dentro de unos límites o dentro de cierta actividad: Las solicitudes que se entreguen fuera de plazo no serán atendidas. Los mayores siempre nos dejan fuera de sus juegos. 4 [interjección] Se usa para indicar rechazo o para mandar a alguien que se marche: El público, enfadado, gritaba: «¡Fuera, fuera!». 5 [expresión] **fuera de** Excepto: Fuera de algunos errores, el trabajo está bien hecho. **fuera de sí** Muy nervioso o sin control sobre uno mis-

afuera, ...

fuerte [adjetivo] 1 Qué tie... resiste mucho: Hago mucho depor... muy fuerte. El hierro es un ma... fuerte que la madera. 2 Que no s... cilmente: Tienes que ser fuerte y ... tra las dificultades. 3 Con efec... tensos o muy vivos: Tengo un ... de cabeza. 4 Que tiene mucha ... En el casino perdió una fuerte ... dinero. 5 Muy bien sujeto o ... No puedo desatar el nudo po... fuerte. [sustantivo masculino] 6 Lugar rodea... para defenderse de los ata... Los soldados que se refugia... huían de los indios. 7 Act... destaca una persona: Mi f... temáticas, pero el dibujo ... 8 [adverbio] Con intensidad ... cené muy fuerte y luego n... □ [Cuando es adjetivo no va... femenino]. CONTRARIOS: 1 ... talecer, fortaleza, confo...

fuerza [sustantivo femenino] 1 Lo qu... se mueva, se pare o ca... que un cuerpo en repo... aplicarle una fuerza. ... que hacen que algo ... tiene mucha fuerza ... llón. 3 Capacidad ... nado resultado: Co... voluntad conseguir ... Intensidad con qu... fuerza de su amo... [plural] Conjunto de ... han cesado los c... migas. 6 [expresión] ... dolo usado much... de trabajo. **a la** ... luntad: No me ... fuerza. **fuerza** ... ca debemos se... los demás. **f**... puede evitar ... obligaron a ... **blica** o **fue**...

Detrás de la palabra que buscamos va siempre la CATEGORÍA GRAMATICAL (entre corchetes y en letra más pequeña).

Puede variar dentro de una misma palabra.

Después de la categoría gramatical va la DEFINICIÓN, siempre muy clara y fácil de entender.

Todas las definiciones llevan EJEMPLO.

sos se produjo por una abertura...
gas o de un líquido por una abertura...
una fuga de gas es peligroso encender una
cerilla. □ SINÓNIMOS: **1** huida, evasión. **2**
escape. FAMILIA: fugarse, fugaz, fugacidad,
fugitivo.

fugacidad [sustantivo femenino] Carácter de lo que dura
muy poco o de lo que pasa y desaparece
muy pronto: *Perdona la fugacidad de mi visita, pero es que tengo muchísima prisa.* □
FAMILIA: → fuga.

fugarse [verbo] Escaparse o irse de un lugar
en el que se está encerrado: *¡Alerta, el prisionero se ha fugado!* □ [La g se cambia en gu
delante de e, como en PAGAR]. SINÓNIMOS: huir,
evadirse. FAMILIA: → fuga.

fugaz [adjetivo] **1** Que pasa y desaparece muy
rápido: *Las noches claras de verano se ven
pasar por el cielo estrellas fugaces.* **2** Que
dura muy poco: *Las personas mayores dicen
que la juventud es fugaz.* □ [No varía en masculino y en femenino. Su plural es fugaces]. CON-
TRARIOS: duradero, permanente. FAMILIA: →
fuga.

fugitivo, va [adjetivo/sustantivo] Que huye: *Los fugitivos se dirigen hacia la frontera.* □ FAMILIA:
→ fuga.

fulano, na [sustantivo] Palabra que se usa para
nombrar a una persona cualquiera: *No me
importa nada saber si vino Fulano o Mengano, así que, por favor, no me lo cuentes
más veces.* □ [Se suele escribir con mayúscula].
SINÓNIMOS: mengano, zutano.

fular [sustantivo masculino] Pañuelo largo para el cuello,
de tela muy fina: *El fular es como una bu-
fanda muy fina.* □ [Es una palabra de origen
francés].

fulgor [sustantivo masculino] Brillo muy intenso: *El fulgor
de los fuegos artificiales iluminaba la os-
curidad de la noche.*

fulminante [adjetivo] Muy rápido y de efectos
inmediatos: *Murió de un fulminante ataque*

Después de la definición va la INFORMACIÓN GRAMATICAL (entre corchetes y en una letra más pequeña), que nos explica cómo se usa esa palabra, cómo se escribe, cómo se pronuncia, en qué situaciones debemos usarla, etc.

Después de la información gramatical van los SINÓNIMOS y los CONTRARIOS de esa palabra, cuando los tiene.

Y por último, las FAMILIAS DE PALABRAS, diferenciando entre las 'palabras madres' y las 'palabras hijas'.

Desde las 'palabras hijas' se manda con una flecha a la 'palabra madre'.

En la 'palabra madre' viene la lista de todas las 'palabras hijas'.

IMPORTANTE: Si la palabra que buscas no está en ELEMENTAL, debes acudir a INTERMEDIO, que es un diccionario de un nivel más avanzado.

¿Qué signos hay en Elemental?

[Corchete inicial

[ferry [sustantivo] [masculino] Barco que transporta mercancías, pasajeros y vehículos: *Para llegar a Inglaterra, fuimos en coche hasta Santander y allí cogimos un ferry.* □ [Es una palabra inglesa. Se pronuncia «férri»].

Significa que esa palabra, aunque se usa, no está registrada en el Diccionario de la Real Academia Española, que es el diccionario "oficial" de español.

[Letra pequeña entre corchetes]

florecer [verbo] **1** Echar flores una planta: *En primavera las plantas florecen.* **2** Desarrollarse o nacer algo: *En esta zona florecieron hace años los negocios textiles.* □ [Es irregular y se conjuga como PARECER]. FAMILIA: → flor.

Es la información gramatical.
El verbo en mayúsculas es el verbo donde está el cuadro modelo de conjugación.

□ Cuadrado blanco

fluorescente [sustantivo] [masculino] Tubo de cristal que emite luz y que funciona porque tiene un gas en su interior: *En la cocina de mi casa hay dos fluorescentes.* □ [No varía en masculino y en femenino]. FAMILIA: → flúor.

Separa las definiciones y los ejemplos del resto de la información (gramática, sinónimos, contrarios y familias de palabras).

➡ La flecha

franqueza [sustantivo] [femenino] Sinceridad y claridad al hablar: *Me dijo con total franqueza que le había molestado lo que yo había dicho de él.* □ FAMILIA: → franco.

Envía de una 'palabra hija' a la 'palabra madre'.

El "ojo con patas"

fresno [sustantivo] [masculino] Árbol de hojas anchas y verdes que crece en zonas húmedas: *La madera de fresno es muy apreciada porque es muy flexible.* 👁 página 18.

Envía a la página en que esta palabra está ilustrada con una fotografía o con un dibujo en color.

Índice de ilustraciones en color

Nos dice en qué página está ilustrada una palabra con una foto o con un dibujo en color.

agua

embalse

lago

presa

manantial

gota

arroyo

fuente

catarata

laguna

río

pozo

puente

canal

chorro

mar

ola

lluvia | granizo | nieve | rocío | escarcha | hielo

pino piñonero

abeto

ciprés

alcornoque

encina

cedro

chopo

chopo (álamo negro)

fresno

haya

roble

castaño de Indias

almendro

cerezo

naranjo

manzano

palmera

cocotero

platanero o platanera

a
b
c
d
e
f
g
h
i
j
k
l
m
n
ñ
o
p
q
r
s
t
u
v
w
x
y
z

□ [Es irregular y se conjuga como PARECER]. SINÓNIMOS: suministrar, facilitar, proporcionar, proveer, surtir. CONTRARIOS: privar, quitar, despojar. FAMILIA: abasto.

abasto [expresión] **dar abasto** Bastar o ser suficiente: *Una sola persona no da abasto para atender a tanta gente. ¿Cómo puedes dar abasto tú solo con tanta cosa?* □ FAMILIA: → abastecer.

abatir [verbo] **1** Tirar o hacer caer al suelo: *El cazador abatió un jabalí de un solo disparo.* **2** Poner inclinado algo que estaba vertical: *Los asientos de los aviones se abaten hacia atrás apretando un botón.* **3** Hacer perder el ánimo o las fuerzas: *No te dejes abatir por las dificultades.* □ SINÓNIMOS: **1** derribar, tumbar. **3** desanimar. CONTRARIOS: **1** levantar, alzar. **2** enderezar. **3** animar.

abdicar [verbo] Ceder un cargo a otra persona: *Como el rey estaba enfermo, abdicó en su hijo.* □ [La c se cambia en qu delante de e, como en SACAR].

abdomen [sustantivo/masculino] Parte del cuerpo donde están el estómago y otros órganos: *Las mujeres embarazadas tienen el abdomen muy abultado.* □ SINÓNIMOS: tripa, barriga, vientre. FAMILIA: abdominal.

abdominal [adjetivo] Del abdomen o relacionado con esta parte del cuerpo: *Las flexiones abdominales fortalecen los músculos del vientre.* □ [No varía en masculino y en femenino]. FAMILIA: → abdomen.

abecedario [sustantivo/masculino] Conjunto de las letras de un idioma puestas en orden: *El abecedario español empieza por la «a» y termina por la «z».* □ SINÓNIMOS: alfabeto.

abedul [sustantivo/masculino] Árbol de tronco liso y color parecido a la plata, con hojas pequeñas y terminadas en punta: *La madera del abedul se usa en carpintería.*

abeja [sustantivo/femenino] Insecto que tiene un aguijón, vive en grupos y produce cera: *Las abejas viven en colmenas, y fabrican cera y miel.* □ FAMILIA: abejorro, apicultura.

abejorro [sustantivo/masculino] Insecto más grande que la abeja, que al volar hace un ruido continuo que molesta: *Me está poniendo nerviosa el zumbido de ese abejorro.* □ FAMILIA: → abeja.

abertura [sustantivo/femenino] **1** Espacio libre que hay en una superficie, sin llegar a dividirla: *Los ojales son aberturas que se hacen en la tela.* **2** Proceso por el que se separan las partes de algo, de modo que se vea su interior: *La abertura de la herida se me produjo al hacer un esfuerzo.* □ [No confundir con apertura]. CONTRARIOS: **2** cierre. FAMILIA: → abrir.

abeto [sustantivo/masculino] Árbol de gran altura, propio de las montañas y que se suele poner como adorno en Navidad: *En Navidad, mi padre trae un abeto y lo decoramos con cintas brillantes y bolas de colores.* 🔎 página 18.

abierto, ta 1 Participio irregular de **abrir**. [adjetivo] **2** Dicho de un lugar, que no tiene límites que impidan la visión: *Te sentará bien salir de la ciudad y llegar a campo abierto. En mar abierto las olas son muy grandes.* **3** Que se ve de manera clara y no ofrece dudas: *Al principio no discutían, pero ahora mantienen un enfrentamiento abierto.* **4** Dispuesto a aceptar otras ideas o a relacionarse con los demás: *Se puede hablar con él de todo, porque es una persona muy abierta.* □ CONTRARIOS: cerrado. FAMILIA: → abrir.

abismal [adjetivo] Muy profundo o muy grande: *No nos entendemos porque entre sus ideas y las mías hay diferencias abismales.* □ [No varía en masculino y en femenino]. FAMILIA: → abismo.

abismo [sustantivo/masculino] **1** Lugar muy profundo y con mucho peligro: *Al borde de la carretera había un abismo y daba miedo mirar.* **2** Diferencia muy grande: *Entre esas mansiones que salen en las películas y las casas de la gente normal hay un abismo.* **3** [expresión] **al borde del abismo** En un gran peligro: *La crisis ha puesto a muchas empresas al borde del abismo.* □ SINÓNIMOS: vacío. FAMILIA: abismal.

ablandar [verbo] **1** Poner blando: *Las patatas se ablandan al cocerlas.* **2** Hacer que una persona se comporte de manera menos dura: *Sus lágrimas me ablandaron y al final lo perdoné.* □ SINÓNIMOS: **2** enternecer. CONTRARIOS: endurecer. FAMILIA: → blando.

abnegación [sustantivo/femenino] Carácter generoso de quien se ocupa de otras personas sin preocuparse de los intereses propios: *Es admi-*

rable la abnegación con la que los misioneros ayudan a los más necesitados.

abochornar [verbo] Hacer sentir vergüenza: *Empezó a contar mis fallos delante de todos para abochornarme.* □ SINÓNIMOS: avergonzar. FAMILIA: → bochorno.

abofetear [verbo] Pegar a alguien en la cara con la mano abierta: *Mis padres me regañan cuando hago algo mal, pero nunca me han abofeteado.* □ FAMILIA: → bofetada.

abogado, da [sustantivo] Persona que trabaja aconsejando a otras en asuntos legales y defendiéndolas en los juicios: *El abogado defendió ante el juez la inocencia del acusado.*

abolición [sustantivo femenino] Hecho de hacer desaparecer una ley o una costumbre: *Desde la abolición de la pena de muerte, la máxima condena en este país es la cadena perpetua.* □ FAMILIA: → abolir.

abolir [verbo] Hacer desaparecer una ley o una costumbre: *Desde que se abolió la esclavitud, nadie puede considerarse dueño de otra persona.* □ [Es irregular]. FAMILIA: abolición.

abolir	conjugación
INDICATIVO	**SUBJUNTIVO**
presente	presente
-	-
-	-
abolimos	-
abolís	-
	-
pretérito imperfecto	**pretérito imperfecto**
abolía	aboliera, -ese
abolías	abolieras, -eses
abolía	aboliera, -ese
abolíamos	aboliéramos, -ésemos
abolíais	abolierais, -eseis
abolían	abolieran, -esen
pretérito indefinido	**futuro**
abolí	aboliere
aboliste	abolieres
abolió	aboliere
abolimos	aboliéremos
abolisteis	aboliereis
abolieron	abolieren
futuro	**IMPERATIVO**
aboliré	presente
abolirás	-
abolirá	-
aboliremos	-
aboliréis	abolid (vosotros)
abolirán	
condicional	**FORMAS NO PERSONALES**
aboliría	**infinitivo** **gerundio**
abolirías	abolir aboliendo
aboliría	**participio**
aboliríamos	abolido
aboliríais	
abolirían	

abolladura [sustantivo femenino] Parte que queda hundida en una superficie al apretarla o golpearla: *Tengo la bici llena de abolladuras de los golpes que me he dado.* □ FAMILIA: → bollo.

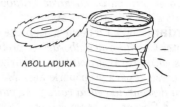

ABOLLADURA

abollar [verbo] Hundir una superficie al apretarla o golpearla: *El coche chocó contra un árbol y se abolló por delante.* □ CONTRARIOS: abombar. FAMILIA: → bollo.

abombar [verbo] Hacer que una superficie tenga forma curva hacia afuera: *Las puertas de madera se abomban con la humedad.* □ CONTRARIOS: abollar. FAMILIA: → bombo.

abominable [adjetivo] Que produce mucho miedo o un gran rechazo: *¿No te da miedo la historia de «El Abominable Hombre de las Nieves»? Ha sido detenido el autor de ese abominable crimen.* □ [No varía en masculino y en femenino].

abonar [verbo] **1** Dar dinero a cambio de algo: *Puedes abonar la compra con tarjeta o en efectivo.* **2** Echar sustancias a la tierra para que dé más frutos: *Mi madre abona sus plantas para que tengan muchas flores.* **3 abonarse** Comprar una entrada para ir varias veces a un espectáculo o para usar un servicio un número determinado de veces: *Me he abonado a una revista juvenil para que me la traigan todos los meses.* □ SINÓNIMOS: **1** pagar, satisfacer. CONTRARIOS: **1** deber, adeudar, cobrar. FAMILIA: abono.

abono [sustantivo masculino] **1** Sustancia que se echa en la tierra para que dé más frutos: *El estiércol es un abono natural.* **2** Hecho de dar dinero a cambio de algo: *Puede usted hacer el abono de su deuda por banco.* **3** Entrada que permite ir varias veces a un espectáculo o usar un servicio un número determinado de veces: *Con el abono mensual del metro, puedes viajar en metro todas las veces que quieras durante un mes.* □ [No confundir con bono].

a
b
c
d
e
f
g
h
i
j
k
l
m
n
ñ
o
p
q
r
s
t
u
v
w
x
y
z

a
b
c
d
e
f
g
h
i
j
k
l
m
n
ñ
o
p
q
r
s
t
u
v
w
x
y
z

SINÓNIMOS: **1** fertilizante. **2** pago. FAMILIA: → abonar.

abordaje [sustantivo masculino] Colocación de un barco muy cerca de otro, generalmente para atacarlo: *El capitán pirata lanzó un cañonazo contra el otro barco mientras gritaba: «¡Al abordaje!».* □ FAMILIA: → abordar.

abordar [verbo] **1** Empezar a ocuparse de un asunto: *Cuanto antes abordes el problema, antes encontrarás la solución.* **2** Dirigirse a una persona para proponerle algo: *Me abordó un desconocido en la calle y me pidió dinero.* **3** Chocar un barco con otro, por accidente o con intención de atacarlo: *Con tanta niebla, el buque no pudo ver el pesquero y lo abordó.* □ FAMILIA: abordaje.

aborrecer [verbo] Sentir un gran rechazo hacia algo que no nos gusta nada: *Aborrezco el sabor de los filetes de hígado. No te he hecho nada para que me aborrezcas.* □ [Es irregular y se conjuga como PARECER]. SINÓNIMOS: detestar, odiar. CONTRARIOS: apreciar, amar, adorar.

abortar [verbo] **1** Salir un hijo del vientre de su madre antes de poder vivir por sí solo: *Abortó al segundo mes de embarazo a causa de un accidente.* **2** Hacer fracasar un intento: *La policía consiguió detener a los terroristas y abortó el atentado.* □ SINÓNIMOS: **2** frustrar. FAMILIA: aborto.

aborto [sustantivo masculino] **1** Salida de un hijo del vientre de su madre antes de poder vivir por sí solo: *En su primer embarazo tuvo un aborto a causa de una caída.* **2** Lo que es muy feo o está muy mal hecho: *¡Menudo aborto de escultura has hecho!* □ [El significado **2** es coloquial]. FAMILIA: → abortar.

abotonar [verbo] Abrochar una prenda de vestir con los botones: *Abotónate la camisa hasta arriba, que hace mucho frío.* □ FAMILIA: → botón.

abrasador, -a [adjetivo] Que da tanto calor que quema: *En verano, en las playas del sur hace un sol abrasador.* □ SINÓNIMOS: ardiente. CONTRARIOS: helado, glacial. FAMILIA: → brasa.

abrasar [verbo] **1** Quemar hasta reducir a cenizas: *Un incendio abrasó los árboles del bosque.* **2** Producir tanto calor que hace daño: *En el desierto, el sol abrasa.* **3** Sentir dolor al tocar algo muy caliente o al estar muy cerca de ello: *Deja que me aparte de la hoguera, porque me abraso.* **4** Producir un efecto muy grande y negativo: *La envidia te abrasa y no te deja vivir.* □ SINÓNIMOS: **1,2** achicharrar. **2,3** quemar. **3** cocerse. **4** consumir. FAMILIA: → brasa.

abrazar [verbo] **1** Rodear con los brazos: *En cuanto me vio, me abrazó con cariño.* **2** Seguir una religión o una idea: *Los misioneros consiguen que mucha gente abrace su religión.* □ [La z se cambia en c delante de e, como en CAZAR]. SINÓNIMOS: **1** abarcar. CONTRARIOS: **2** renegar. FAMILIA: → brazo.

abrazo [sustantivo masculino] Gesto de rodear con los brazos: *Me dio un abrazo de despedida.* □ FAMILIA: → brazo.

abrebotellas [sustantivo masculino] Objeto que sirve para abrir botellas: *Dame un abrebotellas para abrir el refresco.* □ [No varía en singular y en plural]. SINÓNIMOS: abridor. FAMILIA: → botella.

abrecartas [sustantivo masculino] Objeto parecido a un cuchillo y que sirve para abrir los sobres de las cartas: *Sobre su escritorio tiene un abrecartas.* □ [No varía en singular y en plural]. FAMILIA: → carta.

abrelatas [sustantivo masculino] Objeto que sirve para abrir latas: *Se nos olvidó llevar un abrelatas y no pudimos abrir ni una sola conserva.* □ [No varía en singular y en plural]. SINÓNIMOS: abridor. FAMILIA: → lata.

abrevadero [sustantivo masculino] Lugar en el que bebe el ganado: *Al lado de la fuente hay un abrevadero para los caballos.*

abreviar [verbo] **1** Hacer más corto: *Abrevié un poco el texto para que me cupiese en una sola hoja.* **2** Darse prisa: *¡Abrevia, que se nos hace tarde!* □ SINÓNIMOS: **1** acortar, reducir, resumir, limitar. **2** apresurarse, aligerar, acelerar. CONTRARIOS: **1** alargar, ampliar, prolongar. FAMILIA: → breve.

abreviatura [sustantivo femenino] Letra o grupo de letras que se escriben en lugar de una palabra entera: *La abreviatura de la palabra «señora» es «sra.».* □ FAMILIA: → breve.

abridor [sustantivo masculino] Objeto que sirve para abrir latas o botellas: *Coge un abridor y abre una lata de bonito.* □ SINÓNIMOS: abrelatas, abrebotellas. FAMILIA: → abrir.

abrigar [verbo] **1** Proteger del frío: *La ropa de lana abriga mucho.* **2** Defender y dar apoyo frente a un daño o a un peligro: *Todos me abrigaron con su cariño cuando me ocurrió la desgracia.* **3** Tener una idea o un deseo: *Sé que es difícil, pero abrigo la esperanza de conseguir el premio.* □ [La g se cambia en gu delante de e, como en PAGAR]. SINÓNIMOS: **2** proteger, amparar, arropar. **3** albergar. FAMILIA: → abrigo.

abrigo [sustantivo] [masculino] **1** Prenda de vestir larga, que se pone sobre las demás para protegerse del frío: *Si llueve, prefiero ponerme la gabardina en vez del abrigo.* **2** Defensa contra el frío: *Esa manta es de más abrigo que la colcha.* **3** Lugar que está protegido de los vientos: *Los montañeros buscaron un abrigo en la montaña y esperaron a que pasara la tormenta.* **4** Defensa de algo frente a un daño o a un peligro: *Quedó huérfano, pero creció al abrigo de una buena familia que lo recogió.* □ SINÓNIMOS: **4** amparo. FAMILIA: abrigar.

abril [sustantivo] [masculino] **1** Mes número cuatro del año: *Abril está entre marzo y mayo.* **2** Año de edad de una persona joven: *Ya has cumplido trece abriles y tienes edad para saber lo que haces.* □ [El significado **2** se usa más en plural].

abrillantador [sustantivo] [masculino] Producto que se usa para dar brillo: *Si pones abrillantador en el agua de fregar, el suelo te quedará más brillante.* □ FAMILIA: → brillo.

abrillantar [verbo] Hacer brillar: *Han dado cera a los muebles para abrillantarlos.* □ FAMILIA: → brillo.

abrir [verbo] **1** Separar la parte de la puerta o de la ventana que cubre el hueco en la pared: *Cuando estés solo en casa, no abras la puerta a nadie. Abre la ventana para que entre aire.* **2** Colocar un cierre de forma que deje de asegurar algo: *Este cerrojo se abre girando esa rueda hacia la izquierda.* **3** Separar o romper lo que cubre algo, para que se vea el interior: *Abre esa caja, a ver qué hay dentro. Toma un abrecartas para abrir el sobre.* **4** Tirar de un cajón hacia afuera, sin sacarlo del todo: *Abrió el cajón de su mesilla y sacó un pañuelo.* **5** Separar parte de las hojas de un libro o de algo parecido,

para que puedan verse las páginas interiores: *Abre la revista por donde viene la programación de la tele.* **6** Separar los bordes de algo: *Abre la boca y cierra los ojos. No hagas esfuerzos o se te abrirá la herida.* **7** Extender o separar las partes de algo: *Si no abres el abanico, no da aire. Muchas flores se abren en primavera.* **8** Separar dejando espacios: *Abríos un poco, que vais a salir demasiado juntos en la foto. El delantero se desmarcó abriéndose por la banda derecha.* **9** Hacer un agujero o algo parecido: *Van a abrir un túnel en esa montaña.* **10** Rajar o dividir algo que no tenía aberturas: *Si abres el melón, me comeré una raja.* **11** Ocupar el primer lugar en una lista o en un conjunto: *Los representantes de los sindicatos abrían la manifestación.* **12** Escribir un signo delante de la frase que se quiere destacar: *Si abres un signo de admiración, no olvides cerrarlo al final de la frase.* **13** Hacer lo necesario para dejar libre el paso: *Si no abres el grifo, no puede salir el agua.* **14** Hacer que algo empiece: *Han abierto una tienda de deportes junto a mi casa. Habrá una ceremonia en la que el director abrirá el curso.* **15** Producir ganas de comer: *A estas horas, siempre se me abre el apetito.* **16** Presentar una posibilidad nueva: *Una buena preparación abre muchas oportunidades de trabajo.* **17** Mejorar el tiempo y quedar el cielo sin nubes ni niebla: *Si no abre el cielo, dejaremos la excursión para otro día.* **abrirse 18** Tomar una curva poniéndose cerca del lado exterior: *El ciclista se abrió demasiado en la curva, y se salió de la carretera.* **19** Mostrarse dispuesto a aceptar algo o a relacionarse con los demás: *Tengo pocos amigos porque me cuesta mucho abrirme a los demás.* **20** Abandonar un lugar: *¡Ábrete, tío, que me tienes harto!* □ [Su participio es abierto. El significado **20** es coloquial]. SINÓNIMOS: **7** desplegar. **14** inaugurar. **17** despejar, aclarar, clarear. **20** marcharse, irse, largarse. CONTRARIOS: cerrar. **14** clausurar. **15** quitar. **17** nublarse, cubrirse, cerrarse. **18,19** cerrarse. **20** llegar, venir. FAMILIA: abertura, apertura, abierto, abridor, entreabrir, entreabierto.

abrochar [verbo] Cerrar con botones o con

a
b
c
d
e
f
g
h
i
j
k
l
m
n
ñ
o
p
q
r
s
t
u
v
w
x
y
z

algo semejante: *Abróchate la cremallera, que la llevas abierta.* □ Contrarios: desabrochar. Familia: → broche.

abrupto, ta [adjetivo] Dicho de un terreno, que tiene mucha pendiente o muchas dificultades para ir por él: *Ese lado de la montaña es muy abrupto y peligroso.* □ Contrarios: liso, llano.

ábside [sustantivo masculino] Espacio en forma de medio círculo que está en la parte de atrás de una iglesia: *No todas las iglesias tienen ábside.*

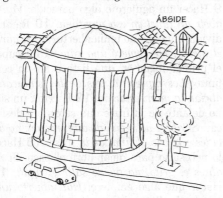

ÁBSIDE

absolución [sustantivo femenino] **1** Hecho de declarar libre de culpa a una persona acusada de un delito: *El abogado pidió la absolución de su defendido.* **2** Hecho de perdonar el sacerdote a una persona por sus faltas: *Cuando me confesé, el sacerdote me dio la absolución.* □ Contrarios: condena. Familia: → absolver.

absoluto, ta [adjetivo] **1** Total o sin límites: *Tengo una confianza absoluta en mis amigos.* **2** Considerado en sí mismo y sin ponerlo en relación con otras cosas: *Aunque en términos absolutos ese coche no es caro, para mí sí lo es, porque no tengo tanto dinero.* **3** [expresión] **en absoluto** De ningún modo: *Me preguntó si me importaba acompañarla y contesté: «En absoluto».* □ Sinónimos: **1** completo. Contrarios: **1** parcial. **2** relativo.

absolver [verbo] **1** Declarar libre de culpa a una persona acusada de un delito: *Lo absolvieron de la acusación de robo porque en el juicio se demostró su inocencia.* **2** Perdonar el sacerdote a una persona por sus faltas: *El sacerdote nos absuelve de nuestros*

pecados en la confesión.* □ [No confundir con absorber. Es irregular y se conjuga como VOLVER. Su participio es *absuelto*]. Contrarios: condenar. Familia: absolución, absuelto.

absorbente [adjetivo] **1** Que absorbe muy bien los líquidos: *Este bebé necesita pañales muy absorbentes, porque hace mucho pis.* **2** Que intenta que se le preste mucha atención: *Es una persona muy absorbente y no me deja en paz un minuto.* □ [No varía en masculino y en femenino]. Familia: → sorbo.

absorber [verbo] **1** Chupar hacia dentro una sustancia: *Las esponjas absorben el agua. Las aspiradoras absorben el polvo.* **2** Hacer que algo pase a formar parte de otra cosa: *Los grandes bancos están absorbiendo a los pequeños porque tienen mucho más dinero.* **3** Atraer mucho la atención de una persona: *Los estudios me absorben tanto que no me queda tiempo para jugar.* □ [No confundir con sorber, ni con *absolver*]. Familia: → sorbo.

absorto, ta [adjetivo] Con tanta atención en lo que hace que no se da cuenta de lo que pasa alrededor: *Estaba absorta leyendo y no te he oído llegar.*

abstemio, mia [adjetivo o sustantivo] Que nunca toma bebidas alcohólicas: *Desde que superó su alcoholismo se ha vuelto abstemio.* □ Familia: → abstenerse.

abstención [sustantivo femenino] Hecho de renunciar por voluntad propia a hacer algo: *En las últimas elecciones hubo mucha abstención y sólo votó el 40% de la población.* □ Familia: → abstenerse.

abstenerse [verbo] **1** Rechazar algo por voluntad propia: *Cuando hay que conducir, hay que abstenerse de beber alcohol.* **2** No participar en algo a lo que se tiene derecho: *Unos votaron a favor, otros en contra y otros se abstuvieron.* □ [Es irregular y se conjuga como TENER]. Sinónimos: **1** privarse, renunciar. Familia: abstención, abstinencia, abstemio.

abstinencia [sustantivo femenino] Hecho de renunciar a satisfacer un deseo: *Muchos católicos no comen carne los viernes de cuaresma porque la iglesia recomienda hacer abstinencia.* □ Familia: → abstenerse.

abstracto, ta [adjetivo] **1** Que significa una idea o una cualidad, y no algo material: *La belleza es algo abstracto, y una estatua es* *algo concreto.* **2** Que no representa de forma exacta las cosas reales: *Vi un cuadro abstracto titulado «Señora con perro», pero no se distinguían ni la señora ni el perro.* □ Contrarios: **1** concreto.

absuelto, ta Participio irregular de **absolver.** □ Familia: → absolver.

absurdo, da 1 [adjetivo] Que no tiene sentido: *Es absurdo pensar que hoy te va a tocar la lotería si no has comprado ningún número.* **2** [sustantivo/masculino] Lo que no tiene sentido: *Lo que nos contó era todo un absurdo sin pies ni cabeza.* □ Sinónimos: **1** disparatado, irracional. **2** disparate. Contrarios: **1** razonable, racional, lógico.

abuchear [verbo] Mostrar con ruidos o gritos que algo no nos gusta: *El público abucheó al árbitro por no pitar el penalti.*

abuelo, la [sustantivo] **1** Lo que es una persona en relación con sus nietos: *De mis dos abuelas, sólo vive la madre de mi madre.* **2** Persona que tiene muchos años: *Ese abuelo que va con un bastón es mi vecino.* **3** [plural] Personas de las que se desciende: *Nuestros abuelos conquistaron estas tierras hace siglos.* **4** [expresión] **no tener abuela** Se usa para criticar al que se alaba mucho a sí mismo: *Ya está ese chico presumiendo, como el pobre no tiene abuela...* □ [Los significados **2** y **4** son coloquiales]. Sinónimos: **2** anciano, viejo. **3** antepasados, antecesores, ascendientes. Contrarios: **2** joven, mozo. **3** descendientes. Familia: bisabuelo, tatarabuelo.

abulense [adjetivo o/sustantivo] De la provincia de Ávila o de su capital: *Santa Teresa de Jesús era abulense.* □ [No varía en masculino y en femenino].

abultado, da [adjetivo] **1** Que está hinchado o tiene mucho bulto: *¿Qué llevas en el bolsillo que está tan abultado?* **2** Muy grande: *Ganamos el partido por una abultada diferencia.* □ Sinónimos: **2** exagerado. Familia: → bulto.

abultar [verbo] **1** Ocupar más espacio del normal: *Esas maletas abultan demasiado y no caben en el maletero.* **2** Aumentar el tamaño de algo: *Me he dado un golpe y se me ha abultado la rodilla.* **3** Aumentar la cantidad o la importancia de algo: *Los perió-*

dicos han abultado la noticia de algo que sólo fue un incidente sin importancia. □ Sinónimos: **3** exagerar, hinchar, inflar. Familia: → bulto.

abundancia 1 [sustantivo/femenino] Gran cantidad: *En el centro de la ciudad hay abundancia de comercios. Tengo mucha sed y necesito beber agua en abundancia.* **2** [expresión] **nadar en la abundancia** Estar en una buena situación económica: *Le ha ido muy bien en los negocios y ahora nada en la abundancia.* □ Contrarios: escasez, pobreza, carencia. Familia: → abundar.

abundante [adjetivo] **1** Que tiene mucho de algo: *Los ríos del norte de Europa tienen abundante agua.* **2** En gran cantidad: *En esta época del año tienen abundantes lluvias.* □ [No varía en masculino y en femenino]. Sinónimos: **2** cuantioso. Contrarios: **2** escaso. Familia: → abundar.

abundar [verbo] Haber algo en gran cantidad: *En las zonas turísticas abundan los hoteles.* □ Sinónimos: rebosar. Familia: abundancia, abundante.

aburrido, da [adjetivo] Que aburre: *La película era tan aburrida que me dormí en el cine.* □ Sinónimos: pesado, latoso. Contrarios: entretenido, ameno, divertido. Familia: → aburrir.

aburrimiento [sustantivo/masculino] Lo que sentimos cuando algo nos aburre o nos cansa: *Si te entra el aburrimiento, llámame y vamos a divertirnos.* □ Sinónimos: cansancio, fastidio, hastío. Familia: → aburrir.

aburrir [verbo] **1** Resultar pesado algo porque no divierte o porque no interesa: *Apagué la televisión porque me aburría el programa. Nunca me aburro cuando estoy con los amigos.* **2** Cansar algo por insistir mucho en ello: *Eres tan pesado con tus preguntas que aburres a cualquiera.* □ Sinónimos: **2** hartar. Contrarios: **1** divertir, entretener, distraer, recrear. Familia: aburrimiento, aburrido.

abusar [verbo] **1** Usar algo demasiado: *Abusar de la bebida es peligroso para la salud. No abuses de mi paciencia, porque, si me cansas, no te ayudaré más.* **2** Obligar una persona a otra a mantener relaciones sexuales con ella contra su voluntad: *Abusar*

a
b
c
d
e
f
g
h
i
j
k
l
m
n
ñ
o
p
q
r
s
t
u
v
w
x
y
z

de un menor de edad es un delito. □ Sinónimos: **2** forzar, violar. Familia: abuso, abusón.

abuso [sustantivo] [masculino] **1** Uso de algo más de lo debido: *La oposición acusa al Gobierno de
abuso de poder.* **2** Hecho de obligar a alguien a mantener una relación sexual contra su voluntad: *Los abusos sexuales están
castigados por la ley.* □ Familia: → abusar.

abusón, -a [adjetivo o] [sustantivo] Que se aprovecha de
algo para salir ganando: *Te dejo la bici un
rato, pero no seas abusona y devuélvemela
pronto.* □ [Es coloquial]. Familia: → abusar.

acá [adverbio] **1** En este lugar: *Acá todo está
tranquilo. Ven acá, que tenemos que hablar.*
2 Ahora o en este momento: *Desde entonces
acá no lo he vuelto a ver.* **3** [expresión] **de acá
para allá** De un lugar a otro: *Llevo todo el
día de acá para allá y estoy agotada.* □ [No
debe decirse desde entonces a acá, sino desde entonces acá]. Sinónimos: **1,2** aquí.

acabado [sustantivo] [masculino] Último toque que se da a
algo que se hace: *Los muebles hechos a
mano suelen tener un acabado más cuidado
que los que se fabrican en serie.* □ Familia:
→ acabar.

acabar [verbo] **1** Llegar algo al fin: *No me
cuentes cómo acaba el libro, que quiero leerlo y me quitas la emoción.* **2** Dar fin a algo:
*Cuando acabes los ejercicios, podemos ir a
dar una vuelta.* **3** Tomar o gastar algo hasta el fin: *Me sirvieron tanta comida que no
la pude acabar.* **4** [expresión] **acabar con algo**
Destruirlo o ponerle fin: *No dejes que las
críticas acaben con tus sueños de ser escritor.* **acabar de hacer algo** Haberlo hecho
poco antes: *No pises el suelo, porque acabo
de fregar. Acaban de traer una carta para
ti.* **acabar en algo** Tenerlo como fin: *La
discusión acabó en acuerdo.* **no acabar de
hacer algo** No conseguir hacerlo: *No acabo
de entender cómo es posible que haya pasado esto.* □ Sinónimos: terminar, concluir,
finalizar. **1** quedar. **2** ultimar. **3** apurar, agotar. Contrarios: **1,2** empezar, iniciar, comenzar. Familia: acabado, sanseacabó.

acacia [sustantivo] [femenino] Árbol que tiene largas espinas en sus ramas y que da flores blancas y
de buen olor: *De las acacias se obtiene una
madera muy dura.*

academia [sustantivo] [femenino] **1** Lugar donde se dan
clases para enseñar una materia o una pro-
fesión: *Al salir del colegio voy a una academia de inglés.* **2** Sociedad formada por
personas que destacan en una ciencia o en
un arte y que se dedican a su estudio: *La
Real Academia Española es la encargada de
hacer el diccionario oficial de español.* **3** Lugar en el que se reúne esta sociedad: *En la
Academia de la Historia se conservan documentos históricos muy antiguos.* □ [En los
significados **2** y **3**, se suele escribir con mayúscula].
Familia: académico.

académico, ca [adjetivo] **1** Relacionado con
los centros de estudios oficiales: *Me han
dado una beca porque tengo un expediente
académico con muy buenas notas.* **2** De una
academia o relacionado con ella: *El diccionario académico es mucho más grueso que
éste.* **3** [sustantivo] Persona que forma parte de
una academia o de una sociedad: *Algunos
académicos de la Academia de la Lengua
son famosos escritores.* □ Familia: → academia.

acalorar [verbo] **1** Dar calor: *Hacer ejercicio
acalora.* **2 acalorarse** Excitarse en una
conversación o en una disputa: *Te digan lo
que te digan, controla tus nervios y no te
acalores.* □ Sinónimos: **2** calentarse, irritar-
se. Contrarios: enfriar. **2** calmarse, apaciguarse, tranquilizarse, serenarse, sosegarse. Familia: → calor.

acampada [sustantivo] [femenino] Parada en un lugar al
aire libre para vivir en él durante un tiem-
po: *Este fin de semana nos vamos de acampada a la sierra.* □ Familia: → campo.

acampar [verbo] Detenerse en un lugar al
aire libre para vivir en él durante un tiempo: *Acamparemos con nuestras tiendas de
campaña cerca del río.* □ Familia: → campo.

acantilado [sustantivo] [masculino] Terreno alto, con piedras y cortado casi en vertical: *Las olas chocaban con fuerza contra el acantilado.*

ACANTILADO

acariciar [verbo] **1** Rozar con la mano de forma muy suave: *Cuando me vio llorar, me acarició las mejillas para que me calmara.* **2** Tocar de forma suave: *La brisa del mar nos acariciaba la cara.* **3** Pensar en la posibilidad de hacer algo: *Desde que empezó a escribir, acaricia la idea de ganar algún premio literario.* □ FAMILIA: → caricia.

acarrear [verbo] **1** Llevar algo pesado de un lugar a otro: *Acarreamos entre varios los sacos de trigo hasta el almacén.* **2** Tener como consecuencia: *Discutir con el jefe puede acarrearte problemas.* □ SINÓNIMOS: **2** producir, ocasionar, causar, traer.

acaso 1 [adverbio] Indica duda o posibilidad: *Hoy no puedo ir, acaso otro día. ¿Dudas acaso de mi palabra?* **2** [expresión] **por si acaso** Por si ocurre algo: *No creo que necesites llamarme, pero te doy mi teléfono por si acaso.* **si acaso** Como mucho: *Si me llaman, di que no estoy y, si acaso, di que ya llamaré yo.* □ [No confundir con *ocaso*]. SINÓNIMOS: **1** quizá, quizás, tal vez, a lo mejor.

acatar [verbo] Aceptar y obedecer una orden o la autoridad de alguien: *Todos debemos acatar la Constitución de nuestro país.*

acatarrarse [verbo] Coger un resfriado: *En cuanto empieza a hacer frío, me acatarro.* □ SINÓNIMOS: resfriarse, constiparse. FAMILIA: → catarro.

acaudalado, da [adjetivo] Que tiene mucho dinero: *Ese banquero pertenece a una familia muy acaudalada.* □ SINÓNIMOS: adinerado, rico, acomodado. CONTRARIOS: pobre, necesitado. FAMILIA: → caudal.

acceder [verbo] **1** Mostrarse dispuesto a hacer lo que se pide: *Al principio no quería ayudarnos, pero después de mucho pedírselo, accedió.* **2** Entrar en un lugar: *Desde el pasillo se accede a todas las habitaciones de la casa.* **3** Conseguir una categoría superior: *Después de años como subdirector, accedió al puesto de director.* □ SINÓNIMOS: **1** consentir, ceder, aceptar, tragar. CONTRARIOS: **1** rehusar, negarse. **2** salir. FAMILIA: acceso, accesible, accesorio.

accesible [adjetivo] **1** Dicho de un lugar, que se puede llegar a él: *Fuimos a la sierra en coche, pero a los sitios menos accesibles tuvimos que llegar andando.* **2** Dicho de una persona, que es fácil de tratar: *Me sorprendió que el director fuese tan accesible y estuviese dispuesto a hablar con todos.* **3** Que se entiende bien: *Las explicaciones de un profesor tienen que ser accesibles para todos los alumnos.* □ [No varía en masculino y en femenino. Es distinto de *asequible*, que significa *fácil de conseguir*]. SINÓNIMOS: **3** comprensible. CONTRARIOS: **3** incomprensible. FAMILIA: → acceder.

acceso [sustantivo masculino] **1** Llegada a un lugar: *El acceso a esa cumbre es tan difícil que sólo se puede hacer con helicóptero.* **2** Lugar por el que se llega a un sitio: *Los guardias de tráfico vigilan los principales accesos a la ciudad.* 𝕩 página 538. **3** Posibilidad de llegar hasta algo o de usarlo: *Sólo los ministros tienen acceso a esa información del Gobierno.* **4** Momento en el que aparecen de manera repentina y con fuerza las señales de una enfermedad o de algo que se siente: *Vomité todo el desayuno en un acceso de tos.* □ SINÓNIMOS: **2** entrada. **4** ataque, golpe. CONTRARIOS: **1,2** salida. FAMILIA: → acceder.

accesorio, ria 1 [adjetivo] Que no es lo más importante, sino que depende de otra cosa: *Quédate con la idea principal y no te pierdas en datos accesorios.* **2** [sustantivo masculino] Pieza que se coloca en una máquina y que tiene una función determinada: *Los limpiaparabrisas de los coches son accesorios de automóvil.* □ SINÓNIMOS: **1** secundario. CONTRARIOS: **1** fundamental, principal, esencial, capital, básico, primario. FAMILIA: → acceder.

accidentarse [verbo] Sufrir un accidente: *Una ambulancia trasladó al hospital a los que se habían accidentado.* □ FAMILIA: → accidente.

accidente [sustantivo masculino] **1** Suceso malo y que no se espera: *Los fines de semana hay muchos accidentes de tráfico.* **2** Suceso que no se espera y que cambia las cosas: *Después de años sin vernos, un día nos encontramos por accidente.* **3** Cada una de las partes que forman un terreno y le dan un aspecto determinado: *Las montañas y los ríos son accidentes geográficos.* □ SINÓNIMOS: **1** contratiempo, contrariedad, percance. FAMILIA: accidentarse.

acción [sustantivo femenino] **1** Lo que se hace: *Ayudar al*

a b c d e f g h i j k l m n ñ o p q r s t u v w x y z

a
b
c
d
e
f
g
h
i
j
k
l
m
n
ñ
o
p
q
r
s
t
u
v
w
x
y
z

que lo necesita es una buena acción. Dejemos de discutir y pasemos a la acción. **2** Influencia o efecto producidos por algo: *En esos troncos hechos cenizas se ve la acción del fuego.* **3** Conjunto de los hechos que forman el argumento de una película o de otra obra: *La acción de la novela se sitúa en una isla.* **4** Capacidad para hacer algo: *Los ejecutivos suelen ser gente de acción.* **5** Cada una de las partes en que se divide el dinero de una empresa: *Si compras acciones de una compañía, recibirás parte de los beneficios que tenga.* □ SINÓNIMOS: **1** acto, hecho, obra. FAMILIA: accionar.

accionar [verbo] Hacer funcionar un aparato: *Este casete se acciona apretando un botón.* □ FAMILIA: → acción.

acechar [verbo] Observar o esperar de manera atenta y con algún propósito: *El lobo acechaba la madriguera del conejo para intentar cazarlo cuando saliera.* □ SINÓNIMOS: vigilar, espiar. FAMILIA: acecho.

acecho [sustantivo masculino] Hecho de observar o de esperar algo de manera atenta y con algún propósito: *Los periodistas están al acecho de cualquier noticia que pueda ser interesante.* □ SINÓNIMOS: vigilancia, espionaje. FAMILIA: → acechar.

aceite [sustantivo masculino] Líquido graso que se usa en la preparación de comidas y en la industria: *En mi casa echamos aceite de oliva a la ensalada. De vez en cuando hay que cambiar el aceite del motor de los coches.* □ FAMILIA: aceitero, aceitoso, aceituna.

aceitero, ra 1 [adjetivo] Del aceite o relacionado con él: *Esta zona es muy rica en olivos y tiene una importante industria aceitera.* **2** [sustantivo femenino] Pequeño recipiente que sirve para conservar aceite: *El mecánico cogió la aceitera para engrasar las piezas de la máquina.* **3** [sustantivo femenino plural] Conjunto de dos o más recipientes que sirve para sacar a la mesa el aceite y el vinagre: *En el centro de la mesa pusieron el salero y las aceiteras.* □ SINÓNIMOS: **3** vinagreras. FAMILIA: → aceite.

aceitoso, sa [adjetivo] **1** Que tiene mucho aceite: *No me gustan las patatas fritas muy aceitosas.* **2** Que es graso y espeso como el aceite: *Para barnizar las puertas hemos*

usado un producto aceitoso.* □ FAMILIA: → aceite.

aceituna [sustantivo femenino] Fruto del que se extrae el aceite, que es parecido a una uva, pero con un hueso muy duro dentro: *Hay aceitunas verdes y aceitunas negras.* □ SINÓNIMOS: oliva. FAMILIA: → aceite.

aceleración [sustantivo femenino] Aumento de la velocidad: *El acelerador sirve para la aceleración de los vehículos.* □ FAMILIA: → acelerar.

acelerador [sustantivo masculino] Pieza de un vehículo que permite hacer que se mueva con mayor velocidad: *El acelerador del coche es el pedal que está a la derecha del freno.* □ CONTRARIOS: freno. FAMILIA: → acelerar.

acelerar [verbo] **1** Hacer que algo se haga más deprisa: *Tendrás que acelerar tu ritmo de trabajo si quieres acabar a tiempo.* **2** Hacer que un vehículo se mueva con mayor velocidad: *Para adelantar a un coche hay que acelerar y pasarlo por su izquierda.* **3 acelerarse** Dejarse llevar por los nervios: *Escúchame con calma y no te aceleres tan pronto.* □ SINÓNIMOS: **1** precipitar, apresurar, aligerar, abreviar, apurar. CONTRARIOS: frenar. **1** retrasar. **3** calmarse, apaciguarse, tranquilizarse, serenarse, sosegarse. FAMILIA: aceleración, acelerador.

acelga [sustantivo femenino] Planta que se cultiva en las huertas y que tiene hojas grandes, anchas y lisas: *De primero, hemos comido acelgas con besamel.*

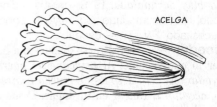

ACELGA

acento [sustantivo masculino] **1** Mayor fuerza con la que pronunciamos una sílaba en una palabra: *«Comer» es una palabra con acento en la «e».* **2** Signo que se coloca en la vocal de la sílaba que se pronuncia con más fuerza: *El acento diferencia palabras como «aún», que significa «todavía», y «aun», que significa «incluso».* **3** Forma especial de hablar una lengua: *Sabes muy bien español, pero se te nota que eres francés por el acento.* **4** Importancia especial que se da a algo: *El profesor ha puesto un acento especial en esta lección y seguro que cae en el examen.* **5** [expresión] **acento agudo** El que se escribe de derecha a izquierda: *En castellano sólo se usa el acento agudo: «café», «ángel», «cántaro».* **acento circunflejo** El que se escribe con forma de una uve al revés: *En francés se usa mucho el acento circunflejo: «mâitre».* **acento grave** El que se escribe de izquierda a derecha: *La palabra catalana «català» tiene acento grave.* □ SINÓNIMOS: **1** acentuación. **2** tilde. FAMILIA: acentuación, acentuar.

acentuación [sustantivo femenino] **1** Mayor fuerza con la que pronunciamos una sílaba en una palabra: *Las palabras «paro» y «paró» se pronuncian con distinta acentuación.* **2** Colocación del acento al escribir: *Según las reglas de acentuación, todas las palabras esdrújulas se acentúan.* **3** Forma de expresar algo destacándolo de manera especial: *Dijo un «sí» con una acentuación tan irónica que parecía significar «no».* **4** Hecho de notarse más una cosa: *La acentuación de las arrugas de la cara es fruto de los años.* □ SINÓNIMOS: **1** acento. FAMILIA: → acento.

acentuar [verbo] **1** Pronunciar con mayor fuerza una sílaba en una palabra: *La palabra «moto» se pronuncia acentuando la sílaba «mo».* **2** Escribir el acento: *Al escribir la palabra «árbol», no olvides acentuar la «a».* **3** Expresar algo destacándolo de manera especial: *Dijo que no vendría y acentuó el «no vendré» para no dejar duda.* **4** Hacer que algo se note más: *La música de fondo de la película acentúa el dramatismo de las escenas.* □ [Se conjuga como ACTUAR]. SINÓNIMOS: **3** recalcar. **3,4** subrayar. **4** resaltar, destacar, pronunciar, poner de relieve. CONTRARIOS: **4** disimular. FAMILIA: → acento.

acepción [sustantivo femenino] Cada uno de los significados que puede tener una palabra: *La palabra «manzana» tiene una acepción como «fruta» y otra como «zona rodeada de calles».*

aceptable [adjetivo] Que no es muy bueno, pero se puede aceptar: *Hay libros de bolsillo muy baratos y de una calidad aceptable.* □ [No varía en masculino y en femenino]. SINÓNIMOS:

pasable. CONTRARIOS: inadmisible. FAMILIA: → aceptar.

aceptación [sustantivo femenino] **1** Hecho de recibir algo por propia voluntad: *Aquella librería me comunicó la aceptación de mi pedido.* **2** Consideración de algo como bueno: *La firma de un contrato supone la aceptación de las condiciones que en él figuran.* **3** Éxito o res-

acento	
– El acento que se escribe se llama *tilde*.	
– Las mayúsculas también se escriben con tilde. Ejemplos: *Álvaro, CAMIÓN.*	
– Las palabras con una sola sílaba se escriben sin tilde. Ejemplos: *con, mar, mil.* La tilde se pone a veces para distinguir dos palabras que se escriben igual. Ejemplos: *Ésta es tu casa. Tú vives aquí. Te quiero. Quiero beber té. Digo que no. ¿Qué dices?*	
Palabras agudas	Llevan el acento en la última sílaba. Ejemplos: *mujer, sillón, rosal, ajedrez, papá, reloj, carné, Jesús, venir.*
	Sólo se escriben con tilde cuando terminan en «n» (*pantalón, tobogán, belén*), en «s» (*inglés, parchís*), o en vocal (*mamá, José, jabalí*).
Palabras llanas o graves	Llevan el acento en la penúltima sílaba. Ejemplos: *césped, peces, punto, mármol, cantimplora, verbena.*
	Se escriben con tilde cuando no terminan en «n», en «s» o en vocal. Ejemplos: *mástil, lápiz, césped.*
	Se escriben sin tilde si terminan en vocal, en «n» o en «s». Ejemplos: *examen, origen, palabras, torero, maleta.*
Palabras esdrújulas	Llevan el acento en la antepenúltima sílaba, y siempre se escriben con tilde. Ejemplo: *última, cántaro, lápices, música, estúpido, jeroglífico.*

a
b
c
d
e
f
g
h
i
j
k
l
m
n
ñ
o
p
q
r
s
t
u
v
w
x
y
z

a
b
c
d
e
f
g
h
i
j
k
l
m
n
ñ
o
p
q
r
s
t
u
v
w
x
y
z

puesta favorable que algo obtiene: *Ese libro ha tenido mucha aceptación entre los lectores jóvenes.* □ CONTRARIOS: rechazo. FAMILIA: → aceptar.

aceptar [verbo] **1** Recibir algo por propia voluntad: *Me pidió que aceptara su regalo como muestra de amistad.* **2** Dar por bueno o decir que sí: *Lo que dices me parece un disparate y no puedo aceptarlo. Me propuso que nos casáramos y acepté.* □ SINÓNIMOS: **2** admitir, consentir, acceder, ceder, tragar. CONTRARIOS: rechazar. **2** negar. FAMILIA: aceptación, aceptable.

acequia [sustantivo femenino] Zanja por donde se conduce el agua para diversos usos: *El agua de esta acequia sirve para regar la huerta.*

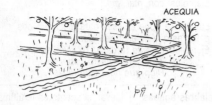

ACEQUIA

acera 1 [sustantivo femenino] Lado de una calle por donde van las personas, y que suele estar más alto que la carretera: *Súbete a la acera, que te va a pillar un coche.* ✿ página 796. **2** [expresión] **ser de la acera de enfrente** o **ser de la otra acera** Ser homosexual: *Dicen que ese chico es de la acera de enfrente porque nunca lo ven con chicas.* □ [No confundir con *cera*. El significado **2** es coloquial].

acerca [expresión] **acerca de algo** En relación con ello: *¿Qué opinas acerca de lo que te he dicho?* □ SINÓNIMOS: sobre, respecto de, con respecto a, en torno a. FAMILIA: → cerca.

acercamiento [sustantivo masculino] Colocación de algo más cerca: *El diálogo favorece el acercamiento de los distintos puntos de vista.* □ SINÓNIMOS: aproximación. CONTRARIOS: alejamiento. FAMILIA: → cerca.

acercar [verbo] Poner más cerca: *¿Me acercas el agua, por favor? Acércate, que te voy a decir un secreto. A fuerza de discutir, nos fuimos acercando en nuestras ideas.* □ SINÓNIMOS: aproximar, arrimar, juntar, pegar. CONTRARIOS: alejar, apartar, separar. FAMILIA: → cerca.

acero [sustantivo masculino] **1** Material muy duro, que se fabrica con hierro: *En mi casa usamos cubiertos de acero inoxidable.* **2** Espada u otra arma que tenga filo: *El pirata amenazó al protagonista con traspasarle el cuerpo con su acero.* **3** [expresión] **de acero** Que es muy duro y resiste mucho: *Con esos nervios de acero que tienes, no creo que pierdas la calma alguna vez.* □ [El significado **2** suele usarse en el lenguaje literario].

acertado, da [adjetivo] **1** Sin errores: *Los concursantes obtienen diez puntos por cada respuesta acertada.* **2** Que es como debe ser: *Tu decisión de evitar peleas y buscar el diálogo me parece acertada.* □ SINÓNIMOS: correcto. **2** apropiado, adecuado, conveniente, oportuno. CONTRARIOS: incorrecto. FAMILIA: → acertar.

acertar [verbo] **1** Encontrar la solución correcta a algo que no se sabe: *¡A ver si aciertas esta adivinanza!* **2** Dar en el punto al que se dirige algo: *La flecha acertó en el blanco.* **3** Hacer lo más adecuado: *Decidas lo que decidas, sé que acertarás.* **4** [expresión] **acertar con algo** Encontrarlo después de haberlo buscado: *Me costó dar con tu casa, pero por fin acerté con ella.* **no acertar a hacer algo** No conseguir realizarlo: *Quise ser amable, pero no acerté a decir ni una palabra agradable.* □ [Es irregular y se conjuga como PENSAR]. SINÓNIMOS: **1** adivinar, resolver, solucionar. **2,3** atinar. CONTRARIOS: fallar, errar. **1,3** equivocarse. FAMILIA: acierto, acertado, acertijo, desacierto.

acertijo [sustantivo masculino] Juego que consiste en descubrir la solución de una pregunta o el sentido de una frase: *La solución al acertijo «Blanco por dentro, verde por fuera, si quieres que te lo diga, espera» es «una pera».* □ SINÓNIMOS: adivinanza. FAMILIA: → acertar.

achatar [verbo] Hacer plano algo que salía por encima de una superficie: *Un coche chocó con nosotros por detrás y nos acható el maletero.* □ FAMILIA: → chato.

achicar [verbo] **1** Extraer el agua que ha entrado en un barco: *El bote se llenó de agua y tuvimos que achicarla para no hundirnos.* **2** Hacer menor o más chico: *La falda me quedaba grande, pero me la ha achicado mi madre y ahora me vale.* **3 achicarse** Perder el ánimo o el valor: *Si no te achicas ante las dificultades, conseguirás lo que te propongas.* □ [La c se cambia en qu delante de e, como en SACAR]. SINÓNIMOS: **2** disminuir, reducir, acortar. **3** acobardarse, encogerse. CONTRARIOS: **2** agrandar, ampliar, aumentar. **3** crecerse. FAMILIA: → chico.

achicharrar [verbo] **1** Cocinar tanto un alimento que quede casi quemado: *No dejes el filete en la sartén, porque se va a achicharrar.* **2** Secar demasiado a causa del calor: *El sol calienta tanto hoy que va a achicharrar las plantas.* **3 achicharrarse** Sentir mucho calor o quemarse: *Te vas a achicharrar si pasas tanto tiempo tumbada al sol.* □ SINÓNIMOS: abrasar. **3** cocerse.

achuchar [verbo] Rodear con los brazos y con fuerza o hacer otras demostraciones de cariño: *Mi padre me cogió en brazos y me achuchó.* □ [Es coloquial].

acidez [sustantivo femenino] **1** Sabor ácido: *Echo azúcar al zumo de naranja para quitarle la acidez.* **2** Carácter nada amable ni agradable al tratar a los demás: *Me contestó con acidez, como si estuviera enfadado conmigo.* **3** [expresión] **acidez de estómago** Molestia en el estómago, parecida a la que produce una quemadura: *No tomo cosas picantes porque me producen acidez de estómago.* □ [Su plural es acideces]. FAMILIA: → ácido.

ácido, da [adjetivo] **1** De sabor parecido al del limón: *La fruta, cuando no está madura, sabe ácida.* **2** Que no es amable ni agradable al tratar a los demás: *Tiene un humor ácido que, más que divertir, ofende.* [sustantivo masculino] **3** Sustancia química: *En el laboratorio me cayeron unas gotas de ácido en el jersey y se me hizo un agujero.* **4** Un tipo de droga, que produce fuertes efectos: *Una sobredosis de ácido le costó la vida.* □ FAMILIA: acidez.

acierto [sustantivo masculino] **1** Solución correcta que se da a algo que no se sabía: *Tuvo catorce aciertos en una quiniela y se hizo millonaria.* **2** Habilidad para hacer bien lo que se hace: *Dirige sus negocios con mucho acierto.* **3** Lo que se hace y tiene un buen resultado: *Fue un acierto venir por esta carretera, porque la otra tenía mucho atasco.* □ SINÓNIMOS: **2** tino, destreza. CONTRARIOS: **1,3** fallo. **2,3** desacierto, torpeza. FAMILIA: → acertar.

aclamar [verbo] **1** Dirigir aplausos y voces de apoyo a una persona: *Público de todas las edades aclamaba al Rey a su paso.* **2** Dar una categoría a una persona por decisión de todos: *En el congreso del partido, el secretario general fue aclamado candidato a la presidencia.* □ FAMILIA: → clamar.

aclaración [sustantivo femenino] Explicación que se da para poner algo en claro: *Las notas a pie de página son aclaraciones sobre las partes del texto que no se entienden.* □ FAMILIA: → claro.

aclarar [verbo] **1** Poner más claro: *Si esa pintura rosa te parece muy fuerte, échale pintura blanca para aclararla.* **2** Hacer menos espeso: *Si quieres aclarar la salsa porque está espesa, échale agua.* **3** Explicar o poner en claro: *Tenemos que aclarar esta situación.* **4** Quitar con agua el jabón a algo: *Antes de tender la ropa, aclárala bien.* **5** Preparar la voz para que se oiga mejor: *Dicen que tomar claras de huevo aclara la voz.* **6** Mejorar el tiempo y quedar el cielo sin nubes ni niebla: *Si no aclara el día, el avión no podrá despegar.* **7** Empezar a aparecer la luz del día: *Salieron del campamento en cuanto aclaró.* **8 aclararse** Poner en claro las propias ideas: *Tengo un lío sobre mis sentimientos que no me aclaro.* □ [El significado **8** es coloquial]. SINÓNIMOS: **6** abrir, despejar, clarear. **7** abrir, amanecer, clarear. CONTRARIOS: **1** oscurecer. **2** espesar. **3** liar, confundir, embarullar. **6** nublarse, cubrirse, cerrarse. **7** anochecer, oscurecer. **8** liarse. FAMILIA: → claro.

aclimatarse [verbo] Acostumbrarse a un nuevo clima o a un nuevo ambiente: *Hace un mes que vivo en esta ciudad y todavía no me he aclimatado.* □ FAMILIA: → clima.

acobardar [verbo] Hacer sentir miedo y perder el valor: *Soy el más valiente y nada me acobarda. Cuando le dijeron que tenía una enfermedad grave, se acobardó mucho.* □ SINÓNIMOS: achicar, atemorizar, asustar, cagarse, encogerse. CONTRARIOS: crecerse. FAMILIA: → cobarde.

acogedor, -a [adjetivo] Que hace sentirse cómodo y bien: *Mi casa no tiene grandes lujos, pero es muy cálida y acogedora.* □ FAMILIA: → coger.

a
b
c
d
e
f
g
h
i
j
k
l
m
n
ñ
o
p
q
r
s
t
u
v
w
x
y
z

a

b

c

d

e

f

g

h

i

j

k

l

m

n

ñ

o

p

q

r

s

t

u

v

w

x

y

z

acoger [verbo] **1** Dar a alguien protección o refugio: *El Ayuntamiento ha creado centros para acoger a los que no tienen casa.* **2** Recibir a una persona con placer y tratarla bien: *Es una persona muy abierta y acoge a todo el mundo.* **3** Recibir algo de determinada manera: *Todos acogieron la noticia con satisfacción.* **acogerse 4** Pedir una persona que se la trate de acuerdo con un derecho: *Muchas personas que huyen de su país se acogen al derecho de asilo para quedarse en el nuestro.* **5** Tomar algo como disculpa: *Cuando le exijo más esfuerzo, enseguida se acoge a que él no es tan fuerte como los demás.* □ [La g se cambia en j delante de a, o, como en COGER]. SINÓNIMOS: **1** amparar, proteger, cobijar, refugiar, recoger, dar asilo. **5** agarrarse. FAMILIA: → coger.

acojonar [verbo] Producir miedo. □ [Es vulgar]. FAMILIA: → cojón.

acomodado, da [adjetivo] Que tiene bastante riqueza: *Tú eres de una familia acomodada y no sabes lo que es pasar hambre.* □ SINÓNIMOS: rico, adinerado, acaudalado. CONTRARIOS: necesitado, pobre. FAMILIA: → cómodo.

acomodador, -a [sustantivo] Persona que trabaja en lugares de espectáculos indicando al público los asientos que deben ocupar: *Los acomodadores de los cines llevan una linterna para indicar los asientos cuando la sala ya está a oscuras.* □ FAMILIA: → cómodo.

acomodar [verbo] **1** Colocar en el lugar que corresponde: *El conferenciante esperó a que todos los asistentes se acomodasen en sus asientos.* **2 acomodarse** Acostumbrarse a una nueva situación: *Acomódate a lo que tienes y olvida esos sueños imposibles.* □ SINÓNIMOS: **2** amoldarse, adaptarse, acoplarse. CONTRARIOS: **2** rebelarse. FAMILIA: → cómodo.

acompañamiento [sustantivo/masculino] **1** Conjunto de personas que van acompañando a otra: *La primera fila de bancos estaba reservada para las autoridades y su acompañamiento.* **2** Conjunto de alimentos con que se acompaña una comida principal: *Nos pusieron carne asada con un acompañamiento de verduras.* **3** Música que se pone de fondo a la melodía principal: *El cantante cantó varias composiciones con acompañamiento de coro.* □ SINÓNIMOS: **1** comitiva, séquito, corte, cortejo. **2** guarnición. FAMILIA: → compañía.

acompañante [sustantivo] Persona que acompaña a otra: *Se presentó en la fiesta con un acompañante al que nadie conocía.* □ [No varía en masculino y en femenino]. FAMILIA: → compañía.

acompañar [verbo] **1** Ir o estar con una persona: *Pasé la tarde en casa, acompañando a mi abuelo.* **2** Sentir a la vez lo que siente también otra persona: *Todos decían al viudo: «Le acompaño en el sentimiento».* **3** Añadir algo a otra cosa: *Esta carne sabe mejor si la acompañas con una salsa. Los dibujos deben acompañarse de un sobre con los datos del autor.* **4** Poner una música que sirva de fondo o para completar la melodía principal: *Un pianista acompañaba al piano a la cantante.* □ FAMILIA: → compañía.

acompasar [verbo] Hacer que algo se corresponda con otra cosa: *Todos los bailarines acompasaron sus movimientos para ir a un tiempo.* □ FAMILIA: → compás.

acondicionar [verbo] **1** Preparar algo con las condiciones adecuadas para un fin: *Acondicionarán el viejo almacén para poner allí unas oficinas.* **2** Dar a un lugar cerrado la temperatura y las condiciones de ambiente necesarias para algo: *Van a acondicionar la biblioteca, porque en verano se pasa demasiado calor.* □ FAMILIA: → condición.

aconsejable [adjetivo] Que resulta bueno: *No es aconsejable conducir con niebla muy espesa.* □ [No varía en masculino y en femenino]. SINÓNIMOS: recomendable. FAMILIA: → consejo.

aconsejar [verbo] **1** Dar un consejo: *No sé qué hacer y necesito que alguien me aconseje.* **2** Mostrar que algo parece bueno y conviene hacerlo: *Esta situación tan delicada nos aconseja ser prudentes.* **3 aconsejarse** Pedir consejo: *Se aconsejó con un buen abogado antes de ir a juicio.* □ [Siempre se escribe con j]. SINÓNIMOS: **1** asesorar, recomendar. FAMILIA: → consejo.

acontecer [verbo] Producirse un hecho: *Los hechos que se cuentan en esta novela acontecieron en la Edad Media.* □ [Es irregular y se conjuga como PARECER]. SINÓNIMOS: suceder, ocurrir, pasar. FAMILIA: acontecimiento.

acontecimiento [sustantivo] [masculino] Cosa que ocurre y que suele ser importante: *Este partido es el acontecimiento deportivo más importante del año.* □ SINÓNIMOS: hecho, suceso. FAMILIA: → acontecer.

acoplar [verbo] **1** Combinar dos cosas diferentes para hacer que funcionen al mismo tiempo: *Si acoplamos nuestros horarios, podremos trabajar juntos.* **2** Poner algo en una cosa de forma que no sobre espacio: *Esa estantería se monta acoplando unas piezas con otras.* **acoplarse 3** Acostumbrarse a una nueva situación: *Aunque llevo poco tiempo aquí, me he acoplado muy bien a este ambiente.* **4** Producir dos aparatos de sonido unos efectos el uno sobre el otro, de forma que el sonido no se oiga bien: *Ese pitido que se oye es porque se han acoplado el micrófono y los altavoces.* □ SINÓNIMOS: **1,2** ajustar, adaptar. **2** encajar. **3** amoldarse, acomodarse, adaptarse.

acorazado, da 1 [adjetivo] Protegido con materiales muy fuertes para que nadie pueda romperlo: *Los bancos tienen una cámara acorazada para guardar el dinero.* **2** [sustantivo] [masculino] Barco de guerra, muy grande y construido con materiales especiales para protegerlo: *Los acorazados son barcos blindados.* □ FAMILIA: → coraza.

acordar [verbo] **1** Ponerse varias personas de acuerdo en algo: *Acordamos que uno de nosotros hablase en nombre de todos.* **2** Tomar una persona una decisión determinada: *Cuando supe que había contado mi secreto, acordé no volver a confiar en ella.* **3 acordarse** Traer algo a la memoria: *¿Te acuerdas del día en que nos conocimos?* □ [Es irregular y se conjuga como CONTAR]. SINÓNIMOS: **1** convenir, pactar, quedar. **2** resolver, decidir. **3** recordar. CONTRARIOS: **3** olvidar. FAMILIA: acuerdo, acorde, desacuerdo.

acorde [adjetivo] **1** De acuerdo o de la misma opinión: *Mi amigo y yo tenemos puntos de vista acordes sobre muchas cosas.* **2** Como corresponde: *Se crearán nuevas formas de trabajo acordes con los nuevos tiempos.* **3** [sustantivo] [masculino] Conjunto de notas musicales que se tocan a la vez: *El guitarrista tocó varios*

acordes antes de que la cantante empezase a cantar. □ [Cuando es adjetivo, no varía en masculino y en femenino]. SINÓNIMOS: **1,2** conforme. FAMILIA: → acordar.

acordeón [sustantivo] [masculino] Instrumento musical de viento, con una parte central que se dobla y se extiende para que suene: *El acordeón suena al abrir o cerrar su fuelle.*

ACORDEÓN

acorralar [verbo] **1** Cerrar algo dentro de unos límites, impidiendo la salida: *El ladrón se rindió cuando vio que lo habían acorralado.* **2** Confundir a una persona y dejarla sin saber qué responder: *Los periodistas acorralaron al entrevistado con sus preguntas.* □ FAMILIA: → corro.

acortar [verbo] Hacer más corto: *Fumar perjudica la salud y acorta el tiempo de vida. Vine por un atajo para acortar camino.* □ SINÓNIMOS: abreviar, reducir, disminuir, limitar, achicar. CONTRARIOS: alargar, prolongar, ampliar, agrandar. FAMILIA: → corto.

acosar [verbo] **1** Ir detrás de alguien sin darle descanso: *La policía acosó a los que huían hasta conseguir detenerlos.* **2** Molestar haciendo algo de manera continua: *¡Deja de acosarme con tantas preguntas!* □ [No confundir con *acusar*]. SINÓNIMOS: **1** perseguir. **2** asediar.

acostar [verbo] **1** Echar a una persona en la cama para que descanse: *La madre durmió al niño en brazos y luego lo acostó. Me acuesto a las diez de la noche.* **2 acostarse** Mantener relaciones sexuales con una persona: *Dice que él sólo se acuesta con su esposa.* □ [Es irregular y se conjuga como CONTAR]. FAMILIA: → costado. CONTRARIOS: **1** levantar.

acostumbrar [verbo] **1** Conseguir que algo se realice por costumbre: *Quiere acostumbrar a su hijo a pedir las cosas por favor desde pequeño. Me he acostumbrado a madrugar y ya no me cuesta hacerlo.* **2** Hacer algo por costumbre: *Acostumbro a levantar-*

a
b
c
d
e
f
g
h
i
j
k
l
m
n
ñ
o
p
q
r
s
t
u
v
w
x
y
z

a

me a las siete de la mañana. □ Sinónimos: **1** habituar. **2** soler. Familia: → costumbre.

acreditado, da [adjetivo] **1** Demostrado con pruebas o con razones: *El científico defendió una teoría acreditada con muchos experimentos.* **2** Que tiene fama: *Es una empresa muy acreditada por la calidad de sus productos.* **3** Que tiene un documento donde se asegura que cumple con las condiciones necesarias para realizar una función: *A la rueda de prensa del presidente sólo pueden asistir los periodistas acreditados.* □ Sinónimos: **2** famoso, célebre. Contrarios: **2** desconocido. Familia: → crédito.

acreditar [verbo] **1** Hacer que algo pueda ser creído: *Las declaraciones de los testigos acreditaron la versión de la policía.* **2** Dar o lograr fama: *El premio Nobel acredita a quienes lo ganan.* **3** Asegurar un documento que una persona cumple con las condiciones necesarias para realizar una función: *Los periodistas llevaban una pegatina que los acreditaba como tales.* □ Familia: → crédito.

acreedor, -a [adjetivo o / sustantivo] **1** Que tiene derecho a que se le pague una deuda: *Si no pagas pronto lo que debes, los acreedores te denunciarán.* **2** Que merece algo: *Te has hecho acreedora a mi confianza porque me has demostrado que eres discreta.* □ Sinónimos: **2** digno.

acristalar [verbo] Poner cristales a algo: *Hemos acristalado la terraza para que entre menos frío.* □ Familia: → cristal.

acrobacia [sustantivo femenino] **1** Ejercicio difícil, de equilibrio o de habilidad, que se hace para que la gente lo vea: *Los acróbatas hicieron varias acrobacias y parecía que se iban a caer. En el espectáculo de acrobacias aéreas, los aviones hacían dibujos en el aire.* ✍ página 343. **2** Lo que se hace con gran habilidad a pesar de su dificultad: *Mis padres nos dicen que tienen que hacer acrobacias con el sueldo para que nos llegue a fin de mes.* □ [El significado **2** es coloquial]. Familia: acróbata.

acróbata [sustantivo] Persona que se dedica a hacer ejercicios difíciles y con riesgo como espectáculo público: *Lo que más me gustó del circo fue el número de los acróbatas en*

la cuerda floja. □ [No varía en masculino y en femenino]. Familia: → acrobacia.

actitud [sustantivo femenino] **1** Estado de ánimo o forma de ser que tiene una persona: *Los problemas se afrontan mejor si adoptas una actitud positiva.* **2** Gesto o manera de poner el cuerpo, que suelen expresar algo: *El cuadro representa a un filósofo en actitud pensativa.* □ [No confundir con *aptitud*]. Sinónimos: posición, postura.

activar [verbo] **1** Hacer funcionar algo: *Si alguien intenta robar el coche, se activará la alarma.* **2** Aumentar la velocidad o la fuerza de un proceso: *Los máximos responsables de cada lado intervinieron para activar las negociaciones.* □ Sinónimos: **2** avivar. Contrarios: **2** retrasar, frenar. Familia: → activo.

actividad [sustantivo femenino] **1** Conjunto de trabajos propios de alguien o de algo: *El comercio es una actividad económica.* **2** Gran cantidad de acciones y de personas que se mueven de manera continua: *A primeros de mes hay más actividad comercial en el mercado, porque la gente tiene más dinero.* **3** Capacidad de actuar o de producir un efecto: *Los niños tienen mucha actividad y no paran de hacer cosas.* **4** [expresión] **en actividad** En acción: *Si el volcán entra en actividad, desalojarán las poblaciones cercanas.* □ Sinónimos: **2** movimiento, trajín. Contrarios: **2** calma. Familia: → activo.

activo, va [adjetivo] **1** Que tiene capacidad para hacer muchas cosas: *Soy muy activa y no sé estarme un minuto quieta.* **2** Que realiza determinadas funciones: *Pertenezco a una sociedad, pero no tengo ningún cargo porque no soy un miembro activo.* **3** [expresión] **en activo** Que está trabajando en algo: *Mi abuela todavía es funcionaria en activo, pero ya está a punto de jubilarse.* **por activa y por pasiva** De todas las maneras posibles: *Se lo he explicado por activa y por pasiva, pero no lo entiende.* □ Contrarios: **1,2** pasivo. Familia: activar, actividad, radiactivo, radiactividad.

acto [sustantivo masculino] **1** Lo que se hace: *Cada uno es responsable de sus actos.* **2** Ceremonia pública o seria: *Los padres están invitados al acto de entrega de premios de fin de curso.* **3** Cada una de las partes principales en que se divide una obra de teatro: *En la función de teatro hubo un descanso al final del segundo acto.* **4** [expresión] **acto seguido** A continuación: *El presentador anunció a la cantante y, acto seguido, apareció ella en el escenario.* **acto sexual** Unión sexual entre un macho y una hembra: *Para tener un hijo hay que realizar el acto sexual.* **en el acto** En el mismo momento: *La persona atropellada falleció en el acto.* **hacer acto de presencia** Presentarse en un lugar: *Acudí a la cita, pero allí nadie hizo acto de presencia.* ☐ [No confundir con *apto*]. SINÓNIMOS: **1** acción, hecho, obra. FAMILIA: actuar, actuación, actor, actriz.

actor [sustantivo] [masculino] Hombre que representa un papel en el teatro o en el cine: *El papel protagonista de la película lo hace un famoso actor.* ☐ [El femenino es *actriz*]. SINÓNIMOS: cómico, comediante. FAMILIA: → acto. 🔅 página 159.

actriz [sustantivo] [femenino] Mujer que representa un papel en el teatro o en el cine: *A la protagonista de esa serie le han dado el premio a la mejor actriz.* ☐ [El masculino es *actor*. Su plural es *actrices*]. SINÓNIMOS: cómica, comedianta. FAMILIA: → acto. 🔅 página 159.

actuación [sustantivo] [femenino] **1** Lo que hace alguien: *Algunos políticos criticaron la violenta actuación de la policía.* **2** Trabajo de hacer un papel en una obra de teatro o de cine: *Todos los actores de la película tienen una gran actuación.* ☐ FAMILIA: → acto.

actual [adjetivo] **1** Que ocurre en el momento del que se habla: *El paro es una de las grandes preocupaciones del mundo actual.* **2** Que está de moda: *Ese diseñador tiene un estilo muy actual.* ☐ [No varía en masculino y en femenino]. SINÓNIMOS: **1** presente. FAMILIA: actualidad, actualizar.

actualidad [sustantivo] [femenino] **1** Tiempo presente: *En la actualidad, la mayoría de los niños van a la escuela.* **2** Situación de lo que llama la atención de la gente en determinado momento: *En la primera página del periódico viene una noticia de máxima actualidad.* ☐ FAMILIA: → actual.

actualizar [verbo] Hacer actual o poner al día: *Un buen profesional debe actualizar sus conocimientos constantemente.* ☐ [La z se

cambia en c delante de e, como en CAZAR]. SINÓNIMOS: modernizar. FAMILIA: → actual.

actuar [verbo] **1** Tener determinado comportamiento: *¡Deja de actuar como un niño de cuatro años, que ya eres mayorcito!* **2** Hacer un papel en una obra de teatro o de cine: *En esa película actúa un amigo de mi hermana.* **3** Trabajar en un espectáculo público: *Esta noche actúa la Orquesta Municipal.* **4** Producir determinado efecto sobre algo: *Este medicamento actúa sobre la garganta irritada y la suaviza.* ☐ [Al escribirlo hay que tener cuidado con los acentos]. SINÓNIMOS: **1** proceder, obrar, portarse, comportarse, conducirse. FAMILIA: → acto.

acuarela [sustantivo] [femenino] Tipo de pintura que se usa mezclándola con agua: *Mi caja de acuarelas viene con un pincel.* ☐ FAMILIA: → agua.

acuario 1 [adjetivo o] [sustantivo] Uno de los doce signos del horóscopo: *Las personas que son acuario han nacido entre el 21 de enero y el 18 de febrero.* [sustantivo] [masculino] **2** Recipiente preparado para que los peces puedan vivir en él: *Me*

actuar	conjugación
INDICATIVO	**SUBJUNTIVO**
presente	**presente**
actúo	actúe
actúas	actúes
actúa	actúe
actuamos	actuemos
actuáis	actuéis
actúan	actúen
pretérito imperfecto	**pretérito imperfecto**
actuaba	actuara, -ase
actuabas	actuaras, -ases
actuaba	actuara, -ase
actuábamos	actuáramos, -ásemos
actuabais	actuarais, -aseis
actuaban	actuaran, -asen
pretérito indefinido	**futuro**
actué	actuare
actuaste	actuares
actuó	actuare
actuamos	actuáremos
actuasteis	actuareis
actuaron	actuaren
futuro	**IMPERATIVO**
actuaré	
actuarás	**presente**
actuará	actúa (tú)
actuaremos	actúe (él)
actuaréis	actuemos (nosotros)
actuarán	actuad (vosotros)
	actúen (ellos)
condicional	**FORMAS NO PERSONALES**
actuaría	
actuarías	**infinitivo** **gerundio**
actuaría	actuar actuando
actuaríamos	**participio**
actuaríais	actuado
actuarían	

a b c d e f g h i j k l m n ñ o p q r s t u v w x y z

a
b
c
d
e
f
g
h
i
j
k
l
m
n
ñ
o
p
q
r
s
t
u
v
w
x
y
z

han regalado un acuario con peces de colores. **3** Lugar donde se muestran animales que viven en el agua: *El acuario de esta ciudad es muy grande y tiene animales de todos los lugares del mundo.* □ [El significado **1** no varía en masculino y en femenino]. FAMILIA: → agua.

acuático, ca [adjetivo] **1** Del agua o relacionado con ella: *En la playa había gente practicando esquí acuático.* **2** Que vive en el agua: *Las algas son plantas acuáticas.* □ FAMILIA: → agua.

acudir [verbo] **1** Aparecer una persona en un sitio: *Acudí a la fiesta porque me habían invitado.* **2** Hacerse presente: *Tus consejos acuden siempre a mi mente.* **3** Dirigirse a una persona buscando su ayuda: *Se sentía tan deprimido que decidió acudir a un psicólogo.* □ SINÓNIMOS: **2** venir. **3** recurrir, apelar. CONTRARIOS: **1** ausentarse, marcharse, irse, largarse, abrirse.

acueducto [sustantivo masculino] Especie de puente que sirve para conducir el agua de un lugar a otro: *Es famoso el acueducto romano de Segovia.* □ FAMILIA: → agua.

ACUEDUCTO

acuerdo **1** [sustantivo masculino] Lo que se decide entre dos partes y ambas deben cumplir: *Si hoy no se llega a un acuerdo, habrá problemas.* **2** [expresión] **de acuerdo** Con la misma opinión: *Aunque nunca estamos de acuerdo, nos llevamos muy bien.* □ [La expresión de acuerdo se usa para indicar que se acepta algo: De acuerdo, iremos a tu casa]. SINÓNIMOS: **1** pacto, trato. FAMILIA: → acordar.

acumular [verbo] Juntar algo en gran cantidad: *Tuvo suerte en los negocios y acumuló una gran fortuna. Si vas aplazando los deberes, al final se te acumularán.* □ SINÓNIMOS: amontonar.

acunar [verbo] Mover de manera suave a un niño para que se duerma o para que se que-

de tranquilo: *El padre acunaba al bebé balanceando su cuna.* □ FAMILIA: → cuna.

acuñar [verbo] **1** Fabricar una moneda: *Antiguamente se acuñaban monedas de oro.* **2** Inventar una frase o un concepto, dándoles una forma determinada: *A lo largo de la historia de una lengua se van acuñando nuevas expresiones.*

acurrucarse [verbo] Doblarse una persona o un animal sobre sí mismo: *Me metí en la cama y me acurruqué porque tenía mucho frío.* □ [La c se cambia en qu delante de e, como en SACAR].

acusación [sustantivo femenino] Hecho de hacer responsable a una persona de una falta o de un delito: *El sospechoso negó las acusaciones que pesaban sobre él.* □ FAMILIA: → acusar.

acusado, da **1** [adjetivo] Que destaca y se nota de manera fácil: *Está muy enfermo y tiene unas ojeras muy acusadas.* **2** [sustantivo] Persona a la que se acusa de algo: *Un abogado defendió al acusado en el juicio.* □ CONTRARIOS: **1** imperceptible. FAMILIA: → acusar.

acusar [verbo] **1** Hacer responsable a una persona de un delito o de una falta: *¿Qué pruebas tienes para acusarme del robo?* **2** Notar o hacer notar el efecto de algo: *Los viernes acuso el esfuerzo de toda la semana.* □ [No confundir con acosar]. SINÓNIMOS: **1** culpar. CONTRARIOS: **1** disculpar. FAMILIA: acusado, acusica, acusón, acusación.

acusica [adjetivo o sustantivo] Que acusa a alguien de algo para perjudicarlo: *No seas acusica y no te vayas chivando al profesor de todo lo que pasa.* □ [Es coloquial. No varía en masculino y en femenino]. SINÓNIMOS: acusón, chivato. FAMILIA: → acusar.

acusón, -a [adjetivo o sustantivo] Que acusa a alguien de algo para perjudicarlo: *Esa acusona se ha chivado de que he hecho novillos.* □ [Es coloquial]. SINÓNIMOS: acusica, chivato. FAMILIA: → acusar.

adaptable [adjetivo] **1** Que se puede poner en otra cosa de forma que no sobre espacio: *Las dos partes de un enchufe son adaptables entre sí.* **2** Que se puede cambiar para darle una función distinta de la que tenía: *No todas las novelas son adaptables al teatro.* **3** Que es capaz de acostumbrarse a una nueva situación: *Seguro que mi amigo encaja bien en el grupo, porque tiene un carácter muy adaptable.* ☐ [No varía en masculino y en femenino]. FAMILIA: → adaptar.

adaptación [sustantivo][femenino] **1** Proceso de acostumbrarse a una nueva situación: *Para muchos emigrantes es difícil la adaptación al nuevo país.* **2** Colocación de un objeto dentro de otro de forma que no sobre espacio: *La cintura de la falda lleva una goma para favorecer su adaptación al cuerpo.* **3** Cambio que se hace en algo para darle una función distinta de la que tenía: *El antiguo hotel ha sufrido una adaptación para convertirlo en hospital.* ☐ FAMILIA: → adaptar.

adaptar [verbo] **1** Combinar dos cosas diferentes para hacer que funcionen al mismo tiempo: *Si dos personas que viven juntas no adaptan sus gustos, se pasarán la vida discutiendo.* **2** Poner algo en una cosa de forma que no sobre espacio: *Esos guantes no se adaptan bien a tu mano porque no son de tu talla.* **3** Hacer cambios en algo para darle una función distinta de la que tenía: *Un guionista adaptará al cine la famosa novela.* **4 adaptarse** Acostumbrarse a una nueva situación: *Volvió a su casa después de estar en el extranjero, porque no se adaptaba a la vida en otro país.* ☐ [No confundir con *adoptar*]. SINÓNIMOS: **1** encajar. **1,2** ajustar, acoplar. **4** amoldarse, acomodarse, acoplarse. CONTRARIOS: **4** rebelarse. FAMILIA: adaptación, adaptable, inadaptado.

adecuado, da [adjetivo] Que es como debe ser: *Una persona de buena educación sabe comportarse de manera adecuada en todas las situaciones.* ☐ SINÓNIMOS: correcto, acertado, apropiado. CONTRARIOS: incorrecto. FAMILIA: → adecuar.

adecuar [verbo] Darle a algo la forma que debe tener para un fin: *Si utilizas un lenguaje tan raro y no lo adecuas al nivel de los niños, no te entenderán.* ☐ [La u nunca lleva tilde]. FAMILIA: adecuado.

adefesio [sustantivo][masculino] Lo que es tan feo o tan raro que produce risa: *Vas hecho un adefesio con ese traje de tu abuelo.* ☐ [Es despectivo]. SINÓNIMOS: mamarracho.

adelantado, da [adjetivo] **1** Que destaca muy pronto en una actividad: *Es un niño muy adelantado y hace razonamientos que sorprenden a los mayores.* **2** Que va por delante o que es mejor que otras cosas de su tiempo: *Muchos artistas no son comprendidos porque tienen ideas adelantadas a su época.* **3** [expresión] **por adelantado** Antes de algo: *Pagué la compra por adelantado y me la mandarán a casa en pocos días.* ☐ SINÓNIMOS: **1** precoz. CONTRARIOS: **1,2** retrasado. FAMILIA: → delante.

adelantamiento [sustantivo][masculino] **1** Movimiento hacia adelante en el espacio o en el tiempo: *He llegado tarde porque no me había enterado del adelantamiento de la hora.* **2** Lo que hace un vehículo cuando deja atrás a otro que iba por delante: *Los adelantamientos imprudentes son causa de muchos accidentes de tráfico.* ☐ CONTRARIOS: **1** retraso. FAMILIA: → delante.

adelantar [verbo] **1** Mover hacia adelante: *Si no ves bien la pizarra, adelántate un poco.* **2** Cambiar la hora de un reloj, poniendo una hora que todavía no ha llegado: *He adelantado el reloj para no llegar tarde.* **3** Dejar atrás algo que estaba delante: *Antes de adelantar a otro coche, hay que encender el intermitente para avisar a los demás coches.* **4** Hacer que algo ocurra antes de lo señalado: *Muchos adelantan la vuelta de sus vacaciones para evitar atascos.* **5** Dar un dinero antes de la fecha señalada: *Si no puedes esperar a cobrar el sueldo, pídele al jefe que te adelante una parte.* **6** Dar una noticia antes de lo señalado: *Adelántame algo de lo que vas a decir, que tengo curiosidad.* **7** Pasar a un estado mejor: *Desde que estudio más, he adelantado mucho en clase.* **8** Ir un reloj más deprisa de lo que debe y señalar una hora que todavía no ha llegado: *No te fíes de ese reloj, que adelanta mucho.* **adelantarse 9** Ocurrir algo antes del tiempo señalado: *Aquel año se adelantó el verano y en mayo ya hacía muchísimo calor.* **10** Hacer algo antes que otra persona: *Nunca pago yo porque ella siempre se me adelanta.* ☐ SINÓNIMOS: **1,6,7** avanzar. **4-6** anticipar. **7** progresar, mejorar. **9,10** anticiparse. CONTRARIOS: **1,2,4-6** retrasar. **2,4,8,9** atrasar. **3,7-10** retrasarse. **7** retroceder, empeorar. FAMILIA: → delante.

a b c d e f g h i j k l m n ñ o p q r s t u v w x y z

a
b
c
d
e
f
g
h
i
j
k
l
m
n
ñ
o
p
q
r
s
t
u
v
w
x
y
z

adelante 1 [adverbio] Hacia un lugar o para un momento más adelantados: *Sigue adelante y no te pares hasta que no llegues a tu destino. Haz primero lo urgente y deja lo demás para más adelante.* [interjección] **2** Se usa para indicar a alguien que puede entrar al sitio donde estamos: *Llamó a la puerta y no entró hasta que le dije: «¡Adelante!».* **3** Se usa para dar ánimo: *¡Adelante, no te rindas, que tú puedes!* **4** [expresión] **en adelante** A partir de ahora: *Por esta vez te perdono, pero en adelante no lo vuelvas a hacer.* □ [No debe decirse *Vamos alante* ni *Vamos a adelante*, sino *Vamos adelante*]. CONTRARIOS: **1** atrás, detrás. FAMILIA: → delante.

adelanto [sustantivo masculino] **1** Tiempo anterior al momento señalado para algo: *Es raro que los trenes lleguen a su destino con adelanto.* **2** Parte que se adelanta de algo: *Este capítulo publicado en el periódico es un adelanto de su próxima novela.* **3** Dinero que se da antes de lo señalado: *He tenido que pedir un adelanto de mi sueldo, porque no tenía para llegar a fin de mes.* **4** Desarrollo hacia algo mejor: *La ciencia ha conseguido muchos adelantos.* □ SINÓNIMOS: **1** anticipación. **2,3** anticipo. **2,4** avance. **4** progreso. CONTRARIOS: atraso. **1** retraso. **3** atrasos. **4** retroceso. FAMILIA: → delante.

adelfa [sustantivo femenino] Arbusto cuyas flores nacen en grupos y pueden ser de distintos colores: *Las adelfas suelen plantarse en parques y jardines.* 🔍 página 346.

adelgazar [verbo] Poner o ponerse más delgado: *Estoy haciendo un régimen para adelgazar.* □ [La z se cambia en c delante de e, como en CAZAR]. CONTRARIOS: engordar, abultar. FAMILIA: → delgado.

además 1 [adverbio] Por si fuera poco: *Me ayudó y, además, me hizo un regalo.* **2** [expresión] **además de** Aparte de: *Es inteligente además de guapa.* □ SINÓNIMOS: **1** encima.

adentrarse [verbo] Meterse hacia la parte interior de algo: *Es peligroso adentrarse en la selva.* □ SINÓNIMOS: entrar, penetrar. CONTRARIOS: salir. FAMILIA: → dentro.

adentro [adverbio] **1** En el interior: *¿Cenamos en la terraza o adentro?* **2** Hacia el interior: *Pasad adentro, que en la calle hace frío.* □ [No debe decirse *Ven a adentro*, sino *Ven adentro*].

SINÓNIMOS: **1** dentro. CONTRARIOS: fuera, afuera. FAMILIA: → dentro.

adentros [sustantivo masculino plural] Pensamientos íntimos de una persona: *No lo dijo, pero lo pensó para sus adentros.* □ FAMILIA: → dentro.

adepto, ta [adjetivo o sustantivo] Que sigue a una persona, a una idea o a un movimiento: *Esa secta tiene muchos adeptos.* □ [No confundir con *adicto*]. SINÓNIMOS: partidario, adicto. CONTRARIOS: contrario, enemigo, adversario, rival.

aderezar [verbo] Preparar una comida con sal, aceite y otros productos: *Cuando adereces la ensalada, procura no echar demasiado vinagre.* □ [La z se cambia en c delante de e, como en CAZAR]. SINÓNIMOS: aliñar, arreglar.

adeudar [verbo] Tener la obligación de dar una cantidad de dinero por haber recibido algo: *Aún adeudo la mitad del préstamo que me hicieron.* □ SINÓNIMOS: deber. CONTRARIOS: pagar, satisfacer, abonar. FAMILIA: → deuda.

adherir [verbo] **1** Unir una cosa con otra de forma que no puedan separarse: *Tienes que humedecer los sellos para que se adhieran al sobre.* **2 adherirse** Mostrarse de acuerdo con algo: *Si la mayoría se adhiere a tu propuesta, la aprobaremos.* □ [Es irregular y se conjuga como SENTIR]. SINÓNIMOS: **1** pegar. CONTRARIOS: **1** despegar, desprender. FAMILIA: adhesivo.

adhesivo, va 1 [adjetivo] Que se pega: *El papel celo es una cinta adhesiva.* **2** [sustantivo masculino] Trozo de papel que se pega por una de sus caras: *Ese coche lleva varios adhesivos pegados en el cristal de atrás.* □ SINÓNIMOS: **2** pegatina. FAMILIA: → adherir.

adicto, ta [adjetivo o sustantivo] **1** Que se ha acostumbrado tanto a algo, especialmente a una droga, que lo necesita para estar bien: *Los adictos a las drogas necesitan ayuda médica.* **2** Que defiende una idea o a una persona determinadas: *Los políticos adictos al presidente volverán a votar a su favor.* □ [No confundir con *adepto*]. SINÓNIMOS: **2** partidario, adepto. CONTRARIOS: **2** contrario, enemigo, adversario, rival.

adiestrar [verbo] Preparar a una persona o a un animal para que realicen determinada actividad: *A algunos perros los adiestran* *para que sirvan de guía a personas ciegas. Los militares se adiestran en el uso de las armas.* □ Sinónimos: instruir, ejercitar. Familia: → diestro.

adinerado, da [adjetivo] Que tiene mucho dinero: *Que una persona sea adinerada no es motivo suficiente para querer casarse con ella.* □ Sinónimos: acaudalado, rico, acomodado. Contrarios: pobre, necesitado. Familia: → dinero.

adiós 1 [sustantivo masculino] Hecho de despedirse: *Nos pusimos tristes cuando llegó el momento del adiós.* [interjección] **2** Se usa para despedirse: *Todos los días se marcha diciendo: «¡Adiós a todos!».* **3** Expresión que se usa para indicar sorpresa, admiración o disgusto: *¡Adiós, ya me he vuelto a equivocar!* □ Sinónimos: **1** despedida. **2** chao. Contrarios: **2** hola.

adivinanza [sustantivo femenino] Juego que consiste en descubrir la solución de una pregunta o el sentido de una frase: *La solución a la adivinanza «Una señorita muy colorada, que siempre va en coche y siempre va mojada» es «la lengua».* □ Sinónimos: acertijo. Familia: → adivinar.

adivinar [verbo] **1** Anunciar o descubrir por medios mágicos lo que va a suceder en el futuro: *Un brujo adivinó que nos iba a tocar la lotería.* **2** Encontrar la solución correcta a algo que no se sabe: *¿Adivinas lo que estoy pensando? Soy muy torpe para adivinar acertijos.* **3 adivinarse** Verse algo de forma poco clara debido a la distancia: *Al final del camino se adivina una arboleda.* □ Sinónimos: **1** profetizar, pronosticar. **2** acertar, resolver, solucionar. Familia: adivinanza, adivino.

adivino, na [sustantivo] Persona que descubre lo que va a suceder en el futuro: *¿Acaso eres adivino para saber lo que te voy a regalar?* □ Familia: → adivinar.

adjetivo, va 1 [adjetivo] Del adjetivo o con las características de esta clase de palabra: *En la frase «Hoy estoy de mal humor», «de mal humor» es una expresión adjetiva porque equivale a «enfadado».* **2** [sustantivo masculino] Clase de palabra que determina al nombre o que expresa una cualidad suya: *En «Tengo un pantalón blanco», «blanco» es un adjetivo*

calificativo. En la frase «Este niño tiene hambre», «este» es un adjetivo demostrativo. **3** [expresión] **adjetivo calificativo** El que expresa una cualidad del nombre: *Las palabras «lento» y «suave» son adjetivos calificativos.*

adjudicar [verbo] **1** Dar a una persona algo a lo que aspiraban varias: *Adjudicarán el puesto al candidato que tenga más méritos.* **adjudicarse 2** Coger algo como si fuera propio: *¿Por qué tienes que adjudicarte todo lo que te gusta sin preguntar primero si los demás lo quieren?* **3** Conseguir la victoria en una competición: *El primer clasificado es el que tiene más posibilidades de adjudicarse el campeonato.* □ [La c se cambia en qu delante de e, como en SACAR]. Sinónimos: **2** apropiarse, adueñarse, apoderarse, quedarse. **3** ganar. Contrarios: **3** perder.

administración [sustantivo femenino] **1** Conjunto de los organismos públicos que cuidan de que se cumplan las leyes y de que funcionen los servicios públicos: *La Administración se encarga de cobrar los impuestos y dedicarlos a asuntos que nos interesan a todos, construyendo carreteras, escuelas y hospitales.* **2** Organización del uso que se hace de algo: *El vecino de arriba se encarga de la administración del dinero de nuestro portal.* **3** Hecho de dar o de hacer tomar algo: *Este medicamento es muy fuerte y se recomienda su administración en pequeñas dosis. Los sacerdotes se encargan de la administración de los sacramentos.* **4** Lugar en el que se reparten o se venden algunos productos: *He comprado un décimo en la administración de loterías de mi barrio.* □ [El significado **1** se suele escribir con mayúscula]. Familia: → administrar.

administrador, -a [sustantivo] Persona que se dedica a administrar bienes que no son suyos: *El administrador de la casa se encarga de cobrar los recibos a todos los vecinos.* □ Familia: → administrar.

administrar [verbo] **1** Gobernar o dirigir una comunidad: *El presidente del Gobierno es el encargado de administrar el país.* **2** Organizar el uso del dinero o de otras cosas: *Si no administro bien mi paga semanal, no me llega para nada.* **3** Dar algo, repartirlo

a
b
c
d
e
f
g
h
i
j
k
l
m
n
ñ
o
p
q
r
s
t
u
v
w
x
y
z

o usarlo: *Los jueces administran justicia. Si administras bien tu tiempo, podrás hacer muchas cosas.* **4** Dar un medicamento o hacerlo tomar: *La enfermera administró un calmante al enfermo.* □ FAMILIA: administración, administrador.

admirable [adjetivo] Digno de admiración: *Las personas que se dedican a ayudar a los demás me parecen admirables.* □ [No varía en masculino y en femenino]. FAMILIA: → admirar.

admiración [sustantivo femenino] **1** Consideración de que algo tiene cualidades de mucho valor: *El público expresó con aplausos su admiración por el espectáculo.* **2** Impresión fuerte que nos produce algo no esperado: *El árbitro entró en el campo y, ante la admiración de todos, suspendió el partido.* **3** Signo que se coloca delante y detrás de una frase para indicar que debe pronunciarse con más fuerza: *«¡Ven aquí!»* está escrito entre admiraciones. □ SINÓNIMOS: **2** asombro, sorpresa. **3** exclamación. CONTRARIOS: **1** desprecio. FAMILIA: → admirar.

admirador, -a [adjetivo o sustantivo] Que admira: *Soy admiradora del cine europeo. Ese escritor recibe muchas cartas de sus admiradores.* □ FAMILIA: → admirar.

admirar [verbo] **1** Considerar que algo o alguien tienen cualidades de mucho valor: *Te admiro por tu bondad.* **2** Producir mucha sorpresa: *Me admira que te pases el día entero sin hacer nada. Me admiro de tu descaro.* **3** Mirar algo con placer: *Puedo pasarme horas admirando la belleza del paisaje.* □ SINÓNIMOS: **2** sorprender, asombrar, maravillar, pasmar. **3** contemplar. CONTRARIOS: **1** despreciar. FAMILIA: admiración, admirador, admirable.

admitir [verbo] **1** Recibir o dejar entrar: *En este local no se admiten cheques, sólo dinero en efectivo.* **2** Dar por bueno o decir que sí: *Llevas razón, lo admito.* **3** Dejar que algo se haga o suceda: *No admito que insultes a mis amigos en mi presencia.* □ SINÓNIMOS: **2** aceptar, acceder, tragar. **2,3** consentir. **3** permitir, tolerar. CONTRARIOS: **2** rechazar, negar. **3** prohibir. FAMILIA: inadmisible.

adobe [sustantivo masculino] Bloque de barro seco que se usa para construir muros: *Hoy las casas ya no se hacen de adobes, sino de ladrillos.*

adolescencia [sustantivo femenino] Período de la vida de una persona que va desde el fin de la infancia hasta que se produce el desarrollo completo del cuerpo: *En la adolescencia se producen muchos cambios en el cuerpo y en la forma de ser de las personas.* □ FAMILIA: → adolescente.

adolescente [adjetivo o sustantivo] Que está en una edad entre el fin de la infancia y el momento en que se produce el desarrollo completo del cuerpo: *Con dieciséis años, aún eres un adolescente.* □ [No varía en masculino y en femenino]. FAMILIA: adolescencia.

adonde [adverbio] Indica el lugar hacia el que algo se dirige: *Aquél es el edificio adonde vamos.* □ [No confundir con adónde]. SINÓNIMOS: donde. FAMILIA: → donde.

adónde [adverbio] A qué lugar: *¿Adónde se va por esta carretera? Se marchó, pero no sé adónde.* □ [No confundir con adonde. No debe decirse ¿A dónde vas?, sino ¿Adónde vas? o ¿Dónde vas?]. SINÓNIMOS: dónde. FAMILIA: → donde.

adopción [sustantivo femenino] **1** Acto por el cual alguien que no es hijo de una persona pasa a serlo ante la ley: *Para concedernos la adopción del niño nos hicieron muchas pruebas.* **2** Hecho de aceptar algo nuevo como propio: *Después del Consejo de Ministros se anunció la adopción de una nueva ley. Los jóvenes son los que se encargan de la adopción de las modas.* □ FAMILIA: → adoptar.

adoptar [verbo] **1** Hacer que alguien que no es hijo de una persona pase a serlo ante la ley: *Muchos matrimonios que no pueden tener hijos los adoptan.* **2** Aceptar como propio algo nuevo: *Adoptó el catolicismo como su religión. Si se adoptan medidas urgentes, el problema puede solucionarse.* **3** Tomar o empezar a tener: *No adoptes esa actitud tan crítica conmigo.* □ [No confundir con adaptar]. FAMILIA: adopción, adoptivo.

adoptivo, va [adjetivo] **1** Que adopta: *Si mi padre vuelve a casarse, su futura mujer será mi madre adoptiva.* **2** Que es adoptado: *Tiene dos hijos adoptivos, a los que quiere igual que si fueran naturales. Nací en Francia, pero llevo tantos años en España que ya es mi patria adoptiva.* □ FAMILIA: → adoptar.

adoquín [sustantivo masculino] **1** Bloque de piedra que se usa para cubrir el suelo de las calles: *Se me* *metió un tacón entre dos adoquines y se me rompió.* **2** Persona que tiene poca inteligencia: *¡A ver si te enteras, pedazo de adoquín!* ☐ [El significado **2** es coloquial y se usa como insulto].

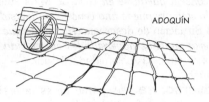

ADOQUÍN

adorable [adjetivo] Que produce admiración y se hace querer por sus cualidades: *Es una persona adorable y da gusto estar con ella.* ☐ [No varía en masculino y en femenino]. FAMILIA: → adorar.

adoración [sustantivo/femenino] **1** Demostración de respeto a un dios: *Los rezos y las ofrendas son signos de adoración a Dios.* **2** Amor muy profundo: *Siento adoración por mis amigos.* ☐ CONTRARIOS: **2** odio. FAMILIA: → adorar.

adorar [verbo] **1** Hacer demostraciones de que se quiere y se respeta a un dios: *Cada religión adora a su propio dios.* **2** Sentir mucho amor hacia alguien: *El chico le decía a su novia: «Te adoro».* **3** Considerar muy agradable: *Adoro los paseos junto al mar.* ☐ SINÓNIMOS: **2** amar, querer, apreciar, estimar. CONTRARIOS: **2,3** odiar, detestar, aborrecer. FAMILIA: adoración, adorable.

adormecer [verbo] **1** Producir sueño: *Las nanas adormecen a los niños. Me adormecí sentada en una silla tomando el sol.* **2** Hacer que algo se sienta menos: *Cuando te sacan una muela, primero te adormecen el nervio con anestesia.* ☐ [Es irregular y se conjuga como PARECER]. SINÓNIMOS: **2** calmar. FAMILIA: → dormir.

adormilarse [verbo] Dormirse a medias: *La película era tan aburrida que me adormilé.* ☐ FAMILIA: → dormir.

adornar [verbo] **1** Poner adornos: *Hemos adornado el local para celebrar la fiesta.* **2** Hacer más bonita una cosa: *Las fuentes adornan el jardín.* **3** Existir una cualidad en una persona: *Entre las cualidades que te adornan, destaca tu inteligencia.* ☐ SINÓNI-

MOS: embellecer. CONTRARIOS: afear. FAMILIA: → adorno.

adorno 1 [sustantivo/masculino] Lo que se pone para hacer más bonita una cosa: *La tarta era de nata con adornos de chocolate.* **2** [expresión] **de adorno** Sin una función útil: *Tienes esos libros de adorno, porque no los lees nunca.* ☐ FAMILIA: adornar.

adosado, da [adjetivo o sustantivo masculino] Que está construido tocando a otro edificio por sus lados o por su parte de atrás: *Vivimos en un chalé adosado, en una urbanización de las afueras.*

adquirir [verbo] **1** Llegar a tener algo: *He adquirido mucha soltura a fuerza de practicar.* **2** Conseguir algo a cambio de dinero: *Si adquiere usted este producto, le haremos un descuento.* ☐ [Es irregular]. SINÓNIMOS: **1** conseguir, lograr, obtener, alcanzar. **2** comprar. CONTRARIOS: **1** perder. **2** vender. FAMILIA: adquisición.

adquisición [sustantivo/femenino] **1** Compra de algo: *Para la adquisición de esa vivienda es necesario tener un trabajo fijo.* **2** Lo que se

adquirir	conjugación
INDICATIVO	**SUBJUNTIVO**
presente	**presente**
adquiero	adquiera
adquieres	adquieras
adquiere	adquiera
adquirimos	adquiramos
adquirís	adquiráis
adquieren	adquieran
pretérito imperfecto	**pretérito imperfecto**
adquiría	adquiriera, -ese
adquirías	adquirieras, -eses
adquiría	adquiriera, -ese
adquiríamos	adquiriéramos, -ésemos
adquiríais	adquirierais, -eseis
adquirían	adquirieran, -esen
pretérito indefinido	**futuro**
adquirí	adquiriere
adquiriste	adquirieres
adquirió	adquiriere
adquirimos	adquiriéremos
adquiristeis	adquiriereis
adquirieron	adquirieren
futuro	**IMPERATIVO**
adquiriré	
adquirirás	**presente**
adquirirá	adquiere (tú)
adquiriremos	adquiera (él)
adquiriréis	adquiramos (nosotros)
adquirirán	adquirid (vosotros)
	adquieran (ellos)
condicional	**FORMAS NO PERSONALES**
adquiriría	
adquirirías	**infinitivo** **gerundio**
adquiriría	adquirir adquiriendo
adquiriríamos	
adquiriríais	**participio**
adquirirían	adquirido

a
b
c
d
e
f
g
h
i
j
k
l
m
n
ñ
o
p
q
r
s
t
u
v
w
x
y
z

a
b
c
d
e
f
g
h
i
j
k
l
m
n
ñ
o
p
q
r
s
t
u
v
w
x
y
z

compra o se consigue: *Mi bici de carreras es la mejor adquisición que he hecho nunca.* □ CONTRARIOS: pérdida. FAMILIA: → adquirir.

adrede [adverbio] A propósito o con intención: *Te perdono, porque sé que no lo has hecho adrede.* □ SINÓNIMOS: aposta. CONTRARIOS: sin querer.

aduana [sustantivo/femenino] Oficina pública que suele haber en las fronteras de un país para controlar lo que entra y lo que sale: *Al pasar la aduana, tuvimos que enseñar el pasaporte.*

adueñarse [verbo] **1** Coger algo como si fuese propio: *No tienes derecho a adueñarte de mis cosas.* **2** Tener un poder total sobre algo: *Al ver la cara seria del médico, el pesimismo se adueñó de los familiares.* □ SINÓNIMOS: apoderarse. **1** apropiarse, quedarse, adjudicarse. FAMILIA: → dueño.

adulación [sustantivo/femenino] Alabanza que se hace a una persona, diciéndole lo que creemos que le agrada: *Tus adulaciones me hacen pensar que quieres algo de mí.* □ FAMILIA: → adular.

adular [verbo] Alabar demasiado a una persona, diciéndole lo que creemos que le agrada: *Se pasa el día adulando a su jefa para conseguir un ascenso.* □ FAMILIA: adulación.

adulterar [verbo] Estropear o cambiar las cualidades de algo, añadiéndole otras cosas: *Es un delito adulterar los alimentos.*

adulterio [sustantivo/masculino] Relación sexual que se tiene con una persona, estando casado con otra: *El adulterio puede ser motivo de divorcio.*

adulto, ta 1 [adjetivo] Que ha llegado a cierto grado de desarrollo: *Huir de los problemas en vez de afrontarlos es un comportamiento muy poco adulto.* **2** [adjetivo o/sustantivo o] Que ha crecido y se ha desarrollado en todos los aspectos: *Un animal es adulto cuando es capaz de reproducirse. A veces los adultos no entienden a los niños.* □ SINÓNIMOS: maduro.

adverbio [sustantivo/masculino] Clase de palabra que modifica a un verbo, a un adjetivo o a otro adverbio: *«Mucho» es un adverbio de cantidad, «aquí», de lugar y «ahora», de tiempo.*

adversario, ria [sustantivo] Persona o grupo que está en contra: *Quiero ser amiga de todos y no tener adversarios. El equipo con el que tenemos que jugar es un duro adversa-*

rio. □ SINÓNIMOS: contrario, enemigo, rival. CONTRARIOS: partidario, adepto, adicto, aliado, amigo. FAMILIA: → adverso.

adversidad [sustantivo/femenino] **1** Carácter contrario o no favorable: *La adversidad del tiempo aconseja quedarse en casa.* **2** Mala suerte: *No siempre puede uno vencer la adversidad.* **3** Situación de desgracia: *Ha tenido que superar muchas adversidades en su vida.* □ SINÓNIMOS: **3** calamidad. FAMILIA: → adverso.

adverso, sa [adjetivo] Que no es favorable: *Aprende a enfrentarte a las circunstancias adversas y saldrás victorioso.* □ SINÓNIMOS: desfavorable. CONTRARIOS: favorable. FAMILIA: adversidad, adversario.

advertencia [sustantivo/femenino] Noticia o información que se comunica a alguien para avisarlo sobre algo: *Haz caso de mis advertencias y no tendrás problemas. ¡No vuelvas a hacerme eso, es la última advertencia que te hago!* □ SINÓNIMOS: aviso. FAMILIA: → advertir.

advertir [verbo] **1** Comunicar algo a alguien, o llamarle la atención sobre ello: *Si pensabas salir de compras, te advierto que hoy las tiendas están cerradas.* **2** Avisar a una persona de un peligro: *Me advirtieron de que me podía pisar un cordón, pero no hice caso y me caí.* **3** Darse cuenta de algo: *Cuando advertí mi error, ya era demasiado tarde.* □ [Es irregular y se conjuga como SENTIR]. SINÓNIMOS: **1** avisar. **2** prevenir. **3** notar, reparar, observar, percatarse. FAMILIA: advertencia.

adviento [sustantivo/masculino] Período de tiempo que comprende las cuatro semanas anteriores al día de Navidad: *Los cristianos dedican el adviento a prepararse para celebrar el nacimiento de Jesucristo.*

aéreo, a [adjetivo] **1** Del aire o relacionado con él: *Ningún avión puede cruzar el espacio aéreo de un país sin permiso.* **2** Que se realiza en el aire o desde el aire: *Los aviones y los helicópteros son medios de transporte aéreo.* **3** De la aviación o relacionado con ella: *El general observaba el despegue de varias unidades aéreas.* □ FAMILIA: → aire.

aerobic o **aeróbic** [sustantivo/masculino] Tipo de gimnasia que se practica siguiendo el ritmo de una música: *Cuando haces aerobic parece que estás bailando.* □ [Son palabras de origen inglés. Se pronuncian «aerobíc» o «aeróbic», respectivamente].

aeromodelismo [sustantivo][masculino] Actividad que consiste en construir pequeños modelos de aviones que puedan volar: *A esa explanada suelen ir aficionados al aeromodelismo para hacer volar sus aviones.* □ FAMILIA: → aire.

aeronáutico, ca 1 [adjetivo] De la aeronáutica o relacionado con estos conocimientos: *Trabajo como ingeniero aeronáutico diseñando nuevos modelos de aviones.* **2** [sustantivo][femenino] Conjunto de conocimientos necesarios para poder navegar por el aire: *Estudiaré aeronáutica porque quiero ser piloto.* □ FAMILIA: → nave.

aeronave [sustantivo][femenino] Vehículo que vuela y se mueve por el aire: *Los aviones son aeronaves.* □ FAMILIA: → nave.

aeroplano [sustantivo][masculino] Vehículo que vuela porque tiene alas, y que suele tener motores: *Los viajes en aeroplano son propios del siglo XX.* □ SINÓNIMOS: avión. FAMILIA: → aire.

aeropuerto [sustantivo][masculino] Terreno preparado para que puedan llegar y salir aviones: *Tengo que estar en el aeropuerto una hora antes de que salga mi avión.* □ FAMILIA: → puerto.

afán [sustantivo][masculino] **1** Interés y esfuerzo que se ponen en lo que se hace: *Si estudias con afán, aprenderás mucho.* **2** Deseo fuerte de conseguir algo: *Su afán por viajar lo ha llevado a recorrer medio mundo.* □ SINÓNIMOS: empeño. **1** ahínco. **2** ansia. CONTRARIOS: desgana. FAMILIA: afanar.

afanar [verbo] **1** Coger sin permiso algo que no es nuestro: *¡Devuélveme lo que me has afanado, chorizo!* **2 afanarse** Poner mucho esfuerzo para conseguir algo: *Mis padres se afanan por darme a mí lo que ellos nunca pudieron tener.* □ [El significado **1** es coloquial]. SINÓNIMOS: **1** quitar, robar, hurtar. **2** esforzarse. CONTRARIOS: **1** dar. FAMILIA: → afán.

afear [verbo] Poner feo: *Ese peinado te afea la cara.* □ CONTRARIOS: embellecer, adornar. FAMILIA: → feo.

afección [sustantivo][femenino] Enfermedad que tiene una persona: *Está en el hospital porque sufre una afección respiratoria.* □ [No confundir con afición]. FAMILIA: → afectar.

afectado, da [adjetivo] **1** Que se comporta de manera poco natural y nada sencilla: *Eres muy afectada hablando y parece que estás haciendo teatro.* **2** Que parece verdad, pero no lo es: *Creo que esa tristeza suya es afectada y que en el fondo está contento.* **3** Que se ha contagiado de alguna enfermedad: *Está afectado por el virus del sida.* □ SINÓNIMOS: **2** aparente, falso. CONTRARIOS: **1** natural. **2** sincero, verdadero. FAMILIA: → afectar.

afectar [verbo] **1** Producir una impresión fuerte en una persona: *La mala noticia nos afectó mucho a todos.* **2** Producir cambios en algo: *La luz del sol afecta al crecimiento de las plantas.* **3** Influir de manera negativa: *En verano no duermo bien porque el calor me afecta mucho. Algunos tipos de cáncer afectan más a los hombres que a las mujeres.* **4** Ser un asunto responsabilidad de alguien: *La orden de ser puntuales afecta a todos sin excepción.* □ SINÓNIMOS: **1** impresionar, conmover. **4** referirse. FAMILIA: afección, afectado.

afectivo, va [adjetivo] Que está relacionado con lo que sienten las personas: *Todos tenemos necesidades afectivas y nadie puede vivir sin cariño.* □ [Es distinto de afectuoso, que significa que siente afecto por las personas]. FAMILIA: → afecto.

afecto [sustantivo][masculino] **1** Lo que se siente cuando se empieza a querer a alguien: *No estoy enamorada de ti, pero te tengo mucho afecto.* **2** Lo que se siente con fuerza por alguien: *El amor y el odio son afectos opuestos.* □ SINÓNIMOS: **1** aprecio, estima, cariño. **2** sentimiento, pasión. CONTRARIOS: **1** odio. FAMILIA: afectivo, afectuoso.

afectuoso, sa [adjetivo] Amable y cariñoso al tratar a los demás: *Nos recibió con un afectuoso apretón de manos.* □ [Es distinto de afectivo, que significa relacionado con el afecto]. FAMILIA: → afecto.

afeitado [sustantivo][masculino] **1** Hecho de cortar la barba a la altura de la piel: *Muchos barberos hacen afeitados a navaja.* **2** Hecho de cortar los extremos de los cuernos a un toro: *El afeitado de los toros de una corrida está prohibido.* □ FAMILIA: → afeitar.

afeitar [verbo] **1** Cortar la barba a la altura de la piel: *Mi padre se afeita con máquina eléctrica.* **2** Cortar los extremos de los cuer-

a
b
c
d
e
f
g
h
i
j
k
l
m
n
ñ
o
p
q
r
s
t
u
v
w
x
y
z

nos a un toro: *Aunque está prohibido, en algunos sitios afeitan los toros para que sean menos peligrosos al torearlos.* □ FAMILIA: afeitado.

afeminado, da [adjetivo o sustantivo masculino] Que tiene características que siempre se han considerado propias de las mujeres: *Dicen que es un afeminado porque siempre va con bolso.* □ CONTRARIOS: varonil. FAMILIA: → femenino.

afianzar [verbo] Poner algo firme y seguro: *Los albañiles han puesto unos refuerzos para afianzar el muro. Lo que me has dicho me afianza en lo que ya pensaba.* □ [La z se cambia en c delante de e, como en CAZAR]. SINÓNIMOS: afirmar, asegurar.

afición [sustantivo femenino] **1** Lo que se siente por algo que nos interesa o que nos gusta hacer: *Mi afición por la música me viene de familia.* **2** Lo que nos gusta hacer en el tiempo libre: *La lectura es una de mis mayores aficiones.* **3** Conjunto de personas que suelen asistir a los espectáculos que les gustan mucho: *Los campeones de la competición ofrecieron el trofeo a la afición.* □ [No confundir con afección]. SINÓNIMOS: **1** gusto, inclinación. **2** hobby. FAMILIA: aficionar, aficionado.

aficionado, da [adjetivo o sustantivo] **1** Que practica una actividad porque le gusta, sin tenerla como profesión: *Me he metido en un grupo de teatro de aficionados.* **2** Que siente gran interés por un espectáculo y que suele asistir a él: *Muchos aficionados al fútbol van a ver a su equipo todos los domingos.* □ SINÓNIMOS: **1** amateur. **2** seguidor, forofo. FAMILIA: → afición.

aficionar [verbo] Hacer que algo guste o interese a alguien: *Una amiga me aficionó al cine y ahora voy siempre que puedo. A fuerza de ver jugar al ajedrez a otros, me aficioné yo también.* □ FAMILIA: → afición.

afilado, da [adjetivo] **1** Que corta muy bien: *El ladrón amenazó a su víctima con una afilada navaja.* **2** Muy delgado: *Tiene los huesos de la cara muy marcados y la nariz afilada.* □ FAMILIA: → filo.

afilar [verbo] **1** Sacar punta a un objeto o hacer que corte mejor: *El carnicero suele afilar el cuchillo antes de cortar la carne.* **2 afilarse** Hacerse más delgado: *Con ese régimen ha adelgazado mucho y se le ha afilado*

la cara. □ SINÓNIMOS: **2** adelgazar. CONTRARIOS: **2** engordar. FAMILIA: → filo.

afiliarse [verbo] Entrar a formar parte de un grupo de personas: *Dice que no quiere afiliarse a ningún partido político porque es muy independiente.* □ SINÓNIMOS: ingresar, inscribir, dar de alta. CONTRARIOS: dar de baja.

afinar [verbo] **1** Hacer mejor o más exacto: *Los que disparan con arco practican mucho para afinar la puntería.* **2** Hacer más fino o más delgado: *De pequeña era gordita, pero al crecer se le ha afinado el cuerpo.* **3** Preparar un instrumento musical para que suene bien: *Antes de empezar a tocar, los músicos de la orquesta afinaron sus instrumentos.* □ SINÓNIMOS: **3** templar. CONTRARIOS: **3** desafinar. FAMILIA: → fino.

afirmación [sustantivo femenino] **1** Respuesta con la que se dice que sí a lo que pedimos o queremos: *Le pregunté si podía acompañarme y me hizo un gesto de afirmación.* **2** Palabra o expresión que se usan para decir que sí: *«Sí» y «por supuesto» son afirmaciones.* 🔎 página 340. **3** Declaración de que algo es cierto: *Las religiones se basan en la afirmación de la existencia de Dios.* □ SINÓNIMOS: **1** asentimiento. CONTRARIOS: negación. FAMILIA: → afirmar.

afirmar [verbo] **1** Decir que sí: *Le preguntaron si lo había hecho él, y lo afirmó.* **2** Decir que algo es cierto: *Un testigo de los hechos afirmó que el acusado era culpable.* **3** Poner algo firme y seguro: *Clavaron el armario a la pared para afirmarlo mejor.* **4 afirmarse** Seguir manteniendo lo que se ha dicho: *Esas nuevas pruebas hacen que me afirme en mi primera opinión.* □ SINÓNIMOS: **1,2** asentir. **3** asegurar, afianzar. CONTRARIOS: **1,2** negar. FAMILIA: afirmación, afirmativo.

afirmativo, va [adjetivo] Que sirve para decir que sí: *La frase «Estoy de acuerdo» es una oración afirmativa.* □ CONTRARIOS: negativo. FAMILIA: → afirmar.

afligir [verbo] Poner muy triste: *Me aflige verte sufrir tanto.* □ [La g se cambia en j delante de a, o, como en DIRIGIR]. SINÓNIMOS: entristecer, apenar. CONTRARIOS: alegrar.

aflojar [verbo] **1** Disminuir la presión sobre algo o hacer que quede menos justo: *Si te* *duele la tripa, aflójate un poco el cinturón.* **2** Perder fuerza: *Saldremos a pasear cuando afloje el calor.* **3** Dar una cantidad de dinero: *¡Venga, afloja la pasta y paga!* □ [Siempre se escribe con *j*. El significado **3** es coloquial]. SINÓNIMOS: **2** ceder, debilitarse. CONTRARIOS: **1** oprimir. **1,2** apretar. FAMILIA: → flojo.

afluente [sustantivo masculino] Río que va a parar a otro más grande: *El Pisuerga es un afluente del Duero.*

afonía [sustantivo femenino] Falta de la voz que suele deberse a una enfermedad: *Cuando cojo frío en la garganta suelo tener afonía.* □ FAMILIA: afónico.

afónico, ca [adjetivo] Que no tiene casi voz o que la ha perdido de momento: *Si no dejas de gritar te vas a quedar afónica.* □ FAMILIA: → afonía.

afortunado, da [adjetivo] **1** Que es feliz o que tiene buena suerte: *Se siente afortunado por tener la familia que tiene.* **2** Que ocurre a causa de la buena suerte y resulta muy bueno: *¡Qué afortunada casualidad encontrarnos aquí!* **3** Que es como conviene que sea para llegar a un buen resultado: *Si no llegas a tener esa idea afortunada, no salimos de este apuro.* □ SINÓNIMOS: dichoso. **1** agraciado. **3** oportuno, acertado. CONTRARIOS: desafortunado, desdichado, desgraciado, infeliz. **1** pobre. **2** nefasto. FAMILIA: → fortuna.

africano, na [adjetivo o sustantivo] De África: *Marruecos es un país del continente africano.* □ FAMILIA: sudafricano.

afrontar [verbo] Enfrentarse a una situación difícil: *Si tienes un problema, afróntalo y trata de resolverlo.* □ SINÓNIMOS: hacer frente, plantar cara. CONTRARIOS: escabullirse.

afuera [adverbio] **1** En el exterior: *El niño está afuera, en la terraza.* **2** Hacia el exterior: *¿Te apetece salir afuera un rato?* □ [No debe decirse Voy a afuera, sino Voy afuera]. SINÓNIMOS: fuera. CONTRARIOS: dentro. **2** adentro. FAMILIA: → fuera.

afueras [sustantivo femenino plural] Zona que rodea una población: *Vivo en las afueras y todos los días vengo a la ciudad en un tren de cercanías.* □ SINÓNIMOS: alrededores, contorno. CONTRARIOS: centro. FAMILIA: → fuera.

agachar [verbo] **1** Mover hacia abajo: *Cuando me regañan, siempre agacho la cabeza.* **2** **agacharse** Doblarse una persona hacia abajo: *Agáchate y recoge lo que has tirado.* □ SINÓNIMOS: **1** bajar. CONTRARIOS: **1** levantar, alzar. **2** levantarse, ponerse de pie, empinarse.

agalla [sustantivo femenino] **1** Cada una de las partes que tienen los peces a los dos lados de la cabeza y que les sirve para respirar: *Las agallas están en una abertura natural de los peces.* **2** [plural] Valor y decisión para enfrentarse a algo: *¡Hay que tener agallas para ponerse delante de un toro!* □ [El significado **2** es coloquial].

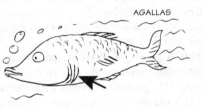

AGALLAS

ágape [sustantivo masculino] Comida a la que asisten muchas personas y en la que se celebra algún acontecimiento: *Celebró el premio con un ágape en un hotel.* □ SINÓNIMOS: banquete.

agarrar [verbo] **1** Coger o sujetar con la mano: *Agarra la correa del perro y procura que no se te escape.* **2** Empezar una planta a echar raíces en la tierra: *La planta que cambiamos de tiesto ya ha agarrado.* **3** Empezar a tener una enfermedad: *Si no te abrigas, vas a agarrar un resfriado.* **4** Empezar a sentirse con un estado de ánimo: *¡Menudo enfado agarró cuando supo la faena que le habían hecho!* **5** Conseguir algo de pronto: *Hemos agarrado una buena cantidad de dinero en las quinielas.* **agarrarse** **6** Quemarse una comida en el fondo del recipiente en el que se está haciendo: *Huele a quemado porque se me ha agarrado la carne.* **7** Producir una enfermedad su efecto con fuerza: *Se me ha agarrado un catarro que apenas me deja respirar.* **8** Tomar algo como disculpa: *En cuanto hay trabajo que hacer, enseguida se agarra a que le duele algo.* **9** [expresión] **agárrate** Se usa para decir al que nos oye que algo le va a sorprender: *Agárrate, ¿a que no sabes de lo que me he*

a
b
c
d
e
f
g
h
i
j
k
l
m
n
ñ
o
p
q
r
s
t
u
v
w
x
y
z

a
b
c
d
e
f
g
h
i
j
k
l
m
n
ñ
o
p
q
r
s
t
u
v
w
x
y
z

enterado? □ [Los significados **3-9** son coloquiales]. SINÓNIMOS: **1** asir. **2** prender, arraigar, enraizar. **3** contraer. **3,4** coger. **3,5** atrapar. **3-5** pillar, pescar. **6** pegarse. **8** acogerse. CONTRARIOS: **1** soltar. **5** perder.

agarrotar [verbo] Poner o ponerse una parte del cuerpo rígida y dura: *Hacía tanto frío que se me agarrotaron las manos y no podía ni mover los dedos.*

agencia [sustantivo/femenino] Lugar en el que se ofrecen determinados servicios a un cliente: *Fuimos a recoger los billetes de tren a la agencia de viajes.* □ FAMILIA: → agente.

agenda [sustantivo/femenino] Libro en el que se anotan teléfonos y cosas que tenemos que hacer, para no olvidarlos: *En mi agenda tengo apuntadas las fechas de los cumpleaños de mis amigos para felicitarlos.*

agente [sustantivo] **1** Persona que cuida de la seguridad pública o de que se cumplan las leyes: *Han puesto un agente de seguridad a la entrada del banco para que no haya atracos.* **2** Persona que actúa en nombre de otra: *El contrato de la última película de este actor lo consiguió su agente.* **3** [sustantivo/masculino] Lo que produce un efecto: *El agua, el viento y el calor son agentes de la erosión.* □ [Los significados **1** y **2** no varían en masculino y en femenino]. SINÓNIMOS: **2** representante. FAMILIA: agencia.

ágil [adjetivo] Que se mueve sin dificultad y de forma ligera: *Si quieres estar ágil, debes hacer deporte.* □ [No varía en masculino y en femenino]. SINÓNIMOS: rápido. FAMILIA: agilidad.

agilidad [sustantivo/femenino] Capacidad de moverse de forma ligera y sin dificultad: *Para saltar esa valla hace falta tener mucha agilidad.* □ FAMILIA: → ágil.

agitar [verbo] Mover algo de forma continua y violenta: *Antes de tomarte el zumo de la botella, agítalo para que se disuelva lo que está en el fondo.* □ SINÓNIMOS: remover, sacudir.

aglomeración [sustantivo/femenino] Grupo de muchas cosas que se reúnen sin orden: *No sé qué pasa en la calle, que hay una gran aglomeración de personas.* □ FAMILIA: → aglomerar.

aglomerar [verbo] Reunir o juntar muchas cosas sin orden: *La gente se aglomeraba a la salida del cine.* □ FAMILIA: aglomeración.

agobiar [verbo] Hacer sufrir a una persona de forma que sienta como si se ahogase: *Si tienes muchas cosas que hacer, no te agobies y hazlas con tranquilidad, y ya verás cómo te da tiempo.* □ FAMILIA: → agobio.

agobio [sustantivo/masculino] **1** Sensación que produce un problema que nos parece muy difícil de resolver: *Me da agobio pensar que tengo que acabar todo esto en media hora.* **2** Lo que produce esta sensación: *Es un agobio tener que contestar todas las preguntas seguidas en un tiempo tan corto.* □ FAMILIA: agobiar.

agolparse [verbo] Juntarse un grupo de personas en un lugar: *Un grupo de curiosos se agolpaba alrededor de un motorista caído en el suelo.* □ FAMILIA: → golpe.

agonizar [verbo] Estar en los últimos momentos de la vida: *Los familiares empezaron a llorar cuando vieron que el enfermo estaba agonizando.* □ [La z se cambia en c delante de e, como en CAZAR].

agosto 1 [sustantivo/masculino] Mes número ocho del año: *Agosto está entre julio y septiembre.* **2** [expresión] **hacer alguien el agosto** Hacer un buen negocio: *Hicieron el agosto abriendo aquí una farmacia, porque es la única en todo el barrio.* □ [El significado **2** es coloquial].

agotador, -a [adjetivo] Que cansa mucho: *La subida a esa montaña es agotadora, pero vale la pena.* □ FAMILIA: → agotar.

agotamiento [sustantivo/masculino] Falta total de fuerzas: *Después de la clase de educación física tenía tal agotamiento que no podía ni moverme.* □ FAMILIA: → agotar.

agotar [verbo] **1** Cansar mucho: *Este niño agota a cualquiera cuando se pone a hacer preguntas. Empecé muy fuerte la carrera, pero me agoté en seguida y tuve que parar.* **2** Gastar del todo: *Una semana antes del partido se agotaron las entradas.* □ SINÓNIMOS: **1** destrozar. **2** acabar. FAMILIA: agotamiento, agotador, inagotable.

agraciado, da [adjetivo] **1** Que tiene buena suerte: *A continuación leeremos el nombre de las personas agraciadas con el premio en este sorteo.* **2** Que es guapo y tiene el cuerpo bonito: *Hace años conoció a un joven muy agraciado, con el que luego se casó.* □ SI-

NÓNIMOS: **1** afortunado. CONTRARIOS: **1** desafortunado. FAMILIA: → gracia.

agradable [adjetivo] **1** Que gusta mucho o que produce placer: *Esta colonia tiene un olor muy agradable.* **2** Amable o simpático: *Sus padres son muy agradables y lo pasé muy bien con ellos cuando me invitó a su casa.* □ [No varía en masculino y en femenino]. SINÓNIMOS: **1** grato. CONTRARIOS: desagradable. FAMILIA: → agradar.

agradar [verbo] Gustar mucho: *Nos agrada saber que por fin eres feliz. Me agradó mucho tu regalo.* □ SINÓNIMOS: complacer. CONTRARIOS: desagradar, fastidiar. FAMILIA: agrado, agradable, desagradar, desagradable, desagrado.

agradecer [verbo] **1** Dar las gracias: *Te agradezco el favor que me has hecho.* **2** Corresponder bien a algo: *Si cuidas bien estas plantas, ya verás cómo te lo agradecen en primavera.* □ [Es irregular y se conjuga como PARECER]. FAMILIA: gracias, agradecido, agradecimiento, desagradecido.

agradecido, da [adjetivo] Que reconoce los favores que se le han hecho y da las gracias por ellos: *Las personas agradecidas no olvidan la ayuda que se les presta.* □ CONTRARIOS: desagradecido, ingrato. FAMILIA: → agradecer.

agradecimiento [sustantivo masculino] Hecho de dar las gracias: *Me mandó una carta en agradecimiento por el apoyo que le había prestado.* □ FAMILIA: → agradecer.

agrado [sustantivo masculino] Placer o satisfacción: *Me produce agrado saber que habéis solucionado vuestros problemas.* □ CONTRARIOS: desagrado. FAMILIA: → agradar.

agrandar [verbo] Hacer más grande: *Estamos haciendo obras en casa para agrandar el salón.* □ CONTRARIOS: achicar, disminuir, reducir, encoger, acortar. FAMILIA: → grande.

agrario, ria [adjetivo] Del campo o relacionado con él: *La agricultura y la ganadería son actividades agrarias.* □ [Es distinto de *agrícola*, que se refiere sólo a lo relacionado con el cultivo de la tierra]. FAMILIA: → agricultura.

agravar [verbo] Hacer más grave: *No digas nada más, porque sólo conseguirías agravar la situación. Ese tipo de enfermedades se*

agrava con la edad. □ SINÓNIMOS: empeorar. FAMILIA: → grave.

agredir [verbo] Atacar de forma violenta para producir un daño: *El portero agredió al jugador del equipo contrario sin que lo viera el árbitro.* □ [Se conjuga como ABOLIR]. FAMILIA: agresión, agresor, agresivo.

agregar [verbo] Unir una cosa a un todo: *Si agregas un poco de agua a la masa, quedará más suelta.* □ [La g se cambia en gu delante de e, como en PAGAR]. SINÓNIMOS: añadir, sumar. CONTRARIOS: quitar, restar.

agresión [sustantivo femenino] Ataque violento para producir un daño: *Se defendió de la agresión de sus atracadores.* □ FAMILIA: → agredir.

agresivo, va [adjetivo] Que actúa de forma violenta: *Los espectadores de fútbol a veces se ponen muy agresivos.* □ FAMILIA: → agredir.

agresor, -a [adjetivo o sustantivo] Que ataca de forma violenta para producir un daño: *La policía detuvo a los agresores que asaltaron a la mujer.* □ FAMILIA: → agredir.

agriar [verbo] Poner agrio: *Antes era una persona alegre, pero los sufrimientos agriaron su carácter. La leche se agría con el calor.* □ [La i puede no llevar tilde, o llevarla como en GUIAR]. FAMILIA: → agrio.

agrícola [adjetivo] De la agricultura o relacionado con el cultivo de la tierra: *Los productos agrícolas son la base de la economía de esta región.* □ [No varía en masculino y en femenino. Es distinto de *agrario*, que se refiere a la agricultura y a la ganadería]. FAMILIA: → agricultura.

agricultor, -a [sustantivo] Persona que cultiva la tierra: *En Castilla, muchos agricultores se dedican al cultivo de trigo.* □ FAMILIA: → agricultura.

agricultura [sustantivo femenino] Cultivo de la tierra para obtener productos que sirvan de alimento: *La agricultura es esencial en la economía de muchos países.* □ FAMILIA: agrario, agricultor, agrícola, agrónomo.

agridulce [adjetivo] Que tiene mezcla de sabor agrio y dulce: *Cené en un restaurante chino y tomé cerdo con salsa agridulce.* □ [No varía en masculino y en femenino]. FAMILIA: → dulce.

agrietar [verbo] Hacer aberturas largas y estrechas en una superficie: *La humedad ha*

a
b
c
d
e
f
g
h
i
j
k
l
m
n
ñ
o
p
q
r
s
t
u
v
w
x
y
z

agrietado las paredes del sótano. La piel se agrieta cuando está reseca. □ FAMILIA: → grieta.

agrio, gria [adjetivo] **1** Que sabe ácido: *El sabor del yogur natural sin azúcar es agrio.* **2** Que resulta poco agradable: *Me dio una respuesta tan agria que no supe qué contestar.* □ FAMILIA: agriar.

agrónomo, ma [adjetivo o] [sustantivo o] Que tiene conocimientos relacionados con el cultivo de la tierra: *Un grupo de ingenieros agrónomos estudian qué cereal puede ser plantado en este terreno.* □ FAMILIA: → agricultura.

agrupación [sustantivo] [femenino] Conjunto de cosas o de personas que forman un todo: *La liga de baloncesto que juega mi equipo está organizada por una agrupación de colegios de la zona.* □ FAMILIA: → grupo.

agrupar [verbo] Poner algo de manera que se forme un conjunto: *Hay que agrupar estas fichas por colores. Los jugadores se agruparon alrededor del entrenador para escuchar sus instrucciones.* □ SINÓNIMOS: juntar, reunir, amontonar. CONTRARIOS: desunir, separar, apartar, esparcir. FAMILIA: → grupo.

agua [sustantivo] [femenino] **1** Sustancia líquida sin sabor, sin olor y sin color: *El agua es la bebida que mejor quita la sed. Los ríos, los lagos y los mares están formados por agua.* 🔍 página 17. **2** [plural] Zona marina más o menos cercana a una costa: *Los pescadores españoles fueron detenidos por pescar con sus barcos en aguas francesas.* **3** [expresión] **agua corriente** La que hay en las casas: *Hay una avería en las tuberías y han cortado el agua corriente.* **agua mineral** La que se vende en botellas: *El agua mineral es la que nace en un manantial y suele contener sustancias medicinales.* **agua oxigenada** La que se usa para limpiar las heridas: *El agua oxigenada mata los microbios de las heridas.* **como agua de mayo** Muy bien recibido: *Tu visita nos llega como agua de mayo, porque necesitamos a alguien que nos ayude.* **con el agua al cuello** En una situación muy difícil: *Ayúdame, por favor, que estoy con el agua al cuello.* **ser agua pasada** Haber perdido importancia: *Aquella discusión ya es agua pasada y podemos hablar de ello sin enfadarnos.* □ [Aunque es femenino, se usa

con *el, un, ningún* y *algún: el agua, las aguas*]. FAMILIA: aguacero, aguanieve, aguadilla, aguar, aguardiente, aguarrás, paraguas, paragüero, acuarela, acuario, acueducto, acuático, desagüe.

aguacate [sustantivo] [masculino] Fruto parecido a la pera, pero con la piel dura y verde oscuro, que nace en un árbol tropical: *He comido una ensalada de lechuga, tomate, aguacate y queso.*

AGUACATE

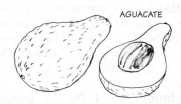

aguacero [sustantivo] [masculino] Lluvia repentina que dura poco: *Esperaré a que pase este aguacero, porque si salgo ahora me voy a calar.* □ FAMILIA: → agua.

[aguadilla [sustantivo] [femenino] Ahogadilla: *Me han hecho tantas aguadillas que he tragado media piscina.* □ [Es coloquial]. FAMILIA: → agua.

aguafiestas [sustantivo] Persona que estropea una diversión: *Eres un aguafiestas, siempre vienes a recogerme cuando mejor me lo estoy pasando con mis amigos.* □ [No varía en masculino y en femenino, ni en singular y en plural]. FAMILIA: → fiesta.

aguanieve [sustantivo] [femenino] Agua de lluvia mezclada con nieve: *Empezó nevando, pero ahora sólo cae aguanieve.* □ [Se escribe también agua nieve. Aunque es femenino, se usa con el, un, ningún y algún: el aguanieve, esta aguanieve]. FAMILIA: → agua.

aguantar [verbo] **1** Sujetar algo sin dejarlo caer: *Este estante no aguantará el peso de dos libros más.* **2** Sufrir con paciencia algo que no nos gusta: *Tienes que aguantar a mi amigo, aunque te caiga mal. Si no quieres venir a casa de los tíos, te aguantas, porque vamos todos juntos.* **3** No dejar que se note un deseo: *Me aguanté las ganas de comerme todos los bombones.* □ SINÓNIMOS: **1** sostener. **1,2** soportar. **2** tolerar, tragar. **3** contener, reprimir, dominar. FAMILIA: aguante, inaguantable.

aguante [sustantivo] [masculino] **1** Paciencia para resistir algo: *Tienes mucho aguante y nunca pierdes la calma, aunque te hagan enfadar.* **2** Fuerza para resistir algo sin dejarlo caer: *Puedes meter las botellas en la bolsa, porque tiene suficiente aguante y no se romperá.* □ FAMILIA: → aguantar.

aguar [verbo] **1** Mezclar con agua: *Han denunciado a esa lechería porque aguaban la leche que vendía.* **2** Estropear una diversión: *En los cumpleaños, cuando mejor lo estás pasando, vienen a recogerte y te aguan la fiesta.* **3 aguarse** Llenarse de agua: *Aunque se le agüen los ojos no la verás llorar, porque es muy orgullosa.* □ [Se conjuga como AVERIGUAR]. FAMILIA: → agua.

aguardar [verbo] **1** Esperar a que suceda algo: *Debes aguardar a que llegue tu cumpleaños para abrir el regalo.* **2** Esperar durante un período de tiempo determinado: *Aguardé un rato donde habíamos quedado pero, como vi que no venías, me fui.* **3** Suceder algo en un futuro: *Ven a ver este lugar, porque te aguardan un montón de sorpresas.*

aguardiente [sustantivo] [masculino] Bebida alcohólica muy fuerte: *El aguardiente es transparente.* □ FAMILIA: → agua.

aguarrás [sustantivo] [masculino] Líquido de olor muy fuerte que se usa para quitar la pintura: *Después de pintar, limpié los pinceles con aguarrás.* □ FAMILIA: → agua.

agudeza [sustantivo] [femenino] **1** Inteligencia que tiene una persona para responder rápido o con gracia: *Le hice una pregunta comprometedora, y me contestó con agudeza.* **2** Fuerza de un dolor: *El dolor era de tal agudeza que no lo podía resistir sin calmantes.* **3** Capacidad para ver, oler y oír muy bien: *Este aparato permite medir la agudeza visual.* □ FAMILIA: → agudo.

agudo, da [adjetivo] **1** Que tiene inteligencia y gracia: *Le dio una contestación muy aguda y nos hizo reír a todos.* **2** Que ve, huele u oye muy bien: *Para ser buen músico hay que tener un oído muy agudo.* **3** Que se parece más al sonido de un silbido que al de un trueno: *El sonido de la flauta es agudo.* **4** Que tiene el borde afilado: *Necesito un clavo muy agudo para atravesar esta pared.* **5** Dicho de un dolor, que es fuerte y conti-

nuo: *Si sientes un dolor agudo en el pecho, debes ir al médico.* **6** Dicho de una enfermedad, que es grave y dura poco: *Me operaron nada más ingresar en el hospital porque tenía una apendicitis aguda.* **7** Dicho de una palabra, que tiene el acento en la última sílaba: *«Canción» y «amor» son palabras agudas.* □ SINÓNIMOS: **2** fino. CONTRARIOS: **3** grave. FAMILIA: agudeza.

aguijón [sustantivo] [masculino] Especie de punta con veneno que tienen algunos insectos: *Me picó una abeja y me dejó clavado el aguijón.* □ FAMILIA: → aguja.

águila [sustantivo] [femenino] Ave que vuela muy alto y tiene la vista muy desarrollada: *Las águilas cazan de día.* □ [Aunque es femenino, se usa con el, un, ningún y algún: el águila, las águilas]. FAMILIA: aguilucho.

aguilucho [sustantivo] [masculino] **1** Cría del águila: *En ese nido hay dos aguiluchos.* **2** Un tipo de águila: *El aguilucho tiene un tamaño menor que el águila.* □ FAMILIA: → águila.

aguinaldo [sustantivo] [masculino] Regalo que se da en Navidad: *Un grupo de niños ha venido a cantar un villancico para que les diera el aguinaldo.*

aguja [sustantivo] [femenino] **1** Barrita de metal que termina en punta: *Las agujas de coser tienen un agujero en un extremo para meter el hilo. Para tejer un jersey se necesita lana y dos agujas.* **2** Barrita de metal que termina en punta y está hueca, y que sirve para poner un medicamento debajo de la piel: *Me da miedo ver la aguja de la jeringuilla cuando me van a poner una inyección.* **3** Varita que sirve para señalar algo: *La aguja pequeña del reloj marca las horas y la aguja larga, los minutos.* **4** Especie de punta que permite escuchar un disco: *No toques la aguja del tocadiscos con el dedo, que se estropea.* **5** Hoja de algunas plantas: *El estanque está lleno de las agujas de los pinos que lo rodean.* **6** Lo que permite cambiar de vía a un tren: *Los trenes pueden cambiar de vía al entrar en la estación gracias a las agujas.* □ FAMILIA: aguijón, agujetas.

agujerear [verbo] Hacer agujeros: *Tengo que agujerear estas hojas para guardarlas en el cuaderno de anillas.* □ FAMILIA: → agujero.

agujero [sustantivo] [masculino] Abertura más o menos re-

a
b
c
d
e
f
g
h
i
j
k
l
m
n
ñ
o
p
q
r
s
t
u
v
w
x
y
z

a
b
c
d
e
f
g
h
i
j
k
l
m
n
ñ
o
p
q
r
s
t
u
v
w
x
y
z

donda, que se hace en una superficie: *Tengo un agujero en la suela del zapato.* □ SINÓNIMOS: orificio. FAMILIA: agujerear.

agujetas [sustantivo femenino plural] Dolores que se sienten después de hacer un ejercicio físico no habitual: *Tengo agujetas en las piernas de subir a la montaña ayer.* □ FAMILIA: → aguja.

ah [interjección] Se usa para indicar sorpresa, admiración o disgusto: *¡Ah!, pero ¿es que ya me lo habías dicho? ¡Ah!, pues si vas tú, no voy yo.* □ [No confundir con *ha,* del verbo *haber,* ni con *a,* preposición].

ahí 1 [adverbio] En ese lugar: *Quédate ahí y no te muevas, que ahora voy yo. Deja el libro ahí, sobre la mesa.* **2** [expresión] **de ahí** Por eso: *Hace mucho que no voy a mi pueblo, de ahí que tenga tantas ganas de ir este fin de semana.* **por ahí** Por un lugar que no se determina: *Estuvimos por ahí, dando un paseo.* □ [No confundir con *hay,* del verbo *haber,* ni con *ay,* interjección. No debe decirse *mira a ahí,* sino *mira ahí*].

ahijado, da [sustantivo] Lo que es una persona en relación con el hombre y la mujer que lo acompañaron al recibir el bautismo: *Mi sobrina es mi ahijada, porque yo soy su madrina.* □ FAMILIA: → hijo.

ahínco [sustantivo masculino] Esfuerzo con el que se hace algo: *Si estudias con más ahínco conseguirás muy buenas notas.* □ SINÓNIMOS: afán, empeño. CONTRARIOS: desgana.

ahogadilla [sustantivo femenino] Broma que consiste en meter en el agua la cabeza de una persona que se está bañando: *Me baño contigo en la piscina si no me haces ahogadillas.* □ SINÓNIMOS: aguadilla. FAMILIA: → ahogar.

ahogado, da [adjetivo] **1** Que se produce con dificultad: *Me dijo con la voz ahogada por la pena que no nos volveríamos a ver.* **2** Con una sensación de presión: *Necesito salir a tomar el aire porque me siento ahogado aquí.* **3** [adjetivo o sustantivo] Muerto por haber podido respirar: *El socorrista de la playa tuvo que sacar del agua a un ahogado.* □ FAMILIA: → ahogar.

ahogar [verbo] **1** Quitar la vida impidiendo la respiración: *El asesino ahogó a su víctima con una almohada. Si no sabes nadar, no vayas sola en barca, porque si te caes puedes ahogarte.* **2** Apagar el fuego por fal-

ta de oxígeno: *No pongas tantos troncos a la vez, que vas a ahogar el fuego.* **3** Hacer que un motor no arranque por falta de oxígeno: *Si no te ha arrancado la moto espera un poco, porque, si sigues probando, la puedes ahogar.* **4** Acabar con algo o esconderlo: *Beber alcohol no es la solución para ahogar los problemas. Se abrazó a mí y trató de ahogar el llanto.* **5 ahogarse** Apretar o producir una sensación parecida a cuando falta el aire para respirar: *¿No te ahogas en esta habitación cerrada con tanto calor?* □ [La g se cambia en *gu* delante de e, como en PAGAR]. FAMILIA: ahogadilla, ahogado.

ahondar [verbo] **1** Hacer más profundo: *El jardinero ahondó el pozo del que sacábamos agua para regar el jardín.* **2** Estudiar algo con atención: *Este libro de historia ahonda en las razones por las que se produjo esa guerra.* □ SINÓNIMOS: profundizar. FAMILIA: → hondo.

ahora 1 [adverbio] En este momento: *Ahora no puedo ayudarte.* **2** [expresión] **ahora bien** Se usa para introducir una frase que indica una dificultad: *Haz lo que quieras, ahora bien, yo te aconsejaría que vinieses.* □ [No debe decirse *de entonces a ahora,* sino *de entonces ahora*].

ahorcar [verbo] Quitar la vida a una persona, atándole una cuerda al cuello y apretándola: *En una película del Oeste, ahorcaron de un árbol al ladrón de caballos.* □ SINÓNIMOS: colgar. FAMILIA: → horca.

ahorrador, -a [adjetivo o sustantivo] Que ahorra mucho: *Mi hermana siempre tiene dinero porque es muy ahorradora, pero yo en cambio me lo gasto todo.* □ SINÓNIMOS: ahorrativo. FAMILIA: → ahorrar.

ahorrar [verbo] **1** Guardar dinero para el futuro: *Estoy ahorrando para comprarme una bici de carreras.* **2** Intentar no gastar más de lo necesario: *No dejes encendidas las luces que no necesitas, porque hay que ahorrar energía. Si voy andando, me ahorro el dinero del autobús.* □ SINÓNIMOS: economizar. CONTRARIOS: gastar, derrochar. FAMILIA: ahorro, ahorrador, ahorrativo.

ahorrativo, va [adjetivo] **1** Que ahorra mucho: *Mi hermano es muy ahorrativo y casi nunca se gasta la paga que nos dan mis pa-*

dres. **2** Que sirve para ahorrar: *El Gobierno está fomentando las medidas ahorrativas.* ☐ Sinónimos: **1** ahorrador. Familia: → ahorro.

ahorro [sustantivo masculino] **1** Lo que se ahorra: *No sé todavía qué me voy a comprar con los ahorros de mi hucha.* **2** Intento de no gastar más de lo necesario: *El ahorro de energía favorece a todo el mundo.* ☐ [El significado **1** se usa más en plural]. Contrarios: **2** derroche, despilfarro. Familia: → ahorrar.

ahuecar [verbo] **1** Poner hueco: *Me ahueco el pelo por la parte de arriba para que parezca que tengo más.* **2** Marcharse o irse: *Tenemos que ahuecar de aquí antes de que venga mi hermano.* ☐ [La c se cambia en qu delante de e, como en SACAR. El significado **2** es coloquial y se usa mucho en la expresión *ahuecar el ala*]. Familia: → hueco.

ahumado, da [adjetivo] **1** Manchado por el humo: *La pared de la chimenea está totalmente ahumada.* **2** Dicho de un alimento, que ha sido puesto a la acción del humo para que se conserve: *En la fiesta había canapés de salmón ahumado.* **3** Que tiene color oscuro: *Mis gafas de sol tienen los cristales ahumados.* ☐ Familia: → humo.

ahumar [verbo] Llenar de humo: *¡No fuméis tanto, que me estáis ahumando!* ☐ [Se conjuga como ACTUAR]. Familia: → humo.

ahuyentar [verbo] Hacer huir: *El fuego ahuyenta a las fieras.* ☐ Familia: → huir.

airado, da [adjetivo] Que está enfadado o siente ira: *Como me contestó airado, supuse que le había dicho algo molesto para él.* ☐ Familia: → ira.

aire [sustantivo masculino] **1** Mezcla de gases que respiramos: *En las grandes ciudades el aire está muy contaminado.* **2** Esta mezcla de gases cuando está en movimiento: *Abrígate, que hoy hace aire y mucho frío.* **3** Capa que rodea la Tierra y está formada por esta mezcla de gases: *Los aviones van por el aire y los barcos, por el mar.* **4** Conjunto de características que hacen que una cosa parezca otra: *Tienes un aire a tu padre.* **5** Conjunto de características particulares de algo: *Me da miedo esa casa, porque tiene un aire muy misterioso.* **6** [expresión] **aire acondicionado** Aparato que permite elegir la temperatura de un sitio cerrado: *Hemos puesto aire acondicionado en casa para estar fresquitos en verano.* **al aire** Sin cubrir: *Bájate la camiseta, que llevas toda la tripa al aire.* **al aire libre** Fuera de un sitio cerrado: *Me gusta más hacer deporte al aire libre que en un gimnasio.* **darse aires** Creerse superior a los demás: *Desde que ganó ese premio se da aires de poeta y está insoportable.* **en el aire** Sin estar seguro: *El viaje de fin de curso está en el aire hasta que los profesores hablen con los padres.* **tomar el aire** Pasear fuera de un lugar cerrado: *Necesito salir a tomar el aire, porque llevo toda la semana en casa.* ☐ Sinónimos: **2** viento. **3** atmósfera. **4** parecido. Familia: airear, airoso, aéreo, antiaéreo, aeromodelismo, aeroplano.

airear [verbo] **1** Poner algo al aire o hacer que dé el aire en un sitio: *Cuando me levanto, abro la ventana para airear la habitación. Voy a airearme un rato a la calle, porque aquí me asfixio.* **2** Anunciar algo para que lo sepa todo el mundo: *Te conté eso como un secreto, no para que fueras aireándolo entre todos mis amigos.* ☐ Sinónimos: **1** ventilar. **2** proclamar, publicar, pregonar, divulgar, declarar. Contrarios: **2** callar. Familia: → aire.

airoso, sa [adjetivo] **1** Que termina con éxito: *Espero salir airoso de este asunto, y terminarlo sin ningún problema.* **2** Que tiene gracia en la forma de hacer algo: *Serías una buena modelo, porque eres muy airosa y elegante caminando.* ☐ Familia: → aire.

aislado, da [adjetivo] **1** Separado de todo: *Vive en una casa aislada, en mitad del monte.* **2** Raro y muy poco frecuente: *La enfermedad de este muchacho es un caso aislado, pero no es peligrosa.* ☐ Sinónimos: **2** excepcional, único, singular. Contrarios: común. Familia: → isla.

aislar [verbo] **1** Dejar solo y separado: *Aislarán al enfermo hasta que descubran si la enfermedad que padece es contagiosa.* **2** Proteger un espacio para evitar que entre o salga algo de él: *Han aislado las paredes de la discoteca para que los vecinos no oigan la música.* ☐ [Se conjuga como GUIAR]. Sinónimos: **1** incomunicar. Familia: → isla.

a b c d e f g h i j k l m n ñ o p q r s t u v w x y z

a
b
c
d
e
f
g
h
i
j
k
l
m
n
ñ
o
p
q
r
s
t
u
v
w
x
y
z

ajá o **ajajá** [interjección] Se usa para indicar sorpresa, admiración o disgusto: *¡Ajá, conque te habías escondido aquí! ¡Ajajá, ya sé lo que quieres hacer!* □ [Es coloquial].

ajedrez [sustantivo masculino] Juego en el que participan dos personas, que tiene seis tipos de piezas diferentes que deben moverse de una forma determinada: *La torre, el caballo y los peones son fichas de ajedrez y pueden ser negras o blancas.* □ [Su plural es ajedreces]. 🔧 página 290.

ajeno, na [adjetivo] **1** Que es de otro: *Debes cuidar las cosas ajenas igual que si fueran tuyas.* **2** Que no participa en lo que sucede a su alrededor: *Permanecí ajeno a vuestra discusión, porque no era algo que me interesara.*

ajetreado, da [adjetivo] Que tiene que hacer muchas cosas: *Hoy no puedo llevarte al cine, porque ando muy ajetreado y no tengo tiempo.* □ FAMILIA: → ajetreo.

ajetreo [sustantivo masculino] Gran cantidad de movimiento o de actividad: *Llevo unos días de mucho ajetreo y no he tenido tiempo de hacer tu encargo.* □ FAMILIA: ajetreado.

ajo 1 [sustantivo masculino] Planta que tiene la raíz redonda y blanca, dividida en dientes, y que se usa para dar sabor a las comidas: *Peló un diente de ajo para echarlo en las lentejas.* **2** [expresión] **estar en el ajo** Estar al corriente de lo que sucede: *Cuéntame qué pasa, porque no estoy en el ajo.*

ajuntarse [verbo] Ser amigo de alguien: *No me ajunto con ella porque me ha llamado gorda.* □ [Es coloquial]. SINÓNIMOS: juntarse. FAMILIA: → junto.

ajustar [verbo] **1** Colocar algo de forma que no quede espacio alrededor: *Con el cinturón puedes ajustarte los pantalones.* **2** Combinar dos cosas para hacer que funcionen al mismo tiempo: *Ajustemos nuestros relojes antes de empezar la carrera.* **3** Hacer que algo combine bien con otra cosa: *Si quieres vivir aquí, debes ajustar tus normas a las nuestras.* □ SINÓNIMOS: adaptar, acoplar. **3** amoldar.

ajusticiar [verbo] Dar muerte a una persona porque así lo ha decidido la ley: *En la novela, ajusticiaban al asesino en la horca.* □ SINÓNIMOS: ejecutar. FAMILIA: → justicia.

al Unión de *a* y *el*: *Me voy al cole.* □ [No debe decirse Llama a el abuelo, sino Llama al abuelo].

ala [sustantivo femenino] **1** Parte del cuerpo de algunos animales que les sirve para volar: *Este pajarillo no puede volar porque tiene un ala rota.* **2** Cada una de las partes planas de un avión que le permiten mantenerse en el aire: *Desde la ventanilla del avión veía su ala izquierda.* **3** Cada una de las partes de un edificio: *El ala oeste del castillo se quemó el siglo pasado en un incendio.* **4** Parte de un sombrero que da sombra: *Se quitó el sombrero cogiéndolo por el ala.* **5** [expresión] **ala delta** Especie de tela extendida que permite volar lanzándose desde un lugar muy alto: *El ala delta tiene forma de triángulo y un armazón de metal y madera.* 🔧 página 292. □ [Aunque es femenino, se usa con el, un, ningún y algún: el ala, las alas]. FAMILIA: alado, alero, aleta, aletear.

alabanza [sustantivo femenino] **1** Hecho de decir cosas buenas de alguien: *Los himnos religiosos son alabanzas a Dios.* **2** Cosa buena que se dice de alguien: *Cuando habla de ti sólo le oigo decir alabanzas.* □ SINÓNIMOS: elogio. CONTRARIOS: ofensa. FAMILIA: → alabar.

alabar [verbo] Decir cosas buenas de alguien: *No me alabes en público, que me da vergüenza.* □ SINÓNIMOS: elogiar. CONTRARIOS: ofender. FAMILIA: alabanza.

alacena [sustantivo femenino] Especie de armario hecho en el hueco de una pared, y en el que se suelen guardar alimentos: *Fui a la alacena a buscar algunas latas de tomate.*

alacrán [sustantivo masculino] Animal cuya cola acaba con un aguijón venenoso en forma de gancho: *Los alacranes viven debajo de las piedras.* □ SINÓNIMOS: escorpión.

alado, da [adjetivo] Que tiene alas: *A la puerta del museo hay una estatua de un caballo alado.* □ FAMILIA: → ala.

alambrada [sustantivo femenino] Conjunto de alambres que se ponen alrededor de un espacio que se quiere proteger: *Han puesto una alambrada muy alta rodeando la finca para que nadie entre sin permiso.* □ [Se usa también el masculino alambrado]. FAMILIA: → alambre.

alambre [sustantivo masculino] Hilo delgado de metal que se puede doblar: *Esta verja está hecha de alambre.* □ FAMILIA: alambrada.

alameda [sustantivo femenino] Paseo con árboles: *Me gusta pasear con mis padres por la alameda del parque.* □ FAMILIA: → álamo.

álamo [sustantivo masculino] Árbol que crece mucho y que tiene el tronco claro y liso: *En las riberas de algunos ríos suele haber álamos.* □ FAMILIA: alameda. ✍ página 18.

alargado, da [adjetivo] Que es mucho más largo que ancho: *Los dedos son alargados y las uñas son redondeadas.* □ FAMILIA: → largo.

alargar [verbo] Hacer más largo: *Hay que alargarte las faldas, porque has crecido. Han alargado el plazo de matrícula.* □ [La g se cambia en gu delante de e, como en PAGAR]. SINÓNIMOS: prolongar, ampliar. CONTRARIOS: abreviar, acortar, reducir, resumir. FAMILIA: → largo.

alarido [sustantivo masculino] Grito muy fuerte y agudo: *Salió de la habitación dando alaridos de terror, porque decía que había visto un fantasma.*

alarma [sustantivo femenino] Señal que avisa de que hay un peligro: *Los ladrones huyeron de la casa cuando empezó a sonar la alarma.* □ FAMILIA: → alarmar.

alarmante [adjetivo] Que asusta porque puede ser muy grave: *Su retraso empieza a ser alarmante, porque nunca llega tarde.* □ [No varía en masculino y en femenino]. FAMILIA: → alarmar.

alarmar [verbo] Asustar o poner muy nervioso: *Hemos tenido un accidente, pero no te alarmes, porque no ha pasado nada.* □ FAMILIA: alarma, alarmante.

alavés, -a [adjetivo o sustantivo o] De la provincia de Álava: *Con la carne tomaremos un vino alavés.*

alba [sustantivo femenino] **1** Momento del día en el que sale el Sol: *Tenemos que despertarnos al alba para empezar el viaje.* **2** Prenda blanca que se pone el sacerdote en algunas ceremonias: *El sacerdote se puso el alba para celebrar la misa.* □ [Aunque es femenino, se usa con el, un, ningún y algún: el alba, las albas]. SINÓNIMOS: **1** amanecer, madrugada.

albacetense [adjetivo o sustantivo o] De la provincia de Albacete o de su capital: *Mi profesor es albacetense.* □ [No varía en masculino y en femenino]. SINÓNIMOS: albaceteño.

albaceteño, ña [adjetivo o sustantivo o] De la provincia

de Albacete o de su capital: *Los albaceteños fabrican unas navajas muy buenas.* □ SINÓNIMOS: albacetense.

albañil, -a [sustantivo] Persona que trabaja en la construcción: *Hoy han empezado los albañiles las obras en la cocina de casa.* □ FAMILIA: albañilería.

albañilería [sustantivo femenino] Conjunto de técnicas para construir casas: *Si sabes albañilería, puedes levantar un tabique que divida estas dos habitaciones.* □ FAMILIA: → albañil.

albaricoque [sustantivo masculino] Fruta redonda, parecida al melocotón, pero más pequeña: *Los albaricoques tienen la piel muy suave y un hueso muy duro.*

alberca [sustantivo femenino] Lugar que se construye para almacenar agua: *El agua de la alberca sirve para regar la huerta.*

albergar [verbo] **1** Dar o tomar alojamiento: *Nos albergaremos en el hotel que está en la plaza.* **2** Tener una idea o un deseo: *Albergo la esperanza de volver a estar juntos algún día.* □ [La g se cambia en gu delante de e, como en PAGAR]. SINÓNIMOS: **1** hospedar, alojar. **2** abrigar. FAMILIA: → albergue.

albergue [sustantivo masculino] **1** Lugar en el que pasa la noche una persona: *Cuando vamos a esquiar, dormimos en un albergue de montaña.* **2** Permiso que se da a una persona para pasar la noche en una casa que no es la suya: *Te agradecemos que nos des albergue en tu casa, porque el hotel está lleno.* □ SINÓNIMOS: alojamiento, hospedaje. FAMILIA: albergar.

albino, na [adjetivo o sustantivo o] Que tiene la piel y el pelo casi blancos: *Las personas albinas tienen que tener mucho cuidado de no quemarse con el sol.*

albóndiga [sustantivo femenino] Bola de carne picada: *Me gustan las albóndigas con salsa de tomate y patatas.*

albornoz [sustantivo masculino] Prenda de vestir hecha con tela de toalla y que se usa para secarse después del baño: *Mi albornoz tiene capucha, bolsillos y cinturón.* □ [Su plural es albornoces].

alborotador, -a [adjetivo o sustantivo o] Que hace mucho ruido y molesta: *Me han llamado la atención en clase por alborotadora.* □ FAMILIA: → alborotar.

a
b
c
d
e
f
g
h
i
j
k
l
m
n
ñ
o
p
q
r
s
t
u
v
w
x
y
z

a
b
c
d
e
f
g
h
i
j
k
l
m
n
ñ
o
p
q
r
s
t
u
v
w
x
y
z

alborotar [verbo] **1** Hacer mucho ruido y molestar: *En un hospital no se puede alborotar. No os alborotéis, que hay regalos para todos.* **2** Cambiar el orden normal de algo: *Se me ha alborotado el pelo con el viento.* □ FAMILIA: alboroto, alborotador.

alboroto [sustantivo/masculino] Mucho ruido y gran movimiento de personas: *Bajad al patio sin alboroto, que hay gente en las demás clases.* □ SINÓNIMOS: bulla, bullicio, jaleo, lío, follón, cacao, guirigay. FAMILIA: → alborotar.

albufera [sustantivo/femenino] Terreno en el que ha entrado el agua del mar y que ha quedado separado de éste por una masa de arena: *La albufera es una laguna de agua ligeramente salada.*

álbum [sustantivo/masculino] **1** Especie de libro donde se guardan fotografías y otras cosas: *Estoy a punto de completar mi álbum de cromos de animales.* **2** Conjunto formado por uno o varios discos: *Me han regalado los dos últimos álbumes del grupo que más me gusta.* □ [Su plural es *álbumes*].

alcachofa [sustantivo/femenino] **1** Planta que se cultiva en las huertas, cuyo fruto es verde y está rodeado de hojas pequeñas y duras: *Las alcachofas que se compran en la frutería son verdes y las que vienen en lata, amarillas.* **2** Pieza que tiene una base redonda llena de agujeros por los que sale el agua: *La ducha de mi casa tiene la alcachofa sujeta a la pared.*

ALCACHOFA

alcahuete, ta [sustantivo] Persona que le busca novio a otra: *No seas alcahuete y deja de presentarme a tus amigos, porque yo no quiero novio.* □ [Es distinto de *cacahuete*, que es un tipo de fruto seco].

alcalde [sustantivo/masculino] Persona que gobierna una ciudad o un pueblo: *El alcalde inauguró ayer una nueva calle.* □ [Su femenino es *alcaldesa*]. FAMILIA: alcaldesa, alcaldía.

alcaldesa [sustantivo/femenino] Mujer que gobierna una ciudad o un pueblo: *La alcaldesa ha recibido en el ayuntamiento a los representantes de los comerciantes del pueblo.* □ [Su masculino es *alcalde*]. FAMILIA: → alcalde.

alcaldía [sustantivo/femenino] **1** Categoría de la persona que gobierna una ciudad o un pueblo: *Abandonó la alcaldía después de tres años en el cargo.* **2** Oficina en la que trabaja esta persona: *El alcalde ha reunido en la alcaldía a todos los concejales.* □ FAMILIA: → alcalde.

alcantarilla [sustantivo/femenino] **1** Lugar que hay debajo de las ciudades por donde se va el agua sucia y el agua que cae de la lluvia: *El agua que se usa en las casas llega a las alcantarillas.* **2** Agujero de entrada a este lugar: *Se me cayó una moneda, fue rodando hasta la alcantarilla y se metió dentro.* página 796. □ SINÓNIMOS: **1** cloaca. FAMILIA: alcantarillado.

alcantarillado [sustantivo/masculino] Sistema formado por un conjunto de enormes tubos que van por debajo de las casas para llevar hacia los ríos el agua sucia y el agua que cae de la lluvia: *El alcantarillado de una ciudad sirve para mantenerla limpia.* □ FAMILIA: → alcantarilla.

alcanzar [verbo] **1** Llegar a juntarse con algo que está delante: *Salió antes que yo, pero corrí y lo alcancé a mitad de camino.* **2** Obtener o llegar a coger: *Si sigues entrenando así, alcanzarás el primer puesto en la próxima competición. Alcánzame el libro de la última estantería, que yo no llego.* **3** Ser suficiente: *Con el dinero que tenemos no nos alcanza para comprarle este regalo.* **4** Llegar a algo o dar en ello: *La bomba alcanzó a varios edificios de la ciudad.* □ [La z cambia en c delante de e, como en CAZAR]. SINÓNIMOS: **1** atrapar, coger.

alcázar [sustantivo/masculino] Especie de castillo que sirve para protegerse de un ataque enemigo: *Desde la torre del alcázar de Segovia se ve casi toda la ciudad.* □ SINÓNIMOS: fortaleza.

alcoba [sustantivo/femenino] Cuarto de una casa en el que se duerme: *Cuando visitamos el palacio, nos enseñaron la alcoba de los reyes.* □ SINÓNIMOS: dormitorio.

alcohol [sustantivo/masculino] **1** Líquido que arde muy fácilmente y que se usa para limpiar, evitar infecciones y para disolver sustancias: *El* *practicante limpia la piel con alcohol antes de poner una inyección.* **2** Bebida alcohólica: *Los que tienen que conducir no pueden beber alcohol.* ☐ FAMILIA: alcohólico, alcoholismo.

alcohólico, ca 1 [adjetivo] Dicho de una bebida, que contiene alcohol: *El vino y los licores son bebidas alcohólicas.* **2** [adjetivo o sustantivo] Que bebe demasiado alcohol: *Antes era alcohólico, pero con la ayuda de su familia y del médico ya no bebe más que zumos.* ☐ FAMILIA: → alcohol.

alcoholismo [sustantivo masculino] Enfermedad producida por beber demasiado alcohol: *Estuvo ingresada en un hospital especial para curarse de su alcoholismo.* ☐ FAMILIA: → alcohol.

alcornoque 1 [adjetivo o sustantivo masculino] Que tiene poca educación o poca inteligencia: *Eres un alcornoque y ya no sé cómo explicarte esto para que me entiendas.* **2** [sustantivo masculino] Árbol que tiene el tronco áspero y de color muy oscuro: *De la corteza del alcornoque se obtiene el corcho.* 🖝 página 18. ☐ [Cuando es adjetivo, no varía en masculino y en femenino].

aldea [sustantivo femenino] Pueblo pequeño en el que vive poca gente: *Mis abuelos nacieron en una aldea de Santander.* ☐ FAMILIA: aldeano.

aldeano, na [adjetivo o sustantivo] De una aldea o relacionado con ella: *Unos aldeanos nos dijeron cómo podíamos llegar a la carretera nacional.* ☐ FAMILIA: → aldea.

ale [interjección] Se usa para dar ánimo o para indicar sorpresa, admiración o disgusto: *¡Ale, ale, que vas a ganar! ¡Ale, qué golpe te has dado!*

alegar [verbo] Presentar algo como excusa: *Cuando la acusaron de asesinato, alegó que no sabía lo que hacía.* ☐ [La g se cambia en gu delante de e, como en PAGAR].

alegrar [verbo] Poner alegre: *Me alegro de que ya no tengas problemas. Esta música alegra a cualquiera.* ☐ CONTRARIOS: entristecer, apenar, afligir. FAMILIA: → alegre.

alegre [adjetivo] **1** Que siente o que produce una sensación que hace feliz: *Hoy estoy muy alegre, porque me ha salido todo bien. El día que nos dan las vacaciones es un día muy alegre.* **2** Dicho de un color, que es vivo: *Este año se llevan los colores alegres, como el rojo y el amarillo.* **3** Que es menos

serio de lo que debería ser: *Los tenían mal considerados porque eran gente de vida alegre.* **4** Que se hace de forma poco responsable: *No hagas comentarios alegres sobre ellos si no los conoces.* ☐ [No varía en masculino y en femenino]. SINÓNIMOS: **1** contento. CONTRARIOS: **1** triste, doloroso, penoso. **2** apagado. FAMILIA: alegrar, alegría.

alegría [sustantivo femenino] **1** Sensación que se tiene cuando pasa algo que nos gusta mucho: *Me da mucha alegría verte aquí.* 🖝 página 430. **2** Falta de responsabilidad al hacer algo: *Debes empezar a ahorrar y no gastar el dinero con tanta alegría.* ☐ SINÓNIMOS: **1** gozo, contento, dicha. CONTRARIOS: **1** pena, dolor, tristeza, pesar, sufrimiento. FAMILIA: → alegre.

alejamiento [sustantivo masculino] Colocación de algo más lejos: *El alejamiento de las nubes hace pensar que va a mejorar el tiempo.* ☐ CONTRARIOS: acercamiento, aproximación. FAMILIA: → lejos.

alejar [verbo] Poner más lejos: *Aléjame estos bombones para que no me los coma todos. Se alejó de nosotros sin decir ni siquiera adiós.* ☐ [Siempre se escribe con j]. SINÓNIMOS: desunir, separar, apartar. CONTRARIOS: acercar, aproximar, arrimar. FAMILIA: → lejos.

aleluya [interjección] Se usa para indicar algo que gusta mucho: *¡Aleluya, por fin has llegado a tu hora!*

alemán, -a 1 [adjetivo o sustantivo] De Alemania, que es un país de Europa: *Berlín es una ciudad alemana.* **2** [sustantivo masculino] Lengua de este país: *Estoy estudiando alemán en una academia.*

alergia [sustantivo femenino] Conjunto de cambios que producen en el cuerpo algunas sustancias que no nos sientan bien: *Tengo alergia al polen y, cuando voy al campo, se me irritan los ojos y la nariz.*

alero [sustantivo masculino] Parte inferior de un tejado que sirve para proteger las paredes del agua de lluvia: *En esta zona las casas tienen grandes aleros, porque llueve mucho.* ☐ FAMILIA: → ala.

alerta 1 [sustantivo femenino] Estado en el que hay que estar muy atento porque puede suceder algo malo: *Ante el peligro de que volvieran los aviones enemigos, el buque permaneció en alerta toda la noche.* **2** [adverbio] En situación

a b c d e f g h i j k l m n ñ o p q r s t u v w x y z

a
b
c
d
e
f
g
h
i
j
k
l
m
n
ñ
o
p
q
r
s
t
u
v
w
x
y
z

de vigilancia: *Hay que estar alerta por si vuelve a subirle la fiebre, para llamar al médico.* **3** [expresión] **alerta roja** Situación límite: *La alerta roja por la sequía continúa en varios pueblos de la zona.*

aleta [sustantivo femenino] **1** Parte del cuerpo de algunos animales que les sirve para nadar: *Los peces nadan gracias a las aletas.* **2** Especie de zapato de goma que se usa para nadar más rápido: *Me has ganado porque tú llevabas aletas y yo no.* ✍ página 120. **3** Parte inferior de los lados de la nariz: *Para sonarte tienes que poner el pañuelo en las aletas de la nariz.* □ FAMILIA: → ala.

aletargar [verbo] Producir sueño o un estado parecido al sueño: *Los reptiles se aletargan con el frío.* □ [La g se cambia en gu delante de e, como en PAGAR]. FAMILIA: → letargo.

aletear [verbo] Mover las alas un ave: *El canario empezó a aletear en su jaula cuando se acercó el gato.* □ FAMILIA: → ala.

alevín 1 [adjetivo o sustantivo] Que pertenece a una de las categorías deportivas de los niños pequeños: *El equipo de alevines del colegio ha quedado campeón en el torneo.* **2** [sustantivo masculino] Cría de algunos peces: *Los alevines se suelen utilizar para repoblar ríos, lagos o estanques.* □ [El significado **1** no varía en masculino y en femenino].

alevosía [sustantivo femenino] En algunos delitos, seguridad que tiene la persona que los comete de que no le va a suceder nada: *Condenaron al ladrón a más años de cárcel, porque había actuado con alevosía.*

alfabético, ca [adjetivo] Del abecedario o relacionado con él: *El orden de las palabras de este diccionario es alfabético.* □ FAMILIA: → alfabeto.

alfabetizar [verbo] Enseñar a leer y a escribir: *Este grupo de maestros se dedica a alfabetizar a los adultos de la región.* □ [La z se cambia en c delante de e, como en CAZAR]. FAMILIA: → alfabeto.

alfabeto [sustantivo masculino] Conjunto de las letras de un idioma puestas en orden: *La «c» es la tercera letra del alfabeto español.* □ SINÓNIMOS: abecedario. FAMILIA: alfabetizar, alfabético, analfabeto, analfabetismo.

alfalfa [sustantivo femenino] Planta que sirve de alimento al ganado: *Los burros comen alfalfa.*

alfarería [sustantivo femenino] Técnica que se emplea para fabricar objetos de barro con las manos: *Los martes voy a clase de alfarería.*

alfarero, ra [sustantivo] Persona que fabrica objetos de barro con las manos: *Vi cómo el alfarero hacía una vasija de arcilla.* □ FAMILIA: → alfarería.

alférez [sustantivo masculino] Una de las categorías militares: *Un alférez está a las órdenes de un teniente.* □ [Su plural es *alféreces*].

alfiler 1 [sustantivo masculino] Especie de aguja que tiene una bolita en uno de sus extremos: *Los alfileres sirven para unir trozos de tela sin coserlos.* **2** [expresión] **con alfileres** Poco seguro: *Casi no he podido estudiar y me sé la lección con alfileres.* □ [El significado **2** es coloquial].

alfombra [sustantivo femenino] **1** Tela que se pone en el suelo para adornarlo o para proteger del frío: *La alfombra del salón de mi casa es de lana.* **2** Lo que cubre el suelo del todo y de forma regular: *Hicieron una alfombra de flores por donde iba a pasar la procesión.* □ FAMILIA: alfombrar.

alfombrar [verbo] Cubrir el suelo con algo que se le pone encima: *Han alfombrado las escaleras del portal de mi casa.* □ FAMILIA: → alfombra.

alforja [sustantivo femenino] Especie de bolsa que cae a cada lado de algo: *El buscador de oro colgó las alforjas en el burro antes de salir hacia el río.* □ [Se usa más en plural].

ALFORJA

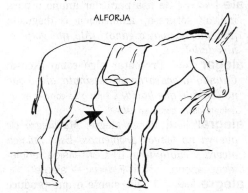

alga [sustantivo femenino] Planta que hay en el fondo del mar: *Después de la tormenta la playa estaba llena de algas.* □ [Aunque es femenino, se usa con el, un, ningún y algún: el alga, las algas]. ✍ páginas 120, 537.

algarroba [sustantivo] [femenino] Fruto del algarrobo, que es parecido a la judía: *La algarroba se suele utilizar para alimentar al ganado.* ☐ FAMILIA: → algarrobo.

algarrobo [sustantivo] [masculino] Árbol que está siempre verde cuyo fruto es parecido a la judía: *El algarrobo es propio de regiones templadas.* ☐ FAMILIA: algarroba.

algo [pronombre] [indefinido] **1** Una cosa, sin decir exactamente qué es: *Necesito beber algo, porque me muero de sed.* **2** Cantidad de una cosa: *Esto es poco, dame algo más.* **3** [adverbio] Un poco: *Te veo algo triste, ¿qué te pasa?* **4** [expresión] **darle algo a alguien** Ponerse mal de pronto: *No corras tanto, que te va a dar algo.* **por algo** Porque hay un motivo, aunque no se quiera decir cuál es: *Si ya no te presto ningún libro es por algo.* ☐ [No varía en masculino y en femenino. No tiene plural].

algodón [sustantivo] [masculino] **1** Planta que tiene las semillas envueltas por una especie de pelos blancos y cortos: *El algodón se cultiva en zonas calurosas y húmedas.* **2** Hilo que se obtiene de esta planta: *La ropa de algodón se arruga mucho.* **3** Especie de tela muy hueca, suave y blanca: *Límpiate la herida con un trozo de algodón empapado en agua oxigenada.* **4** [expresión] **algodón dulce** Dulce hecho con azúcar: *En la feria tomé algodón dulce y monté en los coches de choque.* **tener entre algodones a alguien** Tratarlo muy bien: *Siempre quiero ir a su casa porque me tienen entre algodones.* ☐ FAMILIA: algodonero.

algodonero, ra **1** [adjetivo] Del algodón o relacionado con él: *En Grecia hay plantaciones algodoneras.* **2** [sustantivo] Persona que se dedica al cultivo o al comercio del algodón: *En el siglo XVIII, muchos algodoneros del sur de Estados Unidos tenían esclavos.* ☐ FAMILIA: → algodón.

alguacil [sustantivo] [masculino] Persona que trabaja en un ayuntamiento: *El alguacil se encarga de realizar los mandatos del alcalde.*

alguien [pronombre] [indefinido] Alguna persona: *Escucha, que te llama alguien por la ventana.* ☐ [No varía en masculino y en femenino. No tiene plural].

algún [pronombre] [indefinido] Alguno: *¿Tienes por ahí algún papel para escribir?* ☐ [Va siempre delante de un sustantivo masculino singular].

alguno, na [pronombre] [indefinido] **1** Indica que se habla de una persona o cosa cualquiera de entre varias: *De todas mis amigas, alguna es rubia. No vinieron todos, sólo algunos.* **2** Indica una cantidad que no está determinada: *Ya han nacido algunas flores en el jardín.* ☐ [Cuando *alguno* va delante de un sustantivo masculino singular, se cambia por *algún*: *¿Puedes prestarme algún libro?*].

alhaja [sustantivo] [femenino] **1** Adorno que se ponen las personas y que está hecho con piedras y metales preciosos: *Los anillos, las pulseras y los collares son alhajas.* **2** Lo que vale mucho: *Debes estar orgulloso de tu hijo, porque es una alhaja.* ☐ SINÓNIMOS: joya. **2** maravilla, tesoro. CONTRARIOS: baratija.

alhelí [sustantivo] [masculino] Planta de flores con muy buen olor que se cultiva como adorno: *Las flores de los alhelíes pueden ser de distintos colores.* ☐ [Su plural es *alhelís* o *alhelíes* (más culto)].

aliado, da [adjetivo o] [sustantivo] Que se ha unido a otra persona para lograr un fin: *En la Segunda Guerra Mundial los países aliados luchaban contra Alemania.* ☐ CONTRARIOS: adversario, enemigo, rival, contrario. FAMILIA: → aliar.

alianza [sustantivo] [femenino] **1** Unión de personas para lograr un fin: *La alianza entre esos países los obliga a defenderse mutuamente en caso de guerra.* **2** Anillo de boda: *Mis padres llevan la alianza en la mano derecha.* ☐ CONTRARIOS: **1** rivalidad, enemistad. FAMILIA: → aliar.

aliar [verbo] Unir una persona a otra para conseguir un fin: *Todos los vecinos se aliaron para conseguir un polideportivo en el barrio.* ☐ [Se conjuga como GUIAR]. SINÓNIMOS: asociar. FAMILIA: aliado, alianza.

alias **1** [sustantivo] [masculino] Nombre que se da a una persona y que sustituye al verdadero: *El alias suele hacer alusión a alguna característica de la persona que lo lleva.* **2** [adverbio] Por otro nombre: *Ha sido detenido RSL, alias «Manoslargas».* ☐ [No varía en singular y en plural]. SINÓNIMOS: **1** apodo, mote.

alicantino, na [adjetivo o] [sustantivo] De la provincia de Alicante o de su capital: *Veraneo en un pueblo de la costa alicantina.*

alicatado [sustantivo] [masculino] Hecho de cubrir las paredes con baldosines: *Mañana empiezan las*

a
b
c
d
e
f
g
h
i
j
k
l
m
n
ñ
o
p
q
r
s
t
u
v
w
x
y
z

a
b
c
d
e
f
g
h
i
j
k
l
m
n
ñ
o
p
q
r
s
t
u
v
w
x
y
z

obras de alicatado del cuarto de baño. □ FAMILIA: → alicatar.

alicatar [verbo] Cubrir las paredes con baldosines: *Antes tenían la cocina pintada, y ahora la van a alicatar.* □ FAMILIA: alicatado.

alicate [sustantivo][masculino] Herramienta que sirve para sujetar o cortar cosas delgadas: *Ese alambre lo cortarás mejor con unos alicates que con unas tijeras.* □ [Significa lo mismo en singular que en plural]. ✄ página 431.

aliciente [sustantivo][masculino] Lo que empuja a hacer algo: *Debe de ser un aliciente para ti saber que todos esperamos que saques muy buenas notas este curso.* □ SINÓNIMOS: estímulo.

aliento [sustantivo][masculino] **1** Aire que sale de la boca al respirar: *Sé que has comido cebolla cruda, porque te huele el aliento.* **2** Entrada y salida de aire en los pulmones hechas a un ritmo normal: *Descansa y, cuando recuperes el aliento, nos cuentas qué ha sucedido.* **3** Fuerza o energía: *Se necesita mucho aliento para realizar una tarea tan difícil.* **4** Estímulo o apoyo: *Les dijo unas palabras de aliento para animarlos a seguir trabajando así de bien.* □ SINÓNIMOS: **2** respiración. CONTRARIOS: **3** desaliento. FAMILIA: desaliento.

aligerar [verbo] **1** Hacer que algo sea menos pesado: *Debemos aligerar el equipaje, porque no podemos llevar tantas cosas.* **2** Hacer algo más deprisa: *Si no aligeras el paso, llegaremos tarde.* □ SINÓNIMOS: **2** acelerar, apresurar, abreviar, precipitar, apurar. CONTRARIOS: **2** frenar, retrasar. FAMILIA: → ligero.

alijo [sustantivo][masculino] Conjunto de productos que se introducen en un país en contra de la ley: *Los detuvieron en la aduana por pasar un alijo de droga.*

alimaña [sustantivo][femenino] Animal que resulta perjudicial para algunos tipos de caza: *En el bosque vimos zorros, comadrejas y otras alimañas.*

alimentación [sustantivo][femenino] Cantidad de alimentos necesarios para vivir: *Una alimentación sana y equilibrada ayuda a mantener la salud.* □ FAMILIA: → alimentar.

alimentar [verbo] **1** Dar los alimentos necesarios para vivir: *La vaca alimenta a su ternero.* **2** Dar nuevas fuerzas: *Pon más tron-*cos en la chimenea para alimentar el fuego.* □ SINÓNIMOS: nutrir, mantener. FAMILIA: alimentación, alimento, alimenticio.

alimenticio, cia [adjetivo] Que alimenta: *Los purés de verduras son muy alimenticios.* □ SINÓNIMOS: nutritivo. FAMILIA: → alimentar.

alimento [sustantivo][masculino] **1** Lo que toman las personas y los animales para vivir: *Es injusto que mueran personas por falta de alimento.* **2** Lo que sirve para mantener la existencia de algo: *Los pequeños detalles son el alimento del amor.* □ SINÓNIMOS: **1** comida. FAMILIA: → alimentar.

alineación [sustantivo][femenino] **1** Conjunto de personas de un equipo que juegan en un partido determinado: *El entrenador ha dado la alineación que jugará la final de baloncesto.* **2** Colocación de varias cosas en línea recta: *La alineación de los soldados se realizó según la estatura.* **3** Colocación de una persona dentro de su equipo para jugar un partido determinado: *Hoy se realiza la alineación del portero, después de dos meses de baja por lesión.* □ FAMILIA: → línea.

aliñar [verbo] Preparar una comida con sal, aceite y otros productos: *En mi casa, la ensalada se aliña con aceite, vinagre y sal.* □ SINÓNIMOS: aderezar, arreglar.

alioli [sustantivo][masculino] Salsa hecha con ajo, huevo y aceite, que sirve para acompañar algunos alimentos: *De aperitivo tomamos unas cañas y patatas con alioli.* □ [Es una palabra de origen catalán].

alisar [verbo] Poner liso: *He ido a la peluquería a que me alisen el pelo.* □ CONTRARIOS: rizar. FAMILIA: → liso.

alistarse [verbo] Apuntarse en el ejército: *Cuando estalló la guerra, muchos jóvenes se alistaron voluntariamente.* □ FAMILIA: → lista.

aliviar [verbo] **1** Quitar preocupaciones: *Me alivia saber que se han solucionado todos tus problemas.* **2** Hacer sentir menos dolor: *Una aspirina no te quitará la infección de la muela, pero te aliviará el dolor.* **3** **aliviarse** Mejorar en una enfermedad: *Espero que te alivies pronto y puedas volver a clase.* □ FAMILIA: → alivio.

alivio [sustantivo][masculino] Disminución de una carga o de un dolor: *Es un alivio que se hayan ido* *y nos hayan dejado por fin solos. Siento mucho alivio desde que me he tomado la pastilla.* □ FAMILIA: aliviar.

allá [adverbio] **1** En aquel lugar: *Aquí no puedo parar con el coche, te espero allá, al lado de esa fuente.* **2** En un tiempo pasado: *Este escritor vivió allá por 1612.* **3** [expresión] **el más allá** Lo que hay después de la muerte: *Muchas religiones creen que existe otra vida en el más allá.* **no muy allá** No muy bueno: *La película no era muy allá, pero salían unos paisajes preciosos.* □ [No debe decirse vamos a allá, sino vamos allá]. SINÓNIMOS: allí.

allanar [verbo] **1** Poner llano o liso: *Están allanando el terreno para construir pistas de tenis.* **2** Dejar libre de problemas: *Puedes pedirle lo que quieras, porque yo te he allanado el camino diciendo que eres amigo mío.* **3** Entrar en una casa sin permiso de su dueño: *Fueron detenidos por allanar la casa del juez.* □ SINÓNIMOS: **1** aplanar, igualar. FAMILIA: → llano.

allí [adverbio] **1** En aquel lugar: *Espérame allí, en tu trabajo, que pasaré a buscarte.* **2** Entonces o en aquella ocasión: *Intentó engañarme y allí fue cuando me di cuenta de cómo era.* □ [No debe decirse vamos a allí, sino vamos allí]. SINÓNIMOS: allá.

alma [sustantivo femenino] **1** Espíritu de una persona, en oposición al cuerpo: *Todos los seres humanos están formados por la unión del cuerpo y el alma.* **2** Energía que se pone para hacer algo: *He intentado con toda mi alma llevarme bien contigo.* **3** Lo que da fuerza a algo: *No puedes dejarnos, porque eres el alma del equipo.* **4** Persona: *A estas horas no hay ni un alma por las calles.* **5** [expresión] **como un alma en pena** Solo y muy triste: *Desde que se fueron sus amigos de vacaciones anda por aquí como un alma en pena.* **caérsele a alguien el alma a los pies** Perder el ánimo porque algo no ha salido como se esperaba: *Se me cayó el alma a los pies cuando me dijeron que no jugaríamos el partido.* □ [Aunque es femenino, se usa con el, un, ningún y algún: el alma, las almas].

almacén [sustantivo masculino] **1** Lugar en el que se guardan algunas cosas: *El modelo de televisión que usted quiere no lo tenemos aquí, sino en el almacén.* **2** Local en el que se

venden productos, generalmente al por mayor: *Estas estanterías las hemos comprado en un almacén de maderas.* **3** [expresión] **grandes almacenes** Tienda muy grande en la que se venden todo tipo de productos: *En unos grandes almacenes puedes comprar ropa, comida, libros y una bicicleta, sin salir del mismo edificio.* □ FAMILIA: almacenar.

almacenar [verbo] Guardar o reunir en gran cantidad: *Durante el verano las ardillas almacenan frutos para el invierno. En los pantanos se almacena el agua del deshielo y el agua de lluvia.* □ FAMILIA: → almacén.

almanaque [sustantivo masculino] Lista de los días del año repartidos en meses y semanas: *Los almanaques suelen incluir festividades y otro tipo de informaciones interesantes.* □ SINÓNIMOS: calendario.

almeja [sustantivo femenino] Animal marino comestible con dos conchas: *Hoy he comido almejas a la marinera.*

almena [sustantivo femenino] Cada una de las partes superiores de los muros de un castillo: *Los arqueros disparaban desde lo alto de la torre protegiéndose en las almenas.* ✺ página 157.

almendra [sustantivo femenino] Fruto seco cuya cáscara es muy dura y marrón: *Los frutos secos que más me gustan son las almendras y las avellanas.* □ FAMILIA: → almendro.

almendro [sustantivo masculino] Árbol de madera muy dura y de flores blancas o rosas: *El fruto del almendro es la almendra.* □ FAMILIA: almendra. ✺ página 19.

almeriense [adjetivo o sustantivo] De la provincia de Almería o de su capital: *En el desierto almeriense se han rodado muchas películas del Oeste.* □ [No varía en masculino y en femenino].

almíbar [sustantivo masculino] Líquido dulce que se obtiene cociendo agua con azúcar: *¿Te apetece melocotón en almíbar para postre?*

almidón [sustantivo masculino] Sustancia blanca que tienen algunos vegetales: *Antes se planchaban las camisas con almidón para dejarlas duras.*

almirante [sustantivo masculino] Una de las categorías militares: *El almirante de la flota pasó revista a los marineros formados en la cubierta del buque.*

a
b
c
d
e
f
g
h
i
j
k
l
m
n
ñ
o
p
q
r
s
t
u
v
w
x
y
z

a

b

c

d

e

f

g

h

i

j

k

l

m

n

ñ

o

p

q

r

s

t

u

v

w

x

y

z

almirez [sustantivo/masculino] Recipiente de metal, parecido a un vaso, que sirve para aplastar dentro algunos alimentos: *Si quieres te voy machacando los ajos en el almirez.* □ [Es distinto de *mortero*, que puede ser de diferentes materiales. Su plural es *almireces*].

ALMIREZ

almohada 1 [sustantivo/femenino] Pieza de tela rellena de un material blando que sirve para apoyar en ella la cabeza: *No puedo dormir sin almohada.* **2** [expresión] **consultar algo con la almohada** Pensar mucho algo antes de decidirse: *Te contestaré mañana, porque prefiero consultar con la almohada qué es lo que me conviene.* □ [El significado **2** es coloquial]. FAMILIA: almohadilla, almohadón.

almohadilla [sustantivo/femenino] Especie de asiento blando que se coloca sobre algo duro para estar más cómodo: *En las plazas de toros y en los estadios de fútbol se alquilan almohadillas porque los asientos son muy duros.* □ FAMILIA: → almohada.

almohadón [sustantivo/masculino] **1** Pieza de tela, generalmente de forma cuadrada, rellena de un material blando: *Si estás incómodo en el sofá, ponte este almohadón en la espalda.* **2** Lo que se pone para cubrir una almohada: *La sábana de abajo y el almohadón de mi cama son azules, pero la sábana de arriba es de flores.* □ FAMILIA: → almohada.

almorzar [verbo] Tomar la comida principal del día: *Hoy he almorzado lentejas de primero y carne asada de segundo.* □ [Es irregular y se conjuga como FORZAR]. FAMILIA: almuerzo.

almuerzo [sustantivo/masculino] **1** Comida principal del día: *Mañana no como en casa, porque tengo un almuerzo de trabajo.* **2** Comida, generalmente ligera, que se hace a media mañana o al comenzar el día: *Como tengo una jornada laboral muy larga, tomo un almuerzo a las doce.* □ FAMILIA: → almorzar.

alocado, da [adjetivo o/sustantivo] Que actúa con poco juicio: *No confío en ti para esta tarea tan seria, porque eres un muchacho muy alocado.* □ SINÓNIMOS: loco, insensato, imprudente. CONTRARIOS: juicioso, prudente, sensato, cuerdo. FAMILIA: → loco.

alojamiento [sustantivo/masculino] **1** Lugar en el que pasa la noche una persona: *Si buscas alojamiento, hay un hotel en la plaza que está muy bien.* **2** Permiso que se da a una persona para pasar la noche en una casa que no es la suya: *En estas vacaciones te invito a mi casa y así tendrás la comida y el alojamiento seguros.* **3** Colocación de una persona en un lugar para que viva en él como si fuera su casa: *El Estado se encargará del alojamiento de los refugiados.* □ SINÓNIMOS: **1,2** albergue, hospedaje. FAMILIA: → alojar.

alojar [verbo] **1** Dar o tomar alojamiento: *Éste es el hotel en el que me alojo.* **2** Meterse una cosa dentro de otra: *La bala se le alojó en el pecho.* **3** Tener un lugar capacidad para un determinado número de cosas: *Este estadio puede alojar más de cien mil personas.* □ [Siempre se escribe con *j*]. SINÓNIMOS: **1** hospedar, albergar. FAMILIA: alojamiento, desalojar.

alondra [sustantivo/femenino] Pájaro de color marrón que emite un canto muy agradable: *La alondra pasa el invierno en España.*

ALONDRA

alpaca [sustantivo/femenino] **1** Metal parecido a la plata: *Las bandejas de alpaca son más baratas que las de plata.* **2** Un tipo de tela: *Mi padre tiene un traje muy elegante de alpaca para el verano.*

alpargata [sustantivo/femenino] Especie de zapato hecho con una tela fuerte: *En verano uso alpargatas de colores con la suela de esparto.*

alpinismo [sustantivo/masculino] Deporte que consiste en subir montañas altas: *Para hacer alpinismo hay que saber escalar bien.* □ [Es distinto de *montañismo*, que es el deporte que consiste en hacer marchas a través de las montañas]. FAMILIA: → alpino.

alpinista 1 [adjetivo] Del alpinismo o relacionado con este deporte: *Me he apuntado a un club alpinista y voy a la sierra todos los fines de semana.* **2** [sustantivo] Persona que sube montañas altas: *Un grupo de alpinistas españoles escaló el Everest.* ☐ [No varía en masculino y en femenino]. FAMILIA: → alpino.

alpino, na [adjetivo] **1** De los Alpes o relacionado con estas montañas: *Aprendí a esquiar en la cordillera alpina.* **2** Del deporte que consiste en subir montañas altas: *Pertenezco a la federación alpina de mi ciudad.* **3** Dicho de una región, que se caracteriza por tener una fauna y una flora parecidas a las que tienen los Alpes: *El abeto es un árbol propio de las regiones alpinas.* ☐ FAMILIA: alpinismo, alpinista.

alpiste [sustantivo masculino] Alimento que se da a algunos pájaros: *Antes de irte, ponle alpiste y agua al canario.*

alquilar [verbo] Dar o tomar algo que se va a usar durante cierto tiempo, a cambio del pago de una cantidad de dinero: *Como no tengo casa, he alquilado un piso a unos señores.* ☐ SINÓNIMOS: arrendar. FAMILIA: alquiler.

alquiler [sustantivo masculino] **1** Uso, sólo durante cierto tiempo, de algo que pertenece a otra persona, a cambio del pago de una cantidad de dinero: *En esta tienda tienen películas de vídeo de alquiler.* **2** Precio que se paga por usar durante cierto tiempo algo que es ajeno: *Pago el alquiler de mi piso por meses.* ☐ FAMILIA: → alquilar.

alquitrán [sustantivo masculino] Sustancia que se usa para cubrir las carreteras: *El alquitrán es negro y se obtiene principalmente del petróleo.*

alrededor 1 [adverbio] De forma que rodea algo: *La Luna gira alrededor de la Tierra.* **2** [expresión] **alrededor de** Poco más o menos: *Te costará alrededor de mil pesetas, no creo que sea más caro.* ☐ FAMILIA: alrededores.

alrededores [sustantivo masculino plural] Zona que rodea un lugar: *Me conozco muy bien los alrededores de mi pueblo.* ☐ SINÓNIMOS: contorno, afueras. CONTRARIOS: centro. FAMILIA: → alrededor.

alta [sustantivo femenino] Mira en **alto, ta**.

altar 1 [sustantivo masculino] Mesa en la que se celebran algunas ceremonias religiosas: *El sacerdote besa el altar al empezar la eucaristía.* **2** [expresión] **llevar al altar a alguien** Casarse con él: *El día que lleves al altar a mi hermana te convertirás en mi cuñado.* ☐ [El significado **2** es coloquial].

altavoz [sustantivo masculino] Aparato que sirve para que se oiga más fuerte el sonido: *Este equipo de música tiene dos altavoces.* ☐ [Su plural es altavoces]. FAMILIA: → VOZ.

alteración [sustantivo femenino] **1** Cambio o diferencia: *Ha habido algunas alteraciones en el programa previsto para la fiesta de fin de curso.* **2** Cambio producido en algo, que suele ser perjudicial: *Esta crema está indicada para las alteraciones de la piel causadas por el sol.* ☐ SINÓNIMOS: **1** variación, transformación, modificación, novedad. FAMILIA: → alterar.

alterar [verbo] **1** Cambiar algo: *Si alteras las cantidades de los ingredientes, el pastel no te saldrá bien.* **2** Preocupar o poner a alguien muy nervioso: *Me alteró mucho saber que habíais tenido un accidente. Después de su enfermedad, no conviene que se altere por nada.* **3** Enfadar mucho a una persona: *No te alteres y déjame que te explique lo que ha pasado.* **4** Estropear o hacer daño: *El sol altera los colores de la ropa.* ☐ SINÓNIMOS: **1** transformar, modificar. **2** trastornar. FAMILIA: alteración, inalterable.

alternar [verbo] **1** Variar siguiendo un orden repetido y continuo: *En la decoración de esta sala alterna el blanco con el azul.* **2** Sucederse en el espacio o en el tiempo de forma repetida: *Hoy no habrá cambios de temperaturas y alternarán las nubes y los claros en esta zona.* **3** Tratar con la gente: *Debes salir más de tu casa y alternar con gente de tu edad.* ☐ FAMILIA: → alterno.

alterno, na [adjetivo] **1** Que va uno detrás de otro y ambos siguen un orden que se repite: *En el debate el presidente contestó a las preguntas alternas de los dos periodistas.* **2** Que sucede de forma repetida dejando un hueco en medio: *Mi equipo entrena días alternos y nunca dos días seguidos.* ☐ FAMILIA: alternar.

alteza [sustantivo femenino] Tratamiento que se da a los

a
b
c
d
e
f
g
h
i
j
k
l
m
n
ñ
o
p
q
r
s
t
u
v
w
x
y
z

hijos de los reyes de España: *Su Alteza el príncipe Felipe viajó a Hispanoamérica en visita oficial.* □ [Se usa más en las expresiones *Su Alteza* o *Vuestra Alteza*].

altitud [sustantivo] [femenino] Distancia de un punto en relación con el nivel del mar: *La azafata anunció que volaríamos a 8.000 pies de altitud.* □ SINÓNIMOS: altura. FAMILIA: → alto.

altivez [sustantivo] [femenino] Orgullo que muestra alguien que se cree superior a los demás: *Trataba a sus súbditos con altivez.* □ [Su plural es *altiveces*]. SINÓNIMOS: arrogancia. FAMILIA: → altivo.

altivo, va [adjetivo] Que se cree superior a los demás y lo muestra: *Es muy altivo y no habla con personas a las que él considera inferiores.* □ SINÓNIMOS: arrogante. FAMILIA: altivez.

alto, ta [adjetivo] **1** Que tiene más distancia de arriba abajo de lo que es habitual: *El Everest es la montaña más alta de la Tierra. Hoy no nos podemos bañar, porque hay olas muy altas y muy fuertes.* **2** Que tiene un valor o una fuerza superiores a los normales: *En esta tienda tienen los precios más altos del barrio. No escuches la música tan alta, que te vas a quedar sordo.* **3** Que ocupa una posición superior: *Nuestro equipo está en los puestos más altos de la liga. Su padre es un alto cargo en un banco.* **4** Excelente o muy bueno: *La puntuación de la gimnasta fue muy alta.* **5** Difícil de conseguir: *Tengo aspiraciones muy altas y tengo que trabajar mucho para alcanzarlas.* [sustantivo] [masculino] **6** Distancia de arriba abajo que tiene un cuerpo: *Este armario tiene un metro y medio de alto.* **7** Parada que se hace en algo: *La profesora hizo un alto en la explicación para ver si teníamos alguna duda.* **8** Elevación del terreno que hay en el campo: *Desde ese alto podremos ver si vienen siguiéndonos.* [sustantivo] [femenino] **9** Ingreso en una asociación: *El entrenador ha llevado nuestras fichas a la federación de baloncesto para darnos de alta para esta temporada.* **10** Declaración que hace un médico de que un enfermo ya está curado: *Mañana iré a trabajar de nuevo porque ya me han dado el alta.* **alto** [adverbio] **11** En un lugar superior: *La percha está muy alto y no llego a colgar el* abrigo. **12** En un tono de voz fuerte: *Cuando hables en público debes hablar alto y claro.* **13** [interjección] Se usa para decir a alguien que se detenga: *El vigilante nocturno vio una sombra y gritó: «¡Alto! ¿Quién anda ahí?».* **14** [expresión] **por todo lo alto** A lo grande: *Celebraron el cumpleaños de su hijo por todo lo alto con payasos, camareros y cine en casa.* □ [En los significados **9** y **10**, aunque es femenino, se usa con el, un, ningún y algún: *el alta, las altas*]. SINÓNIMOS: **1** elevado. **6** altura. CONTRARIOS: bajo. FAMILIA: altura, altitud.

altozano [sustantivo] [masculino] Monte de poca altura que se eleva sobre un terreno llano: *Cerca del pueblo hay un altozano con ruinas de un antiguo monasterio.*

altruismo [sustantivo] [masculino] Interés de una persona por conseguir el bien de los demás: *Llevado por su altruismo, donó su casa para que construyeran un hospital.* □ CONTRARIOS: egoísmo. FAMILIA: altruista.

altruista [adjetivo o] [sustantivo] Que actúa sólo por el interés de conseguir el bien de los demás: *Pertenezco a una sociedad altruista que quiere que todo el mundo pueda tener estudios.* □ [No varía en masculino y en femenino]. CONTRARIOS: egoísta. FAMILIA: → altruismo.

altura [sustantivo] [femenino] **1** Distancia de un cuerpo en relación con la tierra: *Ha pasado un avión volando a muy poca altura.* **2** Distancia de arriba abajo que tiene un cuerpo: *Esta puerta tiene dos metros de altura y uno de anchura.* **3** En matemáticas, distancia en línea recta que tiene una figura desde su base hasta el lado opuesto: *La altura de un triángulo la puedes hacer uniendo con una línea recta un vértice con el lado opuesto.* **4** Montaña alta: *Mañana escalaremos una de las alturas más difíciles de la zona.* **5** Distancia muy grande desde el suelo: *No me asomo a la terraza del rascacielos, porque las alturas me producen vértigo.* **6** Distancia de un punto en relación con el nivel del mar: *Este fin de semana nevará en alturas superiores a los dos mil metros.* **7** Valor o nivel: *El atleta venció en la carrera a deportistas de gran altura.* **8** Zona del mar que está lejos de las costas: *Estos pescado-*

res se dedican a la pesca de altura. □ SI-
NÓNIMOS: **2** alto. **6** altitud. FAMILIA: → alto.

alubia [sustantivo femenino] **1** Planta que se cultiva en
las huertas, cuyo fruto es verde, alargado y
con los extremos terminados en punta: *A
las alubias se les ponen unos palos para que
crezcan agarrándose a ellos.* **2** Semilla de
esta planta que se cocina cuando ya está
seca: *Hoy he comido alubias blancas con
chorizo.* □ SINÓNIMOS: judía. ✿ página
500.

alucinar [verbo] **1** Producir mucha sorpresa
o gran impresión: *Me alucina lo bien que
juega tu hermana al baloncesto. Tienes un
coche que alucina.* **2** Sentir o ver cosas que
no son reales como si lo fueran: *El enfermo
empezó a alucinar y a dar gritos de terror.*
□ [El significado **1** es coloquial]. FAMILIA: alucine.

[alucine [sustantivo masculino] Lo que gusta mucho: *Le
han comprado una moto que es un alucine,
chaval.* □ [Es coloquial]. FAMILIA: → alucinar.

alud [sustantivo masculino] **1** Gran masa de nieve que cae
de una montaña con mucha fuerza y ha-
ciendo mucho ruido: *Los montañeros oyeron
el alud y se pusieron a cubierto.* **2** Gran cantidad de algo que llega con fuerza: *Hemos
recibido un alud de reclamaciones por un
producto que estaba en mal estado.* □ SI-
NÓNIMOS: avalancha.

aludir [verbo] **1** Citar algo sin nombrarlo de
forma clara: *El profesor aludió a los que
siempre llegan tarde, sin decir quiénes eran.*
2 Mencionar algo sin detenerse mucho en
ello: *La ministra aludió a la necesidad de
crear nuevos puestos de trabajo, pero no explicó cómo se podría conseguir.* □ FAMILIA:
alusión, alusivo.

alumbrado [sustantivo masculino] Conjunto de luces que
sirven para alumbrar un lugar: *El alumbra-
do de esta calle no es suficiente y se ve muy
mal cuando se hace de noche.* □ FAMILIA: →
lumbre.

alumbrar [verbo] **1** Llenar un lugar de luz:
*El acomodador alumbró con la linterna los
asientos que nos correspondían. Esta vela
alumbra muy poco.* **2** Parir o dar a luz:
*Alumbró una niña de tres kilos de peso, que
recibirá el nombre de María.* □ SINÓNIMOS:
1 iluminar. FAMILIA: → lumbre.

aluminio [sustantivo masculino] Metal muy ligero y de color parecido al de la plata: *El papel de aluminio se usa para envolver alimentos.*

alumno, na [sustantivo] Persona que va a clase
para aprender: *El profesor explica la lección
a sus alumnos.*

alunizaje [sustantivo masculino] Momento en el que una
nave desciende para ponerse en la superfi-
cie de la Luna: *Retransmitieron por televisión el alunizaje de la nave espacial.* □ FA-
MILIA: → alunizar.

alunizar [verbo] Ponerse una nave en la superficie de la Luna: *En 1969 alunizó un cohete espacial por primera vez.* □ [La z se cambia en c delante de e, como en CAZAR]. FAMILIA: alunizaje.

alusión [sustantivo femenino] Hecho de citar algo de pasada o sin nombrarlo de forma clara: *Du-
rante la conferencia, el ministro hizo alusión
a ciertos sucesos ocurridos el año pasado.* □
FAMILIA: → aludir.

alusivo, va [adjetivo] Que se nombra o se cita
de pasada: *El profesor hizo un comentario
alusivo a nuestro buen comportamiento de
ayer.* □ FAMILIA: → aludir.

aluvión [sustantivo masculino] Gran cantidad de cosas que
llega de pronto: *El presidente pidió calma
al oír el aluvión de preguntas que le hacían
los periodistas.*

alza [sustantivo femenino] Aumento o subida de algo: *El
alza de los precios ha indignado a los consumidores.* □ [Aunque es femenino, se usa con *el*,
un, *ningún* y *algún*: *el alza*, *las alzas*]. CONTRARIOS:
bajada, descenso. FAMILIA: → alzar.

alzamiento [sustantivo masculino] Movimiento de protesta que inicia un grupo de personas en con-
tra de una autoridad: *Algunos alzamientos
han provocado el principio de una guerra.*
□ SINÓNIMOS: rebelión. FAMILIA: → alzar.

alzar [verbo] **1** Mover de abajo hacia arriba:
*Alcemos nuestras copas para brindar por los
novios.* **2** Elevar el precio de algo: *En épocas
de escasez se alzan los precios de algunas
cosas.* **3** Emitir la voz con fuerza: *No alcéis
la voz, que está durmiendo el bebé.* **4** Hacer
una construcción: *Ya han alzado las paredes de la nueva biblioteca.* **5** Hacer que un
grupo de personas inicie un movimiento de
protesta contra una autoridad: *Los militares han alzado a las tropas en contra del
Gobierno.* **6 alzarse** Levantarse en una su-

a
b
c
d
e
f
g
h
i
j
k
l
m
n
ñ
o
p
q
r
s
t
u
v
w
x
y
z

a
b
c
d
e
f
g
h
i
j
k
l
m
n
ñ
o
p
q
r
s
t
u
v
w
x
y
z

perficie: *Ese edificio de oficinas de cuarenta plantas se alza sobre el resto de las casas de la zona.* **7** [expresión] **alzarse con algo** Conseguirlo: *El equipo visitante se alzó con la victoria gracias a que marcaron el penalti.* □ [La z se cambia en c delante de e, como en CAZAR]. SINÓNIMOS: **1** elevar. **1,3-5** levantar. **2,3** subir. **5** amotinar, sublevar. **6** erguirse. CONTRARIOS: **1-3** bajar. **4,5** derribar. **5** abatir. FAMILIA: alzamiento, alza.

amabilidad [sustantivo] [femenino] Trato amable con los demás: *Con amabilidad y buena educación se puede conseguir casi todo.* □ FAMILIA: → amable.

amable [adjetivo] Que resulta agradable en el trato: *El dependiente fue muy amable al enseñarme tantas cosas para que eligiera tu regalo.* □ [No varía en masculino y en femenino]. FAMILIA: amabilidad.

amado, da [sustantivo] Persona amada: *El poeta dedicó estos versos a su amada.* □ [Se suele usar en el lenguaje literario]. FAMILIA: → amar.

amaestrar [verbo] Enseñar a un animal a hacer determinadas cosas: *He amaestrado a mi perro para que me traiga las zapatillas cuando llego a casa.* □ FAMILIA: → maestro.

amamantar [verbo] Alimentar una madre a su hijo con su propia leche: *La gata amamanta a sus gatitos.*

amanecer 1 [sustantivo] [masculino] Momento del día en el que sale el Sol: *Tengo ganas de ver un amanecer en el mar.* [verbo] **2** Empezar a aparecer la luz del día: *En invierno amanece más tarde que en verano.* **3** Estar en un lugar al empezar el día: *Nos dormimos durante el viaje y amanecimos en Barcelona.* □ [Como verbo, es irregular y se conjuga como PARECER]. SINÓNIMOS: **1** alba, madrugada. **2** clarear, aclarar. CONTRARIOS: anochecer. **2** oscurecer.

amanerado, da [adjetivo] Que tiene movimientos característicos de una mujer: *Es muy amanerado y al hablar mueve las manos de forma exagerada.* □ FAMILIA: → manera.

amansar [verbo] **1** Hacer que un animal pueda estar con las personas: *Hasta que no consigan amansar al potro salvaje, no lo podrá montar nadie.* **2** Poner tranquilo: *Cuando te*

amanses, verás que no había motivo para que os pelearais de ese modo.* □ FAMILIA: → manso.

amante [sustantivo] Persona que mantiene una relación de amor con otra sin estar casada con ella: *Se dice que esa actriz es la amante de un cantante muy famoso.* □ [No varía en masculino y en femenino]. SINÓNIMOS: querido. FAMILIA: → amar.

amapola [sustantivo] [femenino] Planta que tiene flores de color rojo: *Las amapolas son silvestres.*

amar [verbo] Sentir amor hacia algo o hacia alguien: *Debemos amar a nuestros semejantes. Romeo y Julieta se amaron con pasión.* □ SINÓNIMOS: apreciar, querer, adorar, estimar. CONTRARIOS: aborrecer, odiar, detestar. FAMILIA: amado, amante, amor, amoroso, amorío, enamorar, enamorado.

amargar [verbo] **1** Tener sabor amargo: *El café amarga y, si no le pongo azúcar, no me gusta.* **2** Producir pena y disgusto: *Sus continuos fracasos lo amargaron.* **3 amargarse** Sentir gran pena y disgusto por algo que ha salido mal: *Se amargó cuando no lo admitieron en el ballet de su ciudad.* □ [La g se cambia en gu delante de e, como en PAGAR]. FAMILIA: amargo, amargura.

amargo, ga [adjetivo] **1** De sabor fuerte y poco agradable, como el café sin azúcar: *No me gusta el cacao sin azúcar porque es muy amargo.* **2** Que produce disgusto o que lo muestra: *Es amargo saber que un amigo te ha traicionado.* □ CONTRARIOS: dulce. FAMILIA: → amargar.

amargura [sustantivo] [femenino] Disgusto o pena que se sienten por algo que ha salido mal: *Me produjo gran amargura saber que no podía confiar en mi mejor amigo.* □ FAMILIA: → amargar.

amarillento, ta [adjetivo] De color parecido al amarillo: *Cuando estuve enfermo del hígado, se me puso la piel amarillenta.* □ FAMILIA: → amarillo.

amarillo, lla [adjetivo o] [sustantivo] **1** Del color del limón: *El oro es amarillo. El amarillo es mi color favorito.* 🔍 página 160. **2** Dicho de una raza, que se caracteriza por tener los ojos rasgados: *Los japoneses son de raza amarilla.* □ FAMILIA: amarillento.

amarrar [verbo] **1** Atar con cuerdas: *Los la-*

1.ª conjugación: AMAR

INDICATIVO

presente	pretérito perfecto
amo	he amado
amas	has amado
ama	ha amado
amamos	hemos amado
amáis	habéis amado
aman	han amado

pretérito imperfecto	pretérito pluscuamperfecto
amaba	había amado
amabas	habías amado
amaba	había amado
amábamos	habíamos amado
amabais	habíais amado
amaban	habían amado

pretérito indefinido (1)	pretérito anterior
amé	hube amado
amaste	hubiste amado
amó	hubo amado
amamos	hubimos amado
amasteis	hubisteis amado
amaron	hubieron amado

futuro	futuro compuesto
amaré	habré amado
amarás	habrás amado
amará	habrá amado
amaremos	habremos amado
amaréis	habréis amado
amarán	habrán amado

condicional	condicional compuesto
amaría	habría amado
amarías	habrías amado
amaría	habría amado
amaríamos	habríamos amado
amaríais	habríais amado
amarían	habrían amado

SUBJUNTIVO

presente	pretérito perfecto
ame	haya amado
ames	hayas amado
ame	haya amado
amemos	hayamos amado
améis	hayáis amado
amen	hayan amado

pretérito imperfecto	pretérito pluscuamperfecto
amara, -ase	hubiera, -ese amado
amaras, -ases	hubieras, -eses amado
amara, -ase	hubiera, -ese amado
amáramos, -ásemos	hubiéramos, -ésemos amado
amarais, -aseis	hubierais, -eseis amado
amaran, -asen	hubieran, -esen amado

futuro	futuro compuesto
amare	hubiere amado
amares	hubieres amado
amare	hubiere amado
amáremos	hubiéremos amado
amareis	hubiereis amado
amaren	hubieren amado

IMPERATIVO

presente

ama	(tú)
ame	(él)
amemos	(nosotros)
amad	(vosotros)
amen	(ellos)

FORMAS NO PERSONALES

infinitivo	infinitivo compuesto
amar	haber amado

gerundio	gerundio compuesto
amando	habiendo amado

participio

amado

(1) Se llama también **pretérito perfecto simple**.

a
b
c
d
e
f
g
h
i
j
k
l
m
n
ñ
o
p
q
r
s
t
u
v
w
x
y
z

drones le amarraron las manos detrás de la espalda y lo ataron a una silla. **2** Sujetar un barco en el puerto: *Echaron el ancla y amarraron el pesquero en el muelle.*

amasar [verbo] **1** Hacer una masa mezclando diversas sustancias: *Para hacer una pizza hay que amasar harina, agua y sal.* **2** Reunir gran cantidad de dinero: *Importaba productos que no había en su país y amasó una gran fortuna.* □ FAMILIA: → masa.

amasijo [sustantivo] [masculino] Conjunto de cosas distintas, colocadas sin orden: *Después del accidente, el coche quedó hecho un amasijo de hierros.* □ FAMILIA: → masa.

[amateur [adjetivo o] [sustantivo] Aficionado: *Es un ciclista amateur y no cobra por correr en bicicleta.* □ [Es una palabra francesa. Se pronuncia «amatér». No varía en masculino y en femenino].

amazona [sustantivo] [femenino] Mujer que monta a caballo: *Mi hermana es muy buena amazona, porque monta a caballo desde que tenía cuatro años.*

ámbar [adjetivo o sus-] [tantivo masculino] De color amarillo, casi naranja: *En los semáforos hay tres colores: rojo, verde y ámbar.* □ [Cuando es adjetivo, no varía en masculino y en femenino, ni en singular y plural].

ambición [sustantivo] [femenino] Deseo muy grande de conseguir algo: *Mi gran ambición es llegar a ser tan bueno como mis padres.* □ FAMILIA: ambicionar, ambicioso.

ambicionar [verbo] Desear con mucha fuerza: *Lo único que ambiciono es poder hacer felices a los demás.* □ FAMILIA: → ambición.

ambicioso, sa [adjetivo o] [sustantivo] Que tiene un deseo muy grande de conseguir algo: *Es tan ambiciosa que hará cualquier cosa para salir elegida delegada de curso.* □ FAMILIA: → ambición.

ambientador [sustantivo] [masculino] Producto que se usa para dar buen olor al ambiente: *Lleva colgado un sobrecito con ambientador en el retrovisor del coche.* □ FAMILIA: → ambiente.

ambiental [adjetivo] Del ambiente: *La contaminación ambiental es mayor en las grandes ciudades que en los pueblos.* □ [No varía en masculino y en femenino]. FAMILIA: → ambiente.

ambientar [verbo] **1** Poner el ambiente adecuado: *La película está ambientada en Ita-*

lia durante la Edad Media. Ambientaron la sala para la fiesta con tiras de colores y muchas flores. **2 ambientarse** Acostumbrarse a una nueva situación: *Cuando te ambientes y sepas cómo funciona todo esto, te encontrarás más a gusto.* □ FAMILIA: → ambiente.

ambiente [sustantivo] [masculino] **1** Aire que rodea algo: *Después de la lluvia, hay mucha humedad en el ambiente.* **2** Conjunto de condiciones que rodean algo: *El ambiente culto de su familia influyó en su afición a la lectura. Para comprender un hecho histórico hay que conocer el ambiente en el que se produjo.* **3** Situación en la que hay mucha gente o mucha actividad: *En esta zona están los lugares de más ambiente y la calle está llena de gente.* **4** Grupo social: *En este lugar se mezclan gentes de todos los ambientes.* □ FAMILIA: ambientar, ambiental, ambientador.

ambiguo, gua [adjetivo] Que se puede entender de varios modos: *Hizo un gesto ambiguo y no sé si el regalo le gustó mucho o no le gustó nada.* □ FAMILIA: ambigüedad.

ambigüedad [sustantivo] [femenino] Posibilidad de que algo sea entendido de varios modos: *Los mensajes que se pueden interpretar de varias maneras poseen ambigüedad.* □ FAMILIA: → ambiguo.

ámbito [sustantivo] [masculino] Zona o conjunto de cosas que están dentro de unos límites determinados: *El estudio de los animales pertenece al ámbito de la zoología.* □ SINÓNIMOS: campo, reino.

ambos, bas [pronombre inde-] [finido plural] El uno y el otro, o los dos: *No sé si coger el rojo o el verde, porque ambos me gustan mucho.* □ [Es distinto de sendos, que significa uno para cada uno. No debe decirse ambos dos, porque ambos significa los dos].

ambulancia [sustantivo] [femenino] Vehículo que sirve para llevar de un lugar a otro a los enfermos y heridos: *Cuando una ambulancia lleva encendida la sirena, hay que dejarle el paso libre.*

ambulante [adjetivo] Que va de un lugar a otro: *Le compré esta enciclopedia a un vendedor ambulante de esos que van de casa en casa.* □ [No varía en masculino y en femenino].

ambulatorio [sustantivo] [masculino] Especie de hospital en el que se cura a enfermos que no pasan la noche en él: *Fui al ambulatorio porque me dolía la garganta, y el médico me dijo que tenía anginas.*

amén [interjección] Se usa para indicar que una oración religiosa se ha acabado y significa «así sea»: *Los fieles contestaron a la oración del sacerdote diciendo: «Amén».* □ FAMILIA: santiamén.

amenaza [sustantivo femenino] **1** Aviso de que va a sucedernos algo malo: *No me asustas con tus amenazas.* **2** Lo que puede producir un daño: *No aprovechar bien el agua es una amenaza para la humanidad.* □ SINÓNIMOS: **2** peligro. FAMILIA: amenazar, amenazador.

amenazador, -a [adjetivo] Que indica una amenaza: *El perro me lanzaba gruñidos amenazadores para impedir que me acercara a la casa.* □ FAMILIA: → amenaza.

amenazar [verbo] **1** Avisar a una persona de que le va a suceder algo malo: *Los secuestradores amenazaron con matar al secuestrado si la familia no pagaba lo que les pedían.* **2** Anunciar algo malo: *Esas lluvias tan negras amenazan tormenta.* □ [La z se cambia en c delante de e, como en CAZAR]. FAMILIA: → amenaza.

ameno, na [adjetivo] Que resulta agradable porque divierte: *Me encanta hablar con ella, porque es muy amena y cuenta cosas muy interesantes.* □ SINÓNIMOS: entretenido. CONTRARIOS: pesado, latoso, aburrido.

americano, na **1** [adjetivo o sustantivo] De América: *Uruguay y Brasil son países del continente americano. Muchos americanos hablan español.* **2** [sustantivo femenino] Chaqueta de tela que cubre hasta más abajo de la cintura: *Vas muy elegante con esa americana azul y esos pantalones grises.* □ [El significado **1** se refiere a todos los habitantes del continente americano, no sólo a los de América del Norte]. FAMILIA: sudamericano, hispanoamericano, iberoamericano.

amerizar [verbo] Descender un vehículo que vuela y ponerse en la superficie del mar: *El hidroavión amerizó para recoger la mercancía de la isla.* □ [La z se cambia en c delante de e, como en CAZAR]. FAMILIA: → mar.

ametrallador, -a **1** [adjetivo] Que dispara automáticamente y a gran velocidad: *Estos soldados van armados con fusiles ametralladores.* **2** [sustantivo femenino] Arma de fuego automá-

tica que dispara muchas balas seguidas a gran velocidad: *Las ametralladoras disparaban a los aviones enemigos.*

amianto [sustantivo masculino] Material que tiene la propiedad de no quemarse: *Los monos de los pilotos de carreras están fabricados con amianto.*

amígdala [sustantivo femenino] Cada uno de los dos bultitos que están a ambos lados del interior de la garganta, donde acaba el paladar: *Mañana me operan para quitarme las amígdalas.* □ [Es distinto de anginas, que es la inflamación de las amígdalas].

AMÍGDALA

amigo, ga **1** [adjetivo] Que siente gusto por algo: *Yo soy amigo de hacer favores a la gente.* **2** [adjetivo o sustantivo] Que tiene una relación de amistad con otra persona: *Somos amigos desde que empezamos el colegio. El sábado doy una fiesta para mis amigos.* □ CONTRARIOS: enemigo. FAMILIA: → amistad.

amistad [sustantivo femenino] **1** Relación que existe entre dos personas que piensan de la misma manera y lo pasan bien juntas: *No cambiaría por nada del mundo la amistad que tengo contigo.* **2** [plural] Personas con las que se tiene esta relación: *Invitaron a la boda a sus familias y a sus amistades.* □ CONTRARIOS: enemistad. FAMILIA: amigo, amistoso.

amistoso, sa [adjetivo] **1** De amistad o con amistad: *Entre nosotros sólo existe una relación amistosa, no somos novios.* **2** Que no pertenece a una competición oficial: *Antes de empezar la temporada jugaremos unos partidos amistosos con equipos de otros colegios.* □ FAMILIA: → amistad.

amnesia [sustantivo femenino] Pérdida de la memoria: *El golpe le produjo amnesia y no recordaba nada de su vida anterior.*

amnistía [sustantivo femenino] Hecho de perdonar a las personas que cumplen un castigo: *Lo metieron en prisión por sus ideas políticas, pero salió de la cárcel gracias a una amnistía.*

a b c d e f g h i j k l m n ñ o p q r s t u v w x y z

a
b
c
d
e
f
g
h
i
j
k
l
m
n
ñ
o
p
q
r
s
t
u
v
w
x
y
z

amo, ma 1 [sustantivo] Persona que posee algo: *El perro seguía a su amo.* **2** [expresión] **ama de casa** Mujer que se ocupa de las labores de su hogar: *Mi madre es ama de casa.* **ama de llaves** Criada que se encarga de llevar la economía de una casa que no es suya, a cambio de un sueldo: *El ama de llaves se encargó de preparar lo necesario para los invitados de los dueños de la mansión.* □ [El significado **2**, aunque es femenino, se usa con *el, un, ningún* y *algún: el ama de casa, las amas de casa*]. SINÓNIMOS: **1** dueño, propietario.

amodorrar [verbo] Producir una sensación parecida al sueño: *Cuando como mucho, me quedo amodorrado durante un rato.* □ FAMILIA: → modorra.

amoldar [verbo] **1** Hacer que algo resulte adecuado a un fin o a una regla: *Si no amoldas tus gastos a tus ingresos, pronto te endeudarás. No compré el mueble porque no se amoldaba a mis necesidades.* **2 amoldarse** Acostumbrarse a una nueva situación: *El que se incorpore ahora tendrá que amoldarse al método de trabajo que tenemos.* □ SINÓNIMOS: ajustar. **2** adaptarse, acomodarse, acoplarse. CONTRARIOS: **2** rebelarse.

amonestación [sustantivo/femenino] Llamada de atención que se hace a una persona para que no vuelva a hacer algo porque es una falta grave: *A pesar de las amonestaciones del guardia, los niños seguían pisando el césped.* □ FAMILIA: → amonestar.

amonestar [verbo] Decir de forma seria a una persona que no vuelva a hacer lo que ha hecho porque es una falta grave: *El árbitro amonestó al jugador por haber tocado el balón con la mano dentro del área.* □ FAMILIA: amonestación.

amoniaco o **amoníaco** [sustantivo/masculino] Líquido de olor muy fuerte que se usa para limpiar: *Cuando limpies con amoníaco, echa poca cantidad y abre la ventana para no marearte.*

amontonar [verbo] **1** Poner algo de manera que se forme un conjunto sin ningún orden: *No amontones la ropa en la silla y cuelga lo que te quites. No os amontonéis, que tengo caramelos para todos.* **2 amontonarse** Producirse muchas cosas iguales en poco tiem-po: *Voy a acabar esto, porque luego se me amontona el trabajo y no me da tiempo a hacerlo todo.* □ SINÓNIMOS: juntar, agrupar, reunir, acumular. CONTRARIOS: desunir, separar, apartar, esparcir. FAMILIA: → montón.

amor [sustantivo/masculino] **1** Lo que sentimos por una persona a la que queremos mucho: *Los padres se sacrifican muchas veces por el amor que sienten hacia sus hijos.* **2** Lo que sentimos por una persona del otro sexo a la que queremos mucho: *Nunca había sentido lo que es el amor hasta que me enamoré de ti.* **3** Persona amada: *Sólo tú eres mi único amor.* **4** Lo que se siente por algo que nos gusta mucho: *Su amor a la pintura empezó con una caja de acuarelas que le regalaron de pequeño.* **5** Cuidado con el que se realiza algo: *Espero que te guste la comida, porque la he hecho con mucho amor.* **6** [expresión] **de mil amores** Con mucho gusto: *Te hago ese favor de mil amores.* **hacer el amor** Realizar el acto sexual: *Para tener un hijo hay que hacer el amor.* **por amor al arte** Sin esperar dinero a cambio: *Si te estoy enseñando a tocar la guitarra lo hago por amor al arte, no para que me pagues.* □ SINÓNIMOS: **1** querer, cariño. CONTRARIOS: **1** odio. FAMILIA: → amar.

amordazar [verbo] Tapar la boca con algo para no dejar hablar: *Los ladrones me amordazaron y me ataron las manos.* □ [La *z* se cambia en *c* delante de *e*, como en CAZAR]. FAMILIA: → mordaza.

amorfo, fa [adjetivo] Que no tiene una forma bien definida: *Antes de hacer el bizcocho, la masa es amorfa.*

amorío [sustantivo/masculino] Relación de amor poco seria y pasajera: *Me contó que tiene amoríos, pero que no tiene novia formal.* □ [Se usa más en plural]. FAMILIA: → amar.

amoroso, sa [adjetivo] **1** Del amor o relacionado con él: *Esta revista siempre cuenta la vida amorosa de los artistas.* **2** Que siente amor o que lo expresa: *Me escribió una carta amorosa.* □ SINÓNIMOS: **2** cariñoso, tierno. FAMILIA: → amar.

amortajar [verbo] Vestir a un muerto para enterrarlo: *Amortajaron al muerto con una sábana blanca.* □ [Siempre se escribe con *j*].

amortiguar [verbo] Disminuir la fuerza de

algo: *El casco amortiguó el golpe en la cabeza.* □ [Se conjuga como AVERIGUAR].

amotinar [verbo] Hacer que un grupo de personas inicie un movimiento de protesta contra una autoridad: *Los marinos se amotinaron y no obedecían al capitán.* □ SINÓNIMOS: alzar, levantar, sublevar. FAMILIA: → motín.

amparar [verbo] **1** Dar protección o ayuda: *¡Que Dios te ampare!* **2 ampararse** Usar algo como ayuda o protección: *Para que no lo riñeran por llegar tarde, se amparó en que había mucho tráfico.* □ SINÓNIMOS: proteger, ayudar, acoger.·FAMILIA: amparo.

amparo [sustantivo masculino] **1** Defensa de algo frente a un daño o a un peligro: *Nadie vio a los ladrones porque actuaron al amparo de la oscuridad.* **2** Lo que protege a alguien: *Los padres son el amparo de los hijos.* □ SINÓNIMOS: protección. **1** abrigo. FAMILIA: → amparar.

ampliación [sustantivo femenino] **1** Aumento del tamaño de algo o del tiempo que dura: *Han empezado las obras de ampliación de la carretera.* **2** Lo que se aumenta de tamaño: *En esta tienda, si compras un carrete de fotografías te regalan una ampliación.* □ FAMILIA: → amplio.

ampliar [verbo] Aumentar el tamaño de algo o el tiempo que dura: *El plazo para matricularse se ha ampliado una semana.* □ [Se conjuga como GUIAR]. SINÓNIMOS: alargar, prolongar. CONTRARIOS: acortar, abreviar, reducir, resumir, achicar, encoger. FAMILIA: → amplio.

amplio, plia [adjetivo] **1** Muy extenso o con mucho espacio: *Esta casa tiene un amplio jardín y una piscina.* **2** Que no queda apretado: *En verano llevo ropa amplia porque me da menos calor.* □ SINÓNIMOS: **1** espacioso. **2** ancho. CONTRARIOS: **1** reducido. **2** justo, estrecho. FAMILIA: ampliar, ampliación.

ampolla [sustantivo femenino] **1** Especie de bolsa llena de líquido que se forma en la piel: *Este zapato me roza y me ha hecho una ampolla en el talón.* **2** Tubo de cristal cerrado, más estrecho en uno de los extremos, que contiene un líquido: *Estoy un poco débil y me han recetado unas ampollas de vitaminas.*

amputar [verbo] Cortar un miembro del cuerpo separándolo completamente de él: *Tuvieron que amputarle una pierna y ahora usa muletas.*

amueblar [verbo] Poner los muebles necesarios en un lugar: *Han amueblado la oficina con un estilo moderno.* □ FAMILIA: → mueble.

amuleto [sustantivo masculino] Objeto que se cree que da buena suerte: *El hechicero llevaba un amuleto colgado del cuello para ahuyentar los malos espíritus.* □ SINÓNIMOS: talismán, fetiche.

amurallado, da [adjetivo] Que está rodeado por un muro que le sirve de defensa: *Ávila es una ciudad amurallada.* □ FAMILIA: → muro.

anaconda [sustantivo femenino] Serpiente de gran tamaño que vive en los ríos: *La anaconda no es venenosa.*

analfabetismo [sustantivo masculino] Hecho de no saber leer ni escribir, o de tener poca cultura: *El analfabetismo es un problema grave en muchos países en vías de desarrollo.* □ FAMILIA: → alfabeto.

analfabeto, ta [adjetivo o sustantivo] **1** Que no sabe leer ni escribir: *En este pueblo tan escondido la mayoría de los habitantes son analfabetos.* **2** Que no tiene cultura: *No sabes de quién es este famoso cuadro porque eres un analfabeto.* □ SINÓNIMOS: **2** inculto. CONTRARIOS: **2** culto. FAMILIA: → alfabeto.

analgésico [sustantivo masculino] Medicina que quita el dolor: *Tómate un analgésico para que se te quite el dolor de cabeza.*

análisis [sustantivo masculino] Estudio de algo que se hace examinando sus partes con atención: *El médico me pinchará para hacerme un análisis de sangre. Hizo un análisis muy acertado de la situación económica de la empresa.* □ [No varía en singular y en plural]. SINÓNIMOS: examen. FAMILIA: → analizar.

analizar [verbo] Estudiar las distintas partes que componen algo: *En este laboratorio analizan el agua para saber si se puede beber.* □ [La z se cambia en c delante de e, como en CAZAR]. SINÓNIMOS: examinar. FAMILIA: análisis.

analogía [sustantivo femenino] Relación de parecido que existe entre dos o más cosas distintas: *Existe analogía entre estos dos cuadros porque ambos representan una granja en invierno.*

a
b
c
d
e
f
g
h
i
j
k
l
m
n
ñ
o
p
q
r
s
t
u
v
w
x
y
z

a

anaranjado, da [adjetivo o sustantivo masculino] Del color que resulta de mezclar rojo y amarillo: *Al atardecer el cielo se pone anaranjado.* □ SINÓNIMOS: naranja. FAMILIA: → naranja.

anarquía [sustantivo femenino] **1** Movimiento político que está en contra de cualquier forma de autoridad y que defiende la libertad total de las personas: *La anarquía surgió contra los abusos de los gobiernos del siglo pasado.* **2** Falta de organización por ausencia de una autoridad: *Cuando no están sus padres, en su casa reina la anarquía.* □ FAMILIA: anarquista.

anarquista [adjetivo o sustantivo] Que está a favor de que desaparezca cualquier forma de autoridad y que defiende la total libertad de las personas: *Algunos sindicatos anarquistas llegaron a tener bastantes personas afiliadas en los años treinta.* □ [No varía en masculino y en femenino]. FAMILIA: → anarquía.

anatomía [sustantivo femenino] Ciencia que estudia las partes del cuerpo de los seres vivos: *En clase de anatomía hemos estudiado los huesos del cuerpo humano.* □ FAMILIA: anatómico.

anatómico, ca [adjetivo] Dicho de un objeto, que está construido para adaptarse al cuerpo humano: *Los asientos de este coche son muy cómodos porque son anatómicos y se adaptan a la forma de la espalda.* □ FAMILIA: → anatomía.

anca [sustantivo femenino] **1** Cada una de las dos mitades en que se divide la parte posterior de algunos animales: *¿Has probado alguna vez las ancas de rana?* **2** Parte superior y posterior de un caballo, cerca de donde nace la cola: *El jinete golpeaba las ancas del caballo para que galopara más deprisa.* □ [Aunque es femenino, se usa con el, un, ningún y algún: el anca, las ancas].

ancho, cha [adjetivo] **1** Que tiene más distancia de lado a lado de lo que es habitual: *Las autopistas son carreteras muy anchas.* **2** Que no queda apretado: *Me gusta llevar la ropa muy ancha.* **3** Orgulloso y contento de sí mismo: *No sé cómo puedes quedarte tan ancho después de lo que has hecho.* [sustantivo masculino] **4** Distancia más pequeña de una superficie plana: *El borde del vestido lleva una cinta de dos centímetros de ancho.* **5** Distancia que hay entre los dos lados de algo: *Mide el ancho del armario para ver si cabe en este hueco.* **6** [expresión] **a sus anchas** Cómodo y libre: *Cuando viene a casa está a sus anchas, porque nos conocemos desde hace mucho tiempo.* □ [Los significados **3** y **6** son coloquiales]. SINÓNIMOS: **2** amplio. **4,5** anchura. CONTRARIOS: **1,2** estrecho. **1** angosto. **2** justo. FAMILIA: anchura, ensanchar, ensanchamiento, ensanche.

anchoa [sustantivo femenino] Tipo de pescado muy pequeño que está preparado con sal: *Cuando abras la lata de anchoas, procura que no se te caiga el aceite.*

anchura [sustantivo femenino] **1** Distancia más pequeña de una superficie plana: *La anchura de esta tela no será suficiente para hacer el vestido.* **2** Distancia que hay entre los dos lados de algo: *Compara la anchura de esta camiseta con la de una talla menor para ver la diferencia.* □ SINÓNIMOS: ancho. CONTRARIOS: estrechez. FAMILIA: → ancho.

anciano, na [adjetivo o sustantivo] Dicho de una persona, que tiene muchos años: *Mi vecino es muy anciano y usa bastón.* □ SINÓNIMOS: abuelo, viejo. CONTRARIOS: joven, mozo.

ancla [sustantivo femenino] Objeto que sirve para que un barco se sujete al fondo del mar: *Cuando el barco estuvo cerca de la costa, echaron el ancla.* □ [Aunque es femenino, se usa con el, un, ningún y algún: el ancla, las anclas]. FAMILIA: anclar.

ANCLA

anclar [verbo] **1** Sujetar un barco al fondo del mar con un ancla: *Esta tarde anclará en el puerto el barco en el que viene mi tío.* **2 anclarse** Agarrarse a una idea: *Los padres de aquella muchacha se anclaron en el pasado y no veían bien que ella trabajara fuera de casa.* □ FAMILIA: → ancla.

andaluz, -a [adjetivo o sustantivo] De la comunidad autónoma de Andalucía: *Las sevillanas son un baile andaluz.* □ [Su plural es andaluces y andaluzas].

andamio [sustantivo masculino] Estructura de metal o de madera que sirve para llegar a las partes más altas de una construcción: *Los albañiles que están subidos en el andamio arreglan la fachada de la casa.* 👁 página 796.

andar [sustantivo masculino] **1** Paso del tiempo: *Con el andar de los siglos, la humanidad ha progresado.* **2** Forma que tienen las personas de dar pasos: *Se nota que es bailarina en sus andares.* [verbo] **3** Ir de un lugar a otro dando pasos: *Iré a casa andando y así daré un paseo.* **4** Moverse algo por un lugar: *Si el coche no anda habrá que llevarlo al taller.* **5** Funcionar un aparato: *Se me ha mojado el reloj y ahora no anda.* **6** Estar en una determinada situación: *¿Cómo andas de tu dolor de estómago?* **7** Haber o existir: *No sé dónde está el libro que buscas, pero sé que anda por aquí.* **8** Actuar o comportarse de una forma determinada: *No andes con tonterías y ponte seria.* **9** Tocar algo con las manos: *Al dependiente de la frutería no le gusta que la gente ande con la fruta.* **10** Pasar el tiempo: *A partir de cierta edad, parece que los años andan más deprisa.* **11** Atravesar un espacio: *Anduve toda la calle hasta encontrar tu casa.* **anda** [interjección] **12** Se usa para indicar sorpresa, admiración o disgusto: *¡Anda, mira dónde estaban las gafas que había perdido!* **13** Se usa para pedir algo con fuerza: *¡Anda, dímelo, por favor!* □ [Como verbo, es irregular. En el significado **2**, es lo mismo en singular que en plural]. SINÓNIMOS: **3** caminar. **5** marchar. **11** recorrer. FAMILIA: andariego, andarín.

andariego, ga o **andarín, -a** [adjetivo o sustantivo] Que anda mucho porque le gusta: *Es muy andariega y siempre que puede va andando a todas partes.* □ FAMILIA: → andar.

andén [sustantivo masculino] Acera en la que se espera la llegada de un tren o de un autobús: *En las horas punta, el andén del metro está lleno de viajeros.*

andrajo [sustantivo masculino] Ropa rota y vieja: *Si vas vestido con esos andrajos no te dejarán entrar en ningún sitio.* □ SINÓNIMOS: harapo. FAMILIA: andrajoso.

andrajoso, sa **1** [adjetivo] Dicho de la ropa, que está rota o vieja: *Tira ya esos pantalones, que están andrajosos.* **2** [adjetivo o sustantivo] Que

ANDÉN

tiene la ropa rota y vieja: *Un mendigo andrajoso me pidió limosna.* □ FAMILIA: → andrajo.

anécdota [sustantivo femenino] **1** Hecho que se cuenta como ejemplo de algo o para divertir: *Mi padre siempre cuenta anécdotas muy divertidas de su juventud.* **2** Suceso poco importante o poco habitual: *Tu equipo es muy malo, y que hoy hayáis ganado es sólo una anécdota.*

anejo, ja [adjetivo] Unido a otro: *Han construido una casita aneja a su casa, para*

andar		conjugación	
INDICATIVO		**SUBJUNTIVO**	
presente		**presente**	
ando		ande	
andas		andes	
anda		ande	
andamos		andemos	
andáis		andéis	
andan		anden	
pretérito imperfecto		**pretérito imperfecto**	
andaba		*anduviera, -ese*	
andabas		*anduvieras, -eses*	
andaba		*anduviera, -ese*	
andábamos		*anduviéramos, -ésemos*	
andabais		*anduvierais, -eseis*	
andaban		*anduvieran, -esen*	
pretérito indefinido		**futuro**	
anduve		anduviere	
anduviste		anduvieres	
anduvo		anduviere	
anduvimos		anduviéremos	
anduvisteis		anduviereis	
anduvieron		anduvieren	
futuro		**IMPERATIVO**	
andaré			
andarás		**presente**	
andará		anda (tú)	
andaremos		ande (él)	
andaréis		andemos (nosotros)	
andarán		andad (vosotros)	
		anden (ellos)	
condicional		**FORMAS NO PERSONALES**	
andaría			
andarías		**infinitivo** **gerundio**	
andaría		andar andando	
andaríamos			
andaríais		**participio**	
andarían		andado	

a
b
c
d
e
f
g
h
i
j
k
l
m
n
ñ
o
p
q
r
s
t
u
v
w
x
y
z

a
b
c
d
e
f
g
h
i
j
k
l
m
n
ñ
o
p
q
r
s
t
u
v
w
x
y
z

guardar las cosas y herramientas del jardín. □ [También se escribe anexo].

anemia [sustantivo femenino] Enfermedad relacionada con un problema de la sangre, y que deja débiles y pálidas a las personas que la tienen: *Me van a hacer un análisis de sangre para ver si tengo anemia.*

anestesia [sustantivo femenino] Sustancia que hace que nos durmamos o que no sintamos dolor durante un tiempo: *Antes de arrancarme la muela, el dentista me puso anestesia en la boca.* □ Familia: anestesiar, anestesista.

anestesiar [verbo] Dormir a una persona durante un tiempo, para que no sienta dolor: *Antes de la operación me pusieron una inyección para anestesiarme.* □ Familia: → anestesia.

anestesista [adjetivo o sustantivo] Que trabaja en un hospital durmiendo a los enfermos con alguna sustancia durante las operaciones: *La anestesista vigilaba el estado del enfermo que estaba siendo operado.* □ [No varía en masculino y en femenino]. Familia: → anestesia.

anexo, xa [adjetivo] Unido a otro: *Los electrodomésticos se venden en el edificio anexo a éste.* □ [También se escribe anejo].

anfibio, bia 1 [adjetivo] Que puede moverse tanto en el agua como en la tierra: *El ejército cuenta con modernos camiones anfibios.* 2 [adjetivo o sustantivo masculino] Dicho de un animal, que es de sangre fría y que puede vivir en la tierra o en el agua: *Las ranas son anfibios.*

anfiteatro [sustantivo masculino] 1 Edificio de forma circular, que tiene asientos para el público y que estaba destinado a determinados espectáculos: *En Mérida hay un anfiteatro romano que se usa en verano para representar obras de teatro.* 2 En un cine y en otros locales, parte alta de la sala que tiene asientos: *Vimos la película sentados en anfiteatro, porque las butacas del piso bajo se habían agotado.* □ Familia: → teatro.

anfitrión, -a [adjetivo o sustantivo] Dicho de una persona, que tiene invitados en su casa: *Si celebras tu cumpleaños en tu casa, tú eres el anfitrión.* □ Contrarios: invitado.

ángel [sustantivo masculino] 1 Ser que se parece a una persona y que sirve a Dios y ayuda a las personas: *Pintó un ángel con alas blancas.* 2 Persona muy buena o muy bella: *Eres un*

ángel y sé que me ayudas siempre que puedes. 3 [expresión] **ángel de la guarda** El que nos protege a cada uno de nosotros: *Mi ángel de la guarda impidió que me cayese en el hoyo.* **como los ángeles** Muy bien: *Mi hermana canta como los ángeles.* □ Contrarios: 2 demonio, diablo. Familia: arcángel.

anginas [sustantivo femenino plural] Enfermedad de la parte interna de la garganta que produce dolor y fiebre: *Las anginas son la inflamación de las amígdalas. Tengo anginas, y me duele la garganta al tragar.* □ [Es distinto de amígdala, que es lo que se inflama cuando se tienen anginas].

angosto, ta [adjetivo] Que tiene menos distancia de lado a lado de lo que es habitual: *Tuvimos que pasar de uno en uno porque el camino era muy angosto.* □ Sinónimos: estrecho. Contrarios: ancho.

anguila [sustantivo femenino] Pez parecido a una serpiente: *Las anguilas viven en los ríos pero se reproducen en el mar.* □ Familia: angula. 📷 página 609.

angula [sustantivo femenino] Cría de la anguila: *Las angulas son muy apreciadas como alimento.* □ Familia: → anguila.

ángulo [sustantivo masculino] 1 En matemáticas, figura formada por dos líneas con distinta dirección que se juntan en un punto: *Un cuadrado tiene cuatro lados y cuatro ángulos.* 2 Espacio formado por dos líneas o dos superficies que se juntan en un punto: *Puso la mesita del teléfono en un ángulo de la habitación.* 3 Cada una de las formas desde las que se puede ver una cosa: *Si lo miras desde otro ángulo, no te parecerá tan importante.* □ Familia: rectángulo, rectangular.

angustia [sustantivo femenino] Sensación que notamos cuando tenemos miedo o cuando estamos preocupados: *Los familiares vivieron con angustia el rescate del montañero perdido en la sierra.* □ Sinónimos: ansiedad. Familia: angustiado, angustioso.

angustiado, da [adjetivo] Que siente miedo o una gran preocupación: *La falta de noticias de mi familia me tiene angustiada.* □ Familia: → angustia.

angustioso, sa [adjetivo] Que produce una gran preocupación: *La espera del final del*

secuestro fue muy angustiosa. □ FAMILIA: →
angustia.

anhelar [verbo] Desear con fuerza: *Cuando
estoy mucho tiempo lejos de casa anhelo ver
a mi familia.* □ SINÓNIMOS: ansiar.

anidar [verbo] Hacer un nido un ave y vivir
en él: *Las golondrinas anidan debajo de los
tejados de las casas.* □ FAMILIA: → nido.

anilla [sustantivo] [femenino] Pieza en forma de anillo que
sirve para sujetar algo o para colgarlo: *Ten-
go un cuaderno de anillas y otro de espiral.*
□ FAMILIA: → anillo.

anillo [sustantivo] [masculino] **1** Joya que se lleva como
adorno en los dedos de la mano: *Las per-
sonas casadas suelen llevar anillo.* **2** Lo que
tiene la forma redonda de esta pieza: *Saturno es un planeta que tiene tres anillos a
su alrededor.* 🔎 página 611. **3** [expresión]
como anillo al dedo Muy adecuado: *Estoy
tan cansada que estos días de vacaciones me
vienen como anillo al dedo.* □ FAMILIA: anilla,
anular.

animación [sustantivo] [femenino] **1** Diversión, actividad
o movimiento: *Un famoso humorista se en-
cargará de la animación de la fiesta.* **2** Ánimo alegre: *¡Qué poca animación tienes hoy!*
3 Gran cantidad de gente o de movimiento:
*Los domingos hay mucha animación en la
plaza.* **4** Técnica para dar movimiento a los
dibujos: *La animación ha cambiado mucho
gracias a los ordenadores.* □ FAMILIA: →
ánimo.

animado, da [adjetivo] **1** Que tiene vida: *Los
animales y las plantas son seres animados.*
2 Que resulta alegre o divertido: *Fue una
fiesta de cumpleaños muy animada.* **3** Con
ganas de hacer algo: *Está muy animado con
el nuevo trabajo.* **4** Con mucha gente o con
mucho movimiento: *A estas horas mi calle
está muy animada.* □ SINÓNIMOS: **2** marchoso. CONTRARIOS: **1** inanimado. FAMILIA: →
ánimo.

animal 1 [adjetivo] De los animales o relacionado con estos seres vivos: *Una de las cosas
que se estudian en biología es el comporta-
miento animal.* [adjetivo o] [sustantivo] **2** Que no se comporta como una persona culta y educada:
*No seas animal y piensa la respuesta antes
de decir tonterías.* **3** Dicho de una persona,
que tiene grandes cualidades para hacer

algo: *¡Eres un animal, qué bien has hecho
el trabajo!* **4** [sustantivo] [masculino] Ser vivo que es capaz
de moverse por sí mismo: *En el zoo hay mu-
chos animales.* □ [Los significados **1**, **2** y **3** no
varían en masculino y en femenino. Los significados **2**
y **3** son coloquiales]. SINÓNIMOS: **3** bestia, bruto,
monstruo.

animar [verbo] **1** Dar ánimo o energía a alguien: *Mis padres me animaron durante
todo el partido de tenis.* **2** Conseguir que alguien quiera hacer algo: *He intentado ani-
marla, pero no he podido conseguir que viniera con nosotros. Me han animado a hacer
la excursión y me voy con ellos.* **3** Hacer que
algo resulte divertido o que despierte el interés: *Unos payasos animarán la fiesta de
cumpleaños.* **4 animarse** Conseguir tener
ganas de hacer algo: *Anda, anímate y vamos a dar una vuelta. No quería bañarme,
pero al final me animé y me tiré a la piscina.* □ SINÓNIMOS: **2** motivar. CONTRARIOS:
1 desanimar, abatir. FAMILIA: → ánimo.

ánimo [sustantivo] [masculino] **1** Energía que hace que una
persona tenga ganas de hacer cosas: *En los
momentos tristes no hay que perder el ánimo. Estoy tan cansada que no tengo ánimos
para acompañarte.* **2** Intención de hacer
algo: *Sé que ha dicho eso con ánimo de dejarme en ridículo.* **3** [interjección] Se usa para
conseguir que alguien tenga fuerzas para
hacer algo: *¡Ánimo, que ya sólo nos queda
un kilómetro para llegar!* □ SINÓNIMOS: **2**
propósito. FAMILIA: animar, animado, animación, animoso, inanimado, desanimar,
desánimo, reanimar.

animoso, sa [adjetivo] Que tiene ánimo o valor: *Es una persona animosa que no se deja
hundir por los problemas.* □ FAMILIA: ánimo.

anís [sustantivo] [masculino] **1** Planta de olor agradable cuyas semillas se utilizan para hacer infusio-
nes: *Cuando tengo gases en el estómago, mi
padre me prepara una infusión de anís.* **2**
Bebida alcohólica elaborada con esta planta: *El anís es de color transparente.*

aniversario [sustantivo] [masculino] Día en el que se cumplen los años que han pasado desde un de-
terminado suceso: *Hoy mis padres celebran
el décimo aniversario de su boda.*

ano [sustantivo] [masculino] Agujero del culo: *Los supositorios se ponen por el ano.* □ SINÓNIMOS: culo.

a
b
c
d
e
f
g
h
i
j
k
l
m
n
ñ
o
p
q
r
s
t
u
v
w
x
y
z

a

anoche [adverbio] En la noche de ayer: *Anoche tuve una pesadilla.* □ FAMILIA: → noche.

anochecer 1 [sustantivo/masculino] Tiempo en el que empieza a faltar la luz del día y se hace de noche: *Los anocheceres al lado del mar son muy hermosos.* [verbo] 2 Empezar a faltar la luz del día: *Cuando anochece empiezan a verse las primeras estrellas en el cielo.* 3 Estar en un lugar al empezar la noche: *Salimos de viaje por la tarde y anochecimos en Burgos.* □ [Como verbo, es irregular y se conjuga como PARECER]. SINÓNIMOS: 1 atardecer. 2 oscurecer. CONTRARIOS: amanecer. 2 aclarar, clarear. FAMILIA: → noche.

anomalía [sustantivo/femenino] Lo que se aparta de lo habitual y hace que algo no funcione bien: *La tormenta ha causado anomalías en el tráfico.*

anonadar [verbo] Dejar a una persona muy sorprendida: *Me contó una historia tan increíble que me anonadó.* □ FAMILIA: → nada.

anónimo, ma 1 [adjetivo] Dicho de una persona, que no se sabe quién es: *Tiene un admirador anónimo que le escribe cartas de amor.* 2 [adjetivo o/sustantivo] Dicho de una obra de arte, que no lleva el nombre de la persona que la ha hecho: *Muchos libros antiguos son anónimos.* 3 [sustantivo/masculino] Carta sin firmar en la que se suelen decir cosas poco agradables: *Entregó a la policía un anónimo que recibió en el que la amenazaban de muerte.*

anorak [sustantivo/masculino] Prenda de abrigo parecida a una chaqueta, hecha de una tela que no deja que pase el agua: *El anorak es una prenda muy utilizada por los esquiadores.* □ [Su plural es anoraks].

anormal 1 [adjetivo] Que es distinto de lo habitual o de lo acostumbrado: *Que nieve en verano es un hecho anormal en esta zona.* 2 [sustantivo] Persona cuyo desarrollo es inferior al que sería normal para su edad: *Es frecuente que los hijos de padres alcohólicos sean anormales.* □ [No varía en masculino y en femenino. El significado 2 es despectivo y no debe usarse como insulto]. SINÓNIMOS: 1 raro, extraño, sorprendente. 2 subnormal. CONTRARIOS: 1 común, natural, normal, habitual, usual, lógico, ordinario, corriente. FAMILIA: → norma.

anotación [sustantivo/femenino] Nota que se toma por escrito: *Si vas a hacer anotaciones en el li-*

bro, mejor usa un lápiz que un boli. □ FAMILIA: → nota.

anotar [verbo] 1 Tomar nota por escrito: *Anotó mi teléfono en su agenda.* 2 Conseguir algún tanto en un partido: *El jugador anotó su primera canasta cuando ya se estaba acabando el partido.* 3 **anotarse** Conseguir un éxito o un fracaso: *El equipo se anotó una nueva victoria esta temporada.* □ SINÓNIMOS: 1,3 apuntar. FAMILIA: → nota.

ansia [sustantivo/femenino] Deseo fuerte de conseguir algo: *El ansia de aventuras la llevó a viajar por todo el mundo.* □ [Aunque es femenino, se usa con el, un, algún y ningún: el ansia, las ansias]. SINÓNIMOS: afán, empeño. CONTRARIOS: desgana. FAMILIA: ansiar, ansiedad, ansioso.

ansiar [verbo] Desear con fuerza: *Ansiaba ganar el primer premio en el concurso.* □ [Se conjuga como GUIAR]. SINÓNIMOS: anhelar. FAMILIA: → ansia.

ansiedad [sustantivo/femenino] Sensación que notamos cuando tenemos miedo o cuando estamos preocupados o excitados: *Espero con ansiedad las cartas de mis amigos.* □ SINÓNIMOS: angustia. FAMILIA: → ansia.

ansioso, sa [adjetivo] Que desea algo con mucha fuerza: *Estoy ansiosa por saber dónde pasaré las vacaciones.* □ FAMILIA: → ansia.

antagónico, ca [adjetivo] Que se opone a algo: *Estos políticos pertenecen a distintos partidos, porque tienen ideas antagónicas.* □ SINÓNIMOS: contrario. FAMILIA: → antagonismo.

antagonismo [sustantivo/masculino] Oposición o falta de acuerdo entre dos partes: *Su antagonismo hace que esos dos no puedan trabajar juntos.* □ FAMILIA: antagónico, antagonista.

antagonista [adjetivo o/sustantivo] Que se opone a algo o que actúa en sentido contrario: *En las películas, el malo es el antagonista del bueno.* □ [No varía en masculino y femenino]. FAMILIA: → antagonismo.

ante 1 [sustantivo/masculino] Piel de algunos animales preparada de una forma especial: *Mi madre se ha comprado una falda de ante.* [preposición] 2 En presencia de algo: *Cuando estuvo ante el rey hizo una reverencia.* 3 En comparación de algo: *Ante lo que pueda parecerte, no fue tan sencillo.*

anteanoche [adverbio] En la noche del día anterior a ayer: *Anteanoche llegué tarde a casa, pero anoche fui puntual.* □ FAMILIA: → noche.

anteayer [adverbio] En el día anterior a ayer: *Si hoy es domingo, anteayer fue viernes.* □ FAMILIA: → ayer.

antebrazo [sustantivo masculino] Parte del cuerpo de una persona que está entre el codo y la muñeca: *Me he roto un hueso del antebrazo y me han escayolado también la mano.* □ FAMILIA: → brazo.

antecedente 1 [sustantivo masculino] Lo que es anterior a otro, y que está relacionado con este último: *En mi familia hay antecedentes de gemelos.* **2** [expresión] **poner en antecedentes** Informar de lo que ha ocurrido antes: *Ponme en antecedentes de lo que ha pasado, porque acabo de llegar y no sé nada.* □ SINÓNIMOS: precedente. FAMILIA: → antes.

anteceder [verbo] Ir por delante: *En el abecedario, la «a» antecede a la «b».* □ SINÓNIMOS: preceder. CONTRARIOS: seguir. FAMILIA: → antes.

antecesor, -a 1 [sustantivo] Persona que ha tenido un cargo o un trabajo antes de la persona que lo tiene ahora: *La nueva profesora alabó el trabajo de su antecesor.* **2** [sustantivo masculino] Persona de la que se desciende: *Uno de mis antecesores fue un famoso navegante.* □ [El significado **2** se usa mucho en plural]. SINÓNIMOS: **2** antepasado, ascendiente. CONTRARIOS: descendiente. **1** sucesor. FAMILIA: → antes.

antelación [sustantivo femenino] Adelanto en el tiempo señalado para algo: *Llegué al cine con una hora de antelación.* □ SINÓNIMOS: anticipación. CONTRARIOS: retraso. FAMILIA: → antes.

antemano [expresión] **de antemano** Antes del tiempo señalado: *Yo sabía de antemano lo que me ibas a decir, y por eso no me sorprendí.* □ FAMILIA: → antes.

antena [sustantivo femenino] **1** Aparato que sirve para recibir o emitir ondas: *Se ha estropeado la antena de la tele y no se ve nada.* **2** Especie de pelo duro que tienen algunos animales a ambos lados de la cabeza: *Las antenas de las gambas son muy largas.* **3** [expresión] **en**

antena Emitiéndose: *Conozco al presentador de un programa que lleva más de un año en antena.* **poner las antenas** Intentar escuchar lo que otros dicen: *Ese cotilla siempre está con las antenas puestas para enterarse de todo.* □ [La expresión poner las antenas es coloquial].

anteojos [sustantivo masculino plural] **1** Gafas para ver mejor: *Mi abuelo era miope y sin sus anteojos no veía nada.* **2** Aparato que está formado por dos tubos y que permite ver lo que está lejos como si estuviera cerca: *El policía vigilaba con los anteojos al sospechoso.* □ SINÓNIMOS: **2** prismáticos, gemelos. FAMILIA: → ojo.

antepasado, da [sustantivo] Persona de la que se desciende: *Un antepasado mío fue un gran inventor.* □ SINÓNIMOS: antecesor, ascendiente. CONTRARIOS: descendiente. FAMILIA: → pasar.

antepenúltimo, ma [adjetivo o sustantivo] Que es anterior al penúltimo: *Octubre es el antepenúltimo mes del año.* □ FAMILIA: → último.

anterior [adjetivo] **1** Que ocurre antes: *La comida es anterior a la cena.* **2** Que está delante: *El número seis es anterior al siete.* □ [No varía en masculino y en femenino]. SINÓNIMOS: delantero. CONTRARIOS: **1** siguiente. **2** posterior. FAMILIA: → antes.

antes [adverbio] **1** En un tiempo anterior: *En una carrera, el corredor que llega antes a la meta es el que gana.* **2** En un lugar anterior: *Yo me bajo en una parada que está antes que la tuya.* **3** [expresión] **antes bien** Se usa para unir frases que tienen un significado contrario: *En su casa no hacía frío, antes bien, hacía calor.* □ SINÓNIMOS: **2** delante. CONTRARIOS: después, luego. **2** detrás. FAMILIA: anterior, antecesor, anteceder, antecedente, antelación, antemano.

antiaéreo, a [adjetivo] Que defiende de los ataques de los aviones enemigos: *La artillería antiaérea ha derribado dos aviones enemigos.* □ FAMILIA: → aire.

antibiótico [sustantivo masculino] Medicina que impide el desarrollo de algunas enfermedades: *La penicilina es un antibiótico.*

anticiclón [sustantivo masculino] Situación en la que hace buen tiempo y no hay nubes en el cie-

a
b
c
d
e
f
g
h
i
j
k
l
m
n
ñ
o
p
q
r
s
t
u
v
w
x
y
z

lo: *Cuando hay anticiclón, el tiempo suele ser soleado.* □ FAMILIA: → ciclón.

anticipación [sustantivo femenino] **1** Adelanto en el tiempo en que se hace algo: *La anticipación de la primavera ha hecho que los árboles tengan flores en febrero.* **2** Tiempo anterior al momento señalado para algo: *Si llegas con anticipación, espérame.* □ SINÓNIMOS: antelación. **2** adelanto. CONTRARIOS: retraso. FAMILIA: → anticipar.

anticipar [verbo] **1** Hacer que algo ocurra antes del tiempo señalado: *He anticipado mi vuelta para no encontrar caravana en la carretera.* **2** Dar un dinero antes de la fecha señalada: *Mis padres me han anticipado la paga para poder ir hoy al cine.* **3** Dar una noticia antes de lo señalado: *En la reunión, el jefe nos anticipó que iba a dimitir.* **anticiparse 4** Ocurrir algo antes del tiempo señalado: *El verano se ha anticipado y, aunque todavía es primavera, ya hace mucho calor.* **5** Hacer algo antes que otra persona: *Alguien se me anticipó y cogió el pastel que yo quería.* □ SINÓNIMOS: adelantar. **3** avanzar. CONTRARIOS: retrasar. **1** atrasar. FAMILIA: anticipación, anticipo.

anticipo [sustantivo masculino] **1** Parte que se adelanta de algo: *Lo que te he dicho es sólo un anticipo de lo que vas a oír después.* **2** Dinero que se da antes de lo señalado: *He pedido un anticipo del sueldo para pagar el equipo de música.* □ SINÓNIMOS: adelanto. FAMILIA: → anticipar.

anticonceptivo [sustantivo masculino] Método que permite tener relaciones sexuales sin tener hijos: *Los anticonceptivos impiden que la mujer se quede embarazada.* □ FAMILIA: → concebir.

anticonstitucional [adjetivo] Que no respeta la ley fundamental de un Estado: *La oposición acusa al Gobierno de elaborar propuestas anticonstitucionales.* □ [No varía en masculino y en femenino]. CONTRARIOS: constitucional. FAMILIA: → constitución.

anticuado, da [adjetivo] **1** Que ya no se usa o que está pasado de moda: *Lo malo de ir vestido siempre a la moda es que la ropa enseguida se queda anticuada.* **2** Que tiene ideas del pasado y no cambia con las nuevas situaciones: *No seas anticuado y deja que tu*

hijo llegue un poco más tarde a casa. □ SINÓNIMOS: antiguo, caduco. CONTRARIOS: moderno. FAMILIA: → antiguo.

anticuario, ria [sustantivo] Persona que hace colección de objetos antiguos, o que los compra o los vende: *Si quieres comprar muebles antiguos, conozco una anticuaria que te puede aconsejar.* □ FAMILIA: → antiguo.

antídoto [sustantivo masculino] **1** Sustancia que quita el efecto de un veneno: *Cuando le picó la serpiente venenosa le inyectaron rápidamente un antídoto.* **2** Lo que sirve como solución contra un mal: *El mejor antídoto para las preocupaciones es el buen humor.* □ SINÓNIMOS: **2** medicina, remedio. CONTRARIOS: veneno.

antifaz [sustantivo masculino] **1** Pieza que tapa los ojos y que tiene dos agujeros para poder ver: *El enmascarado llevaba un antifaz de tela negra para que nadie lo reconociese.* **2** Pieza parecida a la anterior pero sin agujeros, que se usa para que la luz no moleste a los ojos: *Cuando se acuesta, se pone un antifaz porque le molesta la luz para dormir.* □ [Su plural es *antifaces*]. FAMILIA: → faz.

ANTIFAZ

antiguo, gua [adjetivo] **1** Que existe desde hace mucho tiempo: *En su casa hay muchos muebles antiguos.* **2** Que existió o sucedió hace mucho tiempo: *Su cojera se debe a una antigua lesión.* **3** Que lleva mucho tiempo en un lugar o en un grupo: *En la fiesta se dio un homenaje al empleado más antiguo de la empresa.* **4** [adjetivo o sustantivo] Que tiene ideas del pasado y no cambia con las nuevas situaciones: *Eres un antiguo y no comprendes a los jóvenes de hoy.* **5** [sustantivo masculino plural] Conjunto de las personas que vivieron en épocas pasadas: *Los antiguos creían que el Sol giraba alrededor de la Tierra.* □ SINÓNIMOS: **1,2** viejo. **4** anticuado, caduco. CONTRARIOS: **1-3** nuevo. **1,4** moderno. FAMILIA: antigüedad, anticuado, anticuario.

antigüedad [sustantivo] [femenino] **1** Carácter de lo que es antiguo o se conoce desde hace tiempo: *Muchas veces, la antigüedad es lo que da valor a los objetos.* **2** Tiempo que lleva una persona en un empleo: *A los empleados con más de veinte años de antigüedad se les ha hecho un regalo.* **3** Tiempo antiguo o pasado: *En la Antigüedad, el pueblo egipcio construyó las pirámides.* **4** [plural] Obras de arte antiguas: *Encontré este cuadro en una tienda de antigüedades.* □ [El significado **3** se suele escribir con mayúscula]. CONTRARIOS: **1** novedad.

antiinflamatorio, ria [adjetivo o sustantivo masculino] Que impide que salga un bulto en una parte del cuerpo: *Cuando el médico me quitó la escayola, me mandó una pomada antiinflamatoria para el tobillo.* □ FAMILIA: → inflamar.

antílope [sustantivo] [masculino] Animal parecido a un ciervo pero con los cuernos más largos, y que corre más rápido: *Los antílopes son animales de África.* 🖎 página 848.

antipatía [sustantivo] [femenino] Lo que se siente hacia algo que no nos gusta: *Aunque esa niña me tiene antipatía, a mí ella me cae bien.* □ CONTRARIOS: simpatía. FAMILIA: antipático.

antipático, ca [adjetivo] Que resulta poco agradable: *No tiene amigos porque es muy antipático.* □ CONTRARIOS: simpático. FAMILIA: → antipatía.

antirreglamentario, ria [adjetivo] Que va en contra de las reglas: *El árbitro pitó falta al jugador por tocar el balón con la mano de forma antirreglamentaria.* □ CONTRARIOS: reglamentario. FAMILIA: → regla.

antirrobo [sustantivo] [masculino] Sistema de seguridad que se pone en algunos lugares para impedir los robos: *Mi coche tiene un antirrobo que hace que nadie más que yo pueda abrirlo sin que suene la alarma.* □ FAMILIA: → robar.

antitetánica [sustantivo] [femenino] Vacuna que se pone para no coger una enfermedad grave que ataca el sistema nervioso: *Me caí en el campo y me pusieron la antitetánica.*

antojarse [verbo] **1** Sentir de forma repentina un fuerte deseo de algo: *A las cuatro de la madrugada se le antojó ir a dar un paseo.* **2** Creer o considerar que algo es posible: *¿No se te antoja que aquí pasa algo raro?* □ [Siempre se escribe con j]. FAMILIA: → antojo.

antojo [sustantivo] [masculino] **1** Deseo de algo que se siente con mucha fuerza, pero sólo durante un tiempo: *Cuando estaba embarazada tenía muchos antojos.* **2** Mancha oscura que se tiene en la piel: *Dicen que los antojos salen cuando una mujer embarazada no consigue un capricho.* □ SINÓNIMOS: **1** capricho. FAMILIA: antojarse.

antología 1 [sustantivo] [femenino] Colección de obras de arte escogidas de un conjunto: *Le hemos regalado a mi padre un disco con una antología de la zarzuela.* **2** [expresión] **de antología** Que resulta extraordinario o que produce admiración: *La cena en el restaurante de lujo fue de antología.*

antónimo [sustantivo] [masculino] Palabra cuyo significado es opuesto al de otra: *El antónimo de «bueno» es «malo».* □ SINÓNIMOS: contrario. CONTRARIOS: sinónimo.

antorcha [sustantivo] [femenino] Palo con fuego en un extremo, que sirve para alumbrar: *Cogieron varias antorchas y bajaron al sótano del castillo.*

antropófago, ga [adjetivo o] Dicho de una persona, que come carne humana: *Algunas tribus antropófagas se comían a sus enemigos.* □ SINÓNIMOS: caníbal.

anual [adjetivo] **1** Que se repite cada año: *Aunque ya está curado, tiene que hacerse revisiones médicas anuales.* **2** Que dura un año: *Ha comprado un abono anual con el que podrá ir en metro, autobús y tren.* □ [No varía en masculino y en femenino]. FAMILIA: → año.

anuario [sustantivo] [masculino] Libro que se publica cada año con la información relacionada con un determinado asunto: *Aparece mi nombre en el anuario de medicina de este año por una operación muy importante que realicé.* □ FAMILIA: → año.

anudar [verbo] Hacer uno o varios nudos: *Anuda el lazo si no quieres que se deshaga.* □ FAMILIA: → nudo.

anular 1 [adjetivo] Con forma de anillo: *Las plazas de toros tienen forma anular.* **2** [adjetivo o sustantivo masculino] Dicho de un dedo, que es el cuarto, empezando a contar desde el más gordo: *Llevo un anillo en el dedo anular.* **3**

a
b
c
d
e
f
g
h
i
j
k
l
m
n
ñ
o
p
q
r
s
t
u
v
w
x
y
z

a
b
c
d
e
f
g
h
i
j
k
l
m
n
ñ
o
p
q
r
s
t
u
v
w
x
y
z

[verbo] Decir que algo no vale: *El árbitro anuló el gol.* □ [Cuando es adjetivo, no varía en masculino y en femenino]. FAMILIA: **1,2** → anillo. **3** → nulo.

anunciar [verbo] **1** Decir algo para que la gente lo sepa: *En la radio han anunciado lluvias para los próximos días.* **2** Mostrar un producto de forma que despierte el interés y la gente lo compre: *En la tele anuncian muchos juguetes.* **3** Decir lo que va a suceder en el futuro a partir de algo que se conoce: *Estas nubes anuncian tormenta.* □ SINÓNIMOS: **3** pronosticar, predecir, augurar. FAMILIA: → anuncio.

anuncio [sustantivo masculino] **1** Declaración de algo para que la gente lo sepa: *El anuncio de su viaje nos sorprendió a todos.* **2** Lo que sirve para dar a conocer un producto y que la gente lo compre: *En los descansos de las películas de la tele ponen anuncios.* □ FAMILIA: anunciar.

anzuelo [sustantivo masculino] **1** Gancho que sirve para pescar: *Cuando notes que el pez muerde el anzuelo, sujeta con fuerza la caña.* **2** Lo que sirve para atraer a alguien: *Las rebajas son un anzuelo para que la gente compre más.* **3** [expresión] **tragarse el anzuelo** Caer en una trampa o en un engaño: *El ladrón se tragó el anzuelo y la policía lo apresó.* □ SINÓNIMOS: **2** cebo.

añadir [verbo] Poner más de alguna cosa: *Añade un poco de sal, que está soso.* □ SINÓNIMOS: agregar, sumar. CONTRARIOS: quitar, restar.

añicos [sustantivo masculino plural] Trozos pequeños en los que se divide algo al romperse: *El jarrón se hizo añicos al caer.* □ [Se usa mucho en la expresión *hacerse añicos*].

añil [adjetivo o sustantivo masculino] De color parecido al azul oscuro: *El añil es uno de los colores del arco iris.* □ [Cuando es adjetivo, no varía en masculino y en femenino].

año 1 [sustantivo masculino] Período de tiempo de doce meses: *Hace un año que no voy a la playa. Mi hermano mayor nació un año antes que yo.* **2** [expresión] **año escolar** Tiempo que dura un curso en un colegio y otros lugares parecidos: *El año escolar empieza en septiembre.* **año nuevo** El primer día de un año nuevo: *El 1 de enero es el día de año nuevo.*

año viejo El último día del año: *El año viejo es el 31 de diciembre.* **entrado en años** Con mucha edad: *Uno de mis mejores amigos es un hombre entrado en años.* □ [Expresiones como *año de la nana* o *año de la polca* se usan para indicar una época ya pasada]. FAMILIA: anual, anuario, cumpleaños.

añorar [verbo] Echar de menos: *Añoro las vacaciones en el pueblo con mi abuelo.*

aorta [sustantivo femenino] Especie de tubo ancho que sale del corazón, y por el que se reparte la sangre a todo el cuerpo: *La aorta es una arteria que sale por el lado izquierdo del corazón.*

apacentar [verbo] Llevar al ganado a comer hierba: *Los pastores apacientan sus rebaños.* □ [Es irregular y se conjuga como PENSAR]. FAMILIA: → pacer.

apache [adjetivo o sustantivo] De un antiguo pueblo de América del Norte: *Los indios apaches eran unos guerreros muy fieros.* □ [No varía en masculino y en femenino].

apacible [adjetivo] Que resulta agradable y tranquilo: *Después de la tormenta quedó un día apacible. Tiene un carácter muy apacible y nunca se enfada.* □ [No varía en masculino y en femenino]. FAMILIA: → paz.

apaciguar [verbo] Poner tranquilo o en paz: *Con sus palabras apaciguó a los que se habían peleado.* □ [Se conjuga como AVERIGUAR]. SINÓNIMOS: calmar, serenar, tranquilizar, sosegar, enfriar. CONTRARIOS: calentar, irritar, acelerarse, acalorarse. FAMILIA: → paz.

apadrinar [verbo] **1** Acompañar a una persona cuando va a recibir algunos honores: *En el bautizo, los tíos del bebé lo apadrinaron.* **2** Apoyar o proteger a una persona o una idea para que triunfen: *Ha conseguido llegar a la cima de la empresa porque lo apadrina el director.* □ FAMILIA: → padre.

apagado, da [adjetivo] **1** Que tiene un carácter tranquilo y poco alegre: *Tu hermano es tan apagado y soso que es incapaz de contar un chiste.* **2** Dicho de un brillo o de un color, que es poco vivo o poco fuerte: *El gris es un color apagado.* □ CONTRARIOS: **2** alegre. FAMILIA: → apagar.

apagar [verbo] **1** Desaparecer o hacer que se acabe un fuego: *Los bomberos consiguieron apagar el incendio.* **2** Quitar la luz: *Hasta* *que no apagues la luz no podré dormir.* **3** Hacer que un aparato deje de funcionar: *Apagué la radio y me fui a dormir.* **4** Hacer que termine o que desaparezca una sensación: *Bebía agua para apagar la sed.* □ [La g se cambia en gu delante de e, como en PAGAR]. SINÓNIMOS: **1** extinguir, sofocar. CONTRARIOS: encender. **1** prender. FAMILIA: apagado, apagón.

apagón [sustantivo] [masculino] Falta repentina de electricidad que hace que se apaguen todas las luces de golpe: *En casa tenemos varias velas por si hay un apagón.* □ FAMILIA: → apagar.

apaisado, da [adjetivo] Que es más ancho que alto: *Mi cuaderno de dibujo es apaisado.*

apalabrar [verbo] Quedar de acuerdo con alguien de palabra, sin que conste por escrito: *Mis padres ya han apalabrado el alquiler de una casa para este verano.* □ FAMILIA: → palabra.

apalear [verbo] Dar golpes con un palo: *Unos gamberros apalearon a un perro callejero y le rompieron una pata.* □ FAMILIA: → palo.

aparador [sustantivo] [masculino] Mueble en el que se guarda todo lo necesario para poner la mesa: *En el salón hay un aparador con la vajilla, los cubiertos y los vasos.*

aparato [sustantivo] [masculino] **1** Conjunto de piezas que funcionan juntas: *Me he comprado un aparato de radio.* **2** Conjunto de los órganos del cuerpo que tienen una misma función: *El aparato digestivo está formado por la boca, el estómago y los intestinos.* **3** Objeto que se usa para hacer algo: *El potro es un aparato de gimnasia.* **4** Teléfono: *Ponte al aparato, que quieren hablar contigo.* **5** Gran cantidad de medios para celebrar algo: *La boda fue a lo grande, con mucho aparato y mucha ostentación.* □ SINÓNIMOS: **5** pompa, ostentación. CONTRARIOS: **5** sencillez.

aparcamiento [sustantivo] [masculino] **1** Lugar señalado y preparado para aparcar en él los vehículos: *He dejado el coche en un aparcamiento subterráneo.* **2** Parada de un vehículo en un lugar, para dejarlo allí durante cierto tiempo: *Suspendí el examen de conducir por lo mal que hice el aparcamiento.* □ SINÓNIMOS: estacionamiento. **1** parking. FAMILIA: → aparcar.

aparcar [verbo] **1** Poner un vehículo en un lugar y dejarlo allí parado durante un tiempo: *Si aparcas en doble fila te pondrán una multa.* **2** Retrasar algo hasta encontrar el momento adecuado para realizarlo: *He aparcado varios proyectos que no comenzaré hasta el próximo año.* □ [La c se cambia en qu delante de e, como en SACAR. El significado **2** es coloquial]. SINÓNIMOS: **1** estacionar. FAMILIA: aparcamiento.

aparecer [verbo] **1** Mostrarse o dejarse ver: *Aparecí en casa sin avisar y no tenían cena para mí. Los primeros síntomas de esta enfermedad aparecen unos días después de haberla contraído.* **2** Ser encontrado algo que estaba perdido: *Ya ha aparecido el anillo que había perdido.* □ [Es irregular y se conjuga como PARECER]. CONTRARIOS: desaparecer. FAMILIA: aparición, desaparecer.

aparejador, -a [sustantivo] Persona que hace los planos de una construcción: *La carrera de aparejador es más corta que la de arquitecto.* □ SINÓNIMOS: arquitecto técnico.

aparentar [verbo] **1** Dar a entender algo que no es cierto: *Aunque aparenta estar enfadado, yo sé que lo hace de broma.* **2** Parecer algo que no es verdad: *Aunque aparenta treinta años, tiene más de cuarenta.* **3** Presumir mucho: *Siempre nos cuenta lo que se ha comprado, porque le encanta aparentar.* □ SINÓNIMOS: **1** fingir, figurar. FAMILIA: → apariencia.

aparente [adjetivo] **1** Que parece verdad, pero no lo es: *Su alegría es sólo aparente, porque está muy triste.* **2** Que se ve de forma clara: *Se negó a venir sin motivo aparente.* **3** Que tiene buen aspecto y resulta atractivo: *Aunque no es de oro, el collar que me he comprado es muy aparente.* □ [No varía en masculino y en femenino. El significado **3** es coloquial]. SINÓNIMOS: **1** falso, afectado. CONTRARIOS: **1** sincero, verdadero. FAMILIA: → apariencia.

aparición [sustantivo] [femenino] **1** Presencia de algo que antes no estaba: *Su aparición en la reunión nos sorprendió a todos.* **2** Espíritu de un muerto que se presenta ante los vivos: *Dijo que al pasar por el cementerio había visto una aparición.* □ CONTRARIOS: **1** desaparición. FAMILIA: → aparecer.

apariencia [sustantivo] [femenino] **1** Aspecto externo: *No*

a b c d e f g h i j k l m n ñ o p q r s t u v w x y z

a
b
c
d
e
f
g
h
i
j
k
l
m
n
ñ
o
p
q
r
s
t
u
v
w
x
y
z

debemos juzgar a los demás por su apariencia. **2** Lo que parece algo que no es: *No te fíes de él, porque su bondad es pura apariencia.* □ SINÓNIMOS: facha, pinta. FAMILIA: aparentar, aparente.

apartado, da **1** [adjetivo] Que está lejos o separado de todo: *Vivo en un pueblo apartado al que no llegan ni las carreteras.* [sustantivo] [masculino] **2** Especie de armario que se puede alquilar en una oficina de Correos para poder recibir cosas, y al que le corresponde un número: *Voy a recoger las cartas que me han dejado en el apartado de correos.* **3** Parte en que se divide algo: *Tenemos que estudiar el tercer apartado de la lección para mañana.* □ SINÓNIMOS: **1** retirado. FAMILIA: → parte.

apartamento [sustantivo] [masculino] Piso pequeño con pocas habitaciones: *Vive en un apartamento que sólo tiene una habitación.* □ [No confundir con departamento].

apartar [verbo] **1** Poner una cosa en un lugar distinto de otra con la que estaba: *Aparta la fruta que esté madura de la que todavía esté verde.* **2** Poner lejos: *Apártate un poco para que podamos pasar por la puerta.* □ SINÓNIMOS: separar, alejar, desunir. CONTRARIOS: acercar, aproximar, arrimar, juntar, unir, pegar, agrupar, reunir, amontonar. FAMILIA: → parte.

aparte **1** [adjetivo] Que es distinto y diferente a los demás: *Si no te gusta el chocolate, es que eres un caso aparte.* **2** [adverbio] En otro lugar o en otra situación: *Pon aparte la ropa vieja. Son muy raros y siempre se sientan aparte.* **3** [expresión] **aparte de algo** Sin contar con ello: *Aparte de ese error, el trabajo está muy bien.* □ [El significado **1** no varía en masculino y en femenino]. FAMILIA: → parte.

[apartheid [sustantivo] [masculino] Persecución que sufrían las personas de raza negra en la República de Sudáfrica, que es un país de África: *El apartheid va en contra de los derechos de las personas.* □ [Es una palabra holandesa. Se pronuncia «aparjéid»].

[aparthotel o **[apartotel** [sustantivo] [masculino] Piso pequeño que pertenece a un hotel: *Un apartotel, además del dormitorio y el cuarto de baño, tiene una cocina.* □ FAMILIA: → hotel.

apasionante [adjetivo] Que gusta mucho o que resulta muy interesante: *Creo que el alpinismo es un deporte apasionante.* □ [No varía en masculino y en femenino]. FAMILIA: → pasión.

apasionar [verbo] **1** Gustar mucho: *El cine me apasiona.* **2** **apasionarse** Sentir un gran interés hacia algo: *Me encantan los trenes y me apasiono con las miniaturas.* □ SINÓNIMOS: entusiasmar. FAMILIA: → pasión.

apatía [sustantivo] [femenino] Falta de actividad, de interés o de ánimo: *Está muy triste y nadie consigue sacarle de su apatía.* □ SINÓNIMOS: desgana. CONTRARIOS: energía, vitalidad. FAMILIA: apático.

apático, ca [adjetivo] Que muestra falta de actividad o que no siente interés por nada: *No seas apático y dinos si te gusta este juego o no, pero di algo.* □ FAMILIA: → apatía.

apeadero [sustantivo] [masculino] Estación de tren poco importante y en la que sólo suben y bajan viajeros: *El tren para poco tiempo en el apeadero.* □ FAMILIA: → apear.

apear [verbo] Bajar de un vehículo: *Yo me apeo en la próxima parada.* □ CONTRARIOS: subir, montar. FAMILIA: apeadero.

apechugar [verbo] Cargar con algo que no resulta agradable: *Tú no haces nada y me toca a mí apechugar con el trabajo de los dos.* □ [La g se cambia en gu delante de e, como en PAGAR. Es coloquial]. FAMILIA: → pecho.

apedrear [verbo] Tirar piedras a algo: *Riñeron a los gamberros que apedrearon la farola.* □ FAMILIA: → piedra.

apegarse [verbo] Sentir mucho amor por algo: *Cada día se apega más a sus amigos.* □ [La g se cambia en gu delante de e, como en PAGAR]. FAMILIA: → pegar.

apego [sustantivo] [masculino] Amor que se siente por algo: *Me va a costar mucho irme a vivir a otra ciudad porque le he cogido mucho apego a ésta.* □ FAMILIA: → pegar.

apelación [sustantivo] [femenino] Llamada que se hace a algo en lo que se confía para solucionar un problema: *El árbitro hizo una apelación al buen juicio de los jugadores para evitar la bronca en el campo.* □ FAMILIA: → apelar.

apelar [verbo] Dirigirse a algo en lo que se confía para que nos solucione un problema: *Apelé a su bondad para que no me castigara.* □ FAMILIA: apelación.

apellidar [verbo] **1** Dar un nombre a una persona para sustituir al suyo propio: *A mi amigo lo apellidamos «el Zanahoria» porque es pelirrojo.* **2 apellidarse** Tener determinado apellido: *Ella se llama Inés y se apellida García.* ☐ SINÓNIMOS: **1** apodar. FAMILIA: → apellido.

apellido [sustantivo/masculino] Palabra que sirve para nombrar a todos los miembros de una familia y que pasa de padres a hijos: *Gutiérrez y Álvarez son dos apellidos.* ☐ FAMILIA: apellidar.

apelotonarse [verbo] Juntarse formando un montón o un grupo sin orden: *Los periodistas se apelotonaban alrededor de la actriz.* ☐ FAMILIA: → pelota.

apenar [verbo] Poner triste: *Me apenó que no pudieras venir de vacaciones con nosotros. No te apenes si no puedes ir, porque iremos otro día.* ☐ SINÓNIMOS: afligir, entristecer. CONTRARIOS: alegrar. FAMILIA: → pena.

apenas **1** [adverbio] De forma escasa, o casi no: *No me preguntes nada, porque apenas sé lo que ha pasado.* **2** [conjunción] Casi en el mismo momento: *Apenas salimos de casa, empezó a llover.*

apencar [verbo] Cargar con algo que resulta poco agradable: *Siempre me toca a mí apencar con el pesado de tu vecino.* ☐ [La c se cambia en qu delante de e, como en SACAR. Es coloquial].

apéndice [sustantivo/masculino] **1** Cosa menos importante y que se añade a la principal: *Al final de algunos diccionarios hay apéndices con información gramatical.* **2** Parte del cuerpo de una persona o de un animal que está unida a otra mayor o más importante: *Me operaron y me quitaron el apéndice.* ☐ FAMILIA: apendicitis.

apendicitis [sustantivo/femenino] Enfermedad producida por el aumento del tamaño del apéndice que tiene el intestino: *Cuando tuve apendicitis me dolía la parte derecha de la tripa.* ☐ [No varía en singular y en plural]. FAMILIA: → apéndice.

aperitivo [sustantivo/masculino] **1** Bebida y comida ligeras que se toman antes de las comidas: *Los sábados antes de comer, voy con mis padres a tomar un aperitivo.* **2** Comida que se sirve acompañando a una bebida: *En este bar ponen de aperitivo aceitunas rellenas.*

apero [sustantivo/masculino] Herramienta que se usa para cultivar la tierra: *Mi padre guarda en esa caseta los aperos que tiene para labrar la tierra.* ☐ [Se usa más en plural].

apertura [sustantivo/femenino] **1** Hecho de abrir lo que estaba cerrado: *Mucha gente esperaba la apertura de las puertas del cine.* **2** Comienzo de un proceso o de una actividad: *Para realizar la apertura de una cuenta en un banco, te piden el carné de identidad.* ☐ [No confundir con *abertura*]. SINÓNIMOS: **2** inauguración. CONTRARIOS: **2** clausura, cierre. FAMILIA: → abrir.

apestar [verbo] Producir muy mal olor: *Saqué mis zapatos a la terraza, porque apestaban.* ☐ SINÓNIMOS: atufar. FAMILIA: → peste.

apestoso, sa [adjetivo] Que huele muy mal: *Para tomar este jarabe tan apestoso tendré que taparme la nariz.* ☐ FAMILIA: → peste.

apetecer [verbo] Tener ganas de algo: *Me apetece ir a dar un paseo.* ☐ [Es irregular y se conjuga como PARECER]. SINÓNIMOS: desear, querer. FAMILIA: apetito, apetitoso.

apetito [sustantivo/masculino] **1** Sensación que producen las ganas de comer: *Cuando estoy enfermo pierdo el apetito.* **2** Fuerza que nos empuja a satisfacer nuestros deseos: *Eres una persona muy egoísta, y sólo te preocupas de satisfacer tus apetitos.* ☐ SINÓNIMOS: **1** hambre. FAMILIA: → apetecer.

apetitoso, sa [adjetivo] Que despierta el apetito: *Me han propuesto un negocio muy apetitoso. Nos invitó a comer una apetitosa tarta.* ☐ FAMILIA: → apetecer.

apiadarse [verbo] Sentir pena o compasión ante el dolor de los demás o ante sus problemas: *Se apiadó de mis sufrimientos y me consoló.* ☐ SINÓNIMOS: compadecerse. FAMILIA: → piedad.

apicultura [sustantivo/femenino] Arte de criar abejas para aprovechar los productos que producen: *A mi vecino le gusta mucho la apicultura y siempre nos regala tarros de miel de sus abejas.* ☐ FAMILIA: → abeja.

apisonadora [sustantivo/femenino] **1** Máquina que se usa para apretar el suelo y ponerlo más llano: *Las apisonadoras se usan para hacer ca-*

a
b
c
d
e
f
g
h
i
j
k
l
m
n
ñ
o
p
q
r
s
t
u
v
w
x
y
z

rreteras. **2** Persona que vence totalmente cualquier oposición: *Este jugador es una apisonadora y no hay quien lo supere.* ☐ [El significado **2** es coloquial]. FAMILIA: → pisar.

APISONADORA

apisonar [verbo] Apretar el suelo con una máquina especial para hacerlo más llano: *Unos obreros apisonaron el camino antes de asfaltarlo.* ☐ FAMILIA: → pisar.

aplacar [verbo] Disminuir la fuerza de algo, o hacer que sea más suave y fácil de soportar: *Mis palabras no consiguieron aplacar su ira.* ☐ [La c se cambia en qu delante de e, como en SACAR]. SINÓNIMOS: calmar.

aplanado, da [adjetivo] Que tiene la superficie lisa, extendida y con poca altura: *Dicen que los platillos volantes tienen forma aplanada.* ☐ FAMILIA: → plano.

aplanar [verbo] **1** Poner liso o llano: *Están aplanando el camino para construir una carretera.* **2** Dejar a alguien sin energía: *La enfermedad me ha aplanado un poco.* ☐ [El significado **2** es coloquial]. SINÓNIMOS: **1** allanar, igualar. FAMILIA: → plano.

aplastante [adjetivo] Dicho de una victoria, que es total o completa: *Nuestra victoria fue aplastante porque ganamos por seis goles a cero.* ☐ [No varía en masculino y en femenino]. FAMILIA: → aplastar.

aplastar [verbo] **1** Apretar algo hasta que quede plano o hasta destruirlo: *Me senté encima de la tarta sin darme cuenta y la aplasté.* **2** Vencer totalmente: *Los componentes del equipo estaban convencidos de que aplastarían a los del equipo contrario.* ☐ SINÓNIMOS: **1** despachurrar, espachurrar. FAMILIA: aplastante.

aplatanar [verbo] Hacer perder la fuerza, generalmente por el ambiente o el clima: *Estos días de tanto calor me aplatanan.* ☐ [Es coloquial]. FAMILIA: → plátano.

aplaudir [verbo] **1** Juntar de golpe las palmas de las manos para que suenen: *El pú-* *blico entusiasmado aplaudió a los actores.* **2** Alabar con palabras o de otra forma: *Aplaudo los esfuerzos que estáis haciendo para proteger la naturaleza.* ☐ FAMILIA: aplauso.

aplauso [sustantivo masculino] **1** Señal de alegría que se hace juntando las palmas de las manos para que suenen: *Los aplausos y los gritos de ánimo me ayudaron a ganar la carrera.* **2** Alabanza o reconocimiento: *La decisión que has tomado merece todo mi aplauso.* ☐ FAMILIA: → aplaudir.

aplazamiento [sustantivo masculino] Retraso de algo que se deja para más tarde: *La lluvia fue la causa del aplazamiento del partido.* ☐ FAMILIA: → plazo.

aplazar [verbo] Retrasar algo o dejarlo para más tarde: *El profesor ha aplazado la visita al museo hasta mañana.* ☐ [La z se cambia en c delante de e, como en CAZAR]. FAMILIA: → plazo.

aplicación [sustantivo femenino] **1** Colocación de una cosa extendiéndola sobre otra: *La aplicación de esta crema para los granos debe ser diaria.* **2** Empleo o uso de algo para conseguir un determinado fin: *En la tele anuncian un nuevo electrodoméstico con muchas aplicaciones en el hogar.* **3** Esfuerzo e interés que se ponen al hacer algo: *Si estudiaras con más aplicación aprenderías las cosas con facilidad.* ☐ FAMILIA: → aplicar.

aplicado, da [adjetivo] **1** Que pone esfuerzo e interés al hacer algo: *Es una chica muy aplicada y hace muy bien sus tareas.* **2** Que pone en práctica unos conocimientos teóricos: *La física es una ciencia aplicada.* ☐ FAMILIA: → aplicar.

aplicar [verbo] **1** Poner una cosa extendiéndola sobre otra: *Antes de aplicar este pegamento hay que limpiar las superficies que se van a pegar.* **2** Emplear o poner en práctica algo para conseguir un determinado fin: *Si aplicas todo lo que sabes, te será fácil solucionar el problema.* **3 aplicarse** Poner mucho interés en hacer algo: *Si te aplicas durante estos últimos meses, lograrás aprobar el curso.* ☐ [La c se cambia en qu delante de e, como en SACAR]. SINÓNIMOS: **1** dar. FAMILIA: aplicación, aplicado, aplique.

aplique [sustantivo masculino] **1** Lámpara que se fija en una pared: *He comprado dos apliques para* *ponerlos a los lados del espejo.* **2** Lo que se añade a algo para protegerlo o para adornarlo: *He comprado un baúl con apliques de metal.* □ FAMILIA: → aplicar.

aplomo [sustantivo] [masculino] Tranquilidad que se tiene en situaciones difíciles: *Actuó con mucho aplomo y sin perder los nervios.* □ CONTRARIOS: nerviosismo.

apocado, da [adjetivo] Muy tímido: *A un chico tan apocado le resulta difícil relacionarse con los demás.*

apócope [sustantivo] [femenino] Palabra en la que han desaparecido uno o varios sonidos finales: *«San» es la apócope de «santo».*

apodar [verbo] Llamar a una persona por un nombre que sustituye al nombre verdadero: *Como siempre está bailando, sus amigos lo apodan «Peonza».* □ SINÓNIMOS: apellidar. FAMILIA: → apodo.

apoderar [verbo] **1** Dar permiso a otra persona para que nos represente: *Si el director no puede ir a la reunión, apoderará a algún empleado para que hable en su nombre.* **apoderarse 2** Coger algo como si fuese propio: *Los ladrones se apoderaron de las joyas que había en la casa.* **3** Tener un poder total sobre algo: *Cuando vi tanta injusticia, la rabia se apoderó de mí.* □ SINÓNIMOS: **2** apropiarse, quedarse, adjudicarse. **2,3** adueñarse. FAMILIA: → poder.

apodo [sustantivo] [masculino] Nombre que se da a una persona y que sustituye al verdadero: *El apodo del ladrón que acaba de ser detenido es «Dedoslargos».* □ SINÓNIMOS: mote, alias. FAMILIA: apodar.

apogeo [sustantivo] [masculino] Momento de mayor fuerza o importancia en un proceso: *Las pirámides de Egipto se edificaron cuando la civilización egipcia estaba en su apogeo.* □ SINÓNIMOS: auge, esplendor. CONTRARIOS: decadencia.

aporrear [verbo] Golpear algo de forma repetida y violenta: *Aporreó la puerta hasta que lo dejamos entrar.* □ FAMILIA: → porra.

aportación [sustantivo] [femenino] Lo que se da para algo: *Gracias a la aportación económica de la gente, hemos podido comprar una ambulancia para el pueblo.* □ FAMILIA: → aportar.

aportar [verbo] Dar algo que resulta necesario para conseguir un objetivo: *Hemos aportado muchas ideas para el proyecto.* □ FAMILIA: aportación.

aposento [sustantivo] [masculino] Habitación o cuarto de una casa: *La reina se retiró a descansar a sus aposentos.* □ SINÓNIMOS: estancia.

aposición [sustantivo] [femenino] En gramática, nombre que va detrás de otro para explicar su significado: *En la frase «Hoy he visto a tu tío, el guardia», «el guardia» es una aposición respecto de «tío».*

aposta [adverbio] A propósito o con intención: *¡Lo has dicho aposta para que me enfade!* □ [Es coloquial. Se escribe también a posta]. SINÓNIMOS: adrede. CONTRARIOS: sin querer.

apostar [verbo] **1** Arriesgar algo para poder participar en un juego que consiste en pagar lo que se arriesga si no se acierta una cosa: *¿Qué te apuestas a que soy capaz de subir a ese árbol? Aposté mis cromos con un amigo y los perdí.* **2** Poner la confianza en algo que supone algún riesgo: *Mis padres han apostado por mí y no quiero decepcionarlos.* **3** Colocar a una persona en un lugar para que cumpla un determinado objetivo: *La policía se apostó detrás de los setos antes de asaltar el edificio.* □ [En los significados **1** y **2** es irregular y se conjuga como CONTAR]. FAMILIA: apuesta.

apóstol [sustantivo] [masculino] **1** Persona que procura extender una doctrina o unas ideas: *Todos deberíamos ser apóstoles de la verdad.* **2** Cada uno de los doce discípulos que Jesucristo eligió para que extendieran el Evangelio: *San Juan fue uno de los doce apóstoles.* □ FAMILIA: apostólico.

apostólico, ca [adjetivo] De los apóstoles, del papa o de la iglesia: *Los misioneros se encargan de extender el mensaje apostólico por todo el mundo.* □ FAMILIA: → apóstol.

apoteósico, ca [adjetivo] Muy bueno o muy importante: *El jugador español consiguió un gol apoteósico que clasificó a nuestro equipo para la final.* □ FAMILIA: → apoteosis.

apoteosis [sustantivo] [femenino] Momento más importante o más destacado de algo: *Este actor está ahora en la apoteosis de su carrera.* □ [No varía en singular y en plural]. FAMILIA: apoteósico.

apoyar [verbo] **1** Poner una cosa sobre otra

a
b
c
d
e
f
g
h
i
j
k
l
m
n
ñ
o
p
q
r
s
t
u
v
w
x
y
z

a
b
c
d
e
f
g
h
i
j
k
l
m
n
ñ
o
p
q
r
s
t
u
v
w
x
y
z

para que se sujete: *Me apoyé en la baran-dilla de la terraza y me asomé a la calle.* **2** Basar algo en datos que demuestren que es cierto: *Nadie está de acuerdo con tu teoría porque no se apoya en hechos demostrables.* **3** Hacer más firme una opinión: *Estos nuevos descubrimientos apoyan mi teoría.* **4** Ayudar a alguien para que consiga lo que se propone: *Busco a alguien que crea en mi proyecto y que me apoye.* □ SINÓNIMOS: **2** fundar. FAMILIA: apoyo.

apoyo [sustantivo] [masculino] **1** Lo que sirve para sujetar algo y evitar que se caiga: *Las columnas son el apoyo de los techos.* **2** Lo que sirve para hacer más firme una idea u opinión: *Enseñé unas fotografías como apoyo de lo que dije.* **3** Ayuda y protección: *Logré recuperarme gracias al apoyo de mis amigos.* □ FAMILIA: → apoyar.

apreciable [adjetivo] **1** Que se nota claramente: *Los síntomas de esta enfermedad no son apreciables a simple vista.* **2** Que tiene valor y debe ser reconocido por ello: *Tuviste un gesto apreciable conmigo y te lo agradezco.* □ [No varía en masculino y en femenino]. FAMILIA: → apreciar.

apreciar [verbo] **1** Reconocer el valor de algo: *Es un entendido en cine y sabe apreciar una buena película.* **2** Sentir amor hacia alguien: *Te aprecio mucho y no me gusta que te hagan sufrir.* **3** Notar algo con los sentidos o con la inteligencia: *Aprecié cierta tristeza en su voz.* □ SINÓNIMOS: **1** valorar, estimar. **2** amar, querer, adorar, estimar. CONTRARIOS: **1,2** despreciar. **2** odiar, detestar, aborrecer. FAMILIA: aprecio, apreciable, despreciar, desprecio, menosprecio.

aprecio [sustantivo] [masculino] **1** Lo que se siente hacia alguien que nos gusta: *Mi vecino me tiene mucho aprecio y me trata como a un hijo.* **2** Reconocimiento del valor de algo: *Hizo aprecio a la cena que le había preparado y se lo comió todo.* □ SINÓNIMOS: **1** simpatía, afecto, estima, cariño. CONTRARIOS: **1** antipatía, desprecio, menosprecio. FAMILIA: → apreciar.

apremiante [adjetivo] Que corre mucha prisa o que hace mucha falta: *Solucionar el problema del paro es una tarea apremiante para los gobernantes de muchas naciones.*

□ [No varía en masculino y en femenino]. FAMILIA: → apremiar.

apremiar [verbo] Meter prisa: *Nos apremiaron para que acabáramos el trabajo antes de lo previsto, y no nos dio tiempo a rematarlo.* □ FAMILIA: apremiante.

aprender [verbo] **1** Conseguir conocimientos por medio del estudio o de la experiencia: *En el colegio se aprenden muchas cosas. Hoy he aprendido a hacer la voltereta.* **2** Fijar algo en la memoria: *Me he aprendido la matrícula del coche de mis padres.* □ CONTRARIOS: enseñar. FAMILIA: aprendiz, aprendizaje.

aprendiz, -a [sustantivo] Persona que aprende un arte o un trabajo: *Es aprendiz de carpintero.* □ [Su plural es aprendices y aprendizas]. FAMILIA: → aprender.

aprendizaje [sustantivo] [masculino] Proceso durante el que se aprende algo: *Durante el período de aprendizaje es normal que se cometan errores.* □ FAMILIA: → aprender.

aprensión [sustantivo] [femenino] Miedo que se tiene a que alguien nos contagie una enfermedad o a recibir algún daño: *Si te da aprensión beber de mi vaso, cógete otro.* □ FAMILIA: aprensivo.

aprensivo, va [adjetivo] Que cree que está muy enfermo o que le va a pasar algo malo por hacer cualquier cosa: *No hables de enfermedades delante de él, porque es muy aprensivo y luego se imagina que padece de todo eso que ha oído.* □ FAMILIA: → aprensión.

apresar [verbo] **1** Coger o atrapar con los dientes: *Los perros apresaron a la liebre y la llevaron al cazador.* **2** Atrapar a alguien y quitarle la libertad: *La policía apresó al bandido y lo metió en el calabozo.* □ SINÓNIMOS: prender, capturar. **2** detener, arrestar. CONTRARIOS: liberar, libertar, soltar. FAMILIA: → preso.

apresurar [verbo] Hacer algo más deprisa: *Apresuré el paso para no llegar tarde. Apresúrate si quieres venir conmigo.* □ SINÓNIMOS: acelerar, aligerar, apurar. CONTRARIOS: retrasar, frenar. FAMILIA: → prisa.

apretar [verbo] **1** Hacer fuerza o presión: *Aprieta el botón de la radio para encenderla. Estos pantalones me aprietan.* **2** Hacer que algo quede justo o que no quede espacio entre una cosa y otra: *Apriétate el cinturón, que se te caen los pantalones. Apreté el tornillo que se estaba saliendo.* **3** Hacer continuas preguntas o amenazas: *Si la aprietas un poco más, confesará lo que sabe.* **4** Ocurrir algo con más fuerza de la normal: *En verano, aquí el calor aprieta.* **5** Hacer mayor esfuerzo en algo: *Si quiero aprobar, debo apretar en los estudios.* **6 apretarse** Juntarse mucho para que sobre sitio: *Si nos apretamos unos a otros, cabrá más gente.* □ [Es irregular y se conjuga como PENSAR]. SINÓNIMOS: **1** oprimir. **6** estrecharse. CONTRARIOS: **2,4** aflojar. FAMILIA: aprieto, apretón.

apretón [sustantivo/masculino] **1** Presión fuerte que se hace sobre algo: *Sellaron el acuerdo con un apretón de manos.* **2** Falta de espacio que se produce cuando hay mucha gente: *Me robaron la cartera aprovechando los apretones del metro.* **3** Dolor muy fuerte de tripa que nos hace ir al cuarto de baño: *Déjame pasar al baño, que me ha dado un apretón y no me puedo aguantar.* □ [El significado **3** es coloquial]. FAMILIA: → apretar.

aprieto [sustantivo/masculino] Situación que resulta difícil de resolver: *Me prestó dinero cuando estuve en aprietos. Si me preguntas eso me pones en un aprieto, porque no lo sé.* □ SINÓNIMOS: apuro, compromiso. FAMILIA: → apretar.

aprisa [adverbio] De manera muy rápida: *No comas aprisa, que te sentará mal.* □ [Se escribe también a prisa]. SINÓNIMOS: deprisa. CONTRARIOS: despacio. FAMILIA: → prisa.

aprisionar [verbo] Atrapar y quitar la libertad de movimiento: *Al cerrarse la puerta me aprisionó el pie.* □ FAMILIA: → preso.

aprobado [sustantivo/masculino] Nota que indica que se tiene el nivel de conocimientos que se pide: *Aunque podría sacar buenas notas, mi hermana es un poco vaga y sólo saca aprobados.* □ CONTRARIOS: suspenso, insuficiente, calabaza. FAMILIA: → aprobar.

aprobar [verbo] **1** Dar algo por bueno o suficiente: *Estoy de acuerdo contigo y apruebo lo que vas a hacer.* **2** Obtener una nota que indica que se tienen los conocimientos que se piden: *Si no aprobamos los exámenes no pasaremos de curso.* □ [Es irregular y se conjuga

como CONTAR]. CONTRARIOS: suspender. **2** catear, tirar. FAMILIA: aprobado.

apropiado, da [adjetivo] Que es como debe ser: *Los jefes buscan a la persona apropiada para trabajar en este puesto.* □ SINÓNIMOS: correcto, acertado, adecuado, conveniente, oportuno. CONTRARIOS: incorrecto. FAMILIA: → propio.

apropiarse [verbo] Coger algo como si fuera propio: *Fue a la cárcel por apropiarse de dinero que no era suyo.* □ SINÓNIMOS: quedarse, adueñarse, apoderarse, adjudicarse. FAMILIA: → propio.

aprovechable [adjetivo] Que se puede aprovechar: *No tires el pantalón, que todavía es aprovechable.* □ [No varía en masculino y en femenino]. FAMILIA: → provecho.

aprovechado, da [adjetivo o sustantivo] Dicho de una persona, que se aprovecha de los demás siempre que puede: *Es un aprovechado y en lugar de hacer los deberes me los copia.* □ SINÓNIMOS: caradura, carota, jeta, fresco, frescales. FAMILIA: → provecho.

aprovechar [verbo] **1** Usar algo de forma útil: *He aprovechado el pescado que sobró ayer y he hecho una sopa. Aprovecha el tiempo y no hagas el vago.* **2** Obtener un resultado positivo: *Debes aprovechar más en clase si quieres aprender.* **3 aprovecharse** Engañar a alguien para obtener algo: *Se aprovechó de que soy más pequeño que ella y me quitó el balón.* □ CONTRARIOS: **1** desechar. **2** desperdiciar, malgastar. FAMILIA: → provecho.

aproximación [sustantivo/femenino] Colocación de algo más cerca: *No es posible la aproximación entre opiniones tan opuestas.* □ SINÓNIMOS: acercamiento. CONTRARIOS: alejamiento. FAMILIA: → próximo.

aproximado, da [adjetivo] Que se acerca a lo exacto, pero que no lo es: *Esta piscina tiene un largo aproximado de veinticinco metros.* □ FAMILIA: → próximo.

aproximar [verbo] Poner más cerca: *Un señor se aproximó a mí y me preguntó la hora.* □ SINÓNIMOS: acercar, arrimar, juntar, pegar. CONTRARIOS: alejar, separar, apartar. FAMILIA: → próximo.

aptitud [sustantivo/femenino] Capacidad para hacer algo bien: *Tienes aptitudes para la música.* □

a
b
c
d
e
f
g
h
i
j
k
l
m
n
ñ
o
p
q
r
s
t
u
v
w
x
y
z

a
b
c
d
e
f
g
h
i
j
k
l
m
n
ñ
o
p
q
r
s
t
u
v
w
x
y
z

[No confundir con actitud]. SINÓNIMOS: condiciones. FAMILIA: → apto.

apto, ta [adjetivo] Que resulta adecuado para algo: *No pude ver la película porque no era apta para menores de trece años.* □ [No confundir con acto]. FAMILIA: aptitud.

apuesta [sustantivo femenino] Mira en **apuesto, ta.**

apuesto, ta 1 [adjetivo] Que resulta guapo y elegante: *El apuesto príncipe se casó con la princesa.* [sustantivo femenino] **2** Acuerdo entre varias personas según el cual la persona que esté equivocada pagará lo que se había fijado antes: *Hemos hecho una apuesta para ver quién llega primero.* **3** Lo que paga el que está equivocado en este acuerdo: *Yo digo que ganará ella, y la apuesta es un refresco.* □ SINÓNIMOS: **1** atractivo. CONTRARIOS: **1** feo. FAMILIA: → apostar.

apuntador, -a [sustantivo] Persona que recuerda a los actores lo que deben decir: *La obra de teatro fue un fracaso porque oímos más al apuntador que a los actores.* □ FAMILIA: → apuntar.

apuntar [verbo] **1** Tomar nota por escrito: *Apunta mi teléfono en tu agenda.* **2** Dirigir un arma en dirección al objetivo: *Antes de disparar hay que apuntar bien.* **3** Señalar hacia un lugar determinado: *La aguja de la brújula apunta al Norte.* **4** Indicar o llamar la atención: *El profesor apuntó la posibilidad de organizar una excursión.* **5** Incluir a una persona en una lista o en un grupo: *¿Te apuntas a venir a merendar a mi casa? Me he apuntado al equipo de baloncesto del colegio.* **6** Recordar a alguien algo que se le había olvidado: *No conviene apuntar a los compañeros de clase, porque no sirve para que aprendan.* **7** Empezar a mostrarse o a aparecer: *Apuntaba el día cuando el labrador salió de casa.* **8 apuntarse** Conseguir un éxito o un fracaso: *Con este tanto, nuestro equipo se ha apuntado una victoria.* □ SINÓNIMOS: **1** anotar. FAMILIA: apuntador, apunte.

apunte [sustantivo masculino] **1** Lo que se dibuja de forma rápida y sólo con las líneas más características: *Las caricaturas son apuntes de caras hechos con humor.* **2** [plural] Hojas en las que los alumnos han anotado las explicaciones del profesor: *Déjame los apuntes de*

ayer, porque no pude venir a clase. □ FAMILIA: → apuntar.

apuñalar [verbo] Herir con un puñal: *Han detenido a los que apuñalaron el otro día a un señor.* □ FAMILIA: → puñal.

apurado, da [adjetivo] **1** Que tiene poca cantidad de algo que necesita: *Con tantos gastos, estoy algo apurado de dinero y no te puedo prestar nada.* **2** Que produce preocupación o resulta difícil de resolver: *Estoy en una situación apurada y necesito que me aconsejes.* □ FAMILIA: → apurar.

apurar [verbo] **1** Tomar o gastar algo hasta el fin: *Tenía tanta sed que apuré el vaso de agua hasta la última gota.* **2** Hacer las cosas más deprisa: *¡Apura, si no quieres llegar tarde!* **3 apurarse** Preocuparse o sentirse triste: *No te apures, que todo se arreglará.* □ SINÓNIMOS: **1** acabar, agotar. **2** apresurar, acelerar, aligerar. FAMILIA: apuro, apurado.

apuro [sustantivo masculino] **1** Situación que resulta difícil de resolver: *Soy tu amiga y, si estás en un apuro, te ayudaré.* **2** Vergüenza que se siente por algo: *Me da apuro contarte lo que me pasa.* □ SINÓNIMOS: **1** aprieto, compromiso. **2** corte. FAMILIA: → apurar.

aquel, aquella, aquello [pronombre demostrativo] Señala lo que está más lejos: *No me gusta este bollo, sino aquella tarta de allí.* □ [Cuando no acompaña a un sustantivo se puede escribir con tilde: *Este juego no está mal, pero aquél sí que es divertido.* El plural de aquel es aquellos].

aquí [adverbio] **1** En este lugar: *Aquí había antes una vieja fábrica.* **2** Ahora o en este momento: *Me has engañado, y de aquí en adelante no volveré a creerte.* **3** [expresión] **de aquí para allá** De un lugar a otro: *Llevo todo el día de aquí para allá, y estoy agotada.* **de aquí te espero** Muy grande o muy importante: *Se montó un lío de aquí te espero y acabó apareciendo la policía.* □ [Las expresiones son coloquiales. No debe decirse *Ven a aquí*, sino *Ven aquí*]. SINÓNIMOS: **1,2** acá.

árabe 1 [adjetivo o sustantivo] De los pueblos que tienen como lengua el árabe: *Marruecos, Argelia, Libia, Egipto y Arabia Saudí son países árabes.* **2** [sustantivo masculino] Lengua que se escribe de derecha a izquierda y que se habla en países del norte de África y de Asia: *En Túnez* *se habla árabe.* □ [Cuando es adjetivo, no varía en masculino y en femenino].

arado [sustantivo/masculino] Instrumento empleado en agricultura para hacer pequeñas zanjas en la tierra: *Una pareja de bueyes tiraba del arado.*

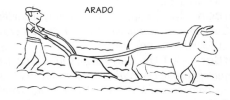

ARADO

aragonés, -a [adjetivo o/sustantivo] De la comunidad autónoma de Aragón: *La jota es un baile aragonés.*

arandela [sustantivo/femenino] Pieza plana parecida a un anillo: *He puesto una arandela entre la tuerca y el tornillo para que queden más ajustados.*

araña [sustantivo/femenino] **1** Animal con cuatro pares de patas, que hace una especie de tela para cazar insectos: *Me dan mucho miedo las arañas.* 🔎 página 711. **2** Lámpara que se cuelga del techo, y que tiene varios brazos con pequeños cristales: *Los cristales de la araña reflejan la luz.*

arañar [verbo] **1** Herir la superficie de la piel con las uñas o con algo puntiagudo: *El gato de mi vecino me ha arañado el brazo.* **2** Hacer señales en la superficie de algo: *Las ramas del árbol han arañado la pintura del coche.* **3** Coger algo poco a poco y en pequeñas cantidades: *He ido arañando dinero de aquí y de allá para poder comprarme una bicicleta.* □ [El significado **3** es coloquial]. FAMILIA: arañazo.

arañazo [sustantivo/masculino] **1** Herida poco profunda hecha con las uñas o con algo puntiagudo: *El gato me ha hecho un arañazo.* **2** Señal alargada hecha en una superficie: *Este producto quita los arañazos de los muebles.* □ SINÓNIMOS: **1** rasguño, raspón, rasponazo. FAMILIA: → arañar.

arar [verbo] Mover la tierra haciendo pequeñas montañas o surcos para sembrarla después: *Los agricultores aran los campos.* □ SINÓNIMOS: labrar. FAMILIA: arado.

árbitro, tra [sustantivo] Persona que hace que se cumplan las reglas de un juego: *El árbitro pitó penalti.* □ SINÓNIMOS: juez. 🔎 página 795.

árbol [sustantivo/masculino] Planta muy grande que tiene tronco y muchas ramas: *El olivo y el naranjo son árboles.* □ FAMILIA: arboleda, arbolado, arbusto. 🔎 páginas 18-19.

arbolado, da 1 [adjetivo] Que está lleno de árboles: *Fuimos a dar una vuelta en bici y paramos a descansar en una zona arbolada.* **2** [sustantivo/masculino] Conjunto de árboles: *El incendio destruyó gran parte del arbolado del monte.* □ FAMILIA: → árbol.

arboleda [sustantivo/femenino] Terreno lleno de árboles: *Me gusta pasear por la arboleda que está cerca del río.* □ FAMILIA: → árbol.

arbusto [sustantivo/masculino] Planta de menor tamaño que un árbol, y cuyas ramas salen del suelo: *Las adelfas y las zarzamoras son arbustos.* □ FAMILIA: → árbol. 🔎 páginas 154, 497.

arca [sustantivo/femenino] **1** Caja grande que tiene la tapa plana y que se cierra con candados o con cerraduras: *El marqués guardaba las joyas en un arca en los sótanos del castillo.* **2** [plural] Lugar donde se guarda el dinero que pertenece a muchas personas: *Las obras del estadio han vaciado las arcas del club.* □ [Aunque es femenino, se usa con el, un, ningún y algún: el arca, las arcas]. FAMILIA: arcón.

arcada [sustantivo/femenino] **1** Conjunto de arcos de una construcción: *Esta plaza está rodeada por una arcada de piedra.* **2** Movimiento repentino y rápido del estómago que se produce cuando se está a punto de vomitar: *Sólo de ver el mal aspecto de esta comida me dan arcadas.* □ SINÓNIMOS: **2** náusea. FAMILIA: → arco.

arcaico, ca [adjetivo] Muy antiguo: *En algunas cuevas se han encontrado muestras de pintura arcaica realizadas por los hombres primitivos.*

arcángel [sustantivo/masculino] Ser o espíritu del cielo: *Según la tradición, los arcángeles tienen una categoría superior a la de los ángeles.* □ FAMILIA: → ángel.

arcén [sustantivo/masculino] Cada una de las zonas que hay a los lados de una carretera: *Se pinchó una rueda del coche y nos tuvimos que parar en el arcén para cambiarla.*

archipiélago [sustantivo/masculino] Conjunto de islas

a b c d e f g h i j k l m n ñ o p q r s t u v w x y z

a
b
c
d
e
f
g
h
i
j
k
l
m
n
ñ
o
p
q
r
s
t
u
v
w
x
y
z

cercanas entre sí: *En el archipiélago canario hay volcanes.* 🖝 página 536.

archivador [sustantivo] [masculino] **1** Carpeta que tiene varios apartados y que sirve para guardar papeles de forma ordenada: *Ya he guardado los apuntes en el archivador.* **2** Mueble de oficina que se usa para guardar documentos de una forma ordenada: *El dueño de la tienda guarda las fichas de todos los clientes en el archivador.* 🖝 página 605. □ FAMILIA: → archivar.

archivar [verbo] **1** Guardar papeles o documentos de forma ordenada en el lugar adecuado: *He archivado los recibos de este mes.* **2** Dar por terminado algo: *La prensa no quiere archivar este asunto hasta que no esté totalmente aclarado.* □ FAMILIA: archivo, archivador.

archivo [sustantivo] [masculino] **1** Conjunto de documentos que se producen al llevar a cabo una actividad: *Este médico tiene un archivo completo de sus pacientes.* **2** Lugar en el que se guardan de forma ordenada estos documentos: *Busqué en el archivo el informe que me habías pedido.* **3** En informática, conjunto de datos grabados con un mismo nombre: *En mi ordenador tengo almacenados muchos archivos.* □ SINÓNIMOS: fichero. FAMILIA: → archivar.

arcilla [sustantivo] [femenino] Sustancia mineral que suele mezclarse con agua para hacer objetos y recipientes: *Con la arcilla se hacen ladrillos y vasijas.* □ FAMILIA: arcilloso.

arcilloso, sa [adjetivo] Que tiene arcilla: *Los terrenos arcillosos suelen tener un color rojizo.* □ FAMILIA: → arcilla.

arco [sustantivo] [masculino] **1** Construcción curva que se apoya sobre sus dos lados y que sirve para sujetar el techo: *Las naves de las catedrales suelen estar separadas por una serie de arcos.* **2** Lo que tiene esta forma: *Eres tan elástica que puedes doblarte y formar un arco con tu cuerpo.* **3** Palo que se dobla fácilmente, tiene unidos sus extremos con una cuerda y sirve para lanzar flechas: *Los indios usaban el arco y las flechas para cazar.* 🖝 página 289. **4** Pieza que se usa para tocar el violín y otros instrumentos musicales: *El violonchelo se toca con el arco.* **5** [expresión] **arco de triunfo** Construcción hecha en honor de algo: *Todavía se conservan algunos arcos de triunfo de la época romana.* **arco iris** Banda curva de colores que aparece en el cielo cuando llueve y hace sol: *Los colores del arco iris son rojo, anaranjado, amarillo, verde, azul, añil y violeta.* □ FAMILIA: arcada, arquero.

arcón [sustantivo] [masculino] Especie de caja muy grande: *Guardó las mantas en el arcón de madera.* □ FAMILIA: → arca.

arder [verbo] **1** Quemarse algo: *Cuando vimos que el bosque empezaba a arder, avisamos a los bomberos. La madera húmeda no arde.* **2** Estar muy caliente: *El café está ardiendo y no hay quien lo tome.* **3** [expresión] **arder en deseos de algo** Desearlo mucho: *Ardo en deseos de ver a mis amigos.* □ SINÓNIMOS: **1** prender. FAMILIA: ardiente, ardor.

ardid [sustantivo] [masculino] Lo que se hace con habilidad para conseguir lo que se quiere: *Utilizó uno de sus ardides para que le dejaran ir a casa de sus amigos.* □ SINÓNIMOS: artimaña, treta.

ardiente [adjetivo] **1** Que está tan caliente que quema: *La ardiente arena me quemaba los pies.* **2** Muy vivo o muy fuerte: *Tengo ardientes deseos de verte.* □ [No varía en masculino y en femenino]. SINÓNIMOS: **1** abrasador. CONTRARIOS: **1** helado, glacial. FAMILIA: → arder.

ardilla [sustantivo] [femenino] Animal de cola grande y peluda que vive en los bosques: *Las ardillas son muy ágiles y suben muy bien por los troncos.*

ARDILLA

ardor [sustantivo] [masculino] **1** Fuerza o energía con las que se hace algo: *Discutieron con ardor, pero no llegaron a enfadarse.* **2** Sensación de calor en alguna parte del cuerpo: *El bicarbonato calma el ardor de estómago.* **3** Calor fuerte: *En julio y agosto me voy al norte para evitar el ardor del verano.* □ SINÓNIMOS: **1** calor. FAMILIA: → arder.

arduo, dua [adjetivo] Muy difícil: *Enseñar es*

una ardua tarea, pero es mi profesión y es lo que más me gusta.

área [sustantivo] [femenino] **1** Espacio con algún tipo de características y que está dentro de unos límites: *Esta área de la península es muy seca.* **2** Conjunto de materias o de ideas relacionadas con lo que se indica: *Tengo alumnos muy adelantados en el área de lenguaje.* **3** Medida de superficie: *El área equivale a cien metros cuadrados.* **4** En matemáticas, superficie de una figura: *Uno de los problemas del examen era hallar el área de un triángulo.* **5** En fútbol y otros deportes, zona que está delante del portero: *Las faltas que se cometen en el área son penaltis.* **6** [expresión] **área de servicio** Lugar que hay en algunas carreteras para comer, echar gasolina y otros servicios: *Cuando fuimos de viaje, nos paramos a descansar en un área de servicio de la autopista.* □ [Aunque es femenino, se usa con el, un, ningún y algún: el área, las áreas]. SINÓNIMOS: **1** zona. **2** terreno. FAMILIA: hectárea.

arena [sustantivo] [femenino] **1** Conjunto de pequeñas piedras que se forman a partir de rocas: *Las playas están formadas por arena.* **2** Lugar de una plaza de toros en el que se torea: *El torero esperaba al toro en la arena.* **3** [expresión] **arenas movedizas** Las que están mezcladas con mucha agua y se tragan las cosas que se ponen encima: *Los exploradores tuvieron que dar un rodeo para evitar la zona de arenas movedizas.* □ SINÓNIMOS: **2** ruedo. FAMILIA: arenal, arenoso.

arenal [sustantivo] [masculino] Terreno grande con mucha arena: *En estas zonas hay arenales que recuerdan al desierto.* □ FAMILIA: → arena.

arenoso, sa [adjetivo] Que tiene arena o alguna de sus características: *La mayoría de las plantas no crecen bien en terrenos arenosos.* □ FAMILIA: → arena.

arenque [sustantivo] [masculino] Pez marino comestible de color azul: *El arenque se parece a la sardina.*

argentino, na [adjetivo o] [sustantivo] De Argentina, que es un país de América del Sur: *El tango es un baile argentino.*

argolla [sustantivo] [femenino] Anillo grueso que está fijo en un lugar, y que sirve para atar algo a él: *Ató la vaca a una argolla del establo.*

argot [sustantivo] [masculino] Forma de hablar que usan entre sí los miembros de un grupo: *Cuando mis hijos hablan de música, usan un argot que yo no entiendo.* □ [Es una palabra de origen francés. Su plural es argotes].

argumentación [sustantivo] [femenino] Conjunto de razones que se dan en favor o en contra de algo: *Tus argumentaciones me convencieron de que este coche es mejor que ese otro.* □ FAMILIA: → argumentar.

argumentar [verbo] Dar razones en favor o en contra de algo: *Los vecinos han argumentado a favor del alcalde porque están contentos con las mejoras que ha hecho.* □ FAMILIA: argumento, argumentación.

argumento [sustantivo] [masculino] **1** Asunto de que trata una novela o una película: *En el periódico hay un resumen del argumento de esta película.* **2** Conjunto de razones que sirven para demostrar algo o para convencer a alguien: *Como había más argumentos en contra que a favor, no se firmó el acuerdo.* □ SINÓNIMOS: **2** razonamiento. FAMILIA: → argumentar.

árido, da [adjetivo] **1** Seco y con muy poca humedad: *Los desiertos son terrenos áridos.* **2** Que aburre y resulta pesado: *Aprenderse de memoria muchas fechas y nombres es una tarea árida.*

aries [adjetivo o] [sustantivo] Uno de los doce signos del horóscopo: *Las personas que son aries han nacido entre el 21 de marzo y el 19 de abril.* □ [No varía en masculino y en femenino, ni en singular y en plural].

arisco, ca [adjetivo] Que resulta poco amable o difícil de tratar: *Si eres muy arisco, nadie querrá ser tu amigo.*

arista [sustantivo] [femenino] Línea que se forma en la unión de dos superficies: *Las aristas de una pirámide son las rectas en las que se unen sus caras.*

aristocracia [sustantivo] [femenino] Grupo social formado por las personas más importantes de un país o por las que pertenecen a la clase social más alta: *Los condes, los duques y los marqueses pertenecen a la aristocracia.* □ FAMILIA: aristócrata.

aristócrata [sustantivo] Persona que pertenece al grupo social más importante de un país: *A la fiesta acudieron los aristócratas de la*

a

ciudad. □ [No varía en masculino y en femenino]. FAMILIA: → aristocracia.

aritmético, ca **1** [adjetivo] De la aritmética o relacionado con esta parte de las matemáticas: *La suma es una operación aritmética.* **2** [sustantivo] [femenino] Parte de las matemáticas que estudia los números y las operaciones que se hacen con ellos: *En esta lección de aritmética se estudian las propiedades de la multiplicación.*

arma [sustantivo] [femenino] **1** Instrumento u objeto que sirve para atacar o para defenderse: *La policía no ha encontrado el arma con la que se cometió el asesinato.* **2** Medio que sirve para defender intereses de alguien: *La verdad es la mejor arma para lograr lo que quieres.* **3** [expresión] **alzarse en armas** Empezar una revolución: *Los militares que se habían alzado en armas ya se han rendido.* **arma blanca** La que hiere con una hoja de metal: *La espada y la navaja son armas blancas.* **arma de doble filo** Lo que puede actuar a favor o en contra de lo que se quiere: *Esta noticia es un arma de doble filo, ya que puede ayudarnos, pero también puede perjudicarnos.* **arma de fuego** La que usa un explosivo para disparar: *La pistola y el fusil son armas de fuego.* **ser de armas tomar** Tener un carácter muy fuerte: *Es una persona de armas tomar, y dice claramente lo que piensa.* □ [Aunque es femenino, se usa con *él, un, ningún* y *algún*: *el arma, las armas*]. FAMILIA: armar, armamento, armadura, desarmar, desarme.

armadura [sustantivo] [femenino] **1** Especie de traje formado por piezas de metal que usaban antes los soldados para protegerse: *Las armaduras cubrían todo el cuerpo.* **2** Conjunto de piezas que sirven para sujetar algo: *El puente está construido sobre una armadura metálica.* □ SINÓNIMOS: **2** esqueleto, estructura, armazón. FAMILIA: → arma.

armamento [sustantivo] [masculino] Conjunto de las armas y del material que usa un ejército: *Los cañones y los tanques forman parte del armamento militar.* □ FAMILIA: → arma.

armar [verbo] **1** Dar armas: *El jefe de las tropas armó a sus hombres para que pudieran luchar contra el enemigo.* **2** Juntar las piezas que forman algo: *Armé el mueble si-*

guiendo *las instrucciones.* **3** Producir o hacer: *No armes tanto ruido, que quiero dormir un poco.* **armarse** **4** Prepararse con lo necesario para hacer algo: *La secretaria se armó de lápiz y papel y se dispuso a copiar la carta.* **5** Tener un estado de ánimo adecuado para resistir algo que no resulta agradable: *Ármate de paciencia, porque esto va para largo.* □ [Los significados **3**, **4** y **5** son coloquiales]. SINÓNIMOS: **2,3** montar. CONTRARIOS: **1,2** desarmar. **2** desmontar. FAMILIA: → arma.

armario [sustantivo] [masculino] Mueble con puertas que sirve para guardar la ropa y otros objetos: *Colgué el abrigo en el armario de mi habitación.*

armatoste [sustantivo] [masculino] Lo que resulta muy grande y poco útil: *Ese televisor tan antiguo es un armatoste que no funciona bien y estorba mucho.*

armazón [sustantivo] [masculino] Conjunto de piezas que sirven para sujetar algo: *Para las fiestas ponen un escenario sobre un armazón de madera en la plaza del pueblo.* □ SINÓNIMOS: armadura, estructura, esqueleto.

armonía [sustantivo] [femenino] **1** Relación adecuada entre las partes que forman algo: *Todos alaban la armonía del rostro de esta actriz.* **2** Amistad y buena relación: *En mi familia hay paz y armonía.* **3** Buena unión de distintos sonidos que suenan a la vez: *La armonía de las voces del coro fue perfecta.* □ SINÓNIMOS: **1** equilibrio. FAMILIA: armonioso.

armonioso, sa [adjetivo] **1** Que resulta agradable al oírlo: *En el bosque se oye el canto armonioso de los pájaros.* **2** Que tiene una buena relación entre sus partes: *La bailarina se movía con movimientos armoniosos.* □ FAMILIA: → armonía.

aro **1** [sustantivo] [masculino] Pieza en forma de anillo: *Hago gimnasia con pelotas, cuerdas y aros.* **2** [expresión] **pasar por el aro** Dejar de oponerse a algo con lo que no se está de acuerdo: *Si quieres entrar en el equipo, tendrás que pasar por el aro y hacer lo que diga el entrenador.* □ [El significado **2** es coloquial].

aroma [sustantivo] [masculino] Olor agradable: *El aroma de esta colonia es muy fresco.* □ SINÓNIMOS: perfume, fragancia. CONTRARIOS: peste. FAMILIA: aromático.

b
c
d
e
f
g
h
i
j
k
l
m
n
ñ
o
p
q
r
s
t
u
v
w
x
y
z

aromático, ca [adjetivo] Que tiene un olor agradable: *En esta caja hay un ramito de plantas aromáticas que perfuman la habitación.* □ SINÓNIMOS: oloroso. FAMILIA: → aroma.

arpa [sustantivo] [femenino] Instrumento musical que tiene tres lados y muchas cuerdas verticales y paralelas entre sí: *El arpa se coloca delante del músico y se toca con las dos manos.* □ [Aunque es femenino, se usa con el, un, ningún y algún: el arpa, las arpas].

ARPA

arpón [sustantivo] [masculino] Instrumento que sirve para pescar, y que está formado por un palo terminado en una punta de metal: *El arpón se utiliza en la pesca de la ballena.*

arqueología [sustantivo] [femenino] Ciencia que estudia las civilizaciones antiguas a partir de los restos que de ellas se han encontrado: *Mi hermano estudia historia y quiere especializarse en arqueología.* □ FAMILIA: arqueólogo.

arqueólogo, ga [sustantivo] Persona que estudia las civilizaciones antiguas a partir de los restos que se han encontrado: *Un arqueólogo ha descubierto las ruinas de un antiguo pueblo.* □ FAMILIA: → arqueología.

arquero, ra [sustantivo] Persona que dispara con el arco: *Los arqueros disparaban las flechas desde lo alto del castillo.* □ FAMILIA: → arco.

arquitecto, ta **1** [sustantivo] Persona que se dedica a construir edificios: *El arquitecto que hizo el proyecto de este edificio ha conseguido varios premios.* **2** [expresión] **arquitecto técnico** Persona que trabaja haciendo los planos de un edificio: *El arquitecto téc-*

nico está capacitado para hacer el proyecto de pequeñas obras. □ SINÓNIMOS: **2** aparejador. FAMILIA: → arquitectura.

arquitectura [sustantivo] [femenino] **1** Conjunto de los conocimientos necesarios para construir edificios: *Mi hermana estudia arquitectura en la universidad.* **2** Conjunto de edificios que tienen una característica común: *La mezquita de Córdoba es un ejemplo de arquitectura árabe.* □ FAMILIA: arquitecto.

arraigar [verbo] **1** Empezar una planta a echar raíces en la tierra: *El árbol que plantamos el año pasado ya ha arraigado.* **2** Hacer firme una sensación o una costumbre: *El odio arraigó entre ellos y ahora no se hablan.* □ [La g se cambia en gu delante de e, como en PAGAR]. SINÓNIMOS: **1** enraizar, prender, agarrar. FAMILIA: → raíz.

arrancar [verbo] **1** Sacar de raíz y con fuerza: *Arranqué las plantas que se habían secado. El dentista me ha arrancado una muela.* **2** Quitar algo con violencia o de forma repentina: *El ladrón me arrancó el bolso y salió corriendo.* **3** Comenzar a funcionar una máquina: *Si el coche no arranca, llévalo al taller.* **4** Obtener o conseguir algo: *Su actuación arrancó una gran ovación del público.* **5** Provenir o tener origen: *Su enemistad arranca de un problema de hace años.* □ [La c se cambia en qu antes de e, como en SACAR]. SINÓNIMOS: **2** arrebatar.

arrasar [verbo] **1** Destruir por completo: *El fuego ha arrasado el bosque.* **2** Tener un gran éxito: *Esta canción está arrasando en todo el mundo.* □ [El significado **2** es coloquial]. SINÓNIMOS: **2** arrollar, barrer.

arrastrar [verbo] **1** Llevar algo por el suelo: *Ayúdame a arrastrar la caja hasta la puerta de casa. Súbete los pantalones, porque los vas arrastrando.* **2** Llevar consigo o tras sí: *Desde hace un mes arrastro este catarro. Este líder político arrastra a las masas.* **arrastrarse** **3** Ir de un sitio a otro moviendo el cuerpo por el suelo: *Las serpientes se arrastran por el suelo.* **4** Aceptar cualquier cosa con tal de conseguir lo que se desea: *Por conseguir el puesto eres capaz de arrastrarte ante el director.*

arre [interjección] Se usa para hacer que un animal de carga empiece a andar o que ande

a b c d e f g h i j k l m n ñ o p q r s t u v w x y z

a
b
c
d
e
f
g
h
i
j
k
l
m
n
ñ
o
p
q
r
s
t
u
v
w
x
y
z

más deprisa: *El carretero gritó al burro: «¡Arre!».* □ CONTRARIOS: SO.

arrear [verbo] **1** Hacer que un animal de carga empiece a andar o que ande más deprisa: *El cochero arreaba a los caballos para llegar antes.* **2** Darse mucha prisa: *Arrea, que si no, no llegaremos nunca.* **3** Dar un golpe: *Me arreó un bofetón.* **4 arrea** [interjección] Se usa para indicar sorpresa, admiración o disgusto: *¡Arrea, me he olvidado de hacer los problemas!* □ [Los significados **2**, **3** y **4** son coloquiales].

arrebatador, -a [adjetivo] Que es tan bonito que atrae: *Con este vestido nuevo estás arrebatadora.* □ FAMILIA: → arrebatar.

arrebatar [verbo] **1** Quitar algo con violencia o de forma repentina: *Me arrebató la revista de las manos porque quería ver una foto.* **2 arrebatarse** Enfadarse mucho y con furia: *Se arrebató al ver las injusticias que se estaban cometiendo.* □ SINÓNIMOS: **1** arrancar. FAMILIA: arrebato, arrebatador.

arrebato [sustantivo masculino] Lo que sentimos de forma repentina y nos empuja a hacer algo sin pensar: *En uno de sus arrebatos rompió todas las fotos.* □ SINÓNIMOS: pronto, repente. FAMILIA: → arrebatar.

arrechucho [sustantivo masculino] Enfermedad que aparece de forma repentina y que tiene poca importancia: *Mi abuelo es mayor y tiene algún arrechucho de vez en cuando.* □ [Es coloquial].

arreciar [verbo] Hacerse algo cada vez más fuerte o más violento: *Si la lluvia arrecia, tendremos que cobijarnos en algún sitio.*

arrecife [sustantivo masculino] Conjunto de piedras o de otros materiales duros que están en el fondo del mar y llegan muy cerca de la superficie: *El barco chocó con un arrecife de coral.*

arreglar [verbo] **1** Poner de forma adecuada para un fin: *Arreglaré la habitación por si vienen visitas. Arréglate el pelo, que parece que te acabas de levantar.* **2** Hacer que algo que no funciona vuelva a funcionar: *La nevera se ha estropeado y habrá que arreglarla.* **3** Llegar a un acuerdo para resolver un problema: *Arreglé el problema que había entre nosotros y ahora nos llevamos bien.* **4**

ARRECIFE

Preparar una comida con sal, aceite y otros productos: *Para mi gusto, arreglas la ensalada con poco vinagre.* **5 arreglarse** Volver a tener una relación de amor con una persona después de haber decidido terminarla: *Mi hermana y su novio se han arreglado y vuelven a salir juntos.* **6** [expresión] **arreglárselas** Encontrar la forma de salir de un problema o de una situación difícil: *He conseguido arreglármelas para tenerlo ya todo listo.* □ [Los significados **5** y **6** son coloquiales]. SINÓNIMOS: **1** disponer, preparar. **2** reparar. **4** aliñar, aderezar. CONTRARIOS: **2** estropear, averiarse, escacharrar, destrozar, romper. FAMILIA: arreglo.

arreglo [sustantivo masculino] **1** Forma adecuada que debe tener algo para un fin: *Tardaré una hora en el arreglo de estos asuntos.* **2** Reparación que se hace de algo que no funcionaba: *Me han cobrado muy caro el arreglo de la tele.* **3** Acuerdo al que se llega para resolver un problema o una situación difícil: *Llevan varias horas discutiendo y todavía no han llegado a un arreglo.* **4** Cambio que se hace en una música: *Los arreglos de esta canción están hechos por un famoso músico.* **5** [expresión] **con arreglo a algo** De acuerdo con ello: *Hemos hecho todo con arreglo a lo que tú nos habías dicho.* □ CONTRARIOS: **2** avería. FAMILIA: → arreglar.

arremeter [verbo] Atacar con fuerza: *En su discurso arremetió contra todos los que no lo habían apoyado.* □ FAMILIA: → meter.

arremolinarse [verbo] Reunirse formando un grupo apretado y sin orden: *Los fotógrafos se arremolinaban alrededor de los actores.* □ FAMILIA: → remolino.

arrendar [verbo] Dejar o tomar algo durante un tiempo a cambio de dinero: *Los campesinos han arrendado esta finca para cultivarla durante cinco años.* □ [Es irregular y se conjuga como PENSAR]. SINÓNIMOS: alquilar.

arrepentimiento [sustantivo] [masculino] Pena que se siente por haber hecho algo y deseo de que no hubiera ocurrido: *¿Qué puedo hacer para que veas que mi arrepentimiento y mi pesar son sinceros?* □ FAMILIA: → arrepentirse.

arrepentirse [verbo] **1** Sentir una gran pena por haber hecho algo y desear que no hubiera ocurrido: *Me arrepiento de haberte mentido y no lo volveré a hacer.* **2** Cambiar de opinión o no cumplir un acuerdo: *Iba a contarle el secreto, pero después me arrepentí y no dije nada.* □ [Es irregular y se conjuga como SENTIR]. FAMILIA: arrepentimiento.

arrestar [verbo] Atrapar a alguien y quitarle la libertad: *La policía arrestó al ladrón.* □ SINÓNIMOS: apresar, detener, prender, capturar. CONTRARIOS: liberar, libertar, soltar.

arriar [verbo] Bajar una bandera o la vela de un barco: *Cuando se hace de noche, en el cuartel se arría la bandera.* □ [Se conjuga como GUIAR]. CONTRARIOS: izar.

arriba [adverbio] **1** En un lugar o en una posición superiores: *Éste es mi vecino y vive en el piso de arriba.* **2** Hacia un lugar superior: *Ven arriba y desde la ventana verás el valle entero.* **3** [interjección] Se usa para dar ánimos o para decirle a alguien que se levante: *¡Arriba, chicos, no os desaniméis antes de acabar! ¡Arriba, que ya es hora de levantarse!* **4** [expresión] **de arriba abajo** De un extremo a otro: *Me sé la lección de arriba abajo.* □ [No debe decirse Voy a arriba, sino Voy arriba, ni Me miró de arriba a abajo, sino Me miró de arriba abajo]. SINÓNIMOS: **1** encima. CONTRARIOS: **1** debajo. **2** abajo.

arriesgado, da [adjetivo] **1** Peligroso o que puede producir un daño: *Bordear ese precipicio me parece muy arriesgado.* **2** Que se pone en peligro o se expone a un riesgo sin que le importe: *No seas arriesgado y no te enfrentes con los ladrones.* □ FAMILIA: → riesgo.

arriesgar [verbo] Poner en peligro o ante un riesgo: *Arriesgó su vida por salvar al niño que se estaba ahogando.* □ [La g se cambia en *gu* delante de e, como en PAGAR]. FAMILIA: → riesgo.

arrimar [verbo] Poner más cerca: *Arrimemos la mesa a la pared para que haya más espacio. Si no os arrimáis un poco, no saldréis en la foto.* □ SINÓNIMOS: juntar, acercar, aproximar, pegar. CONTRARIOS: separar, alejar, apartar.

arrinconado, da [adjetivo] **1** Separado del resto y olvidado: *Tengo arrinconado este asunto, porque no sé ni cómo empezar.* **2** Perseguido y sin poder escapar: *El gato se erizó cuando se vio arrinconado por los perros.* □ FAMILIA: → rincón.

arrinconar [verbo] **1** Poner en una esquina o en un lugar apartado: *En el sótano vamos arrinconando los trastos que ya no usamos.* **2** Abandonar o dejar de lado: *He arrinconado el proyecto hasta que tenga ocasión de comenzarlo.* **3** Perseguir a una persona hasta que ya no pueda escapar: *Me arrinconaron en un callejón y me atracaron.* □ FAMILIA: → rincón.

arrodillarse [verbo] Ponerse con las piernas dobladas sobre el suelo, apoyados en las rodillas: *Los súbditos se arrodillaron ante el rey.* □ FAMILIA: → rodilla.

arrogancia [sustantivo] [femenino] Orgullo que muestra alguien que se cree superior a los demás: *No me trates con arrogancia, porque no eres mejor que yo.* □ SINÓNIMOS: altivez. FAMILIA: → arrogante.

arrogante [adjetivo] Que se cree superior a los demás y lo demuestra: *Las personas arrogantes necesitan que alguien les baje los humos.* □ [No varía en masculino y en femenino]. SINÓNIMOS: altivo. FAMILIA: arrogancia.

arrojadizo, za [adjetivo] Que está hecho para ser lanzado: *La lanza es un arma arrojadiza.* □ FAMILIA: → arrojar.

arrojar [verbo] **1** Soltar un objeto con fuerza para que salga en una dirección: *Los nativos arrojaban lanzas a los intrusos para que se fueran.* **2** Despedir o hacer salir de un lugar: *El volcán arroja lava.* **3** Dejar caer en un lugar: *Arrojé el papel en la papelera.* **4** Expulsar por la boca lo que estaba en el estómago: *Me mareé en el coche y arrojé todo lo que había comido.* **5** Tener como resultado: *Esta investigación ha arrojado*

a
b
c
d
e
f
g
h
i
j
k
l
m
n
ñ
o
p
q
r
s
t
u
v
w
x
y
z

a
b
c
d
e
f
g
h
i
j
k
l
m
n
ñ
o
p
q
r
s
t
u
v
w
x
y
z

unos datos muy interesantes. **6 arrojarse** Tirarse sobre algo: *Cuando se oyó la explosión me arrojé al suelo.* □ [Siempre se escribe con j. El significado **4** es coloquial]. SINÓNIMOS: **1** lanzar. **2** emitir. **1,3** tirar. **3** echar. **4** devolver, vomitar. **6** lanzarse, precipitarse, abalanzarse, echarse. FAMILIA: arrojadizo, arrojo.

arrojo [adjetivo] Valor y decisión para hacer algo: *Se necesita tener mucho arrojo para decir siempre la verdad.* □ FAMILIA: → arrojar.

arrollar [verbo] **1** Pasar por encima de algo produciendo un daño: *Un coche arrolló a un peatón que cruzaba la calle.* **2** Vencer totalmente o tener un gran éxito: *Con el nuevo disco, este cantante va a arrollar.* **3** Tratar a los demás sin respetar sus derechos: *Si todos somos iguales ante la ley, nadie tiene derecho a arrollar a los demás.* □ SINÓNIMOS: **1** atropellar, pillar. **2** arrasar, barrer. **3** avasallar.

arropar [verbo] **1** Cubrir con ropa para proteger del frío: *Todas las noches cuando me acuesto, mi padre entra en mi habitación para arroparme.* **2** Proteger o prestar ayuda: *Mi familia me arropó y me apoyó cuando tuve problemas.* □ SINÓNIMOS: **2** abrigar. FAMILIA: → ropa.

arroyo [sustantivo/masculino] Río que lleva poca agua: *El arroyo que pasa por mi pueblo se seca durante el verano.* □ [No confundir con arrollo, del verbo arrollar]. ✎ página 17.

arroz [sustantivo/masculino] Planta que crece en lugares llenos de agua y cuyo grano es alargado y de color blanco: *La paella se hace con arroz.* □ [Su plural es arroces].

arrozal [sustantivo/masculino] Terreno donde se siembra arroz: *En China hay muchos arrozales.*

arruga [sustantivo/femenino] **1** Señal alargada que se forma en algunas cosas cuando se doblan: *Planché la camiseta porque tenía muchas arrugas.* **2** Señal que se forma en la piel con el paso de los años: *Mi abuelo tiene muchas arrugas.* □ FAMILIA: arrugar.

arrugar [verbo] Hacer arrugas: *Al sentarme, se me ha arrugado el vestido.* □ [La g se cambia en gu delante de e, como en PAGAR]. FAMILIA: → arruga.

arruinar [verbo] **1** Hacer que alguien pierda todo su dinero: *Gastaba tanto dinero jugan-*

do en el casino que arruinó a su familia.* **2** Destruir o hacer mucho daño: *El granizo ha arruinado la cosecha.* □ FAMILIA: → ruina.

arrullar [verbo] **1** Hacer dormir a un niño con sonidos suaves: *La madre arrullaba a su bebé en los brazos.* **2** Atraer el macho de algunas aves a las hembras con determinados sonidos: *Los palomos arrullaban a las palomas en los árboles.* **3** Producir un ligero sueño: *Me tumbé en la colchoneta y dejé que las olas me arrullaran.* □ FAMILIA: arrullo.

arrullo [sustantivo/masculino] Sonido continuo y suave: *El arrullo de las olas del mar me adormeció.* □ FAMILIA: → arrullar.

arsenal [sustantivo/masculino] Lugar en el que se guardan armas y otros materiales de guerra: *Los terroristas robaron armas del arsenal del cuartel.*

arte [sustantivo] **1** Capacidad para hacer algo bien: *Me gustaría tener tu arte para dibujar.* **2** Conjunto de conocimientos o de reglas para hacer algo bien: *Debe de ser muy difícil el arte de construir barcos.* **3** Actividad humana en la que se crean cosas bellas mediante la imaginación: *Este joven está dotado para el arte musical. Al cine se le llama el séptimo arte.* **4** Habilidad para conseguir lo que se quiere: *Utilizó todas sus artes para obtener el poder.* **5 artes marciales** Conjunto de antiguas técnicas de lucha orientales que se practican como deporte: *El judo es una de las artes marciales que enseñan en este gimnasio.* ✎ página 291. □ [Aunque se puede usar en masculino y en femenino, cuando es singular se usa más en masculino (el arte moderno) y cuando es plural se usa más en femenino (las artes clásicas)]. SINÓNIMOS: **1** habilidad, facilidad, destreza, maestría, mano. **1,4** maña. **4** astucia, picardía. CONTRARIOS: **1** torpeza. FAMILIA: artista, artístico, artesanía, artesano.

artefacto [sustantivo/masculino] Objeto o máquina grandes o raros: *Quiero un vídeo, pero no un artefacto como ése, imposible de entender.* □ [Es despectivo].

arteria [sustantivo/femenino] Especie de tubo por el que la sangre sale del corazón y llega a todo el cuerpo: *La aorta es una arteria que sale del lado izquierdo del corazón.* □ [Es distinto de vena, que es la que lleva la sangre que vuelve al corazón].

artesanía [sustantivo] [femenino] **1** Técnica y arte de hacer objetos a mano: *En el curso de artesanía estamos aprendiendo a hacer recipientes de barro.* **2** Lo que se fabrica a mano: *Compramos este jarrón en una tienda de artesanía.* □ FAMILIA: → arte.

artesano, na [sustantivo] Persona que fabrica objetos a mano: *Este artesano hace juguetes de madera.* □ FAMILIA: → arte.

ártico, ca [adjetivo] Del lugar situado en el extremo norte de la Tierra o relacionado con él: *El clima ártico es muy frío.*

articulación [sustantivo] [femenino] Unión de dos cosas de forma que puedan moverse: *Cuando hace frío, me duele la articulación de la rodilla.* □ FAMILIA: → articular.

articulado, da [adjetivo] Que está formado por piezas que se mueven: *Tengo un muñeco articulado que anda y mueve la cabeza.* □ FAMILIA: → articular.

articular [verbo] **1** Pronunciar un sonido: *No articula bien la «rr» porque es extranjero. Pasé tanto miedo que no podía articular ni una palabra.* **2** Unir dos cosas de forma que puedan moverse: *El pie se articula con la pierna por el tobillo.* □ FAMILIA: articulación, articulado.

artículo [sustantivo] [masculino] **1** Producto que se compra o se vende: *En esa tienda venden los artículos muy rebajados.* **2** Texto que tiene un tema determinado y que aparece en un periódico: *Aunque es novelista, escribe también artículos en algunos periódicos.* **3** Cada uno de los textos numerados que aparecen en una ley o en otro documento: *Hemos leído en clase varios artículos de la Constitución.* **4** Clase de palabra que va delante del nombre para determinarlo y para indicar su género y su número: *Los artículos definidos son «el», «la», «los», «las» y los indefinidos son «un», «una», «uno», «unos», «unas».* □ SINÓNIMOS: **1** género, mercancía.

artificial [adjetivo] **1** Que está hecho por las personas y no existe de forma natural: *La luz de las bombillas es artificial y la del Sol, natural.* **2** Falso o no natural: *Cuando hay una persona extraña en su casa, se comporta de manera artificial.* □ [No varía en masculino y en femenino]. CONTRARIOS: natural.

artillería [sustantivo] [femenino] **1** Conjunto de conocimientos necesarios para construir y usar armas y máquinas de guerra: *En las academias militares enseñan artillería.* **2** Conjunto de armas y máquinas de guerra: *Consiguieron avanzar bajo el fuego de la artillería enemiga.* **3** Grupo del ejército preparado para usar estas máquinas: *Mi padre hizo la mili en artillería, y sabe manejar un cañón.* □ FAMILIA: artillero.

artillero, ra [sustantivo] [masculino] Persona que pertenece a la parte del ejército que usa armas y máquinas de guerra: *En la batalla, los artilleros disparaban los cañones.* □ FAMILIA: → artillería.

artimaña [sustantivo] Lo que se hace con habilidad para conseguir lo que se quiere: *Mi hermano pequeño siempre se inventa alguna artimaña para no ayudar a quitar la mesa.* □ SINÓNIMOS: ardid, treta.

artista [sustantivo] **1** Persona que realiza obras de arte: *Fui a un coloquio en el que participaban pintores, escultores y otros artistas.* **2** Persona que actúa ante el público: *Han entrevistado en la tele a varios artistas de cine.* **3** Persona que hace algo muy bien: *Eres un artista guisando.* □ [No varía en masculino y en femenino]. FAMILIA: → arte.

artístico, ca [adjetivo] **1** Del arte o relacionado con él: *Siempre que viajamos a un país, nos gusta conocer su riqueza artística.* **2** Que está muy bien hecho o resulta muy bonito: *La decoración de la tarta te ha quedado muy artística.* □ FAMILIA: → arte.

arzobispo [sustantivo] [masculino] Sacerdote encargado de los asuntos de religión de una zona geográfica muy grande: *El arzobispo se encarga de varias diócesis.* □ FAMILIA: → obispo.

as [sustantivo] [masculino] **1** Carta de la baraja que lleva el número uno: *El as de copas lleva dibujada una copa grande.* **2** Persona que destaca mucho en una actividad: *Me gustaría conocer a los ases de la natación.* □ SINÓNIMOS: **2** estrella, astro.

asa [sustantivo] [femenino] Parte de algunos objetos que sirve para cogerlos: *Las tazas de café tienen un asa.* □ [Aunque es femenino, se usa con el, un, ningún y algún: el asa, las asas].

a

asado, da [adjetivo o sustantivo masculino] Que ha sido cocinado directamente en el fuego: *Me encantan las patatas asadas. Échame más salsa, por favor, porque el asado está un poco seco.* □ FAMILIA: → asar.

asaltar [verbo] **1** Atacar por sorpresa y de forma violenta: *Los soldados asaltaron el castillo. Unos ladrones han asaltado un banco y se han llevado varios millones de pesetas.* **2** Dirigirse a una persona por sorpresa: *Me asusté cuando un desconocido me asaltó en medio de la calle para preguntarme una dirección.* **3** Venir una idea a la mente de forma repentina: *Cuando te asalte una duda, pregúntame.* □ FAMILIA: → saltar.

asalto [sustantivo masculino] **1** Ataque que se hace por sorpresa o de forma violenta: *Ese delincuente participó en el asalto al banco.* **2** Cada uno de los períodos de tiempo en que se divide una pelea deportiva: *El boxeador español ganó al contrincante en el cuarto asalto.* **3** Hecho de dirigirse a una persona de forma repentina: *El político no hizo declaraciones ante el asalto de los periodistas.* □ FAMILIA: → saltar.

asamblea [sustantivo femenino] Unión de muchas personas en un lugar para un fin determinado: *Hubo una asamblea para elegir a los representantes del colegio.*

asar [verbo] **1** Cocinar un alimento directamente en el fuego: *En este bar asan pollos y los venden al público.* **2 asarse** Sentir mucho calor: *Necesito un abanico, porque me estoy asando.* □ [El significado **2** es coloquial].

ascendente [adjetivo] Que sube: *El aumento de población se representa en el gráfico con una curva ascendente.* □ [No varía en masculino y en femenino. No confundir con *ascendiente*]. CONTRARIOS: descendente. FAMILIA: → ascender.

ascender [verbo] **1** Ir a un lugar más alto: *Como había mucha nieve, no pudimos ascender a la cumbre.* **2** Poner en una categoría superior: *Han ascendido a mi madre y ahora es la jefa de su oficina.* **3** Llegar a una cantidad determinada: *¿A cuánto asciende el total de las compras? Aquí, en verano, la temperatura asciende a cuarenta y cinco grados.* □ [Es irregular y se conjuga como PERDER]. SINÓNIMOS: **1,3** subir. CONTRARIOS:

1,3 descender, bajar. FAMILIA: ascenso, ascendente, ascendiente, ascensor.

ascendiente [sustantivo] Persona de la que se desciende: *El padre, la madre, los abuelos y las abuelas son los ascendientes más cercanos de una persona.* □ [No varía en masculino y en femenino. No confundir con *ascendente*]. SINÓNIMOS: antepasado, antecesor. CONTRARIOS: descendiente. FAMILIA: → ascender.

ascenso [sustantivo masculino] **1** Paso a un lugar más alto: *Lo más cansado de la excursión fue el ascenso a la montaña.* **2** Paso a un grado o a un punto superiores: *El militar celebró su ascenso a capitán con sus compañeros. Para mañana se espera un ascenso en las temperaturas.* □ SINÓNIMOS: subida. CONTRARIOS: descenso, bajada. FAMILIA: → ascender.

ascensor [sustantivo masculino] Aparato que sirve para subir o bajar de un piso a otro: *Subimos por la escalera porque el ascensor no funcionaba.* □ FAMILIA: → ascender. 🔧 página 538.

asco [sustantivo masculino] **1** Sensación nada agradable producida por algo que no gusta: *No puedo comerme esto, porque me da mucho asco.* **2** Lo que molesta o no gusta nada: *Este pantalón es un asco porque se arruga mucho.* □ SINÓNIMOS: **1** repugnancia. FAMILIA: asqueroso, asquerosidad, asquear.

aseado, da [adjetivo] Limpio y con cuidado: *Mi hijo es muy aseado y se preocupa mucho de ir bien vestido.* □ SINÓNIMOS: curioso. FAMILIA: → aseo.

asear [verbo] Arreglar con cuidado y limpiando lo sucio: *Aséate antes de salir.* □ FAMILIA: → aseo.

asediar [verbo] **1** Rodear un lugar para impedir la salida o la entrada de alguien: *Las tropas enemigas asediaron la ciudad durante varios días.* **2** Molestar a alguien con preguntas o ruegos continuos: *Cuando se enteraron de que me habían dado el premio, mis compañeros me asediaron a preguntas.* □ SINÓNIMOS: **1** cercar, sitiar. **2** acosar.

asegurar [verbo] **1** Poner algo firme y seguro: *El carpintero aseguró las patas de la mesa con clavos.* **2** Hacer que algo se cumpla con seguridad: *Los atracadores aseguraron su huida del banco con varios rehenes.* **3** Afirmar que algo que se dice es cierto: *Me aseguró que llamaría por teléfono* *antes de irse.* **4** Hacer un contrato de forma que si algo sufre un daño, se reciba una ayuda en dinero: *Mis padres han asegurado el coche nuevo en esta compañía.* **5 asegurarse** Comprobar que se ha hecho una cosa: *Antes de salir, me aseguré de que todos los grifos estaban cerrados.* □ SINÓNIMOS: **1** afirmar, afianzar. FAMILIA: → seguro.

asentimiento [sustantivo] [masculino] Hecho de decir que sí: *Hizo un signo de asentimiento moviendo la cabeza de arriba abajo.* □ SINÓNIMOS: afirmación. CONTRARIOS: negación. FAMILIA: → asentir.

asentir [verbo] Decir que sí: *Cuando le pregunté si tenía tiempo para ayudarme, asintió con la cabeza.* □ [Es irregular y se conjuga como SENTIR]. SINÓNIMOS: afirmar. CONTRARIOS: negar. FAMILIA: asentimiento.

aseo [sustantivo] [masculino] **1** Cuidado y arreglo de algo quitándole la suciedad: *Es imprescindible dedicar unos minutos diarios al aseo personal.* **2** Habitación en la que nos lavamos y nos arreglamos: *Me lavé las manos en el lavabo del aseo.* ✎ página 155. □ FAMILIA: aseado, asear.

asequible [adjetivo] Que se puede conseguir de forma fácil: *Es mejor fijarse metas pequeñas y asequibles que aspirar a algo imposible.* □ [No varía en masculino y en femenino. Es distinto de *accesible*, que significa *que tiene una fácil entrada, que se entiende bien o que tiene un trato agradable*].

aserrar [verbo] Cortar algo con una sierra: *Los leñadores aserraban los árboles.* □ [Es irregular y se conjuga como PENSAR]. SINÓNIMOS: serrar. FAMILIA: → sierra.

asesinar [verbo] Matar a una persona porque se desea que muera: *Unos delincuentes asesinaron al dueño de la tienda.* □ FAMILIA: asesino, asesinato.

asesinato [sustantivo] [masculino] Muerte que una persona produce a otra con intención: *La policía investiga varios asesinatos.* □ SINÓNIMOS: crimen. FAMILIA: → asesinar.

asesino, na [sustantivo] Persona que mata a otra porque quiere que muera: *Los asesinos han sido encarcelados.* □ SINÓNIMOS: criminal. FAMILIA: asesinar, asesinato.

asesor, ra [adjetivo o] [sustantivo] Que informa o da consejos sobre un determinado asunto: *Antes de invertir en el negocio, consultó a un asesor fiscal.* □ SINÓNIMOS: consejero. FAMILIA: → asesorar.

asesoramiento [sustantivo] [masculino] Información o consejo: *Para hacer estas obras en casa necesitaré el asesoramiento de un experto en decoración.* □ FAMILIA: → asesorar.

asesorar [verbo] Informar o dar consejos sobre un determinado asunto: *Cuando quiero invertir dinero, me dejo asesorar por un experto en negocios.* □ SINÓNIMOS: aconsejar. FAMILIA: asesor, asesoramiento, asesoría.

asesoría [sustantivo] [femenino] Hecho de informar o de dar consejos sobre un asunto: *Me han contratado para llevar la asesoría legal de la empresa.* □ FAMILIA: → asesorar.

asfaltar [verbo] Cubrir el suelo con asfalto: *Están asfaltando de nuevo esa carretera que tenía tantos baches.* □ FAMILIA: → asfalto.

asfalto [sustantivo] [masculino] Sustancia de color negro que se usa para cubrir las carreteras: *Están echando asfalto en las calles del pueblo.* □ FAMILIA: asfaltar.

asfixia [sustantivo] [femenino] Falta de aire para respirar: *En el incendio murieron varias personas por asfixia.* □ FAMILIA: → asfixiar.

asfixiante [adjetivo] Que impide la respiración al faltar el aire: *Había mucha gente fumando en la habitación y el ambiente era asfixiante.* □ [No varía en masculino y en femenino]. FAMILIA: → asfixiar.

asfixiar [verbo] Impedir la respiración por falta de aire: *No dejes que el niño juegue con bolsas de plástico, porque puede asfixiarse con ellas.* □ FAMILIA: asfixia, asfixiante.

así [adverbio] **1** De esta manera: *Si te sientas así, te dolerá la espalda.* **2** Indica cantidad: *Si me aseguras que se tarda poco en hacer esto, no es posible que sea así de difícil.* [conjunción] **3** Se usa para expresar una consecuencia: *Lo haces todo muy deprisa, y así no me extraña que te salga mal.* **4** Se usa en algunas comparaciones, junto con la palabra *como*: *Todos debemos respetar el medio ambiente, así los pequeños como los mayores.* **5** [expresión] **así así** Ni bien ni mal: *No creo que me pongan muy buena nota, porque he hecho el dibujo así así.* **así como así** De cualquier manera y sin pensar: *No seas tan chapucero y no hagas todo así como así.* **así**

a
b
c
d
e
f
g
h
i
j
k
l
m
n
ñ
o
p
q
r
s
t
u
v
w
x
y
z

que Se usa para expresar una consecuencia: *Ha empezado a llover, así que no salgo.*

así que asá De una manera o de otra: *Me da lo mismo vestirme así que asá, porque los dos trajes me gustan mucho.*

asiático, ca [adjetivo o sustantivo] De Asia: *La India es un país del continente asiático.*

asiento [sustantivo masculino] **1** Objeto o mueble que sirve para sentarse: *Cuando viajo en avión, prefiero los asientos que están junto a la ventanilla.* **2** En uno de estos objetos, parte sobre la que nos sentamos: *Las sillas de mi casa tienen el asiento de tela roja.* **3** [expresión] **tomar asiento** Sentarse: *Entró en la consulta y el médico le dijo que tomara asiento.* □ FAMILIA: → sentar.

asignar [verbo] Señalar a una persona lo que le pertenece o lo que le corresponde hacer: *Me asignaron la tarea de hacer las camas.*

asignatura [sustantivo femenino] Cada una de las materias que se enseñan en un colegio: *Mi hermano aprobó todas las asignaturas en junio.*

asilo [sustantivo masculino] **1** Lugar que sirve de casa a personas que no la tienen y donde se les cuida: *El edificio en construcción va a ser un asilo de ancianos.* **2** Ayuda o protección: *Las autoridades españolas han dado asilo a los que han huido de la zona en guerra.* □ SINÓNIMOS: **2** refugio.

asimilar [verbo] **1** Comprender bien lo que se nos explica: *¿Cómo vas a asimilar las explicaciones del profesor si siempre estás distraído?* **2** Aprovechar el cuerpo un alimento: *No puedo tomar leche porque no la asimilo bien.* **3** Aceptar una situación y adaptarse a ella: *Mi hijo ha tardado mucho en asimilar el cambio de colegio.*

asir [verbo] **1** Coger o sujetar con la mano: *No pude asir la cuerda y se escapó el perro.* **2** **asirse** Agarrarse con fuerza a algo: *Como me caía tuve que asirme a lo primero que pude.* □ [Es irregular]. SINÓNIMOS: **1** agarrar.

asistencia [sustantivo femenino] **1** Hecho de estar una persona en un lugar: *Para que el profesor me quite la falta de asistencia, debo llevar un justificante.* **2** Ayuda o cuidado que se da a alguien: *Los familiares de los heridos protestaron por la falta de asistencia médica.* **3** Conjunto de personas presentes en un acto: *El cantante agradeció los aplausos a toda la asistencia.* □ FAMILIA: → asistir.

asistenta [sustantivo femenino] Mujer que trabaja limpiando una casa: *Una asistenta viene dos veces por semana a arreglar el piso.* □ FAMILIA: → asistir.

asistente [sustantivo] Persona que se dedica a ayudar a otra o a cuidar de ella: *Los asistentes sociales ayudan a las personas que tienen problemas con el entorno social.* □ [No varía en masculino y en femenino]. FAMILIA: → asistir.

asistir [verbo] **1** Estar una persona en un sitio: *Al concierto asistió mucha gente.* **2** Ayudar a alguien u ocuparse de él: *Algunas personas se dedican a asistir a los ancianos.* **3** Estar un derecho de parte de una persona: *A todos nos asiste el derecho a la educación.* □ SINÓNIMOS: **1** presentarse. CONTRARIOS: **1** ausentarse, marcharse. FAMILIA: asistencia, asistente, asistenta.

asno, na [sustantivo] Animal parecido al caballo, pero más pequeño: *Un agricultor iba a lomos de su asno.* □ [Se usa como insulto]. SINÓNIMOS: burro, borrico.

asir	conjugación
INDICATIVO	**SUBJUNTIVO**
presente	**presente**
asgo	asga
ases	asgas
ase	asga
asimos	asgamos
asís	asgáis
asen	asgan
pretérito imperfecto	**pretérito imperfecto**
asía	asiera, -ese
asías	asieras, -eses
asía	asiera, -ese
asíamos	asiéramos, -ésemos
asíais	asierais, -eseis
asían	asieran, -esen
pretérito indefinido	**futuro**
así	asiere
asiste	asieres
asió	asiere
asimos	asiéremos
asisteis	asiereis
asieron	asieren
futuro	**IMPERATIVO**
asiré	
asirás	**presente**
asirá	ase (tú)
asiremos	asga (él)
asiréis	asgamos (nosotros)
asirán	asid (vosotros)
	asgan (ellos)
condicional	**FORMAS NO PERSONALES**
asiría	
asirías	**infinitivo** **gerundio**
asiría	asir asiendo
asiríamos	
asiríais	**participio**
asirían	asido

asociación [sustantivo] [femenino] **1** Unión de varias cosas para un determinado fin: *Los dos directores han decidido la asociación de sus dos bancos.* **2** Conjunto de personas que se unen para un determinado fin: *Mis padres pertenecen a una asociación de vecinos.* **3** Relación que establecemos entre varias cosas: *Por una asociación de ideas, al decir que fuéramos de excursión me he acordado de una amiga.* □ SINÓNIMOS: **2** sociedad. FAMILIA: → sociedad.

asociado, da [adjetivo o] [sustantivo] Que pertenece a una asociación: *Todos los asociados han venido a la reunión para votar al nuevo presidente.* □ FAMILIA: → sociedad.

asociar [verbo] **1** Unir una persona a otra para conseguir un fin: *Varias personas se han asociado para defender con más fuerza sus derechos.* **2** Relacionar una cosa con otra: *Asocio el olor de esta flor con el pueblo en el que veraneo.* □ SINÓNIMOS: **1** aliar. FAMILIA: → sociedad.

asolar [verbo] Destruir por completo: *Un incendio asoló este monte el verano pasado.* □ [Aunque es irregular y se conjuga como CONTAR, puede usarse también como regular].

asomar [verbo] **1** Mostrar algo por una abertura o por detrás de una cosa: *Asomó el pie por debajo de la puerta. Nos asomamos por la ventanilla del tren para decir adiós.* **2** Empezar a mostrarse: *A mi hermano mayor ya le asoma la barba.*

asombrar [verbo] Producir mucha sorpresa o admiración: *Me asombra la soltura que tienes al hablar con desconocidos. Has hecho tantas tonterías que ya no me asombro de nada.* □ SINÓNIMOS: sorprender, maravillar, pasmar, admirar. FAMILIA: asombro, asombroso.

asombro [sustantivo] [masculino] Impresión fuerte que nos produce algo que no se espera: *Verlo vestido de esa forma me causó tal asombro que no pude ni hablar.* □ SINÓNIMOS: admiración, sorpresa. FAMILIA: asombrar.

asombroso, sa [adjetivo] Que produce mucha sorpresa: *Es asombroso que haga un tiempo tan bueno en invierno.* □ SINÓNIMOS: sorprendente. FAMILIA: → asombrar.

aspa [sustantivo] [femenino] **1** Objeto en forma de cruz o de «X» que gira cuando hay viento: *Los mo-*

linos de viento tienen unas aspas muy grandes. **2** Lo que tiene forma de «X»: *Señalé mis apuestas en la quiniela con un aspa.* □ [Aunque es femenino, se usa con *el, un, ningún* y *algún*: *el aspa, las aspas*].

ASPA

aspaviento [sustantivo] [masculino] Gesto exagerado con el que se muestra algo: *Cuando le dije que no, se enfadó y empezó a hacer aspavientos y a decir que yo era un asqueroso.*

aspecto [sustantivo] [masculino] **1** Conjunto de características exteriores de algo: *Con ese corte de pelo tienes un aspecto muy raro.* **2** Cada una de las formas desde las que se puede ver o estudiar algo: *De ese tema, me interesa sobre todo el aspecto social.* □ SINÓNIMOS: **2** faceta.

aspereza [sustantivo] [femenino] **1** Característica de lo que no tiene la superficie lisa y no es suave al tocarlo: *No me gusta esta camisa por la aspereza de la tela.* **2** Característica de lo que no es agradable: *No tiene amigos por la aspereza de su carácter.* □ SINÓNIMOS: **2** dureza. CONTRARIOS: suavidad. **2** dulzura. FAMILIA: → áspero.

áspero, ra [adjetivo] **1** Que no tiene la superficie lisa y no resulta suave cuando se toca: *Papá, aféitate, que tienes la cara muy áspera.* **2** Que resulta poco agradable o poco amable: *Ese señor tiene un carácter tan áspero que parece que siempre está enfadado.* □ SINÓNIMOS: **2** duro. CONTRARIOS: suave. **2** blando. FAMILIA: aspereza.

aspersión [sustantivo] [masculino] Forma de regar que consiste en lanzar un líquido a presión: *El riego por aspersión es el más adecuado para el césped.*

aspiración [sustantivo] [femenino] **1** Introducción de aire en los pulmones: *La aspiración de ciertos gases puede ser perjudicial para la salud.* **2** Deseo de conseguir algo: *Ser futbolista es la máxima aspiración de mi amigo.* **3** Sonido con que se pronuncian algunas letras y que

a
b
c
d
e
f
g
h
i
j
k
l
m
n
ñ
o
p
q
r
s
t
u
v
w
x
y
z

a
b
c
d
e
f
g
h
i
j
k
l
m
n
ñ
o
p
q
r
s
t
u
v
w
x
y
z

se produce al rozar en la garganta el aire que sale de los pulmones: *La aspiración de la «h» es un rasgo típico de los andaluces.* □ SINÓNIMOS: **1** inspiración. FAMILIA: → aspirar.

aspiradora [sustantivo femenino] Aparato que sirve para limpiar el polvo por medio de un sistema que aspira la suciedad: *Hoy me toca a mí pasar la aspiradora, y mañana a mi hermano.* □ [Se usa también el masculino *aspirador*]. FAMILIA: → aspirar.

aspirante [adjetivo o sustantivo] Que intenta conseguir un puesto o un título: *Diez son los equipos aspirantes al título de campeones en este torneo.* □ [No varía en masculino y en femenino]. FAMILIA: → aspirar.

aspirar [verbo] **1** Introducir aire en los pulmones: *Quiero ir al campo para aspirar aire puro.* **2** Absorber una sustancia sólida o un gas: *Este aparato aspira todos los humos de la cocina.* **3** Intentar conseguir algo: *Mi hermano aspira a ser el mejor piloto de carreras.* **4** Pronunciar un sonido de forma que el aire roce la garganta al salir de los pulmones: *La «h» de «hámster» se aspira al pronunciarla y es parecida a una «j».* □ SINÓNIMOS: **1** inspirar. **3** pretender, procurar, tratar. CONTRARIOS: **1** espirar. **3** renunciar. FAMILIA: aspiración, aspirante, aspiradora, aspirador.

aspirina [sustantivo femenino] Medicina que se toma para quitar algunos dolores: *Si te duele mucho la cabeza, tómate una aspirina.*

asquear [verbo] Producir una sensación que no resulta nada agradable: *Me asquea saber que me mentiste.* □ FAMILIA: → asco.

asquerosidad [sustantivo femenino] Lo que produce una sensación nada agradable: *Me pareció una asquerosidad de sitio, todo sucio y con la basura por el suelo.* □ FAMILIA: → asco.

asqueroso, sa 1 [adjetivo] Dicho de una persona, que siente asco por cualquier cosa: *No seas tan asqueroso y cómete lo que te he*

puesto. **2** [adjetivo o sustantivo] Que produce una sensación que no resulta nada agradable: *Del basurero llega un olor asqueroso.* □ [Se usa como insulto]. SINÓNIMOS: repugnante. FAMILIA: → asco.

asta [sustantivo femenino] **1** Cada una de las dos partes duras que salen a cada lado de la cabeza de algunos animales: *Los ciervos tienen astas, pero las ciervas, no.* **2** Palo en el que se coloca una bandera: *Un soldado colocó la bandera en el asta y luego la izó.* **3** Palo de una lanza, una flecha o un arma parecida: *Los soldados llevaban cogidas las lanzas por las astas.* □ [Aunque es femenino, se usa con el, un, ningún y algún: el asta, las astas. No confundir con hasta]. SINÓNIMOS: **1** cuerno. **2** mástil.

asterisco [sustantivo masculino] Signo que usamos al escribir para llamar la atención sobre una palabra: *El signo * es un asterisco.*

asteroide [sustantivo masculino] Cuerpo sólido y de pequeño tamaño que gira en el espacio entre otros más grandes: *Los asteroides giran entre Marte y Júpiter.* 🔭 páginas 610-611.

astigmatismo [sustantivo masculino] Defecto de la vista: *Llevo gafas porque tengo astigmatismo.*

astilla [sustantivo femenino] Trozo fino y muy pequeño de madera: *Sácame la astilla que se me ha clavado en el dedo.* □ FAMILIA: astillar, astillero.

astillar [verbo] Romper algo haciéndolo astillas: *Le dio una patada tan fuerte a la silla que astilló una de las patas.* □ FAMILIA: astilla.

astillero [sustantivo masculino] Lugar en el que se construyen y se arreglan barcos: *Cuando estuvimos en Galicia visitamos unos astilleros.* □ FAMILIA: → astilla.

astro [sustantivo masculino] **1** Cada uno de los cuerpos que hay en el cielo: *Las estrellas y los planetas son astros.* **2** Persona que destaca mucho en una actividad: *Presentó el programa de televisión un astro de la canción.* □ SINÓNIMOS: **2** estrella, as. FAMILIA: astrología, astronomía, astronauta.

ASTA

astrología [sustantivo] [femenino] Estudio de la influencia que producen en las personas las estrellas y otros cuerpos que hay en el cielo: *Mi vecina sabe mucho de astrología y me dijo las características de mi signo del zodiaco.* □ [Es distinto de *astronomía*, que es la ciencia que estudia las leyes y los movimientos de los astros]. FAMILIA: → astro.

astronauta [sustantivo] Persona que conduce una nave por el espacio: *Varios astronautas han estado en la Luna.* □ [No varía en masculino y en femenino]. FAMILIA: → astro.

astronave [sustantivo] [femenino] Nave del espacio: *Vi una película de ciencia ficción en la que los marcianos invadían la Tierra con sus astronaves.* □ FAMILIA: → nave.

astronomía [sustantivo] [femenino] Ciencia que estudia todo lo que tiene relación con las estrellas y otros cuerpos que hay en el cielo: *La astronomía estudia los movimientos de los astros.* □ [Es distinto de *astrología*, que es el estudio de la influencia de los astros en las personas]. FAMILIA: → astro.

astucia [sustantivo] [femenino] Habilidad para conseguir lo que queremos: *Para que no te engañen, hay que tener un poco de astucia.* □ SINÓNIMOS: picardía. CONTRARIOS: ingenuidad, inocencia. FAMILIA: astuto.

asturiano, na [adjetivo o] [sustantivo] Del Principado de Asturias, que es una comunidad autónoma española: *Oviedo es la capital asturiana.*

astuto, ta [adjetivo] Que es listo y tiene habilidad para conseguir lo que quiere: *El zorro tiene fama de ser un animal muy astuto.* □ SINÓNIMOS: pillo, pícaro, zorro, cuco. CONTRARIOS: inocente, ingenuo. FAMILIA: → astucia.

asumir [verbo] Aceptar una cosa y darse cuenta de lo que supone: *Según vayas creciendo, tendrás que asumir tus responsabilidades y tomar decisiones tú sola.*

asunción [sustantivo] [femenino] En la iglesia católica, subida de la Virgen María a los cielos: *El 15 de agosto se celebra la fiesta de la Asunción de María.*

asunto [sustantivo] [masculino] **1** Materia de la que se habla: *Los delegados de clase han discutido distintos asuntos con los profesores.* **2** Cosa de la que se ocupa una persona: *No te metas en mis asuntos, que yo no me meto en los tuyos.* □ SINÓNIMOS: cosa.

asustadizo, za [adjetivo] Que se asusta por cualquier cosa: *Es muy asustadizo y sus hermanos siempre le están dando sustos para reírse de él.* □ FAMILIA: → susto.

asustar [verbo] Producir miedo o sentirlo: *Mi perro salió corriendo y asustó a un niño. Me asusto con los ruidos de la noche.* □ SINÓNIMOS: atemorizar. CONTRARIOS: tranquilizar. FAMILIA: → susto.

atacar [verbo] **1** Lanzarse con violencia contra algo para conseguir un objetivo: *Los soldados atacaron el campamento enemigo.* **2** Criticar algo con fuerza: *Me tiene manía, porque siempre me ataca delante de todos.* **3** Aparecer de forma repentina y con fuerza: *Después de comer siempre me ataca el sueño.* **4** Destruir o acabar con algo: *Este medicamento ataca los microbios.* □ [La c se cambia en *qu* delante de e, como en SACAR]. CONTRARIOS: proteger, preservar, resguardar. **1** defender. FAMILIA: ataque.

atajar [verbo] **1** Ir a un sitio por un camino más corto: *Si atajamos por el parque, llegaremos antes a mi casa.* **2** Cortar algo o interrumpirlo: *Si la epidemia no se ataja al principio, después será más difícil hacerlo.* □ [Siempre se escribe con *j*]. SINÓNIMOS: **2** detener, parar.

atajo [sustantivo] [masculino] Camino más corto que otro para ir a un sitio: *Como queríamos llegar los primeros, fuimos por un atajo.*

atalaya [sustantivo] [femenino] Torre construida en un lugar alto para vigilar desde ella el terreno: *El soldado de la atalaya vio acercarse a unos caballeros al galope.*

ataque [sustantivo] [masculino] **1** Movimiento que se hace contra algo para conseguir un objetivo: *El ejército preparaba un ataque sorpresa contra el enemigo.* **2** Momento en el que aparecen de manera repentina y con fuerza las señales de una enfermedad o de algo que se siente: *Me dio un ataque de tos.* **3** Demostración violenta de que se está en contra de algo: *El político se defendió de los ataques de los periodistas.* □ SINÓNIMOS: **2** acceso, golpe. CONTRARIOS: **1** defensa. FAMILIA: → atacar.

atar [verbo] **1** Unir o sujetar con cuerdas: *¿Me atas los cordones de los zapatos? Até mi perro a un árbol.* **2** Establecer una relación:

a b c d e f g h i j k l m n ñ o p q r s t u v w x y z

a
b
c
d
e
f
g
h
i
j
k
l
m
n
ñ
o
p
q
r
s
t
u
v
w
x
y
z

El detective ató los cabos sueltos y descubrió al culpable. □ CONTRARIOS: **1** desatar. FAMILIA: desatar.

atardecer 1 [sustantivo masculino] Última parte de la tarde: *Me encantan los atardeceres en el mar, porque el agua toma un color dorado.* **2** [verbo] Empezar a terminar la tarde: *En verano atardece más tarde que en invierno.* □ [Es irregular y se conjuga como PARECER].

atareado, da [adjetivo] Con mucho trabajo que hacer: *Estoy muy atareado con los deberes y no puedo bajar a jugar.* □ CONTRARIOS: desocupado, ocioso. FAMILIA: → tarea.

atascar [verbo] **1** Cerrar el paso por un lugar estrecho: *La suciedad ha atascado la cañería y no se va el agua de la pila.* **2 atascarse** Quedarse detenido sin poder moverse: *Se ha atascado la cerradura y no puedo abrir la puerta.* □ [La c se cambia en qu delante de e, como en SACAR]. SINÓNIMOS: **1** atrancar. CONTRARIOS: **1** desatascar, desatrancar. FAMILIA: → atasco.

atasco [sustantivo masculino] **1** Cantidad grande de tráfico, de forma que no se puede ir deprisa: *Había tal atasco en la carretera que estuvimos parados una hora.* **2** Situación en la que se impide el paso por un lugar estrecho: *El fontanero se encargará de solucionar el atasco de las cañerías.* □ FAMILIA: atascar, desatascar.

ataúd [sustantivo masculino] Caja en la que se coloca a un muerto para enterrarlo: *Los amigos llevaron el ataúd a hombros hasta el cementerio.* □ SINÓNIMOS: caja.

ataviar [verbo] Adornar, arreglar o vestir: *Hicimos una función de Navidad, y nos ataviamos con trajes de pastores y de ángeles.* □ [Se conjuga como GUIAR].

ateísmo [sustantivo masculino] Forma de pensar de la persona que cree que Dios no existe: *El ateísmo no ve necesario que existan religiones.* □ FAMILIA: → ateo.

atemorizar [verbo] Producir miedo o sentirlo: *Los rugidos del león atemorizaban a los visitantes del zoo.* □ [La z se cambia en c delante de e, como en CAZAR]. SINÓNIMOS: asustar. CONTRARIOS: tranquilizar. FAMILIA: → temer.

atención [sustantivo femenino] **1** Interés o cuidado que se pone al hacer algo: *Si no pones atención, no te vas a enterar de lo que leo.* **2** Lo que

se hace al tener un comportamiento amable: *Mi abuela siempre va al mismo médico porque dice que tiene muchas atenciones con ella.* **3 llamar la atención a alguien** Decirle que algo está mal: *Nos llamaron la atención por pisar el césped.* □ CONTRARIOS: descuido. FAMILIA: atender, atento.

atender [verbo] **1** Poner atención: *Si no atiendes en clase, no comprenderás las explicaciones de la profesora.* **2** Ocuparse de algo o cuidar de ello: *El Ayuntamiento ha atendido todas las quejas de los ciudadanos. El dependiente que me atendió era muy simpático.* □ [Es irregular y se conjuga como PERDER]. FAMILIA: → atención.

atentado [sustantivo masculino] **1** Ataque violento que se hace contra algo para producir un gran daño: *Los terroristas han cometido otro atentado, pero no ha habido víctimas.* **2** Lo que produce un daño grave: *Echar a los ríos sustancias tóxicas es un atentado contra la naturaleza.* □ FAMILIA: → atentar.

atentar [verbo] **1** Realizar un ataque violento contra algo para producir un gran daño: *Un grupo terrorista ha atentado contra un edificio oficial.* **2** Ir en contra de algo: *Este tipo de películas atenta contra el buen gusto.* □ FAMILIA: atentado.

atento, ta [adjetivo] **1** Con la atención fija en algo: *Como quería enterarme de qué hablaban, estuve muy atento a sus palabras.* **2** Amable y cariñoso: *La madre de mi amigo fue muy atenta y me dijo que volviera a su casa cuando quisiera.* □ CONTRARIOS: **1** despistado, distraído. FAMILIA: → atención.

ateo, a [adjetivo o sustantivo] Que no cree que Dios existe: *Mi vecino, que siempre fue ateo, se ha vuelto muy religioso.* □ CONTRARIOS: creyente. FAMILIA: ateísmo.

aterrizaje [sustantivo masculino] Momento en el que un vehículo que vuela desciende para ponerse en el suelo: *Lo que más miedo me da cuando viajo en avión es el despegue y el aterrizaje.* □ CONTRARIOS: despegue. FAMILIA: → aterrizar.

aterrizar [verbo] **1** Descender un vehículo que vuela y ponerse en el suelo: *En el aeropuerto vimos cómo aterrizaban los aviones.* **2** Aparecer algo en un lugar de forma repentina: *Nos perdimos durante el viaje y* *fuimos a aterrizar a un pequeño pueblo.* □ [La z se cambia en c delante de e, como en CAZAR. El significado **2** es coloquial]. CONTRARIOS: **1** despegar. FAMILIA: aterrizaje.

aterrorizar [verbo] Producir mucho miedo: *El hada convirtió en piedra al monstruo que aterrorizaba la ciudad.* □ [La z se cambia en c delante de e, como en CAZAR]. FAMILIA: → terror.

atesorar [verbo] Juntar y guardar muchas cosas de valor: *Ese señor atesoró tanto dinero que ahora es muy rico.* □ FAMILIA: → tesoro.

ático [sustantivo masculino] Último piso de un edificio, que suele tener el techo inclinado o más bajo que los otros: *Desde este ático se ve toda la ciudad.*

atinar [verbo] **1** Encontrar lo que se busca: *Si sigues mis instrucciones, atinarás enseguida con el portal que buscas.* **2** Dar en el punto al que se dirige algo: *El policía atinó en la diana al primer disparo.* **3** Hacer lo más adecuado: *Atinaste con tu comportamiento.* □ SINÓNIMOS: **2,3** acertar. CONTRARIOS: fallar, errar, equivocarse. FAMILIA: tino.

atizar [verbo] **1** Hacer que el fuego tenga más fuerza: *Atiza el fuego, que hace mucho frío.* **2** Golpear o pegar a alguien: *Cuando hago algo malo, mi padre me atiza en el culo. Un chico me ha atizado una bofetada.* **3 atiza** [interjección] Se usa para indicar sorpresa, admiración o disgusto: *¡Atiza, se me ha olvidado que tenía un examen!* □ [La z se cambia en c delante de e, como en CAZAR]. SINÓNIMOS: **1** avivar.

atlántico, ca [adjetivo] Del océano Atlántico o relacionado con él: *Portugal está en la costa atlántica de la península Ibérica.*

atlas [sustantivo masculino] Libro de mapas: *Miré en el atlas dónde está Asia.* □ [No varía en singular y en plural].

atleta [sustantivo] Persona que practica deportes en los que se corre, se salta o se lanzan algunos objetos: *En las Olimpíadas participan atletas de todo el mundo.* □ [No varía en masculino y en femenino]. FAMILIA: atlético, atletismo.

atlético, ca [adjetivo] Del atletismo, de los atletas o relacionado con ellos: *Si haces mucho deporte acabarás teniendo un cuerpo atlético y fuerte.* □ FAMILIA: → atleta.

atletismo [sustantivo masculino] Deporte en el que se corre, se salta y se lanzan determinados objetos: *Las pruebas de atletismo que más me gustan son las carreras de velocidad y los saltos de longitud.* □ FAMILIA: → atleta. Ⓜ️ página 289.

atmósfera [sustantivo femenino] Capa que rodea la Tierra y que está formada por una mezcla de gases: *Si la atmósfera se contamina, nos perjudicará a todos los seres vivos.* □ SINÓNIMOS: aire. FAMILIA: atmosférico.

atmosférico, ca [adjetivo] De la atmósfera o relacionado con ella: *Los gases que expulsan los coches producen contaminación atmosférica.* □ FAMILIA: → atmósfera.

atolladero [sustantivo masculino] Situación de la que es difícil salir: *Por favor, tienes que ayudarme, porque estoy metida en un atolladero.*

atolondrado, da [adjetivo o sustantivo] Que hace las cosas sin pensar: *Eres un atolondrado y por eso haces tantas tonterías.* □ FAMILIA: → atolondrarse.

atolondrarse [verbo] Ponerse muy nervioso y hacer las cosas sin pensar: *Cuando vi que no me daba tiempo a terminar el examen, me atolondré y se me olvidó contestar una pregunta.* □ FAMILIA: atolondrado.

atómico, ca [adjetivo] **1** Del átomo o relacionado con él: *La energía atómica se utiliza mucho en medicina.* **2** Que emplea la energía que se encuentra almacenada en los núcleos de los átomos: *Las bombas atómicas son muy potentes.* □ SINÓNIMOS: **2** nuclear. FAMILIA: → átomo.

átomo [sustantivo masculino] Parte muy pequeña que forma la materia de las cosas: *Un átomo tiene todas las características del elemento químico al que pertenece.* □ FAMILIA: atómico.

atontar [verbo] **1** Producir una sensación en la que no nos damos cuenta de lo que pasa a nuestro alrededor: *Este calor me atonta y me da sueño.* **2** Volver tonto: *Jugar tanto rato en el ordenador te va a atontar.* □ SINÓNIMOS: **1** aturdir. FAMILIA: → tonto.

atontolinado, da [adjetivo] Con menos capacidad de lo normal para entender lo que pasa alrededor: *Estas pastillas para la alergia me han dejado atontolinado.* □ [Es coloquial]. FAMILIA: → tonto.

atormentar [verbo] Producir un dolor o una

a
b
c
d
e
f
g
h
i
j
k
l
m
n
ñ
o
p
q
r
s
t
u
v
w
x
y
z

a
b
c
d
e
f
g
h
i
j
k
l
m
n
ñ
o
p
q
r
s
t
u
v
w
x
y
z

pena continuos, o sentirlos: *Me atormenta pensar que algún día ya no estés conmigo. No te atormentes por lo que ocurrió, porque no pudiste evitarlo.* ☐ SINÓNIMOS: torturar. FAMILIA: → tormento.

atornillar [verbo] Sujetar con tornillos: *Toma el destornillador y atornilla las patas de la mesa.* ☐ CONTRARIOS: desatornillar, destornillar. FAMILIA: → tornillo.

atosigar [verbo] Molestar a una persona metiéndole prisa para que haga algo: *No me atosigues, que ya haré lo que me pides cuando tenga tiempo.* ☐ [La g se cambia en gu delante de e, como en PAGAR].

atracador, -a [sustantivo] Persona que ataca a una persona o un lugar para robar: *La policía ha detenido al atracador de una joyería.* ☐ FAMILIA: → atracar.

atracar [verbo] **1** Atacar a una persona o un lugar con la intención de robar: *Me atracaron cuando salía de casa y me quitaron el reloj y la cazadora.* **2** Entrar un barco en un puerto y detenerse en él: *Desde el muelle del puerto vimos cómo atracaban los barcos.* **3 atracarse** Comer o beber mucho: *Me atraqué de chocolate y ahora me duele la tripa.* ☐ [La c se cambia en qu delante de e, como en SACAR]. CONTRARIOS: **2** zarpar. FAMILIA: atracador, atraco, atracón.

atracción [sustantivo femenino] **1** Fuerza que tiene una cosa para hacer que algo se le acerque: *Los objetos caen al suelo debido a la atracción de la Tierra.* **2** Interés que produce una cosa y que hace que nos guste: *Siento una gran atracción por el deporte.* **3** Lo que despierta este interés: *Estás tan guapo que vas a ser la atracción de la fiesta.* **4** Cada una de las diversiones que hay en un lugar o forman parte de un conjunto: *El domingo fuimos al parque de atracciones.* 🖝 página 343. ☐ FAMILIA: → atraer.

atraco [sustantivo masculino] Ataque que se realiza con la intención de robar: *En el atraco al banco, los ladrones se llevaron diez millones.* ☐ SINÓNIMOS: golpe. FAMILIA: → atracar.

atracón [expresión] **darse un atracón** Comer o beber en gran cantidad: *Me duele la tripa porque me he dado un atracón de galletas.* ☐ [Es coloquial]. FAMILIA: → atracar.

atractivo, va **1** [adjetivo] Que gusta y des-

pierta interés: *Me enamoré de ella por su atractiva sonrisa. El tema del libro es muy atractivo y por eso voy a leerlo.* **2** [sustantivo masculino] Conjunto de cualidades de una persona que hacen que guste a los demás: *Me gustaría tener tu atractivo para que más gente se fijara en mí.* ☐ SINÓNIMOS: **1** atrayente. **2** encanto. CONTRARIOS: **1** feo. FAMILIA: → atraer.

atraer [verbo] **1** Hacer que un cuerpo se acerque a otro de modo que se quede junto a él: *El imán atrae el hierro.* **2** Gustar o resultar interesante: *Me atrae la idea de pasar el fin de semana en el campo.* **3** Traer hacia sí: *Eres tan alto que atraes todas las miradas.* ☐ [Es irregular y se conjuga como TRAER]. CONTRARIOS: rechazar. **2,3** espantar. FAMILIA: atracción, atractivo, atrayente.

atragantarse [verbo] **1** Ahogarse con algo que se queda detenido en la garganta: *Come más despacio, que te vas a atragantar.* **2** No gustar nada de nada: *Se me han atragantado las matemáticas y me cuesta mucho entenderlas.* ☐ SINÓNIMOS: **2** atravesarse. FAMILIA: → tragar.

atrancar [verbo] **1** Cerrar el paso por un lugar estrecho: *El desagüe de la pila se ha atrancado con los trozos de comida que quedaban en el plato.* **2** Cerrar una puerta o una ventana con algo, para que quede segura y no se pueda abrir: *Antes de irnos a dormir, atrancamos puertas y ventanas.* **3 atrancarse** Pararse de vez en cuando al hablar o al leer: *Mi hermano pequeño no sabe leer bien y se atranca con algunas palabras.* ☐ [La c se cambia en qu delante de e, como en SACAR. El significado **3** es coloquial]. SINÓNIMOS: **1** atascar. CONTRARIOS: **1,2** desatrancar. **1** desatascar. FAMILIA: desatrancar.

atrapar [verbo] **1** Llegar a juntarse con algo que va delante: *Yo corro más que él y nunca me atrapa.* **2** Conseguir coger o agarrar algo: *El plato se me resbaló de las manos, pero lo atrapé en el aire.* **3** Empezar a tener una enfermedad: *No me abrigué bien y atrapé la gripe.* ☐ [Los significados **2** y **3** son coloquiales]. SINÓNIMOS: coger. **1** alcanzar. **2,3** pillar. **3** pescar, agarrar, contraer.

atrás [adverbio] **1** Hacia la parte que queda a la espalda: *Si miras atrás, verás al chico del que estábamos hablando.* **2** En un lugar posterior o más retrasado: *Se sentó al lado del conductor y puso su chaqueta en el asiento de atrás. Cuando vamos al cine, nos sentamos siempre en las filas de atrás.* **3** En un tiempo anterior o hacia un tiempo anterior: *Crecemos y atrás queda nuestra infancia. Es bueno pensar en el futuro y no mirar atrás.* □ [No debe decirse Vete a atrás, sino Vete atrás]. SINÓNIMOS: **2** detrás. CONTRARIOS: **1,3** adelante. **2,3** delante. FAMILIA: atrasar, atraso, detrás, retrasar, retraso, retrasado, trasero, tras.

atrasar [verbo] **1** Cambiar la hora de un reloj poniendo una hora que ya ha pasado: *Mi hermano me atrasó el reloj y llegué tarde a clase.* **2** Dejar algo para hacerlo más tarde: *El profesor ha atrasado el examen dos días.* **3** Ir un reloj más despacio de lo que debe y señalar una hora que ya ha pasado: *Llevé mi reloj al relojero porque atrasaba.* **4 atrasarse** Quedarse atrás: *Si no atiendes en clase, te atrasarás en los estudios.* □ SINÓNIMOS: **1,2** retrasar. **4** retrasarse. CONTRARIOS: adelantar. FAMILIA: → atrás.

atraso [sustantivo] [masculino] **1** Hecho de dejar algo para hacerlo más tarde: *Los alumnos se pusieron muy contentos por el atraso de los exámenes.* **2** Falta de desarrollo en algo: *Los médicos intentan encontrar la causa del atraso en el crecimiento de ese niño. No utilizar ordenadores en una empresa es un auténtico atraso.* **3** [plural] Dinero que se debe: *El día que me paguen los atrasos cobraré mucho dinero.* □ SINÓNIMOS: **2** retraso. CONTRARIOS: adelanto. FAMILIA: → atrás.

atravesar [verbo] **1** Ir de una parte a otra de un lugar, pasando por su interior: *Atravesé el parque.* **2** Poner algo de forma que quede cruzado sobre una cosa: *Los policías atravesaron unos maderos en la puerta para que nadie entrase.* **3** Meter algo en un sitio de forma que entre por una parte y salga por otra: *Los pendientes atraviesan las orejas.* **4** Pasar por una situación: *Ese actor está atravesando uno de los mejores momentos de su carrera.* **5 atravesarse** No gustar algo nada de nada: *Se me atravesó tu amigo cuando empezó a contar chistes groseros.* □ [Es irregular y se conjuga como PENSAR]. SINÓNIMOS:

1 cruzar. **3** traspasar. **5** atragantarse. FAMILIA: través, travesía.

atrayente [adjetivo] Que gusta y despierta interés: *Visitar países lejanos me resulta una idea muy atrayente.* □ [No varía en masculino y en femenino]. SINÓNIMOS: atractivo. FAMILIA: → atraer.

atreverse [verbo] Decidirse a hacer algo que resulta nuevo o difícil: *No me atrevo a meterme en la parte que cubre de la piscina, porque todavía no nado bien.* □ SINÓNIMOS: osar. FAMILIA: atrevimiento, atrevido.

atrevido, da [adjetivo o] [sustantivo] **1** Que tiene valor para hacer algo nuevo o difícil: *A mí me parece que hay que ser muy atrevido para hablar en público delante de tanta gente.* **2** Que falta al respeto que se debe a algo: *Llevas unos pantalones muy atrevidos y todos te miran. Eres tan atrevida que me pones colorada.* □ SINÓNIMOS: **1** audaz. FAMILIA: → atreverse.

atrevimiento [sustantivo] [masculino] Falta de respeto: *Antes se consideraba un atrevimiento no tratar de usted a los padres.* □ FAMILIA: → atreverse.

atribuir [verbo] **1** Considerar que algo es propio de alguien: *No me atribuyas esas palabras porque yo no las dije.* **2** Señalar lo que le corresponde hacer a una persona: *El jefe de la empresa atribuyó las funciones de encargado al empleado más antiguo.* □ [La i final se cambia en y delante de a, e, o, como en HUIR].

atril [sustantivo] [masculino] Objeto que sirve para colocar papeles y leerlos con mayor comodidad: *Los músicos de la orquesta pusieron sus partituras en los atriles.*

atrio [sustantivo] [masculino] **1** Especie de patio con columnas que hay en el interior de algunos edificios: *Las casas de los antiguos romanos tenían atrio.* **2** Entrada que hay en el exterior de algunas iglesias, y que suele estar más alta que la calle: *Me hice una foto con los novios en el atrio de la iglesia.*

atrocidad [sustantivo] [femenino] **1** Crueldad muy grande: *En todas las guerras se cometen atrocidades.* **2** Lo que se sale de lo normal: *Estudiar veinte horas seguidas es una atrocidad.* **3** Lo que resulta un gran error o un gran insulto: *Para decir atrocidades, mejor no di-*

a b c d e f g h i j k l m n ñ o p q r s t u v w x y z

a
b
c
d
e
f
g
h
i
j
k
l
m
n
ñ
o
p
q
r
s
t
u
v
w
x
y
z

gas nada. □ SINÓNIMOS: **1** brutalidad, salvajada. FAMILIA: → atroz.

atrofiado, da [adjetivo] Poco desarrollado: *Tienes la memoria atrofiada de no usarla, so vago.*

atropellar [verbo] Pasar un vehículo por encima de una persona o de un animal: *El conductor que atropelló al peatón lo llevó inmediatamente al hospital.* □ SINÓNIMOS: pillar, arrollar. FAMILIA: atropello.

atropello [sustantivo masculino] Paso de un vehículo por encima de una persona o de un animal: *El lugar del atropello estaba manchado de sangre.* □ FAMILIA: → atropellar.

atroz [adjetivo] **1** Demasiado cruel: *Me parece atroz golpear a seres indefensos.* **2** Mucho o enorme: *Abrígate bien porque hace un frío atroz.* □ [No varía en masculino y en femenino. Su plural es atroces]. SINÓNIMOS: feroz. **1** brutal. FAMILIA: atrocidad.

atuendo [sustantivo masculino] Conjunto de ropas que viste una persona: *Me llama la atención el atuendo de los abogados en los juicios.*

atufar [verbo] **1** Producir muy mal olor: *Abre la ventana, que tus zapatos atufan.* **2** Producir molestias al respirar algunas cosas cuando se queman: *El humo del brasero de carbón atufó a varias personas.* □ [El significado **1** es coloquial]. SINÓNIMOS: **1** apestar. FAMILIA: → tufo.

atún [sustantivo masculino] Pez marino de gran tamaño y de color gris: *El atún y el bonito son parecidos, pero no iguales.*

aturdir [verbo] **1** Producir una sensación en la que no nos damos cuenta de lo que pasa a nuestro alrededor: *El golpe me aturdió y tuve que apoyarme en la pared para no caerme.* **2** Confundir hasta el punto de no saber cómo actuar: *No me aturdas con tantas preguntas.* □ SINÓNIMOS: **1** atontar. **2** aturullar.

aturullar [verbo] Confundir hasta no saber cómo actuar: *Me puse tan nerviosa que me aturullé y empecé a decir tonterías.* □ SINÓNIMOS: aturdir.

atusar [verbo] Arreglar el pelo con el peine o con la mano: *Como tenía prisa, me atusé un poco el pelo con la mano y salí de casa corriendo.*

audacia [sustantivo femenino] Valor que tiene una persona para hacer algo nuevo o difícil: *La au-*

dacia del soldado en la batalla fue premiada con una medalla.* □ SINÓNIMOS: osadía. FAMILIA: → audaz.

audaz [adjetivo] Que tiene valor para hacer algo nuevo o difícil: *Hay que ser muy audaz para meterse en un negocio tan arriesgado.* □ [No varía en masculino y en femenino. Su plural es audaces]. SINÓNIMOS: atrevido. FAMILIA: audacia.

audición [sustantivo masculino] **1** Capacidad para oír: *Las personas no estamos dotadas para la audición de determinados sonidos.* **2** Espectáculo en el que se oye música o se lee algo: *Mis padres me llevaron a una audición de la Orquesta Nacional.* □ FAMILIA: → oír.

audiencia [sustantivo femenino] **1** Conjunto de personas que siguen un programa de radio o de televisión: *El telediario de esta cadena de televisión tiene mucha audiencia.* **2** Acto en el que una autoridad recibe a las personas que se lo piden: *El rey concedió una audiencia a los embajadores.* **3** Tribunal de justicia con determinadas funciones: *Los policías llevaron a los presos a la Audiencia.* □ [El significado **3** se suele escribir con mayúscula]. FAMILIA: → oír.

audiovisual [adjetivo] Que está relacionado con las imágenes y los sonidos: *Mi profesor utiliza películas y otros medios audiovisuales para explicarnos las lecciones.* □ [No varía en masculino y en femenino]. FAMILIA: → oír.

auditivo, va [adjetivo] Del oído o relacionado con él: *Los perros tienen una gran capacidad auditiva.* □ FAMILIA: → oír.

auditorio [sustantivo masculino] **1** Lugar preparado para celebrar actos públicos: *Escuchamos un concierto de música clásica en el auditorio del colegio.* **2** Conjunto de personas que van a un acto público: *Todo el auditorio aplaudió con entusiasmo a la orquesta.* □ FAMILIA: → oír.

auge [sustantivo masculino] Momento de mayor fuerza o de mayor importancia en un proceso: *Actualmente, la ecología está en auge.* □ SINÓNIMOS: apogeo, esplendor. CONTRARIOS: decadencia.

augurar [verbo] Decir lo que va a suceder antes de que ocurra: *Esta chica tiene mucho talento y le auguro muchos éxitos en el fu-*

turo. ☐ SINÓNIMOS: predecir, pronosticar, anunciar. FAMILIA: → augurio.

augurio [sustantivo] [masculino] Anuncio o señal de lo que puede suceder en el futuro: *Hay gente que dice que los pájaros negros son un mal augurio*. ☐ SINÓNIMOS: pronóstico, predicción. FAMILIA: augurar.

aula [sustantivo] [femenino] Cada una de las habitaciones en las que enseña un profesor: *Mi aula está en el segundo piso del colegio*. ☐ [Aunque es femenino, se usa con *el*, *un*, *ningún* y *algún*: *el aula*, *las aulas*]. SINÓNIMOS: clase.

aullar [verbo] Emitir algunos animales una voz triste y continua: *Cuando fuimos a la sierra, oímos aullar a los lobos*. ☐ [Se conjuga como ACTUAR]. FAMILIA: aullido.

aullido [sustantivo] [masculino] **1** Voz triste y continua de algunos animales: *Los aullidos de mi perro me despertaron*. **2** Sonido parecido a esta voz: *Le pisé un pie y empezó a dar aullidos porque es un exagerado*. ☐ FAMILIA: → aullar.

aumentar [verbo] Hacer mayor en tamaño, en cantidad o en otra cosa: *Con las lluvias ha aumentado el nivel de los ríos*. ☐ CONTRARIOS: disminuir, recortar, reducir. FAMILIA: aumento, aumentativo.

aumentativo, va [adjetivo o sustantivo masculino] Que indica aumento: *«-azo»*, *«-ón»* y *«-ote»* son sufijos aumentativos. *«Perrazo» es un aumentativo de «perro», «zapatón» es un aumentativo de «zapato» y «librote» es un aumentativo de «libro»*. ☐ FAMILIA: → aumentar.

aumento [sustantivo] [masculino] **1** Proceso por el que algo se hace mayor en tamaño, en cantidad o en otra cosa: *Los empleados pidieron un aumento de sueldo a su jefe*. **2** Característica que tienen algunos cristales que permiten ver las cosas más grandes a través de ellos: *Esta lupa tiene mucho aumento y puedo ver letras muy pequeñas*. ☐ SINÓNIMOS: **1** crecimiento. CONTRARIOS: disminución. **1** recorte, reducción. FAMILIA: → aumentar.

aun 1 [adverbio] Hasta o incluso: *Esto es tan fácil que lo entienden aun los más pequeños*. **2** [conjunción] Se usa para expresar una dificultad que no impide que se realice algo: *Tú puedes hacer esto mismo, aun no habiéndolo hecho nunca*. ☐ [No confundir con *aún*, que significa *todavía*]. SINÓNIMOS: **2** incluso.

aún [adverbio] Hasta el momento en que se está hablando: *Aún no sé si te podré acompañar*. ☐ [No confundir con *aun*, que significa *incluso*]. SINÓNIMOS: todavía.

aunque [conjunción] **1** Se usa para expresar una dificultad que no impide que pueda realizarse una cosa: *Aunque tengo poco dinero, me compraré el libro*. **2** Se usa para expresar oposición: *Me gusta ese vestido, aunque me compraré este otro*.

aúpa 1 [interjección] Se usa para dar ánimos: *¡Aúpa el de rojo! ¡Venga, que vas a ganar!* **2** [expresión] **de aúpa** Grande o importante: *Me mojé los pies y cogí un catarro de aúpa*. ☐ [Es coloquial].

aupar [verbo] Levantar en brazos a un niño: *Papá, aúpame, que estoy muy cansado*. ☐ [Se conjuga como ACTUAR].

aurícula [sustantivo] [femenino] Una de las partes en que se divide el corazón: *En el corazón de las personas, las aurículas están en la parte superior*. ☐ [Es distinto de *ventrículo*, que es la parte inferior del corazón].

auricular [sustantivo] [masculino] Aparato que se pone en contacto con las orejas para oír algo: *Cuando se cuelga el auricular del teléfono se corta la comunicación*. ☐ FAMILIA: oreja.

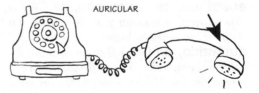

AURICULAR

aurora [sustantivo] [femenino] Luz rosa que se ve en el cielo antes de que salga el Sol: *Saldremos de viaje muy temprano, antes de la aurora*.

auscultar [verbo] Examinar algunas partes interiores del cuerpo con un instrumento de medicina que permite oír sonidos: *El médico me auscultó el pecho para oír los latidos del corazón*.

ausencia [sustantivo] [femenino] **1** Falta de una persona en un lugar: *Como eres tan divertido, notamos tu ausencia en la fiesta*. **2** Tiempo durante el que una persona no está en un lugar: *Yo regaré las plantas en tu ausencia*. **3** Falta de algo: *Me inquieta mucho la ausencia de noticias sobre lo ocurrido*. ☐ CONTRARIOS: **1,3** presencia. FAMILIA: ausente, ausentar.

a b c d e f g h i j k l m n ñ o p q r s t u v w x y z

a

b

c

d

e

f

g

h

i

j

k

l

m

n

ñ

o

p

q

r

s

t

u

v

w

x

y

z

ausentarse [verbo] Irse de un lugar: *El profesor dijo que tenía que ausentarse varias horas porque tenía una reunión urgente.* □ SINÓNIMOS: marcharse. CONTRARIOS: permanecer, quedarse, presentarse, ir, asistir. FAMILIA: → ausencia.

ausente 1 [adjetivo] Que está en un sitio, pero no se da cuenta de lo que pasa a su alrededor: *Estabas ausente y no te has enterado de que te he llamado varias veces.* **2** [adjetivo o sustantivo] Que no está en un lugar: *El maestro preguntó qué les pasaba a los alumnos ausentes.* □ [No varía en masculino y en femenino]. CONTRARIOS: **2** presente. FAMILIA: → ausencia.

austeridad [sustantivo femenino] Falta de adornos o de cosas que no son necesarias: *Los monjes llevan una vida de austeridad.* □ FAMILIA: → austero.

austero, ra [adjetivo] Sencillo y sin adornos: *Vive de forma austera, porque no le gusta gastar en cosas que no son necesarias.* □ FAMILIA: austeridad.

australiano, na [adjetivo o sustantivo] De Australia: *El canguro es el animal más conocido del continente australiano.*

austriaco, ca o **austríaco, ca** [adjetivo o sustantivo] De Austria, que es un país de Europa: *La capital austriaca es Viena.*

auténtico, ca [adjetivo] Que no es falso: *En el banco comprobaron si la firma del cheque era auténtica. Mucha gente guarda las joyas auténticas en una caja fuerte y usa las falsas.* □ SINÓNIMOS: verdadero, verídico. CONTRARIOS: falso.

auto [sustantivo masculino] Automóvil: *Mis padres se han comprado un auto de color rojo.*

autobiografía [sustantivo femenino] Historia que escribe una persona sobre su propia vida: *Mi madre está leyendo la autobiografía de un político.* □ FAMILIA: → biografía.

autobiográfico, ca [adjetivo] De la propia vida de una persona: *En este libro aparecen muchos datos autobiográficos del autor.* □ FAMILIA: → biografía.

autobús [sustantivo masculino] **1** Vehículo grande que se usa para llevar personas de un lugar a otro de la ciudad: *En esta parada puedo coger varios autobuses para ir a mi casa.* **2** Vehículo grande que se usa para llevar personas de una ciudad a otra: *Prefiero viajar en tren que en autobús.* □ [En el significado **1**, se usa mucho la forma abreviada bus]. SINÓNIMOS: **2** autocar. FAMILIA: → automóvil. 🚗 página 847.

autocar [sustantivo masculino] Vehículo grande que se usa para llevar personas de una ciudad a otra: *Los autocares que van a las ciudades del sur salen de esa estación.* □ SINÓNIMOS: autobús. FAMILIA: → automóvil.

autoescuela [sustantivo femenino] Lugar en el que se enseña a conducir automóviles: *Mi padre fue a una autoescuela para aprender a conducir camiones.* □ FAMILIA: → automóvil.

autógrafo [sustantivo masculino] Firma de una persona famosa o importante: *He conseguido un autógrafo de ese actor.*

automático, ca [adjetivo] **1** Que funciona por sí solo: *La mayoría de los electrodomésticos son automáticos.* **2** Que se hace sin pensar: *Se echa el flequillo para atrás de forma automática.* **3** Que se produce siempre que se da determinada situación: *Cuando me pongo nervioso, tartamudeo de manera automática.* **4** [sustantivo masculino] Cierre que se pone en las prendas de vestir, y que está formado por una pieza que se mete en otra: *Mi abrigo no se abrocha con botones, sino con automáticos.* □ SINÓNIMOS: **2** involuntario. CONTRARIOS: **2** voluntario.

automóvil 1 [adjetivo o sustantivo masculino] Que se mueve por sí mismo: *Los coches y los aviones son vehículos automóviles.* **2** [sustantivo masculino] Vehículo con motor que se mueve por el suelo y sobre ruedas: *Debajo de mi casa hay un aparcamiento para automóviles.* 🚗 página 846. □ [En el significado **2**, se usa mucho la forma abreviada auto]. SINÓNIMOS: **2** coche. FAMILIA: autobús, autocar, autoescuela, automovilismo, automovilista, autopista, autovía.

automovilismo [sustantivo masculino] Deporte que se practica con automóviles: *Para dedicarse al automovilismo hay que ser muy buen conductor.* □ FAMILIA: → automóvil. 🚗 página 291.

automovilista [sustantivo] Persona que conduce un automóvil: *Los buenos automovilistas respetan las normas de circulación.* □ [No varía en masculino y en femenino]. FAMILIA: → automóvil.

autonomía [sustantivo] [femenino] **1** Situación de quienes pueden funcionar sin depender de nadie: *Algunas regiones españolas tienen autonomía en educación y sanidad.* **2** En España, región que no depende del Gobierno de la nación en algunos aspectos: *Cataluña, Andalucía y Extremadura son algunas autonomías de nuestro país.* □ SINÓNIMOS: **2** comunidad autónoma. FAMILIA: autónomo, autonómico.

autonómico, ca [adjetivo] De una autonomía o relacionado con ella: *Varios presidentes autonómicos han visitado al Rey.* □ [Es distinto de autónomo, que significa que tiene autonomía]. FAMILIA: → autonomía.

autónomo, ma [adjetivo] **1** Que puede funcionar sin depender de otra cosa: *España está formada por diecisiete comunidades autónomas.* **2** Que no trabaja en ninguna empresa ni bajo las órdenes de nadie: *Muchos taxistas son autónomos.* □ [Es distinto de autonómico, que significa de la autonomía]. FAMILIA: → autonomía.

autopista [sustantivo] [femenino] Carretera que tiene separado cada sentido de circulación y por la que pueden ir varias filas de coches: *Las autopistas no tienen ni semáforos ni carreteras que las cruzan.* □ [Es distinto de autovía, que es una carretera parecida a la autopista, pero con alguna otra característica]. FAMILIA: → automóvil.

autopsia [sustantivo] [femenino] Examen médico que se hace a un muerto: *Cuando no se sabe de qué ha muerto una persona, se le hace la autopsia para averiguarlo.*

autor, -a [sustantivo] **1** Persona que ha hecho una obra, como un libro o una película: *Al estreno de la obra de teatro ha ido el autor que la escribió.* **2** Persona que hace algo: *Los autores del robo han sido condenados a dos años de cárcel.*

autoridad [sustantivo] [femenino] **1** Poder para mandar sobre algo: *El jefe tiene autoridad sobre los empleados.* **2** Persona o asociación que tiene este poder: *Varias autoridades municipales han asistido a la inauguración de la exposición.* **3** Valor que se le da a algo en una determinada materia: *La teoría de este científico goza de mucha autoridad entre sus compañeros.* **4** Persona que sabe mucho de una materia: *Este crítico de arte es una autoridad en pintura abstracta.* □ SINÓNIMOS: **1,2** mando. FAMILIA: → autorizar.

autoritario, ria 1 [adjetivo] Que se apoya sólo en la autoridad: *En los sistemas políticos autoritarios no se respetan las libertades.* **2** [adjetivo o sustantivo] Que hace cumplir siempre lo que manda: *Es muy autoritario y siempre dice a todo el mundo lo que tienen que hacer.* □ FAMILIA: → autorizar.

autorización [sustantivo] [femenino] Posibilidad que se nos da para hacer algo que pedimos: *Mis padres me han dado autorización para ir al teatro con la clase.* □ SINÓNIMOS: permiso. FAMILIA: → autorizar.

autorizar [verbo] **1** Dejar a alguien que haga algo: *La manifestación no ha sido autorizada y la han tenido que suspender.* **2** Dar poder a alguien para hacer algo: *Han autorizado a este abogado para representar a la empresa.* □ [La z se cambia en c delante de e, como en CAZAR]. SINÓNIMOS: **1** permitir. CONTRARIOS: **1** prohibir, negar. FAMILIA: autoridad, autorización, autoritario.

autorretrato [sustantivo] [masculino] Pintura que hace una persona de sí misma: *En el museo hay varios autorretratos de este pintor.* □ FAMILIA: → retrato.

autoservicio [sustantivo] [masculino] Tienda o restaurante en los que el cliente coge él mismo lo que quiere y lo paga a la salida: *En un autoservicio coges una bandeja y pones en ella los platos que eliges.* □ FAMILIA: → servicio.

autostop [sustantivo] [masculino] Manera de viajar sin pagar que consiste en hacer una señal a un coche para que pare y pedirle permiso al conductor para que nos lleve a un sitio: *Cuando mis padres eran jóvenes, viajaron por toda la costa en autostop.* □ FAMILIA: → stop.

autovía [sustantivo] [femenino] Carretera por la que pueden ir varias filas de coches y que tiene los dos sentidos de circulación separados: *Por las autovías pueden ir coches lentos, pero por las autopistas, no.* □ [Es distinto de autopista, que es una carretera parecida a la autovía, pero con algunas características diferentes]. FAMILIA: → automóvil.

auxiliar 1 [adjetivo] Que sirve de ayuda: *Los diccionarios son libros auxiliares. «Haber» es un verbo auxiliar cuando forma los tiem-*

a
b
c
d
e
f
g
h
i
j
k
l
m
n
ñ
o
p
q
r
s
t
u
v
w
x
y
z

a
b
c
d
e
f
g
h
i
j
k
l
m
n
ñ
o
p
q
r
s
t
u
v
w
x
y
z

pos compuestos de otros verbos, como en «he hablado», «habrán bebido» y «hubo venido». **2** [adjetivo o sustantivo] Que depende de una persona y la ayuda en una actividad: *Los auxiliares técnicos sanitarios colaboran con los médicos.* **3** [verbo] Dar ayuda a alguien que lo necesita o que se encuentra en peligro: *Los socorristas auxiliaron a un nadador.* □ [En los significados **1** y **2** no varía en masculino y en femenino. Cuando es verbo, al escribirlo hay que tener cuidado con los acentos]. SINÓNIMOS: **2** ayudante. **3** socorrer. FAMILIA: → auxilio.

auxilio 1 [sustantivo masculino] Ayuda que se presta a una persona que la necesita o que está en peligro: *Cuando empezó el fuego, grité pidiendo auxilio.* **2** [expresión] **primeros auxilios** Lo primero que se hace a una persona que ha tenido un accidente: *En mi coche tenemos un botiquín de primeros auxilios.* □ [Se usa para pedir ayuda urgente: ¡*Auxilio, me ahogo!*]. SINÓNIMOS: socorro. FAMILIA: auxiliar.

aval [sustantivo masculino] Lo que asegura que algo se va a cumplir: *Si pides un préstamo a un banco, te pedirán un aval que les garantice que les vas a devolver ese dinero.*

auxiliar		conjugación	
INDICATIVO		**SUBJUNTIVO**	
presente		**presente**	
auxilio o auxilio		auxilie o auxilie	
auxilias o auxilias		auxilies o auxilies	
auxilia o auxilia		auxilie o auxilie	
auxiliamos o auxiliamos		auxiliemos o auxiliemos	
auxiliáis o auxiliáis		auxiliéis o auxiliéis	
auxilian o auxilian		auxilien o auxilien	
pretérito imperfecto		**pretérito imperfecto**	
auxiliaba		auxiliara, -ase	
auxiliabas		auxiliaras, -ases	
auxiliaba		auxiliara, -ase	
auxiliábamos		auxiliáramos, -ásemos	
auxiliabais		auxiliarais, -aseis	
auxiliaban		auxiliaran, -asen	
pretérito indefinido		**futuro**	
auxilié		auxiliare	
auxiliaste		auxiliares	
auxilió		auxiliare	
auxiliamos		auxiliáremos	
auxiliasteis		auxiliareis	
auxiliaron		auxiliaren	
futuro		**IMPERATIVO**	
auxiliaré			
auxiliarás		**presente**	
auxiliará		auxilia o auxilia	(tú)
auxiliaremos		auxilie o auxilie	(él)
auxiliaréis		auxiliemos o auxiliemos	(nosotros)
auxiliarán		auxiliad o auxiliad	(vosotros)
		auxilien o auxilien	(ellos)
condicional		**FORMAS NO PERSONALES**	
auxiliaría			
auxiliarías		**infinitivo**	**gerundio**
auxiliaría		auxiliar	auxiliando
auxiliaríamos		**participio**	
auxiliaríais		auxiliado	
auxiliarían			

avalancha [sustantivo femenino] **1** Gran masa de nieve que cae de una montaña con mucha fuerza y haciendo mucho ruido: *Después de la avalancha, el paisaje quedó irreconocible.* **2** Gran cantidad de algo que llega con fuerza: *He recibido una avalancha de felicitaciones por mi cumpleaños.* □ SINÓNIMOS: alud.

avance [sustantivo masculino] **1** Movimiento hacia adelante: *El general observaba con unos prismáticos el avance de las tropas en el campo de batalla.* **2** Desarrollo hacia algo mejor: *Mi avance en los estudios se debe a que ahora estudio más.* **3** Parte de una información que se da antes de explicarla con detalle: *Esto es un avance de lo que te contaré luego.* □ SINÓNIMOS: **2** progreso, adelanto. **3** adelanto. CONTRARIOS: **1** retroceso. **2** retraso. FAMILIA: → avanzar.

avanzar [verbo] **1** Mover hacia adelante: *Si te ha salido un dos en el dado, tienes que avanzar la ficha dos casillas.* **2** Ir hacia adelante: *Los soldados avanzaron poco a poco. A medida que avanza el verano, va haciendo más calor.* **3** Pasar a un estado mejor: *El enfermo avanza con este tratamiento.* **4** Adelantar una noticia: *Un miembro del jurado avanzó el nombre del ganador del premio.* □ [La z se cambia en c delante de e, como en CAZAR]. SINÓNIMOS: **1** adelantar. **3** adelantar, progresar, mejorar. **4** adelantar, anticipar. CONTRARIOS: **1-3** retroceder. **3** empeorar. FAMILIA: avance.

avaricia [sustantivo femenino] Deseo de tener muchas riquezas para guardarlas: *No disfrutas lo que tienes porque tu avaricia es muy grande y siempre quieres más.* □ SINÓNIMOS: codicia. FAMILIA: avaro, avaricioso.

avaricioso, sa [adjetivo o sustantivo o] Que lo quiere todo para él: *Eres tan avaricioso que nunca me dejas nada.* □ FAMILIA: → avaricia.

avaro, ra [adjetivo o sustantivo o] Que no gasta, porque lo único que quiere es tener muchas cosas: *Ese hombre es muy avaro, y tiene dinero pero no lo disfruta.* □ SINÓNIMOS: ruin, tacaño, roñica, roñoso, roña. CONTRARIOS: generoso. FAMILIA: → avaricia.

avasallar [verbo] Trata a los demás sin respetar sus derechos: *No se puede avasallar a la gente y, encima, creer que somos mejores que los demás.* □ SINÓNIMOS: arrollar.

avatares [sustantivo masculino plural] Conjunto de cambios y de sucesos: *La historia de su vida resulta muy curiosa, porque está llena de avatares.*

ave [sustantivo femenino] Animal que tiene pico, alas y el cuerpo cubierto de plumas: *Los patos y las águilas son aves. No todas las aves pueden volar.* □ [Aunque es femenino, se usa con el, un, ningún y algún: el ave, las aves]. 👁 página 20.

avecinarse [verbo] Estar algo muy cerca de ocurrir: *Se avecina una tormenta.*

avellana [sustantivo femenino] Fruto seco y redondo cuya cáscara es lisa, muy dura y de color marrón: *Este bombón tiene una avellana dentro.* □ FAMILIA: → avellano.

AVELLANA

avellano [sustantivo masculino] Arbusto que da avellanas: *La madera del avellano se utiliza para hacer barriles.* □ FAMILIA: avellana.

avemaría [sustantivo femenino] Oración que empieza con las palabras *Dios te salve, María*: *El avemaría está dedicado a la Virgen María.* □ [Aunque es femenino, se usa con el, un, ningún y algún: el avemaría, las avemarías].

avena [sustantivo femenino] Planta parecida al trigo y que suele darse de comer a los animales: *La avena es un cereal que sirve de alimento a las personas y a los animales.*

avenida [sustantivo femenino] Calle muy ancha e importante: *Han podado los árboles de la avenida.*

aventajado, da [adjetivo] Que tiene alguna ventaja sobre los demás: *Este chico es muy inteligente y es uno de los alumnos más aventajados de mi clase.* □ FAMILIA: → ventaja.

aventajar [verbo] Tener alguna ventaja sobre los demás: *Este candidato a delegado aventaja en votos a su compañero.* □ [Siempre se escribe con j]. SINÓNIMOS: superar, ganar. FAMILIA: → ventaja.

aventura [sustantivo femenino] **1** Suceso curioso que ocurre en el desarrollo de algo: *En este libro se narran las aventuras de un viajero en países lejanos.* **2** Relación corta de amor: *La actriz*

declaró que nunca había tenido novio, sólo algunas aventuras. □ SINÓNIMOS: **1** peripecia. FAMILIA: aventurero.

aventurero, ra [adjetivo o sustantivo] Que siente afición por las aventuras: *Mis tíos son muy aventureros y han recorrido medio mundo.* □ FAMILIA: → aventura.

avergonzar [verbo] Producir vergüenza o sentirla: *Me avergüenza ir por la calle con una persona tan sucia. Me avergüenzo de mi mal comportamiento y te pido perdón.* □ [Es irregular]. SINÓNIMOS: **1** abochornar. FAMILIA: → vergüenza.

avería [sustantivo femenino] Daño que hace que algo deje de funcionar: *Tuvimos una avería en el coche y una grúa nos remolcó hasta un taller.* □ CONTRARIOS: arreglo. FAMILIA: averiarse.

averiarse [verbo] Romperse y dejar de funcionar: *La lavadora se averió y hemos llamado a un técnico para que la arregle.* □ [Se conjuga como GUIAR]. SINÓNIMOS: escacharrarse. CONTRARIOS: arreglar, reparar. FAMILIA: → avería.

averiguar [verbo] Descubrir la verdad: *Nos*

avergonzar		conjugación
INDICATIVO		**SUBJUNTIVO**
presente		**presente**
avergüenzo		avergüence
avergüenzas		avergüences
avergüenza		avergüence
avergonzamos		avergoncemos
avergonzáis		avergoncéis
avergüenzan		avergüencen
pretérito imperfecto		**pretérito imperfecto**
avergonzaba		avergonzara, -ase
avergonzabas		avergonzaras, -ases
avergonzaba		avergonzara, -ase
avergonzábamos		avergonzáramos, -ásemos
avergonzabais		avergonzarais, -aseis
avergonzaban		avergonzaran, -asen
pretérito indefinido		**futuro**
avergoncé		avergonzare
avergonzaste		avergonzares
avergonzó		avergonzare
avergonzamos		avergonzáremos
avergonzasteis		avergonzareis
avergonzaron		avergonzaren
futuro		**IMPERATIVO**
avergonzaré		
avergonzarás		**presente**
avergonzará		avergüenza (tú)
avergonzaremos		avergüence (él)
avergonzaréis		avergoncemos (nosotros)
avergonzarán		avergonzad (vosotros)
		avergüencen (ellos)
condicional		**FORMAS NO PERSONALES**
avergonzaría		
avergonzarías		**infinitivo** **gerundio**
avergonzaría		avergonzar avergonzando
avergonzaríamos		
avergonzaríais		**participio**
avergonzarían		avergonzado

a
b
c
d
e
f
g
h
i
j
k
l
m
n
ñ
o
p
q
r
s
t
u
v
w
x
y
z

preguntó a todos hasta que averiguó quién había roto el jarrón. □ [Es irregular].

avestruz [sustantivo] [masculino] Ave muy grande y con las patas y el cuello muy largos: *El avestruz corre muy rápido.* □ [Su plural es avestruces]. ✍ pagina 20.

aviación [sustantivo] [femenino] Sistema de comunicación por el que las personas y las cosas van de un lugar a otro en aviones: *En el siglo pasado no existía la aviación.* □ FAMILIA: → avión.

aviador, -a [sustantivo] Persona que conduce un avión: *Un antepasado de nuestra familia fue aviador en la Segunda Guerra Mundial.* □ FAMILIA: → avión.

avidez [sustantivo] [femenino] Deseo muy fuerte de algo: *Le gusta tanto aprender, que se lee los libros con avidez.* □ FAMILIA: → ávido.

ávido, da [adjetivo] Que siente un deseo muy fuerte de algo: *Los periodistas están ávidos de noticias sobre la boda de ese actor.* □ FAMILIA: avidez.

avión [sustantivo] [masculino] Vehículo con motor que vuela y que tiene alas: *Los aviones aterrizan en* los aeropuertos. □ SINÓNIMOS: aeroplano. FAMILIA: aviación, aviador, avioneta, hidroavión, portaaviones. ✍ página 847.

avioneta [sustantivo] [femenino] Avión pequeño: *Las avionetas tienen menor potencia que los aviones.* □ FAMILIA: → avión.

avisar [verbo] **1** Comunicar algo a alguien, o llamarle la atención sobre ello: *El profesor nos avisó de que el viernes no había clase. Avísame cuando hayas acabado de utilizar el baño.* **2** Llamar a alguien para que haga algo: *Hemos avisado a un albañil para que arregle la grieta de la pared.* □ SINÓNIMOS: **1** advertir. FAMILIA: aviso.

aviso [sustantivo] [masculino] **1** Noticia o información que se comunica a alguien: *El fontanero tenía un aviso para que fuese a arreglar unas tuberías.* **2** Señal de algo: *El pinchazo en el costado era un aviso de que tenía apendicitis.* □ SINÓNIMOS: **1** advertencia. FAMILIA: → avisar.

avispa [sustantivo] [femenino] Insecto parecido a la abeja, pero con cuerpo amarillo y negro: *Sobre el charco volaban unas cuantas avispas.* □ FAMILIA: avispero.

avispero [sustantivo] [masculino] Lugar donde viven las avispas: *En el tejado de mi casa de campo había un avispero.* □ FAMILIA: → avispa.

avivar [verbo] **1** Hacer que el fuego tenga más fuerza: *Sopla las llamas para avivar el fuego.* **2** Aumentar la fuerza de algo: *El libro que estás leyendo avivará tus deseos de aventura.* □ SINÓNIMOS: **2** activar. **1** atizar. CONTRARIOS: retrasar, frenar. FAMILIA: → vida.

axila [sustantivo] [femenino] Hueco que queda debajo del brazo en la parte en la que se une al cuerpo: *Me eché desodorante en las axilas.* □ SINÓNIMOS: sobaco.

ay 1 [sustantivo] [masculino] Expresión de dolor o de pena: *Desde el pasillo se oían los ayes del enfermo.* **2** [interjección] Se usa para indicar dolor, sorpresa o admiración: *¡Ay, qué daño me he hecho!* □ [No confundir con hay, del verbo haber, ni con ahí, adverbio. En el significado **1**, su plural es ayes]. SINÓNIMOS: queja, quejido, lamento, gemido.

ayer 1 [sustantivo] [masculino] Tiempo que ya ha pasado: *No puedes vivir pensando siempre en el ayer.* [adverbio] **2** En el día anterior al de hoy: *Ayer estuve haciendo gimnasia y hoy tengo*

averiguar		conjugación	
INDICATIVO		**SUBJUNTIVO**	
presente		**presente**	
averiguo		averigüe	
averiguas		averigües	
averigua		averigüe	
averiguamos		averigüemos	
averiguáis		averigüéis	
averiguan		averigüen	
pretérito imperfecto		**pretérito imperfecto**	
averiguaba		averiguara, -ase	
averiguabas		averiguaras, -ases	
averiguaba		averiguara, -ase	
averiguábamos		averiguáramos, -ásemos	
averiguabais		averiguarais, -aseis	
averiguaban		averiguaran, -asen	
pretérito indefinido		**futuro**	
averigüé		averiguare	
averiguaste		averiguares	
averiguó		averiguare	
averiguamos		averiguáremos	
averiguasteis		averiguareis	
averiguaron		averiguaren	
futuro		**IMPERATIVO**	
averiguaré			
averiguarás		**presente**	
averiguará		averigua	(tú)
averiguaremos		averigüe	(él)
averiguaréis		averigüemos	(nosotros)
averiguarán		averiguad	(vosotros)
		averigüen	(ellos)
condicional		**FORMAS NO PERSONALES**	
averiguaria			
averiguarias		**infinitivo**	**gerundio**
averiguaria		averiguar	averiguando
averiguariamos			
averiguariais		**participio**	
averiguarian		averiguado	

agujetas. **3** En un tiempo que ya ha pasado: *Ayer no levantaba un palmo del suelo y hoy es el más alto de los amigos.* □ Sinónimos: **1** pasado. Contrarios: mañana. **1** futuro, porvenir. Familia: anteayer.

ayo, ya [sustantivo] Persona encargada de cuidar y de educar a los niños de una familia: *Mi abuela contaba que su aya los llevaba a pasear al parque.* □ [No confundir con *hallo, halla* (del verbo *hallar*). No confundir *aya* con *haya* (del verbo *haber*). *Aya,* aunque es un sustantivo femenino, se usa con *el, un, ningún* y *algún: el aya, las ayas*].

ayuda [sustantivo/femenino] **1** Lo que hace una persona por otra que lo necesita: *Si no me prestas tu ayuda, no acabaré a tiempo lo que estoy haciendo.* **2** Lo que se da a una persona para ayudarla: *A este señor le dieron una ayuda de veinte mil pesetas para mantener a sus hijos.* □ Familia: ayudar, ayudante.

ayudante [sustantivo] Persona que depende de otra y la ayuda en una actividad: *El ayudante del dentista nos dio hora para esta tarde.* □ [No varía en masculino y en femenino]. Sinónimos: auxiliar. Familia: → ayuda.

ayudar [verbo] **1** Hacer lo necesario para que alguien deje de estar en peligro o para que pueda conseguir algo: *Si tú no me hubieses ayudado, me habría caído al agua. ¿Te ayudo a subir la maleta?* **2 ayudarse** Usar una cosa para conseguir algo: *Si no puedes abrir la tapa, ayúdate con un cuchillo.* □ Familia: → ayuda.

ayunar [verbo] No comer o no beber: *Mi abuela ayunó ayer porque hoy tenía que ir al médico a hacerse unas pruebas.* □ Familia: → ayuno.

ayunas [expresión] **en ayunas** Sin comer ni beber nada: *Para hacerte un análisis de sangre, tienes que ir en ayunas.* □ Familia: → ayuno.

ayuno [sustantivo/masculino] Hecho de no comer o de no beber: *Los musulmanes ofrecen un mes de ayuno a Alá, que es su dios.* □ Familia: ayunar, en ayunas, desayunar, desayuno.

ayuntamiento [sustantivo/masculino] **1** Edificio donde trabaja la persona que gobierna un pueblo o una ciudad: *El ayuntamiento de mi pueblo está en la plaza principal.* **2** Conjunto formado por la persona que gobierna un pueblo o una ciudad y por las que la ayudan:

El Ayuntamiento ha aprobado el proyecto del nuevo parque. □ [El significado **2** se suele escribir con mayúscula]. Sinónimos: **2** municipio.

azabache [sustantivo/masculino] Mineral muy duro y de color negro que se usa para hacer joyas: *La piedra de mi anillo brilla tanto porque es azabache.*

azada [sustantivo/femenino] Herramienta que se usa para cavar y mover la tierra: *El agricultor removía la tierra del huerto con una azada.* □ Familia: azadón. 🛠 página 431.

azadón [sustantivo/masculino] Herramienta que se usa para cavar en tierras duras y que tiene una parte en metal que corta un poco: *El jardinero utilizaba el azadón para cortar raíces.* □ Familia: → azada. 🛠 página 431.

azafata [sustantivo/femenino] **1** Mujer que se ocupa de las personas que viajan en un avión: *La azafata dijo que nos abrocháramos los cinturones.* **2** Mujer que trabaja ayudando a las personas que van a algunos actos: *Varios asistentes al congreso pidieron información a una azafata.* 🛠 página 795.

azafrán [sustantivo/masculino] Planta de la que se saca una sustancia que se usa para dar color a las comidas: *A la paella se le echa azafrán para que el arroz se ponga amarillo.*

azahar [sustantivo/masculino] Flor blanca de algunos árboles que tiene muy buen olor: *La flor del naranjo es el azahar.* □ [No confundir con *azar*]. 🛠 página 347.

azalea [sustantivo/femenino] Arbusto que tiene flores blancas, rosas o rojas: *Las azaleas también se cultivan como plantas de interior.* 🛠 página 347.

azar 1 [sustantivo/masculino] Casualidad o situación en la que sucede algo no esperado: *Mis padres se conocieron por un azar de la vida.* **2** [expresión] **al azar** Sin pensar o sin elegir: *Escoge un libro al azar.* □ [No confundir con *azahar*].

azor [sustantivo/masculino] Ave de cabeza pequeña y pico curvo que se usaba para cazar: *El azor es parecido al halcón.*

azotaina [sustantivo/femenino] Serie de golpes que se dan en el culo con la mano abierta: *Como sigas dando gritos, te vas a ganar una azotaina.* □ Familia: → azote.

azotar [verbo] **1** Dar azotes con una cuerda o con algo parecido: *Me daba mucha pena ver cómo azotaban con el látigo a un caballo.* **2**

a
b
c
d
e
f
g
h
i
j
k
l
m
n
ñ
o
p
q
r
s
t
u
v
w
x
y
z

Golpear de forma repetida y violenta: *El viento azotaba los árboles y las ramas se movían mucho.* □ Familia: → azote.

azote [sustantivo] [masculino] **1** Golpe que se da en el culo con la mano abierta: *Mi padre me dio un par de azotes por haberme portado tan mal.* **2** Golpe fuerte que se da con una cuerda o con algo parecido: *El pirata mandó que dieran diez azotes en la espalda al prisionero.* **3** Golpe repetido y violento: *Había mucho oleaje y se oía el azote de las olas en las rocas.* □ Familia: azotar, azotaina.

azotea [sustantivo] [femenino] **1** Parte superior y plana de un edificio sobre la que se puede andar: *Todos los días subo a la azotea a ver a mis palomas.* **2** Cabeza humana: *Hay que estar mal de la azotea para decir tantos disparates.* □ [El significado **2** es coloquial].

azúcar [sustantivo] **1** Sustancia sólida y blanca que se usa para dar sabor dulce a los alimentos: *No me gusta la leche sin azúcar.* **2** Compuesto que se encuentra en los seres vivos y que les da energía: *Las personas diabéticas tienen más azúcar en la sangre de lo normal.* □ [Se puede decir el azúcar y la azúcar sin que cambie de significado]. Familia: azucarero, azucarar.

azucarar [verbo] Echar azúcar: *Mi padre toma el café sin azucarar.* □ Familia: → azúcar.

azucarero [sustantivo] [masculino] Recipiente para guardar el azúcar: *El azucarero de cristal se cayó y el azúcar se extendió por el suelo.* □ Familia: → azúcar.

azucena [sustantivo] [femenino] Planta que tiene flores que dan buen olor, y que se usa para adornar: *Hay azucenas blancas, amarillas y naranjas.*

azufre [sustantivo] [masculino] Sustancia de color amarillo que tiene un fuerte olor: *Antiguamente se hacían explosivos con azufre.* ✍ página 538.

azul 1 [adjetivo o sustantivo masculino] Del color del cielo: *El agua de la piscina es azul.* **2** [expresión] **azul celeste** El que se parece al color del cielo los días de sol: *El azul celeste es más claro que el azul marino.* **azul marino** El que es muy oscuro: *El uniforme de ese mecánico es azul marino.* **azul turquesa** El que es muy parecido al verde: *Tengo un vestido azul turquesa.* □ [Cuando es adjetivo, no varía en masculino y en femenino]. Familia: azulado. ✍ página 160.

azulado, da [adjetivo] De color azul o con tonos azules: *Tengo un vestido verde azulado.* □ Familia: → azul.

azulejo [sustantivo] [masculino] Pieza dura y lisa que se usa para cubrir suelos y paredes: *Los azulejos de mi cuarto de baño son blancos.*

ballet

vals

tango

rock and roll

samba

jota

pasodoble

sevillanas

chotis

flamenco

sardana

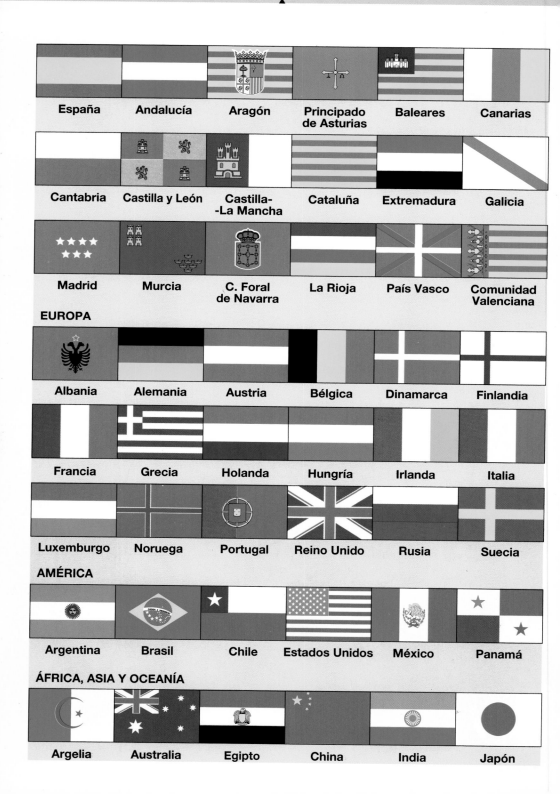

España Andalucía Aragón Principado de Asturias Baleares Canarias

Cantabria Castilla y León Castilla-La Mancha Cataluña Extremadura Galicia

Madrid Murcia C. Foral de Navarra La Rioja País Vasco Comunidad Valenciana

EUROPA

Albania Alemania Austria Bélgica Dinamarca Finlandia

Francia Grecia Holanda Hungría Irlanda Italia

Luxemburgo Noruega Portugal Reino Unido Rusia Suecia

AMÉRICA

Argentina Brasil Chile Estados Unidos México Panamá

ÁFRICA, ASIA Y OCEANÍA

Argelia Australia Egipto China India Japón

biblioteca

estantería

estante

vitrina

estudiante

flexo

libro

mesa de lectura

bibliotecaria

fichero

fichas

ordenador

buceo

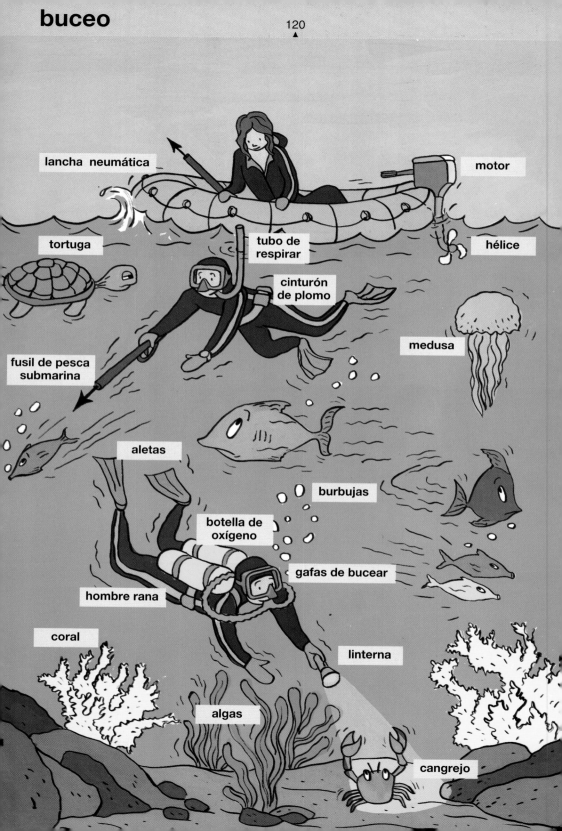

lancha neumática

motor

tortuga

tubo de respirar

hélice

cinturón de plomo

fusil de pesca submarina

medusa

aletas

burbujas

botella de oxígeno

gafas de bucear

hombre rana

coral

linterna

algas

cangrejo

B b

b [sustantivo] [femenino] Letra número dos del abecedario: *La palabra «barro» empieza por «b».* □ [Su nombre es be].

baba [sustantivo] [femenino] **1** Líquido transparente que cae de la boca: *El bebé tiene muchas babas porque le están saliendo los dientes.* **2** Líquido que sueltan algunos animales: *El caracol, cuando se mueve, deja un rastro de baba.* **3** [expresión] **caérsele la baba a alguien** Sentir mucho placer viendo u oyendo algo: *Reconozco que se me cae la baba con mis hijos.* **mala baba** Mala intención: *Hace falta tener mala baba para decir cosas que hacen tanto daño.* □ [Las expresiones son coloquiales]. FAMILIA: babear, babero, baboso.

babear [verbo] Echar babas: *Después de la carrera, el perro babeaba sentado junto a su dueño.* □ FAMILIA: → baba.

babero [sustantivo] [masculino] Prenda de tela que se coloca sobre el pecho para que no se manche la ropa al comer: *Le voy a dar la papilla al bebé, pero antes ponle un babero para que no se manche.* □ FAMILIA: → baba.

babi [sustantivo] [masculino] Prenda de vestir que se pone encima de la ropa para protegerla: *Cuando llegamos a clase, colgamos el abrigo y nos ponemos el babi.* □ [Es coloquial].

babor [sustantivo] [masculino] Parte izquierda de un barco: *El vigía avisó al capitán de que se acercaba un barco por babor.* □ CONTRARIOS: estribor.

baboso, sa **1** [adjetivo o] [sustantivo] Que echa muchas babas: *¡Qué babosos están los bebés cuando les salen los dientes!* **2** [sustantivo] [femenino] Animal pequeño y alargado que se mueve arrastrándose y que suelta mucho líquido: *La babosa parece un caracol sin concha.* □ FAMILIA: → baba.

babucha [sustantivo] [femenino] Zapato que suele dejar el talón al descubierto y que tiene la suela delgada: *El genio del cuento tenía unas babuchas de cuero con la punta hacia arriba.*

baca [sustantivo] [femenino] Estructura de metal que se coloca sobre el techo de un automóvil y que sirve para llevar bultos: *Cuando compramos los colchones, tuvimos que llevarlos a casa en la baca, porque no cabían en el maletero.* □ [No confundir con vaca].

bacalao **1** [sustantivo] [masculino] Pez marino comestible, de gran tamaño, que tiene el cuerpo alargado y la cabeza muy grande: *El bacalao se suele conservar secándolo con sal.* página 609. **2** [expresión] **cortar el bacalao** Mandar en un asunto o en un grupo: *Aquí quien corta el bacalao soy yo, y todos tenéis que hacer lo que yo digo.* □ [El significado **2** es coloquial].

bache [sustantivo] [masculino] **1** Hoyo que hay en una carretera: *En esta carretera hay muchos baches y el coche no deja de dar botes.* **2** Corriente de aire que agita a un avión que está en vuelo: *Me gusta montar en avión, pero me da miedo cuando se mueve tanto por los baches.* **3** Situación pasajera en la que pasa algo malo: *Este jugador sufrió un bache el mes pasado, pero ahora juega tan bien como antes.*

bachillerato [sustantivo] [masculino] Conjunto de cursos que se estudian en algunos centros donde se enseña: *Cuando mis padres estudiaban, después de acabar el bachillerato hacían un curso y luego pasaban a la universidad.*

bacteria [sustantivo] [femenino] Ser vivo tan pequeño que sólo puede ser visto con un microscopio: *Muchas enfermedades son causadas por bacterias.*

badajo [sustantivo] [masculino] Pieza que hay en el interior de una campana para hacerla sonar al moverla: *El badajo golpea los lados de la campana.*

a
b
c
d
e
f
g
h
i
j
k
l
m
n
ñ
o
p
q
r
s
t
u
v
w
x
y
z

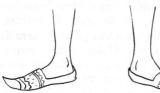

BABUCHA

BADAJO

a

b

c

d

e

f

g

h

i

j

k

l

m

n

ñ

o

p

q

r

s

t

u

v

w

x

y

z

badajocense [adjetivo o sustantivo] De la provincia de Badajoz o de su capital: *Mérida es una ciudad badajocense que tiene importantes monumentos romanos.* □ [No varía en masculino y en femenino]. SINÓNIMOS: pacense.

bafle [sustantivo masculino] En un equipo de música, caja que contiene uno o varios aparatos que sirven para que se oiga más fuerte el sonido: *Si separas más los bafles, se oirá la música mejor en toda la sala.* □ [Es una palabra de origen inglés].

bah [interjección] Se usa para indicar disgusto o rechazo: *¡Bah, no me importa no poder ver esa película, porque seguro que es un rollo!*

bahía [sustantivo femenino] Entrada del mar en la costa: *Los piratas desembarcaron en la bahía de la isla durante la noche para que no los viera nadie.*

bailar [verbo] **1** Moverse al ritmo de una música: *Bailé un pasodoble con mi padre en la verbena.* **2** Moverse algo que no se sujeta bien: *Me he puesto un cinturón para que no me baile tanto esta falda que me está ancha.* **3** Girar un objeto sobre sí mismo muy rápido: *La peonza baila mejor sobre un suelo liso que sobre las baldosas de la calle.* □ SINÓNIMOS: danzar. FAMILIA: baile, bailarín.

bailarín, -a [sustantivo] Persona que baila: *Los bailarines de ballet tienen mucha fuerza en las piernas.* □ FAMILIA: → bailar.

baile [sustantivo masculino] **1** Conjunto de movimientos que se hacen con el cuerpo al ritmo de la música: *La sardana es un baile catalán y las sevillanas son un baile andaluz.* ⚉ página 117. **2** Fiesta en la que se juntan varias personas para bailar: *Esta noche hay baile en la plaza del pueblo.* **3** Movimiento de carácter nervioso: *Estáte quieto, que, con ese baile de piernas, estás moviendo la mesa.* **4** Mezcla de ideas o de conocimientos sin orden: *Me presentaron a tanta gente en la fiesta que ahora tengo un terrible baile de nombres y caras.* **5** [expresión] **baile de salón** El que se baila por parejas en un local cerrado: *Voy a clases de bailes de salón y me han enseñado a bailar el vals y el pasodoble.*

baile de san Vito Enfermedad en la que se mueve el cuerpo todo el rato: *Te mueves tanto que parece que tienes el baile de san Vito.* □ [Los significados **3**, **4** y **5** son coloquiales]. SINÓNIMOS: **1** danza. FAMILIA: → bailar.

baja [sustantivo femenino] Mira en **bajo, ja**.

bajada [sustantivo femenino] **1** Terreno que baja: *Como mi bici no tiene frenos, en las bajadas freno con los pies.* **2** Paso a un lugar más bajo: *Cuando subimos a una montaña, siempre me canso menos a la bajada que a la subida.* **3** Disminución de la fuerza, de la cantidad o del valor de algo: *Para mañana se espera una bajada de las temperaturas que afectará a toda la península.* □ SINÓNIMOS: descenso. CONTRARIOS: subida. **2** ascenso. **3** alza. FAMILIA: → bajar.

bajar [verbo] **1** Ir a un lugar o a una posición inferiores o más bajos: *¡Bájate de la mesa ahora mismo! ¿Bajas a la calle a jugar con nosotros?* **2** Poner en un lugar o en una posición inferiores: *¿Me bajas el libro que está en la última repisa, que yo no llego a cogerlo?* **3** Salir de un vehículo: *Yo me bajo del autobús en la parada siguiente a la tuya.* **4** Mover hacia abajo: *No bajes los ojos y dime si has roto este jarrón.* **5** Disminuir la fuerza, la cantidad o el valor de algo: *Por favor, baja la música, que no me dejas estudiar. Han bajado el precio de esa bici.* □ [Siempre se escribe con j]. SINÓNIMOS: **1,5** descender. **4** agachar. CONTRARIOS: subir. **1,2** alzar, elevar. **3** montar. FAMILIA: bajo, bajada, bajón, rebajar.

bajo, ja [adjetivo] **1** Que tiene menos altura de la que se considera normal: *Mi hermano es más bajo que yo.* **2** Que tiene un valor o una fuerza inferiores a los normales: *En invierno las temperaturas son más bajas que en verano. Pon más bajo el sonido de la tele para que no se despierte el bebé.* **3** Que ocupa una posición inferior: *Las capas bajas de la sociedad son menos poderosas económicamente.* [sustantivo masculino] **4** En un edificio, piso que está a la misma altura que la calle: *Los bajos suelen tener menos luz que los otros pisos.* **5** Parte inferior de una prenda de vestir que se dobla hacia dentro: *Se me ha descosido el bajo de la falda.* **6** Instrumento musical parecido a una guitarra, pero de sonido más grave: *El bajo tiene cuatro cuerdas.* [sustantivo femenino] **7** Situación en la que una persona deja de pertenecer a una asociación: *Era socio de un club de fútbol, pero me di* *de baja.* **8** Declaración que hace un médico de que una persona está enferma y que por eso no puede ir a trabajar: *Cuando mi madre se hizo un esguince, le dieron la baja por quince días.* **9** Muerte de una persona que lucha en uña guerra: *Aquella batalla produjo muchas bajas en el ejército.* **bajo 10** [adverbio] En un tono de voz suave: *Hablad bajo para no molestar a los que no han terminado todavía.* **11** [preposición] Indica un lugar o una posición inferiores: *¡Qué gusto dormir bajo techo, después de haber tenido que dormir al aire libre! Estos soldados están bajo las órdenes de un coronel.* □ CONTRARIOS: alto. **1** elevado. **11** sobre. FAMILIA: → bajar.

bajón [sustantivo] [masculino] Disminución rápida e importante de algo: *Este verano se ha notado un bajón de gente en el pueblo en el que veraneo.* □ FAMILIA: → bajar.

bala [sustantivo] [femenino] Lo que se lanza con un arma de fuego: *Esta pistola puede disparar seis balas seguidas.* □ FAMILIA: balazo.

balance [sustantivo] [masculino] Examen que se hace de algo para ver si ha sido bueno o si ha sido malo: *El balance de la temporada de nuestro equipo es bueno, porque hemos ganado la liga y la copa.* □ FAMILIA: → balancear.

balancear [verbo] Mover de un lado a otro de forma repetida: *El barco se balanceaba tanto que me mareé.* □ FAMILIA: balanceo, balance, balancín, balanza.

balanceo [sustantivo] [masculino] Movimiento repetido de un lado a otro: *El bebé se quedó dormido con el balanceo de la cuna.* □ SINÓNIMOS: vaivén. FAMILIA: → balancear.

balancín [sustantivo] [masculino] **1** Barra larga que se apoya por el centro y que sube y baja cuando se sientan dos personas, cada una en un extremo: *En el parque hay dos columpios, un balancín y un tobogán.* **2** Asiento que puede balancearse hacia delante y hacia atrás: *Mi hermano pequeño tiene un balancín de madera con figura de caballo.* □ FAMILIA: → balancear.

balanza [sustantivo] [femenino] Instrumento que sirve para medir pesos pequeños: *El frutero puso seis naranjas en la balanza y, como faltaba un poco para el kilo, puso otra más.* □ [Es

distinto de *báscula,* que sirve para medir pesos grandes]. FAMILIA: → balancear. 🔍 página 498.

balar [verbo] Emitir la oveja su voz característica: *Mientras paseábamos por el campo, oíamos balar unas ovejas a lo lejos.* □ FAMILIA: balido.

balazo [sustantivo] [masculino] Disparo de bala hecho con arma de fuego: *El soldado recibió un balazo en la pierna.* □ FAMILIA: → bala.

balbucear [verbo] Hablar con dificultad o cortando las palabras: *Mi hijo pequeño aún no sabe hablar, pero ya balbucea algunas palabras.*

balcón [sustantivo] [masculino] Ventana grande y abierta desde el suelo de la habitación, que tiene por fuera una barandilla: *Salimos todos al balcón para ver los fuegos artificiales.*

balde 1 [sustantivo] [masculino] Especie de cubo más ancho que alto: *He metido los cacharros en el balde para fregarlos más tarde.* **2** [expresión] **de balde** Sin pagar nada: *Si compras estos cuchillos, te llevas de balde un encendedor.* **en balde** Inútilmente: *Ya veo que te hablé en balde, porque no has hecho nada de lo que te dije.*

baldosa [sustantivo] [femenino] Pieza fina hecha con un material duro y que se usa para cubrir suelos: *Las baldosas del baño son de mármol blanco.* □ SINÓNIMOS: loseta. FAMILIA: baldosín.

baldosín [sustantivo] [masculino] Baldosa pequeña y fina que se usa para cubrir paredes: *Los baldosines de mi cuarto de baño son de color azul claro.* □ FAMILIA: → baldosa.

balear [adjetivo o] [sustantivo] De la comunidad autónoma de las islas Baleares: *El archipiélago balear se encuentra en el mar Mediterráneo.* □ [No varía en masculino y en femenino].

balido [sustantivo] [masculino] Voz característica de la oveja y de otros animales: *Las ovejas contestaban con balidos cuando el coche pitaba para que le dejaran paso.* □ FAMILIA: → balar.

ballena [sustantivo] [femenino] Animal marino de gran tamaño: *Las ballenas son mamíferos.* □ FAMILIA: ballenato.

ballenato [sustantivo] [masculino] Cría de la ballena: *Los ballenatos nadan al lado de su madre hasta que son independientes.* □ FAMILIA: → ballena.

a
b
c
d
e
f
g
h
i
j
k
l
m
n
ñ
o
p
q
r
s
t
u
v
w
x
y
z

a
b
c
d
e
f
g
h
i
j
k
l
m
n
ñ
o
p
q
r
s
t
u
v
w
x
y
z

ballet [sustantivo] [masculino] **1** Baile que se realiza siguiendo el ritmo de una determinada pieza musical: *Estudio ballet clásico en el conservatorio.* 🔎 página 117. **2** Conjunto de bailarines que realizan este tipo de baile: *Me gustaría pertenecer a un ballet para poder actuar en distintos lugares.* ☐ [Se pronuncia «balé». Es una palabra de origen francés].

balneario [sustantivo] [masculino] Lugar público en el que se pueden tomar unos baños que son buenos para la salud: *Me han recomendado para el reúma que pase quince días en un balneario tomando baños.*

balón [sustantivo] [masculino] Bola llena de aire que se usa para jugar: *El balón de fútbol es distinto que el de baloncesto.* ☐ SINÓNIMOS: pelota. FAMILIA: balonazo, baloncesto, balonmano, balonvolea.

[balonazo [sustantivo] [masculino] Golpe dado con un balón: *Me dieron un balonazo en la cara y me rompieron las gafas.* ☐ SINÓNIMOS: pelotazo. FAMILIA: → balón.

baloncesto [sustantivo] [masculino] Deporte que consiste en meter el balón en la canasta del equipo contrario y en el que no se puede tocar el balón con los pies: *Estoy aprendiendo a jugar al baloncesto y aún no sé botar bien con la izquierda.* ☐ FAMILIA: → balón. 🔎 página 290.

balonmano [sustantivo] [masculino] Deporte parecido al fútbol, pero en el que el balón es más pequeño y no se puede tocar con el pie: *En balonmano hay penaltis y porterías como en fútbol.* ☐ FAMILIA: → balón. 🔎 página 290.

balonvolea [sustantivo] [masculino] Deporte que consiste en pasar un balón por encima de la red que separa a los dos equipos, usando sólo las manos y sin que toque el suelo: *Para jugar al balonvolea hay que saltar mucho y tener muy buenos reflejos.* ☐ SINÓNIMOS: voleibol. FAMILIA: → balón. 🔎 página 290.

balsa [sustantivo] [femenino] Especie de barco hecho con troncos unidos entre sí: *Un barco recogió a unos náufragos que iban en una balsa.*

BALSA

bálsamo [sustantivo] [masculino] **1** Medicamento que huele muy bien y que se extiende sobre la piel: *Los bálsamos son sustancias cremosas y muy aromáticas.* **2** Lo que sirve de consuelo o de alivio: *Tu sonrisa es un bálsamo para mí.*

bambú [sustantivo] [masculino] Planta cuyos tallos son largos, huecos y muy resistentes: *El sofá y la mesa de la sala están hechos con caña de bambú.* ☐ [Su plural es bambús o bambúes (más culto)].

banana [sustantivo] [femenino] Fruto alargado y curvo, con una cáscara verde que se pone amarilla cuando está maduro: *¿Quieres una banana de postre?* ☐ SINÓNIMOS: plátano.

banca [sustantivo] [femenino] Conjunto de los bancos en los que se guarda el dinero, o de las personas que trabajan en ellos: *La banca tiene mucho poder en un país.* ☐ FAMILIA: → banco.

bancario, ria [adjetivo] De los bancos en los que se guarda el dinero o relacionado con ellos: *Con esta tarjeta usted podrá sacar dinero en cualquier oficina bancaria.* ☐ FAMILIA: → banco.

banco [sustantivo] [masculino] **1** Asiento largo y estrecho para varias personas: *Nos sentamos en un banco del parque y les echamos pan a las palomas.* **2** Lugar donde se guarda el dinero: *Mis padres tienen sus ahorros guardados en el banco.* **3** Lugar donde se guarda y se conservan cosas valiosas: *En el banco de sangre del hospital tienen sangre para cuando haya que hacer transfusiones.* **4** Conjunto formado por un gran número de peces que nadan juntos: *Este pesquero se dirige hacia la zona en la que hay grandes bancos de sardinas.* 🔎 página 608. **5** Lugar en el que hay gran cantidad de una cosa: *Este río tiene grandes bancos de arena que hacen que los barcos no puedan navegar por él.* ☐ FAMILIA: banqueta, banquillo, banca, bancario, banquero.

banda [sustantivo] [femenino] **1** Conjunto de músicos que tocan determinados instrumentos: *La banda municipal iba abriendo el desfile.* **2** Grupo organizado de personas que cometen delitos de forma habitual: *Una banda de ladrones realizó el robo de ese banco.* **3** Cinta que se cruza sobre el pecho y que va desde un hombro hasta el lado contrario: *El al-*

calde colocó una banda azul a la reina de las fiestas y le entregó un ramo de flores. **4** Trozo estrecho y largo de algunas cosas: *Los jueces de línea corren por la banda del campo de fútbol.* **5** [expresión] **banda sonora** Fondo musical de una película: *Me he comprado el disco de la banda sonora de mi película preferida.* □ [El significado **2** es coloquial]. FAMILIA: bandido, bandada, bando, bandolero.

bandada [sustantivo] [femenino] Conjunto formado por un gran número de animales que van juntos: *Una bandada de patos volaba hacia el sur.* □ FAMILIA: → banda.

bandeja 1 [sustantivo] [femenino] Pieza plana que se usa para poner cosas encima o para llevarlas a otro sitio: *Cuando estoy enfermo, me llevan la comida a la cama en una bandeja.* **2** [expresión] **pasar la bandeja** Pedir dinero a un grupo de personas reunidas: *Cuando acabó de tocar la canción, el guitarrista pasó la bandeja.*

bandera [sustantivo] [femenino] Trozo de tela con colores que representa a una nación o a un grupo de personas: *En el Ayuntamiento están colgadas la bandera española y la bandera de nuestra comunidad autónoma.* ⮕ página 118. □ FAMILIA: banderín, banderilla.

banderilla [sustantivo] [femenino] **1** Palo delgado y con adornos que el torero clava al toro: *Las banderillas acaban en punta.* **2** Comida ligera y picante: *Tomé de aperitivo una banderilla con pepinillo, cebolla, aceituna y guindilla.* □ FAMILIA: → bandera.

banderín [sustantivo] [masculino] Bandera pequeña: *Para las fiestas del pueblo adornan la plaza con banderines y bombillas de colores.* □ FAMILIA: → bandera.

bandido, da [sustantivo] Persona que roba: *Unos bandidos asaltaron el tren.* □ SINÓNIMOS: bandolero. FAMILIA: → banda.

bando [sustantivo] [masculino] **1** Grupo de personas que tienen las mismas ideas: *Los de un bando están a favor de la construcción de la piscina y los del otro están en contra.* **2** Aviso oficial que da una autoridad: *Han colgado en la pared del ayuntamiento el bando de la alcaldesa sobre la recogida de basuras.* □ FAMILIA: → banda.

bandolero, ra [sustantivo] Persona que roba: *Unos bandoleros asaltaron la diligencia y*

robaron a los pasajeros todo lo que llevaban. □ SINÓNIMOS: bandido. FAMILIA: → banda.

bandurria [sustantivo] [femenino] Instrumento musical parecido a la guitarra, pero más pequeño y con seis cuerdas dobles: *Mi padre tocaba la bandurria en la tuna de su universidad.*

BANDURRIA

banquero, ra [sustantivo] Persona que es dueña de un banco o que trabaja en la dirección de un banco: *Las decisiones de los banqueros tienen mucha importancia en la situación económica de un país.* □ FAMILIA: → banco.

banqueta [sustantivo] [femenino] Asiento bajo, pequeño, sin brazos y sin sitio donde apoyar la espalda: *En la cocina tenemos banquetas en lugar de sillas.* □ FAMILIA: → banco.

banquete [sustantivo] [masculino] Comida a la que asisten muchas personas y en la que se celebra algún acontecimiento: *Celebraron su boda con un gran banquete.* □ SINÓNIMOS: ágape.

banquillo [sustantivo] [masculino] **1** En un deporte, lugar que está situado fuera del terreno de juego y en el que se sientan los miembros del equipo que no juegan, pero que pueden jugar: *En el banquillo se sientan el entrenador y los suplentes.* **2** En un juicio, asiento en el que se encuentra la persona que ha sido acusada ante el juez o ante el tribunal: *Un policía lo condujo hasta el banquillo de los acusados poco antes de que entrara el juez en la sala.* □ FAMILIA: → banco.

bañador [sustantivo] [masculino] Traje que usamos para bañarnos: *No me pude bañar porque se me había olvidado el bañador.* □ FAMILIA: → bañar.

bañar [verbo] **1** Meter un cuerpo en un líquido, generalmente para limpiarlo: *Me gusta más ducharme que bañarme.* **2** Cubrir una superficie con una capa de algo: *El pastelero bañó las pastas de chocolate.* **3** Poner algo muy húmedo o empaparlo con un líquido: *Con este calor, el sudor me baña la cara.* **4**

a
b
c
d
e
f
g
h
i
j
k
l
m
n
ñ
o
p
q
r
s
t
u
v
w
x
y
z

a
b
c
d
e
f
g
h
i
j
k
l
m
n
ñ
o
p
q
r
s
t
u
v
w
x
y
z

Tocar un lugar el agua de un río o del mar: *El Mediterráneo baña la costa este española.* □ FAMILIA: baño, bañador, bañera, bañista.

bañera [sustantivo] [femenino] Recipiente grande en el que se mete una persona para bañarse: *En el cuarto de baño hay servicio, lavabo y bañera.* □ SINÓNIMOS: baño. FAMILIA: → bañar.

bañista [sustantivo] Persona que se baña en un lugar: *La playa estaba llena de bañistas.* □ [No varía en masculino y en femenino]. FAMILIA: → bañar.

baño [sustantivo] [masculino] **1** Introducción de un cuerpo en un líquido, generalmente para limpiarlo: *Nada relaja tanto como un buen baño de agua caliente.* **2** Sustancia con la que se cubre algo: *Este bizcocho lleva un baño de chocolate.* **3** Recipiente grande en el que se mete una persona para bañarse: *Métete en el baño y frótate hasta que estés bien limpio.* **4** Habitación en la que nos aseamos y hacemos pis y caca: *Esta casa tiene tres dormitorios y un baño.* **5** Colocación de un cuerpo bajo la acción de algo: *Tomar baños de sol muy largos es peligroso.* **6** Victoria clara sobre un contrario: *¡Presumíamos de que íbamos a ganar, pero menudo baño nos han dado!* **7** [expresión] **al baño María** Forma de cocinar algo poniéndolo en un recipiente que se mete en otro con agua hirviendo: *Para hacer el flan, no se pone directamente sobre el fuego, sino al baño María.* □ [El significado **6** es coloquial]. SINÓNIMOS: **3** bañera. **4** retrete, váter, servicio. FAMILIA: → bañar.

bar [sustantivo] [masculino] Local público en el que se sirven comidas y bebidas que suelen tomarse de pie: *¿Vienes al bar de enfrente a tomar unos refrescos y unos pinchos?*

baraja [sustantivo] [femenino] Conjunto de cartas que se usa en algunos juegos: *La baraja española tiene cuatro palos: oros, copas, espadas y bastos.* □ FAMILIA: barajar.

barajar [verbo] **1** Mezclar unas con otras las cartas de una baraja para cambiar su orden: *Antes de repartir las cartas, barájalas para que no nos toquen las mismas que antes.* **2** Considerar un conjunto de posibilidades antes de elegir una de ellas: *De los lugares que estamos barajando para ir de vacaciones, Galicia es el que más me gusta.* □ [Siempre se escribe con *j*]. FAMILIA: → baraja.

barandilla [sustantivo] [femenino] Parte de una escalera o de otro lugar, que sirve para que no nos caigamos: *Agárrate a la barandilla de la escalera para no caerte.*

baratija [sustantivo] [femenino] Lo que vale poco: *En ese quiosco venden muchas baratijas.* □ CONTRARIOS: alhaja, joya. FAMILIA: → barato.

barato, ta 1 [adjetivo] Que tiene un precio bajo: *Quiero una carpeta barata, porque he traído poco dinero.* **2 barato** [adverbio] A un precio bajo: *Todo el mundo viene a comprar a esta tienda porque venden muy barato.* □ CONTRARIOS: caro. FAMILIA: baratija.

barba [sustantivo] [femenino] **1** En la cara de una persona, pelo que nace debajo de la boca y en las mejillas: *Papá, tienes que afeitarte la barba, porque cuando te doy un beso, me pica.* **2** Cada una de las partes duras que tienen en la mandíbula superior algunos animales marinos: *La ballena tiene barbas en lugar de dientes.* **3** Grupo de pelos que cuelga de la mandíbula inferior de algunos animales: *Las cabras tienen barba.* **4** Cada una de las personas entre las que se reparte algo: *He contado los pasteles que hay y tocamos a tres por barba.* **5** [expresión] **en las barbas de alguien** En su presencia: *Eres tan descarado que eres capaz de reírte de mí en mis propias barbas.* **subirse a las barbas de alguien** Faltarle al respeto: *Si no me muestro serio al principio, mis alumnos se me suben a las barbas.* □ [Las expresiones son coloquiales]. SINÓNIMOS: **4** cabeza. FAMILIA: barbudo, barbilla.

barbacoa [sustantivo] [femenino] Instrumento formado por unas barras de metal que se usa para cocinar alimentos sobre el fuego y fuera de casa: *Tenemos una barbacoa en el jardín del chalé.*

barbaridad 1 [sustantivo] [femenino] Lo que resulta tonto, poco adecuado o cruel: *No digas barbaridades y busca una solución normal a tu problema.* **2** [expresión] **una barbaridad** Gran cantidad o mucho: *Había una barbaridad de gente en la cola del cine y no pudimos entrar.* □ [El significado **2** es coloquial]. SINÓNIMOS: burrada. **1** brutalidad. FAMILIA: → bárbaro.

bárbaro, ra [adjetivo o] [sustantivo] **1** Que es tan cruel que no parece propio de una persona: *No* *seas bárbaro y deja de maltratar a ese pobre perro.* **2** Que resulta tonto o poco adecuado para algo: *No seas bárbaro y deja de insultar a todo el mundo.* **3** De tamaño, cantidad o calidad mayores de lo normal: *Hemos visto una película bárbara que nos ha encantado.* **4** De los pueblos que invadieron el Imperio Romano en el siglo v: *Los bárbaros procedían del centro y del norte de Europa.* □ Sinónimos: **3** extraordinario. Familia: barbaridad.

barbilla [sustantivo] [femenino] Parte de la cara que está debajo de la boca y que sale hacia afuera: *Mi padre lleva barba, pero sólo le cubre la barbilla y el bigote.* □ Sinónimos: mentón. Familia: → barba.

barbudo, da [adjetivo] Que tiene mucha barba: *Cuando era más pequeño, me asustaban los señores barbudos.* □ Familia: → barba.

barca [sustantivo] [femenino] Barco pequeño: *Estuvimos navegando por el río en una barca de remos.* □ Sinónimos: bote. Familia: → barco.

barcelonés, -a [adjetivo o] [sustantivo] De la provincia de Barcelona o de su capital: *Veraneo en un pueblo de la costa barcelonesa.*

barco [sustantivo] [masculino] Vehículo que va por el agua: *Vimos en el puerto varios barcos y el más grande era un portaaviones.* □ Sinónimos: embarcación, nave. Familia: barca, barquero, embarcación, embarcar, embarcadero, desembarcar, desembarco. 🔯 página 847.

barniz [sustantivo] [masculino] Producto líquido que se extiende sobre la superficie de algunos objetos para que brillen o para protegerlos del aire o del agua: *He comprado una repisa de madera, pero antes de colgarla le daré una capa de barniz.* □ [Su plural es *barnices*]. Familia: barnizar.

barnizar [verbo] Extender sobre una superficie un producto líquido que la proteja o que la haga brillar: *El suelo está muy brillante porque acaban de barnizar el parqué.* □ [La z se cambia en c delante de e, como en CAZAR]. Familia: → barniz.

barómetro [sustantivo] [masculino] Instrumento que sirve para medir la presión del ambiente: *Comprobamos con un barómetro que la presión atmosférica es más baja en la cumbre de la montaña que en el valle.*

barón [sustantivo] [masculino] Título que poseen algunos hombres que pertenecen a la clase noble: *Ese barón es dueño de una importante colección de obras de arte.* □ [No confundir con *varón*. El femenino es *baronesa*]. Familia: baronesa.

baronesa [sustantivo] [femenino] Título que poseen algunas mujeres que pertenecen a la clase noble: *El título de baronesa es inferior al de condesa.* □ [El masculino es *barón*]. Familia: → barón.

barquero, ra [sustantivo] Persona que conduce una barca: *El barquero que nos cruzó el río remaba muy bien.* □ Familia: → barco.

barquillo [sustantivo] [masculino] Dulce elaborado con harina y azúcar: *Me sirvieron el helado en un cucurucho de barquillo.*

barra [sustantivo] [femenino] **1** Pieza rígida mucho más larga que gruesa: *En los autobuses hay barras verticales y horizontales para que se agarren los que viajan de pie.* **2** Pieza alargada de alguna cosa: *Con una barra de pan tengo suficiente para hacer tres bocadillos.* **3** Especie de mesa alargada sobre la que se ponen las bebidas y las comidas en un bar: *Mientras dejan libre una mesa, tomaremos un refresco en la barra.* **4** Signo que usamos al escribir para separar cosas: *En la fecha 29/04/94 hay dos barras que separan el día, el mes y el año.* □ Familia: barrote.

barraca 1 [sustantivo] [femenino] Casa de campo de algunas regiones: *Las barracas son típicas de Valencia y tienen el tejado muy inclinado.* **2** [expresión] **barraca de feria** Construcción que se monta durante un tiempo para poner espectáculos o diversiones: *La tómbola y el tiro al blanco son las barracas de feria que más gente atraen.* □ Familia: barracón.

barracón [sustantivo] [masculino] Edificio de un solo piso y sin muros en su interior: *Los soldados duermen en los barracones del cuartel.* □ Familia: → barraca.

barranco [sustantivo] [masculino] Terreno que se corta de golpe por un hueco grande y profundo: *Esta carretera sube por la montaña y la parte izquierda es un barranco muy alto.*

barrendero, ra [sustantivo] Persona que trabaja barriendo las calles: *Los barrenderos limpian las calles de papeles y de suciedad.* □ Familia: → barrer. 🔯 página 794.

barreño [sustantivo] [masculino] Recipiente más ancho que

a
b
c
d
e
f
g
h
i
j
k
l
m
n
ñ
o
p
q
r
s
t
u
v
w
x
y
z

alto que se usa para muchas tareas de la casa: *Cuando saco la ropa de la lavadora la pongo en un barreño para llevarla a la terraza y tenderla.*

barrer [verbo] **1** Limpiar el suelo quitándole el polvo y las cosas sucias: *Voy a barrer el suelo de la cocina antes de fregarlo.* **2** Llevarse todo lo que hay en un lugar: *Estaba todo tan rebajado que los primeros clientes barrieron la tienda.* **3** Vencer totalmente o tener un gran éxito: *Este año tenemos un equipo tan bueno que vamos a barrer en la liga.* □ [Los significados **2** y **3** son coloquiales]. SINÓNIMOS: **3** arrollar, arrasar. FAMILIA: barrendero.

barrera [sustantivo femenino] **1** Línea de palos que se ponen en un lugar para rodearlo: *Pusieron barreras de seguridad a los dos lados de la carretera para que el público no molestara a los ciclistas.* **2** Barra que impide el paso a un lugar y que se levanta por uno de sus extremos para dejar pasar: *Tienes que meter el tique en esa máquina para que se levante la barrera y podamos salir del aparcamiento.* **3** Lo que hace que algo resulte difícil: *Que te vayas a vivir a otra ciudad no es ninguna barrera para que sigamos siendo amigos, porque podemos escribirnos.* **4** Línea de palos de madera que separa la arena de una plaza de toros del lugar donde está el público: *El torero saltó la barrera porque el toro corría detrás de él para cogerlo.*

barriada [sustantivo femenino] Cada una de las grandes zonas en que se divide una población: *Los comercios suelen estar en las barriadas del centro.* □ SINÓNIMOS: barrio. FAMILIA: → barrio.

barricada [sustantivo femenino] Conjunto de cosas que se ponen en un lugar para impedir el paso o para defenderse de un ataque: *Los rebeldes colocaron barricadas en varias calles de la ciudad para que el ejército no pudiera pasar.*

BARRICADA

barriga [sustantivo femenino] Parte del cuerpo donde están el estómago y otros órganos: *No comas más pasteles, porque luego te va a doler la barriga.* □ [Es coloquial]. SINÓNIMOS: abdomen, tripa, vientre.

barril [sustantivo masculino] Tonel pequeño que sirve para contener líquidos: *Cuando estábamos en el bar, llegó el camión que traía los barriles de cerveza.*

barrio 1 [sustantivo masculino] Cada una de las grandes zonas en que se divide una población: *Vivo en un barrio de las afueras, pero trabajo en el centro.* **2** [expresión] **barrio chino** El que tiene muchos locales de actividades relacionadas con el sexo: *Por el barrio chino se ven muchas prostitutas.* **irse al otro barrio** Morir: *Le dio un infarto y casi se va al otro barrio.* □ [Las expresiones son coloquiales]. SINÓNIMOS: **1** barriada. FAMILIA: barriada.

barrizal [sustantivo masculino] Terreno lleno de barro: *Cuando llueve, ese descampado se convierte en un barrizal.* □ FAMILIA: → barro.

barro [sustantivo masculino] **1** Mezcla de tierra y agua: *Me caí en un charco y me manché de barro.* **2** Mezcla de agua y arcilla que se queda dura cuando se cuece y que se usa para hacer cacharros: *Los alfareros hacen vasijas de barro.* □ FAMILIA: barrizal, guardabarros.

barroco, ca [adjetivo] **1** Del Barroco o con características de este estilo artístico: *Quevedo es un escritor barroco.* **2** Demasiado adornado o complicado: *Con tantos adornos, la decoración ha quedado un poco barroca.* **3** [sustantivo masculino] En arte, estilo que triunfó en Europa en el siglo XVII y que dio gran importancia a los adornos y a las formas complicadas: *El Barroco surgió después del Renacimiento.* 🔎 página 341. □ [El significado **3** se suele escribir con mayúscula]. CONTRARIOS: **2** sencillo.

barrote [sustantivo masculino] Barra gruesa: *Las jaulas tienen barrotes para que los animales no se escapen.* □ FAMILIA: → barra.

bártulos [sustantivo masculino plural] Conjunto de cosas necesarias para hacer algo: *Si te traes todos tus bártulos de pintura, podemos pasar la tarde dibujando.* □ [Es coloquial].

barullo [sustantivo masculino] Situación en la que las cosas se confunden por falta de orden: *¡Menudo barullo se armó en la cola cuando uno* *quiso colarse!* □ [Es coloquial]. SINÓNIMOS: lío, jaleo, follón.

basar [verbo] Establecer algo sobre una base: *Nuestra amistad se basa en el cariño y en la confianza.* □ SINÓNIMOS: apoyar. FAMILIA: → base.

báscula [sustantivo femenino] Instrumento para medir pesos grandes: *Hay básculas especiales para pesar camiones y otros vehículos.* □ [Es distinto de *balanza,* que sirve para medir pesos pequeños].

base [sustantivo femenino] **1** Lo que sirve de apoyo para algo: *El entrenamiento es la base para ser un buen deportista.* **2** Línea o superficie sobre las que parece que se apoya una figura: *El área de un rectángulo se halla multiplicando su base por su altura.* **3** Lugar preparado para realizar determinada actividad: *Aquellas instalaciones son una base militar.* **4** [expresión] **a base de algo** Sólo con eso o tomándolo como lo fundamental: *No puedes alimentarte sólo a base de golosinas.* **a base de bien** Mucho: *Los dos boxeadores se pegaron a base de bien.* **base de datos** Sistema que permite guardar y buscar con orden mucha información en un ordenador: *En la empresa tienen una base de datos informática con los datos de todos los empleados.* □ [La expresión *a base de bien* es coloquial]. FAMILIA: basar, básico.

básico, ca [adjetivo] Que es muy importante y muy necesario: *Para poder montar en bici es básico saber mantener el equilibrio.* □ SINÓNIMOS: principal, esencial, fundamental, capital. CONTRARIOS: accesorio, secundario. FAMILIA: → base.

basílica [sustantivo femenino] Iglesia importante y que suele ser grande: *En esa basílica están enterrados varios reyes.* 🕮 página 540.

bastante 1 [pronombre indefinido] Adecuado para lo que se necesita: *¿Tienes bastante dinero para hacer la compra? Si viene uno más, ya somos bastantes para hacer el trabajo.* [adverbio] **2** En cantidad suficiente: *No ha llovido bas-*

BASTIDOR

tante para poder decir que ha terminado la sequía. **3** Más de lo normal: *Comí bastante, pero sin pasarme.* □ [No varía en masculino y en femenino]. SINÓNIMOS: **1** suficiente. CONTRARIOS: **1** insuficiente. FAMILIA: → bastar.

bastar 1 [verbo] Ser suficiente: *Con esta tela no me basta para hacer el vestido. ¿Te bastas tú solo para hacerlo todo?* **2 basta** [interjección] Se usa para poner fin a una acción: *¡Basta, no quiero oír nada más!* □ CONTRARIOS: faltar. FAMILIA: basta, bastante.

bastardo, da [adjetivo o sustantivo] Que no es hijo de un matrimonio: *Aunque le dijeron que su marido tenía un hijo bastardo con otra mujer, ella no creyó la calumnia.* □ [Es despectivo y se usa como insulto].

bastidor [sustantivo masculino] **1** Estructura cuadrada o circular con un hueco en el centro, que se usa para sujetar telas u otras cosas: *Para bordar pongo la tela en un bastidor.* **2** Cada una de las superficies pintadas que hay a los lados y detrás de la escena de un teatro y que sirven de decorado: *Mientras no tienen que actuar, los actores esperan detrás de los bastidores.*

basto, ta 1 [adjetivo] Poco fino, de poca calidad o hecho con materiales de poco valor: *El esparto es un material muy basto.* **2** [adjetivo o sustantivo] Con poca educación o poco delicado al tratar a los demás: *Es una chica muy basta y se pasa el día diciendo tacos.* **3** [sustantivo masculino plural] En una baraja, tipo de carta que tiene dibujada una especie de palo: *La baraja española tiene oros, copas, espadas y bastos.* □ [No confundir con *vasto*]. SINÓNIMOS: **1** rústico. **1,2** tosco, rudo. **2** ordinario, grosero. CONTRARIOS: **1,2** fino, refinado, delicado.

bastón [sustantivo masculino] Especie de palo que sirve de apoyo al andar: *Muchas personas se ayudan con un bastón para andar.* □ FAMILIA: bastonazo.

bastonazo [sustantivo masculino] Golpe dado con un bas-

a b c d e f g h i j k l m n ñ o p q r s t u v w x y z

a
b
c
d
e
f
g
h
i
j
k
l
m
n
ñ
o
p
q
r
s
t
u
v
w
x
y
z

tón: *Levantó el bastón como si fuese a darme un bastonazo.* □ FAMILIA: → bastón.

basura [sustantivo/femenino] **1** Conjunto de las cosas que ya no sirven y están para tirar: *Tira esos papeles al cubo de la basura.* **2** Lo que tiene poco valor o poca calidad: *Algunos programas de televisión son basura.* □ SINÓNIMOS: porquería. **2** mierda, cagada, caca. FAMILIA: basurero.

basurero, ra 1 [sustantivo] Persona que trabaja llevándose la basura: *Los basureros van en camiones recogiendo la basura de los cubos.* **2** [sustantivo/masculino] Lugar donde se tiran las basuras: *Los basureros suelen estar en las afueras de las ciudades.* □ SINÓNIMOS: **2** vertedero. FAMILIA: → basura.

bata [sustantivo/femenino] Prenda de vestir amplia y cómoda que se usa para estar en casa o para ponérsela encima de la ropa que no debe mancharse: *Los médicos suelen llevar batas blancas.* □ FAMILIA: batín. ✎ página 499.

batacazo [sustantivo/masculino] Caída fuerte y con ruido: *Tropecé y me di un buen batacazo.* □ [Se usa mucho en las expresiones darse un batacazo o pegarse un batacazo]. SINÓNIMOS: porrazo, trastazo, bofetada.

batalla [sustantivo/femenino] **1** Lucha con armas entre dos ejércitos: *Ganó la guerra el que venció en la última batalla.* **2** Lucha para vencer algo o a alguien: *Los dos candidatos al puesto mantienen una dura batalla.* **3** Relato que cuenta una persona sobre hechos que ha vivido: *Estoy harta de que me cuentes batallitas.* **4** [expresión] **batalla campal** La que se produce con mucha violencia: *Lo que parecía una discusión sin importancia acabó siendo una batalla campal.* □ [El significado **3** es coloquial]. SINÓNIMOS: **1,2** combate. **2** pelea, enfrentamiento. FAMILIA: batallón.

batallón [sustantivo/masculino] **1** Conjunto de soldados que forman una unidad del ejército: *Un batallón suele estar mandado por un comandante.* **2** Grupo grande de personas que hacen mucho ruido: *Esperaba que viniesen unos cuantos a la fiesta, pero se presentó un batallón.* □ [El significado **2** es coloquial]. FAMILIA: → batalla.

bate [sustantivo/masculino] Especie de bastón que se usa en algunos deportes para golpear la pelota: *Para jugar al béisbol hacen falta bates.*

batería 1 [sustantivo] Músico que toca la batería en un grupo: *El batería del grupo es ese chico con melenas.* [femenino] **2** Conjunto formado por tambores, platos de metal y otros instrumentos musicales tocados por un solo músico: *Ese músico toca la batería en un grupo moderno.* **3** Conjunto de máquinas de guerra colocadas para hacer fuego: *Formaron una batería con cañones y ametralladoras para defenderse del fuego aéreo.* **4** Aparato que sirve para mantener energía eléctrica: *El coche no arranca porque la batería está agotada.* **5** [expresión] **batería de cocina** Conjunto de cazuelas y otros objetos que sirven para cocinar: *Mi batería de cocina tiene cazos y ollas de distintos tamaños.* **en batería** Dicho de un vehículo, aparcado paralelo a otros, y no en fila: *Me resulta más fácil aparcar en batería que en fila.* □ [El significado **1** no varía en masculino y en femenino].

batido [sustantivo/masculino] Bebida que se prepara mezclando varios productos: *Con leche y helado de fresa puedes hacer un batido de fresa.* □ FAMILIA: → batir.

batidor [sustantivo/masculino] Objeto que se usa para mezclar o para picar alimentos: *La abuela no se acostumbra a la batidora eléctrica y aún usa un batidor manual para hacer merengue.* □ FAMILIA: → batir.

batidora [sustantivo/femenino] Electrodoméstico que sirve para mezclar o para picar alimentos: *Las batidoras suelen tener un aspa o una cuchilla que da vueltas.* □ FAMILIA: → batir.

batín [sustantivo/masculino] Especie de chaqueta amplia y cómoda que se ponen los hombres para estar en casa: *Cuando salgo de la cama, me pongo el batín y las zapatillas.* □ FAMILIA: → bata.

batir [verbo] **1** Mezclar o agitar una sustancia con energía: *Para hacer una tortilla hay que batir los huevos.* **2** Ir más allá de un límite o de una marca: *Ese atleta ha batido el récord nacional de altura.* **3** Vencer a un contrario: *Nuestro equipo batió al otro por tres puntos a cero.* **4** Ir por un terreno mirando con atención para descubrir lo que hay en él: *La policía batió la zona donde se pensaba que se había perdido el niño.* **5** Mover algo con energía y normalmente haciendo

ruido: *Los pájaros baten las alas para volar.*
6 batirse Luchar contra alguien, generalmente por una ofensa: *Antiguamente, los caballeros se batían en duelo contra los que ofendían su honor.* □ SINÓNIMOS: **2** superar. **3** derrotar. **4** explorar, reconocer, inspeccionar. FAMILIA: batido, batidora, batidor.

batuta 1 [sustantivo] [femenino] Palo corto y delgado que usa el director de una orquesta para dirigir a los músicos: *El director marca el ritmo a la orquesta con la batuta.* **2** [expresión] **llevar la batuta** Ser el que manda o dirige a otros: *En todos los grupos hay alguien que lleva la batuta.* □ [El significado **2** es coloquial].

baúl [sustantivo] [masculino] Caja grande que tiene una tapa que no es plana, sino que tiene forma de arco: *Cuando llega el verano guardamos las mantas en el baúl que está en el desván.*

bautismo [sustantivo] [masculino] Acto por el que una persona entra a formar parte de la Iglesia y en el que el sacerdote le echa agua sobre la cabeza: *Celebramos el bautismo de mi hermano a los pocos días de que naciera.* □ SINÓNIMOS: bautizo. FAMILIA: → bautizar.

bautizar [verbo] Hacer un sacerdote el acto por el que una persona entra a formar parte de la Iglesia: *Cuando se bautiza a una persona, se le echa agua por la cabeza.* □ [La z se cambia en c delante de e, como en CAZAR]. FAMILIA: bautizo, bautismo.

bautizo [sustantivo] [masculino] Acto por el que una persona entra a formar parte de la Iglesia y en el que el sacerdote le echa agua sobre la cabeza y hace otras señales: *El día del bautizo y el de la comunión son dos días muy importantes para los cristianos.* □ SINÓNIMOS: bautismo. FAMILIA: → bautizar.

baya [sustantivo] [femenino] Fruto redondo, con jugo y con semillas rodeadas de una parte blanda: *Las uvas son bayas.* □ [No confundir con *valla* ni con *vaya*].

bayeta [sustantivo] [femenino] Trozo de tela que se usa para limpiar o para secar una superficie: *Limpia con una bayeta el agua que se ha caído, por favor.*

bayonesa [sustantivo] [femenino] Pastel relleno de cabello de ángel: *Las bayonesas son de hojaldre.* □ [No confundir con *mayonesa*, que es un tipo de salsa].

bayoneta [sustantivo] [femenino] Arma con forma de cu-

chillo y que se coloca en el extremo de un arma de fuego: *El soldado ajustó la bayoneta a su fusil.*

bazar [sustantivo] [masculino] **1** Tienda en la que se venden objetos muy distintos: *En ese bazar tienen chucherías, juguetes y cosas para regalo.* **2** Mercado público de algunos países: *En muchas ciudades turcas hay grandes bazares al aire libre.*

bazo [sustantivo] [masculino] Órgano interno del cuerpo que está a la izquierda del estómago: *El bazo produce células de la sangre y destruye las que no sirven.*

be [sustantivo] [femenino] Nombre de la letra *b*: *La palabra «absorber» tiene dos bes.*

beato, ta [adjetivo o] [sustantivo] Dicho de una persona, que ha sido declarada por la iglesia católica modelo de vida cristiana, pero todavía no es reconocida como santa: *El Papa declaró santos a varios beatos.*

bebé [sustantivo] [masculino] Niño que acaba de nacer o que tiene pocos meses: *El bebé está durmiendo en la cuna.*

bebedor, -a [adjetivo o] [sustantivo] Que bebe demasiadas bebidas alcohólicas: *Si eres bebedor, no lleves tú el coche y deja que conduzca otro.* □ FAMILIA: → beber.

beber [verbo] **1** Tomar un líquido: *Necesito beber algo, porque tengo mucha sed.* **2** Tomar bebidas alcohólicas: *Llevo una vida sana y no bebo ni fumo.* **3** Levantar un recipiente con bebida para expresar un deseo o para celebrar algo: *Todos bebimos a tu salud.* □ SINÓNIMOS: **3** brindar. FAMILIA: bebida, bebedor, bebido.

bebido, da 1 [adjetivo o] [sustantivo] Dicho de una persona, que está bajo los efectos del alcohol que ha tomado: *Es muy peligroso conducir bebido.* [femenino] **2** Líquido que se bebe: *El agua es la bebida más natural.* **3** Hecho de beber demasiado alcohol: *Si tienes un problema, no lo vas a solucionar con la bebida.* □ SINÓNIMOS: **1** borracho. CONTRARIOS: **1** sobrio, sereno. FAMILIA: → beber.

beca [sustantivo] [femenino] Ayuda económica que se da a una persona para que haga sus estudios: *Mis padres no tenían mucho dinero, pero pude estudiar una carrera gracias a una beca.*

becerro, rra [sustantivo] Cría de la vaca, desde que deja de tomar leche hasta los dos años: *Los becerros son más jóvenes que los terneros.*

bechamel [sustantivo] [femenino] Crema blanca, hecha con leche, harina y mantequilla: *Con bechamel se hacen croquetas.* □ [También se escribe *besamel*].

bedel, -a [sustantivo] Persona que trabaja en un centro oficial y que se ocupa de dar información, de mantener el orden y de otras funciones: *La bedela del instituto nos avisó de que un profesor estaba enfermo y no vendría.*

begonia [sustantivo] [femenino] Planta de hojas grandes, verdes por encima y casi rojas por debajo, que se pone en los jardines como adorno, porque tiene muchas flores: *Las flores de las begonias son blancas, rojas o rosadas.* □ [Es distinto de *Begoña*, que es un nombre propio de mujer]. ✍ página 347.

beicon [sustantivo] [masculino] Carne de cerdo que tiene tocino y está tratada con humo para que se conserve: *El domingo desayuné huevos fritos con beicon.* □ [Es una palabra de origen inglés].

beige o **beis** [adjetivo o sustantivo masculino] De color marrón muy claro: *La blusa del uniforme es de color beis, casi crema.* □ [*Beige* se pronuncia «beis». Cuando es adjetivo no varía en masculino y en femenino. *Beis* no varía en singular y en plural. Son palabras de origen francés]. ✍ página 160.

béisbol [sustantivo] [masculino] Deporte que se juega entre dos equipos y que consiste en golpear una pelota con una especie de palo llamado *bate*: *El béisbol es un deporte típico de Estados Unidos.*

belén [sustantivo] [masculino] Grupo de figuras con el que se representa cómo nació Jesucristo: *En Navidad, en mi casa ponemos un belén en el salón y cantamos villancicos delante de él.* □ SINÓNIMOS: nacimiento.

belga [adjetivo o sustantivo] De Bélgica, que es un país de Europa: *Bruselas es la capital belga.* □ [No varía en masculino y en femenino].

belleza [sustantivo] [femenino] **1** Cualidad de lo que resulta agradable de ver o de oír: *La belleza de esta música me emociona. Es un actor de gran belleza.* **2** Lo que resulta muy bello: *Tienes unos hijos que son una belleza.* □ Sɪ-

NÓNIMOS: hermosura, preciosidad. CONTRARIOS: fealdad, espanto. FAMILIA: → bello.

bello, lla [adjetivo] **1** Muy agradable de ver o de oír: *¡Qué paisaje tan bello! Es una historia muy bella.* **2** Que es bueno: *Ayudar a quien lo necesita es una bella acción.* □ [No confundir con *vello*]. SINÓNIMOS: precioso, bonito, hermoso, lindo. CONTRARIOS: feo. FAMILIA: belleza, embellecer.

bellota [sustantivo] [femenino] Fruto de algunos árboles, de color marrón y con una cáscara dura: *Las encinas y los robles dan bellotas.*

BELLOTA

bendecir [verbo] **1** Pedir a Dios que proteja a alguien: *Al final de la misa, el sacerdote bendice a todos los fieles.* **2** Dar carácter sagrado a algo: *Me han regalado una medalla y la hemos llevado a la iglesia para que el sacerdote la bendiga.* **3** Hablar bien de algo, o desear a alguien todo tipo de felicidad: *Bendigo el día en que nos conocimos.* □ [Es irregular]. CONTRARIOS: maldecir. FAMILIA: bendito, bendición.

bendición [sustantivo] [femenino] **1** Petición de la protección divina para alguien: *El sacerdote hizo en el aire la señal de la cruz, y todos los fieles recibieron su bendición.* **2** Acción de dar a algo carácter sagrado: *La bendición de la nueva iglesia tendrá lugar el próximo domingo.* **3** Lo que produce mucha alegría o una gran satisfacción: *Mis padres siempre dicen que los hijos somos una bendición.* □ CONTRARIOS: maldición. FAMILIA: → bendecir.

bendito, ta [sustantivo] Persona muy buena: *¡Cómo te va a hacer daño ése, si es un bendito!* □ CONTRARIOS: maldito. FAMILIA: → bendecir.

beneficiar [verbo] **1** Resultar bueno o útil para algo: *Estas lluvias tardías no benefician la cosecha.* **2** Obtener un beneficio: *Cuando seas mayor, te beneficiarás de todo lo que estás estudiando ahora.* □ SɪNÓNɪ-

MOS: favorecer. CONTRARIOS: perjudicar. FAMILIA: → beneficio.

beneficio [sustantivo masculino] Fruto o ganancia que se obtienen de algo: *Las personas generosas actúan en beneficio de los demás.* □ SINÓNIMOS: provecho, utilidad. FAMILIA: beneficiar, beneficioso, benéfico.

beneficioso, sa [adjetivo] Que resulta útil o bueno para algo: *Hacer deporte es muy beneficioso para la salud.* □ SINÓNIMOS: provechoso, fructífero. FAMILIA: → beneficio.

benéfico, ca [adjetivo] Que se realiza de forma gratuita para ayudar a los más pobres: *Esta tarde hay un concierto benéfico, y el dinero de las entradas se destinará a la construcción de una escuela.* □ FAMILIA: → beneficio.

benigno, na [adjetivo] Que no es malo ni perjudicial: *El tumor es benigno y su vida no corre peligro.* □ CONTRARIOS: maligno. FAMILIA: → bien.

berberecho [sustantivo masculino] Animal marino con dos conchas que vive enterrado en la arena: *De aperitivo nos tomamos una lata de berberechos.*

bendecir	conjugación
INDICATIVO	**SUBJUNTIVO**
presente	**presente**
bendigo	bendiga
bendices	bendigas
bendice	bendiga
bendecimos	bendigamos
bendecís	bendigáis
bendicen	bendigan
pretérito imperfecto	**pretérito imperfecto**
bendecía	bendijera, -ese
bendecías	bendijeras, -eses
bendecía	bendijera, -ese
bendecíamos	bendijéramos, -ésemos
bendecíais	bendijerais, -eseis
bendecían	bendijeran, -esen
pretérito indefinido	**futuro**
bendije	bendijere
bendijiste	bendijeres
bendije	bendijere
bendijimos	bendijéremos
bendijisteis	bendijereis
bendijeron	bendijeren
futuro	**IMPERATIVO**
bendeciré	
bendecirás	**presente**
bendecirá	bendice (tú)
bendeciremos	bendiga (él)
bendeciréis	bendigamos (nosotros)
bendecirán	bendecid (vosotros)
	bendigan (ellos)
condicional	**FORMAS NO PERSONALES**
bendeciría	
bendecirías	**infinitivo** **gerundio**
bendeciría	bendecir bendiciendo
bendeciríamos	
bendeciríais	**participio**
bendecirían	bendecido o bendito

berenjena [sustantivo femenino] Planta cuyo fruto es comestible y de color morado: *En mi huerto tengo plantadas berenjenas.*

bermellón [adjetivo o sustantivo masculino] De un color entre el rojo y el naranja: *Mi madre se pinta los labios de color bermellón.* □ [Cuando es adjetivo no varía en masculino y en femenino]. ☞ página 160.

bermudas [sustantivo plural] Pantalones cortos que llegan hasta las rodillas: *Los bermudas me resultan muy incómodos para hacer deporte porque me dan mucho calor.* □ [Se puede decir los bermudas y las bermudas sin que cambie de significado].

berrear [verbo] **1** Emitir un becerro, un ciervo u otros animales su voz característica: *Los becerros berreaban para llamar a su madre y la vaca, al oírlos, acudió corriendo.* **2** Llorar a gritos: *El bebé está berreando porque tiene hambre.* **3** Hablar a gritos: *Deja ya de berrear, que me vas a dejar sorda.* □ FAMILIA: berrido, berrinche.

berrido [sustantivo masculino] **1** Voz característica del becerro, del ciervo o de otros animales: *¿No oyes los berridos del ciervo?* **2** Grito que molesta: *Eso no es cantar, es dar berridos.* □ FAMILIA: → berrear.

berrinche [sustantivo masculino] Disgusto que se expresa de modo muy claro, llorando o con ruido: *El niño cogió tal berrinche que se le oía llorar desde la calle.* □ [Es coloquial]. FAMILIA: → berrear.

besamel [sustantivo femenino] Crema blanca, hecha con leche, harina y mantequilla: *Haz una besamel para acompañar la verdura.* □ [También se escribe bechamel].

besar [verbo] Tocar o acariciar con los labios: *Mis padres siempre me besan cuando me voy a acostar.* □ FAMILIA: → beso.

beso [sustantivo masculino] Toque o caricia con los labios: *Mamá, dame un beso. Nos dimos un beso y nos fuimos cada uno a nuestra casa.* □ FAMILIA: besar, besucón.

bestia [adjetivo o sustantivo] **1** Dicho de una persona, que es muy mala y se comporta de manera violenta: *No seas bestia y no maltrates a los animales.* **2** Dicho de una persona, que actúa sin inteligencia: *No seas bestia y no digas que dos más dos son cinco.* **3** [sustantivo femenino] Animal de cuatro patas: *El burro es una* *bestia de carga que se usa para arrastrar o llevar grandes pesos.* □ [Los significados **1** y **2** no varían en masculino y en femenino. Se usa como insulto]. SINÓNIMOS: **1,2** bruto, animal. **1** monstruo. FAMILIA: bestial, bestialidad.

bestial [adjetivo] **1** Más propio de una bestia que de una persona: *No sé cómo alguien ha podido cometer un crimen tan bestial.* **2** De tamaño, cantidad o calidad mayores de lo normal: *¿Te vas a comer tú solo ese pastel tan bestial?* □ [No varía en masculino y en femenino. El significado **2** es coloquial. SINÓNIMOS: **2** extraordinario. FAMILIA: → bestia.

bestialidad [sustantivo femenino] Lo que resulta tonto, poco adecuado o cruel: *Es una bestialidad pretender correr el maratón sin haber entrenado antes.* □ SINÓNIMOS: barbaridad. FAMILIA: → bestia.

besucón, -a [adjetivo o sustantivo] Que da muchos besos: *Mi hermanito es muy cariñoso y muy besucón.* □ [Es coloquial]. FAMILIA: → beso.

besugo [sustantivo masculino] **1** Pez marino comestible, con los ojos muy saltones: *El besugo al horno es una de mis comidas preferidas.* **2** Persona torpe y poco inteligente: *No seas besugo y no digas que no sabes cuántas son dos más dos.* □ [El significado **2** es despectivo].

betún [sustantivo masculino] Crema para limpiar los zapatos y darles brillo: *Después de untar el betún, hay que frotar los zapatos con un trapo para que brillen.*

biberón [sustantivo masculino] Especie de botella para dar leche y otros líquidos a los niños pequeños: *Mi hermano pequeño todavía no sabe beber en vaso y siempre usa el biberón.*

biblia [sustantivo femenino] Libro en el que se recogen los textos sagrados de los cristianos y los judíos: *La Biblia está formada por el Antiguo y el Nuevo Testamento.* □ [Se suele escribir con mayúscula]. FAMILIA: bíblico.

bíblico, ca [adjetivo] De la Biblia, que es el libro sagrado de los cristianos y los judíos: *¿Conoces la parábola bíblica del hijo pródigo?* □ FAMILIA: → biblia.

bibliografía [sustantivo femenino] Lista de libros: *Cuando hago un trabajo, al final pongo la bibliografía para que el profesor vea los libros que he consultado.* □ [Es distinto de *biografía*, que es la historia de la vida de una persona].

biblioteca [sustantivo femenino] **1** Edificio o habitación donde hay muchos libros para que la gente los lea o los consulte: *En la biblioteca de mi colegio hay unas mesas muy grandes para que podamos leer cómodos.* 🖎 página 119. **2** Colección de libros: *En mi cuarto tengo una biblioteca de doscientos libros.* **3** Mueble o estantería para colocar libros: *En mi clase tenemos una biblioteca con muchos diccionarios.* □ SINÓNIMOS: **3** librería. FAMILIA: bibliotecario.

bibliotecario, ria [sustantivo] Persona que trabaja en una biblioteca: *Los bibliotecarios son las personas encargadas de la organización y el cuidado de los libros.* □ FAMILIA: → biblioteca. 🖎 página 119.

bicarbonato [sustantivo masculino] Sustancia blanca que se toma con agua cuando nos molesta el estómago: *El bicarbonato disuelto en agua es muy bueno cuando tenemos el estómago revuelto.*

bicharraco, ca [sustantivo] Bicho feo y repugnante: *Las arañas me parecen unos bicharracos horrorosos.* □ [Es despectivo]. FAMILIA: → bicho.

bicho [sustantivo masculino] **1** Animal, especialmente los insectos y otros animales pequeños cuyo nombre no conocemos: *Me ha picado un bicho en el brazo.* **2** Niño travieso: *Mi hija es un bicho y siempre está haciendo travesuras.* **3** Persona con malas intenciones: *No me fío de ti porque eres un bicho.* **4** [expresión] **bicho raro** Persona rara: *Que me guste madrugar no quiere decir que sea un bicho raro.* **todo bicho viviente** Todo el mundo: *En mi casa, todo bicho viviente se hace la cama por las mañanas antes de salir de casa.* □ [Es coloquial. El significado **3** es despectivo]. FAMILIA: bicharraco.

bici [sustantivo femenino] Bicicleta: *Este verano aprendí a montar en bici.* □ [Es coloquial]. FAMILIA: → bicicleta.

bicicleta [sustantivo femenino] Vehículo de dos ruedas iguales, con un sillín, un manillar y dos pedales: *En vacaciones monto mucho en bicicleta.* □ [Se usa mucho la forma abreviada *bici*]. FAMILIA: ciclismo, ciclista. 🖎 página 846.

bicolor [adjetivo] De dos colores: *La bandera de España es bicolor: roja y amarilla.* □ [No varía en masculino y en femenino]. FAMILIA: → color.

bidé [sustantivo] [masculino] Especie de lavabo bajo sobre el que una persona se puede sentar para lavarse: *Mi madre me ha explicado que el bidé lo usan las personas para lavarse el culete.* □ [Es una palabra de origen francés].

BIDÉ

bidón [sustantivo] [masculino] Recipiente con tapa o cierre hermético y que sirve para transportar líquidos: *La gasolina se puede transportar en bidones.*

bien 1 [adjetivo] Con dinero o con una alta posición social: *A este local tan caro suele ir la gente bien.* [sustantivo] [masculino] **2** Lo que resulta útil o hace feliz: *Te he reñido por tu bien.* **3** Lo que se considera perfecto y bueno: *En la película, el héroe era el defensor del bien.* **4** Nota que indica que se sabe algo más que el nivel exigido: *Un bien es menos que un notable.* **5** [sustantivo mas-][culino plural] Conjunto de todas las propiedades y de todo el dinero que alguien tiene: *Tuvo que vender algunos bienes para pagar las deudas.* [adverbio] **6** De buena manera o como debe ser: *Si no me sale bien, tendré que repetirlo. Hoy no me encuentro bien.* **7** Dicho de la forma de empezar a hacer algo, de buena gana o con placer: *Bien te lo diría si lo supiera.* **8** Muy o bastante: *Se lo dije bien claro, pero no me entendió.* **9** Se usa para indicar que se está de acuerdo con algo: *Bien, si tanto lo deseas, te lo regalaré.* **10** [conjunción] Se usa para unir frases que tienen sentidos contrarios: *Bien lo quieres o bien no lo quieres, pero decídete ya.* **11** [expresión] **bien que mal** De una forma o de otra, pero venciendo las dificultades: *Bien que mal, siempre llego a fin de mes con este sueldo.* **de bien** Dicho de una persona, que es honrada con los demás: *Puedes estar seguro de que te ayudarán porque son gente de bien.* **no bien** En el mismo momento: *No bien salí a la calle, empezó a llover.* **si bien** Se usa para expresar oposición: *Acepté sus disculpas, si bien hubiera preferido que no*

me hubiese insultado. **y bien** Se usa para preguntar: *Y bien, ¿qué te pasa ahora?* □ [El significado **1** no varía en masculino y en femenino, ni en singular y plural, y es coloquial]. SINÓNIMOS: **5** hacienda. CONTRARIOS: **2,3,6** mal. FAMILIA: benigno, beneficio, requetebién.

bienaventurado, da [adjetivo o] [sustantivo] Dicho de una persona, que es feliz o que lo será: *Los bienaventurados irán al cielo.* □ FAMILIA: → buenaventura.

bienestar [sustantivo] [masculino] Sensación que tenemos cuando nos sentimos bien y estamos cómodos: *Con estas medidas se intenta lograr el bienestar social de las gentes menos favorecidas.* □ CONTRARIOS: malestar. FAMILIA: → estar.

bienhechor, -a [adjetivo o] [sustantivo] Que ayuda a los demás: *Su presencia bienhechora consiguió calmar al niño.* □ CONTRARIOS: malhechor. FAMILIA: → hacer.

bienvenido, da 1 [adjetivo] Que es recibido con placer o que llega en momento oportuno: *En esta casa siempre serás bienvenido porque te apreciamos mucho.* **2** [sustantivo] [femenino] Demostración de la satisfacción que nos produce la llegada de alguien: *Fuimos a recibir a los abuelos a la estación y a darles la bienvenida.* □ [Se usa para saludar a alguien cuando llega a un lugar: ¡Bienvenidos! ¿Qué tal el viaje?]. FAMILIA: → venir.

bifurcarse [verbo] Dividirse en dos: *Cuando llegues al punto en el que se bifurca la calle, ve hacia la derecha.* □ [La c se cambia en qu delante de e, como en SACAR].

bigote [sustantivo] [masculino] **1** Conjunto de pelos que nacen sobre el labio superior de las personas o de algunos animales: *Mi padre sólo llevaba bigote, pero ahora además lleva barba.* **2** Señal que deja en el labio superior algo que se ha bebido o comido: *No te has limpiado la boca después de comer el helado y tienes bigotes.* □ [Significa lo mismo en singular que en plural]. FAMILIA: bigotudo.

bigotudo, da [adjetivo o] [sustantivo] Que tiene bigote, sobre todo si es grande: *Ese bigotudo es mi tío.* □ FAMILIA: → bigote.

bikini [sustantivo] [masculino] Traje de baño femenino que está formado por dos piezas: *Tomo el sol en bikini para que se me ponga morena la barriga.* □ [También se escribe biquini].

a
b
c
d
e
f
g
h
i
j
k
l
m
n
ñ
o
p
q
r
s
t
u
v
w
x
y
z

a
b
c
d
e
f
g
h
i
j
k
l
m
n
ñ
o
p
q
r
s
t
u
v
w
x
y
z

bilbaíno, na [adjetivo o sustantivo] De la ciudad española de Bilbao: *Los bilbaínos viven cerca del mar.*

bilingüe [adjetivo] **1** Dicho de una persona, que habla y escribe muy bien en dos lenguas: *La mayoría de los catalanes son bilingües.* **2** Dicho de un texto, que está escrito en dos idiomas: *Cuando voy a Francia siempre llevo conmigo un diccionario bilingüe de francés y español.* □ [No varía en masculino y en femenino]. FAMILIA: → lengua.

bilingüismo [sustantivo masculino] Uso normal de dos lenguas por una misma persona: *El bilingüismo es normal en los hijos de padres que hablan dos lenguas distintas.* □ FAMILIA: → lengua.

billar [sustantivo masculino] **1** Juego que se practica sobre una mesa forrada con una tela verde, en la que se ponen bolas de colores a las que hay que dar con la punta de un palo largo: *Jugamos al billar y no conseguí meter ni una bola en los agujeros.* **2** [plural] Local público que tiene esta mesa y otros juegos: *¿Vamos a los billares a jugar una partida de futbolín?*

BILLAR

billete [sustantivo masculino] **1** Papel que representa una cantidad de dinero: *Me devolvió el billete de mil pesetas diciéndome que era falso.* **2** Papel que se compra y que permite entrar en un espectáculo o en un servicio público: *¿Cuánto vale el billete de metro?* **3** Conjunto de papeles iguales que llevan un número escrito y que sirven para participar en un juego en el que toca dinero: *Un billete de lotería tiene diez décimos.* □ FAMILIA: billetera, billetero.

billetero [sustantivo masculino] Cartera de bolsillo que sirve para llevar billetes: *Pagó con un billete que sacó del billetero.* □ [Se usa también el femenino *billetera*]. FAMILIA: → billete.

billón [pronombre numeral] Número 1.000.000.000.000: *Es tan rico que tiene más de un billón de pesetas.*

bimensual [adjetivo] Que sucede dos veces al mes: *Cobro de forma bimensual, es decir, los días 1 y 15 de cada mes.* □ [No varía en masculino y en femenino. Es distinto de *bimestral*, que significa que sucede cada dos meses o que dura dos meses]. FAMILIA: → mes.

bimestral [adjetivo] **1** Que sucede o se repite cada dos meses: *Tengo que hacerme una revisión médica bimestral.* **2** Que dura dos meses: *Estoy haciendo un curso bimestral.* □ [No varía en masculino y en femenino. Es distinto de *bimensual*, que significa que sucede dos veces al mes]. FAMILIA: → mes.

bimestre [sustantivo masculino] Período de tiempo de dos meses: *Enero y febrero forman un bimestre.* □ FAMILIA: → mes. 🔍 página 153.

bingo [sustantivo masculino] **1** Juego en el que se van señalando en un cartón los números que salen en unas bolitas: *Al jugar al bingo hay que estar muy atento para que no se te pase ningún número.* **2** Establecimiento público en el que se organiza este juego: *En el bingo también sirven bebidas.* **3** Premio más alto que se da en este juego: *Se consigue un bingo cuando se tachan todos los números de un cartón.*

biografía [sustantivo femenino] Historia de la vida de una persona: *Me estoy leyendo la biografía de un famoso inventor.* □ [Es distinto de *bibliografía*, que es una lista de libros]. FAMILIA: autobiografía, autobiográfico.

biología [sustantivo femenino] Ciencia que estudia los seres vivos: *La biología estudia las plantas y los animales.* □ FAMILIA: biólogo.

biólogo, ga [sustantivo] Persona que estudia los seres vivos: *Una bióloga está estudiando los organismos que viven en estas charcas.* □ FAMILIA: → biología.

biombo [sustantivo masculino] Especie de pared que se puede doblar y mover de un sitio a otro: *En su casa tienen la sala de estar y el comedor en la misma habitación, pero separados por un biombo.*

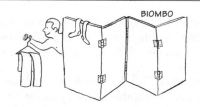

BIOMBO

biquini [sustantivo masculino] Traje de baño femenino que está formado por dos piezas: *¿Me abrochas más fuerte la parte de arriba del biquini, por favor?* □ [Se escribe también *bikini*].

birria 1 [adjetivo o sustantivo femenino] De mala calidad, mal hecho o de poco valor: *Vaya birria de dibujo me ha salido.* **2** [sustantivo] Persona débil o con pocas cualidades: *Un birria como tú no puede levantar ni tres kilos.* □ [Cuando es adjetivo y en el significado **2** no varía en masculino y en femenino. Es despectivo].

bisabuelo, la [sustantivo] Padre de nuestros abuelos: *Mis bisabuelos son ya muy ancianos.* □ FAMILIA: → abuelo.

bisagra [sustantivo femenino] Pieza de metal que permite que las puertas se abran o se cierren: *Las bisagras unen la puerta al marco.*

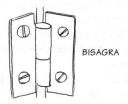

BISAGRA

bisiesto [adjetivo o sustantivo masculino] Dicho de un año, que tiene un día más en el mes de febrero: *Los años bisiestos se repiten cada cuatro años.* 🔍 página 153.

bisnieto, ta [sustantivo] Lo que es una persona respecto de los padres de sus abuelos: *Los hijos de mis nietos son mis bisnietos.* □ [También se escribe *biznieto*]. FAMILIA: → nieto.

bisonte [sustantivo masculino] Animal de color marrón, parecido a un toro pero más fuerte y con el cuello lleno de pelo muy largo: *Los bisontes tienen los cuernos más pequeños que los toros.* □ SINÓNIMOS: búfalo.

bisté o **bistec** [sustantivo masculino] Trozo grande y plano de carne que se cocina: *No sé si pedir pollo o un bisté de ternera.* □ [Son palabras de origen inglés. Su plural es *bistés* o *bistecs*].

bisturí [sustantivo masculino] Especie de cuchillo que usan los médicos para cortar: *En la operación, la cirujana usó las pinzas y el bisturí.* □ [Su plural es *bisturís* o *bisturíes* (más culto)].

bisutería [sustantivo femenino] Conjunto de joyas o de adornos que no están hechos con materiales preciosos, aunque lo parecen: *Estos pendientes de bisutería parecen de oro, pero son de plástico dorado.*

bizco, ca [adjetivo o sustantivo] Dicho de una persona, que tiene los ojos que no miran en la dirección normal: *Es bizco y parece que siempre se mira la punta de la nariz.* □ [Es distinto de *tuerto*, que es el que no tiene visión en un ojo].

bizcocho [sustantivo masculino] Dulce hecho con huevos, harina y azúcar: *Para merendar quiero un vaso de leche y un trozo de bizcocho.*

biznieto, ta [sustantivo] Lo que es una persona respecto de los padres de sus abuelos: *Las hijas de mis nietos son mis biznietas.* □ [También se escribe *bisnieto*]. FAMILIA: → nieto.

blanco, ca 1 [adjetivo] De color muy claro: *Los pescados se suelen comer acompañados de vino blanco. Estoy muy blanca porque no he tomado el sol.* [adjetivo o sustantivo] **2** Que es de una raza que se caracteriza por el color claro de la piel: *En Europa, la raza de personas más numerosa es la blanca.* **3** Del color de la nieve o de la leche: *Mi cuaderno tiene las hojas blancas.* 🔍 página 160. [sustantivo masculino] **4** Objeto hacia el que se dirige un disparo o hacia el que se lanza algo: *En el juego de los dardos, la diana es el blanco.* **5** Fin al que se dirige un acto o un deseo: *No sé por qué soy el blanco de sus iras.* **6** [expresión] **quedarse en blanco** Quedarse sin poder actuar o sin recordar nada: *Cuando me preguntó el profesor, me quedé en blanco y fui incapaz de contestar.* **sin blanca** Sin dinero: *No te puedo prestar dinero porque yo también estoy sin blanca.* □ [La expresión *sin blanca* es coloquial]. CONTRARIOS: **1,2** negro. FAMILIA: blancura, blancuzco, blanquear, blanquecino.

blancura [sustantivo femenino] Color blanco: *Este detergente consigue una mayor blancura en la ropa.* □ CONTRARIOS: negrura. FAMILIA: → blanco.

blancuzco, ca [adjetivo] De color parecido al blanco: *Esa camisa es blancuzca y parece*

a b c d e f g h i j k l m n ñ o p q r s t u v w x y z

que está sucia. □ Sinónimos: blanquecino. Contrarios: negruzco. Familia: → blanco.

blando, da [adjetivo] **1** Que se corta o que se hunde con facilidad al apretar hacia dentro: *La fruta madura es más blanda que la verde.* **2** Que se porta de una forma demasiado amable y agradable: *Eres demasiado blando con tu hijo y lo vas a convertir en un niño mimado.* **3** Débil o que aguanta poco: *No seas tan blando y no llores por tonterías.* □ Sinónimos: **1** tierno. Contrarios: duro. **1** consistente. **2** áspero. Familia: ablandar, blandura.

blandura [sustantivo femenino] **1** Característica de las cosas que se cortan o que se hunden con facilidad al apretarlas: *La blandura de este bizcocho lo convierte en un manjar exquisito.* **2** Característica de lo que es agradable, amable o suave: *Lo tratas con demasiada blandura y lo vas a mimar.* □ Sinónimos: **2** suavidad, dulzura. Contrarios: dureza. Familia: → blando.

blanquear [verbo] **1** Poner de color blanco: *En los pueblos del sur blanquean las casas para que estén más frescas en verano.* **2** Hacer que sea legal un dinero que se ha conseguido por medios que no son legales: *Con estas inversiones blanqueaban el dinero que conseguían con la venta de la droga.* □ [El significado **2** es coloquial]. Familia: → blanco.

blanquecino, na [adjetivo] De color parecido al blanco: *Tiene las manos blanquecinas de haber estado tocando la harina.* □ Sinónimos: blancuzco. Familia: → blanco.

blasfemar [verbo] Decir palabras contra algo que se considera sagrado: *No me gusta que blasfemes aunque estés muy enfadado.* □ Sinónimos: maldecir. Familia: → blasfemia.

blasfemia [sustantivo femenino] Conjunto de palabras que se dicen contra algo que se considera sagrado: *¿Pero tú te das cuenta de que eso es una blasfemia contra Dios?* □ Familia: blasfemar.

bledo [expresión] **un bledo** Muy poco o nada: *Me importa un bledo que no vengas a la fiesta.* □ [Es coloquial].

blindar [verbo] Cubrir algo con hojas de metal para que quede muy resistente: *Blindaron la puerta para impedir robos.*

bloc [sustantivo masculino] Conjunto de hojas de papel que forman una especie de libro: *He entregado el bloc de dibujo para que el profesor revise mis trabajos.* □ [Su plural es blocs]. Familia: → bloque.

bloque [sustantivo masculino] **1** Trozo muy grande de piedra o de otro material: *Esos grandes bloques de hormigón son para hacer un dique.* **2** Edificio grande de pisos: *Yo vivo en el sexto piso de este bloque.* **3** Conjunto de cosas con alguna característica común: *Los miembros del partido están divididos en dos bloques: los conservadores y los renovadores.* □ Familia: bloc, bloquear.

bloquear [verbo] **1** Impedir que algo pase por un sitio: *Un derrumbamiento de rocas ha bloqueado la carretera.* **2** Parar algo que se está moviendo: *El portero consiguió bloquear el balón.* **3** Impedir que algo funcione: *La cerradura se ha bloqueado y no podemos abrir la puerta.* **4** No dejar actuar o pensar: *Los nervios me bloquearon y no supe contestar a ninguna pregunta.* **5** Impedir el desarrollo de un proceso: *Las relaciones entre los dos países se han bloqueado debido al incidente.* □ [El significado **4** es coloquial]. Familia: → bloque.

blusa [sustantivo femenino] Camisa de mujer: *Se me ha caído uno de los botones de la blusa.* □ Familia: blusón.

blusón [sustantivo masculino] Camisa de mujer larga y amplia: *Si te pones ese blusón, no se nota que estás embarazada.* □ Familia: → blusa.

boa [sustantivo femenino] Serpiente muy grande y fuerte que no es venenosa: *La boa es una serpiente americana.*

bobada [sustantivo femenino] **1** Lo que se hace o se dice sin una base razonable: *Esto que dices es una bobada y no me lo creo.* **2** Cosa tonta o sin importancia: *No te enfades por esa bobada.* □ Sinónimos: tontería, tontada. **2** pamplina, niñería, pequeñez, chorrada. Familia: → bobo.

bobalicón, na [adjetivo o sustantivo] Muy tonto: *Ese bobalicón se lo cree todo.* □ [Es coloquial]. Sinónimos: tontorrón. Familia: → bobo.

bobería [sustantivo femenino] Lo que se hace o se dice sin una base razonable: *Cállate, porque no dices más que boberías.* □ Sinónimos: bobada, tontería, tontada, tontuna. Familia: → bobo.

bobina [sustantivo/femenino] Hilo o alambre que está enrollado sobre sí mismo: *Fui a la mercería a comprar una bobina de hilo.* ☐ [No confundir con *bovina*].

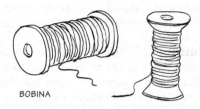

BOBINA

bobo, ba [adjetivo o/sustantivo] Que actúa con poca inteligencia: *No seas boba y no te creas todo lo que te dice.* ☐ [Se usa como insulto]. SINÓNIMOS: necio, tonto, memo. CONTRARIOS: inteligente. FAMILIA: bobada, bobería, bobalicón, embobar.

boca [sustantivo/femenino] **1** Parte de la cara por la que se come: *La lengua está en la boca.* **2** Agujero que comunica un lugar o un objeto con el exterior: *El tapón se mete en la boca de la botella.* **3** Persona o animal a los que se les da de comer: *Cuando mi amigo viene de vacaciones con nosotros es una boca más que alimentar.* **4** Forma de hablar de una persona: *¡Vaya boca tienes, no dices más que palabrotas!* **5** [expresión] **a pedir de boca** Tal y como se deseaba: *Está feliz porque el negocio ha salido a pedir de boca.* **abrir la boca** Hablar: *Debe de estar enfadado, porque no ha abierto la boca desde que hemos llegado.* **boca a boca** Forma de hacer respirar a una persona que consiste en poner la propia boca sobre la de esa persona que no respira y soplar con fuerza: *El socorrista hizo el boca a boca al niño que casi se ahogó en la piscina.* **con la boca abierta** Muy sorprendido: *Cuando me dijo que no, me quedé con la boca abierta.* **con la boca pequeña** Sin desear realmente hacer lo que se ha ofrecido: *Me dijo que me acompañaría con la boca pequeña, porque yo sé que no quería salir de casa.* **de boca** Con palabras pero sin ser de verdad: *De boca eres muy valiente, pero luego no te atreves a hacer nada.* **hacérsele a alguien la boca agua** Disfrutar mucho pensando en algo que se desea: *Se me hace la boca agua pensando en la tarta.* ☐ [El significado **4** y las expresiones son coloquiales]. FAMILIA: boquilla, boquiabierto, bocabajo, bocadillo, bocado, bocata, bocazas, bocanada, boquete, desembocar, desembocadura, desbocarse.

bocabajo [adverbio] Poniendo abajo la parte que suele estar arriba: *Yo duermo bocabajo.* ☐ [Se escribe también *boca abajo*]. FAMILIA: → boca.

bocacalle [sustantivo/femenino] Parte por donde una calle se une a otra mayor: *Para llegar a la plaza tienes que torcer al llegar a la primera bocacalle.* ☐ FAMILIA: → calle.

bocadillo [sustantivo/masculino] Trozo de pan cortado en dos partes y con algún alimento dentro: *Cuando voy de excursión siempre me llevo un bocadillo de queso.* ☐ SINÓNIMOS: bocata. FAMILIA: → boca.

bocado [sustantivo/masculino] **1** Trozo de comida que se mete en la boca de una vez: *Para saborear la comida debes comerla en pequeños bocados.* **2** Hecho de apretar algo con los dientes: *De un bocado se comió la mitad del bocadillo.* **3** Instrumento de hierro que se pone en la boca de los caballos para sujetarlos y dirigirlos: *Si no le pones bien el bocado al caballo, puedes hacerle daño en la boca.* ☐ SINÓNIMOS: **1** mordisco. **3** freno. FAMILIA: → boca.

bocamina [sustantivo/femenino] Lugar por donde se entra a una mina: *Cuando terminó la jornada de trabajo, los mineros salieron del pozo por la bocamina.* ☐ FAMILIA: → mina. 🐦 página 538.

bocanada [sustantivo/femenino] **1** Cantidad de aire, de humo o de líquido que se toma de una vez con la boca o que se saca de ella: *Me molesta mucho que me echen bocanadas de humo a la cara.* **2** Aire o humo que sale o entra de una vez por una abertura: *Al abrir la puerta entró una bocanada de aire fresco.* ☐ FAMILIA: → boca.

bocata [sustantivo/masculino] Bocadillo: *Para merendar quiero un bocata de jamón.* ☐ [Es coloquial]. FAMILIA: → boca.

bocazas [sustantivo] Persona que habla demasiado o que sólo dice cosas tontas: *No seas bocazas y no vayas contando el secreto por ahí.* ☐ [No varía en masculino y en femenino, ni en singular y plural. Es despectivo y se usa como insulto]. FAMILIA: → boca.

boceto [sustantivo] [masculino] Dibujo que se hace de forma rápida y que luego servirá para hacer una pintura: *Antes de ponerme a pintar hago diferentes bocetos a lápiz y elijo el que más me gusta.*

bochorno [sustantivo] [masculino] **1** Calor muy grande que produce una sensación de ahogo: *Con este bochorno me siento muy cansada.* **2** Sensación producida por algo que no nos parece digno: *Menudo bochorno sentí cuando me llamaron la atención delante de todos.* □ SINÓNIMOS: **2** vergüenza. FAMILIA: bochornoso.

bochornoso, sa [adjetivo] **1** Dicho del tiempo, que es tan caluroso que produce una sensación de ahogo: *Los días bochornosos suelen terminar en tormenta.* **2** Que produce vergüenza: *Que los vecinos te vean llegar a casa borracho tiene que ser bochornoso.* □ SINÓNIMOS: **2** vergonzoso. FAMILIA: → bochorno.

bocina [sustantivo] [femenino] Instrumento que hace un ruido agudo cuando se toca: *Un coche me tocó la bocina para avisarme que no cruzara la calle.* □ SINÓNIMOS: pito, claxon.

boda [sustantivo] [femenino] Ceremonia o fiesta en la que dos personas se casan: *La boda de mi hermano se celebró en una ermita.* □ [Significa lo mismo en plural que en singular].

bodega [sustantivo] [femenino] **1** Lugar en el que se hace y se almacena el vino: *Vamos a llevar a la bodega la uva que hemos cosechado.* **2** Tienda en la que se vende vino y otras bebidas alcohólicas: *En las bodegas suelen tener vino embotellado y vino en toneles.* **3** Espacio donde llevan la carga algunos barcos: *Para sacar y meter la carga de las bodegas se usan potentes grúas.* □ FAMILIA: bodeguero, bodegón.

bodegón [sustantivo] [masculino] Cuadro o pintura donde se representan seres sin vida y objetos que se usan normalmente: *Pinté un bodegón con una hogaza de pan y una jarra de vino.* □ FAMILIA: → bodega.

bodeguero, ra [sustantivo] Persona que trabaja en una tienda en la que se vende vino y otras bebidas alcohólicas: *Dile al bodeguero que te venda un litro de vino.* □ FAMILIA: → bodega.

bofetada [sustantivo] [femenino] **1** Golpe dado en la cara con la mano abierta: *Como no dejes de molestarme te voy a dar una bofetada.* **2** Golpe muy fuerte: *¡Vaya bofetada me pegué cuando tropecé bajando las escaleras].* □ [El significado **2** es coloquial]. SINÓNIMOS: tortazo. **2** trompazo, porrazo, batacazo. FAMILIA: bofetón, abofetear.

bofetón [sustantivo] [masculino] Golpe muy fuerte que se da en la cara con la mano abierta: *Si no te callas te vas a ganar un buen bofetón.* □ SINÓNIMOS: chufa. FAMILIA: → bofetada.

boicot [sustantivo] [masculino] Medida de presión que se hace para conseguir algo y que consiste en impedir que se lleve a cabo un acto: *Dice que hay un boicot contra él y que por eso nadie acepta sus propuestas.* □ [Es una palabra de origen inglés. Su plural es boicotes]. FAMILIA: boicotear.

boicotear [verbo] Impedir un acto como medida de presión para lograr algo: *Algunos deportistas boicotearon la entrega de medallas para protestar contra la falta de ayudas.* □ FAMILIA: → boicot.

boina [sustantivo] [femenino] Gorra redonda que suele ser de color negro: *Mi abuelo se quita la boina cuando entra en una iglesia.*

bola [sustantivo] [femenino] **1** Objeto redondo de cualquier material: *Me tiró una bola de nieve.* **2** Mentira: *Eso que dices es una bola y nadie se lo cree.* **3** Testículo. **4** [expresión] **en bolas** Desnudo: *En esa playa de nudistas la gente se baña en bolas.* □ [Los significados **2** y **4** son coloquiales. El uso del significado **3** es vulgar y se usa mucho en expresiones vulgares]. SINÓNIMOS: **2** trola, embuste, falsedad. FAMILIA: bolazo, bolo, bolera, bolero.

bolazo [sustantivo] [masculino] Golpe dado con una bola: *Cuando nieva, jugamos a darnos bolazos de nieve.* □ FAMILIA: → bola.

bolero, ra **1** [adjetivo o sustantivo] Mentiroso: *No le hagas caso porque es una bolera.* **2** [sustantivo] [masculino] Baile que se hace al ritmo de una música lenta y dulce: *Los boleros son muy románticos.* **3** [sustantivo] [femenino] Establecimiento público en el que se practica un juego que consiste en tirar con una bola unas piezas que están de pie: *Vamos a la bolera a jugar una partida de bolos.* □ [El significado **1** es coloquial]. FAMILIA: → bola.

boletín [sustantivo] [masculino] **1** Especie de revista que informa sobre un tema determinado: *Esto que me preguntas lo encontrarás en el boletín oficial del Estado.* **2** Programa de radio o de televisión en el que se dan las noticias de forma corta: *A media tarde hay un boletín informativo y por la noche, el telediario.* **3** Papel en el que se escriben los datos personales para apuntarse a recibir algo durante un cierto tiempo: *Si quieres recibir esta revista, rellena el boletín de suscripción y envíalo a esta dirección.*

boleto [sustantivo] [masculino] Papel con el que se puede participar en algunos juegos: *¿Has rellenado el boleto de las quinielas?*

[boli [sustantivo] [masculino] Bolígrafo: *Escribe las correcciones con el boli rojo.* □ [Es coloquial]. FAMILIA: → bolígrafo.

bólido [sustantivo] [masculino] Vehículo que puede correr a gran velocidad: *Los automóviles de carreras son bólidos.*

bolígrafo [sustantivo] [masculino] Especie de lápiz que tiene tinta en su interior: *Lo que escribes con lápiz se puede borrar, pero lo que escribes con bolígrafo, no.* □ [Se usa mucho la forma abreviada *boli*].

bollería [sustantivo] [femenino] **1** Tienda donde se hacen o se venden bollos: *A la salida del colegio hay una bollería donde también venden pan y chucherías.* **2** Conjunto de bollos de diversas clases: *La bollería de esta tienda es riquísima.* □ FAMILIA: → bollo.

bollo [sustantivo] [masculino] **1** Especie de pastel hecho con una masa de harina y agua cocida al horno: *Esta mañana me he tomado un bollo para desayunar.* **2** Bulto o hundimiento que salen en una superficie dura por efecto de un golpe: *Se me ha caído la lata de conservas y se le ha hecho un bollo.* **3** Situación confusa y de jaleo: *¡Menudo bollo se montó a la salida del concierto, con tantísima gente!* □ [Los significados **2** y **3** son coloquiales]. FAMILIA: bollería, abollar, abolladura.

bolo [sustantivo] [masculino] Pieza alargada con la base plana que forma parte de un juego que consiste en tirar esas piezas con una bola que se lanza rodando: *La bola que se usa en el juego de los bolos tiene unos agujeros para meter los dedos y sujetarla mejor.* □ FAMILIA: → bola.

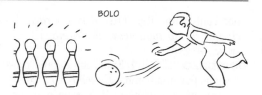

BOLO

bolsa [sustantivo] [femenino] **1** Especie de saco hecho de tela o de otro material flexible y que se usa para llevar o guardar cosas: *Mi bolsa de deportes es de color azul.* **2** Arruga o pliegue: *Mi bisabuelo es ya mayor y tiene bolsas debajo de los ojos.* □ FAMILIA: bolso, bolsillo.

bolsillo 1 [sustantivo] [masculino] Especie de bolsa que hay en algunas prendas de vestir y que se usa para guardar cosas dentro: *Sacó el pañuelo del bolsillo y se sonó.* **2** [expresión] **de bolsillo** De un tamaño que cabe en un bolsillo: *Los libros de bolsillo son más baratos que las ediciones lujosas.* **meterse a alguien en el bolsillo** Conseguir que haga lo que uno quiere: *Te has metido a mis padres en el bolsillo y siempre me dejan ir a tu casa.* □ FAMILIA: → bolsa.

bolso [sustantivo] [masculino] Especie de bolsa que se suele llevar en la mano o colgada al hombro: *Mi madre siempre lleva caramelos en el bolso.* □ FAMILIA: → bolsa.

bomba [sustantivo] [femenino] **1** Aparato que explota en el momento adecuado: *La bomba destruyó una parte del edificio.* **2** Máquina que se usa para empujar un líquido o un gas en una dirección determinada: *Hincha las ruedas de la bici con la bomba.* **3** Noticia que sorprende mucho: *La boda de ese actor ha sido una bomba.* **4** [expresión] **pasarlo bomba** Pasarlo muy bien y divertirse mucho: *En el circo nos lo hemos pasado bomba.* □ [El significado **4** es coloquial]. SINÓNIMOS: **3** bombazo. FAMILIA: bombazo, bombardear, bombardeo, bombear.

bombacho [adjetivo o sustantivo masculino] Dicho de un pantalón, que es muy ancho y por abajo se ata en la pierna, entre la rodilla y el tobillo: *Algunos jugadores de golf llevan pantalones bombachos.*

bombardear [verbo] Lanzar bombas sobre un sitio: *Los aviones bombardearon la ciudad durante toda la noche.* □ FAMILIA: → bomba.

bombardeo [sustantivo] [masculino] Lanzamiento de bom-

a
b
c
d
e
f
g
h
i
j
k
l
m
n
ñ
o
p
q
r
s
t
u
v
w
x
y
z

bas contra un sitio: *Tras el bombardeo, la ciudad quedó totalmente destruida.* □ FAMILIA: → bomba.

bombazo [sustantivo] [masculino] **1** Explosión o daño producidos por una bomba: *El bombazo hizo un agujero en la carretera.* **2** Noticia que sorprende mucho: *La noticia de que ese famoso actor va a ir a la cárcel ha sido un bombazo.* □ SINÓNIMOS: **2** bomba. FAMILIA: → bomba.

bombear [verbo] **1** Empujar un líquido en alguna dirección: *El corazón bombea la sangre para que llegue a todo el cuerpo.* **2** Lanzar un balón alto y suavemente, haciendo que dibuje una curva: *El jugador bombeó el balón sobre el portero y metió gol.* □ FAMILIA: → bomba.

bombero, ra [sustantivo] Persona cuyo trabajo consiste en apagar los incendios: *Los coches de bomberos tienen una escalera muy larga.* 🔍 página 794.

bombilla [sustantivo] [femenino] Aparato de cristal que se pone en las lámparas para dar luz: *Esta bombilla se ha fundido.*

bombín [sustantivo] [masculino] Sombrero que tiene la parte de arriba baja y redonda: *Un caballero inglés me saludó quitándose el bombín.* □ SINÓNIMOS: sombrero hongo.

BOMBÍN

bombo [sustantivo] [masculino] **1** Especie de tambor muy grande que se toca sólo con una maza: *Mi padre es músico y toca el bombo en una orquesta.* 🔍 página 607. **2** Especie de jaula redonda que gira y que contiene las bolas para sacar el número premiado en un sorteo: *El día del sorteo de la lotería, todos esperaban nerviosos cuál sería el número del bombo que saldría premiado.* **3** Propaganda o alabanza excesivas: *No me des tanto bombo, porque no te pienso comprar lo que me pides.* **4** [expresión] **a bombo y platillo** Con mucha publicidad: *Anunciaron su boda a bombo y platillo.* □ [Los significados **3** y **4** son coloquiales]. FAMILIA: abombar.

bombón [sustantivo] [masculino] **1** Dulce pequeño hecho de chocolate: *Me gustan los bombones que tienen avellanas dentro.* **2** Persona que tiene un cuerpo muy bonito: *¡Menudo bombón tienes por hermano!* □ [El significado **2** es coloquial]. FAMILIA: bombonera.

bombona [sustantivo] [femenino] Recipiente de metal que contiene un gas: *La bombona de gas de mi casa es de color naranja.*

bombonera [sustantivo] [femenino] Recipiente donde se guardan bombones: *Al coger un bombón, se me cayó la bombonera de cristal y se rompió.* □ FAMILIA: → bombón.

bonachón, -a [adjetivo o] [sustantivo] Que tiene un carácter tranquilo y amable: *Mi hermano es muy bonachón y nunca pierde los nervios ni me grita.* □ [Es coloquial]. FAMILIA: → bueno.

bondad [sustantivo] [femenino] **1** Característica de las personas que hacen el bien: *Tu bondad hace que perdones siempre a todos los que te hacen daño.* **2** Característica de las cosas que son buenas o agradables: *Muchos turistas vienen a España por la bondad de su clima.* □ CONTRARIOS: maldad. FAMILIA: → bueno.

bondadoso, sa [adjetivo] Que siempre está dispuesto a hacer el bien: *Es una persona bondadosa y da todo lo que tiene a los pobres.* □ FAMILIA: → bueno.

bonito, ta 1 [adjetivo] Muy agradable de ver o de oír: *¡Qué paisaje tan bonito se ve desde lo alto de la montaña!* **2** [sustantivo] [masculino] Pez marino de color gris con varias líneas azules: *Eché una lata de bonito en aceite en la ensalada.* □ SINÓNIMOS: **1** precioso, bello, hermoso, lindo. CONTRARIOS: feo.

bono [sustantivo] [masculino] **1** Papel que permite usar un servicio un número determinado de veces: *Piqué el bono en la máquina que hay a la entrada del autobús.* **2** Papel que tiene el valor de lo que está escrito en él y que sirve para cambiarlo por otra cosa: *Cuando me compré los pantalones, me regalaron un bono para un desfile de modelos.*

bonobús [sustantivo] [masculino] Tarjeta que permite usar los autobuses un número determinado de veces: *Este bonobús sirve para hacer diez viajes.*

bonsái [sustantivo] [masculino] Árbol muy pequeño que se cultiva dentro de las casas: *Hay que cortar* continuamente las ramas de los bonsáis para que no crezcan.

boñiga [sustantivo femenino] Caca de vaca y de otros animales: *En esa vaquería huele muy mal porque hay muchas boñigas.*

boquerón [sustantivo masculino] Pez marino muy pequeño: *Los boquerones suelen comerse fritos o en vinagre.*

boquete [sustantivo masculino] Agujero redondo que se hace en una superficie: *Al intentar clavar el cuadro, hice un boquete en la pared.* □ FAMILIA: → boca.

boquiabierto, ta [adjetivo] Con la boca abierta a causa de la sorpresa recibida: *Me dejó boquiabierto cuando me contó lo que le había pasado.* □ FAMILIA: → boca.

boquilla [sustantivo femenino] **1** Tubo pequeño donde se coloca un cigarrillo para fumarlo: *Mi abuelo fuma con boquilla porque dice que así entra menos nicotina a los pulmones.* **2** Parte de un cigarrillo que no se fuma y que se apoya en la boca: *La boquilla de este cigarrillo es de color naranja.* **3** Parte de algunas cosas, que se apoya en la boca y por la que se sopla o se aspira: *Las trompetas y las flautas tienen boquilla.* **4** [expresión] **de boquilla** Que se dice pero no se hace: *Sus promesas son de boquilla, porque nunca las cumple.* □ FAMILIA: → boca.

bordado [sustantivo masculino] Conjunto de figuras que se cosen en una tela: *Me gusta el bordado de ese mantel.* □ FAMILIA: → bordar.

bordar [verbo] **1** Hacer figuras con hilos en una tela: *Mi abuela está bordando unas sábanas.* **2** Hacer algo muy bien: *¡Enhorabuena, has bordado el trabajo!* □ FAMILIA: bordado.

borde 1 [adjetivo o sustantivo] Poco agradable y amable: *Deberías ser menos borde y tratar de ser más simpático.* **2** [sustantivo masculino] Línea o zona donde acaba algo: *No te acerques al borde del andén. Llené la taza hasta el borde.* **3** [expresión] **estar al borde de algo** Estar muy cerca de ello: *Está tan triste que está al borde de una depresión.* □ [El significado **1** es coloquial y no varía en masculino y en femenino]. FAMILIA: bordear, bordillo, desbordar, desbordante.

bordear [verbo] **1** Ir por el borde de algo o muy cerca de él: *El barco bordeó la costa.* **2** Estar colocado al borde de algo: *Los árboles bordean el río.* □ FAMILIA: → borde.

bordillo [sustantivo masculino] Borde de una acera o de algo parecido: *Has aparcado el coche muy separado del bordillo.* □ FAMILIA: → borde.

BORDILLO

borrachera [sustantivo femenino] Pérdida de las capacidades físicas o mentales por haber tomado demasiadas bebidas alcohólicas: *Tenía tal borrachera que no sabía lo que decía.* □ SINÓNIMOS: pedo, mona, trompa, merluza. FAMILIA: → borracho.

borracho, cha [adjetivo o sustantivo] **1** Dicho de una persona, que está bajo los efectos del alcohol que ha tomado: *Está prohibido conducir borracho.* **2** Que toma de manera habitual bebidas alcohólicas: *Los borrachos necesitan ayuda médica.* **3** [adjetivo o sustantivo masculino] Dicho de un dulce, que ha sido metido en un líquido muy dulce: *Me encantan los pasteles borrachos.* □ SINÓNIMOS: **1** ebrio, bebido. CONTRARIOS: **1** sereno, sobrio. FAMILIA: borrachera, emborrachar.

borrador [sustantivo masculino] **1** Objeto que se usa para quitar lo que está escrito o dibujado: *Borré la pizarra con el borrador.* **2** Lo que se escribe o se dibuja por primera vez para añadir o quitar cosas: *Pasé a limpio el borrador del trabajo de clase.* □ FAMILIA: → borrar.

borrar [verbo] **1** Hacer desaparecer de una superficie lo que está escrito o dibujado: *Borra la pizarra, por favor. Borré la suma porque la había hecho mal.* **2** Quitar o hacer desaparecer algo de algún sitio: *Ya no quiero participar en el concurso y he dicho que me borren.* □ FAMILIA: borrador, borroso, borrón.

borrasca [sustantivo femenino] Situación del tiempo que se caracteriza porque las temperaturas son más bajas y hay fuertes lluvias y vientos: *Se acerca una borrasca y hará mucho frío.*

borrego, ga 1 [adjetivo o sustantivo] Que hace siempre lo que dicen los demás: *Eres un borrego y siempre tienes que hacer lo que hacen tus amigos.* **2** [sustantivo] Cría de la oveja de uno o dos años: *El borrego no se separa de su madre.* ☐ [El significado **1** es despectivo].

borrico, ca [adjetivo o sustantivo] **1** Que tiene poca inteligencia o que tarda en comprender las cosas: *Hay que ser borrico para no entender este problema tan sencillo.* **2** Que tiene una idea fija y que no se deja convencer: *Es un borrico y no hay forma de hacer que cambie de idea.* **3** Que resiste mucho en el trabajo: *No seas tan borrico y descansa un rato.* **4** [sustantivo] Animal parecido al caballo, pero más pequeño: *El granjero iba montado en un borrico.* ☐ [Los significados **1**, **2** y **3** son coloquiales. Se usa como insulto]. SINÓNIMOS: burro. **2** testarudo, terco, tozudo. **4** asno. FAMILIA: → burro.

borrón 1 [sustantivo masculino] Señal de tinta que queda en un papel: *Se salió la tinta de la pluma e hice un borrón en la hoja.* **2** [expresión] **borrón y cuenta nueva** Se usa para indicar que lo pasado ha quedado ya olvidado y se empieza algo nuevo: *Estaba tan cansado de todo que dejó el trabajo y decidió hacer borrón y cuenta nueva en su vida.* ☐ FAMILIA: → borrar.

borroso, sa [adjetivo] Que no se ve bien o que no está claro: *Tengo problemas de vista y veo borrosas las letras.* ☐ FAMILIA: → borrar.

bosnio, nia [adjetivo o sustantivo] De Bosnia-Herzegobina, que es un país de Europa: *El territorio bosnio formaba, junto con el serbio y el croata, la antigua Yugoslavia.*

bosque [sustantivo masculino] Terreno con muchos árboles y con otras plantas: *En el norte de España hay muchos bosques.* ☐ FAMILIA: guardabosque, guardabosques. 🔲 página 845.

bostezar [verbo] Abrir la boca sin querer cuando tenemos sueño, hambre o aburrimiento: *Deja de bostezar y vete a la cama.* ☐ [La z se cambia en c delante de e, como en CAZAR]. FAMILIA: bostezo.

bostezo [sustantivo masculino] Hecho de abrir la boca sin querer cuando tenemos sueño, hambre o aburrimiento: *La película era tan aburrida que empecé a dar bostezos.* ☐ FAMILIA: → bostezar.

bota [sustantivo femenino] **1** Zapato que cubre el pie y parte de la pierna: *Las botas que uso en invierno están forradas de piel.* **2** Recipiente que se usa para beber vino y que está hecho con la piel de algunos animales: *Para beber en bota tienes que colocarla en alto.* **3** [expresión] **ponerse las botas** Llenarse de algo: *En la fiesta había tanta comida que me puse las botas.* ☐ [El significado **3** es coloquial]. FAMILIA: botín, limpiabotas.

botánico, ca 1 [adjetivo] De la botánica o relacionado con esta ciencia: *En el jardín botánico hay muchas especies diferentes de plantas y de árboles.* **2** [sustantivo] Persona que se dedica al estudio de las plantas: *Un famoso botánico ha descubierto un tipo de flor desconocido hasta ahora.* **3** [sustantivo femenino] Ciencia que estudia las plantas: *Mi madre estudió biología y está especializada en botánica.*

botar [verbo] **1** Salir un cuerpo en otra dirección después de haber chocado contra una superficie: *Esta pelota está desinflada y no bota.* **2** Dar saltos: *Deja de botar sobre la cama, que vas a romper las patas.* **3** Echar un barco al agua por primera vez: *Antes de botar el barco, el alcalde estrelló en él una botella de champán.* ☐ [No confundir con *votar*]. FAMILIA: bote, rebotar, rebote.

bote [sustantivo masculino] **1** Recipiente pequeño, más alto que ancho, que se usa para guardar algo: *Meto los lápices en un bote de plástico.* **2** Barco pequeño que tiene unas tablas a lo ancho para poder sentarse: *Alquilamos un bote en el lago y remamos durante un buen rato.* **3** Salto que se da al chocar con una superficie o al subir hacia arriba con fuerza: *Se me escapó la pelota y bajó las escaleras dando botes.* **4** Premio que queda de un juego celebrado días antes y que se suma al siguiente: *El bote de esta semana es de varios millones porque en la anterior nadie acertó la quiniela.* **5** [expresión] **chupar del bote** Sacar beneficio de algo sin hacer esfuerzos: *No seas holgazán y trabaja con nosotros, porque no vamos a consentir que chupes del bote.* **de bote en bote** Muy lleno: *El local estaba de bote en bote y no pudimos entrar.* **tener a alguien en el bote** Tenerlo a favor nuestro: *Ya sabes que me tienes en el bote y que me puedes pedir lo que quieras.* ☐ SINÓNIMOS: **2** barca. FAMILIA: → botar.

botella [sustantivo femenino] Recipiente de cuello alargado y estrecho y que se usa para guardar líquidos: *Guardé la botella de leche en la nevera.* ☐ FAMILIA: botellazo, botellín, abrebotellas, embotellar, embotellamiento.

botellazo [sustantivo] [masculino] Golpe que se da con una botella: *Hubo una pelea y a un chico le dieron un botellazo en la cabeza.* ☐ FAMILIA: → botella.

botellín [sustantivo] [masculino] Botella pequeña: *Ese señor ha pedido un botellín de cerveza.* ☐ FAMILIA: → botella.

botica [sustantivo] [femenino] Lugar en el que se hacen y se venden medicinas: *Mi padre dice que su abuelo llamaba botica a la farmacia.* ☐ SINÓNIMOS: farmacia. FAMILIA: boticario.

boticario, ria [sustantivo] Persona que prepara y vende medicinas en una farmacia: *El boticario me ha aconsejado una pomada para los picores.* ☐ SINÓNIMOS: farmacéutico. FAMILIA: → botica.

botijo [sustantivo] [masculino] Recipiente de barro que se usa para mantener el agua fresca: *En verano siempre tenemos un botijo en el jardín para beber cuando nos entra la sed.*

BOTIJO

botín [sustantivo] [masculino] **1** Bota que tapa el tobillo: *En invierno uso botines porque abrigan más que los zapatos.* **2** Conjunto de objetos robados: *El botín del robo asciende a varios millones de pesetas.* **3** Conjunto de armas y de objetos que el vencedor quita al vencido después de una batalla: *Los piratas se repartieron el botín.* ☐ FAMILIA: → bota.

botiquín [sustantivo] [masculino] Lugar donde se guardan medicinas, vendas, alcohol y otras cosas necesarias para los primeros auxilios: *Cuando me caí en el patio, fui al botiquín del colegio para que me desinfectaran las heridas.* ☐ [Es distinto de *enfermería*, que es un lugar donde se atiende a los heridos y a los enfermos].

botón [sustantivo] [masculino] **1** Pieza que sirve para abrochar una prenda de vestir: *Nunca me abrocho el botón superior de las camisas.* **2** Pie-

za que hay que apretar en algunos aparatos para que empiecen a funcionar: *Para que suene la música tienes que apretar el botón rojo de la derecha.* **3** [expresión] **botón de oro** Un tipo de flor: *El botón de oro es amarillo.* 🔍 página 346. ☐ FAMILIA: abotonar, botones.

botones [sustantivo] Persona que trabaja haciendo recados y encargos en un hotel: *Cuando estuvimos en el hotel, el botones nos subió la maleta a la habitación.* ☐ [No varía en masculino y en femenino, ni en singular y plural]. FAMILIA: → botón. 🔍 página 795.

boutique [sustantivo] [femenino] Tienda especializada en la venta de un tipo de productos: *En esta boutique de ropa se venden vestidos de fiesta.* ☐ [Es una palabra francesa. Se pronuncia «butík». Su plural es *boutiques*].

bóveda [sustantivo] [femenino] Especie de techo curvo y alargado: *El pasillo del convento estaba cubierto por una bóveda.* ☐ [Es distinto de *cúpula*, que tiene forma de media esfera].

BÓVEDA

bovino, na [adjetivo] De las vacas, de los toros y de este tipo de animales, o relacionado con ellos: *El ganado bovino era la fuente de riqueza de los ganaderos en el Oeste americano.* ☐ [No confundir con *ovino* ni con *bobina*]. SINÓNIMOS: vacuno. FAMILIA: → buey.

boxeador, -a [sustantivo] Persona que practica el deporte del boxeo: *Los boxeadores llevan pantalones cortos pero no llevan camiseta.* ☐ FAMILIA: → boxeo.

boxear [verbo] Practicar un deporte que consiste en luchar a puñetazos: *Para boxear hay que ponerse unos guantes especiales.* ☐ FAMILIA: → boxeo.

boxeo [sustantivo] [masculino] Deporte en el que dos personas luchan a puñetazos: *No me gusta el boxeo porque me parece un deporte violento.* ☐ FAMILIA: boxear, boxeador.

boya [sustantivo] [femenino] Objeto que está sujeto al fondo del mar y que flota en la superficie para

a
b
c
d
e
f
g
h
i
j
k
l
m
n
ñ
o
p
q
r
s
t
u
v
w
x
y
z

a
b
c
d
e
f
g
h
i
j
k
l
m
n
ñ
o
p
q
r
s
t
u
v
w
x
y
z

señalar zonas dentro del agua: *No nades más allá de la boya porque es peligroso.*

BOYA

bozal [sustantivo] [masculino] Aparato que se pone tapando la boca a algunos animales para que no muerdan: *Los perros deben llevar bozal y correa cuando van por la calle.*

braga [sustantivo] [femenino] Prenda de ropa interior femenina que cubre desde la cintura hasta donde empiezan las piernas: *Mi abuela me ha hecho unas bragas de ganchillo.* □ [Significa lo mismo en singular que en plural]. FAMILIA: bragueta.

bragueta [sustantivo] [femenino] Abertura en la parte delantera de un pantalón: *Súbete la cremallera de la bragueta, que se te ven los calzoncillos.* □ FAMILIA: → braga. ·

bramar [verbo] **1** Emitir el toro o la vaca su voz característica: *Al salir al ruedo, el toro empezó a bramar.* **2** Dar una persona gritos muy fuertes: *Deja de bramar e intenta tranquilizarte.* □ SINÓNIMOS: **1** mugir. FAMILIA: bramido.

bramido [sustantivo] [masculino] **1** Voz característica del toro o de la vaca: *¿No oyes los bramidos de las vacas en el establo?* **2** Grito de dolor o de enfado: *Estaba tan rabioso que empezó a dar bramidos.* □ SINÓNIMOS: **1** mugido. FAMILIA: → bramar.

branquia [sustantivo] [femenino] Órgano que tienen para respirar los peces y otros animales acuáticos: *Los peces tienen las branquias a ambos lados de la cabeza.*

brasa 1 [sustantivo] [femenino] Pedazo de una materia cuando ya arde sin llama: *Los troncos de la chimenea ahora son brasas, porque están rojos pero ya no tienen llama.* **2** [expresión] **a la brasa** Cocinado sobre leña o carbón sin llama: *Hicimos una parrillada y comimos chuletas a la brasa.* □ FAMILIA: abrasar, abrasador, brasero.

brasero [sustantivo] [masculino] Aparato que se usa como calefacción y que funciona con brasas o con energía eléctrica: *En la casa del pueblo no hay radiadores y da mucho gusto en invierno sentarse al lado del brasero.* □ FAMILIA: → brasa.

bravata [sustantivo] [femenino] Lo que hace o dice alguien que presume de valiente sin serlo: *Déjate de bravatas y reconoce de una vez que estás muerto de miedo.* □ SINÓNIMOS: bravura. FAMILIA: → bravo.

bravío, a [adjetivo] **1** Dicho de un animal, que es salvaje y difícil de domar: *¿Cómo se te ocurre decir que un perro es un animal bravío, bruto?* **2** Dicho del mar, con muchas olas: *Salir a navegar con el mar bravío es peligroso.* □ FAMILIA: → bravo.

bravo, va [adjetivo] **1** Dicho de una persona, que no tiene miedo: *Los bravos guerreros luchaban contra sus enemigos.* **2** Dicho de un animal, que es difícil de domar: *Los toros bravos son muy difíciles de torear.* **3 bravo** [interjección] Se usa para indicar entusiasmo por algo: *¡Bravo, has conseguido el primer premio en el concurso!* □ SINÓNIMOS: **1** valiente, valeroso. CONTRARIOS: **2** manso. FAMILIA: bravura, bravío, bravata.

bravura [sustantivo] [femenino] **1** Valentía y capacidad para no asustarse: *Demostró su bravura al enfrentarse él solo a los atracadores.* **2** Carácter de los animales difíciles de domar: *No se puede comparar la bravura de un toro con la de un buey.* **3** Lo que hace o dice alguien que presume de valiente sin serlo: *No me asustas con tus bravuras, fanfarrón.* □ SINÓNIMOS: **3** bravata. FAMILIA: → bravo.

braza [sustantivo] [femenino] **1** Medida de longitud: *Una braza equivale a un poco más de metro y medio.* **2** Una forma de nadar: *Para nadar a braza hay que avanzar boca abajo y sin sacar los pies y las manos del agua.* □ FAMILIA: → brazo.

brazada [sustantivo] [femenino] **1** Movimiento que una persona hace al nadar o al remar cada vez que extiende y encoge los brazos: *Para atravesar esta piscina tan pequeña me basta con dar cuatro brazadas.* **2** Cantidad que se puede llevar de una sola vez en los brazos: *Cada uno recogimos una brazada de leña para el fuego.* □ FAMILIA: → brazo.

brazalete [sustantivo] [masculino] **1** Aro que se lleva como adorno en el brazo: *Los brazaletes me gus-*

tan más que las pulseras de cadena porque se pueden ajustar al brazo. **2** Tira de tela que se pone en el brazo, encima de la ropa: *El capitán del equipo lleva un brazalete rojo en el brazo izquierdo.* □ FAMILIA: → brazo.

brazo [sustantivo/masculino] **1** Parte del cuerpo humano que va desde el hombro hasta la mano: *Mamá, ¿me coges en brazos?* **2** Pata delantera de algunos animales: *Ese toro es cojo del brazo derecho.* **3** Parte de un asiento en que se apoyan los brazos: *Ella se sentó y yo me senté a su lado, en el brazo del sillón.* **4** Cada una de las dos mitades del palo más corto en las cosas con forma de cruz: *Este candelabro tiene dos brazos, y se pueden colocar dos velas.* **5** [expresión] **brazo de gitano** Bizcocho alargado relleno de crema y enrollado sobre sí mismo: *De postre hemos tomado brazo de gitano.* **brazo derecho** Persona en la que se tiene una total confianza: *No sé qué haría sin ti, porque tú eres mi brazo derecho.* **con los brazos abiertos** Con cariño: *Siempre que voy a tu casa, tus padres me reciben con los brazos abiertos.* **de brazos cruzados** Sin trabajar: *¡No pensarás quedarte ahí de brazos cruzados mientras todos ayudamos!* **no dar alguien su brazo a torcer** No querer cambiar de opinión: *Siempre tengo que ceder yo, porque tú nunca das tu brazo a torcer.* □ FAMILIA: abrazar, abrazo, antebrazo, braza, brazada, brazalete.

brecha 1 [sustantivo/femenino] Herida en la cabeza: *Me choqué contra un árbol y me hice una brecha en la ceja.* **2** [expresión] **estar en la brecha** Estar siempre dispuesto a cumplir con un deber: *Este trabajo exige estar siempre en la brecha y no descuidarse ni un segundo.*

breva 1 [sustantivo/femenino] Primer fruto que produce una higuera cada año: *Las brevas son más grandes que los higos.* **2** [expresión] **no caerá esa breva** Indica que es muy difícil que consigamos lo que deseamos: *Ojalá me dejaran ir, pero no caerá esa breva.* □ [El significado **2** es coloquial].

breve [adjetivo] **1** De poca longitud o de poca extensión: *Me gusta más leer relatos breves que novelas.* **2** De poca duración: *Un segundo es un breve espacio de tiempo.* □ [No varía en masculino y en femenino]. SINÓNIMOS: corto, escaso, reducido. CONTRARIOS: largo, extenso, duradero. FAMILIA: abreviar, abreviatura, brevedad.

brevedad [sustantivo/femenino] Corta duración: *La brevedad del acto no quitó emoción al homenaje.* □ FAMILIA: → breve.

bribón, -a [adjetivo o/sustantivo] Que engaña a los demás: *No seas bribona y dime la verdad.*

bricolaje [sustantivo/masculino] Trabajos manuales que una persona hace por afición para arreglar y decorar su casa: *Le gusta mucho el bricolaje y todos los muebles de su casa se los ha hecho ella misma.* □ [Es una palabra de origen francés].

brida [sustantivo/femenino] Conjunto de correas y otras cosas que se ponen a los caballos para que el jinete pueda guiarlo: *Monta tan bien a caballo que no necesita brida.*

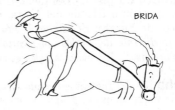

BRIDA

brillante [adjetivo] **1** Que brilla y despide luz: *He limpiado el coche y lo he dejado brillante.* **2** Que destaca por algo bueno: *Mi hija es una alumna brillante.* **3** [sustantivo/masculino] Diamante tallado por sus dos caras: *Acudió a la fiesta con unos pendientes de brillantes.* □ [Cuando es adjetivo no varía en masculino y en femenino]. CONTRARIOS: **1** mate. FAMILIA: → brillo.

brillar [verbo] **1** Despedir luz: *¿Has visto cómo brillan las estrellas esta noche?* **2** Destacar por algo bueno: *Es una mujer tan inteligente que brilla en todas las reuniones a las que asiste.* □ FAMILIA: → brillo.

brillo [sustantivo/masculino] Luz o reflejo que proceden de algún cuerpo: *He limpiado los zapatos y los he cepillado hasta sacarles brillo.* □ FAMILIA: brillar, brillante, abrillantar, abrillantador.

brincar [verbo] Saltar hacia arriba: *Cuando le di la buena noticia empezó a brincar de alegría.* □ [La c se cambia en qu delante de e, como en SACAR]. FAMILIA: → brinco.

brinco [sustantivo/masculino] Salto hacia arriba: *De un*

a

b

c

d

e

f

g

h

i

j

k

l

m

n

ñ

o

p

q

r

s

t

u

v

w

x

y

z

brinco se subió a la valla. □ FAMILIA: brincar.

brindar [verbo] **1** Levantar un recipiente con bebida para expresar un deseo o para celebrar algo: *Todos brindaron por la felicidad de los novios.* **2** Ofrecer algo a alguien sin esperar nada a cambio: *Me brindó su ayuda y se lo agradecí mucho.* **3** Dedicar a alguien lo que se va a hacer: *El torero brindó la faena a sus padres.* □ SINÓNIMOS: **1** beber. **2** prestar. FAMILIA: brindis.

brindis [sustantivo] [masculino] Gesto de levantar la copa al mismo tiempo que se expresa un deseo o se celebra algo: *Propongo hacer un brindis en honor de nuestros anfitriones.* □ [No varía en singular y en plural]. FAMILIA: → brindar.

brisa [sustantivo] [femenino] Viento suave: *En verano se agradece la brisa.* □ FAMILIA: parabrisas, limpiaparabrisas.

británico, ca [adjetivo o] [sustantivo] Del Reino Unido de Gran Bretaña e Irlanda del Norte, que es un país de Europa: *El idioma inglés británico es distinto del inglés americano en algunas cosas.* □ [Es distinto de *inglés*, que significa de *Inglaterra*].

brocha [sustantivo] [femenino] Instrumento que sirve para pintar y que tiene un grupo de pelos en la punta: *Como tengo dos brochas, puedes ayudarme a pintar esta silla vieja.* □ FAMILIA: brochazo.

brochazo [sustantivo] [masculino] Cada una de las veces que se mueve la brocha al pintar: *Con unos cuantos brochazos más, enseguida acabaremos de pintar este armario.* □ FAMILIA: → brocha.

broche [sustantivo] [masculino] **1** Objeto que sirve para cerrar algo y que funciona con dos piezas que encajan una en la otra: *Esta pulsera tiene un broche para abrirla y cerrarla cada vez que me la pongo o me la quito.* **2** Joya que se lleva sujeta en la ropa como adorno: *En la solapa de mi traje llevo un broche en forma de barco.* **3** [expresión] **broche de oro** Final feliz y espectacular: *Este premio es el broche de oro a todo un año de esfuerzos.* □ FAMILIA: abrochar, desabrochar.

broma [sustantivo] [femenino] Lo que se hace o se dice para que alguien se ría pero sin mala intención: *Les gastamos una broma y les dijimos que íbamos a salir por la tele, pero no se lo creyeron.* □ FAMILIA: bromear, bromista.

bromear [verbo] Hacer o decir cosas graciosas para que alguien se ría, pero sin mala intención: *Con ellos me lo paso muy bien porque siempre están bromeando.* □ SINÓNIMOS: vacilar. FAMILIA: → broma.

bromista [adjetivo o] [sustantivo] Que disfruta haciendo o diciendo cosas graciosas para que los demás se rían: *Parece una chica muy seria, pero es una bromista.* □ [No varía en masculino y en femenino]. FAMILIA: → broma.

bronca [sustantivo] [femenino] **1** Discusión fuerte: *Antes eran muy amigos, pero tuvieron una bronca y dejaron de verse.* **2** Regañina muy fuerte: *Mis padres me echaron una bronca por llegar tarde.*

bronce [sustantivo] [masculino] Materia muy resistente y de un color parecido al rojo: *El bronce se obtiene mezclando cobre y estaño.* □ FAMILIA: broncear, bronceado, bronceador.

bronceado, da 1 [adjetivo] Con la piel morena por el sol: *Estuve de vacaciones en la playa y volví muy bronceado.* **2** [sustantivo] [masculino] Color moreno de la piel por efecto del sol: *El bronceado de playa me gusta más que el bronceado de piscina.* □ FAMILIA: → bronce.

bronceador [sustantivo] [masculino] Producto que se extiende sobre la piel para broncearla sin que el sol la queme: *Nunca voy a la playa sin darme bronceador antes por todo el cuerpo.* □ FAMILIA: → bronce.

broncear [verbo] Poner la piel morena: *Me gusta tomar el sol para broncearme.* □ FAMILIA: → bronce.

brotar [verbo] **1** Mostrarse algo o empezar a existir: *Entre ellos jamás brotó ningún rencor.* **2** Salir un líquido: *El manantial brota de estas rocas.* **3** Salir una planta de su semilla: *Ya está empezando a brotar la judía que metí el otro día entre algodones mojados.* □ SINÓNIMOS: **1,2** surgir. **1,3** nacer. **1** aparecer. **2** manar. **3** germinar. CONTRARIOS: **1** desaparecer. FAMILIA: → brote.

brote [sustantivo] [masculino] **1** Tallo nuevo en una planta: *En primavera, los árboles y las plantas se llenan de brotes.* **2** Primera aparición de algo que empieza a asomar: *Se han detectado ya los primeros brotes de una epidemia que amenaza con extenderse por toda la ciudad.* □ FAMILIA: brotar.

bruces [expresión] **de bruces** Tumbado con la

cara contra el suelo: *Tropecé con una piedra y me caí de bruces.*

brujería [sustantivo femenino] Conjunto de conocimientos y poderes mágicos que sirven para conseguir algo: *En la película, un hechicero miraba en su libro de brujería la receta para convertir a las personas en animales.* □ SINÓNIMOS: hechicería. FAMILIA: → brujo.

brujo, ja [adjetivo o sustantivo] Que usa poderes mágicos para conseguir algo: *Eres muy bruja y siempre sabes convencerme para que haga lo que tú quieres. En el cuento, una bruja convertía al príncipe en rana.* □ SINÓNIMOS: hechicero, encantador, mago. FAMILIA: brujería.

brújula [sustantivo femenino] Instrumento que indica la posición en la que está orientado algo: *La brújula siempre señala al Norte.*

bruma [sustantivo femenino] Niebla poco espesa: *Había tanta bruma que el capitán hacía sonar la sirena del barco para avisar a los otros barcos de su presencia.*

brusco, ca [adjetivo] **1** De carácter poco amable o poco suave: *Me dio una respuesta tan brusca que me dejó cortado.* **2** Repentino y rápido: *Los cambios bruscos de temperatura me hacen coger constipados.* □ CONTRARIOS: **2** progresivo, gradual. FAMILIA: brusquedad.

brusquedad [sustantivo femenino] **1** Carácter poco amable o poco suave al actuar o al decir algo: *Me pareció poco simpática por la brusquedad con que contestó a mis preguntas.* **2** Carácter repentino y rápido del desarrollo de algo: *No frenes con tanta brusquedad, porque salimos disparados hacia adelante.* □ FAMILIA: → brusco.

brutal [adjetivo] **1** Demasiado cruel: *Un asesinato tan brutal sólo puede ser obra de un loco.* **2** De tamaño, cantidad o calidad mayores de lo normal: *Mi perro tiene una fuerza brutal y cuando lo saco a pasear tira él de mí.* □ [No varía en masculino y en femenino. El significado **2** es coloquial]. SINÓNIMOS: **1** atroz, feroz, cruel. **2** extraordinario, colosal. FAMILIA: → bruto.

brutalidad [sustantivo femenino] **1** Crueldad muy grande: *En las guerras se ve mucha brutalidad.* **2** Lo que resulta tonto, poco adecuado o muy equivocado: *Es una brutalidad decir que Madrid es la capital de Inglaterra.* □

SINÓNIMOS: **1** atrocidad, crueldad, salvajada. **2** barbaridad. FAMILIA: → bruto.

bruto, ta **1** [adjetivo] Dicho del peso de un objeto, que incluye el peso de dicho objeto y el peso de lo que éste contiene: *El peso bruto de una lata de espárragos es lo que pesan los espárragos, más lo que pesa el líquido en el que vienen, más lo que pesa la lata.* **2** [adjetivo o sustantivo] Que actúa sin inteligencia: *No seas bruto y piensa lo que te pregunto.* **3** [sustantivo] Persona mala o que hace daño: *No juego con vosotros, porque sois unos brutos y me hacéis daño aposta.* □ SINÓNIMOS: **2,3** bestia, animal, burro. CONTRARIOS: **1** neto. FAMILIA: brutal, brutalidad.

buceador, -a [sustantivo] Persona que realiza determinadas actividades bajo el agua: *Los buceadores llevan bombonas de oxígeno a la espalda para respirar debajo del agua.* □ SINÓNIMOS: buzo. FAMILIA: → bucear.

bucear [verbo] Nadar bajo el agua: *Ya sé bucear sin taparme la nariz.* □ FAMILIA: buceador, buzo, buceo.

buceo [sustantivo masculino] Actividad que consiste en permanecer bajo el agua nadando o realizando alguna actividad: *Si quieres hacer pesca submarina tienes que practicar mucho el buceo.* □ FAMILIA: → bucear. 🖎 página 120.

bucle [sustantivo masculino] Rizo largo: *Mi hermana tiene el pelo castaño y lleno de bucles.*

budismo [sustantivo masculino] Religión creada por el religioso hindú Buda: *El budismo es una religión muy extendida en la India.* □ FAMILIA: budista.

budista [adjetivo o sustantivo] Del budismo o relacionado con esta religión: *Los monjes budistas dedican mucho tiempo a la meditación.* □ [No varía en masculino y en femenino]. FAMILIA: → budismo.

buen [adjetivo] Bueno: *Si hace buen día, mañana iremos de excursión. Tienes que ser buen chico.* □ [Va siempre delante de un sustantivo masculino singular]. CONTRARIOS: mal. FAMILIA: → bueno.

buenaventura [sustantivo femenino] Anuncio de lo que le puede suceder a una persona en el futuro: *Una chica me leyó las líneas de la mano y me dijo la buenaventura, pero no me lo*

a

b

c

d

e

f

g

h

i

j

k

l

m

n

ñ

o

p

q

r

s

t

u

v

w

x

y

z

creí. □ [Se escribe también *buena ventura*]. FAMILIA: bienaventurado.

bueno, na [adjetivo] **1** Que es como debe ser o como nos gusta que sea: *Habéis sido muy buenos en casa de los abuelos.* **2** Que resulta adecuado para algo: *Es bueno que te dé el sol en la herida porque así cicatrizará antes.* **3** Que tiene salud: *He venido a clase porque ya estoy buena.* **4** Que pasa de lo que se considera normal en tamaño, en cantidad o en fuerza: *Ponme una buena ración de pizza, que tengo mucha hambre.* **5** [adjetivo o sustantivo] Dicho de una persona, que tiene cualidades morales buenas: *Mis padres son las personas más buenas que conozco.* **bueno 6** [adverbio] Se usa para indicar que se está de acuerdo con algo: *Bueno, jugamos a lo que tú dices.* **7** [interjección] Se usa para indicar sorpresa, admiración o disgusto: *¡Pero bueno!, ¿qué haces tú aquí?* **8 buenas** [interjección] Se usa como saludo: *Buenas, quisiera saber a qué hora sale el tren.* **9** [expresión] **de buenas** De buen humor: *Hoy estoy de buenas, así que pídeme lo que quieras.* **estar bueno alguien** Tener un cuerpo físicamente atractivo: *Esa actriz está muy buena.* **por las buenas** Sin crear problemas: *Prefiero que lo hagas por las buenas y que no me hagas enfadar.* □ [Cuando *bueno* va delante de un sustantivo se cambia por *buen*: *buen chico*. Las expresiones son coloquiales]. SINÓNIMOS: **3** sano. **6** vale. CONTRARIOS: malo. **2** nocivo, dañino, perjudicial. **5** malvado, maligno, perverso. FAMILIA: buen, bonachón, bondad, bondadoso.

buey [sustantivo masculino] Toro al que le han cortado los órganos sexuales: *Los bueyes se usan para las tareas del campo porque son muy mansos.* □ [Su plural es *bueyes*]. FAMILIA: bovino.

búfalo, la [sustantivo] **1** Animal de cuerpo robusto, cubierto de pelo, con los cuernos largos y hacia atrás: *En el zoo he visto varios ejemplares de búfalo asiático.* **2** Animal de color marrón, parecido a un toro pero más fuerte, y con el cuello lleno de un largo pelo: *En las películas del Oeste salían grandes manadas de búfalos.* □ SINÓNIMOS: **2** bisonte.

bufanda [sustantivo femenino] Prenda de vestir que se coloca alrededor del cuello para protegerlo del frío, y que es mucho más larga que an-

cha: *Ponte el abrigo, el gorro, la bufanda y los guantes, porque está nevando.*

bufido [sustantivo masculino] **1** Respiración fuerte y con ruido de algunos animales: *Me asusté al oír los bufidos del toro, porque pensé que iba a atacarnos.* **2** Forma de hablar de una persona cuando está muy enfadada: *No me atrevo a pedirle que me lo explique otra vez, porque me va a dar un bufido.* □ [El significado **2** es coloquial].

bufón, -a [sustantivo] Persona que se dedicaba a hacer reír y a divertir a otras personas: *Antiguamente, los reyes tenían bufones que los entretenían durante las fiestas.*

buganvilla [sustantivo femenino] Arbusto que tiene las ramas muy largas y las flores de color rojo, rosa o morado: *En muchas zonas costeras hay buganvillas en los jardines.* 🔍 página 347.

buhardilla [sustantivo femenino] Último piso de una casa que tiene el tejado inclinado: *Vivo en una buhardilla y el techo de mi cuarto es más bajo por el lado de la ventana que por el lado de la puerta.*

búho [sustantivo masculino] Ave nocturna con el pico en forma de gancho y unos mechones de plumas que parecen orejas: *Los búhos ven muy bien en la oscuridad.* 🔍 página 20.

buitre [sustantivo masculino] **1** Ave que tiene la cabeza y el cuello sin plumas y que se alimenta de animales muertos: *Había varios buitres sobre la vaca muerta comiéndose su carne.* 🔍 página 20. **2** Persona que sólo piensa en sí misma o que se aprovecha de los demás para conseguir algo: *Eres un buitre, te has comido todo el bizcocho y no nos has dejado nada.* □ [El significado **2** es despectivo].

bujía [sustantivo femenino] Pieza que hace que se encienda el motor de un vehículo: *Las bujías del coche están sucias y por eso le cuesta un poco arrancar.*

bulbo [sustantivo masculino] Tallo de algunas plantas que es redondeado y está enterrado en el suelo: *El ajo es un bulbo y de él nace una nueva planta.*

bulevar [sustantivo masculino] Calle ancha que tiene un paseo central con árboles: *En el bulevar de mi calle ponen en verano quioscos de bebidas con mesas y sillas.*

búlgaro, ra 1 [adjetivo o sustantivo] De Bulgaria, que es un país del este de Europa: *El paisaje búlgaro tiene muchas montañas y valles.* **2** [sustantivo] [masculino] Lengua de este país: *El búlgaro se habla también en zonas de Rumanía.*

bulla [sustantivo] [femenino] Mucho ruido y gran movimiento de personas: *Si seguís armando tanta bulla, van a protestar los vecinos.* □ SINÓNIMOS: alboroto, jaleo, guirigay, bullicio.

bullicio [sustantivo] [masculino] Mucho ruido y gran movimiento de personas: *Ha debido de pasar algo en ese cruce porque hay mucho bullicio.* □ SINÓNIMOS: alboroto, jaleo, bulla, guirigay. FAMILIA: bullicioso.

bullicioso, sa [adjetivo] Que produce mucho ruido o que se mueve mucho: *Durante el día esta calle es muy bulliciosa, pero por la noche se queda tranquila.* FAMILIA: → bullicio.

bulto [sustantivo] [masculino] **1** Lo que sobresale en una superficie: *Me he dado un golpe en el brazo y me ha salido un bulto.* **2** Lo que no se ve con claridad qué es: *¿Qué es ese bulto que se mueve en la oscuridad?* **3** Paquete, bolsa o maleta que se llevan como equipaje: *El coche iba lleno de bultos y apenas cabíamos nosotros.* **4** [expresión] **escurrir el bulto** No hacer lo que se tiene que hacer: *No escurras el bulto y pon tú hoy la mesa, que ayer la puse yo.* □ [El significado **4** es coloquial]. FAMILIA: abultar, abultado.

bungaló [sustantivo] [masculino] Casa de campo o de playa de una sola planta y muy sencilla: *Este año hemos veraneado en un bungaló que estaba al lado de la playa.* □ [Es una palabra de origen inglés]. 🔍 página 155.

buñuelo [sustantivo] [masculino] Pastel en forma de bola rellena de crema, de chocolate o de otras cosas: *Los buñuelos son un dulce típico de noviembre.*

buque [sustantivo] [masculino] Barco muy grande: *Los buques de guerra suelen estar pintados de gris.* □ SINÓNIMOS: navío.

burbuja [sustantivo] [femenino] Especie de globo de aire que se forma en algunas sustancias: *Me gustan los refrescos con burbujas.* □ SINÓNIMOS: pompa. 🔍 página 120.

burgalés, -a [adjetivo o] [sustantivo] De la provincia de Burgos o de su capital: *La capital burgalesa tiene una catedral gótica.*

burgués, -a [adjetivo o] [sustantivo] De la burguesía o relacionado con este grupo social: *Los burgue-*

ses desde siempre han desempeñado trabajos relacionados con el comercio y la industria. □ FAMILIA: burguesía.

burguesía [sustantivo] [femenino] Grupo social formado por las personas que tienen una buena posición económica: *Esa familia pertenece a la burguesía y vive sin problemas de dinero.* □ FAMILIA: → burgués.

burla [sustantivo] [femenino] Lo que alguien hace o dice cuando se quiere reír de algo: *No hagas burla de lo que me pasa, porque a mí me parece un problema muy serio.* □ SINÓNIMOS: pitorreo, guasa. FAMILIA: burlar. 🔍 página 430.

burlar [verbo] **1** Evitar algo gracias a la astucia: *Los ladrones burlaron a la policía y consiguieron escapar.* **2 burlarse** Reírse de algo y no tomarlo en serio: *No está bien burlarse de los demás.* □ SINÓNIMOS: **2** pitorrearse, cachondearse. FAMILIA: → burla.

burrada 1 [sustantivo] [femenino] Lo que resulta tonto, poco adecuado o cruel: *No hagas burradas con la bici, que te vas a caer.* **2** [expresión] **una burrada** Gran cantidad o mucho: *Estas vacaciones he hecho una burrada de excursiones.* □ [Es coloquial]. SINÓNIMOS: barbaridad. FAMILIA: → burro.

burro, rra [adjetivo o] [sustantivo] **1** Que tiene poca inteligencia: *No seas burra y no digas que Londres es la capital de Francia. El muy burro rompe todo lo que toca.* **2** Que tiene una idea fija y no se deja convencer: *Es tan burro que cuando se le mete algo en la cabeza, no hay quien le haga cambiar de opinión.* **3** [sustantivo] Animal parecido al caballo, pero más pequeño: *Los burros rebuznan.* **4** [expresión] **como un burro** Mucho: *Llevo varios días estudiando como un burro.* **no ver tres en un burro** Ver mal: *Sin gafas no veo tres en un burro.* □ [Los significados **1** y **2** son despectivos. Las expresiones son coloquiales]. SINÓNIMOS: borrico. **1** necio, tonto, bobo, estúpido. **2** testarudo, terco, tozudo. **3** asno. FAMILIA: borrico, burrada.

bus [sustantivo] [masculino] Autobús: *Voy en bus al colegio.* □ [Es coloquial].

busca [sustantivo] [femenino] Lo que se hace para encontrar algo o a alguien: *Hay orden de busca y captura de este delincuente.* □ SINÓNIMOS: búsqueda. FAMILIA: → buscar.

buscar [verbo] **1** Intentar encontrar algo: *No*

a
b
c
d
e
f
g
h
i
j
k
l
m
n
ñ
o
p
q
r
s
t
u
v
w
x
y
z

sé dónde he dejado el reloj, y llevo mucho rato buscándolo. **2** Recoger a una persona en un sitio: *Hemos quedado en que vendrán a buscarnos a casa a las siete de la tarde.* □ [La c se cambia en qu delante de e, como en SACAR]. FAMILIA: busca, búsqueda, rebuscado.

búsqueda [sustantivo] [femenino] Lo que se hace para encontrar algo o a alguien: *Un equipo de rescate salió a la búsqueda de los excursionistas perdidos en la montaña.* □ SINÓNIMOS: busca. FAMILIA: → buscar.

busto [sustantivo] [masculino] **1** Escultura o pintura que sólo representa a una persona de cintura para arriba: *Este pintor ha hecho un busto de la directora del colegio.* **2** Las dos partes del cuerpo de una mujer en que se produce la leche cuando tiene un hijo: *Con este sujetador se realza mucho el busto.* □ SINÓNIMOS: **2** pechos, tetas.

butaca [sustantivo] [femenino] **1** Silla con brazos: *Las butacas abultan menos que los sillones.* **2** Asiento en el teatro o en el cine, sobre todo el situado en la planta baja: *¿Cuánto valen las butacas para la función de noche, por favor?*

butano [sustantivo] [masculino] Un tipo de gas que se envasa en bombonas y se utiliza como combustible: *En mi casa el butano se usa para el fuego de la cocina y para el agua caliente.*

buzo [sustantivo] [masculino] Persona que realiza determinadas actividades bajo el agua: *Dos buzos se sumergieron para buscar los restos del barco hundido.* □ SINÓNIMOS: buceador. FAMILIA: → bucear.

buzón [sustantivo] [masculino] Especie de caja donde se echan las cartas para el correo: *Tengo que echar esta carta al buzón. En la escalera de mi casa están los buzones con los nombres de cada vecino para que el cartero deje las cartas.*

calendario

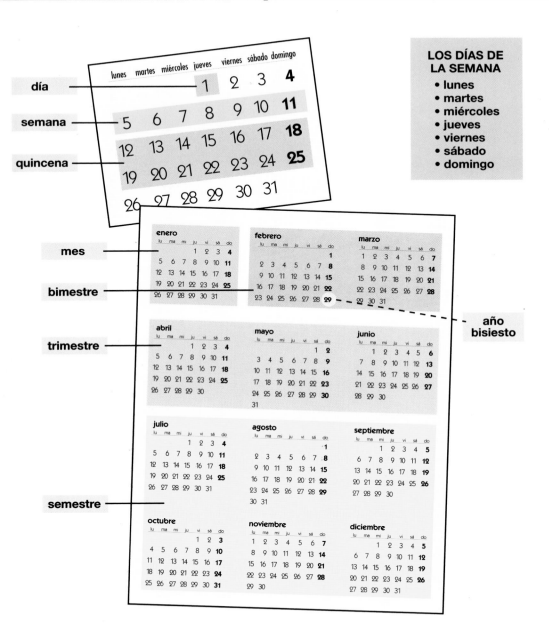

día

semana

quincena

lunes	martes	miércoles	jueves	viernes	sábado	domingo
			1	2	3	**4**
5	6	7	8	9	10	**11**
12	13	14	15	16	17	**18**
19	20	21	22	23	24	**25**
26	27	28	29	30	31	

LOS DÍAS DE LA SEMANA
- **lunes**
- **martes**
- **miércoles**
- **jueves**
- **viernes**
- **sábado**
- **domingo**

mes

bimestre

trimestre

semestre

año bisiesto

enero
lu ma mi ju vi sá do
1 2 3 **4**
5 6 7 8 9 10 **11**
12 13 14 15 16 17 **18**
19 20 21 22 23 24 **25**
26 27 28 29 30 31

febrero
lu ma mi ju vi sá do
1
2 3 4 5 6 7 **8**
9 10 11 12 13 14 **15**
16 17 18 19 20 21 **22**
23 24 25 26 27 28 **29**

marzo
lu ma mi ju vi sá do
1 2 3 4 5 6 **7**
8 9 10 11 12 13 **14**
15 16 17 18 19 20 **21**
22 23 24 25 26 27 **28**
29 30 31

abril
lu ma mi ju vi sá do
1 2 3 **4**
5 6 7 8 9 10 **11**
12 13 14 15 16 17 **18**
19 20 21 22 23 24 **25**
26 27 28 29 30

mayo
lu ma mi ju vi sá do
1 **2**
3 4 5 6 7 8 **9**
10 11 12 13 14 15 **16**
17 18 19 20 21 22 **23**
24 25 26 27 28 29 **30**
31

junio
lu ma mi ju vi sá do
1 2 3 4 5 **6**
7 8 9 10 11 12 **13**
14 15 16 17 18 19 **20**
21 22 23 24 25 26 **27**
28 29 30

julio
lu ma mi ju vi sá do
1 2 3 **4**
5 6 7 8 9 10 **11**
12 13 14 15 16 17 **18**
19 20 21 22 23 24 **25**
26 27 28 29 30 31

agosto
lu ma mi ju vi sá do
1
2 3 4 5 6 7 **8**
9 10 11 12 13 14 **15**
16 17 18 19 20 21 **22**
23 24 25 26 27 28 **29**
30 31

septiembre
lu ma mi ju vi sá do
1 2 3 4 **5**
6 7 8 9 10 11 **12**
13 14 15 16 17 18 **19**
20 21 22 23 24 25 **26**
27 28 29 30

octubre
lu ma mi ju vi sá do
1 2 **3**
4 5 6 7 8 9 **10**
11 12 13 14 15 16 **17**
18 19 20 21 22 23 **24**
25 26 27 28 29 30 **31**

noviembre
lu ma mi ju vi sá do
1 **2**
8 9 10 11 12 13 **14**
15 16 17 18 19 20 **21**
22 23 24 25 26 27 **28**
29 30

diciembre
lu ma mi ju vi sá do
1 2 3 4 **5**
6 7 8 9 10 11 **12**
13 14 15 16 17 18 **19**
20 21 22 23 24 25 **26**
27 28 29 30 31

LOS MESES DEL AÑO

- **enero**
- **febrero**
- **marzo**
- **abril**
- **mayo**
- **junio**
- **julio**
- **agosto**
- **septiembre**
- **octubre**
- **noviembre**
- **diciembre**

LAS ESTACIONES
- **primavera**
- **verano**
- **otoño**
- **invierno**

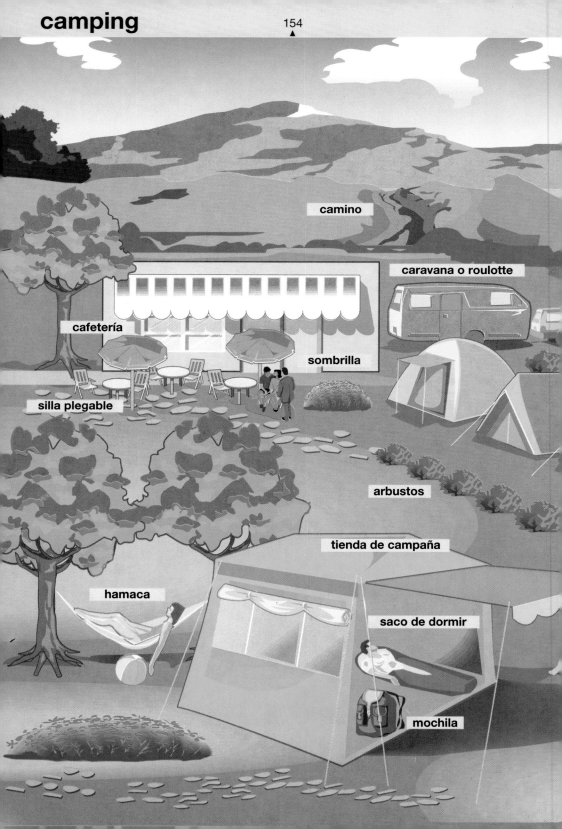

camino

caravana o roulotte

cafetería

sombrilla

silla plegable

arbustos

tienda de campaña

hamaca

saco de dormir

mochila

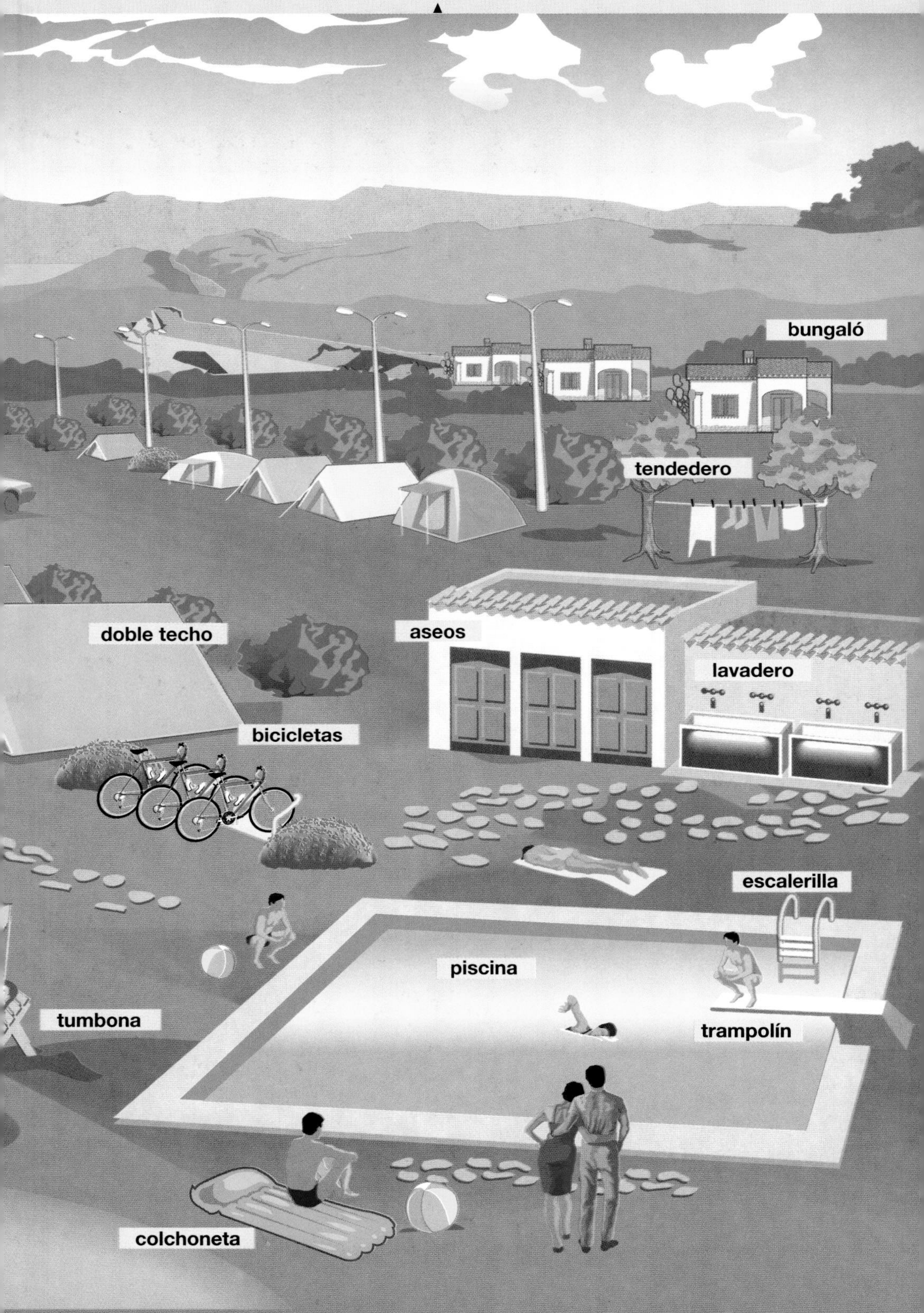

bungaló

tendedero

doble techo

aseos

lavadero

bicicletas

escalerilla

piscina

tumbona

trampolín

colchoneta

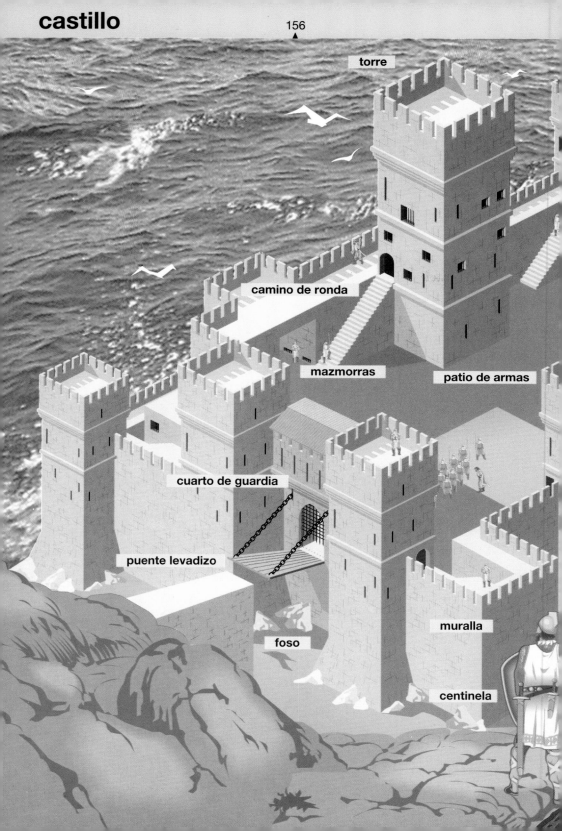

torre

camino de ronda

mazmorras

patio de armas

cuarto de guardia

puente levadizo

foso

muralla

centinela

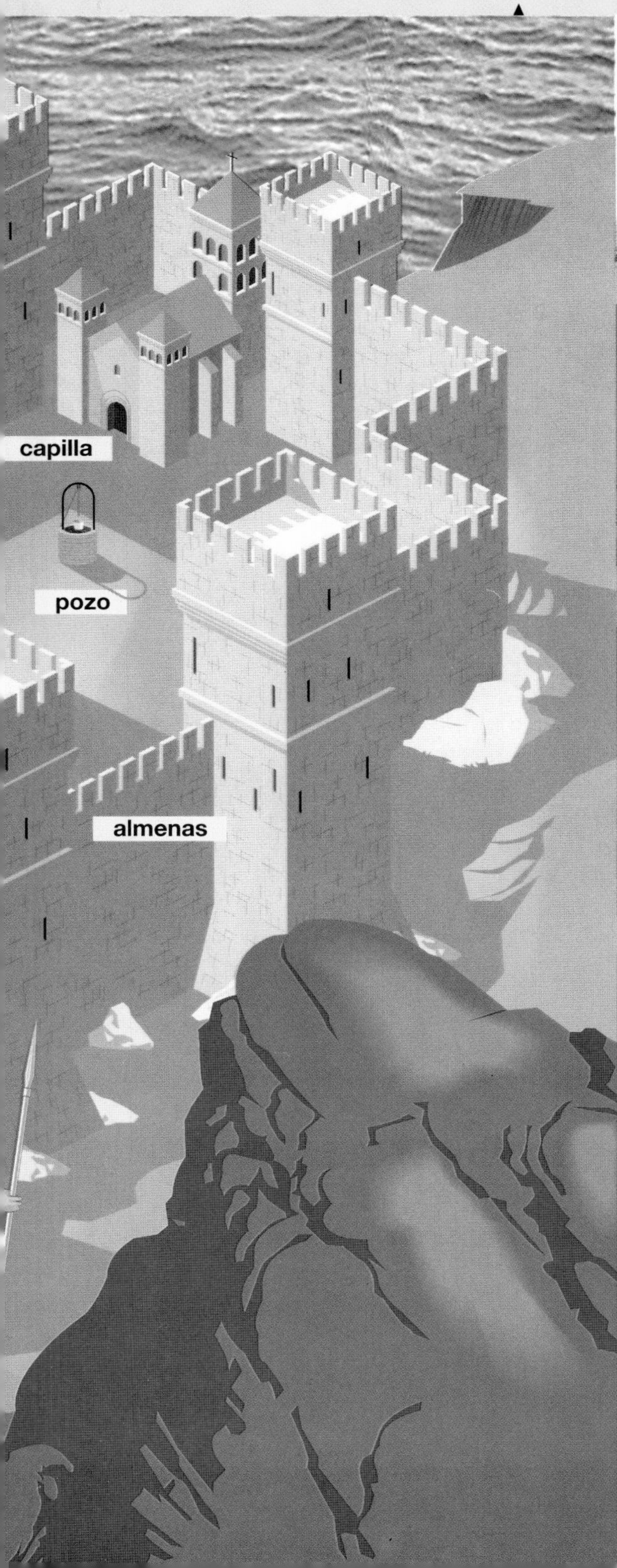

capilla

pozo

almenas

Castillo de Almodóvar del Río (Córdoba)

Castillo de Torija (Guadalajara)

Castillo de Turégano (Segovia)

Castillo de Guadamur (Toledo)

foco

cámara

electricista

cámara

rollo de
película

director

disfraz

maquilladora

guión

megáfono

micrófono

decorado

actor

actriz

carpintero

caja de
herramientas

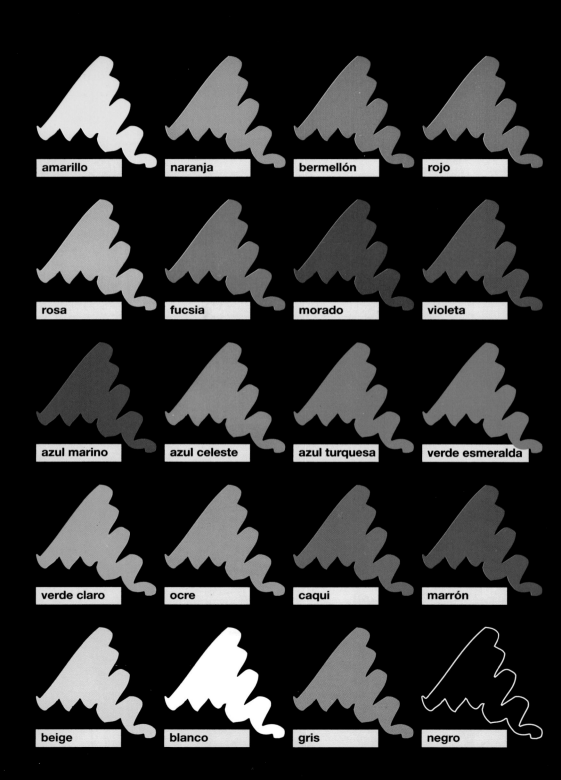

amarillo

naranja

bermellón

rojo

rosa

fucsia

morado

violeta

azul marino

azul celeste

azul turquesa

verde esmeralda

verde claro

ocre

caqui

marrón

beige

blanco

gris

negro

C c

c [sustantivo] [femenino] Letra número tres del abecedario: *La primera letra de «cuerno» es una «c».* □ [Su nombre es ce. Delante de e, i, se pronuncia como una z : *cera, cinta.* Delante de a, o, u, se pronuncia como una k: *cama, copa, cuna.* Delante de h se pronuncia como en *bache* y, al escribirla, nunca se puede dividir: *ba-che* (y no *bac-he*)].

cabalgar [verbo] Ir a caballo: *Los picaderos son sitios en los que hay caballos y se enseña a cabalgar.* □ [La g se cambia en gu delante de e, como en PAGAR]. SINÓNIMOS: montar. FAMILIA: cabalgata.

cabalgata [sustantivo] [femenino] Desfile que se organiza para celebrar una fiesta y en el que suele haber bandas de música y personas a caballo o en carros: *La víspera del día de Reyes voy con mis hermanos a ver la cabalgata.* □ FAMILIA: cabalgar. 👁 página 343.

caballa [sustantivo] [femenino] Pez de mar, de color azul y verde con rayas negras, y cuya carne es comestible: *Abre una lata de bonito y otra de caballa para la ensalada.* □ [Es distinto de *yegua*, que es la hembra del caballo].

caballar [adjetivo] Del caballo o relacionado con él: *En esa cuadra tienen ganado caballar.* □ [No varía en masculino y en femenino]. SINÓNIMOS: hípico. FAMILIA: → caballo.

caballería [sustantivo] [femenino] **1** Cuerpo del ejército formado por soldados que van a caballo o en vehículos: *En las películas del Oeste aparece la caballería luchando contra los indios.* **2** Animal que se usa para montar, como el caballo: *Los caballos, las mulas y los burros son caballerías.* **3** Profesión de los antiguos caballeros que iban por el mundo defendiendo la justicia y otros valores: *Los libros de caballería cuentan las aventuras de los caballeros medievales.* □ FAMILIA: → caballo.

caballero [sustantivo] [masculino] **1** Hombre adulto: *En los grandes almacenes hay una sección de ropa de señoras y otra de caballeros.* **2** Hombre amable y de buena educación: *Siempre cede el paso a las señoras porque es todo un caballero.* **3** Hombre que pertenecía a una clase noble: *Los hidalgos eran un tipo de caballeros.* **4** Personaje que iba por el mundo defendiendo la justicia y otros valores: *Don Quijote quería ser caballero, como los héroes de los libros de caballería.* □ [Se usa para referirse de forma educada a un hombre]. FAMILIA: → caballo.

caballete [sustantivo] [masculino] **1** Aparato con tres patas que sirve para colocar algo en posición vertical: *Los pintores ponen los cuadros que están pintando sobre un caballete.* **2** Aparato formado por una especie de barra apoyada en unas patas: *Hemos improvisado una mesa con una tabla y dos caballetes.* **3** Parte más alta que suele tener la nariz en su mitad: *Las gafas se apoyan sobre el caballete de la nariz.* FAMILIA: → caballo.

caballitos [sustantivo mas-] [culino plural] Diversión de feria formada por una serie de figuras de caballos y otras cosas que giran y sobre las que se suben las personas: *Lo que más me gusta de la feria son los caballitos y los coches de choque.* □ SINÓNIMOS: tiovivo. FAMILIA: → caballo.

caballo [sustantivo] [masculino] **1** Animal de cuatro patas que se suele usar para que tire de un carro o para ir montado en él: *La hembra del caballo es la yegua.* **2** Carta de la baraja española que representa a una persona montada en este animal: *Me hace falta el caballo de copas para completar la jugada.* **3** Aparato de gimnasia con cuatro patas sobre las que se apoya una parte alargada que termina en punta por uno de sus extremos: *El caballo es parecido al potro, pero más di-*

CABALLETE

a
b
c
d
e
f
g
h
i
j
k
l
m
n
ñ
o
p
q
r
s
t
u
v
w
x
y
z

fícil de saltar. **4** Droga de aspecto parecido al azúcar: *Ese drogadicto está ahora en una clínica porque quiere dejar el caballo.* **5** [expresión] **a caballo** En medio de dos cosas: *Ese escritor vivió a caballo de dos siglos, porque nació en 1870 y murió en 1940.* **caballo de batalla** Parte de un asunto que ofrece más problemas: *En este trabajo, nuestro caballo de batalla es cumplir con los plazos.* **caballito de mar** Pez marino que nada en posición vertical y que tiene la cabeza parecida a la de un caballo: *Los caballitos de mar tienen la cola enroscada.* □ [El significado **4** es coloquial]. Sinónimos: **4** heroína. Familia: caballero, caballería, caballitos, caballete, caballar.

cabaña [sustantivo/femenino] **1** Casa pequeña y pobre hecha en el campo: *Nos pilló una tormenta en medio del campo y nos refugiamos en una cabaña.* **2** Conjunto de ganado de un mismo tipo o de una misma zona: *En Galicia hay importantes cabañas de vacas.* □ Sinónimos: **1** choza.

cabecear [verbo] **1** Dejar caer la cabeza sin querer, a causa del sueño: *Es tan tarde que, aunque intento mantenerme despierta, cabeceo de vez en cuando sin poder evitarlo.* **2** Golpear el balón con la cabeza: *Ese futbolista cabeceó y metió gol.* **3** Mover la cabeza de un lado a otro o de arriba abajo: *El caballo se puso nervioso y empezó a cabecear y a dar coces.* □ Familia: → cabeza.

cabecera [sustantivo/femenino] **1** Parte de una cama donde se coloca la cabeza al dormir: *En la cabecera se pone la almohada.* **2** Asiento o parte principal de un lugar: *El presidente se sienta a la cabecera de la mesa.* **3** Comienzo de un papel impreso donde vienen los datos generales: *En la cabecera del periódico aparece el nombre, la fecha y otros datos.* **4** Punto del que parte algo: *Si coges el autobús en la cabecera de la línea, casi siempre encuentras asiento.* □ Familia: → cabeza.

cabecero [sustantivo/masculino] Pieza de la cama que está en la parte donde se coloca la cabeza: *El cabecero de la cama impide que se caiga la almohada.* □ Familia: → cabeza.

cabecilla [sustantivo] Persona que dirige las acciones de un grupo: *La policía detuvo a* los cabecillas de la revuelta. □ [No varía en masculino y en femenino]. Familia: → cabeza.

cabellera [sustantivo/femenino] Conjunto de los cabellos de alguien: *El viento hacía ondular la cabellera de mi amiga.* □ Familia: → cabello.

cabello [sustantivo/masculino] **1** Cada uno de los pelos de la cabeza de una persona: *Siempre se me queda algún cabello en el peine después de peinarme.* **2** Conjunto de estos pelos: *Tengo los ojos azules y el cabello rubio.* **3** [expresión] **cabello de ángel** Dulce en forma de hilos y de color parecido al amarillo: *Las bayonesas son unos pasteles rellenos de cabello de ángel.* □ Sinónimos: **2** pelo. Familia: cabellera.

caber [verbo] **1** Poder meterse una cosa en otra: *Llevo el libro en la mano porque no me cabe en el bolso. Éramos tantos que no cabíamos en la sala.* **2** Poder pasar por un sitio: *Ese mueble tan ancho no cabe por la puerta.* **3** Existir o ser posible: *No cabe duda de que alguien ha estado aquí antes.* **4** Tocar o corresponder: *¿A quién le cupo el honor de recibir el premio?* **5** [expresión] **no ca-**

caber		conjugación	
INDICATIVO		**SUBJUNTIVO**	
presente		**presente**	
quepo		quepa	
cabes		quepas	
cabe		quepa	
cabemos		quepamos	
cabéis		quepáis	
caben		quepan	
pretérito imperfecto		**pretérito imperfecto**	
cabía		cupiera, -ese	
cabías		cupieras, -eses	
cabía		cupiera, -ese	
cabíamos		cupiéramos, -ésemos	
cabíais		cupierais, -eseis	
cabían		cupieran, -esen	
pretérito indefinido		**futuro**	
cupe		cupiere	
cupiste		cupieres	
cupo		cupiere	
cupimos		cupiéremos	
cupisteis		cupiereis	
cupieron		cupieren	
futuro		**IMPERATIVO**	
cabré			
cabrás		**presente**	
cabrá		cabe (tú)	
cabremos		quepa (él)	
cabréis		quepamos (nosotros)	
cabrán		cabed (vosotros)	
		quepan (ellos)	
condicional		**FORMAS NO PERSONALES**	
cabría			
cabrías		**infinitivo**	**gerundio**
cabría		caber	cabiendo
cabríamos		**participio**	
cabríais		cabido	
cabrían			

ber alguien en sí Sentirse muy contento o muy orgulloso: *Acaban de ser padres y están que no caben en sí.* □ [Es irregular]. SINÓNIMOS: **1,2** coger.

cabeza [sustantivo] [femenino] **1** Parte del cuerpo que está sobre el cuello y en la que están los ojos, la boca, la nariz y las orejas: *Gira un poco la cabeza y verás quién ha venido.* **2** Cada una de las personas entre las que se reparte algo: *¿A cuánto tocamos por cabeza si lo pagamos entre todos?* **3** Capacidad para pensar o para recordar: *No tengo cabeza para aprender tantos datos de memoria.* **4** Animal de cuatro patas de algunas especies: *Ese ganadero ha comprado muchas cabezas de ganado.* **5** Lo que está en el principio o en el extremo de algo: *La cabeza del tren es la locomotora.* **6** Persona que dirige un grupo o una organización: *La cabeza del Gobierno es su presidente.* **7** [expresión] **a la cabeza** En primer lugar: *El equipo que va a la cabeza de la clasificación tiene muchas posibilidades de acabar campeón.* **andar de cabeza** Estar muy ocupado o tener muchas preocupaciones: *Ando de cabeza y apenas tengo tiempo para salir con los amigos.* **cabeza abajo** Con la parte superior hacia abajo: *La muy despistada ha colgado el cuadro cabeza abajo.* **cabeza cuadrada** Persona que actúa con reglas e ideas fijas: *Ese cabeza cuadrada nunca entenderá un punto de vista distinto del suyo.* **cabeza de ajo** Conjunto de dientes de ajo que todavía están unidos: *Compré en el mercado unas cebollas y un par de cabezas de ajos.* **cabeza de chorlito** Persona que piensa poco las cosas: *¡Pero, cabeza de chorlito, piensa un poco antes de decir esos disparates!* **cabeza de familia** Persona considerada por la ley como el jefe de una familia: *En los impresos para solicitar la beca había que poner cuánto ganaba el cabeza de familia.* **cabeza de jabalí** Alimento hecho con trozos de cabeza de ese animal: *La cabeza de jabalí y el jamón son mis embutidos preferidos.* **cabeza dura** Persona a la que le cuesta entender las cosas o que insiste en mantener su opinión sin admitir otras razones: *Es una cabeza dura y no dará su brazo a torcer.* **cabeza hueca** Persona que tiene pocas ideas o poco sentido común: *No creo que ese cabeza hueca se haya planteado alguna vez grandes problemas.* **cabeza loca** Persona que piensa poco las cosas y actúa de forma poco responsable: *Es una cabeza loca y nunca piensa las consecuencias de lo que hace.* **cabeza rapada** Miembro de un grupo social formado por personas generalmente jóvenes, violentas y que llevan el pelo muy corto: *En el partido de fútbol había un grupo de cabezas rapadas que amenazaban a los aficionados del otro equipo.* **calentarle a alguien la cabeza** Hablarle de algo hasta que se canse o hasta que se preocupe por ello: *Llevas dos días calentándome la cabeza con ese tema, y ya estoy harta.* **con la cabeza alta** Sin avergonzarse: *Puedo ir con la cabeza bien alta porque no he hecho nada malo.* **de cabeza** De manera decidida y sin una duda: *Si se organiza una excursión, yo me apunto de cabeza.* **estar mal de la cabeza** Estar loco o no razonar bien: *¿Cómo se te ocurre cruzar la carretera sin mirar?, ¿es que estás mal de la cabeza?* **levantar cabeza** Salir de una mala situación: *Llevo una racha con un montón de problemas y no levanto cabeza.* **llenar la cabeza de pájaros** Dar esperanzas que no tienen base: *Aprende a ser realista y no te llenes la cabeza de pájaros.* **meter algo en la cabeza** Tenerlo en el pensamiento o hacer que se tenga en el pensamiento: *Como se le meta algo en la cabeza, no para hasta que lo consigue. No sé cómo meterte en la cabeza que tienes que estudiar por tu bien.* **perder la cabeza** Volverse loco o dejar de razonar bien: *Esa chica me gusta tanto que me va a hacer perder la cabeza.* **romperse la cabeza** Darle muchas vueltas a un asunto: *No te rompas la cabeza intentando entender lo que le pasa a ése.* **sentar la cabeza** Volverse sensato: *Hasta que no se casó, no sentó la cabeza.* **subírsele algo a alguien a la cabeza** Hacer que sienta demasiado orgullo por ello: *Se le ha subido la fama a la cabeza y ahora nos trata a todos como si fuéramos inferiores.* **traer de cabeza** Preocupar mucho o causar muchas molestias: *Los problemas de mis hijos me traen de cabeza.* □ [Las expresiones son coloquiales]. SINÓ-

a
b
c
d
e
f
g
h
i
j
k
l
m
n
ñ
o
p
q
r
s
t
u
v
w
x
y
z

a
b
c
d
e
f
g
h
i
j
k
l
m
n
ñ
o
p
q
r
s
t
u
v
w
x
y
z

NIMOS: **1** melón, cascos, coco, cocorota. **2** barba. **4** res. CONTRARIOS: **5** cola. FAMILIA: cabecear, cabecera, cabecero, cabezada, cabezazo, cabezonada, cabezonería, cabezota, cabezudo, cabezón, cabizbajo, encabezar, encabezamiento, rompecabezas.

cabezada [sustantivo/femenino] **1** Movimiento que se hace al dejar caer la cabeza sin querer, a causa del sueño: *Tiene tanto sueño que no deja de dar cabezadas.* **2** Sueño corto que se echa una persona sin acostarse: *La película era tan aburrida que di alguna cabezada mientras la veía.* □ FAMILIA: → cabeza.

cabezazo [sustantivo/masculino] Golpe dado con la cabeza: *Me quedé dormida en la silla y me di un cabezazo contra la pared.* □ FAMILIA: → cabeza.

cabezón, -a 1 [adjetivo] Que da dolor de cabeza: *Los vinos de mala calidad suelen ser cabezones.* **2** [adjetivo o/sustantivo] Que no cambia de opinión por nada: *Cuando se pone cabezona, no hay quien la haga cambiar de opinión.* □ SINÓNIMOS: **2** cabezota, cabezudo. FAMILIA: → cabeza.

cabezonada o **[cabezonería** [sustantivo/femenino] Hecho propio de quien no cambia de opinión por nada: *No llevas razón y es una cabezonada que no lo reconozcas.* □ [Son coloquiales]. FAMILIA: → cabeza.

cabezota [adjetivo o/sustantivo] Que no cambia de opinión por nada: *Si no fueras tan cabezota, te darías cuenta de lo equivocado que estás.* □ [No varía en masculino y en femenino. Es despectivo]. SINÓNIMOS: cabezón, cabezudo. FAMILIA: → cabeza.

cabezudo, da 1 [adjetivo] Que no cambia de opinión por nada: *No seas tan cabezudo y*

CABEZUDO

razona un poco, anda. **2** [sustantivo/masculino] Figura que representa a una persona con una cabeza muy grande y que se suele sacar por las calles durante las fiestas populares: *En las fiestas de mi pueblo siempre vamos a ver a los gigantes y cabezudos.* □ SINÓNIMOS: **1** cabezota, cabezón. FAMILIA: → cabeza.

cabina [sustantivo/femenino] **1** Lugar pequeño y cerrado en el que hay un teléfono público: *Cuando salgo de viaje, al llegar siempre llamo a mi casa desde una cabina.* **2** Cuarto pequeño y separado desde el que se controla una máquina o en el que se hacen trabajos para los que conviene estar solo: *En la cabina del avión están los mandos para pilotarlo.* **3** Aparato parecido a una caja grande en el que viajan personas: *Las cabinas del teleférico van colgadas de un cable.*

cabizbajo, ja [adjetivo] Con la cabeza hacia abajo por estar triste, preocupado o avergonzado: *Salieron de la reunión desilusionados y cabizbajos.* □ FAMILIA: → cabeza.

cable [sustantivo/masculino] **1** Hilo de metal que suele estar cubierto de plástico y por el que pasa la electricidad: *Las lámparas llevan un cable para poder enchufarlas.* **2** Especie de cuerda muy fuerte que se usa para sujetar grandes pesos: *Ataron un cable al coche averiado para remolcarlo.* **3** [expresión] **cruzársele los cables a alguien** Confundirse o actuar de manera poco razonable: *¿Es que se te han cruzado los cables para pensar semejante disparate?* **echar un cable a alguien** Ayudarle en una situación difícil: *No podré resolver este problema si alguien no me echa un cable.* □ [Las expresiones son coloquiales].

cabo [sustantivo/masculino] **1** Extremo de un objeto alargado: *Empecé a tirar de un cabo de la lana y deshice todo el ovillo.* **2** Parte de terreno que se mete en el mar: *El cabo de Gata está en la costa de Almería.* ▣ página 536. **3** Una de las categorías militares: *La categoría de cabo es superior a la de soldado e inferior a la de sargento.* **4** Cada uno de los hilos que forman una cuerda: *Para mover el mueble utilizaron una cuerda muy fuerte de cuatro cabos.* **5** Cuerda que suele usarse en los barcos para distintas tareas: *Las velas de los barcos se atan a los palos con cabos.* **6** [expresión] **al cabo de** Después de un período de tiempo: *El médico me dijo que volviera al cabo de una semana para ver cómo seguía.* **atar cabos** Relacionar datos para llegar a una conclusión: *Atando cabos, deduje que tú eras la chica de la que me había hablado mi hermano.* **cabo suelto** Lo que queda sin resolver o sin terminar: *El trabajo está casi acabado, sólo quedan algunos cabos sueltos.* **de cabo a rabo** De principio a fin y sin dejar nada: *Pregúntame lo que quieras, porque me sé la lección de cabo a rabo.* **llevar a cabo** Hacer o terminar: *Para llevar a cabo esa obra, se necesita mucho dinero.* □ [Las expresiones cabo suelto y de cabo a rabo son coloquiales].

cabra 1 [sustantivo] [femenino] Animal con unos cuernos vueltos hacia atrás, y que sube fácilmente por montañas y lugares difíciles: *El macho de la cabra suele tener una especie de barba.* **2** [expresión] **cabra montés** La que es salvaje y vive en las montañas: *La cabra montés tiene los cuernos mucho más grandes que la doméstica.* **como una cabra** Muy loco: *No te hago caso, porque estás como una cabra.* □ [La expresión como una cabra es coloquial]. FAMILIA: cabrón, cabrito, cabrío.

cabrear [verbo] Enfadar mucho: *¡Como me cabree te vas a enterar!* □ [Es vulgar]. FAMILIA: → cabreo.

cabreo [sustantivo] [masculino] Lo que se siente cuando nos enfadamos mucho: *¡Menudo cabreo pillé cuando me quitaron la bici!* □ [Es vulgar]. FAMILIA: cabrear.

cabrío, a [adjetivo] De las cabras o relacionado con ellas: *En esta zona se hacen quesos con leche de ganado cabrío.* □ FAMILIA: → cabra.

cabriola [sustantivo] [femenino] **1** Vuelta que da una persona en el aire: *Los acróbatas del circo hacen increíbles cabriolas.* **2** Salto que dan los que bailan, cruzando varias veces los pies en el aire: *Es muy difícil hacer cabriolas como los bailarines de ballet.* **3** Salto que da un caballo, moviendo las patas mientras se mantiene en el aire: *Vimos un espectáculo en que los caballos hacían cabriolas y trotaban al ritmo de la música.* □ SINÓNIMOS: **1** voltereta. **2** pirueta.

cabrito, ta 1 [adjetivo o] [sustantivo] Que tiene mala intención y perjudica a los demás a propósito:

Ese tipo es un cabrito y me ha hecho una faena. **2** [sustantivo] [masculino] Cría de la cabra hasta que deja de tomar leche: *La carne de cabrito es muy tierna.* □ [El significado **1** es coloquial y se usa como insulto]. FAMILIA: → cabra.

cabrón, -a 1 [adjetivo o] [sustantivo] Mala persona. **2** [sustantivo] [masculino] Macho de la cabra: *Los cabrones tienen los cuernos más grandes que las cabras hembras.* □ [El significado **1** es vulgar y se usa como insulto]. SINÓNIMOS: **2** macho cabrío. FAMILIA: → cabra.

caca [sustantivo] [femenino] **1** Sustancia marrón y de mal olor que sale por el culo: *El niño ya sabe hacer caca en el orinal.* **2** Lo que tiene poco valor o poca calidad: *¡Vaya caca de dibujo que me ha salido!* □ [Es coloquial]. SINÓNIMOS: mierda, excremento. **2** cagada, porquería, basura. FAMILIA: → cagar.

cacahuete [sustantivo] [masculino] Fruto seco formado por una cáscara de color marrón claro, con varios granos comestibles dentro: *Los panchitos son cacahuetes pelados y fritos.* □ [No debe decirse cacahués, cacahuet ni alcahués. Es distinto de alcahuete, que es la persona que busca novio para otra].

cacao [sustantivo] [masculino] **1** Semilla de un árbol tropical con la que se fabrica el chocolate: *El cacao es ovalado y de color marrón.* **2** Polvo que se hace con estas semillas y con azúcar, que se disuelve y sabe a chocolate: *Sólo me gusta la leche si lleva cacao.* **3** Bebida que se hace mezclando este polvo con un líquido: *En verano me gusta beber el cacao bien frío.* **4** Producto para curar los labios que están muy secos: *Si vas a la sierra, date cacao en los labios para que no se te resequen.* **5** Situación sin orden, con gran movimiento de cosas y con mucho ruido: *¡Menudo cacao de tráfico se organiza cuando hay huelga de autobuses!* **6** Conjunto de cosas mezcladas y sin orden: *No he entendido nada y ahora tengo un cacao de ideas que no me aclaro.* □ [Los significados **5** y **6** son coloquiales]. SINÓNIMOS: **5** alboroto, bulla, bullicio, barullo. **5,6** lío, follón, jaleo, embrollo.

cacarear [verbo] **1** Emitir un gallo o una gallina su voz característica: *Cuando el gallo cacarea hace un ruido parecido a «kíkiriki».* **2** Hablar mucho de algo: *Va por todas par-*

tes cacareando lo lista que es. □ [El significado **2** es coloquial].

cacatúa [sustantivo] [femenino] **1** Ave con plumas de colores muy vivos y que puede aprender a decir palabras: *La cacatúa tiene unas plumas en la cabeza que se abren como un abanico.* **2** Persona fea, vieja y de aspecto poco cuidado: *Esa mujer es una cacatúa y se parece a las brujas de los cuentos.* □ [El significado **2** es despectivo].

cacereño, ña [adjetivo o] [sustantivo] De la provincia de Cáceres o de su capital: *Los cacereños son extremeños.*

cacería [sustantivo] [femenino] Excursión que se hace para cazar: *Unas cuantas personas participaron en la cacería del jabalí.* □ FAMILIA: → caza.

cacerola [sustantivo] [femenino] Recipiente de cocina, con la base redonda, más ancho que alto y con dos asas: *Guisé la carne en una cacerola.* □ SINÓNIMOS: cazuela. FAMILIA: → cazo.

cachalote [sustantivo] [masculino] Animal marino de gran tamaño: *El cachalote es parecido a la ballena, pero tiene dientes.*

CACHALOTE

cacharro [sustantivo] [masculino] **1** Recipiente que se usa en la cocina o para otros usos: *Después de comer, hay que fregar los cacharros.* **2** Aparato viejo, estropeado o que funciona mal: *Este reloj es un cacharro y se para cuando quiere.* □ [Se usa mucho para nombrar cosas de forma imprecisa: *¿De quién es este cacharro? Quita todos estos cacharros de aquí.* El significado **2** es despectivo]. FAMILIA: escacharrar.

cachas [adjetivo o] [sustantivo] Que está fuerte y tiene los músculos muy desarrollados: *Las personas que hacen deporte suelen estar muy cachas.* □ [No varía en masculino y en femenino, ni en singular y plural. Es coloquial. Se usa mucho en la expresión *estar cachas*].

cachear [verbo] Registrar a una persona, tocándole el cuerpo por encima de la ropa: *Los policías cachearon al detenido y le encontraron una pistola.*

cachete [sustantivo] [masculino] Golpe dado en la cara o en el culo con la mano abierta: *Mi hermano mayor se enfadó conmigo y me dio un cachete.*

cachivache [sustantivo] [masculino] Cualquier objeto, especialmente si es viejo o inútil: *¿Por qué no tiras todos esos cachivaches?* □ [Se usa mucho para nombrar cosas de forma imprecisa: *Tienes la habitación llena de cachivaches.* Es despectivo]. SINÓNIMOS: trasto.

cacho [sustantivo] [masculino] Parte que se separa de un todo: *¿Me das un cacho de bocadillo?* □ [Es coloquial]. SINÓNIMOS: trozo, pedazo, porción, fracción, fragmento.

cachondearse [verbo] Reírse de algo o hacer burla de ello: *Deja de cachondearte de mí y ocúpate de tus cosas.* □ [Es vulgar]. SINÓNIMOS: burlarse, pitorrearse. FAMILIA: → cachondo.

cachondeo [sustantivo] [masculino] **1** Broma que se hace para divertirse o para reírse de algo: *Vaya cachondeo te traes con lo que te dije.* **2** Falta de orden: *Esta oficina es un cachondeo y aquí cada uno hace lo que le da la gana.* □ [Es vulgar]. FAMILIA: → cachondo.

cachondo, da [adjetivo o] [sustantivo] Que hace gracia o que se ríe por cualquier cosa: *Ese tío es un cachondo y nos partimos de risa con él.* □ [Es vulgar]. SINÓNIMOS: divertido. CONTRARIOS: aburrido. FAMILIA: cachondearse, cachondeo.

cachorro, rra [sustantivo] Cría del perro y de otros animales: *Este perro vive con nosotros desde que era un cachorro. Los cachorros de lobo se llaman «lobeznos».*

caco [sustantivo] [masculino] Ladrón que roba con habilidad: *Hemos puesto un cierre de seguridad para evitar que entren los cacos.* □ [Es coloquial].

cacto o **cactus** [sustantivo] [masculino] Planta de tallo grueso y verde con muchas espinas y que puede almacenar agua: *Los cactus hay que regarlos muy poco.* □ [Cactus no varía en singular y en plural].

CACTO O CACTUS

cada [pronombre indefinido] **1** Señala uno por uno los elementos de una serie: *Cada uno de vosotros puede hacer una pregunta.* **2** Señala uno de los elementos en que se divide algo: *Cada día me trae noticias nuevas.* **3** Se usa para dar más fuerza a lo que se dice: *Es mejor que te calles, porque estás diciendo cada tontería...* □ [No varía en masculino y en femenino, ni en singular y plural].

cadáver [sustantivo masculino] Cuerpo sin vida: *El cadáver del fallecido fue enterrado ayer en el cementerio.* □ SINÓNIMOS: restos mortales, cuerpo, fiambre.

cadena [sustantivo femenino] **1** Conjunto de piezas que suelen tener forma de anillo y que van unidas unas con otras: *Llevo una cadena de plata con una medalla.* **2** Conjunto de hechos o de cosas que se suceden unos a otros y que están relacionados entre sí: *Las medidas del Gobierno han originado una cadena de protestas.* **3** Conjunto de tiendas del mismo tipo que pertenecen a una misma empresa: *Los supermercados de esta cadena pueden poner precios más baratos.* **4** Cada uno de los conjuntos de programas de radio o de televisión emitidos por una misma empresa: *El acto será retransmitido por la primera cadena de la televisión.* **5** [expresión] **cadena de música** Equipo de música formado por varios aparatos: *Mi cadena de música tiene radio, casete y lector de discos compactos.* **cadena perpetua** Pena que pone un juez y que consiste en quitar la libertad a una persona para siempre: *Lo condenaron a cadena perpetua y nunca salió de la cárcel.* □ SINÓNIMOS: **2** serie, sarta, sucesión. FAMILIA: cadeneta, encadenar, desencadenar.

cadeneta [sustantivo femenino] Punto de labor en forma de cadena: *Lo único que sé hacer a ganchillo son las cadenetas.* □ FAMILIA: → cadena.

cadera [sustantivo femenino] Cada uno de los dos huesos del cuerpo que unen las piernas de las personas o las patas de los animales al tronco: *El abuelo se cayó y se ha roto la cadera.*

caducar [verbo] **1** Dejar de tener valor porque ha pasado el tiempo: *Tengo que renovar el carné de conducir, porque está a punto de caducar.* **2** Dejar un producto de ser adecuado para comerlo o para usarlo: *Tuve que*

tirar un yogur porque miré la fecha y vi que había caducado.* □ [La c se cambia en qu delante de e, como en SACAR]. FAMILIA: → caduco.

caducidad [sustantivo femenino] **1** Pérdida del valor de algo porque ha pasado el tiempo: *Mira la fecha de caducidad para ver si aún se puede tomar esa leche.* **2** Carácter de lo que dura poco o se estropea con el paso del tiempo: *Lo malo de esas flores tan bonitas es su caducidad.* □ FAMILIA: → caduco.

caduco, ca [adjetivo] **1** Dicho de una hoja, que se cae en invierno: *El chopo tiene hojas caducas y el pino, hojas perennes.* **2** Que dura poco o que se estropea con el paso del tiempo: *Los alimentos derivados de la leche son productos caducos.* **3** Que se ha quedado viejo o que ya no vale debido al paso del tiempo: *Algunas personas mayores defienden ideas caducas.* □ SINÓNIMOS: **3** anticuado, antiguo. CONTRARIOS: **1** perenne. **3** moderno. FAMILIA: caducar, caducidad.

caer [verbo] **1** Moverse de arriba abajo por el propio peso: *Cuando la fruta está madura, cae del árbol.* **2** Perder el equilibrio hasta

caer	conjugación
INDICATIVO	**SUBJUNTIVO**
presente	**presente**
caigo	caiga
caes	caigas
cae	caiga
caemos	caigamos
caéis	caigáis
+caen	caigan
pretérito imperfecto	**pretérito imperfecto**
caía	cayera, -ese
caías	cayeras, -eses
caía	cayera, -ese
caíamos	cayéramos, -ésemos
caíais	cayerais, -eseis
caían	cayeran, -esen
pretérito indefinido	**futuro**
caí	cayere
caíste	cayeres
cayó	cayere
caímos	cayéremos
caísteis	cayereis
cayeron	cayeren
futuro	**IMPERATIVO**
caeré	
caerás	**presente**
caerá	cae (tú)
caeremos	caiga (él)
caeréis	caigamos (nosotros)
caerán	caed (vosotros)
	caigan (ellos)
condicional	**FORMAS NO PERSONALES**
caería	
caerías	**infinitivo** **gerundio**
caería	caer cayendo
caeríamos	**participio**
caeríais	caído
caerían	

a
b
c
d
e
f
g
h
i
j
k
l
m
n
ñ
o
p
q
r
s
t
u
v
w
x
y
z

a
b
c
d
e
f
g
h
i
j
k
l
m
n
ñ
o
p
q
r
s
t
u
v
w
x
y
z

dar en el suelo: *Resbalé con algo y me caí.* **3** Separarse algo del lugar al que estaba unido: *Tengo que coser un adorno que se me ha caído del vestido.* **4** Ir a parar a un lugar: *No sé cómo pudimos caer en un sitio así. Lancé la pelota y no sé por dónde habrá caído.* **5** Encontrarse en una desgracia o en un engaño: *No volveré a caer en tus trampas.* **6** Estar algo situado en un punto: *Esa calle cae por mi barrio.* **7** Perder de golpe la situación que tenía: *El escándalo hizo caer a varios ministros.* **8** Dejar de existir algo: *Mis esperanzas de conseguir el puesto cayeron cuando supe quiénes eran los otros candidatos. Muchas personas han caído por defender sus ideas.* **9** Fracasar o ser vencido: *Nuestro equipo cayó ante un duro rival.* **10** Resultar algo de determinada manera o producir determinado efecto: *¿Me cae bien este traje? No me ha caído bien la comida y me duele la tripa.* **11** Colgar algo de determinada manera: *Las faldas de la mesa camilla caen haciendo tablas.* **12** Echarse sobre algo de manera rápida: *La policía cayó sobre los ladrones cuando menos se lo esperaban.* **13** Llegar a entender o a recordar algo: *No me des más pistas, porque ya caigo en lo que me dices.* **14** Ocurrir, suceder o producirse algo: *Este año mi cumpleaños cae en sábado.* **15** Tocar o corresponder un premio o una tarea: *Nadie quería hacer ese trabajo y al final me cayó a mí.* **16** Empezar a ponerse el Sol o a acabarse el día o la tarde: *Cuando cae la tarde, empieza a no verse con claridad.* **17** [expresión] **caer bajo** Hacer algo que no es digno: *Me parecías una persona honrada y nunca pensé que pudieras caer tan bajo.* **caer bien o mal a alguien** Resultarle simpático o poco simpático: *No la conozco mucho, pero me cae bien.* **dejar caer algo** Decirlo sin darle importancia, pero con intención: *Dejó caer que me había visto contigo, para ver cómo reaccionaba.* **dejarse caer** Presentarse en un lugar: *Déjate caer por aquí algún día y charlamos.* **estar al caer** Estar a punto de llegar o de ocurrir: *Llevan mucho tiempo juntos y creo que su boda está al caer.* □ [Es irregular]. SINÓNIMOS: **10** sentar. **12** abalanzarse. CONTRARIOS: **1,7** subir. **2** levantar. **8**

aparecer, surgir. **9** vencer. FAMILIA: caída, caído, recaer, paracaídas, paracaidista.

café [sustantivo] [masculino] **1** Semilla de color marrón con la que se hace una bebida que estimula: *¿Compras el café molido o en grano?* **2** Bebida de color oscuro y sabor amargo que se prepara con estas semillas: *Me gusta el café con leche.* **3** Local público donde se sirven ésta y otras bebidas: *He estado con una amiga en un café del centro.* **4** [expresión] **café irlandés** El que se prepara con una bebida alcohólica y con nata: *Los niños no deben tomar café irlandés, porque lleva güisqui.* **café torrefacto** El que tiene un color más oscuro y un sabor más fuerte: *El café torrefacto es el café natural tostado con azúcar.* **café vienés** El que se prepara con nata: *En ese pub ponen un café vienés riquísimo.* **mal café** Mal humor: *Cuando está de mal café, es mejor dejarla sola hasta que se le pase.* □ [La expresión mal café es coloquial]. SINÓNIMOS: **3** cafetería. FAMILIA: cafetería, cafetera, cafetero, cafeína.

cafeína [sustantivo] [femenino] Sustancia que tienen el café y otras plantas y que estimula: *Cuando tomas café te pones nervioso por efecto de la cafeína.* □ FAMILIA: → café.

cafetería [sustantivo] [femenino] Local público donde se sirve café y otras bebidas: *¿Entramos en esta cafetería a tomar un café?* □ SINÓNIMOS: café. FAMILIA: → café. 🐾 página 154.

cafetero, ra 1 [adjetivo] Del café o relacionado con él: *La mayor parte de la producción cafetera viene de América.* **2** [adjetivo o sustantivo] Que suele tomar mucho café: *Mis padres son muy cafeteros y se toman varios cafés al día.* [sustantivo] [femenino] **3** Máquina para hacer café o recipiente para servirlo: *En casa tenemos una cafetera de cristal que hace el café con filtros de papel.* **4** Vehículo viejo y que no funciona bien: *Si vais en esa cafetera, no sé si llegaréis a tiempo.* □ [El significado **4** es coloquial]. FAMILIA: → café.

cagado, da 1 [adjetivo o sustantivo] Que no se atreve a nada y siente miedo por cualquier cosa: *No subiste a la noria porque eres una cagada.* [sustantivo] [femenino] **2** Caca que se hace de una vez: *Acostúmbrate a recoger las cagadas de tu perro para no ensuciar la calle.* **3** Lo que tiene poco valor o poca calidad: *¡No sé cómo* *han podido dar un premio a esa cagada de película!* □ [Es vulgar]. SINÓNIMOS: **1** cagón, cobarde, miedoso, miedica. **3** caca, porquería, mierda, basura. CONTRARIOS: **1** valiente, valeroso. FAMILIA: → cagar.

cagar [verbo] **1** Hacer caca: *Tengo que educar al perro para que no se cague en cualquier sitio.* **2 cagarse** Sentir mucho miedo: *Ese cobarde se caga por cualquier cosa.* **3** [expresión] **cagarla** Estropear algo o hacerlo mal: *Como haya perdido el reloj, la he cagado.* **cagarse en algo** Maldecirlo: *¡Me cago en mi mala suerte!* □ [La g se cambia en gu delante de e, como en PAGAR. Es vulgar]. SINÓNIMOS: **2** acobardarse. asustarse. FAMILIA: caca, cagada, cagado, cagón, cagarruta.

cagarruta [sustantivo] [femenino] Porción de mierda de algunos animales: *Las ovejas dejan llenos de cagarrutas los sitios por donde pasan.* □ [Es coloquial]. FAMILIA: → cagar.

cagón, -a [adjetivo o] [sustantivo] **1** Que hace caca con mucha frecuencia: *Este bebé es un cagón y hay que cambiarle de pañales cada dos por tres.* **2** Que no se atreve a nada y siente miedo por cualquier cosa: *¡No seas tan cagón y salta ya, que no te va a pasar nada!* □ [Es vulgar]. SINÓNIMOS: **2** cagado, cobarde, miedoso, miedica. CONTRARIOS: **2** valiente, valeroso. FAMILIA: → cagar.

caído, da 1 [adjetivo] Dicho de una parte del cuerpo, que está más inclinada de lo normal: *Tiene los ojos caídos y eso da un aspecto triste a su cara.* **2** [adjetivo o] [sustantivo] Que ha muerto defendiendo algo en lo que creía: *Este monumento está levantado en memoria de los caídos por la patria.* [sustantivo] [femenino] **3** Movimiento que se hace de arriba abajo por el propio peso: *En otoño comienza la caída de las hojas de muchos árboles.* **4** Pérdida del equilibrio hasta dar en el suelo: *Estoy llena de heridas por una caída que tuve el otro día del caballo.* **5** Pérdida del poder o de la situación que se tenía: *Ese asunto de corrupción podría suponer la caída del gobierno entero.* **6** Destrucción o fin de algo: *La caída del Imperio Romano se debió a muchos factores que actuaron a la vez.* **7** Pérdida de valor repentina y rápida: *La caída del dólar provocó la caída de otras monedas europeas.* **8** Período de tiempo durante el

cual se pone el Sol: *Cuando hace tanto calor, la gente empieza a salir de su casa a la caída de la tarde.* **9** Manera de caer que tiene una tela a causa de su peso: *Para una falda con tanto vuelo necesitas una tela con mucha caída.* **10** [expresión] **caída de ojos** Forma de bajar los ojos: *Me gusta mucho la caída de ojos que tiene este actor.* □ FAMILIA: → caer.

caimán [sustantivo] [masculino] Animal que tiene la piel muy dura, la boca muy grande y con muchos dientes y que vive en los ríos, pero puede estar también en tierra: *El caimán es parecido al cocodrilo.*

caja [sustantivo] [femenino] **1** Recipiente que suele tener tapa y que sirve para guardar cosas: *Los zapatos venían metidos en una caja de cartón.* **2** Especie de recipiente grande en el que se coloca a un muerto para enterrarlo: *Un coche fúnebre llevó la caja hasta el cementerio.* **3** Lugar de un comercio o de un banco donde se paga y se cobra: *En los supermercados, tú coges lo que quieres y luego lo pagas en caja al salir.* **4** Lo que sirve para cubrir y proteger lo que tiene en su interior: *La caja del reloj de pared adorna y evita que le entre polvo.* **5** [expresión] **caja de ahorros** Especie de banco para ahorrar: *Las cajas de ahorros suelen invertir parte de sus beneficios en obras sociales.* **caja de caudales** o **caja fuerte** La que está hecha con materiales muy fuertes y se usa para guardar dinero y objetos de valor: *Tienen las joyas en una caja fuerte.* **caja de cambios** Aparato que permite cambiar de marcha en un vehículo: *Las cajas de cambios suelen tener seis marchas.* **caja de música** La que produce música al abrirla: *Tengo una caja de música que me sirve de joyero.* **caja negra** Aparato que llevan los aviones y que registra datos sobre lo que pasa durante el vuelo: *Cuando hay un accidente de avión, se estudia la caja negra para averiguar las causas.* **caja registradora** La que se usa en los comercios para registrar y sumar el precio de las ventas: *De la caja registradora sale un papel con el importe de todo lo que has comprado.* **caja tonta** Televisión: *Pasas demasiado tiempo viendo la caja tonta.* □

[La expresión *caja tonta* es coloquial]. SINÓNIMOS: **2** ataúd. FAMILIA: cajón, cajetilla, cajero.

cajero, ra 1 [sustantivo] Persona que trabaja en la caja de un comercio o de un banco: *Paga al cajero los productos que quieras llevarte.* **2** [expresión] **cajero automático** Máquina que está fuera del banco para que los clientes puedan sacar dinero cuando el banco está cerrado: *Con esta tarjeta puedes sacar dinero de tu cartilla desde cualquier cajero automático.* □ FAMILIA: → caja.

cajetilla [sustantivo femenino] Paquete de cigarrillos: *Fumarse una cajetilla al día es una barbaridad.* □ FAMILIA: → caja.

cajón 1 [sustantivo masculino] Parte de un mueble que se puede meter y sacar de un hueco y en la que se pueden guardar cosas: *Los calcetines están en el segundo cajón del armario.* **2** [expresión] **cajón de sastre** Lugar donde hay un conjunto de cosas diversas y sin orden: *Esa carpeta es un cajón de sastre donde meto todo lo que no necesito de momento.* **ser de cajón** Ser evidente: *Es de cajón que, si queremos ir los ocho, no cabemos en el mismo coche.* □ [Las expresiones son coloquiales]. FAMILIA: → caja.

cal 1 [sustantivo femenino] Sustancia de color blanco que se usa para fabricar cemento y para poner blancas las paredes: *En Andalucía es costumbre blanquear las casas con cal.* **2** [expresión] **cerrar a cal y canto** Cerrar del todo: *Cuando se va de vacaciones, cierra la casa a cal y canto.* **dar una de cal y otra de arena** Hacer unas veces una cosa y otras, la contraria: *No sé qué pensar de él, porque es de los que dan una de cal y otra de arena.*

cala [sustantivo femenino] **1** Peseta: *Me he gastado todo el dinero y no me queda ni una cala.* **2** Parte de la costa donde el mar se mete en la tierra: *Me gusta bañarme en las calas pequeñas porque hay menos olas.* **3** Trozo que se corta de una fruta para probarla: *Hazle una cala al melón, a ver si está maduro.* □ [El significado **1** es coloquial]. FAMILIA: → calar.

calabacín [sustantivo masculino] Fruto de una planta que se cultiva en las huertas, que es alargado, con la piel de color verde oscuro y con la carne blanca: *El calabacín es una variedad de calabaza y parece un pepino grande.* □ FAMILIA: → calabaza.

calabaza [sustantivo femenino] **1** Fruto de una planta que se cultiva en las huertas y que es redondo, grande y comestible y tiene la piel amarilla o naranja y muy dura: *La calabaza se parece a la sandía.* **2** Mala nota en un examen: *Me han puesto calabazas por no estudiar.* **3** [expresión] **dar calabazas** Decir que no se quiere tener una relación de amor con quien lo ha pedido: *No me atrevo a declararme a esa chica por miedo a que me dé calabazas.* □ [Los significados **2** y **3** son coloquiales]. SINÓNIMOS: **2** suspenso. CONTRARIOS: **2** aprobado. FAMILIA: calabacín.

calabozo [sustantivo masculino] Parte de un edificio donde se mete a los prisioneros: *A ese soldado lo metieron en el calabozo del cuartel por desobedecer una orden.*

calado [sustantivo masculino] **1** Adorno que se hace abriendo agujeros en una superficie: *Tengo una blusa con unos calados muy bonitos.* **2** Distancia entre la superficie y el fondo del agua: *Este río no es navegable porque tiene poco calado.* **3** Distancia entre la parte más baja de un barco y la superficie del agua: *Los barcos con mucho calado sólo pueden navegar en aguas profundas.* □ FAMILIA: → calar.

calamar [sustantivo masculino] Animal marino que suelta un líquido negro cuando lo atacan y que es comestible: *Me gustan más los calamares en su tinta que los calamares fritos.*

calambre [sustantivo masculino] **1** Dolor repentino que se siente cuando un músculo se queda rígido: *Me ha dado un calambre en la pierna y no puedo andar.* **2** Impresión que sentimos al tocar algo por donde pasa electricidad: *No metas los dedos en el enchufe, que te va a dar calambre.*

calamidad [sustantivo femenino] **1** Situación de desgracia o de sufrimiento: *En las guerras se pasan muchas calamidades.* **2** Persona que todo lo hace mal o a la que todo le sale mal: *Soy una calamidad para los trabajos manuales.* □ [El significado **1** se usa más en plural]. SINÓNIMOS: **1** adversidad.

calar [verbo] **1** Meterse un líquido en un cuerpo y pasar al otro lado: *Las goteras se producen cuando el agua cala las paredes.* **2** Dejar un cuerpo que un líquido pase a través de él: *Los impermeables están hechos* *con tejidos que no calan.* **3** Introducirse o quedarse algo muy dentro: *Tus insultos calaron en mí y me hicieron mucho daño.* **4** Darse cuenta de cómo es una persona o de cómo piensa de verdad: *Te calo enseguida y sé cuándo me mientes.* **5** Comprender el sentido verdadero de algo: *Al principio no calé por dónde iba su pregunta.* **6** Cortar una fruta para probarla: *El frutero caló un melón y nos dio para que lo probáramos.* **7** Ponerse un sombrero en la cabeza bien metido: *Como tenía frío, se caló la gorra hasta las orejas.* **calarse 8** Mojarse la ropa del todo hasta llegar el agua al cuerpo: *Nos pilló un chaparrón y nos calamos.* **9** Pararse de pronto un motor: *El coche se cala mucho cuando está frío.* □ [Los significados **4** y **5** son coloquiales]. SINÓNIMOS: **8** empaparse. FAMILIA: cala, calado.

calavera 1 [sustantivo masculino] Hombre al que le gustan mucho las diversiones: *Tiene fama de calavera porque todos los días se va de copas y no vuelve hasta las tantas.* **2** [femenino] Conjunto de los huesos que forman la cabeza: *Los piratas llevaban una bandera negra con una calavera pintada.* □ [No confundir con *carabela*. El significado **1** es coloquial].

calcar [verbo] **1** Copiar algo, poniendo sobre ello el material donde se quiere hacer la copia: *He calcado un dibujo del libro poniendo encima de la hoja un papel muy fino y copiando lo que se transparentaba.* **2** Hacer algo igual que otra cosa: *Los hijos calcan muchos de los movimientos que ven a sus padres.* □ [La c se cambia en qu delante de e, como en SACAR]. SINÓNIMOS: **2** imitar, copiar. FAMILIA: calco, calcomanía.

calcetín [sustantivo masculino] Prenda de punto que cubre el pie y la pierna sin llegar a la rodilla: *En verano me pongo los zapatos sin calcetines.* □ FAMILIA: → calzar.

calcio [sustantivo masculino] Sustancia química de color blanco que se encuentra en los huesos: *La leche y sus derivados tienen mucho calcio.*

calco [sustantivo masculino] Lo que se ha hecho copiando una cosa o lo que se parece mucho a algo: *Ese niño es un calco de su padre.* □ SINÓNIMOS: copia, imitación, reproducción. FAMILIA: → calcar.

calcomanía [sustantivo femenino] Imagen que va puesta al revés en un papel, para que se pegue en la superficie donde se quiere poner: *Pon la calcomanía sobre el cristal y aprieta bien para que se pegue.* □ [No debe decirse *calcomonía*]. FAMILIA: → calcar.

calculador, -a 1 [adjetivo o sustantivo] Que actúa pensando sólo en la ganancia que puede sacar: *No me gusta la gente calculadora que nunca hace lo que le sale del corazón.* **2** [sustantivo femenino] Máquina que realiza operaciones matemáticas de forma automática: *No nos dejan utilizar calculadora en clase de matemáticas.* □ FAMILIA: → calcular.

calcular [verbo] **1** Hacer operaciones matemáticas para obtener un resultado: *Si en una caja caben ocho botellas, calcula cuántas caben en diez cajas.* **2** Considerar algo como posible a partir de lo que se conoce: *Calculo que a esa hora ya estaré en casa.* **3** Pensar en algo con cuidado: *No hago nada sin calcular primero el riesgo que corro.* □ SINÓNIMOS: **2** suponer, creer, imaginar. FAMILIA: cálculo, calculadora, calculador, incalculable.

cálculo [sustantivo masculino] **1** Conjunto de operaciones matemáticas que se hacen para obtener un resultado: *Sabiendo el precio de un libro, el cálculo de lo que cuestan diez es fácil de hacer.* **2** Parte de las matemáticas que estudia estas operaciones: *Para ser contable hay que saber mucho cálculo.* **3** Juicio que se forma a partir de lo que se conoce: *Según mis cálculos, lo que buscamos tiene que estar por esta zona.* **4** Especie de bola dura que se forma en algunos órganos del cuerpo: *Los cálculos en el riñón pueden producir fuertes dolores.* □ SINÓNIMOS: **1** cuenta. **4** piedra. FAMILIA: → calcular.

caldera [sustantivo femenino] **1** Recipiente de metal, cerrado, por donde pasa agua que se calienta para usarla en calefacción o en otros usos: *Los sistemas de calefacción de gas necesitan una caldera.* **2** Recipiente de metal con el fondo redondo, que se usa para calentar o cocinar algo: *Cuando fuimos al campo, hicimos la comida en una caldera que pusimos al fuego.* □ [En el significado **1** no debe decirse *caldera a vapor*, sino *caldera de vapor*]. FAMILIA: caldero.

calderilla [sustantivo/femenino] Conjunto de monedas: *No llevo ningún billete, sólo calderilla.*

caldero [sustantivo/masculino] Cubo de metal con una sola asa: *Junto al pozo hay un caldero para sacar el agua.* □ FAMILIA: → caldera.

caldo [sustantivo/masculino] **1** Líquido que se obtiene al cocer un alimento en agua: *No escurras las verduras después de cocerlas, que me gustan con el caldo.* **2** Vino u otra bebida que se obtiene de un fruto: *Los vinos riojanos están entre los mejores caldos del mundo.* **3** [expresión] **caldo de cultivo** Conjunto de circunstancias que hacen más fácil el desarrollo de algo: *El ambiente en el que crecen algunas personas son un caldo de cultivo para que se conviertan en delincuentes.* **caldo gallego** Comida que se prepara cociendo verduras, carne y otros productos con mucho líquido: *Cuando estuve en Galicia probé el caldo gallego.* **poner a caldo a alguien** Criticarlo o insultarlo mucho: *Empezó a hablar de tus defectos y te puso a caldo.* □ [La expresión poner a caldo a alguien es coloquial]. FAMILIA: caldoso.

caldoso, sa [adjetivo] Con mucho caldo: *Las judías están muy caldosas porque les he echado demasiada agua al cocerlas.* □ FAMILIA: → caldo.

calefacción [sustantivo/femenino] Sistema que sirve para calentar un lugar: *En mi casa tenemos calefacción eléctrica.*

calendario [sustantivo/masculino] **1** Lista de los días del año repartidos en meses y semanas: *Mira en el calendario en qué día de la semana cae el veinte de enero.* página 153. **2** Sistema de división del tiempo en años, meses y días: *El calendario romano no tenía los mismos meses que el nuestro.* **3** Organización de un período de tiempo, repartiendo en él las actividades que se tienen que hacer: *Tengo que hacer un calendario de estudio para que me dé tiempo a terminar todo.* □ SINÓNIMOS: **1** almanaque.

calentador [sustantivo/masculino] **1** Electrodoméstico que sirve para calentar el agua: *Para encender el calentador, hay que abrir el gas.* **2** Cualquier objeto que sirve para calentar: *Antiguamente se usaban calentadores para calentar las sábanas antes de acostarse.* **3** Media de lana, sin la parte del pie, que sirve para mantener calientes las piernas: *Muchas personas se ponen calentadores para hacer gimnasia.* □ FAMILIA: → calor.

calentar [verbo] **1** Dar calor y hacer aumentar la temperatura: *Esa estufa enseguida calienta la sala. No dejes que la comida se caliente demasiado.* **2** Enfadar mucho y poner nervioso: *¡No me calientes, que hoy no tengo paciencia!* **3** Dar golpes o azotes: *¡Como vuelvas a desobedecer, te caliento!* **4** Hacer ejercicios para que los músculos entren en calor: *El entrenador va a sustituir a un jugador, porque le ha dicho a otro que empiece a calentar.* □ [Es irregular y se conjuga como PENSAR. Los significados **2** y **3** son coloquiales]. SINÓNIMOS: **2** irritar, acalorarse. **3** pegar, azotar, golpear. CONTRARIOS: **1,2** enfriar. **2** calmar, apaciguar, tranquilizar, serenar, sosegar. FAMILIA: → calor.

calentura [sustantivo/femenino] **1** Herida que sale en los labios: *Me ha salido una calentura y me duele cuando me río.* **2** Aumento de la temperatura del cuerpo por encima de lo normal: *Me he puesto el termómetro y tengo calentura.* □ SINÓNIMOS: **1** pupa. **2** fiebre. FAMILIA: → calor.

calibre [sustantivo/masculino] **1** Anchura del tubo por el que sale la bala de un arma: *A juzgar por el agujero que hizo la bala, dispararon con un arma de gran calibre.* **2** Grueso de una bala o de otras cosas: *Esta pistola utiliza munición de pequeño calibre.* **3** Tamaño, importancia o clase: *¿Cómo puedes decir una mentira de semejante calibre?*

calidad [sustantivo/femenino] **1** Conjunto de las propiedades que son características de algo: *La acidez es la calidad de las cosas ácidas.* **2** Conjunto de cualidades que hacen que una cosa sea mejor que otra: *Ese autor escribe libros de mucha calidad.* **3** [expresión] **calidad de vida** Conjunto de condiciones que hacen la vida más agradable: *Mi sueldo no es mucho, pero me permite tener cierta calidad de vida.* **de calidad** Muy bueno: *En esta tienda sólo venden productos de calidad.* **en calidad de** En condición de: *Te doy un consejo, no como compañero de trabajo, sino en calidad de amigo.*

cálido, da [adjetivo] **1** Que da calor: *El verano es la estación más cálida del año.* **2**

Cariñoso y que hace sentirse bien aceptado: *El público premió la actuación con una cálida ovación.* **3** Dicho de un color, que se parece al rojo o al amarillo: *La habitación estaba pintada en tonos cálidos muy agradables.* □ SINÓNIMOS: **1,2** caluroso. CONTRARIOS: frío. FAMILIA: → calor.

caliente [adjetivo] **1** Con temperatura alta: *Tienes la frente caliente por la fiebre.* **2** Que da calor: *La lana es un tejido caliente.* **3** Que se acaba de hacer o que acaba de pasar: *Te traigo una noticia caliente que aún no sabe nadie.* **4** Muy enfadado y nervioso: *Los dos están muy calientes y no me extrañaría que se pegaran.* **5** Con muchos problemas o con muchas luchas: *Los sindicatos anuncian un año caliente si los empresarios no aceptan subidas de sueldo.* **6** [interjección] Se usa para indicar que alguien está cerca de lo que busca: *Un niño buscaba algo con los ojos vendados, y los demás le gritaban: «¡Caliente, caliente!».* **7** [expresión] **en caliente** Cuando algo acaba de pasar y aún se nota su efecto: *Ya te contestaré cuando me haya calmado porque, si lo hago en caliente, diré alguna barbaridad.* □ [Cuando es adjetivo, no varía en masculino y en femenino. Los significados **3**, **4** y **5** son coloquiales]. SINÓNIMOS: **1,2,6** frío. **3** reciente, fresco. **5** conflictivo. FAMILIA: → calor.

calificación [sustantivo/femenino] Valor que se da a algo: *He aprobado el curso con buenas calificaciones. Esa película ha merecido la calificación de «genial».* □ SINÓNIMOS: **2** nota. FAMILIA: → calificar.

calificar [verbo] **1** Considerar que a algo le corresponden determinadas cualidades: *El juez calificó los hechos como intolerables.* **2** Dar un valor a un examen o a un ejercicio: *La profesora de lengua calificó mi redacción con un sobresaliente.* □ [La c se cambia en qu delante de e, como en SACAR].

caligrafía [sustantivo/femenino] **1** Forma de escribir característica de alguien: *Tienes una caligrafía muy clara y que se entiende muy bien.* **2** Técnica de escribir a mano con letra bien hecha: *Aprendí caligrafía en el colegio.* □ FAMILIA: → grafía.

cáliz [sustantivo/masculino] **1** Especie de vaso en el que el sacerdote echa el vino durante la misa: *Du-*

rante la eucaristía, el sacerdote levanta el cáliz y dice: «Tomad y bebed todos de él». **2** Conjunto de penas o de cosas amargas que sufre una persona: *Cuando iba a ser crucificado, Jesucristo dijo: «¡Padre, aparta de mí este cáliz!».* **3** Parte exterior de una flor, formada por varias hojas que suelen ser verdes y que se unen al tallo: *El cáliz tapa la parte inferior de los pétalos.* □ [Su plural es cálices].

callado, da [adjetivo] **1** Que habla poco o que cuenta pocas cosas: *Con lo callada que es, casi nadie sabe lo que piensa.* **2** Sin ruidos: *La noche estaba callada y oscura.* **3** [expresión] **dar la callada por respuesta** No contestar: *Cuando pregunto algo, no me gusta que me den la callada por respuesta.* □ [El significado **3** es coloquial]. SINÓNIMOS: **1** reservado. **2** silencioso. CONTRARIOS: **1** hablador, charlatán, parlanchín, cotorra. **2** ruidoso. FAMILIA: → callar.

callar [verbo] **1** Dejar de hablar o de hacer ruido: *Ese charlatán empieza a hablar y no calla.* **2** Dejar de producir un sonido o un ruido: *Cuando las campanas de la iglesia callaron, la misa comenzó.* **3** No decir lo que se sabe o lo que se siente: *Callé lo que pensaba porque sabía que podía molestarles.* □ SINÓNIMOS: **2** enmudecer. CONTRARIOS: **1,2** hablar. **3** decir, manifestar, expresar, comunicar, pregonar, proclamar, declarar, largar. FAMILIA: callado.

calle [sustantivo/femenino] **1** Parte de una población que está entre dos filas de edificios y tiene una zona para los vehículos y otra para las personas: *Si quieres que te haga una visita, dime en qué calle vives.* **2** Zona de una población al aire libre: *Este niño se pasa la vida en la calle y no hay quien lo meta en casa.* **3** Zona limitada por dos líneas paralelas: *Esta pista de atletismo tiene ocho calles.* **4** Conjunto de personas de una sociedad: *Por las encuestas se conoce la opinión de la calle.* **5** [expresión] **dejar en la calle a alguien** Dejarlo sin trabajo ni medios para vivir: *El cierre de la empresa dejó en la calle a cientos de trabajadores.* **en la calle** En libertad: *Ha pasado un tiempo en la cárcel, pero ya está en la calle.* **hacer la calle** Buscar clientes en la calle una persona que se

a b **c** d e f g h i j k l m n ñ o p q r s t u v w x y z

a
b
c
d
e
f
g
h
i
j
k
l
m
n
ñ
o
p
q
r
s
t
u
v
w
x
y
z

dedica a mantener relaciones sexuales a cambio de dinero: *Por la noche suele verse por aquí a prostitutas haciendo la calle.* **llevarse de calle a alguien** Despertar en él amor o admiración: *Con tu simpatía, te llevas de calle a todo el mundo.* **traer a alguien por la calle de la amargura** Darle muchos disgustos o preocupaciones: *¡A ver si dejas de meterte en líos, que me traes por la calle de la amargura!* □ [Las expresiones son coloquiales]. FAMILIA: callejón, callejear, callejero, bocacalle.

callejear [verbo] Pasear por las calles sin dirección fija: *He estado callejeando por aquí mientras se hacía la hora de entrar al cine.* □ FAMILIA: → calle.

callejero, ra 1 [adjetivo] De la calle o relacionado con ella: *Me dan pena los perros callejeros y me los llevaría todos a casa.* **2** [sustantivo masculino] Guía de las calles de una población: *Mira en el callejero a ver dónde está esa calle.* □ FAMILIA: → calle.

callejón [sustantivo masculino] **1** Calle estrecha: *De noche me da miedo pasar por ese callejón.* **2** Espacio circular que hay en una plaza de toros delante de la primera fila de asientos: *Antes de salir a torear, los toreros están en el callejón, detrás de la barrera.* **3** [expresión] **callejón sin salida** Situación difícil y a la que no se ve solución: *Cuando todos le negaron su apoyo, se encontró en un callejón sin salida.* □ [El significado **3** es coloquial]. FAMILIA: → calle.

callista [sustantivo] Persona que trabaja tratando los problemas de los pies: *Mi padre ha ido al callista para que le quite un callo que le molestaba al andar.* □ [No varía en masculino y en femenino]. FAMILIA: → callo.

callo [sustantivo masculino] **1** Parte dura que se forma en los pies, en las manos o en otras zonas del cuerpo: *Muchos agricultores tienen callos en las manos.* **2** Persona muy fea: *No sé cómo te puede parecer guapo ese callo.* **3** [plural] Comida hecha con trozos de estómago de carnero, de ternera o de vaca: *Los callos son un plato típico de Madrid.* **4** [expresión] **dar el callo** Trabajar mucho: *Ése es un vago y no ha dado el callo en su vida.* □ [No confundir con cayó, del verbo caer. Los significados **2** y **4** son coloquiales]. FAMILIA: callista.

calma [sustantivo femenino] **1** Falta de actividad o de ruido: *No hace viento y el mar está en calma.* **2** Capacidad para mantenerse tranquilo y no perder los nervios: *Mantén la mente fría y no pierdas la calma.* □ SINÓNIMOS: **1,2** tranquilidad, paz, sosiego. **2** serenidad, pachorra. CONTRARIOS: **1** actividad, trajín, movimiento. **2** impaciencia, nervios, nerviosismo. FAMILIA: → calmar.

calmante [sustantivo masculino] Medicina que hace disminuir el dolor o los nervios: *El enfermo tenía muchos dolores y el médico le administró un calmante.* □ FAMILIA: → calmar.

calmar [verbo] **1** Poner tranquilo o en paz: *Si el niño llora, acúnalo para que se calme.* **2** Aliviar la fuerza de algo o hacer que se sienta menos: *Hay medicamentos que calman el dolor.* □ SINÓNIMOS: aplacar. **1** tranquilizar, sosegar, serenar, apaciguar, enfriar. **2** adormecer. CONTRARIOS: **1** preocupar, inquietar, irritar, calentar, acalorarse. FAMILIA: calmante, calma.

calor [sustantivo masculino] **1** Sensación que notamos en el cuerpo cuando hay una temperatura alta: *Me he quitado la chaqueta porque tenía calor.* **2** Temperatura alta en el ambiente: *Se esperan unos días de calor.* **3** Sensación de ser querido y bien recibido por los demás: *Los niños necesitan el calor de sus padres.* **4** Energía con la que se hace o se defiende algo: *Defiende sus ideas con calor porque está muy convencida de lo que dice.* **5** [expresión] **al calor de algo** Con su ayuda y protección: *Todos vivimos al calor de nuestros padres hasta que sabemos defendernos solos.* □ SINÓNIMOS: **4** ardor. CONTRARIOS: **1,2** frío. FAMILIA: calentar, caliente, calentador, caloría, caluroso, cálido, acalorar.

caloría [sustantivo femenino] Medida de energía cuando se presenta en forma de calor: *Las calorías que nos dan los alimentos nos proporcionan fuerza.* □ FAMILIA: → calor.

calumnia [sustantivo femenino] Lo que es falso y se dice de alguien para perjudicarlo: *Puso una denuncia contra los que habían publicado calumnias contra él.* □ FAMILIA: calumniar.

calumniar [verbo] Decir algo falso de una persona para perjudicarla: *Si me calumnias ante mis amigos, ellos no te creerán.* □ FAMILIA: → calumnia.

caluroso, sa [adjetivo] **1** Que siente calor: *Siempre va en mangas de camisa porque es una chica muy calurosa.* **2** Que da calor: *En verano el tiempo es caluroso.* **3** Cariñoso y que hace sentirse bien aceptado: *Agradezco este caluroso recibimiento.* □ SINÓNIMOS: **2,3** cálido. CONTRARIOS: **1** friolero. **2,3** frío. FAMILIA: → calor.

calva [sustantivo femenino] Mira en **calvo, va.**

calvicie [sustantivo femenino] Falta de pelo en la cabeza: *Lleva peluca para que no se le note la calvicie.* □ FAMILIA: → calvo.

calvo, va 1 [adjetivo sustantivo] Que no tiene pelo en la cabeza: *Muchos hombres se quedan calvos poco a poco.* **2** [sustantivo femenino] Parte de la cabeza en la que se ha perdido el pelo: *Mi abuelo usa sombrero para que no se le vea la calva.* □ FAMILIA: calvicie.

CALVA

CALVO

calzada [sustantivo femenino] **1** Zona que hay entre las aceras de una calle o entre los bordes de una carretera: *Los coches circulan por la calzada.* **2** Camino ancho y preparado para andar por él: *Hemos hecho una excursión por una antigua calzada romana.*

calzado [sustantivo masculino] Prenda que cubre el pie y lo protege del exterior: *Las zapatillas de deporte son un calzado muy cómodo.* □ FAMILIA: → calzar.

calzador [sustantivo masculino] Objeto que sirve de ayuda para meter el pie en un zapato: *El zapatero me ayudó a probarme los zapatos con un calzador.* □ FAMILIA: → calzar.

calzar [verbo] **1** Cubrir el pie con un zapato: *¡Cálzate, que vas a coger frío por andar descalzo! ¿Qué número de zapato calzas?* **2** Ponerse una prenda: *Se calzó los esquís y se fue esquiando.* **3** Poner una pieza debajo de un mueble para evitar que se mueva: *Hay que calzar ese armario, porque cojea.* □ [La z se cambia en c delante de e, como en CAZAR]. FAMILIA: calzado, calcetín, calzador, descalzo.

calzón [sustantivo masculino] Pantalón corto que suelen usar los hombres: *Nuestro equipo de fútbol viste camiseta blanca y calzón negro.* □ [Significa lo mismo en singular que en plural]. FAMILIA: calzoncillo.

calzoncillo [sustantivo masculino] Prenda de ropa interior masculina que se lleva debajo del pantalón: *Muchos hombres usan calzoncillos largos en invierno.* □ [Significa lo mismo en singular que en plural]. FAMILIA: → calzón.

cama [sustantivo femenino] **1** Mueble que se usa para dormir: *Mi hermano y yo dormimos en una habitación con dos camas.* **2** Lugar donde se echan a dormir los animales: *El granjero les cambia la cama a las vacas poniendo paja seca.* **3** [expresión] **cama elástica** Superficie hecha con una tela fuerte sobre la que se salta y se rebota para hacer ejercicios: *Los gimnastas dan grandes saltos y volteretas en el aire sobre la cama elástica.* **cama nido** La que está formada por dos, de las cuales una se guarda debajo de la otra: *En vez de poner dos camas, hemos puesto una cama nido para tener más sitio.* **guardar cama** Estar en ella por enfermedad: *El médico me ha mandado guardar cama mientras tenga fiebre.* □ FAMILIA: camilla, camillero.

camaleón [sustantivo masculino] **1** Animal con una piel que cambia de color según el lugar en el que está, para esconderse: *El camaleón es un reptil con los ojos muy grandes y saltones.* **2** Persona que cambia de comportamiento o de opinión según le conviene: *Ha votado cada vez a un partido político distinto porque es un camaleón.* □ [El significado **2** es coloquial].

cámara 1 [sustantivo] Persona que trabaja registrando imágenes con un aparato: *En el rodaje de la película había un cámara y varios técnicos de grabación.* 🔎 página 158. **2** [sustantivo femenino] Aparato que sirve para registrar imágenes: *Siempre que voy de viaje, llevo mi cámara fotográfica para hacer fotos.* 🔎 páginas 158, 348. **3** Goma con aire a presión que hay en el interior de algunos objetos:

a
b
c
d
e
f
g
h
i
j
k
l
m
n
ñ
o
p
q
r
s
t
u
v
w
x
y
z

Las ruedas de los coches suelen llevar una cámara dentro. **4** Espacio hueco en el interior de algunas cosas: *Algunos muros se construyen con una cámara de aire para aislar del frío y del ruido.* **5** Organismo que hace las leyes en algunos sistemas políticos: *En nuestro sistema político hay una cámara baja (el Congreso) y una cámara alta (el Senado).* **6** Organismo que se ocupa de los asuntos propios de una profesión o de una actividad: *La Cámara de Comercio organiza cursillos de interés para los comerciantes.* **7** Habitación con distintos usos y que suele ser privada o de entrada limitada a determinadas personas: *En el palacio había una cámara para las audiencias del rey.* **8** [expresión] **cámara de gas** Lugar que se cierra del todo y en el que se mete a una persona para quitarle la vida por medio de gases: *La cámara de gas se ha utilizado para ejecutar a los condenados a muerte.* **cámara frigorífica** Recinto preparado para conservar alimentos o productos a temperaturas muy bajas: *Las pieles de animales se guardan en cámaras frigoríficas para que se conserven mejor.* □ [El significado **1** no varía en masculino y en femenino]. FAMILIA: camarote, camerino.

camarada [sustantivo] **1** Persona que tiene amistad con otra, porque suelen realizar la misma actividad: *Mi compañero de pupitre y yo nos hemos hecho grandes camaradas.* **2** Persona que tiene las mismas ideas políticas que otra: *El secretario del partido fue elegido por la mayoría de los camaradas.* □ [No varía en masculino y en femenino]. FAMILIA: camaradería.

camaradería [sustantivo femenino] Relación propia de los buenos compañeros o de los buenos amigos: *En nuestro equipo se respira un ambiente de camaradería.* □ SINÓNIMOS: compañerismo. FAMILIA: → camarada.

camarero, ra **1** [sustantivo] Persona que trabaja sirviendo bebidas y comidas en un bar o en otros locales: *Camarero, por favor, ¿me pone un refresco?* 🔷 página 794. **2** [sustantivo femenino] Especie de carrito que sirve para llevar varias cosas de la cocina a otro sitio: *Pusieron la comida y las bebidas en la camarera para llevarlo todo al salón.*

camarote [sustantivo masculino] Habitación con camas que tienen los barcos: *En el camarote en el que yo iba había cuatro camas.* □ FAMILIA: → cámara.

cambiar [verbo] **1** Hacer que algo sea distinto: *¡Cuánto has cambiado últimamente! Parece que va a cambiar el tiempo.* **2** Dar una cosa a cambio de otra: *Te cambio tu canica preferida por tres de las mías.* **3** Poner una cosa en lugar de otra: *En mitad del partido cambiaron a un jugador que se había lesionado.* **4** Pasar de una marcha a otra cuando se conduce: *Para que el coche vaya más deprisa, tienes que cambiar a la siguiente marcha.* **5** **cambiarse** Ponerse otra ropa: *Voy a casa a cambiarme, porque me he manchado la blusa.* □ SINÓNIMOS: **1** transformar, modificar, alterar, mudar, convertir. **2** intercambiar, canjear. **3** sustituir. FAMILIA: cambio, intercambiar, intercambio, descambiar, recambio.

cambio [sustantivo masculino] **1** Proceso por el que algo se vuelve distinto: *Desde que empezaron a edificar aquí, la zona ha sufrido un gran cambio.* **2** Colocación de una cosa en lugar de otra: *Si perdemos este partido, es probable un cambio de entrenador.* **3** Hecho de dar una cosa por otra: *En esta tienda, los cambios y devoluciones sólo se hacen por la mañana.* **4** Dinero en monedas o en billetes de poco valor: *Sólo puedo pagarle con un billete de diez mil, porque no tengo cambio.* **5** Dinero que sobra del que se entrega para pagar algo: *Ya he pagado, pero estoy esperando a que la cajera me dé el cambio.* **6** [expresión] **cambio de velocidades** Sistema que permite cambiar de marcha en un vehículo: *Esa palanca que hay entre los asientos delanteros del coche es el cambio de velocidades.* **a cambio de algo** En su lugar: *¿Qué me das a cambio de estos cromos?* **a la primera de cambio** De pronto y sin avisar: *Si te comprometes a hacer algo, no te puedes arrepentir a la primera de cambio.* **en cambio** Por el contrario: *Su hermano es un egoísta; en cambio, ella es una gran persona.* □ [Se usa cuando se habla por radio con una persona, para darle paso: *Aquí León Marino, necesito una respuesta. Cambio*]. SINÓNIMOS: **1** alteración, modificación, transformación, conversión. **2** sustitución. **5** vuelta. FAMILIA: → cambiar.

camello, lla 1 [sustantivo] Animal más grande que el caballo, con dos grandes bultos en la parte superior del cuerpo: *Los camellos viven en el desierto y aguantan muy bien el calor.* **2** [sustantivo masculino] Persona que vende droga en pequeñas cantidades: *Muchos drogadictos son también camellos para poder pagarse su droga.* □ [En el significado **1**, es distinto de dromedario, que sólo tiene una joroba. El significado **2** es coloquial].

CAMELLO

camerino [sustantivo masculino] Cuarto que hay en los teatros para que se preparen los actores antes de salir a actuar: *Antes de la función, los actores se maquillan en sus camerinos.* □ FAMILIA: → cámara.

camilla [sustantivo femenino] **1** Cama estrecha y poco pesada, que se usa para llevar enfermos o heridos de un lugar a otro: *Un jugador se lesionó y lo tuvieron que sacar del campo en camilla.* **2** Mesa redonda y con cuatro patas, que suele estar cubierta con una tela que llega hasta el suelo: *En el comedor de mi casa hay una camilla.* □ FAMILIA: → cama.

camillero, ra [sustantivo] Persona que lleva a otra en una camilla: *Entre dos camilleros pusieron al herido en la camilla y se lo llevaron.* □ FAMILIA: → cama.

caminante [sustantivo] Persona que viaja a pie: *Los caminantes hicieron una parada al borde del camino para descansar.* □ [No varía en masculino y en femenino]. FAMILIA: → caminar.

caminar [verbo] **1** Ir de un lugar a otro dando pasos: *Si está cerca, podemos ir caminando en vez de en coche.* **2** Dirigirse hacia un punto o en una dirección: *Si no cambias de actitud, caminas hacia tu propia destrucción.* □ SINÓNIMOS: **1** andar. FAMILIA: camino, caminante, caminata, encaminar.

caminata [sustantivo femenino] Recorrido que se hace a pie y que suele ser cansado: *Para llegar a la fuente queda todavía una buena caminata.* □ FAMILIA: → caminar.

camino [sustantivo masculino] **1** Vía por donde se va a un lugar y que suele ser de tierra: *Por detrás de la casa hay un camino que llega hasta el parque.* ✍ página 154. **2** Conjunto de los lugares por los que se pasa para ir de un sitio a otro: *Todos los días hago el mismo camino para ir al colegio.* **3** Lo que se sigue para llegar a un punto o a un fin: *Siguiendo ese razonamiento vas por mal camino para resolver el problema.* **4** [expresión] **abrirse camino** Ir venciendo las dificultades hasta conseguir algo: *Si estudias ahora, te resultará más fácil abrirte camino en la vida.* **camino de** En dirección a un lugar: *Camino de mi casa hay una panadería donde siempre compro el pan.* **camino de cabras** El que tiene muchas dificultades para andar por él: *Nos llevó por un camino de cabras para atajar, y casi nos perdimos.* **de camino** De paso hacia un lugar: *Si te pilla de camino y no tienes que desviarte, podías dejarme en mi casa.* **llevar camino de algo** Tener muchas posibilidades de llegar a serlo: *Empezó a escribir por afición y ahora lleva camino de convertirse en una gran escritora.* □ SINÓNIMOS: **2** trayecto, itinerario, recorrido, ruta. **3** vía, canal. FAMILIA: → caminar.

camión 1 [sustantivo masculino] Vehículo grande, con cuatro o más ruedas, que suele usarse para llevar cargas pesadas: *Cuando nos cambiamos de casa, llevaron los muebles en un camión de mudanzas.* ✍ página 847. **2** [expresión] **estar alguien como un camión** Ser muy atractivo: *El protagonista de la película estaba como un camión.* □ [El significado **2** es coloquial]. FAMILIA: camionero, camioneta.

camionero, ra [sustantivo] Persona que trabaja conduciendo un camión: *Mi padre viaja mucho porque es camionero.* □ FAMILIA: → camión.

camioneta [sustantivo femenino] **1** Vehículo parecido a un camión, pero más pequeño: *En la panadería tienen una camioneta para repartir el pan a las tiendas.* ✍ página 846. **2** En algunas zonas, autobús: *A la salida del metro está la parada de camionetas que te llevan a mi barrio.* □ FAMILIA: → camión.

a b **c** d e f g h i j k l m n ñ o p q r s t u v w x y z

camisa 1 [sustantivo femenino] Prenda de vestir de tela que cubre el cuerpo desde el cuello hasta más abajo de la cintura: *Mi padre siempre se pone corbata cuando lleva camisa.* **2** [expresión] **camisa de fuerza** Prenda de tela fuerte que se pone a una persona para que no pueda mover los brazos: *En los manicomios ponían camisas de fuerza a los enfermos que sufrían ataques de locura.* **meterse alguien en camisa de once varas** Ponerse a hacer algo de lo que no es capaz: *Haz sólo lo que te han mandado y no te metas en camisa de once varas.* **no llegarle a alguien la camisa al cuerpo** Sentir mucho miedo: *He recibido una amenaza y estoy que no me llega la camisa al cuerpo.* □ [Las expresiones *meterse en camisa de once varas* y *no llegar la camisa al cuerpo* son coloquiales]. FAMILIA: camiseta, camisón, camisería.

camisería [sustantivo femenino] Tienda donde se venden camisas: *En la camisería me vendieron tres camisas muy rebajadas.* □ FAMILIA: → camisa.

camiseta 1 [sustantivo femenino] Prenda de ropa interior o deportiva que cubre el cuerpo hasta más abajo de la cintura: *Para hacer gimnasia me pongo un pantalón corto y una camiseta.* **2** [expresión] **sudar la camiseta** Practicar un deporte o realizar una actividad con mucho esfuerzo: *El entrenador dijo a sus jugadores que en el partido todos tenían que sudar la camiseta.* □ [El significado **2** es coloquial]. FAMILIA: → camisa.

camisón [sustantivo masculino] Prenda de dormir que cubre el cuerpo desde el cuello y cae suelta hacia abajo: *En verano duermo con camisón y en invierno con pijama.* □ FAMILIA: → camisa.

campamento [sustantivo masculino] **1** Conjunto de tiendas de campaña, vehículos y otras cosas que se preparan en un lugar al aire libre para pasar algún tiempo: *Montamos el campamento en una zona resguardada.* **2** Período del servicio militar durante el que se recibe una preparación militar de base: *Mi hermano mayor hizo el campamento en La Coruña y luego lo destinaron a Madrid.* □ FAMILIA: → campo.

campana [sustantivo femenino] **1** Instrumento de metal que suena al ser golpeado por una pieza que cuelga en su interior: *Un monaguillo se encarga de tocar las campanas de la iglesia.* **2** Objeto con forma parecida a la de este instrumento: *Pon una campana de cristal sobre la tabla de quesos para que no se sequen.* **3** [expresión] **campana extractora** Electrodoméstico que sirve para aspirar los humos de la cocina: *Enciende la campana extractora cuando cocines, para que no se llene la casa de humo.* **echar las campanas al vuelo** Alegrarse por un suceso y contarlo a todos mostrándose alegre: *Antes de echar las campanas al vuelo, asegúrate de que es verdad que te han dado el premio.* **oír campanas y no saber dónde** Conocer algo de manera poco exacta y sólo por lo que se ha oído: *Entérate tú bien de lo que ha pasado, que ése ha oído campanas y no sabe dónde.* □ [Las expresiones *echar las campanas al vuelo* y *oír campanas y no saber dónde* son coloquiales]. FAMILIA: campanilla, campanada, campanario.

campanada [sustantivo femenino] **1** Golpe que se da a una campana y sonido que produce: *Las campanadas de la iglesia indican que va a empezar la misa.* **2** Noticia que sorprende mucho y que produce muchos comentarios: *Esa actriz dio la campanada cuando se casó por sorpresa con un millonario.* □ [El significado **2** es coloquial]. FAMILIA: → campana.

campanario [sustantivo masculino] Torre en la que se colocan campanas: *Aquella torre que se ve a lo lejos es el campanario de la iglesia.* □ FAMILIA: → campana.

campanilla [sustantivo femenino] **1** Campana pequeña que se hace sonar con la mano y que suele tener un mango: *En la mesilla hay una campanilla para que llames si necesitas algo.* **2** Trozo pequeño de carne que cuelga en la entrada de la garganta: *Si abres mucho la boca, se te ve la campanilla.* **3** Planta cuyas flores tienen forma de campana: *¡Mira esas campanillas que trepan por la valla del jardín...!* **4** [expresión] **de campanillas** De mucha riqueza o de un nivel muy alto: *Me han invitado a una fiesta de campanillas y tengo que ir con traje largo.* □ [El significado **4** es coloquial]. FAMILIA: → campana.

campante [adjetivo] Tranquilo y sin preocupaciones: *Estábamos todos nerviosos menos ella, que venía tan campante.* □ [Es coloquial.

No varía en masculino y en femenino. Se usa mucho en la expresión *tan campante*].

campaña [sustantivo/femenino] **1** Conjunto de actividades que se organizan para conseguir un fin: *En la campaña electoral, cada partido político intenta convencer al mayor número posible de personas*. **2** Conjunto de operaciones militares que se hacen en una zona: *Las tropas de Napoleón fueron derrotadas en la campaña de Rusia*. □ [No confundir con *campiña*]. FAMILIA: → campo.

campeón, -a [sustantivo] **1** Persona o equipo que consiguen la victoria en una competición: *Los campeones enseñaron el trofeo a sus seguidores*. **2** Persona que es mejor que las demás en una actividad: *Soy toda una campeona acertando adivinanzas*. □ SINÓNIMOS: **1** ganador, vencedor. CONTRARIOS: **1** perdedor. FAMILIA: campeonato, subcampeón.

campeonato [sustantivo/masculino] **1** Competición deportiva en la que el que gana recibe un premio: *A los ganadores del campeonato de atletismo se les entrega una medalla*. **2** Victoria conseguida en esta competición: *No importa que perdamos un partido si al final nos llevamos el campeonato*. **3** [expresión] **de campeonato** Extraordinario o muy bueno: *¡Hace un frío de campeonato!* □ [El significado **3** es coloquial]. FAMILIA: → campeón.

campesino, na 1 [adjetivo] Del campo o propio de él: *Las labores campesinas exigen mucho trabajo*. **2** [adjetivo o sustantivo] Dicho de una persona, que vive y trabaja en el campo: *Éste es un pueblo de campesinos y de ganaderos*. □ SINÓNIMOS: **1** campestre, rural, rústico. FAMILIA: → campo.

campestre [adjetivo] **1** Del campo o propio de él: *Me gusta la vida campestre, pero prefiero vivir en la ciudad*. **2** Que se hace en el campo: *Si hace buen tiempo, podemos organizar una comida campestre*. □ [No varía en masculino y en femenino]. SINÓNIMOS: **1** campesino, rural, rústico. FAMILIA: → campo.

[camping [sustantivo/masculino] **1** Lugar al aire libre, preparado para acampar en él: *En verano fuimos a un camping que está al lado de la playa*. 🔍 páginas 154-155. **2** Actividad que consiste en acampar en este tipo de lugares: *En cuanto hace buen tiempo, cogemos la tienda de campaña y nos vamos de camping*. **3** [expresión] **camping gas** Recipiente pequeño de gas, con un aparato para poder encender fuego y cocinar: *Cuando vamos de acampada, llevamos un camping gas para hacer la comida*. □ [Es una palabra inglesa. Se pronuncia «cámpin»].

campiña [sustantivo/femenino] Terreno extenso y llano: *El paisaje de la campiña inglesa es muy verde*. □ [No confundir con *campaña*]. FAMILIA: → campo. 🔍 página 845.

campo [sustantivo/masculino] **1** Terreno fuera de los núcleos de población: *El domingo salimos de la ciudad y pasamos el día en el campo*. **2** Tierra que se dedica al cultivo: *En esta región abundan los campos de regadío*. **3** Lugar preparado para practicar algunos deportes: *Casi todas las tardes me voy con mis amigos al campo de fútbol a jugar un rato*. **4** Terreno reservado para hacer determinados ejercicios: *Los campos de tiro deben estar apartados de las poblaciones*. **5** Lo que está relacionado con una actividad o con una rama del saber: *Los estudios de geografía están dentro del campo de las ciencias sociales*. **6** [expresión] **a campo traviesa** Atravesando el terreno por donde no hay caminos: *Si vamos a campo traviesa, acortaremos y llegaremos antes*. **campo de concentración** Lugar donde se mete a prisioneros por razones políticas o de guerra: *En la Segunda Guerra Mundial murieron muchas personas en campos de concentración*. **dejar el campo libre** Abandonar lo que se intenta, de modo que otros tengan posibilidad de conseguirlo: *El favorito al título se retiró y dejó el campo libre a los demás participantes*. □ [No debe decirse *campo a través*, sino a *campo través*, ni *campo a traviesa*, sino a *campo traviesa*]. SINÓNIMOS: **5** área, ámbito, reino. FAMILIA: campesino, campestre, campiña, campaña, campamento, acampar, acampada.

camuflar [verbo] Esconder algo haciendo que parezca otra cosa, para que no se note su presencia: *Los soldados se camuflaron poniéndose hojas de árboles en el casco*.

can [sustantivo/masculino] Animal de cuatro patas que vive con el hombre, le hace compañía y se usa para cazar: *Los canes tienen el olfato*

a

b

c

d

e

f

g

h

i

j

k

l

m

n

ñ

o

p

q

r

s

t

u

v

w

x

y

z

muy fino. □ Sinónimos: perro. Familia: canino.

cana [sustantivo femenino] Mira en **cano, na**.

canadiense [adjetivo o sustantivo] De Canadá, que es un país de América del Norte: *El territorio canadiense tiene frontera con Estados Unidos.* □ [No varía en masculino y en femenino].

canal [sustantivo masculino] **1** Especie de camino que se hace para conducir el agua de un sitio a otro: *Van a abrir un canal para llevar el agua hasta aquellos campos.* página 17. **2** Paso estrecho que comunica dos mares: *El canal de la Mancha está entre Francia y las islas Británicas.* **3** Hueco alargado y estrecho: *Algunas columnas están adornadas con una serie de canales que van de arriba abajo.* **4** Vía por la que se emiten programas de radio o de televisión: *Con esta antena podemos sintonizar canales de muchas cadenas de televisión.* **5** Medio que se sigue para hacer algo: *Si no lo consigo de esta manera, tendré que probar por otros canales.* **6** [expresión] **abrir en canal** Abrir un cuerpo de arriba abajo: *En la carnicería había un cerdo abierto en canal.* □ Sinónimos: **5** conducto, vía, camino. Familia: canalizar.

canalizar [verbo] **1** Abrir vías en un lugar para conducir líquidos o gases: *Para que el agua corriente llegue a todas las casas, hay que canalizar la zona.* **2** Hacer que una corriente de agua lleve un curso determinado: *Conviene canalizar los ríos que atraviesan poblaciones para que no se desborden.* **3** Hacer que algo tome una dirección determinada: *No desperdicies tus energías y canalízalas hacia actividades positivas.* □ [La z se cambia en c delante de e, como en CAZAR]. Sinónimos: **3** orientar, dirigir. Familia: → canal.

canalla [adjetivo o sustantivo] Que es mala persona: *Sólo un canalla trataría a sus padres con ese desprecio.* □ [No varía en masculino y en femenino. Se usa como insulto].

canapé [sustantivo masculino] **1** Trozo pequeño de pan con algún alimento encima, que se suele tomar en fiestas o antes de las comidas: *En la merienda de mi cumpleaños había canapés de queso, jamón y chorizo.* **2** Parte de una cama que se apoya sobre las patas: *El colchón se pone encima del canapé.*

canario, ria 1 [adjetivo o sustantivo] De la comunidad autónoma de las islas Canarias: *Lanzarote es una isla canaria.* **2** [sustantivo] Pájaro pequeño, con plumas verdes o amarillas, y que canta de forma agradable: *A mi canario le gusta mucho el alpiste.*

canasta [sustantivo femenino] **1** Cesto hecho con una especie de ramas, que tiene la boca ancha y dos asas: *Vinieron del campo con una canasta llena de manzanas.* **2** Especie de anillo del que cuelga una red sin fondo: *En baloncesto, los puntos se consiguen cuando el balón entra en la canasta.* **3** Especie de poste que sujeta este anillo: *En el pabellón de deportes tienen canastas con ruedas para poder retirarlas del campo.* **4** Introducción del balón a través de ese anillo: *En el partido de baloncesto metieron varias canastas de tres puntos.* □ Sinónimos: **1,2** cesta. Familia: → canasto.

canastilla [sustantivo femenino] Ropa que se prepara para un niño que va a nacer: *En cuanto supieron que iban a ser padres, empezaron a preparar la canastilla.* □ Familia: → canasto.

canasto 1 [sustantivo masculino] Canasta alta y estrecha: *Los vendimiadores llenaron varios canastos de uvas.* **2** [interjección] **canastos** Se usa para indicar sorpresa, admiración o disgusto: *¡Canastos, qué raro es verte por aquí!* □ Familia: canasta, canastilla.

cancelar [verbo] **1** Hacer que un documento u otra cosa dejen de valer: *Canceló su contrato porque le ofrecieron un trabajo mejor en otro sitio.* **2** Decidir no hacer algo que se pensaba hacer: *Cancelaron el vuelo debido al mal tiempo.* **3** Terminar de pagar una deuda: *Si me tocase la lotería, podría can-*

CANASTA

CANASTILLA

CANASTO

celar todas mis deudas. □ Sinónimos: **1** anular. **2** suspender.

cáncer 1 [adjetivo o sustantivo] Uno de los doce signos del horóscopo: *Las personas que son cáncer han nacido entre el 22 de junio y el 22 de julio.* [sustantivo masculino] **2** Bulto perjudicial para la salud porque destruye las células del cuerpo: *Habla con dificultad porque le han operado de un cáncer de garganta.* **3** Lo que hace mucho daño y es difícil de parar: *La droga es el cáncer de muchas sociedades modernas.* □ [El significado **1** no varía en masculino y en femenino, ni en singular y plural].

canción [sustantivo femenino] **1** Composición que se canta: *Cuando vamos de excursión, siempre cantamos canciones.* **2** Lo que se dice de manera repetida o pesada: *¡No me vengas otra vez con la canción de que el profesor te tiene manía!* □ Sinónimos: **1** cantar. Familia: → cantar.

candado [sustantivo masculino] Objeto de metal que tiene un gancho y una cerradura y que sirve para asegurar el cierre de algo: *Ato la bicicleta con una cadena y un candado para que no me la roben.*

CANDADO

candelabro [sustantivo masculino] Objeto con dos o más brazos que sirve para sujetar varias velas: *Cuando no había luz eléctrica, en muchas casas tenían candelabros con velas para alumbrarse.*

candidato, ta [sustantivo] Persona que intenta conseguir una categoría o un título: *Me he presentado como candidata a delegada de mi curso.* □ Familia: candidatura.

candidatura [sustantivo femenino] **1** Solicitud que se presenta para que alguien consiga una categoría o un título: *Mi partido presentó mi candidatura a presidente de Gobierno.* **2** Conjunto de las personas por las que se presenta esta solicitud: *La candidatura de cada partido está formada por los miembros más destacados.* □ Familia: → candidato.

cándido, da [adjetivo] Sincero, simple y sin maldad: *Eres ingenuo y cándido como un niño.*

candil [sustantivo masculino] Lámpara formada por un recipiente de aceite, con un pico en el borde y un asa en el extremo opuesto: *Cuando no había luz eléctrica se usaban candiles y candelabros.*

candor [sustantivo masculino] Carácter de la persona que es sincera, sencilla y tiene un alma pura: *Me conmueve el candor de los niños pequeños.*

canela 1 [sustantivo femenino] Parte externa de las ramas de un árbol, de color entre marrón y rojo, y que se usa para dar sabor y olor a las comidas: *Me gusta la leche merengada con mucha canela en polvo.* **2** [expresión] **ser canela en rama** Ser muy bueno: *Tengo unos amigos que son canela en rama.* □ [El significado **2** es coloquial].

canelo 1 [sustantivo masculino] Árbol de tronco liso, hojas verdes y flores blancas que tienen muy buen olor: *La canela que se usa en los guisos sale de la corteza del canelo.* **2** [expresión] **hacer el canelo** Dejarse engañar o hacer algo que nadie va a agradecer: *Estás haciendo el canelo fiándote de esos granujas.* □ [El significado **2** es coloquial]. Sinónimos: **2** hacer el primo.

canelón [sustantivo masculino] Tipo de pasta en forma de tubo con un relleno que suele ser de carne picada: *Fuimos a un restaurante italiano y comimos canelones.* □ [Es una palabra de origen italiano. Se usa más en plural].

canesú [sustantivo masculino] Pieza de un vestido o de una camisa que une el cuello con el resto de la prenda: *Llevo un vestido de rayas con el canesú liso.* □ [Su plural es canesús o canesúes (más culto)].

cangrejo [sustantivo masculino] Animal de mar o de río con una cáscara que cubre su cuerpo y con cinco pares de patas: *Hemos comprado cangrejos y chirlas en la pescadería.* 🦐 páginas 120, 537.

canguro 1 [sustantivo] Persona que trabaja cuidando niños cuando los padres tienen que salir: *Cuando mis padres se van al cine, viene una canguro a cuidarnos.* **2** [sustantivo masculino] Animal que tiene grandes patas traseras con las que anda dando saltos y cuya hembra tiene una bolsa en el vientre donde lleva a sus crías: *Los canguros tienen una cola muy larga.* 🖐 página 848. □ [El significado **1** no varía en masculino y en femenino, y es coloquial].

caníbal [adjetivo o] [sustantivo] Dicho de una persona, que come carne humana: *Algunas tribus africanas son caníbales.* □ [No varía en masculino y en femenino]. SINÓNIMOS: antropófago.

canica 1 [sustantivo] [femenino] Bola pequeña de un material duro, que se usa para jugar: *Las canicas que más me gustan son las de cristal de colores.* **2** [plural] Juego de niños que se hace con estas bolas: *Haz un agujero en el suelo, que vamos a jugar a las canicas.*

canijo, ja [adjetivo o] [sustantivo] Muy pequeño o muy bajo: *Esa niña tan canija es mi hermana pequeña.* □ [Es coloquial y despectivo].

canino, na [adjetivo] Del perro o con sus características: *El olfato canino es muy agudo.* □ FAMILIA: → can.

canjear [verbo] Dar una cosa a cambio de otra: *En el banco puedes canjear este cheque por dinero.* □ SINÓNIMOS: cambiar, intercambiar.

cano, na [adjetivo] **1** Que tiene el pelo blanco: *Mi abuela es una mujer cana.* **2** Dicho del pelo, que está blanco: *Mi padre es moreno, pero ya empieza a tener el pelo cano.* **3** [sustantivo] [femenino] Cada pelo que se ha vuelto blanco: *Con cuarenta años, es normal tener alguna cana.* **4** [expresión] **echar una cana al aire** Salir a divertirse cuando no se tiene costumbre: *Mis padres no suelen salir por las noches, pero de vez en cuando echan una cana al aire.* **peinar canas** Ser viejo: *¡Un respeto, muchacho, que ya peino canas!* □ [Las expresiones son coloquiales]. FAMILIA: canoso.

canoa [sustantivo] [femenino] Barco pequeño, alargado y de poco peso: *Las canoas se impulsan con remos.*

CANOA

canonizar [verbo] Declarar santa a una persona: *Sólo los papas pueden canonizar a las* *personas.* □ [La z se cambia en c delante de e, como en CAZAR].

canoso, sa [adjetivo] Con canas: *Cuando nos hacemos viejos, el pelo se pone canoso.* □ FAMILIA: → cana.

cansado, da [adjetivo] **1** Que ha perdido fuerza o capacidad: *Mi madre lleva gafas porque lleva la vista cansada.* **2** Que cansa: *Las carreras de 3.000 metros son muy cansadas.* □ SINÓNIMOS: **2** cansino. FAMILIA: → cansar.

cansancio [sustantivo] [masculino] **1** Lo que sentimos cuando nos quedamos débiles o sin fuerzas: *He corrido mucho y tengo un cansancio enorme.* **2** Lo que sentimos cuando algo nos aburre o nos cansa: *Antes me gustaba ver la tele, pero ahora me produce cansancio.* □ SINÓNIMOS: **1** fatiga. **2** aburrimiento, fastidio, hastío. CONTRARIOS: **1** descanso. FAMILIA: → cansar.

cansar [verbo] **1** Hacer que nos sintamos débiles o sin fuerzas: *Hacer mucho ejercicio seguido cansa. Si te cansas de correr, para un poco.* **2** Aburrir o producir fastidio: *¡Me cansas con tantas preguntas!* **3** [expresión] **cansarse de hacer algo** Hacerlo muchas veces o durante mucho tiempo: *Me canso de decirle lo que tiene que hacer, pero nunca me obedece.* □ [El significado **3** es coloquial]. SINÓNIMOS: **1** fatigar. CONTRARIOS: **2** entretener. FAMILIA: cansado, cansancio, cansino, descansar, descanso, descansillo, incansable.

cansino, na [adjetivo] **1** Que se mueve de forma lenta y con esfuerzo, debido al cansancio: *Venía de la fábrica agotado y con andares cansinos.* **2** Que resulta pesado o que cansa: *Este trabajo no es difícil, pero me resulta cansino.* □ SINÓNIMOS: **2** cansado. FAMILIA: → cansar.

cantábrico, ca [adjetivo] **1** De la comunidad autónoma de Cantabria: *La capital cantábrica es Santander.* **2** Del mar Cantábrico, que baña el norte de España: *La cornisa cantábrica va desde Galicia hasta el País Vasco.* □ SINÓNIMOS: **1** cántabro. FAMILIA: → cántabro.

cántabro, bra [adjetivo o] [sustantivo] De la comunidad autónoma de Cantabria: *Los cántabros están orgullosos de sus playas.* □ SINÓNIMOS: cantábrico. FAMILIA: cantábrico.

cantante [sustantivo] Persona que canta como profesión: *En el espectáculo actuó una cantante famosa.* ☐ [No varía en masculino y en femenino]. SINÓNIMOS: VOZ. FAMILIA: → cantar.

cantar 1 [sustantivo] [masculino] Composición que se canta: *La jota es un tipo de cantar típico de España.* [verbo] **2** Producir con la voz sonidos que forman una melodía musical: *En Navidad cantamos villancicos.* **3** Producir un animal sonidos, especialmente si son agradables: *El ruiseñor canta muy bien.* **4** Soltar algo un olor muy fuerte o nada agradable: *¡A ver si te lavas, que te cantan los pies!* **5** Decir algo en voz alta y con un tono especial: *En la lotería, los encargados de cantar los premios son unos niños.* **6** Contar algo que era secreto: *La policía espera que el detenido cante y dé los nombres de sus cómplices.* **7** [expresión] **ser algo otro cantar** Ser una cosa distinta: *Cuando le enseñé el dibujo acabado, dijo: «Esto ya es otro cantar, porque antes estaba muy mal hecho».* ☐ [Los significados 4, 6 y 7 son coloquiales]. SINÓNIMOS: **1** canción. FAMILIA: canción, canto, cante, cántico, cantante, cantarín.

cantarín, -a [adjetivo] Que suele cantar mucho: *Con lo cantarín que eres, me extraña verte tan callado.* ☐ [Es coloquial]. FAMILIA: → cantar.

cántaro 1 [sustantivo] [masculino] Recipiente grande de barro o de metal que es más ancho por su parte central y que suele tener una o dos asas: *Cuando no había agua en las casas, se traía en cántaros desde una fuente.* **2** [expresión] **a cántaros** Lloviendo mucho: *No salí de casa porque estaba lloviendo a cántaros.*

cante [sustantivo] [masculino] **1** Canción popular típica de Andalucía: *El cante flamenco me gusta mucho.* **2** Olor muy fuerte o nada agradable: *Abre la ventana, que hay aquí un cante que no hay quien lo aguante.* **3** Acción que llama mucho la atención: *Sería un cante que fueses a clase en pijama y zapatillas.* **4** [expresión] **cante hondo** El que es típico de Andalucía y se expresa de manera muy profunda y en tono de queja: *Una de las cosas más características del cante hondo son los «ayes».* **dar el cante** Llamar mucho la atención: *Vas a dar el cante si te pones a gritar en mitad de la ceremonia.* ☐ [Los significados

2 y **3** y la expresión *dar el cante* son coloquiales. Cante hondo se pronuncia «cante jondo»]. FAMILIA: → cantar.

cantera [sustantivo] [femenino] **1** Lugar del que se extrae piedra u otros materiales que se usan para construcciones: *Aquella montaña es una cantera de mármol.* **2** Lugar de donde salen personas preparadas para realizar una actividad: *Esa universidad es una cantera de políticos.*

cántico [sustantivo] [masculino] Poesía en la que se alaba algo: *En la Biblia hay cánticos de alabanza a Dios.* ☐ FAMILIA: → cantar.

cantidad [sustantivo] [femenino] **1** Parte o número de unidades de algo: *¿Qué cantidad de plástico necesitas para forrar el libro?* **2** Suma de dinero: *Para hacerte el regalo hemos puesto todos una pequeña cantidad.* **3** En matemáticas, conjunto de objetos de una misma clase que se pueden sumar o comparar con otros: *Treinta es una cantidad mayor que veinte.* **4** [adverbio] Mucho: *En la fiesta comimos cantidad.* **5** [expresión] **cantidad de** o **en cantidad** Mucho o muchos: *Hoy no puedo salir porque tengo cantidad de cosas que hacer. Por esta zona hay chalés en cantidad.* ☐ [Los significados **4** y **5** son coloquiales].

cantimplora [sustantivo] [femenino] Recipiente que se usa para llevar agua en las excursiones: *Hoy nos vamos al campo y yo me llevo la cantimplora y un bocadillo.*

cantina [sustantivo] [femenino] Especie de bar donde se sirven bebidas y algunos alimentos: *En las estaciones de tren suele haber una cantina.*

canto [sustantivo] [masculino] **1** Arte y técnica de cantar: *Se dedica al canto y es una de las más famosas cantantes de ópera.* **2** Hecho de cantar algunos animales: *Me alegra oír el canto de los pájaros.* **3** Poesía en honor de algo: *Escribió un canto a la amistad.* **4** Lado o borde de algunas cosas: *Para poner de canto una moneda hay que tener buen pulso.* **5** Trozo de piedra: *Aún no han asfaltado el camino y sigue lleno de cantos.* **6** [expresión] **al canto** Se usa para decir que algo va a ocurrir de manera muy rápida y sin poderlo evitar: *Como se enfade el profesor, tenemos examen al canto.* **darse con un canto en los dientes** Darse por contento con algo, porque podía ser peor: *No acabaré este tra-*

bajo hoy, pero me daría con un canto en los dientes si lo terminara mañana. **faltar el canto de un duro** Faltar muy poco: *He quedado el segundo y me ha faltado el canto de un duro para ganar la carrera.* □ [Las expresiones son coloquiales]. FAMILIA: → cantar.

cantor, -a 1 [adjetivo] Dicho de un ave, que es capaz de emitir sonidos musicales: *Los canarios son pájaros cantores.* **2** [sustantivo] Persona que sabe cantar o que trabaja cantando: *He ido a escuchar a los niños cantores del coro del colegio.* □ FAMILIA: → cantar.

canutas [expresión] **pasarlas canutas** Pasarlo muy mal: *Las pasé canutas para llegar a tiempo, porque me perdí.* □ [Es coloquial]. SINÓNIMOS: pasarlas moradas.

canuto [sustantivo masculino] **1** Tubo pequeño y que suele estar abierto por sus dos extremos: *Un niño me lanzaba bolitas de papel soplando por un canuto.* **2** Cigarrillo que tiene droga: *Nunca probaré la droga, ni siquiera un canuto.* □ [El significado **2** es coloquial]. SINÓNIMOS: **2** porro.

caña [sustantivo femenino] **1** Tallo de algunas plantas: *La caña de bambú es hueca y muy dura.* **2** Planta que tiene el tallo hueco y las hojas anchas y ásperas: *La caña suele nacer en lugares húmedos.* **3** Vaso circular y un poco más ancho por arriba que por abajo: *Vamos a tomar unas cañas de cerveza, ¿te vienes?* **4** [expresión] **caña de azúcar** Planta de hojas largas, de cuyo tallo se extrae el azúcar: *En la costa de Granada hay plantaciones de caña de azúcar.* **caña de pescar** Vara larga y delgada en la que se pone un hilo y un gancho y que sirve para pescar: *Estoy aprendiendo a poner el anzuelo en la caña de pescar.* **meter caña** Aumentar la velocidad: *Si no le metes caña al coche, vamos a llegar tarde.* □ FAMILIA: cañaveral.

cañaveral [sustantivo masculino] Terreno lleno de cañas: *Cerca del río hay un cañaveral.* □ FAMILIA: → caña.

cañería [sustantivo femenino] Conjunto de tubos por cuyo interior va un líquido o un gas: *Las cañerías de mi casa son de plomo.* □ SINÓNIMOS: tubería. FAMILIA: → caño.

caño [sustantivo masculino] **1** Tubo por el que sale el agua de una fuente: *Cuando bebas de una fuente,* no chupes el caño. **2** Tubo corto por cuyo interior va un líquido: *Ha dicho el fontanero que hay que cambiar el caño que está debajo del lavabo, porque tiene una grieta.* □ FAMILIA: cañería.

CAÑO

cañón [sustantivo masculino] **1** Pieza hueca y larga con forma de tubo: *El cazador llevaba una escopeta de dos cañones.* **2** Arma de gran tamaño y de gran anchura, que tiene forma de tubo: *El capitán pirata mandó disparar los cañones contra el barco que se les aproximaba.* **3** Paso estrecho y profundo que hay entre dos montañas altas por donde suele correr un río: *Este cañón ha sido originado por la erosión del agua.* 👁 página 709. **4** Parte hueca y central de la pluma de un ave: *Para escribir con una pluma de ave, hay que hacerle un corte en el extremo del cañón.* □ FAMILIA: cañonazo, encañonar.

cañonazo [sustantivo masculino] **1** Disparo hecho con un cañón: *Los cañonazos hicieron retroceder al enemigo.* **2** En algunos deportes, disparo muy fuerte: *Con un cañonazo desde fuera del área consiguió el primer gol para su equipo.* □ FAMILIA: → cañón.

caos [sustantivo masculino] Falta total de orden: *Esta habitación es un caos y no hay forma de encontrar nada en ella.* □ [No varía en singular y en plural].

capa [sustantivo femenino] **1** Prenda de abrigo larga y suelta que se lleva sobre los hombros y encima de la ropa: *Antes, muchos hombres llevaban capa en vez de abrigo.* **2** Pieza de tela con vuelo, de un color vivo, y que se usa para torear: *La capa suele ser de un rosa muy vivo para atraer la atención del toro.* **3** Lo que se extiende sobre algo y lo cubre: *Cuando volvimos de vacaciones, todos los muebles tenían una capa de polvo.* **4** Grupo social con un nivel económico y cultural determinado: *Las capas altas de la sociedad son las que tienen más dinero.* **5** [expresión] **a**

capa y espada Con mucha energía: *Cuando estoy convencido de algo, lo defiendo a capa y espada.* **de capa caída** En decadencia o con pocos ánimos: *Lo encontré de capa caída y me pareció que tenía problemas.* **hacer alguien de su capa un sayo** Hacer lo que quiere en un asunto: *No puedes hacer de tu capa un sayo y decidir sin preguntar antes a tus colaboradores.* □ [Las expresiones de capa caída y hacer alguien de su capa un sayo son coloquiales]. SINÓNIMOS: **2** capote. FAMILIA: capote, capota, descapotable.

capacidad [sustantivo/femenino] **1** Posibilidad de una cosa para contener otra dentro de sí: *Ese recipiente tiene una capacidad de un litro.* **2** Conjunto de condiciones que permiten realizar una actividad: *Ese empresario ha demostrado su capacidad para los negocios.* □ SINÓNIMOS: **2** facultad. CONTRARIOS: **2** incapacidad. FAMILIA: → capaz.

capar [verbo] Cortar o dejar inútiles los órganos sexuales masculinos: *A algunos animales los capan para que no tengan crías.* □ SINÓNIMOS: castrar.

caparazón [sustantivo/masculino] Cubierta dura que protege el cuerpo de algunos animales: *La tortuga escondió la cabeza dentro del caparazón.*

CAPARAZÓN

capataz, -a [sustantivo] **1** Persona que manda a un grupo de trabajadores: *En todas las obras suele haber un capataz que da las órdenes.* **2** Persona que administra un terreno dedicado a la agricultura: *El capataz de la finca es muy amigo del dueño.* □ [Su plural es capataces y capatazas].

capaz [adjetivo] **1** Que tiene capacidad para hacer algo bien: *No me siento capaz de resolver este problema. Nuestra directora es una persona muy capaz.* **2** Que se atreve a hacer algo: *¡No serás capaz de decirle esa barbaridad...!* **3** Que puede contener algo dentro de sí: *Necesitamos una sala capaz para quinientas personas.* □ [No varía en masculino y en femenino. Su plural es capaces]. CONTRARIOS: **1,2** incapaz. FAMILIA: capacidad, incapaz, incapacidad.

capellán [sustantivo/masculino] Sacerdote que realiza sus funciones religiosas en un determinado lugar: *Ese sacerdote es el capellán de mi colegio.*

caperuza [sustantivo/femenino] **1** Gorro que termina en punta: *Tengo una capa con una caperuza.* **2** Pieza que se usa para cubrir el extremo de algo: *No te metas la caperuza del bolígrafo en la boca, que te la vas a tragar.* □ SINÓNIMOS: capucha.

capicúa [adjetivo o sustantivo masculino] Que está formado por unidades ordenadas de forma que da igual leerlas de derecha a izquierda que al revés: *«Ala» es una palabra capicúa. El número 2332 es un capicúa.* □ [Cuando es adjetivo, no varía en masculino y en femenino].

capilla 1 [sustantivo/femenino] Parte de una iglesia dedicada a un santo o a una imagen: *Siempre que voy a esa iglesia, entro en la capilla de santa Rita y le rezo una oración.* 🖾 página 793. **2** [expresión] **capilla ardiente** Lugar donde se pone a un muerto antes de enterrarlo y donde se dicen las primeras oraciones por su alma: *Muchos ciudadanos pasaron por la capilla ardiente del actor para darle su último adiós.*

capital 1 [adjetivo] Que es lo más importante: *Para que el trabajo salga bien, es capital que todos los miembros del equipo colaboremos.* **2** [sustantivo/masculino] Conjunto de riquezas o de dinero: *Tiene un importante capital en tierras. Para crear una empresa, se necesita que un empresario ponga el capital.* [sustantivo/femenino] **3** Población principal de un país o de una zona: *París es la capital de Francia.* **4** Población que destaca en algún aspecto: *Dicen que esa ciudad es la capital de la moda.* □ [Cuando es adjetivo, no varía en masculino y en femenino]. SINÓNIMOS: **1** principal, fundamental, esencial, básico, primario. CONTRARIOS: **1** accesorio, secundario.

capitán, -a [sustantivo] **1** Persona que dirige un grupo: *La capitana del equipo recibió el trofeo del campeonato.* [sustantivo/masculino] **2** Una de las categorías militares: *La categoría de un capitán es más alta que la que la de un teniente.* **3**

a b c d e f g h i j k l m n ñ o p q r s t u v w x y z

Persona que manda un barco o un avión: *El capitán del avión dio la bienvenida a los pasajeros.*

capítulo [sustantivo/masculino] **1** Cada una de las grandes partes en que se divide un relato o un texto largo: *Hasta el capítulo final de la novela no se sabe quién es el asesino.* **2** Tema o asunto que se tratan en algún momento: *Si ya estamos de acuerdo en las fechas del viaje, pasemos al capítulo del recorrido.* **3** [expresión] **ser algo capítulo aparte** Merecer atención particular: *Primero intentemos resolver este problema, porque buscar al culpable es capítulo aparte.*

capota [sustantivo/femenino] Cubierta de tela que llevan algunos vehículos: *Los coches descapotables tienen una capota que se pone y se quita.* □ FAMILIA: → capa.

capote 1 [sustantivo/masculino] Pieza de tela con vuelo, de un color vivo y que se usa para torear: *Los toreros utilizan unas veces el capote y otras, la muleta.* **2** [expresión] **echar un capote a alguien** Ayudarle cuando está en una situación difícil: *¿Puedes venir conmigo a la reunión por si necesito que me eches un capote?* □ [El significado **2** es coloquial]. FAMILIA: → capa. SINÓNIMOS: **1** capa, trapo.

capricho [sustantivo/masculino] **1** Deseo muy fuerte de algo, que no está basado en la razón y que suele durar poco: *Siempre ha tenido el capricho de comprarse un barco.* **2** Lo que se desea de esta manera y se consigue: *¿Te ha enseñado el último capricho que se ha comprado?* □ SINÓNIMOS: **1** antojo. FAMILIA: caprichoso, encapricharse.

caprichoso, sa 1 [adjetivo] Que no obedece a motivos razonables: *La suerte es caprichosa y puede tocarle a cualquiera.* **2** [adjetivo o sustantivo] Que quiere conseguir siempre lo que pide: *A esa caprichosa cada día se le antoja algo distinto.* □ FAMILIA: → capricho.

capricornio [adjetivo o sustantivo] Uno de los doce signos del horóscopo: *Las personas que son capricornio han nacido entre el 22 de diciembre y el 20 de enero.* □ [No varía en masculino y en femenino].

cápsula [sustantivo/femenino] **1** Medicina en polvo que va dentro de un material sin sabor: *Bebí un poco de agua para poder tragar la cápsula.* **2** Parte de una nave del espacio donde van las personas que la conducen: *Los astronautas viajan en la cápsula de la nave.*

captura [sustantivo/femenino] Hecho de atrapar algo o a alguien: *Se ofrece una recompensa por la captura de los presos fugados.* □ FAMILIA: → capturar.

capturar [verbo] Atrapar a alguien y quitarle la libertad: *La policía rodeó el banco para capturar a los ladrones.* □ SINÓNIMOS: apresar, prender, detener, arrestar. CONTRARIOS: liberar, libertar, soltar. FAMILIA: captura.

capucha [sustantivo/femenino] **1** Parte de algunas prendas de vestir que sirve para cubrir la cabeza: *Mi trenca tiene una capucha que me pongo cuando llueve.* **2** Pieza que cubre la punta de algunos objetos: *Ponle la capucha al rotulador para que no se seque la tinta.* 🔍 página 605. □ SINÓNIMOS: caperuza. FAMILIA: encapuchado.

capullo [sustantivo/masculino] **1** Flor que todavía no se ha abierto: *Pon en agua este capullo de rosa y en unos días se abrirá.* **2** Especie de bolsa en la que se envuelven algunos insectos para hacerse adultos: *Del capullo del gusano de seda sale la mariposa.* **3** Persona que tiene poca habilidad o poca experiencia: *El nuevo de la oficina es un capullo y no sabe hacer nada.* **4** Persona que hace algo malo a otras: *No te fíes de ese capullo, que te la jugará.* □ [Los significados **3** y **4** son vulgares y se usan como insulto].

caqui 1 [adjetivo o sustantivo] De color verde casi marrón: *Los uniformes de los soldados del Ejército de Tierra son caquis.* 🔍 página 160. **2** [sustantivo/masculino] Fruto comestible y dulce de color rojo casi naranja: *Los caquis son parecidos a los tomates.* □ [Cuando es adjetivo, no varía en masculino y en femenino].

cara [sustantivo/femenino] Mira en **caro, ra.**

carabela [sustantivo/femenino] Barco antiguo con tres palos para las velas: *Colón llevaba tres carabelas cuando descubrió América.* □ [No confundir con *calavera*].

carabina [sustantivo/femenino] **1** Arma de fuego: *Las carabinas son armas antiguas, parecidas al fusil.* **2** Persona que acompaña a otra cuando ésta va con un amigo de distinto sexo: *Antes, muchas parejas paseaban con una carabina que las vigilaba.* □ [El significado **2** es coloquial].

caracol [sustantivo/masculino] **1** Animal pequeño que

guarda su cuerpo en una concha redonda y tiene cuatro cuernos que puede sacar y guardar: *Si tocas un caracol, meterá los cuernos y se esconderá en su concha.* **2** Rizo del pelo: *Mi hermanito tiene un pelo muy gracioso y lleno de caracoles.* □ FAMILIA: caracola.

caracola [sustantivo] [femenino] **1** Concha grande de un caracol de mar: *Encontramos en la playa unas caracolas muy bonitas.* 🔍 página 537. **2** Bollo redondo y plano: *Las caracolas tienen forma de espiral.* □ FAMILIA: → caracol.

carácter [sustantivo] [masculino] **1** Característica importante de algo: *No te lo tomes a broma, porque se trata de un problema de carácter grave.* **2** Conjunto de características que definen una forma de ser: *Nunca pierdes la calma, porque eres una persona de carácter tranquilo.* **3** Forma de ser de la persona que mantiene sus ideas con fuerza: *No conseguirás que cambie su opinión, porque es una persona de mucho carácter.* **4** Signo que se usa para escribir: *Los caracteres con que están escritos los ejemplos de este diccionario son diferentes de los usados en las definiciones.* □ [Su plural es *caracteres*]. SINÓNIMOS: **1** propiedad, cualidad. **2** natural, naturaleza, temperamento. FAMILIA: caracterizar, característica, característico.

característico, ca [adjetivo o sustantivo femenino] Que es propio de algo y lo hace distinto de otras cosas: *Ese pintor tiene un estilo característico e inconfundible. El color blanco es una característica de la nieve.* □ SINÓNIMOS: rasgo. FAMILIA: → carácter.

caracterizar [verbo] **1** Hacer diferente una cosa de otra por tener determinadas características: *Lo que más caracteriza a los perros es el buen olfato. Tú te caracterizas más por tu inteligencia que por tu habilidad.* **2** **caracterizarse** Vestirse y arreglarse una persona como corresponde para representar a un personaje: *Para hacer esa película, el actor se caracterizó de viejo mendigo.* □ [La z se cambia en c delante de e, como en CAZAR]. FAMILIA: → carácter.

caradura [adjetivo o sustantivo] Que se aprovecha de los demás siempre que puede: *Ese caradura ya me ha vuelto a cargar a mí con su trabajo.*

□ [No varía en masculino y en femenino. Se escribe también *cara dura*. Se usa mucho la forma abreviada *cara*: *No seas cara y ayúdame*]. SINÓNIMOS: carota, jeta, aprovechado, fresco, frescales. FAMILIA: → cara.

caramba [interjección] Se usa para indicar sorpresa, admiración o disgusto: *¡Caramba, qué guapo te has puesto!* □ [Es coloquial].

caramelo [sustantivo] [masculino] **1** Dulce que suele ser como una bola dura, hecho de azúcar y con distintos sabores: *El día de mi cumpleaños llevé caramelos a clase para invitar a mis compañeros.* **2** Azúcar fundido: *Lo que más me gusta del flan es el caramelo que tiene por encima.*

caravana [sustantivo] [femenino] **1** Grupo de personas que viajan juntas, a pie o en algún vehículo: *En la película, los indios atacaban las caravanas de carros que iban al Oeste.* **2** Fila de vehículos que circulan muy despacio porque hay mucho tráfico: *Cuando volvemos del campo un fin de semana, siempre hay caravana.* **3** Vehículo preparado para poder vivir en él: *En el camping había tiendas de campaña y caravanas.* 🔍 página 154. □ SINÓNIMOS: **3** roulotte.

caray [interjección] Se usa para indicar sorpresa, admiración o disgusto: *¡Déjame en paz, caray!* □ [Es coloquial].

carbón [sustantivo] [masculino] Materia sólida, negra, que pesa poco y es fácil de quemar: *El carbón se usa como combustible.* □ FAMILIA: carbonilla, carbonero, carbonizar, carbono. 🔍 página 538.

carbonero, ra **1** [sustantivo] Persona que reparte o vende carbón: *Traes la ropa tan negra que pareces un carbonero.* **2** [sustantivo] [femenino] Lugar en el que se guarda el carbón: *En el chalé tenemos una carbonera, porque usamos carbón para encender la barbacoa.* □ FAMILIA: → carbón.

carbonilla [sustantivo] [femenino] Ceniza que deja el humo que sale cuando se quema carbón: *Los maquinistas de los trenes de carbón siempre estaban sucios de carbonilla.* □ FAMILIA: → carbón.

carbonizar [verbo] Quemar algo hasta que parezca carbón: *El incendio carbonizó gran parte de los árboles del bosque.* □ [La z se

a
b
c
d
e
f
g
h
i
j
k
l
m
n
ñ
o
p
q
r
s
t
u
v
w
x
y
z

cambia en c delante de e, como en CAZAR]. FAMILIA: → carbón.

carbono [sustantivo/masculino] Sustancia química que se encuentra en gran cantidad en la naturaleza: *El diamante y el carbón están compuestos de carbono.* □ FAMILIA: → carbón.

carcajada [sustantivo/femenino] Risa que se suelta con fuerza y con ruido: *El payaso hizo reír al público a carcajadas.* 👁 página 340.

cárcel [sustantivo/masculino] Lugar en el que se mete a una persona para castigarla por un delito: *Los delincuentes van a la cárcel.* □ SINÓNIMOS: prisión, presidio. FAMILIA: carcelero, encarcelar.

carcelero, ra [sustantivo] Persona que se ocupa de las personas que están en la cárcel: *Los carceleros cuidan y vigilan a los presos.* □ FAMILIA: → cárcel.

carcoma [sustantivo/femenino] Insecto muy pequeño que se come la madera: *Este armario tan viejo tiene carcoma y las patas están llenas de agujeritos y a punto de romperse.*

cardenal [sustantivo/masculino] **1** Sacerdote que ayuda al máximo jefe de la iglesia católica: *Muchos cardenales viven en Roma.* **2** Señal que se produce en la piel como resultado de un golpe: *Me di con la puerta y tengo un cardenal en el brazo.* □ SINÓNIMOS: **2** moratón.

cardiaco, ca o **cardíaco, ca 1** [adjetivo] Del corazón o relacionado con este órgano: *Mi madre tiene que ir con frecuencia al médico, porque tiene una lesión cardíaca.* **2** [adjetivo o sustantivo] Que está enfermo del corazón: *No puedo hacer grandes esfuerzos, porque soy cardíaco.*

cardinal [adjetivo o sustantivo masculino] Que expresa una cantidad: *«Siete» es un número cardinal y «séptimo» es un número ordinal.* □ [No varía en masculino y en femenino].

cardo [sustantivo/masculino] Planta que tiene hojas grandes y muchas espinas: *Me caí en el campo sobre unos cardos y me pinché en la mano.*

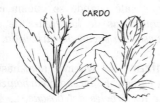

CARDO

carecer [verbo] No tener algo: *Es una injusticia que haya gente que carezca de alimentos para vivir.* □ [Es irregular y se conjuga como PARECER]. CONTRARIOS: tener, poseer. FAMILIA: carencia.

carencia [sustantivo/femenino] Falta de algo o cantidad escasa de ello: *La carencia de algunas vitaminas en el organismo puede producir enfermedades.* □ SINÓNIMOS: escasez, pobreza. CONTRARIOS: abundancia, riqueza. FAMILIA: → carecer.

carestía [sustantivo/femenino] Precio elevado de las cosas: *La carestía de los productos de alimentación tiene muy descontenta a la población.* □ FAMILIA: → caro.

careta [sustantivo/femenino] Pieza que sirve para cubrir la cara: *No te pongas esa careta de monstruo, que me asustas.* □ SINÓNIMOS: máscara. FAMILIA: → cara.

carga [sustantivo/femenino] **1** Colocación de un peso sobre algo: *La carga de las mercancías en un barco debe estar controlada para que se reparta bien el peso.* **2** Lo que lleva un vehículo de un lugar a otro: *La carga que lleva esa cisterna es gasolina.* **3** Peso que descansa sobre una estructura: *Esa repisa no puede soportar tanta carga y se va a caer.* **4** Lo que lleva una cosa en su interior y que se cambia cuando se acaba: *Tengo que cambiar la carga del bolígrafo, porque ésta ya no pinta.* **5** Cantidad de sustancia explosiva que se usa para volar algo o que se introduce en un arma de fuego: *Los mineros salieron de la mina antes de que explotaran las cargas.* **6** Ataque con fuerza que se hace contra alguien: *El capitán gritó a sus soldados: «A la carga».* **7** Lo que produce preocupación y problemas: *Tienes que estudiar para no ser una carga para tu familia el día de mañana.* □ SINÓNIMOS: **7** peso. CONTRARIOS: descarga. FAMILIA: → cargar.

cargamento [sustantivo/masculino] Conjunto de productos que lleva un vehículo: *Este barco lleva un cargamento de plátanos.* □ FAMILIA: → cargar.

cargante [adjetivo] Que produce molestia o que cansa mucho: *Haces tantas cosas para caer simpático a los demás que resultas cargante.* □ [No varía en masculino y en femenino. Es coloquial].
FAMILIA: → cargar.

cargar [verbo] **1** Poner una carga sobre algo: *Saldremos de viaje en cuanto carguemos las maletas en el coche.* **2** Introducir una bala en un arma de fuego: *El sargento ordenó a sus soldados que cargaran los fusiles.* **3** Poner dentro de una cosa lo que necesita para funcionar: *Tengo que cargar la pluma, porque me he quedado sin tinta.* **4** Cansar o producir molestia: *Aunque sea tu amigo, ese chico es un pesado y me carga mucho.* **5** Suspender un examen: *He cargado por poner faltas de ortografía.* **6** Atacar con fuerza contra alguien: *El ejército cargó contra el enemigo para defender la ciudad.* **cargarse 7** Romper algo o estropearlo: *¿Ya te has cargado el juguete que te compré ayer?* **8** Matar: *El libro está muy interesante, porque el malo se ha cargado a mucha gente, pero ya están a punto de descubrirlo.* **9** Hacerse difícil de respirar el aire que hay en un lugar: *Abrí la ventana, porque la habitación es pequeña y se carga enseguida.* **10** Sentir una parte del cuerpo muy pesada: *No puedo estar mucho tiempo de pie, porque se me cargan las piernas.* **11** [expresión] **cargársela** Recibir un castigo: *Cuando se entere de que le has roto su disco favorito, te la vas a cargar.* □ [La g se cambia en gu delante de e, como en PAGAR. Los significados **4**, **5**, **7**, **8** y **11** son coloquiales]. CONTRARIOS: descargar. FAMILIA: carga, cargo, cargamento, cargante, montacargas, descargar, descarga, encargar, recargar.

cargo [sustantivo] [masculino] **1** Empleo o categoría: *Se jubiló con el cargo de director general de la empresa.* **2** Persona que tiene esta categoría: *La decisión de publicar ediciones para niños fue tomada por los altos cargos de la empresa.* **3** Cuidado o dirección de algo: *Te dejo al cargo de la casa hasta que yo vuelva.* **4** Falta de la que se acusa a una persona: *Se han retirado todos los cargos contra el acusado.* **5** [expresión] **cargo de conciencia** Lo que hace sentir a una persona que tiene la culpa de algo: *Después de enfadarme con él, me entró cargo de conciencia y le pedí perdón.* **hacerse cargo de algo** Ocuparse de ello: *Hazte cargo de los niños mientras yo bajo a la farmacia.* □ FAMILIA: → cargar.

caricatura [sustantivo] [femenino] Pintura que representa a una persona con alguna parte de su cuerpo con un tamaño diferente al real: *Me han dibujado una caricatura en la que me han puesto una nariz muy pequeña y los ojos muy grandes.* □ FAMILIA: → cara.

caricia [sustantivo] [femenino] **1** Demostración de amor que consiste en rozar algo con la mano de manera suave: *La madre hacía caricias a su bebé, para que se quedara dormido.* **2** Toque de algo que roza de manera suave y produce una sensación agradable: *Me gusta pasear por la playa sintiendo la caricia del viento.* □ FAMILIA: acariciar.

caridad [sustantivo] [femenino] **1** Pena que se siente ante el dolor de los demás y que nos lleva a ayudarlos y perdonarlos: *Ten un poco de caridad con ellos y ayúdalos.* **2** Amor a Dios y a los demás: *Si practicas la caridad, no habrá nada que no puedas perdonar.* □ SINÓNIMOS: **1** piedad, compasión, misericordia, clemencia. CONTRARIOS: **1** crueldad. FAMILIA: caritativo.

caries [sustantivo] [femenino] Enfermedad de los dientes y de las muelas: *La dentista me ha empastado dos muelas que tenía con caries.* □ [No varía en singular y en plural].

cariño [sustantivo] [masculino] **1** Lo que sentimos por una persona a la que amamos: *Mi abuela dice que no podría vivir sin el cariño de su familia.* **2** Lo que se siente frente a algo que nos gusta: *No quiero tirar este jersey tan viejo, porque le tengo mucho cariño.* □ SINÓNIMOS: afecto. **1** querer, amor. **2** simpatía, estima, aprecio. CONTRARIOS: **1** odio. FAMILIA: cariñoso, encariñarse.

cariñoso, sa [adjetivo] Que siente amor o que lo expresa: *Mi hija pequeña es muy cariñosa y da besos a todo el mundo.* □ SINÓNIMOS: amoroso, tierno. FAMILIA: → cariño.

caritativo, va [adjetivo] Que siente o muestra pena ante el dolor de los demás y los ayuda y perdona: *Darle tu abrigo a ese pobre muerto de frío fue un acto muy caritativo.* □ SINÓNIMOS: compasivo, misericordioso, piadoso. CONTRARIOS: cruel. FAMILIA: → caridad.

carnaval [sustantivo] [masculino] Fiesta popular que se celebra en invierno y en la que la gente se viste con trajes de distintos personajes: *Los* *carnavales se celebran antes de la cuaresma.* 👁 página 343.

carne [sustantivo/femenino] **1** Parte blanda del cuerpo de los animales formada por los músculos: *El perro limpió de carne el hueso que le di para comer.* **2** Alimento que consiste en esta parte del cuerpo de los animales: *Hoy tenemos carne de ternera de segundo plato.* **3** Parte blanda de la fruta que está debajo de la piel: *La carne de los melocotones es más blanda que la de las manzanas.* **4** Cuerpo de una persona, en oposición al espíritu: *Intento no comer dulces para adelgazar, pero la carne es débil y me cuesta mucho esfuerzo.* **5** [expresión] **carne de gallina** Piel de las personas cuando se pone con pequeños bultitos: *Abrígate, porque tienes carne de gallina y estás tiritando.* **en carne viva** Sin piel y con sangre: *Me caí y me dejé la rodilla en carne viva.* **ser de carne y hueso** Ser sensible a lo que puede ocurrir a nuestro alrededor: *Claro que lloro cuando veo alguna desgracia, porque soy de carne y hueso.* □ [No confundir con carné. Las expresiones son coloquiales]. SINÓNIMOS: **1,2** chicha. FAMILIA: carnicero, carnicería, carnoso, carnívoro.

carné [sustantivo/masculino] Documento en el que aparece el nombre de una persona y que es necesario para hacer determinadas cosas: *Con el carné de socio de esta biblioteca puedo coger prestados libros y llevármelos a mi casa.* □ [No confundir con carne. Es una palabra de origen francés].

carnero [sustantivo/masculino] Macho de la oveja: *Los carneros tienen los cuernos enrollados en espiral.*

carnicería [sustantivo/femenino] **1** Lugar en el que se vende carne: *He comprado los filetes de ternera en la carnicería del mercado.* **2** Multitud de muertes producidas por la guerra o por una gran desgracia: *El ataque aéreo del enemigo provocó una carnicería entre la población.* **3** Herida muy grande y con mucha sangre: *Quise cortarme un padrastro, pero me hice una verdadera carnicería en el dedo.* □ [No debe decirse carnecería]. FAMILIA: → carne.

carnicero, ra **1** [adjetivo o sustantivo] Dicho de un animal, que mata a otros para comérselos: *El tigre es un animal carnicero.* **2** [sustantivo] Persona que vende carne: *Este carnicero siempre me da unos filetes muy frescos y tiernos.* □ [El significado **1** es distinto de carnívoro, que significa que se alimenta de carne]. FAMILIA: → carne.

carnívoro, ra **1** [adjetivo] Dicho de una planta, que se alimenta de insectos: *Muchas de las plantas carnívoras son tropicales.* 👁 página 711. **2** [adjetivo o sustantivo masculino] Dicho de un animal, que se alimenta de carne: *El perro es un animal carnívoro.* □ [El significado **2** es distinto de carnicero, que significa que mata a un animal para comérselo]. FAMILIA: → carne.

carnoso, sa [adjetivo] **1** De carne o que tiene mucha carne: *Los gallos tienen una cresta carnosa en la parte superior de la cabeza. Las nalgas son una parte muy carnosa del cuerpo.* **2** Dicho de un vegetal, que tiene la carne blanda y con mucha agua: *Las ciruelas son frutas carnosas.* □ FAMILIA: → carne.

caro, ra **1** [adjetivo] Que tiene un precio muy alto: *No te puedo comprar esa muñeca, porque es muy cara.* [sustantivo/femenino] **2** Parte de la cabeza en la que están los ojos, la nariz y la boca: *Quítate el flequillo de la cara, porque te vas a quedar ciega.* **3** Expresión que tiene esta parte de la cabeza: *Tú tienes cara de bueno, pero tu hermano tiene cara de travieso.* **4** Cada una de las superficies planas de algo: *Si ya has llenado esa cara del papel, dale la vuelta y escribe por la otra.* **5** Superficie principal de una moneda: *En la cara de esta moneda se ve un mapa, y en la cruz aparece el número que indica cuánto vale.* **6** Aspecto de algo: *No sé cómo sabrá tu tarta, pero tiene una cara estupenda.* **7** Falta de vergüenza: *Pídele permiso tú, que tienes más cara que yo.* **8 caro** [adverbio] A un precio más alto: *No compres en esa tienda, porque venden más caro que en ésta.* **9** [expresión] **cara de pocos amigos** La que tiene una persona cuando está enfadada: *¿Qué te ha pasado hoy, que traes cara de pocos amigos?* **cara larga** La que muestra tristeza o enfado: *Le dije que no la dejaba ir y salió de la habitación con la cara larga, sin decir nada.* **cruzar la cara** Dar una torta: *Como vuelvas a insultar a mi familia, te cruzo la cara.* **dar la cara** Responder de algo que hemos hecho: *Quien haya roto el cristal, que dé la cara.* **echar en cara** Recordar a una persona algo que hemos hecho por ella y que ya ha olvidado: *Le dije que no quería jugar y me echó en cara que ella siempre juega a lo que yo digo.* **plantar cara** Enfrentarse a una situación difícil: *Me estaba acusando injustamente, pero le planté cara y me defendí.* □ SINÓNIMOS: **2** faz, rostro, jeta. **3** semblante. **4** lado. **7** jeta, morro, rostro, descaro. CONTRARIOS: **1,8** barato. **5** cruz. FAMILIA: **1** carestía. **2** caricatura, careta, carota, caradura, descaro, descarado.

[carota [adjetivo o sustantivo] Dicho de una persona, que se aprovecha de los demás siempre que puede: *No seas carota y levántate tú a coger el libro que quieres.* □ [No varía en masculino y en femenino]. SINÓNIMOS: caradura, aprovechado, jeta, fresco, frescales. FAMILIA: → cara.

carpeta [sustantivo femenino] Cartulina gruesa y doblada que se usa para guardar papeles de manera ordenada: *La carpeta en la que guardo los dibujos se cierra con gomas.* ✍ página 605.

carpintería [sustantivo femenino] **1** Lugar en el que se hacen o se venden muebles de madera: *He encargado una mesa de nogal en una carpintería.* **2** Conjunto de conocimientos necesarios para hacer muebles de madera: *En la escuela de artes y oficios se estudia carpintería.* □ FAMILIA: → carpintero.

carpintero, ra [sustantivo] Persona que trabaja haciendo muebles con la madera: *Hemos encargado la mesa del comedor al mismo carpintero que nos hizo la librería.* □ FAMILIA: carpintería. ✍ página 159.

carrera [sustantivo femenino] **1** Marcha rápida a pie que se hace cuando se corre: *Si necesitas pan, voy a comprarlo de una carrera.* **2** Competición de velocidad entre personas o entre animales: *Para participar en la carrera de cien metros lisos hay que ser muy rápido. Fui con mi tío al hipódromo a ver las carreras de caballos.* ✍ página 289. **3** Conjunto de estudios que permiten a una persona tener una profesión: *Para ser médico hay que estudiar la carrera de medicina.* **4** Profesión por la que se recibe un salario: *Ese actor dice que la película que más le gusta de toda su carrera es la última.* **5** Línea de puntos que se sueltan en una media: *Mamá, tienes que cambiarte las medias, porque llevas una carrera.* **6** [expresión] **a la ca-**

rrera A gran velocidad: *Tendré que acabar este trabajo a la carrera, porque tengo que entregarlo mañana mismo.* □ FAMILIA: carrerilla.

carrerilla [expresión] **de carrerilla** De memoria: *¿Te sabes toda la lección de carrerilla?* **tomar carrerilla** Dar unos pasos hacia atrás para salir con más fuerza: *Tuve que coger carrerilla para poder saltar y subirme a la tapia.* □ [No confundir con *carretilla*]. FAMILIA: → carrera.

carreta [sustantivo femenino] Carro pequeño de madera: *Antes se transportaban las cosas en carretas tiradas por caballos.* □ FAMILIA: → carro.

carrete [sustantivo masculino] **1** Tubo pequeño y hueco que sirve para enrollar algo en él: *Necesito un carrete de hilo para coser este botón.* **2** Película que se pone en una máquina para hacer fotografías: *Cuando acabemos el carrete, tenemos que llevarlo a revelar.* ✍ página 348. **3** [expresión] **dar carrete a alguien** Darle conversación: *No le des carrete al vecino, porque se enrolla mucho y llegaremos tarde a nuestra cita.* □ [El significado **3** es coloquial].

carretero, ra 1 [sustantivo] Persona que conduce un carro: *Los camioneros han sustituido a los carreteros.* **2** [sustantivo femenino] Camino público por el que circulan los vehículos: *Los peatones deben andar por el lado izquierdo de la carretera.* **3** [expresión] **fumar como un carretero** Fumar mucho: *Tienes esa tos tan fea porque fumas como un carretero.* □ [El significado **3** es coloquial]. FAMILIA: → carro.

carretilla [sustantivo femenino] Carro pequeño que tiene una sola rueda y se lleva con las dos manos: *El albañil saca los escombros a la calle en una carretilla.* □ [No confundir con *carrerilla*]. FAMILIA: → carro. ✍ página 497.

carril [sustantivo masculino] Parte de una carretera por la que sólo puede circular una fila de vehículos: *Para adelantar a un coche hay que cambiarse de carril.* □ FAMILIA: descarrilar.

carrillo [sustantivo masculino] Cada una de las dos partes blandas de la cara que están debajo de los ojos y a los lados de la nariz: *Cuando me vio, me dio un beso en cada carrillo.* □ SINÓNIMOS: mejilla.

carro [sustantivo masculino] **1** Vehículo formado por una estructura que va montada sobre dos ruedas y que se mueve porque tira de él algún animal: *El labrador enganchó la mula al carro para ir al pueblo.*  página 846. **2** Vehículo con ruedas que se usa para llevar objetos de un lado a otro: *Cuando vamos al supermercado yo llevo el carro donde metemos lo que compramos.* **3** [expresión] **carro de combate** Vehículo de guerra, fuerte y pesado, que se usa para andar por terrenos difíciles: *En ese cuartel del ejército tienen varios carros de combate en el patio.* **parar el carro** Dejar de hablar: *Oye, para el carro, que no sabes ni lo que estás diciendo.* □ [La expresión *parar el carro* es coloquial]. FAMILIA: carreta, carretero, carretilla, carrocería, carromato, carruaje, carroza.

carrocería [sustantivo] [femenino] Parte exterior de un vehículo: *Nos dimos un golpe con otro coche, y la carrocería se abolló.* □ FAMILIA: → carro.

carromato [sustantivo] [masculino] Carro grande cubierto por una tela y que es tirado por uno o varios animales: *Antes, las gentes del circo viajaban de una ciudad a otra en carromatos.* □ FAMILIA: → carro.  página 846.

carroña [sustantivo] [femenino] Carne de animales muertos: *El buitre se alimenta de carroña.*

carroza 1 [adjetivo o] [sustantivo] Dicho de una persona, que es mayor o que tiene ideas que están pasadas de moda: *A ti no te gusta la música que yo escucho porque eres un carroza.* [sustantivo] [femenino] **2** Coche de caballos grande y con muchos adornos: *El hada madrina convirtió la calabaza en una carroza para que Cenicienta fuera al baile.* **3** Vehículo que se adorna para unas fiestas y que lleva gente: *Las fiestas de mi pueblo empiezan con el desfile de carrozas.* □ [El significado **1** es coloquial y no varía en masculino y en femenino]. FAMILIA: → carro.

carruaje [sustantivo] [masculino] Vehículo formado por una estructura de madera o de hierro que va montada sobre unas ruedas: *El príncipe lle-*

gó a la fiesta en un lujoso carruaje tirado por dos caballos.* □ FAMILIA: → carro.

carta [sustantivo] [femenino] **1** Papel escrito que se mete en un sobre y que se envía a una persona para comunicarle algo: *Cuando estuve en el campamento escribí dos cartas a mi familia.* **2** Cada una de las cartulinas de una baraja: *Me has repartido una carta de más.* **3** En un restaurante, lista de los platos y de las bebidas que se pueden elegir: *Los postres están en la última hoja de la carta.* **4** Imagen que representa en un plano cómo es la superficie de la Tierra o cómo es una parte de ella: *El capitán miró en la carta de navegación el rumbo que debían poner para llegar a la isla.* **5** [expresión] **echar las cartas** Adivinar el futuro usando las cartas de la baraja: *Una amiga mía me echó las cartas y me dijo que iba a aprobar todo.* **tomar cartas en un asunto** Tomar parte en ello: *Si no se acaban tus problemas con ese muchacho, tomaré cartas en el asunto y hablaré con su madre.* □ [Las expresiones son coloquiales]. SINÓNIMOS: **1** epístola. **2** naipe. **3** menú. **4** mapa. FAMILIA: cartearse, cartero, cartilla, abrecartas.

cartearse [verbo] Escribirse cartas dos personas: *Mi mejor amiga vive en otra ciudad y nos carteamos muy a menudo.* □ FAMILIA: → carta.

cartel [sustantivo] [masculino] **1** Trozo grande de papel en el que hay escrito o dibujado algo para que lo vea la gente: *En esos carteles que están pegados en la pared se anuncia el nuevo disco de un cantante inglés.* **2** Fama que tiene una persona: *Vas con unos muchachos que no tienen buen cartel por aquí.* **3** [expresión] **en cartel** Dicho de un espectáculo, que se está representando: *Esa obra de teatro es un éxito y ya lleva nueve meses en cartel.* □ FAMILIA: cartelera.

cartelera [sustantivo] [femenino] **1** Superficie en la que se ponen fotografías de un espectáculo: *He vis-*

CARTA

to la cartelera del cine y, por las fotos, creo que no me interesa la película. **2** En un periódico, sección en la que se anuncian los espectáculos: *Mira en la cartelera la hora a la que empieza la película que queremos ver.* □ FAMILIA: → cartel.

cartera [sustantivo/femenino] Mira en **cartero, ra.**

carterista [sustantivo] Ladrón que roba carteras de bolsillo: *Ese carterista hace que se choca con las personas para quitarles la cartera sin que se enteren.* □ [No varía en masculino y en femenino].

cartero, ra 1 [sustantivo] Persona que trabaja repartiendo las cartas que se mandan por correo: *El cartero mete las cartas en el buzón de cada vecino.* 🖾 página 794. **2** [sustantivo/femenino] Especie de libro que cabe en un bolsillo y que se usa para llevar dinero y documentos: *Mi padre tiene una cartera de piel en la que lleva los billetes, los carnés y las tarjetas de crédito.* **3** Especie de bolsa que se usa para llevar libros o documentos: *Mi cartera se puede llevar a la espalda como una mochila.* □ FAMILIA: → carta.

cartilla [sustantivo/femenino] **1** Libro que sirve para aprender a leer: *Las cartillas suelen tener muchos dibujos encima de las letras y de las palabras.* **2** Especie de libro pequeño en el que se apuntan algunas cosas: *Cada vez que meto dinero en el banco, lo anotan en mi cartilla.* **3** [expresión] **leerle la cartilla a alguien** Decirle lo que debe hacer: *Mis padres me leyeron la cartilla por llegar tarde del cole sin haber avisado.* □ [El significado **3** es coloquial]. FAMILIA: → carta.

cartón [sustantivo/masculino] **1** Especie de papel grueso que se usa para hacer cajas: *Cuando nos cambiamos de casa, metimos todos los libros en cajas de cartón.* **2** Recipiente hecho con este material: *No había cartones de leche y he traído botellas.* □ FAMILIA: cartulina.

cartuchera [sustantivo/femenino] Cinturón en el que se llevan las cargas de un arma de fuego: *El cazador llevaba una escopeta y una cartuchera llena de cartuchos.* □ FAMILIA: → cartucho.

cartucho [sustantivo/masculino] **1** Tubo que se mete en un arma de fuego para dispararla: *Los cartuchos de esta escopeta son unos cilindros de plástico que llevan pólvora dentro.* **2** Pieza que se mete en una cosa para que funcione:

Siempre llevo un cartucho de tinta de repuesto para la pluma, por si se me acaba el que tiene puesto. □ FAMILIA: cartuchera.

cartulina [sustantivo/femenino] Cartón delgado y que se dobla fácilmente: *Hoy hemos hecho un mural en clase pegando fotos en una cartulina blanca.* □ FAMILIA: → cartón.

casa [sustantivo/femenino] **1** Edificio o lugar donde se vive: *Mi casa está muy cerca de mi cole.* **2** Familia que vive en este lugar: *Yo soy el más pequeño de mi casa.* **3** Conjunto de personas que tienen un mismo apellido y el mismo origen: *Felipe II pertenecía a la casa de Austria y Juan Carlos I, a la casa de Borbón.* **4** Establecimiento que se dedica a un fin determinado: *En esta zapatería nos aprecian mucho, porque somos clientes de la casa desde hace veinte años.* **5** En deporte, campo de juego propio: *Hoy jugaremos con ese equipo en casa, y la semana que viene, en su campo.* **6** [expresión] **casa de citas** Lugar en el que se alquilan habitaciones para mantener relaciones sexuales: *Ese hotel acabó siendo una casa de citas.* **casa de socorro** Especie de hospital en el que se prestan servicios médicos de urgencia: *Cuando me corté en el brazo, me llevaron a la casa de socorro para que me curaran.* **como Pedro por su casa** Con mucha confianza: *En tu casa me lo paso genial y además estoy como Pedro por su casa.* **de andar por casa** Que se hace de forma rápida o de cualquier manera: *El arreglo que te he hecho es sólo de andar por casa y, en cuanto puedas, lleva el zapato al zapatero para que te lo arregle bien.* **tirar la casa por la ventana** Hacer un gasto grande, aunque sea demasiado: *Celebraremos la boda de una forma sencilla, no hace falta tirar la casa por la ventana.* □ [Las expresiones como Pedro por su casa, de andar por casa y tirar la casa por la ventana son coloquiales]. SINÓNIMOS: **1** hogar. FAMILIA: caserón, casona, caseta, casero, caserío, casino.

casar [verbo] **1** Unir en matrimonio a un hombre y a una mujer: *El sacerdote que casó a mi hermana es amigo de la familia.* **2** Colocar dos cosas de forma que se correspondan una con otra: *La historia que tú me has contado no casa con la que me ha con-*

tado tu hermano. **3 casarse** Unirse un hombre y una mujer en matrimonio: *Mis padres se casaron hace quince años.* □ SI-NÓNIMOS: **1** desposar. **2** cuadrar. **3** desposar.

cascabel [sustantivo] [masculino] Bola de metal hueca que tiene algo dentro para que suene al moverla: *Le he puesto un cascabel al gato para saber siempre dónde está.*

cascado, da 1 [adjetivo] Que está muy gastado o que no tiene fuerza: *Llevamos todo el día cantando villancicos y ya tengo la voz muy cascada.* **2** [sustantivo] [femenino] Corriente de agua que cae desde cierta altura: *Fuimos al río y comimos cerca de una pequeña cascada.* □ FAMILIA: → cascar.

cascanueces [sustantivo] [masculino] Instrumento que se usa para partir nueces: *Si no tienes cascanueces, parte la nuez con un martillo.* □ [No varía en singular y en plural]. FAMILIA: → nuez.

cascar [verbo] **1** Romper algo o hacerlo pedazos: *Para hacer una tortilla hay que cascar los huevos y después batirlos.* **2** Pegar o dar una torta: *Como vuelvas a tocar mis cosas sin mi permiso, te casco.* **3** Charlar: *Se sentaron en el cine dos chicos detrás de mí que no pararon de cascar en toda la película.* **4** Morir: *En la película iban cascando todos, uno detrás de otro, porque el asesino los envenenaba.* □ [La c se cambia en qu delante de e, como en SACAR. Los significados **2**, **3** y **4** son coloquiales]. FAMILIA: cascado.

cáscara 1 [sustantivo] [femenino] Capa exterior y dura de algunas cosas que sirve para proteger su interior: *En la basura había cáscaras de huevos y de plátanos.* **2** [interjección] **cáscaras** Se usa para indicar sorpresa, admiración o disgusto: *¡Cáscaras, qué fría está el agua!* □ [El significado **2** es coloquial]. FAMILIA: cascarón, descascarillar.

cascarón [sustantivo] [masculino] Cáscara de huevo de un ave: *El pollito empezó a piar nada más salir del cascarón.* □ FAMILIA: → cáscara.

cascarrabias [sustantivo] Persona que se enfada y protesta por todo: *Le dije que yo saltaría la primera y, como es una cascarrabias, empezó a gruñir.* □ [No varía en masculino y en femenino, ni en singular y plural. Es coloquial]. FAMILIA: → rabia.

casco [sustantivo] [masculino] **1** Pieza que cubre y protege la cabeza: *Para montar en moto hay que ponerse el casco.* 🏍 página 539. **2** Botella vacía: *Aquí se echan los cascos de vidrio para que puedan ser reciclados después.* **3** Parte de un barco que está sobre el agua: *El barco chocó contra las rocas y se hizo una grieta en el casco.* **4** Parte final y dura de las patas de los caballos: *Las herraduras se ponen en los cascos.* [plural] **5** Cabeza: *¿Pero quién te ha metido en los cascos semejante tontería?* **6** Aparato que se usa para escuchar algo y que una persona se pone en la cabeza: *Me puse a oír el tocadiscos con cascos para no molestar a mis hermanos, que estaban hablando en la misma habitación.* **7** [expresión] **casco urbano** Conjunto de edificios de una ciudad: *La velocidad máxima permitida dentro del casco urbano es de cincuenta kilómetros por hora.* **ligero de cascos** Que actúa con poco juicio: *No me gusta ese chico con el que vas, porque me parece un poco ligero de cascos.* □ [La expresión ligero de cascos es coloquial].

caserío [sustantivo] [masculino] Casa grande de campo que está aislada: *Mis tíos viven en un caserío del País Vasco.* □ FAMILIA: → casa.

casero, ra [adjetivo] **1** Que se hace en casa: *Mi abuela hace unos postres caseros que están para chuparse los dedos.* **2** Que se hace con confianza: *Haremos una celebración casera para festejar tu premio.* **3** Dicho de una persona, que disfruta mucho estando en su casa: *En casa somos todos muy caseros y nos gusta poco salir por ahí.* **4** Que ayuda al equipo que juega en su propio campo: *Ganaron porque el árbitro fue muy casero.* **5** [sustantivo] Dueño de una casa alquilada: *El arreglo de la calefacción lo pagará mi casero.* □ FAMILIA: → casa.

caserón [sustantivo] [masculino] Casa muy grande y con aspecto de estar abandonada: *Cuando hay tormenta, el caserón que hay en lo alto de la colina da miedo.* □ FAMILIA: → casa.

caseta [sustantivo] [femenino] **1** Casa pequeña y separada del resto: *El perro duerme en la caseta que tiene en el jardín.* **2** Especie de cuarto pequeño y separado que usa una persona para algo: *En esta playa hay casetas para que la gente se cambie de ropa.* □ FAMILIA: → casa.

casete 1 [sustantivo] Cajita de plástico que contiene una cinta en la que se registra el sonido: *¿Si te doy una casete me grabas ese disco que yo no tengo?* [sustantivo] [masculino] **2** Aparato que sirve para poner cintas y escucharlas: *Con mi casete puedo grabar de una cinta a otra.* **3** Radiocasete: *Cuando salgas del coche, quita el casete para que no te lo roben.* □ [Es una palabra de origen francés. En el significado **1**, se puede decir *el casete* o *la casete* sin que cambie de significado. El significado **3** es coloquial]. SINÓNIMOS: **2** magnetofón, magnetófono.

casi [adverbio] Con poca diferencia o de forma aproximada: *He llegado casi al mismo tiempo que tú. Ya estás casi tan alto como tu madre.*

casilla [sustantivo] [femenino] **1** Cada una de las divisiones que tienen algunos muebles o algunas cajas: *El conserje del hotel cogió de la casilla la llave de mi habitación y me la dio.* **2** Cada una de las divisiones en las que se colocan las piezas en algunos juegos: *En el parchís, cuando comes una ficha a un compañero, adelantas veinte casillas.* **3** Cada una de las partes en que están divididas algunas hojas de papel: *Si escribes en papel cuadriculado, debes escribir cada letra en una casilla.* **4** [expresión] **sacar de sus casillas a alguien** Hacerle perder la paciencia: *Me saca de mis casillas que no atiendas cuando explico y que luego me preguntes.* □ [El significado **4** es coloquial]. FAMILIA: casillero.

casillero [sustantivo] [masculino] **1** Mueble con varios huecos para tener clasificados algunos objetos: *En la sala de profesores hay un casillero para dejar recados a los profesores.* **2** En deporte, tablón en el que se apuntan los tantos conseguidos por un equipo: *El casillero señalaba empate a dos al final de la primera parte.* □ FAMILIA: → casilla.

casino [sustantivo] [masculino] Lugar público en el que hay juegos, espectáculos, bailes y otras diversiones: *En los casinos se apuesta dinero en los juegos que hay.* □ FAMILIA: → casa.

caso [sustantivo] [masculino] **1** Suceso o acontecimiento: *Hoy viene en el periódico un caso increíble de robo a mano armada.* **2** Combinación de situaciones que no se puede suponer que vayan a pasar y que no se pueden evitar: *Aunque es un medicamento muy suave, puede darse el caso de que no te haya sentado bien.* **3** Asunto del que se trata: *Este abogado lleva casos de divorcios.* **4** [expresión] **caso perdido** Persona de mala conducta: *Este chico es un caso perdido y no hay quien lo haga actuar de forma responsable.* **en caso de que** Si ocurre: *Hemos quedado a las cinco pero, en caso de que no puedas venir, llámame a casa.* **hacer caso** Prestar atención: *Hazme caso cuando te hablo.* **hacer caso omiso** No tener en cuenta: *Hiciste caso omiso de mis consejos y te engañaron.* **ser un caso** Dicho de una persona, que destaca entre las demás: *Eres un caso, nunca pierdes el buen humor.*

casona [sustantivo] [femenino] Casa grande y antigua: *Veraneamos en un pueblo de Santander en una casona que fue de mis abuelos.* □ FAMILIA: → casa.

caspa [sustantivo] [femenino] Conjunto de escamas blancas que se forman en la cabeza donde nace el pelo: *Si usas este champú, se te quitará la caspa.*

casta [sustantivo] [femenino] Mira en **casto, ta.**

castañero, ra [sustantivo] Persona que vende castañas: *El castañero me dio las castañas recién asadas envueltas en un papel.* □ FAMILIA: → castaña.

castañetear [verbo] Chocar los dientes de arriba contra los de abajo: *Cuando tengo mucho frío me castañetean los dientes.*

castaño, ña 1 [adjetivo o] [sustantivo] De un color marrón parecido al rojo: *Mi padre tiene el pelo castaño y mi madre, moreno.* **2** [sustantivo] [masculino] Árbol de tronco grueso, con hojas grandes, y cuyo fruto es casi redondo y está cubierto por una piel gruesa llena de espinas: *Los castaños en verano dan mucha sombra.* 🖾 página 19. [sustantivo] [femenino] **3** Fruto de este árbol: *Las castañas son marrones, pero cuando están en las ramas parecen pelotas verdes con pinchos.* **4** Golpe o choque violentos: *Se me quedó la bici sin frenos bajando una cuesta enorme, y me pegué una castaña tremenda.* **5** Lo que resulta muy aburrido: *No vayas a ver esa película, porque es una castaña.* **6** [expresión] **castaña pilonga** La que se ha secado y se guarda todo el año: *No me gustan las castañas pilongas, porque son muy duras.* **pasar algo de castaño oscuro** Ser muy grave: *Que no saques buenas notas, vale, pero que encima te portes mal, pasa de*

a b **c** d e f g h i j k l m n ñ o p q r s t u v w x y z

a
b
c
d
e
f
g
h
i
j
k
l
m
n
ñ
o
p
q
r
s
t
u
v
w
x
y
z

castaño oscuro. **sacar las castañas del fuego** Poner solución a los problemas de otra persona: *A ver si no te metes en más líos, que luego tengo que sacarte yo las castañas del fuego.* □ [Los significados **4** y **5** son coloquiales]. Familia: castañero. 🕮 páginas 18-19.

castañuela 1 [sustantivo/femenino] Instrumento musical formado por dos trozos de madera que se cogen con los dedos y que se hacen sonar chocando uno contra el otro: *Los que bailan la jota tocan, además, las castañuelas.* **2** [expresión] **como unas castañuelas** Muy alegre: *Estoy como unas castañuelas porque mañana nos vamos de excursión.* □ [Se usa más en plural. El significado **2** es coloquial].

CASTAÑUELAS

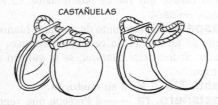

castellano, na [adjetivo o/sustantivo] **1** De las comunidades autónomas de Castilla-León o de Castilla-La Mancha: *Valladolid, Segovia y Ávila son ciudades castellanas. Mis padres son castellanos, porque nacieron en Toledo.* **2** De Castilla, que fue un antiguo reino de la península Ibérica: *Alfonso X el Sabio fue rey de los castellanos.* **3** [sustantivo/masculino] Lengua española: *Esta película primero la vi en inglés, y después la he visto en castellano.* □ Sinónimos: **3** español.

castellonense [adjetivo o/sustantivo] De la provincia de Castellón o de su capital: *Me gustan mucho los pueblos de la costa castellonense.* □ [No varía en masculino y en femenino].

castidad [sustantivo/femenino] **1** Forma de comportarse la persona que renuncia a todo placer sexual: *Los religiosos de esta orden hacen votos de pobreza, de obediencia y de castidad.* **2** Forma de actuar teniendo en cuenta lo que se considera justo en materia sexual desde un punto de vista moral: *La castidad no es precisamente una de las características de las revistas pornográficas.* □ Familia: → casto.

castigar [verbo] Poner un castigo: *Nos han castigado sin salir al recreo por gritar en clase. La justicia se encarga de castigar a los que cometen delitos.* □ [La g se cambia en gu delante de e, como en PAGAR]. Contrarios: premiar, recompensar. Familia: → castigo.

castigo [sustantivo/masculino] **1** Lo que se pone como obligación a una persona por haber hecho algo muy mal: *Si no te comes el filete, te pondré un castigo.* **2** Lo que produce molestias: *Es un castigo tener que aguantar a un niño tan travieso como tú.* □ Contrarios: premio, recompensa. Familia: castigar.

castillo 1 [sustantivo/masculino] Edificio que tiene muros muy gruesos y que sirve para defenderse de los ataques del enemigo: *Este castillo está construido en un alto y está rodeado de un foso.* 🕮 páginas 156-157. **2** [expresión] **castillos en el aire** Ilusiones que no tienen base real en la que apoyarse: *Se ilusiona por cualquier cosa y enseguida hace castillos en el aire.* □ [El significado **2** es coloquial].

casto, ta 1 [adjetivo] Dicho de una persona, que renuncia a todo placer sexual o que se comporta teniendo en cuenta lo que se considera justo desde un punto de vista moral: *Las revistas pornográficas no son castas en absoluto.* **2** [sustantivo/femenino] Especie o clase: *Aunque parece muy bruto, es una persona de buena casta.* □ Familia: castidad.

castor [sustantivo/masculino] Animal que tiene unos dientes muy largos, el cuerpo grueso, las patas cortas y la cola casi plana: *Los castores construyen presas en los ríos con troncos que cortan con los dientes.*

castrar [verbo] Cortar o dejar inútiles los órganos sexuales masculinos: *A algunos cerdos se les castra para que engorden con más rapidez.* □ Sinónimos: capar.

casual 1 [adjetivo] Que sucede por casualidad: *Ayer tuve un encuentro casual con una amiga a la que no veía desde hacía tiempo.* **2** [expresión] **por un casual** Por casualidad: *¿Has visto mis gafas por un casual, que no sé dónde las he puesto?* □ [Cuando es adjetivo, no varía en masculino y en femenino. El significado **2** es coloquial]. Familia: casualidad.

casualidad [sustantivo/femenino] Combinación de situaciones que no se pueden evitar: *¡Qué casualidad, hoy venís los dos con jersey rojo y pantalón azul!* □ Familia: → casual.

cataclismo [sustantivo masculino] Desgracia muy grande, de origen natural, que produce grandes cambios en la Tierra o en parte de ella: *Un terremoto es un cataclismo.*

catacumbas [sustantivo femenino plural] Lugar bajo tierra en el que los antiguos cristianos enterraban a sus muertos y en el que practicaban algunas ceremonias religiosas: *Cuando estuve en Roma, visité las catacumbas y me impresionaron mucho.*

catalán, -a **1** [adjetivo o sustantivo] De la comunidad autónoma de Cataluña: *Barcelona, Gerona, Lérida y Tarragona son las cuatro provincias catalanas.* **2** [sustantivo masculino] Lengua de esta comunidad autónoma: *Vivo en Barcelona y sé hablar catalán y castellano.*

catalejo [sustantivo masculino] Especie de tubo que sirve para ver lo que está muy lejos como si estuviera cerca: *El pirata miraba con su catalejo la bandera del barco que se acercaba.*

CATALEJO

catálogo [sustantivo masculino] Lista ordenada en la que se incluyen, una por una, cosas que tienen algo en común: *He mirado en el catálogo de libros de esta editorial los que me faltan de mi autor favorito.*

catar [verbo] Tomar una pequeña cantidad de comida o de bebida para ver cómo saben: *¿Quieres catar este guiso para ver si te gusta?* □ SINÓNIMOS: probar.

catarata [sustantivo femenino] **1** Lugar en el que hay una caída de agua desde mucha altura: *Las cataratas del Niágara están entre Estados Unidos y Canadá.* 🔎 página 17. **2** Enfermedad de los ojos que consiste en una especie de nube que impide ver bien: *Cuando operaron a mi abuelo de cataratas, recuperó la visión que había perdido.*

catarro [sustantivo masculino] Enfermedad en la que salen mocos muy líquidos por la nariz: *Me empapé con la lluvia y ahora tengo un buen catarro.* □ SINÓNIMOS: constipado, resfriado.

catástrofe [sustantivo femenino] Suceso que produce una desgracia y que cambia de forma grave el orden natural de las cosas: *El hundimiento de ese barco de pasajeros fue una de las peores catástrofes que se recuerdan.*

cate [sustantivo masculino] Suspenso: *Me han dado las notas y tengo un cate en lengua.* □ [Es coloquial]. CONTRARIOS: aprobado. FAMILIA: → catear.

catear [verbo] Suspender en una asignatura: *Se puso muy nervioso y por eso cateó el examen de conducir.* □ [Es coloquial]. CONTRARIOS: aprobar. FAMILIA: cate.

catecismo [sustantivo masculino] Libro que explica las ideas y las creencias de los cristianos: *El catecismo enseña la doctrina cristiana.* □ FAMILIA: catequesis.

catedral [sustantivo femenino] Iglesia muy grande que es la principal de todas las de una zona: *Cuando estuvimos en Salamanca, visitamos la catedral.* 🔎 página 793.

catedrático, ca [sustantivo] Profesor que tiene la categoría más alta: *Mi madre es catedrática en la universidad.*

categoría [sustantivo femenino] **1** Cada uno de los grados en que se divide algo: *Celebraremos el cumpleaños de la abuela en un restaurante de primera categoría.* **2** Condición de una persona respecto de otras: *No juzgues a las personas por su categoría social, sino por lo que valen por ellas mismas.* **3** [expresión] **de categoría** De gran importancia o de mucho valor: *Ganó el primer premio en un concurso literario de categoría.*

catequesis [sustantivo femenino] Explicación de las ideas y las creencias de la religión cristiana: *Los martes tengo en mi parroquia catequesis para hacer la primera comunión.* □ [No varía en singular y en plural]. FAMILIA: → catecismo.

cateto, ta [adjetivo o sustantivo] Que no tiene educación: *No seas cateto y límpiate la boca con la servilleta y no con la mano.* □ [Es despectivo].

catolicismo [sustantivo masculino] Religión cristiana que reconoce como mayor autoridad de la iglesia al papa: *El catolicismo es una de las religiones más extendidas en el mundo.* □ FAMILIA: → católico.

católico, ca [adjetivo o sustantivo] De la religión cristiana que reconoce como mayor autoridad de la iglesia al papa, o relacionado con ella: *Soy católico, y este año voy a hacer la primera comunión.* □ FAMILIA: catolicismo.

a b **c** d e f g h i j k l m n ñ o p q r s t u v w x y z

catorce [pronombre/numeral] Número 14: *Mi hermano mayor tiene catorce años.* □ [No varía en masculino y en femenino].

cauce [sustantivo/masculino] **1** Lugar por el que corren las aguas de un río: *Esta línea más oscura de las rocas marca a qué altura llega el cauce del río en primavera.* **2** Camino o vía: *Debemos buscar una solución a nuestro problema dentro de los cauces señalados por la ley.* □ SINÓNIMOS: **1** lecho.

caucho [sustantivo/masculino] Sustancia elástica e impermeable que se obtiene a partir del jugo de algunas plantas tropicales: *Las cubiertas de las ruedas de los coches son de caucho.* □ SINÓNIMOS: goma.

caudal 1 [adjetivo] De la cola o relacionado con esta parte de los animales: *La aleta caudal de los peces les sirve para impulsarse.* [sustantivo/masculino] **2** Conjunto de riquezas: *Acumuló su caudal trabajando lejos de su país.* **3** Cantidad de agua que corre: *En verano este río tiene menos caudal que en primavera.* □ [Cuando es adjetivo, no varía en masculino y en femenino]. FAMILIA: caudaloso, acaudalado.

caudaloso, sa [adjetivo] Dicho de un río, que lleva mucha cantidad de agua: *El Ebro es el río más caudaloso de la península Ibérica.* □ FAMILIA: → caudal.

caudillo [sustantivo/masculino] Persona que manda a un grupo de gente y que la dirige: *Julio César fue un caudillo militar.*

causa [sustantivo/femenino] **1** Lo que se considera origen de un efecto: *Una infección es la causa de esa fiebre tan alta que tiene el enfermo.* **2** Razón que nos mueve a hacer algo: *Haces las cosas sin causa y luego te arrepientes.* **3** [expresión] **hacer causa común con alguien** Unirse a él para conseguir un fin: *Hizo causa común con sus compañeros para luchar contra la injusticia.* □ SINÓNIMOS: **2** motivo, móvil. CONTRARIOS: **1** efecto, consecuencia, resultado. FAMILIA: causar.

causar [verbo] Tener como efecto: *La noticia de su ascenso causó sorpresa entre sus compañeros de trabajo.* □ SINÓNIMOS: producir, ocasionar, generar, motivar, acarrear, traer. FAMILIA: → causa.

cautela [sustantivo/femenino] Cuidado que se pone al hacer algo para evitar problemas: *La policía seguía a los sospechosos con mucha cautela, para poder atraparlos por sorpresa.* □ SINÓNIMOS: precaución, prudencia. CONTRARIOS: descuido. FAMILIA: cauteloso.

cauteloso, sa [adjetivo] Que actúa con cuidado para evitar problemas: *Debemos ser cautelosos si no queremos que descubran nuestro plan.* □ SINÓNIMOS: prudente, precavido. CONTRARIOS: imprudente. FAMILIA: → cautela.

cautivar [verbo] Resultar algo muy atractivo o muy bonito: *La belleza del paisaje nos cautivó a todos.* □ FAMILIA: cautivo, cautiverio, cautividad.

cautiverio [sustantivo/masculino] Cautividad: *Este libro está escrito por un soldado que sufrió cautiverio durante la guerra.* □ FAMILIA: → cautivar.

cautividad [sustantivo/femenino] **1** Pérdida de la libertad producida por un enemigo: *Éste fue uno de los soldados que sufrió cautividad y logró escaparse del campo de prisioneros.* **2** Tiempo que pasa una persona privada de libertad: *Dijo que, durante su cautividad, sus secuestradores lo habían tratado muy mal.* **3** Pérdida de la libertad que sufren algunos animales: *Un grupo de biólogos estudia el comportamiento de estos gorilas en cautividad.* **4** Estado en el que se encuentran estos animales: *Las jirafas pueden reproducirse en cautividad.* □ SINÓNIMOS: cautiverio. FAMILIA: → cautivar.

cautivo, va [adjetivo o/sustantivo] Que está en la cárcel: *El rey ordenó que trajeran a los extranjeros cautivos.* □ SINÓNIMOS: preso, prisionero, recluso. CONTRARIOS: libre. FAMILIA: → cautivar.

cava 1 [sustantivo/masculino] Un tipo de vino con gas: *El cava es parecido al champán.* **2** [sustantivo/femenino] Lugar bajo tierra en el que se elabora este vino: *Las cavas son cuevas húmedas y frescas.* □ [Es distinto de champán o champaña, que es un vino de origen francés]. FAMILIA: → cavar.

cavar [verbo] **1** Hacer un agujero en la tierra: *El perro cavó en la arena del jardín para esconder el hueso.* **2** Levantar la tierra o moverla con una herramienta adecuada: *Al comienzo de la primavera conviene que caves el jardín, para poder plantar las nuevas* *semillas.* □ Familia: cava, excavar, excavación, excavadora, socavón.

caverna [sustantivo/femenino] Espacio hueco y profundo que hay entre rocas o bajo tierra: *Los primeros hombres vivían en cavernas.*

caviar [sustantivo/masculino] Conjunto de pequeños huevos de pez que se comen y son salados: *Antes de la cena sirvieron bebidas y canapés de caviar.*

cavidad [sustantivo/femenino] Espacio hueco que hay en el interior de algo: *Las grutas son cavidades en las montañas.*

cavilar [verbo] Pensar algo con mucho cuidado: *Tenemos que cavilar mucho para encontrar el modo de resolver este asunto tan complicado.*

cayado [sustantivo/masculino] Palo con un extremo curvo y que sirve para andar apoyándose en él: *Los pastores suelen llevar un cayado cuando salen con sus ovejas al campo.* □ [No confundir con *callado*, del verbo *callar*].

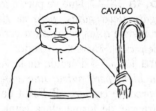

CAYADO

caza 1 [sustantivo/masculino] Avión de pequeño tamaño y de gran velocidad: *Los cazas suelen emplearse en combates aéreos.* [sustantivo/femenino] **2** Búsqueda y persecución de un animal hasta atraparlo: *La caza del zorro es una tradición inglesa.* **3** Conjunto de animales que se cazan: *Los ciervos son caza mayor y las perdices, caza menor.* **4** [expresión] **andar a la caza** Intentar conseguir algo: *Voy a la caza de alguien que me ayude a mover estos muebles.* □ [El significado **4** es coloquial]. Familia: cazar, cazador, cacería.

cazador, ra 1 [adjetivo] Dicho de un animal, que por instinto persigue y caza a otros: *El gato es un animal cazador.* **2** [adjetivo o sustantivo] Que se dedica a cazar como deporte: *Para ser buen cazador hay que saber disparar bien una escopeta.* **3** [sustantivo/femenino] Especie de chaqueta corta: *Tengo una cazadora vaquera que se abrocha con botones y llega hasta la cintura.* □ Familia: → caza.

cazar [verbo] **1** Buscar un animal y perseguirlo hasta atraparlo: *Hoy hemos cazado un jabalí.* **2** Atrapar a una persona: *Siempre decías que no te ibas a casar, pero ya te han cazado.* **3** Entender el significado de algo: *Con sólo verle la cara, cacé las intenciones con las que venía.* □ [La z se cambia en c delante de e. Los significados **2** y **3** son coloquiales]. Sinónimos: **3** coger. Familia: → caza.

cazo [sustantivo/masculino] **1** Recipiente de cocina con un mango alargado, que se suele usar para calentar alimentos: *¿Pongo al fuego el cazo de la leche para el desayuno?* **2** Cubierto que se usa para servir la comida: *Ponme dos cazos de sopa, por favor.* **3** Persona fea o poco hábil: *Presume de guapo, pero a mí me parece un cazo.* **4** [expresión] **meter el cazo** Equivocarse o hacer algo mal: *Has metido el cazo al preguntarme la hora de la fiesta delante de ella, porque no está invitada.* □ [Los significados **3** y **4** son coloquiales]. Familia: cazuela, cacerola.

cazuela [sustantivo/femenino] Recipiente de cocina con la base redonda, más ancho que alto y con dos

cazar		conjugación	
INDICATIVO		**SUBJUNTIVO**	
presente		**presente**	
cazo		cace	
cazas		caces	
caza		cace	
cazamos		cacemos	
cazáis		cacéis	
cazan		cacen	
pretérito imperfecto		**pretérito imperfecto**	
cazaba		cazara, -ase	
cazabas		cazaras, -ases	
cazaba		cazara, -ase	
cazábamos		cazáramos, -ásemos	
cazabais		cazarais, -aseis	
cazaban		cazaran, -asen	
pretérito indefinido		**futuro**	
cacé		cazare	
cazaste		cazares	
cazó		cazare	
cazamos		cazáremos	
cazasteis		cazareis	
cazaron		cazaren	
futuro		**IMPERATIVO**	
cazaré			
cazarás		**presente**	
cazará		caza	(tú)
cazaremos		cace	(él)
cazaréis		cacemos	(nosotros)
cazarán		cazad	(vosotros)
		cacen	(ellos)
condicional		**FORMAS NO PERSONALES**	
cazaría			
cazarías		**infinitivo**	**gerundio**
cazaría		cazar	cazando
cazaríamos			
cazaríais		**participio**	
cazarían		cazado	

a
b
c
d
e
f
g
h
i
j
k
l
m
n
ñ
o
p
q
r
s
t
u
v
w
x
y
z

a
b
c
d
e
f
g
h
i
j
k
l
m
n
ñ
o
p
q
r
s
t
u
v
w
x
y
z

asas: *Hice un guiso de patatas en la cazuela.* □ Sinónimos: cacerola. Familia: → cazo.

ce 1 [sustantivo femenino] Nombre de la letra *c*: *La palabra «cactus» tiene dos ces.* **2** [expresión] **ce por ce** Con todo detalle: *Cuéntame todo lo que pasó ce por ce.* **por ce o por be** Por una o por otra razón: *Siempre digo que voy a ir a tu casa y, por ce o por be, nunca voy.* □ [El significado **2** es coloquial].

cebada [sustantivo femenino] Planta parecida al trigo, cuyo grano se usa como alimento: *La cebada sirve para alimentar al ganado y para hacer cerveza.*

cebar [verbo] **1** Alimentar a un animal o a una persona hasta que se pongan gordos: *A los cerdos se les ceba para aprovechar su carne para la alimentación humana. No cebes a tu hijo, porque no estará más sano por estar más gordo.* **2** Aumentar el tamaño o la fuerza de algo: *Tus éxitos consiguieron cebar su odio por ti.* **3 cebarse** Mostrarse muy cruel: *Cuando vieron lo débil que era, se cebaron en él insultándolo y golpeándolo.*

cebo [sustantivo masculino] **1** Comida que se pone en las trampas para coger un animal: *El pescador puso el cebo en el anzuelo y esperó a que picaran los peces.* **2** Lo que sirve para atraer a alguien: *Estas ofertas son un cebo para conseguir más clientes.* □ Sinónimos: **2** anzuelo.

cebolla [sustantivo femenino] Planta que se cultiva en las huertas y que tiene una parte redonda enterrada en el suelo, formada por capas tiernas que se comen y tienen un sabor picante: *Cuando se corta una cebolla, lloran mucho los ojos.* □ Familia: cebolleta.

cebolleta [sustantivo femenino] Planta que es parecida a la cebolla, pero mucho más pequeña: *Las cebolletas pican menos que las cebollas.* □ Familia: → cebolla.

cebra [sustantivo femenino] Animal que tiene el cuerpo con rayas blancas y negras: *Las cebras viven en África y son parecidas a los burros.* 🕮 página 848.

ceder [verbo] **1** Dar algo o entregarlo: *He cedido mi asiento en el autobús a un anciano.* **2** Mostrarse dispuesto a hacer lo que se pide: *Vi que mi hijo tenía muchas ganas de ir de excursión con sus amigos, así que cedí y lo dejé ir con ellos.* **3** Perder fuerza: *Estos*

zapatos son nuevos y están duros, pero con el uso cederán y no te harán daño. Estábamos cruzando el río, cuando cedió la madera del puente y nos caímos al agua.* □ Sinónimos: **2** acceder, aceptar, tragar. **3** aflojar, debilitarse. Contrarios: **1** quitar. **2** negarse, rechazar. **3** apretar. Familia: interceder.

cedro [sustantivo masculino] Árbol que se hace muy alto y que tiene el tronco grueso y derecho: *El cedro es parecido a un abeto.* 🕮 página 18.

cegar [verbo] **1** Quitar la vista o dejar ciego: *Cuando salí del portal, hacía tanto sol que me cegó por un momento.* **2** Hacer perder la razón: *No te dejes cegar por el enfado y piensa bien lo que vas a hacer.* **3** Cubrir algo abierto: *Cegaron una de las dos ventanas de la habitación, porque entraba demasiada luz.* □ [Es irregular y se conjuga como REGAR]. Sinónimos: **2** ofuscar. **3** cerrar. Familia: → ciego.

cegato, ta [adjetivo o sustantivo] Que ve poco o muy mal: *Ese cegato lleva gafas, pero se tiene que acercar mucho a las cosas para verlas bien.* □ [Es despectivo]. Familia: → ciego.

ceguera [sustantivo femenino] **1** Pérdida de la vista: *Antes veía bien, pero sufrió una enfermedad que le produjo ceguera.* **2** Falta de capacidad para ver de forma clara cómo son las cosas de verdad: *Aquellos padres demostraban una gran ceguera respecto al comportamiento de su hijo.* □ Familia: → ciego.

ceja 1 [sustantivo femenino] Parte que está encima del ojo y que está cubierta de pelo: *Me di un golpe en la ceja y me sangró mucho.* **2** [expresión] **hasta las cejas** Del todo: *Estás metido en este lío hasta las cejas, así que no puedes escaparte.* **metérsele algo entre ceja y ceja a alguien** Tenerlo como idea fija: *Se le ha metido entre ceja y ceja que tiene que acabarlo hoy y no se acostará hasta que no lo termine.* **tener entre ceja y ceja a alguien** Sentir rechazo hacia él: *Tengo a ese chico entre ceja y ceja desde que habló mal de mi hermano.* □ [Las expresiones son coloquiales]. Familia: entrecejo.

celda [sustantivo femenino] **1** Cuarto en el que está metida una persona que está en la cárcel: *Las celdas de esta cárcel son individuales y tienen una cama, un lavabo y un espejo.* **2**

Cada una de las habitaciones del edificio en el que viven algunos religiosos: *Después de rezar, las monjas se retiraron a sus celdas a descansar.* **3** Cada uno de los espacios que las abejas forman en la colmena: *Las abejas depositan el polen en las celdas de la colmena.*

celebración [sustantivo] [femenino] **1** Hecho de realizar un acto solemne: *La celebración de la Semana Santa en este pueblo se hace con procesiones y otras ceremonias religiosas.* **2** Lo que se hace para celebrar un hecho que nos pone alegres: *Estamos preparando lo necesario para la celebración del bautizo de mi hijo.* **3** Misa que celebra un sacerdote: *En la celebración del domingo, el párroco informó de que iban a empezar las obras en la capilla.* ☐ FAMILIA: → celebrar.

celebrar [verbo] **1** Realizar un acto solemne: *Celebraron su matrimonio en la parroquia.* **2** Hacer algo especial por un hecho que nos pone alegres: *El sábado voy a dar una fiesta para celebrar mi cumpleaños.* **3** Alegrarse por algo: *Celebro que todo te haya salido como querías.* **4** Decir misa: *El párroco celebra la misa de las doce todos los domingos.* ☐ SINÓNIMOS: **2** festejar. FAMILIA: celebración, célebre, celebridad.

célebre [adjetivo] Que tiene fama y es muy conocido: *Cervantes es el más célebre de nuestros escritores.* ☐ [No varía en masculino y en femenino]. SINÓNIMOS: famoso, acreditado. CONTRARIOS: desconocido. FAMILIA: → celebrar.

celebridad [sustantivo] [femenino] **1** Fama o popularidad: *La cantante declaró que le había costado mucho trabajo conseguir la celebridad que ahora tiene.* **2** Persona famosa: *Muchas celebridades del mundo del espectáculo asistieron al concierto benéfico.* ☐ FAMILIA: → celebrar.

celeste [adjetivo] **1** Del cielo: *El Sol, la Luna y las estrellas son cuerpos celestes.* **2** De color azul claro: *Llevaba una blusa azul oscuro con un lazo celeste.* ☐ [No varía en masculino y en femenino]. FAMILIA: → cielo.

celo [sustantivo] [masculino] **1** Cuidado que se pone al hacer algo: *Puso mucho celo en mi trabajo para que no hubiera errores.* **2** Período en la vida de algunos animales durante el que aumen-

ta el apetito sexual: *Una hembra en celo ya está preparada para la reproducción.* **3** Cinta de plástico transparente que pega por uno de sus lados: *Para envolver el regalo necesito un papel de colores y celo.* [plural] **4** Temor de que la persona que queremos prefiera a otra persona antes que a nosotros: *Tus celos no tienen fundamento, porque sólo te quiero a ti.* **5** Envidia que siente una persona: *Cuando yo nací, dicen mis padres que mi hermano mayor tenía muchos celos.* ☐ SINÓNIMOS: **5** pelusa. FAMILIA: celoso, celofán.

celofán [sustantivo] [masculino] Papel transparente y fácil de doblar, que se usa para envolver: *Me envolvieron el ramo de flores en celofán rojo con un lazo blanco.* ☐ FAMILIA: → celo.

celoso, sa 1 [adjetivo] Que pone mucho cuidado al hacer algo: *Como es muy celosa en su trabajo, no lo dará por terminado hasta que lo haya revisado varias veces.* **2** [adjetivo o sustantivo] Que tiene celos: *Si sólo le haces caso al bebé, su hermano mayor se pondrá celoso.* ☐ FAMILIA: → celo.

célula [sustantivo] [femenino] **1** Unidad fundamental de los seres vivos que sólo puede verse con un microscopio: *La caspa está formada por células muertas que se desprenden de la piel.* **2** Grupo que puede actuar como una unidad dentro de una organización: *En esta empresa, cada departamento es una célula independiente.*

cementerio [sustantivo] [masculino] **1** Lugar en el que se entierra a los muertos: *El cementerio está a las afueras del pueblo.* **2** Lugar al que van a morir algunos animales: *Los miembros de la expedición querían encontrar el cementerio de elefantes para coger los colmillos de marfil.* **3** Lugar donde se junta lo que ya no sirve: *Al lado de ese cementerio de coches vive un chatarrero.*

cemento 1 [sustantivo] [masculino] Material en polvo que se endurece cuando se mezcla con agua y que se usa en la construcción: *El cemento sirve para rellenar huecos en las paredes y para pegar un ladrillo sobre otro ladrillo.* 🖾 página 796. **2** [expresión] **cemento armado** El que tiene barras de metal en su interior: *Los cimientos de las casas se hacen con cemento armado.*

a
b
c
d
e
f
g
h
i
j
k
l
m
n
ñ
o
p
q
r
s
t
u
v
w
x
y
z

cena [sustantivo femenino] Última comida del día, que se hace al final de la tarde o por la noche: *Después de la cena, leo un rato antes de irme a la cama.* □ FAMILIA: → cenar.

cenar [verbo] Tomar la cena o tomar como cena: *Ayer nos llevaron mis padres a cenar a un restaurante. He cenado un huevo frito.* □ FAMILIA: cena.

cencerro 1 [sustantivo masculino] Campana pequeña que se ata al cuello de algunos animales para que suene cuando se mueven: *Íbamos andando por el campo y oíamos de vez en cuando los cencerros de las vacas que pastaban cerca.* **2** [expresión] **estar como un cencerro** Estar muy loco: *Tu hermano está como un cencerro y nos hizo reír mucho el otro día.* □ [El significado **2** es coloquial].

cenicero [sustantivo masculino] Recipiente donde se echa la ceniza y los restos del cigarro: *Has fumado mucho, porque hay trece colillas en el cenicero.* □ FAMILIA: → ceniza.

ceniza [sustantivo femenino] **1** Polvo de color gris que queda después de que algo se quema: *No tires la ceniza del cigarro al suelo, por favor.* **2** [plural] Restos de un cuerpo muerto después de haber sido quemado: *Cuando el poeta murió, quiso que sus cenizas fueran esparcidas por los montes de su pueblo.* □ FAMILIA: cenicero, incinerar, cenizo.

cenizo [sustantivo masculino] **1** Persona que tiene mala suerte o que la trae: *No me pongo a tu lado para el examen, porque eres un cenizo y me das mala suerte.* **2** Mala suerte: *¡Cómo te va a tocar la lotería con el cenizo que tienes...!* □ [Es coloquial]. FAMILIA: → ceniza.

censo 1 [sustantivo masculino] Lista en la que aparecen los habitantes de un país: *Los datos principales que aparecen en el censo son: el nombre, la edad, la profesión y el domicilio.* **2** [expresión] **censo electoral** Lista de los ciudadanos que pueden votar en las elecciones: *Antes de las elecciones, los españoles mayores de edad deben comprobar si están en el censo electoral.*

censura [sustantivo femenino] **1** Juicio negativo que se hace de algo: *Me hizo un gesto de censura cuando vio que iba a limpiarme con la manga.* **2** Lo que prohíbe que algo sea mostrado porque se considera que no debe saberse: *La censura hizo que varias escenas muy violentas fueran suprimidas cuando se proyectara esa película.* □ SINÓNIMOS: **1** crítica. FAMILIA: → censurar.

censurar [verbo] **1** Juzgar algo de forma negativa: *No debemos censurar a los demás sin saber cuáles son sus razones para actuar.* **2** Quitar algo porque se considera que no debe conocerse: *Censuraron algunas fotografías del libro porque salían personas que podían verse comprometidas por ellas.* □ SINÓNIMOS: **1** criticar. FAMILIA: censura.

centavo [sustantivo masculino] Un tipo de moneda: *Un dólar de Estados Unidos se divide en cien centavos.* □ FAMILIA: → cien.

centella [sustantivo femenino] **1** Rayo de poca fuerza: *Antes de la tormenta hubo centellas en el cielo.* **2** Lo que es muy rápido: *Ese caballo corre como una centella y siempre gana.* □ [El significado **2** es coloquial]. SINÓNIMOS: **2** rayo.

centena [sustantivo femenino] Conjunto de cien unidades: *Una centena de aficionados esperaba al equipo en la puerta del estadio.* □ SINÓNIMOS: ciento, centenar. FAMILIA: → cien.

centenar [sustantivo masculino] Conjunto de cien unidades: *El salón de actos del colegio tiene asientos para dos centenares de personas.* □ SINÓNIMOS: ciento, centena. FAMILIA: → cien.

centenario, ria 1 [adjetivo o sustantivo] Que tiene alrededor de cien años: *En este parque hay árboles centenarios.* **2** [sustantivo masculino] Día en el que se cumplen cien años o varios cientos de años desde que ocurrió un suceso: *En 1992 se celebró el quinto centenario del descubrimiento de América.* □ FAMILIA: → ciento.

centeno [sustantivo masculino] Planta cuyo grano se usa como alimento: *El pan de centeno es de color oscuro.*

[centesimal [adjetivo] De cien partes o de cada una de las cien partes iguales en que se divide un todo: *Los termómetros miden la temperatura en grados centesimales.* □ [No varía en masculino y en femenino]. FAMILIA: → cien.

centésimo, ma 1 [pronombre numeral] Que ocupa el lugar número cien en una serie: *Me apunté tarde y soy el centésimo de una lista de ciento veinte personas.* **2** [sustantivo femenino] Una de las cien partes en que algo se ha dividido: *Mi reloj tiene un cronómetro que mide los minutos, los segundos y las centésimas de segundo.* □

[No debe decirse *centésimo primera*, sino *centésima primera*, etc.]. FAMILIA: → cien.

centígrado, da [adjetivo] Que es una de las cien partes en que algo se ha dividido: *La temperatura se mide en grados centígrados.* □ FAMILIA: → grado.

centígramo [sustantivo masculino] Medida que sirve para pesar: *Un gramo tiene cien centígramos.* □ FAMILIA: → gramo.

centilitro [sustantivo masculino] Medida de capacidad: *Un litro tiene cien centilitros.* □ FAMILIA: → litro.

centímetro [sustantivo masculino] Medida de longitud: *Un metro tiene cien centímetros.* □ FAMILIA: → metro.

céntimo [sustantivo masculino] Moneda que equivale a la centésima parte de otra: *Cien céntimos suman una peseta.* □ FAMILIA: → cien.

centinela 1 [sustantivo] Persona que observa si ocurre algo: *Mientras vosotros dormís, yo me quedo de centinela.* **2** [sustantivo masculino] Soldado que se ocupa de la vigilancia de un lugar: *Los centinelas vigilaban que nadie se acercase al castillo sin ser visto.* 👁 página 156. □ [El significado **1** no varía en masculino y en femenino].

centolla [sustantivo femenino] Animal marino comestible, de cuerpo casi redondo y plano, y que tiene patas largas: *De los mariscos, me gustan los percebes, los langostinos y las centollas.* □ SINÓNIMOS: centollo.

centollo [sustantivo masculino] Animal marino comestible, de cuerpo casi redondo y plano, y que tiene patas largas: *El centollo es el marisco que más me gusta.* □ SINÓNIMOS: centolla.

central [adjetivo] **1** Que está en el centro: *Quiero dos butacas en la fila central, por favor.* **2** Que es lo más importante: *Cuéntame cuál es el asunto central y olvídate de los detalles.* **3** Que sirve para todos los miembros de un conjunto: *Mi casa tiene calefacción central y se enciende para todos los pisos a la vez.* **4** [sustantivo femenino] Organización en la que están unidos varios servicios de un mismo tipo: *Las centrales sindicales sirven para defender los intereses de los trabajadores.* **5** Oficina principal de una empresa: *Tuvo que ir a la central del banco para arreglar unos problemas.* **6** Lugar en el que se produce energía eléctrica a partir de otras formas de energía: *Cerca de este río hay una central*

nuclear. □ [Cuando es adjetivo, no varía en masculino y en femenino]. FAMILIA: → centro.

centralita [sustantivo femenino] **1** Aparato que permite pasar una llamada de un teléfono a otro que se encuentra en el mismo edificio: *La centralita de mi oficina nos permite recibir llamadas de fuera y comunicarnos con los teléfonos que hay dentro.* **2** Lugar en el que se encuentra este aparato: *Cuando llego a la oficina pregunto en la centralita si he tenido alguna llamada.* □ FAMILIA: → centro.

centrar [verbo] **1** Colocar algo haciendo que su centro esté en el mismo sitio que el centro de otra cosa: *Para que quede bien colocada, debes centrar la fotografía en el marco.* **2** Dirigir hacia un punto: *Debes centrar tu atención en los estudios, en vez de pensar todo el día en tonterías.* **3** Conseguir un estado de equilibrio con uno mismo: *Creo que en este curso lograrás centrarte y estarás más contento.* **4** En algunos deportes, pasar el balón a un compañero para que continúe el ataque: *¡Céntrame, que estoy solo y ha salido el portero del área!* □ FAMILIA: → centro.

céntrico, ca [adjetivo] Del centro, o que está en el centro: *La zona céntrica de las ciudades suele ser la más antigua.* □ FAMILIA: → centro.

centro [sustantivo masculino] **1** Lo que está en el medio de algo: *En el centro del jardín hay varios rosales.* **2** Lugar al que se dirigen diversas acciones: *Con ese vestido serás el centro de todas las miradas de la fiesta.* **3** Zona que tiene mayor actividad comercial en una población: *Tengo que ir al centro para hacer varios recados.* **4** Lugar en el que se desarrolla una actividad: *Esta zona se ha convertido en el centro industrial más moderno del país. Existen centros de enseñanza estatales y privados.* **5** Lugar que está a igual distancia de sus extremos: *El diámetro de una circunferencia tiene que pasar por el centro de ésta.* **6** Conjunto de ideas políticas que está entre la izquierda y la derecha: *Mis padres han votado a un partido de centro.* **7** En algunos deportes, forma de lanzar el balón a un compañero para que continúe el ataque: *Un magnífico centro recibido por el jugador número siete permitió que la jugada acabara en gol.* **8** [expresión] **centro de**

mesa Objeto de adorno que se coloca en el medio de una mesa: *Cuando vinieron a verme, me regalaron un centro de mesa de flores precioso.* □ SINÓNIMOS: **5** medio. CONTRARIOS: **1** margen. **3** alrededores, afuera, contorno. FAMILIA: centrar, central, céntrico, centralita, excéntrico.

ceñir [verbo] **1** Rodear una parte del cuerpo con algo: *El soldado acabó de ponerse el uniforme cuando se ciñó la espada a la cintura.* **2** Ponerse una prenda de vestir muy pegada al cuerpo: *Aprieta un poco el cinturón para ceñirte más la gabardina.* **3 ceñirse** Limitarse a algo: *En este examen debéis ceñiros a lo que pide cada pregunta y nada más.* □ [Es irregular]. FAMILIA: ceño.

ceño 1 [sustantivo] [masculino] Gesto que se hace en señal de enfado: *Para poner ceño tienes que juntar las cejas y arrugar la frente.* **2** [expresión] **fruncir el ceño** Juntar las cejas: *No frunzas el ceño y repite esos ejercicios, porque los has hecho mal.* □ FAMILIA: → ceñir.

cepa 1 [sustantivo] [femenino] Tronco de la vid: *Las cepas están muy retorcidas.* **2** [expresión] **de buena**

cepa Con unas cualidades que se consideran muy buenas: *Puedes fiarte de él, porque es un chico de buena cepa.* **de pura cepa** Que tiene las características que se consideran propias de la clase en la que se incluye: *Todos los de mi familia somos madrileños de pura cepa.*

cepillar [verbo] **1** Limpiar con un cepillo: *Debes cepillarte los dientes después de cada comida.* **2** Peinar el pelo con un cepillo: *Antes de acostarme siempre me cepillo el pelo.* **3** Poner lisa una madera con un cepillo: *El carpintero cepilló las tablas antes de barnizarlas.* **4** Robar: *¿Quién me ha cepillado la pluma y el cuaderno?* **cepillarse 5** Matar: *El malo de la película acaba entre rejas por cepillarse a un policía.* **6** Suspender en un examen: *Mi hermano está enfadado porque se lo han cepillado.* **7** Terminar algo en poco tiempo: *Me gustó tanto el libro que me lo cepillé en una sola tarde.* **8** Tener relaciones sexuales con una persona. □ [Los significados **4**, **5**, **6** y **7** son coloquiales. El significado **8** es vulgar]. SINÓNIMOS: **8** tirarse. CONTRARIOS: **6** aprobar. FAMILIA: cepillo.

cepillo [sustantivo] [masculino] **1** Instrumento formado por un mango y una serie de pelos cortados al mismo nivel y que se usa para limpiar algo: *Tienes las manos tan sucias que tendrás que frotarlas con el cepillo de uñas.* **2** Caja en la que se echa el dinero en las iglesias: *Eché una limosna en el cepillo que está a la entrada de la iglesia.* **3** Herramienta que sirve para dejar lisa la madera: *El cepillo de carpintero tiene una cuchilla para cortar lo que sobra de las tablas.* **4** [expresión] **a cepillo** Dicho del pelo, cortado de forma que queda muy corto y de punta: *Cuando mi hermano se fue a la mili, le cortaron el pelo a cepillo.* □ FAMILIA: → cepillar.

cepo [sustantivo] [masculino] Trampa para cazar animales: *Si pones un trozo de queso en el cepo, cuando el ratón vaya a comérselo, se cerrará y quedará atrapado.*

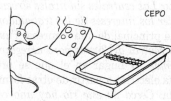

CEPO

ceñir		conjugación	
INDICATIVO		**SUBJUNTIVO**	
presente		**presente**	
ciño		ciña	
ciñes		ciñas	
ciñe		ciña	
ceñimos		ciñamos	
ceñís		ciñáis	
ciñen		ciñan	
pretérito imperfecto		**pretérito imperfecto**	
ceñía		ciñera, -ese	
ceñías		ciñeras, -eses	
ceñía		ciñera, -ese	
ceñíamos		ciñéramos, -ésemos	
ceñíais		ciñerais, -eseis	
ceñían		ciñeran, -esen	
pretérito indefinido		**futuro**	
ceñí		ciñere	
ceñiste		ciñeres	
ciñó		ciñere	
ceñimos		ciñéremos	
ceñisteis		ciñereis	
ciñeron		ciñeren	
futuro		**IMPERATIVO**	
ceñiré			
ceñirás		**presente**	
ceñirá		ciñe	(tú)
ceñiremos		ciña	(él)
ceñiréis		ciñamos	(nosotros)
ceñirán		ceñid	(vosotros)
		ciñan	(ellos)
condicional		**FORMAS NO PERSONALES**	
ceñiría			
ceñirías		**infinitivo**	**gerundio**
ceñiría		ceñir	ciñendo
ceñiríamos			
ceñiríais		**participio**	
ceñirían		ceñido	

ceporro, rra 1 [sustantivo] Persona poco inteligente: *Si me lo explicas otra vez te lo agradecería, porque soy un poco ceporra y no lo he entendido.* **2** [expresión] **dormir como un ceporro** Hacerlo con un sueño muy pesado: *Aunque vinieran los bomberos no te despertarías, porque duermes como un ceporro.* □ [Es coloquial].

cera [sustantivo femenino] **1** Sustancia sólida, de color amarillo, que producen las abejas: *Las velas se hacen con cera.* **2** Materia que tiene características parecidas a las de esta sustancia: *Algunos muebles se limpian con cera para que brillen.* **3** Sustancia amarilla que se produce en los oídos: *Desde que el médico me sacó el tapón de cera, oigo mejor.* **4** [expresión] **hacer la cera** Quitar los pelos con una sustancia que se extiende sobre la piel y que cuando se endurece, se quita y los arranca: *Mi madre ha ido a la peluquería para que le hagan la cera en las piernas.* □ [No confundir con *acera*]. FAMILIA: encerar.

cerámica [sustantivo femenino] **1** Técnica con la que se fabrican objetos con arcilla: *Dos tardes a la semana voy a aprender cerámica a un taller cerca de mi casa.* **2** Objeto fabricado según esta técnica: *En esa vitrina tenemos varias cerámicas antiguas.*

cerca 1 [sustantivo femenino] Construcción que se hace alrededor de un lugar para protegerlo o para marcarlo: *Toda la finca está rodeada por una cerca de alambre.* **2** [adverbio] En una posición muy cercana: *Voy al cole andando porque está cerca de mi casa.* **3** [expresión] **cerca de** Casi o de forma aproximada: *Llegaré a casa cerca de las ocho.* □ [No debe decirse *cerca tuyo*, sino *cerca de ti*]. SINÓNIMOS: **1** vallado. **2** junto. CONTRARIOS: **2** lejos. FAMILIA: cercano, cercanía, cercar, acercar, acercamiento, acerca.

cercanía [sustantivo femenino] **1** Distancia corta o situación cercana: *La cercanía de mi casa a mi trabajo me permite ir y venir andando.* **2** [plural] Conjunto de zonas cercanas a un lugar: *Para ir de Madrid a Segovia puedes coger un tren de cercanías.* □ SINÓNIMOS: **1** proximidad. FAMILIA: → cerca.

cercano, na [adjetivo] **1** Que está a muy poca distancia: *La tienda que buscas está en una calle cercana a ésta.* **2** Dicho de una relación, que se basa en lazos estrechos o directos: *Este fin de semana voy a visitar a unos parientes cercanos.* □ SINÓNIMOS: **1** próximo, junto, vecino. CONTRARIOS: lejano. **1** distante, remoto. FAMILIA: → cerca.

cercar [verbo] **1** Colocar una línea de palos o de tablas alrededor de un lugar para protegerlo o para marcarlo: *Cuando compramos la parcela, la cercamos para que no entrara nadie en ella.* **2** Rodear un lugar para impedir la salida o la entrada de alguien: *El enemigo cercó la fortaleza antes de asaltarla.* □ [La c se cambia en qu delante de e, como en SACAR]. SINÓNIMOS: **1** vallar. **2** asediar, sitiar. FAMILIA: → cerca.

cerciorarse [verbo] Asegurarse de la verdad de algo: *Creo que mi autobús sale a las seis, pero me cercioraré llamando a la estación.*

cerco [sustantivo masculino] **1** Lo que lo rodea algo: *Límpiate la boca, porque después de beber te ha quedado un cerco de chocolate.* 🖾 página 344. **2** Lo que se pone alrededor de algunas cosas: *La puerta es de madera oscura, pero el cerco está pintado de blanco.* **3** Lo que hace un ejército al rodear un lugar para impedir la salida o la entrada de alguien: *La ciudad se rindió, porque no pudo resistir el cerco del enemigo.* □ SINÓNIMOS: **2** marco. **3** sitio.

cerdo, da [adjetivo o sustantivo] **1** Que está sucio o que es muy sucio: *No seas cerdo y límpiate con la servilleta y no con la manga.* **2** Dicho de una persona, que tiene mala intención: *Eres una cerda, y no entiendo cómo has podido traicionarme así.* **3** [sustantivo] Animal del que se sacan los jamones y que se cría para aprovechar su carne: *Mi tío tiene cerdos en su granja y huelen muy mal.* [sustantivo femenino] **4** Pelo grueso y duro que tienen algunos animales: *El cerdo tiene el cuerpo cubierto de cerdas.* **5** Pelo de un cepillo: *Las cerdas de mi cepillo de dientes son muy suaves y resistentes.* **6** [expresión] **como un cerdo** Dicho de la forma de comer, muchísimo: *He cenado como un cerdo y ahora me encuentro fatal.* □ [Se usa como insulto. El significado **6** es coloquial]. SINÓNIMOS: **1,3** cochino, marrano, puerco, gorrino. **1-3** guarro. CONTRARIOS: **1** limpio.

cereal [sustantivo masculino] **1** Planta que da frutos en forma de granos que se usan como alimento: *El trigo, el maíz y la cebada son tres ti-pos de cereales.* **2** Grano de esta planta: *Muchos cereales se usan para hacer harinas.*

cerebral [adjetivo] **1** Del cerebro o relacionado con él: *La muerte cerebral del paciente se produjo a las cinco de la mañana.* **2** Que actúa siguiendo a su inteligencia y a la razón: *Para tomar decisiones en este negocio hay que ser cerebral y no dejarse llevar por los sentimientos.* □ [No varía en masculino y en femenino]. FAMILIA: → cerebro.

cerebro [sustantivo] [masculino] **1** Parte de la cabeza que controla las funciones más importantes del cuerpo: *El cerebro está protegido por los huesos del cráneo.* **2** Capacidad para pensar las cosas y para entenderlas: *Tienes un cerebro privilegiado y por eso eres mi mejor alumno.* **3** Persona de gran inteligencia, que destaca entre las demás: *Los encargados de realizar ese proyecto científico son todos unos cerebros.* **4** Persona que piensa un plan o que lo dirige: *El teniente fue el cerebro de la operación de rescate.* **5** [expresión] **cerebro electrónico** Máquina que es capaz de realizar una serie de operaciones siguiendo un orden parecido al humano: *Un cerebro electrónico controla todas las instalaciones del edificio.* **lavar el cerebro** Hacer cambiar de opinión: *Esos amigos tuyos te han lavado el cerebro y ya no tienes ideas propias.* □ FAMILIA: cerebral.

ceremonia [sustantivo] [femenino] **1** Acto solemne que se celebra siguiendo ciertas reglas: *La ceremonia de entrega de premios fue presentada por una famosa actriz.* **2** Lo que resulta muy formal y poco natural: *Me recibió en su casa con mucha ceremonia, para impresionar a los otros invitados.* □ FAMILIA: ceremonioso.

ceremonioso, sa [adjetivo] **1** Que sigue las ceremonias teniendo en cuenta las reglas de éstas: *La entrega de diplomas tuvo lugar en un acto ceremonioso al que asistió el Rey.* **2** Que resulta muy formal y poco natural: *Me dio las gracias delante de todos con palabras ceremoniosas que me parecieron poco sinceras.* □ FAMILIA: → ceremonia.

cereza [sustantivo] [femenino] Fruto pequeño, casi redondo, de piel lisa y roja, que tiene un hueso en el interior: *Las cerezas suelen estar unidas de dos en dos por un rabito largo.* □ FAMILIA: cerezo.

cerezo [sustantivo] [masculino] Árbol de tronco liso y flores blancas cuyo fruto es la cereza: *El cerezo del jardín está en flor.* □ FAMILIA: → cereza. 🖎 página 19.

cerilla [sustantivo] [femenino] Palito que tiene en un extremo una sustancia que se enciende cuando se frota contra una superficie áspera: *Prefiero usar las cerillas a los mecheros.*

cero 1 [pronombre] [numeral] Número 0: *Cualquier número multiplicado por cero es cero.* **2** [expresión] **al cero** Dicho del pelo, cortado al nivel de la piel: *Algunos nadadores se cortan el pelo al cero para que no les moleste al nadar.* **de cero** Desde el principio: *Si no empiezas a contarme la historia de cero, no me voy a enterar, porque no conozco a nadie.* **ser un cero a la izquierda** No ser tenido en cuenta para nada: *Ya estoy harta de ser un cero a la izquierda en casa y de que no contéis conmigo para ninguna decisión.* □ [El significado **1** no varía en masculino y en femenino. Ser un cero a la izquierda es coloquial].

cerrado, da [adjetivo] **1** Que tiene una forma de hablar con un acento muy marcado: *Estuve hablando en castellano con un catalán cerrado, y decía «siudat», en lugar de «ciudad».* **2** Que no está dispuesto a aceptar otras ideas o a relacionarse con los demás: *No comprende que yo sea tu amigo, porque él está enfadado contigo y tiene una mente muy cerrada.* **3** Dicho del cielo, que está lleno de nubes: *Con este cielo tan cerrado no podemos salir de excursión, porque lloverá en cualquier momento.* □ CONTRARIOS: **2** abierto. **3** claro. FAMILIA: → cerrar.

cerradura [sustantivo] [femenino] Lo que sirve para cerrar algo con llave: *Los ladrones forzaron la cerradura de la puerta, pero no pudieron llevarse nada.* □ FAMILIA: → cerrar.

cerrajero, ra [sustantivo] Persona que hace o arregla cerraduras: *Cuando perdí la llave de mi casa, tuve que llamar al cerrajero para que me abriera la puerta.* □ FAMILIA: → cerrar.

cerrar [verbo] **1** Poner una puerta cubriendo el hueco de modo que no se pueda pasar: *Tienes que acostumbrarte a cerrar la puerta* *del coche con cuidado. Se cerró la puerta de golpe y me dio un susto.* **2** Colocar un cierre de modo que asegure una puerta: *Creí que me había quedado encerrado, porque cerré el pestillo y luego no lo podía abrir.* **3** Hacer lo necesario para que no se vea el interior de algo: *Después de cerrar el sobre, pegó el sello.* **4** Empujar un cajón hacia adentro, para meterlo del todo: *Los cajones de la cómoda son tan grandes que hay que cerrarlos con las dos manos.* **5** Juntar las hojas de un libro o de algo parecido, para que no puedan verse las páginas interiores: *Como vi que era muy tarde, cerré el libro, apagué la luz y me dormí.* **6** Juntar los bordes de algo: *Cierra los ojos, que te voy a dar una sorpresa. Ya se me ha cerrado la herida que me hice en la mano.* **7** Poner juntas las partes de algo: *Mi abuela abre y cierra el abanico con mucha rapidez y con mucho arte.* **8** Juntar sin dejar espacios: *Los jugadores del equipo contrario se cerraron tanto en su área que no pudimos meterles ni un gol.* **9** Cubrir algo abierto: *Hemos cerrado la terraza con cristales, para poder usarla también en invierno.* **10** Ocupar el último lugar en una lista o en un conjunto: *Los organizadores del campeonato cierran el desfile de los participantes.* **11** Escribir un signo detrás de la frase que se quiere destacar: *Si abres un signo de interrogación, tienes que cerrarlo al final de la pregunta.* **12** Impedir el paso o hacer imposible la circulación de algo: *Han cerrado esta calle porque la están asfaltando. Si no necesitas más agua, cierra el grifo.* **13** Dejar un local de desarrollar sus actividades: *Esta tienda cierra los domingos.* **14** Declarar acabada una actividad o ponerle fin: *El alcalde de la ciudad cerró el acto agradeciendo su colaboración a los ciudadanos.* **15** Sacar el dinero y hacer las operaciones necesarias para dejar de tener una cuenta en un banco: *Cuando me cambié de ciudad, fui a mi banco a cerrar mi cuenta corriente.* **16** No tener una nueva posibilidad: *Si no consigues tener una buena preparación académica, se te cerrarán muchos trabajos.* **cerrarse** **17** Llenarse el cielo de nubes: *Se cerró el día y no pudimos ir al río a bañarnos.* **18** Tomar una curva po-

niéndose cerca del lado interior: *No te cierres tanto en las curvas, que nos vamos a chocar con las barreras de seguridad de la carretera.* **19** No querer relacionarse con los demás: *Cuando te sucede algo malo, te cierras y no nos dejas ayudarte.* □ [Es irregular y se conjuga como PENSAR]. SINÓNIMOS: **9** cegar. **14** clausurar. **17** nublarse, cubrirse. CONTRARIOS: abrir. **7** desplegar. **17** despejar, aclarar, clarear. FAMILIA: cerrado, cerradura, cierre, cerrojo, cerrajero, encerrar, encierro, encerrona, entrecerrar.

cerro [sustantivo] [masculino] Elevación del terreno: *Un cerro tiene menor altura que un monte.*

cerrojo [sustantivo] [masculino] Cierre formado por dos piezas, una de las cuales se puede correr para meterla en la otra: *Las puertas de los servicios de mi colegio se cierran con cerrojo.* □ FAMILIA: → cerrar.

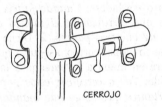

CERROJO

certamen [sustantivo] [masculino] Competición para conseguir un premio en la que participan varias personas que han realizado una obra de arte o una obra científica: *Gané el primer premio de un certamen de pintura para chicos de doce a quince años.*

certero, ra [adjetivo] **1** Dicho de un disparo, que da en el blanco: *El cazador derribó al animal con un disparo certero.* **2** Que resulta adecuado o correcto: *Hizo unos comentarios muy certeros sobre la situación.* □ FAMILIA: → cierto.

certeza [sustantivo] [femenino] **1** Conocimiento claro y seguro que se tiene de algo: *Aunque lo niegues, tengo la certeza de que tú me has perdido la pluma.* **2** Seguridad total que tenemos sobre algo: *Dime con certeza si te ha gustado mi regalo, porque si no te ha gustado, se puede cambiar.* □ SINÓNIMOS: certidumbre. CONTRARIOS: incertidumbre. FAMILIA: → cierto.

certidumbre [sustantivo] [femenino] **1** Conocimiento claro y seguro que se tiene de algo: *Tengo la cer-*

tidumbre de que has hecho mal el problema y te voy a demostrar por qué. **2** Seguridad total que tenemos sobre algo: *Puedes tener la certidumbre de que iré, porque no me perdería una ocasión tan especial como ésa por nada del mundo.* □ SINÓNIMOS: certeza. CONTRARIOS: incertidumbre. FAMILIA: → cierto.

certificado, da **1** [adjetivo o sustantivo masculino] Dicho de algo que se envía por correo, que se realiza asegurando que se va a entregar en mano a la persona a la que va dirigido: *El cartero me trajo un paquete certificado y tuve que firmar un recibo.* **2** [sustantivo masculino] Documento oficial en el que se asegura que lo que en él está escrito es cierto: *Para hacer la matrícula tengo que presentar un certificado médico.* □ FAMILIA: → certificar.

certificar [verbo] **1** Asegurar que algo es cierto o verdadero: *Cuando faltéis a clase, tenéis que certificarme el motivo con una carta de vuestros padres.* **2** Dicho de algo que se envía por correo, asegurar que se entregará en mano a la persona a la que va dirigido: *Voy a certificar estos papeles tan importantes que tengo que mandarte para que no se pierdan.* □ [La c se cambia en qu delante de e, como en SACAR]. FAMILIA: certificado.

cerveza [sustantivo femenino] Bebida alcohólica de color parecido al amarillo y de sabor amargo: *La espuma de la cerveza es blanca.*

cesar [verbo] **1** Acabar algo o terminar: *Nos iremos de aquí en cuanto cese la tormenta.* **2** Dejar de hacer algo: *Cuando cese de hablar yo, podrás hablar tú.* **3** Dejar de realizar las funciones propias de un empleo: *Desde que cesó en la dirección del colegio, volvió a dar sus clases como hacía antes.* □ [En el significado **3**, no debe decirse *Han cesado al ministro en su cargo*, sino *El ministro ha cesado en su cargo*]. SINÓNIMOS: **2** parar. FAMILIA: cese, incesante.

cesárea [sustantivo femenino] Operación que se hace para sacar al niño de la madre cuando no puede nacer con normalidad: *Tuvieron que hacerle la cesárea porque el niño tenía problemas para nacer.*

cese [sustantivo masculino] Situación en la que se deja de realizar las funciones propias de un empleo: *El director le comunicó el cese como redactor*

de la sección de anuncios. □ FAMILIA: → cesar.

césped [sustantivo masculino] **1** Hierba corta y espesa que cubre un terreno: *Hay que cortar de vez en cuando el césped del jardín.* 🔧 página 497. **2** Terreno de juego de algunos deportes: *El público empezó a aplaudir cuando los jugadores saltaron al césped.* □ [Su plural es céspedes].

cesta [sustantivo femenino] **1** Especie de cesto pequeño: *Cuando voy al supermercado a comprar pocas cosas, cojo una cesta en vez de un carro.* **2** Especie de anillo con una red sin fondo que cuelga de él: *Hice un tiro tan flojito que el balón no llegó a tocar la cesta.* **3** [expresión] **cesta de la compra** Conjunto de alimentos que necesita una familia a diario: *La cesta de la compra de una familia numerosa cuesta mucho dinero.* □ SINÓNIMOS: **2** canasta. FAMILIA: → cesto.

cesto [sustantivo masculino] Recipiente grande, más alto que ancho, que tiene dos asas: *En mi casa la ropa que hay que planchar la ponemos en un cesto de mimbre.* □ FAMILIA: cesta, encestar.

cetro [sustantivo masculino] Especie de palo que llevan los reyes: *La reina apareció ante su pueblo vestida con un manto rojo, con la corona y el cetro.*

CETRO

ceutí [adjetivo o sustantivo] De la provincia de Ceuta o de su capital: *Los ceutíes son españoles, aunque viven en el continente africano.* □ [No varía en masculino y en femenino. Su plural es ceutís o ceutíes (más culto)].

chabacanería [sustantivo femenino] Lo que resulta ordinario y nada elegante: *Esos chistes tan* *groseros no me hacen ninguna gracia y me parecen una chabacanería.* □ CONTRARIOS: elegancia. FAMILIA: → chabacano.

chabacano, na [adjetivo o sustantivo] Que resulta ordinario y nada elegante: *Es una persona muy chabacana, y no sabe hablar sin gritar y decir palabrotas.* □ CONTRARIOS: fino, elegante. FAMILIA: chabacanería.

chabola [sustantivo femenino] Especie de casa construida con materiales muy pobres y sin las condiciones necesarias para poder vivir en ella: *El Ayuntamiento ha construido unas viviendas para la gente que vivía en chabolas en los suburbios de la ciudad.*

chacha [sustantivo femenino] **1** Mujer que está en una casa para cuidar a los niños: *Cuando era pequeña, por las tardes la chacha me llevaba al parque.* **2** Mujer que trabaja haciendo las tareas de la casa a cambio de dinero: *Los lunes, los martes y los miércoles viene la chacha a limpiar a mi casa.* □ [Es coloquial]. SINÓNIMOS: **2** muchacha, chica.

chachi [adjetivo] Muy bueno o estupendo: *¡Qué amigo más chachi tienes, es graciosísimo!* □ [No varía en masculino y en femenino. Es coloquial]. SINÓNIMOS: chupi, guay.

chafar [verbo] **1** Estropear o echar a perder: *Como mañana siga lloviendo, se nos va a chafar la excursión.* **2** Aplastar algo blando: *Si pelas un plátano, lo chafas con un tenedor y le echas zumo de naranja, tendrás un postre muy rico.* **3** Dejar a una persona sin saber qué hacer o qué decir: *Me dio una contestación tan brusca que me chafó y me fui sin decir nada más.* □ [El significado **3** es coloquial].

chal [sustantivo masculino] **1** Prenda de vestir femenina que se lleva sobre los hombros: *Llevo este chal de seda como adorno, porque apenas abriga.* **2** Prenda de abrigo en la que se envuelve a los niños cuando son muy pequeños: *Cuando saco al bebé en invierno, lo tapo bien con un chal de punto para que no coja frío.* □ [Es una palabra de origen francés].

chalado, da [adjetivo o sustantivo] **1** Que está medio loco: *Tu amiga cuenta unas historias tan raras que me parece que está un poco chalada.* **2** Que siente mucho amor por algo: *Estoy chalado por el baloncesto y no me pierdo*

ningún partido. □ [Es coloquial]. SINÓNIMOS: **1** pirado, majara, majareta, chiflado.

chalé [sustantivo masculino] Casa en la que vive una sola familia y que tiene un jardín alrededor: *Los fines de semana los pasamos en un chalé que tenemos en la sierra.* □ [Es una palabra de origen francés. Se escribe también *chalet*].

chaleco 1 [sustantivo masculino] Prenda de vestir que no tiene mangas: *Cuando no hace mucho frío, llevo chaleco encima de la camisa, en lugar de jersey.* **2** [expresión] **chaleco antibalas** El que sirve de protección contra las balas: *El policía se salvó del atentado, porque la bala quedó atrapada en el chaleco antibalas.* **chaleco salvavidas** El que sirve para flotar en el agua: *Cuando hice esquí acuático, tuve que ponerme un chaleco salvavidas.*

CHALECO

chalet [sustantivo masculino] Chalé: *Tenemos un chalet en la montaña, y vamos todos los fines de semana.* □ [Es una palabra francesa. Se pronuncia «chalé». Su plural es *chalets*].

champán o **champaña** [sustantivo masculino] Un tipo de vino con gas: *El champán se suele tomar para celebrar algo.* □ [Son palabras de origen francés. Es distinto de cava, que es un vino de origen español].

champiñón [sustantivo masculino] Seta comestible que se cultiva en lugares húmedos: *Hemos tomado champiñones con arroz blanco para acompañar la carne.* □ [Es una palabra de origen francés].

champú [sustantivo masculino] Jabón líquido que se usa para lavar el pelo: *Uso un champú tan suave que puedo lavarme todos los días el pelo sin que se me estropee.* □ [Su plural es *champús*].

chamuscar [verbo] Quemar por la parte exterior: *Me olvidé de apagar el horno a tiempo y se me chamuscó el pollo un poco.* □ [La c se cambia en qu delante de e, como en SACAR].

chanchullo [sustantivo masculino] Lo que se hace sin tener en cuenta la ley o de manera poco honrada: *No está bien que hayas montado este chanchullo para ganar el sorteo.* □ [Es coloquial].

chancla o **chancleta** [sustantivo] [femenino] **1** Especie de zapato que sólo tiene la parte de abajo y algo por arriba para sujetarlo al pie: *Para bajar a la piscina me pongo unas chancletas de goma con una tira ancha de plástico.* **2** Especie de zapato que no tiene talón y que se usa dentro de casa: *Para salir de la ducha me pongo el albornoz y las chanclas.*

chándal [sustantivo] [masculino] Prenda de vestir formada por un pantalón largo y una chaqueta, que se usa para hacer deporte: *Cuando acabó el partido, la tenista se puso el chándal y se fue a los vestuarios.* □ [Es una palabra de origen francés. Su plural es *chándales*].

chantaje [sustantivo] [masculino] **1** Amenaza que hace una persona a otra diciéndole que le va a suceder algo malo si no paga la cantidad de dinero que se le pide: *Me hizo chantaje diciéndome que, si no le pagaba el dinero, se chivaría de lo que habíamos hecho.* **2** Presión que se realiza sobre una persona para que se sienta en la obligación de actuar de determinada manera: *Me parece un chantaje decirme que, si no hago siempre lo que tú quieres, ya no serás mi amigo.* □ [Es una palabra de origen francés]. FAMILIA: chantajista.

chantajista [sustantivo] Persona que amenaza a otra con algo malo si no le paga la cantidad de dinero que le pide: *La policía detuvo al chantajista que había obligado al empresario a pagarle varios millones para que no publicara unas fotos.* □ [No varía en masculino y en femenino]. FAMILIA: → chantaje.

chao [interjección] Adiós: *¡Chao, me voy a casa!* □ [Es una palabra de origen italiano. Es coloquial]. CONTRARIOS: hola.

chapa [sustantivo] [femenino] **1** Trozo delgado y plano de un material: *Mientras arreglan el cristal de la puerta de la tienda, han puesto una chapa de latón.* **2** Parte de metal que cubre el exterior de un vehículo: *Me di un golpe con el coche y se abolló la chapa por la parte de delante.* **3** Tapa de metal que tienen algunas botellas: *Necesito un abrebotellas para quitarle la chapa al botellín de cerveza.* **4** Placa de metal que llevan los policías: *Los agentes de policía llevan la chapa en la ca-

misa del uniforme.* **5** [plural] Juego infantil que se juega con las tapas de metal de algunas botellas: *En la arena de la playa hacemos un circuito y jugamos a las chapas.* **6** [expresión] **no dar ni chapa** No trabajar nada: *¡No das ni chapa y encima quieres aprobar y sacar buenas notas!* □ [El significado **6** es coloquial]. SINÓNIMOS: **1** hoja, lámina, plancha.

chaparrón [sustantivo] [masculino] Lluvia fuerte que dura poco tiempo y que suele ir acompañada de mucho viento: *Nos cayó un chaparrón a la salida del cine y llegamos a casa empapados.* □ SINÓNIMOS: chubasco.

chapotear [verbo] Agitar las manos o los pies en el agua haciendo ruido: *¡Hay que ver cómo disfrutan los niños chapoteando en los charcos!* □ FAMILIA: chapoteo.

chapoteo [sustantivo] [masculino] **1** Movimiento que se hace con las manos o con los pies en el agua haciendo ruido: *A mi hijo pequeño le encanta hacer chapoteos en el agua mientras lo estoy bañando.* **2** Ruido que produce el agua al ser agitada con las manos o con los pies: *Mientras tomaba el sol, oía los chapoteos y los gritos de los niños que estaban en la piscina.* □ FAMILIA: → chapotear.

chapucero, ra 1 [adjetivo] Mal realizado o hecho sin cuidado: *El electricista que vino hizo un arreglo muy chapucero, y ya se ha vuelto a estropear el enchufe.* **2** [adjetivo o] [sustantivo] Que hace los trabajos mal o sin cuidado: *No seas chapucera y copia otra vez la redacción, porque está llena de borrones y tachaduras.* □ FAMILIA: → chapuza.

chapuza [sustantivo] [femenino] **1** Lo que se hace mal o sin cuidado: *Pegar el jarrón con celo porque no tienes pegamento es una chapuza.* **2** Trabajo de poca importancia: *El portero de mi casa hace chapuzas de albañilería.* **3** [expresión] **ser un chapuzas** Ser una persona que hace trabajos mal o sin cuidado: *Este fontanero es un chapuzas, porque ha puesto un celo en el grifo y dice que ya está arreglado y no gotea.* □ [El significado **3** es coloquial y no varía en masculino y en femenino, ni en singular y plural]. FAMILIA: chapucero.

chapuzón [sustantivo] [masculino] Baño rápido que dura poco: *Espérame, que me doy un chapuzón* *para quitarme el calor y vuelvo contigo a casa.*

chaqué [sustantivo] [masculino] Prenda de vestir masculina, parecida a una chaqueta, pero con la parte de detrás más larga: *Cuando mi hermano se casó, llevaba un chaqué negro.* □ [Es una palabra de origen francés. Es distinto de *frac*, que por delante termina en dos picos y llega hasta la cintura].

CHAQUÉ

chaqueta **1** [sustantivo] [femenino] Prenda exterior de vestir que cubre hasta más abajo de la cintura: *Mi padre va a trabajar con chaqueta y corbata.* **2** [expresión] **cambiar de chaqueta** Cambiar de ideas políticas por propio interés: *No le importa cambiar de chaqueta con tal de seguir teniendo un buen puesto en el Ministerio.* □ FAMILIA: chaquetón.

chaquetón [sustantivo] [masculino] Prenda de abrigo más larga que la chaqueta: *En invierno voy al colegio con un chaquetón azul como el que usan los marinos.* □ FAMILIA: → chaqueta.

charanga [sustantivo] [femenino] Banda de música que toca por las calles: *En las fiestas del pueblo, me despierta la música de la charanga cuando pasa por mi casa.*

charca [sustantivo] [femenino] Lugar grande en el que queda el agua detenida de forma natural o artificial: *Vamos a coger ranas a una charca que hay cerca del río.* □ FAMILIA: → charco.

charco [sustantivo] [masculino] Agua que queda detenida en un trozo de terreno: *Las baldosas de la acera están inclinadas y, cuando llueve, se forman muchos charcos.* □ FAMILIA: charca, encharcar.

charla [sustantivo] [femenino] **1** Conversación que se mantiene durante un rato: *Ayer vino una amiga*

mía a dormir a casa y estuvimos de charla hasta las tres de la mañana. **2** Exposición que se hace de un tema ante un público: *Nos han dado una charla en el colegio sobre música clásica.* □ FAMILIA: → charlar.

charlar [verbo] Hablar unas personas con otras: *Hoy me han cambiado de sitio en clase por charlar con mi compañero mientras el profesor explicaba.* □ [Es coloquial]. SINÓNIMOS: conversar, cascar. FAMILIA: charla, charlatán.

charlatán, -a **1** [adjetivo o] [sustantivo] Que habla mucho: *Eres tan charlatana que ni siquiera cuando estamos en el cine te callas.* **2** [sustantivo] [masculino] Persona que vende cosas por la calle anunciándolo a voces: *Un charlatán iba por el pueblo ofreciendo su producto contra la calvicie.* □ SINÓNIMOS: **1** hablador, parlanchín, cotorra, loro. CONTRARIOS: **1** callado, reservado. FAMILIA: → charlar.

charol [sustantivo] [masculino] Piel que brilla mucho y con la que se hacen zapatos y bolsos: *Tengo unos zapatos negros de charol para cuando voy a una fiesta.*

chasco [sustantivo] [masculino] Lo que resulta al revés de como esperábamos y por eso nos pone tristes: *Me llevé un chasco cuando vi que te ibas a su casa a merendar en lugar de venir conmigo, que te había invitado antes.*

chasquido [sustantivo] [masculino] **1** Ruido repentino que se produce al romperse algo: *Al sentarme en la silla de madera, oí un chasquido y resultó que se había roto la pata.* **2** Ruido que hacen algunas cosas al tocar algo: *Los leones cambiaban de posición al oír el chasquido del látigo del domador.*

chatarra [sustantivo] [femenino] **1** Conjunto de trozos de metal viejo: *En una tienda que hay cerca del mercado compran chatarra y papeles viejos.* **2** Máquina o aparato viejo: *Mi bici es una chatarra y ya no tiene ni frenos.* **3** Conjunto de monedas de poco valor: *Te voy a pagar en suelto, porque tengo mucha chatarra en el monedero.* **4** Lo que tiene poco valor: *Aunque parecen de verdad, estas joyas son pura chatarra.* □ [Los significados **2**, **3** y **4** son coloquiales]. FAMILIA: chatarrero.

chatarrero, ra [sustantivo] Persona que compra o almacena chatarra: *Vendí la vieja cama de hierro a un chatarrero que venía* *en un carro tirado por un burro.* □ FAMILIA: → chatarra.

chato, ta 1 [adjetivo] Dicho de la nariz, que es pequeña y aplastada: *Mi hermana tiene los mofletes llenos de pecas y la nariz chata.* **2** [adjetivo o sustantivo] Dicho de una persona, que tiene la nariz pequeña y aplastada: *Aunque el padre tiene una nariz muy grande, los hijos son chatos.* **3** [sustantivo masculino] Vino que se toma en un vaso bajo y ancho: *Vente al bar a tomar unos chatos con nosotros.* □ FAMILIA: achatar.

chaval, -a [sustantivo] Niño, muchacho o persona joven: *A un chaval de mi clase le ha tocado una bici en un sorteo.*

che [sustantivo femenino] Nombre que se daba a la unión de las letras *c* y *h* en español: *La palabra «chichón» tiene dos ches.*

checo, ca 1 [adjetivo o sustantivo] De la República Checa, que es un país de Europa: *Antes, los checos pertenecían a la antigua Checoslovaquia.* **2** [sustantivo masculino] Lengua de este país: *El checo es un idioma de origen diferente al español.* □ FAMILIA: checoeslovaco, checoslovaco.

checoeslovaco, ca o **checoslovaco, ca** [adjetivo o sustantivo] De Checoslovaquia, que era un país de Europa: *La capital checoslovaca era Praga.* □ FAMILIA: → checo.

chepa 1 [sustantivo femenino] Bulto que tienen algunas personas en la espalda: *Como sigas sentándote tan torcido, te va a salir chepa.* **2** [expresión] **subírsele a alguien a la chepa** Perderle el respeto: *Al principio soy muy serio con mis alumnos, porque no quiero que se me suban a la chepa.* □ [El significado **2** es coloquial]. SINÓNIMOS: **1** joroba.

cheque [sustantivo masculino] Documento por el que la persona que lo firma da una cantidad de dinero a otra cuyo nombre aparece escrito: *Mi padre me dio un cheque para pagar a mi profesora de guitarra.*

chequeo [sustantivo masculino] Examen médico muy completo: *El médico me dijo que no era nada serio, pero que debía hacerme un chequeo para asegurarnos.*

chicha 1 [sustantivo femenino] Carne: *Me ha tocado una chuleta con poca chicha y con mucho hueso.* **2** [expresión] **no ser ni chicha ni limonada** No estar algo claro y bien definido: *No son*

buenos amigos, porque su relación no es ni chicha ni limonada.* □ [Es coloquial].

chichón [sustantivo masculino] Bulto redondo que sale en la cabeza después de haber recibido un golpe: *El niño se cayó hacia atrás y le ha salido un chichón en la nuca.*

chicle [sustantivo masculino] Especie de goma de sabor dulce que se tiene en la boca sin tragarla: *En clase no nos dejan mascar chicle.* □ SINÓNIMOS: goma de mascar.

chico, ca 1 [adjetivo] Pequeño o de poco tamaño: *Necesito un jersey más chico, porque éste es muy grande para mí.* **2** [sustantivo] Persona que no tiene mucha edad: *A mi fiesta vendrán diez chicos y once chicas.* **3** [sustantivo masculino] Persona joven que hace recados o que ayuda en un establecimiento: *Hago el pedido de la compra por teléfono y luego me lo trae a casa el chico de la tienda.* **4** [sustantivo femenino] Mujer que trabaja haciendo las tareas de la casa a cambio de dinero: *Voy a decirle a la chica que limpie hoy los cristales.* □ SINÓNIMOS: **4** chacha, muchacha. CONTRARIOS: **1** grande. FAMILIA: chiquillada, chiquillería, achicar.

chiflado, da [adjetivo o sustantivo] **1** Que está medio loco: *Te vas a volver chiflado de tanto estudiar, sin parar ni un momento.* **2** Que siente mucho amor por algo: *Mi hermana está chiflada por la música.* □ SINÓNIMOS: chalado. **1** pirado, majara, majareta. FAMILIA: → chiflar.

chiflar [verbo] **1** Silbar o imitar el sonido de un silbido: *Diez minutos después de que la olla empiece a chiflar, la apagas, por favor.* **2** Gustar mucho: *Me chiflan las fresas con nata.* □ [Es coloquial]. SINÓNIMOS: **2** enloquecer. FAMILIA: chiflado.

chileno, na [adjetivo o sustantivo] De Chile, que es un país de América del Sur: *El paisaje chileno es muy variado, y tiene mar y grandes montañas.*

chillar [verbo] **1** Dar gritos: *Bajad al patio y no chilléis por las escaleras, que aún hay gente en clase.* **2** Levantar la voz: *No me chilles, porque estoy a tu lado y te oigo perfectamente.* □ SINÓNIMOS: gritar. CONTRARIOS: susurrar. FAMILIA: chillido, chillón.

chillido [sustantivo masculino] Sonido de la voz que se emite más fuerte de lo normal: *¿Y has dado* *ese chillido sólo porque has visto una cucaracha...?* □ SINÓNIMOS: grito. CONTRARIOS: susurro. FAMILIA: → chillar.

chillón, -a [adjetivo] **1** Dicho de un sonido, que es agudo y no resulta agradable: *La cantante de ese grupo tiene una voz muy chillona que no me gusta nada.* **2** Dicho de un color, que es demasiado vivo o que está mal combinado con otros colores: *Los payasos suelen ir vestidos de colores chillones.* **3** [adjetivo o sustantivo] Que da muchos gritos: *No seas chillón, que nos van a echar del salón de actos por tu culpa.* □ [El significado **2** es coloquial]. FAMILIA: → chillar.

chimenea [sustantivo femenino] **1** Tubo por el que sale el humo: *Todas las casas de mi pueblo tienen chimeneas en los tejados.* **2** En una habitación, espacio preparado para encender fuego y para que salga el humo: *Llegamos de la calle con mucho frío y nos sentamos a calentarnos alrededor de la chimenea del salón.*

chimpancé [sustantivo masculino] Mono de brazos largos que tiene la cabeza grande y la nariz aplastada: *En el circo había unos chimpancés que iban vestidos de niños y sabían montar en bici.*

china [sustantivo femenino] Mira en **chino, na.**

chinchar [verbo] Molestar o enfadar: *No chinches a tu hermano y déjale jugar tranquilo. Si no te gusta, te chinchas, porque no hay otra cosa.* □ [Es coloquial]. SINÓNIMOS: jorobar, fastidiar, incordiar.

chinche [adjetivo o sustantivo] **1** Que se enfada y se ofende por todo: *No seas chinche, que no te he dicho nada para que te enfades.* **2** Que se fija demasiado en cosas sin importancia: *No quiero que lo veas tú, porque eres tan chinche que le sacarás algún defecto.* **3** [sustantivo femenino] Insecto de color oscuro y de cuerpo aplastado: *Las chinches se alimentan de la sangre que chupan a otros animales.* **4** [expresión] **morir como chinches** Haber gran número de muertes: *En aquella batalla, los soldados de los dos ejércitos murieron como chinches.* □ [Los significados **1** y **2** no varían en masculino y en femenino. Los significados **1**, **2** y **4** son coloquiales]. SINÓNIMOS: **1,2** quisquilloso.

chincheta [sustantivo femenino] Especie de clavo muy corto que tiene una cabeza grande y redonda y que se usa para sujetar algo en la pa-

red: *Necesito cuatro chinchetas para clavar el póster en la pared.*

chinchilla [sustantivo femenino] Animal parecido al conejo, pero con el pelo y la cola más largos: *La piel de la chinchilla es muy fina y suave.*

chinchín [interjección] Se usa cuando se chocan los vasos al beber por algo: *Chinchín, y ¡feliz Año Nuevo!* □ [Es coloquial].

chino, na **1** [adjetivo o sustantivo] De China, que es un país de Asia: *La pólvora es un invento chino.* [masculino] **2** Lengua de este país: *El chino no se escribe con un alfabeto de letras como el nuestro.* **3** Lenguaje difícil de entender: *Cuando los médicos hablan de enfermedades, hablan en chino y no les entiendo nada.* **4** [plural] Juego que consiste en saber cuántas monedas esconden los demás en la mano: *Cuando se juega a los chinos no se pueden esconder más de tres monedas por persona.* **5** [sustantivo femenino] Piedra pequeña: *Se me ha metido una china en el zapato y me está haciendo daño.* **6** [expresión] **de chinos** Dicho de un trabajo, que es muy pesado o que hace falta mucha paciencia: *Pintar soldaditos de miniatura es un trabajo de chinos.* **engañar como a un chino** Engañar por completo: *Ya no te creo nada de lo que me digas, porque siempre me engañas como a un chino.* **tocarle la china a alguien** Corresponderle la peor parte en algo: *Me ha tocado la china y tengo que quitar la mesa yo solo.* □ [El significado **3** y las expresiones son coloquiales]. FAMILIA: tirachinas.

chipirón [sustantivo masculino] Animal marino comestible que suelta una especie de líquido negro: *Los chipirones son más pequeños que los calamares.*

chiquillada [sustantivo femenino] Lo que resulta propio de un niño: *No me extraña que te hayas hecho daño al saltar esa valla, porque a tu edad ya no estás para esas chiquilladas.* □ SINÓNIMOS: chiquillería. FAMILIA: → chico.

chiquillería [sustantivo femenino] **1** Conjunto de niños: *Daba gusto ver cómo reía la chiquillería con las bromas de los payasos.* **2** Lo que resulta propio de un niño: *Me parece una chiquillería que te enfades por esa tontería sin importancia.* □ SINÓNIMOS: **2** chiquillada. FAMILIA: → chico.

chirimoya [sustantivo femenino] Fruta comestible y muy

dulce, de color verde por fuera y blanco por dentro: *La chirimoya tiene grandes pepitas negras en su interior y se puede comer con cuchara porque es muy blandita.*

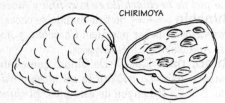

CHIRIMOYA

chiringuito [sustantivo/masculino] Especie de casa pequeña que se pone en algunos lugares al aire libre y en la que se pueden tomar bebidas y comidas sencillas: *Estuvimos tomando unos refrescos en el chiringuito que hay en la playa.*

chiripa [sustantivo/femenino] Suerte: *Has metido el gol de chiripa, porque estabas de espaldas a la portería.* □ [Es coloquial].

chirla [sustantivo/femenino] Animal marino comestible formado por dos conchas de color gris: *Hoy hemos comido arroz con gambas y chirlas.*

chirriar [verbo] Producir un sonido que no resulta agradable, al rozar algo con otra cosa: *Pon aceite a la puerta para que no chirríe al abrirla.* □ [Se conjuga como GUIAR].

chirrido [sustantivo/masculino] Sonido agudo que resulta poco agradable: *Oír el chirrido de la tiza en la pizarra me pone la piel de gallina.* □ FAMILIA: → chirriar.

chisme [sustantivo/masculino] **1** Lo que se dice como si fuera verdad aunque no se tengan pruebas: *No me vengas contando chismes de los demás, porque no me interesan.* **2** Cosa pequeña, de poco valor o que no resulta útil: *Tiene el sótano lleno de chismes que no sirven para nada.* □ [Es coloquial. Se usa mucho para nombrar cosas de forma imprecisa: *¿De quién es este chisme? Llévate estos chismes a otro sitio*]. SINÓNIMOS: **1** rumor, cuento. FAMILIA: chismoso, chismorrear.

chismorrear [verbo] Contar cosas de los demás sin tener pruebas de que son verdad: *No sé por qué te gusta chismorrear sobre lo que hacen los demás.* □ FAMILIA: → chisme.

chismoso, sa [adjetivo o/sustantivo] Que suele contar cosas de los demás sin tener pruebas de que sean verdad: *Nunca le cuentes un secreto a una persona chismosa.* □ SINÓNIMOS: indiscreto. CONTRARIOS: discreto. FAMILIA: → chisme.

chispa [sustantivo/femenino] **1** Parte encendida que salta de algo que se está quemando o de dos objetos que se rozan: *Me quemé la camisa con una chispa que saltó de la chimenea. Al juntar los dos cables, saltaron chispas.* **2** Parte muy pequeña de algo: *A la ensalada le falta una chispa de sal.* **3** Gota pequeña de lluvia: *No abrí el paraguas porque sólo caían unas chispas.* **4** Gracia, atractivo o habilidad: *Para contar bien un chiste hay que tener chispa.* **5** [expresión] **echar chispas** Estar muy enfadado: *Desde que se ha enterado de la jugarreta que le han hecho, está que echa chispas.* □ [El significado **5** es coloquial]. SINÓNIMOS: **2** gota, pizca. **4** ingenio. FAMILIA: chispazo, chispear, chisporrotear, chisporroteo.

chispazo [sustantivo/masculino] Chispa que salta de algo que se está quemando: *El incendio comenzó con un chispazo.* □ FAMILIA: → chispa.

chispear [verbo] **1** Llover poco y con gotas pequeñas: *Me puse el impermeable porque empezaba a chispear.* **2** Echar chispas encendidas algo que se está quemando: *Los troncos chispeaban en la chimenea.* **3** Brillar mucho: *Sus ojos chispearon de alegría cuando vio el regalo.* □ SINÓNIMOS: **1** lloviznar. **2** chisporrotear. FAMILIA: → chispa.

chisporrotear [verbo] Echar de forma repetida chispa el fuego o algo que se está quemando: *Me gusta oír chisporrotear los troncos de la hoguera.* □ [Es coloquial]. SINÓNIMOS: chispear. FAMILIA: → chispa.

chisporroteo [sustantivo/masculino] Conjunto de chispas que se desprenden de forma repetida del fuego o de algo que se está quemando: *Aléjate del fuego si no quieres quemarte con el chisporroteo de la leña.* □ [Es coloquial]. FAMILIA: → chispa.

chiste [sustantivo/masculino] **1** Historia corta o imagen que hace reír: *Cuentas unos chistes tan graciosos que me muero de risa.* **2** Suceso gracioso: *Es tan patoso que es un chiste verlo bailar.* **3** Gracia o atractivo: *No sé por qué te ríes, porque no le veo el chiste a lo que me estás contando.* □ FAMILIA: chistoso.

chistera [sustantivo/femenino] Sombrero alto en forma de tubo, que tiene la parte de arriba plana: *El mago utilizó una chistera y un conejo para su juego de manos.* □ SINÓNIMOS: sombrero de copa.

chistoso, sa 1 [adjetivo] Que tiene gracia: *Os voy a contar una historia muy chistosa.* 2 [adjetivo o/sustantivo] Que suele contar historias graciosas: *Es muy chistoso y siempre anima las fiestas con las historias que cuenta.* □ FAMILIA: → chiste.

chivarse [verbo] Decir a los demás que alguien ha hecho algo malo: *Como no me devuelvas la pelota, me chivaré a mamá para que te riña.* □ [Es coloquial]. FAMILIA: → chivato.

chivato, ta 1 [adjetivo o/sustantivo] Persona que acusa a otra para perjudicarla: *No le cuentes nada porque es una chivata y lo contará todo por ahí.* 2 [sustantivo/masculino] Señal que avisa de que algo no es normal: *Tendré que ir a la gasolinera más próxima porque se me ha encendido el chivato de la gasolina.* □ SINÓNIMOS: 1 acusica, acusón. 2 piloto. FAMILIA: chivarse.

chivo, va 1 [sustantivo] Cría de la cabra desde que deja de tomar leche hasta que ya es adulta: *En el campo pastaban las cabras y los chivos.* 2 [expresión] **chivo expiatorio** Persona sobre la que cae la culpa de algo que realmente se ha hecho entre varios: *Aunque había copiado toda la clase, lo cogieron a él como chivo expiatorio y lo suspendieron.* **estar como una chiva** Estar muy loco: *A ése no le hagas caso porque está como una chiva.* □ [La expresión estar como una chiva es coloquial].

chocante [adjetivo] Que resulta extraño o que produce sorpresa: *Me resulta chocante que no haya querido ir a ver la película, porque le gusta mucho el cine.* □ [No varía en masculino y en femenino]. SINÓNIMOS: sorprendente. CONTRARIOS: normal, natural, habitual, ordinario. FAMILIA: → chocar.

chocar [verbo] 1 Encontrarse un cuerpo con otro de forma violenta: *Al dar la vuelta a la esquina, choqué con alguien que venía de frente.* 2 Ser contraria una cosa a otra, o no estar de acuerdo con ella: *No se llevan bien porque sus caracteres son muy distintos y chocan.* 3 Producir sorpresa o resultar extraño: *Me choca que se haya ido sin despe-*

dirse, porque no suele hacerlo. 4 Unir o juntar las manos en señal de amistad: *¡Claro que te perdono, hombre, choca esos cinco!* □ [La c se cambia en qu delante de e, como en SACAR]. SINÓNIMOS: 3 extrañar, sorprender. FAMILIA: choque, chocante, parachoques.

chochear [verbo] 1 Tener disminuida la capacidad para hacer algo debido a la edad: *Mi abuelo empieza a chochear y ya se olvida de las cosas.* 2 Mostrar un gran amor por algo: *Mi padre chochea cuando habla de sus hijos.* □ [Es coloquial].

chocolate [sustantivo/masculino] 1 Sustancia dura, dulce y comestible de color marrón: *Hoy he merendado un buen trozo de pan con chocolate.* 2 Bebida que se prepara con esta sustancia: *El chocolate con churros recién hechos me gusta mucho.* □ FAMILIA: chocolatero, chocolatería, chocolatina.

chocolatería [sustantivo/femenino] Local público en el que se sirven chocolate líquido y otras bebidas: *En las chocolaterías suelen servir también churros.* □ FAMILIA: → chocolate.

chocolatero, ra 1 [adjetivo o/sustantivo] Que suele tomar mucho chocolate: *Soy muy chocolatera, y para desayunar tomo una taza de chocolate.* 2 [sustantivo/femenino] Recipiente para servir chocolate líquido: *Una chocolatera es muy parecida a una jarra.* □ FAMILIA: → chocolate.

chocolatina [sustantivo/femenino] Trozo delgado y pequeño de chocolate: *He comprado una chocolatina en la pastelería.* □ FAMILIA: → chocolate.

chófer [sustantivo/masculino] Persona que trabaja conduciendo coches: *La directora le dijo a su chófer que a las cinco pasara a buscarlo al trabajo.* □ [Es una palabra de origen francés]. 📖 página 795.

chollo [sustantivo/masculino] Lo que tiene valor y se logra sin esfuerzo o por poco dinero: *En las rebajas encuentras muchos chollos.* □ SINÓNIMOS: ganga.

[choped [sustantivo/masculino] Comida de color rosa que está preparada con una pasta de carne cocida: *El choped es un tipo de fiambre parecido a la mortadela.*

chopo [sustantivo/masculino] Árbol que tiene el tronco gris y que se queda sin hojas en invierno: *Los chopos suelen estar en los parques y en las orillas de los ríos.* 📖 página 18.

a b **c** d e f g h i j k l m n ñ o p q r s t u v w x y z

choque [sustantivo] [masculino] **1** Golpe violento que se dan dos o más cuerpos: *Afortunadamente, no hubo heridos en el choque de los dos coches.* **2** Falta de acuerdo entre dos partes: *El choque entre los dos bandos de la clase no tardó en producirse.* **3** Disputa o pelea: *El choque entre los manifestantes y la policía produjo varios heridos.* □ FAMILIA: → chocar.

chorizo, za 1 [sustantivo] Ladrón: *Un chorizo me robó el monedero cuando estaba en la cola del autobús.* **2** [sustantivo] [masculino] Comida de forma alargada, de color rojo y que se hace con carne de cerdo picada: *Merendé un bocadillo de chorizo.* □ [El significado **1** es coloquial].

chorlito [sustantivo] [masculino] Ave que vive en las costas y que hace sus nidos en el suelo: *El chorlito tiene las patas largas y el pico fuerte.*

chorra 1 [adjetivo] Dicho de una persona, que es tonta: *No seas chorra y no me vengas con estas tonterías.* **2** [sustantivo] [femenino] Buena suerte: *¡Qué chorra tienes: ya es la tercera vez seguida que te toca la lotería!* □ [Cuando es adjetivo, no varía en masculino y en femenino. El significado **2** es coloquial]. FAMILIA: chorrada.

chorrada [sustantivo] [femenino] **1** Cosa tonta o sin importancia: *Esto que acabas de decir es una chorrada que no tiene sentido.* **2** Objeto que no resulta útil o que tiene poco valor: *Tiene la casa llena de chorradas y de recuerdos de las ciudades que ha visitado.* □ [Es coloquial]. SINÓNIMOS: bobada, tontería. **1** niñería, pequeñez, pamplina. FAMILIA: → chorra.

chorrear [verbo] Caer o salir un líquido en gran cantidad: *Escurre bien la ropa después de lavarla, que si no, chorrea.* □ FAMILIA: → chorro.

chorretón [sustantivo] [masculino] **1** Líquido que sale de golpe de un agujero: *Sin darse cuenta, se echó un chorretón de colonia encima.* **2** Señal que deja este líquido: *Cámbiate de camisa, que la llevas llena de chorretones de grasa.* □ FAMILIA: → chorro.

chorro 1 [sustantivo] [masculino] Líquido que sale por un agujero: *Si quieres refrescarte, pon la cabeza debajo del chorro de agua.* 🔎 página 17. **2** [expresión] **a chorros** En gran cantidad: *Es muy rico y gana el dinero a chorros.* **chorro de voz** Voz fuerte: *Esta cantante de ópera tiene un chorro de voz increíble.* **como los chorros del oro** Muy limpio: *En su casa se pasan el día limpiando y tienen la casa como los chorros del oro.* □ [Las expresiones son coloquiales]. FAMILIA: chorrear, chorretón.

chotis [sustantivo] [masculino] Baile y música popular de la comunidad autónoma de Madrid: *El chotis se baila en pareja, muy juntos, y dando vueltas sin moverse del sitio.* □ [No varía en singular y en plural]. 🔎 página 117.

choza [sustantivo] [femenino] Casa pequeña y pobre, hecha de madera y que suele estar en el campo: *Los agricultores han hecho una choza para guardar sus herramientas.* □ SINÓNIMOS: cabaña.

[christmas [sustantivo] [masculino] Tarjeta que se envía para felicitar la Navidad: *Estas Navidades he recibido muchos christmas de mis amigos.* □ [Es una palabra inglesa. Se pronuncia «crísmas». No varía en singular y en plural].

chubasco [sustantivo] [masculino] Lluvia fuerte que dura poco tiempo y que suele ir acompañada de mucho viento: *En la televisión han dicho que para mañana se esperan chubascos por esta zona.* □ SINÓNIMOS: chaparrón. FAMILIA: chubasquero.

chubasquero [sustantivo] [masculino] Prenda de vestir que nos protege de la lluvia: *Los chubasqueros suelen llevar capucha.* □ SINÓNIMOS: impermeable. FAMILIA: → chubasco.

chuchería [sustantivo] [femenino] **1** Alimento, generalmente dulce, que se come entre horas: *He ido a la tienda de la esquina y he comprado chicles y otras chucherías.* **2** Objeto que tiene poco valor pero que es gracioso: *Te he traído una chuchería que te compré como recuerdo cuando estuve en el extranjero.*

chucho [sustantivo] [masculino] Perro: *Va recogiendo a los chuchos abandonados que se encuentra y les da de comer.* □ [Es despectivo].

[chuchurrío, a [adjetivo] Estropeado o en mal estado: *Este tomate está chuchurrío y lo tendré que tirar.* □ [Es coloquial].

chufa [sustantivo] [femenino] **1** Raíz comestible de una planta, que es de color marrón y tiene sabor dulce: *Las chufas se usan para hacer horchata.* **2** Bofetón: *Como no te calles, te voy a dar una chufa.* □ [El significado **2** es coloquial].

chulada [sustantivo] [femenino] Lo que resulta bonito y

llama la atención: *¡Qué chulada de vestido traes hoy!* □ [Es coloquial]. FAMILIA: → chulo.

chuleta 1 [adjetivo] Que es orgulloso, o que se cree superior a los demás: *No te pongas chuleta conmigo, porque sabes que yo tengo razón.* [sustantivo femenino] **2** Trozo de carne de ternera, cerdo o cordero, con un poco de hueso: *De segundo plato pediré una chuleta de cerdo con patatas.* **3** Lo que sirve de ayuda en un examen y se lee sin que el profesor lo vea: *Cuando el profesor me pilló con la chuleta, me quitó el ejercicio y me suspendió.* □ [Cuando es adjetivo, no varía en masculino y en femenino]. FAMILIA: → chulo.

chulo, la 1 [adjetivo] Que es bonito o que llama la atención: *¿Quién te ha regalado este bolígrafo tan chulo?* **2** [adjetivo o sustantivo] Que se cree superior a los demás: *Mírala qué chula va con su vestido nuevo. Es un chulo que siempre trata mal a los demás.* **3** [sustantivo masculino] Hombre que vive del dinero que ganan las prostitutas: *La policía hizo una redada en un club y detuvo al dueño, que era el chulo de las prostitutas que trabajaban allí.* □ [El significado **1** es coloquial]. FAMILIA: chulada, chuleta.

chumbera [sustantivo femenino] Planta que tiene los tallos verdes en forma de palas y llenos de espinas: *La chumbera es propia de climas secos y da higos chumbos.*

chungo, ga [adjetivo] **1** Que tiene mal aspecto o está en mal estado: *No compres esa lechuga, que está un poco chunga.* **2** Difícil o muy complicado: *Este ejercicio es muy chungo y no me sale.* **3** [sustantivo femenino] Situación en la que todos se ríen de algo: *Siempre estás de buen humor y con ganas de chunga.* □ [Es coloquial]. SINÓNIMOS: **2** crudo. **3** pitorreo, guasa. CONTRARIOS: **2** fácil, sencillo.

chupado, da [adjetivo] **1** Muy flaco: *Después de la enfermedad, se ha quedado muy chupada.* **2** Muy fácil: *Este problema está chupado y lo haré en un momento.* **3** [sustantivo femenino] Presión que se hace con los labios y la lengua para sacar el jugo o la sustancia de algo: *Los cachorros daban fuertes chupadas a las tetas de su madre.* **4** Cada una de las veces que se pasa la lengua sobre algo: *Cuando el niño me vio comiendo la piruleta, me preguntó si le dejaba dar una chupada.*

□ [Los significados **1** y **2** son coloquiales]. SINÓNIMOS: **2** tirado. FAMILIA: → chupar.

chupar [verbo] **1** Sacar el jugo o la sustancia de algo con los labios y con la lengua: *El bebé chupaba el biberón.* **2** Meter un líquido por dentro de un cuerpo sólido: *Esta esponja chupa muy bien el agua.* **3** Tocar algo con la lengua: *Si el perro te ha chupado las manos, lávatelas.* **4** En algunos deportes, jugar una persona de tal forma que impide que participen los demás miembros de su equipo: *Ese futbolista tiene muy buena técnica, pero chupa demasiado balón.* **5** Obtener dinero con habilidad y engaños: *Cuando fue director, chupó lo que pudo, y ahora tiene mucho dinero.* **6 chuparse** Tener que aguantar algo que no resulta agradable: *Por no cambiar de cadena, me chupé el rollo que ponían por la televisión.* **7** [expresión] **chúpate ésa** Se usa para dar importancia a algo que se acaba de decir: *Yo ya lo sabía, ¡chúpate ésa!* □ [Los significados **4**, **5**, **6** y **7** son coloquiales]. FAMILIA: chupete, chupetear, chupada, chupado, chupetón, chupón.

chupete [sustantivo masculino] Objeto que se da a los niños pequeños para que lo chupen: *Mi hermanito no puede dormir si no tiene el chupete.* □ FAMILIA: → chupar.

chupetear [verbo] Chupar de forma repetida: *El perro está entretenido chupeteando el hueso.* □ FAMILIA: → chupar.

chupetón [sustantivo masculino] Presión fuerte que se hace con los labios y con la lengua: *El bebé da chupetones al biberón porque tiene mucha hambre.* □ FAMILIA: → chupar.

[chupi [adjetivo] Muy bueno o estupendo: *Ha sido una fiesta chupi y me lo he pasado muy bien.* □ [No varía en masculino y en femenino. Es coloquial]. SINÓNIMOS: guay, chachi.

chupón, -a [adjetivo o sustantivo] Dicho de una persona, que juega en un equipo pero no deja que participen los demás: *No seas tan chupona y pásale a alguien la pelota.* □ [Es coloquial]. FAMILIA: → chupar.

churrería [sustantivo femenino] Local público en el que se hacen y se venden churros: *Ve a la churrería y compra churros y porras para desayunar.* □ FAMILIA: → churro.

churrero, ra [sustantivo] Persona que hace o vende churros: *El churrero que está al lado*

a

b

c

d

e

f

g

h

i

j

k

l

m

n

ñ

o

p

q

r

s

t

u

v

w

x

y

z

de mi casa siempre me da los churros recién hechos. □ FAMILIA: → churro.

churrete [sustantivo masculino] Señal de suciedad en la cara, en las manos o en otro sitio: *Después de comer la chocolatina, el niño tenía la cara llena de churretes.* □ FAMILIA: → churro.

churro [sustantivo masculino] **1** Dulce de forma alargada y fina que se suele comer con chocolate: *Hoy he merendado chocolate con churros.* **2** Cosa mal hecha o con mal aspecto: *Después del choque, el coche quedó hecho un churro.* **3** Casualidad o situación favorable: *Llegué a tiempo de coger el tren de puro churro.* □ [Los significados **2** y **3** son coloquiales]. FAMILIA: churrería, churrero, churrete.

chutar [verbo] **1** Dar un golpe fuerte al balón con el pie: *El futbolista chutó y metió un gol.* **2 chutarse** Meterse droga en el cuerpo: *Pide dinero en la calle porque lo necesita para chutarse.* **3** [expresión] **ir alguien que chuta** Conseguir más de lo que se esperaba: *Con lo mal que ha jugado nuestro equipo, con el empate vamos que chutamos.* □ [Los significados **2** y **3** son coloquiales]. SINÓNIMOS: **2** picarse, pincharse.

cicatriz [sustantivo femenino] **1** Señal que queda en la piel al curarse una herida: *Me enseñó la cicatriz que le quedó después de la operación.* **2** Señal que una situación dolorosa deja en el ánimo de una persona: *Al cabo del tiempo, aún permanecían en su espíritu las cicatrices de aquel desengaño.* □ [Su plural es cicatrices]. FAMILIA: cicatrizar.

cicatrizar [verbo] Cerrarse y curarse una herida: *Si no paras de moverte, la herida no cicatrizará.* □ [La z se cambia en c delante de e, como en CAZAR]. FAMILIA: → cicatriz.

ciclismo [sustantivo masculino] Deporte que se practica con una bicicleta: *Mi madre es muy aficionada al ciclismo y todos los domingos sale a montar en bicicleta.* □ FAMILIA: → bicicleta. 🔊 página 291.

ciclista 1 [adjetivo] De un deporte que se practica con bicicletas, o relacionado con él: *Mi primo corre en un equipo ciclista.* [adjetivo o sustantivo] **2** Que va en bicicleta: *Los ciclistas deben ir por el lado derecho de la carretera y uno detrás de otro.* **3** Que practica un deporte con bicicletas: *El ciclista que ganó la carrera llegó con media hora de ventaja sobre el pelo-*

tón. □ [No varía en masculino y en femenino]. FAMILIA: → bicicleta.

ciclo [sustantivo masculino] **1** Período de tiempo cuya cuenta se vuelve a empezar una vez terminado: *Tras la última crisis, comienza un ciclo económico más favorable.* **2** Serie de cosas que se repiten de forma ordenada: *Todos los años se repite el ciclo de las estaciones.* **3** Serie de actos que pertenecen al mundo de la cultura y que tienen un tema común: *En televisión están poniendo un ciclo de películas de mi actor favorito.* **4** Cada una de las partes en que se divide un plan de estudios y que suele comprender más de un curso: *Cuando hice primero, comencé el primer ciclo de la enseñanza primaria.* □ FAMILIA: reciclar.

ciclón [sustantivo masculino] **1** Viento muy fuerte que gira en grandes círculos: *El ciclón ha arrasado varios pueblos de la costa.* **2** Persona que tiene mucha energía y que actúa de manera rápida: *Eres un ciclón y cuando sales de un sitio lo dejas todo patas arriba.* □ [El significado **2** es coloquial]. SINÓNIMOS: **1** huracán. FAMILIA: anticiclón.

ciego, ga [adjetivo] **1** Que no puede pensar claramente: *Confías en esos sinvergüenzas, porque la amistad te ha vuelto ciega.* **2** Que está controlado por algo que le impide actuar libremente: *Golpeó a su amigo porque estaba ciego de ira.* **3** Que ha comido o bebido mucho: *La comida estaba tan buena que me puse ciego.* **4** Que se siente de una forma muy fuerte o sin límites: *Siente por su novia un amor ciego.* **5** Dicho de un agujero o de un tubo, que están tapados y no tienen salida: *En el castillo hay varias puertas ciegas, que antiguamente iban a dar a pasadizos secretos.* **6** [adjetivo o sustantivo] Que tiene un defecto en la vista y no ve: *Mi profesora de guitarra es ciega y va a clase con un perro amaestrado.* **7** [expresión] **a ciegas** Sin ver o sin saber algo: *No tenemos linterna y tendremos que ir a ciegas.* □ FAMILIA: cegar, cegato, ceguera.

cielo [sustantivo masculino] **1** Espacio en el que están las estrellas: *Al atardecer, el cielo se pone rojo.* **2** Según la tradición cristiana, lugar donde se disfruta de la presencia de Dios: *Las personas justas, cuando mueren, gozan del cie-*

lo. **3** Cuidado de Dios para con sus criaturas: *¡Gracias al cielo que el accidente no ha sido grave!* **4** Lo que se considera muy bueno o muy agradable: *Gracias por dejarme tus cosas, eres un cielo.* **5 cielos** [interjección] Se usa para indicar sorpresa, admiración o disgusto: *¡Cielos, lo tarde que es y todavía no me he vestido!* **6** [expresión] **cielo de la boca** Paladar: *Me he clavado una espina de pescado en el cielo de la boca.* **clamar algo al cielo** Producir disgusto por parecer poco justo: *Este castigo tan injusto clama al cielo.* **llovido del cielo** Llegado o sucedido en el momento más adecuado: *No tenía dinero para pagar el préstamo y me tocó la lotería como llovida del cielo.* **mover cielo y tierra** Hacer todo lo posible para conseguir un fin: *Movió cielo y tierra para que su hijo entrara en aquel colegio.* □ [Las expresiones *llovido del cielo* y *mover cielo y tierra* son coloquiales]. SINÓNIMOS: **1** firmamento. CONTRARIOS: **2** infierno. FAMILIA: celeste.

ciempiés [sustantivo] [masculino] Animal de cuerpo alargado y que tiene muchas patas: *El cuerpo del ciempiés está formado por muchos anillos.* □ [No varía en singular y plural. No confundir con *cien pies*]. FAMILIA: → pie.

cien 1 [pronombre] [numeral] Número 100: *Diez por diez hacen cien. Esto cuesta cien pesetas.* **2** [expresión] **a cien** Muy nervioso: *Deja de hacer tonterías, que me pones a cien.* **cien por cien** Del todo, o de principio a fin: *Estoy seguro de lo que te he dicho al cien por cien.* □ [El significado **1** no varía en masculino y en femenino. La expresión *a cien* es coloquial]. SINÓNIMOS: **1** ciento. FAMILIA: centena, centenar, ciento, centenario, centavo, céntimo, centésimo, centesimal, porcentaje.

ciencia [sustantivo] [femenino] **1** Conocimiento cierto de lo que existe, que se logra mediante el estudio y la experiencia: *Para que la humanidad consiguiera llegar a la Luna, la ciencia tuvo que avanzar mucho.* **2** Conjunto de conocimientos organizado según un método, que forma una rama del saber: *La biología es la ciencia que estudia la vida.* **3** Conjunto de conocimientos que se poseen: *Mi abuela es una mujer de mucha ciencia y siempre que tengo problemas le pido consejo.* **4** Habilidad para realizar algo: *No creo que se ne-*

cesite mucha ciencia para hacer eso, porque me parece bastante fácil. **5** [plural] Conjunto de conocimientos relacionados con las matemáticas y con la naturaleza: *En clase se me dan mejor las asignaturas de ciencias que las de letras.* **6** [expresión] **a ciencia cierta** Con toda seguridad: *Créete lo que te digo, porque lo sé a ciencia cierta.* **ciencia ficción** Conjunto de obras de literatura o de cine que tratan de la vida en el futuro: *En una película de ciencia ficción, los extraterrestres se apoderaban de la Tierra.* **ciencia infusa** La que se tiene sin haberla estudiado o aprendido: *No quiere estudiar y piensa que las cosas se pueden saber por ciencia infusa.* **ciencias exactas** Las de la matemática: *Mi profesora de matemáticas es licenciada en ciencias exactas.* **ciencias ocultas** Conjunto de conocimientos y de técnicas para estudiar los secretos de la naturaleza: *Un experto en ciencias ocultas me adivinó el futuro.* **tener algo poca ciencia** Ser fácil de hacer: *Montar este mueble tiene poca ciencia y lo puede hacer cualquiera.* □ [La expresión *tener algo poca ciencia* es coloquial]. FAMILIA: científico.

científico, ca 1 [adjetivo] De la ciencia o relacionado con ella: *Para creerme lo que me dices tienes que demostrármelo de una forma científica.* **2** [adjetivo o] [sustantivo o] Que se dedica al estudio de una o de varias ciencias: *En el congreso se reunieron científicos de todo el mundo.* □ FAMILIA: → ciencia.

ciento 1 [pronombre] [numeral] Cien: *Cuando me preguntó cuántos caramelos quería, le dije que me pusiera ciento.* **2** [sustantivo] [masculino] Conjunto de cien unidades: *A la excursión fueron varios cientos de niños.* **3** [expresión] **ciento y la madre** Gran cantidad de personas: *En casa casi no cabemos en Navidad porque nos reunimos ciento y la madre.* **por ciento** Detrás de un número, indica que representa esa parte de un total de cien: *El cincuenta por ciento de veinte son diez.* □ [El significado **2** se usa más en plural. La expresión *ciento y la madre* es coloquial]. SINÓNIMOS: **2** centena, centenar. FAMILIA: → cien.

cierre [sustantivo] [masculino] **1** Lo que sirve para cerrar: *Perdí el collar porque se le rompió el cierre.* **2** Unión de las partes de algo, de modo que no se vea su interior: *Me mandaron una pomada para acelerar el cierre de la herida.* **3** Fin de un proceso o de una actividad: *Al cierre de la emisión de televisión no se tenían más noticias del suceso.* **4** Hecho de cerrar lo que estaba abierto: *El juez ordenó el cierre de la discoteca porque no cumplía las normas de seguridad contra incendios.* □ SINÓNIMOS: **4** clausura. CONTRARIOS: **2** abertura. **3,4** apertura. FAMILIA: → cerrar.

cierto, ta [adjetivo] **1** Verdadero, seguro o que no se puede poner en duda: *Me engañaste, porque lo que me dijiste no era cierto.* **2** Delante de un nombre, indica algo no determinado: *En cierto modo, tienes razón. Me lo ha dicho cierta persona.* **3 cierto** [adverbio] Se usa para decir que algo es verdad: *«Cierto», contestó cuando le dije que ella era mayor que yo.* **4** [expresión] **de cierto** Con seguridad: *¡Te digo que es verdad, lo sé de cierto!* **por cierto** Se usa para indicar que lo que se está diciendo nos ha recordado algo que vamos a decir: *Por cierto, hablando del tiempo, creo que mañana lloverá.* □ FAMILIA: certeza, certero, certidumbre, incertidumbre, incierto.

ciervo, va [sustantivo] Animal de color entre marrón y rojo, que se alimenta de hierba y cuyo macho tiene unos cuernos muy grandes: *Los ciervos viven en el bosque.* □ SINÓNIMOS: venado.

cifra [sustantivo femenino] **1** Signo con el que se representa un número: *El número 262 tiene tres cifras.* **2** Cantidad no determinada: *La elevada cifra de faltas de asistencia sorprendió a la profesora.* □ SINÓNIMOS: número. FAMILIA: descifrar.

cigala [sustantivo femenino] Animal marino comestible de color rosa: *Las cigalas son parecidas a los langostinos, pero con la cáscara más dura y con dos pinzas muy fuertes.*

cigarra [sustantivo femenino] Insecto de color parecido al verde, cuyo macho hace un ruido característico: *En verano es frecuente oír el canto de las cigarras.*

cigarrillo [sustantivo masculino] Cigarro pequeño y delgado: *No deberías fumar ni un cigarrillo.* □ SINÓNIMOS: pitillo. FAMILIA: → cigarro.

cigarro [sustantivo masculino] Tabaco enrollado que se enciende por un extremo y se fuma por el otro: *Me han quemado la camisa con un cigarro.* □ FAMILIA: cigarrillo.

cigüeña [sustantivo femenino] Ave de color blanco y negro, y de patas y pico largos, que hace sus nidos en sitios altos: *En lo alto del campanario hay un nido de cigüeñas.* ✿ página 20.

cilíndrico, ca [adjetivo] Con forma de tubo: *El tubo de cartón donde está enrollado el papel higiénico es cilíndrico.* □ FAMILIA: → cilindro.

cilindro [sustantivo masculino] Cuerpo cuyas bases son dos círculos iguales y paralelos: *Algunas latas de conserva tienen forma de cilindro.* □ FAMILIA: cilíndrico. ✿ página 429.

cima [sustantivo femenino] **1** Parte más alta de una montaña: *Cuando fuimos de excursión, subimos a la cima de esa montaña.* ✿ página 709. **2** Punto más alto al que se puede llegar: *Este cantante se retiró cuando estaba en la cima de su carrera.* □ SINÓNIMOS: cumbre, cúspide.

cimiento [sustantivo masculino] **1** Parte de una construcción que está bajo tierra y sobre la que se apoya el resto: *Antes de construir la casa, hay que hacer un agujero muy grande en el terreno para construir los cimientos.* **2** Lo que forma la base o el principio de algo: *El respeto y la comprensión son los cimientos de nuestra amistad.* □ [Se usa más en plural].

cinc [sustantivo masculino] Metal blando de color azul y que brilla mucho: *Hemos cubierto el tejado con láminas de cinc.* □ [Se pronuncia «cink». Su plural es cines].

cinco 1 [pronombre numeral] Número 5: *En cada mano y en cada pie tenemos cinco dedos.* **2** [expresión] **esos cinco** La mano: *Estamos de acuerdo, así que ¡choca esos cinco!* **no tener ni cinco** No tener dinero: *No voy a poder pagarte porque no tengo ni cinco.* □ [El significado **1** no varía en masculino y en femenino. Las expresiones son coloquiales]. FAMILIA: cincuenta, quinto, quintuplicar.

cincuenta [pronombre numeral] Número 50: *Cincuenta es la mitad de cien.* □ [No varía en masculino y en femenino]. FAMILIA: → cinco.

cine [sustantivo masculino] **1** Arte, técnica e industria de hacer películas: *Una actriz famosa dijo que en el mundo del cine había encontrado la felicidad.* ✿ páginas 158-159. **2** Película o conjunto de películas hechas según este arte: *Me gusta el cine de terror.* **3** Local en el que se ponen estas películas: *Tengo dos entradas para ir al cine que está al lado de mi casa.* 🔍 página 342. **4** [expresión] **de cine** Muy bueno o muy bien: *En la fiesta me lo he pasado de cine.* □ [Es la forma abreviada de *cinematógrafo.* El significado **4** es coloquial]. FAMILIA: cinematográfico, cinematografía.

cinematografía [sustantivo] [femenino] Arte de hacer películas de cine: *Está estudiando cinematografía porque quiere ser directora de cine.* □ FAMILIA: → cine.

cinematográfico, ca [adjetivo] Del cine o relacionado con él: *Al estreno de la película asistió gente relacionada con la industria cinematográfica.* □ FAMILIA: → cine.

cínico, ca [adjetivo o sustantivo] Que no tiene vergüenza para mentir o para defender lo que no merece ser defendido: *El muy cínico encima me dijo que yo salía ganando con la faena que me había hecho.* □ FAMILIA: cinismo.

cinismo [sustantivo] [masculino] Falta de vergüenza al mentir o al defender algo que no merece ser defendido: *Su cinismo quedó bien claro cuando prometió cosas que sabía que no podría cumplir.* □ FAMILIA: → cínico.

cinta [sustantivo] [femenino] **1** Trozo plano, largo y estrecho, hecho de un material que se dobla fácilmente: *Llevo el pelo recogido con una cinta.* **2** Trozo largo y estrecho de un material especial, que sirve para registrar imágenes o sonidos: *Trae una cinta para ver si funciona el casete.* **3** Aparato formado por una banda que se mueve y que sirve para llevar cosas: *Cuando llegué al aeropuerto, la gente ya estaba recogiendo los equipajes que salían por la cinta transportadora.* **4** Planta de hojas estrechas y largas, de color verde y blanco: *Las cintas son plantas que sirven de adorno.* **5** Pieza de carne de cerdo que tiene forma alargada: *Hoy he comido filetes de cinta de lomo.* **6** [expresión] **cinta métrica** La que tiene las divisiones del metro y sirve para saber las medidas de algo: *Coge la cinta métrica y mide la anchura de esa mesa.*

cintura [sustantivo] [femenino] **1** Parte más estrecha del cuerpo humano, que está a la altura del estómago: *Tengo una cintura tan delgada que todos los pantalones se me caen.* **2** Parte de

una prenda de vestir que rodea esta zona del cuerpo: *Mete un poco la cintura de la falda para que te quede mejor.* **3** [expresión] **meter en cintura a alguien** Hacerle entrar en razón: *El profesor consiguió meter en cintura a sus alumnos y que dejaran de armar alboroto.* □ [El significado **3** es coloquial]. FAMILIA: cinturón.

cinturón [sustantivo] [masculino] **1** Cinta que se usa para sujetar una prenda de vestir a la cintura: *Apriétate el cinturón, que se te caen los pantalones.* **2** Conjunto de cosas que rodean algo: *La sede de esta empresa está situada en el cinturón industrial de la ciudad.* **3** Categoría que indica el grado de habilidad que se ha conseguido en algunos deportes: *Mi primo hace yudo y es cinturón negro.* **4** [expresión] **apretarse el cinturón** Gastar menos dinero: *El país está en crisis y los ciudadanos han de apretarse el cinturón.* **cinturón de seguridad** El que está en algunos vehículos y sujeta al viajero al asiento: *Es obligatorio ponerse el cinturón de seguridad.* □ [La expresión apretarse el cinturón es coloquial]. FAMILIA: → cintura.

ciprés [sustantivo] [masculino] Árbol alto y recto que tiene las hojas de color verde oscuro: *En los cementerios suele haber cipreses.* 🔍 página 18.

circo [sustantivo] [masculino] **1** Grupo de gente que actúa haciendo ejercicios de habilidad y de riesgo: *Por los altavoces del coche avisan de que el circo ha llegado a la ciudad.* **2** Espectáculo que realiza esta gente: *Lo que más me gusta del circo son los payasos.* 🔍 página 342. **3** Lugar en el que se representa este espectáculo: *El circo suele ser como una tienda de campaña redonda y gigante.* **4** Lugar en el que antiguamente se celebraban carreras de carros y carreras de caballos: *Los antiguos circos romanos tenían una forma parecida a la de una pista de atletismo.* **5** Situación con la que se llama la atención: *Para organizar la fiesta no hacía falta montar todo este circo.* □ [El significado **5** es coloquial]. SINÓNIMOS: **5** número, espectáculo.

circuito [sustantivo] [masculino] **1** Lugar en forma de curva cerrada en el que suelen llevarse a cabo algunas carreras: *Ganará la carrera la moto que llegue antes a la meta, después de haber* *dado cinco vueltas al circuito.* **2** Recorrido que suele terminar en el punto de partida: *Estas vacaciones hemos hecho un circuito turístico por los países del norte de Europa.*

circulación [sustantivo/femenino] **1** Movimiento de un lugar a otro por las vías públicas: *A estas horas de la noche, la circulación por la ciudad es escasa.* **2** Movimiento o paso de una cosa de unas personas a otras: *Hoy se ha puesto en circulación una nueva moneda.* **3** Paso por una vía cerrada, volviendo al lugar del que se había partido: *La circulación de la sangre se lleva a cabo por las arterias y las venas.* □ FAMILIA: → círculo.

circular 1 [adjetivo] Del círculo o relacionado con esta figura: *Los platos tienen una forma circular.* [sustantivo/femenino] **2** Mensaje que una autoridad dirige a sus empleados: *En el tablón de anuncios hay una circular del director en la que felicita las fiestas de Navidad.* **3** Cada una de las cartas o avisos iguales que se entregan a varias personas para darles a conocer algo: *La profesora ha mandado una circular a los padres de los alumnos para informarles de la excursión.* [verbo] **4** Andar o moverse: *En la ciudad, los coches deben circular con mucha precaución.* **5** Correr o pasar algo de unas personas a otras: *Entre los periodistas circula el rumor de que este político va a dimitir.* □ [El significado **1** no varía en masculino y en femenino]. SINÓNIMOS: **4** transitar. FAMILIA: → círculo.

circulatorio, ria [adjetivo] De la circulación: *Los días de lluvia las grandes ciudades son un caos circulatorio. Está en el hospital porque tiene un problema circulatorio.* □ FAMILIA: → círculo.

círculo [sustantivo/masculino] **1** Curva plana y cerrada, cuyos puntos están todos a la misma distancia del centro: *Los niños jugaban al corro formando un círculo.* **2** Superficie limitada por esta curva: *La base de un cilindro es un círculo.* 🔎 página 429. **3** Asociación que realiza actividades de diversión relacionadas con la cultura o el deporte: *Soy miembro de un círculo de aficionados al cine.* **4** Parte de la sociedad que es diferente de las demás por la actividad que desarrolla o por otras razones: *En los círculos económicos se cree que la crisis ya está terminan-*

do. **5** [expresión] **círculo vicioso** Situación en la que no se ve salida porque siempre se vuelve al mismo punto: *Si tú no hablas hasta que no hable él y él no habla hasta que no hables tú, estáis en un círculo vicioso.* □ [El significado **4** se usa más en plural]. SINÓNIMOS: **1** circunferencia. **1,2** redondel. FAMILIA: circular, circulación, circulatorio.

circunferencia [sustantivo/femenino] **1** En matemáticas, curva plana y cerrada, cuyos puntos están todos a la misma distancia del centro: *La cubierta de las ruedas de la bici forma una circunferencia.* **2** Distancia que hay alrededor de una superficie o de un lugar: *La circunferencia del tronco de este árbol es muy grande y no puedo rodearlo con los brazos.* □ SINÓNIMOS: **1** círculo, redondel.

circunstancia [sustantivo/femenino] **1** Lo que rodea a algo y no forma una parte importante de ello: *La situación del piso, tan alejada del centro, fue una de las circunstancias por las que no lo compramos.* **2** Condición necesaria para algo: *Sólo te lo diré si se cumplen determinadas circunstancias.* **3** Situación que rodea algo: *El acusado describió las circunstancias que provocaron el asesinato.* □ FAMILIA: circunstancial.

circunstancial [adjetivo] Que no es esencial: *Que haya llegado tarde hoy es un hecho circunstancial, porque siempre llego puntual.* □ [No varía en masculino y en femenino]. FAMILIA: → circunstancia.

cirio [sustantivo/masculino] **1** Vela de cera larga y gruesa: *En la procesión, la gente llevaba cirios.* **2** Situación sin orden, con gran movimiento de cosas y con mucho ruido: *¡Vaya cirio se montó cuando el día de su boda dijo que no se casaba!* □ [El significado **2** es coloquial]. SINÓNIMOS: **2** mogollón.

ciruela [sustantivo/femenino] Fruto comestible que tiene forma redonda y la piel lisa de color rojo, verde o amarillo: *Las ciruelas tiene un hueso en su interior.* □ FAMILIA: ciruelo.

ciruelo [sustantivo/masculino] Árbol que tiene flores blancas y que se planta porque su fruto es comestible: *La ciruela es el fruto del ciruelo.* □ FAMILIA: → ciruela.

cirugía 1 [sustantivo/femenino] Parte de la medicina que estudia la forma de curar enfermedades por medio de operaciones: *Las prácticas de ci-*

a b c d e f g h i j k l m n ñ o p q r s t u v w x y z

rugía se hacen en el quirófano del hospital. **2** [expresión] **cirugía plástica** La que trata de mejorar la forma de una parte del cuerpo: *Le han hecho una operación de cirugía plástica para disimularle las cicatrices de las quemaduras.* □ FAMILIA: cirujano.

cirujano, na [sustantivo] Médico que cura enfermedades por medio de operaciones: *Los cirujanos trabajan con bata, guantes y mascarilla.* □ FAMILIA: → cirugía. 🔍 página 795.

cisne [sustantivo masculino] Ave de cuello largo que vive en el agua y que suele ser de color blanco: *Los cisnes del parque nadan en el estanque.* 🔍 página 20.

cisterna [sustantivo femenino] **1** Parte de la taza del cuarto de baño en la que se almacena el agua: *Al tirar de la cadena, la cisterna se vacía.* **2** Recipiente que se usa para llevar líquidos: *El camión cisterna vació en el depósito de la gasolinera toda la gasolina que llevaba.*

cita [sustantivo femenino] **1** Encuentro entre dos o más personas que tiene lugar en un sitio y en una fecha determinados: *Llegué tarde a la cita por culpa del atasco.* **2** Texto o idea que se usan como prueba de lo que se dice o se escribe: *Entregó un trabajo bien documentado y con numerosas citas de científicos famosos.* □ FAMILIA: citar.

citar [verbo] **1** Indicar a una persona el día, la hora y el lugar para verla: *El profesor ha citado a mis padres para mañana a las cinco.* **2** Decir el nombre de algo: *La profesora me pidió que citara cinco ríos de España.* □ SINÓNIMOS: **2** nombrar, mencionar. FAMILIA: → cita.

ciudad [sustantivo femenino] **1** Población en la que viven muchas personas: *En esta ciudad viven varios millones de personas.* **2** Conjunto de las calles y de los edificios de esta población: *Hay que mantener limpia la ciudad y no tirar papeles al suelo.* **3** Conjunto de edificios destinado a una determinada actividad: *Mi primo está estudiando medicina y todos los días va a la ciudad universitaria.* □ FAMILIA: ciudadano.

ciudadano, na 1 [adjetivo] De una ciudad o de sus habitantes: *La presión ciudadana ha conseguido que haya más zonas verdes en la* ciudad. **2** [adjetivo o sustantivo] Que ha nacido o que vive en una ciudad: *Todos los ciudadanos deben colaborar para que la ciudad esté limpia.* **3** [sustantivo] Persona que tiene determinados derechos y deberes por ser miembro de un Estado: *Todos los ciudadanos somos iguales ante la ley.* □ SINÓNIMOS: **1** civil. FAMILIA: → ciudad.

ciudadrealeño, ña [adjetivo o sustantivo] De la provincia de Ciudad Real o de su capital: *Los ciudadrealeños son manchegos.* □ [Se pronuncia «ciudad-realeño»].

civil 1 [adjetivo] De una ciudad o de sus habitantes: *El ayuntamiento de mi pueblo es una muestra de la arquitectura civil de la época en la que se edificó.* **2** [adjetivo o sustantivo] Que no pertenece ni al ejército ni a la iglesia: *En este cuartel trabajan tanto militares como civiles.* **3** [sustantivo] Persona que pertenece a la Guardia Civil: *Una pareja de civiles me pidió la documentación.* □ [Cuando es adjetivo, no varía en masculino y en femenino]. SINÓNIMOS: **1** ciudadano. FAMILIA: civilizar, civilización, civismo.

civilización [sustantivo femenino] **1** Conjunto de conocimientos, de creencias y de costumbres propias de un pueblo: *Las pirámides se pudieron construir porque la civilización egipcia tenía unos conocimientos muy avanzados.* **2** Educación o instrucción que se da a una persona o a un grupo: *Los romanos llevaron a cabo la civilización de otros pueblos del Mediterráneo.* □ SINÓNIMOS: **1** cultura. FAMILIA: → civil.

civilizar [verbo] **1** Sacar a un pueblo o a una persona de su estado salvaje o poco desarrollado dándoles los conocimientos necesarios: *Estos misioneros civilizaron a varias tribus indígenas.* **2** Educar o instruir a una persona: *Desde que va al colegio, se ha civilizado mucho y ya no se pelea con todo el mundo.* □ [La z se cambia en c delante de e, como en CAZAR]. FAMILIA: → civil.

civismo [sustantivo masculino] Comportamiento del ciudadano que cumple sus obligaciones con la comunidad a la que pertenece: *Pagar los impuestos es una cuestión de civismo.* □ FAMILIA: → civil.

cizaña 1 [sustantivo femenino] Hierba mala que crece entre la buena: *La cizaña estropeó la cosecha*

a
b
c
d
e
f
g
h
i
j
k
l
m
n
ñ
o
p
q
r
s
t
u
v
w
x
y
z

de trigo. **2** [expresión] **meter cizaña** Crear enemistades o problemas entre varias personas: *Como sigas metiendo cizaña, van a terminar peleándose.*

clamar [verbo] **1** Pedir algo con fuerza: *El acusado clamó piedad al juez.* **2** Quejarse o dar voces, generalmente para pedir ayuda: *Clamó a los cielos pidiendo ayuda en tan difícil situación.* **3** Tener necesidad de algo: *El edificio está en ruinas y clama por una restauración.* □ FAMILIA: aclamar, reclamar.

clandestino, na [adjetivo] Que es secreto o que se hace sin el permiso necesario: *Han detenido a varios miembros de una organización clandestina.* □ SINÓNIMOS: pirata, ilegal.

clara [sustantivo femenino] Mira en **claro, ra.**

clarear [verbo] **1** Empezar a aparecer la luz del día: *En invierno me levanto cuando empieza a clarear.* **2** Mejorar el tiempo y quedar el cielo sin nubes ni niebla: *Después de la tormenta empezó a clarear.* **clarearse 3** Dicho de un cuerpo, permitir que se vea algo a través de él: *Si la falda se clarea, ponte una combinación.* **4** Dicho de una prenda de vestir, estar muy fina por el uso: *Esta chaqueta está ya tan vieja que se clarean los codos y pronto se romperán.* □ SINÓNIMOS: **1** amanecer. **1,2** abrir, aclarar. **2** despejar. **3** transparentarse. CONTRARIOS: **1** anochecer, oscurecer. **2** nublarse, cubrirse, cerrarse. FAMILIA: → claro.

claridad [sustantivo femenino] **1** Gran cantidad de luz: *Con esta reforma, la habitación ha ganado claridad.* **2** Habilidad para hacer notar o comprender bien algo: *Os recomiendo este libro por su claridad y por lo bien que explica las cosas.* **3** Orden o seguridad de la mente o de las ideas: *No dejes que los nervios te hagan perder tu claridad de ideas.* **4** Ausencia de suciedad: *La claridad del agua era tal, que podíamos ver los peces y las algas del fondo.* □ CONTRARIOS: **1** oscuridad. FAMILIA: → claro.

clarinete [sustantivo masculino] Instrumento musical de madera, parecido a la flauta pero más grande: *El clarinete es un instrumento de viento.* 👁 página 606.

claro, ra [adjetivo] **1** Que tiene luz o mucha luz: *Las habitaciones que dan al jardín son más claras que las que dan al patio.* **2** Que

se ve o se nota bien: *Tienes una letra poco clara y no entiendo lo que pones.* **3** Transparente, limpio o poco turbio: *De este manantial sale un agua clara y fresca.* **4** Demasiado líquido: *La mayonesa te ha quedado un poco clara.* **5** Dicho de un color, que tiene mucho blanco en su mezcla: *Tengo una blusa de color azul claro. No te pongas mucho tiempo al sol, que tienes la piel muy clara y te vas a quemar.* **6** Dicho de la mente o de las ideas, que son ordenadas y exactas: *Fue al examen con las ideas muy claras, dispuesta a contestar todas las preguntas.* **7** Fácil de comprender: *Explícate de una forma más clara para que te pueda entender.* **8** Dicho de una persona, que es sincera y se explica de una forma que resulta fácil de comprender: *Creo que he sido lo suficientemente clara al decir lo que pensaba.* **9** Dicho del tiempo, que no tiene nubes: *Si mañana hace un día claro, saldremos al campo.* **10** Dicho de un sonido, que es puro y limpio: *Este cantante tiene una voz muy clara.* **11** Que se muestra o se comprende de una forma perfecta: *Está muy claro que ese chico es un buen amigo tuyo.* [sustantivo masculino] **12** Espacio vacío en el interior de algo: *Pararon a descansar en un claro del bosque.* **13** Espacio de cielo que no tiene nubes: *Mañana predominarán los claros en toda la región.* **14** [sustantivo femenino] Parte transparente del huevo: *El merengue se hace con claras de huevo y azúcar.* **15** **claro** [adverbio] De forma que no haya dudas: *Ya lo dejé bien claro el otro día, y no pienso repetirlo.* **16** [expresión] **a las claras** De forma pública o abierta: *Soy una persona muy sincera y lo digo todo a las claras.* **poner en claro** Aclarar o explicar algo: *Hasta que no ponga en claro todos estos datos, no comenzaré el trabajo.* **sacar en claro** Obtener una idea exacta de algo: *Por mucho que le preguntes, no sacarás nada en claro porque no quiere decir la verdad.* □ SINÓNIMOS: **1** luminoso. **8** franco. **11** evidente, obvio. CONTRARIOS: **1,5,7,9** oscuro. **3** turbio. **4** espeso. **9** cerrado. FAMILIA: claridad, clarear, aclarar, aclaración.

clase [sustantivo femenino] **1** Naturaleza o tipo: *Es de esa clase de personas que te presta ayuda siempre que lo necesitas.* **2** Grupo de estudiantes que reciben las lecciones y explicaciones juntos: *Hoy toda mi clase se va de excursión al zoo.* **3** Cada una de las habitaciones en las que enseña un profesor: *En la clase hay grandes ventanales que dan al patio.* **4** Lección que el profesor enseña cada día: *El profesor dijo que al final de la clase le preguntáramos las dudas.* **5** Asistencia a un centro de enseñanza: *Hoy es el último día de clase, porque mañana empiezan las vacaciones.* **6** Conjunto de personas que tienen el mismo trabajo o la misma posición económica: *En este barrio suele vivir gente que pertenece a la clase baja.* **7** Categoría o característica por la que se diferencia una cosa de otra: *Los vagones de tren de primera clase son más cómodos que los de segunda.* □ SINÓNIMOS: **1** género, especie. **3** aula. **5** colegio. FAMILIA: clasificar, clasificación.

clásico, ca [adjetivo] **1** Que forma parte de lo establecido por el uso y la costumbre: *Sé un poco más original, hombre, y no des la clásica excusa por haber llegado tarde.* **2** Dicho de la música, que es de carácter culto: *Mi madre toca el arpa en una orquesta de música clásica.* **3** Del período más característico de algo: *El arte del Renacimiento imita los modelos del arte clásico griego y romano.* [adjetivo o] **4** Que se tiene como modelo y que se considera digno de ser copiado: *Esta película se ha convertido en un clásico del cine musical.* **5** De la literatura o el arte de la Antigua Roma y de la Antigua Grecia: *Cuando estudié la carrera de Historia, tuve que leer textos clásicos.*

clasificación [sustantivo femenino] **1** Colocación de algo en un determinado grupo, según las características que tenga y la clase a la que pertenezca: *Antes del reparto, los carteros hacen la clasificación de las cartas según los distritos postales.* **2** Lista en la que aparecen por orden los que participan en una competición: *He conseguido el primer puesto de la clasificación.* □ FAMILIA: → clase.

clasificar [verbo] **1** Ordenar en grupos o poner por clases: *He clasificado las fichas por orden alfabético.* **2 clasificarse** Obtener un determinado puesto en una competición, o conseguir continuar en ella: *Los nadadores que se clasifiquen entre los cinco primeros*

de cada carrera pasarán a la siguiente eliminatoria. □ [La c se cambia en qu delante de e, como en CAZAR]. FAMILIA: → clase.

claustro [sustantivo masculino] **1** Zona estrecha y alargada que rodea el patio principal de un edificio: *Los monjes paseaban en silencio por el claustro del monasterio.* **2** Conjunto de profesores de un colegio: *El claustro ha elaborado un programa de actividades culturales para este año.*

CLAUSTRO

clausura [sustantivo femenino] **1** Acto solemne con el que se da por terminada una actividad: *A la clausura del congreso acudirá gente muy importante.* **2** Cierre de un local o de un edificio: *El alcalde ordenó la clausura de varios restaurantes porque no cumplían las normas sanitarias.* **3** Parte interior de un convento en el que no pueden entrar las personas que no pertenezcan a él si no tienen un permiso especial: *El médico puede entrar en la clausura porque tiene permiso.* **4** Obligación que tienen algunas personas religiosas de vivir en un lugar y no salir de él: *En los conventos de clausura no pueden entrar las personas que no pertenecen a él.* □ SINÓNIMOS: **2** cierre. CONTRARIOS: **1,2** inauguración, apertura. FAMILIA: clausurar.

clausurar [verbo] **1** Declarar acabada una actividad o ponerle fin: *El director del colegio clausuró el curso con una conferencia.* **2** Cerrar un edificio, o declarar que no es adecuado para ser usado: *Han clausurado esa discoteca porque no cumplía las normas de seguridad.* □ SINÓNIMOS: **1** cerrar. CONTRARIOS: abrir, inaugurar. FAMILIA: → clausura.

clavar [verbo] **1** Introducir una cosa en otra apretando con fuerza: *Para clavar el clavo en la pared necesitas un martillo.* **2** Fijar con clavos: *¿Me ayudas a clavar el cuadro en la pared, por favor?* **3** Pedir más dinero de lo normal por algo: *En las tiendas de esta*

a
b
c
d
e
f
g
h
i
j
k
l
m
n
ñ
o
p
q
r
s
t
u
v
w
x
y
z

zona tan cara te clavan. **4** Fijar, parar o poner: *El experto clavó los ojos en el tapiz y lo estudió con detalle.* □ [El significado **3** es coloquial]. SINÓNIMOS: **1** hincar. CONTRARIOS: **1,2** desclavar. FAMILIA: → clavo.

clave [sustantivo/femenino] **1** Sistema de signos que sirve para mandar un mensaje secreto: *Escribe los datos en clave para que sólo nosotros podamos entenderlos.* **2** Conjunto de reglas que explican este sistema: *No pude descifrar el mensaje porque no conocía la clave.* **3** Conjunto de signos que sirven para hacer funcionar algo: *No sé la clave para abrir la caja fuerte.* **4** Explicación que permite entender algo: *La clave del éxito de este negocio es que tratamos bien al cliente.* **5** Lo que resulta muy importante para algo: *Metieron al espía en un puesto clave de la organización para que se enterara de todo.* **6** [expresión] **en clave de** Con el carácter o con el tono de: *La película trata los problemas del país en clave de humor.* □ SINÓNIMOS: **3** código.

clavel [sustantivo/masculino] Planta que tiene los tallos delgados y las hojas puntiagudas, y cuyas flores tienen el borde superior terminado en picos: *El ramo de claveles que me regalaste es muy bonito.* ⚘ página 346.

clavícula [sustantivo/femenino] Cada uno de los dos huesos alargados que están a ambos lados del cuello y que llegan hasta el hombro: *Cuando me rompí la clavícula, me escayolaron el brazo y parte del pecho.*

clavija [sustantivo/femenino] **1** Pieza que se mete en un agujero para sujetar algo o para unirlo: *Los escaladores fijan las cuerdas en las rocas con clavijas.* **2** Pieza de un instrumento musical que sirve para sujetar las cuerdas y tirar más o menos de ellas: *Para afinar la guitarra tienes que ir girando las clavijas.*

clavo [sustantivo/masculino] **1** Pieza de metal larga y delgada con un extremo terminado en punta: *Cuelga el cuadro en ese clavo, por favor.* ⚘ página 431. **2** Flor seca de un árbol, que se usa para cocinar: *El clavo es muy aromático.* **3** [expresión] **agarrarse a un clavo ardiendo** Usar lo que sea para conseguir algo: *Haré cualquier trabajo, porque necesito dinero y me agarro a un clavo ardiendo.*

como un clavo Fijo, exacto o que llega en el momento justo: *No quiero llegar tarde porque ella siempre llega como un clavo.* **dar en el clavo** Dar la respuesta correcta a algo: *Has dado en el clavo al decir que mi problema es que no puedo concentrarme.* **no pegar ni clavo** No trabajar: *En casa no pega ni clavo porque dice que está cansada.* □ [Las expresiones son coloquiales]. FAMILIA: clavar, desclavar.

claxon [sustantivo/masculino] Instrumento que hace un ruido agudo cuando se toca: *Cuando vienen a buscarme en coche, tocan el claxon para decirme que baje.* □ SINÓNIMOS: bocina, pito.

clemencia [sustantivo/femenino] Pena que se siente ante el dolor de los demás y que nos lleva a no castigarlos con dureza por algo malo que han hecho: *El acusado pidió clemencia al juez.* □ SINÓNIMOS: piedad, compasión, caridad, misericordia. CONTRARIOS: crueldad, dureza. FAMILIA: inclemencia.

clérigo [sustantivo/masculino] Hombre que es sacerdote o monje: *En mi familia hay varios clérigos.* □ FAMILIA: clero.

clero [sustantivo/masculino] Grupo social formado principalmente por los sacerdotes y los monjes: *Los obispos y los cardenales forman parte del clero.* □ FAMILIA: → clérigo.

cliente, ta [sustantivo] **1** Persona que usa de forma habitual los servicios de otra persona o de una empresa: *Esta peluquera peina muy bien y tiene muchas clientas.* **2** Persona que compra en una tienda: *El carnicero atiende con rapidez y amabilidad a sus clientes.* □ FAMILIA: clientela.

clientela [sustantivo/femenino] Conjunto de los clientes de una persona o de una tienda: *En este cartel se avisa a la clientela de que vamos a cerrar en agosto.* □ FAMILIA: → cliente.

clima [sustantivo/masculino] **1** Conjunto de las condiciones de temperatura y de lluvias que son propias de un lugar: *El desierto tiene un clima muy extremo, y hace mucho calor de día y mucho frío de noche.* **2** Conjunto de condiciones que son propias de una situación o que rodean a una persona: *Los problemas de la pandilla hicieron que la fiesta tuviera un clima muy tenso.* □ FAMILIA: aclimatarse.

clínico, ca 1 [adjetivo] Relacionado con la

parte práctica de la medicina: *Mañana tengo que ir a buscar los resultados de los análisis clínicos.* **2** [sustantivo] [masculino] Hospital en el que se enseña la parte práctica de la medicina: *Los últimos años de la carrera de medicina los estudió en un clínico.* **3** [sustantivo] [femenino] Hospital, generalmente privado, en el que se cuida a los enfermos: *Hemos ido a la clínica a ver al recién nacido.*

clip [sustantivo] [masculino] **1** Objeto hecho con una barrita de metal o de plástico doblada sobre sí misma y que se usa generalmente para sujetar papeles: *Entregué el trabajo sujeto con un clip en la esquina superior izquierda.* ☞ página 605. **2** Sistema de cierre a presión formado por dos piezas que se sujetan en un sitio: *Estos pendientes de clip me aprietan demasiado y me duelen las orejas.* **3** Película corta o trozo de una película, generalmente de tema musical: *He visto el clip de la última canción de mi grupo favorito.* □ [Es una palabra inglesa]. SINÓNIMOS: **1,2** clipe. FAMILIA: clipe, videoclip.

clipe [sustantivo] [masculino] Clip: *Dame un clipe para sujetar estos papeles.* □ [Es una palabra de origen inglés]. FAMILIA: → clip.

clítoris [sustantivo] [masculino] Órgano pequeño que está en la parte externa del' aparato sexual femenino: *El clítoris forma parte del aparato genital femenino.* □ [No varía en singular y en plural].

cloaca [sustantivo] [femenino] **1** Lugar que hay debajo de las ciudades por donde se va el agua sucia y el agua que cae de la lluvia: *En las cloacas suele haber ratas.* **2** Lugar muy sucio: *No sé cómo eres capaz de vivir en esta cloaca.* □ SINÓNIMOS: **1** alcantarilla.

cloro [sustantivo] [masculino] Sustancia química de color amarillo o verde y de olor fuerte: *El cloro se echa en el agua para desinfectarla.*

clorofila [sustantivo] [femenino] Sustancia de color verde que se encuentra fundamentalmente en las plantas: *La clorofila permite que las plantas puedan aprovechar la energía solar.*

club [sustantivo] [masculino] **1** Asociación formada por un grupo de personas y que se dedica a determinadas actividades generalmente relacionadas con la cultura o con el deporte: *Me ha fichado un club de baloncesto.* **2** Lugar en el que se reúnen los miembros de esta asociación: *Hoy nos reuniremos en el club para oír una conferencia.* **3** Lugar de diversión donde se bebe y se baila y en el que suelen ofrecerse espectáculos musicales: *Trabajo de camarero en un club nocturno.* □ [Su plural es clubes]. FAMILIA: videoclub.

coartada [sustantivo] [femenino] Prueba con la que la persona que ha sido acusada de un delito demuestra que no estuvo en el lugar en el que éste se llevó a cabo: *Al preguntar al acusado si tenía coartada, les dijo que a la hora del crimen él estaba en el cine con unos amigos.*

coba [sustantivo] [femenino] Alabanza con la que se intenta conseguir algo: *No me des coba porque no te pienso dejar la cámara de fotos.* □ [Se usa mucho en la expresión dar coba].

cobarde **1** [adjetivo] Que se ha hecho de forma poco valiente: *La víctima del cobarde asesinato estaba durmiendo cuando le dispararon.* **2** [adjetivo o] [sustantivo] Que siente miedo o que no tiene valor: *El muy cobarde me dejó solo y salió corriendo cuando oímos el ruido.* □ [No varía en masculino y en femenino]. SINÓNIMOS: **2** miedoso, miedica, cagón, cagado. CONTRARIOS: **1** heroico, valiente, valeroso. **2** héroe. FAMILIA: cobardía, acobardar.

cobardía [sustantivo] [femenino] Falta de ánimo para hacer frente a un peligro o a una situación: *No confesó lo que había hecho porque su cobardía se lo impedía.* □ CONTRARIOS: valentía, valor, coraje. FAMILIA: → cobarde.

cobertizo [sustantivo] [masculino] **1** Lugar cubierto que sirve para protegerse del exterior: *Los obreros guardan las herramientas en ese cobertizo.* **2** Especie de tejado que sale de una pared y que sirve para protegerse: *Esperó debajo del cobertizo a que parara de llover.* □ FAMILIA: → cubrir.

cobijar [verbo] Dar a alguien protección o refugio: *Me cobijé en una cabaña hasta que pasó la tormenta.* □ [Siempre se escribe con j]. SINÓNIMOS: refugiar.

cobra [sustantivo] [femenino] Serpiente venenosa cuya pi-

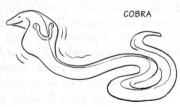

COBRA

a

b

c

d

e

f

g

h

i

j

k

l

m

n

ñ

o

p

q

r

s

t

u

v

w

x

y

z

cadura puede producir la muerte a las personas: *En el circo vi cómo un encantador de serpientes hacía bailar a una cobra tocando una especie de flauta.*

cobrador, -a [sustantivo] Persona que trabaja recogiendo el dinero que los demás deben: *Ha venido el cobrador del club para que le paguemos la cuota de este mes.* □ FAMILIA: → cobrar.

cobrar [verbo] **1** Recibir una cantidad de dinero a cambio de algo: *El camarero me dijo que me invitaba y no me quiso cobrar lo que me había tomado.* **2** Empezar a tener algo: *Las competiciones deportivas están cobrando fuerza en el colegio.* **3** Tener una sensación o empezar a sentirla: *Siento que te tengas que ir de la ciudad, porque te había cobrado mucho afecto.* **4** Recibir un castigo: *Si no dejas de dar la lata, vas a cobrar.* **5** Coger una pieza que se ha cazado: *El cazador enseñó a su perro a cobrar la caza.* **cobrarse 6** Obtener una cosa a cambio de otra: *Te perdono y no me voy a cobrar todos los malos ratos que me has hecho pasar.* **7** Producir la muerte: *La guerra se ha cobrado muchas víctimas.* □ SINÓNIMOS: **2** adquirir, alcanzar. CONTRARIOS: **1** pagar, abonar. **2** perder. FAMILIA: cobrador, recobrar.

cobre [sustantivo masculino] Mineral de color parecido al rojo, que es muy buen conductor de la electricidad: *Los cables eléctricos están hechos de cobre.*

cocción [sustantivo femenino] **1** Preparación de un alimento crudo metiéndolo en un líquido que hierve: *Las patatas necesitan poco tiempo de cocción.* **2** Uso del calor para secar el barro o la arcilla y que queden muy duros: *Los ladrillos deben tener una perfecta cocción para que luego sean resistentes.* □ FAMILIA: → cocer.

cocer [verbo] **1** Calentar un líquido hasta una temperatura de cien grados: *Pon a cocer el agua para el té.* **2** Secar algo por medio de calor para que se quede duro: *El alfarero cuece los jarrones.* **3** Cocinar un alimento en un líquido que tiene una temperatura de cien grados: *El arroz ha cocido mucho y parece una pasta.* **cocerse 4** Prepararse en secreto: *Con tantos secretitos, aquí se está cociendo algo.* **5** Sentir mucho

calor: *Abre las ventanas, que me cuezo.* □ [Es irregular. Los significados **4** y **5** son coloquiales]. SINÓNIMOS: **2,3** hervir. **5** achicharrarse, abrasarse. FAMILIA: cocción, cocido.

coche [sustantivo masculino] **1** Vehículo con motor que se mueve por el suelo y sobre ruedas: *Se le pinchó una rueda y tuvo que parar el coche en el arcén para cambiarla.* **2** Vehículo para viajeros tirado por caballos: *Alquilamos un coche de caballos para recorrer la ciudad.* **3** Vagón de ferrocarril: *En el billete de tren pone que mi asiento está en el coche número veinte.* **4** [expresión] **coche cama** Vagón con camas: *Viajé en coche cama para estar descansado al llegar a la ciudad por la mañana.* **coche celular** El de la policía que está preparado para llevar prisioneros: *El coche celular salió de la cárcel haciendo sonar la sirena.* **coche de línea** Autobús que hace el recorrido entre dos poblaciones: *Tengo que coger el coche de línea todos los días porque vivo en el pueblo y estudio en la ciudad.* **coche escoba** El que va cogiendo a las personas que participan en una carrera

cocer		conjugación
INDICATIVO		**SUBJUNTIVO**
presente		**presente**
cuezo		cueza
cueces		cuezas
cuece		cueza
cocemos		cozamos
cocéis		cozáis
cuecen		cuezan
pretérito imperfecto		**pretérito imperfecto**
cocía		cociera, -ese
cocías		cocieras, -eses
cocía		cociera, -ese
cocíamos		cociéramos, -ésemos
cocíais		cocierais, -eseis
cocían		cocieran, -esen
pretérito indefinido		**futuro**
cocí		cociere
cociste		cocieres
coció		cociere
cocimos		cociéremos
cocisteis		cociereis
cocieron		cocieren
futuro		**IMPERATIVO**
coceré		
cocerás		**presente**
cocerá		cuece (tú)
coceremos		cueza (él)
coceréis		cozamos (nosotros)
cocerán		coced (vosotros)
		cuezan (ellos)
condicional		**FORMAS NO PERSONALES**
cocería		
cocerías		**infinitivo**	**gerundio**
cocería		cocer	cociendo
coceríamos		
coceríais		**participio**
cocerían		cocido

y no la terminan: *Cuando me torcí el pie, el coche escoba me recogió y me llevó hasta la meta.* **coche fúnebre** El que lleva los muertos al lugar en el que van a ser enterrados: *Los coches fúnebres suelen ser negros o grises.* **coche patrulla** El de la policía: *El policía del coche patrulla dio por radio la matrícula de un vehículo sospechoso.* **coches de choque** Diversión de feria en la que hay unos coches eléctricos pequeños preparados para que puedan chocar entre sí: *Para que funcionen los coches de choque hay que introducir una ficha por una ranura.* □ SINÓNIMOS: **1** automóvil. FAMILIA: cochero.

cochero, ra [sustantivo] **1** Persona que conduce un coche de caballos: *El cochero nos llevó por los lugares más típicos de la ciudad.* **2** [sustantivo femenino] Lugar en el que se guardan coches o autobuses: *Los primeros autobuses salen de la cochera a las seis de la mañana.* □ FAMILIA: → coche.

cochinillo [sustantivo masculino] Cerdo que se alimenta todavía de la leche de su madre: *En el restaurante comimos cochinillo asado.* □ FAMILIA: → cochino.

cochino, na 1 [adjetivo o sustantivo] Que está sucio o que es muy sucio: *No seas cochina y lávate las manos antes de comer.* **2** [sustantivo] Animal del que se sacan los jamones y que se cría para aprovechar su carne: *Estos chorizos son del cochino de la última matanza.* □ SINÓNIMOS: guarro, gorrino, cerdo, marrano, puerco. CONTRARIOS: **1** limpio. FAMILIA: cochinillo.

cocido [sustantivo masculino] Comida que se prepara con carne, verduras y garbanzos: *El cocido es un plato que se come mucho en invierno.* □ FAMILIA: → cocer.

cociente [sustantivo masculino] Resultado de una división en matemáticas: *El cociente que resulta de dividir veinte entre diez es dos.*

cocina [sustantivo femenino] **1** Lugar en el que se prepara la comida: *En mi casa, normalmente desayunamos en la cocina.* **2** Aparato que sirve para cocinar los alimentos: *Ahora tenemos una cocina de gas, pero la vamos a cambiar por una eléctrica.* **3** Arte o técnica de preparar distintos platos: *No entiendo mucho de cocina, así que mejor es que guises*

tú. **4** Conjunto de platos típicos de un lugar: *La paella es el plato más conocido de la cocina valenciana.* □ FAMILIA: → cocinar.

cocinar [verbo] Preparar un alimento para que se pueda comer, especialmente si se hace poniéndolo al fuego: *Mientras yo acabo de cocinar esto, tú ve poniendo la mesa.* □ SINÓNIMOS: guisar. FAMILIA: cocina, cocinero.

cocinero, ra [sustantivo] Persona que cocina: *Trabaja de cocinero en un famoso restaurante.* □ FAMILIA: → cocinar. 🔍 página 795.

coco [sustantivo masculino] **1** Fruto de un árbol, con una cáscara de madera muy dura y con largos pelos: *La carne del coco es blanca.* **2** Cabeza: *Me voy a tomar una aspirina porque me duele el coco.* **3** Personaje con el que se asusta a los niños: *Si no te lo comes todo, va a venir el coco.* **4** Persona muy fea: *Pintada de esta forma estás hecha un coco.* **5** [expresión] **comer el coco** Convencer a una persona o influir totalmente en ella: *Le comieron el coco para que pusiera su dinero en esa empresa.* **comerse el coco** Preocuparse por algo o pensar mucho en ello: *No te comas el coco y olvida ese asunto.* □ [Los significados **2**, **4** y **5** son coloquiales]. FAMILIA: cocotero.

cocodrilo [sustantivo masculino] Animal con una gran boca con muchos dientes, la piel dura y la cola muy larga, que vive en los ríos pero que también puede estar en la tierra: *Los cocodrilos tienen las patas muy cortas.* 🔍 página 710.

cocorota [sustantivo femenino] Cabeza: *Me di en la cocorota con una puerta y me ha salido un chichón.* □ [Es coloquial].

cocotero [sustantivo masculino] Árbol tropical cuyo fruto es el coco: *En la playa había varios cocoteros.* □ FAMILIA: → coco. 🔍 página 19.

cóctel [sustantivo masculino] **1** Bebida alcohólica preparada con una mezcla de bebidas: *En la fiesta nos sirvieron cócteles de champán.* **2** Fiesta en la que se sirven bebidas y alimentos para picar: *Cuando se cambió de trabajo, dio un cóctel de despedida en la oficina.* **3** [expresión] **cóctel de mariscos** Comida preparada con gambas y otros mariscos y que se suele tomar fría: *En el banquete tomamos de primero un cóctel de mariscos con salsa rosa.* **cóctel molotov** Explosivo que

a b **c** d e f g h i j k l m n ñ o p q r s t u v w x y z

se suele preparar llenando una botella con un líquido que se quema fácilmente: *Los manifestantes incendiaron un coche al lanzar un cóctel molotov.* □ [Es una palabra de origen inglés].

codazo [sustantivo] [masculino] Golpe dado con el codo: *Jugando al baloncesto me han dado un codazo en la tripa.* □ FAMILIA: → codo.

codera [sustantivo] [femenino] **1** Pieza que cubre el codo en algunas prendas de vestir: *El jersey tiene un roto en la parte del codo y mi madre me ha puesto una codera.* **2** Lo que sale en la parte del codo de las prendas de vestir porque se estira mucho: *He usado tanto el jersey que se han hecho coderas.* **3** Tela elástica que se pone en el codo para protegerlo: *Este tenista lleva una codera porque ha sufrido una lesión.* □ FAMILIA: → codo.

codicia [sustantivo] [femenino] Deseo de tener cosas, especialmente riquezas: *La codicia lo llevó incluso a robar.* □ SINÓNIMOS: avaricia. FAMILIA: codiciar.

codiciar [verbo] Desear con fuerza algo, especialmente riquezas: *No debemos codiciar las riquezas ajenas, y tenemos que saber disfrutar de lo que tenemos.* □ FAMILIA: → codicia.

código [sustantivo] [masculino] **1** Conjunto ordenado de leyes: *Para aprobar el examen de conducir, hay que estudiar el código de circulación.* **2** Conjunto de signos que forman un mensaje o que sirven para hacer funcionar algo: *No pude usar la tarjeta en el cajero automático porque no me acordaba del código secreto.* **3** Sistema de signos y de reglas que sirve para componer y comprender mensajes: *El sistema Braille es un código que permite a los ciegos leer.* **4** [expresión] **código postal** Conjunto de números o de letras que usan en Correos para cada población o para cada zona: *Cuando escribas la dirección en el sobre, no olvides poner el código postal delante de la ciudad.* □ SINÓNIMOS: **2** clave.

codo 1 [sustantivo] [masculino] Parte por la que se dobla el brazo: *Cuando comas, no apoyes los codos en la mesa.* **2** [expresión] **codo con codo** Junto con otra persona: *Si trabajamos codo con codo lograremos terminar el trabajo en el tiempo previsto.* **empinar el codo** Beber alcohol: *Si tienes que conducir, no empines el*

codo. **hablar por los codos** Hablar mucho: *¡Cállate, que hablas por los codos y no nos dejas meter baza!* **hincar los codos** Estudiar mucho: *Para sacar buenas notas hay que hincar los codos.* □ [Las expresiones empinar el codo, hablar por los codos e hincar los codos son coloquiales]. FAMILIA: codazo, codera, recodo.

codorniz [sustantivo] [femenino] Ave de color marrón que tiene la cola muy corta y se alimenta de semillas: *En verano sale con su perro a cazar codornices.* □ [Su plural es codornices].

cofre [sustantivo] [masculino] Caja con tapa y cerradura, que generalmente se usa para guardar objetos de valor: *Los piratas enterraron en una isla el cofre del tesoro.*

cogedor [sustantivo] [masculino] Objeto parecido a una pala y que se usa para coger la basura: *Trae la escoba y el cogedor, que voy a barrer las migas.* □ SINÓNIMOS: recogedor. FAMILIA: → coger.

coger [verbo] **1** Agarrar o tomar: *¿Puedo coger un caramelo? Coge bien la botella, que no se te caiga.* **2** Sorprender o encontrar en una determinada situación: *Lo cogí espian-*

coger	conjugación
INDICATIVO	**SUBJUNTIVO**
presente	**presente**
cojo	coja
coges	cojas
coge	coja
cogemos	cojamos
cogéis	cojáis
cogen	cojan
pretérito imperfecto	**pretérito imperfecto**
cogía	cogiera, -ese
cogías	cogieras, -eses
cogía	cogiera, -ese
cogíamos	cogiéramos, -ésemos
cogíais	cogierais, -eseis
cogían	cogieran, -esen
pretérito indefinido	**futuro**
cogí	cogiere
cogiste	cogieres
cogió	cogiere
cogimos	cogiéremos
cogisteis	cogiereis
cogieron	cogieren
futuro	**IMPERATIVO**
cogeré	
cogerás	**presente**
cogerá	coge (tú)
cogeremos	coja (él)
cogeréis	cojamos (nosotros)
cogerán	coged (vosotros)
	cojan (ellos)
condicional	**FORMAS NO PERSONALES**
cogería	
cogerías	**infinitivo** **gerundio**
cogería	coger cogiendo
cogeríamos	**participio**
cogeríais	cogido
cogerían	

do por el ojo de la cerradura. **3** Atrapar o quitar la libertad: *Después de muchas investigaciones, la policía ha conseguido coger al asesino.* **4** Obtener o lograr: *Durante este viaje a Inglaterra he cogido mucha soltura hablando inglés.* **5** Entender el significado de algo: *Vuelve a explicarme el chiste, porque no lo he cogido.* **6** Llenar un espacio u ocuparlo por completo: *Si llegamos pronto al cine podremos coger sitio en las mejores filas.* **7** Recibir una cadena de radio o de televisión: *Algunas cadenas de televisión se cogen muy mal en esta zona.* **8** Alcanzar algo que va delante: *El segundo corredor ha logrado coger al que iba en cabeza.* **9** Tomar por escrito lo que está diciendo alguien: *Déjame los apuntes de clase, que no he podido coger lo último que ha dicho el profesor.* **10** Empezar a sentir algo: *He cogido un catarro y tengo un poco de fiebre. Se cogió un enfado terrible.* **11** Herir un toro a alguien con los cuernos: *El torero que ha sido cogido esta tarde está siendo operado en la enfermería de la plaza.* **12** Estar o encontrarse en una determinada situación: *No suelo ir a ese cine porque me coge muy lejos de casa.* **13** Poder meterse una cosa en otra: *En este cine cogen bien doscientas personas.* **14** Poder pasar por un sitio: *Estás engordando tanto que no vas a coger por la puerta.* □ [La g se cambia en j delante de a, o. Los significados **5**, **10**, **12**, **13** y **14** son coloquiales]. SINÓNIMOS: **2,10** pescar. **2,5,10** pillar. **3,5** cazar. **8** alcanzar, atrapar. **10** agarrar. **13,14** caber. CONTRARIOS: **1,3** soltar. FAMILIA: cogedor, recogedor, recoger, acoger, acogedor.

cogollo [sustantivo][masculino] Parte interior y más apretada de algunas plantas: *El cogollo de la lechuga es más blanco que las hojas de fuera.*

cogote [sustantivo][masculino] Parte posterior del cuello: *La melena que tienes te tapa el cogote.*

coherente [adjetivo] Que está en relación con algo o de acuerdo con ello: *Tu forma de actuar debe ser coherente con tus opiniones.* □ [No varía en masculino y en femenino]. FAMILIA: incoherencia.

cohete [sustantivo][masculino] **1** Tubo lleno de un material explosivo y que, al encenderlo, sube a gran altura y explota: *Los cohetes son un tipo de fuegos artificiales.* **2** Aparato o ve-

hículo que se lanza al espacio: *Van a lanzar un cohete a la Luna.* 🔍 página 847.

coincidencia [sustantivo][femenino] **1** Presencia de dos o más hechos que ocurren a la vez: *La coincidencia de fechas de la conferencia y el concierto hace que tenga que elegir a cuál de los dos iré.* **2** Parecido entre varias cosas: *Entre amigos, es normal que haya coincidencia de gustos y de aficiones.* **3** Lo que ocurre por casualidad al mismo tiempo o en el mismo lugar que otra cosa: *Fue una coincidencia que estuviéramos allí en el momento de tu llegada.* □ FAMILIA: → coincidir.

coincidir [verbo] **1** Ocurrir una cosa al mismo tiempo que otra: *Si nuestras vacaciones no coinciden, no podremos irnos juntos.* **2** Adecuarse a algo perfectamente: *Si ese número coincide con el que ha salido en el sorteo, te ha tocado un premio. Coincidimos en la forma de pensar y por eso somos amigos.* **3** Encontrarse con alguien en un mismo lugar: *Por las mañanas siempre coincido con mi vecino en la parada del autobús.* □ FAMILIA: coincidencia.

cojear [verbo] **1** Andar como si se tuviera una pierna más corta que otra, debido a un daño o a un defecto: *Me torcí el tobillo y llegué cojeando a casa.* **2** Moverse un mueble al tocarlo porque no se apoya bien en el suelo: *Si la mesa cojea, pon algo en la pata más corta.* **3** [expresión] **cojear del mismo pie** Tener los mismos defectos: *Dices que yo digo mentiras, pero tú cojeas del mismo pie porque también las dices.* **saber de qué pie cojea alguien** Conocer sus defectos: *Te conozco muy bien y sé de qué pie cojeas.* □ [Las expresiones son coloquiales]. FAMILIA: cojera, cojo.

cojera [sustantivo][femenino] Defecto que hace andar como si se tuviera una pierna más corta que otra: *El accidente le produjo una pequeña cojera.* □ FAMILIA: → cojear.

cojín [sustantivo][masculino] Pieza de tela rellena de un material blando que se usa para sentarse encima o para apoyar una parte del cuerpo: *En el sofá hay varios cojines para apoyar la espalda.*

cojo, ja 1 [adjetivo] Dicho de un mueble, que se mueve porque no se apoya bien en el suelo: *No te apoyes en la mesa, que está coja.*

a b **c** d e f g h i j k l m n ñ o p q r s t u v w x y z

a
b
c
d
e
f
g
h
i
j
k
l
m
n
ñ
o
p
q
r
s
t
u
v
w
x
y
z

[adjetivo o/sustantivo] **2** Que anda como si tuviera una pierna más corta que otra, a causa de un daño o de un defecto: *El perro anda cojo porque se ha clavado una espina.* **3** Que carece de una pierna o de una pata: *Muchos cojos pueden andar gracias a las muletas.* □ FAMILIA: → cojear.

cojón [sustantivo masculino] Testículo. □ [Es vulgar y se usa mucho en expresiones vulgares]. FAMILIA: acojonar, cojonudo, descojonarse.

cojonudo, da [adjetivo] Muy bueno o muy bien. □ [Es vulgar]. FAMILIA: → cojón.

col 1 [sustantivo femenino] Planta que se cultiva en las huertas y cuya parte central es redonda y tiene las hojas blancas y verdes: *Cuando la col se está cociendo huele muy fuerte.* **2** [expresión] **col de Bruselas** Planta en cuyos tallos crecen una especie de bolas comestibles, pequeñas y verdes: *Las coles de Bruselas tienen sabor amargo.* □ FAMILIA: coliflor.

cola [sustantivo femenino] **1** Parte final del cuerpo de algunos animales: *El perro mueve la cola cuando está contento.* **2** Conjunto de plumas largas y fuertes que tienen las aves en la parte de atrás de su cuerpo: *La cola del macho del pavo real es espectacular y muy vistosa.* **3** Parte posterior o final de algo: *Cuando voy en tren, me gusta ir en el vagón de cola para ver lo que va quedando detrás.* **4** Parte alargada de algo: *La novia iba arrastrando por el suelo la cola del vestido.* **5** Conjunto de cosas colocadas en línea: *Cuando llegué a la panadería había una cola que llegaba hasta la calle.* **6** Sustancia que sirve para pegar: *Ve a la droguería y compra un poco de cola para pegar madera.* **7** Refresco de color oscuro y con gas: *Me gustán más los zumos que las bebidas de cola.* **8** Pene. **9** [expresión] **cola de caballo** Forma de peinarse que consiste en atar todo el pelo en la parte de atrás de la cabeza: *Cuando hago deporte me recojo el pelo en una cola de caballo para que no me moleste.* **traer cola** Traer consecuencias: *La injusta expulsión de ese jugador traerá cola.* □ [Los significados **6**, **8** y la expresión *traer cola* son coloquiales]. SINÓNIMOS: **1** rabo. **5** hilera, fila. **6** pegamento. CONTRARIOS: **3** cabeza. FAMILIA: coleta, coletazo, colilla.

colaboración [sustantivo femenino] **1** Hecho de trabajar junto con otras personas: *Este mural es fruto de la colaboración de toda la clase.* **2** Dinero que se da por voluntad propia: *Los miembros de esta asociación piden una pequeña colaboración para ayudar a la gente sin hogar.* **3** Ayuda para lograr algún fin: *Sin tu colaboración nunca hubiera podido solucionar mis problemas.* **4** Texto que escribe alguien que no forma parte del grupo de personas que trabajan fijas en una revista o en un periódico: *Un famoso escritor suele escribir colaboraciones para nuestra revista.* □ SINÓNIMOS: **2,3** contribución. **3** cooperación. FAMILIA: → colaborar.

colaborador, ra [sustantivo] **1** Persona que trabaja con otra: *En la primera página aparece el nombre de todos los colaboradores que han participado en este libro.* **2** Persona que trabaja en un sitio y que no forma parte del grupo de personas fijas: *Los colaboradores no tienen un sueldo al mes, sino que cobran por cada trabajo entregado.* □ FAMILIA: → colaborar.

colaborar [verbo] **1** Trabajar con otras personas en algo: *En este trabajo hemos colaborado todos.* **2** Trabajar en un sitio sin formar parte del grupo de personas que están fijas: *En esta empresa hay personas que colaboran de vez en cuando.* **3** Ayudar para que se logre algún fin: *Si quieres que nos llevemos bien, debes colaborar.* □ SINÓNIMOS: **1,3** cooperar. **3** contribuir. FAMILIA: colaboración, colaborador.

colador [sustantivo masculino] Objeto que tiene agujeros y que sirve para separar la parte líquida y la parte sólida de algo: *Pasa la leche por el colador para que no caiga nata.* □ FAMILIA: → colar.

colar [verbo] **1** Separar las partes sólidas que hay en un líquido: *Si el café tiene posos, cuélalo.* **2** Introducir algo en un lugar: *He colado la pelota en la canasta. La canica se coló por la alcantarilla.* **3** Pasar por verdadero algo que es falso: *La mentira que dije no coló y me descubrieron.* **4** Ponerse alguien delante del lugar que le corresponde: *No te cueles, que estaba yo primera.* **colarse 5** Entrar con engaño en algún sitio: *Intentamos colarnos en el cine sin entrada, pero nos pillaron.* **6** Equivocarse o decir algo que no es adecuado: *Si me acusaste, te has colado, porque yo no lo he roto.* **7** Sentir un gran amor por alguien: *Se ha colado por esa chica y ya no quiere saber nada de nosotros.* □ [Es irregular y se conjuga como CONTAR. Los significados **3**, **4**, **5**, **6** y **7** son coloquiales]. FAMILIA: colador.

colcha [sustantivo] [femenino] Especie de manta que se pone sobre la cama como adorno: *En verano quito la colcha de la cama y duermo sólo con la sábana.* □ FAMILIA: → colchón, colchoneta.

colchón [sustantivo] [masculino] **1** Superficie blanda que se pone sobre la cama para dormir en ella: *El niño se ha hecho pis en la cama y ha mojado las sábanas y el colchón.* **2** Capa hueca y blanda que cubre una superficie: *La vaca se tumbó sobre un colchón de pajas.* □ FAMILIA: → colcha.

colchoneta [sustantivo] [femenino] **1** Superficie blanda y delgada que se coloca en el suelo para ponerse sobre ella: *Sé dar volteretas en la colchoneta del gimnasio.* **2** Especie de saco que se llena de aire para que flote en el agua: *El socorrista no nos deja meternos en la piscina con la colchoneta.* 🖎 página 155. □ FAMILIA: → colcha.

colección [sustantivo] [masculino] **1** Conjunto de cosas de la misma clase, especialmente si están ordenadas: *Tengo una colección de cromos de animales.* **2** Conjunto de trajes que hace una persona para que se lleven durante un período de tiempo: *En el desfile, los diseñadores presentaban sus colecciones para la temporada de verano.* **3** Gran cantidad de algo: *El entrenador nos dijo que éramos una colección de vagos.* □ FAMILIA: coleccionar, coleccionista, recolectar, recolección, colecta.

coleccionar [verbo] Hacer una colección: *Colecciono postales antiguas.* □ FAMILIA: → colección.

coleccionista [sustantivo] Persona que colecciona algo: *Los coleccionistas de sellos suelen tener sellos de todos los países.* □ [No varía en masculino y en femenino]. FAMILIA: → colección.

colecta [sustantivo] [femenino] Conjunto de dinero que la gente da por propia voluntad para que sirva como ayuda: *La parroquia va a hacer una colecta para ayudar a los pobres.* □ FAMILIA: → colección.

colectivo, va **1** [adjetivo] De un grupo de personas o que sirve para un grupo: *En mi edificio han puesto una antena colectiva.* **2** [sustantivo] [masculino] Conjunto de personas que tienen un interés común: *El colectivo de actores se ha puesto en huelga.* □ SINÓNIMOS: **1** general. CONTRARIOS: **1** particular, personal, individual.

colega [sustantivo] **1** Lo que es una persona en relación con otra que tiene su misma profesión: *Asistir a los congresos me permite tener contacto con colegas extranjeros.* **2** Amigo o compañero: *He invitado a unos colegas a que vengan al cine con nosotros.* □ [No varía en masculino y en femenino. El significado **2** es coloquial].

colegial, -a [sustantivo] Alumno que asiste a un colegio: *Durante mi época de colegial tuve que llevar uniforme.* □ FAMILIA: → colegio. 🖎 página 795.

colegio [sustantivo] [masculino] **1** Un tipo de centro en el que se enseña: *Yo estudio en el colegio público que está enfrente de casa.* **2** Asistencia a este tipo de centro: *Hoy es el último día de colegio, porque mañana empiezan las vacaciones.* **3** Asociación de personas que tienen una misma profesión: *A la reunión asistió el presidente del Colegio de Árbitros.* **4** [expresión] **colegio mayor** Edificio en el que viven algunos estudiantes de la universidad: *Yo vivo en un pueblo, pero mientras estudio la carrera, estoy en un colegio mayor de la ciudad.* □ [Se usa mucho la forma abreviada cole]. SINÓNIMOS: **2** clase. FAMILIA: colegial.

cólera **1** [sustantivo] [masculino] Enfermedad infecciosa grave que produce fuertes dolores de tripa y hace devolver con frecuencia: *Una epidemia de cólera puede causar la muerte de muchas personas.* **2** [sustantivo] [femenino] Ira muy violenta: *A veces no sabe contener su cólera y se pone hecha una fiera.* **3** [expresión] **montar en cólera** Enfadarse mucho: *Montó en cólera cuando se dio cuenta de que lo habían engañado.*

colesterol [sustantivo] [masculino] Sustancia grasa que forma parte de los seres vivos: *Mi padre está a régimen porque el médico le ha dicho que tiene el nivel de colesterol muy alto.*

coleta 1 [sustantivo] [femenino] Forma de peinarse que consiste en coger el pelo cerca de la cabeza y dejarlo suelto desde allí: *Hoy me he peinado con coleta*. **2** [expresión] **cortarse la coleta** Dejar una costumbre o una profesión: *Con la edad que tiene, es lógico que este torero piense en cortarse la coleta*. □ FAMILIA: → cola.

coletazo [sustantivo] [masculino] **1** Golpe dado con la cola o con la coleta: *Cuando te llamaron, giraste la cabeza y me diste un coletazo*. **2** Última acción de algo antes de desaparecer: *Aunque el ciclón ya había pasado, todavía se notaban sus últimos coletazos*. □ FAMILIA: → cola.

colgante 1 [adjetivo] Que cuelga: *Cuando hace mucho viento, el puente colgante se mueve*. **2** [sustantivo] [masculino] Adorno que cuelga de una cadena: *Me han regalado una cadena de oro con un colgante en forma de pez*. □ [Cuando es adjetivo no varía en masculino y en femenino]. FAMILIA: → colgar.

colgar [verbo] **1** Estar o poner una cosa suspendida de otra, de forma que no llegue al suelo: *La lámpara cuelga del techo. Cuelga el abrigo en la percha*. **2** Quitar la vida a una persona atándole una cuerda alrededor del cuello y apretándola: *Condenaron al ladrón de caballos a ser colgado de un árbol*. **3** Dejar una profesión o una actividad: *Antes era boxeador, pero colgó los guantes y se retiró*. **4** Volver a colocar en su sitio la parte del teléfono por la que se habla: *Cuelga, por favor, que estoy esperando una llamada de teléfono*. **5** Decir que algo es propio de una persona, cuando normalmente no es verdad: *Me han colgado el mote de «Patito» porque dicen que soy muy torpe, pero no es cierto*. **6 colgarse** Interrumpirse lo que estaba realizando un ordenador: *No des tantas órdenes al ordenador porque se va a colgar*. □ [Es irregular. Los significados **2**, **5** y **6** son coloquiales]. SINÓNIMOS: **2** ahorcar. CONTRARIOS: **1,4** descolgar. FAMILIA: colgante, descolgar.

colgar		conjugación
INDICATIVO		**SUBJUNTIVO**
presente		**presente**
cuelgo		cuelgue
cuelgas		cuelgues
cuelga		cuelgue
colgamos		colguemos
colgáis		colguéis
cuelgan		cuelguen
pretérito imperfecto		**pretérito imperfecto**
colgaba		colgara, -ase
colgabas		colgaras, -ases
colgaba		colgara, -ase
colgábamos		colgáramos, -ásemos
colgabais		colgarais, -aseis
colgaban		colgaran, -asen
pretérito indefinido		**futuro**
colgué		colgare
colgaste		colgares
colgó		colgare
colgamos		colgáremos
colgasteis		colgareis
colgaron		colgaren
futuro		**IMPERATIVO**
colgaré		
colgarás		**presente**
colgará		cuelga (tú)
colgaremos		cuelgue (él)
colgaréis		colguemos (nosotros)
colgarán		colgad (vosotros)
		cuelguen (ellos)
condicional		**FORMAS NO PERSONALES**
colgaría		
colgarías		**infinitivo** **gerundio**
colgaría		colgar colgando
colgaríamos		
colgaríais		**participio**
colgarían		colgado

cólico [sustantivo] [masculino] Enfermedad del intestino que no es grave pero produce fuertes dolores y suele hacer devolver: *Me comí yo sola un kilo de pasteles, y por la noche me dio un cólico*.

coliflor [sustantivo] [femenino] Planta que se cultiva en las huertas y que tiene una masa blanca y redonda en el centro, rodeada por hojas verdes: *De primer plato hay coliflor con besamel*. □ FAMILIA: → col.

colilla [sustantivo] [femenino] Parte de los cigarros que se deja sin fumar: *Dejó la colilla en el cenicero*. □ FAMILIA: → cola.

colín [sustantivo] [masculino] Pieza de pan en forma de palito: *Está haciendo régimen y no puede comer pan, pero sí colines*.

colina [sustantivo] [femenino] Pequeña elevación del terreno: *La cima de las colinas suele ser redondeada*. 🗺 página 709.

colisión [sustantivo] [femenino] Golpe violento entre dos vehículos o dos cosas: *La colisión entre el coche y el autobús produjo varios heridos*.

collar [sustantivo] [masculino] **1** Joya que se pone alrededor del cuello: *Lleva un collar de perlas a juego con los pendientes*. **2** Especie de cinta o de banda que se pone alrededor del cuello de los perros o de otros animales: *Supe que era un perro vagabundo porque no llevaba collar*.

colmar [verbo] **1** Llenar hasta que se pase de

los límites: *Has colmado el vaso de agua y ahora no podrás beber sin tirar un poco.* **2** Dar algo en gran cantidad: *Cuando nos vio, nos colmó de besos.* **3** Satisfacer completamente las esperanzas o los deseos: *Conseguir aquel premio colmó mis ilusiones.* □ SINÓNIMOS: **2** llenar, cubrir. FAMILIA: colmo.

colmena [sustantivo] [femenino] **1** Especie de caja en la que viven las abejas: *He comido miel de las colmenas de mi abuelo.* **2** Lugar o edificio donde viven muchas personas: *Estos rascacielos son auténticas colmenas.* □ [El significado **2** es despectivo].

colmillo [sustantivo] [masculino] **1** Diente fuerte y puntiagudo que tienen las personas y algunos animales: *Tengo cuatro colmillos.* **2** Diente de los elefantes que es muy grande y tiene forma de cuerno: *Los elefantes tienen dos colmillos.* □

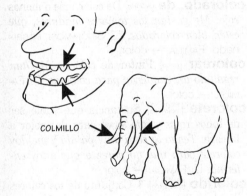

COLMILLO

colmo 1 [sustantivo] [masculino] Grado mayor al que se puede llegar en algo: *Eres el colmo de la vaguería.* **2** [expresión] **y para colmo** Se usa antes de decir la última cosa de una serie: *He perdido el reloj y, para colmo, me han castigado.* □ FAMILIA: → colmar.

colocación [sustantivo] [masculino] **1** Situación de algo en el lugar adecuado: *Me encargaron la colocación de los adornos en el árbol de Navidad.* **2** Forma de estar colocado algo: *Si cambias la colocación de los muebles, la habitación parecerá más grande.* **3** Trabajo, empleo o destino: *Como no quería estudiar, sus padres le han buscado una colocación.* □ FAMILIA: → colocar.

colocar [verbo] **1** Poner en la posición adecuada o en el orden o el lugar que corres-

ponde: *No sé dónde colocar este jarrón. Después de jugar, colocad los juguetes en su sitio.* **2** Hacer que alguien acepte algo que resulta una molestia: *No me coloques otra vez la tarea de limpiar el polvo.* **3** Poner el alcohol o alguna droga en un estado alegre: *La cerveza sin alcohol no coloca.* **4** **colocarse** Empezar a trabajar: *Se colocó nada más acabar los estudios.* □ [La c se cambia en qu delante de e, como en SACAR. Los significados **3** y **4** son coloquiales]. CONTRARIOS: **1** descolocar, desordenar. FAMILIA: colocación, descolocar.

colombiano, na [adjetivo o] [sustantivo] De Colombia, que es un país de América del Sur: *El café colombiano es muy apreciado en todo el mundo.*

colon [sustantivo] [masculino] Parte del intestino grueso de una persona o de algunos animales: *El colon es una parte del aparato digestivo.* □ [No se pronuncia «colón»].

colonia [sustantivo] [femenino] **1** Líquido que nos ponemos para oler bien: *La colonia tiene un olor más suave que el perfume.* **2** Lugar que está preparado para que pasen las vacaciones los niños: *Cuando acabe el curso, me voy a ir a una colonia de verano.* **3** Grupo de edificios que tienen una construcción o un aspecto semejantes: *En las fiestas de la colonia, todos los vecinos contratamos una orquesta.* **4** Conjunto de personas de un país o de una región que van a una zona para quedarse en ella: *Conozco a tres personas de la colonia de españoles en Francia.* **5** Lugar donde se establecen estas personas: *Cuando voy a un país extranjero, siempre visito la colonia española.* **6** Zona bajo el control militar, político o económico de una nación extranjera más poderosa: *Gibraltar es una colonia de Gran Bretaña.* **7** Grupo de seres vivos de una misma especie que viven en una misma zona o que tienen una organización característica: *En estas islas vive una colonia de focas.* □ FAMILIA: colonial, colono, colonizar, colonización.

colonial [adjetivo] De las zonas que están bajo el control militar, político o económico de una nación extranjera más poderosa: *En el siglo XIX había muchos territorios colonia-*

a
b
c
d
e
f
g
h
i
j
k
l
m
n
ñ
o
p
q
r
s
t
u
v
w
x
y
z

les. □ [No varía en masculino y en femenino]. FA-
MILIA: → colonia.

colonización [sustantivo] [masculino] **1** Establecimiento
de un control sobre una nación por parte de
otra nación más poderosa: *La colonización
ha producido la desaparición de muchos
pueblos indígenas.* **2** Establecimiento de seres vivos en una zona en la que no hay nadie, con la intención de vivir en ella: *En la
película se llevaba a cabo la colonización del
Oeste americano.* □ FAMILIA: → colonia.

colonizar [verbo] **1** Hacer propio un terreno
para que se establezcan en él personas que
no han nacido allí: *Las naciones europeas
colonizaron territorios de Asia y África.* **2**
Ocupar zonas en las que no suele vivir nadie, para quedarse en ellas a vivir: *Las personas que colonizaron el Oeste americano
querían civilizarlo y trabajar en él.* □ [La z
se cambia en c delante de e, como en CAZAR]. FA-
MILIA: → colonia.

colono [sustantivo] [masculino] Persona que se establece en
una zona para trabajarla y vivir en ella:
*Muchos colonos españoles se quedaron en
tierras americanas.* □ FAMILIA: → colonia.

coloquial [adjetivo] Característico de la conversación o del lenguaje que se usa normalmente: *«Pis» es una palabra coloquial, y
«orina» es una palabra más culta.* □ [No varía en masculino y en femenino]. FAMILIA: → coloquio.

coloquio [sustantivo] [masculino] **1** Conversación que se
organiza para informar sobre algo: *Después
de la película hubo un coloquio para hablar
del tema que se había tratado.* **2** Conversación entre varias personas: *En este libro,
el escritor introduce coloquios para hacer
más amena y agradable la lectura.* □ SI-
NÓNIMOS: **2** diálogo. FAMILIA: coloquial.

color [sustantivo] [masculino] **1** Característica de las cosas
que se nota con la vista y que se produce
porque los rayos de luz se reflejan en ellas:
Tengo un pantalón de color azul. 🕮 página
160. **2** Tono natural de la cara: *Parece que
ya te has curado, porque tienes muy buen
color.* **3** Sustancia preparada para pintar:
Para colorear el dibujo necesito colores. **4**
Lo que es característico de algo y lo diferencia de lo demás: *Las fiestas populares tienen
mucho color.* **5** [plural] Lo que representa a un

grupo o a un país: *Siempre defenderé nuestros colores.* **6** [expresión] **de color** Dicho de
una persona, que es de raza negra: *En África hay mucha gente de color.* **de color de
rosa** De forma optimista: *Todo lo ve de color de rosa y nunca se preocupa por nada.*
no haber color No haber comparación: *Entre estas marcas de coches no hay color, porque una es mucho mejor que la otra.* **ponerse alguien de mil colores** Ponerse pálido o rojo por vergüenza o por ira: *Cuando
se dio cuenta de que había perdido la cartera, se puso de mil colores.* **sacar los colores** Poner rojo de vergüenza: *El profesor
me llamó la atención delante de todos y me
sacó los colores.* □ [Las expresiones son coloquia-
les]. SINÓNIMOS: **4** colorido. FAMILIA: colorido,
colorado, colorete, colorante, colorear, colorín, incoloro, descolorido, bicolor, tricolor.

colorado, da [adjetivo] De color más o menos
rojo: *Me gustan los tomates maduros, que
estén bien colorados.* □ SINÓNIMOS: encarnado. FAMILIA: → color.

colorear [verbo] Pintar de colores: *Me han
regalado un cuaderno para colorear.* □ FA-
MILIA: → color.

colorete [sustantivo] [masculino] Sustancia que suele ser
de tonos rojos y que sirve para dar color a
la cara: *Tengo la cara muy pálida y me doy
colorete para que no parezca que estoy enferma.* □ FAMILIA: → color.

colorido [sustantivo] [masculino] **1** Conjunto de los colores
de algo: *Este vestido tiene un colorido muy
variado.* **2** Lo que es característico de algo
y lo diferencia de lo demás: *Las fiestas de
ahora han perdido algo del colorido que tenían antes.* □ SINÓNIMOS: **2** color. FAMILIA: →
color.

colorín [sustantivo] [masculino] Color vivo o que llama la
atención: *En verano me gusta llevar ropa de
colorines.* □ [Es coloquial. Se usa más en plural].
FAMILIA: → color.

colosal [adjetivo] De tamaño, cantidad o calidad mayores de lo normal: *El héroe de la
película tenía una fuerza colosal.* □ [No varía
en masculino y en femenino]. SINÓNIMOS: extraordinario, imponente, brutal.

columna [sustantivo] [femenino] **1** Pieza vertical que sirve
para apoyar sobre ella algo muy pesado: *Los
arcos de la casa se apoyan en columnas.* **2**

Lo que sirve de apoyo: *Mis padres son la columna de mi familia y siempre que tengo problemas les pido consejo.* **3** Conjunto de cosas colocadas una sobre otra: *Haz la suma de los números de la primera columna.* **4** Espacio escrito en una página, que tiene forma vertical y que está separado de otros por un espacio blanco: *Este diccionario está escrito a dos columnas.* **5** Masa de líquido o de gas que tiene forma vertical: *Del volcán salía una columna de lava.* **6** Conjunto de personas o de vehículos colocados uno detrás de otro: *El capitán mandó avanzar a la primera columna de tanques.* **7** [expresión] **columna vertebral** Conjunto de huesos que forman el eje del esqueleto de las personas y de algunos animales: *La columna vertebral va desde la cabeza hasta el final de la espalda.* □ SINÓNIMOS: **1,2** base, pilar.

columpiar [verbo] Empujar algo hacia adelante y hacia atrás para que se balancee: *Colúmpiame tú, que yo no sé darme impulso.* □ FAMILIA: → columpio.

columpio [sustantivo] [masculino] Asiento colgado de un sitio alto y en el que nos sentamos para balancearnos: *En el parque hay un tobogán y varios columpios.* □ FAMILIA: columpiar.

coma 1 [sustantivo] [masculino] Estado de una persona que se produce por una enfermedad y que se caracteriza por no estar consciente y por no tener capacidad de movimiento: *Las personas que están en coma parece que están muertas.* **2** [sustantivo] [femenino] Signo escrito parecido a una pequeña línea curva hacia abajo: *Las comas se escriben para hacer una pausa corta al leer una frase. En matemáticas la coma separa las unidades de los decimales.* **3** [expresión] **sin faltar una coma** Sin que falte ningún detalle: *Tiene muy buena memoria y repitió la lección sin que faltara una coma.* □ [En matemáticas no debe usarse el punto en lugar de una coma: no se escribe 0.5, sino 0,5. El significado **3** es coloquial]. FAMILIA: comillas, entrecomillar.

comadreja [sustantivo] [femenino] Animal que se alimenta de carne, es de color marrón y blanco y tiene las patas cortas: *La comadreja tiene mucha agilidad.*

comadrona [sustantivo] [femenino] Mujer que ayuda a las mujeres que están a punto de tener un hijo: *La comadrona me dijo que el bebé estaba a punto de asomar la cabeza.*

comandante [sustantivo] **1** Una de las categorías militares: *La categoría de comandante es superior a la de capitán.* **2** Piloto al mando de un avión o de otro tipo de naves: *El comandante saludó a los pasajeros del vuelo antes de despegar.* □ [No varía en masculino y en femenino]. FAMILIA: → mandar.

comando [sustantivo] [masculino] Grupo pequeño de personas que ha sido preparado para realizar operaciones que tienen mucho riesgo: *El comando tenía como misión rescatar a los prisioneros.* □ FAMILIA: → mandar.

comarca [sustantivo] [femenino] Zona en que se divide un lugar y que tiene unas características propias: *El vino de esta comarca es muy bueno.* □ FAMILIA: comarcal.

comarcal [adjetivo] De las zonas en que se divide un lugar o relacionado con ellas: *Este monte es el límite comarcal.* □ [No varía en masculino y en femenino]. FAMILIA: → comarca.

comba 1 [sustantivo] [femenino] Cuerda que se usa para jugar saltando sobre ella mientras dos personas la mueven: *¿Me dejáis saltar a la comba con vosotros?* **2** [expresión] **no perder comba** No perder detalle de lo que se dice: *Mientras estábamos hablando, ese cotilla no ha perdido comba, y ahora irá a contárselo todo a sus amigos.* □ [El significado **2** es coloquial].

combate [sustantivo] [masculino] **1** Lucha entre dos grupos: *Aunque se perdió el combate, no se había perdido la guerra.* **2** Lucha entre animales o personas que tiene determinadas normas: *El ganador del combate de boxeo se proclamará campeón del mundo.* **3** Oposición con la que se intenta terminar con algo: *En el combate contra la droga no puede haber descanso.* □ SINÓNIMOS: **1** batalla. FAMILIA: → combatir.

combatir [verbo] **1** Tener una lucha o pelear con fuerza: *Los soldados combatieron hasta derrotar al enemigo.* **2** Atacar algo para destruirlo o para que desaparezca: *Las medicinas combaten las enfermedades. La ropa se usa para combatir el frío.* □ FAMILIA: combate.

combinación [sustantivo] [femenino] **1** Prenda de ropa femenina que se lleva debajo del vestido o de la falda: *Llevo combinación para que no se me transparente la falda.* **2** Conjunto ordenado de números que sirven para hacer funcionar algo: *Si no sabes la combinación de la caja fuerte, no la podrás abrir.* **3** Unión de varias cosas para lograr un fin: *Yo tardo en llegar a casa, porque desde aquí hay muy mala combinación de autobuses.* □ FAMILIA: → combinar.

combinar [verbo] **1** Unir o mezclar cosas distintas para obtener un todo que tenga equilibrio entre sus partes: *Si combinamos tu optimismo y mi buen humor, nos convertiremos en una pareja muy alegre.* **2** Unir cosas distintas para lograr un fin: *Mis padres combinan sus horarios de trabajo para que nunca nos quedemos solos en casa.* □ FAMILIA: combinación.

combustible **1** [adjetivo] Que se quema fácilmente: *El alcohol es una sustancia combustible.* **2** [sustantivo masculino] Sustancia que se puede quemar y de la que se aprovecha la energía que produce durante el proceso: *La gasolina es el combustible que usan los coches.* □ [Cuando es adjetivo no varía en masculino y en femenino].

comedia [sustantivo femenino] **1** Obra de teatro que suele tratar temas agradables y que termina bien: *Fui al teatro a ver una comedia muy divertida.* **2** Lo que se hace para que algo parezca verdad sin serlo: *Parecía muy apenado, pero su tristeza era pura comedia.* □ FAMILIA: comediante, cómico.

comediante, ta [sustantivo] **1** Persona que representa un papel en el teatro o en el cine: *Los comediantes interpretaron la obra de teatro con mucha gracia.* **2** Persona que da a entender algo que no es verdad: *Menuda comedianta eres, que nos has hecho creer a todos que te habías enfadado.* □ [El significado **2** es coloquial]. SINÓNIMOS: **1** actor, cómico.

comedor [sustantivo masculino] Habitación o lugar donde se come: *Nuestro comedor es también sala de estar.* □ FAMILIA: → comer.

comentar [verbo] **1** Explicar algo para que se pueda comprender de una forma más fácil: *El profesor nos ha comentado esta poesía para que la entendiéramos.* **2** Dar una opi-

nión sobre algo: *Al día siguiente todos los periódicos comentaban las declaraciones del presidente.* □ FAMILIA: comentario.

comentario [sustantivo masculino] **1** Explicación que se hace de algo para que sea más fácil de entender: *Este libro tiene un comentario al final de cada capítulo.* **2** Idea u opinión sobre algo: *Me molestaron los comentarios que hizo sobre ti.* □ FAMILIA: → comentar.

comenzar [verbo] **1** Tener principio: *Muchos cuentos comienzan con «Érase una vez...».* **2** Dar principio: *El veintiuno de marzo comienza la primavera.* □ [Es irregular y se conjuga como EMPEZAR]. SINÓNIMOS: empezar. **1** iniciarse. **2** iniciar. CONTRARIOS: terminar, acabar, concluir, finalizar, ultimar. FAMILIA: comienzo.

comer [verbo] **1** Tomar alimento: *Comes muy poco y te vas a quedar en los huesos.* **2** Tomar la comida principal del día: *En mi casa comemos a las tres.* **3** Gastar o destruir poco a poco: *La lejía se come el color de la ropa.* **4** En algunos juegos, quitarle una pieza al contrario: *Te he comido una ficha y ahora cuento veinte.* **5** Molestar mucho y no dejar tranquilo: *Ponte este líquido si no quieres que te coman los mosquitos.* **comerse 6** Hacer parecer más pequeño o menos importante: *Este mueble tan grande se come media habitación.* **7** Saltarse una parte de un texto: *Si al leer te comes una palabra, la frase ya no tiene sentido.* **8** [expresión] **para comérselo** Muy guapo o muy atractivo: *Cuando el bebé se queda dormido pone una cara que está para comérselo.* **sin comerlo ni beberlo** Sin esperarlo o sin haber tenido parte: *Estaba esperando el autobús y, sin comerlo ni beberlo, me vi envuelta en el atraco del banco.* □ [Los significados **4** y **5** y las expresiones son coloquiales]. FAMILIA: comida, comedor, comestible, comilona, comilón.

comercial [adjetivo] **1** Del comercio o relacionado con esta actividad: *En casa solemos comprar la comida en unas galerías comerciales.* **2** Que se vende fácilmente: *Este diseño resulta muy comercial y hace que la gente compre el producto.* **3** [sustantivo] Persona que trabaja vendiendo los productos de la empresa a la que representa: *Los comerciales suelen cobrar según la cantidad de pro-*

ductos que venden. □ [No varía en masculino y en femenino]. FAMILIA: → comercio.

comerciante [sustantivo] Persona que trabaja vendiendo productos: *Los comerciantes se quejan de que han aumentado los robos a las tiendas.* □ [No varía en masculino y en femenino]. SINÓNIMOS: mercader. FAMILIA: → comercio.

comerciar [verbo] Comprar o vender productos: *Este anticuario comercia con muebles antiguos.* □ FAMILIA: → comercio.

comercio [sustantivo masculino] **1** Actividad que consiste en comprar o en vender algo: *Se dedica al comercio de objetos de arte.* **2** Tienda en la que se compran o se venden productos: *Trabajo de dependiente en un comercio de la esquina.* □ FAMILIA: comerciar, comerciante, comercial.

comestible 1 [adjetivo] Que se puede comer y no hace daño: *Los champiñones son setas comestibles.* **2** [sustantivo masculino] Producto que sirve de alimento: *Suelo comprar en una tienda de comestibles del barrio.* □ [El significado **1** no varía es masculino y en femenino]. FAMILIA: → comer.

cometa 1 [sustantivo masculino] Estrella que se mueve y que tiene una cola de luz: *Los cometas sólo se pueden ver de noche.* **2** [sustantivo femenino] Juguete de tela o de papel que se hace volar al viento sujetándolo de una cuerda: *Para que la cometa vuele hace falta que haya viento.*

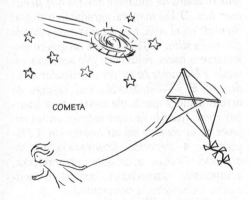

COMETA

cometer [verbo] Realizar una falta o un delito: *Todavía no saben quién cometió el asesinato.* □ FAMILIA: cometido, comisión.

cometido [sustantivo masculino] Deber que se tiene que cumplir: *Todos sabemos nuestro cometido,*

así que empecemos a trabajar. □ SINÓNIMOS: misión. FAMILIA: → cometer.

cómic [sustantivo masculino] **1** Historia que se dibuja: *Me divierten más los libros de cómics que las novelas.* **2** Libro o revista con estas historias: *Los tebeos son un tipo de cómic.* □ [Es una palabra de origen inglés. Su plural es *cómics*]. SINÓNIMOS: **1** historieta.

cómico, ca [adjetivo] **1** Que divierte y hace reír: *Con esa ropa de tu hermano mayor tienes un aspecto cómico.* **2** De las obras de teatro que tratan temas agradables y terminan bien: *Prefiero ver una obra cómica a una tragedia.* **3** [adjetivo o sustantivo] Dicho de un actor, que representa papeles graciosos: *Los hermanos Marx fueron grandes cómicos.* [sustantivo] **4** Persona que representa un papel en el teatro o en el cine: *Los cómicos siempre andan de un lado para otro con sus funciones.* **5** Persona que hace reír al público como profesión: *En esa sala de fiestas actúa un cómico muy divertido.* □ SINÓNIMOS: **1** divertido, gracioso. **4** actor, comediante. **5** humorista. CONTRARIOS: **1** serio, dramático. **1,2,3** trágico. FAMILIA: → comedia.

comida [sustantivo femenino] **1** Lo que toman las personas y los animales para vivir: *La nevera está llena de comida.* **2** Conjunto de alimentos que se toman generalmente al comienzo de la tarde: *Mi padre prepara la comida y mi madre, la cena.* **3** Tiempo durante el que se toman estos alimentos: *Durante la comida hablamos de lo que nos ha pasado durante el día.* □ SINÓNIMOS: **1** alimento, comercio. FAMILIA: → comer.

comienzo [sustantivo masculino] **1** Primer momento o primera parte de algo: *Cuéntame el comienzo de la historia, que no lo he oído.* **2** Origen o causa de algo: *Aquella amistad fue el comienzo de un gran amor.* **3** [expresión] **a comienzos** En los primeros momentos: *Me iré de vacaciones a comienzos de julio.* □ SINÓNIMOS: principio. **1,2** empiece. **1** inicio. **2** raíz. CONTRARIOS: fin, final, término. **2** consecuencia, efecto. FAMILIA: → comenzar.

comillas [sustantivo femenino plural] Signo escrito, formado por dos pequeñas líneas curvas o puntas de flecha: *En este ejemplo la palabra «coche» está escrita entre comillas.* □ FAMILIA: → coma.

a

b

c

d

e

f

g

h

i

j

k

l

m

n

ñ

o

p

q

r

s

t

u

v

w

x

y

z

comilón, -a 1 [adjetivo o/sustantivo] Que come mucho: *Estás tan gordo porque eres un comilón.* **2** [sustantivo femenino] Comida en la que hay una gran variedad de platos: *Después de la comilona todos teníamos ganas de dormir una siesta.* □ [Es coloquial]. SINÓNIMOS: festín. FAMILIA: → comer.

comino [sustantivo masculino] **1** Planta de flores blancas o rojas cuya semilla se usa para cocinar o para hacer perfumes: *El comino es una semilla muy pequeña y tiene forma ovalada.* **2** Persona de poca altura: *No sé cómo ese comino es capaz de meter tantas canastas.* **3** [expresión] **un comino** Muy poco o nada: *Me importa un comino lo que digas porque sé que no es verdad.* □ [Los significados **2** y **3** son coloquiales].

comisaría [sustantivo femenino] Oficina de policía: *Llevaron a declarar al detenido a la comisaría.* □ FAMILIA: → comisario.

comisario, ria [sustantivo] **1** Persona que recibe de otra persona la autoridad para llevar a cabo algo: *Los comisarios de la carrera han descalificado a uno de los corredores por dar un empujón a otro.* **2** Policía con mayor categoría de una zona: *El comisario fue el encargado de tomar la declaración del detenido.* □ FAMILIA: comisaría.

comisión [sustantivo femenino] **1** Grupo de personas que reciben la orden de hacer algo: *Un grupo de alumnos forma la comisión que realiza el periódico del colegio.* **2** Dinero que se paga según lo que se haya vendido: *Este vendedor tiene un sueldo fijo más una comisión según lo que venda.* □ FAMILIA: → cometer.

comitiva [sustantivo femenino] Conjunto de personas que van acompañando a otra en una ceremonia: *Después de oír el himno, los Reyes y su comitiva entraron en el palacio.* □ SINÓNIMOS: acompañamiento, corte, cortejo, séquito.

como [adverbio] **1** Indica la manera en que se realiza algo: *Lo haré como me has dicho.* **2** Indica que una cosa es igual o parecida a otra: *Tengo una bici como la tuya.* **3** Indica cantidad aproximada: *Seremos como veinte o treinta.* **4** De la misma forma que: *Para que te salga bien, tienes que hacerlo como lo hago yo.* [conjunción] **5** Se usa para expresar una condición: *Como no vengas, me voy a enfadar.* **6** Se usa para expresar una causa:

Como tengo frío, me he puesto el abrigo. □ [No confundir con cómo].

cómo [adverbio] **1** De qué manera: *¿Cómo te encuentras hoy? No sé cómo se puede resolver este problema.* **2** Por qué motivo: *No me explico cómo han salido tan mal nuestros planes.* **3** [interjección] Se usa para indicar sorpresa, admiración o disgusto: *Cuando le dije que le había roto su jersey favorito, soltó: «¿Cómo?».* **4** [expresión] **a cómo** A qué precio: *¿A cómo está el kilo de tomates?* **cómo no** Se usa para indicar que algo no puede ser de otra manera: *¡Cómo no, tenías que ser tú otra vez quien metiese la pata!* □ [No confundir con como].

cómoda [sustantivo femenino] Mira en **cómodo, da.**

comodidad [sustantivo femenino] **1** Cualidad de las cosas que producen una sensación de descanso o de bienestar: *Lo único que le pido a un sillón es comodidad.* **2** Ausencia de dificultades o de problemas: *Elegimos este piso porque lo podíamos pagar con comodidad.* **3** [plural] Lo que permite vivir con descanso y de una forma agradable: *Este camping cuenta con todas las comodidades.* □ SINÓNIMOS: **1** confort. CONTRARIOS: incomodidad. FAMILIA: → cómodo.

cómodo, da [adjetivo] **1** Que proporciona bienestar o descanso: *Mi cama es muy cómoda.* **2** Que puede usarse de manera fácil y sin esfuerzo: *Los coches automáticos son más cómodos de conducir que los que tienen marchas.* **3** De manera agradable o mejor: *Siéntate en el sofá, que estarás más cómodo que en la silla.* **4** [adjetivo o/sustantivo] Que no quiere molestarse o hacer esfuerzos: *¡No seas tan cómoda y levántate tú en vez de mandar a los demás!* **5** [sustantivo femenino] Mueble con cajones de arriba abajo y que suele usarse para guardar ropa: *Guardo la ropa interior en los cajones de la cómoda de mi habitación.* □ SINÓNIMOS: **4** comodón. CONTRARIOS: **1-3** incómodo. FAMILIA: acomodar, acomodador, acomodado, comodidad, comodón, incómodo, incomodar, incomodidad.

comodón, -a [adjetivo o/sustantivo] Que no quiere molestarse o hacer esfuerzos: *No seas comodona y, si quieres beber, ve tú misma a coger agua.* □ [Es coloquial]. SINÓNIMOS: cómodo. FAMILIA: → cómodo.

[compact disc [sustantivo masculino] Disco de pequeño

tamaño que tiene mucha calidad de sonido: *El compact disc se graba utilizando un rayo láser.* □ [Es una expresión inglesa. Se pronuncia «cómpac disc»]. SINÓNIMOS: disco compacto. FAMILIA: → disco.

compadecer [verbo] Sentir pena o compasión ante el dolor de los demás o ante sus problemas: *Compadécete de mí y ayúdame, por favor.* □ [Es irregular y se conjuga como PARECER]. SINÓNIMOS: apiadarse. FAMILIA: compasión, compasivo.

compañerismo [sustantivo/masculino] Relación que tienen entre sí los buenos compañeros y los buenos amigos: *En clase hay mucho compañerismo y nos ayudamos unos a otros.* □ SINÓNIMOS: camaradería. FAMILIA: → compañía.

compañero, ra [sustantivo] **1** Lo que es una persona en relación con otra que tiene su misma actividad o que está en su mismo grupo: *Los compañeros del equipo me felicitaron cuando metí el gol.* **2** Lo que hace juego con otra cosa: *No encuentro el compañero de este calcetín.* □ FAMILIA: → compañía.

compañía [sustantivo/femenino] **1** Unión con alguien: *Llegó en compañía de toda su familia.* **2** Situación del que está acompañado: *Me gusta la gente y busco compañía, porque la soledad me pone triste.* **3** Persona o personas que acompañan a otra: *Dice que si ando con malas compañías, acabaré mal.* **4** Asociación de personas para hacer algo: *¿En qué compañía aérea vas a viajar al extranjero?* **5** Grupo de actores que se unen para representar obras de teatro: *Cuando acabó la función, toda la compañía salió al escenario para saludar al público.* **6** Grupo de soldados que forma parte de otro grupo mayor: *Una compañía suele estar bajo el mando de un capitán.* □ CONTRARIOS: **2** soledad. FAMILIA: compañero, compañerismo, acompañar, acompañante, acompañamiento.

comparable [adjetivo] Que se puede comparar con otra cosa: *Estas dos prendas de vestir no son comparables, porque una es un abrigo y la otra, un bañador.* □ [No varía en masculino y en femenino]. CONTRARIOS: incomparable. FAMILIA: → comparar.

comparación [sustantivo/femenino] **1** Examen de dos o más cosas para ver en qué se parecen y en qué se diferencian: *No me gusta hacer comparaciones entre las personas.* **2** Parecido entre varias cosas: *Entre un libro tan divertido y uno tan aburrido no hay comparación.* □ FAMILIA: → comparar.

comparar [verbo] Examinar dos o más cosas para ver lo que tienen semejante y lo que tienen diferente: *A ese cantante no le gusta que lo comparen con nadie.* □ FAMILIA: comparación, comparable, comparativo, incomparable.

comparativo, va [adjetivo] Que sirve para comparar: *«Ana es más alta que Luis» es una frase comparativa.* □ FAMILIA: → comparar.

compartir [verbo] **1** Tener o usar algo entre varias personas: *Todos los vecinos de la casa compartimos el ascensor. Si no tienes comida, puedo compartir la mía contigo.* **2** Estar de acuerdo con algo: *Comparto tu opinión.* □ FAMILIA: → parte.

compás 1 [sustantivo/masculino] Instrumento formado por dos piezas unidas en un extremo y que sirve para dibujar círculos o curvas: *Necesito un compás para la clase de dibujo lineal.* **2** [expresión] **al compás** Al mismo ritmo: *Una pareja bailaba al compás de la música que había en la radio.* □ FAMILIA: acompasar.

COMPÁS

compasión [sustantivo/femenino] Pena que se siente ante el dolor de los demás y que nos lleva a ayudarlos: *Sintió compasión de aquella mujer y le ofreció su ayuda.* □ SINÓNIMOS: piedad, misericordia, caridad, clemencia. CONTRARIOS: crueldad. FAMILIA: → compadecer.

compasivo, va [adjetivo] Que siente pena ante el dolor de los demás y los ayuda: *Es una persona muy compasiva y siempre intenta ayudar a quien lo necesita.* □ SINÓNI-

a b **c** d e f g h i j k l m n ñ o p q r s t u v w x y z

a

b

c

d

e

f

g

h

i

j

k

l

m

n

ñ

o

p

q

r

s

t

u

v

w

x

y

z

MOS: misericordioso, piadoso, caritativo. CONTRARIOS: cruel. FAMILIA: → compadecer.

compatriota [sustantivo] Persona de la misma nación que otra: *Nunca pensé que hubiera compatriotas míos en un país tan alejado.* □ [No varía en masculino y en femenino]. FAMILIA: → patria.

compenetrarse [verbo] Entenderse muy bien una persona con otra: *Todo el grupo nos hemos compenetrado y trabajamos muy bien juntos.* □ FAMILIA: → penetrar.

compensar [verbo] **1** Hacer que algo se iguale con otra cosa por medio de su contrario: *Compensa tu pesimismo con buen humor.* **2** Merecer la pena: *¿Te compensa irte hasta tan lejos a comprar el pan, aunque sea una peseta más barato?* □ FAMILIA: recompensar, recompensa.

competencia [sustantivo femenino] **1** Lucha para conseguir una misma cosa: *Existe mucha competencia entre los fabricantes de coches.* **2** Asunto que debe realizar alguien: *Una de las competencias del director es organizar el comedor del colegio.* **3** Capacidad que tiene alguien para hacer algo bien: *Ése es un buen abogado y nadie duda de su competencia.* □ SINÓNIMOS: **1** rivalidad. FAMILIA: → competir.

competición [sustantivo femenino] Prueba deportiva en la que se intenta conseguir la victoria: *Mi equipo quedó eliminado de la competición de baloncesto.* □ FAMILIA: → competir.

competir [verbo] Tener una lucha para conseguir una misma cosa: *Todos los atletas competían para ganar la carrera.* □ [Es irregular y se conjuga como PEDIR]. FAMILIA: competencia, competición.

compinche [sustantivo] Amigo o compañero: *La policía ya ha descubierto a los compinches del asesino.* □ [No varía en masculino y en femenino. Es coloquial].

complacer [verbo] **1** Gustar mucho: *Me complace que vengas a verme.* **2** Conseguir que alguien tenga lo que quiere: *Me gustaría complacerte, pero no puedo acompañarte al zoo.* □ [Es irregular y se conjuga como PARECER]. SINÓNIMOS: **1** agradar. CONTRARIOS: desagradar. FAMILIA: → placer.

complaciente [adjetivo] Que se muestra dispuesto a dar lo que se le pide: *Es una per-*

sona muy complaciente y, si puede, te ayudará. □ [No varía en masculino y en femenino]. FAMILIA: → placer.

complejo, ja **1** [adjetivo] Difícil de entender: *Esta teoría es muy compleja y no entiendo nada.* [sustantivo masculino] **2** Conjunto de edificios que tienen un mismo fin y que están en un mismo lugar: *En esta zona de la playa han construido un complejo turístico.* **3** Conjunto de ideas y sensaciones que influyen en el carácter de una persona y la hacen comportarse de determinada manera: *No debes tener complejo de feo sólo porque lleves gafas.* □ SINÓNIMOS: **1** complicado.

complemento [sustantivo masculino] Lo que se añade para completar algo: *En las tiendas de complementos venden bolsos, joyas y pañuelos. La ensalada es un buen complemento para algunas comidas.* □ FAMILIA: → completar.

completar [verbo] Hacer que algo esté perfecto, terminado o entero: *Me faltó un poco de tiempo para completar el examen y lo entregué sin terminar.* □ FAMILIA: completo, complemento, incompleto.

completo, ta [adjetivo] **1** Lleno o sin ningún sitio libre: *La sala de cine estaba completa.* **2** Perfecto o terminado: *Has hecho un trabajo muy completo.* **3** Entero o con todas sus partes: *Me faltan dos cromos para tener completa la colección.* **4** Total o sin límites: *Nuestra actuación fue un completo éxito.* □ SINÓNIMOS: **3** íntegro. **4** absoluto. CONTRARIOS: incompleto. **4** parcial. FAMILIA: → completar.

complicación [sustantivo femenino] Problema que hace más difícil una cosa: *Cuando estás nervioso, todo te parecen complicaciones.* □ FAMILIA: → complicar.

complicado, da [adjetivo] **1** Difícil de entender: *No me enteré de nada de la película porque tenía un argumento muy complicado.* **2** Formado por muchas piezas: *No sé manejar esta cámara de fotos porque es muy complicada.* □ SINÓNIMOS: **1** complejo. FAMILIA: → complicar.

complicar [verbo] **1** Hacer que algo sea difícil o que sea más difícil que antes: *No compliques más las cosas, que ya están muy liadas.* **2** Hacer que alguien participe en algo que se considera malo: *No me compli-*

ques en tus problemas, porque no quiero saber nada. □ [La c se cambia en qu ante e, como en SACAR]. FAMILIA: complicado, complicación.

cómplice **1** [adjetivo] Que muestra que hay unión entre dos personas para realizar un delito o una acción: Los dos detenidos se cruzaron una mirada cómplice. **2** [sustantivo] Persona que ayuda a otra a realizar un delito: La policía sospecha que el ladrón actuó con un cómplice. □ [No varía en masculino y en femenino].

componente [sustantivo] Cada una de las cosas que componen algo: Uno de los componentes de ese grupo musical es mi vecino. El oxígeno es un componente del agua. □ [Se puede decir el componente y la componente sin que cambie el significado]. FAMILIA: → componer.

componer [verbo] **1** Formar algo varias partes: Todos los que componemos el equipo somos amigos. **2** Arreglar algo uniendo las partes que lo forman: Yo te doy las piezas y tú compones el puzzle. **3** Hacer una obra musical: He compuesto una canción muy bonita. **4** componerse Estar formado por determinadas partes: Este libro se compone de dos partes: una con fotos y otra con texto. □ [Es irregular y se conjuga como PONER. Su participio es compuesto]. SINÓNIMOS: **1** constituir. **4** constar. CONTRARIOS: **1** descomponer. FAMILIA: composición, compositor, compuesto, componente, descomponer, descompuesto.

comportamiento [sustantivo masculino] Forma de ser y de actuar una persona: Como premio por mi buen comportamiento me llevaron al parque de atracciones. □ SINÓNIMOS: conducta, proceder. FAMILIA: → comportarse.

comportarse [verbo] Tener determinado comportamiento: Me he comportado muy bien y mis padres están muy contentos conmigo. □ SINÓNIMOS: portarse, actuar, obrar, proceder, conducirse. FAMILIA: comportamiento.

composición [sustantivo] **1** Conjunto de todas las partes que forman algo: Leí en la caja la composición del medicamento. **2** Poema u obra musical: Tengo que hacer una composición poética para leerla en clase. **3** Forma en que algo está compuesto y ordenado: Este pintor es famoso por la composición tan curiosa de sus cuadros. **4** Forma de hacer

algunas palabras uniendo unas a otras: «Abrelatas» es una palabra que se ha formado por composición. □ FAMILIA: → componer.

compositor, -a [sustantivo] Persona que hace obras musicales: Esta mujer es una de las mejores compositoras actuales de música clásica. □ FAMILIA: → componer.

compota [sustantivo femenino] Dulce hecho con fruta cocida con agua y azúcar: He comido compota de manzana.

compra [sustantivo femenino] **1** Hecho de conseguir algo a cambio de dinero: ¿Quieres salir de compras conmigo? **2** Lo que se consigue a cambio de dinero: Saca la compra y métela en la nevera. □ CONTRARIOS: venta. FAMILIA: → comprar.

comprador, -a [sustantivo] Persona que compra algo: Mi madre quiere vender el coche y está buscando compradores. □ CONTRARIOS: vendedor. FAMILIA: → comprar.

comprar [verbo] Conseguir algo a cambio de dinero: ¿Has comprado la leche? □ SINÓNIMOS: adquirir. CONTRARIOS: vender. FAMILIA: compra, comprador.

comprender [verbo] **1** Tener claro el significado de algo: Comprendo muy bien lo que quieres decir. **2** Encontrar natural o justo: No comprendo tu comportamiento conmigo después de todo lo que he hecho por ti. **3** Contener o incluir dentro de sí: Este ciclo de enseñanza comprende dos cursos. □ SINÓNIMOS: **1,2** entender. **3** abarcar. FAMILIA: comprensión, comprensible, comprensivo, incomprensible, incomprendido, incomprensión.

comprensible [adjetivo] Que se puede comprender bien: Me gustaría que hablaras de forma más comprensible, porque no te entiendo. □ [No varía en masculino y en femenino. Es distinto de comprensivo, que significa que sabe comprender las ideas de los demás]. SINÓNIMOS: accesible. CONTRARIOS: incomprensible. FAMILIA: → comprender.

comprensión [sustantivo femenino] **1** Capacidad para entender algo: El profesor de inglés valora tanto la comprensión oral como la escrita. **2** Capacidad de una persona para ponerse en el lugar de los demás y entender y aceptar sus ideas o su comportamiento: La com-

a
b
c
d
e
f
g
h
i
j
k
l
m
n
ñ
o
p
q
r
s
t
u
v
w
x
y
z

prensión de mis padres hace que les cuente todos mis problemas. ☐ CONTRARIOS: **2** incomprensión. FAMILIA: → comprender.

comprensivo, va [adjetivo] Que acepta las ideas o el comportamiento de los demás porque sabe entenderlos: *Mis padres son muy comprensivos conmigo.* ☐ [Es distinto de comprensible, que significa que se puede comprender bien]. FAMILIA: → comprender.

compresa [sustantivo] [femenino] **1** Especie de tela que se usa para cubrir una herida o para poner frío o calor sobre una parte del cuerpo: *Como tenía mucha fiebre, me pusieron una compresa de agua fría en la frente.* **2** Especie de tela que se usa para absorber la sangre de la mujer que tiene el período: *Mi madre compra las compresas en la droguería.*

comprimir [verbo] Apretar algo o hacer que ocupe menos espacio: *Los ordenadores pueden comprimir la información para que quepan más datos en un disquete.* ☐ CONTRARIOS: soltar.

comprobar [verbo] Asegurarse de que algo es verdad: *Fui a ver esa película para comprobar si era divertida o no.* ☐ [Es irregular y se conjuga como CONTAR]. FAMILIA: → probar.

comprometer [verbo] **1** Hacer que alguien sienta la obligación de hacer algo: *No me comprometas en la excursión, que no quiero participar en los preparativos.* **2** Poner algo en peligro o en una situación difícil: *Ese escándalo ha comprometido la fama de ese actor.* **comprometerse 3** Hacer la promesa de que se va a hacer algo: *Me he comprometido a acompañarte y lo haré.* **4** Darse la promesa de casarse: *Mi hermano y su novia se han comprometido, y quieren casarse dentro de tres meses.* ☐ SINÓNIMOS: **4** prometerse. FAMILIA: compromiso, comprometido.

comprometido, da [adjetivo] **1** Difícil o con peligro: *Estoy en una situación muy comprometida, y no sé qué hacer para salir de ella.* **2** Que ha aceptado una obligación: *Las personas comprometidas con la sociedad se interesan por solucionar los problemas que nos afectan a todos.* ☐ FAMILIA: → comprometer.

compromiso [sustantivo] [masculino] **1** Obligación que tiene una persona de hacer algo: *Todos te-*

nemos el compromiso de cuidar la naturaleza. **2** Situación que resulta difícil de resolver: *¡Vaya compromiso!, le dije que viniera esta tarde a casa y tengo que salir.* **3** Promesa de casarse: *El príncipe anunció su compromiso con la princesa.* ☐ SINÓNIMOS: **2** aprieto, apuro. FAMILIA: → comprometer.

compuesto, ta 1 Participio irregular de **componer. 2** [adjetivo] Que está formado por varias partes: *Tengo un traje compuesto de chaqueta, chaleco y pantalón. El pretérito perfecto «he comido» es un tiempo compuesto, y el pretérito imperfecto «comía» es un tiempo simple.* **3** [sustantivo] [masculino] Sustancia formada por la mezcla de dos o más cosas: *El agua es un compuesto natural formado por hidrógeno y oxígeno.* ☐ CONTRARIOS: **2** simple. FAMILIA: → componer.

computadora [sustantivo] [femenino] Máquina que trabaja de forma automática y muy rápida con la información que se le proporciona: *Las computadoras han sustituido el trabajo de algunas personas.* ☐ [Se usa también el masculino computador]. SINÓNIMOS: ordenador.

comulgar [verbo] Tomar en la misa una especie de pan que representa el cuerpo de Jesucristo: *Para poder comulgar es necesario haberse confesado antes.* ☐ [La g se cambia en gu delante de e, como en PAGAR].

común [adjetivo] **1** Que pertenece a varios y no es de uno solo: *Tenemos un problema común y entre todos debemos resolverlo.* **2** Que no sorprende, porque siempre es así: *Es común que llueva en las regiones húmedas.* **3** Que existe en gran cantidad: *El olivo es una planta común en el sur de España.* **4** Que no destaca y es como muchos otros: *Es un chico común, ni muy guapo ni muy feo.* **5** [expresión] **en común** Que corresponde a dos o más personas: *Mis hermanos y yo tenemos muchas cosas en común.* ☐ [No varía en masculino y en femenino]. SINÓNIMOS: **2** natural. **2-4** corriente, normal, ordinario. **2,3** habitual. CONTRARIOS: **2-4** anormal, raro, sorprendente, extraño, excepcional, singular. **3,4** único. **4** especial, particular, original. FAMILIA: comunidad, comunismo, comunista, comunión.

comunicación [sustantivo] [femenino] **1** Hecho de dar información por medio de signos o señales: *La* *comunicación entre personas puede hacerse de forma oral o escrita.* **2** Relación o unión que se establece entre dos o más cosas: *La tormenta ha cortado la comunicación entre varios pueblos de la montaña. Las carreteras son vías de comunicación.* **3** Cualquier cosa que se hace saber: *El periódico ha publicado una comunicación del Gobierno sobre el asunto.* **4** [plural] Conjunto de medios que sirven para unir lugares y personas: *Varios grupos de personas han trabajado día y noche para restablecer las comunicaciones.* □ FAMILIA: → comunicar.

comunicar [verbo] **1** Hacer llegar una información: *El profesor nos comunicó que el viernes no había clase. Los sordomudos se comunican con gestos.* **2** Hacer llegar una sensación o un estado de ánimo: *El fuego comunica calor.* **3** Unir dos o más lugares o cosas: *Los puentes comunican una orilla del río con la otra.* **4** Establecer una relación una persona con otra: *Logré comunicar con mi amiga después de llamarla varias veces por teléfono.* **5** Dar un teléfono la señal que indica que la línea está ocupada: *El teléfono comunicaba porque he estado hablando con una amiga.* □ [La c se cambia en qu delante de e, como en SACAR]. SINÓNIMOS: **1** decir, manifestar. **2** transmitir. **3** conectar. CONTRARIOS: **1** callar. **3** incomunicar. FAMILIA: comunicación, incomunicar.

comunidad 1 [sustantivo femenino] Grupo de personas que están unidas por algo o que tienen las mismas características: *Mis padres son este año los presidentes de la comunidad de vecinos.* **2** [expresión] **comunidad autónoma** En España, región que no depende del Gobierno de la nación en algunos aspectos: *Sevilla pertenece a la comunidad autónoma andaluza.* □ SINÓNIMOS: **2** autonomía. FAMILIA: → común.

comunión [sustantivo femenino] Hecho de tomar en la misa una especie de pan que representa el cuerpo de Jesucristo: *Hice mi primera comunión a los diez años.* □ FAMILIA: → común.

comunismo [sustantivo masculino] Conjunto de ideas que defienden que todas las cosas son de todas las personas: *El comunismo intenta que las riquezas de un país estén repartidas entre todas las personas.* □ FAMILIA: → común.

comunista [adjetivo o sustantivo] Que defiende la idea de que todas las cosas son de todas las personas: *Los comunistas se presentan a las elecciones bajo un mismo partido político.* □ [No varía en masculino y en femenino]. FAMILIA: → común.

con [preposición] **1** Indica el instrumento que se usa para hacer algo: *Golpeé el clavo con un martillo.* **2** Indica el modo de hacer algo: *Lo hice con muchas ganas.* **3** Indica compañía: *Saldré con mi hermano.* **4** Indica el contenido de algo: *Rellené el cojín con espuma.* **5** Indica relación o unión: *Mi calle se junta con la tuya en la plaza.* **6** Indica que lo que se expresa es suficiente: *Yo creo que sobra con dos para cada uno.* **7** A pesar de: *¡Qué bien me ha salido el dibujo, con lo patoso que soy...!* □ CONTRARIOS: **2,3** sin.

concebir [verbo] **1** Formar en la mente una idea: *El autor de este libro concibió el argumento mientras estaba prisionero.* **2** Empezar a formarse un hijo dentro del cuerpo de su madre: *Una mujer no puede concebir hasta que no haya tenido la primera menstruación.* **3** Empezar a sentir un deseo que se puede cumplir: *Si no estudias, no concibas esperanzas sobre ir en verano a la playa.* **4** Comprender o creer posible: *No concibo cómo te has podido portar tan mal.* □ [Es irregular y se conjuga como PEDIR]. SINÓNIMOS: **1** idear. FAMILIA: concepto, anticonceptivo.

conceder [verbo] **1** Dar una persona lo que otra le pide: *El genio de la lámpara me concedió un deseo.* **2** Dar a algo determinado valor o importancia: *No debes conceder mucha importancia al premio que te han dado.* □ SINÓNIMOS: **1** otorgar. FAMILIA: concesionario.

concejal, -a [sustantivo] Persona que ayuda al alcalde en sus actividades: *La concejala de Sanidad ha visitado el nuevo hospital.*

concentración [sustantivo femenino] **1** Unión en un mismo lugar de lo que antes está separado: *En este hotel será la concentración de futbolistas.* **2** Atención que se pone al hacer algo: *Estudio con concentración.* □ FAMILIA: → concentrar.

concentrar [verbo] **1** Poner en un mismo lu-

a
b
c
d
e
f
g
h
i
j
k
l
m
n
ñ
o
p
q
r
s
t
u
v
w
x
y
z

gar lo que antes estaba separado: *La gente se concentró a las puertas del estadio de fútbol.* **2** Quitar el agua o el líquido a una sustancia: *En mi casa tomamos leche concentrada.* **3** Ser el centro de algo: *Ese actor concentró la atención de los periodistas.* **4** **concentrarse** Poner mucha atención al hacer algo: *Cuando no hay ruido, me concentro muy bien en el estudio.* □ FAMILIA: concentración.

concepto [sustantivo] [masculino] **1** Idea que se forma en la mente: *El concepto de justicia es algo que cambia en cada sociedad y en cada momento histórico.* **2** Opinión que se tiene sobre alguien o sobre algo: *Me gusta tu compañía y tengo un buen concepto de ti.* □ FAMILIA: → concebir.

concesionario [sustantivo] [masculino] Persona o empresa que tiene permiso para construir, vender o usar algo: *Mis padres han comprado el coche en un concesionario que hay cerca de casa.* □ [No confundir con confesonario o confesionario]. FAMILIA: → conceder.

concha [sustantivo] [femenino] **1** Pieza dura que cubre el cuerpo de algunos animales: *La concha de los mejillones se abre cuando se cuecen.* 🐚 página 537. **2** Material duro que se usa para hacer peines y otros objetos: *Mi hermana tiene un joyero de concha.*

conciencia [sustantivo] [femenino] **1** Conjunto de ideas de una persona sobre lo que está bien y lo que está mal: *Mi conciencia me dice que he sido egoísta y no me he portado bien con mis amigos.* **2** Capacidad que tenemos para darnos cuenta de lo que sucede a nuestro alrededor: *El herido perdió la conciencia durante un rato.* **3** [expresión] **a conciencia** Con todo el esfuerzo posible: *He limpiado mi habitación a conciencia.* □ SINÓNIMOS: **2** sentido, conocimiento. FAMILIA: consciente, inconsciente.

concierto [sustantivo] [masculino] **1** Espectáculo musical en el que se tocan instrumentos o se cantan canciones: *Mañana hay un concierto de mi cantante preferido.* 🐚 página 342. **2** Obra musical para varios instrumentos: *Me gusta mucho el concierto que escribió Joaquín Rodrigo inspirado en Aranjuez.*

concilio [sustantivo] [masculino] Unión de religiosos para tratar algún tema de religión: *El Papa presidió el concilio de obispos en Roma.*

concluir [verbo] **1** Llegar algo al fin: *Cuando concluyó la reunión, el director nos dio las gracias por colaborar.* **2** Dar fin a algo: *Cuando concluya lo que estoy haciendo, bajaré a la calle.* **3** Llegar a una conclusión: *Uno de los asistentes concluyó que lo mejor para todos era colaborar.* □ [La i se cambia en y delante de a, e, o, como en HUIR]. SINÓNIMOS: **1,2** acabar, terminar, finalizar. CONTRARIOS: empezar, iniciar, comenzar. FAMILIA: conclusión.

conclusión **1** [sustantivo] [femenino] Resultado o consecuencia a los que se llega después de examinar algo: *Estuve pensando mucho y llegué a la conclusión de que yo estaba equivocado.* **2** [expresión] **en conclusión** Para terminar: *En conclusión, ¿nos hemos puesto de acuerdo o no?* □ FAMILIA: → concluir.

concretar [verbo] Hacer que algo sea exacto y claro, o que se reduzca a lo importante: *Hay que concretar esta discusión en varios puntos. Concreta la respuesta y no te enrolles.* □ FAMILIA: → concreto.

concreto, ta [adjetivo] **1** Que es uno en particular y no cualquier otro: *Quiero ver esa película concreta, no cualquier película de aventuras.* **2** Que existe en el mundo material y se puede conocer por los sentidos: *Un objeto es algo concreto, frente a una idea, que es algo abstracto.* **3** Exacto o que consta sólo de lo esencial: *No te enrolles con hipótesis y dame datos concretos.* □ SINÓNIMOS: **1** determinado. CONTRARIOS: **2** abstracto. FAMILIA: concretar.

concurrido, da [adjetivo] Con mucha gente: *Este gimnasio está muy concurrido en los meses anteriores al verano.*

concursante [sustantivo] Persona que participa en una competición en la que se gana algo: *Varios concursantes del programa de televisión se llevaron un coche.* □ [No varía en masculino y en femenino]. FAMILIA: → concursar.

concursar [verbo] Participar en una competición para intentar ganar algo: *Concursé en un concurso de poesía y me llevé el segundo premio.* □ FAMILIA: → concurso.

concurso [sustantivo] [masculino] Competición entre varias personas para conseguir un premio o un trabajo: *He ido a la tele a ver un concurso.* □ FAMILIA: concursante, concursar.

conde [sustantivo] [masculino] Título que poseen algunos hombres que pertenecen a la clase noble: *Por encima de los condes están los marqueses.* □ [El femenino es *condesa*].

condecoración [sustantivo] [femenino] Hecho de dar un objeto a alguien como reconocimiento a algo que ha hecho: *Los reyes asistieron a la condecoración de los soldados más valientes.* □ FAMILIA: → condecorar.

condecorar [verbo] Dar a una persona un objeto como reconocimiento a algo que ha hecho: *Han condecorado a estos soldados por su valor.* □ FAMILIA: condecoración.

condena [sustantivo] [femenino] **1** Castigo que se pone a la persona que ha hecho un delito: *El ladrón cumplirá la condena en la cárcel de la ciudad.* **2** Hecho de decir que algo es malo: *Todos estamos de acuerdo en la condena de la violencia.* □ CONTRARIOS: perdón, disculpa, absolución. FAMILIA: → condenar.

condenar [verbo] **1** Poner un castigo por haber hecho algo malo: *El juez condenó al ladrón a cinco años de cárcel.* **2** Decir que algo es malo: *Todo el mundo ha condenado el atentado terrorista.* **3** Hacer que algo sea obligatorio: *La última película de este actor fue un fracaso y lo ha condenado al olvido.* **4 condenarse** Ir al infierno: *Las almas que se condenen vivirán eternamente apartadas de Dios.* □ CONTRARIOS: **1,2** perdonar, disculpar, absolver. **1,3,4** salvar. FAMILIA: condena.

condesa [sustantivo] [femenino] Título que poseen algunas mujeres que pertenecen a la clase noble: *Las condesas se acercaron a saludar al rey después de las marquesas.* □ [El masculino es *conde*].

condición [sustantivo] [femenino] **1** Lo que es necesario para que algo ocurra: *Una de las condiciones para participar en este concurso de poesía es que tengas entre ocho y doce años. Te acompaño con la condición de que me ayudes a acabar esto.* **2** Conjunto de características de una persona o de una cosa: *Para ser deportista hay que tener buenas condiciones físicas.* **3** Situación en que se encuentra una persona o una cosa: *Con el pie*

escayolado *no estás en condición de andar mucho.* **4** [plural] Capacidad de una persona para hacer algo bien: *Mi profesor de piano dice que tengo condiciones para la música.* □ SINÓNIMOS: **4** aptitud. FAMILIA: condicional, acondicionar.

condicional 1 [adjetivo] Con condiciones: *Los presos que tienen libertad condicional no pueden abandonar la ciudad donde viven.* **2** [sustantivo] [masculino] En gramática, tiempo del verbo que se conjuga con las terminaciones *-ría, -rías, -ría, -ríamos, -ríais, -rían*: *El condicional del verbo «ganar» es «ganaría», «ganarías», etc.* □ [El significado **1** no varía en masculino y en femenino]. FAMILIA: → condición.

condimento [sustantivo] [masculino] Lo que sirve para dar más sabor a la comida: *La sal y la pimienta son condimentos.*

cóndor [sustantivo] [masculino] Ave de gran tamaño, con la cabeza y el cuello sin plumas y las del cuerpo muy fuertes y oscuras: *El cóndor se parece al buitre.*

CÓNDOR

conducción [sustantivo] [femenino] **1** Hecho de conducir un vehículo: *Le pusieron una multa por conducción peligrosa.* **2** Hecho de llevar algo a un lugar: *Unos obreros están poniendo las tuberías que sirven para la conducción del gas.* **3** Conjunto de tubos que se usan para llevar un líquido o un gas a un lugar: *Ya han arreglado las conducciones de agua.* □ FAMILIA: → conducir.

conducir [verbo] **1** Llevar o dirigir hacia un lugar: *Nos perdimos en el metro y un señor nos condujo hasta la salida.* **2** Llevar un vehículo: *No puedes conducir un coche hasta que tengas dieciocho años.* **3** Llevar hasta un resultado: *El esfuerzo nos condujo a la victoria.* **4 conducirse** Tener determinado comportamiento: *Hace días que se conduce de forma extraña.* □ [Es irregular]. SINÓNIMOS: **1** guiar. **4** actuar, obrar, proceder, comportarse, portarse. FAMILIA: conducción, conducta, conducto, conductor.

conducta [sustantivo femenino] Forma de ser y de actuar una persona: *Mis padres me dijeron que estaban orgullosos de mi buena conducta.* □ SINÓNIMOS: comportamiento, proceder. FAMILIA: → conducir.

conducto [sustantivo masculino] **1** Hueco o tubo que sirve para llevar algo a algún sitio: *Las venas son conductos por donde va la sangre.* **2** Medio que se sigue para hacer algo: *Los periodistas se enteraron de la noticia por un conducto oficial.* □ SINÓNIMOS: canal. **2** vía. FAMILIA: → conducir.

conductor, -a 1 [sustantivo] Persona que conduce un vehículo: *El conductor del autobús nos indicó dónde debíamos bajarnos.* **2** [sustantivo masculino] Cuerpo que permite el paso del calor o de la electricidad: *Los metales son buenos conductores.* □ SINÓNIMOS: **1** piloto. FAMILIA: → conducir.

conectar [verbo] **1** Unir o poner en relación dos o más lugares o cosas: *Esta carretera conecta los dos extremos de la ciudad.* **2** Ha-

conducir	conjugación
INDICATIVO	**SUBJUNTIVO**
presente	**presente**
conduzco	conduzca
conduces	conduzcas
conduce	conduzca
conducimos	conduzcamos
conducís	conduzcáis
conducen	conduzcan
pretérito imperfecto	**pretérito imperfecto**
conducía	condujera, -ese
conducías	condujeras, -eses
conducía	condujera, -ese
conducíamos	condujéramos, -ésemos
conducíais	condujerais, -eseis
conducían	condujeran, -esen
pretérito indefinido	**futuro**
conduje	condujere
condujiste	condujeres
condujo	condujere
condujimos	condujéremos
condujisteis	condujereis
condujeron	condujeren
futuro	**IMPERATIVO**
conduciré	**presente**
conducirás	conduce (tú)
conducirá	conduzca (él)
conduciremos	conduzcamos (nosotros)
conduciréis	conducid (vosotros)
conducirán	conduzcan (ellos)
condicional	**FORMAS NO PERSONALES**
conduciría	**infinitivo** **gerundio**
conducirías	conducir conduciendo
conduciría	**participio**
conduciríamos	conducido
conduciríais	
conducirían	

cer que se toquen dos o más cosas: *La radio no funciona porque hay dos cables que no están conectados.* **3** Hacer que empiece a funcionar un aparato eléctrico: *Conecta la tele, que quiero ver los dibujos animados.* □ SINÓNIMOS: **1** comunicar. FAMILIA: conexión.

conejo, ja 1 [sustantivo] Animal con las orejas largas y las patas de atrás muy grandes, que corre dando saltos: *El conejo se escondió en su madriguera.* **2** [expresión] **conejillo de Indias** Lo que se usa para probar algo y ver qué sucede: *Mi hermano mayor hizo un postre nuevo y nos usó a toda la familia como conejillos de Indias para ver si estaba bueno.*

conexión [sustantivo femenino] **1** Relación o situación que existe entre dos cosas que se comunican: *Lo que acabas de decir no tiene ninguna conexión con lo que yo había dicho.* **2** Unión de una cosa con otra de forma que se toquen: *Hay que pedir permiso al Ayuntamiento para la conexión de los cables a la red eléctrica central.* □ SINÓNIMOS: contacto. FAMILIA: → conectar.

confección [sustantivo femenino] Hecho de realizar algo que está formado por varias partes, especialmente prendas de vestir: *Mi padre es sastre y se dedica a la confección de ropa de caballero. El jefe de estudios de mi colegio es el encargado de la confección de los horarios.* □ FAMILIA: confeccionar.

confeccionar [verbo] Hacer algo formado de varias partes: *En el colegio hemos confeccionado un cartel con muchas fotografías.* □ SINÓNIMOS: elaborar. FAMILIA: → confección.

conferencia [sustantivo femenino] **1** Exposición pública de un tema: *Mañana hay una conferencia en el salón de actos sobre cómo cuidar la naturaleza.* **2** Conversación de varias personas para tratar un tema: *En la conferencia de paz han participado políticos de todo el mundo.* **3** Llamada de teléfono entre dos provincias o entre dos países: *Si tú vives en Toledo y llamas por teléfono a alguien que vive en Cuenca, estás poniendo una conferencia.* □ SINÓNIMOS: **2** congreso. FAMILIA: conferenciante.

conferenciante [sustantivo] Persona que habla en público sobre un tema: *Al final de la* *charla, el conferenciante dijo que podíamos hacer preguntas.* ☐ [No varía en masculino y en femenino]. FAMILIA: → conferencia.

confesar [verbo] **1** Decir algo que antes no se había querido decir: *El ladrón confesó su culpa.* **2** Decir a un sacerdote las faltas que se tienen: *Soy católico y me confieso para que Dios perdone mis pecados.* **3** Oír un sacerdote las faltas de una persona: *El sacerdote confesó al moribundo.* ☐ [Es irregular y se conjuga como PENSAR]. FAMILIA: confesión, confesor, confesionario.

confesión [sustantivo femenino] **1** Hecho de decir algo que antes se había ocultado: *Los policías escucharon la confesión del delincuente.* **2** Hecho de decirle a un sacerdote las faltas que se han hecho: *Después de la confesión, recé y di gracias a Dios por haberme perdonado.* ☐ FAMILIA: → confesar.

confesionario [sustantivo masculino] Mueble o lugar de una iglesia donde el sacerdote escucha las faltas que se le cuentan: *La gente que se confiesa se arrodilla en el confesionario.* ☐ [Se escribe también *confesonario*. No confundir con *concesionario*]. FAMILIA: → confesar.

confesor [sustantivo masculino] Sacerdote que escucha las faltas que ha hecho una persona: *Le dije al confesor que estaba muy arrepentido de todas mis faltas.* ☐ FAMILIA: → confesar.

confeti [sustantivo masculino] Trozos de papel pequeños y de varios colores que se lanzan al aire en algunas fiestas: *Después de la fiesta, el suelo quedó lleno de confeti.* ☐ [Es una palabra de origen italiano. No confundir con *confite*. No se usa en plural].

confiado, da [adjetivo] Que tiene mucha confianza en algo: *Cuando estoy con mis padres, voy muy confiado porque sé que ellos se ocupan de mí.* ☐ SINÓNIMOS: desconfiado. FAMILIA: → confiar.

confianza [sustantivo femenino] **1** Seguridad que se tiene en una persona o en una cosa: *Mis padres tienen mucha confianza en mí.* **2** Amistad o relación muy estrecha que tienen dos personas: *Tengo mucha confianza con mis amigos y les cuento todo.* **3** Forma sencilla y natural de tratar a los demás: *Háblame con confianza, que nos conocemos desde hace tiempo.* **4** [expresión] **de confianza** Dicho de una persona, que es conocida y se puede

confiar en ella: *Se lo puedes contar a él, porque es de confianza y no se lo dirá a nadie.* **en confianza** De manera secreta entre dos personas: *En confianza, te diré lo que realmente pienso de este asunto.* ☐ CONTRARIOS: **1** desconfianza. FAMILIA: → confiar.

confiar [verbo] **1** Dejar algo al cuidado de una persona: *Mis padres me confiaron a mi hermano pequeño cuando se fueron al cine.* **2** Creer que algo sucederá: *Confío en que vendrá.* **3** Tener confianza en algo: *Confío mucho en mis hermanos y les cuento todas mis cosas.* **4** **confiarse** Tener demasiada seguridad en algo: *Me confié en que tenía tiempo y casi llegué tarde.* ☐ [Se conjuga como GUIAR]. SINÓNIMOS: **2** esperar. **3,4** fiarse. CONTRARIOS: **2,3** desconfiar. FAMILIA: confianza, confiado, desconfiar, desconfiado, desconfianza.

confirmar [verbo] **1** Asegurar algo o volver a decirlo para asegurarlo: *Su risa me confirma que está contento, como yo pensaba. Nos confirmó que se iba de la ciudad.* **2** Comprobar que algo va a suceder como se pensaba: *Confirmé la hora de la consulta médica.* **3** Celebrar un acto en el que una persona asegura su religión: *Yo me confirmé a los quince años en la parroquia.*

confite [sustantivo masculino] Dulce duro y pequeño que suele tener forma redonda y que está hecho de azúcar y otras cosas: *En la fiesta repartieron confites entre los niños.* ☐ [No confundir con *confeti*]. FAMILIA: confitería, confitura.

confitería [sustantivo femenino] Lugar en el que se hacen o se venden dulces: *Compré bombones en la confitería de la esquina.* ☐ FAMILIA: → confite.

confitura [sustantivo femenino] Dulce hecho con frutas y azúcar: *La confitura es parecida a la mermelada.* ☐ FAMILIA: → confite.

conflictivo, va [adjetivo] Que tiene muchos problemas o los produce: *Hay que tomar medidas urgentes para acabar con esta situación tan conflictiva.* ☐ FAMILIA: → conflicto.

conflicto [sustantivo masculino] **1** Lucha o falta de acuerdo entre dos o más personas o grupos: *Entre esos dos países hay un conflicto armado.* **2** Problema o situación difícil: *Tengo un conflicto, porque quiero trabajar en el extran-*

jero, pero no quiero separarme de mis amigos. □ FAMILIA: conflictivo.

conformarse [verbo] Aceptar algo que nos parece poco y aguantarse con ello: *Confórmate con lo que te ha tocado y no pidas más.* □ CONTRARIOS: rebelarse. FAMILIA: → conforme.

conforme [adjetivo] **1** De acuerdo con algo: *No estoy conforme con esta decisión y voy a protestar.* **2** Que acepta algo que parece poco y se aguanta con ello: *Me quedé conforme cuando me pidió disculpas.* **3** [adverbio] Dicho de la forma de hacer algo, del modo que se indica: *Esta comida está hecha conforme tú nos has dicho.* □ [Los significados **1** y **2** no varían en masculino y en femenino]. FAMILIA: conformarse, conformidad.

conformidad [sustantivo][femenino] **1** Acuerdo entre dos o más personas o cosas: *Mientras no haya conformidad entre las personas no se solucionará el problema.* **2** Permiso para hacer algo que se pide: *El director del colegio nos dio su conformidad para utilizar el salón de actos.* **3** [expresión] **en conformidad con algo** De acuerdo con ello: *Su forma de actuar está en conformidad con su forma de pensar.* □ SINÓNIMOS: **2** consentimiento. FAMILIA: → conforme.

[confort [sustantivo][masculino] Cualidad de las cosas que producen una sensación de descanso y de bienestar: *Nos gusta alojarnos en este hotel por su confort.* □ [Es una palabra francesa. Se pronuncia «confón»]. SINÓNIMOS: comodidad. FAMILIA: confortable.

confortable [adjetivo] Que produce una sensación de descanso o de bienestar: *Mi casa es muy confortable y tiene muchas comodidades.* □ [No varía en masculino y en femenino]. FAMILIA: → confort.

confortar [verbo] Dar fuerzas o ánimos: *Esta comida caliente te confortará. Las palabras del sacerdote confortaron a los familiares del difunto.* □ SINÓNIMOS: reconfortar. FAMILIA: fuerte.

confundir [verbo] **1** Pensar que algo es otra cosa parecida: *No hay que confundir «intruso» con «recluso».* **2** Mezclar algo entre varias cosas de forma que quede escondido: *El ladrón se confundió entre la multitud y escapó.* **3** Dejar a alguien sin saber cómo actuar: *Las palabras del jefe nos confundieron y ya no supimos qué decir.* **4 confundirse** Equivocarse o tener un error: *Me confundí de calle y me perdí en un barrio desconocido.* □ SINÓNIMOS: **3,4** liar. **3** desorientar, despistar. CONTRARIOS: **3** aclarar. FAMILIA: confusión, confuso, inconfundible.

confusión [sustantivo][femenino] **1** Lo que se produce al pensar que una cosa es otra parecida: *Hubo una confusión en el número del portal y la carta no llegó a su destino.* **2** Mezcla de una cosa entre otras, de forma que quede escondida o poco clara: *Tienes tal confusión de ideas que no das pie con bola.* **3** Situación de una persona que no sabe cómo actuar: *Cuando el secretario del jurado pronunció mi nombre, sentí tal confusión que no pude moverme de la silla.* □ SINÓNIMOS: **1** equivocación, error. **2** lío. FAMILIA: → confundir.

confuso, sa [adjetivo] **1** Difícil de entender: *Las noticias que se reciben son confusas y no sabemos lo que realmente ocurre.* **2** Difícil de ver o de oír: *En esta foto no se sabe quiénes son las personas porque la imagen es muy confusa.* **3** Sin saber qué hacer o qué decir: *Los planes han cambiado y ahora estoy un poco confusa.* □ FAMILIA: → confundir.

congelación [sustantivo][femenino] Hecho de volverse sólido un líquido u otra cosa por efecto del frío: *La congelación de alimentos es un método para conservarlos.* □ FAMILIA: → congelar.

congelador [sustantivo][masculino] Aparato que sirve para que los alimentos se pongan como el hielo y duren más tiempo: *Saqué los cubitos de hielo del congelador.* □ FAMILIA: → congelar.

congelar [verbo] **1** Volver sólido un líquido por efecto del frío: *El agua se congela a cero grados centígrados.* **2** Hacer que algo se quede como el hielo: *Si congelas los alimentos, durarán más tiempo.* **3** Pasar mucho frío o ponerse muy frío: *Casi me congelo esperando el autobús. En invierno se me congela la nariz.* **4** Hacer que algo no pueda usarse o que se quede como está sin aumentar ni disminuir: *Debe tanto dinero que el banco le ha congelado las cuentas corrientes. Para evitar la crisis, el Gobierno quiere* *congelar los salarios.* □ SINÓNIMOS: **1,3** helar. CONTRARIOS: **2,4** descongelar. FAMILIA: congelación, congelador, descongelar.

congeniar [verbo] Llevarse bien con alguien: *Es una persona tan agradable que congenia con todo el mundo.*

congénito, ta [adjetivo] Que se tiene desde antes de nacer: *Las enfermedades congénitas se tienen desde que se está en el vientre de la madre.*

congoja [sustantivo femenino] Sensación que se tiene cuando estamos muy preocupados por algo o tenemos una pena muy fuerte y no podemos llorar: *Cuando se murió mi abuelo, me entró mucha congoja.*

congregar [verbo] Unir en un mismo lugar a un gran número de personas: *El concierto de este cantante congregó admiradores de todo el mundo.* □ [La g se cambia en gu delante de e, como en PAGAR]. SINÓNIMOS: reunir. FAMILIA: congreso.

congreso [sustantivo masculino] **1** Reunión de varias personas para tratar un tema: *Hay un congreso en esta ciudad sobre los últimos descubrimientos médicos.* **2** Conjunto de personas que representan a una comunidad y que hacen las leyes con las que se gobierna un país: *El Congreso de los Diputados ha aprobado esta ley por mayoría.* **3** Edificio en el que se juntan estas personas: *Hemos visitado el Congreso con el colegio.* □ [Los significados **2** y **3** son distintos de senado, que es el conjunto de personas que modifican o aprueban las leyes hechas por el Congreso, y el edificio donde se reúnen]. SINÓNIMOS: **1** conferencia. FAMILIA: → congregar.

conjugación [sustantivo femenino] **1** Conjunto de todas las formas de un verbo: *Mañana tenemos que saber la conjugación del verbo «ir».* **2** Cada uno de los grupos en que se dividen los verbos: *En español, la primera conjugación la componen los verbos que terminan en «-ar», la segunda, los que terminan en «-er» y la tercera, los que terminan en «-ir».* □ FAMILIA: → conjugar.

conjugar [verbo] **1** Poner un verbo en cada una de sus formas: *El presente de indicativo del verbo «beber» se conjuga así: «bebo», «bebes», «bebe», «bebemos», «bebéis», «beben».* **2** Unir varias cosas para que formen un todo:

Para que los estudios sean completos, hay que conjugar teoría y práctica. □ [La g se cambia en gu delante de e, como en PAGAR]. FAMILIA: conjugación.

conjunción [sustantivo femenino] Clase de palabra que une dos expresiones: *En la frase «El ascensor sube y baja», «y» es una conjunción.*

conjunto [sustantivo masculino] **1** Grupo de personas o de cosas que forman un todo o que tienen alguna característica común: *La profesora llevaba un conjunto de chaqueta y pantalón muy bonito. El rojo, el azul y el amarillo forman parte del conjunto de los colores.* **2** Grupo de músicos y de personas que cantan: *Ya tengo el último disco de ese conjunto de rock and roll.*

conmemoración [sustantivo femenino] Acto público que se hace para recordar algo que se considera importante: *Mañana habrá un concierto en conmemoración del nacimiento de este músico.* □ FAMILIA: → conmemorar.

conmemorar [verbo] Recordar algo que se considera importante con un acto público: *Hoy se conmemora la muerte del escritor más importante de nuestra lengua.* □ FAMILIA: conmemoración.

conmigo [pronombre personal] Con la persona que habla: *¿Vendrás conmigo o te vas a quedar en casa? Me dejaron sola porque nadie se quedó conmigo.* □ [No varía en masculino y en femenino]. FAMILIA: → yo.

conmovedor [adjetivo] Que produce una fuerte sensación en el ánimo: *Ver lo mucho que se quiere esa pareja es conmovedor.* □ SINÓNIMOS: emocionante, emotivo. FAMILIA: → conmover.

conmover [verbo] Producir una sensación alegre o triste en el ánimo: *Tus tristes palabras me han conmovido.* □ [Es irregular y se conjuga como MOVER]. SINÓNIMOS: afectar, impresionar. FAMILIA: conmovedor.

cono [sustantivo masculino] **1** Cuerpo que tiene la base en forma de círculo y que acaba en punta: *El sombrero puntiagudo de este payaso tiene forma de cono.* 🔍 página 429. **2** Lo que tiene una forma parecida a este cuerpo: *Me he comido un cono de chocolate.*

conocedor, -a [adjetivo o sustantivo] Que conoce bien algo o que entiende mucho de ello: *Ese cien-*

tífico es un gran conocedor de la fauna marina. □ FAMILIA: → conocer.

conocer [verbo] **1** Estar informado de algo: *¿Conoces ya la noticia?* **2** Saber cómo es algo y reconocerlo entre otras cosas: *¿Conoces las distintas especies de árboles?* **3** Tener relación con una persona: *Preséntame a tu hermano, porque todavía no lo conozco.* □ [Es irregular y se conjuga como PARECER]. SINÓNIMOS: **1** saber. CONTRARIOS: desconocer. **1** ignorar. FAMILIA: conocedor, conocido, conocimiento, desconocer, desconocido, reconocer, reconocimiento, irreconocible, incógnita, de incógnito.

conocido, da [adjetivo] **1** Que se conoce de antes: *No me dices nada nuevo, porque ésa es una noticia conocida por todos.* **2** Famoso o reconocido por mucha gente: *Han invitado al colegio a un escritor muy conocido.* **3** [sustantivo] Persona con la que se tiene relación, sin que llegue a ser amigo: *Tengo muchos conocidos, pero sólo dos buenos amigos.* □ CONTRARIOS: **1** nuevo. FAMILIA: → conocer.

conocimiento [sustantivo masculino] **1** Capacidad que tienen las personas para actuar de forma correcta: *Haces tantas tonterías que parece que no tienes conocimiento.* **2** Capacidad que tenemos para darnos cuenta de lo que sucede a nuestro alrededor: *Se desmayó, pero enseguida recobró el conocimiento.* **3** Información que se tiene de algo: *¿Tienes conocimiento de la noticia?* **4** Relación directa con algo, que se tiene por experiencia: *¡Ojalá nunca tengas conocimiento de la maldad!* **5** [plural] Conjunto de cosas que se aprenden sobre una materia: *El profesor pone las notas según los conocimientos que tengamos.* □ SINÓNIMOS: **2** conciencia, sentido. FAMILIA: → conocer.

conque [conjunción] **1** Se usa para expresar consecuencia: *Tenemos que acabar esto, conque ya puedes ayudarme.* **2** Se usa para dar más fuerza a lo que se dice: *¡Conque tenías tú lo que yo andaba buscando...!* □ [No confundir con con que].

conquense [adjetivo o sustantivo] De la provincia de Cuenca o de su capital: *Un conquense nos dijo que fuéramos a ver las casas colgantes de la ciudad.* □ [No varía en masculino y en femenino].

conquista [sustantivo femenino] **1** Hecho de conseguir un lugar u otra cosa mediante la fuerza o el esfuerzo: *Los alpinistas celebraron la conquista de la cumbre.* **2** Lo que se consigue por la fuerza o con mucho esfuerzo: *Mi mejor conquista ha sido aprender a no rendirme nunca.* **3** Persona a la que se consigue hacer que nos quiera: *La actriz acudió a la fiesta con su última conquista amorosa.* □ FAMILIA: → conquistar.

conquistador, -a [sustantivo] **1** Persona que consigue un lugar por medio de la fuerza: *Una gran zona de América fue colonizada por los conquistadores españoles.* **2** Persona que consigue de manera fácil el amor de muchas otras: *Don Juan Tenorio era un conquistador.* □ FAMILIA: → conquistar.

conquistar [verbo] **1** Hacerse dueño de un lugar por medio de la fuerza: *Los soldados conquistaron varios territorios del país vecino.* **2** Conseguir algo haciendo un esfuerzo: *Mi hermano conquistó el cargo de presidente.* **3** Conseguir la simpatía o el amor de una persona: *Tu amigo es muy agradable y nos conquistó a todos. Mi padre conquistó a mi madre con sus encantos.* □ SINÓNIMOS: **1** tomar, ocupar. FAMILIA: conquista, conquistador, reconquista.

consciente [adjetivo] **1** Que se da cuenta de lo que pasa a su alrededor: *No sé si eres consciente del daño que me estás haciendo con tu forma de tratarme. No puedes hablar con el enfermo, porque no está consciente.* **2** Que se hace queriendo: *Ha sido una actuación consciente y muy meditada.* □ [No varía en masculino y en femenino]. SINÓNIMOS: **2** voluntario. CONTRARIOS: inconsciente. **2** involuntario. FAMILIA: → conciencia.

consecuencia 1 [sustantivo femenino] Resultado de algo: *El accidente ha sido consecuencia del mal estado de la carretera.* **2** [expresión] **a consecuencia de** Como resultado de: *He tenido que guardar cama a consecuencia de la fiebre.* **en consecuencia** Según lo que ya se ha dicho o según lo que ha pasado: *Si tú nos has dicho cómo hay que hacer esto, en consecuencia tú también debes hacerlo así.* □ SINÓNIMOS: **1** fruto, producto, efecto. CONTRARIOS: **1** comienzo, principio, raíz, empiece, origen. FAMILIA: → conseguir.

consecutivo, va [adjetivo] **1** Que sigue a otra cosa: *Me llamó por teléfono varios días consecutivos.* **2** Que expresa consecuencia: *En la frase «Hace tanto frío que se han congelado los charcos» hay una oración consecutiva, que es «que se han congelado los charcos».* □ SINÓNIMOS: **1** seguido. FAMILIA: → conseguir.

conseguir [verbo] Llegar a tener algo que se desea: *Conseguí las entradas para el partido. Conseguí llegar el primero.* □ [Es irregular y se conjuga como SEGUIR]. SINÓNIMOS: alcanzar, lograr, adquirir, obtener, cobrar. CONTRARIOS: perder. FAMILIA: consecuencia, consecutivo.

consejero, ra [sustantivo] Persona que informa o da consejos a otras sobre algún asunto: *Mis padres son mis mejores consejeros. Mi tío es consejero en un banco.* □ SINÓNIMOS: asesor. FAMILIA: → consejo.

consejo [sustantivo masculino] **1** Opinión que se da a alguien porque se considera que puede servirle de ayuda: *Si sigues mi consejo, aprenderás a montar en bici en dos días.* **2** Conjunto de personas que informan a otras o que deciden sobre algunos asuntos: *Mañana hay una reunión del Consejo de Ministros.* **3** [expresión] **consejo de guerra** Tribunal de justicia formado por militares que tratan los asuntos del ejército: *Un consejo de guerra juzgará al soldado que abandonó su puesto y huyó.* □ FAMILIA: consejero, aconsejar, aconsejable.

consentimiento [sustantivo masculino] Permiso para hacer lo que se pide: *Mis padres me han dado su consentimiento para ir de acampada.* □ SINÓNIMOS: autorización, conformidad. FAMILIA: → consentir.

consentir [verbo] **1** Dejar que algo se haga o suceda: *No puedo consentir que insultes a mis amigos.* **2** Tratar a una persona con demasiada consideración, dejándola hacer lo que quiera: *Se dice que los abuelos consienten demasiado a sus nietos.* □ [Es irregular y se conjuga como SENTIR]. SINÓNIMOS: **1** permitir, admitir, aceptar, tolerar. **2** mimar. CONTRARIOS: **1** prohibir, negar. FAMILIA: consentimiento.

conserje [sustantivo] Persona que trabaja cuidando un edificio público: *El conserje de mi colegio hace las fotocopias que le encargan los profesores.* □ [No varía en masculino y en femenino]. FAMILIA: conserjería.

conserjería [sustantivo femenino] Lugar donde está el conserje dentro de un edificio público: *Pregunté en conserjería si los sábados se abría el instituto.* □ FAMILIA: → conserje.

conserva [sustantivo femenino] Alimento que se mete en un recipiente de forma que se mantenga en buen estado durante mucho tiempo: *Siempre tengo algunas conservas por si alguien viene a comer sin avisar.* □ FAMILIA: → conservar.

conservación [sustantivo femenino] Hecho de cuidar o de mantener algo durante mucho tiempo: *Todos debemos participar en la conservación de la naturaleza.* □ FAMILIA: → conservar.

conservador, -a [adjetivo o sustantivo] Que no está a favor de los cambios: *Ese señor es muy conservador y no quiere que haya reformas sociales.* □ CONTRARIOS: progresista. FAMILIA: → conservar.

conservante [sustantivo masculino] Sustancia que se añade a algunos alimentos para que se mantengan en buen estado durante mucho tiempo: *La sal y el vinagre son dos conservantes naturales.* □ FAMILIA: → conservar.

conservar [verbo] **1** Mantener algo durante algún tiempo: *Aún conservo los dibujos que hice de pequeño. A pesar de que tiene noventa años, conserva una buena memoria.* **2** Mantener en un determinado estado: *Hace ejercicio todos los días para conservarse en forma.* **3** Guardar algo para que esté en buen estado: *En este museo se conservan muebles muy antiguos.* **4** Preparar un alimento de forma que se mantenga en buen estado durante mucho tiempo: *En ese barco conservan el atún según lo van pescando.* □ FAMILIA: conserva, conservación, conservador, conservante.

conservatorio [sustantivo masculino] Lugar donde se enseña música y otras artes relacionadas con ella: *Tengo clases de piano en el conservatorio dos días a la semana.*

considerable [adjetivo] Grande o importante: *A la entrada del cine había una cantidad considerable de personas.* □ [No varía en masculino y en femenino]. CONTRARIOS: escaso. FAMILIA: → considerar.

consideración [sustantivo femenino] Atención y respeto en la forma de tratar a alguien: *Eres una persona educada y tratas con consideración a los demás.* □ FAMILIA: → considerar.

considerado, da [adjetivo] Que trata a los demás con atención y respeto: *Debes ser considerado con los que no piensan como tú.* □ FAMILIA: → considerar.

considerar [verbo] **1** Pensar algo despacio y con atención: *El actor estuvo considerando si aceptar o no el papel que le ofrecieron.* **2** Tener una opinión sobre algo: *Considero que debes pedirle perdón.* **3** Pensar que una persona es de determinada forma: *Te considero bastante guapo. Se considera muy lista.* □ SINÓNIMOS: **1** meditar, reflexionar, recapacitar. **2** pensar, opinar, creer, encontrar, decir. FAMILIA: consideración, considerado, considerable.

consigna [sustantivo femenino] **1** Orden que se da a una persona que pertenece a un grupo: *El partido dio la consigna de que todos votaran a favor.* **2** Lugar en una estación o en un aeropuerto donde se pueden dejar guardados los equipajes: *Al bajar del tren, dejamos la maleta en la consigna y fuimos a dar una vuelta por la ciudad.*

consigo [pronombre personal] Con él mismo, con ella misma, con ellos mismos o con ellas mismas: *Mi hermana se llevó consigo todas sus cosas. Las vacaciones traen consigo diversión y alegría.* □ [No varía en masculino y en femenino, ni en singular y plural]. FAMILIA: → él.

consistencia [sustantivo femenino] **1** Unión entre las partes que forman alguna cosa y que la hacen más o menos firme o dura: *El hierro tiene más consistencia que la madera.* **2** Lo que hace que algo sea firme y seguro: *Tus razonamientos son absurdos y carecen de consistencia.* □ FAMILIA: consistente.

consistente [adjetivo] **1** Duro, firme y seguro: *Necesito un material consistente para hacer una caja que aguante mucho peso. Bate bien la salsa hasta que esté consistente.* **2** Que está formado por varias partes: *El parchís es un juego consistente en un tablero, varias fichas y varios dados.* □ [No varía

en masculino y en femenino]. CONTRARIOS: **1** blando. FAMILIA: → consistencia.

consistir [verbo] **1** Estar formado o compuesto por algo: *El premio consiste en un viaje a la playa para dos personas.* **2** Tener algo como base: *El truco de esta comida consiste en no dejar que cueza demasiado.* □ SINÓNIMOS: **2** residir.

consola [sustantivo femenino] **1** Conjunto de piezas que sirven para dirigir una máquina, como un ordenador: *Me han comprado una consola para jugar.* **2** Mesa que se apoya en la pared y que sólo sirve de adorno: *En el vestíbulo de mi casa hay una consola con un espejo.*

consolador, -a [adjetivo] Que alivia la pena o el dolor que se sienten: *Es muy consolador saber que siempre cuento con tu ayuda.* □ FAMILIA: → consuelo.

consolar [verbo] Aliviar la pena o el dolor que siente una persona: *Mis amigos me consuelan en los momentos tristes.* □ [Es irregular y se conjuga como CONTAR]. FAMILIA: → consuelo.

consomé [sustantivo masculino] Caldo de carne: *Me gusta más la sopa de fideos que el consomé.* □ [Es una palabra de origen francés].

consonante [sustantivo femenino] Letra que se pronuncia cuando el aire choca en alguna parte de la boca al salir: *La «t» y la «p» son dos consonantes.* □ [Es distinto de vocal, que es la letra que se pronuncia cuando el aire sale de la boca sin chocar con nada].

consorte [sustantivo] Esposo o esposa: *El consorte de una mujer es su marido y la consorte de un hombre es su mujer.* □ [No varía en masculino y en femenino]. SINÓNIMOS: cónyuge.

conspiración [sustantivo femenino] Unión secreta de varias personas para hacer algo contra alguien: *El rey expulsó del país a los nobles complicados en la conspiración contra él.* □ FAMILIA: → conspirar.

conspirar [verbo] Unirse varias personas en secreto para hacer algo contra alguien: *Varios caballeros conspiraron para que el hermano del rey ocupara el trono.* □ FAMILIA: conspiración.

constancia [sustantivo femenino] **1** Característica de la persona que no deja de hacer lo que ha empezado: *Voy bien en el curso gracias a mi* *constancia en el estudio.* **2** Seguridad o prueba de que algo ha ocurrido: *No hay constancia del paso de ese emperador por esta ciudad.* □ FAMILIA: constante.

constante [adjetivo] **1** Que no deja de hacer lo que ha empezado: *Para aprender a escribir a máquina hay que ser constante y practicar todos los días.* **2** Que dura mucho o que permanece igual: *Tengo un dolor constante en la pierna y no puedo casi andar. La temperatura del cuerpo debe ser constante y no subir ni bajar mucho.* **3** Que se repite con frecuencia: *No puedo concentrarme en esto porque me haces constantes preguntas.* □ [No varía en masculino y en femenino]. SINÓNIMOS: **3** continuo. FAMILIA: → constancia.

constar [verbo] **1** Estar formado por determinadas partes: *Esta obra teatral consta de tres actos.* **2** Tener algo como cierto o sabido: *Me consta que tú estás equivocado.* **3** Estar anotado o escrito en algún sitio: *En este carné consta mi nombre y dirección.* □ SINÓNIMOS: **1** componerse.

constelación [sustantivo femenino] Conjunto de estrellas que forman una figura: *La constelación de la Osa Mayor tiene forma de carro.* 🔭 página 345.

constipado [sustantivo masculino] Enfermedad en la que salen mocos muy líquidos por la nariz: *Tengo la nariz irritada de tanto sonarme, por culpa de este constipado.* □ SINÓNIMOS: catarro, resfriado. FAMILIA: → constiparse.

constiparse [verbo] Coger un resfriado: *Me constipé porque pasé mucho frío en la parada del autobús.* □ SINÓNIMOS: resfriarse, acatarrarse. FAMILIA: constipado.

constitución [sustantivo femenino] **1** Ley fundamental por la que se organiza y se gobierna un Estado: *En la Constitución se recogen los derechos y deberes de los ciudadanos.* **2** Conjunto de características que forman nuestro cuerpo: *Soy de constitución débil y cojo todas las enfermedades.* **3** Manera de estar formado algo: *El entrenador no ha facilitado aún la constitución del equipo de fútbol.* **4** Establecimiento de algo: *Mi familia ha participado en la constitución de esa asociación de vecinos.* □ [En el significado **1** se suele escribir con mayúscula]. FAMILIA: → constituir.

constitucional [adjetivo] De la ley funda-

mental por la que se organiza y se gobierna un Estado, o que la respeta: *Para algunas personas, el proyecto de ley que se está discutiendo en el Congreso no es constitucional.* □ [No varía en masculino y en femenino]. CONTRARIOS: anticonstitucional. FAMILIA: → constituir.

constituir [verbo] **1** Formar algo varias partes: *Dos cuentos y una lagartija constituyen todo mi tesoro.* **2** Ser o suponer: *La falta de dinero constituye un problema para mucha gente.* □ [La i se cambia en y delante de a, e, o, como en HUIR]. SINÓNIMOS: **1** componer. FAMILIA: constitución, constitucional, anticonstitucional.

construcción [sustantivo femenino] **1** Hecho de construir un edificio u otra cosa con los materiales necesarios para ello: *El alcalde ha aprobado la construcción del nuevo edificio del ayuntamiento.* **2** Obra que se construye: *Este puente es una de las construcciones más modernas de la ciudad.* □ CONTRARIOS: **1** derrumbamiento, hundimiento, destrucción. FAMILIA: → construir.

constructivo, va [adjetivo] Que es bueno y sirve para mejorar: *En lugar de criticar lo que estamos haciendo, danos ideas constructivas.* □ FAMILIA: → construir.

constructor, -a [adjetivo o sustantivo] Que se dedica a construir edificios y cosas parecidas: *En esta empresa constructora trabajan albañiles y arquitectos. Mi padre es constructor de puentes.* □ FAMILIA: → construir.

construir [verbo] **1** Hacer algo con los materiales necesarios para ello: *En esta zona se han construido muchas viviendas.* **2** Formar algo a partir de otra cosa: *Este científico ha construido su teoría a partir de muchos años de investigación.* **3** Ordenar las palabras o las frases siguiendo las leyes de la gramática: *El verbo «depender» se construye con la preposición «de».* □ [La i se cambia en y delante de a, e, o, como en HUIR]. SINÓNIMOS: **2** elaborar. CONTRARIOS: **1,2** derribar, derrumbar, hundir, destruir. FAMILIA: construcción, constructivo, constructor, reconstruir, reconstrucción.

consuelo [sustantivo masculino] Lo que alivia la pena o el dolor que se sienten por algo: *Saber que tú eres mi amigo es un gran consuelo para mí en estos momentos.* □ CONTRARIOS: des-

a

b

c

d

e

f

g

h

i

j

k

l

m

n

ñ

o

p

q

r

s

t

u

v

w

x

y

z

consuelo. FAMILIA: consolar, consolador, desconsuelo.

cónsul [sustantivo] Persona que trabaja en una ciudad extranjera para ocuparse de manera oficial de los asuntos de las personas que son de su mismo país pero viven en otro: *Cuando estuvimos en París visitamos al cónsul español porque habíamos perdido el pasaporte.* □ [No varía en masculino y en femenino]. FAMILIA: consulado.

consulado [sustantivo masculino] Lugar en el que trabaja un cónsul: *Mi vecino alemán ha ido al consulado para arreglar unos papeles.* □ FAMILIA: → cónsul.

consulta [sustantivo femenino] **1** Pregunta que se hace para saber algo: *Le he hecho una consulta al profesor y me ha aclarado las dudas.* **2** Búsqueda de una información: *El diccionario es un libro de consulta.* **3** Examen que hace un médico a los enfermos: *Ese médico no hace consultas a domicilio.* **4** Lugar donde el médico recibe a los enfermos: *La consulta de esta doctora está en la segunda planta del hospital.* □ SINÓNIMOS: **3** consultorio. FAMILIA: → consultar.

consultar [verbo] **1** Pedir información o consejo sobre algo: *Consulté a varios médicos sobre mi enfermedad.* **2** Buscar información en algún sitio: *Consulté un diccionario para saber qué significa la palabra «cuadrúpedo».* □ FAMILIA: consulta, consultorio.

consultorio [sustantivo masculino] **1** Lugar donde el médico recibe a los enfermos: *Cuando llegué, el consultorio estaba cerrado.* **2** Lugar donde se dan opiniones y consejos sobre algo: *Este abogado trabaja en un consultorio jurídico.* **3** Programa en el que se dan consejos: *Mis vecinos escuchan un consultorio de la radio en el que se habla de problemas amorosos.* □ SINÓNIMOS: **1** consulta. FAMILIA: → consultar.

consumidor, -a [sustantivo] Persona que compra y usa un determinado producto: *Varios consumidores han denunciado a esa tienda porque sus productos no estaban en buen estado.* □ FAMILIA: → consumir.

consumir [verbo] **1** Usar o gastar un producto: *Mi familia consume leche fresca. Este coche consume mucha gasolina.* **2** Acabar con algo poco a poco: *Si no atizas el fuego,*

se consumirá. Estás consumiendo mi paciencia y, como me canse, sabrás lo que es bueno. □ FAMILIA: consumo, consumidor.

consumo [sustantivo masculino] Empleo habitual de un producto: *En España hay un gran consumo de aceite de oliva.* □ SINÓNIMOS: uso. FAMILIA: → consumir.

contabilidad [sustantivo femenino] Registro de las cuentas de una empresa o de una organización: *Este señor lleva la contabilidad de la fábrica.* □ FAMILIA: → contar.

contable [sustantivo] Persona que lleva las cuentas de una empresa o de una organización: *La contable apuntó en un libro de cuentas los gastos del día.* □ [No varía en masculino y en femenino]. FAMILIA: → contar.

contacto [sustantivo masculino] **1** Relación que se establece entre dos personas: *Mis padres todavía siguen en contacto con sus amigos del colegio.* **2** Unión de dos cosas de modo que se toquen: *Tienes que poner en contacto estos dos cables para que llegue la electricidad.* **3** Pieza que sirve para que dos cosas se toquen: *Si no das al contacto del coche, no se pondrá en marcha.* **4** Persona que relaciona entre sí a otras personas: *En la película, el protagonista tenía muchos contactos en la policía.* □ SINÓNIMOS: **2** conexión.

contador [sustantivo masculino] Aparato que sirve para medir algo que se gasta: *Han venido a ver el contador de agua para saber cuánto hemos gastado este mes.* □ FAMILIA: → contar.

contagiar [verbo] **1** Pasar una enfermedad de una persona o de un animal a otros: *Mi hermano me ha contagiado el catarro. El sarampión es una enfermedad que se contagia fácilmente.* **2** Comunicar un estado de ánimo o una sensación: *Se te ve tan feliz que contagias tu alegría.* □ SINÓNIMOS: **1** pegar. FAMILIA: contagio, contagioso.

contagio [sustantivo masculino] Paso de una enfermedad o de un estado de ánimo de una persona o un animal a otros: *Para evitar cualquier contagio, es mejor que no vengas a verme hasta que no esté curado.* □ FAMILIA: → contagiar.

contagioso, sa [adjetivo] Que se pasa o se pega fácilmente de una persona a otra: *Mi enfermedad no es contagiosa. Tu risa es tan* *contagiosa que todo el grupo se ríe cuando tú lo haces.* □ FAMILIA: → contagiar.

contaminación [sustantivo femenino] Suciedad del aire, del agua o de otra cosa: *En las grandes ciudades suele haber mucha contaminación.* □ SINÓNIMOS: polución. FAMILIA: → contaminar.

contaminar [verbo] Poner sucio el aire, el agua u otra cosa: *Muchas fábricas contaminan los ríos porque tiran en ellos sustancias tóxicas.* □ FAMILIA: contaminación.

contar [verbo] **1** Dar un número a cada una de las cosas que forman un conjunto para saber cuántas hay: *Conté los días que faltaban para las vacaciones.* **2** Decir los números de forma ordenada: *Mi hermanito ya sabe contar hasta diez.* **3** Dar a conocer con palabras una historia o un suceso: *Antes de acostarme, mi abuela me contó un cuento.* **4** Tener o poseer: *Este periódico cuenta ya veinte años. Este edificio cuenta con dos ascensores.* **5** Tener en cuenta algo: *Cuenta con mi ayuda para todo lo que necesites.* **6** Tener importancia: *Lo que cuenta no es la nota que has sacado, sino el esfuerzo que*

contar	conjugación
INDICATIVO	**SUBJUNTIVO**
presente	**presente**
cuento	cuente
cuentas	cuentes
cuenta	cuente
contamos	contemos
contáis	contéis
cuentan	cuenten
pretérito imperfecto	**pretérito imperfecto**
contaba	contara, -ase
contabas	contaras, -ases
contaba	contara, -ase
contábamos	contáramos, -ásemos
contabais	contarais, -aseis
contaban	contaran, -asen
pretérito indefinido	**futuro**
conté	contare
contaste	contares
contó	contare
contamos	contáremos
contasteis	contareis
contaron	contaren
futuro	**IMPERATIVO**
contaré	
contarás	**presente**
contará	cuenta (tú)
contaremos	cuente (él)
contaréis	contemos (nosotros)
contarán	contad (vosotros)
	cuenten (ellos)
condicional	**FORMAS NO PERSONALES**
contaría	
contarías	**infinitivo** **gerundio**
contaría	contar contando
contaríamos	
contaríais	**participio**
contarían	contado

has hecho. □ [Es irregular]. SINÓNIMOS: **3** relatar, referir. FAMILIA: cuenta, cuento, cuentista, cuentitis, contador, contabilidad, contable, descontar, descuento, recuento.

contemplar [verbo] **1** Mirar algo con atención o con placer: *Contemplé el cuadro durante un rato.* **2** Considerar algo o tenerlo en cuenta: *Mis padres dicen que están contemplando la posibilidad de cambiarnos de casa.* □ SINÓNIMOS: **1** admirar.

contemporáneo, a 1 [adjetivo] Del tiempo actual o relacionado con él: *Hemos visitado el museo de arte contemporáneo.* **2** [adjetivo o sustantivo] Que existe a la vez que otra cosa o en el mismo tiempo: *Esos dos escritores fueron contemporáneos porque vivieron en la misma época.* □ FAMILIA: → tiempo.

contener [verbo] **1** Tener algo en el interior: *Esta caja vacía no contiene nada.* **2** Estar formado por algo: *Esta crema contiene ingredientes naturales.* **3** No dejar que se note un estado de ánimo: *Tenía ganas de llorar, pero contuve las lágrimas.* **4** Parar o detener el movimiento de algo: *Han construido un muro para contener las crecidas del río.* **5 contenerse** Tener poder sobre las propias acciones para no dejarnos llevar por lo que sentimos: *Me contuve y no dije lo que pensaba.* □ [Es irregular y se conjuga como TENER]. SINÓNIMOS: **3** aguantar, reprimir, dominar. **4** cortar. **5** controlarse. CONTRARIOS: **5** precipitarse. FAMILIA: contenido.

contenido [sustantivo masculino] **1** Lo que está en el interior de un recipiente u otra cosa: *Se ha derramado el contenido de la lata.* **2** Asunto del que trata algo: *¿Cuál es el contenido del libro?* □ FAMILIA: → contener.

contentar [verbo] **1** Poner contento, o satisfacer los deseos de alguien: *Para contentar a mis hijos los llevé al zoo.* **2 contentarse** Aceptar algo o aguantarse con ello: *Nunca te contentas con lo que te dan.* □ FAMILIA: → contento.

contento, ta [adjetivo] **1** Que siente o produce una sensación que hace feliz: *Estoy contento porque nos vamos de vacaciones.* **2** Un poco borracho: *Las personas que no suelen beber alcohol se ponen contentas con una copa.* **3** [sustantivo masculino] Sensación que se tiene cuando algo nos hace felices o nos produce placer: *Demostré mi contento dando saltos y aplaudiendo.* □ [El significado **2** es coloquial]. SI-NÓNIMOS: **1** alegre. **3** alegría, gozo, dicha. CONTRARIOS: **1** triste. **1,2** descontento. **3** tristeza, pena, dolor, pesar, sufrimiento. FAMILIA: contentar, descontento.

contestación [sustantivo] [femenino] Respuesta que se da a algo o a alguien: *Estoy esperando la contestación de la carta. No quiero volver a oírte una mala contestación.* □ CONTRARIOS: pregunta. FAMILIA: → contestar.

contestador [sustantivo] [masculino] Aparato que se une a un teléfono y que guarda las llamadas que se hacen cuando no hay nadie en casa: *Te llamé a casa y, como no cogiste el teléfono, dejé el mensaje en el contestador.* □ FAMILIA: → contestar.

contestar [verbo] **1** Dar respuesta a algo: *No contestó mi carta. Me puse tan nervioso que no supe qué contestar. No debe de haber nadie en casa porque no contestan al teléfono.* **2** Responder de mala manera: *Me castigaron por contestar a mi abuelo.* □ SINÓNIMOS: **1** responder. CONTRARIOS: **1** preguntar, interrogar. FAMILIA: contestación, contestador.

contienda [sustantivo] [femenino] Batalla o lucha violentas: *Miles de personas murieron en la última contienda entre esos dos países.*

contigo [pronombre] [personal] Con la persona a la que se habla: *¿Me dejas jugar contigo?* □ [No varía en masculino y en femenino]. FAMILIA: → tú.

contiguo, gua [adjetivo] Que está junto a otra cosa: *Mis padres y yo teníamos habitaciones contiguas en el hotel.*

continente [sustantivo] [masculino] Cada una de las grandes extensiones en las que se considera dividida la superficie terrestre: *Europa, América y Asia son tres continentes.* 🔎 páginas 534-535.

continuación 1 [sustantivo] [femenino] Lo que va después de una cosa con la que tiene relación: *Esta película es una continuación de la otra.* **2** [expresión] **a continuación** Justo después, o justo detrás: *Cené y, a continuación, vi la película.* □ CONTRARIOS: abandono. FAMILIA: → continuo.

continuar [verbo] **1** Seguir con algo que se estaba haciendo: *Cuando termine de merendar, continuaré estudiando.* **2** Estar durante un tiempo de determinada manera o mantenerse igual: *Espero que continúes de buen humor mucho tiempo. El buen tiempo continuará durante el fin de semana.* **3** Seguir o extenderse en un espacio: *Esta avenida continúa hasta la plaza.* □ [Se conjuga como ACTUAR]. SINÓNIMOS: **1** proseguir. **2** permanecer. CONTRARIOS: **1** interrumpir, abandonar, dejar, desistir. FAMILIA: → continuo.

continuo, nua [adjetivo] **1** Que no para o no se acaba: *Ese ruido continuo me ha producido dolor de cabeza.* **2** Que no se corta ni se interrumpe y sigue hasta el final: *La línea continua de las carreteras indica que no se puede adelantar.* **3** Que se repite con frecuencia: *Las continuas llamadas de teléfono me han puesto nervioso.* **4** [expresión] **de continuo** Cada muy poco tiempo: *Si me interrumpes de continuo, no acabaré de contar la historia.* □ SINÓNIMOS: **1** permanente, duradero. **1,3** incesante, constante. FAMILIA: continuar, continuación.

contorno [sustantivo] [masculino] **1** Línea que rodea una figura: *El contorno de un círculo es una circunferencia.* **2** [plural] Zona que rodea una población: *Buscaron al desaparecido por los contornos del pueblo.* □ SINÓNIMOS: **1** perfil, silueta. **2** alrededores, afueras. CONTRARIOS: **2** centro.

contra 1 [sustantivo] [masculino] Lo que algo tiene de malo: *Antes de tomar una decisión, hay que analizar los pros y los contras del asunto.* [preposición] **2** Indica oposición o lucha: *Fui a una manifestación contra el racismo. Necesito algo contra la gripe.* **3** Indica apoyo en alguna cosa: *Coloca la silla contra la pared.* **4** [expresión] **en contra de algo** En oposición a ello: *Estoy en contra de ese plan.* □ [El significado **1** se usa mucho en plural. No debe decirse *en contra mía*, sino *en contra de mí*. No debe decirse *Contra más estudio, más sé*, sino *Cuanto más estudio, más sé*. No debe decirse *por contra*, sino *por el contrario*]. CONTRARIOS: **1** pro.

contrabajo [sustantivo] [masculino] Instrumento musical parecido a una guitarra grande y que se hace sonar rozando sus cuerdas con un arco: *Toca el contrabajo en un grupo de jazz.* □ SINÓNIMOS: violón. 🔎 página 607.

contrabandista [sustantivo] Persona que mete productos en un país sin cumplir con la ley: *La policía detuvo en la frontera a un* *contrabandista de armas.* □ [No varía en masculino y en femenino]. FAMILIA: → contrabando.

contrabando [sustantivo/masculino] Hecho de meter productos en un país sin cumplir la ley: *La policía detuvo a varias personas que hacían contrabando de tabaco.* □ FAMILIA: contrabandista.

contracción [sustantivo/femenino] **1** Hecho de que algo se haga más pequeño o de que ocupe menos espacio: *La contracción y la dilatación son movimientos del corazón.* **2** Unión de dos vocales de forma que queda una sola: *De la contracción de la preposición «a» y el artículo «el» resulta «al».* □ CONTRARIOS: **1** dilatación. FAMILIA: → contraer.

contradecir [verbo] Llevar la contraria o decir lo contrario de lo que se ha dicho antes: *¿Por qué siempre me contradices en todo lo que digo?* □ [Es irregular y se conjuga como PREDECIR. Su participio es *contradicho*]. FAMILIA: contradicción, contradicho.

contradicción [sustantivo/femenino] Lo que se opone a lo que se ha dicho o se ha hecho antes: *Decir una cosa y hacer la contraria es una contradicción.* □ FAMILIA: → contradecir.

contradicho Participio irregular de **contradecir.** □ FAMILIA: → contradecir.

contraer [verbo] **1** Hacer algo más pequeño o hacer que ocupe menos espacio: *El frío contrae los metales.* **2** Empezar a tener una enfermedad o una mala costumbre: *Me he vacunado para no contraer la gripe.* **3** Aceptar algo como una obligación: *Mis padres contrajeron una deuda con el banco hace quince años.* □ [Es irregular y se conjuga como TRAER]. SINÓNIMOS: **2,3** adquirir. CONTRARIOS: **1** dilatar. FAMILIA: contracción.

contrapeso [sustantivo/masculino] Lo que sirve para que el peso o la fuerza de algo se hagan iguales que los de otra cosa: *En el balancín tienen que montarse dos personas, y así cada una hace de contrapeso a la otra.* □ FAMILIA: → peso.

contrariar [verbo] Enfadar o producir disgusto: *Me contrarió mucho saber que os habíais ido de excursión sin avisarme.* □ [Se conjuga como GUIAR]. FAMILIA: → contrario.

contrariedad [sustantivo/femenino] Suceso negativo que no se espera y que no suele ser grave: *¡Vaya contrariedad que se me haya pinchado la rueda a mitad de camino!* □ SINÓNIMOS: contratiempo, percance, accidente. FAMILIA: → contrario.

contrario, ria 1 [adjetivo o/sustantivo] Que se opone a algo: *Tratar de distinta manera a un hombre y a una mujer es contrario a la ley. Soy contrario al uso de la violencia.* [sustantivo/masculino] **2** Persona o grupo que está en contra: *El equipo de tu colegio es nuestro contrario en el partido del domingo.* **3** Palabra cuyo significado es opuesto al de otra: *«Listo» es el contrario de «tonto».* **4** [expresión] **al contrario** Al revés o de forma distinta del todo: *No he dicho que eso me guste, al contrario, lo odio.* **llevar la contraria a alguien** Oponerse a lo que dice: *Si yo digo blanco, él dice negro, porque siempre me lleva la contraria.* □ SINÓNIMOS: **1** opuesto, enemigo, antagónico. **2** adversario, rival, enemigo. **3** antónimo. CONTRARIOS: **2** partidario. **3** sinónimo. FAMILIA: contrariar, contrariedad.

contrarreloj [adjetivo o sustantivo femenino] Dicho de una carrera, que se hace teniendo en cuenta el tiempo que se tarda en acabar: *Este ciclista ha batido un récord en la contrarreloj.* □ [Cuando es adjetivo no varía en masculino y en femenino. Se escribe también *contra reloj*]. FAMILIA: → reloj.

contraseña [sustantivo/femenino] Palabra o señal secreta que permite reconocer a alguien como miembro de un grupo: *Si no me dices la contraseña, no te dejaré entrar.* □ FAMILIA: → seña.

contrastar [verbo] **1** Comparar una cosa con otra para ver sus diferencias: *Contrasta lo que yo te he contado con la versión de tus amigos y verás cómo digo la verdad.* **2** Mostrar gran diferencia: *El moreno de tu piel contrasta con la blancura de tu blusa.* □ FAMILIA: → contraste.

contraste [sustantivo/masculino] Diferencia grande u oposición que hay entre dos cosas que se comparan: *Tu hermana y tú sois tan distintos que entre vosotros hay un gran contraste.* □ FAMILIA: contrastar.

contratar [verbo] Hacer un contrato para que alguien trabaje en un sitio a cambio de dinero: *El director del colegio ha contratado a un nuevo profesor.* □ FAMILIA: → contrato.

contratiempo [sustantivo/masculino] Suceso negativo

a
b
c
d
e
f
g
h
i
j
k
l
m
n
ñ
o
p
q
r
s
t
u
v
w
x
y
z

que no se espera y que no suele ser grave: *He tenido un contratiempo y por eso he llegado tarde.* □ SINÓNIMOS: percance, contrariedad, accidente. FAMILIA: → tiempo.

contrato [sustantivo] [masculino] Acuerdo entre dos o más personas según el cual todos cumplirán lo que han dicho: *Todos los contratos que se firmen deben estar de acuerdo con la ley.* □ FAMILIA: contratar.

contribución [sustantivo] [femenino] **1** Cantidad de dinero que corresponde como impuesto: *Hay que pagar la contribución urbana todos los años dentro de un plazo.* **2** Ayuda para lograr un fin: *Una asociación ha pedido la contribución de todos los ciudadanos para mandar ropa y comida a ese país en guerra.* □ SINÓNIMOS: **2** colaboración, cooperación. FAMILIA: → contribuir.

contribuir [verbo] **1** Dar una cantidad de dinero para un fin: *Todos los años contribuyo con algún dinero a la lucha contra la droga.* **2** Ayudar para que se logre algún fin: *Todos debemos contribuir a la conservación de la naturaleza.* □ [La i se cambia en y delante de a, e, o, como en HUIR]. SINÓNIMOS: colaborar. **2** cooperar. FAMILIA: contribución.

contrincante [sustantivo] Persona o grupo que lucha contra otros para conseguir algo: *Tenemos que entrenarnos mucho, porque nuestros contrincantes son muy buenos.* □ [No varía en masculino y en femenino]. SINÓNIMOS: adversario.

control [sustantivo] [masculino] **1** Lo que se hace para comprobar que algo es como debe ser: *Los coches deben pasar un control cada cierto tiempo para ver si están en buen estado.* **2** Poder para dirigir algo o para mandar sobre ello: *Tú no tienes ningún control sobre mí, así que no me digas lo que tengo que hacer.* **3** Lugar desde donde se controla algo: *Nos pidieron el carné de identidad en un control de la frontera.* **4** Objeto que sirve para dirigir algo o para ver cómo funciona: *Un piloto maneja los controles del avión.* **5** Examen que se hace para comprobar lo que saben los alumnos: *Nuestra profesora nos hace un control cada quince días.* **6** [expresión] **control remoto** Aparato con el que se hace mover un objeto a distancia: *Me han regalado un coche que funciona por control remoto.* □ FAMILIA: controlar.

controlar [verbo] **1** Comprobar que algo es como debe ser o que se hace bien: *En los aeropuertos hay personas que controlan la salida y la llegada de los aviones.* **2** Estar pendiente de lo que hacen los demás: *Mi vecino controla a todo el que sube y baja.* **3** Mandar sobre algo o dirigirlo: *El ejército controla la zona sur del país.* **4 controlarse** Tener poder sobre las propias acciones para no dejarnos llevar por lo que sentimos: *Cuando estás nervioso, tienes que controlarte para no hacer tonterías.* □ SINÓNIMOS: **4** contenerse. FAMILIA: → control.

convaleciente [adjetivo o sustantivo] Que está intentando volver a tener fuerzas después de una enfermedad: *Después de la operación, estuve convaleciente un mes.* □ [No varía en masculino y en femenino].

convencer [verbo] **1** Conseguir que una persona cambie su opinión o su comportamiento: *Me convenció para que me apuntase con ella a clase de gimnasia.* **2** Gustar o producir placer: *La película era muy buena y me convenció.* □ [La c se cambia en z delante de a, o, como en VENCER]. FAMILIA: convincente, convencimiento, convicción.

convencimiento [sustantivo] [masculino] Seguridad que se tiene de algo: *Tengo el convencimiento de que mis amigos nunca me harían una faena así.* □ SINÓNIMOS: convicción. FAMILIA: → convencer.

conveniente [adjetivo] **1** Que es adecuado para algo o que es como debe ser: *Hasta que no se le pase el enfado no es conveniente que hables con él.* **2** Que resulta bueno para algo: *Es muy conveniente aprender idiomas.* □ [No varía en masculino y en femenino]. SINÓNIMOS: **1** acertado, apropiado, oportuno. **2** útil. CONTRARIOS: **1** incorrecto. **2** inútil. FAMILIA: → convenir.

convenio [sustantivo] [masculino] Acuerdo que se hace entre dos o más personas: *Ayer se firmó el convenio entre la empresa y los trabajadores.* □ SINÓNIMOS: pacto. FAMILIA: → convenir.

convenir [verbo] **1** Ser adecuado para algo o resultar bueno para ello: *Si vas a esquiar, te conviene llevar ropa de abrigo.* **2** Ponerse de acuerdo en algo: *Los dos amigos convi-*

nieron en comer juntos. □ [Es irregular y se conjuga como VENIR]. SINÓNIMOS: **2** quedar, acordar, pactar. FAMILIA: conveniente, convenio, inconveniente.

convento [sustantivo masculino] Edificio en el que viven algunos religiosos: *Las monjas de ese convento venden unos dulces muy ricos.*

conversación [sustantivo femenino] Hecho de hablar dos personas entre sí: *Hoy he tenido una conversación muy larga con un amigo.* □ FAMILIA: → conversar.

conversar [verbo] Hablar unas personas con otras: *Estuvimos conversando sobre nuestros problemas.* □ SINÓNIMOS: charlar, cascar. CONTRARIOS: callar. FAMILIA: conversación.

conversión [sustantivo femenino] **1** Cambio que sucede en una cosa y hace que algo empiece a ser distinto: *Uno de los milagros más famosos de Jesucristo fue la conversión del agua en vino en las bodas de Caná.* **2** Cambio de creencias: *La conversión al catolicismo supone aceptar la doctrina de la iglesia católica.* □ SINÓNIMOS: **1** transformación. FAMILIA: → convertir.

convertir [verbo] **1** Hacer que algo tenga un cambio y empiece a ser una cosa distinta: *Con el calor, la nieve se convierte en agua.* **2** Hacer que una persona tenga unas creencias nuevas: *El ejemplo es el mejor modo de convertir a los demás a nuestra religión.* □ [Es irregular y se conjuga como SENTIR]. SINÓNIMOS: **1** transformar. FAMILIA: conversión.

convicción [sustantivo femenino] **1** Hecho de conseguir que alguien cambie de opinión: *Hablas muy bien y tienes mucho poder de convicción.* **2** Seguridad que se tiene de algo: *Si haces lo que te he dicho, tengo la convicción de que conseguirás lo que quieres.* **3** [plural] Conjunto de ideas que alguien tiene sobre algo y en las que cree con seguridad: *Aunque yo no tengo tus mismas convicciones, las respeto.* □ SINÓNIMOS: **1,2** convencimiento. **2** creencia. FAMILIA: → convencer.

convidado, da [sustantivo] Persona a la que se invita a una comida o a una bebida sin que pague nada: *Había cien convidados en el banquete.* □ SINÓNIMOS: invitado. FAMILIA: → convidar.

convidar [verbo] Pagar lo que otros toman:

Nos convidó a una merienda en su casa. □ SINÓNIMOS: invitar. FAMILIA: convidado.

convincente [adjetivo] Que convence o que tiene poder para convencer: *Es un chico muy convincente y siempre consigue que los demás lo apoyemos.* □ [No varía en masculino y en femenino]. SINÓNIMOS: persuasivo. FAMILIA: → convencer.

convivencia [sustantivo femenino] Vida en compañía de otras personas: *Durante este viaje tendremos varios días de convivencia con los compañeros.* □ FAMILIA: → vivir.

convivir [verbo] Vivir juntas varias personas: *Cuando estuve en el albergue, conviví con chicos extranjeros.* □ FAMILIA: → vivir.

convocar [verbo] **1** Llamar a varias personas para que vayan a un lugar en una fecha determinada: *El director del colegio ha convocado una reunión de profesores.* **2** Anunciar las condiciones y la fecha de algo que se va a realizar: *Ya se ha convocado el concurso de poemas.* □ [La c se cambia en qu delante de e, como en SACAR].

conyugal [adjetivo] De las personas que están casadas, o relacionado con ellas: *Los hombres y las mujeres tienen los mismos deberes conyugales cuando se casan.* □ [No varía en masculino y en femenino]. FAMILIA: → cónyuge.

cónyuge [sustantivo] Esposo o esposa: *La madre de mi cónyuge es mi suegra.* □ [No varía en masculino y en femenino]. SINÓNIMOS: consorte. FAMILIA: conyugal.

coñá o **coñac** [sustantivo masculino] Bebida alcohólica muy fuerte: *Como mi padre había bebido una copa de coñac, fue mi madre la que condujo el coche.* □ [Son palabras de origen francés. El plural de coñá es coñás y el de coñac es coñacs].

coño [sustantivo masculino] Vulva. □ [Es vulgar y se usa mucho en expresiones vulgares].

cooperación [sustantivo femenino] Ayuda para lograr un fin: *Se ha encontrado al niño perdido gracias a la cooperación de todo el pueblo.* □ SINÓNIMOS: colaboración, contribución. FAMILIA: → cooperar.

cooperar [verbo] **1** Trabajar con otras personas en algo: *He decidido cooperar con vosotros en ese trabajo.* **2** Ayudar para que se logre algún fin: *Agradecemos el esfuerzo de todas las personas que han cooperado para que consiguiéramos hacer este proyecto.* □

a
b
c
d
e
f
g
h
i
j
k
l
m
n
ñ
o
p
q
r
s
t
u
v
w
x
y
z

SINÓNIMOS: colaborar. **2** contribuir. FAMILIA: cooperación, cooperativa.

cooperativa [sustantivo femenino] Empresa en la que las pérdidas y las ganancias se reparten por igual entre todos los que la forman: *Se ha formado una cooperativa para construir viviendas.* □ FAMILIA: → cooperar.

coordinador, -a [adjetivo o sustantivo] Que se ocupa de unir las distintas partes de algo de forma que tengan un orden determinado para que todo salga bien: *Yo soy el coordinador de este grupo de trabajo.* □ FAMILIA: → coordinar.

coordinar [verbo] **1** Unir cosas distintas de forma que tengan un orden determinado para que todo salga bien: *Yo soy el encargado de coordinar el trabajo que hacemos en equipo.* **2** Hacer una cosa a la vez que otra y de forma que se mezclen con orden: *Cuando bailamos juntos, tenemos que coordinar nuestros movimientos.* **3** Unir palabras u oraciones parecidas: *En la oración «Canto y bailo», «y» coordina «canto» y «bailo».* □ FAMILIA: coordinador.

copa [sustantivo femenino] **1** Especie de vaso que está unido a un pie largo y fino: *Nos han regalado un juego de copas de champán.* **2** Conjunto de ramas y de hojas que forman la parte superior de un árbol: *Hay un nido de pájaros en la copa de ese árbol.* **3** Parte hueca de un sombrero o de otros objetos: *El mago sacó un conejo de la copa de su sombrero.* **4** Competición deportiva en la que se da un premio que tiene forma de vaso: *Este fin de semana se juega la final de fútbol de la Copa del Rey.* **5** [plural] En una baraja, tipo de carta que tiene dibujada esta especie de vaso: *Cuando has repartido las cartas, me has dado oros y espadas, pero no copas.*

copia [sustantivo femenino] Cualquier cosa que se hace igual que otra o que se le parece mucho: *¿Me pasas una copia de la letra de la canción?* □ SINÓNIMOS: calco, imitación, reproducción. FAMILIA: → copiar.

copiar [verbo] **1** Hacer algo igual que otra cosa: *Copié este dibujo de una revista.* **2** Escribir lo mismo que se ha visto en algún sitio: *El profesor se dio cuenta de que había copiado del libro para hacer el trabajo y que no había entendido muchas palabras.* □ SI-

NÓNIMOS: **1** calcar, imitar. FAMILIA: copia, copión, fotocopia, fotocopiar.

copiloto [sustantivo] Persona que va al lado del conductor de un vehículo y le ayuda a conducir: *El copiloto tomó los mandos del avión para que el piloto descansara.* □ [No varía en masculino y en femenino]. FAMILIA: → piloto.

copión, -a [adjetivo o sustantivo] Que siempre copia las cosas o hace lo mismo que otra persona: *Va vestida igual que yo porque es una copiona.* □ [Es coloquial]. FAMILIA: → copiar.

copla [sustantivo femenino] **1** Canción popular que forma parte de muchas canciones: *Un andaluz cantó unas coplas acompañándose de la guitarra.* **2** Lo que se dice de forma continua y termina cansando: *¿Ya estás otra vez con la misma copla de todos los días?* □ [El significado **2** es coloquial].

copo [sustantivo masculino] Gota de nieve: *¡Mira los copos de nieve cómo van cubriendo el tejado!*

cópula [sustantivo femenino] Unión sexual del macho y la hembra: *El nacimiento de una cría es resultado de la cópula.*

copulativo, va [adjetivo] Que une una palabra o una frase con otra: *En la frase «Bebí leche y comí galletas», «y» es una conjunción copulativa.*

coquetear [verbo] Intentar gustar a alguien: *Mi hermana coquetea con un chico, pero dice que todavía no es su novio.* □ FAMILIA: → coqueto.

coquetería [sustantivo femenino] Ganas de gustar siempre a todo el mundo: *Mirarse mucho al espejo es signo de coquetería.* □ FAMILIA: → coqueto.

coqueto, ta **1** [adjetivo] Agradable y bonito: *Llevas un vestido muy coqueto.* **2** [adjetivo o sustantivo] Que trata de gustar siempre a los demás: *Eres tan coqueta que te estás mirando siempre en los espejos.* **3** [sustantivo femenino] Mueble formado por una mesa con cajones y un espejo, que sirve para peinarse y arreglarse: *En la habitación de mis padres hay una coqueta.* □ FAMILIA: coquetear, coquetería.

coraje [sustantivo masculino] **1** Valor o fuerza que se tienen para hacer algo: *No tengo coraje para decirle la verdad.* **2** Ira o sensación nada agradable que tenemos cuando algo nos molesta mucho: *Me da mucho coraje que siempre tenga yo que hacerlo todo.* □ SINÓNIMOS: **1** valentía. **2** rabia. CONTRARIOS: **1** cobardía.

coral 1 [sustantivo masculino] Animal que vive en el mar formando un grupo que parece una planta: *Buceé para ver los corales del fondo del mar.* 🔍 página 120. **2** [sustantivo femenino] Grupo musical que canta sin instrumentos: *Una coral cantó varios villancicos.* □ SINÓNIMOS: **2** orfeón. FAMILIA: → coro.

coraza [sustantivo femenino] Pieza de metal que protege el pecho y la espalda: *Los antiguos guerreros usaban coraza.* □ FAMILIA: acorazado.

CORAZA

corazón [sustantivo masculino] **1** Órgano del cuerpo que hace que la sangre se reparta por todas partes: *Los latidos son los movimientos del corazón.* **2** Figura parecida a este órgano: *Dibujé un corazón con el nombre de la chica que me gusta y el mío.* **3** Lo que se siente: *A veces actúo con la cabeza y otras con el corazón.* **4** Parte central o más importante de algo: *Vivo en el corazón de la ciudad.* **5** Dedo central de la mano: *El corazón es el dedo más largo.* **6** [expresión] **de corazón** De verdad: *Deseo de corazón que tengas suerte.* **del corazón** Que trata de los sentimientos o de la vida íntima de las personas: *Vi las fotografías de la boda de ese actor en una revista del corazón.* □ FAMILIA: corazonada.

corazonada [sustantivo femenino] Sensación de que algo va a ocurrir: *Tengo la corazonada de que hoy me voy a encontrar a un amigo que hace mucho que no veo.* □ SINÓNIMOS: presentimiento. FAMILIA: → corazón.

corbata [sustantivo femenino] Tira de tela estrecha y larga que se usa como adorno y se ata bajo el cuello de la camisa para que caiga sobre el pecho: *Mi padre sólo se pone corbata cuando va a trabajar a la oficina.*

corcel [sustantivo masculino] Caballo fuerte y bonito: *Al empezar el torneo, el caballero montó su veloz corcel.* □ [Suele usarse en el lenguaje literario].

corchete [sustantivo masculino] **1** Especie de gancho formado por dos piezas que sirve de cierre y que se suele poner en prendas de vestir: *Me han cosido un corchete en la cintura de la falda.* **2** Signo que usamos al escribir para añadir una explicación: *En este diccionario, la información gramatical va entre corchetes.*

corcho [sustantivo masculino] **1** Material que se saca de algunos árboles, que flota bien y pesa muy poco: *En clase tenemos un mural de corcho para colgar papeles.* **2** Objeto que sirve para cerrar botellas y que está hecho con este material: *Sacó el corcho de la botella con un sacacorchos.* □ FAMILIA: descorchar, sacacorchos.

córcholis [interjección] Se usa para indicar sorpresa, admiración o disgusto: *¡Córcholis, si ya es hora de irme!* □ [Es coloquial].

cordel [sustantivo masculino] Cuerda fina: *La caja iba atada con un cordel rojo.* □ FAMILIA: → cuerda.

cordero, ra [sustantivo] Cría de la oveja cuando tiene menos de un año: *Los corderos balaban y no se separaban de sus madres.*

cordial [adjetivo] Amable, simpático o cariñoso: *Es una persona cordial y da gusto tratar con ella.* □ [No varía en masculino y en femenino]. FAMILIA: cordialidad.

cordialidad [sustantivo femenino] Trato amable o cariñoso: *A todos nos gusta ir a sitios donde nos reciben con cordialidad.* □ FAMILIA: → cordial.

cordillera [sustantivo femenino] Conjunto de montañas unidas entre sí y con características comunes: *La cordillera cantábrica está entre Cantabria y Castilla-León.* 🔍 página 709.

cordobés, -a [adjetivo o sustantivo] De la provincia de Córdoba o de su capital: *La provincia cordobesa es una de las provincias andaluzas.*

cordón [sustantivo masculino] **1** Cuerda muy fina: *Se te han desatado los cordones de los zapatos.* **2** Conjunto de personas colocadas en línea para separar una cosa de otra: *Un cordón policial impedía al público aproximarse al presidente de la nación.* **3** [expresión] **cordón umbilical** Especie de tubo que une al hijo con la madre cuando está dentro de su cuerpo: *Cuando nacemos, el médico tiene que cortarnos el cordón umbilical.* □ FAMILIA: → cuerda.

cornada [sustantivo femenino] Herida hecha con un cuerno: *Este torero recibió una cornada en la pierna.* □ FAMILIA: → cuerno.

córner [sustantivo] [masculino] **1** En fútbol y en otros deportes, salida del balón fuera del terreno de juego por la línea de fondo del propio campo: *Ante el peligro de gol, el defensa hizo un córner.* **2** Hecho de volver a poner el balón en juego desde una esquina: *Es muy difícil meter un gol directamente de córner.* ☐ [Es una palabra de origen inglés. Su plural es *córneres*]. SINÓNIMOS: **2** saque de esquina.

corneta [sustantivo] [femenino] Instrumento musical de viento y muy sencillo: *Un soldado tocó la corneta para anunciar el comienzo de la batalla.*

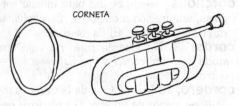
CORNETA

cornisa [sustantivo] [femenino] **1** Conjunto de piezas en las que acaba la parte superior de un edificio: *Con el viento se cayó parte de la cornisa de este edificio.* **2** Zona que está al borde de un lugar alto: *Esta carretera va por una cornisa al lado del mar.*

coro [sustantivo] [masculino] **1** Conjunto de personas que cantan juntas: *Me he apuntado al coro del colegio, porque me gusta mucho cantar.* **2** En una iglesia, lugar donde está el conjunto de personas que cantan: *En el coro de la iglesia tienen un órgano muy antiguo.* **3** [expresión] **a coro** A la vez: *Teníamos tantas ganas de ir de excursión que, cuando nos lo preguntaron, contestamos a coro que sí.* ☐ FAMILIA: coral.

corona [sustantivo] [femenino] **1** Objeto redondo que se pone en la cabeza: *La corona del rey representa el poder.* **2** Lo que tiene esta forma: *Una corona de flores cubría el ataúd.* **3** Pieza con la que se mueven las agujas de un reloj: *Se me ha roto la corona del reloj y no*

puedo darle cuerda. **4** Moneda de algunos países: *La corona es la moneda de Dinamarca.* ☐ FAMILIA: coronar, coronación, coronilla.

coronación [sustantivo] [femenino] Acto en el que se pone una corona al futuro rey: *Todos los nobles asistieron a la ceremonia de la coronación.* ☐ FAMILIA: → corona.

coronar [verbo] **1** Poner una corona en la cabeza: *Coronaron al vencedor con una corona de laurel.* **2** Llegar a la parte más alta de algo o poner algo en ella: *Los alpinistas coronaron ayer la cumbre de la montaña.* ☐ FAMILIA: → corona.

coronel [sustantivo] [masculino] Una de las categorías militares: *La categoría de coronel es superior a la de un teniente.*

coronilla 1 [sustantivo] [femenino] Parte más alta y posterior de la cabeza: *Mi tío se está quedando calvo por la coronilla.* **2** [expresión] **hasta la coronilla** Tan cansado de algo que ya no se puede más: *¡Haz el favor de estar quieto, que me tienes hasta la coronilla!* ☐ [El significado **2** es coloquial]. FAMILIA: → corona.

CORONILLA

corporal [adjetivo] Del cuerpo o relacionado con él: *Para estar sano, hay que cuidar la higiene corporal.* ☐ [No varía en masculino y en femenino]. FAMILIA: → cuerpo.

corpulento, ta [adjetivo] Con el cuerpo grande y fuerte: *Los guardaespaldas suelen ser corpulentos.* ☐ FAMILIA: → cuerpo.

corral [sustantivo] [masculino] **1** Lugar descubierto donde se mete a los animales: *El ganadero encerró los caballos en el corral.* **2** Lugar donde se hacían obras de teatro: *Los corrales eran*

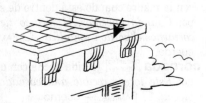
CORNISA

patios entre varios edificios. **3** Especie de mueble en el que se pone a los niños pequeños para que jueguen: *Metí a mi hermano en el corral y le di unos juguetes.* □ [En el significado **3** se usa mucho el diminutivo *corralito*]. SINÓNIMOS: **3** parque.

correa [sustantivo/femenino] Cinta de un material fuerte que se usa para atar algo: *La correa de mi reloj es de cuero verde.*

corrección [sustantivo/femenino] **1** Hecho de señalar lo que está mal: *El profesor ha puesto las respuestas correctas en la pizarra y nosotros hemos hecho la corrección de los ejercicios.* **2** Disminución de una falta: *Hay aparatos que permiten la corrección de algunos tipos de sordera.* **3** Educación o respeto de las reglas sociales: *Aunque no nos conocían de nada, nos trataron con corrección.* □ CONTRARIOS: **3** incorrección. FAMILIA: → corregir.

correcto, ta [adjetivo] **1** Sin errores: *Señalad con una «x» la respuesta correcta.* **2** Que actúa con educación y sigue las reglas sociales: *Aunque esa chica no es cariñosa con nosotros, es muy correcta.* □ CONTRARIOS: incorrecto. FAMILIA: → corregir.

corredor, -a [sustantivo] **1** Persona que participa en una carrera: *Un corredor africano ganó la carrera de los cien metros lisos.* **2** Persona que trabaja vendiendo a una persona lo que ha comprado a otra: *Los corredores de bolsa compran y venden dinero que no es suyo.* [sustantivo/masculino] **3** Parte estrecha y larga a la que dan las ventanas o las puertas de las distintas casas de un edificio: *Los corredores de este edificio están adornados con macetas.* **4** Parte estrecha y larga a la que dan las habitaciones de una casa: *La segunda puerta del corredor es el cuarto de baño.* □ SINÓNIMOS: **4** pasillo. FAMILIA: → correr.

corregir [verbo] **1** Señalar lo que está mal: *El profesor nos corrige las faltas con un boli rojo.* **2** Quitar una falta: *Mi abuelo usa gafas para corregir su vista cansada.* □ [Es irregular y se conjuga como ELEGIR]. SINÓNIMOS: **2** rectificar, enmendar. FAMILIA: correcto, corrección, incorrección, incorrecto.

correo [sustantivo/masculino] **1** Servicio público que se ocupa de llevar cartas y paquetes de un lugar a otro: *Mi madre envió a mis tíos un paquete por correo.* **2** Conjunto de las cartas y de los paquetes que se envían de un lugar a otro: *El cartero trae el correo antes de las once de la mañana.* **3** [plural] Edificio donde se reciben las cartas para repartirlas: *Fui a Correos para recoger un libro que me enviaron.* □ [El significado **3** se suele escribir con mayúscula]. SINÓNIMOS: **2** correspondencia.

correr [verbo] **1** Andar de forma rápida y de manera que los dos pies queden un momento en el aire: *Tuve que correr porque llegaba tarde al colegio.* **2** Ir deprisa o hacer algo de forma rápida: *Haz la ensalada corriendo, que ya vienen todos a comer.* **3** Pasar el tiempo: *Corren los días y sigo sin saber nada de él.* **4** Salir un líquido de un sitio: *Deja correr el agua hasta que salga fría.* **5** Soplar el viento: *Menos mal que corre un poco de brisa, porque hace mucho calor.* **6** Pasar una noticia de unas personas a otras: *No sé si será verdad lo que cuentan, pero la historia corre por todo el colegio.* **7** Corresponder a una persona hacer algo: *La bebida la llevas tú, porque la comida corre de mi cuenta.* **8** Participar en una carrera: *En esta carrera corren los mejores atletas del mundo.* **9** Mover de un lado a otro un objeto: *Corre las cortinas para que entre la luz.* **10** Extender un color fuera del lugar en el que estaban: *Las lágrimas te han corrido la pintura de los ojos.* **11** Estar en una determinada situación: *Quítate de ahí, porque corres peligro de caerte.* **12 correrse** Moverse una persona hacia la derecha o hacia la izquierda: *Córrete un poco, que no quepo en el sillón.* □ SINÓNIMOS: **3** discurrir, transcurrir. FAMILIA: corretear, corredor, recorrer, recorrido.

correspondencia [sustantivo/femenino] **1** Conjunto de las cartas y de los paquetes que se envían: *Voy a abrir el buzón para coger la correspondencia.* **2** Comunicación por carta que se establece entre dos personas: *Mantengo correspondencia con un amigo francés.* **3** Equilibrio entre las distintas partes de algo: *No hay correspondencia entre lo que dices y lo que haces.* □ SINÓNIMOS: **1** correo. **3** proporción. FAMILIA: → corresponder.

corresponder [verbo] **1** Devolver de forma parecida algo que se nos ha hecho o algo que se nos ha dado: *Correspondí a sus aten-*

a
b
c
d
e
f
g
h
i
j
k
l
m
n
ñ
o
p
q
r
s
t
u
v
w
x
y
z

ciones con un regalo. **2** Ser una cosa obligación de una persona: *A mí no me corresponde decirle a tu hermano lo que debe hacer.* **3** Tener una cosa relación con otra: *A los pies grandes les corresponden zapatos grandes. Tu forma de pensar no se corresponde con tu forma de actuar.* □ FAMILIA: correspondencia, correspondiente, corresponsal.

correspondiente [adjetivo] Que corresponde a algo o que tiene relación con ello: *Que cada uno vaya al sitio correspondiente.* □ [No varía en masculino y en femenino]. FAMILIA: → corresponder.

corresponsal [sustantivo] Periodista que trabaja en un lugar lejano para mandar las noticias que ocurren allí: *La corresponsal de esta televisión en Italia ha enviado información sobre las elecciones que se celebran allí.* □ [No varía en masculino y en femenino].

corretear [verbo] Correr de un lado a otro: *Por la tarde llevo el perro al parque para que corretee un poco.* □ FAMILIA: → correr.

corrida [sustantivo femenino] Espectáculo en el que se torean varios toros en una plaza con forma redonda y preparada para ello: *Uno de los toreros de la corrida recibió una cornada.* 🖾 página 343.

corriente [adjetivo] **1** Que no destaca y es como muchos otros: *Necesito unos pantalones corrientes, para usarlos a diario.* **2** Que no sorprende porque siempre es así: *Es corriente que en verano haga calor.* **3** Que se usa mucho: *En España es muy corriente guisar con aceite de oliva.* **4** Que hay en gran cantidad: *Los cerezos son corrientes en esta zona.* **5** Dicho de un período de tiempo, que está pasando en ese momento: *El plazo de la matrícula acaba el quince del mes corriente.* [sustantivo femenino] **6** Energía eléctrica que va de un lugar a otro por hilos: *Si no enchufas la lámpara, no le llegará la corriente.* **7** Movimiento de un líquido o de un gas en una dirección determinada: *La balsa fue arrastrada por la corriente del río. Cierra una de las ventanas, que hay corriente.* **8** Conjunto de ideas y pensamientos de un grupo distintos de los de otros grupos: *Personas de distintas corrientes ideológicas se han unido para luchar juntas.* **9** [expresión] **al corriente**

Sabiendo todo lo que ha sucedido hasta el momento presente: *Un amigo me puso al corriente de lo que había pasado entre ellos.* **contra corriente** En contra de lo que piensa o hace la mayoría de la gente: *Te gusta llamar la atención y por eso siempre vas contra corriente.* **corriente y moliente** Muy normal: *Soy una persona corriente y moliente, así que no me trates con tanta ceremonia.* □ [Cuando es adjetivo no varía en masculino y en femenino]. SINÓNIMOS: **1,2** ordinario. **1-3** normal. **1-4** común. **2,3** habitual. **3** usual. CONTRARIOS: **1** especial, particular, original. **1-4** extraordinario, anormal, raro, sorprendente, extraño.

corrillo [sustantivo masculino] Grupo de personas que hablan separadas del resto: *Unos cuantos chicos hicieron un corrillo para tramar algo entre ellos.* □ FAMILIA: → corro.

corro [sustantivo masculino] **1** Conjunto de personas que se ponen en círculo: *En cuanto pasa algo raro en la calle, enseguida se forma un corro de mirones.* **2** Juego de niños que consiste en formar un círculo cogidos de las manos y girar cantando al mismo tiempo: *Los niños jugaban al corro y cantaban: «Al corro de la patata...».* □ FAMILIA: corrillo, acorralar.

corrupción [sustantivo femenino] **1** Hecho de aceptar dinero de manera no legal, a cambio de un favor: *El político dimitió de su cargo cuando lo acusaron de corrupción.* **2** Hecho de dañar a una persona en sentido moral: *La corrupción de menores es un delito.* **3** Cambio que estropea la forma o la estructura de algo: *Si no evitamos la corrupción del idioma, llegará un momento en que no nos entenderemos.*

corsario [sustantivo masculino] Persona que roba barcos en el mar: *Los corsarios asaltaban barcos que iban cargados de tesoros.* □ SINÓNIMOS: pirata.

corsé [sustantivo masculino] **1** Prenda de ropa interior, hecha de un material fuerte, que aprieta el cuerpo desde el pecho hasta el vientre: *Antiguamente, las mujeres llevaban corsé para parecer más delgadas.* **2** Lo que aprieta mucho y deja poca libertad: *Cuando las normas son muy rígidas, se convierten en un corsé.* □ [Es una palabra de origen francés].

CORSÉ

cortado, da **1** [adjetivo o sustantivo] Tan tímido o tan sorprendido que no sabe qué decir: *Lo pasa mal cuando está con gente porque es un cortado. Me quedé cortada cuando dijo de repente que la culpa la tenía yo.* **2** [sustantivo masculino] Café con un poco de leche: *¡Camarero, por favor, dos cafés con leche y un cortado!* □ FAMILIA: → corte.

cortar [verbo] **1** Hacer una abertura con algo afilado: *Me he cortado en un dedo al pelar las patatas.* **2** Separar una parte de algo con un instrumento afilado: *¿Me cortas una ración de tarta?* **3** Dividir algo en dos partes: *La calle principal corta el pueblo en dos barrios.* **4** Quitar una parte de algo: *Han cortado varios párrafos del texto porque no cabían en la página.* **5** Atravesar un gas o un líquido: *La flecha produjo un silbido al cortar el aire.* **6** Dividir en dos una baraja levantando una parte de sus cartas: *Antes de repartir las cartas, déjame que corte.* **7** Interrumpir algo: *Me molesta que corten tantas veces las películas para poner anuncios. Hay que cortar la hemorragia cuanto antes.* **8** Poner una cosa de forma que se cruce con otra: *Dos líneas que se cortan forman una cruz.* **9** Estropear la piel y ponerla áspera: *Si no te secas bien las manos, se te cortarán.* **10** Estar afilado: *Cuidado con el cuchillo, porque corta mucho.* **cortarse** **11** Estropearse un líquido, separándose las partes que lo forman: *Esta leche se ha cortado y hay que tirarla.* **12** Sentir vergüenza o quedarse sin saber qué decir: *Tiene mucho desparpajo y no se corta por nada.* □ SINÓNIMOS: **7** contener, detener. FAMILIA: → corte.

cortaúñas [sustantivo masculino] Objeto de metal que sirve para cortarse las uñas: *Me corto las uñas con cortaúñas porque las tijeras sólo sé usarlas con la mano derecha.* □ [No varía en singular y en plural]. FAMILIA: → uña.

corte [sustantivo masculino] **1** Filo de un instrumento que corta: *La navaja se dobla de modo que el corte quede dentro del mango.* **2** Herida producida por un instrumento que corta: *Se hizo un corte al afeitarse.* **3** Técnica de cortar las piezas necesarias para hacer prendas de vestir: *Aprendió corte y confección, y ahora es modista.* **4** Tela necesaria para hacer una prenda de vestir: *He comprado un corte de tela estampada para hacerme una falda.* **5** División de algo en dos partes: *El carpintero hizo un corte limpio de la tabla.* **6** Hecho de interrumpir algo o de detener su movimiento: *El corte de luz se debió a una avería en el tendido eléctrico.* **7** Vergüenza que se siente y que suele frenar para hacer algo: *Al final no le pedí el favor porque me daba corte.* **8** Trozo de helado de barra: *Me gustan más los cortes que los helados de cucurucho.* **9** Estilo o carácter de algo: *Los muebles de mi casa son de corte clásico.* [sustantivo femenino] **10** Población en la que vive el rey: *La capital de este país es también la corte.* **11** Conjunto formado por la familia del rey y por las personas que lo acompañan: *En la fiesta del palacio estaba presente toda la corte.* **12** Conjunto de personas que van acompañando a otra: *Ese cantante va a todas partes con una corte de personas a su servicio.* **13** [sustantivo femenino plural] Cámaras que hacen las leyes de un país: *El Senado y el Congreso de los Diputados forman las Cortes españolas.* **14** [expresión] **corte de mangas** Gesto que se hace doblando el brazo por el codo para negar algo de manera poco educada: *Le pregunté que si ya no estaba enfadado conmigo y me contestó con un corte de mangas.* **dar un corte a alguien** Decirle algo que lo deje sin saber qué responder: *Un día no me voy a callar y le voy a dar un buen corte a esa grosera.* **hacer la corte** Tener un hombre muchas atenciones con una mujer para empezar una relación de amor: *Mi abuelo le hizo la corte a mi abuela durante tres años.* □ [El significado **7** y las expresiones *corte de mangas* y *dar un corte a alguien* son coloquiales]. SINÓNIMOS: **7** apuro. **12** comitiva, cortejo, séquito, acompañamiento. FAMILIA: cortar, cortado, corto, acortar, recortar, recorte, recortable, cortés, cortesía, cortejo.

cortejo [sustantivo masculino] Conjunto de personas que

a
b
c
d
e
f
g
h
i
j
k
l
m
n
ñ
o
p
q
r
s
t
u
v
w
x
y
z

van acompañando a otra en una ceremonia: *El cortejo fúnebre iba detrás del coche que llevaba el ataúd.* □ SINÓNIMOS: corte, comitiva, séquito, acompañamiento. FAMILIA: → corte.

cortés [adjetivo] Que se comporta de manera amable y con buena educación: *Fue muy cortés conmigo y me dejó pasar delante de él por la puerta.* □ [No varía en masculino y en femenino]. FAMILIA: → corte.

cortesía [sustantivo femenino] **1** Buena educación: *Nos llamó de usted y nos trató con gran cortesía.* **2** Acto con el que se demuestra atención o respeto por alguien: *Ha sido una cortesía por tu parte acompañarme hasta mi casa.* **3** Lo que se regala como una atención: *Este cenicero es una cortesía del restaurante donde cenamos.* □ SINÓNIMOS: **1** urbanidad. **2,3** gentileza. FAMILIA: → corte.

corteza [sustantivo femenino] **1** Capa exterior y dura de algo: *Me gusta más la miga del pan que la corteza.* **2** Capa sólida de la Tierra que está en su superficie: *Por encima de la corteza terrestre está la atmósfera.* **3** [expresión] **corteza de cerdo** Piel de cerdo que se cocina con aceite y que se suele poner para comer mientras se bebe algo: *Nos pusieron de aperitivo unas aceitunas y unas cortezas de cerdo.*

cortijo [sustantivo masculino] Casa con una gran extensión de tierras alrededor: *Los cortijos son propios de Andalucía y de Extremadura.*

cortina [sustantivo femenino] **1** Tela que se pone para cubrir las ventanas y otros huecos: *Corrió la cortina de la ventana para que no los vieran desde la calle.* **2** Lo que no deja ver bien algo: *Los bomberos no podían ver bien por la cortina de humo del incendio.*

corto, ta [adjetivo] **1** De poca longitud o de poca extensión: *Una minifalda es una falda muy corta.* **2** De poca duración: *Mucha gente se toma unas cortas vacaciones en Semana Santa.* **3** De poca cantidad: *Tienen un hijo de corta edad.* **4** Que no llega hasta donde se quiere: *La flecha no dio en la diana porque el lanzamiento se quedó corto.* **5** Que tiene poca inteligencia: *Debo de ser un poco corta, porque no he entendido nada de lo que me has dicho.* **6** [sustantivo masculino] Película de cine de poca duración: *En muchos cines po-*

nen un corto antes de la película. **7** [expresión] **ni corto ni perezoso** Con decisión y sin pensarlo: *Le entraron ganas de verme y, ni corta ni perezosa, se presentó en mi casa.* □ [El significado **6** es la forma abreviada de *cortometraje*]. SINÓNIMOS: **1-3** escaso, reducido. **2** breve. CONTRARIOS: **1,2,4,6** largo. **1,2** extenso. **2** duradero. **3** cuantioso, numeroso, abundante, crecido. FAMILIA: → corte.

coruñés, -a [adjetivo o sustantivo] De la provincia de La Coruña o de su capital: *Santiago de Compostela es una ciudad coruñesa.*

cosa [sustantivo femenino] **1** Todo lo que existe o todo lo que nos imaginamos: *Según el catolicismo, Dios creó todas las cosas. Estoy pensando una cosa y no sé si decírtela.* **2** Lo que no tiene vida: *Las personas, los animales y las plantas no son cosas.* **3** Nada o casi nada: *Cuando decido algo, no hay cosa que me detenga.* **4** [expresión] **como quien no quiere la cosa** Como si se hiciera sin intención o sin dar importancia: *Lo dijo como quien no quiere la cosa, pero sabiendo que todos nos dábamos cuenta.* **como si tal cosa** Como si no hubiera pasado nada: *Después de la bronca que tuvimos, no puedo aparecer por allí como si tal cosa.* **cosa de** De manera aproximada: *La reunión duró cosa de un par de horas.* **cosa fina** Muy bueno: *Me hizo un regalo cosa fina.* **cosa mala** Mucho o en cantidad: *De repente empezó a llover cosa mala.* **ser cosa de hacer algo** Ser adecuado realizarlo: *Me aburrió la conferencia, pero aguanté porque no era cosa de marcharme a la mitad.* **ser poca cosa** Ser poco importante o de poco valor: *Tuvieron un accidente, pero fue poca cosa.* □ [Se usa mucho para nombrar algo de forma imprecisa: *¿Qué es esa cosa? No sé de qué va la cosa. No te metas en mis cosas.* Las expresiones son coloquiales. El significado **3** se usa en frases negativas].

coscorrón [sustantivo masculino] Golpe dado en la cabeza y que duele mucho: *¡Deja ya de darme coscorrones con los nudillos!*

cosecha [sustantivo femenino] **1** Conjunto de frutos que se cogen de la tierra cuando están maduros: *Este año hay una buena cosecha de trigo.* **2** Trabajo que consiste en coger estos frutos: *El dueño de la finca ha contratado jornaleros para la cosecha de los cereales.* **3** [expresión]

ser algo de la cosecha de alguien Haberlo inventado esa persona: *¿Ese chiste se lo has oído a alguien o es de tu cosecha?* □ [El significado **3** es coloquial]. SINÓNIMOS: **2** recolección. FAMILIA: → cosechar.

cosechadora [sustantivo femenino] Máquina que corta el trigo y otras plantas, y que separa el grano: *Las cosechadoras facilitan mucho el trabajo de los agricultores.* □ FAMILIA: → cosechar.

cosechar [verbo] **1** Coger los frutos de la tierra cuando están maduros: *La cebada se cosecha después del verano.* **2** Conseguir un resultado después de trabajar por ello: *Si te esfuerzas, cosecharás grandes triunfos.* □ SINÓNIMOS: **1** recolectar. FAMILIA: cosecha, cosechadora.

coser [verbo] **1** Hacer una labor con aguja e hilo: *Desde que aprendí a coser, hago unos bordados preciosos.* **2** Unir algo con hilo: *Tengo que coser un botón que se me ha caído. Me han cosido la herida para que no se abra.* **3** Unir con piezas de metal o con otra cosa: *Para coser las páginas de las revistas se suelen utilizar grapas.* **4** Producir muchas heridas con un arma: *En la película sale un pistolero que va por ahí cosiendo a la gente a balazos.* **5** [expresión] **ser coser y cantar** Ser muy fácil: *A mí no me parece que escribir un libro sea coser y cantar.* □ [Los significados **4** y **5** son coloquiales]. CONTRARIOS: **2** descoser. FAMILIA: costura, costurero, descoser.

cosmos [sustantivo masculino] Conjunto de todo lo que existe: *La Tierra y las personas formamos parte del cosmos.* □ [No varía en singular y en plural]. SINÓNIMOS: universo, creación, mundo.

cosquillas 1 [sustantivo femenino plural] Sensación que nos producen cuando nos rozan la piel de forma muy suave y que nos hace reír sin querer: *Como estaba descalza, me agarró un pie y me hizo cosquillas.* **2** [expresión] **buscarle las cosquillas a alguien** Hacerle perder la paciencia: *No me busques las cosquillas, que podemos acabar mal.*

costa 1 [sustantivo femenino] Zona cerca del mar o de otros lugares con agua: *Vamos a veranear a un pueblo que está en la costa catalana.* ✍ página 537. **2** [expresión] **a costa de** A fuerza de: *Lo consiguieron a costa de mucho esfuerzo.* **a toda costa** Cueste lo que cueste: *Está dispuesto a conseguir eso a toda costa, sin reparar en gastos.* □ FAMILIA: costero, guardacostas.

costado [sustantivo masculino] **1** Cada uno de los dos lados del cuerpo que están debajo de los brazos, entre el pecho y la espalda: *El médico me hizo levantar el brazo para verme el costado.* **2** Parte que está en uno de los lados de algo: *El coche tiene un arañazo en el costado derecho.* **3** [expresión] **por los cuatro costados** Mucho: *Soy deportista por los cuatro costados.* □ [El significado **3** es coloquial]. FAMILIA: acostar, recostar.

costar [verbo] **1** Tener algo determinado precio: *¿Cuánto cuesta la muñeca del escaparate?* **2** Producir algo una molestia o suponer un esfuerzo: *No te cuesta nada ayudarme y me harías un favor.* **3** [expresión] **costar caro** Traer malas consecuencias: *No intentes aprovecharte de mí, o te costará caro.* □ [Es irregular y se conjuga como CONTAR]. SINÓNIMOS: **1** valer. FAMILIA: costo, coste, costoso, cuesta.

coste [sustantivo masculino] Dinero, esfuerzo u otra cosa que algo cuesta: *Fumar supone un alto coste para la salud.* □ SINÓNIMOS: costo, precio. FAMILIA: → costar.

costero, ra [adjetivo] De la costa o relacionado con ella: *En las zonas costeras el clima suele ser más suave que en el interior.* □ FAMILIA: → costa.

costilla [sustantivo femenino] Cada uno de los huesos largos que protegen los pulmones: *Las costillas protegen el corazón y los pulmones.*

costo [sustantivo masculino] Dinero, esfuerzo u otra cosa que algo cuesta: *¿A cuánto asciende el costo de la reparación?* □ SINÓNIMOS: coste, precio, importe. FAMILIA: → costar.

costoso, sa [adjetivo] Que cuesta mucho: *Me resultó muy costoso separarme de mis padres para ir a mi primer campamento.* □ FAMILIA: → costar.

costra [sustantivo femenino] **1** Capa dura que se forma en la piel después de hacernos una herida: *Ya no me duele la herida, pero aún tengo la costra.* **2** Capa que cubre algo y que se ha puesto dura: *¡Frótate bien con la esponja, a ver si te quitas esa costra de suciedad!*

costumbre [sustantivo] [femenino] **1** Lo que se hace con frecuencia: *Lavarse los dientes después de cada comida es una buena costumbre.* **2** [plural] Conjunto de las prácticas propias de una persona o de un grupo: *A algunos extranjeros les cuesta entender las costumbres de nuestro país.* □ SINÓNIMOS: **1** hábito, uso. FAMILIA: acostumbrar.

costura [sustantivo] [femenino] **1** Técnica de coser: *Voy a una academia de costura para aprender a hacerme yo la ropa.* **2** Unión de algo, cosiéndolo con hilo: *Con una máquina de coser puedes hacer la costura del bajo en un momento.* □ FAMILIA: → coser.

costurero, ra 1 [sustantivo] Persona que trabaja cosiendo: *Como no sabe coser, tuvo que llevar a una costurera el traje que se le rompió.* **2** [sustantivo] [masculino] Caja en la que se guardan las cosas que se usan para coser: *En el costurero hay agujas, hilo y alfileres.* □ FAMILIA: → coser.

cotidiano, na [adjetivo] Que sucede cada día o con mucha frecuencia: *Para mí hacer deporte es algo cotidiano.* □ SINÓNIMOS: diario.

cotilla [adjetivo o sustantivo] Que intenta enterarse de asuntos de los demás y que los va contando a todos: *¡No seas tan cotilla y no preguntes lo que no te importa!* □ [No varía en masculino y en femenino].

coto 1 [sustantivo] [masculino] Terreno limitado y reservado para un uso determinado: *A las afueras del pueblo hay un coto de caza.* **2** [expresión] **poner coto a algo** Impedir que continúe: *Hay que poner coto a la violencia en los campos de fútbol.*

cotorra [sustantivo] [femenino] **1** Ave con las alas y la cola largas y de varios colores, y que puede aprender algunas palabras: *La cotorra es parecida al papagayo.* **2** Persona que habla mucho: *¡Esa cotorra no calló ni un minuto en toda la tarde!* □ [El significado **2** es coloquial]. SINÓNIMOS: **2** parlanchín, charlatán, hablador, loro. CONTRARIOS: **2** callado, reservado. FAMILIA: cotorrear.

cotorrear [verbo] Hablar mucho: *Deja ya de cotorrear y ponte a trabajar.* □ [Es coloquial]. FAMILIA: → cotorra.

coyote [sustantivo] [masculino] Animal salvaje, parecido a un perro y que se alimenta de los animales que caza: *Los coyotes son un poco más pequeños que los lobos.*

coz [sustantivo] [femenino] Patada que da un caballo o un animal parecido: *Si le tiras del rabo al caballo te dará una coz.* □ [Su plural es coces].

cráneo 1 [sustantivo] [masculino] Conjunto de los huesos de la cabeza: *Una fractura de cráneo puede ser mortal.* **2** [expresión] **ir de cráneo** Ir por mal camino o con muchos problemas: *Vas de cráneo si crees que mintiendo serás más feliz.* □ [El significado **2** es coloquial].

cráter [sustantivo] [masculino] Abertura en la parte alta de una montaña por donde puede salir fuego y otros materiales del interior de la tierra: *Los volcanes echan lava por el cráter.*

creación [sustantivo] [femenino] **1** Conjunto de todo lo que existe: *¡No hay en toda la creación un chico más listo que tú!* **2** Hecho de organizar, de formar o de hacer aparecer algo: *¿En qué año se produjo la creación de esta empresa?* **3** Obra que se hace con arte y gracias a la capacidad de inventar: *Un famoso escultor expuso sus creaciones en una galería de arte.* □ SINÓNIMOS: **1** universo, cosmos, mundo. **2** fundación, establecimiento. CONTRARIOS: **2** destrucción. FAMILIA: → crear.

creador, -a [adjetivo o sustantivo] Que hace algo que no existía: *En mi religión, el ser creador del mundo es Dios. Esa escritora es la creadora de una gran novela.* □ FAMILIA: → crear.

crear [verbo] **1** Hacer que algo exista: *Según la Biblia, Dios creó el mundo en seis días. Los artistas crean obras de arte.* **2** Organizar, formar o hacer aparecer algo: *Entre varios músicos crearon un grupo que está teniendo mucho éxito.* □ SINÓNIMOS: **2** fundar, establecer. CONTRARIOS: destruir. FAMILIA: creación, creador, creativo, procrear, recrear, recreo, recreativo.

creativo, va [adjetivo] Que tiene mucha capacidad para inventar y hacer cosas nuevas: *Esta niña tiene mucha imaginación y es muy creativa.* □ FAMILIA: → crear.

crecer [verbo] **1** Desarrollarse un ser vivo de forma natural: *Cuando crezcas podrás hacer las cosas que hacen los mayores.* **2** Hacerse mayor en tamaño, en cantidad o en otra cosa: *El número de las personas que trabajan con ordenador ha crecido mucho.* **3 crecerse** Tomar mayor fuerza o valor: *Cuando íbamos perdiendo, nos crecimos y conseguimos ganar el partido.* □ [Es irregular y se conjuga como PARECER]. SINÓNIMOS: **2** aumentar. CONTRARIOS: **2** disminuir, mermar, reducir. **3** achicarse, acobardarse, atemorizarse, encogerse. FAMILIA: crecimiento, crecida, crecido, creciente.

crecido, da 1 [adjetivo] Grande o con gran cantidad de elementos: *Un crecido número de personas llenaba el salón.* **2** [sustantivo femenino] Aumento de la cantidad de agua de un río: *La crecida del río provocó inundaciones.* □ SINÓNIMOS: **1** cuantioso, numeroso. CONTRARIOS: **1** escaso, corto. FAMILIA: → crecer.

creciente [adjetivo] Que se hace cada vez más grande: *La luna en cuarto creciente tiene forma de «D».* □ [No varía en masculino y en femenino]. CONTRARIOS: menguante. FAMILIA: → crecer.

crecimiento [sustantivo masculino] **1** Desarrollo natural de un ser vivo: *La adolescencia es una fase en el crecimiento de una persona.* **2** Proceso por el que algo se hace mayor en tamaño, en cantidad o en otra cosa: *Si no se produce un crecimiento de la economía, no se podrán crear nuevos puestos de trabajo.* □ SINÓNIMOS: **2** aumento. CONTRARIOS: **2** disminución. FAMILIA: → crecer.

crédito [sustantivo masculino] **1** Dinero que se pide prestado a un banco: *Muchas parejas jóvenes piden un crédito para comprarse una casa.* **2** Buena fama: *Desde que publicó ese libro, empezó a tener mucho crédito.* **3** Confianza que se tiene en una persona porque se sabe que pagará o devolverá lo que se le preste: *El dependiente me dijo que me llevara lo que necesitase, porque yo tengo crédito en esa tienda.* **4** [expresión] **a crédito** Que se da por adelantado y sin recibir dinero, para que se devuelva más tarde: *El tendero me da algunas cosas a crédito, y se las pago cuando puedo.* **dar crédito a algo** Creerlo: *La conozco bien y no puedo dar crédito a lo que me estás diciendo de ella.* □ SINÓNIMOS: **2** prestigio. FAMILIA: acreditar, acreditado.

credo [sustantivo masculino] Oración que contiene los puntos más importantes en los que creen los cristianos: *El credo empieza con la frase «Creo en Dios Padre».* □ FAMILIA: → creer.

creencia [sustantivo femenino] **1** Seguridad que se siente de algo es de determinada manera: *¿En qué se apoya esa creencia tuya de que exis-*

ten extraterrestres? **2** [plural] Conjunto de ideas que tiene alguien sobre religión o sobre otra materia: *Cada persona es libre de tener sus propias creencias.* □ SINÓNIMOS: **1** convicción. FAMILIA: → creer.

creer [verbo] **1** Considerar que algo es cierto: *Los ateos no creen en la existencia de Dios. Si tú lo dices, me lo creo.* **2** Considerar que alguien dice la verdad: *Me has mentido tantas veces que ya no te creo.* **3** Tener una opinión sobre algo: *Creo que todos debemos cuidar la naturaleza.* **4** Considerar algo como posible o pensar que algo es de determinada manera: *Creo que llegaré hacia las doce.* **5** Confiar en algo o en alguien: *Nadie creía en ella cuando empezó a pintar, y ahora todos reconocen que es una artista genial.* **6** [expresión] **ya lo creo** Se usa para dar a entender que algo es evidente: *Él dijo: «¡Qué frío hace!», y yo contesté: «¡Ya lo creo!».* □ [Se conjuga como LEER]. SINÓNIMOS: **3** pensar, opinar, considerar, encontrar, decir. **4** calcular, suponer, imaginar. CONTRARIOS: **1** dudar. FAMILIA: creencia, creyente, credo, increíble, incrédulo.

crema [sustantivo femenino] **1** Pasta dulce hecha con huevos, azúcar y otros productos: *Me gustan los pasteles rellenos de crema.* **2** Puré poco espeso: *De primero tomaremos crema de espárragos.* **3** Producto en forma de líquido muy espeso: *Me doy crema en las manos porque las tengo muy secas. ¿Dónde está la crema de zapatos?* □ FAMILIA: cremoso.

cremallera [sustantivo femenino] Cierre que se suele coser en prendas de vestir, y que está formado por dos partes de tela con una serie de dientes que se unen o se separan al mover una pequeña pieza: *Súbete la cremallera, que se te ven los calzoncillos.*

cremoso, sa [adjetivo] **1** Con las características de la crema: *Utilizo un gel de baño suave y cremoso.* **2** Que tiene mucha crema: *Nos pusieron un postre cremoso riquísimo.* □ FAMILIA: → crema.

crepe [sustantivo femenino] Masa redonda y muy fina, hecha de leche, harina y huevo, y que se toma con mermelada u otras cosas por encima: *Me gustan más las crepes dulces que las saladas.* □ [Es una palabra de origen francés.

a
b
c
d
e
f
g
h
i
j
k
l
m
n
ñ
o
p
q
r
s
t
u
v
w
x
y
z

Muchas veces se pronuncia «crep»]. FAMILIA: crepería.

crepería [sustantivo femenino] Local en el que se hacen y se venden crepes: *Fuimos a merendar a una crepería y me tomé una crepe con chocolate y nata.* □ FAMILIA: → crepe.

crepúsculo [sustantivo masculino] Luz que hay desde que empieza a salir el Sol hasta que se hace de día, y desde que empieza a ponerse el Sol hasta que se hace de noche: *Durante el crepúsculo de la tarde, el cielo se va oscureciendo.*

cresta [sustantivo femenino] **1** Parte roja que tienen los gallos y otras aves sobre la cabeza: *La cresta de las gallinas es más pequeña que la de los gallos.* **2** Lo que tiene esta forma: *Algunos punkis llevan una cresta de pelo pintada de colores.* **3** Parte más alta de una ola o de otra cosa: *Cuando el mar se alborota, se forma mucha espuma en las crestas de las olas.* ✍ página 537. **4** [expresión] **estar en la cresta de la ola** Estar en el mejor momento: *Este actor está ahora en la cresta de la ola.*

creyente [adjetivo o sustantivo] Que tiene una religión: *Los creyentes cristianos están seguros de que existe una vida más allá de la muerte.* □ [No varía en masculino y en femenino]. CONTRARIOS: ateo. FAMILIA: → creer.

cría [sustantivo femenino] Mira en **crío, a.**

criado, da [sustantivo] Persona que trabaja sirviendo a otras: *El criado del marqués dijo que el señor no estaba en casa.*

criar [verbo] **1** Alimentar a un niño con leche: *Algunas mujeres no tienen leche suficiente para criar a sus hijos.* **2** Dar a un hijo o a una cría los cuidados y alimentos necesarios para que se desarrollen: *Criar a un hijo exige esfuerzo y paciencia. En esta granja crían pollos.* **3** Tener crías un animal: *Hemos juntado una pareja de canarios para ver si crían.* **4** Producir o empezar a tener: *Hay que tirar la fruta que ha criado moho.* **5** **criarse** Crecer y desarrollarse una persona: *Me crié en tierras catalanas, aunque ahora vivo en Salamanca.* □ [Se conjuga como GUIAR. El significado **4** es coloquial]. FAMILIA: criatura, cría, crío.

criatura [sustantivo femenino] **1** Niño que acaba de nacer o que tiene poco tiempo: *Dio a luz a una criatura de tres kilos.* **2** Ser que ha sido hecho a partir de la nada: *Según el cristianismo, las personas somos criaturas de Dios.* **3** Ser inventado o imaginado: *En la película salían unas extrañas criaturas verdes y con antenas.* □ FAMILIA: → criar.

crimen [sustantivo masculino] **1** Muerte o herida grave que una persona produce a otra: *La policía detuvo al autor del crimen.* **2** Hecho que resulta muy perjudicial o que merece ser criticado: *Tener un perro y no cuidarlo me parece un crimen.* □ SINÓNIMOS: **1** asesinato. FAMILIA: criminal.

criminal [adjetivo] **1** Del crimen o relacionado con él: *En el lugar del asesinato se encontró el arma criminal.* **2** Que resulta muy malo: *Hoy no salgo, porque hace un frío criminal.* **3** [adjetivo o sustantivo] Que ha matado a una persona con intención de hacerlo: *El criminal confesó su delito ante el juez.* □ [No varía en masculino y en femenino. El significado **2** es coloquial]. SINÓNIMOS: **3** asesino. FAMILIA: → crimen.

crin [sustantivo femenino] Conjunto de pelos que tienen algunos animales en la parte de atrás del cuello: *El viento agitaba las crines del caballo.* □ [Significa lo mismo en singular que en plural].

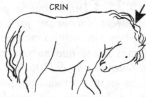

CRIN

crío, a [sustantivo] **1** Niño que se está criando: *Mis tíos tienen un crío de pocos meses.* **2** Persona muy joven: *En el parque hay varios críos jugando.* [sustantivo femenino] **3** Animal que se está criando: *Los pájaros cuidan de sus crías en el nido y les enseñan a volar.* **4** Cuidados que se dan a las personas y a los animales para que se desarrollen: *Mi padre se dedica a la cría de canarios.* □ FAMILIA: → criar.

crisis [sustantivo femenino] **1** Situación difícil que puede influir de manera negativa en algo: *La economía del país está atravesando una crisis grave.* **2** Situación en la que se nota la falta de algo: *Los mayores dicen que en nuestra sociedad hay una crisis de ideales.* □ [No varía en singular y en plural]. FAMILIA: crítico.

cristal [sustantivo masculino] **1** Material duro y transparente que se rompe fácilmente: *Al fregar los cacharros, se me rompió un vaso de cristal y me corté.* **2** Hoja plana de este material: *Hay que limpiar los cristales de las ventanas, porque están muy sucios.* □ SINÓNIMOS: vidrio. FAMILIA: cristalero, cristalera, cristalería, cristalino, acristalar.

cristalería [sustantivo] [femenino] **1** Local en el que se fabrican o se venden objetos de cristal: *El cristal para el cuadro me lo han puesto en una cristalería.* **2** Conjunto de vasos, copas y otros recipientes de cristal: *Vamos a regalar a los novios una cristalería para doce personas.* □ FAMILIA: → cristal.

cristalero, ra 1 [sustantivo] Persona que fabrica, coloca o vende cristales: *He encargado a un cristalero los cristales para las nuevas ventanas.* **2** [sustantivo] [femenino] Ventana o puerta de cristales: *Una de las paredes del restaurante es toda una cristalera desde la que se ve el mar.* □ FAMILIA: → cristal.

cristalino, na [adjetivo] Del cristal o con sus características: *Merendamos en la montaña al lado de un arroyo de aguas cristalinas.* □ FAMILIA: → cristal.

cristiandad [sustantivo] [femenino] Conjunto de las personas que siguen la religión cristiana: *Los católicos y los protestantes forman parte de la cristiandad.* □ FAMILIA: → cristiano.

cristianismo [sustantivo] [masculino] Religión que enseñó Jesucristo y que afirma que hay un solo dios que salvará al mundo: *La Biblia es el libro sagrado del cristianismo.* □ FAMILIA: → cristiano.

cristiano, na 1 [adjetivo o] [sustantivo] De la religión que enseñó Jesucristo o relacionado con ella: *Los cristianos creen que Jesucristo es el hijo de Dios.* **2** [expresión] **en cristiano** Con palabras que se entiendan: *Pedí al médico que me explicara en cristiano lo que me pasaba.* □ [El significado **2** es coloquial]. FAMILIA: cristianismo, cristiandad.

criterio [sustantivo] [masculino] **1** Capacidad de una persona para juzgar o entender algo: *Cada uno opina sobre las cosas según su propio criterio.* **2** Lo que se toma como regla para juzgar, para relacionar o para hacer clasificaciones: *Para ordenar esta lista se ha tomado como criterio la edad de los candidatos.* □

SINÓNIMOS: **1** razón, juicio, entendimiento. FAMILIA: → criticar.

criticar [verbo] Juzgar algo de forma negativa: *Me molesta que vayas criticando a todo el mundo, ¡ni que tú fueras perfecto!* □ [La c se cambia en qu delante de e, como en SACAR]. SINÓNIMOS: censurar. FAMILIA: crítica, crítico, criticón, criterio.

crítico, ca [adjetivo] **1** Que critica o que muestra una opinión negativa: *En vez de ser tan crítico con los demás, fíjate más en tus propios fallos.* **2** Difícil y con importantes consecuencias para el futuro: *Ya has pasado la fase crítica de la enfermedad y estás fuera de peligro.* **3** [sustantivo] Persona que juzga obras de arte u otra cosa como profesión: *Fui a ver la película porque todos los críticos decían que era muy buena.* [sustantivo] [femenino] **4** Actividad que consiste en juzgar algo teniendo en cuenta una serie de reglas o de valores: *Es periodista y se dedica a la crítica teatral.* **5** Conjunto de personas que se dedican a esta actividad: *La crítica ha hecho grandes elogios a la obra de ese artista.* **6** Juicio que se hace sobre algo, especialmente si es negativo: *La novela ha recibido muchas críticas.* □ SINÓNIMOS: **2** decisivo. FAMILIA: **1, 3-6** → criticar. **2** → crisis.

criticón, -a [adjetivo o] [sustantivo] Que lo critica todo: *¡No seas tan criticón, que no lo ha hecho tan mal!* □ [Es coloquial]. FAMILIA: → criticar.

croar [verbo] Emitir una rana o un sapo su voz característica: *Entre esos juncos debe de haber ranas y sapos, porque los oigo croar.*

[crocanti [sustantivo] [masculino] Helado cubierto por una capa de chocolate con trozos de un fruto seco: *Lo que más me gusta de los crocantis es masticar la almendra.*

[croissant [sustantivo] [masculino] Cruasán: *El croissant típico lleva hojaldre.* □ [Es una palabra francesa. Se pronuncia «cruasán»].

cromo 1 [sustantivo] [masculino] Trozo de papel con una fotografía o con una imagen: *Estoy haciendo una colección de cromos de jugadores de fútbol.* **2** [expresión] **como un cromo** o **hecho un cromo** Con muchas heridas: *Se cayó de la bici y llegó a casa hecho un cromo.*

crónico, ca [adjetivo] **1** Dicho de una enfermedad, que dura mucho o que se tiene de manera habitual: *Sufre una enfermedad*

a
b
c
d
e
f
g
h
i
j
k
l
m
n
ñ
o
p
q
r
s
t
u
v
w
x
y
z

crónica desde que nació. **2** Que existe o se repite desde hace mucho tiempo: *El problema del ruido se ha convertido en algo crónico en las ciudades.* **3** [sustantivo femenino] Información sobre un tema actual: *El corresponsal del periódico envió una crónica sobre la evolución de la guerra.*

cronometrar [verbo] Medir el tiempo de forma muy exacta: *Los jueces de la carrera cronometraron con un cronómetro lo que tardaba cada participante.* □ FAMILIA: → cronómetro.

cronómetro [sustantivo masculino] Reloj que sirve para medir el tiempo en unidades muy pequeñas: *Según el cronómetro, el segundo corredor entró unas décimas de segundo detrás del primero.* □ [Se usa mucho la forma abreviada crono]. FAMILIA: cronometrar. 🔍 página 499.

croqueta [sustantivo femenino] Especie de bola que se hace con una masa y con pequeños trozos de comida, y que se fríe luego en aceite: *Me gustan las croquetas de pollo.* □ [No debe decirse cocreta].

cross [sustantivo masculino] Carrera que se hace atravesando el campo: *Los corredores de cross tienen que salvar los obstáculos del terreno.* □ [Es una palabra inglesa. Se pronuncia «cros». No varía en singular y en plural].

cruasán [sustantivo masculino] Bollo con forma de media luna: *He desayunado un café y un cruasán.* □ [Es una palabra de origen francés. Se escribe también croissant].

cruce [sustantivo masculino] **1** Punto en el que se encuentran dos líneas: *Las plazas suelen estar en el cruce de varias calles.* **2** Paso señalado en una calle para que crucen las personas: *Si quieres cambiar de acera, más adelante hay un cruce con semáforo.* **3** Hecho de mezclarse dos señales de teléfono, de radio o de televisión: *He llamado por teléfono, pero había un cruce de líneas y no he podido hablar bien.* **4** Unión de un animal con otro de distinta raza para que tengan crías: *Mi perro nació del cruce de un dálmata con un pastor alemán.* **5** Animal que nace de esta unión: *Los mulos son cruces de burros con yeguas.* □ FAMILIA: → cruz.

crucero [sustantivo masculino] Viaje en barco que se hace por diversión y parando en varios sitios: *En sus últimas vacaciones hicieron un crucero por el Mediterráneo.* □ FAMILIA: → cruz.

crucificar [verbo] Sujetar a una persona en una cruz: *Jesucristo murió crucificado.* □ [La c se cambia en qu delante de e, como en SACAR]. FAMILIA: → cruz.

crucifijo [sustantivo masculino] Imagen de Jesucristo en la cruz: *En todas las iglesias hay un crucifijo.* □ FAMILIA: → cruz.

crucifixión [sustantivo femenino] Colocación de una persona en una cruz: *Los antiguos romanos condenaron a Jesucristo a la crucifixión.* □ FAMILIA: → cruz.

crucigrama [sustantivo masculino] Juego para escribir y que está formado por un conjunto de cuadros que hay que llenar con las letras: *Debajo del crucigrama vienen las definiciones de las palabras que hay que averiguar.* □ FAMILIA: → cruz.

crudeza [sustantivo femenino] **1** Característica del tiempo frío y poco agradable: *La crudeza de este invierno ha sido mayor que la de inviernos pasados.* **2** Característica de lo que resulta muy duro y cruel: *Me salí del cine porque no podía soportar la crudeza de las escenas de violencia.* □ FAMILIA: → crudo.

crudo, da [adjetivo] **1** Dicho de un alimento, que no está cocinado o que está muy poco cocinado: *Este filete está crudo y no hay quien se lo coma.* **2** Dicho de un color, que es parecido al color de los huesos, entre blanco y amarillo: *La lana natural tiene un color crudo.* **3** Muy frío y poco agradable: *Este año tendremos un crudo invierno.* **4** Que no es nada agradable y resulta muy duro y cruel: *En el telediario mostraron unas crudas imágenes de guerra.* **5** Difícil o muy complicado: *Si no vas a clase, lo tienes crudo para aprender.* **6** [sustantivo masculino] Petróleo que no ha recibido tratamiento en la industria: *Para obtener gasolina hay que refinar el crudo.* □ [El significado **5** es coloquial]. SINÓNIMOS: **5** chungo. CONTRARIOS: **5** fácil, sencillo. FAMILIA: crudeza.

cruel [adjetivo] **1** Que disfruta haciendo sufrir a los demás o que no se compadece de su dolor: *No seas tan cruel y deja de burlarte de ese pobre chico.* **2** Muy duro o difícil de aguantar: *Se enzarzaron en una lucha cruel.* □ [No varía en masculino y en femenino]. SINÓNIMOS: **2** feroz, brutal, atroz. CONTRARIOS: **1**

compasivo, misericordioso, caritativo, piadoso. FAMILIA: crueldad.

crueldad [sustantivo] [femenino] **1** Falta de compasión al ver sufrir a los demás: *No se debería tratar a nadie con crueldad.* **2** Lo que resulta cruel y da mucha pena: *Me parece una crueldad pegar a un animal.* □ SINÓNIMOS: **1** inclemencia, dureza. **2** atrocidad, brutalidad. CONTRARIOS: **1** compasión, misericordia, caridad, piedad, clemencia. FAMILIA: → cruel.

crujido [sustantivo] [masculino] Ruido que hacen algunas cosas cuando se rompen o cuando se aprietan: *Al caer el tronco del árbol se oyó un crujido.* □ FAMILIA: → crujir.

crujiente [adjetivo] Que cruje: *El pan recién hecho está crujiente.* □ [No varía en masculino y en femenino]. FAMILIA: → crujir.

crujir [verbo] Hacer algunas cosas un ruido cuando se rompen o cuando se aprietan: *Los escalones eran de madera vieja y crujían al pisarlos.* □ [Siempre se escribe con *j*]. FAMILIA: crujido, crujiente.

crupier [sustantivo] [masculino] Persona que trabaja en las casas de juego dirigiendo las partidas de cartas y recogiendo y pagando el dinero que apuestan los jugadores: *Mi hermano trabaja de crupier en el casino y gana mucho dinero en propinas.* □ [Es una palabra de origen francés. Su plural es *crupieres*].

cruz [sustantivo] [femenino] **1** Figura formada por dos líneas que se cruzan: *El signo de la suma es una cruz.* **2** Lo que tiene la forma de esta figura: *Una cruz es el símbolo del cristianismo, en recuerdo de que Jesucristo murió crucificado.* **3** Lo que hace sufrir o resulta una carga muy pesada: *No te quejes tanto de tus problemas, que todos tenemos alguna cruz que soportar.* **4** Superficie de una moneda opuesta a la principal: *Lanza una moneda y, si sale cara, voy yo, pero si sale cruz, vas tú.* □ [Su plural es *cruces*]. CONTRARIOS: **4** cara. FAMILIA: cruzar, cruce, crucificar, crucifijo, crucifixión, crucigrama, cruzada, cruzado, crucero.

cruzado, da 1 [adjetivo] Que está puesto sobre algo formando una cruz o algo parecido: *Había un tronco cruzado en la carretera y nos tuvimos que bajar del coche para quitarlo.* [sustantivo] [femenino] **2** Marcha militar que organizaban los cristianos para luchar contra los que no aceptaban su religión: *En la Edad Media, los países católicos organizaron cruzadas contra los musulmanes.* **3** Conjunto de actividades que se organizan para conseguir un fin importante: *Todos deberíamos participar en una cruzada para terminar con el hambre en el mundo.* □ FAMILIA: → cruz.

cruzar [verbo] **1** Ir de una parte a otra de un lugar: *Con el tráfico que hay, llegas antes rodeando la ciudad que cruzándola.* **2** Poner una cosa sobre otra formando una cruz: *Cuando se sentó, cruzó las piernas.* **3** Juntar un animal con otro de distinta raza para que tengan crías: *Crucé mi perro con la perra del vecino y tuvieron cachorros de una raza mixta.* **4** Cambiar palabras o gestos con otra persona: *Estamos enfadados y no nos cruzamos ni una palabra cuando nos vemos.* **cruzarse 5** Pasar dos personas o dos cosas por el mismo sitio, pero en sentido contrario: *Cuando fui a tu casa, me crucé con tu hermana en la escalera.* **6** Aparecer o ponerse delante: *Si no se cruza algún problema, creo que todo puede salir bien.* **7** Mezclarse o confundirse una cosa con otra: *He ido tanto al cine que las películas se me cruzan en la mente.* □ [La z se cambia en c delante de e, como en CAZAR]. SINÓNIMOS: **1** atravesar. FAMILIA: → cruz.

cu [sustantivo] [femenino] Nombre de la letra *q*: *El nombre «Quique» tiene dos cus.*

cuaderno [sustantivo] [masculino] Especie de libro con las hojas en blanco para poder escribir en ellas: *Tengo un cuaderno para hacer los ejercicios de cada asignatura.* □ FAMILIA: encuadernar, encuadernación.

cuadra [sustantivo] [femenino] **1** Lugar cubierto y preparado para tener caballos: *Las casas de los pueblos solían tener cuadras para los caballos y los burros.* **2** Conjunto de caballos de un mismo dueño: *El caballo que ganó la carrera en el hipódromo pertenece a una cuadra muy famosa.* **3** Lugar muy sucio: *¡No sé cómo no te da asco estar en esa cuadra de habitación!*

cuadrado, da [adjetivo] **1** Con cuatro lados iguales y cuatro ángulos rectos: *La ventana de mi habitación es cuadrada.* **2** Dicho de una persona, que tiene el cuerpo ancho y fuerte: *Llevaba como guardaespaldas a un tío cuadrado.* **3** [sustantivo masculino] Figura plana con cuatro lados iguales y cuatro ángulos rectos: *El cuadrado y el rectángulo son polígonos.* 🔍 página 429. □ [El significado **2** es coloquial]. FAMILIA: → cuadro.

cuadrar [verbo] **1** Hacer que dos cosas queden justas o se correspondan: *En alguna operación he debido de equivocarme, porque no me cuadran las cuentas.* **2 cuadrarse** Ponerse firme y con los pies unidos por los talones y separados por las puntas: *Los soldados tienen que cuadrarse delante de un superior.* □ SINÓNIMOS: **1** casar. FAMILIA: → cuadro.

cuadrícula [sustantivo femenino] Conjunto de cuadrados que forman una especie de red: *Siempre utilizo cuadernos a rayas o con cuadrícula para no torcerme al escribir.* □ FAMILIA: → cuadro.

cuadriculado, da [adjetivo] **1** Con líneas que se cruzan formando cuadros: *Déme una libreta de papel cuadriculado, por favor.* **2** Que obedece a un orden muy rígido: *Tiene una mente cuadriculada y, para él, las cosas sólo pueden ser buenas o malas, pero no regulares.* □ FAMILIA: → cuadro.

cuadriga [sustantivo femenino] Carro tirado por cuatro caballos que van uno al lado del otro: *Vi una película de romanos en la que se organizaba una carrera de cuadrigas.* □ [Se pronuncia «cuadríga»]. FAMILIA: → cuatro.

cuadrilátero, ra **1** [adjetivo o sustantivo masculino] Dicho de una figura plana, que tiene cuatro lados: *El cuadrado y el rectángulo son cuadriláteros.* **2** [sustantivo masculino] Espacio en forma de cuadrado y limitado por cuerdas donde se hacen peleas: *Los boxeadores pelearon en el cuadrilátero.* □ FAMILIA: → cuatro.

cuadrilla [sustantivo femenino] **1** Grupo de personas que se juntan para algo: *Siempre salgo con mi cuadrilla de amigos.* **2** Conjunto de toreros a las órdenes de otro de más categoría: *Las banderillas no las puso el maestro, sino un miembro de su cuadrilla.* □ SINÓNIMOS: **1** panda.

cuadro [sustantivo masculino] **1** Figura cuadrada: *Me gusta más la camisa de cuadros que la de rayas.* **2** Obra de pintura que se suele colgar en las paredes como adorno: *«Los borrachos» es un cuadro muy famoso de Velázquez.* **3** Situación o suceso que producen una fuerte impresión: *¡Menudo cuadro tienen en esa casa, con todo el mundo en la cama y con fiebre!* **4** Conjunto de datos colocados de manera que se ve la relación entre ellos: *Hacer esquemas y cuadros ayuda a aprender mejor lo que se estudia.* **5** Conjunto de personas que componen una organización o que la dirigen: *Mi pediatra pertenece al cuadro médico de ese hospital.* **6** Conjunto de instrumentos que permiten hacer funcionar una máquina: *El cuadro de mandos de un avión está en la cabina del piloto.* **7** [expresión] **cuadro clínico** Conjunto de efectos producidos por una enfermedad: *El enfermo presenta un cuadro clínico muy grave.* □ SINÓNIMOS: **3** escena. FAMILIA: cuadrado, cuadrar, cuadrícula, cuadriculado, recuadro.

cuadrúpedo [adjetivo o sustantivo masculino] Que tiene cuatro patas: *Los perros son animales cuadrúpedos.* □ FAMILIA: → cuatro.

cuádruple o **cuádruplo, pla** [pronombre numeral] **1** Que consta de cuatro o que es adecuado para cuatro: *Cuando fuimos de viaje de fin de curso, dormimos en habitaciones cuádruples, con cuatro camas cada una.* **2** Que es cuatro veces mayor: *Ocho es el cuádruplo de dos.* □ [Cuádruple no varía en masculino y en femenino]. FAMILIA: → cuatro.

cuajada [sustantivo femenino] Parte grasa de la leche, que se prepara como alimento: *De postre me apetece una cuajada con miel.* □ FAMILIA: → cuajar.

cuajar [verbo] **1** Hacer que un líquido se vuelva una masa sólida: *El requesón se hace cuajando la leche.* **2** Formar la nieve o el agua una capa sólida sobre una superficie: *Cuando nieva poco, es difícil que la nieve cuaje.* **3** Llegar algo a realizarse o a tener una forma: *De todos los planes que hice, no cuajó ninguno.* **4** Gustar algo y ser bien aceptado: *A pesar de la campaña publicitaria, ese producto no acaba de cuajar entre el público.* **5 cuajarse** Llenarse o cubrirse: *Cuando le dieron la mala noticia, se le cuajaron los ojos de lágrimas.* □ [Siempre se es-

cribe con *j*. Los significados **3** y **4** son coloquiales].
FAMILIA: cuajada, cuajo.

cuajo 1 [sustantivo masculino] Demasiada calma: *¡No tengas tanto cuajo y reacciona de una vez!* **2** [expresión] **de cuajo** Desde la base: *El huracán arrancó de cuajo varios árboles.* □ [El significado **1** es coloquial]. FAMILIA: → cuajar.

cual 1 [pronombre relativo] Se usa para sustituir el nombre de una persona o de una cosa de las que ya se ha hablado, y siempre va después de *el*, *la*, *los* o *las*: *Voy con una amiga a la cual no conoces.* **2** [adverbio] Como: *La hierba, cual alfombra de terciopelo, cubre todo el campo.* **3** [expresión] **cada cual** Indica de forma separada a una persona en relación a las otras: *Yo os digo dónde está el museo y cada cual que vaya como pueda.* **tal cual** Así o de la misma forma: *Tú compórtate tal cual eres, y no te pongas nervioso.* □ [No confundir con *cuál*. No varía en masculino y en femenino. El significado **2** se usa mucho en lenguaje literario].

cuál [pronombre interrogativo] Se usa para preguntar por algo o por alguien entre varios: *De todos tus libros de aventuras, ¿cuál me dejarías?* □ [No confundir con *cual*. No varía en masculino y en femenino].

cualidad [sustantivo femenino] Característica propia de algo, especialmente si es positiva: *La bondad es una de sus muchas cualidades.* □ SINÓNIMOS: carácter, propiedad. FAMILIA: cualificado, cualitativo.

cualificado, da [adjetivo] **1** Que está especialmente preparado para desempeñar una actividad: *Los obreros cualificados son especialistas.* **2** Que tiene muy buenas cualidades: *Esa novelista me parece una cualificada escritora.* □ FAMILIA: → cualidad.

cualitativo, va [adjetivo] Que indica cualidad o está relacionado con ella: *No quiero más cantidad, pero sí exijo mejoras cualitativas.* □ CONTRARIOS: cuantitativo. FAMILIA: → cualidad.

cualquier [pronombre indefinido] Cualquiera: *Déjame cualquier libro.* □ [No varía en masculino y en femenino. Va siempre delante de un sustantivo singular].

cualquiera [pronombre indefinido] Se usa para hablar de una persona o de una cosa que no están determinadas: *Puedes coger cualesquiera de esos bombones. Que lo haga cualquiera de*

vosotros. □ [No varía en masculino y en femenino. Su plural es *cualesquiera*. Cuando va delante de un sustantivo se cambia por *cualquier*: *cualquier lápiz, cualquier cosa*].

cuando [conjunción] **1** En el tiempo o en el momento en que ocurre algo: *Cuando me encontré a tus hermanos iban con unos amigos.* **2** Se usa para expresar una condición: *Cuando a esta hora no ha venido, es que ya no va a venir.* **3** [expresión] **de cuando en cuando** De tiempo en tiempo: *Soy muy aficionada al teatro, pero sólo voy de cuando en cuando.* □ [No confundir con *cuándo*]. SINÓNIMOS: **3** de vez en cuando, a veces.

cuándo [adverbio] En qué tiempo o en qué momento: *¿Cuándo es tu cumpleaños? Dime cuándo quieres que nos veamos.* □ [No confundir con *cuando*].

cuantía [sustantivo femenino] Cantidad o importancia de algo: *Todavía es imposible calcular la cuantía de los daños causados por el terremoto.* □ FAMILIA: → cuanto.

cuantioso, sa [adjetivo] Con gran cantidad de elementos: *Hemos tenido cuantiosas lluvias esta primavera.* □ SINÓNIMOS: abundante, numeroso. CONTRARIOS: escaso, corto. FAMILIA: → cuanto.

cuantitativo, va [adjetivo] Que indica cantidad o está relacionado con ella: *No me importa el valor cuantitativo del reloj que me robaron, pero sí el valor afectivo que tenía para mí, porque fue un regalo de mis abuelos.* □ CONTRARIOS: cualitativo. FAMILIA: → cuanto.

cuanto, ta [pronombre relativo] **1** Indica la totalidad de lo que ya se ha dicho y equivale a *todo lo que*: *Llévate cuantos libros quieras. Lo que te ofrezco es cuanto te puedo dar.* **2** Indica una cantidad indeterminada: *Cuanto más miro la tarta, más ganas tengo de comerla. Cuantas menos faltas de ortografía tengas, mejor.* **3** [expresión] **cuanto antes** Lo antes posible: *Sube cuanto antes, por favor.* **en cuanto** Tan pronto como: *En cuanto acabes con eso, nos iremos.* **unos cuantos** Una cantidad sin determinar: *Toma unos cuantos caramelos, que hoy es mi cumpleaños.* □ [No confundir con *cuánto*]. FAMILIA: cuantioso, cuantía, cuantitativo.

cuánto, ta 1 [pronombre interrogativo] Se usa para preguntar la cantidad de algo: *¿Cuántos años tienes? Dime a cuántas personas conoces de mi familia.* **2** [pronombre exclamativo] Se usa para dar mayor fuerza a lo que se dice cuando se refiere a una cantidad de algo: *¡Cuántos regalos me has traído! ¡Cuánto me gustaría estar siempre de vacaciones!* □ [No confundir con cuanto].

cuarenta 1 [pronombre numeral] Número 40: *La baraja española suele tener cuarenta cartas.* **2** [expresión] **cantar las cuarenta a alguien** Llamarle la atención de manera clara por algo que ha hecho mal: *¡Como descubra quién ha hecho esto, le voy a cantar las cuarenta!* □ [El significado **1** no varía en masculino y en femenino. El significado **2** es coloquial]. FAMILIA: → cuatro.

cuarentena [sustantivo femenino] Período que deben pasar aislados las personas y los animales que tienen alguna enfermedad contagiosa para evitar que contagien a otros: *Cuando un perro que no está vacunado muerde a una persona, lo tienen en cuarentena para observar si tiene síntomas de rabia.* □ FAMILIA: → cuatro.

cuaresma [sustantivo femenino] Período fijado por la iglesia cristiana, que empieza el miércoles de ceniza y dura cuarenta y seis días: *Durante la cuaresma, los cristianos se preparan para celebrar la muerte y resurrección de Jesucristo.*

cuarta [sustantivo femenino] Mira en **cuarto, ta.**

cuartel [sustantivo masculino] **1** Lugar donde viven los soldados: *A la puerta del cuartel había un centinela vigilando.* **2** Descanso que se da al enemigo: *Se enfrentaron en una guerra sin cuartel.* **3** [expresión] **cuartel general** Lugar desde donde se lleva la dirección de una organización: *Nos estamos haciendo una cabaña que va a ser el cuartel general de nuestra pandilla.* □ SINÓNIMOS: **2** tregua. FAMILIA: cuartelillo.

cuartelillo [sustantivo masculino] Edificio de un puesto de policía, de la guardia civil, de los bomberos o de parte de una tropa: *En mi pueblo hay un cuartelillo de la guardia civil que está a la salida, a la derecha de la carretera.* □ FAMILIA: → cuartel.

cuartilla [sustantivo femenino] Hoja de papel para escribir: *Una cuartilla tiene el tamaño de medio folio.* □ FAMILIA: → cuatro.

cuarto, ta [pronombre numeral] **1** Que ocupa el lugar número cuatro en una serie: *Gané el cuarto premio de poesía.* **2** Una de las cuatro partes en que algo se ha dividido: *Compra cuarto de kilo de jamón york, por favor.* **3** [sustantivo masculino] Cada una de las partes en que se divide una casa: *Mi casa tiene dos cuartos de baño.* **4** [sustantivo masculino / masculino plural] Dinero: *Tiene muchos cuartos y se compra todo lo que quiere.* **5** [sustantivo femenino] Medida de longitud: *La palma de la mano extendida desde el meñique al pulgar mide aproximadamente una cuarta.* **6** [expresión] **cuarto de estar** Habitación en la que está la familia de manera habitual: *En mi casa, la televisión está en el cuarto de estar.* □ [El significado **4** es coloquial]. SINÓNIMOS: **3** habitación, pieza. **5** palmo. FAMILIA: → cuatro.

cuarzo [sustantivo masculino] Mineral muy duro que puede ser blanco, rosa o sin color: *El cuarzo se encuentra formando parte de muchas rocas.* 🔎 página 539.

cuatrimestral [adjetivo] **1** Que sucede o se repite cada cuatro meses: *Esta revista es cuatrimestral y se publica cuatro veces al año.* **2** Que dura cuatro meses: *En esta academia, los cursos de inglés son cuatrimestrales.* □ [No varía en masculino y en femenino]. FAMILIA: → mes.

cuatro [pronombre numeral] Número 4: *Soy la segunda de cuatro hermanos.* □ [No varía en masculino y en femenino]. FAMILIA: cuarenta, cuatrocientos, cuarto, cuartilla, cuadrilátero, cuadrúpedo, cuádruple, cuádruplo, cuarentena, cuadriga.

cuatrocientos, tas [pronombre numeral] Número 400: *Si vale cuatrocientas pesetas y das quinientas, te devolverán cien.* □ FAMILIA: → cuatro.

cuba 1 [sustantivo femenino] Recipiente de madera, formado por tablas curvas sujetas por unos aros de metal, y que se usa para contener grandes cantidades de vino: *En las bodegas hay muchas cubas de vino.* **2** [expresión] **como una cuba** Muy borracho: *No me gusta la gente que en las fiestas bebe y bebe hasta terminar como una cuba.* □ [El significado **2** es coloquial].

cubalibre [sustantivo masculino] Bebida alcohólica en la que se mezcla un refresco de cola con ron o con otro tipo de alcohol: *Nunca he probado* *los cubalibres porque no bebo nada de alcohol.* □ SINÓNIMOS: cubata.

cubano, na [adjetivo o sustantivo] De Cuba, que es un país de América Central: *La Habana es la capital cubana.*

cubata [sustantivo masculino] Bebida alcohólica en la que se mezcla un refresco de cola con ron o con otro tipo de alcohol: *En ese bar no sirven cubatas a gente menor de dieciocho años.* □ [Es coloquial]. SINÓNIMOS: cubalibre.

cubertería [sustantivo femenino] Conjunto de cubiertos: *En mi casa usamos una cubertería de acero inoxidable.* □ FAMILIA: → cubrir.

cubierta [sustantivo femenino] Mira en **cubierto, ta.**

cubierto, ta 1 Participio irregular de **cubrir.** [sustantivo masculino] 2 Conjunto de cuchillo, cuchara y tenedor, o cada uno de estos objetos: *Mi hermana pequeña no sabe comer ella sola con cubiertos.* 3 Comida para una persona que se sirve en un local: *Por favor, ¿cuánto cuesta el cubierto en este restaurante?* [sustantivo femenino] 4 Lo que se pone encima de algo para taparlo o para protegerlo: *Cuando llueve, tapo mi bici con una cubierta de plástico y la dejo en el patio.* 5 Parte exterior de un neumático: *Las cubiertas de las ruedas de los coches llevan un dibujo para que se agarren mejor al suelo.* 6 Cada uno de los pisos de un barco, o el piso superior: *El timón del barco está en un extremo de la cubierta.* 7 [expresión] **a cubierto** Protegido de un daño o de un peligro: *En esta cueva estaremos a cubierto de la lluvia hasta que pase la tormenta.* □ CONTRARIOS: 1 descubierto. FAMILIA: → cubrir.

cubilete [sustantivo masculino] Especie de vaso que se usa en algunos juegos: *Cuando jugamos al parchís, agitamos los dados con un cubilete.* □ FAMILIA: → cubo.

cubito [sustantivo masculino] Trozo pequeño de hielo que se suele echar en las bebidas para que estén frías: *Me sirvieron el refresco con dos cubitos.* □ FAMILIA: → cubo.

cubo [sustantivo masculino] 1 Recipiente con la boca más ancha que el fondo, con un asa superior, y que se suele usar para llenarlo de agua: *Llena un cubo de agua para fregar el suelo, por favor.* 2 Cuerpo limitado por seis cuadrados iguales: *Un dado tiene forma de cubo.* ✣ página 429. □ FAMILIA: cubito, cubilete.

cubrir [verbo] 1 Poner algo encima de otra

cosa, de modo que ésta no se vea: *Cubrieron los muebles con sábanas para que no cogieran polvo durante las obras.* 2 Extender algo sobre una superficie: *Para adornar la tarta la he cubierto con nata y almendras.* 3 Esconder algo mostrando otra cosa en su lugar: *Para cubrir su error, dijo que nosotros no habíamos entendido lo que había dicho.* 4 Proteger de un daño o de un peligro: *Se acercó al lugar de donde salían los disparos, mientras sus compañeros lo cubrían.* 5 Hacer que una plaza de trabajo deje de estar libre, dándosela a una persona: *Las plazas de los que se jubilen se cubrirán con gente nueva.* 6 Ocuparse de un servicio o de una necesidad, poniendo los medios necesarios: *Se necesitan más médicos para cubrir las necesidades de atención médica de la población.* 7 En algunos deportes, defender una zona del campo: *Ese defensa cubrirá la banda derecha.* 8 Seguir el desarrollo de un acontecimiento para contarlo como noticia: *Los periódicos mandaron enviados especiales para cubrir las elecciones.* 9 Poner techo a un lugar: *Vamos a cubrir una parte de la terraza para poder estar ahí aunque llueva.* 10 Hacer el recorrido de una distancia: *El corredor cubrió los mil metros en un tiempo récord.* 11 Dar algo en gran cantidad: *En cuanto me vio, me cubrió de besos y de abrazos.* 12 Pagar una deuda: *Tuve que pedir un préstamo para cubrir los gastos del arreglo de la casa.* 13 Unirse sexualmente un animal macho a la hembra: *En el parque vimos un perro cubriendo a una perra.* **cubrirse** 14 Ponerse el sombrero: *Llevaba el sombrero en la mano y al salir a la calle se cubrió.* 15 Llenarse el cielo de nubes: *Cuando se cubre así el cielo, no tarda en empezar a llover.* □ [Su participio es *cubierto*]. SINÓNIMOS: 1,3 tapar. 3 disimular, disfrazar. 6 atender. 10 recorrer. 11 llenar, colmar. 13 montar. 15 nublarse, cerrarse. CONTRARIOS: 1,3 descubrir, destapar. 14 descubrirse. 15 abrir, despejar, aclarar, clarear. FAMILIA: cubierta, cubierto, cubertería, cobertizo, descubrir, descubrimiento, descubridor, descubierto.

cucamonas [sustantivo femenino plural] Caricias y otras demostraciones de cariño que se hacen a alguien para convencerlo de algo: *A mí no me vengas con cucamonas, porque ya te he dicho que estás castigado sin ver la tele.* □ [Es coloquial].

cucaracha [sustantivo] [femenino] Insecto de color negro que suele haber donde hay suciedad: *A mucha gente le dan un asco terrible las cucarachas.*

cuchara [sustantivo] [femenino] Cubierto con el que se toman los alimentos líquidos: *La sopa se come con cuchara.* □ FAMILIA: cucharada, cucharilla, cucharón.

cucharada [sustantivo] [femenino] Cantidad de alimento que cabe en una cuchara: *¿Cuántas cucharadas de azúcar quieres en la leche?* □ FAMILIA: → cuchara.

cucharilla [sustantivo] [femenino] Cuchara pequeña: *¿Me das una cucharilla para darle vueltas al azúcar del café, por favor?* □ FAMILIA: → cuchara.

cucharón [sustantivo] [masculino] Cubierto en forma de cuchara grande que se usa para servir: *Trae un cucharón para servir la sopa, por favor.* □ FAMILIA: → cuchara.

cuchichear [verbo] Decir algo en voz baja para que los demás no sepan de qué se habla: *Algo están tramando ésos, porque llevan una hora cuchicheando.* □ FAMILIA: cuchicheo.

cuchicheo [sustantivo] [masculino] Conversación en voz baja para que los demás no sepan de qué se habla: *El profesor se volvió cuando oyó cuchicheos a sus espaldas.* □ FAMILIA: → cuchichear.

cuchilla [sustantivo] [femenino] Hoja de acero que se usa para cortar: *Las maquinillas de afeitar llevan una cuchilla.* □ FAMILIA: cuchillo.

cuchillo [sustantivo] [masculino] Objeto que sirve para cortar y que tiene un mango y una hoja de metal con filo: *La carne se parte con el cuchillo y se pincha con el tenedor.* □ FAMILIA: → cuchilla.

cuchitril [sustantivo] [masculino] Casa o habitación muy pequeñas y muy sucias: *Presume de vivir en una mansión, y no es más que un cuchitril.* □ [Es despectivo].

cuclillas [expresión] **en cuclillas** Con el cuerpo doblado hasta casi sentarse en el suelo: *Se puso en cuclillas detrás de un sillón para esconderse.* □ [No se dice de *cuclillas*, sino en *cuclillas*].

CUCLILLAS

cuclillo [sustantivo] [masculino] Ave pequeña, de plumas grises y cola negra con puntos blancos: *La hembra del cuclillo pone los huevos en los nidos de otras aves.* □ SINÓNIMOS: cuco.

cuco, ca 1 [adjetivo] Bonito, agradable y gracioso: *¡Qué casa tan cuca tienes!* **2** [adjetivo o sustantivo] Que es listo y tiene habilidad para conseguir lo que quiere: *La muy cuca me engañó.* **3** [sustantivo] [masculino] Ave pequeña, de plumas grises y cola negra con puntos blancos: *Los relojes de cuco se llaman así porque hacen un sonido parecido al del cuco.* **4** [sustantivo] [femenino] Peseta: *Ese juguete debe de haber costado unas cuantas cucas.* □ [Los significados **1**, **2** y **4** son coloquiales]. SINÓNIMOS: **1** mono. **2** astuto, pillo, pícaro, zorro. **3** cuco. **4** pela, cala. CONTRARIOS: **1** feo.

cucurucho [sustantivo] [masculino] **1** Especie de bolsa de papel o de otro material, con un extremo acabado en punta: *El castañero me dio las castañas asadas en un cucurucho de papel de periódico.* **2** Especie de gorro con esta forma: *En el circo había un payaso con un cucurucho brillante y lleno de estrellitas.*

cuello [sustantivo] [masculino] **1** Parte del cuerpo de las personas y de los animales que une la cabeza con el tronco: *Los collares se llevan alrededor del cuello.* **2** Pieza de una prenda de vestir que rodea a esta parte del cuerpo: *El cuello de la camisa se pone por encima de la corbata.* **3** Parte superior y más estrecha de un recipiente: *Hay jarrones con el cuello muy delgado y alargado, para poner una sola flor.* **4** [expresión] **cuello de botella** Lo que resulta tan estrecho que hace difícil o lento el paso: *Esa calle tan estrecha se convierte en un cuello de botella cuando hay mucho tráfico.*

cuenca [sustantivo] [femenino] **1** Tierras cuyas aguas van a parar a un mismo río, lago o mar: *En la* *cuenca del Ebro hay muchas zonas de huerta*. **2** Terreno rico en determinado mineral: *Ese minero trabaja en una mina de la cuenca asturiana*. **3** Terreno hundido y rodeado de montañas: *En la cuenca entre esas dos montañas hay varios pueblos*. **4** Cada uno de los huecos en los que están los ojos: *Se llevó tal susto que los ojos parecían salírsele de las cuencas*. □ SINÓNIMOS: **3** valle. **4** órbita.

cuenco [sustantivo masculino] **1** Recipiente ancho y hondo, parecido a una taza grande sin asa: *Nos pusieron de aperitivo unos cuencos con panchitos, aceitunas y patatas fritas*. **2** Hueco de algunas cosas: *Como no llevábamos cantimplora, bebimos agua del manantial cogiéndola en los cuencos de la mano*.

cuenta [sustantivo femenino] **1** Hecho de contar las unidades de un conjunto: *Empezaron una cuenta atrás desde diez y, al llegar a cero, despegó el cohete*. **2** Conjunto de operaciones matemáticas que se hacen para obtener un resultado: *Haz la cuenta, a ver cuánto suman todas estas cantidades*. **3** Papel en el que se pone lo que hay que pagar: *Camarero, por favor, ¿nos trae la cuenta?* **4** Dinero que se tiene en un banco: *¿Tienes mucho dinero ahorrado en tu cuenta?* **5** Explicación que se da de algo que se ha hecho: *Cuando vuelvo de la compra, doy cuenta a mis padres de lo que me he gastado*. **6** Responsabilidad que alguien toma sobre algo: *Eso queda de mi cuenta y ya me encargaré yo de arreglarlo*. **7** Consideración o atención que se presta a algo: *Tendré en cuenta tus buenos consejos*. **8** Ganancia o consecuencia favorable que se obtiene de algo: *Para comprarte ropa, te trae más cuenta esperar a las rebajas que comprártela en plena temporada de moda*. **9** Bola pequeña y con un agujero en el centro que se usa para hacer collares o pulseras: *Se me rompió el collar y todas las cuentas salieron rodando*. [plural] **10** Asuntos o negocios entre varias personas: *¡A ver cuándo arreglamos esas cuentas que tenemos pendientes!* **11** Conjunto de las cantidades que se apuntan sobre lo que se gana y se gasta en una actividad comercial: *Los inspectores de Hacienda revisaron las cuentas de la empresa*. **12** [expresión] **caer en**

la cuenta de algo Tomar conciencia de ello: *Hasta que no me enseñaron su foto, no caí en la cuenta de quién era*. **cuenta corriente** La que se tiene en un banco y permite sacar o meter dinero en el momento: *Algunos recibos me los mandan al banco y se pagan con el dinero de mi cuenta corriente*. **dar cuenta de algo** Acabarlo o gastarlo del todo: *La tarta parecía muy grande, pero enseguida dimos cuenta de ella*. **darse cuenta de algo** Tomar conciencia de ello: *¿Es que no te das cuenta de que lo estás haciendo mal?* **estar fuera de cuentas** o **salir de cuentas** Haber cumplido una mujer embarazada el período para que el hijo nazca: *Por estas fechas, ya tendría que tener un hermano, porque mi madre está fuera de cuentas*. **la cuenta de la vieja** La que se hace contando con los dedos o sin operaciones matemáticas complicadas: *Como no sabe multiplicar ni dividir, todo lo calcula por la cuenta de la vieja*. **por mi cuenta** Yo solo y como a mí me parezca: *Si nadie quiere acompañarme, me iré yo por mi cuenta*. □ [Las expresiones caer en la cuenta de algo, dar cuenta de algo, darse cuenta de algo y la cuenta de la vieja son coloquiales]. SINÓNIMOS: **2** cálculo. **3** nota, factura, recibo. **8** beneficio, provecho. FAMILIA: → contar.

cuentagotas **1** [sustantivo masculino] Objeto que suele tener un tubo de cristal con una goma en un extremo y que sirve para dejar caer un líquido gota a gota: *Algunos medicamentos se echan con cuentagotas para calcular mejor la cantidad*. **2** [expresión] **con cuentagotas** En cantidades muy pequeñas: *Mi hermano nos repartió con cuentagotas los bombones que le habían regalado, porque es un tacaño*. □ [No varía en singular y en plural. El significado **2** es coloquial]. FAMILIA: → gota.

cuentakilómetros [sustantivo masculino] Aparato que registra los kilómetros que va haciendo un vehículo: *Según el cuentakilómetros, hemos recorrido cien kilómetros desde que salimos*. □ [No varía en singular y en plural]. FAMILIA: → metro.

cuentista **1** [adjetivo o sustantivo] Que suele contar mentiras o cosas difíciles de creer: *¡No me creo nada de lo que dice esa cuentista!* **2** [sustantivo] Persona que escribe cuentos: *¿Sabes qué*

a
b
c
d
e
f
g
h
i
j
k
l
m
n
ñ
o
p
q
r
s
t
u
v
w
x
y
z

cuentista escribió el cuento del gato con botas? □ [No varía en masculino y en femenino. El significado **1** es coloquial]. FAMILIA: → contar.

[cuentitis [sustantivo/femenino] Hecho de inventar cosas falsas para conseguir algo o para evitar una obligación: *Eso de que estás enferma es pura cuentitis para no ir al colegio.* □ [Es coloquial. No varía en singular y en plural]. FAMILIA: → contar.

cuento [masculino] **1** Historia corta que se suele contar por escrito: *¿Te sabes el cuento de Caperucita Roja?* **2** Mentira o cosa inventada: *Esa excusa es un cuento y no hay quien se lo crea.* **3** Lo que se dice como si fuera verdad aunque no se tengan pruebas: *No te creas esos cuentos que te han contado sobre mí.* **4** [expresión] **a cuento** A propósito de algo: *No sé por qué dices eso ahora, porque no viene a cuento de lo que estábamos hablando.* **cuento chino** Mentira muy grande: *Me dijo que era un pobre niño huérfano, y luego resultó que era todo un cuento chino.* **el cuento de nunca acabar** Asunto que se va poniendo complicado y al que no se le ve el fin: *Parecía fácil al principio, pero esto es el cuento de nunca acabar.* □ [Las expresiones son coloquiales]. SINÓNIMOS: **3** rumor, chisme. FAMILIA: → contar.

cuerda [sustantivo/femenino] Mira en **cuerdo, da.**

cuerdo, da [adjetivo o/sustantivo] **1** Que está en su sano juicio: *Estoy perfectamente cuerdo, así que no te metas conmigo diciendo que necesito que me internen en un hospital psiquiátrico.* **2** Que pone cuidado y piensa antes de actuar: *Es una persona muy cuerda y no la creo capaz de algo tan insensato.* [sustantivo/femenino] **3** Especie de hilo grueso formado por otros hilos más finos y enrollados: *El paquete venía atado con una cuerda.* **4** Cada uno de los hilos que tienen algunos instrumentos musicales y que producen los sonidos: *El violín suena al rozar sus cuerdas con el arco.* **5** Pieza que tienen algunos objetos y que permite hacerlos funcionar: *¿Tu reloj es de pilas o hay que darle cuerda todos los días?* **6** [expresión] **cuerda floja** Alambre que se usa para hacer ejercicios de equilibrio: *En el circo vimos unos equilibristas que andaban por la cuerda floja.* **cuerdas vocales** Partes de piel que tenemos en la garganta y con las que producimos la voz: *La voz se*

produce al pasar el aire por las cuerdas vocales y hacerlas vibrar. **en la cuerda floja** En una situación poco estable o con peligro: *Tienes que estudiar más, porque estás en la cuerda floja y lo mismo puedes aprobar que suspender.* □ SINÓNIMOS: **2** sensato, juicioso. CONTRARIOS: **1,2** loco, demente. **2** insensato, alocado. FAMILIA: cordel, cordón.

cuerno [sustantivo/masculino] **1** Cada una de las dos partes duras que salen a cada lado de la cabeza de algunos animales: *Aquel toro era muy peligroso porque tenía los cuernos muy afilados.* **2** Lo que tiene esta forma: *Los cuernos de chocolate son el bollo que más me gusta.* **3** Hecho de no ser fiel alguien a la persona con la que tiene una relación de amor: *Los cuernos en una pareja demuestran falta de fidelidad.* **4** [interjección] **cuernos** Se usa para indicar sorpresa, admiración o disgusto: *¡Cuernos, me he quemado con la sopa!* **5** [expresión] **irse algo al cuerno** Estropearse: *No dejes que vuestra amistad se vaya al cuerno por una discusión sin importancia.* **mandar algo al cuerno** Dejar de ocuparse de ello: *¡Como me harte lo voy a mandar todo al cuerno!* **poner los cuernos a alguien** No serle fiel: *Dejó a su novio porque le ponía los cuernos con otra chica.* **romperse alguien los cuernos** Poner mucho esfuerzo en algo: *Se rompe los cuernos trabajando por su familia.* **saber algo a cuerno quemado** No gustar nada: *Me supo a cuerno quemado que no me avisarais para ir con vosotros.* □ [Las expresiones son coloquiales]. SINÓNIMOS: **1** asta. FAMILIA: cornada, unicornio.

cuero **1** [sustantivo/masculino] Piel o pellejo de algunos animales, preparada en la industria para hacer prendas de vestir y otros objetos: *Mi madre tiene un bolso de cuero negro.* **2** [expresión] **cuero cabelludo** Piel en la que nace el cabello: *Uso un champú con vitaminas para el cuero cabelludo.* **en cueros** Desnudo del todo: *Me da vergüenza que me vean en cueros.*

cuerpo [sustantivo/masculino] **1** Cualquier cosa que tiene límites y que ocupa un lugar en el espacio: *El agua es un cuerpo líquido. Un cubo es un cuerpo geométrico limitado por seis cuadrados.* **2** Parte material de una persona o de un animal: *Tiene gran preocupación por su cuerpo y por eso hace mucho deporte.* **3** Parte de una persona o de un animal comprendida entre la cabeza y las extremidades: *La niña ha arrancado las piernas y los brazos a la muñeca y sólo le ha dejado el cuerpo y la cabeza.* **4** Restos mortales de una persona: *Los compañeros del difunto llevaron el cuerpo a hombros hasta el cementerio.* **5** Parte de un vestido que cubre desde el cuello hasta la cintura: *Llevo un vestido de cuerpo ajustado y mangas amplias.* **6** Cada una de las partes que forman un todo y que pueden ser consideradas por separado: *El edificio tiene tres cuerpos: uno central y dos alas laterales.* **7** Conjunto de personas que forman un grupo o que tienen una misma profesión: *Mi profesora pertenece al cuerpo de profesores de Enseñanza Primaria.* **8** Carácter de lo que es grueso o espeso: *Para hacer una mayonesa hay que batir el huevo con el aceite hasta que la mezcla tome cuerpo.* **9** [expresión] **a cuerpo** Sin ninguna prenda de abrigo: *No salgas a la calle a cuerpo, que hace mucho frío.* **a cuerpo de rey** Con toda clase de atenciones para hacer que alguien se sienta cómodo: *Pasé unos días en casa de un amigo y me trató a cuerpo de rey.* **cuerpo a cuerpo** Lucha que se produce de manera física y directa: *Hoy las guerras se hacen con complicados aparatos y es raro que se llegue al cuerpo a cuerpo.* **cuerpo del delito** Objeto con el que se ha realizado un delito: *La policía dijo que el cuerpo del delito había sido una pistola.* **de cuerpo presente** Con el cuerpo de una persona muerta presente y preparado para ser llevado a enterrar: *Antes del entierro se celebró una misa de cuerpo presente.* **en cuerpo y alma** Por completo o con el mayor interés: *Está dedicada en cuerpo y alma al cuidado de los enfermos.* **tomar cuerpo** Empezar a hacerse real o a tener una forma más clara: *Poco a poco van tomando cuerpo mis proyectos.* □ Sinónimos: **3** tronco. **4** cadáver, restos mortales. Familia: corporal, corpulento.

cuervo [sustantivo] [masculino] Pájaro de plumas negras y que se alimenta de carne: *¿No oyes el graznido de los cuervos?*

cuesta 1 [sustantivo] [femenino] Terreno inclinado: *Subir en bici esta cuesta siempre me hace sudar.* **2** [expresión] **a cuestas** Sobre la espalda o sobre los hombros: *Pesas demasiado para llevarte a cuestas.* **cuesta de enero** Período de dificultades económicas que se suele pasar en ese mes debido a lo que se ha gastado en Navidad: *Las rebajas ayudan a superar la cuesta de enero.* □ Sinónimos: **1** pendiente. Familia: → costar.

cuestión 1 [sustantivo] [femenino] Asunto que ofrece dudas o que se presta a discusión: *Discutieron por una cuestión de dinero.* **2** [expresión] **en cuestión** Se usa para indicar que una cosa o una persona son aquellas de las que se está tratando: *Me estaba hablando de una compañera y, de pronto, llegó la chica en cuestión.* □ Familia: cuestionar, cuestionario.

cuestionar [verbo] **1** Poner en duda: *Es un periódico muy serio y nadie cuestiona la verdad de la noticia que publican hoy en primera página.* **2 cuestionarse** Preguntarse sobre la verdad de algo o sobre si resulta conveniente o no: *¿Nunca te has cuestionado que si a ti te gusta que tu hermano te deje sus juguetes, a él también le gusta que tú le dejes los tuyos?* □ Familia: → cuestión.

cuestionario [sustantivo] [masculino] Lista de preguntas que se hacen para obtener datos sobre algo: *En el colegio nos han hecho un cuestionario sobre los libros que más nos gustan, para comprarlos y tenerlos en la biblioteca.* □ Familia: → cuestión.

cueva [sustantivo] [femenino] Espacio hueco que hay entre peñas o debajo de la tierra: *No te acerques a esa cueva, porque es la guarida de un oso.* □ Sinónimos: gruta.

cuezo [expresión] **meter el cuezo** Equivocarse o hacer algo mal: *Me pidió perdón por haber metido el cuezo al ir contando por ahí cosas que yo no quería que supiera nadie.* □ [Es coloquial].

cuidado [sustantivo] [masculino] **1** Interés que se pone para hacer algo bien o para evitar problemas: *Cógelo con cuidado, que es muy frágil y se puede romper.* **2** Atención especial para conseguir el bienestar de alguien o el buen funcionamiento de algo: *Los enfermos necesitan cuidados médicos.* **3** Preocupación o temor de que ocurra algo: *Pierde cuidado,*

a
b
c
d
e
f
g
h
i
j
k
l
m
n
ñ
o
p
q
r
s
t
u
v
w
x
y
z

que yo me ocupo de que todo salga bien. **4** [expresión] **de cuidado** Que tiene peligro o que debe ser tratado con atención: *El otro equipo es un rival de cuidado.* **traer sin cuidado** No preocupar o no importar: *Haré lo que yo quiera, y me trae sin cuidado lo que pienses.* □ SINÓNIMOS: **1** atención, prudencia, precaución, cautela. **2** vigilancia. CONTRARIOS: **1** descuido, abandono. FAMILIA: → cuidar.

cuidadoso, sa [adjetivo] Que pone mucho cuidado en lo que hace: *Cuando escribas, sé cuidadosa para no poner faltas de ortografía.* □ CONTRARIOS: descuidado. FAMILIA: → cuidar.

cuidar [verbo] **1** Ocuparse de algo o tratarlo con atención e interés: *Cuando no están los padres, viene un joven a cuidar de los niños. Tengo los libros como nuevos porque los cuido mucho.* **2** Prestar atención especial a algo: *Hay varios guardas encargados de cuidar la entrada del palacio.* **3 cuidarse** Tener cuidado de la propia salud: *Si no te cuidas más, terminarás enfermando.* **4** [expresión] **cuidarse de algo** Evitar hacer algo que puede tener efectos negativos: *Por mi parte, me cuidaré mucho de llevarle la contraria a ese bruto.* □ CONTRARIOS: **2** descuidar. FAMILIA: cuidado, cuidadoso, descuidar, descuido, descuidado.

culata [sustantivo/femenino] Parte por donde se agarra un arma de fuego: *Las escopetas suelen tener la culata de madera.*

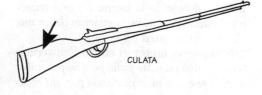

CULATA

culebra [sustantivo/femenino] Animal de cuerpo muy alargado, sin pies, y que se mueve arrastrándose: *Vimos una culebra enroscada en un árbol.* □ SINÓNIMOS: serpiente. FAMILIA: culebrón.

culebrón [sustantivo/masculino] Serie de televisión muy larga y con muchos capítulos en la que se cuentan historias de amor muy complicadas: *No me gustan nada los culebrones que* ponen por la tele después de comer. □ [Es coloquial]. FAMILIA: → culebra.

culera [sustantivo/femenino] Parte de una prenda de vestir que cubre el culo y que por eso suele gastarse antes que el resto: *Mis pantalones vaqueros son azules, pero están tan usados que les han salido culeras blancas.* □ FAMILIA: → culo.

[culmen [sustantivo/masculino] Punto más alto de algo: *Esta atleta está ahora en el culmen de su carrera deportiva.* □ FAMILIA: → culminar.

culminación [sustantivo/femenino] **1** Llegada al punto más alto: *Aquel premio supuso la culminación de su carrera como actor.* **2** Fin de una actividad: *Este domingo es la culminación de la temporada teatral.* □ FAMILIA: → culminar.

culminante [adjetivo] Que está en su punto más alto o en su momento más interesante: *Cuando la película estaba en su punto culminante, se estropeó la tele y nos quedamos sin ver el final.* □ [No varía en masculino y en femenino]. FAMILIA: → culminar.

culminar [verbo] **1** Llegar al punto más alto: *Los alpinistas culminaron su ascenso a la montaña tras varios días de esfuerzo.* **2** Terminar una actividad: *El acto de entrega de premios culminó con unas palabras de la directora del colegio.* □ FAMILIA: culminación, culminante, culmen.

culo [sustantivo/masculino] **1** Parte del cuerpo sobre la que nos sentamos: *Me he caído y me he hecho daño en el culo.* **2** Agujero que tenemos en esta parte: *Los supositorios se ponen por el culo.* **3** Extremo inferior o posterior de algo: *El culo de una botella es la parte en que se apoya.* **4** Pequeña cantidad de un líquido que queda en el fondo de un vaso: *He dejado ese culo de agua porque ya no tenía más sed.* **5** [expresión] **culo de mal asiento** Persona que no sabe estar mucho tiempo en un mismo sitio o en una misma actividad: *No seas culo de mal asiento y estáte quieta cinco minutos al menos.* **con el culo al aire** En una situación difícil: *No me parece bien que te largues y nos dejes aquí con el culo al aire.* □ [Los significados **2**, **4** y **5** son coloquiales]. SINÓNIMOS: **1** pompi, pompis, pandero, nalgas, trasero. **2** ano. FAMILIA: culera.

culpa [sustantivo/femenino] **1** Falta, error o delito que se hacen: *Los cristianos creen en la misericordia de Dios, que perdona a los hombres sus culpas.* **2** Responsabilidad por haber hecho una falta: *No me eches a mí la culpa, que yo no he hecho nada.* **3** Causa de un daño: *La culpa del accidente la tuvo el mal tiempo.* □ FAMILIA: → culpar.

culpable [adjetivo o sustantivo] **1** Que tiene la culpa de algo: *El exceso de velocidad es culpable de muchos accidentes de tráfico.* **2** Responsable de un delito: *La acusada fue declarada culpable del crimen.* □ [No varía en masculino y en femenino]. CONTRARIOS: inocente. FAMILIA: → culpar.

culpar [verbo] Echar la culpa de algo: *Si no me haces caso, luego no me culpes a mí de lo que te pase.* □ SINÓNIMOS: acusar. CONTRARIOS: disculpar. FAMILIA: culpa, culpable, disculpar, disculpa.

cultivar [verbo] **1** Trabajar la tierra o cuidar las plantas para que produzcan frutos: *En estas tierras se cultivan árboles frutales.* **2** Criar seres vivos con fines económicos o científicos: *En esta costa cultivan mejillones que luego venden a una fábrica de conservas.* **3** Hacer lo necesario para que algo se mantenga y se desarrolle: *Las amistades hay que cultivarlas.* **4** Practicar un arte, una ciencia o una actividad: *Escribe novelas, pero también cultiva el teatro y la poesía.* □ FAMILIA: → cultivo.

cultivo [sustantivo masculino] **1** Trabajo de la tierra o cuidado de las plantas para que produzcan frutos: *El cultivo de la vid es un trabajo muy delicado.* **2** Cría de seres vivos que se hace con fines económicos o científicos: *Esa fábrica se dedica al cultivo de ostras para comerciar luego con las perlas.* **3** Lo que se hace para que algo se mantenga y se desarrolle: *Siempre se ha preocupado de hacer ejercicios para el cultivo de la memoria.* **4** Práctica de un arte, de una ciencia o de una actividad: *El cultivo de una actividad artística desarrolla la sensibilidad de las personas.* □ FAMILIA: cultivar.

culto, ta 1 [adjetivo] Que tiene cultura: *No es propio de las personas cultas escribir con faltas de ortografía.* [sustantivo masculino] **2** Conjunto de ceremonias que se hacen en señal de respeto a un dios o a un santo: *En esa capilla*

se da culto a la Virgen de la Paloma.* **3** Admiración muy grande hacia algo: *Como artista que es, no puede evitar rendir culto a la belleza.* □ CONTRARIOS: **1** inculto, analfabeto, ignorante. FAMILIA: cultura, cultural, culturizar, inculto, incultura.

cultura [sustantivo femenino] **1** Conjunto de conocimientos conseguidos mediante el estudio: *Es una persona muy sabia y con una gran cultura.* **2** Conjunto de conocimientos, de creencias y de costumbres propios de un pueblo: *Las culturas orientales son muy distintas de las occidentales.* □ SINÓNIMOS: **2** civilización. CONTRARIOS: **1** incultura. FAMILIA: → culto.

cultural [adjetivo] De la cultura o relacionado con ella: *Lo que más me gustó de las actividades culturales del colegio fue la función de teatro.* □ [No varía en masculino y en femenino]. FAMILIA: → culto.

culturismo [sustantivo masculino] Actividad que consiste en hacer muchos ejercicios para desarrollar los músculos del cuerpo humano: *Las personas que se dedican profesionalmente al culturismo tienen unos cuerpos que llaman la atención.*

culturizar [verbo] Hacer que alguien tenga más cultura: *La lectura es una de las actividades que más nos culturiza.* □ [La z se cambia en c delante de e, como en CAZAR]. FAMILIA: → culto.

cumbre [sustantivo femenino] **1** Parte más alta de un terreno: *Los montañeros escalaron la montaña y pusieron una bandera en la cumbre.* **2** Punto más alto al que se puede llegar: *Ese actor está en la cumbre de la fama.* **3** Junta de personas con mucho poder para tratar asuntos de especial importancia: *Habrá una cumbre de jefes de Estado para buscar soluciones a la crisis económica mundial.* □ SINÓNIMOS: **1,2** cima. **2** cúspide.

cumpleaños [sustantivo masculino] Día en el que se cumplen un número de años del nacimiento de una persona: *Nuestros padres siempre nos compran una tarta por nuestro cumpleaños.* □ [No varía en singular y en plural]. FAMILIA: → año.

cumplidor, -a [adjetivo] Que suele cumplir lo que dice o lo que debe hacer: *Si te lo ha prometido, lo hará, porque es muy cumplidor.* □ FAMILIA: → cumplir.

a
b
c
d
e
f
g
h
i
j
k
l
m
n
ñ
o
p
q
r
s
t
u
v
w
x
y
z

cumplimentar [verbo] **1** Visitar o saludar a una autoridad en señal de respeto: *Los Reyes fueron cumplimentados por los miembros del cuerpo diplomático.* **2** Rellenar un papel impreso escribiendo los datos que en él se piden: *Para matricularse en este centro debe usted cumplimentar estos impresos.* □ FAMILIA: → cumplir.

cumplir [verbo] **1** Hacer lo que se debe: *Las leyes hay que cumplirlas.* **2** Llevar a la práctica una promesa: *Hasta que no cumpla lo que nos ha prometido, no lo creeré.* **3** Hacer algo para quedar bien con alguien: *Me invitó a su cumpleaños sólo por cumplir, porque no somos amigos.* **4** Llegar a tener una edad: *Cuando cumplas dieciocho años serás mayor de edad.* **5** Terminarse el período de tiempo fijado para algo: *Una vez que se haya cumplido el plazo, no se aceptarán más solicitudes.* **6 cumplirse** Hacerse real algo: *¡Ojalá se cumplan tus deseos!* □ SINÓNIMOS: **2** realizar, efectuar, ejecutar, llevar a cabo. **6** realizarse. FAMILIA: cumplidor, cumplimentar.

cuna [sustantivo] [femenino] **1** Cama para niños muy pequeños: *La cuna tiene unos barrotes para que no se caiga el bebé.* **2** Lugar de nacimiento de una persona: *Esta ciudad es la cuna de un famoso pintor.* **3** Conjunto de las personas de las que se desciende: *Es persona de noble cuna y ha heredado varios títulos.* □ SINÓNIMOS: **3** familia. FAMILIA: acunar.

cundir [verbo] **1** Extenderse un sentimiento: *El pánico cundió entre la población cuando se sintieron los primeros temblores del terremoto.* **2** Servir para mucho: *Este suavizante concentrado cunde mucho, porque basta con echar cada vez una cantidad muy pequeña.*

cuneta [sustantivo] [femenino] Hoyo largo y estrecho que hay a los lados de un camino y al que va a parar el agua de lluvia: *Como ha llovido bastante, la cuneta de la carretera está llena de charcos.*

cuña [sustantivo] [femenino] **1** Pieza de madera o de metal, terminada en ángulo por uno de sus extremos, y que se mete entre dos superficies: *Pon una cuña en la ranura de la puerta para que se quede abierta.* **2** Recipiente que usan los enfermos que están en cama para hacer pis: *Algunas cuñas son como un orinal muy bajo.* **3** Espacio corto en la radio y en la televisión, dedicado a la publicidad: *Me molesta que interrumpan las películas con cuñas de publicidad.*

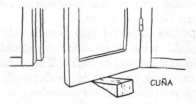

CUÑA

cuñado, da [sustantivo] **1** Lo que es una persona en relación con los hermanos de su esposo o de su esposa: *La hermana de mi madre es cuñada de mi padre.* **2** Lo que es una persona en relación con el esposo o con la esposa de su hermano o de su hermana: *Yo soy cuñado del marido de mi hermana.*

cuota [sustantivo] [femenino] Cantidad de dinero que debe pagar cada persona por un servicio: *Los socios de esa biblioteca pagan una cuota mensual.*

cupón [sustantivo] [masculino] Papel con un determinado valor, que se junta con otros iguales para cambiarlos por otra cosa: *Si envías cupones de los que vienen en los sobres de sopa, te regalan cacharros de cocina.*

cúpula [sustantivo] [femenino] **1** Construcción en forma de media esfera que cubre un edificio: *La cúpula de esta iglesia está encima del altar.* **2** Conjunto de las personas que dirigen una organización: *El primer puesto en la cúpula de ese partido político lo ocupa su secretario general.* □ [El significado **1** es distinto de bóveda, que tiene forma alargada].

CÚPULA

cura 1 [sustantivo] [masculino] Sacerdote católico: *Actualmente muy pocos curas llevan sotana.* **2** [sustantivo] [femenino] Proceso de dar a un enfermo las medicinas y cuidados necesarios para curarlo: *Las enfermeras me realizaban las curas to-*

dos los días cuando me quemé y estuve en el hospital. □ [El significado **1** es coloquial]. SINÓNIMOS: **2** curación. FAMILIA: → curar.

curación [sustantivo femenino] **1** Proceso por el que se vuelve a tener salud: *Te deseamos una rápida curación.* **2** Proceso de dar a un enfermo las medicinas y cuidados necesarios para curarlo: *Para la curación de las heridas se utilizan instrumentos desinfectados.* **3** Preparación de algo para que se conserve mucho tiempo: *Los jamones se cuelgan donde les dé el aire durante el proceso de curación.* □ SINÓNIMOS: **2** cura. FAMILIA: → curar.

curandero, ra [sustantivo] Persona que no es médico, pero realiza determinadas prácticas para curar a la gente: *Mi tía dice que no se fía de los médicos y fue a ver a un curandero.* □ FAMILIA: → curar.

curar [verbo] **1** Dar los cuidados necesarios para que desaparezca una enfermedad o una herida: *Tomo un jarabe para que se me cure el catarro. La mercromina se usa para curar heridas.* **2** Quitar un defecto o un mal: *Desde que murió su padre, tiene una pena que no se le cura.* **3** Preparar la carne o el pescado para que se conserven mucho tiempo: *En algunas regiones secan el pescado y lo curan con sal para que dure meses.* **4 curarse** Volver a tener salud: *Estoy mejor, pero todavía no me he curado de la gripe.* □ SINÓNIMOS: **4** sanar. CONTRARIOS: **4** enfermar. FAMILIA: cura, curación, curandero, incurable.

curiosear [verbo] **1** Registrar o buscar algo que los demás no quieren enseñar: *¡Como te pille curioseando entre mis cosas, no vuelves a entrar en mi casa!* **2** Mirar por encima y sin mucho interés: *Me entretiene entrar a las tiendas a curiosear, aunque no compre nada.* □ SINÓNIMOS: **1** fisgar, husmear, fisgonear. FAMILIA: → curioso.

curiosidad [sustantivo femenino] **1** Deseo de saber: *Su curiosidad por el mundo de los animales le llevó a estudiar veterinaria.* **2** Interés de una persona por saber lo que no es asunto suyo: *Me molesta esa curiosidad tuya por la vida de los demás.* **3** Cosa rara o interesante: *Me gusta que me cuenten historias y cu-*

riosidades de otros tiempos. □ FAMILIA: → curioso.

curioso, sa [adjetivo] **1** Que es raro o interesante y despierta curiosidad: *¡Mira qué libro tan curioso, con las tapas de madera!* **2** Limpio y con cuidado: *Siempre lleva la ropa muy curiosa.* **3** [adjetivo o sustantivo] Que siente curiosidad por lo que no es asunto suyo: *No seas tan curioso y no quieras enterarte de lo que no te importa.* □ SINÓNIMOS: **2** aseado. FAMILIA: curiosidad, curiosear.

currar [verbo] Trabajar: *Este curso tenemos que currar mucho en el colegio.* □ [Es coloquial].

currusco [sustantivo masculino] Extremo de una barra de pan: *¿Prefieres el currusco o una rebanada?* □ SINÓNIMOS: cuscurro.

cursi [adjetivo o sustantivo] Que pretende ser elegante y fino sin serlo: *Tiene una forma de hablar tan cursi que me pone nerviosa.* □ [No varía en masculino y en femenino. Es coloquial]. FAMILIA: cursilada, cursilería.

cursilada [sustantivo femenino] Lo que pretende ser elegante y fino, pero no lo es: *Esa película me pareció una cursilada.* □ SINÓNIMOS: cursilería. FAMILIA: → cursi.

cursilería [sustantivo femenino] **1** Lo que pretende ser elegante y fino, pero no lo es: *Me parece una cursilería que comas las aceitunas con cuchillo y tenedor.* **2** Característica de las cosas que resultan ridículas aunque pretendan ser elegantes: *La cursilería con la que habla ese pedante me pone nervioso.* □ SINÓNIMOS: **1** cursilada. FAMILIA: → cursi.

cursillo [sustantivo masculino] Curso corto: *Este verano voy a hacer un cursillo de natación de quince días.* □ FAMILIA: → curso.

cursiva [sustantivo femenino] Letra impresa que está echada hacia la derecha: *Este ejemplo está escrito en cursiva.*

curso [sustantivo masculino] **1** Parte del año fijada para que los alumnos asistan a clase: *El nuevo curso comienza después de las vacaciones de verano.* **2** Cada una de las grandes partes en que se divide un ciclo de estudios: *Estoy en el cuarto curso de Enseñanza Primaria.* **3** Conjunto de alumnos que estudian una de estas partes: *Fui con mi curso a visitar un museo.* **4** Conjunto de estudios sobre una materia: *Estoy haciendo un curso de in-*

a
b
c
d
e
f
g
h
i
j
k
l
m
n
ñ
o
p
q
r
s
t
u
v
w
x
y
z

glés. **5** Marcha o desarrollo de algo: *Deja que las cosas sigan su curso y no te empeñes en que sean como tú quieres.* **6** Movimiento del agua al correr por un lugar: *El curso de este río tiene muchas curvas.* **7** Circulación de algo entre la gente: *Los billetes de curso legal sólo los fabrica el Estado.* □ FAMILIA: cursillo.

cursor [sustantivo] [masculino] Señal que se mueve por la pantalla de un ordenador y que sirve para indicar dónde se está: *En mi ordenador, el cursor es un rectángulo blanco que se enciende y se apaga.*

curtir [verbo] **1** Preparar una piel para poder usarla: *Las pieles de algunos animales se curten para fabricar prendas de abrigo.* **2** Poner el sol o el aire más morena o dura la piel de una persona: *A las personas que trabajan al aire libre se les curte la piel.* **3** Acostumbrar a una persona a hacer frente a los problemas: *Las dificultades curten a las personas.*

curva [sustantivo] [femenino] Mira en **curvo, va.**

curvo, va 1 [adjetivo]· Que no es recto ni tiene ángulos: *Los bastones suelen tener el mango curvo.* [sustantivo] [femenino] **2** Línea que no es recta ni tiene ángulos: *Una circunferencia es una curva cerrada.* **3** Lo que tiene esta forma: *Las carreteras de montaña suelen tener mu-*

chas curvas. **4** [plural] Formas del cuerpo femenino: *Con la ropa de punto se notan más las curvas.* □ [El significado **4** es coloquial]. FAMILIA: encorvar.

cuscurro [sustantivo] [masculino] Extremo de una barra de pan: *Me gusta mucho el cuscurro porque tiene menos miga y es más crujiente.* □ SINÓNIMOS: currusco.

cúspide [sustantivo] [femenino] **1** Extremo o parte más altos de algo: *El teleférico sube hasta la cúspide de la montaña.* **2** Punto más alto al que se puede llegar: *Con ese éxito alcanzó la cúspide de su carrera.* □ SINÓNIMOS: cima, cumbre.

custodiar [verbo] Guardar o cuidar con mucha atención: *Un guardia custodia la entrada del palacio.* □ SINÓNIMOS: vigilar, velar.

cutis [sustantivo] [masculino] Piel de la cara de las personas: *Los niños tienen el cutis muy suave.* □ [No varía en singular y en plural].

cuyo, ya [pronombre] [relativo] Indica posesión y se usa para sustituir el nombre de una persona o de una cosa de las que ya se ha hablado antes: *Mis amigos, cuyos nombres ya conoces, van a venir con nosotros. Te puedo dejar el libro cuyo argumento te conté.* □ [No debe decirse *El chico que su hermana vive en Italia está aquí,* sino *El chico cuya hermana vive en Italia está aquí*].

carrera de velocidad

lanzamiento de disco

salto de altura

salto de longitud

gimnasia masculina

gimnasia rítmica

tiro con arco

halterofilia

maratón (Juegos Paralímpicos)

hockey sobre hierba

fútbol

baloncesto

balonmano

balonvolea

tenis

ajedrez

automovilismo

motociclismo

hípica

ciclismo

esquí

espeleología

escalada

golf

patinaje

artes marciales

globo

ala delta

windsurf

vela

piragüismo

descenso de río

natación

salto de trampolín

waterpolo

D d

d [sustantivo femenino] Letra número cuatro del abecedario: *«Red» termina en «d»*. □ [Su nombre es de].

dado 1 [sustantivo masculino] Pieza con forma de cubo que tiene un número de puntos en cada una de sus caras y que se usa en algunos juegos: *En el parchís, si tiras el dado y te sale un cinco, puedes sacar una ficha de tu casa.* **2** [expresión] **dado que** Se usa para expresar causa: *Cambiaré de tema, dado que no quieres hablar conmigo de lo que te pasa.*

dama [sustantivo femenino] **1** Mujer o señora: *¡Damas y caballeros, les presento a los mejores trapecistas del mundo!* **2** [plural] Juego en el que participan dos personas que pueden mover doce piezas: *A las damas se juega en un tablero de cuadros blancos y negros como el del ajedrez.* **3** [expresión] **dama de honor** Mujer que acompaña a otra en algunas ceremonias: *La reina de las fiestas y sus damas de honor saludaron desde el balcón del ayuntamiento.* □ [El significado **1** se usa para referirse de forma muy educada a una mujer].

damnificado, da [adjetivo o sustantivo] Que ha sufrido grandes daños como consecuencia de una gran desgracia: *El Estado ayudará a los damnificados por el terremoto para que reconstruyan sus casas.* □ FAMILIA: → daño.

danés, -a 1 [adjetivo o sustantivo] De Dinamarca, que es un país europeo: *Copenhague es la capital danesa.* **2** [sustantivo masculino] Lengua de este país: *El danés pertenece a la misma familia de lenguas que el alemán.*

danza 1 [sustantivo femenino] Conjunto de movimientos que se hacen con el cuerpo al ritmo de la música: *Los mozos y las mozas del pueblo bailaron una danza en honor de la Virgen el día de la fiesta.* **2** [expresión] **en danza** En continuo movimiento o actividad: *Estoy en danza desde las seis de la mañana preparando las cosas para irnos de vacaciones.* □ [El significado **2** es coloquial]. SINÓNIMOS: **1** baile. FAMILIA: danzar.

danzar [verbo] **1** Moverse al ritmo de una música: *Unos bailarines danzaron una jota en la inauguración del nuevo pabellón deportivo.* **2** Moverse de un lado para otro y sin parar: *Llevamos todo el día danzando por la ciudad.* □ [La z se cambia en c delante de e, como en CAZAR]. SINÓNIMOS: **1** bailar. FAMILIA: → danza.

dañar [verbo] Producir daño: *Las fuertes lluvias dañaron las cosechas.* □ SINÓNIMOS: perjudicar. FAMILIA: → daño.

dañino, na [adjetivo] Que produce daño *Está demostrado que fumar es dañino para la salud.* □ SINÓNIMOS: nocivo, perjudicial, pernicioso. CONTRARIOS: bueno, saludable, inofensivo. FAMILIA: → daño.

daño [sustantivo masculino] **1** Dolor producido por algo: *No me aprietes el brazo, que me haces daño.* **2** Mal o pérdida producidos por algo: *El granizo ha ocasionado graves daños en las cosechas.* □ FAMILIA: dañar, dañino, damnificado.

dar [verbo] **1** Poner en manos de otra persona: *Mi abuela me da dinero para ir al cine.* **2** Proporcionar o suministrar: *Me han dado más trabajo para hacer en casa.* **3** Proponer

dar		conjugación	
INDICATIVO		**SUBJUNTIVO**	
presente		**presente**	
doy		dé	
das		des	
da		dé	
damos		demos	
dais		deis	
dan		den	
pretérito imperfecto		**pretérito imperfecto**	
daba		diera, -ese	
dabas		dieras, -eses	
daba		diera, -ese	
dábamos		diéramos, -ésemos	
dabais		dierais, -eseis	
daban		dieran, -esen	
pretérito indefinido		**futuro**	
di		diere	
diste		dieres	
dio		diere	
dimos		diéremos	
disteis		diereis	
dieron		dieren	
futuro		**IMPERATIVO**	
daré			
darás		**presente**	
dará		da	(tú)
daremos		dé	(él)
daréis		demos	(nosotros)
darán		dad	(vosotros)
		den	(ellos)
condicional		**FORMAS NO PERSONALES**	
daría			
darías		**infinitivo**	**gerundio**
daría		dar	dando
daríamos		**participio**	
daríais		dado	
darían			

algo a una persona para que lo haga: *Me has dado una idea genial para escribir un cuento.* **4** Producir o tener un fruto: *Los manzanos dan manzanas.* **5** Comunicar algo, enseñarlo o hacerlo saber: *Tengo que darte una buena noticia.* **6** Poner un espectáculo en el cine o en la televisión: *¿En qué cadena dan el partido de fútbol?* **7** Poner una sustancia extendiéndola sobre algo: *Date crema en las manos.* **8** Abrir la llave de paso de algo: *Antes de encender la cocina tienes que dar el gas.* **9** Celebrar u organizar: *Mañana doy una fiesta por mi cumpleaños.* **10** Señalar una hora el reloj: *En cuanto den las diez, te vas a la cama.* **11** Golpear o chocar: *Me quedé sin frenos bajando la cuesta y me di contra la pared.* **12** Conseguir algo o encontrarlo: *Si piensas un poco, darás con la solución del problema.* **13** Llegar o ir a parar: *Mi calle da a una plaza muy grande.* **14** Venir una enfermedad de forma repentina: *Me dio un mareo y me caí al suelo.* **15** Realizar una acción: *Las ranas dan saltos muy grandes. Dame un beso.* **16 darse** Suceder o existir: *La policía está vigilando la zona, porque se han dado varios casos de robo por aquí.* **17** [interjección] **dale** Se usa para indicar enfado porque alguien insiste mucho en algo que nos molesta: *¡Y dale!, que ya te he dicho que no te dejo ir, así que no me lo preguntes más* **18** [expresión] **dar de sí** Hacerse más ancha una prenda de vestir: *Se me ha dado de sí la camiseta y me queda como si fuera un vestido.* **dar igual** No importar: *Me da igual que vengas conmigo o que te quedes con ellos.* **darle a algo** Dedicarse mucho a ello: *Si le sigue dando tanto al güisqui, acabará siendo un alcohólico.* **darle a alguien por algo** Hacerlo mucho: *Desde que te ha dado por los juegos de ordenador, no te he visto leer ni un tebeo.* **darse a algo** Entregarse del todo a ello: *Desde que perdió su trabajo se dio a la bebida y ahora tiene problemas de salud.* **dársela a alguien** Engañarlo: *A mí no me la das, sé que ese dinero es mío, porque te vi cogiéndolo de mi monedero.* **para dar y tomar** En gran cantidad: *Había comida en la fiesta para dar y tomar, y comimos como fieras.* □ [Es irregular. En el significado **15** suele tener verbos equivalentes: *dar besos* equivale a *besar*, *dar ayuda* equivale a *ayudar*, etc.]. SINÓNIMOS: **1** entregar. **7** aplicar. **15** prestar. CONTRARIOS: **1** robar, quitar, hurtar, afanar.

dardo [sustantivo masculino] Especie de flecha pequeña y delgada que se lanza con la mano: *De los tres dardos que tiré, sólo uno dio en la diana.*

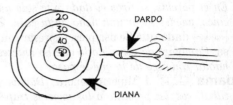

DARDO

DIANA

dátil [sustantivo masculino] Fruto alargado, de color marrón y con un hueso dentro: *Algunas palmeras dan dátiles.*

dato [sustantivo masculino] Información necesaria para conocer algo o para encontrar la solución a un problema: *Tus datos personales son tu nombre y tus apellidos, tu edad, tu dirección y tu teléfono.*

de 1 [sustantivo femenino] Nombre de la letra *d*: *La palabra «dado» tiene dos des.* [preposición] **2** Indica posesión: *Este libro es de mi hermano.* **3** Indica el lugar del que viene algo: *Ese ruido viene de la calle.* **4** Indica la característica propia de algo: *Tengo un bolso de cuero. Me gusta el cine de terror.* **5** Indica el todo del que se toma una parte: *Dame un poco de pan.* **6** Indica profesión: *Trabaja de fontanero.* **7** Indica causa: *Lloro de pena. Tirito de frío.* **8** Indica el modo de hacer algo: *Te lo digo de corazón. Me habló de malas maneras.* **9** Indica lo que puede contener algo: *Esta botella es de litro.* **10** Indica el tiempo en el que sucede algo: *Llegaremos de noche.* **11** Indica el nombre de algo: *Nací en el mes de julio.* **12** Indica el momento o el tiempo en que se inicia algo: *Hago deporte de cinco a seis.*

debajo [adverbio] En un lugar o en una posición inferiores: *El lápiz que se te ha caído está debajo de la mesa. Mis tíos viven debajo de mi casa.* □ [No debe decirse *debajo tuyo*, sino *debajo de ti*]. SINÓNIMOS: abajo. CONTRARIOS: arriba, encima.

debate [sustantivo masculino] Conversación en la que se

cambian ideas u opiniones sobre un asunto: *Ayer vi un debate en la televisión sobre el problema de la droga.* □ FAMILIA: → debatir.

debatir [verbo] **1** Cambiar ideas u opiniones sobre un asunto: *En la reunión se debatieron diversas cuestiones.* **2 debatirse** Luchar de forma interna contra algo: *El enfermo pasó un período en el que se debatía entre la vida y la muerte, pero luego se recuperó.* □ [No confundir con *batir*]. FAMILIA: debate.

deber [sustantivo masculino] **1** Lo que se tiene obligación de hacer: *Tu deber como estudiante es ir a clase y aprender.* **2** [plural] Tarea que un alumno tiene que hacer fuera de las horas de clase: *Después de merendar hago los deberes del colegio.* [verbo] **3** Tener la obligación de hacer algo o de ser de determinada manera: *Después de comer debes lavarte los dientes. Debes ser más amable.* **4** Tener la obligación de dar una cantidad de dinero por haber recibido algo: *Me debes mil pesetas por el libro que me encargaste.* **5 deberse** Ser consecuencia: *Me dijo el médico que mi debilidad se debe a que me faltan vitaminas.* **6** [expresión] **deber de** Se usa para indicar posibilidad o suposición: *Deben de ser las diez, pero no estoy seguro.* □ SINÓNIMOS: **4** adeudar. CONTRARIOS: **4** pagar, abonar, satisfacer.

débil [adjetivo] Sin fuerza o sin energía: *El médico me mandó vitaminas, porque estoy muy débil.* □ [No varía en masculino y en femenino]. SINÓNIMOS: flojo. CONTRARIOS: fuerte, intenso, potente, poderoso, robusto. FAMILIA: debilidad, debilitar.

debilidad [sustantivo femenino] **1** Falta de fuerza o de poder para hacer algo: *A menudo, la palidez es síntoma de debilidad.* **2** Amor especial que se siente por algo: *Siento debilidad por mis hijos.* **3** Lo que nos gusta tanto que no podemos resistirnos a ello: *El chocolate es mi debilidad.* □ CONTRARIOS: **1** fuerza, potencia, intensidad. FAMILIA: → débil.

debilitar [verbo] Quitar fuerza o perderla: *La fiebre debilita mucho.* □ SINÓNIMOS: aflojar, ceder. CONTRARIOS: reforzar, fortalecer. FAMILIA: → débil.

década [sustantivo femenino] Cada uno de los períodos de diez años en que se divide un siglo: *La*

década de los noventa terminará cuando empiece el año 2000. □ [No confundir con *decenio*]. FAMILIA: → diez.

decadencia [sustantivo femenino] Período en el que se pierden las fuerzas o las cualidades poco a poco: *La vejez es una época de decadencia física.* □ CONTRARIOS: auge, apogeo, esplendor. FAMILIA: → decaer.

decaer [verbo] Perder fuerza, importancia o cualidades poco a poco: *Cuando esa tienda cambió de dueño, el servicio decayó mucho y dejé de comprar allí.* □ [Es irregular y se conjuga como CAER]. FAMILIA: decadencia.

decagramo [sustantivo masculino] Medida que se usa para pesar: *Un decagramo tiene diez gramos.* □ FAMILIA: → gramo.

decalitro [sustantivo masculino] Medida de capacidad: *Un decalitro tiene diez litros.* □ FAMILIA: → litro.

decámetro [sustantivo masculino] Medida de longitud: *Un decámetro tiene diez metros.* □ FAMILIA: → metro.

decapitar [verbo] Cortar la cabeza: *Durante la Revolución Francesa, muchos condenados fueron decapitados en la guillotina.*

decena [sustantivo femenino] Conjunto de diez cosas: *Esta colección de libros está formada por una decena de volúmenes.* □ [No confundir con *docena*]. FAMILIA: → diez.

decenio [sustantivo masculino] Período de tiempo de diez años: *Ese hombre fue presidente del club durante el decenio que va de 1982 a 1992.* □ [No confundir con *década*]. FAMILIA: → diez.

decente [adjetivo] **1** Que está de acuerdo con los principios morales y sociales aceptados de forma general: *Puedes fiarte de ella, porque es una persona decente.* **2** Limpio o de buena calidad: *No era un hotel de lujo, pero la habitación era decente y cómoda.* □ [No varía en masculino y en femenino]. CONTRARIOS: indecente. FAMILIA: indecente.

decepción [sustantivo femenino] Pérdida de la ilusión o de la esperanza: *Me llevé una gran decepción cuando me di cuenta de que no habías venido a verme jugar.* □ SINÓNIMOS: desilusión, desengaño. FAMILIA: decepcionar.

decepcionar [verbo] Quitar o perder las ilusiones o las esperanzas: *Me decepcionó la película, porque creí que sería divertida y fue un rollo.* □ FAMILIA: → decepción.

decidir [verbo] **1** Tomar una decisión: *Tene-*

mos que decidir entre todos si vamos de vacaciones a la playa o a la montaña. **2** Ser la causa más importante del desarrollo de algo: *Tu comportamiento decidirá si pasas de curso o si tienes que repetir.* □ SINÓNIMOS: **1** resolver, acordar. FAMILIA: decisión, decisivo, indecisión, indeciso.

decigramo [sustantivo masculino] Medida que se usa para pesar: *Un gramo tiene diez decigramos.* □ FAMILIA: → gramo.

decilitro [sustantivo masculino] Medida de capacidad: *Un litro tiene diez decilitros.* □ FAMILIA: → litro.

décima [sustantivo femenino] Mira en **décimo, ma.**

decimal 1 [adjetivo] Que se basa en grupos de diez unidades: *Nuestro sistema de numeración es decimal y va del cero al nueve.* **2** [adjetivo o sustantivo masculino] Dicho de un número, que expresa una cantidad no entera: *8,3 es un número decimal.* **3** [sustantivo masculino] Número que está a la derecha de la coma de otro: *En el número 7,86, los decimales son 8 y 6.* □ [Cuando es adjetivo no varía en masculino y en femenino]. FAMILIA: → diez.

decímetro [sustantivo masculino] Medida de longitud: *Un metro tiene diez decímetros.* □ FAMILIA: → metro.

décimo, ma 1 [pronombre numeral] Que ocupa el lugar número diez en una serie: *A mí me daría vértigo asomarme por la ventana de un décimo piso.* **2** [sustantivo masculino] Papel que tiene escrito un número y que se compra para participar en un juego en el que toca dinero: *Mi abuela tiene el décimo premiado de lotería.* **3** [sustantivo femenino] Una de las diez partes en que algo se ha dividido: *Tienes unas décimas de fiebre.* □ [Se usa para formar los números ordinales del 13 al 19: *décimo tercero, décimo cuarto, décimo quinto...*; pero no debe decirse *décimo primero*, sino *undécimo*, ni *décimo segundo*, sino *duodécimo*]. FAMILIA: → diez.

decimoctavo, va [pronombre numeral] Que ocupa el lugar número dieciocho en una serie: *Soy la decimoctava en la lista de alumnos de mi clase.* □ [Se escribe también *décimo octavo*].

decimocuarto, ta [pronombre numeral] Que ocupa el lugar número catorce en una serie: *Mañana se celebra el decimocuarto maratón de la ciudad.* □ [Se escribe también *décimo cuarto*].

decimonoveno, na [pronombre numeral] Que ocupa el lugar número diecinueve en una serie: *Hoy ponen el decimonoveno episodio de la serie de dibujos.* □ [Se escribe también *décimo noveno*].

decimoquinto, ta [pronombre numeral] Que ocupa el lugar número quince en una serie: *Como vivo en el piso decimoquinto, siempre subo en ascensor.* □ [Se escribe también *décimo quinto*].

decimoséptimo, ma [pronombre numeral] Que ocupa el lugar número diecisiete en una serie: *Hoy se juega la decimoséptima jornada de la liga de fútbol.* □ [Se escribe también *décimo séptimo*].

decimosexto, ta [pronombre numeral] Que ocupa el lugar número dieciséis en una serie: *No está mal quedar la decimosexta en un concurso de cien participantes.* □ [Se escribe también *décimo sexto*].

decimotercero, ra [pronombre numeral] Que ocupa el lugar número trece en una serie: *Las entradas del cine son de la decimotercera fila.* □ [Se escribe también *décimo tercero*].

decir [verbo] **1** Expresar algo con palabras: *Dime qué piensas.* **2** Tener una opinión sobre algo: *Tú crees que no vendrá, pero yo digo que viene seguro.* **3** Dar por nombre o llamar: *Me llamo Ernesto, pero todos me di-*

decir		conjugación	
INDICATIVO		**SUBJUNTIVO**	
presente		**presente**	
digo		diga	
dices		digas	
dice		diga	
decimos		digamos	
decís		digáis	
dicen		digan	
pretérito imperfecto		**pretérito imperfecto**	
decía		dijera, -ese	
decías		dijeras, -eses	
decía		dijera, -ese	
decíamos		dijéramos, -ésemos	
decíais		dijerais, -eseis	
decían		dijeran, -esen	
pretérito indefinido		**futuro**	
dije		dijere	
dijiste		dijeres	
dijo		dijere	
dijimos		dijéremos	
dijisteis		dijereis	
dijeron		dijeren	
futuro		**IMPERATIVO**	
diré			
dirás		**presente**	
dirá		di	(tú)
diremos		diga	(él)
diréis		digamos	(nosotros)
dirán		decid	(vosotros)
		digan	(ellos)
condicional		**FORMAS NO PERSONALES**	
diría			
dirías		**infinitivo**	**gerundio**
diría		decir	diciendo
diríamos			
diríais		**participio**	
dirían		dicho	

cen «*Tito*». **4** Indicar o mostrar: *Esa cara tan seria que traes no dice nada bueno.* **5 decirse** Hablar uno consigo mismo: *Cuando vi cómo te trataba, me dije: «Acércate y defiéndelo».* **6** [expresión] **diga** o **dígame** Se usa cuando cogemos el teléfono para que el que ha llamado sepa que ya estamos escuchando: *Te llamé por teléfono, y cuando oí «diga» me di cuenta de que no era tu voz.* **el que dirán** Lo que opina la gente: *Voy a ir contigo porque somos amigos y no me importa el que dirán.* **es decir** Se usa para introducir una explicación a lo dicho antes: *Un perro es un animal cuadrúpedo, es decir, que tiene cuatro patas.* **querer decir** Significar o indicar: *«Divertirse» quiere decir «pasarlo bien».* □ [Es irregular. Su participio es *dicho*]. SINÓNIMOS: **2** creer, pensar, opinar, considerar. CONTRARIOS: **1** callar. FAMILIA: contradecir, predecir, maldecir, bendecir, dicho, redicho.

decisión [sustantivo] [femenino] **1** Lo que una persona piensa hacer después de haber pensado mucho sobre un asunto: *Hemos tomado la decisión de comprar una casa más grande que ésta.* **2** Seguridad en la forma de actuar: *Pídeselo con decisión y ya verás cómo te lo da.* □ CONTRARIOS: indecisión, vacilación. FAMILIA: → decidir.

decisivo, va [adjetivo] Que tiene importantes consecuencias para el futuro: *Este partido es decisivo, porque si lo ganamos seremos campeones.* □ SINÓNIMOS: crítico. FAMILIA: → decidir.

declaración [sustantivo] [femenino] Hecho de decir algo para que se sepa: *El ministro dijo en sus declaraciones que estaban haciendo todo lo posible por solucionar el problema del paro.* □ FAMILIA: → declarar.

declarar [verbo] **1** Anunciar algo para que lo sepa todo el mundo: *El entrenador declaró a los periodistas que estaba orgulloso de sus jugadores.* **2** Decir lo que se posee para pagar los impuestos correspondientes: *En la aduana hay que declarar las compras que se han hecho en el extranjero.* **3** Dar un cargo o un premio a alguien: *El jurado declaró vencedor de la prueba al caballo con el número siete.* **declararse 4** Decir una persona a otra que la ama: *La escena en la que el*

actor *se declara a su vecina es muy romántica.* **5** Reconocer un estado o una condición: *Muchos países americanos se declararon independientes en el siglo XIX.* **6** Producirse o empezar: *El incendio se declaró en el bosque y se extendió rápidamente.* □ SINÓNIMOS: **1,3,5** proclamar. **1** pregonar, publicar, divulgar, airear. CONTRARIOS: **1** callar. FAMILIA: declaración.

decoración [sustantivo] [femenino] **1** Colocación de adornos para hacer una cosa más bella: *Mis hijos se encargan todos los años de la decoración del árbol de Navidad.* **2** Colocación de muebles y de otros objetos en un lugar para crear un ambiente determinado: *He cambiado la decoración del comedor y ahora parece más grande.* □ FAMILIA: → decorar.

decorado [sustantivo] [masculino] Conjunto de las cosas necesarias para hacer que un lugar parezca otro: *El decorado de la obra de teatro representa un palacio.* □ FAMILIA: → decorar. página 159.

decorador, -a [sustantivo] Persona que se dedica a colocar cosas en un lugar, de forma que creen un ambiente determinado: *Ayer estuve con los decoradores eligiendo los papeles y las tapicerías que van a poner en mi casa.* □ FAMILIA: → decorar.

decorar [verbo] **1** Poner adornos en una cosa para hacerla más bella: *Hemos decorado la clase con guirnaldas y farolillos para hacer una fiesta.* **2** Servir de adorno: *Estos cuadros decoran mucho la sala.* □ FAMILIA: decoración, decorado, decorador, decorativo.

decorativo, va [adjetivo] Que sirve de adorno: *Sobre la chimenea había unos candelabros muy decorativos.* □ FAMILIA: → decorar.

dedal [sustantivo] [masculino] Lo que se pone en el dedo para empujar la aguja al coser: *Si me traes una aguja, hilo blanco y un dedal, te coso el botón de la camisa.* □ FAMILIA: → dedo.

DEDAL

a
b
c
d
e
f
g
h
i
j
k
l
m
n
ñ
o
p
q
r
s
t
u
v
w
x
y
z

dedicar [verbo] **1** Emplear algo para una cosa determinada: *Los fines de semana los dedico a estar con mi familia.* **2** Ofrecer algo en honor a alguien: *A mi abuelo le han dedicado una calle en su pueblo.* **3** Escribir unas palabras en un objeto que se ofrece como regalo a alguien: *Le regalé un libro y se lo dediqué.* **4** Poner un templo bajo la protección de un santo: *Cerca de mi pueblo hay una ermita dedicada a san Antonio.* **dedicarse 5** Tener como profesión: *Los médicos se dedican a curar enfermedades.* **6** Ocuparse haciendo algo: *Esta tarde me dedicaré a ordenar mis cajones.* □ [La c se cambia en qu delante de e, como en SACAR]. FAMILIA: dedicatoria.

dedicatoria [sustantivo] [femenino] Palabras que se escriben en algo que se le ofrece como regalo a alguien: *Me gusta que los libros que me regalan lleven dedicatorias.* □ FAMILIA: → dedicar.

dedo 1 [sustantivo] [masculino] Cada una de las cinco partes alargadas que hay en las manos y en los pies: *Los dedos tienen uñas.* **2** [expresión] **a dedo** Elegido por la decisión personal de una persona: *No me eligieron a dedo, sino que fui la que más votos obtuvo en la elección.* **chuparse el dedo** Ser fácil de engañar: *Te crees que me chupo el dedo y que no me entero de nada de lo que haces, pero estás equivocado.* **hacer dedo** Viajar sin pagar en el coche de alguien al que se le hace una seña para que pare: *Hicimos dedo para volver de la piscina al pueblo y nos pararon tus tíos.* **no mover un dedo** No tomarse la menor molestia: *El muy egoísta no movió un dedo para ayudarme.* **poner el dedo en**

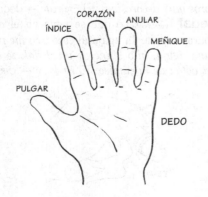

ÍNDICE
CORAZÓN
ANULAR
MEÑIQUE
PULGAR
DEDO

la llaga Señalar el punto más delicado de una cuestión: *Pusiste el dedo en la llaga al decirle que aquí van las cosas mal por su culpa.* □ [Las expresiones son coloquiales]. FAMILIA: dedal, digital.

deducir [verbo] **1** Llegar a una conclusión a partir de una serie de datos: *Por tu cara tan seria deduzco que te has enfadado.* **2** Restar una cantidad a algo: *Si del total de la compra deduces lo que yo te debo, el resultado será lo que tú pagues.* □ [Es irregular y se conjuga como CONDUCIR].

defecto 1 [sustantivo] [masculino] Lo que hace que algo no esté del todo bien: *Uso gafas porque tengo un defecto en la vista y no veo bien de lejos.* **2** [expresión] **en su defecto** Si no hay: *Se puede pagar con dinero o, en su defecto, con tarjeta de crédito.* □ SINÓNIMOS: **1** falta, imperfección. FAMILIA: defectuoso.

defectuoso, sa [adjetivo] Que no es perfecto o que tiene algún defecto: *La radio no funcionaba porque tenía una pieza defectuosa.* □ SINÓNIMOS: imperfecto. CONTRARIOS: perfecto. FAMILIA: → defecto.

defender [verbo] **1** Impedir que algo sufra un daño o un peligro: *Mi perro me defendió cuando unos hombres intentaron atracarme.* **2** Mantener una idea dando razones a su favor: *Creo que es un buen proyecto y voy a defenderlo para que nos dejen realizarlo.* **3** Impedir la acción de algo: *La ropa nos defiende del frío.* **4** Hablar en favor de una persona para que no la castiguen: *El abogado que defendía al acusado consiguió que no lo metieran en la cárcel.* **5 defenderse** Tener los conocimientos suficientes para saber actuar en determinada situación: *Me defiendo en inglés, aunque no lo hablo tan bien como tú.* □ [Es irregular y se conjuga como PERDER]. CONTRARIOS: **3** atacar. FAMILIA: → defensa.

defensa [sustantivo] [femenino] **1** Hecho de proteger algo de un daño o de un peligro: *Varios compañeros de clase vinieron en mi defensa cuando dos mayores iban a pegarme.* **2** Lo que impide el desarrollo de algo: *Si tienes defensas contra la gripe, seguro que no te pondrás enfermo.* **3** Hecho de hablar en favor de una persona para que no la castiguen: *Todos salimos en defensa de nuestro compañero por-*

que sabíamos que él no había robado el dinero. **4** Abogado que representa a una persona acusada en un juicio: *La defensa llamó a sus testigos a declarar.* □ CONTRARIOS: **2** ataque. FAMILIA: defender, defensivo, defensor, indefenso.

defensivo, va 1 [adjetivo] Que sirve para defender: *Ante el ataque enemigo, el ejército retrocedió y ocupó posiciones defensivas.* **2** [expresión] **a la defensiva** En una situación en la que sólo se piensa en defenderse: *Es muy desconfiado y siempre está a la defensiva.* □ CONTRARIOS: ofensivo. FAMILIA: → defensa.

defensor, -a [adjetivo o] [sustantivo] Que defiende: *Este jugador ataca muy bien, pero no es un buen defensor.* □ FAMILIA: → defensa.

deficiencia [sustantivo] [femenino] Falta o defecto: *Están modificando los autobuses para que puedan subirse fácilmente las personas con deficiencias físicas.* □ FAMILIA: deficiente.

deficiente 1 [adjetivo] Que no llega al nivel normal o al nivel que se pide: *Mi pronunciación en inglés es muy deficiente y debo practicar más.* **2** [adjetivo o] [sustantivo] Dicho de una persona, que tiene algún defecto físico o psíquico: *Trabajo en un colegio especial para deficientes mentales.* □ [No varía en masculino y en femenino]. FAMILIA: → deficiencia.

definición [sustantivo] [femenino] Explicación del significado de una palabra: *Las definiciones de este diccionario vienen acompañadas de un ejemplo que ayuda a comprenderlas mejor.* □ FAMILIA: → definir.

definir [verbo] **1** Explicar el significado de una palabra: *Un buen diccionario debe definir las palabras de forma que se entiendan fácilmente.* **2 definirse** Mostrar una persona su pensamiento o su forma de ser: *Este escritor se define políticamente como una persona de izquierdas.* □ FAMILIA: definición, definitivo, indefinido.

definitivo, va 1 [adjetivo] Que ya no puede cambiarse: *Éste es el dibujo definitivo que presentaré en el concurso.* **2** [expresión] **en definitiva** En conclusión: *Me ha dicho que no piensa hacerlo, en definitiva, que lo tengo que hacer yo.* □ FAMILIA: → definir.

deformación [sustantivo] [femenino] Cambio de la forma natural de una cosa: *El médico me dijo que si uso zapatos demasiado estrechos me producirán una deformación en los dedos del pie.* □ FAMILIA: → forma.

deformar [verbo] Cambiar la forma natural de algo: *La gente con juanetes suele deformar los zapatos.* □ CONTRARIOS: formar. FAMILIA: → forma.

degollar [verbo] Cortar el cuello o la garganta: *En el matadero degüellan a los corderos.* □ [Es irregular y se conjuga como AVERGONZAR].

dehesa [sustantivo] [femenino] Tierra en la que se alimenta el ganado: *Las vacas pastaban en la dehesa.*

dejar [verbo] **1** Dar permiso para hacer algo: *¿Me dejas que vaya a jugar con mis amigos?* **2** Dar algo por voluntad propia: *Cuando ese señor murió, dejó todo lo que tenía a los pobres.* **3** Poner a una persona al cuidado de algo: *Si tienes que salir, déjame a los niños y vete tranquilo.* **4** Poner en un lugar: *Te he dejado el libro en la mesa.* **5** No molestar a una persona o hacer que se quede sola: *Déjame ahora, que estoy estudiando y no puedo jugar contigo.* **6** Marcharse de un lugar: *Cuando dejé tu casa, me fui directamente a la mía.* **7** Renunciar a seguir haciendo algo: *Estudié la carrera de medicina sin dejar mis estudios de piano.* **8** Entregar algo a alguien con la condición de que nos lo devuelva: *Te dejo el rotulador, pero no me lo pierdas.* **9** Interrumpir una acción: *Dejad de gritar, que vais a despertar al bebé.* **10 dejarse** No cuidarse uno mismo: *Aunque estés triste, no te dejes y arréglate como antes.* **11** [expresión] **dejar bastante que desear** Ser menos de lo que se pensaba: *Anuncian esa película como una maravilla, pero en realidad deja bastante que desear.* **dejarse caer** Presentarse en un sitio: *Cuando vengas a Madrid, déjate caer por casa y charlamos un rato.* □ [Siempre se escribe con *j*]. SINÓNIMOS: **6,7** abandonar. **7** desistir. **8** prestar. **10** descuidarse, abandonarse. CONTRARIOS: **7** seguir, continuar, proseguir. **10** cuidarse.

del Unión de *de* y *el*: *Ésta es la llave del baúl.* □ [No debe escribirse *Vengo de el cole*, sino *Vengo del cole*].

delantal [sustantivo] [masculino] Prenda que se pone por delante del cuerpo y encima de la ropa para no mancharla: *Si vas a freír las patatas, ponte un delantal.* □ SINÓNIMOS: mandil.

delante 1 [adverbio] En un lugar o en un momento más adelantados: *No te pongas delante, que no veo.* **2** [expresión] **delante de alguien** En su presencia: *No digas nada delante de ella, que le estropeas la sorpresa.* □ [No debe decirse *delante mío*, sino *delante de mí*, ni *más delante*, sino *más adelante*]. CONTRARIOS: **1** detrás, atrás. FAMILIA: delantero, adelante, adelantar, adelantamiento, adelanto, adelantado.

delantero, ra 1 [adjetivo] Que está delante: *En los asientos delanteros de un coche sólo pueden ir el conductor y otra persona.* **2** [sustantivo masculino] En fútbol y otros deportes, jugador que tiene como misión atacar al equipo contrario: *El entrenador sustituyó al delantero porque se había lesionado.* **3** [sustantivo femenino] Parte anterior de algo: *Se dio un golpe contra un muro y abolló la parte delantera del coche.* **4** Distancia que lleva una persona que va delante de otra: *Tenemos que ir más deprisa si queremos alcanzarlos, porque nos llevan mucha delantera.* **5** Pecho de la mujer: *A mi amigo le gustan las mujeres con mucha delantera.* □ [El significado **5** es coloquial]. SINÓNIMOS: **1** anterior. CONTRARIOS: **1** posterior. FAMILIA: → delante.

delatar [verbo] **1** Contar a alguien que una persona ha realizado un delito: *No seas chivato y no me delates.* **2** Hacer que se vea algo que quiere ocultarse: *Cuando estoy asustado, los nervios me delatan y empiezo a tartamudear.*

delegado, da [adjetivo o sustantivo] Dicho de una persona, que representa a otra: *El delegado habla con el profesor en nombre de todos los de la clase.* □ FAMILIA: → delegar.

delegar [verbo] Dejar que una persona realice la función que corresponde a otra: *Como yo no puedo ir a la reunión, delego en ti para que votes en mi lugar.* □ [La g se cambia en gu delante de e, como en PAGAR]. FAMILIA: delegado.

deletrear [verbo] Pronunciar una a una las letras que forman una palabra: *Te voy a deletrear mi nombre para que lo escribas correctamente.* □ FAMILIA: → letra.

delfín [sustantivo masculino] Animal marino parecido a un pez, que tiene la boca con forma de pico y que salta mucho sobre el agua: *Los delfines son mamíferos muy inteligentes.*

DELFÍN

delgadez [sustantivo femenino] Falta de carnes que tiene una persona o un animal: *La delgadez es una característica muy importante en las modelos.* □ CONTRARIOS: gordura, obesidad. FAMILIA: → delgado.

delgado, da [adjetivo] **1** Que tiene pocas carnes: *Tienes que comer más, porque te has quedado muy delgado después de la enfermedad.* **2** Fino y más plano que grueso: *Este papel es tan delgado que se ve lo que hay escrito en la otra cara.* □ SINÓNIMOS: **1** flaco. CONTRARIOS: gordo. **1** obeso. FAMILIA: delgadez, adelgazar.

delicadeza [sustantivo femenino] Atención o gran cuidado al hacer algo: *Tienes que tratar las copas de cristal con más delicadeza, porque se rompen enseguida.* □ FAMILIA: → delicado.

delicado, da [adjetivo] **1** Que tiene poca fuerza: *Me estoy recuperando de la operación y aún estoy delicada.* **2** Que es atento o que muestra buena educación: *Fue un detalle muy delicado mandarle flores a su casa.* **3** Que se rompe o se estropea fácilmente: *Esta figurita de porcelana es tan delicada que no me atrevo ni a quitarle el polvo.* **4** Que puede dar problemas: *Tengo que hablar contigo de un asunto muy delicado y no sé cómo empezar.* □ SINÓNIMOS: **2** fino. CONTRARIOS: **2** ordinario, basto, grosero, rudo. FAMILIA: delicadeza.

delicia [sustantivo femenino] **1** Placer grande que se siente por algo: *¡Qué delicia pasear por el campo contemplando este paisaje tan maravilloso!* **2** Lo que produce mucho placer: *Esta tarta de fresas es una delicia.* □ FAMILIA: delicioso.

delicioso, sa [adjetivo] Que resulta muy agradable o que produce placer: *Muchas gracias por invitarme a una comida tan deliciosa.* □ FAMILIA: → delicia.

delincuente [adjetivo o/sustantivo] Que realiza un delito: *La policía ha atrapado a unos delincuentes muy peligrosos.* □ [No varía en masculino y en femenino].

delirar [verbo] Ver o decir cosas raras: *El enfermo tenía tanta fiebre que deliraba. Tú deliras si crees que te voy a comprar una moto por portarte bien.*

delito [sustantivo/masculino] **1** Lo que se hace en contra de la ley: *Si robas, cometes un delito y puedes ir a la cárcel por ello.* **2** Falta o error graves: *Me parece un delito tirar comida sabiendo que hay gente que se muere de hambre.*

demás 1 [pronombre/indefinido] Indica personas o cosas que quedan del grupo del que se habla: *He ido al zoo y he visto tigres, leones y demás animales salvajes. Yo te digo cómo se hace el problema, lo demás es cosa tuya.* **2** [expresión] **los demás** Las otras personas que forman parte de un grupo: *No le eches a los demás la culpa de lo que te pasa a ti.* □ [No debe escribirse de más. No varía en masculino y en femenino, ni en singular y plural].

demasiado, da 1 [pronombre/indefinido] Que es más de lo normal o de lo debido: *Ha venido demasiada gente y faltan sillas.* **2 demasiado** [adverbio] Más de lo normal o de lo debido: *He comido demasiado y ahora me siento mal.* □ [No debe decirse *demasiado de grande*, sino *demasiado grande*].

demente [adjetivo o/sustantivo o] Que está mal de la cabeza: *Las personas dementes necesitan tratamiento psiquiátrico.* □ [No varía en masculino y en femenino]. SINÓNIMOS: loco. CONTRARIOS: cuerdo.

democracia [sustantivo/femenino] **1** Sistema de gobierno en el que el pueblo tiene el poder: *En nuestra democracia los ciudadanos votan cada cuatro años para elegir a sus gobernantes.* **2** Estado o país que tiene este sistema de gobierno: *España es una democracia.* □ FAMILIA: democrático, demócrata.

demócrata [adjetivo o/sustantivo o] Dicho de una persona, que defiende la democracia como sistema de gobierno: *Los demócratas están en contra de las dictaduras.* □ [No varía en masculino y en femenino. Es distinto de *democrático*, que significa que sigue las normas de la democracia]. FAMILIA: → democracia.

democrático, ca [adjetivo] De la democracia o que sigue las normas de esta forma de gobierno: *En los sistemas democráticos, los ciudadanos eligen a sus gobernantes.* □ [Es distinto de *demócrata*, que es la persona partidaria de la democracia]. FAMILIA: → democracia.

demonio [sustantivo/masculino] **1** Ser malo que se opone a Dios: *En el Evangelio se cuenta cómo el demonio tentó a Jesucristo en el desierto.* **2** Persona muy mala: *Tus hijos son unos demonios y siempre que vienen a mi casa destrozan algo.* **3** [interjección] **demonios** Se usa para expresar sorpresa o disgusto: *¡Demonios, me he olvidado tu libro en casa!* **4** [expresión] **como un demonio** Mucho: *No comas estos pimientos porque pican como un demonio.* **del demonio** Se usa para exagerar el sentido negativo de algo: *En este pueblo hace un frío del demonio.* **llevarse a alguien los demonios** Enfadarse mucho: *Me llevan los demonios cuando veo que mientes con tanto descaro.* □ [Los significados **2**, **3** y **4** son coloquiales]. SINÓNIMOS: **1-3** diablo. CONTRARIOS: **2** ángel.

demostración [sustantivo/femenino] **1** Lo que prueba que algo es verdad: *La factura es la demostración de que compré la camiseta en esta tienda.* **2** Lo que muestra algo: *Los besos y las caricias son demostraciones de cariño.* **3** Lo que se hace para enseñar algo de manera práctica: *Nos hicieron una demostración de cómo se usaba la máquina de fotos que queríamos comprar.* □ FAMILIA: → mostrar.

demostrar [verbo] **1** Hacer ver con pruebas que algo es verdad: *Me demostró con una foto que tú habías ido con ella.* **2** Mostrar o dejar ver: *Tus preguntas demuestran que tienes mucho interés en este tema.* **3** Enseñar algo de manera práctica: *Te voy a demostrar cómo se puede abrir el horno sin quemarse la mano.* □ [Es irregular y se conjuga como CONTAR]. SINÓNIMOS: **2** manifestar. FAMILIA: → mostrar.

demostrativo, va [adjetivo] Que muestra o señala algo: *«Esta», «esa» y «aquella» son pronombres demostrativos femeninos.* □ FAMILIA: → mostrar.

denominador [sustantivo/masculino] En matemáticas, número que indica en cuántas partes igua-

a
b
c
d
e
f
g
h
i
j
k
l
m
n
ñ
o
p
q
r
s
t
u
v
w
x
y
z

a
b
d
e
f
g
h
i
j
k
l
m
n
ñ
o
p
q
r
s
t
u
v
w
x
y
z

les se ha dividido algo: *En la fracción 3/5, el denominador es 5.* □ CONTRARIOS: numerador.

densidad [sustantivo] [femenino] Característica de una cosa que tiene muy unidas o muy juntas las partes que la forman: *La densidad de los metales es más grande que la de los gases.* □ FAMILIA: → denso.

denso, sa [adjetivo] **1** Que está formado por cosas muy juntas: *La vegetación de las selvas tropicales es muy densa.* **2** Que tiene muchos conceptos y por ello resulta difícil de comprender: *No acabé de leer ese libro, porque era muy denso y complicado.* □ SINÓNIMOS: **1** espeso. FAMILIA: densidad.

dentadura [sustantivo] [femenino] Conjunto de dientes que hay en la boca: *Muchos ancianos llevan dentadura postiza.* □ FAMILIA: → diente.

dental [adjetivo] De los dientes o relacionado con ellos: *Para evitar las caries es muy importante la higiene dental.* □ [No varía en masculino y en femenino]. FAMILIA: → diente.

dentellada [sustantivo] [femenino] Hecho de cortar algo con los dientes: *El perro destrozó el muñeco a dentelladas.* □ FAMILIA: → diente.

dentera [sustantivo] [femenino] Sensación nada agradable que se nota en los dientes cuando se oye un sonido muy agudo o cuando se toma algo muy agrio: *¿No te da dentera comerte el limón a bocados?* □ SINÓNIMOS: grima. FAMILIA: → diente.

dentífrico, ca [adjetivo o sustantivo masculino] Que se usa para lavarse los dientes: *Mi dentífrico sabe a menta.* □ SINÓNIMOS: pasta de dientes. FAMILIA: → diente.

dentista [sustantivo] Persona que se dedica a cuidar y arreglar los problemas de los dientes: *La dentista me hizo un empaste en la muela picada.* □ [No varía en masculino y en femenino]. FAMILIA: → diente.

dentro 1 [adverbio] En el interior: *¿Qué llevas dentro de esa bolsa?* **2** [expresión] **dentro de** Después de un período de tiempo o mientras dura: *El dentista me ha dicho que vuelva dentro de una semana.* □ [No debe decirse *más dentro*, sino *más adentro*]. SINÓNIMOS: **1** adentro. CONTRARIOS: **1** fuera, afuera. FAMILIA: adentro, adentros, adentrarse.

denuncia [sustantivo] [femenino] **1** Lo que se hace cuando comunicamos a un policía o a otra autori-

dad que se ha cometido un delito: *Mis tíos han ido a la comisaría a poner una denuncia por el robo de su coche.* **2** Lo que se hace cuando se cuenta algo que se considera malo: *Este informe es una denuncia de las malas condiciones en que viven algunas personas.* □ FAMILIA: denunciar.

denunciar [verbo] **1** Comunicar un delito a un policía o a otra autoridad: *Si no denuncias el robo, la policía no puede hacer nada.* **2** Dar a conocer algo que se considera malo: *Este periodista denuncia en un reportaje un caso de soborno.* □ FAMILIA: → denuncia.

departamento [sustantivo] [masculino] Cada una de las partes en que se dividen algunas cosas: *La caja de costura tiene distintos departamentos.* □ SINÓNIMOS: sección.

dependencia [sustantivo] [femenino] **1** Necesidad que se tiene de algo para poder vivir: *La dependencia de las drogas ha arruinado la vida de muchas personas.* **2** Relación que existe entre dos cosas que tienen algo en común: *La dependencia entre estos dos hechos está aún sin demostrar.* **3** Cada una de las habitaciones que tiene un edificio: *Algunas de las dependencias del castillo están cerradas al público.* □ CONTRARIOS: **1,2** independencia. FAMILIA: → depender.

depender [verbo] **1** Estar bajo el poder o bajo la autoridad de algo: *Mis hermanos y yo dependemos de nuestros padres.* **2** Ocurrir algo si se da determinada condición: *Que salgamos esta tarde depende de si hace frío o no.* **3** Estar necesitado de algo para vivir: *Los drogadictos son personas que dependen de las drogas.* □ CONTRARIOS: independizar. FAMILIA: independencia, independiente, independizar, dependiente.

dependiente [adjetivo] Que depende de algo: *En el siglo XIX, Cuba era un país dependiente de España.* □ [No varía en masculino y en femenino]. CONTRARIOS: independiente. FAMILIA: → depender.

dependiente, ta [sustantivo] Persona que trabaja en una tienda y se ocupa de los clientes: *El dependiente de la tienda de ropa me atendió muy bien.* □ FAMILIA: → depender. 🔎 página 794.

depilar [verbo] Quitar los pelos de la piel: *Mi*

madre se depila las piernas con cera. □ FA-
MILIA: → pelo.

deporte [sustantivo masculino] Ejercicio físico que se suele practicar como juego o como competición
y siguiendo determinadas reglas: *Si haces
todos los días un poco de deporte estarás
más ágil. La natación y el fútbol son deportes.* □ FAMILIA: deportista, deportividad, deportivo, polideportivo. 🖈 páginas 289-292.

deportista [adjetivo o sustantivo] Que practica algún deporte: *Como soy muy deportista, nado,
monto en bici y juego al baloncesto.* □ [No
varía en masculino y en femenino]. FAMILIA: → deporte. 🖈 página 795.

deportividad [sustantivo femenino] Comportamiento
que tiene una persona que sigue las reglas
correctas en la práctica de un deporte: *No
cometas tantas faltas y juega con más deportividad.* □ FAMILIA: → deporte.

deportivo, va [adjetivo] **1** Del deporte o relacionado con él: *Pertenezco a un club deportivo de balonmano.* **2** Que sigue las reglas correctas en la práctica de un deporte:
*Insultar a los jugadores del equipo contrario
es una actitud muy poco deportiva.* **3** Dicho
de una prenda de vestir, que es cómoda o
que no es seria y formal: *Los fines de semana mi padre viste con ropa deportiva,
pero los días de trabajo lleva traje y corbata.*
4 [sustantivo masculino] Coche preparado para correr mucho: *Tiene un deportivo porque le gusta mu-
cho la velocidad.* □ FAMILIA: → deporte.

depositar [verbo] **1** Dejar algo en un sitio
determinado para que se quede en él: *De-
positó sus ahorros en el banco.* **2** Poner
nuestra confianza u otra cosa parecida en
alguien: *Deposité toda mi esperanza en ti y,
sin embargo, me has traicionado.* □ FAMILIA:
depósito.

depósito [sustantivo masculino] **1** Lugar o recipiente donde se guarda algo: *Mi madre ha ido a la
gasolinera para llenar el depósito de gasolina.* **2** Conjunto de cosas que se dejan en
un lugar para que estén en él: *Ese banco
tiene mucho poder económico y tiene un depósito de dinero muy importante.* □ FAMILIA:
→ depositar.

depresión [sustantivo femenino] **1** Estado en el que estamos cuando sentimos mucha tristeza y no
tenemos ganas de hacer nada: *Algunas personas necesitan medicamentos para curarse
de la depresión.* **2** Hueco que hay entre dos
superficies elevadas: *Ese río atraviesa una
gran depresión que hay entre dos montañas.*
3 Caída del valor de algo o pérdida de la
situación que se tenía: *La depresión económica ha hecho que se pierdan muchos pues-
tos de trabajo.* □ [En el significado **1**, se usa mucho la forma abreviada depre, que es coloquial]. FA-
MILIA: → deprimir.

deprimido, da [adjetivo] Que siente mucha
tristeza y no tiene ganas de hacer nada:
*Está tan deprimido que ni siquiera le gusta
que vayamos a verlo.* □ [Se usa mucho la forma
abreviada depre, que es coloquial]. FAMILIA: → deprimir.

deprimir [verbo] Hacer sentir mucha tristeza
y dejar sin ganas de hacer nada: *Sé optimista y no dejes que nada te deprima.* □
FAMILIA: depresión, deprimido.

deprisa [adverbio] De manera muy rápida:
Anda más deprisa, que llegamos tarde. □
[Se escribe también de prisa]. SINÓNIMOS: aprisa.
CONTRARIOS: despacio. FAMILIA: → prisa.

derecho, cha [adjetivo] **1** Dicho de una parte del cuerpo, que está situada en el lado
opuesto al del corazón: *Hay más personas
que escriben con la mano derecha que con
la mano izquierda.* **2** Que está situado en
el lado opuesto al del que correspondería al
corazón de una persona: *La tienda está al
lado derecho del edificio.* **3** Recto, o sin estar hacia un lado ni hacia otro: *Anda derecha, porque si no, te dolerá la espalda.* **4**
Directo, sin cambiar de dirección o sin pararse: *No tengo mucho tiempo, así que ve
derecha al grano y no me cuentes historias.*
[sustantivo masculino] **5** Conjunto de leyes y reglas que
controlan las relaciones entre las personas
y que todo el mundo debe cumplir: *Mi hermano estudia derecho en la universidad.* **6**
Posibilidad que tenemos para hacer algo,
para recibirlo o para pedirlo: *Todos los ciudadanos tenemos derechos y deberes.* **7** Parte principal o más perfecta de algo: *El derecho de esta tela es más brillante que el revés.* [sustantivo femenino] **8** Pierna o mano que no están
situadas en el lado del corazón: *No soy zur-
do, porque escribo con la derecha.* **9** Dirección que corresponde al lado derecho: *Tienes*

que torcer por la primera calle a la derecha.
10 Conjunto de ideas políticas que, por lo general, no están a favor de los cambios sociales: *En las elecciones voté a un partido de derechas.* **11 derecho** [adverbio] Sin cambiar de dirección: *Si vais derecho por aquí, llegaréis enseguida.* **12** [expresión] **a derechas** Bien o como debe ser: *Tengo un mal día, y no hago nada a derechas.* □ SINÓNIMOS: **4** recto. CONTRARIOS: **1,2** izquierdo. **3** torcido. **7** revés. **8** zurda. **8-10** izquierda. FAMILIA: enderezar.

derivado 1 [adjetivo] Que se forma a partir de algo: *«Panadería» y «panadero» son palabras derivadas de «pan».* **2** [sustantivo] [masculino] Producto que se obtiene a partir de otro: *La gasolina es un derivado del petróleo.* □ FAMILIA: → derivar.

derivar [verbo] Venir una cosa de otra: *La palabra «papelera» deriva de «papel».* □ FAMILIA: derivado.

derramar [verbo] Tirar algo que hay en un recipiente, de forma que se extienda: *Limpia la leche que has derramado sobre la mesa.* □ SINÓNIMOS: verter.

derretir [verbo] **1** Hacer que algo sólido pase a ser líquido por medio del calor: *El sol ha derretido la nieve.* **2 derretirse** Sentir mucho amor por alguien: *Cada vez que la nieta le sonríe, el abuelo se derrite.* □ [Es irregular y se conjuga como PEDIR].

derribar [verbo] **1** Hacer que algo caiga al suelo: *El boxeador derribó de un golpe a su contrario.* **2** Destruir una construcción echándola abajo: *Han derribado el edificio que estaba en ruinas.* **3** Hacer que una persona pierda su poder: *El pueblo se sublevó para derribar al tirano.* □ SINÓNIMOS: **1** abatir. **2** derrumbar, hundir. CONTRARIOS: levantar, alzar. **2** construir. FAMILIA: derribo.

derribo [sustantivo] [masculino] Destrucción de una construcción: *Los especialistas colocaron la pólvora para el derribo de la casa.* □ SINÓNIMOS: hundimiento, derrumbamiento. CONTRARIOS: construcción. FAMILIA: → derribar.

derrochar [verbo] **1** Gastar algo en más cantidad de la necesaria: *Gasta todo lo que necesites, pero sin derrochar.* **2** Tener algo bueno en gran cantidad: *Esa chica derrocha*

simpatía. □ [El significado **2** es coloquial]. CONTRARIOS: ahorrar. FAMILIA: derroche.

derroche [sustantivo] [masculino] Uso que se hace de algo, gastando más de lo necesario: *Me parece un derroche de dinero haber pagado tanto por ese pantalón.* □ SINÓNIMOS: despilfarro. CONTRARIOS: ahorro. FAMILIA: → derrochar.

derrota [sustantivo] [femenino] Hecho de vencer a un contrario o a un enemigo: *La derrota de nuestro equipo nos eliminó del campeonato.* □ CONTRARIOS: victoria, triunfo. FAMILIA: derrotar.

derrotar [verbo] Vencer a un contrario o a un enemigo: *Te derroté jugando al tenis.* □ SINÓNIMOS: batir. CONTRARIOS: vencer. FAMILIA: → derrota.

derrumbamiento [sustantivo] [masculino] Caída o destrucción de una construcción: *Ha habido varios heridos en el derrumbamiento del edificio.* □ SINÓNIMOS: hundimiento. FAMILIA: → derrumbar.

derrumbar [verbo] **1** Destruir una construcción echándola abajo: *Han derrumbado un bloque de edificios que estaba en ruinas.* **2** Poner a una persona tan triste que se sienta vencida: *No dejes que los contratiempos te derrumben.* □ SINÓNIMOS: **1,2** hundir. **1** derribar. CONTRARIOS: levantar. FAMILIA: derrumbamiento.

desabrochar [verbo] Sacar los botones del hueco en el que están para que algo quede abierto: *Desabróchame el babi, por favor, que no llego a los botones de atrás.* □ CONTRARIOS: abrochar. FAMILIA: → broche.

desacierto [sustantivo] [masculino] **1** Falta de habilidad para hacer bien algo: *Esa empresa ha fracasado porque la dirigían con desacierto.* **2** Lo que se hace y sale mal: *Fue un desacierto salir al campo con tanta lluvia.* □ SINÓNIMOS: **1,2** torpeza. **2** fallo. CONTRARIOS: **1,2** acierto. **1** tino, tacto, destreza. FAMILIA: → acertar.

desacuerdo [sustantivo] [masculino] Falta de acuerdo: *Hubo tal desacuerdo entre ellos que terminaron enfadados.* □ CONTRARIOS: acuerdo. FAMILIA: → acordar.

desafiar [verbo] **1** Decir una persona a otra que participe contra ella en una lucha o en una competición: *Lo desafié a un partido de tenis para ver quién era el mejor.* **2** Enfrentarse a una situación oponiéndose a ella:

Los conductores que van a tanta velocidad desafían a la muerte. □ [Se conjuga como GUIAR]. SINÓNIMOS: **1** retar. FAMILIA: desafío.

desafinar [verbo] Sonar mal un instrumento musical o la voz de una persona: *No puedes formar parte del coro porque desafinas.* □ CONTRARIOS: afinar. FAMILIA: → fino.

desafío [sustantivo masculino] Hecho de decir una persona a otra que participe contra ella en una lucha o en una competición: *El caballero aceptó el desafío de su enemigo para luchar con las espadas.* □ SINÓNIMOS: reto. FAMILIA: → desafiar.

desafortunado, da [adjetivo] **1** Que no es feliz o que no tiene buena suerte: *Soy muy desafortunado porque nadie quiere ser amigo mío.* **2** Que no es como conviene que sea para acabar bien: *A pesar de mis desafortunados comentarios, no debes enfadarte conmigo.* □ CONTRARIOS: afortunado. **1** agraciado. FAMILIA: → fortuna.

desagradable [adjetivo] Que no resulta agradable: *El olor que llega del basurero es muy desagradable.* □ [No varía en masculino y en femenino]. CONTRARIOS: agradable. FAMILIA: → agradar.

desagradar [verbo] No gustar, no resultar agradable o no parecer bien: *Esta comida no me desagrada, pero tampoco me gusta mucho.* □ SINÓNIMOS: disgustar. CONTRARIOS: agradar, gustar. FAMILIA: → agradar.

desagradecido, da [adjetivo] Que no reconoce los favores que se le han hecho y no corresponde a ellos de alguna manera: *Eres tan desagradecido que ni siquiera me has dado las gracias.* □ SINÓNIMOS: ingrato. CONTRARIOS: agradecido. FAMILIA: → agradecer.

desagrado [sustantivo masculino] Sensación que produce algo que no nos gusta: *El público mostró su desagrado con silbidos.* □ CONTRARIOS: agrado. FAMILIA: → agradar.

desagüe [sustantivo masculino] Tubo por donde sale el agua de un sitio: *Un fontanero desatascó el desagüe del lavabo.* □ FAMILIA: → agua.

desaliento [sustantivo masculino] Falta de fuerzas, de energías o de ánimos: *Si esto te ha salido mal, inténtalo de nuevo y no dejes que te venza el desaliento.* □ SINÓNIMOS: desánimo. CONTRARIOS: aliento. FAMILIA: → aliento.

desalojar [verbo] Dejar vacío un lugar, haciendo que los que estaban en él se vayan: *Los policías desalojaron el colegio ante el aviso de una bomba.* □ [Siempre se escribe con j]. FAMILIA: → alojar.

desangrarse [verbo] Perder gran cantidad de sangre: *El herido ha estado a punto de desangrarse porque no podían cortarle la hemorragia.* □ FAMILIA: → sangre.

desanimar [verbo] Hacer perder el ánimo o las fuerzas: *No te dejes desanimar y lucha por conseguir lo que deseas.* □ SINÓNIMOS: abatir. CONTRARIOS: animar. FAMILIA: → ánimo.

desánimo [sustantivo masculino] Falta de ánimo, de fuerzas o de energía: *No dejes que el desánimo te invada.* □ SINÓNIMOS: desaliento. FAMILIA: → ánimo.

desaparecer [verbo] **1** Dejar de estar algo donde antes estaba, o dejar de verse: *Han desaparecido mil pesetas de mi cajón.* **2** Dejar de existir algo: *Mis abuelos ya han desaparecido y me acuerdo mucho de ellos.* □ [Es irregular y se conjuga como PARECER]. CONTRARIOS: aparecer, surgir. FAMILIA: desaparición.

desaparición [sustantivo femenino] Ausencia de algo que antes estaba: *La policía investiga la desaparición de unos documentos muy importantes.* □ CONTRARIOS: aparición. FAMILIA: → desaparecer.

desarmar [verbo] **1** Separar las piezas que forman un objeto: *El mecánico tuvo que desarmar el motor para arreglarlo.* **2** Quitar las armas: *Los policías desarmaron a los delincuentes.* □ SINÓNIMOS: **1** desmontar. CONTRARIOS: armar. **1** montar. FAMILIA: → arma.

desarme [sustantivo masculino] Hecho de reducir un país su ejército y el número de sus armas: *He ido a una manifestación a favor del desarme mundial.* □ FAMILIA: → arma.

desarrollar [verbo] **1** Aumentar o hacer más grande: *El deporte sirve para desarrollar los músculos.* **2** Explicar de forma amplia y con muchos detalles: *El conferenciante desarrolló los puntos más importantes del problema.* **3** Hacer las operaciones necesarias para llegar a la solución de un problema matemático: *Aunque he desarrollado bien el problema, el resultado está mal porque me*

a
b
c
d
e
f
g
h
i
j
k
l
m
n
ñ
o
p
q
r
s
t
u
v
w
x
y
z

equivoqué en una operación. **4** Hacer que algo tenga una situación mejor: *Los países de Europa se han desarrollado más que los africanos.* **5 desarrollarse** Suceder o tener lugar: *La historia de la película se desarrolla en un país oriental.* □ FAMILIA: → desarrollo.

desarrollo [sustantivo masculino] **1** Proceso por el que algo aumenta o se hace más grande: *Según vayas aprendiendo, el desarrollo de tu inteligencia será mayor.* **2** Proceso por el que algo llega a tener una situación mejor: *Algunos países están en pleno desarrollo y cada vez tienen una mejor situación económica.* **3** Proceso durante el cual se realiza algo: *Una cadena de televisión sigue en directo el desarrollo de la reunión de ministros.* □ FAMILIA: desarrollar.

desastre [sustantivo masculino] **1** Suceso que produce un gran daño o mucha destrucción: *El incendio del petrolero ha causado un desastre ecológico en el mar.* **2** Lo que sale mal o tiene mala calidad: *La fiesta fue un desastre porque no fue casi nadie.* **3** Persona que tiene poca habilidad para hacer algo: *Soy un desastre cocinando y siempre se me quema la comida.* □ FAMILIA: desastroso.

desastroso, sa [adjetivo] **1** Que produce un gran daño o mucha destrucción: *Las guerras son desastrosas para todos.* **2** Muy malo o muy mal hecho: *No sé cómo no te da vergüenza presentar un dibujo tan desastroso.* □ FAMILIA: → desastre.

desatar [verbo] **1** Soltar las cuerdas que sujetan algo: *Se te han desatado los cordones de los zapatos.* **2** Producir algo de forma violenta: *La tormenta desató un fuerte vendaval.* **3 desatarse** Perder el miedo a hacer algo y empezar a hacerlo como si siempre se hubiera hecho: *Al principio no dije nada, pero luego me desaté y lo conté todo.* □ SINÓNIMOS: **2** desencadenar. CONTRARIOS: **1** atar. FAMILIA: → atar.

desatascar [verbo] Quitar lo que impide el paso por un lugar estrecho: *Mi padre llamó a un fontanero para que desatascase la tubería.* □ [La c se cambia en qu delante de e, como en SACAR]. SINÓNIMOS: desatrancar. CONTRARIOS: atascar, atrancar. FAMILIA: → atasco.

desatornillar [verbo] Sacar los tornillos dán-

doles vueltas: *Para quitar la tapa tienes que desatornillar los tornillos que la sujetan.* □ SINÓNIMOS: destornillar. CONTRARIOS: atornillar. FAMILIA: → tornillo.

desatrancar [verbo] **1** Quitar lo que impide el paso por un lugar estrecho: *Mi hermano desatrancó la cañería con un embudo.* **2** Quitar lo que cierra una puerta o una ventana: *Cuando pasó el vendaval, desatrancamos puertas y ventanas.* □ [La c se cambia en qu delante de e, como en SACAR]. SINÓNIMOS: **1** desatascar. CONTRARIOS: atrancar. **1** atascar. FAMILIA: → atrancar.

desayunar [verbo] Tomar el desayuno: *Hoy he desayunado una naranja y un vaso de leche.* □ FAMILIA: → ayuno.

desayuno [sustantivo masculino] Primera comida del día, que se hace después de levantarse por la mañana: *Mi desayuno normal es un vaso de leche con galletas.* □ FAMILIA: → ayuno.

desbarajuste [sustantivo masculino] Falta de orden: *No encuentro el jersey en este desbarajuste de armario.* □ SINÓNIMOS: desorden, desorganización. CONTRARIOS: orden, organización.

desbocarse [verbo] Correr un caballo como si estuviera loco y sin obedecer a nadie: *Al oír el disparo, el caballo se asustó y se desbocó.* □ [La c se cambia en qu delante de e, como en SACAR]. FAMILIA: → boca.

desbordante [adjetivo] Que no tiene límites: *Siento una alegría desbordante al volverte a ver.* □ [No varía en masculino y en femenino]. FAMILIA: → borde.

desbordarse [verbo] Salirse un líquido de donde está por los bordes: *Se me olvidó cerrar el grifo y el agua se desbordó de la bañera.* □ FAMILIA: → borde.

descalzo, za [adjetivo] Sin zapatos en los pies: *En verano, ando descalzo por mi casa.* □ FAMILIA: → calzar.

descambiar [verbo] Cambiar algo que se ha comprado o devolverlo: *Descambié el pantalón porque me estaba pequeño.* □ [Es coloquial]. FAMILIA: → cambiar.

descampado [sustantivo masculino] Lugar al aire libre en el que no hay plantas ni construcciones: *Mis amigos y yo jugamos al balón en un descampado que hay cerca de mi casa.*

descansar [verbo] **1** Parar en un trabajo: *Estaba estudiando y decidí descansar un* *rato.* **2** Dormir o hacer otra cosa para volver a tener las fuerzas que se habían perdido: *Si quieres descansar, siéntate un rato y tómate un refresco.* **3** Quedar tranquilo: *Hasta que no tenga noticias de él, no descansaré.* **4** Apoyar algo sobre una cosa: *Descansa la cabeza sobre mi hombro.* **5** Estar enterrado: *Mis abuelos descansan en ese cementerio.* □ FAMILIA: → cansar.

descansillo [sustantivo] [masculino] Parte de una escalera donde se acaban los escalones y donde se puede hacer una parada antes de continuar subiendo: *En el descansillo del primer piso hay una gran maceta.* □ SINÓNIMOS: rellano. FAMILIA: → cansar.

descanso [sustantivo] [masculino] **1** Parada en el trabajo: *Hice un pequeño descanso y luego seguí estudiando.* **2** Lo que sentimos cuando volvemos a tener la fuerza o la tranquilidad que habíamos perdido: *¡Qué descanso saber que estás bien!* **3** Espacio de tiempo con el que se interrumpe un espectáculo: *En el primer descanso de la película iré al baño.* □ CONTRARIOS: **2** cansancio. **3** intermedio. FAMILIA: → cansar.

descapotable [sustantivo] [masculino] Coche con un techo que se puede doblar y quitar: *Cuando hace calor, apetece ir en descapotable y que te dé el aire en la cara.* □ FAMILIA: → capa.

DESCAPOTABLE

descarado, da [adjetivo o] [sustantivo] Que habla o actúa de manera atrevida o faltando al respeto: *No seas descarado y no contestes mal a los mayores.* □ FAMILIA: → cara.

descarga [sustantivo] [femenino] **1** Hecho de quitar o de sacar una carga de algún lugar: *La descar-*

ga del barco se hace con unas máquinas muy grandes. **2** Paso de electricidad de un cuerpo a otro: *Al tocar la nevera, me dio una descarga.* □ CONTRARIOS: carga. FAMILIA: → cargar.

descargar [verbo] **1** Quitar o sacar la carga que hay en algún sitio: *¿Me ayudas a descargar las maletas del coche?* **2** Acabarse lo que hay dentro de una cosa, de forma que ya no sirve: *Las pilas de la radio se han descargado.* **3** Disparar un arma de fuego: *En el entrenamiento, el policía descargó su pistola sobre la diana.* **4** Dar un golpe con mucha fuerza: *Me descargó tal puñetazo que me dejó atontado.* **5** Soltar una persona lo que siente: *No está bien que descargues tu mal humor sobre los demás.* □ [La g se cambia en gu delante de e, como en PAGAR]. CONTRARIOS: **1-3** cargar. FAMILIA: → cargar.

descaro [sustantivo] [masculino] Falta de vergüenza o de respeto: *¡Menudo descaro contestar así a tu madre!* □ SINÓNIMOS: jeta, morro, rostro, cara, valor, frescura. FAMILIA: → cara.

descarrilar [verbo] Salir un tren de la vía: *El tren descarriló, pero afortunadamente no hubo víctimas.* □ FAMILIA: → carril.

descascarillar [verbo] **1** Quitar la cáscara a determinados frutos: *El arroz que comemos ha sido descascarillado.* **2** Quitar parte de la capa que cubre algo: *La humedad ha descascarillado las paredes.* □ FAMILIA: → cáscara.

descendencia [sustantivo] [femenino] Conjunto de hijos, nietos y demás personas que descienden de una misma persona: *Este matrimonio no tiene descendencia.* □ FAMILIA: → descender.

descendente [adjetivo] Que baja o que va hacia abajo: *Es más fácil recorrer un terreno descendente que uno ascendente.* □ [No varía en masculino y en femenino. No confundir con *descendiente*]. CONTRARIOS: ascendente. FAMILIA: → descender.

descender [verbo] **1** Ir a un lugar más bajo:

DESCAMPADO

a
b
c
d
e
f
g
h
i
j
k
l
m
n
ñ
o
p
q
r
s
t
u
v
w
x
y
z

Descendí por la escalera. **2** Disminuir en cantidad, en valor o en otra cosa: *En los últimos días, la temperatura ha descendido un poco y ya no hace tanto calor.* **3** Venir una persona o un animal de otro: *Yo desciendo de una familia andaluza.* □ [Es irregular y se conjuga como PERDER]. SINÓNIMOS: **1,2** bajar. CONTRARIOS: **1,2** ascender, subir. FAMILIA: descenso, descendente, descendencia, descendiente.

descendiente [sustantivo] Hijo, nieto u otra persona que desciende de una misma persona: *Mi abuelo quería que algunos de sus descendientes llevara su nombre.* □ [No varía en masculino y en femenino. No confundir con *descendente*]. CONTRARIOS: ascendiente, antepasado, antecesor. FAMILIA: descender.

descenso [sustantivo masculino] **1** Terreno que baja: *Para llegar al río desde aquí hay un descenso muy inclinado y lleno de rocas.* **2** Paso a un lugar más bajo: *Tardamos diez minutos en el descenso de la montaña.* **3** Disminución de la cantidad, del valor o de otra cosa: *Mañana se espera un descenso de las temperaturas.* □ SINÓNIMOS: bajada. **3** alza. CONTRARIOS: subida. **2,3** ascenso. FAMILIA: descender.

descifrar [verbo] Descubrir el significado de algo: *El espía mandó un mensaje con un código secreto para que los enemigos no pudieran descifrarlo.* □ FAMILIA: cifra.

desclavar [verbo] Quitar los clavos que sujetan algo: *Me he equivocado de sitio, y ahora tengo que desclavar el clavo.* □ CONTRARIOS: clavar. FAMILIA: clavo.

descojonarse [verbo] Reírse mucho. □ [Es vulgar]. FAMILIA: cojón.

descolgar [verbo] **1** Bajar algo que está colgado o quitarlo de donde está: *Descolgué el abrigo del perchero.* **2** Bajar despacio algo que está atado a una cuerda: *Descolgaron el piano por la ventana, porque no cabía por la puerta.* **3** Levantar de su sitio la parte del teléfono por la que se habla o se oye: *Descuelga el teléfono, a ver quién llama.* **4** **descolgarse** Separarse una persona de un grupo: *Cuando los de mi pandilla empezaron a hacer cosas que no me gustaban, me descolgué de ellos.* □ [Es irregular y se conjuga

como COLGAR]. CONTRARIOS: **1,3** colgar. FAMILIA: colgar.

descolocar [verbo] Poner en una posición o en una situación que no son las adecuadas: *¿Quién me ha descolocado las cosas del armario?* □ [La c se cambia en qu delante de e, como en SACAR]. CONTRARIOS: colocar, ordenar. FAMILIA: colocar.

descolorido, da [adjetivo] Con un tono más claro que su color normal: *Esta tela está descolorida de tanto lavarla.* □ FAMILIA: color.

descomponer [verbo] **1** Separar las partes que forman un todo: *Al descomponer el agua se obtiene oxígeno e hidrógeno.* **2** Estropearse un alimento o un cuerpo de forma que huele mal: *Un cadáver se descompone más rápido con el calor.* **3** **descomponerse** Cambiar el color o la expresión una persona: *Te has llevado un susto tan grande que se te ha descompuesto la cara.* □ [Es irregular y se conjuga como PONER. Su participio es descompuesto]. CONTRARIOS: **1** componer. FAMILIA: componer.

descompuesto, ta Participio irregular de **descomponer**. □ FAMILIA: componer.

desconcertar [verbo] Producir tanta sorpresa que no se sabe cómo actuar: *Tus palabras me han desconcertado tanto que no sé qué decir.* □ [Es irregular y se conjuga como PENSAR].

desconfiado, da [adjetivo o sustantivo] Que no tiene confianza en algo: *Eres tan desconfiada que piensas que todo el mundo te quiere engañar.* □ CONTRARIOS: confiado. FAMILIA: confiar.

desconfianza [sustantivo femenino] Falta de confianza: *Los celos me parecen una muestra de desconfianza en la pareja.* □ CONTRARIOS: confianza. FAMILIA: confiar.

desconfiar [verbo] **1** No tener confianza en una persona: *No me parece sincero y desconfío de él.* **2** No creer que algo va a suceder: *Aunque me ha prometido avisarme, desconfío de que lo haga.* □ [Se conjuga como GUIAR]. CONTRARIOS: confiar. **1** fiarse. FAMILIA: confiar.

descongelar [verbo] Hacer que algo que está como el hielo deje de estarlo: *Mi padre sacó el pescado del congelador para que se* *descongelase.* □ CONTRARIOS: congelar. FA-MILIA: → congelar.

desconocer [verbo] No conocer: *¿Cómo puedes desconocer esos datos si han salido en todos los periódicos?* □ [Es irregular y se conjuga como PARECER]. SINÓNIMOS: ignorar. CONTRARIOS: conocer, saber. FAMILIA: → conocer.

desconocido, da 1 [adjetivo] Muy distinto o muy cambiado: *Has crecido tanto que estás desconocido.* [adjetivo o sustantivo] **2** Que no se conoce: *No debes irte con desconocidos.* **3** Que no es famoso o que no es muy conocido por la gente: *Esa actriz es todavía una desconocida, pero se hará famosa.* □ CONTRARIOS: **2,3** conocido. FAMILIA: → conocer.

desconsuelo [sustantivo] [masculino] Pena muy grande que parece que nunca se va a acabar: *Mi abuela siente un gran desconsuelo por la muerte de su amiga.* □ CONTRARIOS: consuelo. FAMILIA: → consuelo.

descontar [verbo] Quitar una cantidad de otra: *El dependiente me hizo una rebaja y me descontó cien pesetas del precio que tenía el libro.* □ [Es irregular y se conjuga como CONTAR]. FAMILIA: → contar.

descontento, ta 1 [adjetivo] Que no está contento: *Estoy muy descontento contigo porque esperaba que te portaras mejor.* **2** [sustantivo] [masculino] Sensación que se siente cuando algo no nos hace felices: *Los alumnos mostraron su descontento cuando les anunciaron que no irían de excursión.* □ CONTRARIOS: contento. FAMILIA: → contento.

descorchar [verbo] Abrir una botella sacando el corcho que la cierra: *Descorcharon una botella de cava para celebrarlo.* □ FAMILIA: → corcho.

descoser [verbo] Soltar el hilo con el que algo estaba cosido: *Se me ha descosido el dobladillo de la falda.* □ CONTRARIOS: coser. FAMILIA: → coser.

describir [verbo] Decir cómo es algo, explicando sus partes o sus cualidades: *La policía pidió al testigo que describiera al sospechoso.* □ [Su participio es *descrito*]. FAMILIA: descrito, descripción, descriptivo.

descripción [sustantivo] [femenino] Explicación de las partes o de las cualidades de algo por medio del lenguaje: *En la redacción teníamos que*

hacer una descripción de nuestra familia. □ FAMILIA: → describir.

descriptivo, va [adjetivo] Que describe algo o que lo explica por medio del lenguaje: *Los adjetivos son muy abundantes en los textos descriptivos.* □ FAMILIA: → describir.

descrito, ta Participio irregular de **describir.** □ FAMILIA: → describir.

descuartizar [verbo] Dividir un cuerpo en varios trozos: *El carnicero descuartiza las reses para venderlas.* □ [La z se cambia en c delante de e, como en CAZAR].

descubierto, ta 1 Participio irregular de **descubrir. 2** [expresión] **al descubierto** A la vista: *La investigación puso al descubierto sus engaños.* □ CONTRARIOS: **1** cubierto. FAMILIA: → cubrir.

descubridor, -a [sustantivo] Persona que descubre o encuentra algo que no era conocido: *Fleming fue el descubridor de la penicilina.* □ FAMILIA: → cubrir.

descubrimiento [sustantivo] [masculino] **1** Conocimiento de lo que estaba escondido o no se conocía: *En 1992 se celebró el quinto centenario del descubrimiento de América.* **2** Lo que se encuentra o se descubre: *En ese congreso de medicina se presentarán los últimos descubrimientos contra el cáncer.* □ SINÓNIMOS: hallazgo. FAMILIA: → cubrir.

descubrir [verbo] **1** Dar con algo que no se conocía: *La penicilina es un medicamento que fue descubierto por Fleming.* **2** Quitar lo que cubre algo para que se vea: *Al comenzar la fiesta, el alcalde descubrió la nueva estatua de la plaza.* **3** Dar a conocer algo que se escondía: *Nunca descubriré mi secreto.* **4 descubrirse** Quitarse el sombrero: *El anciano se descubrió al entrar en la iglesia.* □ [Su participio es *descubierto*]. SINÓNIMOS: **1** encontrar. **2,3** destapar. **3** desvelar. CONTRARIOS: **2-4** cubrir. **2,3** tapar. **3** esconder, ocultar. FAMILIA: → cubrir.

descuento [sustantivo] [masculino] **1** Rebaja que se hace en un precio: *Cuando mis padres compraron el horno el comerciante les hizo un gran descuento.* **2** Tiempo que a veces se añade al final de un partido: *En los minutos de descuento se consiguieron dos goles.* □ FAMILIA: → contar.

descuidado, da [adjetivo] **1** Que no pone

a
b
c
d
e
f
g
h
i
j
k
l
m
n
ñ
o
p
q
r
s
t
u
v
w
x
y
z

cuidado en lo que hace: *Es normal que pierdas las cosas, porque eres muy descuidado.* **2** Sin el cuidado necesario: *Tienes la habitación muy descuidada, toda desordenada y llena de ropa sucia.* **3** Sin estar atento: *La pregunta me pilló descuidada y no supe qué contestar.* □ Sinónimos: **3** desprevenido. Contrarios: **1** cuidadoso. Familia: → cuidar.

descuidar [verbo] **1** No prestar la atención adecuada a algo: *No debes descuidar los estudios. Me descuidé un momento y me quitaron la bicicleta.* **2 descuidarse** Dejar de cuidar de uno mismo: *Cuando está deprimido se descuida mucho.* □ Sinónimos: **2** abandonarse, dejarse. Contrarios: **1** cuidar, vigilar. Familia: → cuidar.

descuido [sustantivo masculino] Falta de cuidado al hacer algo: *El incendio se produjo por un descuido de unos excursionistas.* □ Sinónimos: imprudencia. Contrarios: cuidado, atención, prudencia, precaución, cautela. Familia: → cuidar.

desde 1 [preposición] Indica el punto, el tiempo o el espacio a partir del que se empieza a contar algo: *No nos veíamos desde hace un año. Te vi desde el otro lado de la calle.* **2** [expresión] **desde luego** Sin duda: *Desde luego, tienes razón en todo lo que dices.* □ Sinónimos: **2** por supuesto.

desdentado, da [adjetivo] Que ha perdido los dientes o que le faltan algunos: *Ese perro viejo y desdentado casi no puede comer.* □ Familia: → diente.

desdicha [sustantivo femenino] Desgracia o mala suerte: *He tenido la desdicha de romperme el brazo cuando todavía tenía escayolada la pierna.* □ Sinónimos: desgracia. Contrarios: dicha, fortuna. Familia: → dicha.

desdichado, da [adjetivo o sustantivo] Que tiene mala suerte: *Esa desdichada ya se ha vuelto a quedar sin trabajo.* □ Sinónimos: pobre, infeliz, desgraciado. Contrarios: afortunado, dichoso, feliz. Familia: → dicha.

desdoblar [verbo] Extender lo que estaba doblado: *Desdobló la servilleta y se la puso sobre las piernas.* □ Sinónimos: desplegar. Contrarios: doblar. Familia: → doblar.

desear 1 [verbo] Tener muchas ganas de conseguir algo: *Desearía no tener que madrugar mañana.* **2** [expresión] **dejar mucho que**

desear Tener muchos errores que se pueden evitar: *El trabajo que has entregado deja mucho que desear, así que deberás repetirlo.* □ Sinónimos: **1** querer, apetecer. Familia: deseo, indeseable.

desechar [verbo] **1** Rechazar algo o no admitirlo: *Desecharon mis propuestas sin darme ninguna explicación.* **2** Dejar de usar algo porque ya no vale: *He desechado algunos vestidos que estaban ya muy viejos.* **3** Dejar de pensar en algo que no resulta agradable: *Desecha tus temores, porque estoy convencida de que no va a pasar nada malo.* □ [No confundir el presente desecho con deshecho, del verbo deshacer]. Sinónimos: **2** tirar, jubilar. Contrarios: aprovechar. Familia: desecho.

desecho [sustantivo masculino] **1** Resto de algo que ya no sirve: *Han puesto una multa a esta empresa por contaminar el río con desechos de la fábrica.* **2** Lo que es malo y no merece ninguna admiración: *La droga ha convertido a muchos jóvenes en desechos humanos.* □ [No confundir con deshecho, del verbo deshacer: Se ha deshecho la nieve]. Familia: → desechar.

desembarcar [verbo] Salir de un barco, de un tren o de un avión, o sacar algo de ellos: *Desembarcaron la carga del barco y la dejaron en el muelle.* □ [La c se cambia en qu delante de e, como en SACAR]. Contrarios: embarcar. Familia: → barco.

desembarco [sustantivo masculino] Hecho de salir de un barco o de sacar lo que hay en él: *El desembarco de los pasajeros se hace por una escalerilla.* □ Familia: → barco.

desembocadura [sustantivo femenino] Lugar por donde un río entra en el mar: *En la desembocadura del río Ebro hay cultivos de arroz.* □ Familia: → boca. 🖾 página 537.

desembocar [verbo] **1** Entrar un río en el mar: *El Tajo desemboca en el océano Atlántico.* **2** Acabar o tener salida: *Esta calle desemboca en una plaza.* □ [La c se cambia en qu delante de e, como en SACAR]. Sinónimos: **2** salir. Contrarios: nacer. Familia: → boca.

desempatar [verbo] Deshacer la igualdad en el número de votos o de puntos que tienen dos contrarios: *Parecía que el partido iba a terminar en empate, pero el equipo lo-*

cal desempató en el último minuto. □ CON-TRARIOS: empatar. FAMILIA: → empatar.

desempate [sustantivo masculino] Cambio de un resultado en el que había igualdad en el número de votos o de puntos: *El desempate del partido llegó en la prórroga.* □ CONTRARIOS: empate. FAMILIA: → empatar.

desempeñar [verbo] **1** Realizar las funciones propias de un trabajo: *Desempeñó el cargo de presidente durante diez años.* **2** Representar un papel en una obra de cine o de teatro: *Este actor siempre desempeña papeles de malo.* □ SINÓNIMOS: **2** interpretar. FAMILIA: → empeñar.

desempleo [sustantivo masculino] Falta de trabajo: *El desempleo ha crecido como consecuencia de la crisis económica.* □ SINÓNIMOS: paro. CONTRARIOS: empleo. FAMILIA: → emplear.

desempolvar [verbo] **1** Volver a usar algo, o traer a la memoria algo olvidado: *El periódico desempolvó una historia que pasó hace años, y ahora todos vuelven a hablar de ella.* **2** Quitar el polvo: *Cogió un libro de la estantería, lo desempolvó y me lo dio.* □ FAMILIA: → polvo.

desencadenar [verbo] **1** Producir algo de forma violenta: *Las palabras del ministro desencadenaron la ira de los ciudadanos.* **2** Soltar o quitar las cadenas: *Un guardia trajo las llaves para desencadenar al preso.* □ SINÓNIMOS: **1** desatar. CONTRARIOS: **2** encadenar. FAMILIA: → cadena.

desenchufar [verbo] Quitar el enchufe que une un aparato eléctrico a la red eléctrica: *Si te vas, no olvides desenchufar el radiador.* □ CONTRARIOS: enchufar. FAMILIA: → enchufe.

desenfundar [verbo] Sacar algo que está dentro de su cubierta: *El pistolero desenfundó la pistola y disparó.* □ CONTRARIOS: enfundar. FAMILIA: → funda.

desenganchar [verbo] Soltar o dejar libre: *Cuando la diligencia llegó a su destino, de-*sengancharon los caballos para que descansaran.* □ CONTRARIOS: enganchar. FAMILIA: → gancho.

desengañar [verbo] Hacer que alguien vea el engaño o el error en el que está: *Creía que eras una buena persona, pero me desengañaste cuando hiciste esa faena a mis amigos.* □ CONTRARIOS: engañarse. FAMILIA: → engaño.

desengaño [sustantivo masculino] Pérdida de la esperanza y de la confianza que se había puesto en algo o en alguien: *Cuando vi a ese artista en persona sufrí un desengaño, porque al natural es feísimo.* □ SINÓNIMOS: decepción, desilusión. FAMILIA: → engaño.

desenlace [sustantivo masculino] Parte de un suceso en el que se resuelve una situación: *En el desenlace de la película, todo se arregló y los protagonistas se salvaron.*

desenmascarar [verbo] Quitarle a una persona lo que le cubre la cara para saber quién es: *Cuando desenmascaró al bandido vio que era uno de los vecinos.* □ FAMILIA: → máscara.

desenredar [verbo] Poner en orden algo que no lo tenía: *Cepíllate el pelo para desenredarlo.* □ CONTRARIOS: enredar. FAMILIA: → enredo.

desenrollar [verbo] Extender algo que está envuelto sobre sí mismo: *¿Me ayudas a desenrollar la alfombra, por favor?* □ CONTRA-RIOS: enrollar. FAMILIA: → rollo.

desenroscar [verbo] Quitar algo haciéndolo girar sobre sí mismo: *Desenroscó el tapón de la botella y se llenó el vaso de agua.* □ [La c se cambia en qu delante de e, como en SACAR]. CONTRARIOS: enroscar. FAMILIA: → rosca.

desenterrar [verbo] **1** Sacar algo que está bajo tierra: *Usaremos las palas para desenterrar el tesoro.* **2** Traer a la memoria algo que estaba olvidado: *La prensa ha desenterrado el problema que este personaje tuvo hace años con la policía.* □ [Es irregular y se

DESEMBOCADURA

a
b
c
d
e
f
g
h
i
j
k
l
m
n
ñ
o
p
q
r
s
t
u
v
w
x
y
z

conjuga como PENSAR]. CONTRARIOS: enterrar. FA-MILIA: → tierra.

desentonar [verbo] **1** Cantar con un tono que no es el adecuado: *Hay alguien en el coro que desentona y estropea el conjunto.* **2** Quedar mal con lo que está alrededor: *Si vas a la fiesta en zapatillas, desentonarás, porque todo el mundo irá muy arreglado.* □ CONTRARIOS: **1** entonar. FAMILIA: → tono.

desenvolver [verbo] **1** Quitar lo que cubre o rodea algo: *Desenvolvió la chocolatina y se la comió.* **2 desenvolverse** Saber actuar en un ambiente: *Sabe desenvolverse muy bien en público.* □ [Es irregular y se conjuga como VOL-VER. Su participio es *desenvuelto*]. SINÓNIMOS: **2** moverse. CONTRARIOS: **1** envolver. FAMILIA: → envolver.

desenvuelto, ta 1 Participio irregular de **desenvolver**. **2** [adjetivo] Que tiene mucha facilidad para actuar o para hablar: *Es un chico muy desenvuelto y con mucho desparpajo.* □ CONTRARIOS: **1** envuelto. FAMILIA: → envolver.

deseo [sustantivo masculino] **1** Ganas de tener o de conseguir algo: *Su deseo de riquezas lo llevó a robar.* **2** Lo que se desea: *Mi mayor deseo es dar la vuelta al mundo.* **3** [expresión] **arder en deseos de algo** Desearlo mucho: *Vuelve pronto, porque ardo en deseos de verte.* □ [El significado **3** es coloquial]. FAMILIA: → desear.

desertar [verbo] Dejar un soldado sus obligaciones sin que nadie le haya dado permiso: *Algunos soldados desertan durante la guerra porque tienen miedo a morir.* □ FA-MILIA: desertor.

desértico, ca [adjetivo] Del desierto o relacionado con él: *En África hay muchas zonas desérticas.* □ FAMILIA: → desierto.

desertor, -a [adjetivo o sustantivo] **1** Dicho de un soldado, que abandona una obligación sin que le hayan dado permiso: *El desertor será juzgado por un tribunal militar.* **2** Que abandona un grupo, una obligación o una idea: *Eres una desertora, porque ahora que ves que las cosas se ponen difíciles, te vas.* □ [El significado **2** es coloquial]. FAMILIA: → desertar.

desesperación [sustantivo femenino] **1** Pérdida total de esperanza: *Los médicos dicen que la enfermedad es grave, pero él es optimista y no cae en la desesperación.* **2** Lo que sentimos

cuando algo nos enfada o nos molesta mucho: *Los atascos de coches me producen verdadera desesperación.* □ FAMILIA: → esperar.

desesperada [expresión] **a la desesperada** Como última solución para conseguir algo: *Me metí por un camino de piedras a la desesperada, porque no veía otra forma de salir del atasco.* □ FAMILIA: → esperar.

desesperar [verbo] **1** Hacer perder la calma o la paciencia: *Estos niños tan traviesos me desesperan.* **2** Perder la esperanza: *No desesperes e intenta ser más optimista.* □ [El significado **1** es coloquial]. CONTRARIOS: **2** esperar. FAMILIA: → esperar.

desfallecer [verbo] Perder las fuerzas o el ánimo: *Si no como algo ahora mismo, desfallezco.* □ [Es irregular y se conjuga como PARE-CER]. FAMILIA: → fallecer.

desfavorable [adjetivo] **1** Que está en contra: *Con viento desfavorable cuesta más andar que con el viento a favor.* **2** Que no es favorable: *Cuando la suerte es desfavorable todo sale mal.* □ [No varía en masculino y en femenino]. SINÓNIMOS: **2** adverso. CONTRARIOS: favorable. FAMILIA: → favor.

desfiladero [sustantivo masculino] Paso muy estrecho entre montañas: *Los indios esperaban la diligencia a la salida del desfiladero.* □ FA-MILIA: → fila. 🔎 página 709.

desfilar [verbo] **1** Marchar los soldados en fila o con orden: *Las tropas desfilaron ante el presidente.* **2** Pasar una cosa detrás de otra: *En ese momento, todos los recuerdos desfilaron por mi mente.* **3** Salir con orden de un lugar: *«¡Desfilen, desfilen!», decía el policía a la gente que se acercaba a mirar el accidente.* □ [Los significados **2** y **3** son coloquiales]. FAMILIA: → fila.

desfile [sustantivo masculino] Acto en el que varias personas pasan en orden y una detrás de otra: *Mi prima es modelo y ha participado en muchos desfiles de moda.* □ FAMILIA: → fila.

desgana [sustantivo femenino] **1** Falta de ganas de comer: *Estar enfermo suele producir desgana.* **2** Falta de interés o de deseo por algo: *Si haces las cosas con desgana no te saldrán bien.* □ SINÓNIMOS: **2** apatía. CONTRARIOS: gana. **2** afán, ansia, ahínco, empeño. FAMI-LIA: → gana.

desgarrar [verbo] **1** Romper algo tirando de

ello: *Me enganché en unas zarzas y se me desgarró el vestido.* **2** Producir una gran pena o una gran compasión: *Me desgarra verte tan triste.* □ SINÓNIMOS: **1** rasgar. FAMILIA: → garra.

desgarrón [sustantivo masculino] Roto que se hace al tirar con fuerza de algo: *Me hice un desgarrón en la manga y se me ve el codo.* □ FAMILIA: → garra.

desgastar [verbo] Ir gastando poco a poco: *Tengo que cambiar las suelas de los zapatos porque se han desgastado.* □ FAMILIA: → gastar.

desgaste [sustantivo masculino] **1** Pérdida del tamaño o de la cantidad de algo por el uso: *Las carreteras mal asfaltadas favorecen el desgaste de los neumáticos.* **2** Pérdida de las fuerzas o del ánimo: *Tengo que tomar vitaminas para compensar el desgaste que produce el estudio.* □ FAMILIA: → gastar.

desgracia [sustantivo femenino] **1** Mala suerte: *Por desgracia, mañana tendré que pasar el día con esa pesada.* **2** Lo que produce una pena o un daño muy grandes: *Estoy triste porque ha ocurrido una desgracia.* **3** [expresión] **caer en desgracia** Perder el favor o la consideración de alguien: *Antes era muy apreciado, pero, desde que cayó en desgracia, nadie lo estima.* □ SINÓNIMOS: desdicha. FAMILIA: → gracia.

desgraciado, da [adjetivo o sustantivo] **1** Que produce desgracias: *Se quedó ciego en un desgraciado accidente.* **2** Que está triste y sin ayuda: *Llora porque se siente muy desgraciada.* **3** Mala persona: *No quiero saber nada de un desgraciado como tú.* □ [El significado **3** se usa como insulto]. SINÓNIMOS: **1** desdichado, infeliz, pobre. CONTRARIOS: **2** afortunado, dichoso, feliz. FAMILIA: → gracia.

deshabitado, da [adjetivo] Dicho de un lugar, que estuvo ocupado por gente que vivía en él, pero que ya no lo está: *Dicen que en esa casa deshabitada hay fantasmas.* □ FAMILIA: → habitar.

deshacer [verbo] **1** Destruir, romper o separar las partes que forman algo: *Me he equivocado y tengo que deshacer la mitad del jersey que estoy tejiendo.* **2** Hacer que un acuerdo ya no sea válido: *Si deshaces el trato que teníamos, ya no te volveré a hablar.*

3 Hacer que algo sólido pase a ser líquido: *El calor ha deshecho la tableta de chocolate.* **4** [expresión] **deshacerse de algo** Quedar libre de ello: *Deshazte de todo lo que no utilices.* □ [Es irregular y se conjuga como HACER. Su participio es deshecho]. CONTRARIOS: **1,2** hacer. FAMILIA: → hacer.

deshecho, cha Participio irregular de **deshacer**. □ [No confundir con desecho, del verbo desechar]. CONTRARIOS: hecho. FAMILIA: → hacer.

deshidratar [verbo] Quitar el agua que hay en un cuerpo: *El frío y el sol deshidratan la piel.*

deshielo [sustantivo masculino] Paso de algo helado al estado líquido: *En primavera, los ríos llevan más agua por el deshielo de la nieve de las montañas.* □ FAMILIA: → hielo.

deshinchar [verbo] **1** Quitar el aire o el gas que llena algo: *Deshincha el flotador y guárdalo en esa cesta, que nos vamos a casa.* **deshincharse 2** Reducirse el tamaño de algo para volver a ser normal: *Ya se me ha deshinchado el tobillo y puedo andar bien.* **3** Perder alguien los ánimos o las fuerzas que tenía: *Al principio estaba muy ilusionada, pero poco a poco me fui deshinchando.* □ [El significado **3** es coloquial]. SINÓNIMOS: **1,3** desinflar. CONTRARIOS: **1** hinchar, inflar. **2** hincharse. FAMILIA: → hinchar.

deshojar [verbo] Arrancar las hojas de algo: *Deshojé una rosa y guardé los pétalos en un libro.* □ [Siempre se escribe con *j*]. FAMILIA: → hoja.

deshollinador, -a [sustantivo] Persona que limpia las chimeneas y les saca el polvo negro producido por el fuego: *El deshollinador limpia la chimenea con una especie de escoba.* □ FAMILIA: → hollín.

deshonra [sustantivo femenino] Pérdida del respeto que los demás sienten por una persona: *Ha sido una deshonra para todos que te pillaran robando.* □ CONTRARIOS: honra. FAMILIA: → honra.

desierto, ta [adjetivo] **1** Que está vacío del todo o sin habitantes: *Durante las vacaciones, la ciudad se queda casi desierta.* **2** Dicho de un premio o de un trabajo, que no se dan a nadie: *El jurado dijo que el primer premio quedaba desierto porque las novelas*

a
b
c
d
e
f
g
h
i
j
k
l
m
n
ñ
o
p
q
r
s
t
u
v
w
x
y
z

presentadas eran muy malas. **3** [sustantivo] [masculino] Terreno en el que hay pocas lluvias, pocas plantas y pocos animales: *El camello es un animal que resiste bien en el desierto.* □ FAMILIA: desértico.

designar [verbo] Elegir a alguien para que realice una actividad: *A ese político lo han designado como candidato para las elecciones.* □ SINÓNIMOS: nombrar.

desigual [adjetivo] **1** Que no es igual: *Si las dos mangas del jersey te han salido desiguales, tendrás que deshacerlas.* **2** Que no es liso o llano: *Por este camino tan desigual no se puede patinar.* **3** Que cambia o que varía: *Es muy desigual trabajando, es decir, a veces lo hace muy bien y otras veces, muy mal.* □ [No varía en masculino y en femenino]. SINÓNIMOS: **1** diferente. CONTRARIOS: igual. FAMILIA: → igual.

desilusión [sustantivo] [femenino] Pérdida de la ilusión o de la esperanza: *Me llevé una gran desilusión cuando me dijiste que no vendrías.* □ SINÓNIMOS: decepción, desengaño. CONTRARIOS: ilusión. FAMILIA: → ilusión.

desilusionar [verbo] Quitar las ilusiones o perderlas: *No me desilusiones y dime que lo he hecho muy bien.* □ CONTRARIOS: ilusionar. FAMILIA: → ilusión.

desinfectante [adjetivo o sustantivo masculino] Que hace desaparecer lo que puede producir una infección: *El agua oxigenada es un desinfectante.* □ [Cuando es adjetivo no varía en masculino y en femenino]. FAMILIA: → infectar.

desinfectar [verbo] Hacer desaparecer de un lugar lo que puede producir una infección: *Mi padre me desinfectó la herida y me puso una venda.* □ CONTRARIOS: infectar. FAMILIA: → infectar.

desinflar [verbo] **1** Quitar el aire o el gas a algo: *Para desinflar la pelota tienes que quitar el tapón.* **2** Perder alguien los ánimos o las ilusiones de forma rápida: *Con tantos problemas me he desinflado y ya no me apetece hacer el viaje.* □ SINÓNIMOS: deshinchar. CONTRARIOS: inflar, hinchar. FAMILIA: → inflar.

desinterés [sustantivo] [masculino] Falta de interés o de atención: *Si haces las cosas con desinterés, te saldrán mal.* □ CONTRARIOS: interés. FAMILIA: → interés.

desinteresado, da [adjetivo] Que no actúa en su propio interés: *Las personas desinteresadas ayudan sin pedir nada a cambio.* □ CONTRARIOS: interesado. FAMILIA: → interés.

desistir [verbo] Renunciar a seguir haciendo algo: *Estuve todo el día buscando lo que me pediste y al final desistí de encontrarlo.* □ SINÓNIMOS: abandonar, dejar. CONTRARIOS: seguir, proseguir, continuar.

deslizar [verbo] **1** Mover algo de forma suave por una superficie lisa: *El patinador se deslizaba por la pista.* **2** Dar o poner algo intentando que nadie lo note: *Un compañero me deslizó una nota cuando el profesor no lo veía.* □ [La z se cambia en c delante de e, como en CAZAR].

deslumbrante [adjetivo] **1** Que da una luz tan fuerte que impide la visión: *Un foco deslumbrante me dejó ciego por unos segundos.* **2** Que impresiona porque es muy bonito: *¡Hoy estás deslumbrante!* □ [No varía en masculino y en femenino]. FAMILIA: → lumbre.

deslumbrar [verbo] **1** Impedir la visión a causa de una luz muy fuerte: *El coche que venía de frente me deslumbró con sus faros.* **2** Impresionar a una persona algo que es muy bonito: *No se dejó deslumbrar por el éxito y siguió siendo una persona sencilla.* □ FAMILIA: → lumbre.

desmayarse [verbo] Quitar las fuerzas y el sentido durante un momento o perderlos: *Cuando le dieron la noticia se desmayó y cayó al suelo.* □ SINÓNIMOS: desvanecerse. FAMILIA: → desmayo.

desmayo [sustantivo] [masculino] **1** Pérdida del sentido y de las fuerzas: *Cuando se recuperó del desmayo no sabía dónde estaba ni qué le había pasado.* **2** Pérdida de las fuerzas, del ánimo o del valor: *Los bomberos trabajaron sin desmayo hasta apagar el incendio.* □ FAMILIA: desmayarse.

desmejorado, da [adjetivo] Con peor aspecto o con peor salud que en otro momento: *Desde que trabaja tanto la veo muy desmejorada.* □ FAMILIA: → mejor.

desmemoriado, da [adjetivo o sustantivo] Que tiene poca memoria: *Es un desmemoriado y quizá haya olvidado que habíamos quedado hoy.* □ FAMILIA: → memoria.

desmenuzar [verbo] Deshacer algo dividiéndolo en partes muy pequeñas: *Desmenuzó el pan y se lo echó a los pajaritos.* □ [La z se cambia en c delante de e, como en CAZAR].

desmontable [adjetivo] Que está compuesto por piezas que se pueden separar unas de otras: *La librería del comedor es desmontable.* □ [No varía en masculino y en femenino]. FAMILIA: → montar.

desmontar [verbo] **1** Separar las piezas que forman algo: *Antes de pintar la pared hay que desmontar la estantería y quitarla.* **2** Bajar de un animal o de un vehículo: *El jinete ganador desmontó del caballo y fue a recoger el premio.* □ SINÓNIMOS: **1** desarmar. CONTRARIOS: montar. **1** armar. FAMILIA: → montar.

desnatado, da [adjetivo] Que no tiene nata porque se la han quitado: *Tomo leche desnatada porque engorda menos.* □ FAMILIA: → nata.

desnivel [sustantivo masculino] **1** Falta de igualdad: *Entre los conocimientos de los alumnos de esta clase hay mucho desnivel.* **2** Diferencia de alturas entre dos o más puntos: *Entre la cima de la montaña y el valle hay un gran desnivel.* □ FAMILIA: → nivel.

desnudar [verbo] Dejar desnudo: *Antes de acostarme, me desnudo y me pongo el pijama.* □ SINÓNIMOS: desvestir. CONTRARIOS: vestir. FAMILIA: → desnudo.

desnudo, da [adjetivo] **1** Sin vestido: *En algunas playas, la gente se baña desnuda.* **2** Sin lo que cubre o adorna algo: *Hace poco que se han cambiado de piso y todavía tienen las paredes desnudas.* **3** [sustantivo masculino] Figura humana que no tiene puesto ningún vestido: *Este pintor pinta desnudos.* □ FAMILIA: desnudar, nudista.

desobedecer [verbo] No hacer caso a una orden o a la persona que la da: *No debes desobedecer a la abuela.* □ [Es irregular y se conjuga como PARECER]. CONTRARIOS: obedecer. FAMILIA: → obedecer.

desobediencia [sustantivo femenino] Forma de actuar de la persona que no cumple lo que hay que hacer: *Me han castigado por mi desobediencia.* □ CONTRARIOS: obediencia. FAMILIA: → obedecer.

desobediente [adjetivo o sustantivo] Que no cumple lo que se le manda: *No seas desobediente y ve*

a comprar lo que te he dicho. □ [No varía en masculino y en femenino]. CONTRARIOS: obediente, dócil. FAMILIA: → obedecer.

desocupado, da [adjetivo] **1** Que no tiene cosas o personas dentro: *Si encontramos un aula desocupada, podemos hacer ahí la reunión.* **2** Que está sin nada que hacer: *Cuando estés desocupado, me gustaría que me ayudases.* □ SINÓNIMOS: **1** vacío. **2** ocioso. CONTRARIOS: **1** lleno. **2** atareado. FAMILIA: → ocupar.

desocupar [verbo] Dejar un lugar libre de las cosas o de las personas que lo ocupaban: *Hay que desocupar esta sala porque van a venir a pintarla.* □ CONTRARIOS: ocupar. FAMILIA: → ocupar.

desodorante [adjetivo o sustantivo masculino] Que quita el mal olor: *Todos los días me echo desodorante en los sobacos.* □ [Cuando es adjetivo no varía en masculino y en femenino]. FAMILIA: → olor.

desolación [sustantivo femenino] **1** Destrucción completa: *Las guerras siembran la desolación a su paso.* **2** Lo que se siente cuando se sufre mucho o cuando se está muy triste: *La muerte de su hijo los hundió en una profunda desolación.* **3** Falta de personas y de cosas en un lugar: *¡Qué desolación, ya se han ido todos!*

desorden [sustantivo masculino] **1** Falta de orden o de organización: *Hay tal desorden en esta habitación que no encuentro nada.* **2** Problema producido por grupos de personas que van contra el orden establecido: *La policía vigila para evitar que se produzcan desórdenes callejeros.* □ [El significado **2** se usa más en plural]. SINÓNIMOS: **1** desorganización, desbarajuste. CONTRARIOS: **1** orden, organización. FAMILIA: → orden.

desordenado, da [adjetivo] Que no tiene orden: *Está todo tan desordenado que no encuentro nada.* □ CONTRARIOS: ordenado. FAMILIA: → orden.

desordenar [verbo] Poner algo de manera que pierda el orden que tenía: *Coge lo que necesites, pero no me desordenes nada.* □ SINÓNIMOS: descolocar, desorganizar. CONTRARIOS: ordenar, organizar, colocar, regular, recoger. FAMILIA: → orden.

desorganización [sustantivo femenino] Falta de organización o de orden: *En esta oficina hay tal*

a b c **d** e f g h i j k l m n ñ o p q r s t u v w x y z

a

b

c

d

e

f

g

h

i

j

k

l

m

n

ñ

o

p

q

r

s

t

u

v

w

x

y

z

desorganización que nadie sabe qué tiene que hacer. □ Sinónimos: desorden, desbarajuste. Contrarios: organización, orden. Familia: → órgano.

desorganizar [verbo] Hacer que algo pierda la organización que tenía: *Procura no desorganizar el fichero cuando lo consultes.* □ [La z se cambia en c delante de e, como en CAZAR]. Sinónimos: desordenar. Contrarios: organizar, ordenar, regular. Familia: → órgano.

desorientar [verbo] Hacer que alguien no sepa dónde está o que no sepa qué hacer: *Las indicaciones que me diste para ir a tu casa me desorientaron en vez de ayudarme.* □ Sinónimos: confundir, despistar. Contrarios: orientar, encaminar. Familia: → orientar.

despabilar [verbo] Espabilar: *¡Despabila, que llegamos tarde!* □ Sinónimos: despertar. Familia: → espabilar.

despachar [verbo] **1** Vender algo a un cliente en una tienda: *En la tienda de comestibles despachan también bebidas.* **2** Resolver o terminar un asunto: *Esto tan fácil lo despacho yo en un minuto.* **3** Echar a una persona de un lugar: *Me dijo que no tenía nada que hablar conmigo y me despachó.* **4 despacharse** Decir una persona lo que piensa: *Empezó a criticarme y se despachó a gusto conmigo.* □ [Los significados **3** y **4** son coloquiales]. Familia: despacho.

despacho [sustantivo masculino] **1** Habitación para estudiar, para hacer ciertos trabajos o para recibir clientes: *La directora me recibió en su despacho.* **2** Establecimiento en el que se venden determinadas cosas: *He comprado una barra en un despacho de pan.* □ Familia: → despachar.

despachurrar [verbo] Espachurrar: *La tarta se despachurró al caerle una caja encima.* □ Sinónimos: aplastar. Familia: → espachurrar.

despacio [adverbio] De manera lenta: *Come más despacio, que te vas a atragantar.* □ Contrarios: aprisa, deprisa.

desparpajo [sustantivo masculino] Capacidad para hablar o para actuar de manera atrevida y sin dificultad: *Al principio le daba vergüenza hablar en público, pero ya lo hace con mu-*

cho desparpajo. □ [Es coloquial]. Sinónimos: soltura.

despectivo, va [adjetivo o sustantivo masculino] Que indica desprecio o rechazo: *La palabra «gentuza» es un sustantivo despectivo.*

despedazar [verbo] Romper algo en trozos y de manera violenta: *Los leones cazaron una gacela y la despedazaron a dentelladas.* □ [La z se cambia en c delante de e, como en CAZAR]. Sinónimos: destrozar. Familia: → pedazo.

despedida [sustantivo femenino] **1** Hecho de despedirse: *Tu tren va a salir y ha llegado el momento de la despedida.* **2** Expresión o gesto con los que alguien se despide: *La carta termina con una despedida emocionante.* 🖎 página 430. □ Sinónimos: **1** adiós. Familia: → despedir.

despedir [verbo] **1** Decir adiós a una persona: *Cuando me voy de viaje, mis padres vienen a despedirme a la estación.* **2** Echar a una persona de su trabajo: *Lo despidieron de la empresa por no cumplir con su trabajo.* **3** Producir algo y echarlo hacia fuera: *El volcán entró en actividad y empezó a despedir lava.* **4 despedirse** Renunciar a algo: *Si no estudias, despídete de ver la tele.* □ [Es irregular y se conjuga como PEDIR. El significado **4** es coloquial]. Sinónimos: **3** emitir, arrojar, lanzar. Contrarios: **1** recibir. **2** emplear, ocupar. Familia: despedida.

despegar [verbo] **1** Separar lo que está pegado: *Alguien me ha puesto una pegatina en la bici y yo la he despegado.* **2** Separarse del suelo un avión u otro vehículo y empezar a volar: *Cuando el avión va a despegar, los pasajeros deben ponerse los cinturones de seguridad.* □ [La g se cambia en gu delante de e, como en PAGAR]. Sinónimos: **1** desprender. Contrarios: **1** pegar, adherir. **2** aterrizar. Familia: → pegar.

despegue [sustantivo masculino] Hecho de separarse del suelo un avión u otro vehículo y de empezar a volar: *El capitán comunicó a la torre de control que el avión estaba listo para el despegue.* □ Contrarios: aterrizaje. Familia: → pegar.

despeinar [verbo] Estropear la colocación del pelo: *El viento me ha despeinado.* □ Contrarios: peinar. Familia: → peinar.

despejar [verbo] **1** Dejar un lugar libre de las cosas que lo ocupan o que molestan: *Si no despejas un poco la mesa, no podrás trabajar en ella.* **2** Quitar o hacer desaparecer: *Sus aclaraciones despejaron mis dudas.* **3** En algunos deportes, enviar la pelota lejos del área propia: *Un defensa despejó el balón cuando ya casi era gol.* **despejarse 4** Mejorar el tiempo y quedar el cielo sin nubes ni niebla: *Después de la tormenta empezó a despejarse el día.* **5** Sentirse despierto y descansado: *Después de varias horas estudiando, salí a dar una vuelta para despejarme un poco.* □ [Siempre se escribe con j]. SI-NÓNIMOS: **4** aclarar, clarear, abrir. CONTRA-RIOS: **4** nublarse, cubrirse, cerrarse.

despellejar [verbo] **1** Quitar la piel de algo: *Me caí y me despellejé la rodilla.* **2** Criticar a una persona de manera muy negativa: *No le caigo bien y no pierde oportunidad de despellejarme.* □ [Siempre se escribe con j. El significado **2** es coloquial]. FAMILIA: → piel.

despensa [sustantivo] [femenino] Parte de una casa en la que se guardan los alimentos: *Ese cuartito que hay junto a la cocina es la despensa.*

despeñar [verbo] Tirar algo por un sitio alto y lleno de peñas: *Un coche se salió de la carretera y se despeñó por un acantilado.* □ FAMILIA: → peña.

desperdiciar [verbo] Aprovechar mal algo: *Si desperdicias esta oportunidad, puede que no tengas otra.* □ SINÓNIMOS: perder, malgastar. CONTRARIOS: aprovechar. FAMILIA: desperdicio.

desperdicio [sustantivo] [masculino] **1** Lo que queda de algo y no se puede aprovechar: *Tiró los desperdicios de la comida a la basura.* **2** Mal uso que se hace de algo: *Usar ese papel tan caro como papel de sucio es un desperdicio.* □ FAMILIA: → desperdiciar.

desperezarse [verbo] Extender los miembros del cuerpo para quitar la sensación de sueño: *Lo primero que hago cuando me despierto es desperezarme.* □ [La z se cambia en c delante de e, como en CAZAR]. SINÓNIMOS: estirarse. FAMILIA: → pereza.

desperfecto [sustantivo] [masculino] Daño o defecto sin importancia: *Los muebles sufrieron algunos desperfectos en la mudanza.* □ FAMILIA: → perfecto.

despertador [sustantivo] [masculino] Reloj que hace un ruido a una hora fijada para despertar a alguien: *Estaba tan dormida que no oí el despertador y me levanté tarde.* □ FAMILIA: → despertar.

despertar [sustantivo] [masculino] **1** Momento en el que se deja de dormir: *Tuve un despertar muy agradable, porque había tenido un sueño precioso.* **2** Principio del desarrollo de una actividad: *La aparición de ese libro supuso el despertar de la novela policíaca en nuestro país.* [verbo] **3** Hacer que alguien deje de dormir: *Un ruido me despertó.* **4** Hacer sentir algo: *Lo que me contó despertó en mí un sentimiento de compasión.* **5** Hacerse más listo, más hábil o más atento: *Como no despiertes, vas a sufrir más de un desengaño.* □ [Como verbo es irregular y se conjuga como PEN-SAR]. SINÓNIMOS: **5** espabilar, despabilar. CONTRARIOS: **3** dormir. FAMILIA: despierto, despertador.

despido [sustantivo] [masculino] Hecho de despedir a una persona de su trabajo: *Una falta grave en el trabajo te puede costar el despido.* □ CON-TRARIOS: empleo. FAMILIA: → despedir.

despierto, ta [adjetivo] **1** Que no está dormido: *Vete a la cama, que no son horas para estar despierto.* **2** Listo y con una inteligencia viva y clara: *Es una niña muy despierta y se da cuenta de todo.* □ CONTRARIOS: **2** torpe. FAMILIA: → despertar.

despilfarro [sustantivo] [masculino] Uso que se hace de algo, gastando más de lo necesario: *Si se frenase el despilfarro de papel, no habría que talar tantos árboles.* □ SINÓNIMOS: derroche. CONTRARIOS: ahorro.

despistado, da [adjetivo o] [sustantivo] Que no se da cuenta de lo que ocurre a su alrededor porque no presta atención: *¡Si seré despistada, que he salido de casa en zapatillas y no me he dado cuenta!* □ SINÓNIMOS: distraído. CONTRARIOS: atento. FAMILIA: → despistar.

despistar [verbo] **1** Hacer que alguien no sepa qué hacer o por dónde ir: *Estas casas todas iguales me despistan y nunca sé llegar a la tuya.* **2 despistarse** Dejar de prestar atención: *Me despisté en el autobús por ir leyendo y tuve que bajarme una parada después.* □ SINÓNIMOS: **1** desorientar, confundir.

a b c **d** e f g h i j k l m n ñ o p q r s t u v w x y z

2 distraerse. CONTRARIOS: **1** orientar, encaminar. FAMILIA: despiste, despistado.

despiste [sustantivo masculino] Falta de atención, o fallo producido por no prestar atención: *¡Qué despiste el mío, ya me he dejado otra vez los libros en casa!* □ SINÓNIMOS: distracción. FAMILIA: → despistar.

desplazar [verbo] **1** Mover algo y cambiarlo de lugar: *Si desplazas un poco la silla, podré pasar mejor.* **2** Quitar algo del lugar o de la función que tenía, generalmente para sustituirlo: *La llegada de un nuevo hermano a menudo desplaza al hermano mayor.* □ [La z se cambia en c delante de e, como en CAZAR]. FAMILIA: → plaza.

desplegar [verbo] **1** Extender algo que estaba doblado: *Mi paraguas se despliega automáticamente apretando un botón.* **2** Extender un conjunto de personas por un terreno: *Los soldados se desplegaron por la zona.* **3** Poner algo en práctica: *Desplegó todos sus encantos para conseguir nuestro apoyo.* □ [Es irregular y se conjuga como REGAR]. SINÓNIMOS: **1** desdoblar, abrir. CONTRARIOS: **1** cerrar. FAMILIA: → pliegue.

desplumar [verbo] **1** Quitar las plumas a un ave: *Hay que desplumar la gallina antes de cocinarla.* **2** Quitarle a una persona el dinero que tiene: *Juego muy mal a las cartas y siempre me despluman.* □ [El significado **2** es coloquial]. SINÓNIMOS: **1** pelar. FAMILIA: → pluma.

despoblar [verbo] Dejar un lugar sin la población o sin las cosas que lo ocupaban: *Muchos pueblos se han ido despoblando poco a poco.* □ [Es irregular y se conjuga como CONTAR]. CONTRARIOS: poblar. FAMILIA: → poblar.

despojar [verbo] **1** Dejar sin algo que antes se tenía: *Unos ladrones despojaron a unos hombres de todo su dinero.* **2 despojarse** Quitarse: *Se despojó de la ropa que llevaba y se puso el pijama.* □ [Siempre se escribe con j]. SINÓNIMOS: **1** quitar, privar. CONTRARIOS: **1** proporcionar, proveer, facilitar, suministrar, surtir.

desposar [verbo] Unir en matrimonio: *Los novios se desposaron después de varios años de noviazgo.* □ [No confundir con esposar]. SINÓNIMOS: casar.

despreciar [verbo] **1** Rechazar algo o no reconocer su valor: *No desprecies su ayuda, porque te puede servir de mucho.* **2** Sentir rechazo hacia alguien: *Nadie tiene derecho a despreciar a los demás.* □ CONTRARIOS: apreciar, estimar. **2** adorar, admirar. FAMILIA: → apreciar.

desprecio [sustantivo masculino] Rechazo de algo o de alguien: *Se cree mejor que todos y trata a los demás con desprecio.* □ SINÓNIMOS: menosprecio. CONTRARIOS: aprecio, admiración. FAMILIA: → apreciar.

desprender [verbo] **1** Separar algo de donde estaba pegado o unido: *Se ha desprendido el póster que pegaste en la pared.* **2** Echar fuera de sí: *Esas flores desprenden un olor muy agradable.* **3 desprenderse** Quedarse sin algo: *Se desprendió de sus riquezas para dárselas a los pobres.* □ SINÓNIMOS: **1** despegar. **2** soltar. **3** prescindir. CONTRARIOS: **1** prender, pegar, adherir. FAMILIA: → prender.

desprendimiento [sustantivo masculino] **1** Hecho de separarse algo de donde estaba unido o pegado: *Los desprendimientos de rocas pueden provocar accidentes.* **2** Forma de ser de la persona que da lo que tiene sin buscar nada a cambio: *Sus constantes regalos son una muestra de su desprendimiento.* □ SINÓNIMOS: **2** generosidad. CONTRARIOS: **2** egoísmo. FAMILIA: → prender.

despreocuparse [verbo] **1** Eliminar una preocupación: *Despreocúpate, que ya está todo arreglado.* **2** No ocuparse de algo: *No debes despreocuparte de lo que es responsabilidad tuya.* □ CONTRARIOS: preocuparse. **1** inquietarse. **2** ocuparse. FAMILIA: → preocupar.

desprevenido, da [adjetivo] Sin estar atento: *Me pilló desprevenida y no supe qué contestarle.* □ SINÓNIMOS: descuidado. FAMILIA: → prevenir.

desprovisto, ta [adjetivo] Sin algo: *Es un mueble sencillo y desprovisto de adornos.* □ SINÓNIMOS: falto. CONTRARIOS: provisto. FAMILIA: → proveer.

después [adverbio] **1** En un tiempo posterior: *Adelántate tú, que yo iré después. Después de comer me entra sueño.* **2** En un lugar posterior: *En el abecedario, la «b» está después de la «a».* **3** En un orden posterior o en una categoría inferior: *Después de la directora está la subdirectora.* **4** [expresión] **después de todo** A pesar de todo o teniendo todo en cuenta: *Después de todo, no es tan grave lo que nos ha pasado.* □ Sinónimos: **1,2** luego. **2** detrás. Contrarios: **1,2** antes. **2** delante.

despuntar [verbo] **1** Quitar la punta de algo o estropearla: *No aprietes tanto al escribir, que vas a despuntar el lápiz.* **2** Empezar a salir una planta o una de sus partes: *Ya despuntan los primeros brotes de las semillas que plantaste.* **3** Empezar a aparecer la luz del día: *Me despierto todas las mañanas al despuntar el día.* **4** Notarse más o quedar por encima: *Es muy lista y despunta en todo lo que hace.* □ Sinónimos: **4** destacar, sobresalir, resaltar. Familia: → punta.

desquitarse [verbo] Hacer algo para quitar el efecto de lo que ha ocurrido antes: *Cuando me cure, voy a ir a un montón de fiestas para desquitarme del tiempo que he estado en cama.* □ Familia: → quitar.

destacar [verbo] **1** Hacer que algo se note más: *Uso un lápiz para destacar las ideas más importantes del libro.* **2** Notarse más o quedar por encima: *Destaca entre todos sus compañeros por su inteligencia.* **3** Enviar a alguien a un sitio para que realice una acción determinada: *El periódico ha destacado un corresponsal a la zona de guerra.* □ [La c se cambia en qu delante de e, como en SACAR]. Sinónimos: **1,2** resaltar. **1** acentuar, pronunciar, subrayar, poner de relieve. **2** despuntar, sobresalir. Contrarios: **1** disimular.

destapar [verbo] **1** Quitar la tapa de algo o lo que lo cubre: *Destapé la cazuela porque se salía la sopa.* **2** Quitar la ropa que cubre a una persona: *Destapa un poco al niño, que hace mucho calor. Duérmete y no te destapes.* **3** Dar a conocer algo que se escondía: *La prensa destapó el fraude cometido por algunas empresas importantes.* □ Sinónimos: **2,3** descubrir. **3** desvelar. Contrarios: tapar, cubrir. **3** esconder, ocultar. Familia: → tapa.

destartalado, da [adjetivo] Estropeado o medio roto: *El coche es muy viejo y está muy destartalado.* □ [Es coloquial].

destello [sustantivo/masculino] **1** Rayo de luz muy fuerte

y breve: *La bandeja de plata está tan brillante que produce destellos.* **2** Señal breve de algo: *Dudo que ese bruto haya tenido alguna vez destellos de inteligencia.*

desteñir [verbo] **1** Quitarle a algo el color: *La lejía destiñe la ropa de color.* **2** Manchar algo al perder color: *El pantalón azul lávalo aparte porque destiñe.* □ [Es irregular y se conjuga como CEÑIR]. Contrarios: teñir. Familia: → teñir.

desternillarse [verbo] Reírse mucho: *Esa chica es tan graciosa que todos se desternillan con ella.* □ [Es coloquial]. Sinónimos: partirse, mondarse.

desterrar [verbo] **1** Echar a una persona de su tierra como castigo y para que no vuelva a ella: *El Cid fue desterrado de Castilla por el Rey.* **2** Acabar del todo con algo: *Habría que desterrar el hambre en el mundo.* □ [Es irregular y se conjuga como PENSAR]. Familia: → tierra.

destiempo [expresión] **a destiempo** Fuera de tiempo o en un momento poco adecuado: *Uno de los miembros del coro empezó a cantar a destiempo y el público le silbó.* □ Contrarios: a tiempo. Familia: → tiempo.

destierro [sustantivo/masculino] Situación de la persona que se ha marchado de su tierra para no volver: *Durante su destierro, nunca olvidó la idea de volver algún día a su país.* □ Familia: → tierra.

destinar [verbo] **1** Dar a algo un uso o una función determinados: *Mis padres destinan parte del sueldo a pagar el alquiler de la casa.* **2** Mandar a una persona a un lugar para realizar su trabajo: *Cuando se hizo policía, lo destinaron a una ciudad del sur.* **3** Dirigir algo a alguien: *Me ha llegado una carta que habían destinado a otra persona.* □ Familia: → destino.

destinatario, ria [sustantivo] Persona que tiene que recibir algo: *En el sobre de las cartas figura el nombre de su destinatario.* □ Familia: → destino.

destino [sustantivo/masculino] **1** Punto hacia el que algo se dirige: *El avión salió de Barcelona con destino a París.* **2** Uso o función que se da a algo: *¿Qué destino se dará al dinero recaudado en la colecta?* **3** Lugar al que se manda a una persona para realizar su tra-

a
b
c
d
e
f
g
h
i
j
k
l
m
n
ñ
o
p
q
r
s
t
u
v
w
x
y
z

a
b
c
d
e
f
g
h
i
j
k
l
m
n
ñ
o
p
q
r
s
t
u
v
w
x
y
z

bajo: *Por suerte, le han dado un destino dentro de su provincia.* **4** Lo que hace que los hechos se produzcan como se producen, sin poderlo evitar: *Yo quería llegar a ser un gran actor, pero el destino me lo impidió.* □ SINÓNIMOS: **1** final. **3** puesto, plaza. CONTRARIOS: **1** origen, nacimiento. FAMILIA: destinar, destinatario.

destituir [verbo] Echar a una persona de un trabajo o de una categoría: *El ministro destituyó al director general cuando se descubrió la estafa.* □ [La *i* se cambia en *y* delante de *a, e, o,* como en HUIR].

destornillador [sustantivo masculino] Herramienta que sirve para apretar tornillos o para sacarlos: *Para quitar la cerradura necesito un destornillador.* □ FAMILIA: → tornillo. 🔧 página 431.

destornillar [verbo] Sacar los tornillos dándoles vueltas: *Para destornillar las patas de la mesa, gira los tornillos hacia la izquierda.* □ SINÓNIMOS: desatornillar. CONTRARIOS: atornillar. FAMILIA: → tornillo.

destreza [sustantivo femenino] Capacidad que tiene una persona para hacer algo bien: *Los artesanos tienen mucha destreza para hacer trabajos manuales.* □ SINÓNIMOS: habilidad, maña, maestría, arte, mano. CONTRARIOS: torpeza. FAMILIA: → diestro.

destripar [verbo] **1** Sacar las tripas a una persona o a un animal: *Un coche atropelló al gato y lo destripó.* **2** Abrir un objeto y sacar lo que tiene en su interior: *Destripó la radio para intentar arreglarla y ahora no sabe montarla.* **3** Estropear algo que se está contando porque se dice el final antes de tiempo: *No me cuentes el final de la película, que me la destripas.* □ [Los significados **2** y **3** son coloquiales]. FAMILIA: → tripa.

destronar [verbo] Hacer que un rey o una reina dejen de serlo: *Un traidor destronó al rey y se quedó con el trono.* □ FAMILIA: → trono.

destrozar [verbo] **1** Romper algo en trozos y de manera violenta: *La bomba destrozó el coche.* **2** Estropear del todo: *¡No sé qué haces para destrozar así los zapatos!* **3** Destruir o causar mucho daño: *La muerte de su esposo la ha destrozado.* **4** Cansar mucho: *La caminata nos destrozó a todos.* □ [La *z* se

cambia en *c* delante de *e,* como en CAZAR]. SINÓNIMOS: **1** despedazar. **2** romper. **4** agotar. CONTRARIOS: **2** arreglar, reparar. FAMILIA: → trozo.

destrozo [sustantivo masculino] Daño muy grande: *El temporal ha ocasionado destrozos en la cosecha.* □ FAMILIA: → trozo.

destrucción [sustantivo femenino] Proceso de deshacer algo por completo o de dejarlo hecho ruinas: *El objetivo del ataque era la destrucción de la fortaleza.* □ CONTRARIOS: construcción. FAMILIA: → destruir.

destructivo, va [adjetivo] Que tiene capacidad para destruir: *El poder destructivo de las armas nucleares es enorme.* □ FAMILIA: → destruir.

destructor, -a 1 [adjetivo o sustantivo] Que destruye: *Las bombas tienen efectos muy destructores.* **2** [sustantivo masculino] Barco de guerra rápido y preparado para hacer ataques: *El destructor lanzó un proyectil y hundió un barco.* □ FAMILIA: → destruir.

destruir [verbo] **1** Deshacer algo por completo o dejarlo hecho ruinas: *Los terremotos destruyen ciudades enteras.* **2** Hacer desaparecer algo o acabar con ello: *No dejes que los celos destruyan nuestra amistad.* □ [La *i* se cambia en *y* delante de *a, e, o,* como en HUIR]. SINÓNIMOS: destrozar, arruinar. CONTRARIOS: construir. FAMILIA: destrucción, destructor, destructivo, indestructible.

desunir [verbo] Separar lo que estaba unido: *Cuando empezamos a crecer, la pandilla se fue desuniendo.* □ SINÓNIMOS: alejar, apartar. CONTRARIOS: unir, juntar, reunir, agrupar, amontonar, pegar. FAMILIA: → unir.

desuso [sustantivo masculino] Situación de lo que ya no se usa: *Las palabras caen en desuso con el tiempo, como «botica», que es el nombre antiguo de «farmacia».* □ CONTRARIOS: uso. FAMILIA: → uso.

desvalido, da [adjetivo o sustantivo] Que no puede valerse por sí mismo: *Encontraron abandonado a un pobre niño desvalido.* □ FAMILIA: → valer.

desvalijar [verbo] Robar todo lo que hay en un lugar: *Los ladrones entraron cuando la casa estaba vacía y la desvalijaron.* □ [Siempre se escribe con *j*].

desván [sustantivo masculino] Parte de una casa que está justo debajo del tejado y que suele usarse para guardar cosas: *En el desván hay guardados juguetes viejos.*

desvanecer [verbo] **1** Quitar algo poco a poco: *Tus explicaciones desvanecieron mis dudas.* **2 desvanecerse** Perder el sentido por un momento: *Le bajó la tensión de golpe y se desvaneció.* □ [Es irregular y se conjuga como PARECER]. SINÓNIMOS: **2** desmayarse.

desvelar [verbo] **1** Quitar el sueño: *No tomo café porque me desvela.* **2** Dar a conocer algo que se escondía: *¿Quieres que te desvele un secreto?* **3 desvelarse** Poner mucho esfuerzo y cuidado en algo: *Mis padres se desvelan para que nosotros tengamos todo lo que necesitemos.* □ SINÓNIMOS: **2** descubrir, destapar. CONTRARIOS: **2** tapar, cubrir, esconder, ocultar. FAMILIA: → vela.

desventaja [sustantivo femenino] Lo que hace que algo sea peor que otra cosa o esté en peor situación: *Vivir en una gran ciudad tiene muchas ventajas, pero también desventajas.* □ SINÓNIMOS: pega, inconveniente. CONTRARIOS: ventaja. FAMILIA: → ventaja.

desvergonzado, da [adjetivo o sustantivo] Que actúa sin vergüenza ni educación: *¡No seas tan desvergonzado y ten más respeto a los demás!* □ CONTRARIOS: vergonzoso. FAMILIA: → vergüenza.

desvestir [verbo] Dejar desnudo: *La madre desvistió al bebé para que lo examinara el médico.* □ SINÓNIMOS: desnudar. CONTRARIOS: vestir. FAMILIA: → vestir.

desviación [sustantivo femenino] **1** Cambio de la dirección o de la posición: *En la radiografía se aprecia una pequeña desviación de columna.* **2** Camino que se separa de otro más importante: *Al pueblo se llega por la primera desviación a la izquierda.* □ SINÓNIMOS: **2** desvío. FAMILIA: → desviar.

desviar [verbo] Hacer que algo cambie la dirección que lleva: *Están desviando los coches porque hay un tramo de la carretera en obras.* □ [Se conjuga como GUIAR]. FAMILIA: desvío, desviación.

desvío [sustantivo masculino] **1** Cambio en la dirección que llevaba algo: *Esta acequia permite el desvío del agua del río hasta la huerta.* **2** Camino que se separa de otro más importante: *En el primer desvío de la autopista*

hay una gasolinera. □ SINÓNIMOS: **2** desviación. FAMILIA: → desviar.

detalle [sustantivo masculino] **1** Parte pequeña de algo, que no es importante pero lo completa: *Cuéntame la historia con todos los detalles, que quiero saberlo todo.* **2** Lo que se hace o se regala para ser amable: *He estado de viaje y te he traído un detalle.*

detectar [verbo] Notar algo que no se ve a simple vista: *Al hacerme los análisis me han detectado falta de vitaminas.* □ FAMILIA: detective.

detective [sustantivo] Persona que hace investigaciones parecidas a las de la policía para descubrir alguna cosa: *Contrató a un detective para que siguiera a su socio y averiguase lo que hacía.* □ [No varía en masculino y en femenino]. FAMILIA: → detectar.

detención [sustantivo femenino] **1** Hecho de quitar a alguien la libertad durante un período de tiempo y por orden de una autoridad: *El juez ordenó la detención de los sospechosos.* **2** Parada del desarrollo o del movimiento de algo: *El tren sufrió una brusca detención porque alguien tiró de la alarma.* □ FAMILIA: → detener.

detener [verbo] **1** Impedir que siga el desarrollo de algo: *El Gobierno intenta detener el crecimiento del paro.* **2** Impedir que algo se siga moviendo: *Si ves un semáforo en rojo debes detener el coche.* **3** Quitar a alguien su libertad, generalmente por un tiempo corto: *Lo detuvo la policía, pero lo soltaron enseguida porque no había pruebas contra él.* □ [Es irregular y se conjuga como TENER]. SINÓNIMOS: **1** suspender, interrumpir, atajar, cortar. **1,2** parar. **2** frenar. **3** capturar, apresar, prender, arrestar. CONTRARIOS: **3** liberar, libertar, soltar. FAMILIA: detención, detenimiento.

detenimiento [expresión] **con detenimiento** Despacio y con cuidado: *Si te fijas con detenimiento, observarás que el cuadro tiene un pequeño fallo.* □ FAMILIA: → detener.

detergente [sustantivo masculino] Producto que se usa para limpiar: *Para la lavadora uso un detergente en polvo.*

determinado, da [adjetivo] **1** Que tiene límites claros o fijos: *Todavía no tengo una idea bien determinada de lo que quiero.* **2**

a b c **d** e f g h i j k l m n ñ o p q r s t u v w x y z

a
b
c
d
e
f
g
h
i
j
k
l
m
n
ñ
o
p
q
r
s
t
u
v
w
x
y
z

Que es uno en particular y no cualquier otro: *¿Te sirve cualquier bolígrafo o quieres uno determinado?* □ SINÓNIMOS: concreto. CONTRARIOS: indeterminado, indefinido. FAMILIA: → determinar.

determinante [sustantivo][masculino] Clase de palabra que acompaña a un nombre y limita su significado: *Los artículos funcionan como determinantes.* □ FAMILIA: → determinar.

determinar [verbo] **1** Fijar o establecer los límites de algo: *Hay que determinar hasta dónde llegan tus tierras y hasta dónde las mías.* **2** Conocer algo por medio de sus características: *El forense ya ha determinado a qué hora murió la víctima.* **3** Hacer que algo sea de una manera: *La educación de las personas determina su forma de ser.* **4** En gramática, limitar el significado de un nombre: *En la frase «Quiero ese libro», «ese» determina a «libro» señalando el libro de que se trata.* □ FAMILIA: determinado, determinante, indeterminado.

detestar [verbo] Sentir un gran rechazo hacia algo que no nos gusta nada: *Me llamo Pilar, y detesto que me llamen Pili.* □ SINÓNIMOS: aborrecer, odiar. CONTRARIOS: amar, apreciar, adorar.

detrás **1** [adjetivo] En un lugar posterior o más retrasado: *En el coche, los niños se sientan detrás.* **2** [expresión] **por detrás** Cuando alguien no está o no puede oír: *Dime lo que me tengas que decir a la cara y no vayas poniéndome verde por detrás.* □ [No debe decirse detrás mío, sino detrás de mí, ni más detrás, sino más atrás]. SINÓNIMOS: **1** atrás, después. CONTRARIOS: delante. **1** adelante, antes. FAMILIA: → atrás.

deuda [sustantivo][femenino] **1** Obligación que se ha aceptado cumplir: *Estoy en deuda contigo porque te prometí una cosa y todavía no la he cumplido.* **2** Dinero que se tiene que pagar a alguien: *Todavía no he pagado mis deudas porque no tengo dinero.* □ FAMILIA: adeudar.

devoción [sustantivo][femenino] **1** Amor y respeto hacia lo religioso: *Rezaba con devoción.* **2** Admiración o interés especial que se siente hacia algo: *Siente verdadera devoción por los coches de carreras.*

devolución [sustantivo][femenino] Hecho de devolver algo: *En esta biblioteca, el plazo para la de-*

volución de los libros es de quince días. □ FAMILIA: → devolver.

devolver [verbo] **1** Entregar a su dueño lo que nos había prestado: *Devuélveme el boli, que ahora lo necesito.* **2** Hacer volver al estado o a la situación que se tenían: *Un buen descanso te devolverá las fuerzas.* **3** Corresponder a un favor o a una ofensa: *Gracias por ayudarme, te devolveré el favor cuando necesites ayuda.* **4** Expulsar por la boca lo que estaba en el estómago: *Me sentó mal la comida y la devolví.* **5** Dar a una persona que paga algo el dinero que sobra de lo que ha dado: *Si esto vale mil quinientas pesetas, dame dos mil y te devolveré quinientas.* **6** Volver a dar una compra a la persona que la ha vendido, a cambio del dinero que nos costó: *Si el pantalón no es de tu talla se puede devolver.* □ [Es irregular y se conjuga como MOVER. Su participio es *devuelto*. El significado **4** es coloquial]. SINÓNIMOS: **4** arrojar, vomitar. FAMILIA: devuelto, devolución.

devorar [verbo] **1** Comer con muchas ganas y tragando deprisa: *Como no había comido, por la noche devoré la cena.* **2** Comer un animal a otro: *Entre varios leones devoraron una cebra.* **3** Hacer desaparecer algo por completo: *El fuego devoró en poco tiempo los libros de la biblioteca.* **4** Dedicarse con muchas ganas a hacer algo que gusta: *Le gusta tanto leer que devora todos los libros que caen en sus manos.* □ SINÓNIMOS: **1** engullir, zampar.

devuelto, ta **1** Participio irregular de **devolver**. **2** [sustantivo][masculino] Lo que estaba en el estómago y se expulsa por la boca: *Hay que limpiar el devuelto del niño.* □ [El significado **2** es coloquial]. SINÓNIMOS: **2** vómito. FAMILIA: → devolver.

día [sustantivo][masculino] **1** Período de tiempo de veinticuatro horas: *Hace dos días que no lo veo.* 🔍 página 153. **2** Período de tiempo en el que el Sol da luz: *En invierno, los días son más cortos que en verano.* **3** Momento u ocasión para hacer algo: *Ya llegará el día en que seas mayor.* **4** [expresión] **al día** Sabiendo todo lo que ha sucedido hasta el momento presente: *Mis padres están al día de todo lo que sucede en el mundo.* **al otro día** Un día después: *Un día me llamó por teléfono, y al* *otro día nos vimos.* **buenos días** Se usa para saludar por la mañana: *Buenos días, ¿qué tal has dormido?* **el día de mañana** En el futuro: *Me gustaría saber qué seré el día de mañana.* **el otro día** Uno de los días que acaban de pasar: *El otro día estuve en el circo.* □ SINÓNIMOS: **1** jornada. CONTRARIOS: **2** noche. FAMILIA: mediodía, diario.

diablo [sustantivo] [masculino] **1** Ser malo que se opone a Dios: *El diablo está en el infierno.* **2** Persona muy mala: *Ese diablo engañó hasta a su mejor amigo.* **3** [interjección] **diablos** Se usa para indicar sorpresa o disgusto: *¡Diablos, ya me he vuelto a olvidar las llaves dentro de casa!* **4** [expresión] **del diablo** o **de mil diablos** Se usa para exagerar el carácter negativo de algo: *En invierno hace un frío de mil diablos.* **irse algo al diablo** Estropearse: *El negocio se fue al diablo y se arruinaron.* □ [Las expresiones son coloquiales. También se usa el femenino *diabla* o *diablesa*]. SINÓNIMOS: **1-3** demonio. CONTRARIOS: **2** ángel. FAMILIA: diablura, endiablado.

diablura [sustantivo] [femenino] Falta pequeña y sin importancia: *Es muy travieso y no para de hacer diabluras.* □ SINÓNIMOS: travesura. FAMILIA: → diablo.

diadema [sustantivo] [femenino] Adorno en forma de media corona que se pone en la cabeza para sujetar el pelo: *Mi hermana siempre va peinada con una diadema.*

diagnosticar [verbo] Decir qué enfermedad tiene un enfermo a partir de un reconocimiento médico: *El médico le diagnosticó una gripe y le dijo que se quedara en la cama.* □ [La c se cambia en qu delante de e, como en SACAR]. FAMILIA: diagnóstico.

diagnóstico [sustantivo] [masculino] Reconocimiento de la enfermedad que tiene una persona a partir de las pruebas que se le han realizado: *Esta serie de pruebas facilitarán el diagnóstico de la enfermedad.* □ FAMILIA: → diagnosticar.

diagonal [adjetivo o sustantivo femenino] Dicho de una línea, que une dos esquinas de una figura que no están seguidas: *La diagonal de un cuadrado lo divide en dos triángulos iguales.* □ [Cuando es adjetivo no varía en masculino y en femenino].

dialecto [sustantivo] [masculino] Variedad de una lengua que se habla en una zona: *El andaluz es un dialecto del español.*

dialogar [verbo] Hablar dos o más personas, escuchándose unas a otras: *A mi profesor le gusta dialogar con nosotros sobre nuestros problemas.* □ [La g se cambia en gu delante de e, como en PAGAR]. FAMILIA: → diálogo.

diálogo [sustantivo] [masculino] Conversación entre dos o más personas, de forma que cada una escucha lo que dicen las otras: *Para que haya una buena relación entre padres e hijos es necesario que haya diálogo.* □ SINÓNIMOS: coloquio. FAMILIA: dialogar.

diamante [sustantivo] [masculino] Piedra transparente y muy dura que se usa para hacer joyas: *El diamante es una piedra preciosa.*

diámetro [sustantivo] [masculino] Línea que pasa por el centro de un círculo y lo divide en dos partes iguales: *El diámetro de un círculo une sus dos puntos más separados.* □ FAMILIA: → metro.

diana [sustantivo] [femenino] **1** Superficie circular que se usa como blanco para disparar sobre ella: *Me han regalado una diana y unos dardos.* **2** Punto del centro de esta superficie: *Si la bala da en la diana, consigues más puntos que si da en otro sitio.*

diapositiva [sustantivo] [femenino] Fotografía pequeña y transparente que está colocada en un cartón o en un plástico duro: *Para ver una diapositiva necesitas un proyector.* □ SINÓNIMOS: filmina. 👁 página 348.

diario, ria 1 [adjetivo] Que sucede cada día o con mucha frecuencia: *Tienes que tomar una pastilla diaria.* [sustantivo] [masculino] **2** Especie de revista en la que se dan las noticias del día: *Salió su fotografía en la primera plana del diario.* **3** Libro en el que se escribe lo que ocurre cada día: *Todos los días, antes de ir a dormir, escribo en mi diario.* **4** [expresión] **a diario** Todos los días: *En casa sacamos la basura a diario.* □ SINÓNIMOS: **1** cotidiano. **2** periódico. FAMILIA: → día.

diarrea [sustantivo] [femenino] Problema del intestino que hace que la caca sea más líquida de lo normal: *Fui al médico porque tenía diarrea.*

dibujante [sustantivo] Persona que se dedica a dibujar: *De mayor quiero ser dibujante para ilustrar muchos cuentos.* □ [No varía en masculino y en femenino]. FAMILIA: → dibujo.

dibujar [verbo] **1** Hacer figuras sobre una superficie con líneas y colores: *La profesora* nos ha dicho que dibujemos a nuestra familia. **2** Describir con palabras: *En el libro se dibuja la vida en un pueblo.* **3 dibujarse** Mostrarse o dejarse ver: *A lo lejos se dibujaba la silueta de una casa.* □ [Se escribe siempre con j]. SINÓNIMOS: **1** pintar. FAMILIA: → dibujo.

dibujo [sustantivo masculino] **1** Técnica y arte de hacer figuras con líneas y colores: *Me gustan mucho las clases de dibujo y quiero ser pintor.* **2** Imagen hecha según este arte: *Hice un dibujo de mi casa.* **3** Forma de combinarse las líneas o las figuras que adornan un objeto: *Las baldosas del suelo hacen un dibujo muy bonito.* **4** [expresión] **dibujos animados** Película de cine en la que los personajes están pintados: *Por las tardes no me pierdo los dibujos animados que ponen en la tele.* □ FAMILIA: dibujar, dibujante.

diccionario [sustantivo masculino] Libro en el que se explica lo que significan las palabras: *En este diccionario, las palabras aparecen por orden alfabético.*

dicha [sustantivo femenino] Mira en **dicho, cha.**

dicho, cha 1 Participio irregular de **decir. 2** [sustantivo masculino] Conjunto de palabras con las que expresamos algo: *Los refranes son dichos populares.* [sustantivo femenino] **3** Sensación que se tiene cuando algo nos gusta mucho o nos produce mucho placer: *¡Qué dicha volver a verte!* **4** Buena suerte: *A pesar del atasco, tuve la dicha de llegar a tiempo a la reunión.* □ SINÓNIMOS: **3** contento, alegría, gozo, felicidad. **4** fortuna. CONTRARIOS: **3** pena, dolor, pesar, sufrimiento, tristeza. **4** desdicha. FAMILIA: **1,2** → decir. **3,4** dichoso, desdicha, desdichado.

dichoso, sa [adjetivo] **1** Que es feliz o que tiene buena suerte: *Los abuelos estaban dichosos al ver a todos los nietos juntos.* **2** Que produce felicidad: *El nacimiento de mi hermanito fue un acontecimiento muy dichoso para toda la familia.* □ [Se usa para dar más fuerza a lo que se dice: *No hay forma de abrir esta dichosa cerradura*]. SINÓNIMOS: **2** feliz. CONTRARIOS: infeliz, desdichado, desgraciado, pobre, mísero. FAMILIA: → dicha.

diciembre [sustantivo masculino] Mes número doce del año: *Diciembre está entre noviembre y enero.*

dictado [sustantivo masculino] Ejercicio que consiste en escribir un texto que alguien lee: *He tenido sólo una falta de ortografía en el dictado.* □ FAMILIA: → dictar.

dictador, -a [sustantivo] **1** Persona que gobierna un país con todo el poder y sin respetar las libertades de los demás: *El dictador ordenó la persecución de las personas que no estuvieran de acuerdo con él.* **2** Persona que se aprovecha de su autoridad: *No seas tan dictadora y déjame opinar.* □ FAMILIA: → dictar.

dictadura [sustantivo femenino] **1** Forma de gobierno en la que el poder lo tiene una sola persona: *En las dictaduras no hay libertad de prensa.* **2** Estado o país que tiene esta forma de gobierno: *España fue durante años una dictadura.* □ FAMILIA: → dictar.

dictar [verbo] **1** Decir un texto en voz alta para que alguien lo escriba: *El profesor nos dictó un cuento y luego nos corrigió las faltas.* **2** Dar una ley o una orden: *El juez dictó una orden de detención contra dos personas.* □ FAMILIA: dictado, dictador, dictadura.

diecinueve [pronombre numeral] Número 19: *Hoy es diecinueve de abril.* □ [No varía en masculino y en femenino]. FAMILIA: → diez.

dieciocho [pronombre numeral] Número 18: *Para ser mayor de edad hay que cumplir dieciocho años.* □ [No varía en masculino y en femenino]. FAMILIA: → diez.

dieciséis [pronombre numeral] Número 16: *Mi hermano no es mayor de edad porque sólo tiene dieciséis años.* □ [No varía en masculino y en femenino]. FAMILIA: → diez.

diecisiete [pronombre numeral] Número 17: *En el equipo de fútbol somos diecisiete, aunque sólo puedan jugar once a la vez.* □ [No varía en masculino y en femenino]. FAMILIA: → diez.

diente [sustantivo masculino] **1** Cada una de las piezas blancas y duras que tienen en la boca las personas y algunos animales: *Después de cada comida hay que lavarse los dientes.* **2** Cada una de las partes puntiagudas que hay en el borde de algunos objetos: *Las sierras tienen dientes. Mi tenedor tiene cuatro dientes.* **3** [expresión] **diente de ajo** Cada una de las partes en que se divide la cabeza de esta planta: *Pon un diente de ajo al guiso y quedará más sabroso.* **diente de leche** Cada uno de los dientes que salen cuando somos pequeños y luego se caen: *Los dientes de leche son más pequeños que los que salen después.* **hablar entre dientes** Hablar en voz baja: *Cuando algo no le gusta, habla entre dientes.* **poner los dientes largos** Dar envidia: *Me enseñó su bici nueva para ponerme los dientes largos.* □ SINÓNIMOS: **1** piño. FAMILIA: dentadura, dentista, dental, desdentado, dentellada, dentera, mondadientes, a regañadientes.

diéresis [sustantivo][femenino] Signo que ponemos sobre la *u* en *gue* y *gui* cuando hay que pronunciar esta vocal: *«Cigüeña» lleva diéresis sobre la «u», pero «guerra», no.* □ [No varía en singular y en plural].

diestro, tra [adjetivo] **1** Que tiene capacidad para hacer muy bien alguna cosa: *Este pintor es muy diestro con el pincel.* **2** Que tiene más habilidad con la mano o con la pierna derechas: *Los jugadores de fútbol diestros chutan con la derecha.* **3** [sustantivo][masculino] Persona que se dedica a torear: *El diestro cortó dos orejas.* **4** [expresión] **a diestro y siniestro** A todos lados o sin orden: *Un loco tiraba piedras a diestro y siniestro desde una ventana.* □ SINÓNIMOS: **1** capaz, hábil, mañoso. **3** torero. CONTRARIOS: **1** torpe, inepto. **2** zurdo. FAMILIA: adiestrar, destreza.

dieta [sustantivo][femenino] **1** Lo que debe comer y beber una persona para no engordar o para no ponerse enferma: *Tienes que seguir una dieta pobre en grasas.* **2** Lo que come y bebe una persona normalmente: *Las legumbres forman parte de la dieta mediterránea.* □ SINÓNIMOS: **1** régimen.

diez [pronombre][numeral] Número 10: *Entre los dos pies tenemos diez dedos.* □ [No varía en masculino y en femenino]. FAMILIA: decena, décimo, decimal, década, dieciséis, diecisiete, dieciocho, diecinueve.

difamar [verbo] Decir de alguien cosas que no son verdad para que pierda su honor o su buena fama: *Denunció al periódico por difamarla publicando que había sido ella la que robó los planos.*

diferencia [sustantivo][femenino] **1** Lo que hace que una cosa no sea igual a otra: *Aunque tus dos manos parecen iguales, hay diferencias entre ellas.* **2** Falta de acuerdo entre dos o más personas: *Para llevaros bien tenéis que superar vuestras diferencias.* **3** En matemáticas, resultado de restar dos números: *Para hallar la diferencia entre dos números tienes que hacer una resta.* □ SINÓNIMOS: **1** distinción. **3** resto. FAMILIA: → diferente.

diferenciar [verbo] **1** Ser capaz de ver la diferencia que hay entre dos o más cosas: *No sabes diferenciar lo bueno de lo malo.* **2** Tener algo una característica que lo hace diferente a otra cosa: *Lo que diferencia estos dos libros es la calidad del papel.* □ SINÓNIMOS: distinguir. FAMILIA: → diferente.

diferente [adjetivo] Que no es igual: *Mi forma de ver las cosas es diferente a la tuya.* □ [No varía en masculino y en femenino]. SINÓNIMOS: distinto, desigual. CONTRARIOS: igual, idéntico. FAMILIA: diferencia, diferenciar.

difícil [adjetivo] **1** Que se hace con mucho trabajo o con mucho esfuerzo: *La voltereta no es difícil de hacer.* **2** Que es poco probable que ocurra: *Es difícil que vaya, porque estoy muy cansada.* **3** Dicho de una persona, que es complicada de tratar: *Es una persona difícil y con muchos prontos.* □ [No varía en masculino y en femenino]. CONTRARIOS: fácil. **1** sencillo. FAMILIA: dificultad, dificultar.

dificultad [sustantivo][femenino] **1** Lo que impide que algo se pueda realizar de una forma rápida o fácil: *Las personas muy tímidas tienen dificultad para hacer amigos.* **2** Problema o situación difícil: *Debes aprender a superar las dificultades con buen humor.* □ CONTRARIOS: **1** facilidad. FAMILIA: → difícil.

dificultar [verbo] Hacer difícil la realización de algo: *El mal tiempo dificultó el rescate de los montañeros.* □ SINÓNIMOS: estorbar, entorpecer. CONTRARIOS: facilitar. FAMILIA: → difícil.

difunto, ta [sustantivo] Persona que está muerta: *Fueron a casa del difunto a dar el pésame a los familiares.*

difusión [sustantivo][femenino] Proceso por el que algo se extiende o llega más lejos: *La televisión ayudó a la rápida difusión del rumor.*

digerir [verbo] Convertir el alimento que se ha comido en sustancias que puedan ser aprovechadas por el organismo: *La leche de vaca es difícil de digerir para los niños muy pequeños.* □ [Es irregular y se conjuga como SEN-

a

b

c

d

e

f

g

h

i

j

k

l

m

n

ñ

o

p

q

r

s

t

u

v

w

x

y

z

TIR]. FAMILIA: digestión, digestivo, indigestión, indigesto.

digestión [sustantivo femenino] Proceso que se desarrolla en el organismo para obtener de los alimentos que tomamos las sustancias que se pueden aprovechar: *Para una buena digestión es importante masticar bien los alimentos.* □ FAMILIA: → digerir.

digestivo, va 1 [adjetivo] Que está relacionado con el proceso por el que el organismo obtiene de los alimentos las sustancias que necesita: *El estómago y los intestinos forman parte del aparato digestivo.* **2** [adjetivo o sustantivo masculino] Que ayuda al organismo a obtener de los alimentos las sustancias que necesita: *Las infusiones son muy digestivas.* □ FAMILIA: → digerir.

digital [adjetivo] **1** De los dedos o relacionado con ellos: *En el carné de identidad aparecen las huellas digitales.* **2** Dicho de un instrumento de medida, que da la información por medio de números: *Yo tengo un reloj digital y mi padre, uno con agujas.* □ [No varía en masculino y en femenino]. FAMILIA: → dedo.

dignidad [sustantivo femenino] **1** Forma de actuar de las personas serias y que merecen respeto: *Compórtate con dignidad y no hagas el ridículo delante de todos.* **2** Categoría de algunas personas: *Tiene la dignidad de obispo.* □ FAMILIA: → digno.

digno, na [adjetivo] **1** Que merece algo: *Ayudar a los demás es digno de admiración.* **2** Que actúa de modo que merece respeto y admiración: *Es una persona digna, y nunca se ha visto envuelta en ningún escándalo.* **3** Que tiene el valor que le corresponde: *Todos tenemos derecho a una vivienda digna.* □ SINÓNIMOS: **1** acreedor. CONTRARIOS: indigno. FAMILIA: dignidad, indigno, indignar, indignación.

dilatación [sustantivo femenino] Hecho de que algo se haga más grande o de que ocupe más espacio: *La falta de luz produce la dilatación de la pupila.* □ CONTRARIOS: contracción. FAMILIA: → dilatar.

dilatar [verbo] Hacer que algo sea más grande o que ocupe más espacio: *Los cuerpos se dilatan por el calor.* □ CONTRARIOS: contraer. FAMILIA: dilatación.

diligencia [sustantivo femenino] **1** Coche grande de caballos que servía para llevar viajeros: *La diligencia fue atacada por los indios.* **2** Cuidado y velocidad con la que se hace algo: *Este trabajador es muy bueno porque hace las cosas con diligencia.* □ SINÓNIMOS: **2** prontitud, rapidez. CONTRARIOS: **2** pereza, lentitud, tranquilidad. FAMILIA: diligente.

diligente [adjetivo] **1** Que se ofrece para hacer algo y lo hace bien: *Es una persona muy diligente, siempre dispuesta a ayudar.* **2** Que actúa deprisa: *Acudió diligente a mi llamada.* □ [No varía en masculino y en femenino]. FAMILIA: → diligencia.

diluviar [verbo] Llover mucho: *Me he empapado porque está diluviando y no tenía paraguas.* □ FAMILIA: → diluvio.

diluvio [sustantivo masculino] Lluvia que cae en gran cantidad: *Con el diluvio que está cayendo no te va a servir de nada el paraguas.* □ FAMILIA: diluviar.

dimensión [sustantivo femenino] **1** Tamaño o importancia de algo: *Un incendio de grandes dimensiones está amenazando la ciudad.* **2** Lo que puede ser objeto de medida y sirve para conocer un objeto: *El espacio tiene tres dimensiones: longitud, anchura y altura.* □ SINÓNIMOS: magnitud.

diminutivo, va [adjetivo o sustantivo masculino] Que indica disminución: *«Cochecito» y «cochecico» son diminutivos de «coche».* □ FAMILIA: → diminuto.

diminuto, ta [adjetivo] Muy pequeño o más pequeño de lo normal: *Tienes una letra diminuta y casi no se ve.* □ SINÓNIMOS: enano. CONTRARIOS: enorme, gigante, gigantesco. FAMILIA: diminutivo.

DILIGENCIA

dimisión [sustantivo/femenino] Hecho de renunciar al trabajo que se tiene: *Presentó su dimisión al director de la empresa.* □ FAMILIA: → dimitir.

dimitir [verbo] Renunciar al trabajo que se tiene: *El entrenador dimitió porque el presidente no le dejaba hacer lo que él creía que era conveniente.* □ [No debe decirse *El presidente ha dimitido al ministro*, sino *El presidente ha hecho dimitir al ministro* o *El ministro ha dimitido*]. FAMILIA: dimisión.

dinámico, ca [adjetivo] Dicho de una persona, que es activa y tiene mucha energía: *Es una persona muy dinámica y siempre está haciendo cosas distintas.*

dinamita [sustantivo/femenino] **1** Explosivo que se hace mezclando distintas sustancias: *Volaron la entrada de la mina con unos cartuchos de dinamita.* **2** Lo que sorprende y llama mucho la atención: *Esta noticia es dinamita pura y va a levantar un gran revuelo.* □ [El significado **2** es coloquial].

dineral [sustantivo/masculino] Gran cantidad de dinero: *Esta joya vale un dineral.* □ FAMILIA: → dinero.

dinero [sustantivo/masculino] **1** Conjunto de billetes y monedas que se usan para comprar: *¿Me das dinero para comprar un cuaderno?* **2** Conjunto de bienes y de riquezas: *Esa familia siempre ha tenido dinero y está acostumbrada a vivir a lo grande.* **3** [expresión] **de dinero** Muy rico: *Viene de una familia de dinero.* **dinero negro** El que se tiene, pero sin declararlo al Estado: *El dinero negro no paga impuestos y por eso el Estado persigue a quien lo tiene.* □ SINÓNIMOS: pasta, cuartos, tela. FAMILIA: dineral, adinerado.

dinosaurio [sustantivo/masculino] Animal de gran tamaño que vivió hace muchos años: *En el museo de ciencias naturales hay esqueletos de dinosaurio.*

dintel [sustantivo/masculino] Parte superior de una puerta o de una ventana, que se apoya sobre las dos piezas que están a los lados: *La puerta era tan baja que, al entrar, me di con el dintel en la frente.*

diócesis [sustantivo/femenino] Conjunto de territorios o parroquias bajo las órdenes de un obispo: *Todas las iglesias de esta región pertenecen a la diócesis de Toledo.* □ [No varía en singular y en plural].

dioptría [sustantivo/femenino] Unidad que expresa la falta de visión de un ojo: *Los cristales de mis gafas son muy gruesos porque tengo muchas dioptrías.*

dios, -a [sustantivo] **1** En religión, ser superior al que se adora: *Las personas ateas no creen en ningún dios.* **2** Persona muy admirada y querida, y considerada superior a las demás: *Tiene la carpeta forrada con fotos de los dioses de la canción.* **3** [expresión] **a la buena de Dios** Sin cuidado: *Lo haces todo a la buena de Dios, y por eso te sale mal.* **como Dios manda** Como la sociedad dice que debe ser: *Tienes que hacer las cosas como Dios manda, y no de cualquier forma.* □ [Las expresiones son coloquiales].

diploma [sustantivo/masculino] Documento que prueba que se tiene un título o que se ha ganado un premio: *Cuando acabó sus estudios le dieron un diploma.*

diplomacia [sustantivo/femenino] **1** Actividad de los países que se relacionan entre sí para ayudarse y defender sus intereses: *Los embajadores y los cónsules son los encargados de la diplomacia de un país.* **2** Habilidad para hacer o decir algo sin que los demás se molesten: *Si se lo pides con diplomacia seguro que no te niega el favor.* □ FAMILIA: diplomático.

diplomático, ca [adjetivo] **1** Que tiene que ver con las relaciones de unos países con otros: *El rey dio una fiesta a la que acudieron representantes de los cuerpos diplomáticos de todos los países.* **2** Que sabe tratar a los demás con habilidad y cortesía para no molestarlos: *Las personas diplomáticas saben decir las cosas sin que hagan daño.* **3**

DINTEL

a
b
c
d
e
f
g
h
i
j
k
l
m
n
ñ
o
p
q
r
s
t
u
v
w
x
y
z

a

b

c

d

e

f

g

h

i

j

k

l

m

n

ñ

o

p

q

r

s

t

u

v

w

x

y

z

[sustantivo] Persona que trabaja en todo lo que tiene que ver con las relaciones de un país con los demás: *El embajador es un diplomático.* □ FAMILIA: → diplomacia.

diptongo [sustantivo masculino] Conjunto de dos vocales que se pronuncian en una misma sílaba: *La combinación «ie» de la primera sílaba de «tierra» es un diptongo.*

diputado, da [sustantivo] Persona elegida por los ciudadanos para que los represente y haga las leyes que gobiernan un país: *En España, los diputados se eligen por votación.*

dique [sustantivo masculino] Muro que se construye para contener las aguas: *Se rompió el dique de la presa y se inundaron las tierras cercanas.*

DIQUE

dirección [sustantivo femenino] **1** Camino que sigue algo en su movimiento: *Para llegar a mi casa tienes que ir en esa dirección.* **2** Hecho de dirigir a alguien en un trabajo o en una acción: *La dirección de la obra de teatro corre a cargo de un famoso director.* **3** Persona o conjunto de personas que dirigen a otras en una empresa o en un grupo: *Una nota de la dirección dice que a partir de mañana habrá un cambio de horario.* **4** Lugar en el que trabaja el director: *La delegada de clase tiene que ir a dirección para hablar con el director del colegio.* **5** Calle, número y piso donde vive una persona: *Para que te envíe una carta tienes que darme tu dirección.* **6** Conjunto de piezas de un automóvil que permiten conducirlo o llevarlo hacia un lugar: *Se rompió la dirección del coche y las ruedas no obedecían a los movimientos del volante.* **7** [expresión] **dirección asistida** Conjunto de piezas de un automóvil que hacen más fácil el movimiento del coche al girar: *Los camiones tienen dirección asistida y es fácil mover el volante aunque el camión pese mucho.* □ SINÓNIMOS: **1** rumbo. **5** señas,

domicilio. FAMILIA: dirigir, directo, director, dirigible, indirecta, indirecto.

directo, ta [adjetivo] **1** Que se dirige a un punto sin cambiar de dirección: *La flecha fue directa a la diana.* **2** Que se hace sin que intervenga nada: *No recibí el mandato de forma directa, sino a través de otra persona.* **3** [expresión] **en directo** Dicho de un programa de radio o de televisión, que se hace al mismo tiempo que lo oímos o lo vemos: *Supe que era un programa en directo porque el locutor se confundió varias veces y no cortaron.* □ SINÓNIMOS: **1** recto. **3** en vivo. CONTRARIOS: indirecto. FAMILIA: → dirección.

director, -a [sustantivo] Persona que lleva la dirección de algo: *De mayor quiero ser directora de cine.* □ FAMILIA: → dirección. 🔎 página 158.

dirigible [sustantivo masculino] Especie de globo muy grande y alargado que puede llevar pasajeros y que se dirige con un timón: *Los dirigibles se impulsan con una hélice.* □ FAMILIA: → dirección.

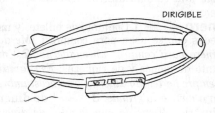
DIRIGIBLE

dirigir [verbo] **1** Llevar hacia un fin o hacia un lugar determinados: *El piloto dirigió la avioneta hacia la pista de despegue.* **2** Mostrar un camino por medio de consejos o de señas: *No sé cómo se va, así que tendrás que dirigirme mientras conduzco.* **3** Poner algo en una dirección determinada o darle determinado destino: *Este producto va dirigido a un público joven.* **4** Llevar la dirección de un grupo de personas para que hagan un trabajo juntas: *Me encantaría dirigir una orquesta.* □ [La g se cambia en j delante de a, o]. SINÓNIMOS: **1** encaminar. FAMILIA: → dirección.

discernir [verbo] Distinguir entre dos o más cosas viendo sus diferencias: *Mientras no seas capaz de discernir entre el bien y el mal, no podrás actuar con justicia.* □ [Es irregular].

disciplina [sustantivo][femenino] **1** Obediencia a las reglas de comportamiento propias de una profesión o de un grupo: *El capitán dijo que en el cuartel debía haber total disciplina.* **2** Ciencia, arte o técnica que tratan un tema concreto: *La biología es una disciplina que me apasiona.* □ FAMILIA: disciplinado.

disciplinado, da [adjetivo] Que obedece o cumple las leyes: *Es un niño muy disciplinado y obediente.* □ FAMILIA: → disciplina.

discípulo, la [sustantivo] **1** Persona que aprende de otra: *Ese pintor es discípulo de otro pintor muy famoso.* **2** Persona que sigue o defiende las ideas de otra a la que considera su maestro: *Jesucristo tuvo muchos discípulos.*

disco [sustantivo][masculino] **1** Figura circular y plana: *Los lanzadores de disco son atletas muy fuertes.* **2** Plástico circular que se usa para oír música: *Este cantante ha grabado muchos discos.* **3** Aparato con luces de colores que hay en las carreteras para regular la circulación: *Cuando el disco está en rojo no debes cruzar.* **4** [expresión] **disco compacto** El que se registra y se oye por medio de un tipo especial de rayo y tiene muy buena calidad de sonido: *Los discos compactos se oyen por medio de un rayo láser, y sólo están grabados por una cara.* **disco duro** En un ordenador, sistema en el que se mete la información y que tiene mucha capacidad de memoria: *En un disco duro cabe mucha información.* □ SINÓNIMOS: **3** semáforo. FAMILIA: discoteca, disquete, pinchadiscos, compact disc, tocadiscos.

discordia [sustantivo][femenino] Situación que se da entre personas que tienen ideas o deseos muy distintos: *No dejéis que la discordia surja entre vosotros.*

discoteca [sustantivo][femenino] **1** Lugar en el que se escucha música y se baila: *Los viernes por la tarde va a una discoteca a bailar.* **2** Colección de discos: *A todos mis hermanos les gusta la música y por eso en casa tenemos una amplia discoteca.* □ FAMILIA: → disco.

discreción [sustantivo][femenino] Cualidad de la persona que actúa con juicio y de forma sensata y no habla de lo que no debe: *Agradezco tu discreción al guardarme el secreto.* □ CONTRARIOS: indiscreción. FAMILIA: → discreto.

discreto, ta [adjetivo] **1** Que actúa con juicio y de manera sensata y no habla de lo que no debe: *Es muy discreto y sabe guardar los secretos que le cuentas.* **2** Que no llama la atención: *Siempre va con colores discretos.* □ CONTRARIOS: indiscreto. **2** rimbombante. FAMILIA: discreción, indiscreto, indiscreción.

discriminar [verbo] Considerar que una persona es inferior a otras y no admitir sus derechos: *No se puede discriminar a las personas que tienen otro color de piel.*

disculpa **1** [sustantivo][femenino] Lo que se dice para que nos perdonen algo: *Te ruego que aceptes mis disculpas.* **2** [expresión] **pedir disculpas** Pedir perdón: *Pídele disculpas, porque te has portado muy mal.* □ SINÓNIMOS: **1** perdón, pretexto, excusa. CONTRARIOS: **1** condena. FAMILIA: → culpar.

disculpar [verbo] Olvidar las faltas de alguien: *Discúlpame, porque lo he hecho sin querer.* □ SINÓNIMOS: perdonar. CONTRARIOS: condenar, acusar, culpar. FAMILIA: → culpar.

discurrir [verbo] **1** Pensar con atención para

dirigir		conjugación	
INDICATIVO		**SUBJUNTIVO**	
presente		**presente**	
dirijo		dirija	
diriges		dirijas	
dirige		dirija	
dirigimos		dirijamos	
dirigís		dirijáis	
dirigen		dirijan	
pretérito imperfecto		**pretérito imperfecto**	
dirigía		dirigiera, -ese	
dirigías		dirigieras, -eses	
dirigía		dirigiera, -ese	
dirigíamos		dirigiéramos, -ésemos	
dirigíais		dirigierais, -eseis	
dirigían		dirigieran, -esen	
pretérito indefinido		**futuro**	
dirigí		dirigiere	
dirigiste		dirigieres	
dirigió		dirigiere	
dirigimos		dirigiéremos	
dirigisteis		dirigiereis	
dirigieron		dirigieren	
futuro		**IMPERATIVO**	
dirigiré			
dirigirás		**presente**	
dirigirá		dirige	(tú)
dirigiremos		dirija	(él)
dirigiréis		dirijamos	(nosotros)
dirigirán		dirigid	(vosotros)
		dirijan	(ellos)
condicional		**FORMAS NO PERSONALES**	
dirigiría			
dirigirías		**infinitivo**	**gerundio**
dirigiría		dirigir	dirigiendo
dirigiríamos		**participio**	
dirigiríais		dirigido	
dirigirían			

a

b

c

d

e

f

g

h

i

j

k

l

m

n

ñ

o

p

q

r

s

t

u

v

w

x

y

z

inventar algo o para encontrar una respuesta: *Para hallar la solución del problema tienes que discurrir un poco.* **2** Pasar por un sitio: *Ese río discurre entre dos montañas.* **3** Pasar el tiempo: *En vacaciones parece que los días discurren más despacio.* □ Sinónimos: **3** correr, transcurrir. Familia: discurso.

discurso [sustantivo] [masculino] **1** Exposición pública de un tema: *El discurso del ministro fue muy aplaudido.* **2** Paso del tiempo: *Tendremos más noticias con el discurso de los días.* □ Familia: → discurrir.

discusión [sustantivo] [femenino] **1** Conversación en la que cada persona defiende sus ideas: *En la discusión salieron a relucir viejos problemas que parecían olvidados.* **2** Expresión de una opinión contraria: *Haz tu trabajo sin discusión, porque habías prometido hacerlo.* □ Familia: → discutir.

discutir [verbo] **1** Tener una conversación con alguien en la que cada uno defiende sus ideas: *Discutí con ella porque no estaba de acuerdo con lo que me decía.* **2** Analizar un

discernir	conjugación
INDICATIVO	**SUBJUNTIVO**
presente	**presente**
discierno	discierna
disciernes	disciernas
discierne	discierna
discernimos	discernamos
discernís	discernáis
disciernen	disciernan
pretérito imperfecto	**pretérito imperfecto**
discernía	discerniera, -ese
discernías	discernieras, -eses
discernía	discerniera, -ese
discerníamos	discerniéramos, -ésemos
discerníais	discernierais, -eseis
discernían	discernieran, -esen
pretérito indefinido	**futuro**
discerní	discerniere
discerniste	discernieres
discernió	discerniere
discernimos	discerniéremos
discernisteis	discerniereis
discernieron	discernieren
futuro	**IMPERATIVO**
discerniré	**presente**
discernirás	discierne (tú)
discernirá	discierna (él)
discerniremos	discernamos (nosotros)
discerniréis	discernid (vosotros)
discernirán	disciernan (ellos)
condicional	**FORMAS NO PERSONALES**
discerniría	**infinitivo** **gerundio**
discernirías	discernir discerniendo
discerniría	
discerniríamos	**participio**
discerniríais	discernido
discernirían	

asunto con atención desde distintos puntos de vista: *A las cuatro tengo una reunión para discutir el nuevo proyecto.* **3** Expresar una opinión contraria a lo que dice alguien: *Arrestaron al soldado por discutir las órdenes del capitán.* □ Sinónimos: **1** pelear, reñir, regañar. Familia: discusión.

disecar [verbo] Preparar un animal muerto para que se conserve con el aspecto que tenía cuando estaba vivo: *Mi tío diseca animales y los rellena de paja.* □ [La c se cambia en qu delante de e, como en SACAR].

diseñador, -a [sustantivo] Persona que se dedica a hacer objetos útiles y bonitos o a pensar cómo pueden hacerse: *Esa diseñadora se dedica a crear joyas.* □ Familia: → diseñar.

diseñar [verbo] Dibujar algo para decir cómo puede hacerse: *Ese joven diseña ropa de mujer.* □ Familia: diseñador.

disfraz [sustantivo] [masculino] **1** Prenda de vestir que nos ponemos para parecer algo distinto de lo que somos: *En carnaval me puse un disfraz de vampiro.* ✎ página 158. **2** Lo que sirve para esconder algo: *La sonrisa que tiene ese chico es sólo un disfraz, porque yo sé que está triste.* □ [Su plural es disfraces]. Familia: disfrazar.

disfrazar [verbo] **1** Poner a una persona un traje para que parezca otra cosa distinta de lo que es: *Mi madre me disfrazó de pastor.* **2** Esconder algo mostrando otra cosa en su lugar: *Disfrazó su envidia con una sonrisa falsa.* □ [La z se cambia en c delante de e, como en CAZAR]. Sinónimos: cubrir, tapar, disimular. Familia: → disfraz.

disfrutar [verbo] **1** Sentir mucho placer o alegría: *Ayer disfruté mucho en el cine.* **2** Tener algo bueno: *Espero que disfrutes de una buena salud.* □ Sinónimos: gozar. Contrarios: **1** sufrir.

disgustar [verbo] **1** Poner triste o producir pena o enfado: *Me disgusta que te vayas sin despedirte de mí.* **2** No gustar o no parecer bien: *Me disgusta mucho que seas tan desobediente.* □ Sinónimos: **2** desagradar. Contrarios: **2** gustar, agradar, complacer. Familia: → gusto.

disgusto [sustantivo] [masculino] **1** Lo que sentimos cuando algo nos pone tristes o nos produce pena o enfado: *¡Vaya disgusto me he llevado al* *saber que no venías!* **2** Lo que ocurre entre dos personas cuando una de ellas hace algo que a la otra no le gusta: *Como sigas portándote mal, vamos a tener un disgusto.* **3** Daño grave: *Si juegas con cerillas, tendrás un disgusto.* **4** [expresión] **a disgusto** Sin ganas o sin estar cómodo: *Me siento a disgusto en este lugar porque no conozco a nadie.* □ CONTRARIOS: **1** gusto. FAMILIA: → gusto.

disimular [verbo] **1** Intentar que algo se note lo menos posible: *Disimulé mi enfado porque no quería que los demás me preguntasen qué me pasaba.* **2** Hacer como si no se supiera algo: *No disimules, que ella me ha dicho que hace tiempo que te contó su secreto.* □ SINÓNIMOS: **1** cubrir, tapar. CONTRARIOS: **1** acentuar, pronunciar, resaltar, destacar, subrayar, poner de relieve. FAMILIA: → simular.

disimulo [sustantivo masculino] Habilidad que se tiene para hacer algo de forma que los demás no se den cuenta: *Dile con disimulo que tiene un roto en el pantalón.* □ FAMILIA: → simular. 🔍 página 430.

dislocarse [verbo] Salirse un hueso de su sitio: *Me caí y me disloqué el tobillo.* □ [La c se cambia en qu delante de e, como en SACAR].

disminución [sustantivo femenino] Proceso por el que algo se hace menor en tamaño, en cantidad o en otra cosa: *En verano hay una disminución del tráfico en las ciudades.* □ SINÓNIMOS: recorte, reducción. CONTRARIOS: aumento. FAMILIA: → disminuir.

disminuido, da [adjetivo o sustantivo] Que tiene un defecto físico o mental que le impide hacer cosas que pueden hacer los demás: *Un ciego es un disminuido físico.* □ FAMILIA: → disminuir.

disminuir [verbo] Hacer menor en tamaño, en cantidad o en otra cosa: *Estos últimos días ha disminuido el calor.* □ [La i se cambia en y delante de a, e, o, como en HUIR]. SINÓNIMOS: recortar, reducir. CONTRARIOS: aumentar, reforzar. FAMILIA: disminución, disminuido.

disolver [verbo] **1** Hacer que una sustancia se mezcle totalmente con un líquido: *Mueve bien la leche para que se disuelva el azúcar.* **2** Hacer que se separe un grupo de personas: *Ese grupo de música se ha disuelto.* □

[Es irregular y se conjuga como VOLVER. Su participio es *disuelto*]. FAMILIA: disuelto.

disparar [verbo] **1** Lanzar una bala u otra cosa con un arma: *El indio disparó tres flechas.* **2** Lanzar con fuerza una cosa: *El futbolista disparó el balón y metió gol.* **3** Hacer que un aparato haga algo de pronto: *Tienes que apretar este botón para disparar la cámara de fotos.* **4** **dispararse** Aumentar algo de golpe: *El precio de la gasolina se ha disparado.* □ FAMILIA: disparo.

disparatado, da [adjetivo] **1** Que no tiene sentido: *Pensar que un niño de cuatro años puede vivir solo es una idea disparatada.* **2** Que se sale de lo normal: *El precio de esos pantalones es disparatado.* □ SINÓNIMOS: **1** absurdo, irracional. CONTRARIOS: razonable, racional, lógico. FAMILIA: → disparate.

disparate [sustantivo masculino] **1** Lo que no tiene sentido: *Piensa antes de hablar, porque no dices más que disparates.* **2** Lo que es tan grande que se sale de lo normal: *¿Dónde vas con ese disparate de bocadillo?* □ SINÓNIMOS: **1** absurdo. FAMILIA: disparatado.

disparo [sustantivo masculino] **1** Hecho de lanzar una bala u otra cosa con un arma: *A lo lejos se oían los disparos de los cazadores.* **2** Hecho de lanzar algo con fuerza: *El portero no pudo parar el fuerte disparo del futbolista.* □ FAMILIA: → disparar.

dispensario [sustantivo masculino] Lugar más pequeño que un hospital donde se hacen curas rápidas o de poca importancia: *Me caí en el patio del colegio y me llevaron al dispensario para que me dieran puntos en la herida.*

disponer [verbo] **1** Poner algo de manera adecuada para un fin: *En el restaurante han dispuesto una mesa para quince personas.* **2** Decidir que se haga algo y la manera en que debe hacerse: *Mis padres han dispuesto que nos levantemos a las seis para salir de viaje.* **3** Usar algo como si fuera nuestro: *Puedes disponer del teléfono cuando quieras.* **4** **disponerse** Estar a punto de hacer algo: *Me disponía a comer cuando me llamaron por teléfono.* □ [Es irregular y se conjuga como PONER. Su participio es *dispuesto*]. SINÓNIMOS: preparar, arreglar. FAMILIA: dispuesto, disponible.

disponible [adjetivo] Que puede ser usado, o

que está libre para hacer algo: *Ya puedes llamar, que el teléfono está disponible.* □ [No varía en masculino y en femenino]. FAMILIA: → disponer.

dispuesto, ta 1 Participio irregular de **disponer**. [adjetivo] 2 Preparado para hacer algo: *Ya estoy dispuesto para salir.* 3 Que se presta fácilmente para hacer algo: *Es una persona muy dispuesta y enseguida te ayudará.* □ SINÓNIMOS: 2 listo. FAMILIA: → disponer.

disputa [sustantivo][femenino] 1 Discusión violenta sobre algo: *La disputa sobre lo que íbamos a hacer acabó a gritos.* 2 Lucha o pelea para conseguir algo: *Todos los equipos participan en la disputa por el título.* □ FAMILIA: disputar.

disputar [verbo] 1 Luchar varias personas para conseguir algo: *Dos escritores se disputan el primer premio de novela.* 2 Discutir de forma violenta sobre algo: *Dos conductores están disputando en la calle porque quieren aparcar en el mismo sitio.* □ FAMILIA: → disputa.

disquete [sustantivo][masculino] Disco de ordenador en el que se mete la información: *He grabado un nuevo juego en este disquete.* □ [Es una palabra de origen inglés]. FAMILIA: → disco.

distancia [sustantivo][femenino] 1 Espacio que hay entre dos cosas: *La parada de autobús está a poca distancia de mi casa.* 2 Diferencia grande entre personas o cosas: *Hay una gran distancia entre lo que tú piensas y lo que pienso yo.* 3 [expresión] **a distancia** Desde lejos: *Con el mando a distancia se puede cambiar de canal sin acercarse a la televisión.* **guardar las distancias** Evitar confianzas en la relación con una persona: *Es una persona muy seria y le gusta guardar las distancias con la gente.* □ FAMILIA: distante, distar.

distante [adjetivo] 1 Que está lejos en el espacio o en el tiempo: *En avión se llega rápidamente a las ciudades más distantes.* 2 Que trata a alguien de manera fría, poco cariñosa o evitando confianzas: *Desde que le dije que no debía comportarse así, está muy distante conmigo.* □ [No varía en masculino y en femenino]. SINÓNIMOS: 1 remoto, lejano. FAMILIA: → distancia.

distar [verbo] 1 Estar separado de algo en el espacio o en el tiempo: *El colegio dista de mi casa doscientos metros.* 2 Ser diferente una cosa de otra: *Mi forma de ser dista mucho de la tuya.* □ FAMILIA: → distancia.

distinción [sustantivo][femenino] 1 Lo que hace que una cosa no sea igual a otra: *No veo ninguna distinción entre estos dos balones, y me parecen exactamente iguales.* 2 Lo que hace que una persona sea elegante o educada: *Esa persona se mueve con mucha distinción.* □ SINÓNIMOS: 1 diferencia. FAMILIA: → distinto.

distinguido, da [adjetivo] 1 Que destaca entre los demás: *Visitará nuestra ciudad un distinguido escritor.* 2 Muy elegante: *Ese señor es una persona educada y distinguida.* □ FAMILIA: → distinto.

distinguir [verbo] 1 Ser capaz de ver la diferencia que hay entre dos o más cosas: *¿Ya has aprendido a distinguir unos árboles de otros?* 2 Ser capaz de ver, de oír o de oler algo, a pesar de las dificultades: *Entre tanta gente, no distingo a mi hermano.* 3 Tener algo una característica que lo hace diferente de otra cosa: *La inteligencia distingue a este*

distinguir		conjugación	
INDICATIVO		**SUBJUNTIVO**	
presente		**presente**	
distingo		distinga	
distingues		distingas	
distingue		distinga	
distinguimos		distingamos	
distinguís		distingáis	
distinguen		distingan	
pretérito imperfecto		**pretérito imperfecto**	
distinguía		distinguiera, -ese	
distinguías		distinguieras, -eses	
distinguía		distinguiera, -ese	
distinguíamos		distinguiéramos, -ésemos	
distinguíais		distinguierais, -eseis	
distinguían		distinguieran, -esen	
pretérito indefinido		**futuro**	
distinguí		distinguiere	
distinguiste		distinguieres	
distinguió		distinguiere	
distinguimos		distinguiéremos	
distinguisteis		distinguiereis	
distinguieron		distinguieren	
futuro		**IMPERATIVO**	
distinguiré			
distinguirás		**presente**	
distinguirá		distingue	(tú)
distinguiremos		distinga	(él)
distinguiréis		distingamos	(nosotros)
distinguirán		distinguid	(vosotros)
		distingan	(ellos)
condicional		**FORMAS NO PERSONALES**	
distinguiría			
distinguirías		**infinitivo**	**gerundio**
distinguiría		distinguir	distinguiendo
distinguiríamos			
distinguiríais		**participio**	
distinguirían		distinguido	

alumno. **4** Tratar a alguien de una forma especial: *Distinguieron al soldado con la medalla al valor.* **5 distinguirse** Destacar entre otros por algo: *En la enciclopedia he encontrado a las personas que más se han distinguido en la historia de la medicina.* □ [La gu se cambia en g delante de a, o]. SINÓNIMOS: 1,3 diferenciar. 5 sobresalir. FAMILIA: → distinto.

distintivo [sustantivo] [masculino] Lo que sirve para mostrar que se pertenece a un grupo: *El color rojo es el distintivo de mi pandilla.* □ FAMILIA: → distinto.

distinto, ta [adjetivo] Que no es igual: *Un perro y un caballo son animales distintos.* □ SINÓNIMOS: diferente. CONTRARIOS: igual, idéntico. FAMILIA: distinguir, distinción, distintivo, distinguido.

distracción [sustantivo] [femenino] **1** Falta de atención o fallo producido por no prestar atención: *A causa de una distracción del conductor, el coche se salió de la carretera.* **2** Lo que se hace como diversión o para pasar el tiempo: *Hago crucigramas como distracción.* □ SINÓNIMOS: 1 despiste. 2 diversión, entretenimiento, juego, pasatiempo. FAMILIA: → distraer.

distraer [verbo] **1** Hacer perder la atención: *Cuando me aburro en clase, me distrae hasta el vuelo de una mosca.* **2** Divertir o hacer pasar un rato agradable: *Me distraje un rato leyendo un cuento.* □ [Es irregular y se conjuga como TRAER]. SINÓNIMOS: 1 despistar. 2 entretener, recrear. CONTRARIOS: 1 fijar. 2 aburrir. FAMILIA: distracción, distraído.

distraído, da [adjetivo o] [sustantivo] Que no presta atención a lo que ocurre a su alrededor: *No me enteré bien de lo que dijo porque estaba distraída.* □ SINÓNIMOS: despistado. CONTRARIOS: atento. FAMILIA: → distraer.

distribución [sustantivo] [femenino] **1** División de algo entre varias personas de forma que a cada una le toque una parte: *Para acabar antes, será mejor que hagamos la distribución de las tareas.* **2** Colocación o situación de las partes de un todo: *No me gusta la distribución de esta casa porque los pasillos son demasiado largos.* **3** Hecho de llevar un producto a distintos lugares: *Hay empresas que se dedican a la distribución de los pro-*

ductos de otras. □ SINÓNIMOS: 1,3 reparto. FAMILIA: → distribuir.

distribuir [verbo] **1** Dividir algo entre varias personas de forma que a cada una le toque una parte: *Tenemos que distribuir el trabajo para que todos hagamos algo.* **2** Colocar o extender algo del modo más adecuado: *Distribuye bien la pintura por toda la superficie.* **3** Llevar un producto a distintos lugares: *Las tuberías distribuyen el agua por toda la ciudad.* □ [La i se cambia en y delante de a, e, o, como en HUIR]. SINÓNIMOS: repartir. FAMILIA: distribución.

distrito [sustantivo] [masculino] Cada una de las partes en que se divide una zona o una ciudad: *Las grandes ciudades tienen varios distritos.*

disturbio [sustantivo] [masculino] Suceso más o menos violento que ocurre en la calle e interrumpe el orden público: *La policía detuvo a varias personas que habían ocasionado disturbios.*

disuelto, ta Participio irregular de **disolver.** □ FAMILIA: → disolver.

diversidad [sustantivo] [femenino] **1** Diferencia que hay entre las cosas de una misma clase: *España se caracteriza por la diversidad de su paisaje.* **2** Gran cantidad de cosas distintas: *Nunca pude imaginar que hubiera tanta diversidad de opiniones entre vosotros.* □ SINÓNIMOS: variedad. FAMILIA: → diverso.

diversión [sustantivo] [femenino] Lo que sirve para divertirse o para pasar el tiempo: *Mi mayor diversión es coleccionar cromos.* □ SINÓNIMOS: juego, distracción, entretenimiento, pasatiempo. FAMILIA: → divertir.

diverso, sa [adjetivo] Que no es igual o no es parecido: *El tema se puede tratar desde enfoques muy diversos.* □ SINÓNIMOS: distinto. FAMILIA: diversidad.

divertido, da [adjetivo] Que hace reír o hace pasar un rato agradable: *Es una historia muy divertida y me he reído mucho.* □ SINÓNIMOS: cómico, gracioso. CONTRARIOS: aburrido, serio, pesado. FAMILIA: → divertir.

divertir [verbo] Hacer reír o hacer pasar un rato agradable: *Aquella situación tan ridícula me divirtió mucho.* □ [Es irregular y se conjuga como SENTIR]. CONTRARIOS: aburrir. FAMILIA: diversión, divertido.

dividir [verbo] **1** Separar algo en varias partes: *Una pared divide el local en dos partes.*

a

b

c

d

e

f

g

h

i

j

k

l

m

n

ñ

o

p

q

r

s

t

u

v

w

x

y

z

2 Repartir algo en partes iguales: *Si dividimos ocho entre dos, el resultado es cuatro.* **3** Hacer que se enfaden y se separen dos o más personas: *Los problemas con la herencia dividen a muchas familias.* □ FAMILIA: división.

divino, na [adjetivo] **1** De Dios o de los dioses: *Los cristianos creen en la naturaleza divina de Jesucristo.* **2** Muy bonito o muy bueno: *Este helado está divino.* □ FAMILIA: → dios.

divisar [verbo] Ver algo a lo lejos: *Desde lo alto de la montaña se divisa todo el valle.*

división [sustantivo] **1** Lo que se hace al separar algo en partes: *La división de la herencia fue motivo de discusiones familiares.* **2** En matemáticas, operación que consiste en repartir una cantidad en partes iguales: *Si has hecho bien la división de cien entre veinte, el resultado debe ser cinco.* **3** Falta de unión entre personas que antes estaban unidas: *La división del grupo se debe a que han cambiado nuestros gustos.* **4** Cada uno de los grupos en que se divide algo: *Mi equipo de fútbol juega en primera división.* □ FAMILIA: → dividir.

divorciarse [verbo] Separarse dos personas que estaban casadas para dejar de vivir juntas: *Unos amigos de mis padres se han divorciado, y ahora viven en distintas casas.* □ FAMILIA: → divorcio.

divorcio [sustantivo masculino] Situación que se produce cuando dos personas casadas se separan para no vivir juntas: *Ese matrimonio estuvo casado cinco años antes de pedir el divorcio.* □ FAMILIA: divorciarse.

divulgar [verbo] Decir algo para que lo conozca todo el mundo: *Los periodistas divulgan las noticias.* □ [La g se cambia en gu delante de e, como en PAGAR]. SINÓNIMOS: publicar, pregonar, proclamar, declarar, airear.

dobladillo [sustantivo masculino] Borde de una tela que se cose hacia adentro: *Algunas servilletas tienen dobladillo.* □ FAMILIA: → doblar.

doblaje [sustantivo masculino] Hecho de cambiar en una película las voces de los actores por las de otros: *El doblaje de películas se hace para traducir de un idioma a otro lo que dicen los actores.* □ FAMILIA: → doblar.

doblar [verbo] **1** Hacer que una parte de un objeto quede encima de otra: *¿Me ayudas a doblar las sábanas?* **2** Torcer algo recto: *Al agacharte, doblas las piernas.* **3** Cambiar de dirección: *Cuando llegues a la primera calle, tienes que doblar a la derecha.* **4** Hacer que algo sea dos veces mayor: *Para conseguir lo que quieres, tienes que doblar tu esfuerzo.* **5** Tener dos veces la edad de alguien: *Te dobla la edad, porque tú tienes diez años y él veinte.* **6** Cambiar las voces de los actores de una película por las de otros: *Las películas que están en un idioma extranjero se doblan para que las entiendan todo el mundo.* **7** Tocar una campana para avisar que alguien ha muerto: *Las campanas de la iglesia doblan por el señor que ha muerto esta mañana.* □ SINÓNIMOS: **3** torcer. CONTRARIOS: **1** desdoblar. **2** enderezar. FAMILIA: doble, doblez, dobladillo, doblaje, desdoblar, redoblar.

doble [pronombre numeral] **1** Que consta de dos o que es adecuado para dos: *En los hoteles, las habitaciones dobles tienen dos camas.* **2** Que es dos veces mayor: *Quiero un helado doble.* **3** [sustantivo] Persona que es casi igual a otra: *Buscan un doble de ese actor porque quieren hacer una película en la que tenga un hermano gemelo.* **4** [adverbio] Dos veces o dos veces más: *Cuando estoy triste, como doble.* □ [Cuando es adjetivo no varía en masculino y en femenino. En el significado **3** no varía en masculino y en femenino]. FAMILIA: → doblar.

doblez 1 [sustantivo] Forma de actuar en la que se muestra lo contrario de lo que se siente: *¿Por qué no confías en mí y me hablas sin doblez?* **2** [sustantivo masculino] Parte por la que se dobla algo: *Cuando plancho los pañuelos, les hago varios dobleces.* □ [Su plural es dobleces. En el significado **1** se puede decir el doblez y la doblez]. FAMILIA: → doblar.

doce [pronombre numeral] Número 12: *Seis más seis son doce.* □ [No varía en masculino y en femenino]. FAMILIA: docena, duodécimo.

docena [sustantivo femenino] Conjunto de doce cosas: *Compré una docena de huevos.* □ [No confundir con decena]. FAMILIA: → doce.

dócil [adjetivo] **1** Dulce o fácil de educar: *Mi perro es muy dócil y no muerde.* **2** Que cumple lo que se le manda: *Es un niño muy dócil y nunca ha dado problemas.* □ [No varía en masculino y en femenino]. SINÓNIMOS: **2** obediente. CONTRARIOS: **2** desobediente.

doctor, -a [sustantivo] **1** Persona que cura enfermos: *La doctora me dijo que iba a pincharme para que me pusiese bueno.* **2** Persona que tiene determinado título de la universidad: *Mi hermano estudió cinco años de carrera en la universidad y dos cursos más para ser doctor en matemáticas.* □ SINÓNIMOS: **1** médico, matasanos.

doctrina [sustantivo femenino] Conjunto de ideas o de creencias sobre un tema: *Los misioneros enseñan la doctrina católica a los indígenas.*

documental [adjetivo o sustantivo masculino] Que informa sobre algo de forma real, sin inventar nada: *Ese periodista escribe artículos documentales sobre temas de actualidad.* □ [Cuando es adjetivo no varía en masculino y en femenino]. FAMILIA: → documento.

documento [sustantivo masculino] **1** Papel con información que sirve para probar algo: *En el documento nacional de identidad aparecen los datos necesarios para identificar a una persona.* **2** Lo que informa sobre un hecho o un asunto: *Esta película es un buen documento sobre las costumbres medievales.* □ FAMILIA: documental.

dólar [sustantivo masculino] Moneda de Estados Unidos y de otros países: *Las compras y las ventas entre distintos países se suelen hacer con dólares.*

doler [verbo] **1** Hacer sentir dolor: *Me duele mucho la cabeza. Las inyecciones duelen.* **2** Hacer sentir pena: *Tus críticas me duelen.* □ [Es irregular y se conjuga como MOVER]. FAMILIA: → dolor.

dolmen [sustantivo masculino] Construcción formada por un grupo de piedras verticales sobre las que se colocan otras: *Los dólmenes son monumentos que construyeron los hombres de la prehistoria.* 🔎 página 540.

dolor [sustantivo masculino] **1** Lo que sentimos cuando algo nos hace daño: *Comí tantas chucherías que luego tenía dolor de estómago.* **2** Lo que sentimos cuando algo nos da pena: *Sentí tanto dolor por la marcha de mi amigo que no podía dejar de llorar.* □ SINÓNIMOS: **2** tristeza, pesar, sufrimiento. CONTRARIOS: **2** alegría, gozo, contento, dicha, felicidad. FAMILIA: doler, dolorido, doloroso.

dolorido, da [adjetivo] Con dolor: *Como no estoy acostumbrado a hacer gimnasia, tengo todo el cuerpo dolorido.* □ [Es distinto de doloroso, que significa que produce dolor]. FAMILIA: → dolor.

doloroso, sa [adjetivo] Que produce dolor: *Separarse de un ser querido es doloroso.* □ [Es distinto de dolorido, que significa que tiene dolor]. SINÓNIMOS: penoso, triste. FAMILIA: → dolor.

domador, -a [sustantivo] Persona que educa animales y les enseña a hacer determinadas cosas: *La domadora de leones tenía un látigo para que los animales la obedecieran.* □ FAMILIA: → domar.

domar [verbo] Educar a un animal para que obedezca a las personas o para que aprenda a hacer determinadas cosas: *En ese rancho doman caballos salvajes.* □ FAMILIA: domador.

domesticar [verbo] Educar a un animal para que pueda vivir con las personas: *Domestiqué a un zorro, y ahora me acompaña a todos lados.* □ [La c se cambia en qu delante de e, como en SACAR]. FAMILIA: → doméstico.

doméstico, ca [adjetivo] **1** De la casa, del hogar o relacionado con ellos: *En mi casa, todos hacemos nuestra cama y ayudamos en las tareas domésticas.* **2** Dicho de un animal, que vive normalmente con las personas: *Los perros son animales domésticos.* □ CONTRARIOS: **2** salvaje. FAMILIA: domesticar.

domicilio [sustantivo masculino] Ciudad, calle y edificio donde se vive: *No le puedo escribir porque no sé su domicilio.* □ SINÓNIMOS: dirección, señas.

dominante [adjetivo o sustantivo] Que puede más que otro: *Es una persona muy dominante y siempre quiere que los demás hagan lo que dice.* □ [No varía en masculino y en femenino]. FAMILIA: → dominar.

dominar [verbo] **1** Mandar o tener poder sobre algo: *Este chico es un matón y domina a sus compañeros.* **2** No dejar que se note un estado de ánimo: *Dominé mis ganas de llorar y sonreí.* **3** Tener muchos conocimientos de una determinada materia: *Un compañero que domina las matemáticas me va a ayudar a estudiar.* **4** Ver una zona desde un lugar alto: *Desde lo alto de ese rascacielos se domina la ciudad.* □ SINÓNIMOS: **2**

a
b
c
d
e
f
g
h
i
j
k
l
m
n
ñ
o
p
q
r
s
t
u
v
w
x
y
z

contener, aguantar, reprimir. FAMILIA: dominio, dominante, predominio.

domingo [sustantivo][masculino] Séptimo día de la semana: *El domingo está entre el sábado y el lunes.* ☐ FAMILIA: dominical, dominguero.

dominguero, ra [sustantivo] Persona que suele ir al campo los domingos y días de fiesta: *La carretera estaba llena de domingueros que iban al río.* ☐ [Es despectivo]. FAMILIA: → domingo.

dominical 1 [adjetivo] Del domingo o relacionado con él: *Siempre voy a la misa dominical.* **2** [sustantivo][masculino] Revista que sale los domingos: *Los periódicos del domingo vienen acompañados de un dominical.* ☐ [Cuando es adjetivo no varía en masculino y en femenino]. FAMILIA: → domingo.

dominio [sustantivo][masculino] **1** Poder que se tiene sobre algo: *El domador tenía un total dominio de sus leones.* **2** Lo que se tiene: *Con el descubrimiento de América aumentaron los dominios españoles.* **3** Conocimiento grande de una materia: *Para trabajar aquí se necesita un total dominio del inglés.* **4** [expresión] **de dominio público** Conocido por la mayoría de la gente: *No intentes ocultar tu marcha, porque ya es de dominio público.* ☐ SINÓNIMOS: **2** posesión, propiedad. FAMILIA: → dominar.

dominó [sustantivo][masculino] Juego de mesa formado por veintiocho piezas: *Las fichas del dominó tienen forma rectangular.*

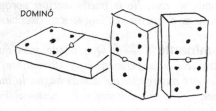

DOMINÓ

don [sustantivo][masculino] **1** Tratamiento de respeto que se da a los hombres: *A mi abuelo todo el mundo lo llama Don Javier.* **2** Habilidad que se tiene para hacer algo: *Tienes el don de hacer sentirse bien a la gente.* **3** Regalo que se da a alguien: *El mago concedió un don al joven príncipe, y él pidió que la princesa se enamorase de él.* **4** [expresión] **don de gentes** Habilidad para tratar con las personas: *Tienes muchos amigos por tu don de*

gentes. **don nadie** Persona poco importante: *No sé por qué ese don nadie se cree tan importante.* ☐ [En el significado **1**, su femenino es doña. La expresión don nadie es despectiva]. SINÓNIMOS: **2,3** gracia. FAMILIA: donar, donación, donante, donativo.

donación [sustantivo][femenino] Lo que se da sin recibir nada a cambio: *El hospital necesita donaciones de sangre.* ☐ FAMILIA: → don.

donante [sustantivo] Persona que da algo sin recibir nada a cambio: *Mis padres son donantes de sangre.* ☐ [No varía en masculino y en femenino]. FAMILIA: → don.

donar [verbo] Dar algo porque se quiere y sin recibir nada a cambio: *Ese señor donó todos sus bienes a los pobres.* ☐ FAMILIA: → don.

donativo [sustantivo][masculino] Cantidad de dinero que se da sin recibir nada a cambio: *Hice un donativo para ayudar a la lucha contra el hambre en el mundo.* ☐ FAMILIA: → don.

doncella [sustantivo][femenino] **1** Mujer joven que no se ha casado: *El protagonista del cuento se casó con una doncella.* **2** Mujer que trabaja haciendo todas las tareas de una casa menos las de la cocina: *Una doncella sirvió la comida a los dueños de la casa y a sus invitados.* 🔎 página 794.

donde [adverbio] **1** Indica el lugar en el que algo está: *El libro ya no está donde lo he dejado.* **2** Indica el lugar hacia el que algo se dirige: *Vamos donde tú digas.* ☐ [No confundir con dónde. No debe decirse ¿Adónde estás?, sino ¿Dónde estás?, ni ¿A dónde lo llevas?, sino ¿Dónde lo llevas? o ¿Adónde lo llevas?]. SINÓNIMOS: **2** adonde. FAMILIA: dónde, adonde, adónde.

dónde [adverbio] **1** En qué lugar: *Dime dónde vives. ¿Por dónde se va al Ayuntamiento?* **2** A qué lugar: *¿Dónde vas con esa prisa?* ☐ [No confundir con donde. No debe decirse ¿A dónde estás?, sino ¿Dónde estás?]. SINÓNIMOS: **2** adónde. FAMILIA: → donde.

donostiarra [adjetivo o][sustantivo] De la ciudad española de San Sebastián: *Las playas donostiarras tienen mucha fama.* ☐ [No varía en masculino y en femenino].

doña [sustantivo][femenino] Tratamiento de respeto que se da a las mujeres: *A mi abuela todo el mundo la llama Doña Teresa.* ☐ [Su masculino es don].

[doping [sustantivo][masculino] Uso de drogas para tener más fuerza cuando se hace un deporte: *El doping está prohibido.* □ [Se pronuncia «dópin». Es una palabra inglesa].

dorado, da [adjetivo] **1** Del color del oro o parecido a él: *Tiene la piel dorada por el sol.* **2** Dicho de un período de tiempo, que es muy bueno: *Dicen que la juventud es la edad dorada.* □ FAMILIA: → oro.

dorar [verbo] **1** Cocinar un alimento de forma que tome un color parecido al del oro: *Hasta que el pollo no se dore, no lo saques del horno.* **2** Cubrir con oro o dar un aspecto parecido: *En esa joyería doran la plata para que parezca oro.* □ FAMILIA: → oro.

▶**dormilón, -a** [adjetivo o sustantivo] Que duerme mucho: *Soy tan dormilón que nunca oigo el despertador.* □ [Es coloquial]. FAMILIA: → dormir.

dormir [verbo] **1** Cerrar los ojos y empezar a descansar, sin darnos cuenta de lo que pasa a nuestro alrededor: *Dormí toda la noche de un tirón.* **2** Pasar la noche en un lugar: *El coche duerme en la calle porque no tenemos aparcamiento subterráneo.* **3** Aburrir tanto que produce sueño: *Ese programa es un ro-*

dormir	conjugación
INDICATIVO	**SUBJUNTIVO**
presente	**presente**
duermo	duerma
duermes	duermas
duerme	duerma
dormimos	durmamos
dormís	durmáis
duermen	duerman
pretérito imperfecto	**pretérito imperfecto**
dormía	durmiera, -ese
dormías	durmieras, -eses
dormía	durmiera, -ese
dormíamos	durmiéramos, -ésemos
dormíais	durmierais, -eseis
dormían	durmieran, -esen
pretérito indefinido	**futuro**
dormí	durmiere
dormiste	durmieres
durmió	durmiere
dormimos	durmiéremos
dormisteis	durmiereis
durmieron	durmieren
futuro	**IMPERATIVO**
dormiré	
dormirás	**presente**
dormirá	duerme (tú)
dormiremos	duerma (él)
dormiréis	durmamos (nosotros)
dormirán	dormid (vosotros)
	duerman (ellos)
condicional	**FORMAS NO PERSONALES**
dormiría	
dormirías	**infinitivo** **gerundio**
dormiría	dormir durmiendo
dormiríamos	
dormiríais	**participio**
dormirían	dormido

llo y duerme a cualquiera. **dormirse 4** Hacer algo de forma muy lenta: *¡Anda más deprisa y no te duermas por el camino!* **5** Perder la capacidad de sentir en una parte del cuerpo: *Me senté sobre una de las piernas y se me ha dormido.* □ [Es irregular]. SINÓNIMOS: **1** planchar la oreja. CONTRARIOS: **1** despertar. FAMILIA: dormilón, dormitorio, dormitar, adormecer, adormilarse.

dormitar [verbo] Dormir con un sueño poco profundo: *He venido dormitando en el autobús.* □ FAMILIA: → dormir.

dormitorio [sustantivo masculino] Cuarto donde se duerme: *En mi dormitorio hay literas.* □ SINÓNIMOS: alcoba. FAMILIA: → dormir.

dorso [sustantivo masculino] Parte posterior de algo, o parte contraria a la que se considera principal: *El dorso de la mano es la parte contraria a la palma.*

dos 1 [pronombre numeral] Número 2: *Voy a un gimnasio dos horas al día.* **2** [expresión] **una de dos** Expresión que se usa para oponer dos cosas de las que hay que elegir una: *Una de dos: o me ayudas, o te pones a estudiar.* **cada dos por tres** Con mucha frecuencia: *Cada dos por tres se pone enfermo y no viene a clase.* □ [No varía en masculino y en femenino]. FAMILIA: doscientos, dúo.

doscientos, tas [pronombre numeral] Número 200: *En este salón de actos caben doscientas personas.* □ FAMILIA: → dos.

dosificar [verbo] Usar algo poco a poco: *Dosifica tus fuerzas, porque si no, te cansarás antes de llegar al final de la carrera.* □ [La c se cambia en qu delante de e, como en SACAR]. FAMILIA: → dosis.

dosis [sustantivo femenino] Cantidad de una medicina o de otra sustancia que debe tomarse cada vez: *Cuando me pusieron la vacuna contra la gripe, cada día me inyectaban una dosis mayor.* □ [No varía en singular y en plural]. FAMILIA: dosificar, sobredosis. página 612.

dote [sustantivo femenino] **1** Conjunto de cosas que lleva una mujer cuando se casa o cuando se hace religiosa: *Antiguamente, los padres de las mujeres que se casaban le daban al marido una dote.* **2** [plural] Cualidades que tiene alguien para hacer una actividad: *Mi profesora de guitarra dice que tengo dotes para la música.*

dragón [sustantivo] [masculino] Animal imaginario de gran tamaño que echa fuego por la boca: *El príncipe luchó contra el dragón que tenía atemorizada a la aldea.*

DRAGÓN

drama [sustantivo] [masculino] **1** Obra de teatro: *Ese escritor escribió muchos dramas.* **2** Obra de teatro o de cine que suele tratar temas tristes: *La película era un drama y lloré mucho.* **3** Suceso o situación que producen dolor o pena: *¡Menudo drama, tener que mantener a cinco hijos y no tener trabajo!* □ SINÓNIMOS: **2,3** tragedia. FAMILIA: dramático.

dramático, ca [adjetivo] **1** Del teatro o relacionado con él: *Yo quiero estudiar para ser actor en la escuela de arte dramático.* **2** Que produce dolor o pena: *La muerte de ese niño es un suceso dramático.* **3** Que cuenta algo de forma que parece más importante o más doloroso de lo que realmente es: *No te pongas dramático por una tontería así.* □ [El significado **3** es coloquial]. SINÓNIMOS: **2** trágico. **3** teatral. CONTRARIOS: **2** cómico. FAMILIA: → drama.

droga [sustantivo] [femenino] Sustancia que produce cambios en la forma de ser de una persona y que, si se toma varias veces, hace que se necesite para vivir: *Las drogas han causado muchas muertes entre los jóvenes.* □ FAMILIA: drogar, droguería, drogadicción, drogadicto.

drogadicción [sustantivo] [femenino] Necesidad de tomar drogas: *La drogadicción es un problema contra el que hay que luchar.* □ FAMILIA: → droga.

drogadicto, ta [adjetivo o] [sustantivo] Que necesita tomar drogas porque se ha acostumbrado a ellas: *Los drogadictos necesitan un tratamiento médico para dejar de tomar drogas.* □ FAMILIA: → droga.

drogar [verbo] Dar una droga o tomarla: *Ese chico se droga y ha destrozado su vida y la de las personas que lo quieren.* □ [La g se cambia en gu delante de e, como en PAGAR]. FAMILIA: → droga.

droguería [sustantivo] [femenino] Tienda en la que se venden productos para limpiar: *Compré una escoba en la droguería.* □ FAMILIA: → droga.

dromedario [sustantivo] [masculino] Animal más grande que un caballo, con un gran bulto en la parte superior del cuerpo: *Los dromedarios pueden aguantar muchos días sin beber.* □ [Es distinto de *camello*, que tiene dos jorobas].

DROMEDARIO

druida [sustantivo] [masculino] Sacerdote de un antiguo pueblo: *Los druidas actuaban como jueces y todos aceptaban su decisión.*

[dubles [sustantivo masculino plural] Juego que consiste en saltar con rapidez mientras dos personas hacen que una cuerda pase por encima de la cabeza y por debajo de los pies: *Sé saltar a la comba, pero los dubles son demasiado rápidos para mí.*

ducha [sustantivo] [femenino] **1** Forma de lavarse el cuerpo entero echando agua por encima: *La ducha es más rápida que el baño.* **2** Aparato que tiene pequeños agujeros por donde sale el agua en gotas: *La ducha de mi casa se puede colgar y descolgar de la pared.* □ FAMILIA: duchar.

duchar [verbo] Lavar el cuerpo entero de forma que el agua caiga encima: *Antes me bañaba mi madre, pero como ya soy mayor, me ducho yo solo.* □ FAMILIA: → ducha.

duda [sustantivo] [femenino] **1** Falta de seguridad que se tiene sobre si algo es verdad o no, o sobre si algo debe hacerse o no: *Tengo dudas, porque no sé qué debo hacer.* **2** Lo que no entendemos bien y necesitamos que se nos explique: *El profesor preguntó si teníamos al-*

guna duda. □ Sinónimos: **1** vacilación, incertidumbre, indecisión. Contrarios: **1** seguridad. Familia: dudar, indudable, dudoso.

dudar [verbo] **1** Tener dudas sobre algo: *Es una persona muy insegura y duda de todo.* **2** No sentir confianza en alguien o tener alguna sospecha sobre ella: *Me ofendes si dudas de mí.* **3** Pensar que algo es poco probable que suceda o que sea verdad: *Dudo que lo haya hecho él.* □ Sinónimos: **1** vacilar. Contrarios: **3** creer. Familia: → duda.

dudoso, sa [adjetivo] **1** Que produce dudas o sospechas: *La llegada de ese corredor en primer lugar es dudosa porque no se ve con claridad.* **2** Que duda o que no actúa con seguridad: *Estoy dudoso sobre si ir o no de excursión.* **3** Poco probable: *Es dudoso que llueva hoy porque no hay ni una sola nube.* □ Contrarios: **3** seguro, fijo, impepinable. Familia: → duda.

duelo [sustantivo masculino] **1** Lucha o pelea entre dos personas porque una de ellas ha enfadado a la otra: *Antiguamente las ofensas al honor de las personas se arreglaban en un duelo.* **2** Dolor ante la muerte de una persona cuando se manifiesta al exterior: *La ropa negra es una señal de duelo.*

duende [sustantivo masculino] Ser imaginario que suele cumplir los deseos de las personas o hacer cosas malas de poca importancia: *La princesa se encontró con un duende que le dijo cómo escapar de la bruja.*

dueño, ña [sustantivo] Persona que posee algo: *Mis padres son los dueños de esta casa.* □ Sinónimos: propietario, amo. Familia: adueñarse.

dulce [adjetivo] **1** Del sabor del azúcar: *Los pasteles están dulces.* **2** Suave, agradable o que produce placer: *El bebé duerme tranquilo con un dulce sueño.* **3** Amable o cariñoso en la forma de tratar a los demás: *Es una persona muy dulce y todo el mundo la quiere mucho.* **4** [masculino] Alimento hecho con azúcar: *Los pasteles, los bombones y los caramelos son tipos de dulce.* □ [Cuando es adjetivo no varía en masculino y en femenino]. Contrarios: amargo. Familia: dulzor, dulzura, agridulce, endulzar.

dulzor [sustantivo masculino] Sabor parecido al del azúcar: *Después de comer pasteles me quedó el dulzor en la boca.* □ [Es distinto de *dulzura*, que es la característica de las cosas suaves y agradables]. Familia: → dulce.

dulzura [sustantivo femenino] Característica de lo que es suave o agradable: *Las costas mediterráneas se caracterizan por la dulzura del clima.* □ [Es distinto de *dulzor*, que es la característica de las cosas dulces como el azúcar]. Sinónimos: suavidad, blandura. Contrarios: aspereza, dureza. Familia: → dulce.

duna [sustantivo femenino] Montaña de arena que se forma en el desierto y en la playa: *Lo más característico de los desiertos son los oasis y las dunas.*

DUNA

dúo [sustantivo masculino] **1** Conjunto formado por dos músicos o por dos instrumentos musicales: *Vi actuar a este dúo en un concierto.* **2** Lo que se toca con dos instrumentos o se canta a dos voces: *El dúo final era muy bonito.* **3** Conjunto formado por dos personas que siempre trabajan o hacen otra cosa juntas: *Mi amigo y yo formamos un buen dúo.* □ Familia: → dos.

duodécimo, ma [pronombre numeral] Que ocupa el lugar número doce en una serie: *Vivo en el duodécimo piso de este edificio.* □ [No debe decirse *décimo segundo* ni *decimosegundo*]. Familia: → doce.

dúplex [sustantivo masculino] Casa formada por dos pisos que están uno encima del otro, comunicados entre sí por una escalera interior: *En la parte de abajo del dúplex estaba el comedor, la cocina y un baño, y en la de arriba, los dormitorios.* □ [No varía en singular y en plural].

duque [sustantivo masculino] Título que poseen algunos hombres que pertenecen a la clase noble: *Los duques poseen el título superior de la aristocracia.* □ [El femenino es *duquesa*].

duquesa [sustantivo femenino] Título que poseen algunas mujeres que pertenecen a la clase noble: *Las duquesas tienen un título superior al de las marquesas.* □ [El masculino es *duque*].

a
b
c
d
e
f
g
h
i
j
k
l
m
n
ñ
o
p
q
r
s
t
u
v
w
x
y
z

a
b
d
c
e
f
g
h
i
j
k
l
m
n
ñ
o
p
q
r
s
t
u
v
w
x
y
z

duración [sustantivo/femenino] Período de tiempo que dura algo: *La duración de la película es de dos horas.* ☐ FAMILIA: → durar.

duradero, ra [adjetivo] Que dura mucho tiempo: *La amistad debe ser una relación duradera.* ☐ SINÓNIMOS: continuo, permanente. CONTRARIOS: corto, breve, provisional, pasajero, momentáneo, fugaz. FAMILIA: → durar.

durante [preposición] Indica el tiempo a lo largo del cual se hace algo o sucede algo: *Estuve estudiando durante dos horas.* ☐ FAMILIA: → durar.

durar [verbo] **1** Ocupar algo un período de tiempo o extenderse en él: *El viaje al pueblo dura dos horas.* **2** Permanecer algo con las características que debe tener o mantenerlas: *Algunos alimentos se estropean enseguida, pero otros duran mucho tiempo.* ☐ FAMILIA: duración, duradero, durante, perdurar.

dureza [sustantivo/femenino] **1** Característica de las cosas que son duras: *El diamante es un mineral de gran dureza.* **2** Característica de las personas fuertes y que aguantan mucho:

Mi abuelo dice que hoy día las personas no tienen la dureza de antes para el trabajo. **3** Característica de lo que no es suave, agradable o amable: *La dureza de las imágenes del accidente me impresionó mucho.* **4** Parte de la piel que se pone dura: *Los callos son durezas que salen en las manos o en los pies.* ☐ SINÓNIMOS: **3** aspereza. CONTRARIOS: **1,3** blandura. **3** suavidad, dulzura. FAMILIA: → duro.

duro, ra [adjetivo] **1** Que no es blando y no se hunde al apretarlo: *Las piedras son muy duras.* **2** Fuerte o que aguanta mucho: *Es una persona muy dura y no se cansa nunca.* **3** Que resulta poco agradable o poco amable: *Me has hecho mucho daño con tus duras palabras.* **4** Difícil de mover: *Hay que echar aceite en los pedales de la bici porque están muy duros.* **5** [sustantivo/masculino] Moneda española: *Un duro equivale a cinco pesetas.* **6** [adverbio] **duro** Con fuerza o con energía: *Trabajé duro para conseguir lo que quería.* ☐ [El significado **5** es coloquial]. SINÓNIMOS: **3** áspero, severo. CONTRARIOS: **1-3** blando. **3** suave. FAMILIA: dureza, endurecer.

Arte prehistórico
La venus de Willendorf

Arte egipcio
El jefe de los escribas

Arte griego
Venus de Milo

Arte romano
Relieve del Arco de Septimio Severo

Arte románico
Cristo

Arte gótico
Virgen Blanca
(Catedral de Toledo)

Arte renacentista
David, de Miguel Ángel

Arte barroco
Virgen de los pobres

Arte del siglo XIX
El Pensador,
de Rodin

Arte del siglo XX
Chillida

concierto de música clásica

teatro en la calle

concierto de rock

teatro infantil

cine

circo

museo

exposición

fuegos artificiales

acrobacia aérea

verbena

cabalgata de carnaval

olimpiadas

corrida de toros

guiñol

parque de atracciones

firmamento

Luna

estrella fugaz

cerco de la Luna

Orión

estrella

Sirio

Osa Mayor

constelación

Osa Menor

estrella Polar

galaxia (Vía Láctea)

Casiopea

observatorio astronómico

jacinto

violeta africana

rosa

clavel

flor del Ave del Paraíso

margarita

flor de la jara

nenúfar

adelfa

botón de oro

edelweiss

tulipán

orquídea

azalea

begonia

azahar

narciso

flor del almendro

girasol

geranio

buganvilla

trípode

cámara

flash

fotografías

objetivo

carrete

diapositivas

E e

e **1** [sustantivo] [femenino] Letra número cinco del abecedario: *La última letra de «torpe» es una «e».* **2** [conjunción] Se usa como la palabra *y* delante de palabras que empiezan por *i-* o por *hi-*: *Fue un espectáculo maravilloso e impresionante.* □ [No confundir con *eh* (interjección) ni con *he* (del verbo *haber*)].

ea [interjección] Se usa para dar ánimos o para dormir a los niños: *¡Ea, arréglate, que nos tenemos que ir!* □ [Es coloquial].

ebanista [sustantivo] Persona que trabaja haciendo objetos con maderas valiosas: *Encargó un arcón a un buen ebanista.* □ [No varía en masculino y en femenino].

ebrio, bria [adjetivo o] [sustantivo] Dicho de una persona, que está bajo los efectos del alcohol que ha tomado: *La policía de tráfico lo detuvo por conducir ebrio.* □ SINÓNIMOS: borracho, bebido. CONTRARIOS: sobrio, sereno.

ebullición [sustantivo] [femenino] Movimiento que se produce en un líquido cuando se calienta a una determinada temperatura: *La temperatura de ebullición del agua es de cien grados centígrados.*

echar [verbo] **1** Soltar un objeto con fuerza para que salga en una dirección: *Échame el balón, a ver si consigo encestar.* **2** Dejar caer en un lugar: *Echó abono a las macetas.* **3** Hacer salir de un lugar: *Nos enfadamos y me echó de su casa.* **4** Dar, repartir o proporcionar: *Es la hora de echarles la comida a los cerdos.* **5** Despedir de sí o emitir: *El motor del coche echa mucho humo.* **6** Poner o colocar: *Se echó el saco al hombro.* **7** Inclinar o poner en posición más o menos tendida: *Para que se conserve bien el vino hay que echar las botellas.* **8** Tender en la cama, generalmente para descansar: *Me voy a echar un rato, a ver si se me pasa el dolor de cabeza.* **9** Empezar a tener algo: *¡Vaya tripa estás echando!* **10** Poner una pena o un trabajo como obligación: *Cometió un asesinato y le van a echar muchos años de cárcel.* **11** Gastar un determinado tiempo en algo: *Había tanto tráfico que echamos más de dos horas en salir de la ciudad.* **12** Calcular algo que no se conoce o no se sabe: *¿Cuántos años me echas?* **13** Participar en un juego o en una competición: *¿Echamos una partida a las cartas?* **14** Representar o emitir un espectáculo: *¿Qué echan hoy en la tele?* **15** Mover de un lado a otro un objeto que sirve para cerrar: *Si enciendes la luz, echa las cortinas.* **16** Decir o pronunciar un discurso: *¡Vaya sermón nos echó cuando supo que lo habíamos roto nosotros!* **17** Inclinar una parte del cuerpo o moverla en alguna dirección: *Si echas la cabeza hacia atrás se te caerá el sombrero.* **18** Realizar una determinada acción: *¡Menuda mirada nos echó cuando nos reímos!* **echarse** **19** Dirigir el cuerpo en alguna dirección: *Échate para allá para que quepamos todos en el banco.* **20** Tirarse sobre algo: *Durante los bombardeos, la gente que iba por la calle se echaba a tierra.* **21** Establecer una relación con una persona: *El otro día nos dijeron que te habías echado novio.* **22** [expresión] **echar a** Empezar a hacer algo: *Cuando lo vi vestido de payaso me eché a reír.* **echar de menos** o **echar en falta** Notar la falta de algo: *Cuando mis padres no están, los echo mucho de menos.* **echarse atrás** No cumplir un acuerdo: *Me había prometido que me ayudaría, pero se echó atrás en el último momento.* □ [Los significados **10**, **11**, **14**, **15** y **21** son coloquiales. No confundir *echo* (del verbo *echar*) con *hecho* (del verbo *hacer*)]. SINÓNIMOS: **1** lanzar. **1,2** tirar. **2,3** arrojar. **15** correr. **20** abalanzarse, arrojarse, lanzarse.

eclipse [sustantivo] [masculino] Situación en la que el Sol

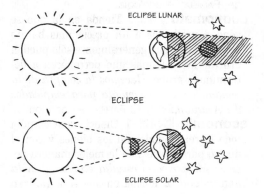

ECLIPSE LUNAR

ECLIPSE

ECLIPSE SOLAR

a
b
c
d
e
f
g
h
i
j
k
l
m
n
ñ
o
p
q
r
s
t
u
v
w
x
y
z

o la Luna desaparecen de la vista y que se produce al ponerse otro cuerpo delante del Sol: *El eclipse de Luna se produce cuando la Tierra se pone entre la Luna y el Sol, y el eclipse de Sol se produce cuando la Luna se pone entre el Sol y la Tierra.*

eco [sustantivo] [masculino] **1** Sonido que se repite porque choca contra un cuerpo duro: *Si gritas desde la entrada de la cueva, oirás el eco.* **2** Sonido débil y poco claro: *Los ecos del bombardeo se oían desde muy lejos.* **3** Noticia vaga que se tiene de algo: *Nos han llegado ecos del éxito que este escritor ha tenido en el extranjero.* **4** Efecto o importancia que algo adquiere: *La huelga no tuvo eco entre la población.*

ecología [sustantivo] [femenino] **1** Ciencia que estudia las relaciones de los seres vivos entre sí y con su medio ambiente: *Este biólogo está especializado en ecología.* **2** Relación que existe entre las personas y la naturaleza: *Cada vez hay más interés por la ecología.* □ FAMILIA: ecológico, ecologismo, ecologista.

ecológico, ca [adjetivo] De la ecología o relacionado con ella: *El petróleo que salió del barco produjo un desastre ecológico en la zona.* □ FAMILIA: → ecología.

ecologismo [sustantivo] [masculino] Movimiento social que defiende la necesidad de proteger el medio ambiente: *El ecologismo lucha por evitar la contaminación y la destrucción del planeta.* □ FAMILIA: → ecología.

ecologista [adjetivo o] [sustantivo] Que defiende la necesidad de proteger el medio ambiente: *Los ecologistas se oponen a la caza de animales para hacer con ellos abrigos de pieles.* □ [No varía en masculino y en femenino]. SINÓNIMOS: verde. FAMILIA: → ecología.

economato [sustantivo] [masculino] Tienda en la que se venden productos a un precio más barato del normal, y que generalmente sólo pueden utilizar las personas que pertenecen a determinado grupo: *Hacemos la compra de la semana en un economato para empleados del Ayuntamiento.* □ FAMILIA: → economía.

economía [sustantivo] [femenino] **1** Ciencia que estudia todo lo relacionado con los bienes y con el dinero para usarlos de la mejor manera posible: *Mi hermano estudia economía en la universidad.* **2** Forma en que se organizan los bienes y el dinero para usarlos bien y tener beneficios: *Antes, los países del este de Europa tenían una economía socialista.* **3** Conjunto de bienes y de dinero que se tienen: *Mi economía no me permite comprar todo lo que quiero.* **4** Intento de no gastar más de lo necesario: *Este mes tendremos que hacer una gran economía en los gastos.* **5** [expresión] **economía sumergida** Conjunto de actividades económicas realizadas fuera de la ley y del control del Estado: *Los trabajadores sin contrato forman parte de la economía sumergida.* □ FAMILIA: económico, economizar, economato.

económico, ca [adjetivo] **1** De la economía o relacionado con ella: *Desde que se quedó sin trabajo, está pasando graves problemas económicos.* **2** Que cuesta poco dinero o que gasta poco: *Ir en autobús resulta más económico que en taxi.* □ FAMILIA: → economía.

economizar [verbo] Intentar no gastar más de lo necesario: *Cuando nos perdimos sin comida, intentábamos economizar los alimentos hasta que nos vinieran a rescatar.* □ [La z se cambia en c delante de e, como en CAZAR]. SINÓNIMOS: ahorrar. CONTRARIOS: gastar. FAMILIA: → economía.

ecuador [sustantivo] [masculino] Paralelo más grande que rodea la Tierra: *El Ecuador está a la misma distancia del polo Norte que del polo Sur.* □ [Se suele escribir con mayúscula]. FAMILIA: ecuatorial.

ecuatorial [adjetivo] Del paralelo más grande que rodea la Tierra o relacionado con él: *En la selva ecuatorial hay pájaros de vivos colores.* □ [No varía en masculino y en femenino]. FAMILIA: → ecuador.

edad [sustantivo] [femenino] **1** Tiempo de vida que ha pasado desde el nacimiento: *Tengo diez años de edad.* **2** Cada uno de los períodos de la vida humana: *Durante la edad infantil se aprenden muchas cosas.* **3** Tiempo que dura algo desde el comienzo de su existencia: *Los científicos están estudiando la edad de estos fósiles.* **4** Cada uno de los grandes períodos de tiempo en los que se divide la historia: *En el museo hay una exposición sobre las edades del hombre.* **5** [expresión] **de edad** Con bastantes años: *Los ancianos son personas de edad.* **edad del pavo** La que se tiene cuando se está dejando de ser niño: *Está en la edad del pavo y ya le empiezan a interesar los chicos.* **mayor de edad** Dicho de una persona, que tiene más de dieciocho años: *Para poder votar hay que ser mayor de edad.* **menor de edad** Dicho de una persona, que todavía no tiene dieciocho años: *Si eres menor de edad no puedes sacar el carné de conducir.* **tercera edad** Período de la vida de una persona que comienza alrededor de los sesenta y cinco: *Al lado de mi casa hay una residencia para la tercera edad.* □ [El significado **4** se suele escribir con mayúscula. La expresión *edad del pavo* es coloquial].

[edelweiss [sustantivo] [masculino] Planta que tiene una flor blanca en forma de estrella: *Los edelweiss crecen en zonas de alta montaña.* □ [Es una palabra alemana. Se pronuncia «edelváis»]. 🖎 página 347.

edición [sustantivo] [femenino] **1** Publicación de una obra: *Ha cobrado mucho dinero por la edición de sus memorias.* **2** Conjunto de copias que se hacen de una obra, producidas a partir del mismo modelo: *En cada nueva edición del libro se corrigen los errores que había en las anteriores.* **3** Exposición u otro acto parecido que se celebra de forma periódica: *El director que ganó la pasada edición del festival de cine lo presentará este año.* □ FAMILIA: → editar.

edificar [verbo] Construir un edificio: *En este parque no se puede edificar.* □ [La c se cambia en qu delante de e, como en SACAR]. FAMILIA: → edificio.

edificio [sustantivo] [masculino] Construcción en la que se vive o en la que se realiza alguna actividad: *Ese edificio es una catedral. Los rascacielos son edificios muy altos.* □ FAMILIA: edificar. 🖎 página 796.

editar [verbo] Publicar un libro: *Me han editado el libro de cuentos con el que gané el concurso.* □ FAMILIA: edición, editor, editorial.

editor, -a [sustantivo] Persona o empresa que publican obras escritas, haciendo muchas copias: *Presentó su relato a una editora, pero no se lo publicarán.* □ FAMILIA: → editar.

editorial 1 [adjetivo] Que está relacionado con el proceso que se sigue para publicar una obra: *El proceso editorial es muy largo y en él intervienen muchas personas.* **2** [sustantivo] [masculino] Artículo de un periódico que suele aparecer sin firmar y que trata temas actuales: *En el editorial suele aparecer la opinión de la dirección del periódico sobre un asunto.* **3** [sustantivo] [femenino] Empresa que se dedica a publicar obras: *Esta editorial se dedica a publicar libros científicos.* □ [Cuando es adjetivo no varía en masculino y en femenino]. FAMILIA: → editar.

edredón [sustantivo] [masculino] Especie de manta que pesa poco y que suele estar rellena de plumas de ave: *En invierno uso edredón en lugar de manta.*

educación [sustantivo] [femenino] **1** Desarrollo de las capacidades morales y de la inteligencia de una persona: *Los padres se encargan de la educación de los hijos.* **2** Lo que se enseña a una persona para que pueda conseguir el desarrollo de la mente: *Quiere dar a sus hijos la mejor educación.* **3** Comportamiento de una persona que indica si está bien o mal educada: *Ten más educación y tápate la boca cuando tosas.* **4** [expresión] **educación especial** La que se da a personas con problemas físicos o psíquicos: *Los niños con problemas reciben una educación especial en el colegio.* **educación física** Conjunto de materias y ejercicios para conseguir el desarrollo del cuerpo: *Mi hermana es profesora de educación física en un instituto.* □ SINÓNIMOS: **3** modales, cortesía. CONTRARIOS: **3** grosería. FAMILIA: → educar.

educado, da [adjetivo] Que tiene buena educación: *Es una chica muy educada y me saluda cada vez que nos encontramos.* □ CONTRARIOS: maleducado, grosero. FAMILIA: → educar.

educar [verbo] **1** Dar educación a una persona: *En los colegios se educa a los niños y a las niñas.* **2** Enseñar a una persona las reglas de la buena educación: *A ver si educas mejor a tu hijo y le enseñas que no hay que decir palabrotas.* **3** Hacer que un sentido se desarrolle o sea mejor: *Quiere ser cantante y asiste a clases para educar la voz.* □ [La c se cambia en qu delante de e, como en SACAR]. SINÓNIMOS: **1** instruir. FAMILIA: educación, educado, maleducar, maleducado.

efe [sustantivo femenino] Nombre de la letra *f*: *La palabra «fofo» tiene dos efes.*

efectivo, va [adjetivo] **1** Que produce el efecto deseado: *Las medidas tomadas contra el incendio no han sido efectivas y el fuego aún continúa.* **2** Real o verdadero: *Hasta que la nueva ley no sea efectiva no será obligatorio cumplirla.* [sustantivo masculino] **3** Dinero en moneda o en billetes: *En esta tienda no se puede pagar con tarjeta, sino sólo en efectivo.* **4** [plural] Conjunto de miembros del ejército o de la policía que están mandados por una sola persona o que tienen un mismo deber: *Efectivos de la policía se encargaron de rodear el edificio.* □ SINÓNIMOS: **1** eficaz. FAMILIA: → efecto.

efecto [sustantivo masculino] **1** Lo que es resultado de algo: *Cuando el calmante te haga efecto, ya no te dolerá la muela.* **2** Impresión producida en el ánimo: *No vayas con esa pinta porque vas a causar muy mal efecto.* **3** Movimiento que se da a una cosa al lanzarla y que hace que cambie la dirección al moverse: *Al chutar con efecto, la pelota primero fue recta y luego se desvió a la derecha.* **4** Lo que parece real sin serlo y se usa en algunos espectáculos para producir una impresión en el público: *Esta película tiene unos efectos especiales fantásticos.* **5** [plural] Bienes o cosas que pertenecen a una persona: *En esta bolsa llevo mis efectos personales y en la maleta llevo la ropa.* **6** [expresión] **en efecto** Se usa para afirmar algo: *En efecto, yo fui la primera en leer este libro.* **surtir efecto** Dar el resultado deseado: *Si este medicamento no surte efecto tendremos que darte otro.* □ CONTRARIOS: **1** causa, origen, principio. FAMILIA: efectuar, efectivo.

efectuar [verbo] Llevar algo a la práctica: *El avión efectuó el despegue sin problemas.* □ [Se conjuga como ACTUAR]. SINÓNIMOS: ejecutar, cumplir, realizar, llevar a cabo. FAMILIA: → efecto.

efervescente [adjetivo] Que se deshace y despide gas al mojarse: *La sal de frutas es efervescente.* □ [No varía en masculino y en femenino].

eficaz [adjetivo] Que tiene la capacidad para producir el efecto que se desea: *Este medicamento es muy eficaz para el catarro.* □ [No varía en masculino y en femenino. Su plural es eficaces]. SINÓNIMOS: efectivo.

egipcio, cia [adjetivo o sustantivo] De Egipto, que es un país de África: *Las pirámides son los monumentos egipcios más famosos.*

egoísmo [sustantivo masculino] Forma de ser de la persona que sólo se interesa por sus asuntos y no se preocupa por los demás: *Dio muestras de su egoísmo al quedárselo todo y no compartir nada con los demás.* □ CONTRARIOS: altruismo, generosidad, desprendimiento. FAMILIA: egoísta.

egoísta [adjetivo o sustantivo] Que hace sólo lo que a él le conviene: *No seas egoísta y deja tus juguetes a los demás niños.* □ [No varía en masculino y en femenino]. CONTRARIOS: altruista, generoso. FAMILIA: → egoísmo.

eh [interjección] Expresión que se usa para llamar la atención o para preguntar: *¡Eh, esperadme, que ahora voy! ¿Eh, qué has dicho?* □ [No confundir con e (vocal) ni con he (del verbo haber)].

eje [sustantivo masculino] **1** Línea que divide algo por la mitad: *La Tierra gira sobre su eje.* **2** Barra que atraviesa un cuerpo que gira y que lo sujeta mientras da vueltas: *Los ejes del coche unen cada pareja de ruedas por su centro.* **3** Lo que se considera más importante o el centro de algo: *Los negocios son el eje de su vida.*

ejecución [sustantivo femenino] **1** Acción con que se lleva a cabo algo: *El salto de la patinadora fue de una ejecución perfecta.* **2** Acto en el que se da muerte a una persona porque así lo ha decidido la ley: *Un abogado evitó en el último minuto la ejecución del condenado.* **3**

EJE

Hecho de tocar una pieza musical: *La ejecución del concierto para piano y orquesta fue maravillosa.* □ SINÓNIMOS: **3** interpretación. FAMILIA: → ejecutar.

ejecutar [verbo] **1** Llevar a la práctica algo: *Ejecuta mis órdenes según te he dicho.* **2** Dar muerte a una persona porque así lo ha decidido la ley: *En algunos países ejecutan a los condenados en la silla eléctrica.* **3** Tocar una pieza musical: *El pianista ejecutó la obra con maestría.* □ SINÓNIMOS: **1** efectuar, cumplir, realizar, llevar a cabo. **2** ajusticiar. **3** interpretar. FAMILIA: ejecución, ejecutivo.

ejecutivo, va **1** [adjetivo] Que tiene capacidad para llevar a cabo algo: *En un país, el Gobierno tiene el poder ejecutivo.* **2** [sustantivo] Persona que ocupa un puesto en la dirección de una empresa: *El avión estaba lleno de ejecutivos en viaje de negocios.* **3** [sustantivo femenino] Grupo de personas que dirigen una empresa o una sociedad: *La ejecutiva del club ha decidido cambiar al entrenador.* □ FAMILIA: → ejecutar.

ejemplar [adjetivo] **1** Que es digno de ser tomado como modelo: *Lo quería todo el mundo porque llevaba una vida ejemplar.* **2** Que sirve de ejemplo para que otros aprendan: *Se merece un castigo ejemplar.* **3** [sustantivo masculino] Cada una de las copias sacadas de un mismo modelo: *El libro ha tenido mucho éxito y ya se han vendido todos los ejemplares.* **4** Individuo de una especie, de una raza o de un género: *En el zoo había varios ejemplares de cebras.* □ [Cuando es adjetivo no varía en masculino y en femenino]. FAMILIA: → ejemplo.

ejemplo [sustantivo masculino] **1** Lo que se pone como modelo para ser copiado o evitado, según se considere bueno o malo: *Ese comportamiento tan gamberro es un ejemplo de lo que no debe hacerse.* **2** Lo que es digno de ser copiado: *Mis padres son unas personas honradas y un ejemplo para todos nosotros.* **3** Lo que se dice para aclarar algo o para afirmarlo: *Te pondré un ejemplo para que entiendas lo que digo.* **4** [expresión] **dar ejemplo** Hacer que por nuestras obras los demás nos imiten: *Durante el incendio, el director estuvo sereno y dio ejemplo a los demás.* **por ejemplo** Se usa para introducir una información que aclara o afirma lo que estamos

diciendo: *Imaginemos un objeto circular, por ejemplo, un anillo.* □ FAMILIA: ejemplar.

ejercer [verbo] **1** Practicar una profesión: *Mi padre es abogado, pero no ejerce.* **2** Producir una acción o tener una determinada influencia: *Tus amigos ejercen una buena influencia en ti.* **3** Hacer uso de un derecho: *Siempre que hay votaciones ejerzo mi derecho al voto.* □ [La c se cambia en z delante de a, o, como en VENCER]. FAMILIA: → ejercicio.

ejercicio [sustantivo masculino] **1** Trabajo práctico que sirve para fijar lo que se ha explicado: *Tengo que hacer dos ejercicios de matemáticas.* **2** Práctica de algo: *Se dedica al ejercicio de la medicina.* **3** Conjunto de movimientos que se hacen con el cuerpo para mantenerlo en forma: *El médico me ha dicho que repose y que no haga ejercicio durante un tiempo.* **4** Actividad que se hace para desarrollar una capacidad: *Dice que aprenderse los números de teléfono de los amigos es un buen ejercicio para la memoria.* **5** Prueba o examen que hay que aprobar: *La oposición consta de un ejercicio práctico y otro teórico.* □ FAMILIA: ejercer, ejercitar.

ejercitar [verbo] **1** Preparar a una persona o a un animal para que realice una actividad: *Los caballeros antiguos se ejercitaban en el uso de la espada.* **2** Usar algo de forma repetida para conseguir cierta habilidad: *Si no ejercitas la memoria, cada vez serás capaz de recordar menos cosas.* □ SINÓNIMOS: **1** adiestrar, instruir. FAMILIA: → ejercicio.

ejército [sustantivo masculino] **1** Conjunto de soldados de un país: *El ejército defendió la ciudad de los ataques de los enemigos.* **2** Conjunto numeroso de algo: *Un ejército de hormigas ha invadido la cocina.*

el, la [artículo] Se usa delante de un nombre para determinarlo e indicar su género y su número: *Aquí está el paraguas. Ésta es la hermana de mi amigo. Dame los libros que hay en la mesa.* □ [Es distinto de él. El plural de el es los, y el de la es las].

él, ella [pronombre personal] Indica la tercera persona del singular: *Yo vengo solo, pero él traerá más gente. He visto a tu hermana y ella me ha dicho dónde estabas.* □ [Es distinto de el. El plural de él es ellos, y el de ella es ellas. Funciona como sujeto: *Él es mi hermano. Ella está aquí*]. FAMILIA: ellos, ello, se, sí, consigo, suyo, su.

elaboración [sustantivo] [femenino] Fabricación de un producto o de un aparato con los medios adecuados: *Para la elaboración del queso se necesita leche*. □ SINÓNIMOS: fabricación, creación, producción. FAMILIA: → elaborar.

elaborar [verbo] **1** Fabricar algo por medio de un trabajo adecuado: *En estas bodegas se elaboran buenos vinos*. **2** Formar una idea complicada en la mente: *Te voy a contar la teoría que he elaborado sobre ese asunto*. □ SINÓNIMOS: confeccionar. **1** producir. **2** construir. FAMILIA: elaboración.

elástico, ca 1 [adjetivo] Dicho de un cuerpo, que puede ser estirado y después puede volver a tener su forma anterior: *Se ató la coleta con una goma elástica*. **2** [sustantivo] [masculino] Cinta o tejido que tienen esta propiedad: *Las mangas de los jerséis se empiezan a tejer por el elástico*.

ele 1 [sustantivo] [femenino] Nombre de la letra *l*: *La palabra «lelo» tiene dos eles*. **2** [interjección] Se usa para indicar que algo nos parece bien: *¡Ele, ahí queda eso!* □ [El significado **2** es coloquial].

elección [sustantivo] [femenino] **1** Hecho de decidirse por lo que se considera más adecuado: *Decidirte por este modelo ha sido una buena elección*. **2** Posibilidad de elegir: *Lo hice porque no tenía otra elección*. **3** [plural] Proceso por medio del cual se elige a los políticos que van a mandar el país: *El presidente del Gobierno pertenece al partido que ganó las elecciones*. □ SINÓNIMOS: **2** opción. FAMILIA: → elegir.

elector, -a [adjetivo o] [sustantivo] Que tiene la capacidad o el derecho de elegir a las personas que mandarán un país: *Los electores podrán acudir a votar hasta las ocho de la tarde*. □ FAMILIA: → elegir.

electoral [adjetivo] De las elecciones o relacionado con ellas: *Este año mi madre es la presidenta de una mesa electoral*. □ [No varía en masculino y en femenino]. FAMILIA: → elegir.

electricidad [sustantivo] [femenino] Forma de energía gracias a la cual se encienden las bombillas y funcionan muchos aparatos: *Las centrales nucleares producen electricidad*. □ FAMILIA: eléctrico, electricista, electrocutar, electrónico, electrodoméstico.

electricista [sustantivo] Persona que coloca y arregla todo lo necesario para que pueda usarse la electricidad: *Un electricista nos ha puesto varios enchufes en la cocina*. □ [No varía en masculino y en femenino]. FAMILIA: electricidad. 🐾 página 158.

eléctrico, ca [adjetivo] De la electricidad o relacionado con ella: *La corriente eléctrica va por los cables*. □ FAMILIA: → electricidad.

electrocutar [verbo] Matar por medio de una descarga eléctrica: *No toques ese enchufe roto, que puedes electrocutarte*. □ FAMILIA: → electricidad.

electrodoméstico [sustantivo] [masculino] Aparato que se usa en el hogar y que funciona con electricidad: *La lavadora y la nevera son electrodomésticos*. □ FAMILIA: → electricidad.

electrónico, ca 1 [adjetivo] De la electrónica o relacionado con esta parte de la física: *Los ordenadores llevan sistemas electrónicos*. **2** [sustantivo] [femenino] Parte de la física que estudia cosas que tienen que ver con la electricidad: *Esta experta en electrónica trabaja con ordenadores*. □ FAMILIA: → electricidad.

elefante, ta [sustantivo] Animal muy grande y de color gris que tiene dos enormes dientes en forma de cuerno y una larga nariz: *Los elefantes viven en Asia y en África*.

elegancia [sustantivo] [femenino] Cualidad de lo que resulta correcto y adecuado: *Ese actor anda con mucha elegancia*. □ CONTRARIOS: chabacanería. FAMILIA: → elegante.

elegante [adjetivo] Que resulta agradable y apropiado: *Es una persona muy elegante y viste con un gusto muy exquisito*. □ [No varía en masculino y en femenino]. CONTRARIOS: chabacano. FAMILIA: elegancia.

elegir [verbo] **1** Decidirse por una cosa entre varias: *Había muchos vestidos, pero elegí el que me sentaba mejor*. **2** Escoger a una persona por medio de una elección: *Mis compañeros me han elegido como delegada de curso*. □ [Es irregular]. SINÓNIMOS: **1** optar, escoger. FAMILIA: elección, elector, electoral.

elemental [adjetivo] Sencillo o fundamental: *Tengo conocimientos elementales de inglés, pero no sé nada de francés*. □ [No varía en masculino y en femenino]. FAMILIA: → elemento.

elemento [sustantivo] [masculino] **1** Pieza que forma parte de un todo: *Un conjunto está formado por*

un número determinado de elementos. **2**
Base para hacer algo: *Para dar una opinión
hay que tener suficientes elementos de juicio.*
3 Medio en el que vive y se desarrolla un
ser vivo: *El aire es el elemento en el que viven muchas aves.* **4** Individuo: *¡Menudo elemento está hecho ese pillo!* □ [El significado **4**
es coloquial]. FAMILIA: elemental.

elevación [sustantivo][femenino] **1** Zona en la que el terreno está más alto que lo que tiene alre-
dedor: *Desde esa pequeña elevación podremos ver el valle.* **2** Movimiento de algo hacia arriba: *Para hacer el pino hay que
conseguir la elevación de las piernas.* □ FA-
MILIA: → elevar.

elevado, da [adjetivo] **1** Que tiene una distancia de arriba abajo mayor de lo que es
habitual: *Para ser jugador de baloncesto
hay que tener una elevada estatura.* **2** De
un valor o una categoría mayor de lo normal: *Tiene un elevado cargo en la empresa.*
□ SINÓNIMOS: alto. CONTRARIOS: **1** bajo. FA-
MILIA: → elevar.

elevar [verbo] **1** Mover algo hacia arriba o co-

elegir	conjugación
INDICATIVO	**SUBJUNTIVO**
presente	**presente**
elijo	elija
eliges	elijas
elige	elija
elegimos	elijamos
elegís	elijáis
eligen	elijan
pretérito imperfecto	**pretérito imperfecto**
elegía	eligiera, -ese
elegías	eligieras, -eses
elegía	eligiera, -ese
elegíamos	eligiéramos, -ésemos
elegíais	eligierais, -eseis
elegían	eligieran, -esen
pretérito indefinido	**futuro**
elegí	eligiere
elegiste	eligieres
eligió	eligiere
elegimos	eligiéremos
elegisteis	eligiereis
eligieron	eligieren
futuro	**IMPERATIVO**
elegiré	
elegirás	**presente**
elegirá	elige (tú)
elegiremos	elija (él)
elegiréis	elijamos (nosotros)
elegirán	elegid (vosotros)
	elijan (ellos)
condicional	**FORMAS NO PERSONALES**
elegiría	
elegirías	**infinitivo** **gerundio**
elegiría	elegir eligiendo
elegiríamos	
elegiríais	**participio**
elegirían	elegido

locarlo en un lugar más alto: *Los helicópteros se pueden elevar en vertical sobre el
suelo.* **2** Dirigir un escrito o una petición a
la autoridad que corresponda: *La asociación
de vecinos elevó sus solicitudes al alcalde.* □
SINÓNIMOS: **1** levantar, alzar. CONTRARIOS: **1**
bajar. FAMILIA: elevación, elevado.

eliminación [sustantivo][femenino] Hecho de destruir
algo o de hacerlo desaparecer: *Aseguran que
con este producto la eliminación de las manchas es instantánea.* □ FAMILIA: → eliminar.

eliminar [verbo] **1** Quitar o hacer desaparecer: *El desodorante elimina el mal olor.* **2**
Quitar a una persona o a un grupo de donde
estaba: *Eliminaron a nuestro equipo porque
perdió el partido.* □ SINÓNIMOS: **1** suprimir.
FAMILIA: eliminación, eliminatorio.

eliminatorio, ria 1 [adjetivo] Que sirve para
quitar a una persona o a un grupo de donde
estaban: *Estas pruebas son eliminatorias, y
si no pasas una, no puedes hacer la siguien-
te.* **2** [sustantivo][femenino] En una competición, prueba
que sirve para quitar a una persona o a un
grupo de donde estaban: *Mi equipo perdió
la eliminatoria y no podrá jugar la final del
campeonato.* □ FAMILIA: → eliminar.

elixir [sustantivo][masculino] **1** Líquido que tiene medicinas
generalmente disueltas en alcohol: *Primero
me lavo los dientes y luego me enjuago la
boca con un elixir.* **2** Bebida que tiene propiedades maravillosas: *Todos nos hacemos
viejos porque no se ha encontrado el elixir
de la eterna juventud.*

elle [sustantivo][femenino] Nombre que se daba en español a
la doble ele: *La palabra «callar» tiene una elle.*

ello [pronombre][personal] Indica la tercera persona del
singular: *Tenemos que acabar el trabajo
hoy, así que ¡a ello!* □ [No es ni masculino ni
femenino]. FAMILIA: → él.

ellos, ellas [pronombre][personal] Indica la tercera persona del plural: *Nosotros queremos quedar-
nos, son ellas las que se quieren ir.* □ [Fun-
ciona como sujeto: *Ellos son tres. Ellas leen muy bien*].
FAMILIA: → él.

elogiar [verbo] Decir cosas buenas de alguien:
Elogió tu habilidad tocando el piano. □ SI-
NÓNIMOS: alabar. CONTRARIOS: ofender. FA-
MILIA: → elogio.

elogio [sustantivo][masculino] **1** Hecho de decir cosas buenas de alguien: *Este himno es un elogio a la*

a
b
c
d
e
f
g
h
i
j
k
l
m
n
ñ
o
p
q
r
s
t
u
v
w
x
y
z

paz y al amor. **2** Cosa buena que se dice de alguien: *Con tantos elogios me voy a poner colorada.* □ Sinónimos: alabanza. Contrarios: ofensa. Familia: elogiar.

embajada [sustantivo femenino] Lugar en el que trabaja un embajador: *Durante mi viaje por el extranjero perdí mi pasaporte y tuve que ir a la embajada a decirlo.* □ Familia: → embajador.

embajador, -a [sustantivo] **1** Persona que representa al Gobierno de su país en el extranjero: *Está estudiando la carrera de diplomático y le gustaría ser embajador.* **2** Persona que representa a un grupo o a una actividad fuera de los círculos habituales: *Este director se ha convertido en el embajador del cine español en el extranjero.* □ Familia: embajada.

embalar [verbo] **1** Envolver un objeto de forma que quede protegido y se pueda llevar de un lugar a otro: *En el museo ya han embalado los cuadros que se van a llevar a la exposición.* **2 embalarse** Aumentar mucho la velocidad: *Me embalé al bajar la cuesta y no podía frenar.*

embalsamar [verbo] Preparar un cuerpo muerto con unas sustancias especiales que evitan que se estropee: *Los egipcios embalsamaban a los muertos.*

embalse [sustantivo masculino] Lugar grande que se construye para almacenar agua: *Están construyendo un gran muro de lado a lado del río para hacer un embalse.* □ Sinónimos: pantano, presa. 🖾 página 17.

embarazada [adjetivo o sustantivo femenino] Dicho de una mujer, que va a tener un hijo: *Está embarazada de tres meses y casi no se le nota.* □ [Embarazada o encinta se prefiere para mujeres, y preñada se usa más para animales]. Familia: → embarazo.

embarazo [sustantivo masculino] **1** Estado en el que se encuentra una mujer que va a tener un niño: *A medida que avanza el embarazo, la embarazada está cada vez más gorda.* **2** Sensación de vergüenza que produce algo: *Reñirte en público me produjo un gran embarazo, pero tuve que hacerlo.* □ Familia: embarazada, embarazoso.

embarazoso, sa [adjetivo] Que no resulta cómodo porque produce una sensación de vergüenza: *Me resultó embarazoso encontrármelo en el cine porque yo le había dicho*

que no iba a salir esa tarde. □ Sinónimos: incómodo. Contrarios: cómodo. Familia: → embarazo.

embarcación [sustantivo femenino] Vehículo que va por el agua: *Después del largo viaje, la embarcación llegó al puerto.* □ Sinónimos: nave, barco. Familia: → barco.

embarcadero [sustantivo masculino] Lugar preparado para que las personas o las mercancías puedan subir a un barco: *El embarcadero del río está hecho de tablas de madera colocadas sobre varios pilares.* □ Familia: → barco.

EMBARCADERO

embarcar [verbo] Subir a un barco, a un tren o a un avión: *Llegamos al aeropuerto y tuvimos que esperar una hora hasta poder embarcar.* □ [La c se cambia en qu delante de e, como en SACAR]. Contrarios: desembarcar. Familia: → barco.

embargo [sustantivo masculino] **1** Hecho de impedir una autoridad que una persona pueda usar sus bienes: *Procedieron al embargo del piso porque no pagaba el dinero que debía.* **2** Situación en la que un Gobierno no permite el comercio con otro país: *El Gobierno ha decretado el embargo económico a ese país como medida de presión para que cese la guerra.* **3** [expresión] **sin embargo** Se usa para indicar una oposición: *No me gusta ir a la playa, sin embargo, iré para acompañarte.* □ [Sin embargo va siempre escrito entre comas].

embarullar [verbo] Mezclar o confundir unas cosas con otras: *No te embarulles y cuéntamelo con calma.* □ [Es coloquial]. Sinónimos: liar. Contrarios: aclarar. Familia: → barullo.

embellecer [verbo] Hacer que algo esté más bello o más bonito: *Este escritor usa palabras muy escogidas para embellecer su estilo.* □ [Es irregular y se conjuga como PARECER]. Sinónimos: adornar. Contrarios: afear. Familia: → bello.

embestir [verbo] Lanzarse con fuerza o con

violencia contra algo: *El toro embistió al torero.* □ [Es irregular y se conjuga como PEDIR].

embobarse [verbo] Prestar tanta atención a algo que no nos damos cuenta de lo que hay alrededor: *Tengo un hermano pequeño y me embobo viéndolo jugar.* □ FAMILIA: → bobo.

emborrachar [verbo] Poner borracho: *Si bebes alcohol te emborracharás.* □ FAMILIA: → borracho.

emborronar [verbo] Manchar un papel con rayas o con tinta: *Se me rompió la pluma y emborroné el papel.* □ FAMILIA: → borrón.

emboscada [sustantivo/femenino] Operación que consiste en esconderse en un lugar para atacar por sorpresa: *Los guerrilleros tendieron una emboscada al ejército.*

embotellamiento [sustantivo/masculino] **1** Proceso en el que se mete un líquido en botellas: *En esta zona de la bodega se lleva a cabo el embotellamiento del vino.* **2** Gran cantidad de tráfico, de forma que no se puede ir deprisa: *La manifestación causó un gran embotellamiento en el centro de la ciudad.* □ SINÓNIMOS: **2** atasco. FAMILIA: → botella.

embotellar [verbo] Meter un líquido en botellas: *La cerveza se embotella en esta parte de la fábrica.* □ FAMILIA: → botella.

embrague [sustantivo/masculino] Pieza de un vehículo que permite cambiar de marcha: *El embrague del coche es un pedal que está al lado del freno.*

embrollo [sustantivo/masculino] **1** Situación sin orden, con gran movimiento de cosas y con mucho ruido: *Un coche se averió en mitad de la carretera y se formó un buen embrollo.* **2** Conjunto de cosas mezcladas y sin orden: *Con ese embrollo de apuntes no hay quien se aclare.* □ SINÓNIMOS: **1** alboroto. **1,2** lío, jaleo, follón, cacao, barullo.

embudo [sustantivo/masculino] Objeto de boca ancha y redonda, terminado en un tubo estrecho y que se usa para pasar líquidos de un recipiente a otro: *Toma el embudo para rellenar la botella de agua sin que se te caiga nada.*

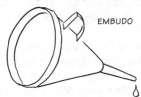

EMBUDO

embuste [sustantivo/masculino] Lo que se dice sabiendo que no es verdad e intentando que lo parezca: *¡No me vengas otra vez con tus embustes, que ya no te creo nada!* □ SINÓNIMOS: bola, trola, mentira, falsedad. CONTRARIOS: verdad. FAMILIA: embustero.

embustero, ra [adjetivo o/sustantivo] Que dice muchas mentiras: *No seas embustera y dime la verdad.* □ SINÓNIMOS: mentiroso, falso. CONTRARIOS: sincero. FAMILIA: → embuste.

embutido [sustantivo/masculino] Alimento que se hace metiendo en una tripa un relleno de carne picada o de otra cosa: *El chorizo y el salchichón son embutidos.*

eme [sustantivo/femenino] Nombre de la letra *m*: *«Mimar» tiene dos emes.*

emergencia [sustantivo/femenino] Lo que ocurre sin que se espere y hace que se necesite algo con urgencia: *El médico dijo que le llamasen si surgía alguna emergencia.*

emigración [sustantivo/femenino] Salida de personas de un lugar para ir a vivir y a trabajar a otro: *La emigración ocurre porque la gente que no encuentra trabajo en su país lo busca en otros sitios.* □ FAMILIA: → emigrar.

emigrante [sustantivo] Persona que sale de un lugar para irse a vivir y a trabajar a otro: *La familia de los emigrantes se queda en su país esperando que vuelva el que se ha ido.* □ [No varía en masculino y en femenino]. FAMILIA: → emigrar.

emigrar [verbo] Salir de un lugar para irse a vivir o a trabajar a otro: *Muchos españoles emigraron a Alemania en los años sesenta.* □ FAMILIA: emigrante, emigración.

emisión [sustantivo/femenino] **1** Producción de algo, echándolo hacia fuera: *Las emisiones de humo de las fábricas contaminan el aire.* **2** Producción de una señal, haciendo que llegue a su destino a través del aire: *La emisión del informativo de la radio es a las nueve de la noche.* **3** Proceso de producir dinero u otras cosas y de ponerlos en circulación: *El año de las Olimpiadas se hizo una emisión de sellos especiales para celebrarlo.* □ FAMILIA: → emitir.

emisor, -a **1** [adjetivo o/sustantivo] Que emite: *El Sol es un cuerpo emisor de luz y de calor.* **2** [sustantivo/femenino] Lugar desde donde se emiten programas o señales: *En esa emisora de radio*

hacen muy buenos programas musicales. □
FAMILIA: → emitir.

emitir [verbo] **1** Producir y echar hacia fuera: *Los faros de los coches emiten una luz blanca o amarilla.* **2** Expresar una opinión u otra cosa: *Los votantes emiten sus votos en los colegios electorales.* **3** Producir una señal y hacerla llegar a su destino a través del aire: *Con esta antena se captan los programas que emite una televisión extranjera.* **4** Producir dinero u otras cosas y ponerlos en circulación: *Sólo son legales los billetes que emite el banco nacional.* □ SINÓNIMOS: **1** despedir, lanzar, arrojar. FAMILIA: emisión, emisora, emisor.

emoción [sustantivo femenino] Sensación muy fuerte producida en el ánimo: *La despedida nos hizo llorar de emoción.* □ FAMILIA: emocionar, emocionante, emotivo.

emocionante [adjetivo] Que produce una sensación muy fuerte en el ánimo: *La escena en la que por fin se encuentran el padre y el hijo es emocionante.* □ [No varía en masculino y en femenino]. SINÓNIMOS: conmovedor, emotivo. FAMILIA: → emoción.

emocionar [verbo] Producir una sensación muy fuerte en el ánimo: *Las películas tristes me emocionan.* □ SINÓNIMOS: conmover. FAMILIA: → emoción.

emotivo, va [adjetivo] **1** Que está relacionado con las sensaciones producidas por lo que sentimos: *Cuando murieron sus padres, sufrió trastornos emotivos.* **2** Que produce una fuerte sensación en el ánimo: *Le hicieron un recibimiento caluroso y muy emotivo.* **3** Que suele sentir sensaciones fuertes en el ánimo: *Soy muy emotivo y todo me conmueve.* □ SINÓNIMOS: **2** emocionante. FAMILIA: → emoción.

empachar [verbo] Producir molestias de estómago algo de lo que se ha comido demasiado: *No comas tanto, que te vas a empachar.* □ FAMILIA: → empacho.

empacho [sustantivo masculino] Molestia en el estómago producida por haber comido demasiado: *Después del banquete, algunos acabamos con empacho.* □ FAMILIA: empachar.

empalagoso, sa **1** [adjetivo] Dicho de un alimento, que resulta demasiado dulce: *La miel es empalagosa.* **2** [adjetivo o sustantivo] Que molesta porque se pone demasiado cariñoso: *¡No seas tan empalagoso y deja de darme besos a todas horas!* □ SINÓNIMOS: **2** pegajoso.

empalmar [verbo] **1** Unir dos cosas, de forma que una quede a continuación de la otra: *Tuvimos que empalmar dos cables porque uno solo era demasiado corto.* **2** Seguir una cosa a otra sin que quede espacio entre ellas: *Este tren va hasta la frontera y allí empalma con otro que te llevará hasta tu destino.* □ SINÓNIMOS: **1** enlazar. FAMILIA: empalme.

empalme [sustantivo masculino] **1** Unión de dos cosas, de forma que una quede a continuación de la otra: *El fontanero hizo un empalme de dos tuberías y las soldó.* **2** Combinación de un vehículo público con otros: *Esta línea del metro tiene empalme con otras dos.* □ SINÓNIMOS: enlace. FAMILIA: → empalmar.

empanada 1 [sustantivo femenino] Comida hecha con dos capas de pan y un relleno que se cuece todo junto: *He comprado una empanada de bonito para cenar.* **2** [expresión] **empanada mental** Mezcla de ideas en la mente: *¡Tienes una empanada mental que no te entiendes ni tú!* □ [El significado **2** es coloquial]. FAMILIA: → pan.

empanadilla [sustantivo femenino] Especie de pastel pequeño que se hace doblando una masa de pan sobre sí misma y metiéndole un relleno: *Me gustan las empanadillas de carne.* □ FAMILIA: → pan.

empanar [verbo] Cubrir por completo un alimento con pan rallado: *Este pan rallado es para empanar los filetes.* □ FAMILIA: → pan.

empañar [verbo] **1** Hacer que algo deje de estar claro o de brillar: *El vapor de agua empaña los cristales.* **2** Estropear algo o hacer que destaque menos: *Lo que digan tus enemigos no conseguirá empañar tu fama.* □ SINÓNIMOS: **2** oscurecer.

empapar [verbo] **1** Mojar algo del todo: *La lluvia ha empapado la ropa tendida.* **2** Chupar un líquido con una materia: *Las fregonas son de un tejido que empapa bien el agua.*

empapelar [verbo] Cubrir una superficie con papel: *Podemos empapelar la habitación o pintarla.* □ FAMILIA: → papel.

empaquetar [verbo] Meter algo en un paquete: *Empaqueta todo lo que te tengas que llevar.* □ FAMILIA: → paquete.

emparedado [sustantivo] [masculino] Alimento preparado con dos trozos de pan y un relleno: *Un emparedado es un bocadillo hecho con pan de molde.* □ SINÓNIMOS: sándwich.

empastar [verbo] Llenar con una pasta los agujeros que se hacen en los dientes cuando se pican: *Me van a tener que empastar la muela porque tengo caries.* □ FAMILIA: → pasta.

empaste [sustantivo] [masculino] Relleno de los agujeros que se hacen en los dientes cuando se pican: *El dentista me ha hecho varios empastes.* □ FAMILIA: → pasta.

empatar [verbo] Obtener dos contrarios el mismo número de votos o de puntos: *Si al final del segundo tiempo los dos equipos empatan, habrá una prórroga.* □ CONTRARIOS: desempatar. FAMILIA: empate, desempatar, desempate.

empate [sustantivo] [masculino] Igualdad en el número de votos o de puntos que obtienen dos contrarios: *El partido terminó en empate a cero goles.* □ CONTRARIOS: desempate. FAMILIA: → empatar.

empeine [sustantivo] [masculino] Parte superior del pie desde el tobillo hasta los dedos: *Tengo unas sandalias que dejan el empeine al aire.*

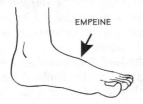

EMPEINE

empeñar [verbo] **1** Entregar algo para que nos presten dinero por ello y con la condición de que nos lo devuelvan cuando nosotros devolvamos el dinero: *Tuvo que empeñar un anillo para pagar las deudas.* **2** Dedicar un período de tiempo a una actividad: *Empeñé varios años de mi vida en estudiar una carrera.* **empeñarse 3** Insistir mucho en algo: *Si te empeñas, puedes conseguir lo que quieras.* **4** Llenarse de deudas: *Se empeñó por comprarse un chalé de lujo.* □ SINÓNIMOS: **3** emperrarse. FAMILIA: empeño, desempeñar.

empeño [sustantivo] [masculino] **1** Deseo o interés muy grandes por hacer algo: *Intentaron escalar el monte, pero fracasaron en su empeño.* **2** Cambio de una cosa por dinero, con la condición de que nos la devuelvan cuando nosotros devolvamos el dinero: *Llevó una joya de la familia a la casa de empeños porque necesitaba dinero.* □ SINÓNIMOS: **1** afán, ansia, ahínco. CONTRARIOS: **1** desgana. FAMILIA: → empeñar.

empeoramiento [sustantivo] [masculino] Cambio de algo para peor: *Si continúa el empeoramiento del tiempo, no saldremos de excursión.* □ CONTRARIOS: mejoría. FAMILIA: → peor.

empeorar [verbo] Pasar a un estado peor: *Mi inglés ha empeorado porque hace mucho que no lo practico.* □ CONTRARIOS: mejorar. FAMILIA: → peor.

emperador [sustantivo] [masculino] **1** Jefe de Estado de algunos países: *Carlos V fue rey de España y emperador de Alemania.* **2** Pez marino cuya carne es comestible: *Al emperador lo llaman también «pez espada».* □ [El femenino del significado **1** es *emperatriz*]. FAMILIA: → imperio.

emperatriz [sustantivo] [femenino] Jefa de Estado o mujer del jefe de Estado de algunos países: *Sissí fue emperatriz de Austria.* □ [El masculino es emperador. Su plural es emperatrices]. FAMILIA: → imperio.

emperrarse [verbo] Insistir mucho en algo: *Cuando se emperra en algo, no para hasta conseguirlo.* □ [Es coloquial]. SINÓNIMOS: empeñarse.

empezar [verbo] **1** Tener principio: *La película empieza a las seis.* **2** Dar principio: *Si él no hubiese empezado la conversación, yo no me habría atrevido a hablarle.* **3** Abrir un producto para usarlo: *Empieza otro paquete, que éste se ha acabado.* □ [Es irregular]. SINÓNIMOS: **1,2** comenzar. **1** iniciarse. **2** iniciar. CONTRARIOS: terminar, acabar. **1,2** concluir, finalizar. **2** ultimar. FAMILIA: empiece. página 360.

empiece [sustantivo] [masculino] Momento o parte en que algo comienza: *Le pedí al carnicero que no me diera el empiece del lomo.* □ [Es coloquial]. SINÓNIMOS: principio, inicio, comienzo, raíz. CONTRARIOS: fin, final, consecuencia, término. FAMILIA: → empezar.

a b c d **e** f g h i j k l m n ñ o p q r s t u v w x y z

a
b
c
d
e
f
g
h
i
j
k
l
m
n
ñ
o
p
q
r
s
t
u
v
w
x
y
z

empinado, da [adjetivo] Con mucha pendiente: *Vivo al final de una calle muy empinada.* □ FAMILIA: → empinar.

empinar [verbo] **1** Poner algo derecho o vertical: *En algunos tramos, el camino se empina y cuesta subirlo.* **2** Tomar bebidas alcohólicas en gran cantidad: *Pasarse el fin de semana empinando no me parece una forma de disfrutar.* **3 empinarse** Ponerse una persona sobre las puntas de los pies para llegar a más altura: *Cuando nos hicimos la foto, me empiné para parecer tan alta como mi madre.* □ [El significado **2** es coloquial y se usa más en la expresión *empinar el codo*]. CONTRARIOS: **3** agacharse. FAMILIA: empinado.

empleado, da 1 [sustantivo] Persona que trabaja en un lugar a cambio de un sueldo: *Soy empleada de una fábrica de coches.* **2** [expresión] **dar algo por bien empleado** Estar conforme con ello a pesar de lo que haya costado: *Si consigo mi propósito, daré por bien empleado el esfuerzo.* **empleado del hogar** Persona que trabaja para otra haciendo las tareas de la casa: *Como mi padre*

empezar	conjugación
INDICATIVO	**SUBJUNTIVO**
presente	**presente**
empiezo	empiece
empiezas	empieces
empieza	empiece
empezamos	empecemos
empezáis	empecéis
empiezan	empiecen
pretérito imperfecto	**pretérito imperfecto**
empezaba	empezara, -ase
empezabas	empezaras, -ases
empezaba	empezara, -ase
empezábamos	empezáramos, -ásemos
empezabais	empezarais, -aseis
empezaban	empezaran, -asen
pretérito indefinido	**futuro**
empecé	empezare
empezaste	empezares
empezó	empezare
empezamos	empezáremos
empezasteis	empezareis
empezaron	empezaren
futuro	**IMPERATIVO**
empezaré	
empezarás	**presente**
empezará	empieza (tú)
empezaremos	empiece (él)
empezaréis	empecemos (nosotros)
empezarán	empezad (vosotros)
	empiecen (ellos)
condicional	**FORMAS NO PERSONALES**
empezaría	
empezarías	**infinitivo** **gerundio**
empezaría	empezar empezando
empezaríamos	**participio**
empezaríais	empezado
empezarían	

y mi madre trabajan fuera de casa, han contratado a una empleada del hogar. **estarle algo bien empleado a alguien** Merecerlo: *Si te muerde el perro te estará bien empleado, por tirarle del rabo.* □ FAMILIA: → emplear.

emplear [verbo] **1** Coger algo para hacer alguna cosa: *Emplea los cubiertos y no comas con las manos.* **2** Dar trabajo a una persona: *Los hoteles emplean a más trabajadores en verano que en invierno.* **3** Llenar el tiempo haciendo algo: *El ejercicio era fácil y no empleé mucho tiempo en hacerlo.* □ SINÓNIMOS: **1** usar, utilizar. **3** ocupar, invertir. CONTRARIOS: **2** despedir. FAMILIA: empleo, empleado, desempleo.

empleo [sustantivo masculino] **1** Hecho de emplear algo para un fin: *El empleo de maquinaria moderna ha facilitado el trabajo en el campo.* **2** Hecho de dar trabajo a una persona: *El Gobierno tomará medidas para apoyar el empleo y luchar contra el paro.* **3** Actividad que se realiza a cambio de un sueldo: *Tengo un empleo como albañil en una empresa de construcción.* □ SINÓNIMOS: **1,2** uso, utilización. **3** trabajo, puesto, oficio, profesión. CONTRARIOS: **2** despido, desempleo. FAMILIA: → emplear.

empobrecer [verbo] Hacer algo pobre o más pobre de lo que era: *Se empobreció porque fracasaron sus negocios.* □ [Es irregular y se conjuga como PARECER]. CONTRARIOS: enriquecer. FAMILIA: → pobre.

empollar [verbo] **1** Calentar un ave los huevos para que se desarrolle el ser que hay dentro: *Las gallinas empollan los huevos que ponen sentándose sobre ellos.* **2** Estudiar mucho: *Ayer me pasé toda la tarde empollando.* □ [El significado **2** es coloquial]. SINÓNIMOS: **1** incubar. FAMILIA: → pollo.

empollón, -a [adjetivo o sustantivo] Que estudia mucho: *Esa chica es muy empollona y saca muy buenas notas.* □ [Es coloquial].

empotrado, da [adjetivo] Metido en la pared o dentro de otra cosa: *Esta casa tiene armarios empotrados en todas las habitaciones.*

emprender [verbo] Empezar a realizar una actividad: *Todo lo que hace lo emprende con ganas, pero luego se cansa y lo deja.*

empresa [sustantivo] [femenino] **1** Organización dedicada a realizar actividades o servicios que den ganancias: *Trabajo en una empresa de fabricación de calzado.* **2** Actividad difícil de realizar y para la que se necesita decisión y esfuerzo: *Arreglar la economía de este país es una empresa que llevará años.* □ FAMILIA: empresario.

empresario, ria [sustantivo] Persona que tiene o que dirige una empresa: *Ese empresario empezó trabajando de botones.* □ FAMILIA: → empresa.

empujar [verbo] **1** Hacer fuerza contra algo para moverlo: *La puerta estaba atascada y tuvimos que empujar mucho para abrirla.* **2** Hacer presión sobre una persona para que haga algo: *Si mis padres no me hubiesen empujado a seguir estudiando, por mí lo habría dejado.* □ [Siempre se escribe con *j*]. SINÓNIMOS: **2** impulsar. FAMILIA: empuje, empujón.

empuje [sustantivo] [masculino] **1** Fuerza que se hace sobre algo: *La presa no aguantó el empuje de las aguas y se rompió.* **2** Energía y decisión que tiene una persona para hacer lo que se propone: *Conseguirá lo que quiera, porque es una persona de gran empuje.* □ FAMILIA: → empujar.

empujón [sustantivo] [masculino] **1** Fuerza que se hace de manera rápida y repentina sobre algo: *Me dieron un empujón en el autobús y casi me caigo.* **2** Adelanto rápido e importante que se consigue en una actividad, dedicándole mayor esfuerzo: *Hoy voy a estudiar más horas, a ver si le doy un empujón al trabajo que tengo que entregar.* □ FAMILIA: → empujar.

empuñar [verbo] Coger un objeto por el mango: *Empuñó la espada y se dispuso a defenderse.* □ FAMILIA: → puño.

en [preposición] **1** Indica lugar: *Vivo en un pueblo. Busca en ese cajón.* **2** Indica tiempo: *Ese escritor nació en el siglo pasado. Acabaré en una hora.* **3** Indica modo: *Habla en voz baja.* **4** Indica el medio con que se hace algo: *Vine en bicicleta.* **5** Indica la forma de algo: *Necesito unas fotos en tamaño de carné.* **6** Indica la materia de la que trata algo: *Pienso en ti. Soy experto en artes marciales.* **7** Indica causa: *Te reconocí en el tono de*

voz. **8** Indica el precio: *Al final me dejó el pañuelo en cien pesetas.*

enamorado, da [adjetivo o] [sustantivo] **1** Que siente amor por alguien: *No podría casarme con una persona de la que no estuviese enamorada.* **2** Que se siente muy atraído por algo: *Soy un enamorado del teatro y voy siempre que puedo.* □ FAMILIA: → amar.

enamorar [verbo] **1** Hacer que una persona sienta amor por otra: *Me he enamorado de mi vecino.* **2** Hacer que una persona se sienta muy atraída por algo: *Este lugar enamora a todo el que lo conoce.* □ FAMILIA: → amar.

enano, na **1** [adjetivo] Muy pequeño o más pequeño de lo normal: *Esta habitación es enana y casi no cabe ni la cama.* [sustantivo] **2** Persona con una estatura muy baja: *Los enanos suelen medir poco más de un metro.* **3** Niño pequeño: *¿A qué hora salen los enanos de la guardería?* **4** Personaje imaginario con figura de persona muy baja y que a veces tiene poderes mágicos: *¿Te sabes el cuento de Blancanieves y los siete enanitos?* **5** [expresión] **como un enano** Mucho o muy bien: *En la fiesta disfruté como un enano.* □ [Los significados **3** y **5** son coloquiales]. SINÓNIMOS: **1** diminuto. CONTRARIOS: **1** enorme, gigante, gigantesco.

encabezamiento [sustantivo] [masculino] Expresión que se pone al empezar a escribir algo: *En el encabezamiento de la carta pone: «Muy señores míos».* □ FAMILIA: → cabeza.

encabezar [verbo] **1** Estar en el primer lugar de algo: *El último clasificado está a muchos puntos del que encabeza la clasificación.* **2** Poner una expresión para empezar a escribir algo: *Encabecé la carta con un «Querida familia».* □ [La z se cambia en c delante de e, como en CAZAR]. FAMILIA: → cabeza.

encabritarse [verbo] Ponerse un caballo sobre las patas de atrás levantando las de delante: *El caballo se encabritó cuando le tiraron una piedra.*

encadenar [verbo] **1** Atar o sujetar algo con cadenas: *Encadenaron a los prisioneros para que no se escaparan.* **2** Unir unas cosas con otras relacionándolas: *Si encadenas con lógica lo que te he dicho, llegarás a una* *conclusión acertada.* □ CONTRARIOS: **1** desencadenar. FAMILIA: → cadena.

encajar [verbo] **1** Poner algo en una cosa de forma que no sobre espacio: *Para hacer un puzzle tienes que encajar cada pieza en su lugar.* **2** Decir algo en medio de una conversación: *Siempre se las apaña para encajar uno de sus chistes en cualquier conversación.* **3** Aceptar algo que no es agradable: *Supo encajar aquella desgracia y rehacer su vida.* **4** Acostumbrarse a una situación: *Ese chico no encaja bien en nuestra clase porque es mucho mayor que los demás.* **5** Estar de acuerdo dos cosas entre sí: *Lo que dices no encaja con lo que me habían contado, y no sé a quién creer.* □ [Siempre se escribe con j. Los significados **2-5** son coloquiales]. SINÓNIMOS: **1** ajustar, adaptar, acoplar. FAMILIA: encaje.

encaje [sustantivo masculino] Labor que está adornada con agujeros que forman figuras: *El vestido tenía una puntilla de encaje.* □ FAMILIA: → encajar.

encaminar [verbo] **1** Dirigir algo en una dirección determinada: *Si encaminas tus esfuerzos hacia un solo fin, lo conseguirás.* **2** **encaminarse** Tomar una dirección determinada: *Al salir de clase me encaminé hacia mi casa.* □ SINÓNIMOS: dirigir. **1** orientar. FAMILIA: → camino.

encantado, da [adjetivo] Muy contento o con mucha satisfacción: *Estoy encantada con mis compañeros porque nos llevamos todos muy bien.* □ FAMILIA: → encantar.

encantador, -a 1 [adjetivo] Que resulta muy agradable: *Esa amiga tuya es encantadora.* **2** [sustantivo] Persona que usa poderes mágicos para conseguir algo: *El encantador de serpientes consiguió que la culebra bailara al son de la música.* □ SINÓNIMOS: **2** brujo, hechicero, mago. FAMILIA: → encantar.

encantamiento [sustantivo masculino] Lo que se hace para conseguir algo usando poderes mágicos: *El príncipe se convirtió en sapo porque fue víctima de un encantamiento.* □ SINÓNIMOS: hechizo. FAMILIA: → encantar.

encantar [verbo] **1** Gustar o atraer mucho: *Me encanta estar con los amigos.* **2** Usar poderes mágicos para conseguir algo: *La bruja del cuento encanta al protagonista para que haga lo que ella quiere.* □ SINÓNIMOS: **2** hechizar. CONTRARIOS: **1** espantar, horrorizar, horripilar. FAMILIA: encanto, encantamiento, encantador, encantado.

encanto [sustantivo masculino] **1** Conjunto de cualidades que hacen que algo o alguien nos gusten: *Estuvimos de vacaciones en un lugar con mucho encanto.* **2** Lo que tiene estas cualidades: *Ese chico es un encanto y da gusto estar con él.* **3** [plural] Conjunto de características que gustan de una persona: *Desplegó todos sus encantos para conseguir sus fines.* □ SINÓNIMOS: **1** atractivo. FAMILIA: → encantar.

encañonar [verbo] Apuntar a alguien con un arma de fuego: *El ladrón encañonó a la víctima con una pistola y la obligó a darle el dinero.* □ FAMILIA: → cañón.

encapricharse [verbo] Tener un deseo fuerte de conseguir algo: *Me encapriché de un pantalón que vi en el escaparate.* □ FAMILIA: → capricho.

encapuchado, da [adjetivo o sustantivo] Que lleva la cabeza cubierta con una capucha: *Los ladrones iban encapuchados para que no los reconocieran.* □ FAMILIA: → capucha.

encarcelar [verbo] Meter a una persona en la cárcel: *El asesino fue encarcelado.* □ SINÓNIMOS: enjaular. FAMILIA: → cárcel.

encargar [verbo] **1** Pedir a alguien que haga algo: *La vecina me ha encargado que le recoja el correo mientras ella no esté.* **2** Pedir que nos traigan algo desde otro sitio: *Voy a la librería a ver si han traído ya el libro que encargué.* **3** **encargarse** Ocuparse de algo o hacerse responsable de ello: *Vete tranquila, que yo me encargo de todo.* □ [La g se cambia en gu delante de e, como en PAGAR]. FAMILIA: → encargo.

encargo [sustantivo masculino] **1** Solicitud de que nos hagan algo o nos traigan algo desde otro sitio: *En esa librería hacen encargos al extranjero.* **2** Lo que se pide de esta manera: *Ya puede usted pasar a recoger su encargo.* □ FAMILIA: → encargar.

encariñarse [verbo] Empezar a querer mucho algo o a alguien: *Me había encariñado con vosotros y sentí mucha pena cuando me fui.* □ FAMILIA: → cariño.

encarnado, da [adjetivo o sustantivo masculino] De color rojo:

Me gustan más los pimientos encarnados que los verdes. □ SINÓNIMOS: colorado.

encendedor [sustantivo masculino] Aparato que sirve para encender fuego: *Para encender la cocina tenemos un encendedor eléctrico.* □ SINÓNIMOS: mechero. FAMILIA: → encender.

encender [verbo] **1** Hacer que algo eche fuego: *Enciende la chimenea, que hace frío.* **2** Hacer que empiece a funcionar un aparato: *Enciende la lámpara, que no veo.* □ [Es irregular y se conjuga como PERDER]. CONTRARIOS: apagar. FAMILIA: encendedor.

encerado [sustantivo masculino] Superficie sobre la que se escribe con tiza: *La profesora hizo el problema en el encerado para que lo viéramos.* □ SINÓNIMOS: pizarra.

encerar [verbo] Dar cera a una superficie: *Después de encerar el suelo, está mucho más brillante.* □ FAMILIA: → cera.

encerrar [verbo] **1** Meter algo en un lugar: *Cuando viene él, tenemos que encerrar al perro, porque le da miedo.* **2** Contener algo dentro o incluirlo: *Nadie sabe qué significado encierran esas misteriosas palabras.* □ [Es irregular y se conjuga como PENSAR]. FAMILIA: → cerrar.

encerrona [sustantivo femenino] Situación que se prepara para forzar a una persona a hacer algo que no quiere: *Me prepararon una encerrona y me dijeron que si no iba yo, no iban ellos.* □ FAMILIA: → cerrar.

encestar [verbo] Introducir el balón en la canasta: *En baloncesto gana el equipo que más veces encesta.* □ FAMILIA: → cesto.

encharcar [verbo] Cubrir algo con un líquido o tener algo más líquido del necesario: *Si riegas demasiado el jardín, lo vas a encharcar.* □ FAMILIA: → charco.

enchufado, da [sustantivo] Persona que consigue algo por enchufe, y no porque lo merezca: *Ésa trabaja poco porque es una enchufada del jefe.* □ [Es coloquial]. FAMILIA: → enchufe.

enchufar [verbo] **1** Unir un aparato eléctrico a la red por medio del enchufe: *Si no enchufas el flexo, no funciona.* **2** Unir el extremo de un tubo a otro objeto: *Enchufó la manguera a la boca de riego para regar.* **3** Dirigir algo hacia un punto: *Nos enchufó la manguera y nos empapó.* **4** Proporcionar a una persona las influencias necesarias para que consiga algo sin que lo merezca: *Lo han contratado porque lo ha enchufado un jefe que es amigo suyo.* □ [Los significados **3** y **4** son coloquiales]. CONTRARIOS: **1** desenchufar. FAMILIA: → enchufe.

enchufe [sustantivo masculino] **1** Pieza que sirve para unir un aparato a la red eléctrica: *La plancha tiene un cable con un enchufe en el extremo.* **2** Influencia para conseguir algo sin merecerlo: *Aunque es muy malo en su trabajo, sigue en la empresa porque tiene enchufe.* □ [El significado **2** es coloquial]. FAMILIA: enchufar, enchufado, desenchufar.

encía [sustantivo femenino] Parte de la boca en la que salen los dientes: *Tengo una herida en la encía y me duele al morder.*

ENCÍA

enciclopedia [sustantivo femenino] Obra en la que se explican gran cantidad de conocimientos: *Tenemos una enciclopedia de varios tomos donde vienen mapas, vidas de famosos y muchos datos más.*

encierro [sustantivo masculino] **1** Introducción de algo o de alguien en un lugar: *El encierro de los despedidos en la fábrica dura ya varios días.* **2** Lugar en el que se mete algo de esta manera: *Cervantes estuvo en la cárcel y escribió parte de su obra en el encierro.* **3** Fiesta popular en la que se lleva a los toros por un recorrido hasta el lugar donde serán toreados: *Son famosos los encierros pamplonicas de San Fermín.* □ FAMILIA: → cerrar.

encima [adverbio] **1** En un lugar o en una posición superiores: *Los puentes se hacen encima de los ríos.* **2** Sobre algo: *Pon el jarrón encima de la mesa.* **3** Por si fuera poco: *Me insultó, me amenazó y, encima, casi me pega.* **4** Muy cerca: *Tenemos encima la fecha de la boda y quedan muchas cosas por preparar.* **5** [expresión] **estar alguien encima de algo** Estar muy pendiente de ello: *Si fueras más responsable, no tendrían que es-*

a
b
c
d
e
f
g
h
i
j
k
l
m
n
ñ
o
p
q
r
s
t
u
v
w
x
y
z

a
b
c
d
e
f
g
h
i
j
k
l
m
n
ñ
o
p
q
r
s
t
u
v
w
x
y
z

tar encima de ti para que estudiaras. **por encima** De manera poco profunda y sin entrar en detalles: *Cuéntame por encima de qué va la película.* □ SINÓNIMOS: **1** arriba. **2** además. CONTRARIOS: **1** abajo, debajo.

encina [sustantivo] [femenino] Árbol de tronco grueso con hojas verdes por una cara y casi blancas por la otra: *Las encinas dan bellotas.* 🔎 página 18.

encinta [adjetivo] Dicho de una mujer, que va a tener un hijo: *Mi madre está encinta y pronto tendré un hermano.* □ [Encinta o embarazada se prefiere para mujeres y preñada se usa más para animales].

encoger [verbo] **1** Disminuir de tamaño: *He lavado el jersey con agua caliente y ha encogido.* **2** Doblar o meter hacia dentro una parte del cuerpo: *Encoge las piernas, que quiero pasar.* **3 encogerse** Perder el ánimo o el valor: *¡Confía en tu capacidad y no te encojas ante las dificultades!* □ [La g se cambia en j delante de a, o, como en COGER]. SINÓNIMOS: **3** acobardarse, achicarse. CONTRARIOS: **1,2** estirar. **3** crecerse.

encontrar [verbo] **1** Dar con algo que se busca: *Sabía que estaba por aquí y no paré hasta encontrarlo.* **2** Dar con algo que no se conocía o que no se buscaba: *¡Qué sorpresa encontrarte aquí!* **3** Tener una opinión sobre algo: *Encuentro que esa película no es tan buena como dicen.* **encontrarse 4** Estar en el lugar o en el modo que se indican: *Si no te encuentras bien, ve al médico.* **5** Juntarse dos o más cosas en un lugar: *¿Dónde te parece que nos encontremos esta tarde?* **6** [expresión] **encontrarse con algo** Verse en esa situación sin esperarlo: *Pensaba que irían todos y, cuando llegué, me encontré con que estaba yo sola.* □ [Es irregular y se conjuga como CONTAR]. SINÓNIMOS: **1-3** hallar. **2** descubrir. **3** considerar, creer. **4** hallarse. CONTRARIOS: **1** perder, extraviar. **5** separarse. FAMILIA: encuentro.

encorvarse [verbo] Doblarse la espalda de una persona por la edad o por otra cosa: *Según pasaban los años, la ancianita se iba encorvando.* □ FAMILIA: → curva.

encuadernación [sustantivo] [femenino] **1** Operación que consiste en unir las hojas de un libro y ponerles una cubierta: *La encuadernación* de este libro está hecha a máquina. **2** Cubierta que se pone para proteger las hojas del libro: *La encuadernación de este diccionario es de un material flexible.* □ FAMILIA: → cuaderno.

encuadernar [verbo] Unir las hojas de un libro y ponerles una cubierta: *Cuando reúna todos los fascículos de este volumen los llevaré a encuadernar.* □ FAMILIA: → cuaderno.

encuentro [sustantivo] [masculino] **1** Presencia de dos o más cosas en un lugar y al mismo tiempo: *Fue un encuentro agradable, porque hacía mucho tiempo que no veía a tu primo.* **2** Competición deportiva: *El vencedor de este encuentro de fútbol será el ganador de la liga.* □ FAMILIA: → encontrar.

encuesta [sustantivo] [femenino] Conjunto de preguntas que se le hacen a una persona sobre un asunto: *Hoy nos han hecho una encuesta sobre la televisión y los programas que más nos gustan.*

enderezar [verbo] Poner recto lo que estaba torcido: *Enderézate y no escribas tan encima del papel.* □ [La z se cambia en c delante de e, como en CAZAR]. CONTRARIOS: torcer, doblar, abatir, tumbar. FAMILIA: → derecho.

endiablado, da [adjetivo] Muy malo: *No entendí tu carta porque escribes con una letra endiablada.* □ [Es coloquial]. FAMILIA: → diablo.

endibia o **endivia** [sustantivo] [femenino] Planta que se cultiva en las huertas, que tiene las hojas lisas y acabadas en punta y que es de sabor amargo: *Tomamos una ensalada de endibias con mayonesa y gambas.*

endulzar [verbo] **1** Poner dulce: *La sacarina endulza las comidas como el azúcar.* **2** Hacer que algo sea más agradable: *Las visitas de mis amigos me endulzaron los días que pasé en el hospital.* □ [La z se cambia en c delante de e, como en CAZAR]. FAMILIA: → dulce.

endurecer [verbo] Poner duro: *No pises el cemento hasta que no se endurezca.* □ [Es irregular y se conjuga como PARECER]. CONTRARIOS: ablandar. FAMILIA: → duro.

ene [sustantivo] [femenino] Nombre de la letra n: *La palabra «ninguno» tiene tres enes.*

enemigo, ga 1 [adjetivo] Que no es amigo: *En las guerras luchan pueblos que son enemigos.* **2** [sustantivo] Persona o conjunto de personas que están en contra: *El espía pasaba información al enemigo.* □ SINÓNIMOS: **1** hostil. **2** adversario, contrario, rival. CONTRARIOS: amigo. **2** partidario, adepto, adicto. FAMILIA: enemistad, enemistar.

enemistad [sustantivo femenino] Oposición hacia algo: *La enemistad entre los dos países fue el origen de la guerra.* □ SINÓNIMOS: rivalidad. CONTRARIOS: amistad, alianza. FAMILIA: → enemigo.

enemistar [verbo] Enfadar o dejar de ser amigos: *Se enemistó con sus vecinos porque decía que le habían robado un trozo de sus tierras.* □ SINÓNIMOS: pelearse, regañar, reñir, discutir. FAMILIA: → enemigo.

energía [sustantivo femenino] **1** Capacidad para actuar o para producir el efecto que se desea: *Si comes bien tendrás energías para hacer deporte.* **2** Fuerza o carácter: *Tienes que gritar con más energía para que te oigan.* **3** Lo que permite cambiar el estado de las cosas: *La electricidad, el calor y la luz son fuentes de energía.* □ SINÓNIMOS: **2** vigor, fuerza, vitalidad, nervio. CONTRARIOS: **2** apatía, desgana. FAMILIA: enérgico.

enérgico, ca [adjetivo] Que tiene energía o que la demuestra: *Es una persona muy enérgica y con mucho carácter.* □ FAMILIA: → energía.

energúmeno, na [sustantivo] Persona que da muchos gritos o que no tiene educación: *En la cola del cine empezaron a pelearse unos energúmenos.* □ [Es despectivo].

enero [sustantivo masculino] Mes número uno del año: *Enero está entre diciembre y febrero.*

enfadar [verbo] Hacer que una persona pierda el buen humor: *Me he enfadado porque me has dicho una mentira.* □ SINÓNIMOS: quemar, rebotarse. FAMILIA: enfado.

enfado [sustantivo masculino] Disgusto que tiene una persona por algo: *¡Menudo enfado cogió cuando se enteró de que la habías engañado!* □ SINÓNIMOS: rebote. FAMILIA: → enfadar. 🔎 página 430.

enfermar [verbo] Perder la salud: *Si no comes bien, enfermarás.* □ CONTRARIOS: sanar, curarse. FAMILIA: → enfermo.

enfermedad [sustantivo femenino] Lo que tenemos cuando hemos perdido la salud: *La gripe es una enfermedad muy común.* □ FAMILIA: → enfermo.

enfermería [sustantivo femenino] **1** Lugar en el que se asiste a los enfermos y a los heridos: *Llevaron al torero a la enfermería porque el toro le clavó un cuerno.* **2** Conjunto de conocimientos necesarios para poder asistir a los enfermos y a los heridos: *Después de estudiar enfermería, empecé a trabajar en un hospital de niños.* □ [El significado **1** es distinto de *botiquín*, que es el lugar donde se guarda lo necesario para prestar los primeros auxilios]. FAMILIA: → enfermo.

enfermero, ra [sustantivo] Persona que se dedica a cuidar a los enfermos: *El enfermero me ayudó a bajarme de la camilla después de haberme escayolado.* □ FAMILIA: → enfermo. 🔎 página 795.

enfermo, ma [adjetivo o sustantivo] Que tiene problemas de salud y no está bien: *Los hospitales son lugares donde cuidan a los enfermos.* □ SINÓNIMOS: paciente, malo. CONTRARIOS: sano. FAMILIA: enfermar, enfermedad, enfermero, enfermería.

enfocar [verbo] **1** Hacer que una imagen se vea clara y bien: *No has enfocado la cámara de fotos y la imagen ha salido borrosa.* **2** Dirigir una luz sobre algo: *El acomodador enfocó con la linterna los asientos que nos correspondían.* **3** Estudiar un asunto: *Si enfocas el problema de esta manera, verás cómo lo solucionas enseguida.* □ [La c se cambia en qu delante de e, como en SACAR]. FAMILIA: → foco.

enfrentamiento [sustantivo masculino] Lucha o discusión: *El enfrentamiento entre ellos surgió por la envidia.* □ FAMILIA: → frente.

enfrentar [verbo] **1** Poner frente a frente: *En este partido se enfrentan los dos mejores equipos.* **2** Hacer frente a una situación difícil: *Enfréntate a tus problemas y busca la solución, en lugar de intentar olvidarlos.* □ FAMILIA: → frente.

enfrente [adverbio] **1** En la parte que está delante: *Mi cole está enfrente de mi casa.* **2** En contra o en lucha: *Mi hermano ganó el partido de tenis, aunque tenía enfrente al mejor jugador del torneo.* □ [Se escribe también en frente]. FAMILIA: → frente.

enfriar [verbo] **1** Dar frío y hacer disminuir

a
b
c
d
e
f
g
h
i
j
k
l
m
n
ñ
o
p
q
r
s
t
u
v
w
x
y
z

la temperatura: *Sopla la sopa para enfriar-la un poco.* **2** Poner tranquilo o en paz: *Volveremos a hablar de esto cuando se enfríen los ánimos y estés más calmado.* **3 enfriarse** Ponerse enfermo por culpa del frío: *No andes por la casa con los pies descalzos, que te vas a enfriar.* □ [Se conjuga como GUIAR]. SINÓNIMOS: **2** calmar, apaciguar, tranquilizar, serenar, sosegar. CONTRARIOS: **1,2** calentar. FAMILIA: → frío.

enfundar [verbo] Meter algo en la cubierta que le corresponde: *El policía enfundó su arma para ponerles las esposas a los detenidos.* □ CONTRARIOS: desenfundar. FAMILIA: → funda.

enfurecer [verbo] Enfadar mucho: *Me enfurece que me cuentes esas mentiras.* □ [Es irregular y se conjuga como PARECER]. SINÓNIMOS: enojar. FAMILIA: → furia.

enfurruñarse [verbo] Enfadarse un poco: *Venga, no te enfurruñes, que te compraré el helado.* □ [Es coloquial].

engalanar [verbo] Adornar algo para que quede muy bonito: *Durante las fiestas engalanan la plaza con banderines y luces de colores.*

enganchar [verbo] **1** Sujetar algo con un gancho: *Los vagones del tren se enganchan a la locomotora.* **2** Atraer a una persona o ganarse su voluntad: *Este tipo de publicidad engancha a los más jóvenes.* **3** Coger o atrapar: *¡Como enganche a quien me ha desordenado todos mis papeles, se va a enterar!* □ [Los significados **2** y **3** son coloquiales]. CONTRARIOS: soltar, desenganchar. FAMILIA: → gancho.

enganche [sustantivo masculino] Lo que sirve para sujetar algo y que no se suelte: *Se me ha roto el enganche de la pulsera y no cierra bien.* □ FAMILIA: → gancho.

enganchón [sustantivo masculino] Roto que se hace en una prenda de vestir: *Me hice un enganchón en el jersey con un alambre de la verja.* □ FAMILIA: → gancho.

engañar [verbo] **1** Hacer creer algo que no es cierto: *Me engañaste al decirme que esa película era de risa, cuando en verdad era muy triste.* **2** Producir una falsa impresión: *La foto engaña, porque pareces más alto de lo que en realidad eres.* **3** Aliviar una necesidad por un momento: *He comido una galleta para engañar el hambre.* **4** No ser fiel a la persona querida: *Las personas celosas piensan que su pareja les va a engañar.* **5 engañarse** Equivocarse o creerse como cierto algo que no es verdad: *Me engañé pensando que eras mi amigo.* □ CONTRARIOS: **5** desengañarse. FAMILIA: → engaño.

engaño [sustantivo masculino] **1** Lo que se hace con mentiras para conseguir algo de una persona: *Decirte que tenía que estudiar con mi compañero fue un engaño para que me dejaras ir a su casa.* **2** Falsa impresión: *Me pareció verte en el cine, pero fue un engaño de la vista.* □ FAMILIA: engañar, desengañar, desengaño.

engatusar [verbo] Conseguir algo de una persona por medio de mentiras: *Engatusaste a tu padre diciéndole que te habías portado muy bien para que te comprara esos lápices.*

engendrar [verbo] **1** Producir un hijo: *Esa mujer es estéril y no puede engendrar hijos.* **2** Producir algo o dar origen a ello: *La envidia engendra muchos odios.*

engordar [verbo] Poner o ponerse más gordo: *He engordado tanto que ya no me valen estos pantalones.* □ CONTRARIOS: adelgazar. FAMILIA: → gordo.

engorro [sustantivo masculino] Molestia muy grande: *Es un engorro tener que sacar al perro, con lo que está lloviendo ahora.* □ [Es coloquial].

engrandecer [verbo] Hacer más grande: *Su fortuna se engrandeció gracias a unos negocios que hizo en América.* □ [Es irregular y se conjuga como PARECER]. FAMILIA: → grande.

engrasar [verbo] Poner grasa sobre alguna cosa para que funcione mejor: *Hay que engrasar esta cerradura para que abra y cierre bien.* □ FAMILIA: → grasa.

engrase [sustantivo masculino] Hecho de poner grasa sobre alguna cosa para que funcione mejor: *Este taller está especializado en el engrase de coches.* □ FAMILIA: → grasa.

engullir [verbo] Comer con muchas ganas y tragando deprisa: *Llegué con tanta hambre que engullí la comida en cinco minutos.* □ [Es irregular y se conjuga como ZAMBULLIR]. SINÓNIMOS: zampar, devorar.

enhebrar [verbo] Pasar un hilo por el ojo de una aguja: *Mi abuela no ve bien, y siempre que cose le enhebro yo la aguja.* □ FAMILIA: → hebra.

enhorabuena 1 [sustantivo femenino] Lo que se dice a una persona para expresarle que nos sentimos felices por lo que le ha ocurrido: *Todos me dieron la enhorabuena por haber ganado la carrera.* **2** [interjección] Se usa para expresar a una persona la satisfacción que sentimos por algo que le ha ocurrido: *¡Enhorabuena, has conseguido el premio!*

enigma [sustantivo masculino] Lo que resulta difícil de entender o de resolver: *En todos los libros de misterio, el enigma se resuelve al final.*

enjabonar [verbo] Dar jabón en algo: *Enjabónate bien las manos para quitarte toda esa suciedad.* □ SINÓNIMOS: jabonar. FAMILIA: → jabón.

enjambre [sustantivo masculino] Conjunto de abejas: *Ten cuidado al pasar por ahí, porque hay un enjambre en ese árbol.*

enjaular [verbo] Meter dentro de una jaula: *Muchos animales del zoo viven enjaulados.* □ FAMILIA: → jaula.

enjuagar [verbo] Aclarar algo con agua limpia o con otro líquido: *Después de dar jabón a la ropa, enjuágala bien.* □ [La g se cambia en gu delante de e, como en PAGAR. No confundir con *enjugar*].

enjugar [verbo] Quitar el líquido que hay en un sitio con una tela o con algo parecido: *Deja de llorar y enjúgate las lágrimas con mi pañuelo.* □ [La g se cambia en gu delante de e, como en PAGAR. No confundir con *enjuagar*].

enlace [sustantivo masculino] **1** Unión de cosas distintas: *Después de esta curva está el enlace de la carretera con la autopista.* **2** Lo que une o relaciona una cosa con otra: *Las conjunciones son los enlaces que unen una oración con otra.* **3** Ceremonia en la que dos personas se casan: *El sacerdote que celebró el enlace es el hermano del novio.* □ SINÓNIMOS: **1** empalme. **3** boda. FAMILIA: → lazo.

enlatar [verbo] Meter algo en una lata: *Vimos en una fábrica de conservas cómo enlataban espárragos.* □ FAMILIA: → lata.

enlazar [verbo] **1** Relacionar cosas diferentes: *Cuando te pones a hablar, empiezas a enlazar todas las historias que se te ocurren y no dejas hablar a nadie más.* **2** Unir con otra cosa: *Esta carretera enlaza con la autopista.* **3** Atrapar a un animal con un lazo: *El vaquero enlazó con mucha habilidad al caballo salvaje que huía.* □ [La z se cambia en c delante de e, como en CAZAR]. SINÓNIMOS: **1** hilar. **2** empalmar. FAMILIA: → lazo.

enloquecer [verbo] Volver loco: *El protagonista de la película enloqueció de pena.* □ [Es irregular y se conjuga como PARECER]. SINÓNIMOS: chiflar. FAMILIA: → loco.

enmadrado, da [adjetivo o sustantivo] Que está acostumbrado a estar siempre con su madre: *Este niño está tan enmadrado que cuando se le acerca alguien que no es su madre, se pone a llorar.* □ FAMILIA: → madre.

enmarañar [verbo] **1** Mezclar un conjunto de cosas sin ningún orden: *Se me cayó la madeja y se enmarañó.* **2** Hacer más complicado: *La discusión empezó por una tontería, pero al final se enmarañó y terminó en una bronca.* □ SINÓNIMOS: enredar.

enmarcar [verbo] **1** Poner algo alrededor de una cosa como adorno: *Hemos enmarcado la foto de la familia para ponerla en el salón.* **2** Incluir dentro de unos límites: *Quiero que enmarquéis con lápiz rojo las palabras que se escriben con mayúscula.* □ [La c se cambia en qu delante de e, como en SACAR]. FAMILIA: → marco.

enmascarado, da [adjetivo o sustantivo] Que lleva la cara tapada con algo que impide saber quién es: *En el baile de disfraces había muchos enmascarados.* □ FAMILIA: → máscara.

ENMASCARADO

enmendar [verbo] Cambiar un comportamiento o hacer desaparecer un error: *Leer muchos libros te ayudará a enmendar las faltas de ortografía.* □ [Es irregular y se conjuga como PENSAR]. SINÓNIMOS: corregir, rectificar. FAMILIA: enmienda.

enmienda [sustantivo femenino] Corrección de un error:

No se admiten impresos con enmiendas ni tachones. □ FAMILIA: → enmendar.

enmudecer [verbo] Perder el habla o hacer que una persona no pueda hablar: *La sorpresa de verte allí me enmudeció y no pude decirte cuánto me alegraba de verte.* □ [Es irregular y se conjuga como PARECER]. SINÓNIMOS: callar. CONTRARIOS: hablar. FAMILIA: → mudo.

enojar [verbo] Enfadar mucho a una persona: *Si no te portas bien, enojarás a tus padres.* □ [Siempre se escribe con j]. SINÓNIMOS: enfurecer. FAMILIA: → enojo.

enojo [sustantivo masculino] Disgusto grande que tiene una persona por algo: *Tus mentiras me causan mucho enojo.* □ FAMILIA: enojar.

enorgullecer [verbo] Llenar de orgullo: *Me enorgullezco de ti.* □ [Es irregular y se conjuga como PARECER]. FAMILIA: → orgullo.

enorme [adjetivo] Muy grande o más grande de lo normal: *Tienes unas manos enormes para lo bajito que eres.* □ [No varía en masculino y en femenino]. SINÓNIMOS: gigante, gigantesco. CONTRARIOS: diminuto, enano.

enraizar [verbo] Empezar una planta a echar

enraizar	conjugación
INDICATIVO	**SUBJUNTIVO**
presente	**presente**
enraízo	enraíce
enraízas	enraíces
enraíza	enraíce
enraizamos	enraicemos
enraizáis	enraicéis
enraízan	enraícen
pretérito imperfecto	**pretérito imperfecto**
enraizaba	enraizara, -ase
enraizabas	enraizaras, -ases
enraizaba	enraizara, -ase
enraizábamos	enraizáramos, -ásemos
enraizabais	enraizarais, -aseis
enraizaban	enraizaran, -asen
pretérito indefinido	**futuro**
enraicé	enraizare
enraizaste	enraizares
enraizó	enraizare
enraizamos	enraizáremos
enraizasteis	enraizareis
enraizaron	enraizaren
futuro	**IMPERATIVO**
enraizaré	
enraizarás	**presente**
enraizará	enraíza (tú)
enraizaremos	enraíce (él)
enraizaréis	enraicemos (nosotros)
enraizarán	enraizad (vosotros)
	enraícen (ellos)
condicional	**FORMAS NO PERSONALES**
enraizaría	
enraizarías	**infinitivo** **gerundio**
enraizaría	enraizar enraizando
enraizaríamos	**participio**
enraizaríais	enraizado
enraizarían	

raíces en la tierra: *Los rosales han enraizado muy bien en el jardín.* □ [La z se cambia en c delante de e. Al escribirlo hay que tener cuidado con los acentos]. SINÓNIMOS: agarrar, prender, arraigar. FAMILIA: → raíz.

enredadera [sustantivo femenino] Planta que tiene los tallos largos y que crece y sube agarrándose a las cosas: *La hiedra es una enredadera que sube por las fachadas de los edificios.* □ FAMILIA: → enredo. 🖾 páginas 497, 710.

enredar [verbo] **1** Mezclar un conjunto de cosas sin ningún orden: *Se me enreda mucho el pelo cuando lo llevo suelto.* **2** Hacer participar a una persona en un asunto, especialmente si es contra su voluntad: *Yo no quería salir de casa, pero me enredaron para ir a una fiesta.* **3** Perder el tiempo sin darse cuenta: *Me enredé ordenando mi habitación y casi se me pasó la hora de la comida.* **4** Hacer que algo sea más complicado: *No hagas nada, porque sólo conseguirías enredar las cosas.* □ SINÓNIMOS: **1,4** enmarañar. **3** enrollar. CONTRARIOS: **1** desenredar. FAMILIA: → enredo.

enredo [sustantivo masculino] **1** Mezcla de cosas distintas sin ningún orden: *Con este enredo de cables no sé cuál es el que tengo que enchufar.* **2** Problema que tiene difícil solución: *Necesito ayuda, porque no sé cómo salir de este enredo.* **3** Mentira o engaño que producen problemas: *Las películas de enredo son muy divertidas.* □ FAMILIA: enredar, desenredar, enredadera.

enrejado [sustantivo masculino] Conjunto de barras de metal que se ponen en una casa como medida de seguridad o como adorno: *El enrejado de las ventanas de ese chalé es de hierro pintado de negro.* □ FAMILIA: → reja.

enrejar [verbo] Poner barras de metal en una casa como medida de seguridad o como adorno: *Como vivo en un bajo, he enrejado las ventanas para que no entren ladrones.* □ [Siempre se escribe con j]. FAMILIA: → reja.

enriquecedor, -a [adjetivo] Que hace más rico algo: *Salir de acampada fue una experiencia enriquecedora para mí, porque aprendí muchas cosas de la naturaleza.* □ FAMILIA: → rico.

enriquecer [verbo] Hacer rico o más rico: *Mi tío se enriqueció haciendo negocios con otros*

países. □ [Es irregular y se conjuga como PARECER].
CONTRARIOS: empobrecer. FAMILIA: → rico.

enrojecer [verbo] Poner de color rojo: *En cuanto corro un poco, se me enrojece la cara.* □ [Es irregular y se conjuga como PARECER]. FAMILIA: → rojo.

enrollar [verbo] **1** Poner algo dándole vueltas alrededor de una cosa: *Este palo puede servirte para enrollar el hilo de la cometa.* **2** Convencer o confundir: *Yo no quería ir a esa casa, pero me enrollaron para que fuera con ellos.* **3** Gustar o interesar mucho: *Tienes que leerte este libro, porque enrolla cantidad.* **enrollarse 4** Extenderse demasiado al hablar o al escribir: *Contesta a lo que se te pregunta y no te enrolles.* **5** Perder el tiempo sin darse cuenta: *Me enrollé buscando una cosa en el desván y se me hizo muy tarde.* **6** Establecer relaciones de amor poco serias y pasajeras: *Se conocieron y se enrollaron, pero ahora ya no salen juntos.* **7** Tener habilidad para relacionarse con la gente: *Aunque no conozcas a nadie no importa, porque tú te enrollas bien y enseguida harás amigos.* □ [Los significados **2-7** son coloquiales]. SINÓNIMOS: **6** ligar. CONTRARIOS: **1** desenrollar. FAMILIA: → rollo.

enronquecer [verbo] Poner la voz más grave o dejar sin voz: *Si no dejas de gritar vas a enronquecer.* □ [Es irregular y se conjuga como PARECER].

enroscar [verbo] Colocar algo haciéndolo girar sobre sí mismo: *Después de servirte, enrosca de nuevo el tapón en la botella.* □ [La c se cambia en qu delante de e, como en SACAR]. CONTRARIOS: desenroscar. FAMILIA: → rosca.

ensaimada [sustantivo femenino] Bollo de forma redonda que tiene azúcar por encima: *Cuando mis padres estuvieron en Mallorca nos trajeron ensaimadas.*

ensalada [sustantivo femenino] Comida fría que se hace con lechuga, tomate y otros alimentos cortados en trozos: *Sólo falta echarle a la ensalada el vinagre, el aceite y la sal.* □ FAMILIA: → sal.

ensaladera [sustantivo femenino] Fuente en la que se sirve la ensalada: *¿Me pasas la ensaladera para que me sirva yo, por favor?* □ FAMILIA: → sal.

ensaladilla [sustantivo femenino] Comida fría preparada con trozos de patata cocida y otros alimentos y que va cubierta de una salsa hecha con aceite y huevo: *Me gusta la ensaladilla con mayonesa, patata, atún, huevo duro, pimiento y guisantes.* □ [También se llama ensaladilla rusa]. FAMILIA: → sal.

ensanchamiento [sustantivo masculino] Aumento de la anchura de algo: *El ensanchamiento de la carretera permite que ahora quepan cuatro coches en lugar de dos.* □ SINÓNIMOS: ensanche. CONTRARIOS: estrechamiento. FAMILIA: → ancho.

ensanchar [verbo] Hacer más ancho o más amplio: *Han ensanchado el cauce del río para que no se desborde cuando llueve.* □ CONTRARIOS: estrechar. FAMILIA: → ancho.

ensanche [sustantivo masculino] Aumento de la anchura de algo: *No se puede pasar porque están haciendo las obras de ensanche del puente.* □ SINÓNIMOS: ensanchamiento. CONTRARIOS: estrechamiento. FAMILIA: → ancho.

ensangrentar [verbo] Manchar algo con sangre: *Cuando me corté en el dedo, ensangrenté el pañuelo que me dejaste.* □ [Es irregular y se conjuga como PENSAR]. FAMILIA: → sangre.

ensayar [verbo] **1** Hacer algo varias veces para que salga bien: *Los actores ensayan sus papeles antes de interpretarlos.* **2** Hacer pruebas con algo para ver si funciona: *Están ensayando un material resistente al frío para hacer prendas de abrigo.* □ SINÓNIMOS: **1** practicar. **2** probar. FAMILIA: ensayo.

ensayo [sustantivo masculino] Lo que se hace varias veces para que algo salga bien: *Sólo te he visto en los ensayos de la obra, y me pareces una buena actriz.* □ FAMILIA: → ensayar.

enseguida [adverbio] A continuación o en el mismo momento: *No te vayas, que vuelvo enseguida.* □ [Se escribe también en seguida].

enseñanza [sustantivo femenino] **1** Proceso para enseñar algo: *Me dedico a la enseñanza de inglés en un colegio.* **2** Lo que sirve de ejemplo o de aviso: *De las cosas que salen mal se pueden sacar enseñanzas.* **3** [plural] Conjunto de ideas o de principios que una persona enseña a otra: *Nunca olvido las enseñanzas de mis padres y de mis maestros.* □ FAMILIA: → enseñar.

enseñar [verbo] **1** Comunicar conocimientos

a
b
c
d
e
f
g
h
i
j
k
l
m
n
ñ
o
p
q
r
s
t
u
v
w
x
y
z

a una persona para que los aprenda: *Hoy nos han enseñado a multiplicar.* **2** Servir de ejemplo o de aviso: *Tu traición me enseñó que no debo fiarme de ti.* **3** Decir algo usando señales, gestos u otra cosa: *Una señora muy amable nos enseñó el camino del museo.* **4** Mostrar o dejar ver: *¿Quieres que te enseñe mi cicatriz?* □ Sinónimos: **3** indicar. Contrarios: aprender. Familia: enseñanza.

ensillar [verbo] Ponerle la silla de montar a un caballo: *El mozo ensilló los caballos para que empezáramos nuestra clase de equitación.* □ Familia: → silla.

ensimismarse [verbo] Quedarse una persona pensando en sus cosas sin darse cuenta de lo que pasa a su alrededor: *Se ensimismó y cuando le preguntaron qué opinaba sobre el asunto, no sabía de qué le estaban hablando.* □ Familia: → mismo.

ensordecedor, -a [adjetivo] Dicho de un sonido, que suena muy fuerte: *Háblame más fuerte, que con esta música ensordecedora casi no te oigo.* □ Familia: → sordo.

ensuciar [verbo] Poner sucia una superficie dejando señales sobre ella: *Cámbiate la camisa, porque te la has ensuciado de tomate.* □ Sinónimos: manchar. Contrarios: limpiar. Familia: → sucio.

entender [verbo] **1** Tener claro el significado de algo: *Si no entendéis algo de lo que explico, preguntádmelo.* **2** Encontrar natural o justo: *Entiendo que no quieras venir con nosotros, porque es un rollo ir de visita.* **3** Saber o tener conocimientos: *Entiendo un poco de mecánica y a lo mejor te puedo ayudar.* **4** Creer o considerar: *Entiendo que debéis hablar para solucionar vuestro problema.* **5** **entenderse** Dicho de una persona, llevarse bien con otra: *Somos amigos y nos entendemos muy bien.* □ [Es irregular y se conjuga como PERDER]. Sinónimos: **1,2** comprender. Familia: sobrentender, entendimiento.

entendimiento [sustantivo masculino] **1** Capacidad que tienen las personas para comprender, conocer y razonar: *Los animales no tienen entendimiento.* **2** Capacidad de una persona para saber lo que está bien y lo que está mal: *El acusado se disculpó diciendo que la ira le había nublado el entendimiento.* **3** Acuerdo o relación de amistad entre dos

personas: *Si no eres capaz de ceder en algo, será difícil que lleguemos a un entendimiento.* □ Sinónimos: **1** mente, inteligencia. **2** juicio, criterio, razón. Familia: → entender.

enterarse [verbo] **1** Informarse de algo o ponerse al corriente: *Me enteré de que te habías casado hace unos días.* **2** Notar o darse cuenta de algo: *No me enteré de que habías entrado porque estaba dormida.*

enternecer [verbo] Hacer que una persona se comporte de una manera menos dura: *Cuando lo vi llorar me enternecí y dejé que se fuera a jugar con sus amigos.* □ [Es irregular y se conjuga como PARECER]. Sinónimos: ablandar. Familia: → tierno.

entero, ra [adjetivo] **1** Con todas las partes y sin que falte ningún trozo: *He oído el disco entero.* **2** Dicho de una persona, que tiene fuerza de ánimo y puede vencer las desgracias: *Después del entierro le dije que tenía que ser una persona entera e intentar salir adelante.* **3** [adjetivo o sustantivo masculino] Dicho de un número, que no tiene decimales: *El 1 es un número entero.*

enterrar [verbo] Poner bajo tierra: *El perro enterró el hueso en el jardín. Lo enterraron en el cementerio del pueblo.* □ [Es irregular y se conjuga como PENSAR]. Contrarios: desenterrar. Familia: → tierra.

entierro [sustantivo masculino] Acto en el que se entierra a un muerto: *Al entierro asistieron familiares y amigos.* □ Familia: → tierra.

entonación [sustantivo femenino] **1** Conjunto de cambios del tono de la voz para expresar lo que se siente: *Por la entonación con la que dijo aquello, creo que estaba muy enfadada.* **2** Forma de cantar de acuerdo con el tono: *Tiene buena voz, pero una malísima entonación.* □ Sinónimos: **1** tonalidad. Familia: → tono.

entonar [verbo] **1** Cantar con el tono adecuado: *Canto muy mal porque no sé entonar.* **2** Dar fuerzas a un organismo: *Llegué muy cansada y me tomé un vaso de leche para entonarme.* □ Contrarios: **1** desentonar. **2** debilitar. Familia: → tono.

entonces [adverbio] **1** Indica un tiempo o un momento: *Fue entonces cuando te vi entrar.* **2** En tal caso o siendo así: *Si no quiere carne, entonces querrá pescado, ¿no?*

entornar [verbo] Cerrar algo un poco pero no del todo: *Entorna la puerta para que no entre mucho ruido.*

entorno [sustantivo masculino] Ambiente o conjunto de cosas que rodean algo: *Hay que cuidar el entorno y mantenerlo limpio.*

entorpecer [verbo] **1** Volver poco hábil o poco ligero: *La vejez entorpece a las personas.* **2** Retrasar o poner dificultades a algo: *Un coche aparcado en doble fila entorpecía el tráfico.* □ [Es irregular y se conjuga como PARECER]. SINÓNIMOS: **2** estorbar, dificultar. FAMILIA: → torpe.

entrada [sustantivo femenino] **1** Paso hacia el interior: *Está prohibida la entrada a menores de dieciocho años.* **2** Lugar por el que se entra a un sitio: *Te espero a la entrada del parque.* **3** Parte de una casa que está cerca de la puerta principal: *Esperé en la entrada y no vi el resto de la casa.* **4** Ingreso de una persona en un grupo determinado: *Con este acto se celebra la entrada de un nuevo socio en la agrupación.* **5** Cantidad de gente que va a un espectáculo: *El concierto fue un éxito y tuvo una gran entrada.* **6** Billete que da derecho a entrar en un sitio para ver un espectáculo o a visitar un lugar: *Para que te dejen entrar en el museo debes sacar la entrada.* **7** Comienzo de algo: *La Semana Santa ha coincidido con la entrada de la primavera.* **8** Parte sin pelo que está a los lados de la cabeza de una persona: *Tienes entradas y pronto te quedarás calvo.* **9** Cantidad de dinero que se da por adelantado cuando se firman algunos contratos: *Al comprar el piso, primero pagas una entrada y luego vas pagando una cantidad cada mes.* □ SINÓNIMOS: **2** acceso. CONTRARIOS: **1-3** salida. FAMILIA: → entrar.

entraña [sustantivo femenino] **1** Órgano que está en el interior del cuerpo: *Los buitres comían las entrañas del animal que acababa de morir.* [plural] **2** Parte más interior y oculta de algo: *La lava del volcán procede de las entrañas de la Tierra.* **3** Cosas buenas que sienten las personas: *Es un asesino sin entrañas.*

entrar [verbo] **1** Ir o pasar de fuera adentro o al interior de algo: *Entra en casa, que en la calle hace frío.* **2** Meterse algo muy adentro en una cosa: *Golpea el clavo con fuerza para que entre hasta el fondo.* **3** Caber o poderse meter en un lugar: *En un coche entran al menos cinco personas.* **4** Estar incluido en algo o formar parte de ello: *En el precio de la matrícula entra un seguro de accidentes.* **5** Formar parte de un grupo de personas: *No podrás entrar en el equipo si no vienes a entrenar.* **6** Tomar parte en algo: *No quiso entrar en polémica y no contestó a las preguntas.* **7** Empezar a sentir algo: *Cuando te vi haciendo el payaso me entraron ganas de reír.* **8** Comenzar algo o tener principio: *La primavera entra el 21 de marzo.* **9** Ser una prenda de vestir lo suficientemente ancha para que quepa: *Si estos pantalones no te entran, cómprate otros de una talla mayor.* □ SINÓNIMOS: **2** penetrar, adentrarse. **5** meterse. CONTRARIOS: **1-3** salir. FAMILIA: entrada.

entre [preposición] **1** Indica situación, estado o punto que están en medio de algo: *Me acosté entre las diez y las once.* **2** Indica que algo está realizado por dos o más personas o cosas: *Si lo hacemos entre los dos, terminaremos antes.* **3** Indica relación: *Somos buenas amigas y entre nosotras no hay secretos.*

entreabierto, ta Participio irregular de **entreabrir.** □ FAMILIA: → abrir.

entreabrir [verbo] Abrir un poco: *Entreabrí la puerta para ver lo que había dentro de la habitación.* □ [Su participio es *entreabierto*]. CONTRARIOS: entrecerrar. FAMILIA: → abrir.

entrecejo [sustantivo masculino] Espacio que separa las dos cejas: *Siempre arrugas el entrecejo cuando te enfadas.* □ FAMILIA: → ceja.

ENTRECEJO

entrecerrar [verbo] Cerrar un poco: *Entrecerró la puerta para que no entrara la luz del pasillo.* □ CONTRARIOS: entreabrir. FAMILIA: → cerrar.

entrecomillar [verbo] Escribir una palabra entre unos signos determinados para des-

a
b
c
d
e
f
g
h
i
j
k
l
m
n
ñ
o
p
q
r
s
t
u
v
w
x
y
z

a
b
c
d
e
f
g
h
i
j
k
l
m
n
ñ
o
p
q
r
s
t
u
v
w
x
y
z

tacarla: *La palabra «casa» está entrecomillada.* □ FAMILIA: → coma.

entrega [sustantivo femenino] **1** Hecho de dar algo a una persona: *Para que te den el carné de este año te exigen la entrega del carné anterior.* **2** Esfuerzo o preocupación que se pone al hacer algo: *Este profesor se preocupa de sus alumnos con una gran entrega.* **3** Cada una de las partes que forman un libro que no se publica de una sola vez: *Con la primera entrega de la enciclopedia te regalan un vídeo.* **4** Parte de un todo que se da de una vez: *Recibió doscientas mil pesetas en dos entregas de cien mil cada una.* □ SINÓNIMOS: **3** fascículo. FAMILIA: → entregar.

entregar [verbo] **1** Poner algo en poder de una persona: *¿A quién hay que entregar este paquete?* **entregarse 2** Dedicarse por entero a algo: *Desde que se quedó solo, se ha entregado a la ayuda de los necesitados.* **3** Declararse vencido o sin fuerzas para continuar: *El general se entregó al enemigo cuando vio que estaban rodeados.* □ [La g se cambia en gu delante de e, como en PAGAR]. SINÓNIMOS: **1** dar. CONTRARIOS: **1** quitar. FAMILIA: entrega.

entremés [sustantivo masculino] Plato que se suele tomar frío y que se sirve antes de los platos fuertes: *Antes de la carne tomaremos unos entremeses.*

entrenador, -a [sustantivo] Persona que se dedica a preparar a otras personas para que puedan realizar una actividad: *El entrenador nos felicitó por lo bien que habíamos jugado.* □ FAMILIA: → entrenar.

entrenamiento [sustantivo masculino] Preparación que se lleva a cabo para realizar una actividad: *Me lesioné durante el entrenamiento.* □ FAMILIA: → entrenar.

entrenar [verbo] Preparar a una persona para practicar una actividad: *Me entreno todos los días para correr la maratón.* □ FAMILIA: entrenamiento, entrenador.

entresuelo [sustantivo masculino] Planta baja de algunos edificios que está situada a más de un metro sobre el suelo: *Las ventanas de los entresuelos suelen tener rejas para evitar que entren ladrones.* □ FAMILIA: → suelo.

entretanto [adverbio] Mientras ocurre algo:

Voy a comprar, y entretanto, tú arregla la casa. □ [Se escribe también entre tanto].

entretener [verbo] **1** Divertir o hacer pasar un rato agradable: *Hacer puzzles me entretiene mucho.* **2** Perder el tiempo o hacer que una persona deje de prestar atención a lo que estaba haciendo: *He llegado tarde porque me he entretenido en el portal hablando con el vecino.* □ [Es irregular y se conjuga como TENER]. SINÓNIMOS: **1** distraer, recrear. CONTRARIOS: **1** aburrir. FAMILIA: entretenimiento, entretenido.

entretenido, da [adjetivo] Que distrae y resulta agradable: *El parchís me parece un juego muy entretenido.* □ SINÓNIMOS: ameno. CONTRARIOS: pesado, aburrido. FAMILIA: → entretener.

entretenimiento [sustantivo masculino] Lo que se hace como diversión o para pasar el tiempo: *Coleccionar sellos es un entretenimiento para mí.* □ SINÓNIMOS: diversión, distracción, juego, pasatiempo. FAMILIA: → entretener.

entrevista [sustantivo femenino] **1** Encuentro entre dos o más personas para hablar sobre un asunto determinado: *En su entrevista, los dos políticos hablaron del estado de la economía.* **2** Conversación que tiene una persona con otra a la que le hacen una serie de preguntas: *En la entrevista, el actor se negó a contestar nada que tuviera que ver con su vida privada.* □ FAMILIA: entrevistar.

entrevistar [verbo] **1** Hacer preguntas a una persona para informar sobre sus opiniones al público: *Esta famosa periodista ha entrevistado a importantes personajes del mundo de la política.* **2 entrevistarse** Juntarse dos o más personas para hablar sobre un asunto: *Me entrevisté con el director para ver si hallábamos una solución al problema.* □ FAMILIA: → entrevista.

entristecer [verbo] Poner triste: *Me entristeció saber que estabas enfermo.* □ [Es irregular y se conjuga como PARECER]. SINÓNIMOS: apenar, afligir. CONTRARIOS: alegrar. FAMILIA: → triste.

enturbiar [verbo] Estropear algo o hacer que sea poco agradable: *No dejes que la envidia enturbie vuestra amistad.* □ FAMILIA: → turbio.

entusiasmar [verbo] **1** Gustar mucho: *Me*

entusiasma la música clásica. **2 entusiasmarse** Sentir un gran interés hacia algo: *Se entusiasmó con la idea de ir al zoo.* □ SINÓNIMOS: apasionar. FAMILIA: → entusiasmo.

entusiasmo [sustantivo] [masculino] **1** Sensación muy alegre producida por algo: *Sentí un gran entusiasmo cuando me enteré de que me habían concedido el premio.* **2** Interés con que se hace algo: *Son voluntarios y trabajan con mucho entusiasmo.* □ SINÓNIMOS: **1** júbilo, regocijo. FAMILIA: entusiasmar, entusiasta.

entusiasta 1 [adjetivo] Que demuestra mucho interés: *Su último libro ha recibido críticas entusiastas.* **2** [adjetivo o] [sustantivo] Que siente un gran interés hacia algo: *Es un entusiasta de los deportes de invierno.* □ [No varía en masculino y en femenino]. FAMILIA: → entusiasmo.

enumeración [sustantivo] [femenino] Exposición ordenada de las partes que forman un todo: *Me hizo una enumeración de todos los niños de su clase.* □ FAMILIA: → número.

enumerar [verbo] Nombrar por orden todas las partes que forman un todo: *No sé si podría enumerar todas las capitales de Europa.* □ [Es distinto de numerar, que significa señalar con un número]. FAMILIA: → número.

enunciado [sustantivo] [masculino] **1** Información necesaria para resolver un problema: *La profesora nos dictó el enunciado del problema.* **2** Conjunto de palabras que se dicen: *«Tú no sabes nada» es un enunciado.* □ FAMILIA: → enunciar.

enunciar [verbo] **1** Expresar una idea de forma corta y clara: *Antes de empezar la explicación, enunciaré brevemente los temas que voy a tratar.* **2** Exponer la información necesaria para resolver un problema: *No pude hacer el problema porque, cuando el profesor lo enunció, olvidó dar un dato.* □ FAMILIA: enunciado, enunciativo.

enunciativo, va [adjetivo] Que expresa una idea de forma corta y clara: *«Hoy no llueve» es una oración enunciativa negativa.* □ FAMILIA: → enunciar.

envasar [verbo] Poner en su recipiente un producto para guardarlo y conservarlo: *En esta planta de la fábrica se envasa el vino en las botellas.* □ FAMILIA: → envase.

envase [sustantivo] [masculino] Recipiente que se usa para guardar y conservar un producto: *En mi casa, la leche que compramos viene en envases de cartón.* □ FAMILIA: envasar.

envejecer [verbo] Hacer o hacerse viejo: *Hacía tiempo que no lo veía, y me pareció que había envejecido mucho.* □ [Es irregular y se conjuga como PARECER]. CONTRARIOS: rejuvenecer. FAMILIA: → viejo.

envejecimiento [sustantivo] [masculino] Cambio que sufren las personas o las cosas al hacerse viejas: *El exceso de sol acelera el envejecimiento de la piel.* □ FAMILIA: → viejo.

envenenar [verbo] **1** Dar o poner veneno: *En la novela envenenaron a un millonario para cobrar la herencia.* **2** Estropear algo o dañarlo: *Los celos envenenaron aquella relación.* □ FAMILIA: → veneno.

enviado, da [sustantivo] Persona a la que se manda a un lugar para que haga algo: *La televisión mandó un enviado especial al lugar de los hechos.* □ FAMILIA: → enviar.

enviar [verbo] Hacer ir o hacer llegar a un lugar: *He enviado una carta a mis padres.* □ [Se conjuga como GUIAR]. SINÓNIMOS: mandar. FAMILIA: envío, enviado.

envidia [sustantivo] [femenino] **1** Enfado que se siente cuando alguien consigue algo bueno: *La envidia es uno de los peores sentimientos.* **2** Deseo de tener algo que no se posee: *¡Qué envidia me da verte comer ese helado!* □ FAMILIA: envidiar, envidioso.

envidiar [verbo] **1** Tener o sentir envidia hacia una persona: *No debes envidiar a los demás.* **2** Desear algo que no se tiene: *Envidio tu buena suerte.* □ FAMILIA: → envidia.

envidioso, sa [adjetivo o] [sustantivo] Que tiene o siente envidia: *Es un envidioso y siempre quiere lo que tienen los demás.* □ FAMILIA: → envidia.

envío [sustantivo] [masculino] **1** Hecho de mandar algo o de hacerlo llegar a un lugar: *El Gobierno ha organizado el envío de alimentos a la zona en guerra.* **2** Lo que se envía: *Tengo que ir a Correos a recoger un envío.* □ FAMILIA: → enviar.

enviudar [verbo] Quedarse sin esposo o sin esposa porque han muerto: *Se volvió a casar a los dos años de haber enviudado.* □ FAMILIA: → viudo.

envoltorio [sustantivo] [masculino] Lo que envuelve o cubre algo por fuera: *No tires al suelo el en-*

a
b
c
d
e
f
g
h
i
j
k
l
m
n
ñ
o
p
q
r
s
t
u
v
w
x
y
z

voltorio del caramelo. □ Sinónimos: envoltura. Familia: → envolver.

envoltura [sustantivo] [femenino] Lo que envuelve o cubre algo por fuera: *Para poder ver qué te he regalado tendrás que quitar la envoltura.* □ Sinónimos: envoltorio. Familia: → envolver.

envolver [verbo] **1** Cubrir algo rodeándolo con una cosa: *La niebla envolvía las calles.* **2** Mezclar a una persona en un asunto: *Sin darse cuenta se vio envuelta en un asunto muy feo.* □ [Es irregular y se conjuga como VOLVER. Su participio es *envuelto*]. Contrarios: **1** desenvolver. Familia: envuelto, envoltura, envoltorio, desenvolver, desenvuelto.

envuelto, ta 1 Participio irregular de **envolver**. **2** [adjetivo] Que está rodeado por algo que lo cubre: *El regalo envuelto en papel rojo es el tuyo.* □ Contrarios: **1** desenvuelto. Familia: → envolver.

enyesar [verbo] **1** Cubrir algo con yeso: *El albañil enyesó la pared antes de que el pintor la pintara.* **2** Envolver una parte del cuerpo para impedir que se mueva con una especie de tela que se queda dura: *Me han enyesado la pierna que me había roto y tengo que andar con muletas.* □ Sinónimos: **2** escayolar. Familia: → yeso.

enzarzar [verbo] Comenzar una discusión o una pelea: *Se enzarzaron en una discusión y acabaron peleándose y rodando por el suelo.* □ [La z cambia en c delante de e, como en CAZAR]. Familia: → zarza.

eñe [sustantivo] [femenino] Nombre de la letra ñ: *La tercera letra de la palabra «daño» es una eñe.*

epa [interjección] Se usa para indicar cuidado o para avisar de algo: *¡Epa, no seas bruto, que casi me tiras!*

epidemia [sustantivo] [femenino] **1** Enfermedad que ataca a un gran número de personas o de animales a la vez: *Muchos de mis compañeros están en la cama porque hay una epidemia de gripe.* **2** Lo que se considera malo y se extiende de manera rápida: *El consumo de drogas es una epidemia en esta sociedad.*

epílogo [sustantivo] [masculino] Parte final de un libro o de un relato: *En el epílogo, el autor cuenta cómo terminó cada uno de los protagonistas al cabo de los años.* □ Contrarios: prólogo.

episodio [sustantivo] [masculino] Cada una de las partes en que se divide un relato: *Esta serie tiene cinco episodios.*

epístola [sustantivo] [femenino] Papel escrito que se envía a una persona para comunicarle algo: *San Pedro y san Pablo escribieron epístolas a otros cristianos.* □ [Suele usarse en el lenguaje literario]. Sinónimos: carta.

época [sustantivo] [femenino] Espacio de tiempo que se caracteriza por algo: *Mi padre a veces nos habla de su época de estudiante.* □ Sinónimos: era, tiempo.

equilibrado, da [adjetivo] Que actúa con cuidado y tiene capacidad para saber lo que está bien y lo que está mal: *Nunca pensé que una persona tan equilibrada cometiera esa locura.* □ Familia: → equilibrio.

equilibrar [verbo] Poner un cuerpo en equilibrio: *Si pones el mismo peso en cada plato de la balanza, ésta se equilibra.* □ Familia: → equilibrio.

equilibrio [sustantivo] [masculino] **1** Estado de un cuerpo sometido a dos o más fuerzas iguales: *Los brazos de la balanza permanecen en equilibrio porque en los dos platos hay el mismo peso.* **2** Situación de un cuerpo que tiene poca base para apoyarse, pero no se cae: *El payaso llevaba un palo en equilibrio sobre la nariz.* **3** Relación adecuada entre las partes que forman un todo: *En este bosque hay un equilibrio entre árboles de hoja perenne y árboles de hoja caduca.* **4** [plural] Lo que se hace para vencer una situación difícil: *Con este sueldo tan escaso tengo que hacer equilibrios para llegar a fin de mes.* □ [El significado **4** se usa mucho en la expresión *hacer equilibrios*]. Sinónimos: **3** armonía. Familia: equilibrar, equilibrado , equilibrista.

equilibrista [adjetivo o] [sustantivo] Dicho de una persona, que realiza con habilidad ejercicios en los que hay que mantener el equilibrio: *El equilibrista andaba sobre un alambre a varios metros del suelo.* □ [No varía en masculino y en femenino]. Familia: → equilibrio.

equipaje [sustantivo] [masculino] Conjunto de cosas que se llevan metidas en bolsos y maletas cuando se viaja: *Perdí el equipaje y me quedé sin ropa para pasar las vacaciones.* □ Familia: → equipo.

equipar [verbo] Proporcionar lo necesario para hacer una actividad: *Los escaladores se* *equiparon con cuerdas y botas.* □ FAMILIA: → equipo.

equipo [sustantivo masculino] **1** Conjunto de objetos necesarios para realizar una actividad o una función determinadas: *Me he comprado un nuevo equipo de música.* **2** Grupo de personas organizadas para realizar una actividad determinada: *Todo el equipo de colaboradores trabajó día y noche para llevar a cabo el proyecto.* **3** Cada uno de los grupos deportivos que participan en una competición: *Un equipo de fútbol está formado por once jugadores.* □ FAMILIA: equipar, equipaje, portaequipaje, portaequipajes.

equis [sustantivo femenino] Nombre de la letra *x*: *«Explotar» se escribe con equis y no con ese.*

equitación [sustantivo femenino] Actividad deportiva que se realiza montando a caballo: *Todos los sábados voy a clases de equitación.*

equivalente [adjetivo o sustantivo masculino] Igual o con el mismo valor que otra cosa: *El significado de «semejante» es equivalente al significado de «parecido».* □ [No varía en masculino y en femenino]. FAMILIA: → equivaler.

equivaler [verbo] Ser igual que otra cosa: *Un metro equivale a cien centímetros.* □ [Es irregular y se conjuga como VALER]. FAMILIA: equivalente.

equivocación [sustantivo femenino] Lo que se hace o se dice de forma equivocada: *Fue una equivocación coger este camino, porque nos hemos perdido.* □ SINÓNIMOS: confusión, error. FAMILIA: → equivocar.

equivocar [verbo] **1** Tomar una cosa por otra debido a un error o a la falta de atención: *Me equivoqué y cogí tu chaqueta en lugar de la mía.* **2** Hacer caer en un error a una persona: *No me hables mientras escribo, porque me equivocas.* □ [La c se cambia en qu delante de e, como en SACAR]. CONTRARIOS: **2** acertar, atinar. FAMILIA: equivocación.

era [sustantivo femenino] **1** Gran período de la historia con unas características comunes que se empieza a contar a partir de un suceso muy importante: *El nacimiento de Jesucristo es el comienzo de la era cristiana.* **2** Espacio de tierra llana que se usa para realizar algunas labores del campo: *Llevamos el trigo a la era para trillarlo y separar el grano de la paja.* □ SINÓNIMOS: **1** época.

erguir [verbo] **1** Levantar o poner derecha una parte del cuerpo: *El perro irguió la cabeza al oír su nombre.* **2 erguirse** Levantarse o ponerse derecho: *En la ciudad, los edificios se yerguen sobre el asfalto.* □ [Es irregular]. SINÓNIMOS: **2** alzarse, empinarse.

erizar [verbo] Levantar o poner tieso el pelo: *Cuando oí aquel horrible grito se me erizó el pelo.* □ [La z se cambia en c delante de e, como en CAZAR]. FAMILIA: → erizo.

erizo [sustantivo masculino] Animal que tiene cuatro patas y el cuerpo más o menos redondo y cubierto de espinas: *Los erizos son mamíferos que se alimentan de insectos.* □ FAMILIA: erizar.

ERIZO

ermita [sustantivo femenino] Iglesia pequeña que suele estar situada a las afueras de un pueblo:

erguir	conjugación
INDICATIVO	**SUBJUNTIVO**
presente	**presente**
irgo o yergo	irga o yerga
irgues o yergues	irgas o yergas
irgue o yergue	irga o yerga
erguimos	irgamos o yergamos
erguís	irgáis o yergáis
irguen o yerguen	irgan o yergan
pretérito imperfecto	**pretérito imperfecto**
erguía	irguiera, -ese
erguías	irguieras, -eses
erguía	irguiera, -ese
erguíamos	irguiéramos, -ésemos
erguíais	irguierais, -eseis
erguían	irguieran, -esen
pretérito indefinido	**futuro**
erguí	irguiere
erguiste	irguieres
irguió	irguiere
erguimos	irguiéremos
erguisteis	irguiereis
irguieron	irguieren
futuro	**IMPERATIVO**
erguiré	
erguirás	**presente**
erguirá	irgue o yergue (tú)
erguiremos	irga o yerga (él)
erguiréis	irgamos o yergamos (nosotros)
erguirán	erguid (vosotros)
	irgan o yergan (ellos)
condicional	**FORMAS NO PERSONALES**
erguiría	
erguirías	**infinitivo** **gerundio**
erguiría	erguir irguiendo
erguiríamos	**participio**
erguiríais	erguido
erguirían	

a b c d e f g h i j k l m n ñ o p q r s t u v w x y z

Esta ermita sólo se abre los días de las fiestas del pueblo. □ FAMILIA: ermitaño. ⟶ página 793.

ermitaño, ña [sustantivo] Persona que vive sola y separada del resto del mundo: *En esa cueva vivió un ermitaño que abandonó la civilización.* □ FAMILIA: → ermita.

erosión [sustantivo] [femenino] Desgaste que se produce poco a poco en una superficie por la acción del agua y del viento: *Los valles se forman por la erosión de los ríos.*

errar [verbo] **1** No acertar debido a un error o a la falta de atención: *El pistolero erró el tiro y su enemigo consiguió huir.* **2** Andar sin ir a ningún sitio en especial: *Se ha encontrado a un niño que erraba perdido por la ciudad.* □ [Es irregular. No confundir con *herrar*]. SINÓNIMOS: **1** fallar. **2** vagar. CONTRARIOS: **1** acertar, atinar. FAMILIA: **1** error, errata.

errata [sustantivo] [femenino] Error que se comete al escribir un texto: *Escribir «cohce» en lugar de «coche» es una errata.* □ FAMILIA: → errar.

erre 1 [femenino] Nombre de la letra *r*: *La pa-*

errar	conjugación	
INDICATIVO	**SUBJUNTIVO**
presente	**presente**
yerro	yerre
yerras	yerres
yerra	yerre
erramos	erremos
erráis	erréis
yerran	yerren
pretérito imperfecto	**pretérito imperfecto**
erraba	errara, -ase
errabas	erraras, -ases
erraba	errara, -ase
errábamos	erráramos, -ásemos
errabais	errarais, -aseis
erraban	erraran, -asen
pretérito indefinido	**futuro**
erré	errare
erraste	errares
erró	errare
erramos	erráremos
errasteis	errareis
erraron	erraren
futuro	**IMPERATIVO**
erraré	
errarás	**presente**
errará	yerra (tú)
erraremos	yerre (él)
erraréis	erremos (nosotros)
errarán	errad (vosotros)
	yerren (ellos)
condicional	**FORMAS NO PERSONALES**
erraría	
errarías	**infinitivo** **gerundio**
erraría	errar errando
erraríamos	**participio**
erraríais	errado
errarían	

labra «raro» tiene dos erres. **2** [expresión] **erre que erre** Sin dejar de insistir: *Por más que él me corregía, yo seguía erre que erre haciéndolo mal.* □ [El significado **2** es coloquial].

error [sustantivo] [masculino] **1** Lo que se produce al pensar que una cosa es otra parecida: *Llamé por error al portal que no era.* **2** Lo que se hace o se dice de forma equivocada: *En el dictado cometí tres errores.* □ SINÓNIMOS: equivocación, fallo. **1** confusión. FAMILIA: → errar.

eructar [verbo] Echar los gases del estómago por la boca y haciendo ruido: *No eructes delante de los demás, que es de mala educación.* □ FAMILIA: → eructo.

eructo [sustantivo] [masculino] Salida de los gases del estómago por la boca y con ruido: *Las bebidas gaseosas me producen eructos.* □ FAMILIA: eructar.

erupción [sustantivo] [femenino] **1** Conjunto de granos que aparece en la piel por una enfermedad: *La varicela se caracteriza por una erupción que afecta a todo el cuerpo.* **2** Salida a la superficie de la tierra de materiales que proceden del interior: *Se ha evacuado la ciudad porque se teme una nueva erupción del volcán.*

esbelto, ta [adjetivo] Alto y delgado, o con una figura elegante: *Las modelos que desfilan en las pasarelas son esbeltas.*

escabeche [sustantivo] [masculino] Líquido que se prepara con vinagre para conservar algunos alimentos: *Estoy preparando sardinas en escabeche.*

escabullirse [verbo] Conseguir salir de un peligro o de algún problema: *No te escabullas y contesta a las preguntas que te he hecho.* □ [Es irregular y se conjuga como ZAMBULLIR]. SINÓNIMOS: escapar. CONTRARIOS: afrontar, hacer frente, plantar cara.

escacharrar [verbo] Romper o estropear algo: *Escacharré la radio de un porrazo. Se ha escacharrado el autobús y hemos tenido que esperar otro.* □ [Es coloquial]. SINÓNIMOS: averiarse. CONTRARIOS: arreglar, reparar. FAMILIA: → cacharro.

escafandra [sustantivo] [femenino] **1** Especie de traje que se usa para permanecer mucho tiempo debajo del agua: *Del casco de la escafandra de un buzo salen unos tubos por donde entra oxígeno.* **2** Traje que usan los que van en una nave por el espacio cuando tienen que salir al exterior: *El astronauta se puso la escafandra para salir a arreglar la nave.*

ESCAFANDRA

escala [sustantivo][femenino] **1** Serie ordenada de cosas distintas de la misma clase: *En la escala de colores, el blanco es el color más claro.* **2** División que tienen algunos instrumentos que sirven para medir: *La escala de este termómetro va desde los treinta y cinco a los cuarenta y dos grados.* **3** Proporción entre el tamaño real de algo y el que tiene en un mapa: *Todos los mapas representan el terreno a escala.* **4** Tamaño en que se desarrolla un plan o una idea: *Esta banda se dedicaba a realizar robos a gran escala.* **5** Escalera formada por dos cuerdas en las que se meten las barras que sirven de escalones: *El ladrón tendió la escala desde la ventana del museo y bajó por ella.* **6** Lugar en el que un barco o un avión hacen una parada en su trayecto: *Este avión va de Madrid a París, pero hace una escala en Barcelona.* □ FAMILIA: → escalera.

escalada [sustantivo][femenino] **1** Deporte que consiste en subir a la parte más alta de una montaña usando los pies y las manos: *Me gusta mucho hacer excursiones, pero la escalada me da miedo.* 🖎 página 291. **2** Aumento rápido de algo: *El descontento ha provocado*

una escalada de violencia en la región. □ FAMILIA: → escalar.

escalar [verbo] **1** Subir hasta la parte más alta de una montaña usando los pies y las manos: *Se ha comprado unas cuerdas y unas zapatillas especiales para escalar.* **2** Subir hasta llegar a una determinada categoría: *Entró en el banco de secretaria y fue escalando puestos hasta llegar a directora.* □ FAMILIA: escalada.

escalera [sustantivo][femenino] **1** Serie de escalones colocados uno a continuación de otro y a diferente altura, que sirve para subir y bajar a un lugar: *Cuando se estropea el ascensor hay que subir por la escalera.* **2** Instrumento que puede moverse de sitio y que está formado por una serie de barras paralelas que sirven de escalones, unidas a dos barras verticales, que se usa para llegar a lugares altos: *Los coches de bomberos tienen unas escaleras por las que suben los bomberos a apagar los incendios.* **3** [expresión] **escalera de caracol** La que tiene forma circular: *Su casa tiene dos pisos comunicados por una escalera de caracol.* □ FAMILIA: escalerilla, escalinata, escala, escalón.

escalerilla [sustantivo][femenino] Escalera pequeña y que a veces puede ponerse y quitarse: *Para bajar de un avión hay que usar una escalerilla.* □ FAMILIA: → escalera. 🖎 página 155.

[escaléxtric [sustantivo][masculino] **1** Juego con coches que se mueven a distancia y que tiene carreteras y otras cosas hechas en pequeño tamaño pero como las de verdad: *Tengo un escaléxtric en la mesa de mi habitación.* **2** Carretera que se construye por encima de otra: *Cuando paso por el escaléxtric, veo los coches que pasan por debajo.*

escalinata [sustantivo][femenino] Escalera ancha que hay en la entrada de algunos edificios: *Los novios se hicieron las fotos en la escalinata de la catedral.* □ FAMILIA: → escalera.

escalofriante [adjetivo] Que produce una

ESCALA

ESCALERA

ESCALERA DE CARACOL

ESCALERILLA

ESCALINATA

a b c d e f g h i j k l m n ñ o p q r s t u v w x y z

escalofrío sensación parecida a la del frío porque da miedo o porque sorprende mucho: *La noticia de que ha comenzado una guerra es escalofriante.* □ [No varía en masculino y en femenino]. FAMILIA: → escalofrío.

escalofrío [sustantivo masculino] Sensación parecida a la del frío que se produce de forma rápida y sólo durante un momento: *Sólo de pensar que puede haber fantasmas, me entran escalofríos.* □ FAMILIA: escalofriante.

escalón [sustantivo masculino] Cada una de las partes de una escalera donde se apoya el pie: *Subí corriendo los escalones de dos en dos.* □ SINÓNIMOS: peldaño. FAMILIA: → escalera.

escalope [sustantivo masculino] Trozo de carne que se cubre de huevo y pan y se cocina en aceite: *Comí escalope de ternera.*

escama [sustantivo femenino] Cada una de las placas duras y brillantes que cubren el cuerpo de los peces y de otros animales: *Las escamas de algunos peces son plateadas.*

escampar [verbo] Desaparecer las nubes después de una tormenta y dejar de llover: *Hasta que no escampe no podremos salir a la calle.*

escándalo [sustantivo masculino] **1** Forma de actuar que está en contra de lo que se acepta como bueno: *Ir vestido de forma tan provocativa me parece un escándalo.* **2** Ruido grande: *Armamos tal escándalo en la fiesta que los vecinos protestaron.* □ FAMILIA: escandaloso.

escandaloso, sa 1 [adjetivo] Que asusta o que va en contra de lo que se considera bueno: *Los políticos intentan evitar cualquier asunto escandaloso que dañe su imagen.* **2** [adjetivo o sustantivo] Que hace mucho ruido: *No seas tan escandaloso, que molestas a los vecinos.* □ SINÓNIMOS: **2** ruidoso, estrepitoso. CONTRARIOS: **2** silencioso. FAMILIA: → escándalo.

escapada [sustantivo femenino] **1** Viaje corto que se hace para divertirse o para descansar: *Mi hermano mayor hizo una escapada a la montaña el sábado.* **2** Hecho de adelantarse una persona al grupo en que está corriendo: *El ciclista hizo una escapada de varios kilómetros, pero el pelotón terminó alcanzándolo.* □ FAMILIA: → escapar.

escapar [verbo] **1** Conseguir salir de un lugar deprisa o de manera oculta: *Logré escapar de allí sin ser visto.* **2** Conseguir evitar un peligro o un problema: *Escapé del atropello por un pelo.* **3** Quedar un asunto fuera de la influencia de algo: *Me parece algo tan raro que escapa a mi comprensión.* **4** Pasar algo bueno sin haberlo aprovechado: *Dejó escapar una buena oportunidad.* **escaparse 5** No darse cuenta de un error: *Revisad el dictado para que no se os escapen faltas de ortografía.* **6** Irse un vehículo y no poder montarse en él: *Se nos escapó el autobús y llegamos tarde.* **7** Salirse un gas o un líquido por una abertura: *El agua se escapa por esta rendija.* **8** [expresión] **escapársele algo a alguien** Decirlo sin que se dé cuenta: *No quería decirte lo que te iba a regalar, pero se me escapó.* □ SINÓNIMOS: **2** escabullirse. FAMILIA: escapada, escape.

escaparate [sustantivo masculino] Ventana de una tienda con grandes cristales y que sirve para que los productos se vean desde la calle: *He visto un vestido muy bonito en el escaparate de una tienda de modas.*

escape [sustantivo masculino] **1** Salida o modo de salvarse de una determinada situación: *El ladrón no tenía escape porque lo habían rodeado.* **2** Salida de un gas o de un líquido por una abertura: *Mi padre ha cambiado el tubo de escape del coche.* □ SINÓNIMOS: **2** fuga. FAMILIA: → escapar.

escapulario [sustantivo masculino] Objeto formado por dos trozos de tela con una imagen religiosa, que se cuelga del cuello con dos cintas: *Ese sacerdote lleva un escapulario con la Virgen del Pilar.*

ESCAPULARIO

escarabajo [sustantivo masculino] Insecto con el cuerpo duro y que suele ser de color negro: *Los escarabajos son más grandes que las cucarachas.*

escarbar [verbo] **1** Mover la tierra con las manos o con las patas para hacer un pequeño agujero: *Mi perro escarbó el jardín buscando un hueso.* **2** Meter los dedos en alguna parte del cuerpo: *Es una guarrería que te escarbes en la nariz.* **3** Buscar en un sitio para encontrar algo: *El periodista escarbó en la vida del político, pero no encontró ningún escándalo del que acusarlo.* □ [Los significados **2** y **3** son coloquiales].

escarcha [sustantivo/femenino] Capa helada que se forma sobre algo cuando hace mucho frío: *Algunas mañanas de invierno el jardín aparece cubierto de escarcha.* 🔧 página 17.

escarmentar [verbo] **1** Aprender de los errores anteriores: *¿A pesar de lo malo que te pusiste por comer tanto chocolate, aún no has escarmentado?* **2** Castigar para evitar que se repita lo que se ha hecho: *Mi madre me mandó a la cama sin cenar para escarmentarme.* □ [Es irregular y se conjuga como PENSAR]. FAMILIA: → escarmiento.

escarmiento [sustantivo/masculino] **1** Lo que se aprende de los errores anteriores y hace que no volvamos a repetirlos: *Espero que el dolor de tripa te sirva de escarmiento para no volver a comerte tú solo un kilo de pasteles.* **2** Castigo que se da a una persona para evitar que repita lo que ha hecho: *Como escarmiento por lo que has hecho, no verás la tele en toda la semana.* □ FAMILIA: escarmentar.

escarola [sustantivo/femenino] Planta parecida a la lechuga, pero con las hojas rizadas y más duras: *Me gusta mucho la ensalada con escarola.*

escasear [verbo] Haber algo en poca cantidad: *En las zonas en guerra escasean los alimentos y los medicamentos.* □ FAMILIA: → escaso.

escasez [sustantivo/femenino] **1** Falta de algo o poca cantidad de ello: *La escasez de algunos productos es lo que hace que sean tan caros.* **2** Falta de las cosas necesarias para vivir: *La escasez con la que vive esa familia es terrible.* □ [Su plural es escaseces]. SINÓNIMOS: pobreza, carencia. **2** miseria, necesidad. CONTRARIOS: abundancia, riqueza. FAMILIA: → escaso.

escaso, sa [adjetivo] **1** Poco abundante: *El número de participantes en el concurso ha sido muy escaso.* **2** De poca duración: *Las vacaciones siempre resultan escasas.* **3** Que no es del todo lo que se dice porque falta un poco: *Tardó en llegar dos minutos escasos.*

□ SINÓNIMOS: corto, reducido. **3** breve. CONTRARIOS: **1** abundante, cuantioso, numeroso. **1,2** considerable. **2,3** largo, extenso. FAMILIA: escasear, escasez.

escayola [sustantivo/femenino] Polvo de color blanco que se moja para hacer una pasta y que se queda duro cuando se seca: *La escayola sirve para envolver una parte del cuerpo que no debe moverse.* □ FAMILIA: escayolar.

escayolar [verbo] Envolver una parte del cuerpo con una especie de tela que se queda dura cuando se seca, para impedir que se mueva: *Me rompí el brazo derecho y me lo escayolaron.* □ SINÓNIMOS: enyesar. FAMILIA: → escayola.

escena [sustantivo/femenino] **1** Parte de un teatro donde actúan los actores: *Cuando hice aquella obra de teatro salí a escena muy nervioso.* **2** Parte de una obra de teatro o de una película que tienen unidad porque representan un mismo lugar o una misma situación: *En la segunda escena de esa película sale un amigo mío.* **3** Situación o suceso que ocurren: *Los manifestantes protagonizaron varias escenas de violencia.* □ SINÓNIMOS: **1** escenario. **3** cuadro. FAMILIA: escenario.

escenario [sustantivo/masculino] **1** Parte de un teatro o de un lugar parecido donde se representa un espectáculo: *Los actores saludaron desde el escenario.* **2** Lugar en el que ocurre un hecho: *Un periodista entrevistó a un testigo que estuvo en el escenario del crimen.* □ SINÓNIMOS: **1** escena. FAMILIA: → escena.

esclava [sustantivo/femenino] Mira en **esclavo, va.**

esclavitud [sustantivo/femenino] Situación de la persona que vive como si fuera propiedad de otra: *La abolición de la esclavitud ha sido un logro a favor de los derechos humanos.* □ CONTRARIOS: libertad. FAMILIA: → esclavo.

esclavizar [verbo] Quitar la libertad a una persona y considerarla como una propiedad: *En épocas antiguas se esclavizaba a los prisioneros de guerra.* □ [La z se cambia en c delante de e, como en CAZAR]. CONTRARIOS: libertar, liberar. FAMILIA: → esclavo.

esclavo, va [adjetivo o sustantivo] **1** Que no tiene libertad y vive como si fuera propiedad de una persona: *Los esclavos eran personas que se podían comprar y vender porque eran consideradas como animales.* **2** Que depende mucho de una actividad o que vive pensando sólo en ella: *Es tan malo ser un esclavo del trabajo como no querer trabajar nada.* **3** [sustantivo] [femenino] Pulsera que suele tener en su parte central una placa con el nombre de una persona: *Me han regalado una esclava con mi nombre grabado.* □ CONTRARIOS: **1,2** libre. FAMILIA: esclavitud, esclavizar.

escoba [sustantivo] [femenino] Objeto que se usa para barrer y que está formado por un palo y una serie de pelos duros en un extremo: *Mi abuela dice que barre mejor con la escoba que con el cepillo.* □ FAMILIA: escobazo, escobilla.

escobazo [sustantivo] [masculino] Golpe que se da con una escoba: *Perseguí al ratón a escobazos.* □ FAMILIA: → escoba.

escobilla [sustantivo] [femenino] Especie de cepillo pequeño que sirve para limpiar algunas cosas: *La escobilla del váter está al lado de la taza.* □ FAMILIA: → escoba.

escocer [verbo] **1** Producir una sensación dolorosa y parecida al picor: *Cuando me echas agua oxigenada en la herida me escuece mucho.* **2 escocerse** Ponerse roja una parte del cuerpo y picar o doler: *Con los pañales y el calor, al bebé se le escuece el culete.* □ [Es irregular y se conjuga como COCER]. FAMILIA: escozor.

escoger [verbo] Decidirse por una cosa entre varias: *Entre ir al cine o al teatro, no sé qué escoger.* □ [La g se cambia en j delante de a, o, como en COGER]. SINÓNIMOS: elegir, optar.

escolar [adjetivo] Del estudiante, de la escuela o relacionado con ellos: *Mi hijo ya va a un colegio, porque está en edad escolar.* □ [No varía en masculino y en femenino]. FAMILIA: → escuela.

escolta 1 [sustantivo] Persona que acompaña a otra para protegerla: *El rey asistió al acto acompañado de dos escoltas.* [sustantivo] [femenino] **2** Hecho de acompañar a una persona para protegerla: *Esta empresa de guardias se encarga de la escolta del presidente extranjero.* **3** Conjunto de personas que acompañan a otra para protegerla: *La escolta del presidente era muy numerosa.* □ [El significado **1** no varía en masculino y en femenino]. FAMILIA: escoltar.

escoltar [verbo] Acompañar a una persona

para protegerla: *Tres guardaespaldas escoltaban al ministro.* □ FAMILIA: → escolta.

escombro [sustantivo] [masculino] Material para tirar que queda después de hacer una obra o después de destruir un edificio: *Está prohibido arrojar escombros en este barranco.* □ [Se usa mucho en plural].

esconder [verbo] Poner algo de forma que no se vea o que no se reconozca: *He escondido tu regalo hasta el día de tu cumpleaños.* □ SINÓNIMOS: ocultar. CONTRARIOS: presentar, mostrar, descubrir, desvelar, destapar. FAMILIA: escondido, escondite, escondrijo.

escondido, da 1 [adjetivo] Que no se ve o que no se reconoce: *El libro estaba escondido entre otros.* **2** [expresión] **a escondidas** De forma que no se den cuenta los demás: *No me gusta que me cojas cosas a escondidas.* □ SINÓNIMOS: **1** oculto. FAMILIA: → esconder.

escondite [sustantivo] [masculino] **1** Lugar donde se puede esconder algo: *Ese árbol hueco es un buen escondite.* **2** Juego de niños que consiste en que uno de ellos busque a otros que se han escondido: *En el escondite, uno de nosotros se tapa los ojos para que los demás puedan esconderse.* □ SINÓNIMOS: **1** escondrijo. FAMILIA: → esconder.

escondrijo [sustantivo] [masculino] Lugar donde se puede esconder algo: *Este hueco en la pared es un buen escondrijo para guardar cosas.* □ SINÓNIMOS: escondite. FAMILIA: → esconder.

escopeta [sustantivo] [femenino] Arma de fuego que tiene uno o dos tubos largos por los que salen las balas y que sirve para cazar: *El cazador llevaba la escopeta colgada al hombro.*

escorpio [adjetivo o] [sustantivo] Uno de los doce signos del horóscopo: *Las personas que son escorpio han nacido entre el 24 de octubre y el 22 de noviembre.* □ [No varía en masculino y en femenino. Se escribe también escorpión].

escorpión 1 [adjetivo o] [sustantivo] Escorpio: *Las personas que son escorpión han nacido entre el 24 de octubre y el 22 de noviembre.* **2** [sustantivo] [masculino] Animal cuya cola acaba con un aguijón venenoso en forma de gancho: *Cuando me picó el escorpión, me llevaron rápidamente al médico porque las picaduras de estos animales son muy peligrosas.* □ [El

significado **1** no varía en masculino y en femenino].
SINÓNIMOS: **2** alacrán.

ESCORPIÓN

escote 1 [sustantivo] [masculino] Abertura de una prenda de vestir hecha en el cuello y por la que se ve parte del pecho o de la espalda: *Este vestido tiene mucho escote.* **2** [expresión] **a escote** Pagando cada persona la parte que le corresponde de algo que se compra entre todos: *Cuando salimos juntos, todos ponemos dinero y pagamos los gastos a escote.*

escozor [sustantivo] [masculino] Sensación dolorosa y parecida al picor: *El agua de la piscina me produce escozor en los ojos.* □ FAMILIA: → escocer.

escriba [sustantivo] Persona que se dedicaba a escribir a mano: *Los escribas copiaban los textos sobre pergaminos.* □ [No varía en masculino y en femenino]. FAMILIA: → escribir. 🖎 página 341.

escribir [verbo] **1** Hacer letras u otros signos de manera que se formen palabras: *Mi hermano está aprendiendo a leer y a escribir.* **2** Hacer un texto o una obra musical: *Este compositor ha escrito una melodía muy bonita.* **3** Comunicar algo por medio de letras: *Escribí a mi abuelo una postal.* □ [Su participio es escrito]. FAMILIA: escríto, escritor, escritura, escritorio, escriba, manuscrito.

escrito, ta 1 Participio irregular de **escribir**. **2** [sustantivo] [masculino] Papel o libro que alguien ha escrito: *Entregadme vuestros escritos.* **3** [expresión] **por escrito** Poniendo palabras en un papel: *El profesor nos dio por escrito la lista de las cosas que teníamos que llevar a clase.* □ FAMILIA: → escribir.

escritor, -a [sustantivo] Persona que se dedica a escribir obras de literatura o textos de interés: *Han dado un premio a ese escritor por su nueva novela.* □ FAMILIA: → escribir.

escritorio [sustantivo] [masculino] Mueble preparado para poder escribir: *Algunos escritorios tienen cajones para guardar papeles, bolígrafos y otras cosas.* □ FAMILIA: → escribir. 🖎 página 605.

escritura [sustantivo] [femenino] **1** Sistema que se usa para escribir: *El idioma japonés utiliza una escritura diferente al español.* **2** Documento en el que se registra un acuerdo y que tiene la firma de las personas que lo hacen: *Cuando se compra un casa, un notario tiene que hacer las escrituras.* □ FAMILIA: → escribir.

escrúpulo [sustantivo] [masculino] **1** Duda o temor que se tienen sobre si algo es bueno o no: *No me atrevo a hacer eso porque tengo escrúpulos de conciencia.* **2** Cuidado que se pone en cumplir o hacer algo: *Siempre hago con mayor escrúpulo los encargos de otros que los míos.* **3** [plural] Sensación de asco que produce lo que no se sabe si está limpio del todo: *Tengo muchos escrúpulos y nunca bebo del vaso de otro.* □ FAMILIA: escrupuloso.

escrupuloso, sa 1 [adjetivo] Que hace o cumple algo con mucho cuidado: *Soy muy escrupuloso con mis deberes y me gusta hacerlos lo mejor posible.* **2** [adjetivo o sustantivo] Que siente asco por todo lo que no sabe si está muy limpio: *Soy muy escrupuloso y me dan asco los servicios públicos.* □ FAMILIA: → escrúpulo.

escrutinio [sustantivo] [masculino] Hecho de contar los votos o los resultados de una elección: *Hay personas que vigilan que no se haga trampa en el escrutinio de los votos.*

escuadra [sustantivo] [femenino] **1** Regla con tres lados y un ángulo recto: *Las escuadras tienen forma de triángulo.* **2** Lo que tiene la forma de ángulo recto: *El gol entró por la escuadra de la portería.* **3** Conjunto de barcos de guerra: *Nuestra escuadra destruyó varios barcos enemigos.*

escuchar [verbo] **1** Oír con atención: *No escuché lo que decías porque estaba pensando en otra cosa.* **2** Hacer caso de un consejo o de un aviso: *Escuchaste mis consejos y te ha ido bien.* □ [Es distinto de oír, que significa sentir los sonidos].

escuchimizado, da [adjetivo] Muy delgado y débil: *Estás escuchimizado y deberías comer más.*

escudero [sustantivo] [masculino] Persona que servía a un caballero o a un noble: *El escudero llevaba*

a

b

c

d

e

f

g

h

i

j

k

l

m

n

ñ

o

p

q

r

s

t

u

v

w

x

y

z

las armas de su caballero. □ FAMILIA: → escudo.

escudo [sustantivo][masculino] **1** Arma que se sujeta en el brazo y que sirve para proteger el cuerpo: *El soldado se protegía de las flechas tras un escudo.* **2** Lo que sirve de protección o de defensa: *La escolta formó un escudo alrededor del presidente.* **3** Imagen u objeto que representa a un grupo de personas: *Tengo una camiseta con el escudo de mi equipo.* **4** Moneda de Portugal: *En muchos sitios de Portugal se puede pagar con pesetas o con escudos.* □ FAMILIA: escudero.

escuela [sustantivo][femenino] **1** Lugar en el que se enseña alguna materia: *Mis padres me han apuntado a una escuela de danza.* **2** Conjunto de personas que siguen las ideas de otra y han aprendido sus enseñanzas: *Ese escritor perteneció a la escuela poética salmantina.* □ FAMILIA: escolar, preescolar.

esculpir [verbo] **1** Hacer una imagen con un material duro: *Ese escultor esculpe en piedra.* **2** Poner palabras en un material duro: *La familia mandó esculpir en la losa el nombre del fallecido.* □ SINÓNIMOS: **2** grabar. FAMILIA: → escultura.

escultor, -a [sustantivo] Persona que se dedica a hacer imágenes con materiales duros: *Las estatuas que hay en el parque fueron hechas por varios escultores.* □ FAMILIA: → escultura.

escultura [sustantivo][femenino] **1** Arte que consiste en hacer imágenes con materiales duros: *Me gustaría estudiar pintura y escultura.* **2** Obra que se hace con un material duro: *En el parque hay tres esculturas modernas hechas en bronce.* □ SINÓNIMOS: estatua. FAMILIA: escultor, esculpir. 🖎 página 341.

escupir [verbo] Expulsar saliva o alguna cosa por la boca: *Escupir es de mala educación. Escupí el trozo de manzana porque sabía mal.* □ FAMILIA: escupitajo, escupitinajo.

escupitajo o **escupitinajo** [sustantivo][masculino] Saliva que se expulsa por la boca: *No hables con la boca llena, que me estás llenando de escupitinajos.* □ [Es coloquial]. SINÓNIMOS: lapo. FAMILIA: → escupir.

escurreplatos [sustantivo][masculino] Mueble de cocina en el que se colocan los platos después de lavarlos para que suelten toda el agua: *Si*

quieres un vaso limpio, cógelo del escurreplatos. □ [No varía en singular y en plural]. FAMILIA: → plato.

escurridizo, za [adjetivo] **1** Que resbala o escapa fácilmente: *Los peces tienen la piel muy escurridiza.* **2** Que hace resbalar: *Cuidado al pisar el suelo, que acabo de fregarlo y está escurridizo.* □ FAMILIA: → escurrir.

escurridor [sustantivo][masculino] Objeto con agujeros que sirve para separar la parte líquida y la parte sólida de algo: *Voy a echar los espaguetis en el escurridor para quitarles el agua.* □ FAMILIA: → escurrir.

escurrir [verbo] **1** Soltar algo el líquido que tiene o hacer que lo suelte: *Deja los platos ahí hasta que escurran. Escurre bien la ropa antes de tenderla.* **2** Resbalar algo por encima de una superficie: *La suela de estas zapatillas escurre cuando el suelo está mojado.* **escurrirse 3** Escaparse una cosa de entre las manos: *Se me escurrió el plato y se hizo añicos.* **4** Irse o escaparse alguien de algún lugar sin que los demás se den cuenta: *Me escurrí de la reunión porque tenía prisa.* □ FAMILIA: escurridizo, escurridor.

esdrújulo, la [adjetivo] Dicho de una palabra, que tiene el acento en la antepenúltima sílaba: *«Cántaro», como todas las palabras esdrújulas, lleva tilde.*

ese [sustantivo][femenino] **1** Nombre de la letra *s*: *La palabra «sastre» tiene dos eses.* **2** Lo que tiene la forma de esta letra: *Los ciclistas subieron un puerto lleno de eses.*

ese, esa, eso [pronombre][demostrativo] Señala lo que no está cerca ni lejos: *Este perro es un galgo y ese otro es un pastor alemán.* □ [Cuando no acompaña a un sustantivo se puede escribir con tilde: *Esta casa es la mía y ésa es la de mi amigo.* El plural de ese es esos].

esencia [sustantivo][femenino] **1** Lo propio y más importante de algo: *No te quedes en los detalles e intenta llegar a la esencia del problema.* **2** Sustancia a la que se le ha quitado el agua y que suele tener mucho olor: *Las esencias de naranja y de limón se usan en pastelería para dar más sabor.* □ FAMILIA: esencial.

esencial [adjetivo] Que es lo propio de algo o lo más importante: *Haz un resumen de las ideas esenciales del texto.* □ [No varía en masculino y en femenino]. SINÓNIMOS: principal, fundamental, capital, básico, primario. CONTRA-RIOS: accesorio, secundario. FAMILIA: → esencia.

esfera [sustantivo] [femenino] **1** Cuerpo redondo y con volumen: *El globo que representa la Tierra es una esfera.* 🔷 página 429. **2** Superficie redonda y plana: *La esfera de mi reloj es blanca con los números dorados.* **3** Clase o ambiente de una persona: *Ese señor tiene un cargo muy importante y conoce a gente de las altas esferas.* □ FAMILIA: esférico, hemisferio.

esférico, ca [adjetivo] De la esfera o con la forma de este cuerpo: *El balón de rugbi no es esférico.* □ SINÓNIMOS: redondo. FAMILIA: → esfera.

esfinge [sustantivo] [femenino] Animal imaginario con cabeza humana y cuerpo y patas de león: *En Egipto se encuentra la famosa Esfinge de Gizeh.* 🔷 página 540.

esforzarse [verbo] Poner mucho esfuerzo para conseguir algo: *Me esforzaré todo lo que pueda para aprender.* □ [Es irregular y se conjuga como FORZAR]. SINÓNIMOS: afanarse. FAMILIA: → esfuerzo.

esfuerzo [sustantivo] [masculino] Fuerza grande que necesitamos para conseguir algo: *Lograrás lo que quieras con tu esfuerzo.* □ FAMILIA: esforzarse.

esfumarse [verbo] Desaparecer o irse: *El recuerdo de aquellas vacaciones se esfumó poco a poco.*

esgrima [sustantivo] [femenino] Deporte en el que dos personas luchan con una especie de espada: *Para hacer esgrima hay que protegerse la cara con una especie de careta.*

esguince [sustantivo] [masculino] Daño que se produce en algunas uniones del cuerpo al torcerse: *Pisé mal y me hice un esguince.*

eslabón [sustantivo] [masculino] Cada una de las piezas que forman una cadena: *Se me ha roto un eslabón de la pulsera.*

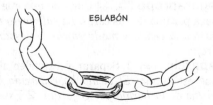

ESLABÓN

eslogan [sustantivo] [masculino] Frase corta y fácil de recordar que sirve para hacer publicidad de algo: *Los eslóganes son frases muy pegadizas.* □ [Es una palabra de origen inglés].

eslovaco, ca [adjetivo o sustantivo] De Eslovaquia, que es un país de Europa: *No hace mucho que los eslovacos y los checos formaban un solo país.*

esmalte [sustantivo] [masculino] **1** Pintura brillante que se da sobre algunos objetos: *Algunas baldosas tienen una capa de esmalte.* **2** Líquido que se usa para pintar las uñas: *Mi madre se pinta las uñas con esmalte rosa.* **3** Sustancia dura y blanca que cubre la parte que se ve de los dientes: *El dentista me dijo que tenía muy mal el esmalte de los dientes.* □ SINÓNIMOS: **2** pintaúñas.

esmeralda [sustantivo] [femenino] Piedra de color verde y tonos azules que se usa para hacer joyas: *El anillo tenía en el centro una esmeralda.*

esmerarse [verbo] Poner mucho cuidado en lo que se hace para que quede perfecto: *Me esmeré tanto en el ejercicio que la maestra me felicitó.* □ FAMILIA: → esmero.

esmero [sustantivo] [masculino] Cuidado grande que se pone en lo que se hace para que quede perfecto: *Limpié la casa con tanto esmero que no encontrarás ni una mota de polvo.* □ FAMILIA: esmerarse.

esmirriado, da [adjetivo] Muy delgado o con un aspecto que da pena: *Es un chico bajito y esmirriado.*

esmoquin [sustantivo] [masculino] Chaqueta de hombre con el cuello largo y casi siempre de seda: *Muchos camareros van vestidos con esmoquin.*

ESMOQUIN

esófago [sustantivo] [masculino] Especie de tubo por el que bajan los alimentos hasta el estómago: *El esófago forma parte del aparato digestivo.*

espabilar [verbo] **1** Despertar del todo o quitar el sueño: *Hasta que no me lavo la cara,* *no me espabilo.* **2** Hacer más listo y hábil: *Los hermanos mayores han espabilado al pequeño.* **3** Darse prisa o hacer algo más deprisa: *Si no nos espabilamos, perderemos el tren.* □ [Se escribe también despabilar]. SINÓNIMOS: **2** despertar.

espachurrar [verbo] Apretar algo hasta que quede plano o hasta romperlo: *Me gusta espachurrar los guisantes con el tenedor.* □ [Se escribe también despachurrar]. SINÓNIMOS: aplastar. FAMILIA: despachurrar.

espacial [adjetivo] Del espacio o relacionado con él: *Me gustaría ser astronauta y viajar en naves espaciales.* □ [No varía en masculino y en femenino]. FAMILIA: → espacio.

espacio [sustantivo/masculino] **1** Parte exterior a la Tierra: *Me gustaría viajar en un cohete por el espacio.* **2** Extensión que hay entre dos límites: *Entre dos renglones hay un pequeño espacio.* **3** Lugar que ocupa algo: *¿Me dejáis espacio para sentarme?* **4** Período de tiempo: *Nos estuvo hablando por espacio de una hora.* **5** Programa de radio o de televisión: *Me gustan los espacios documentales dedicados a los animales.* □ FAMILIA: espacial, espacioso.

espacioso, sa [adjetivo] Muy extenso o con mucho espacio: *Mi casa tiene un salón muy espacioso.* □ SINÓNIMOS: amplio. CONTRARIOS: reducido. FAMILIA: → espacio.

espada [sustantivo/femenino] **1** Arma que es parecida a un cuchillo muy largo y delgado: *En el museo de armas hay espadas con el puño de plata.* **2** [plural] En una baraja, tipo de carta que tiene dibujada esta arma: *Tengo espadas y copas, pero no tengo ni oros ni bastos.* **3** [expresión] **entre la espada y la pared** En una situación difícil: *Me has puesto entre la espada y la pared, porque me apetecen igual las dos cosas que me ofreces.* □ FAMILIA: espadachín.

espadachín, -a [sustantivo] Persona que sabe luchar muy bien con la espada: *Mi padre hace esgrima y es un gran espadachín.* □ FAMILIA: → espada.

espagueti [sustantivo/masculino] Tipo de pasta hecha de harina, con forma larga y delgada: *Me cuesta mucho enrollar los espaguetis en el tenedor.* □ [Es una palabra de origen italiano].

espalda [sustantivo/femenino] **1** Parte de atrás del cuerpo que va desde los hombros hasta la cintura: *Llevo la mochila colgada a la espalda.* **2** Parte posterior de algo: *El parque está a la espalda de este edificio.* **3** Forma de nadar con la cara hacia arriba: *Ese nadador ganó en la prueba de cien metros espalda.* **4** [expresión] **dar la espalda a alguien** Dejar de prestarle ayuda: *Me dio la espalda en el momento en que más lo necesitaba.* □ [El significado **1** significa lo mismo en singular que en plural]. FAMILIA: guardaespaldas, respaldo.

espantapájaros [sustantivo/masculino] Muñeco que se pone en los campos sembrados para que no se acerquen los pájaros: *El agricultor hizo un espantapájaros con paja y ropas viejas.* □ [No varía en singular y en plural]. FAMILIA: → pájaro.

espantar [verbo] **1** Producir mucho miedo o mucho rechazo: *Me espanta ver sangre.* **2** Echar de un lugar: *Empezó a hacer ruido para espantar a los pájaros.* □ SINÓNIMOS: **1** horrorizar, horripilar. CONTRARIOS: **1** encantar. **2** atraer. FAMILIA: espanto, espantoso.

espanto [sustantivo/masculino] **1** Miedo o susto muy grandes producidos por algo: *Todos miraban el incendio con espanto.* **2** Lo que molesta mucho o produce mucho rechazo: *El tráfico de esta ciudad es un espanto.* □ [El significado **2** es coloquial]. SINÓNIMOS: **1** horror, terror. FAMILIA: → espantar.

espantoso, sa [adjetivo] **1** Que da miedo o que es muy feo: *¡Qué película tan espantosa!* **2** Muy grande o muy fuerte: *Tengo una cantidad de trabajo espantosa.* □ SINÓNIMOS: horrendo, horrible, horroroso. **1** espeluznante. **2** terrible, terrorífico. FAMILIA: → espantar.

español, -a [adjetivo o sustantivo] De España, que es un país de Europa: *El territorio español está dividido en comunidades autónomas.* **2** [sustantivo/masculino] Lengua de este país: *El español se habla también en muchos países de América.* □ SINÓNIMOS: **1** hispánico. **2** castellano.

esparadrapo [sustantivo/masculino] Cinta de tela que se pega por una de sus caras: *La enfermera me puso una venda y me la sujetó con esparadrapo.*

esparcir [verbo] **1** Separar y extender algo que está junto: *El viento ha esparcido las cartas de la baraja por el jardín.* **2** Extender una noticia o algo parecido: *El rumor de que el director iba a dimitir se esparció por todo el colegio.* □ [La c se cambia en z delante de a, o, como en ZURCIR]. SINÓNIMOS: **2** divulgar. CONTRARIOS: **1** juntar, amontonar, agrupar, reunir.

espárrago 1 [sustantivo/masculino] Brote tierno de una planta, que es de color blanco o verde: *De primero hay espárragos con mahonesa.* **2** [expresión] **mandar algo a freír espárragos** Dejar de ocuparse de ello: *Se hartó y lo mandó todo a freír espárragos.* □ [El significado **2** es coloquial].

esparto [sustantivo/masculino] Planta de hojas largas y fuertes que se usa para fabricar cuerdas y otros objetos: *Mis alpargatas tienen la suela de esparto.*

espátula [sustantivo/femenino] Especie de pala pequeña, con la parte de metal plana y los bordes afilados: *El albañil utiliza una espátula para extender el yeso.* 🔍 página 431.

especia [sustantivo/femenino] Sustancia vegetal que se usa para dar olor y sabor a las comidas: *La pimienta y el orégano son especias.* □ [No confundir con especie].

especial [adjetivo] **1** Raro o distinto de lo normal: *Nunca he conocido a nadie tan especial como tú.* **2** Adecuado para algo concreto: *Uso un champú especial para cabellos grasos.* □ [No varía en masculino y en femenino]. SINÓNIMOS: **1** particular, singular, excepcional. CONTRARIOS: **1** común, corriente, normal. FAMILIA: especialidad, especialista, especializar.

especialidad [sustantivo/femenino] **1** Parte de una ciencia, de un arte o de una actividad: *Estudió medicina y eligió la especialidad de cirugía.* **2** Aquello en lo que se destaca: *La especialidad de esa pastelería son las tartas de nata.* □ FAMILIA: → especial.

especialista [adjetivo o/sustantivo] **1** Que se dedica a una rama de una ciencia o de un arte y tiene en ella especiales conocimientos: *El médico de cabecera me mandó al especialista del oído.* **2** Que tiene mucha habilidad para hacer algo: *Soy especialista en hacer bizcochos.* **3** [sustantivo] En cine, persona que sustituye a los actores principales en las escenas de peligro: *La escena de la persecución en coche se rodó con especialistas.* □

[No varía en masculino y en femenino]. SINÓNIMOS: **1,2** experto. FAMILIA: → especial.

especializar [verbo] Dedicarse especialmente a algo: *Estudié biología y me especialicé en botánica.* □ [La z se cambia en c delante de e, como en CAZAR]. FAMILIA: → especial.

especie 1 [sustantivo/femenino] Grupo que forman las cosas que tienen caracteres comunes: *La especie humana se diferencia de la especie animal por la razón.* **2** [expresión] **especie de algo** Lo que se parece a ello: *Un edredón es una especie de manta.* □ [No confundir con especia]. SINÓNIMOS: **1** clase, tipo, género.

espectacular [adjetivo] Muy grande o que produce una gran impresión: *La entrega de premios fue un acto espectacular, con música y juegos de luces.* □ [No varía en masculino y en femenino]. SINÓNIMOS: impresionante. FAMILIA: → espectáculo.

espectáculo [sustantivo/masculino] **1** Función o diversión públicas: *En el teatro nos advirtieron que no se permitía la entrada una vez empezado el espectáculo.* 🔍 páginas 342-343. **2** Situación con la que se llama la atención: *¡A ver si hoy te portas bien y no das otro espectáculo!* □ SINÓNIMOS: **2** número, circo. FAMILIA: espectacular, espectador.

espectador, -a [sustantivo] Persona que asiste a un espectáculo: *Los espectadores aplaudieron al final de la función.* □ FAMILIA: → espectáculo.

espejismo [sustantivo/masculino] Imagen de algo que se ve, pero que no existe en realidad: *Muchas personas que atraviesan el desierto ven espejismos.* □ FAMILIA: → espejo.

espejo [sustantivo/masculino] Objeto de vidrio en el que se refleja lo que se pone delante: *Para hacerme la raya del pelo tengo que mirarme en un espejo.* □ FAMILIA: espejismo.

espeleología [sustantivo/femenino] Deporte que consiste en explorar cuevas y otras zonas que están bajo tierra: *La espeleología es un deporte muy arriesgado.* 🔍 página 291.

espeluznante [adjetivo] Que produce mucho miedo o rechazo: *Después del incendio, la casa ofrecía un aspecto espeluznante.* □ [No varía en masculino y en femenino]. SINÓNIMOS: espantoso, horrible, horrendo, terrible.

espera [sustantivo/femenino] Estancia en un lugar mientras esperamos la llegada de alguien o de algo: *La espera en el aeropuerto fue larga porque el avión venía con retraso.* □ FAMILIA: → esperar.

esperanza [sustantivo] [femenino] Confianza de que ocurra lo que se desea: *No te rindas y no pierdas la esperanza.* □ FAMILIA: → esperar.

esperar [verbo] **1** Pensar que se va a conseguir lo que se desea: *Espero llevarme bien con mis nuevos compañeros.* **2** Creer que algo se puede producir: *No me esperaba esa reacción de ti.* **3** Permanecer en un lugar hasta que llegue alguien o suceda algo: *Cuando volví de viaje, mis padres estaban esperándome en la estación.* **4** Estar a punto de suceder algo: *¡Buena te espera como vuelvas a llegar tarde!* **5** [expresión] **de aquí te espero** Extraordinario o muy grande: *Pasamos un miedo de aquí te espero.* □ [El significado **5** es coloquial]. SINÓNIMOS: **1** confiar. **3,4** aguardar. CONTRARIOS: **1** desesperar. FAMILIA: espera, esperanza, inesperado, desesperar, desesperación.

esperma [sustantivo] [masculino] Líquido que contiene las células sexuales masculinas: *El esperma es un líquido blanco.* □ SINÓNIMOS: semen. FAMILIA: espermatozoide.

espermatozoide [sustantivo] [masculino] Célula sexual masculina: *Los espermatozoides se forman en los testículos.* □ FAMILIA: → esperma.

espesar [verbo] **1** Hacer un líquido más espeso: *Para hacer mahonesa hay que batir el huevo con aceite hasta que espese.* **2** **espesarse** Hacerse algo más apretado o juntarse más sus partes: *En algunas partes de la selva, la vegetación se espesa tanto que es difícil pasar.* □ CONTRARIOS: **1** aclarar. FAMILIA: → espeso.

espeso, sa [adjetivo] **1** Que está poco líquido y casi parece una masa: *Me gusta el puré espeso.* **2** Formado por cosas que están muy juntas o apretadas: *El bosque era tan espeso que los árboles no dejaban pasar la luz.* □ SINÓNIMOS: **2** denso. CONTRARIOS: **1** claro. FAMILIA: espesar, espesor, espesura.

espesor [sustantivo] [masculino] **1** Anchura de un cuerpo: *Estos ladrillos tienen un espesor de diez centímetros.* **2** Carácter de lo que está espeso y casi parece una masa: *La niebla tenía tal espesor que casi no se veía nada.* □ SINÓNIMOS: **1** grosor, grueso. FAMILIA: → espeso.

espesura [sustantivo] [femenino] Lugar muy lleno de árboles y de plantas: *Nos metimos en la espesura del bosque y casi nos perdimos.* □ FAMILIA: → espeso.

espía [sustantivo] Persona que observa o escucha a otros con atención y procurando que no se den cuenta, para contar después lo que descubra: *El nuevo empleado resultó ser un espía de la competencia.* □ [No varía en masculino y en femenino]. FAMILIA: → espiar.

espiar [verbo] Observar o escuchar a otros con atención y procurando que no se den cuenta: *¡Que no te vuelva a pillar espiando detrás de la puerta!* □ [Se conjuga como GUIAR]. SINÓNIMOS: **1** vigilar, acechar. FAMILIA: espía, espionaje.

espiga [sustantivo] [femenino] Conjunto de flores o de pequeños frutos que crecen a lo largo de un tallo común: *El trigo crece formando espigas.*

ESPIGA

espina [sustantivo] [femenino] **1** Especie de púa que tienen algunas plantas: *Me he pinchado con las espinas del rosal.* **2** Cada uno de los huesos largos y con punta que forman el esqueleto de un pez: *Prefiero la carne al pescado porque no tiene espinas.* **3** Lo que pone muy triste o produce mucho dolor: *Aún tengo clavada la espina de tu traición.* **4** [expresión] **dar algo mala espina** Hacer pensar que puede ocurrir algo malo: *Me da muy mala espina que estén tardando tanto en venir.* □ FAMILIA: espinoso.

espinaca [sustantivo] [femenino] Planta que se cultiva en las huertas, de hojas verdes, estrechas y suaves: *El potaje se hace con garbanzos y espinacas.*

espinilla [sustantivo] [femenino] **1** Parte de delante del hueso de la pierna: *Los futbolistas llevan unos refuerzos debajo de las medias para proteger las espinillas.* **2** Grano pequeño y con grasa que sale en la piel: *No te revientes las espinillas, que ya se te quitarán solas.*

espinoso, sa [adjetivo] **1** Con espinas: *Ten cuidado con esos matorrales espinosos.* **2** Delicado o difícil: *Los periodistas me hicieron preguntas espinosas y no les contesté.* □ FAMILIA: → espina.

espionaje [sustantivo masculino] Conjunto de actividades que se realizan para obtener información secreta: *El servicio de espionaje descubrió los planes del enemigo.* □ SINÓNIMOS: vigilancia. FAMILIA: → espiar.

espiral [sustantivo femenino] **1** Línea curva que gira alrededor de un punto y se separa cada vez más de él: *Dibujé una espiral que parecía un muelle.* **2** Lo que tiene la forma de esta línea: *Mi cuaderno tiene una espiral de alambre en un lado.* **3** Proceso en el que algo va aumentando cada vez más y sin poderlo frenar: *Las protestas callejeras dieron lugar a una espiral de violencia.*

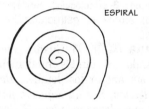

ESPIRAL

espirar [verbo] Echar el aire de los pulmones: *Al respirar, aspiramos y espiramos una y otra vez.* □ [No confundir con espirar].

espíritu [sustantivo masculino] **1** Parte no física de una persona, de la que depende la capacidad de sentir y de pensar: *La cultura enriquece el espíritu.* **2** Alma de una persona muerta: *Dice que puede comunicarse con los espíritus.* **3** Ser con inteligencia pero sin cuerpo: *Los cristianos creen que el diablo es un espíritu que hace el mal.* **4** Ánimo o energía en la forma de actuar: *¡Pon un poco más de espíritu en lo que haces, que parece que te vas a dormir de un momento a otro!* □ FAMILIA: espiritual.

espiritual [adjetivo] **1** Del espíritu o relacionado con esta parte de una persona: *Los católicos creen que la parte espiritual de una persona no muere con su cuerpo.* **2** Dicho de una persona, que es muy sensible a todo lo relacionado con la religión y el espíritu y no se interesa por lo material: *Las personas espirituales no suelen vivir preocupadas por el*

dinero. □ [No varía en masculino y en femenino]. FAMILIA: → espíritu.

espléndido, da [adjetivo] **1** Muy bueno o de grandes cualidades: *La película era espléndida y me ha encantado.* **2** Que da mucho de lo que tiene: *Es muy espléndido y generoso con todos.* □ SINÓNIMOS: **1** magnífico. **2** generoso. CONTRARIOS: **1** horrible, horroroso, horrendo, espantoso. **2** miserable, mísero. FAMILIA: → esplendor.

esplendor [sustantivo masculino] **1** Riqueza, medios o cualidades que hacen brillar algo: *Celebraron la ceremonia con gran esplendor.* **2** Situación en la que algo ha desarrollado sus cualidades hasta un punto muy alto: *El siglo XVII es un siglo de esplendor de nuestra literatura.* □ SINÓNIMOS: **2** auge, apogeo. CONTRARIOS: **2** decadencia. FAMILIA: espléndido.

espolvorear [verbo] Esparcir sobre una superficie una sustancia en polvo: *El pastelero espolvoreó la mesa con harina para que no se le pegase la masa.* □ FAMILIA: → polvo.

esponja [sustantivo femenino] **1** Material suave, ligero y con muchos agujeros que absorbe bien el agua: *Cuando te bañes, frótate bien con la esponja.* **2** Animal marino cuyo esqueleto se usa para fabricar algunos de estos objetos: *Las esponjas naturales son de color beis.* □ FAMILIA: esponjoso.

esponjoso, sa [adjetivo] Blando, ligero y suave: *El bizcocho te ha salido muy esponjoso.* □ FAMILIA: → esponja.

espontaneidad [sustantivo femenino] Modo de actuar natural, sincero y sin pensar antes lo que se va a hacer: *Los niños se comportan con espontaneidad.* □ FAMILIA: → espontáneo.

espontáneo, a **1** [adjetivo] Natural, sincero y sin haberlo pensado antes: *Me saludó con un espontáneo «¿Qué tal, hombre? ¿Cómo te va?».* **2** [sustantivo] Persona que asiste a una corrida de toros o a otro espectáculo y que participa en ellos de pronto y sin que le den permiso: *En mitad de la corrida saltó un espontáneo al ruedo.* □ FAMILIA: espontaneidad.

esposar [verbo] Ponerle las esposas a una persona: *El policía esposó al ladrón y se lo llevó detenido.* □ [No confundir con desposar]. FAMILIA: → esposa.

a b c d **e** f g h i j k l m n ñ o p q r s t u v w x y z

a
b
c
d
e
f
g
h
i
j
k
l
m
n
ñ
o
p
q
r
s
t
u
v
w
x
y
z

esposas [sustantivo femenino plural] Mira en **esposo, sa.**

esposo, sa 1 [sustantivo] Lo que es una persona en relación con aquella con la que está casada: *Mi padre es el esposo de mi madre.* **2** [sustantivo femenino plural] Conjunto de dos piezas de metal en forma de anillos y unidas por una cadena que se usa para sujetar a los detenidos: *Los policías detuvieron a los delincuentes y les pusieron las esposas.* □ FAMILIA: esposar.

espuela [sustantivo femenino] Pieza de metal con una rueda con dientes que se sujeta al talón de la bota y que sirve para picar al caballo: *El jinete pica al caballo con las espuelas para que corra más.*

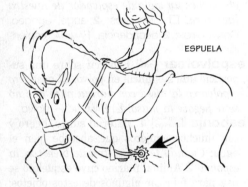

ESPUELA

espuma [sustantivo femenino] **1** Capa de pequeños globos de aire que se forma en la superficie de algunos líquidos: *La cerveza tiene espuma blanca.* **2** Producto de aspecto semejante a esta capa: *La espuma de afeitar sirve para afeitarse sin hacerse daño.* **3** Tela muy ligera que se ajusta muy bien: *Los leotardos de espuma se pegan al cuerpo más que los de lana.* **4** Material muy blando y elástico: *Con los colchones de espuma me duele la espalda porque son demasiado blandos.*

espumadera [sustantivo femenino] Especie de pala redonda con agujeros que se usa en la cocina: *Los huevos fritos los hago en la sartén y los saco con la espumadera.*

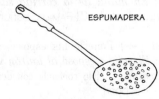

ESPUMADERA

[espumillón [sustantivo masculino] Especie de cinta con flecos, de colores muy vivos y brillantes, que se usa como adorno en Navidad: *El árbol de Navidad estaba lleno de espumillón de colores.*

esquela [sustantivo femenino] Nota que informa de la muerte de una persona y que suele aparecer en los periódicos: *Las esquelas suelen venir en un recuadro con los bordes negros.*

esquelético, ca [adjetivo] Muy delgado: *Muchas personas están esqueléticas porque pasan hambre.* □ FAMILIA: → esqueleto.

esqueleto [sustantivo masculino] **1** Conjunto de los huesos de una persona o de un animal: *El esqueleto es el soporte del cuerpo.* **2** Conjunto de piezas que sirven para sujetar algo: *Las vigas son el esqueleto de una casa.* **3** [expresión] **mover el esqueleto** Bailar: *El sábado fuimos a una discoteca a mover el esqueleto.* □ [El significado **3** es coloquial]. SINÓNIMOS: **2** armadura, armazón, estructura. FAMILIA: esquelético.

esquema [sustantivo masculino] **1** Cuadro que se hace destacando los puntos fundamentales de algo y sin anotar los detalles: *Después de leer la lección, haz un esquema para que te queden más claras las ideas.* **2** Conjunto de líneas y signos con que se representa algo: *El plano de una casa es un esquema de su estructura.* □ FAMILIA: esquemático.

esquemático, ca [adjetivo] Que está hecho de manera sencilla, destacando los puntos fundamentales y sin entrar en detalles: *Me hizo un resumen esquemático pero muy completo.* □ FAMILIA: → esquema.

esquí [sustantivo masculino] **1** Tabla alargada que se sujeta al pie y que sirve para moverse resbalando sobre la nieve o sobre el agua: *Mantén los esquís paralelos y procura que no se crucen para no caerte.* **2** Deporte que se practica con estas tablas: *Las pruebas de esquí que más me gustan son las de salto.* 📷 página 291. **3** [expresión] **esquí acuático** El que se practica sobre el agua, con ayuda de un pequeño barco que tira del que lo practica: *El esquí acuático es más espectacular cuando hay oleaje.* □ [Su plural es esquís]. FAMILIA: esquiar, esquiador.

esquiador, -a [sustantivo] Persona que practica el esquí: *Los esquiadores se deslizan por* *la nieve a gran velocidad.* □ Familia: → esquí.

esquiar [verbo] Moverse sobre la nieve o sobre el agua con esquís: *No ha nevado lo suficiente para poder esquiar.* □ [Se conjuga como GUIAR]. Familia: → esquí.

[esquijama [sustantivo masculino] Especie de pijama de punto que se pega al cuerpo: *Un esquijama es un pijama cerrado y que abriga más.*

esquilar [verbo] Cortarle el pelo o la lana a un animal: *Se esquila a las ovejas para aprovechar su lana.*

esquimal [adjetivo o sustantivo] De un pueblo que vive en zonas del extremo norte de la Tierra: *La casa típica de los esquimales se llama iglú y está hecha de hielo.* □ [No varía en masculino y en femenino].

esquina [sustantivo femenino] Parte exterior o interior del ángulo que forman dos paredes o dos lados de algo: *Te espero en la esquina de esas dos calles.*

esquivar [verbo] Evitar un golpe u otra cosa con habilidad: *El delantero hizo un regate y esquivó al defensa.*

estabilidad [sustantivo femenino] Lo que hace que algo se mantenga firme, seguro o con buen equilibrio: *Las vigas dan estabilidad a la construcción.* □ Sinónimos: firmeza, seguridad, solidez. Familia: → estable.

estabilizar [verbo] Hacer que una cosa se quede estable: *Después de una racha de cambios, parece que la situación se ha estabilizado.* □ [La z se cambia en c delante de e, como en CAZAR]. Familia: → estable.

estable [adjetivo] Que no se tambalea: *Esta mesa es poco estable y cojea.* □ [No varía en masculino y en femenino]. Familia: estabilidad, estabilizar.

establecer [verbo] **1** Organizar, formar o hacer aparecer algo, generalmente con intención de que continúe: *Estableceremos el campamento en un lugar resguardado.* **2** Fijar algo como orden o como principio: *La Constitución establece que todos los españoles somos iguales ante la ley.* **3 establecerse** Quedarse en un lugar para vivir: *Es de un pueblo, pero encontró trabajo en esta ciudad y se estableció aquí.* □ [Es irregular y se conjuga como PARECER]. Sinónimos: **1** fundar, crear. **2** ordenar, mandar. Contrarios: **1**

destruir, deshacer. Familia: establecimiento, restablecer.

establecimiento [sustantivo masculino] **1** Hecho de formar, de organizar o de hacer aparecer algo: *Se están celebrando conversaciones para el establecimiento de relaciones diplomáticas entre los dos países.* **2** Lugar en el que se desarrolla una actividad comercial, una industria o una profesión: *Las tiendas y los grandes almacenes son establecimientos comerciales.* □ Sinónimos: **1** creación, fundación. Contrarios: **1** destrucción. Familia: → establecer.

establo [sustantivo masculino] Lugar cubierto en el que se guarda el ganado: *En el establo hay un pesebre para que coman los caballos.*

estaca [sustantivo femenino] Palo grueso que suele acabar en punta para poderlo clavar: *Clavaron estacas para sujetar el alambre y cercar el terreno.* □ Familia: estacazo.

estacazo [sustantivo masculino] Golpe muy fuerte, generalmente dado con un palo: *Cogió un garrote y empezó a dar estacazos.* □ Familia: → estaca.

estación [sustantivo femenino] **1** Cada uno de los cuatro grandes períodos de tiempo en que se divide el año: *La primavera, el verano, el otoño y el invierno son las estaciones del año.* **2** Sitio en el que suele parar el tren u otros vehículos públicos para que suban y bajen viajeros: *¿En qué estación del metro tengo que bajarme para ir a tu casa?* **3** Conjunto de terrenos y de aparatos necesarios para realizar una actividad determinada: *Durante el verano, las estaciones de esquí están cerradas.* **4** [expresión] **estación de servicio** Lugar en el que hay gasolina y otros servicios para los que viajan en coche: *Paramos en una estación de servicio para echar gasolina y comer algo.* □ Familia: estacionar, estacionamiento.

estacionamiento [sustantivo masculino] **1** Parada de un vehículo en un lugar para dejarlo allí durante cierto tiempo: *Está prohibido el estacionamiento en doble fila.* **2** Lugar señalado y preparado para aparcar en él los vehículos: *Cuando vamos al centro, aparcamos el coche en un estacionamiento público.* □ Sinónimos: aparcamiento. **2** parking. Familia: → estación.

a
b
c
d
e
f
g
h
i
j
k
l
m
n
ñ
o
p
q
r
s
t
u
v
w
x
y
z

estacionar [verbo] **1** Parar un vehículo en un lugar y dejarlo allí durante un tiempo: *En esta calle está prohibido estacionar.* **2 estacionarse** Quedarse algo estable y sin cambios: *Ya no está grave, pero su enfermedad se ha estacionado y no acaba de curarse.* □ SINÓNIMOS: **1** aparcar. FAMILIA: → estación.

estadio [sustantivo/masculino] **1** Recinto preparado para celebrar competiciones deportivas y que tiene asientos para el público: *La final de fútbol se jugará en el estadio municipal.* **2** Cada uno de los períodos por los que se pasa en un proceso: *Una enfermedad pasa por distintos estadios hasta que se cura.* □ SINÓNIMOS: **2** fase, etapa. FAMILIA: → estar.

estadístico, ca 1 [adjetivo] De la estadística o relacionado con esta ciencia: *Un informe estadístico muestra que la afición a la lectura ha aumentado.* [sustantivo/femenino] **2** Ciencia que se ocupa de obtener informaciones sobre algo y de expresarlas con números para poder sacar conclusiones: *En estadística se usan mucho las encuestas.* **3** Conjunto de las informaciones tratadas según esta ciencia: *Según las estadísticas, la población de este país ha crecido un diez por ciento.*

estado [sustantivo/masculino] **1** Situación, circunstancia o condición en la que se encuentra algo que puede cambiar: *Mi estado de salud es muy bueno.* **2** Clase o situación de una persona en la sociedad: *¿Cuál es tu estado civil: soltero o casado?* **3** Forma en la que puede encontrarse la materia: *El hielo es agua en estado sólido.* **4** Conjunto de los órganos de gobierno de un país: *Los colegios públicos pertenecen al Estado.* **5** Territorio y población de cada país independiente: *Las elecciones tendrán lugar en todo el Estado.* **6** En algunos sistemas políticos, cada uno de los territorios que tienen leyes propias pero están sometidos a un Gobierno general: *Estados Unidos es un país formado por diversos estados.* **7** [expresión] **en estado** Embarazada: *Mi hermana está en estado y tendrá pronto un niño.* □ [Los significados **4** y **5** se suelen escribir con mayúscula]. FAMILIA: → estar.

estadounidense [adjetivo o/sustantivo] De los Estados Unidos de América, que es un país de América del Norte: *La moneda estadounidense*

es el dólar. □ [No varía en masculino y en femenino].

estafa [sustantivo/femenino] Delito que consiste en hacer algo para obtener una ganancia por medio de engaño: *La policía detuvo a los autores de una estafa.* □ FAMILIA: estafar.

estafar [verbo] Hacer algo para obtener una ganancia por medio de engaño: *El tendero me ha estafado en el peso y me ha dado menos cantidad de la que he pagado.* □ FAMILIA: → estafa.

estalactita [sustantivo/femenino] Bloque que se forma en las cuevas, que cuelga del techo y termina en una punta hacia abajo: *Al entrar en la cueva, ten cuidado para no darte en la cabeza con una estalactita.* □ [Es distinto de *estalagmita*, que es la que sube desde el suelo].

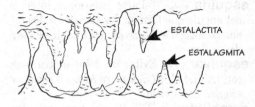

estalagmita [sustantivo/femenino] Bloque que se forma en las cuevas, que se apoya en el suelo y termina en una punta hacia arriba: *Las estalactitas y las estalagmitas se forman al filtrarse agua y otras sustancias por la roca.* □ [Es distinto de *estalactita*, que es la que cuelga del techo].

estallar [verbo] **1** Romperse algo o explotar haciendo mucho ruido: *El niño pinchó el globo y lo hizo estallar.* **2** Abrirse algo de golpe debido a una fuerte presión: *He comido tanto que me van a estallar los pantalones.* **3** Ocurrir algo de manera repentina y violenta: *Las injusticias sociales eran tantas que estalló una revolución.* **4** Expresar de manera repentina algo que se siente con fuerza: *Cuando le dijeron que había sido padre, estalló de alegría.* □ SINÓNIMOS: **1,2,4** reventar. FAMILIA: estallido.

estallido [sustantivo/masculino] **1** Hecho de explotar algo haciendo mucho ruido: *La policía provocó el estallido de la bomba.* **2** Producción de un suceso de manera repentina y violenta: *Si la situación no mejora, se teme un estallido de protestas.* **3** Expresión repentina de algo que se siente con fuerza: *El grito que me ha salido ha sido un estallido de alegría.* □ FA-MILIA: → estallar.

estampa [sustantivo/femenino] **1** Imagen impresa en papel o con la que se adorna un libro: *Las estampas del libro son fotografías de monumentos famosos.* **2** Aspecto exterior de una persona o de un animal: *El toro que salió al ruedo tenía buena estampa.* □ FAMILIA: estampado.

estampado, da [adjetivo] Dicho de una tela, que tiene diferentes figuras y colores: *Me gusta más la blusa blanca que la estampada.* □ FAMILIA: → estampa.

estancar [verbo] Detener un líquido en un lugar e impedir que corra: *La sequía ha estancado este río y ya no corre.* □ [La c se cambia en qu delante de e, como en SACAR]. FAMILIA: estanque.

estancia [sustantivo/femenino] **1** Tiempo que se pasa en un lugar: *Mi estancia en aquella ciudad fue breve pero agradable.* **2** Habitación o cuarto de una casa: *Este salón es la estancia más amplia del palacio.* □ SINÓNIMOS: **2** aposento. FAMILIA: → estar.

estanco [sustantivo/masculino] Tienda en la que se vende tabaco, sellos y otros productos: *Voy al estanco a comprar un sello.* □ FAMILIA: estanquero.

estándar [adjetivo] Que sigue un modelo muy extendido: *Si quiere un modelo especial hay que encargarlo, porque aquí sólo tenemos el modelo estándar.* □ [Es una palabra de origen inglés. No varía en masculino y en femenino, ni en singular y en plural].

estanque [sustantivo/masculino] Lugar artificial en el que hay agua detenida: *En el jardín hay un estanque con un surtidor en el centro.* □ FA-MILIA: → estancar. 🖾 página 497.

estanquero, ra [sustantivo] Persona que trabaja en una tienda en la que se vende tabaco, sellos y otros productos: *Pregúntale al estanquero si vende cerillas.* □ FAMILIA: → estanco.

estante [sustantivo/masculino] Tabla de un mueble sobre la que se colocan las cosas: *Las toallas están guardadas en el segundo estante del armario.* □ FAMILIA: estantería. 🖾 página 119.

estantería [sustantivo/femenino] Mueble formado por estantes: *Ya no me caben los libros en esta*

estantería. □ FAMILIA: → estante. 🖾 página 119.

estaño [sustantivo/masculino] Metal parecido al plomo, pero de color más claro: *El estaño se usa para soldar metales.*

estar [verbo] **1** Existir o hallarse en un lugar, en un tiempo o en una situación: *España está en Europa. Estamos en verano. Aquí estamos a cinco grados de temperatura.* **2** Encontrarse de una manera: *Ahora estoy bien. ¿Está dormido? Todo está sucio.* **3** Quedar o sentar una prenda de vestir: *El pantalón me está estrecho.* **4** Llegar casi el momento de suceder algo: *No te vayas, porque debe de estar al llegar.* **5** **estarse** Quedarse haciendo algo: *Cada vez que vienes, te estás dos horas viendo la tele.* **6** [expresión] **estar para algo** Estar bien dispuesto a ello: *No bromees ahora, porque no estoy para bromas.* **estar por ver algo** No haber certeza de que ocurra o de que sea cierto: *Está por ver quién gana la carrera.* □ [Es irregular]. FA-MILIA: estado, estancia, estadio, bienestar, malestar.

estar	conjugación
INDICATIVO	**SUBJUNTIVO**
presente	**presente**
estoy	esté
estás	estés
está	esté
estamos	estemos
estáis	estéis
están	estén
pretérito imperfecto	**pretérito imperfecto**
estaba	estuviera, -ese
estabas	estuvieras, -eses
estaba	estuviera, -ese
estábamos	estuviéramos, -ésemos
estabais	estuvierais, -eseis
estaban	estuvieran, -esen
pretérito indefinido	**futuro**
estuve	estuviere
estuviste	estuvieres
estuvo	estuviere
estuvimos	estuviéremos
estuvisteis	estuviereis
estuvieron	estuvieren
futuro	**IMPERATIVO**
estaré	
estarás	**presente**
estará	está (tú)
estaremos	esté (él)
estaréis	estemos (nosotros)
estarán	estad (vosotros)
	esten (ellos)
condicional	**FORMAS NO PERSONALES**
estaría	
estarías	**infinitivo** **gerundio**
estaría	estar estando
estaríamos	**participio**
estaríais	estado
estarían	

estático, ca [adjetivo] Que permanece en un mismo estado sin sufrir cambios: *En casa tenemos una bicicleta estática para hacer gimnasia.*

estatua [sustantivo femenino] Figura hecha en piedra o en otro material duro y que representa a un modelo: *En el centro de la plaza hay una estatua de un rey en mármol.* □ SINÓNIMOS: escultura.

estatura [sustantivo femenino] Altura de una persona desde los pies hasta la cabeza: *Los jugadores de baloncesto son personas de gran estatura.* □ SINÓNIMOS: talla.

este [sustantivo masculino] Lugar por donde sale el Sol: *El Mediterráneo está al Este de España.* □ [Cuando es el punto cardinal, se suele escribir con mayúscula]. SINÓNIMOS: oriente, levante. CONTRARIOS: oeste, poniente, occidente.

este, esta, esto 1 [pronombre demostrativo] Señala lo que está más cerca: *¿De quién es este pañuelo que tengo aquí?* 2 [expresión] **en esto** Mientras ocurre lo que se dice: *Estábamos hablando de las vacaciones y, en esto, llegó tu primo y tuvimos que dejarlo.* □ [Cuando no acompaña a un sustantivo se puede escribir con tilde: *Esas flores tienen aroma, pero éstas, no.* El plural de este es estos].

estela [sustantivo femenino] Señal que deja tras sí en el agua o en el aire un cuerpo en movimiento: *Me gusta ir en la cubierta del barco viendo la estela que deja en el mar.*

ESTELA

estepa [sustantivo femenino] Terreno llano y sin cultivar, seco y con poca vegetación: *La estepa rusa tiene una gran extensión.* ☞ página 845.

estéreo [adjetivo] Que permite escuchar separados los sonidos que forman una música: *Con un aparato estéreo el sonido que sale por cada altavoz es diferente.* □ [No varía en masculino y en femenino].

estéril [adjetivo] 1 Que no puede tener hijos: *Mi marido y yo adoptamos un hijo porque yo soy estéril.* 2 Que no da fruto o que no produce nada: *Fue un esfuerzo estéril intentar convencerte, porque tú ya habías tomado tu decisión.* □ [No varía en masculino y en femenino. El significado 1 es distinto de *impotente*, que es el hombre que no puede realizar el acto sexual completo]. CONTRARIOS: fecundo.

estético, ca [adjetivo] 1 De la belleza o relacionado con ella: *A mí me gusta este cuadro y a ti no, porque no tenemos el mismo sentido estético.* 2 Que tiene un bello aspecto o resulta muy bonito: *Me gusta este palacio porque tiene una fachada muy estética.* 3 [sustantivo] Aspecto externo de una cosa teniendo en cuenta su belleza: *Estos edificios nuevos tienen una estética muy moderna.* □ CONTRARIOS: 2 feo.

estiércol [sustantivo masculino] Sustancia natural que se echa en la tierra para que dé más fruto: *El estiércol huele muy mal porque está formado por una mezcla de excrementos de animales con materias vegetales.*

estilo [sustantivo masculino] 1 Manera de hacer algo: *Tienes un estilo curioso de andar.* 2 Conjunto de características que hacen que una cosa sea diferente de otras de su especie: *La catedral de Burgos es de estilo gótico.* 3 Forma de practicar un deporte: *¿Sabes nadar a estilo mariposa?* 4 [expresión] **por el estilo** Parecido: *He visto tu casa y la mía es por el estilo.*

estima [sustantivo femenino] Lo que se siente hacia alguien que tiene una forma de ser que nos gusta: *Tengo mucha estima a tu familia y os deseo lo mejor.* □ SINÓNIMOS: simpatía, aprecio, afecto, cariño. CONTRARIOS: antipatía, desprecio. FAMILIA: → estimar.

estimable [adjetivo] Que destaca por sus cualidades o por su importancia: *Este cuadro es de una calidad estimable.* □ [No varía en masculino y en femenino]. SINÓNIMOS: notable, importante, grande. FAMILIA: → estimar.

estimar [verbo] 1 Reconocer el valor de algo: *Estimo el esfuerzo que has hecho para mejorar en clase.* 2 Sentir amor hacia alguien: *Eres mi amigo y te estimo mucho.* 3 Juzgar o considerar: *Estimo que tienes razón.* □ SINÓNIMOS: 1 apreciar, valorar. 2 amar, querer, adorar, apreciar. CONTRARIOS: 1 despreciar. 2 odiar, detestar, aborrecer. FAMILIA: estima, estimable, inestimable.

estimular [verbo] **1** Empujar a hacer algo: *Mis padres me estimulan a que haga deporte porque es muy sano.* **2** Producir aumento de una actividad: *El ejercicio estimula las ganas de comer.* □ FAMILIA: → estímulo.

estímulo [sustantivo masculino] Lo que empuja a hacer algo: *Saber que mis padres estaban entre el público fue mi mejor estímulo durante la carrera.* □ SINÓNIMOS: aliciente. FAMILIA: estimular.

estirar [verbo] **1** Hacer más largo un objeto tirando de sus extremos con fuerza: *La goma es un material que se puede estirar.* **2** **estirarse** Extender los miembros del cuerpo: *No te estires en público, que es de mala educación.* □ SINÓNIMOS: **2** desperezarse. CONTRARIOS: encoger. FAMILIA: estirón.

estirón [sustantivo masculino] Proceso por el que una persona crece mucho en poco tiempo: *Has dado un buen estirón desde la última vez que te vi, y ya eres tan alto como yo.* □ FAMILIA: → estirar.

estofado [sustantivo masculino] Comida que se hace cociendo carne con aceite, cebolla y otros alimentos: *Hemos comido estofado de ternera con patatas.*

estómago [sustantivo masculino] Órgano con forma de bolsa que está situado en la tripa: *En el estómago se digieren los alimentos.*

estoque [sustantivo masculino] Espada que se usa para matar a los toros en las corridas: *El toro cayó al suelo después de que el torero le clavara el estoque.*

estor [sustantivo masculino] Cortina que se recoge de forma vertical: *Los estores se levantan tirando de una cuerdecita.* □ [Es una palabra de origen francés].

estorbar [verbo] **1** Producir molestias: *No os paréis en mitad de la puerta, porque estorbáis a los que quieren salir.* **2** Retrasar o poner dificultades a algo: *Un camión en doble fila estorbaba el paso por esa calle.* □ SINÓNIMOS: **1** molestar. **2** dificultar, entorpecer. FAMILIA: estorbo.

estorbo [sustantivo masculino] Lo que molesta: *Esa silla en mitad del pasillo es un estorbo.* □ FAMILIA: → estorbar.

estornudar [verbo] Echar por la nariz y por la boca el aire contenido en los pulmones de forma violenta y haciendo ruido: *Cuando estoy acatarrada, siempre estornudo.* □ FAMILIA: estornudo.

estornudo [sustantivo masculino] Salida del aire contenido en los pulmones por la nariz y por la boca de forma violenta y haciendo ruido: *Tus estornudos indican que estás resfriado.* □ FAMILIA: → estornudar.

estrafalario, ria [adjetivo o sustantivo] Que resulta raro por su modo de pensar o por su forma de actuar: *Eres tan estrafalario que ya no me sorprende verte llegar en bañador y con corbata.* □ [Es coloquial].

estrangular [verbo] Ahogar apretando el cuello hasta impedir la respiración: *La policía descubrió que habían estrangulado a la víctima con una cuerda.*

estratagema [sustantivo femenino] Engaño hecho con habilidad: *Preguntarte por tu familia fue una estratagema que usó para enterarse de todo lo relacionado con tu hermana.* □ FAMILIA: → estrategia.

estrategia [sustantivo femenino] Idea que se tiene para dirigir un asunto o para conseguir un fin: *La mejor estrategia para lograr que te dejen venir a mi fiesta es que mis padres llamen a los tuyos para invitarte.* □ FAMILIA: estratagema.

estrechamiento [sustantivo masculino] Disminución de la anchura de algo: *Ese estrechamiento de la carretera produce muchos atascos.* □ CONTRARIOS: ensanchamiento, ensanche. FAMILIA: → estrecho.

estrechar [verbo] **1** Hacer que una cosa sea más estrecha: *He adelgazado siete kilos y tienen que estrecharme la ropa para que no se me caiga.* **2** Hacer más íntima una relación: *El acuerdo ayudará a estrechar los lazos de amistad que existen entre estos países.* **3** Apretar con los brazos o con la mano en señal de amor: *Me estrechó entre sus brazos y me dio un beso.* **4** **estrecharse** Juntarse mucho para que sobre sitio: *Si os estrecháis un poco, podré sentarme con vosotros.* □ SINÓNIMOS: **4** apretar. CONTRARIOS: ensanchar. FAMILIA: → estrecho.

estrechez [sustantivo femenino] **1** Falta de anchura: *La estrechez de esa calle hace que sólo quepa un coche.* **2** Falta de medios económicos: *Ese escritor cuenta que, durante la guerra, su familia pasó muchas estrecheces.* □ [Su plural es *estrecheces*. El significado **2** se usa más en plural]. CONTRARIOS: anchura. FAMILIA: → estrecho.

estrecho, cha [adjetivo] **1** Que tiene menos distancia de lado a lado de lo que es habitual: *Fuimos por un camino tan estrecho que teníamos que andar en fila.* **2** Que queda muy apretado: *Estos pantalones me quedan tan estrechos que no me puedo agachar.* **3** Riguroso o severo: *La policía avisó al sospechoso de que estaría bajo estrecha vigilancia.* **4** Dicho de una relación, que es muy íntima: *No son novios, pero entre ellos hay una estrecha amistad.* **5** [sustantivo masculino] Extensión de agua que separa dos costas próximas y que comunica dos mares: *El estrecho de Gibraltar separa a Europa de África.* □ SINÓNIMOS: **1** angosto, **2** justo. CONTRARIOS: ancho. **2** amplio. FAMILIA: estrechar, estrechez, estrechamiento.

estrella [sustantivo femenino] **1** Cuerpo que hay en el cielo y que brilla con luz propia: *Me gusta ver las estrellas en las noches de verano.* 🔎 páginas 344-345. **2** Signo con esta figura y que tiene diferentes significados: *Los hoteles de cinco estrellas son los mejores.* **3** Suerte o destino favorable: *Se nota que has nacido con estrella, porque todo te sale muy bien.* **4** Persona que destaca mucho en una actividad: *Hoy hay un programa de televisión dedicado a las estrellas de cine.* **5** [expresión] **estrella de mar** Animal marino con el cuerpo plano y con cinco brazos: *Hemos encontrado una estrella de mar entre las rocas.* 🔎 página 537. **estrella fugaz** Cuerpo que cruza el cielo a gran velocidad y luego desaparece: *Si ves una estrella fugaz, pide un deseo y se te cumplirá.* 🔎 página 344. **ver las estrellas** Sentir mucho dolor: *Me choqué con la puerta y vi las estrellas.* □ SINÓNIMOS: **4** as, astro. FAMILIA: estrellar.

estrellar [verbo] **1** Lanzar un objeto con fuerza contra otro: *Estaba tan furioso con él que estrellé su retrato contra la pared.* **2** **estrellarse** Sufrir un golpe violento: *Por no atropellar a un perro, me estrellé contra un árbol.* □ FAMILIA: → estrella.

estremecer [verbo] Producir una fuerte impresión en el ánimo: *Me estremece pensar lo que te podría haber ocurrido en el accidente.* □ [Es irregular y se conjuga como PARECER].

estrenar [verbo] **1** Usar por primera vez: *Hoy estreno estos zapatos.* **2** Representar un espectáculo por primera vez en un lugar: *Hoy estrenan la última película de mi actriz preferida.* □ FAMILIA: estreno.

estreno [sustantivo masculino] **1** Uso de algo por primera vez: *Ayer fui de compras y voy a llevar todo de estreno para tu fiesta.* **2** Primera vez que se representa un espectáculo en un lugar: *He asistido al estreno de esa obra de teatro.* □ FAMILIA: → estrenar.

estreñido, da [adjetivo o sustantivo] Que tiene dificultades para hacer caca: *Tengo que tomar laxantes porque estoy estreñido.* □ FAMILIA: → estreñir.

estreñimiento [sustantivo masculino] Dificultad para hacer caca: *Te vendrá bien tomar zumo de naranja para combatir el estreñimiento.* □ FAMILIA: → estreñir.

estreñir [verbo] Hacer que cueste mucho esfuerzo hacer caca: *El yogur natural estriñe.* □ [Es irregular y se conjuga como CEÑIR]. FAMILIA: estreñimiento, estreñido.

estrépito [sustantivo masculino] Ruido muy fuerte: *Ese estrépito lo ha producido la estantería, que se ha caído por el peso.* □ SINÓNIMOS: estruendo. FAMILIA: estrepitoso.

estrepitoso, sa [adjetivo] **1** Que hace mucho ruido: *Me desperté con un golpe estrepitoso que resultó ser un trueno.* **2** Muy grande: *Si vas así vestido harás el ridículo más estrepitoso.* □ SINÓNIMOS: **1** ruidoso, escandaloso. CONTRARIOS: **1** silencioso. FAMILIA: → estrépito.

estrés [sustantivo masculino] Estado de nervios o de preocupación que está muy cerca de la enfermedad y que se produce por trabajar mucho más de lo normal: *Necesitas unas vacaciones para curarte el estrés y tranquilizarte.* □ [Es una palabra de origen inglés].

estribillo [sustantivo masculino] Frase o conjunto de frases que se repiten en una canción: *Yo sólo cantaré el estribillo, porque no me sé toda la letra de esa canción.*

estribo [sustantivo masculino] **1** Cada una de las dos piezas que cuelgan a los lados de una silla de montar y en las que se apoyan los pies: *Pon un pie en el estribo y date impulso para subir al caballo.* **2** Escalón que tienen algunos vehículos y que sirve para subir o para bajar de ellos: *Casi me caigo al andén, porque puse mal el pie en el estribo del vagón.* **3** [expresión] **perder los estribos** Perder la paciencia: *Se puso tan pesada que perdí los estribos y le dije que no quería verla nunca más.*

ESTRIBO

estribor [sustantivo] [masculino] Parte derecha de un barco: *Mi camarote está situado a estribor.* □ CONTRARIOS: babor.

estrofa [sustantivo] [femenino] Conjunto de versos con una estructura común: *Esta canción tiene tres estrofas de cinco versos cada una.*

estropajo [sustantivo] [masculino] Trozo de un material áspero que se usa para limpiar: *Los platos se friegan frotándolos con un estropajo.*

estropear [verbo] **1** Poner algo en malas condiciones: *Si juegas al fútbol con los zapatos nuevos, los vas a estropear.* **2** Echar a perder algo: *Como haga mal tiempo, se nos estropeará la excursión.* □ CONTRARIOS: arreglar, reparar.

estructura [sustantivo] [femenino] **1** Orden que tienen las partes que forman un todo: *La estructura básica de este diccionario es el orden alfabético.* **2** Conjunto de piezas que sirven para sujetar algo: *La estructura de un edificio está formada por las vigas, las columnas y los cimientos.* □ SINÓNIMOS: **2** armadura, armazón, esqueleto.

estruendo [sustantivo] [masculino] Ruido muy fuerte: *Cuando se cayó el armario, el estruendo se oyó en toda la casa.* □ SINÓNIMOS: estrépito.

estrujar [verbo] Apretar algo con fuerza o con violencia: *Estruja bien el limón para sacarle todo el zumo.* □ [Siempre se escribe con *j*].

estuche [sustantivo] [masculino] Caja que se usa para guardar algo: *Me han regalado un estuche con lápices de colores.*

estudiante [sustantivo] Persona que realiza sus estudios en un centro en el que se enseña: *Mañana no tenemos cole porque se celebra la fiesta del patrón de los estudiantes.*

□ [No varía en masculino y en femenino]. FAMILIA: → estudiar. 🖎 página 119.

estudiar [verbo] **1** Aprender cosas leyéndolas, escuchándolas o viéndolas: *Tengo que estudiar la tabla de multiplicar del cinco.* **2** Hacer estudios en un centro en el que se enseña: *En vacaciones no estudio.* **3** Observar con mucha atención: *El abogado está estudiando el caso de su defendido para conseguir que lo declaren inocente.* □ FAMILIA: estudio, estudiante, estudioso.

estudio [sustantivo] [masculino] **1** Esfuerzo que se hace con la mente para comprender las cosas o aprenderlas: *En casa debes dedicar todos los días alguna hora al estudio.* **2** Habitación en la que se trabaja o en la que se estudia: *Mis libros de trabajo y el ordenador los tengo en el estudio.* **3** Conjunto de edificios y de locales en los que se ruedan películas de cine o en los que se graban programas de radio o de televisión: *Mañana vamos a los estudios de televisión para ver cómo graban ese concurso.* **4** Apartamento pequeño: *Antes de casarme vivía sola en un estudio.* **5** [plural] Conjunto de materias que se estudian para obtener un título: *Cuando termine mis estudios de medicina quiero poner una consulta.* □ FAMILIA: → estudiar.

estudioso, sa 1 [adjetivo] Que estudia mucho: *Tus padres están muy contentos contigo porque eres muy estudiosa.* **2** [sustantivo] Persona que se dedica al estudio de algo: *Un botánico es un estudioso de las plantas.* □ FAMILIA: → estudiar.

estufa [sustantivo] [femenino] Aparato que se usa para calentar espacios cerrados: *Si tienes frío, enciende la estufa.*

estupefaciente [adjetivo o sustantivo masculino] Dicho de una sustancia, que produce sueño y una sensación de bienestar: *Algunas drogas son estupefacientes.* □ [Cuando es adjetivo, no varía en masculino y en femenino]. FAMILIA: → estupefacto.

estupefacto, ta [adjetivo] Que está tan sorprendido que no sabe cómo actuar: *Cuando me dijo que no te aguantaba me dejó estupefacto, porque creía que erais muy buenos amigos.* □ FAMILIA: estupefaciente.

estupendo, da [adjetivo] Muy bueno o extraordinario: *¡Es estupendo que vayamos to-*

a
b
c
d
e
f
g
h
i
j
k
l
m
n
ñ
o
p
q
r
s
t
u
v
w
x
y
z

dos juntos de excursión! □ SINÓNIMOS: sensacional, fenomenal.

estupidez [sustantivo] [femenino] Lo que dice o hace una persona que no actúa con inteligencia: *Me parece una estupidez que te dé vergüenza venir a mi casa.* □ [Su plural es *estupideces*]. SINÓNIMOS: idiotez. FAMILIA: → estúpido.

estúpido, da [adjetivo o] [sustantivo] Que no actúa con inteligencia: *Eres estúpido si crees a ese desconocido en vez de creerme a mí, que soy tu amiga.* □ [Se usa como insulto]. SINÓNIMOS: necio, tonto, imbécil, idiota, burro. FAMILIA: estupidez.

etapa [sustantivo] [femenino] **1** Parte en que se divide un recorrido: *La primera etapa de nuestra excursión será desde aquí al río.* **2** Espacio de tiempo: *Guardo muy buenos recuerdos de la etapa que pasé en tu ciudad.* □ SINÓNIMOS: **2** periodo, período, estadio, fase.

etcétera [sustantivo] [masculino] Expresión que se usa al final de una frase cuando se han citado varias cosas y no se quieren nombrar más: *En la frutería había naranjas, manzanas, limones, peras, etcétera.* □ [Su abreviatura es *etc.*].

eternidad [sustantivo] [femenino] **1** Todo el tiempo: *Ninguna cosa material puede durar toda la eternidad.* **2** Vida del alma después de la muerte: *No tengo miedo a morir, porque sé que después está la eternidad.* **3** Espacio de tiempo muy largo: *Voy a telefonear a mi amigo, porque hace una eternidad que no sé nada de él.* □ [El significado **3** es coloquial]. FAMILIA: → eterno.

eterno, na [adjetivo] **1** Que no tiene principio ni fin: *Soy cristiano y creo que Dios es eterno.* **2** Que dura siempre: *Mi amor por ti es eterno.* **3** Que se repite con frecuencia: *¿Ya estás con tu eterno malhumor?* □ FAMILIA: eternidad.

ético, ca 1 [adjetivo] Que actúa según las reglas que sirven como modelo de comportamiento: *No es ético hablar mal de alguien que no puede defenderse.* **2** [sustantivo] [femenino] Conjunto de reglas que sirven como modelo de comportamiento: *La ética impide que se cometan abusos con las personas.*

etiqueta [sustantivo] [femenino] **1** Trozo de papel que se pega en un objeto y en el que se anotan sus características: *En la etiqueta del pantalón* pone el número de la talla. **2** Conjunto de reglas que se siguen en los actos públicos o cuando se trata con personas con las que no se tiene confianza: *Si asistes a una audiencia con los Reyes, debes saludarlos siguiendo la etiqueta.* **3** [expresión] **de etiqueta** Dicho de una prenda de vestir, que es adecuada para asistir a actos muy serios: *El chaqué es una prenda masculina de etiqueta.*

eucalipto [sustantivo] [masculino] Árbol de tronco recto que tiene unas hojas que dan mucho olor: *El eucalipto se usa mucho para hacer medicamentos.*

eucaristía [sustantivo] [femenino] Acto en el que el sacerdote ofrece el cuerpo y la sangre de Jesucristo representados por el pan y el vino: *Toda la familia asistió al sacramento de la eucaristía el domingo por la tarde.* □ SINÓNIMOS: misa.

europeo, a [adjetivo o] [sustantivo] De Europa: *Los españoles, los alemanes y los suecos somos europeos.*

euskera o **eusquera** [sustantivo] [masculino] Lengua de las comunidades autónomas del País Vasco y de Navarra: *Mis primos viven en Bilbao y saben hablar euskera.* □ SINÓNIMOS: vasco, vascuence.

eutanasia [sustantivo] [femenino] Fin que se pone a la vida de alguien que sufre alguna enfermedad que se sabe que no puede curarse: *La eutanasia está prohibida en la mayoría de los países.*

evacuar [verbo] **1** Hacer salir de un lugar a todas las personas que están dentro de él: *Hoy nos han evacuado del colegio porque han llamado diciendo que había una bomba.* **2** Hacer pis o caca: *Llevo varios días estreñido y me han dado un laxante para que evacue.* □ [La u nunca lleva tilde].

evadir [verbo] **1** Evitar cumplir algo que se tiene la obligación de hacer: *Evadir el pago de los impuestos es un delito.* **2** Sacar dinero del país de forma no legal: *Ese abogado está acusado de evadir varios millones de pesetas.* **3 evadirse** Escaparse o huir: *Cinco presos se han evadido esta mañana de la cárcel.* □ SINÓNIMOS: **3** fugarse. FAMILIA: evasión.

evaluación [sustantivo] [femenino] **1** Proceso por el que se pone nota a los conocimientos de un alumno: *Me ha dicho mi profesor que he mejorado mucho en esta evaluación.* **2** Proceso por el que se calcula el valor de algo: *Después de hacer la evaluación de los gastos del mes, decidieron que debían ahorrar más.* ☐ SINÓNIMOS: **2** valoración. FAMILIA: → evaluar.

evaluar [verbo] **1** Poner nota a los conocimientos de un alumno: *Este profesor evalúa a sus alumnos teniendo en cuenta la actitud en clase, los ejercicios y los exámenes.* **2** Calcular el valor de algo: *Un experto evaluará los daños causados en el coche por el accidente.* ☐ [Se conjuga como ACTUAR]. SINÓNIMOS: **2** valorar. FAMILIA: evaluación.

evangelio [sustantivo masculino] Historia de la vida de Jesucristo: *Los cuatro Evangelios de la Biblia cuentan la vida, la doctrina y los milagros de Jesús.* ☐ [Se suele escribir con mayúscula]. FAMILIA: evangelista.

evangelista [sustantivo masculino] Cada uno de los cuatro discípulos de Jesucristo que escribieron la historia de su vida: *San Mateo, san Marcos, san Lucas y san Juan son los cuatro evangelistas.* ☐ FAMILIA: → evangelio.

evaporación [sustantivo femenino] Paso de un líquido a vapor: *A partir de los cien grados de temperatura se produce la evaporación del agua.* ☐ FAMILIA: → vapor.

evaporar [verbo] **1** Pasar una sustancia de líquido a vapor: *Si dejas hervir mucho tiempo el agua, se evaporará.* **2** Desaparecer o dejar de estar: *Con aquella triste noticia se evaporó la alegría.* ☐ FAMILIA: → vapor.

evasión [sustantivo femenino] **1** Hecho de irse del lugar en el que se está encerrado: *Los prisioneros prepararon su evasión del campamento enemigo.* **2** Hecho de evitar algo que se tiene obligación de hacer: *Te pueden meter en la cárcel por evasión del pago de impuestos.* ☐ SINÓNIMOS: **1** fuga, huida. FAMILIA: → evadir.

evidente [adjetivo] Que se ve de manera clara y no ofrece dudas: *Es evidente que tenías hambre, porque no has dejado ni las migas.* ☐ [No varía en masculino y en femenino]. SINÓNIMOS: claro, obvio, patente.

evitar [verbo] **1** Impedir que suceda algo malo: *Han puesto semáforos en este cruce tan peligroso para evitar más accidentes.* **2** Intentar no hacer algo: *Necesitas reposo y te pondrás pronto bien si evitas levantarte de la cama.* **3** Tratar de no tener relación con una persona: *Me evita para no pedirme perdón por lo mal que se ha portado conmigo.* ☐ FAMILIA: inevitable.

evocar [verbo] Traer a la memoria o a la imaginación: *Esta música me evoca los días felices que pasé aquel verano.* ☐ [La c se cambia en qu delante de e, como en SACAR].

evolución [sustantivo femenino] Desarrollo o cambio por el que se pasa poco a poco de un estado a otro: *En estos dibujos se ve la evolución del ser humano desde que era casi como un mono hasta su estado actual.* ☐ FAMILIA: evolucionar.

evolucionar [verbo] Desarrollarse o cambiar, pasando poco a poco de un estado a otro: *Las especies animales evolucionan a lo largo del tiempo.* ☐ FAMILIA: → evolución.

ex [preposición] Indica que ya no se es lo que significa la palabra con la que va: *El ex ministro dio la bienvenida a su sucesor.*

exactitud [sustantivo femenino] Manera exacta y clara: *Dame las medidas con exactitud para que te traigan una tabla que encaje perfectamente.* ☐ SINÓNIMOS: precisión. FAMILIA: → exacto.

exacto, ta [adjetivo] Que es lo que se dice o lo que hace falta, y nada más ni nada menos: *El avión salió a la hora exacta.* ☐ SINÓNIMOS: justo, preciso. CONTRARIOS: inexacto, impreciso, vago. FAMILIA: exactitud, inexacto.

exageración [sustantivo femenino] Aumento muy grande de la cantidad o de la importancia de algo: *Es una exageración que traigas tres tartas si sólo somos cuatro personas.* ☐ FAMILIA: → exagerar.

exagerado, da 1 [adjetivo] Muy grande: *Has dibujado ese muñeco con la cabeza de un tamaño exagerado.* **2** [adjetivo o sustantivo] Que aumenta la cantidad o la importancia de algo: *Eres un exagerado, porque te lo he pedido dos veces y no doce, como tú dices.* ☐ SINÓNIMOS: **1** abultado. FAMILIA: → exagerar.

exagerar [verbo] Aumentar la cantidad o la importancia de algo: *Exageras si dices que había veinte personas, porque sólo éramos cinco.* ☐ SINÓNIMOS: abultar, hinchar, inflar. FAMILIA: exagerado, exageración.

examen [sustantivo masculino] **1** Prueba que se hace para saber los conocimientos de una persona so-

a
b
c
d
e
f
g
h
i
j
k
l
m
n
ñ
o
p
q
r
s
t
u
v
w
x
y
z

bre una materia: *He aprobado el examen de matemáticas.* **2** Estudio de algo que se hace viendo sus partes con atención: *Me han hecho un examen médico y me han dicho que estoy perfectamente.* □ SINÓNIMOS: **2** análisis. FAMILIA: examinar.

examinar [verbo] **1** Hacer una prueba a una persona para saber los conocimientos que tiene sobre una materia: *La profesora de inglés examina a sus alumnos con ejercicios orales y escritos.* **2** Estudiar las distintas partes que componen algo: *El mecánico examinó el motor para ver dónde estaba la avería.* □ SINÓNIMOS: **2** analizar. FAMILIA: → examen.

excavación [sustantivo femenino] Proceso por el que se hace un gran agujero en un terreno: *Los arqueólogos encuentran objetos del pasado en sus excavaciones.* □ FAMILIA: → cavar.

excavadora [sustantivo femenino] Máquina que sirve para hacer grandes agujeros en la tierra: *Varias excavadoras están preparando el terreno donde se va a construir el edificio.* □ FAMILIA: → cavar.

EXCAVADORA

excavar [verbo] Hacer un gran agujero en la tierra: *Están excavando ese terreno para encontrar petróleo.* □ FAMILIA: → cavar.

excelente [adjetivo] Que destaca por sus buenas cualidades: *Debes estar orgullosa de tus padres, porque son unas personas excelentes.* □ [No varía en masculino y en femenino].

excéntrico, ca [adjetivo o sustantivo] Que tiene un carácter raro o fuera de lo habitual: *Es una excéntrica y lleva la cabeza llena de flores porque dice que así forma parte de la naturaleza.* □ FAMILIA: → centro.

excepción 1 [sustantivo femenino] Lo que se aparta de la regla general: *Tú que dibujas muy bien eres la excepción de la casa, porque todos pintamos fatal.* **2** [expresión] **de excepción** Extraordinario o fuera de lo normal: *El portero jugó un partido de excepción y paró tres pe-*

naltis. □ FAMILIA: excepcional, excepto, exceptuar.

excepcional [adjetivo] **1** Muy bueno o extraordinario: *El entrenador me felicitó porque había jugado un partido excepcional.* **2** Raro o muy poco frecuente: *Mis padres me dejaron acostarme tarde como algo excepcional porque estábamos de celebración.* □ [No varía en masculino y en femenino]. SINÓNIMOS: **1** especial, particular. **2** aislado, único, singular. CONTRARIOS: corriente, normal, común. FAMILIA: → excepción.

excepto [preposición] Sin tener en cuenta algo: *Me gustó mucho la película, excepto una escena en la que matan a un perro.* □ SINÓNIMOS: salvo. FAMILIA: → excepción.

exceptuar [verbo] Dejar una cosa fuera de la regla común: *Tenéis que repetir todos el ejercicio, y no exceptúo a nadie, porque todos lo tenéis mal.* □ [Se conjuga como ACTUAR]. FAMILIA: → excepción.

excesivo, va [adjetivo] Que va más allá de lo que se considera normal o razonable: *Es excesivo que nos hagan leer un libro tan gordo para mañana.* □ FAMILIA: → exceso.

exceso [sustantivo masculino] Lo que pasa los límites de lo normal o de lo debido: *Me multaron por exceso de velocidad.* □ FAMILIA: excesivo.

excitación [sustantivo femenino] Aumento de la actividad: *Nunca tomo café, porque me produce excitación y nerviosismo.* □ FAMILIA: → excitar.

excitante [adjetivo o sustantivo masculino] Que excita: *Dice que los deportes peligrosos son excitantes. El café es un excitante y si lo tomas por la noche no podrás dormir.* □ [No varía en masculino y en femenino]. FAMILIA: → excitar.

excitar [verbo] **1** Poner muy nervioso: *¡Cálmate y no te excites, que tampoco es para tanto!* **2** Producir un aumento de la actividad: *Esta música excita mi imaginación.* □ FAMILIA: excitación, excitante.

exclamación [sustantivo femenino] **1** Palabra o expresión que se pronuncian con fuerza y que expresan lo que se siente: *Cuando se anunció que se suspendía el concierto, el público dejó escapar una exclamación de tristeza.* **2** Signo que se coloca delante y detrás de una palabra o de una frase para indicar que debe pronunciarse con más fuerza: *«¡Oh!»*

está escrito entre exclamaciones. □ SINÓNIMOS: **2** admiración. FAMILIA: → exclamar.

exclamar [verbo] Decir algo con fuerza para expresar lo que se siente: *«¡Dios mío!», exclamé sorprendida.* □ FAMILIA: exclamación, exclamativo.

exclamativo, va [adjetivo] Que permite expresar con fuerza lo que se siente: *En la frase «¡Qué frío!», «qué» es un pronombre exclamativo.* □ FAMILIA: → exclamar.

excluir [verbo] Dejar fuera algo o quitarlo del lugar que ocupaba: *No quiso que yo participara en el plan y me excluyó sin consultarme.* □ [La i se cambia en y delante de a, e, o, como en HUIR]. CONTRARIOS: incluir. FAMILIA: exclusivo.

exclusivo, va **1** [adjetivo] Único, solo o sin igual: *Los vestidos que son un modelo exclusivo cuestan mucho dinero.* **2** [sustantivo] [femenino] Noticia que se publica en un solo medio de información: *Ha vendido la exclusiva del bautizo de su hijo a una revista.* □ FAMILIA: → excluir.

excremento [sustantivo] [masculino] Sustancia de color marrón y mal olor que sale por el culo: *Los excrementos de algunos animales se usan como abono.* □ SINÓNIMOS: caca, mierda.

excursión [sustantivo] [femenino] Viaje corto que se hace a un sitio para divertirse o para ver algo: *Mañana haremos una excursión al campo.* □ FAMILIA: excursionista.

excursionista [sustantivo] Persona que hace excursiones: *Los excursionistas llevaban la comida en las mochilas.* □ [No varía en masculino y en femenino]. FAMILIA: → excursión.

excusa [sustantivo] [femenino] Lo que se dice para que nos disculpen por algo: *Llegó tarde y puso la excusa de que había tardado mucho el autobús.* □ SINÓNIMOS: pretexto, disculpa.

exento, ta [adjetivo] Libre de algo, especialmente de una obligación: *Debido a un problema físico, estoy exenta de hacer gimnasia.*

exhaustivo, va [adjetivo] Que se hace de manera completa o muy a fondo: *Me han hecho un examen exhaustivo para ver si tengo alguna enfermedad.*

exhausto, ta [adjetivo] Muy cansado: *Terminé exhausta la carrera.*

exhibición [sustantivo] [femenino] Exposición pública de un conjunto de cosas: *He ido a ver una exhibición de gimnasia.* □ SINÓNIMOS: muestra. FAMILIA: → exhibir.

exhibir [verbo] **1** Mostrar o enseñar algo en público: *En este cine sólo exhiben películas españolas.* **2 exhibirse** Dejarse ver en público para llamar la atención: *Se exhibió por todo el barrio con su nuevo coche deportivo.* □ FAMILIA: exhibición.

exigencia [sustantivo] [femenino] **1** Lo que se pide con fuerza y energía: *Si las exigencias de los trabajadores no son atendidas, habrá huelga.* **2** Necesidad obligada de algo: *Por exigencias de la programación, la película prevista se emitirá otro día.* □ FAMILIA: → exigir.

exigente [adjetivo o] [sustantivo] Que pide algo y no se conforma con menos de lo que ha pedido: *Es un profesor muy exigente y nos hace estudiar mucho.* □ [No varía en masculino y en femenino]. FAMILIA: → exigir.

exigir [verbo] **1** Pedir con fuerza algo a lo que se tiene derecho: *Los trabajadores exigen un aumento de las medidas de seguridad en el trabajo.* **2** Necesitar algo de forma obligatoria: *Este grave problema exige una rápida solución.* □ [La g se cambia en j delante de a, o, como en DIRIGIR]. SINÓNIMOS: **1** reclamar, reivindicar. FAMILIA: exigencia, exigente.

exiliado, da [adjetivo o] [sustantivo] Que ha abandonado su país, generalmente por motivos políticos: *Los exiliados volvieron a su país cuando cambió el Gobierno.* □ FAMILIA: → exilio.

exiliarse [verbo] Abandonar el país en el que se ha nacido, generalmente por motivos políticos: *Se exilió porque lo perseguían por sus ideas políticas.* □ FAMILIA: → exilio.

exilio [sustantivo] [masculino] Marcha del país en el que se ha nacido, generalmente por motivos políticos: *El desacuerdo con la política del país causó el exilio de mucha gente.* □ FAMILIA: exiliarse, exiliado.

existencia [sustantivo] [femenino] **1** Hecho de existir: *No conocía la existencia de este tipo de bacteria.* **2** Vida humana: *A lo largo de su existencia nunca hizo mal a nadie.* **3** [plural] Conjunto de productos almacenados para ser usados o vendidos: *Al final de cada mes hacemos recuento de las existencias de la tienda.* □ FAMILIA: → existir.

existir [verbo] **1** Ser una cosa real y verdadera: *No me creo que existan los fantasmas.*

a
b
c
d
e
f
g
h
i
j
k
l
m
n
ñ
o
p
q
r
s
t
u
v
w
x
y
z

a
b
c
d
e
f
g
h
i
j
k
l
m
n
ñ
o
p
q
r
s
t
u
v
w
x
y
z

2 Tener vida o estar vivo: *Mis tatarabuelos ya no existen.* **3** Haber o encontrarse: *En el zoo existen animales de todas las partes del mundo.* □ FAMILIA: existencia, inexistente.

éxito [sustantivo/masculino] **1** Resultado muy bueno: *Si el experimento no tiene éxito volveremos a intentarlo otra vez.* **2** Lo que es bien recibido por la gente: *Este libro ha sido un éxito y ya se ha agotado en las librerías.* □ CONTRARIOS: fracaso.

exótico, ca [adjetivo] **1** Extranjero, especialmente si es de un país lejano y poco conocido: *Uno de sus sueños es poder viajar y conocer países exóticos.* **2** Extraño o raro: *Llama la atención porque viste de una forma algo exótica.*

expectación [sustantivo/femenino] Interés que despierta algo que va a suceder: *El estreno de esta ópera ha despertado una gran expectación.* □ FAMILIA: expectativa.

expectativa 1 [sustantivo/femenino] Esperanza o posibilidad de conseguir algo: *Sin estudios no tengo muchas expectativas de conseguir un buen trabajo.* **2** [expresión] **a la expectativa** Sin hacer nada hasta ver qué sucede: *Estoy a la expectativa, esperando qué va a pasar.* □ FAMILIA: → expectación.

expedición [sustantivo/femenino] **1** Viaje que se realiza con un fin determinado: *La universidad organizó una expedición a la Antártida para hacer un estudio de la contaminación de la zona.* **2** Conjunto de personas que realizan este viaje: *La expedición decidió descansar un rato.*

experiencia [sustantivo/femenino] **1** Lo que se aprende con la práctica o a lo largo de la vida: *Mi abuelo dice que la experiencia se adquiere con los años.* **2** Hecho de vivir algo o de llevarlo a cabo: *En la conferencia, el médico contó sus experiencias con enfermos mentales.* □ FAMILIA: experimentar, experimento, experto, inexperto.

experimentar [verbo] **1** Realizar una serie de operaciones para descubrir, demostrar o comprobar algo: *Los científicos de este laboratorio están experimentando una nueva vacuna.* **2** Sentir o notar una sensación: *Al conocer la noticia experimenté una gran tristeza.* **3** Sufrir un cambio: *El tiempo experi-*

mentará una ligera mejoría. □ FAMILIA: → experiencia.

experimento [sustantivo/masculino] Operación para descubrir, comprobar o demostrar algo, generalmente de carácter científico: *En el laboratorio del colegio hacemos experimentos.* □ FAMILIA: → experiencia.

experto, ta 1 [adjetivo o/sustantivo] Que tiene una gran experiencia o una gran habilidad para hacer algo: *Me operó un experto cirujano.* **2** [sustantivo] Persona que se dedica a una rama de una ciencia o de un arte y tiene en ella especiales conocimientos: *Un grupo de expertos decidirá si esta central nuclear puede seguir en funcionamiento.* □ SINÓNIMOS: **1** maestro. **2** especialista. CONTRARIOS: **1** inexperto, novato, principiante. FAMILIA: → experiencia.

expirar [verbo] **1** Dejar de vivir: *El enfermo expiró rodeado de sus familiares y amigos.* **2** Acabar o llegar a su fin un período de tiempo: *Mañana expira el plazo para hacer la matrícula.* □ [No confundir con espirar]. SINÓNIMOS: **1** morir. CONTRARIOS: **1** nacer, vivir. **2** comenzar.

explanada [sustantivo/femenino] Espacio de terreno llano: *Ahí cerca hay una explanada muy buena para montar el campamento.* □ FAMILIA: → plano.

explicación [sustantivo/femenino] **1** Exposición de algo para que resulte fácil de comprender: *Las explicaciones de este profesor son muy claras y todos las entendemos.* **2** Razón que se ofrece como disculpa: *Tu forma de actuar no tiene explicación.* **3** Información que aclara algo: *Por muchas explicaciones que me des, no sé a qué persona te refieres.* □ FAMILIA: → explicar.

explicar [verbo] **1** Contar algo para que resulte fácil de comprender: *Si no habéis entendido algo de la lección, os lo volveré a explicar.* **2** Declarar, expresar o dar a conocer algo: *Uno de los afectados en el accidente explicó lo que había pasado.* **explicarse 3** Llegar a comprender la razón de algo: *No me explico cómo ha podido suceder algo así.* **4** Hacerse entender: *Explícate mejor, porque no entiendo lo que me quieres decir.* □ [La c se cambia en qu delante de e, como en SACAR]. SINÓNIMOS: **2** exponer. FAMILIA: explicación, inexplicable.

exploración [sustantivo] [femenino] Examen o reconocimiento de algo que se realiza a fondo y con atención: *La exploración del terreno demostró que en la isla no vivía nadie.* □ SINÓNIMOS: reconocimiento. FAMILIA: → explorar.

explorador, -a [sustantivo] Persona que examina con atención un terreno que es poco conocido: *Este explorador conoce muy bien las tribus de esta parte de la selva.* □ FAMILIA: → explorar.

explorar [verbo] **1** Ir por un terreno observándolo con atención para descubrir lo que hay en él: *Los guías de la expedición exploraron el terreno.* **2** Examinar algo a fondo: *El médico me exploró el abdomen y me dijo que tenía apendicitis.* □ SINÓNIMOS: reconocer, inspeccionar. **1** batir. FAMILIA: exploración, explorador.

explosión [sustantivo] [femenino] **1** División violenta de algo en trozos que se acompaña de la salida de gran cantidad de energía en forma de calor, de luz y de gases: *La explosión de la caldera produjo el incendio del edificio.* **2** Demostración o desarrollo violentos o repentinos de algo: *La noticia produjo una explosión de alegría en la ciudad.* □ FAMILIA: → explotar.

explosionar [verbo] **1** Provocar una explosión: *La policía explosionó la bomba que estaba colocada en el maletero del coche.* **2** Hacer explosión: *Al explosionar, la bomba sólo produjo daños materiales.* □ SINÓNIMOS: **2** explotar. FAMILIA: → explotar.

explosivo, va [adjetivo] **1** Que puede hacer explosión: *Los terroristas colocaron un artefacto explosivo en la puerta del edificio.* **2** Que llama la atención y produce una gran impresión: *Sus explosivas declaraciones molestaron a mucha gente.* **3** [adjetivo o sustantivo masculino] Dicho de una sustancia, que se quema con explosión: *En las minas se trabaja con explosivos muy potentes.* 🔊 página 539. □ FAMILIA: → explotar.

explotación [sustantivo] [femenino] **1** Conjunto de terrenos y de edificios en los que se tiene un negocio o una industria: *Éste es el veterinario de una importante explotación ganadera.* **2** Proceso por medio del cual se obtienen ganancias a partir de algo: *La explotación de esta mina cada día produce menos beneficios.* **3** Abuso del trabajo de los demás para obtener ganancias: *La esclavitud es el máximo ejemplo de explotación humana.* □ FAMILIA: → explotar.

explotar [verbo] **1** Hacer explosión: *La bomba explotó, pero no produjo víctimas.* **2** Mostrarse o expresarse de forma violenta y repentina: *Estaba tan nerviosa que exploté y me puse a llorar.* **3** Aprovechar algo para obtener frutos o ganancias: *La empresa que explota la mina está pensando en cerrarla.* **4** Abusar del trabajo de otra persona para conseguir ganancias: *Nadie tiene derecho a explotar a los demás.* □ SINÓNIMOS: **1** explosionar. FAMILIA: explosión, explosivo, explosionar, explotación.

exponer [verbo] **1** Mostrar al público: *En este museo exponen la obra de un famoso pintor.* **2** Declarar, expresar o dar a conocer algo: *Expuso las razones por las que había actuado así.* **3** Arriesgar o poner en peligro: *Los bomberos exponen su vida por salvar la de los demás.* □ [Es irregular y se conjuga como PONER. Su participio es *expuesto*]. SINÓNIMOS: **1** presentar. **2** explicar. **3** jugarse. CONTRARIOS: ocultar, esconder. FAMILIA: exposición, expuesto.

exportación [sustantivo] [femenino] Venta de un producto a un país extranjero: *Estas naranjas están destinadas a la exportación.* □ CONTRARIOS: importación. FAMILIA: → exportar.

exportar [verbo] Vender un producto a un país extranjero: *España exporta aceite de oliva a muchos países.* □ CONTRARIOS: importar. FAMILIA: exportación.

exposición [sustantivo] [femenino] **1** Presentación de algo al público para que sea visto: *He ido a ver una exposición de pintura moderna.* 🔊 página 342. **2** Conjunto de los objetos que se exponen: *La exposición consta de cien cuadros.* **3** Explicación de un tema o de unas ideas para darlos a conocer: *Después de la exposición del tema habrá unos minutos para resolver las dudas que hayan surgido.* □ FAMILIA: → exponer.

exprés [adjetivo] **1** Dicho de algunos electrodomésticos, que funcionan de forma rápida y usando la presión: *La olla exprés es más*

a b c d e f g h i j k l m n ñ o p q r s t u v w x y z

a
b
c
d
e
f
g
h
i
j
k
l
m
n
ñ
o
p
q
r
s
t
u
v
w
x
y
z

rápida que las normales. **2** Dicho del café, que está preparado de forma rápida y usando la presión: *El café exprés es fuerte y concentrado, y suele tener algo de espuma.* **3** Que se hace o que se entrega de forma rápida: *En Correos hay un servicio exprés que puedes usar si quieres enviar una carta urgente.* ☐ [No varía en masculino y en femenino, ni en singular y plural].

expresar [verbo] **1** Dar a conocer algo: *Con el lenguaje se expresa el pensamiento.* **2** Mostrar un estado de ánimo: *Esta poesía expresa el amor del poeta por la naturaleza.* **3** **expresarse** Darse a entender por medio de la palabra: *Te expresas muy bien en inglés.* ☐ FAMILIA: expresión, expresivo, expreso.

expresión [sustantivo femenino] **1** Declaración de lo que se quiere dar a conocer: *Un beso es una expresión de cariño.* **2** Palabra o conjunto de palabras: *Debes utilizar expresiones sencillas cuando hablas con niños pequeños.* **3** Forma o gesto que expresan algo: *Tenía una expresión de preocupación en la cara.* ☐ FAMILIA: → expresar.

expresivo, va [adjetivo] Que muestra con fuerza lo que siente: *Con un gesto muy expresivo me dio a entender que quería irse ya.* ☐ FAMILIA: → expresar.

expreso, sa **1** [adjetivo] Que está expresado de forma clara: *Tengo orden expresa de no dejar entrar a nadie.* **2** [sustantivo masculino] Tren de viajeros que sólo para en las estaciones más importantes del recorrido: *Si coges un expreso llegarás antes que si coges otro tipo de tren.* ☐ FAMILIA: → expresar.

exprimidor [sustantivo masculino] Aparato que se usa para sacar el líquido que hay en el interior de algunas frutas: *Hice un zumo de naranja con el exprimidor.* ☐ FAMILIA: → exprimir.

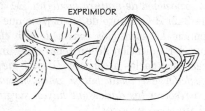

EXPRIMIDOR

exprimir [verbo] **1** Sacar el líquido que está en el interior de una fruta: *Este aparato sirve para exprimir naranjas.* **2** Conseguir

todo lo que se pueda de algo: *Por más que me exprimo el cerebro, no encuentro la solución.* ☐ [El significado **2** es coloquial]. FAMILIA: exprimidor.

expropiar [verbo] Quitar una propiedad de forma legal a cambio de un dinero o de otro terreno: *El Ministerio ha comenzado a expropiar los terrenos de esta zona para ampliar la carretera.* ☐ FAMILIA: → propio.

expuesto, ta **1** Participio irregular de **exponer**. [adjetivo] **2** Que resulta arriesgado o que supone algún peligro: *Me parece muy expuesto que lleves tanto dinero encima.* **3** Que se muestra o se da a conocer: *Las razones expuestas no son suficientes para que aceptemos el plan.* ☐ FAMILIA: → exponer.

expulsar [verbo] Hacer salir de un lugar o del interior de algo: *El volcán expulsa lava.* ☐ FAMILIA: expulsión.

expulsión [sustantivo femenino] **1** Marcha obligatoria de un lugar: *El árbitro castigó a los dos jugadores con la expulsión del terreno de juego.* **2** Salida de algo que está en el interior: *La expulsión de los gases de los tubos de escape de los coches contamina el aire.* ☐ FAMILIA: → expulsar.

exquisito, ta [adjetivo] Muy bueno o extraordinario: *En esta pastelería hacen unos bollos exquisitos.*

extender [verbo] **1** Hacer que algo aumente y ocupe una superficie mayor: *Extiende bien la pintura por toda la pared.* **2** Separar algo que estaba junto, de forma que ocupe más espacio: *Extendió los papeles por toda la mesa y se puso a trabajar.* **3** Poner por escrito un documento: *Extendí un cheque para pagar lo que había comprado.* **extenderse** **4** Ocupar una cantidad de espacio o de terreno: *Su finca se extiende hasta el valle.* **5** Durar cierto tiempo: *La Edad Media se extendió hasta el siglo XV.* ☐ [Es irregular y se conjuga como PERDER]. FAMILIA: → extenso.

extensión [sustantivo femenino] **1** Aumento del espacio ocupado por algo: *Los bomberos procuraban evitar la extensión del incendio a otras zonas.* **2** Superficie o espacio ocupados por algo: *Este país ocupa una gran extensión de terreno.* **3** Cada una de las líneas de teléfono que van unidas a un mismo aparato:

Nuestro departamento tiene la extensión número trece. □ FAMILIA: → extenso.

extenso, sa [adjetivo] Muy grande, muy amplio o con más extensión de lo normal: *Recorrimos a pie su extensa finca.* □ CONTRARIOS: reducido. FAMILIA: extender, extensión.

exterior 1 [adjetivo] Que está en la parte de afuera: *La corteza es la capa exterior de los árboles.* **2** [adjetivo o sustantivo masculino] Dicho de una casa o de sus habitaciones, que tienen ventanas que dan a la calle: *Todas las habitaciones de este piso son exteriores, por eso tiene tanta claridad.* **3** [sustantivo] Parte de fuera de una cosa: *Salgamos al exterior de la casa para ver el jardín.* **4** [sustantivo masculino plural] Espacios al aire libre en los que se ruedan escenas de cine o de televisión: *Los exteriores de esta película están rodados en mi pueblo.* □ [Cuando es adjetivo no varía en masculino y en femenino]. SINÓNIMOS: **1** externo. CONTRARIOS: interior, interno. FAMILIA: externo.

exterminar [verbo] Acabar por completo con todos los seres vivos que hay en un sitio: *Hemos llamado a una empresa para que extermine las ratas del sótano.* □ FAMILIA: exterminio.

exterminio [sustantivo masculino] Destrucción de todos los seres vivos de una misma clase que hay en un sitio: *Este producto garantiza el exterminio de las cucarachas.* □ FAMILIA: → exterminar.

externo, na [adjetivo] **1** Que está en la parte de afuera de algo o que está fuera de algo: *La cáscara es la parte externa del huevo.* **2** Que se desarrolla fuera de una zona determinada: *Éste es un problema externo a la empresa.* **3** [adjetivo o sustantivo masculino] Dicho de una persona, que no vive en el lugar en el que trabaja o en el que estudia: *Los alumnos externos no se quedan a dormir en el colegio.* □ SINÓNIMOS: **1** exterior. CONTRARIOS: interior, interno. FAMILIA: → exterior.

extinción [sustantivo femenino] **1** Hecho de apagar un fuego o algo parecido: *En la madrugada de ayer se pudo llevar a cabo la extinción del incendio.* **2** Fin total de algo que ha ido disminuyendo poco a poco: *Las ballenas están en peligro de extinción.* □ FAMILIA: → extinguir.

extinguir [verbo] **1** Desaparecer o hacer que acabe un fuego: *Los bomberos usaron las mangueras para extinguir el fuego.* **2** Acabar algo totalmente después de haber disminuido poco a poco: *Muchas especies animales se han extinguido por culpa de los seres humanos.* **3 extinguirse** Acabar o llegar a su fin un período de tiempo: *Mañana se extingue tu contrato.* □ [La gu se cambia en g delante de a, o, como en DISTINGUIR]. SINÓNIMOS: **1** apagar, sofocar. **3** expirar. CONTRARIOS: **1** prender, encender. FAMILIA: extinción, extintor.

extintor [sustantivo masculino] Aparato que se usa para apagar un fuego: *Los extintores suelen ser de color rojo.* □ FAMILIA: → extinguir.

extra 1 [adjetivo] Que tiene una calidad mayor que la normal: *He traído jamón extra y está riquísimo.* **2** [adjetivo o sustantivo masculino] Que se añade a algo o se da de más: *El periódico del domingo traía un extra sobre teatro.* **3** [sustantivo] En cine o en teatro, persona que toma parte en una obra pero que no tiene un papel importante: *Los extras que contrataron tenían que hacer de gente del pueblo y pasear por la calle.* **4** [sustantivo femenino] Paga extraordinaria: *Ya nos han dado la extra de Navidad.* □ [El significado **4** es coloquial. Cuando es adjetivo y el significado **3** no varían en masculino y en femenino]. SINÓNIMOS: **1** extraordinario.

extractor, -a [adjetivo o sustantivo masculino] Que sirve para sacar algo fuera: *En la cocina hay un extractor de humos.* □ FAMILIA: → extraer.

extraer [verbo] **1** Poner fuera algo que estaba dentro de un lugar: *Metió la mano en el bolsillo y extrajo un billete.* **2** Sacar como consecuencia o como resultado: *De lo que te ha pasado puedes extraer muchas enseñanzas.* **3** Obtener una sustancia a partir del cuerpo que la contiene: *El aceite de oliva se extrae de las aceitunas.* □ [Es irregular y se conjuga como TRAER]. SINÓNIMOS: **1** sacar. CONTRARIOS: **1** meter. FAMILIA: extractor.

extranjero, ra 1 [adjetivo o sustantivo] De un país que no es el propio: *Ese coche es extranjero, porque tiene matrícula francesa.* **2** [sustantivo masculino] País o conjunto de países distintos del propio: *Pasaré las vacaciones en el extranjero.*

extrañar [verbo] **1** Producir sorpresa o resultar extraño: *Me extraña que te haya pegado porque es una persona muy pacífica.* **2**

Echar de menos o echar en falta: *Cuando estoy muchos días fuera de casa, extraño a mi familia.* **3** Considerar algo como nuevo o distinto de lo normal: *Cuando duermo en tu casa, extraño la cama y me cuesta coger el sueño.* □ SINÓNIMOS: **1** chocar, sorprender. FAMILIA: → extraño.

extrañeza [sustantivo femenino] Sorpresa o admiración que produce algo que resulta raro o extraño: *Sus palabras nos produjeron una gran extrañeza.* □ FAMILIA: → extraño.

extraño, ña [adjetivo] **1** Que es distinto de lo habitual o de lo acostumbrado: *Es extraño que no haya llegado, porque ya es muy tarde.* **2** De una naturaleza o condición distintas a las de la cosa de la que forma parte: *Las lentillas te molestan porque son cuerpos extraños a los ojos.* **3** [adjetivo o sustantivo] Que no es conocido: *No quiero que hables con gente extraña.* **4** [sustantivo masculino] Movimiento rápido que no se espera: *El coche hizo un extraño y nos salimos de la carretera.* □ SINÓNIMOS: **1** anormal, raro, sorprendente. CONTRARIOS: **1** natural, normal, común, habitual, lógico, usual, corriente, ordinario. FAMILIA: extrañar, extrañeza.

extraordinario, ria [adjetivo] **1** De tamaño, cantidad o calidad mayores de lo normal: *Me pareció una película extraordinaria.* **2** Que está fuera de lo normal: *Los milagros son hechos extraordinarios.* **3** [sustantivo femenino] Dinero que se recibe dos o tres veces al año, además del sueldo: *Con la extraordinaria de agosto me iré de vacaciones.* □ [En el significado **3** se usa mucho la forma abreviada *extra*]. SINÓNIMOS: **1** colosal, imponente, formidable. CONTRARIOS: **1,2** corriente, ordinario. FAMILIA: → ordinario.

extraterrestre [adjetivo o sustantivo] Que viene de fuera de la Tierra: *Dice que vio bajar a unos extraterrestres de un platillo volante.* □ [No varía en masculino y en femenino]. FAMILIA: → tierra.

extravagante [adjetivo o sustantivo] Raro y fuera de lo común: *Viste de forma extravagante y por eso llama la atención.* □ [No varía en masculino y en femenino].

extraviar [verbo] **1** No encontrar algo que teníamos: *Ya he encontrado la cartera que había extraviado.* **2** No encontrar el camino: *Me extravié en el monte y tuve que dormir al aire libre.* □ [Se conjuga como GUIAR]. SINÓNIMOS: **1** perder. **2** perderse. CONTRARIOS: **1** encontrar. **2** orientarse.

extremaunción [sustantivo femenino] Acto en el que el sacerdote hace el signo de la cruz a las personas que están muy enfermas: *Antes de que el sacerdote le administrara el sacramento de la extremaunción, se confesó y comulgó.*

extremeño, ña [adjetivo o sustantivo] De la comunidad autónoma de Extremadura: *Las migas son un plato típico extremeño.*

extremidad [sustantivo femenino] Cada uno de los brazos y de las piernas de una persona: *Los brazos son las extremidades superiores.* □ FAMILIA: → extremo.

extremo, ma [adjetivo] **1** Muy grande o muy fuerte: *En este país, en invierno hace un frío extremo.* **2** Que se encuentra en el límite de algo: *Los partidos de extrema izquierda se presentarán a las elecciones.* **3** Que está lejos en el espacio o en el tiempo: *El metro no llega hasta los barrios extremos de la ciudad.* **4** [sustantivo masculino] Parte que está en el principio o en el fin de una cosa: *Cada uno tiraba de uno de los dos extremos de la cuerda.* **5** Límite o punto al que puede llegar una cosa: *Amó a los suyos hasta el extremo de renunciar a todo por ellos.* **6** [expresión] **en último extremo** En último caso: *En último extremo, si pierdo el autobús, cogeré un taxi.* □ CONTRARIOS: **2** medio. FAMILIA: extremidad.

F f

f [sustantivo] [femenino] Letra número seis del abecedario: *«Fuerza» empieza por «f»*. □ [Su nombre es efe].

fabada [sustantivo] [femenino] Guiso de judías con chorizo, morcilla y otros ingredientes: *La fabada es un plato típico de Asturias*.

fábrica [sustantivo] [femenino] Lugar donde se hacen muchas cosas iguales con máquinas: *En esta fábrica de televisores trabajan más de cien empleados*. □ SINÓNIMOS: factoría. FAMILIA: fabricar, fabricante, fabricación, prefabricado.

fabricación [sustantivo] [femenino] **1** Producción de muchas cosas iguales con máquinas: *La fabricación de coches en España ha descendido en los últimos años*. **2** Construcción de un edificio o de un aparato: *¿Cuánto tiempo han tardado en la fabricación de este cohete espacial?* □ SINÓNIMOS: producción, elaboración, creación. FAMILIA: → fábrica.

fabricante [sustantivo] Persona o grupo de personas que se dedica a la fabricación de productos: *El fabricante de este nuevo producto asegura que es mucho mejor que los ya existentes en el mercado*. □ [No varía en masculino y en femenino]. FAMILIA: → fábrica.

fabricar [verbo] **1** Hacer muchas cosas iguales con máquinas: *Este modelo de coche no se fabrica en España*. **2** Construir objetos: *Con estas cuerdas y estos vasos de plástico nos vamos a fabricar una especie de teléfono, ¿quieres?* □ [La c se cambia en qu delante de e, como en SACAR]. SINÓNIMOS: elaborar, crear, producir. FAMILIA: → fábrica.

fábula 1 [sustantivo] [femenino] Cuento en el que los personajes son animales y que sirve para enseñarnos algo: *En la fábula de la cigarra y la hormiga se nos enseña que debemos trabajar*. **2** [expresión] **de fábula** Muy bien o muy bueno: *Nos lo pasamos de fábula en la fiesta del otro día*. □ [El significado **2** es coloquial]. FAMILIA: fabuloso.

fabuloso, sa [adjetivo] Que gusta mucho porque se considera que es extraordinario: *He leído un libro fabuloso*. □ SINÓNIMOS: maravilloso, fantástico. FAMILIA: → fábula.

faceta [sustantivo] [femenino] Cada una de las formas en que se puede ver o estudiar algo: *Creo que aún me quedan por conocer muchas facetas de tu carácter*. □ SINÓNIMOS: aspecto.

facha [sustantivo] [femenino] Aspecto exterior de una persona: *¡Qué buena facha tienes con ese traje tan elegante!* □ [Es coloquial]. SINÓNIMOS: apariencia, pinta.

fachada [sustantivo] [femenino] Parte exterior de un edificio: *Están pintando la fachada de mi edificio, porque estaba ya muy negra de la contaminación*.

facial [adjetivo] De la cara o relacionado con ella: *Cuando me doy crema en la cara, me la extiendo dándome un pequeño masaje facial*. □ [No varía en masculino y en femenino]. FAMILIA: → faz.

fácil [adjetivo] **1** Que se hace con poco trabajo o con poco esfuerzo: *Aprenderse esta lección es muy fácil*. **2** Que es posible que ocurra: *Es fácil que esta tarde vayamos al cine*. □ [No varía en masculino y en femenino]. SINÓNIMOS: sencillo. CONTRARIOS: difícil, crudo, chungo. FAMILIA: facilidad, facilitar.

facilidad [sustantivo] [femenino] **1** Capacidad para hacer algo sin trabajo o sin esfuerzo: *No es difícil usarlo, y aprenderás con facilidad*. **2** Capacidad para hacer algo bien: *Tengo facilidad para aprender idiomas*. **3** [plural] Lo que hace que algo nos resulte más fácil de pagar: *Si quiere usted comprar esta lavadora, le daremos todo tipo de facilidades*. □ SINÓNIMOS: **2** habilidad, destreza, maestría, maña, arte, mano. CONTRARIOS: dificultad. **2** torpeza. FAMILIA: → fácil.

facilitar [verbo] **1** Hacer que algo sea más fácil: *Los electrodomésticos facilitan las tareas del hogar*. **2** Dar algo que resulta necesario: *Mis padres me facilitaron el dinero para el viaje de fin de curso*. □ SINÓNIMOS: **2** proporcionar, suministrar, proveer, abastecer, surtir. CONTRARIOS: **1** dificultar. **2** quitar, privar, despojar. FAMILIA: → fácil.

factor [sustantivo] [masculino] **1** Cada uno de los elementos o circunstancias que influyen en algo: *Uno de los factores del éxito es el trabajo y el esfuerzo continuos*. **2** En matemáticas, cada una de las cantidades con que se hace una multiplicación: *El orden en que multipliquemos los factores no altera el resultado.* □ FAMILIA: factoría.

factoría [sustantivo] [femenino] Lugar donde se hacen muchos productos iguales con máquinas: *En esta ciudad hay una importante factoría de coches.* □ SINÓNIMOS: fábrica. FAMILIA: → factor.

factura [sustantivo] [femenino] Papel en el que aparece escrita la cantidad de dinero que una persona ha pagado por algo: *Si quiere usted cambiar el jersey, tiene que traernos la factura.* □ SINÓNIMOS: recibo, cuenta. FAMILIA: facturar.

facturar [verbo] **1** Entregar el equipaje en un aeropuerto o en una estación para que llegue a su destino: *Aunque el vuelo no sale hasta las ocho, tenemos que estar una hora antes en el aeropuerto para facturar las maletas.* **2** Pasar la cuenta de lo que se ha vendido o comprado: *En esta empresa se facturan varios millones de pesetas al mes.* □ FAMILIA: → factura.

facultad [sustantivo] [femenino] **1** Conjunto de condiciones que permiten realizar una actividad: *Esta escultora tuvo facultades artísticas desde pequeña.* **2** Poder para hacer algo: *Tú no tienes ninguna facultad para decirme lo que tengo o no tengo que hacer.* **3** Cada uno de los edificios de una universidad en los que se estudian carreras distintas: *Mi madre es profesora en la facultad de medicina.* □ SINÓNIMOS: **1** capacidad.

faena [sustantivo] [femenino] **1** Mala acción que se hace contra alguien: *Ha sido una faena que no me avisaras de que no podías asistir a la cita.* **2** Cada una de las cosas que una persona tiene que hacer: *En mi familia, todos colaboramos por igual en las faenas de la casa.* □ SINÓNIMOS: **1** jugada, jugarreta. **2** quehacer, tarea, ocupación, trabajo, labor.

fagot [sustantivo] [masculino] Instrumento musical de viento parecido a la flauta: *El fagot se suele colocar en la parte central de la orquesta.* □ [Su plural es fagotes]. 🔎 página 607.

faisán [sustantivo] [masculino] Ave del tamaño de un gallo con la cola muy larga: *En el banquete comimos codornices y faisán.* 🔎 página 20.

faja [sustantivo] [femenino] **1** Prenda de ropa interior que se lleva alrededor de la cintura: *Algunas personas usan faja para parecer más delgadas.* **2** Tira larga y estrecha de cualquier material: *Algunos trajes regionales de hombre llevan una faja roja alrededor de la cintura.*

fajo [sustantivo] [masculino] Conjunto de cosas largas y estrechas puestas unas sobre otras y atadas con una cinta: *En la caja del banco había varios fajos de billetes.*

falda [sustantivo] [femenino] **1** Prenda de vestir que cae desde la cintura: *La falda es una prenda de vestir que normalmente usan las mujeres.* **2** Tela que se usa para cubrir una mesa redonda: *Las faldas de esta mesa camilla llegan hasta el suelo.* **3** Parte baja de una montaña: *Veraneo en un pueblo que está en la falda de una montaña.* **4** Una parte de la carne de vaca que se come: *He comprado filetes de falda de ternera.* □ FAMILIA: minifalda, faldón.

faldón [sustantivo] [masculino] **1** En algunas prendas de vestir, parte que cuelga desde la cintura hacia abajo: *En verano llevo la camisa con los faldones por fuera del pantalón.* **2** Especie de falda larga que se pone a los bebés: *Cuando me bautizaron, me pusieron un faldón blanco muy bonito.* □ FAMILIA: → falda.

falla [sustantivo] [femenino] **1** Muñeco que se construye en Valencia para ser quemado en las calles la noche del 18 de marzo: *Las fallas se queman la noche de la víspera de San José, que es el patrón de Valencia.* **2** [plural] Fiestas valencianas que se celebran en esas fechas: *Soy valenciano y todos los años voy a las Fallas.* □ [El significado **2** se suele escribir con mayúscula].

fallar [verbo] **1** No acertar o hacer mal algo: *Fallé el tiro a canasta y no conseguí encestar.* **2** No funcionar algo o no dar el resultado esperado: *Este reloj falla, porque atrasa media hora.* □ SINÓNIMOS: **1** errar. CONTRARIOS: acertar, atinar. FAMILIA: → fallo.

fallecer [verbo] Dejar de vivir una persona: *El conductor del vehículo falleció a las dos horas del accidente.* □ [Es irregular y se conjuga como PARECER]. SINÓNIMOS: morir. FAMILIA: fallecimiento, desfallecer.

fallecimiento [sustantivo] [masculino] Muerte de una persona: *El fallecimiento se produjo por asfixia.* □ CONTRARIOS: nacimiento. FAMILIA: → fallecer.

fallo [sustantivo masculino] **1** Lo que sale mal o tiene un mal resultado: *El accidente se debió a un fallo del conductor.* **2** Lo que se hace o se dice de forma equivocada: *Si leyeses más, no tendrías tantos fallos en ortografía.* □ SINÓNIMOS: **1** desacierto, torpeza. **2** error, falta. CONTRARIOS: acierto, tino, tacto, destreza. FAMILIA: fallar, infalible.

falsedad [sustantivo femenino] Lo que no es verdad: *Deja de decir falsedades y no mientas más.* □ SINÓNIMOS: mentira, trola, bola, embuste. CONTRARIOS: verdad. FAMILIA: → falso.

falsificación [sustantivo femenino] Copia que se hace de algo intentando que parezca verdadera o auténtica: *La falsificación de billetes es un delito.* □ FAMILIA: → falso.

falsificar [verbo] Hacer una copia de algo intentando que parezca verdadera o auténtica: *No está bien que falsifiques la firma de tus padres.* □ [La c se cambia en qu delante de e, como en SACAR]. FAMILIA: → falso.

falso, sa 1 [adjetivo] Que no es verdadero: *Lo que dices es falso. Estos pendientes son falsos aunque parezcan de oro.* **2** [adjetivo o sustantivo] Dicho de una persona, que no dice la verdad: *No seas falso y reconoce que no te apetece venir.* □ SINÓNIMOS: **1** aparente. **2** mentiroso, hipócrita, embustero. CONTRARIOS: **1** verdadero, auténtico. **2** sincero. FAMILIA: falsedad, falsificar, falsificación.

falta [sustantivo femenino] Mira en **falto, ta.**

faltar [verbo] **1** No haber algo: *Aquí falta una silla.* **2** No haber suficiente de algo: *Me faltan diez pesetas para poder pagarlo todo.* **3** No ir a un sitio o no cumplir una obligación: *Falté a la cita porque estaba enfermo.* **4** Ofender o molestar a alguien: *Nadie tiene derecho a faltar a los demás.* **5** Quedar tiempo para que ocurra algo: *Faltan diez días para que nos den las vacaciones.* **6** Quedar algo sin hacer: *Ya sólo me falta peinarme y enseguida estoy lista.* **7** [expresión] **no faltaba más** Se usa para dar más fuerza a lo que se ha dicho: *¡Por supuesto que te ayudaré, no faltaba más!* □ SINÓNIMOS: **5** quedar, restar. CONTRARIOS: **2** bastar. FAMILIA: falta, falto.

falto, ta 1 [adjetivo] Que no tiene lo necesario para algo: *Tengo tantas cosas que hacer que estoy falto de tiempo.* [sustantivo femenino] **2** Ausencia de algo o de alguien: *Aquí hay falta de espacio para todos. Se notó mucho tu falta en la fiesta.* **3** Lo que se hace o se dice de forma equivocada: *Leyendo se aprende a no tener faltas de ortografía.* **4** Lo que hace que algo no esté del todo bien: *Esa tela es muy barata porque está llena de faltas.* **5** Acción que va en contra de una regla o de una ley: *Tocar el balón con la mano es una falta en fútbol.* **6** [expresión] **echar en falta** Echar de menos: *Cuando llegué al colegio eché en falta la mochila.* **hacer falta** Necesitar o ser necesario: *Me hace falta un papel y un lápiz para poder escribir.* **sin falta** De manera segura o puntual: *No te preocupes, que estaré allí sin falta.* □ SINÓNIMOS: **1** desprovisto. **3** fallo, error. **4** defecto, imperfección. CONTRARIOS: **1** provisto. FAMILIA: → faltar.

fama [sustantivo femenino] **1** Gloria que se consigue por haber hecho algo importante o por ser muy conocido: *Es un novelista de fama mundial.* **2** Lo que los demás piensan de una persona: *Tiene fama de tranquilo, pero es una persona terriblemente nerviosa.* □ SINÓNIMOS: **2** honra. FAMILIA: famoso.

familia [sustantivo femenino] **1** Grupo formado por los padres y sus hijos: *En mi familia todos somos rubios.* **2** Conjunto de todas las personas que tienen una relación familiar entre sí: *A la boda de mi hermano vino toda mi familia, y así pude ver a todos mis tíos y primos.* **3** Conjunto de hijos o de descendientes de una persona: *Al año de casados tuvieron familia.* **4** Conjunto de personas o de cosas con una característica común: *La palabra «famoso» es de la misma familia que la palabra «fama» porque tienen la misma raíz.* □ SINÓNIMOS: **1,2** gente. FAMILIA: familiar.

familiar [adjetivo] **1** De la familia o relacionado con ella: *Las navidades son unas fiestas muy familiares.* **2** Que resulta conocido: *Creo que ya he pasado alguna vez por aquí, porque ese paisaje me resulta familiar.* **3** Que resulta sencillo: *«¡Hola!» es un saludo más familiar que «¡Buenos días!».* **4** Que es de un tamaño mayor de lo normal: *Este paquete de galletas es familiar, y sale más barato porque tiene más cantidad por menos precio.* **5** [sustantivo masculino] Persona que pertenece a la misma familia que otra: *Los novios celebraron su boda con todos sus familiares y* *amigos.* □ [Cuando es adjetivo no varía en masculino y en femenino]. Sinónimos: **5** pariente. Familia: → familia.

famoso, sa [adjetivo o sustantivo] Que tiene fama y es muy conocido: *Este presentador de televisión es muy famoso.* □ Sinónimos: célebre, acreditado. Contrarios: desconocido. Familia: → fama.

[fan [sustantivo] Persona que admira y apoya a otra con mucho interés: *Los seguidores de este cantante han fundado un club de fans.* □ [Es una palabra inglesa. No varía en masculino y en femenino. Su plural es *fans*]. Sinónimos: seguidor, aficionado, hincha, forofo.

fanático, ca [adjetivo o sustantivo] **1** Que cree que lo que él piensa es lo mejor y lo único verdadero: *Las personas fanáticas no aceptan que haya gente que piense de manera diferente a la suya.* **2** Que se dedica demasiado a algo: *Soy una fanática de la pintura y voy a todas las exposiciones.*

fanfarrón, -a [adjetivo o sustantivo] Que presume de algo que no es cierto: *No seas fanfarrona y reconoce que estás muerta de miedo, como todos nosotros.* □ [Es coloquial].

fango [sustantivo masculino] Barro que se forma en el fondo del agua: *Los fondos de los pantanos tienen fango.* □ Sinónimos: lodo.

fantasía [sustantivo femenino] **1** Capacidad para inventar o imaginar cosas: *Los niños tienen mucha fantasía.* **2** Algo que uno se inventa: *Tienes la cabeza llena de fantasías, y lo que dices no tiene nada que ver con la realidad.* □ Familia: fantasioso, fantástico.

fantasioso, sa [adjetivo] Que tiene mucha fantasía y se inventa e imagina muchas cosas: *Es tan fantasioso que se ha inventado que tiene un amigo, y se pasa todo el día hablando solo, como si estuviera con él.* □ Familia: → fantasía.

fantasma 1 [adjetivo] Dicho de un lugar, que está abandonado: *En este pueblo fantasma ya no queda ningún habitante.* **2** [adjetivo o sustantivo] Dicho de una persona, que presume de algo que no es cierto: *No me creo nada de lo que me cuente ese fantasma.* [sustantivo masculino] **3** Espíritu de una persona muerta que se dice que se aparece a los vivos: *En unos dibujos animados había un castillo en el que vivía un fantasma que iba vestido con una sábana*

blanca. **4** Ser imaginario que creemos ver como si fuera real: *Aleja esos fantasmas de tu imaginación y hazme caso si te digo que todo es mentira.* □ [El significado **2** es coloquial]. Sinónimos: **2** fanfarrón. **4** visión.

fantástico, ca [adjetivo] **1** Que no es real sino que es un invento de la imaginación: *Las hadas y los gnomos son seres fantásticos que sólo existen en los cuentos.* **2** Que es muy bueno o que se considera extraordinario: *Tengo unos amigos fantásticos.* □ Sinónimos: **2** fabuloso, maravilloso. Familia: → fantasía.

fantoche [sustantivo masculino] Persona de aspecto ridículo: *Con esas ropas tan raras vas hecho un fantoche.* □ [Es despectivo]. Sinónimos: monigote.

faquir [sustantivo masculino] **1** En la India, persona que vive de limosnas y lleva una vida de oración: *Los faquires suelen ser musulmanes o hindúes.* **2** Artista de circo que se tumba sobre clavos, come fuego y hace cosas parecidas sin que le pase nada: *Cuando estuve en el circo un faquir se tumbó en una tabla llena de pinchos y no le pasó nada.*

faraón [sustantivo masculino] Rey del antiguo Egipto: *Algunas pirámides egipcias se construyeron como tumbas de los faraones.*

fardar [verbo] Presumir mucho de algo delante de los demás: *¡Cómo fardas de bici nueva, eh!* □ [Es coloquial].

farmacéutico, ca 1 [adjetivo] De la farmacia o relacionado con ella: *Los productos farmacéuticos son de muy distintas marcas.* **2** [sustantivo] Persona que prepara y vende medicinas en una farmacia: *Cuando voy a comprar medicinas le doy las recetas del médico al farmacéutico.* □ Sinónimos: **2** boticario. Familia: → farmacia.

farmacia [sustantivo femenino] **1** Tienda en la que se hacen y se venden medicinas: *He ido a la farmacia a comprar jarabe.* **2** Ciencia que estudia cómo se preparan los medicamentos y de qué está compuesto cada uno: *Cuando sea mayor quiero estudiar farmacia.* □ Sinónimos: **1** botica. Familia: farmacéutico.

faro [sustantivo masculino] **1** Torre alta que, con una luz, señala a los barcos por la noche dónde está la costa: *Al ver la luz del faro, el capitán del barco supo que ya estaban cerca del* *puerto.* **2** Luz delantera de los vehículos: *Por la noche hay que circular con los faros encendidos.* ☐ FAMILIA: farol, farola, farolillo.

farol [sustantivo masculino] **1** Caja transparente que dentro tiene una luz y que sirve para alumbrar: *En el jardín hay faroles para dar luz por la noche.* **2** Mentira exagerada con la que una persona intenta engañar a otra: *Eso de que puedes correr dos horas sin parar es un farol.* ☐ [El significado **2** es coloquial]. FAMILIA: → faro.

farola [sustantivo femenino] Farol grande y colocado en alto que sirve para alumbrar las calles y carreteras: *Algunas autopistas tienen farolas de luz naranja para iluminarlas por la noche.* ☐ FAMILIA: → faro.

farolillo [sustantivo masculino] Farol de papel que sirve para adornar: *En la verbena todas las casetas estaban adornadas con farolillos de colores.* ☐ FAMILIA: → faro.

farsa [sustantivo femenino] **1** Obra de teatro que hace reír al público: *En las farsas los personajes suelen ser ridículos y muy exagerados.* **2** Mentira o engaño con que intentamos ocultar algo: *Me enfadé mucho cuando supe que todo aquello que me habían contado no era más que una farsa.* ☐ FAMILIA: farsante.

farsante [adjetivo o sustantivo] Que suele decir mentiras: *Eres un farsante y no pienso creerme nada de lo que me digas.* ☐ [No varía en masculino y en femenino]. SINÓNIMOS: mentiroso, embustero. FAMILIA: → farsa.

fascículo [sustantivo masculino] Cada una de las partes que forman un libro que no se publica de una sola vez: *Me estoy comprando una enciclopedia por fascículos semanales.* ☐ SINÓNIMOS: entrega.

fascinante [adjetivo] Que resulta muy atractivo: *Es una novela fascinante.* ☐ [No varía en masculino y en femenino].

fase [sustantivo femenino] **1** Período de tiempo en que se divide algo: *Los campeonatos de baloncesto entran hoy en su fase final.* **2** Cada una de las formas en que puede verse la Luna: *Las fases de la Luna son: cuarto creciente, luna llena, cuarto menguante y luna nueva.* ☐ SINÓNIMOS: **1** estadio, etapa.

fastidiar [verbo] **1** Molestar o disgustar: *Me fastidia mucho que llegues tarde cuando quedamos.* **2 fastidiarse** Aguantarse o sufrir con paciencia un contratiempo: *Si no te gusta la sopa, te fastidias y te la tomas, porque no hay otra cosa.* ☐ SINÓNIMOS: **1** jorobar, incordiar, repatear. **2** chinchar. CONTRARIOS: agradar, gustar. FAMILIA: → fastidio.

fastidio [sustantivo masculino] **1** Lo que molesta o disgusta: *Es un fastidio tener que madrugar todos los días.* **2** Lo que sentimos cuando algo nos aburre o nos cansa: *Me causa fastidio estar sin nada que hacer.* ☐ SINÓNIMOS: **2** aburrimiento, cansancio, hastío. FAMILIA: fastidiar.

fatal 1 [adjetivo] Muy malo: *Hoy hace un tiempo fatal para salir de excursión.* **2** [adverbio] Muy mal: *Tengo gripe y me encuentro fatal.* ☐ [No varía en masculino y en femenino].

fatiga [sustantivo femenino] Lo que sentimos cuando nos quedamos débiles o sin fuerzas: *Después de andar todo el día, sentíamos una gran fatiga.* ☐ SINÓNIMOS: cansancio. CONTRARIOS: descanso. FAMILIA: fatigar.

fatigar [verbo] Hacer que nos sintamos débiles o sin fuerzas: *A mi abuelo le fatiga mucho subir escaleras.* ☐ [La g se cambia en gu delante de e, como en PAGAR]. SINÓNIMOS: cansar. FAMILIA: → fatiga.

fauces [sustantivo femenino plural] La boca y los dientes de animales muy fieros: *El león enseñó sus fauces al domador.*

fauna [sustantivo femenino] **1** Conjunto de los animales característicos de una zona: *El oso pardo es un animal típico de la fauna asturiana.* **2** Grupo de gente, especialmente el que tiene unas determinadas características: *¡Menuda fauna sois tú y tus amigos...!* ☐ [El significado **2** es despectivo].

FARO

FAROL

FAROLA

FAROLILLO

favor [sustantivo masculino] **1** Ayuda que se da a alguien: *Me has hecho muchos favores, y yo te lo agradezco.* **2** Apoyo que una persona recibe de otras: *El cantante contaba con el favor de su público.* **3** [expresión] **a favor de algo** De acuerdo con ello: *Yo estoy a favor de hacer lo que nos digan.* **por favor** Se usa para pedir las cosas de una forma educada: *¿Me pasas el salero, por favor?* □ FAMILIA: favorable, favorecer, favorito, desfavorable.

favorable [adjetivo] **1** Que beneficia: *Hoy sopla un viento favorable para salir con el velero.* **2** Que se siente dispuesto a hacer algo: *Mis padres no se mostraron favorables a dejarme ir solo.* □ [No varía en masculino y en femenino]. SINÓNIMOS: **1** próspero. CONTRARIOS: contrario, adverso, desfavorable. FAMILIA: → favor.

favorecer [verbo] **1** Ayudar o beneficiar: *Afortunadamente nos favoreció la suerte.* **2** Hacer que una persona esté más guapa: *El color azul te favorece mucho.* [Es irregular y se conjuga como PARECER]. FAMILIA: → favor.

favorito, ta 1 [adjetivo] Que se prefiere: *Mi comida favorita son los macarrones.* **2** [adjetivo o sustantivo] Que tiene muchas posibilidades de ganar en una competición: *El corredor con la camiseta azul es el favorito de la carrera.* □ SINÓNIMOS: preferido. FAMILIA: → favor.

fax [sustantivo masculino] **1** Sistema que permite mandar información escrita a través del teléfono: *El fax es como un sistema de fotocopias pero a través de un cable.* **2** Aparato que permite mandar mensajes con este sistema: *Si me das el número del fax de tu oficina, te mandaré el documento ahora mismo.* **3** Papel con la información reproducida a través de ese sistema: *Aquí tienes un fax que te acaba de llegar.* □ [No varía en singular y en plural].

faz [sustantivo femenino] Parte de la cabeza en la que están la nariz, la boca y los ojos: *En el cuadro estaba pintada la faz de un extraño personaje.* □ [Su plural es faces]. SINÓNIMOS: rostro, cara, semblante, jeta. FAMILIA: antifaz, facial.

fe [sustantivo femenino] **1** Hecho de creer en Dios: *La fe consiste en la fidelidad total a Jesucristo y a su mensaje.* **2** Confianza total que una persona tiene en algo o en alguien: *Mis padres tienen mucha fe en mí.* □ FAMILIA: fiel, fidelidad.

fealdad [sustantivo femenino] Cualidad de lo que no resulta agradable de ver ni de oír: *La fealdad de su rostro oculta un gran corazón.* □ CONTRARIOS: belleza, hermosura. FAMILIA: → feo.

febrero [sustantivo masculino] Mes número dos del año: *Febrero está entre enero y marzo.*

fecha [sustantivo femenino] Día, mes y año en que ocurre algo: *Siempre que escribo una carta pongo la fecha al empezar.*

fechoría [sustantivo femenino] Mala acción: *Terminaron en la cárcel como consecuencia de las muchas fechorías que cometieron.*

fecundación [sustantivo femenino] Unión de una célula masculina y una célula femenina para dar origen a un nuevo ser: *El espermatozoide realiza la fecundación del óvulo.* □ FAMILIA: → fecundo.

fecundar [verbo] Unirse una célula masculina a una célula femenina para crear un nuevo ser: *El toro fecundó a la vaca.* □ FAMILIA: → fecundo.

fecundidad [sustantivo femenino] Capacidad para dar frutos o para tener hijos: *La fecundidad de esta tierra es la causa de que las cosechas sean tan buenas.* □ SINÓNIMOS: fertilidad. FAMILIA: → fecundo.

fecundo, da [adjetivo] **1** Que puede tener hijos: *Las mujeres son fecundas a partir de la primera menstruación.* **2** Que da frutos: *La semilla cayó en tierra fecunda y dio mucho fruto.* □ SINÓNIMOS: **2** fértil. CONTRARIOS: estéril. FAMILIA: fecundar, fecundación, fecundidad.

federación [sustantivo femenino] Unión de varios grupos, asociaciones o países: *Nuestro equipo de baloncesto pertenece a la federación madrileña.*

felicidad 1 [sustantivo femenino] Sensación que se tiene cuando algo nos gusta mucho o nos produce mucho placer: *Sentí una gran felicidad cuando nos dieron las vacaciones.* **2** [expresión] **felicidades** Se usa para felicitar a alguien por algo: *¡Felicidades por tu cumpleaños!* □ SINÓNIMOS: dicha, gozo, alegría. CONTRARIOS: pena, tristeza. FAMILIA: → feliz.

felicitación [sustantivo femenino] Palabras con las que deseamos a alguien que sea feliz o le decimos que nos alegramos por algo bueno que le ha ocurrido: *He recibido muchas felicitaciones por mi cumpleaños.* □ SINÓNIMOS: enhorabuena. FAMILIA: → feliz.

a b c d e **f** g h i j k l m n ñ o p q r s t u v w x y z

felicitar [verbo] **1** Decirle a alguien que estamos contentos por algo bueno que le ha pasado: *¡Te felicito por el nuevo hermanito!* **2** Desearle a alguien que sea feliz: *Felicítame, que hoy es mi cumpleaños.* □ FAMILIA: → feliz.

felino, na [adjetivo] Del grupo de animales al que pertenecen el gato, el león y otros: *El puma y la pantera son felinos.*

feliz [adjetivo] **1** Que está contento y alegre: *Soy una persona feliz porque estoy a gusto con todo.* **2** Que produce felicidad: *El día de la boda de mi hermano fue muy feliz para todos.* □ [Su plural es *felices*]. SINÓNIMOS: **1** dichoso, afortunado. CONTRARIOS: infeliz, desdichado, desgraciado, pobre, mísero. FAMILIA: felicidad, felicitar, felicitación, infeliz.

felpudo [sustantivo masculino] Alfombra pequeña que se coloca en la entrada de las casas: *Antes de entrar en casa, límpiate bien el barro de los zapatos en el felpudo.*

femenino, na [adjetivo] **1** Dicho de un animal, del sexo de las hembras: *Los óvulos son las células sexuales femeninas.* **2** Dicho de una planta, con órganos de los que nacen otras plantas de la misma especie: *Las flores femeninas desarrollan en su interior los frutos.* **3** De la mujer o relacionado con ella: *La falda es una prenda de vestir femenina.* **4** [adjetivo o sustantivo masculino] En gramática, del género que tienen las palabras que suelen llevar delante los artículos *la, las, una* y *unas*: *«Culebra» es un sustantivo femenino.* □ CONTRARIOS: masculino. FAMILIA: afeminado, feminista.

feminista [adjetivo o sustantivo] Que considera que la mujer es igual que el hombre: *Las feministas luchan por la integración de la mujer en la sociedad, en trabajos hasta ahora reservados a los hombres.* □ [No varía en masculino y en femenino]. CONTRARIOS: machista. FAMILIA: → femenino.

fenomenal **1** [adjetivo] Muy bueno o extraordinario: *Mis amigos son gente fenomenal.* **2** [adverbio] Muy bien: *Cantas fenomenal.* □ [No varía en masculino y en femenino]. FAMILIA: → fenómeno.

fenómeno [sustantivo masculino] **1** Cualquier cosa que ocurre: *Los terremotos son fenómenos de la naturaleza.* **2** Lo que destaca porque es ex-

traordinario y muy bueno: *Esta niña es un fenómeno en matemáticas.* □ FAMILIA: fenomenal.

feo, a **1** [adjetivo] Que no es agradable de ver ni de oír: *Estás muy feo porque tienes la cara llena de granos.* **2** [expresión] **hacer un feo** Tener un detalle de desprecio hacia alguien: *Me pasé la tarde guisando para ellos y me hicieron el feo de no probar la comida.* □ CONTRARIOS: **1** bonito, bello, hermoso, precioso, lindo, apuesto, atractivo, cuco, mono, estético. FAMILIA: fealdad, afear.

feria [sustantivo femenino] **1** Mercado que se celebra en un lugar público para comprar y vender todo tipo de productos: *Esta semana se celebra una feria de productos de la alimentación.* **2** Lugar con muchas atracciones para que la gente se divierta: *En las fiestas de mi pueblo se monta una feria con una noria gigantesca.*

feroz [adjetivo] **1** Dicho de un animal, que es muy peligroso para las personas: *¿Te sabes el cuento de «Caperucita y el lobo feroz»?* **2** Demasiado cruel: *Cometieron un feroz asesinato.* **3** Mucho o enorme: *Tengo un hambre feroz.* □ [No varía en masculino y en femenino. Su plural es feroces. El significado **3** es coloquial]. SINÓNIMOS: **1** fiero. **2,3** brutal, atroz. **2** cruel.

ferretería [sustantivo femenino] Tienda en la que se venden herramientas, cacharros y otros objetos de metal: *He ido a la ferretería a comprar un martillo y unos clavos.*

ferrocarril [sustantivo masculino] Vehículo formado por varios vagones, que circula sobre vías y que se usa para llevar personas y cosas de una ciudad a otra: *Los ferrocarriles antiguos echaban mucho humo por la chimenea de la máquina.* □ SINÓNIMOS: tren.

ferroviario, ria **1** [adjetivo] Del ferrocarril o relacionado con este medio de transporte: *Las redes ferroviarias españolas están comunicadas con Francia y Portugal.* **2** [sustantivo] Persona que trabaja en una compañía de ferrocarril: *Mi abuelo era ferroviario.*

[ferry] [sustantivo masculino] Barco que transporta mercancías, pasajeros y vehículos: *Para llegar a Inglaterra, fuimos en coche hasta Santander y allí cogimos un ferry.* □ [Es una palabra inglesa. Se pronuncia «férri»].

fértil [adjetivo] **1** Que da frutos: *Estos terrenos*

son muy fértiles y dan muchos frutos. **2** Que puede tener hijos: *Aquel matrimonio no podía tener hijos porque la mujer no era fértil.* □ [No varía en masculino y en femenino]. SINÓNIMOS: fecundo. FAMILIA: fertilidad, fertilizante.

fertilidad [sustantivo] [femenino] Capacidad para dar frutos o para tener hijos: *La pareja tenía problemas de fertilidad y acudió al médico para que le dijera si había alguna solución.* □ SINÓNIMOS: fecundidad. FAMILIA: → fértil.

fertilizante [sustantivo] [masculino] Sustancia que se echa en la tierra para que dé más frutos: *El agricultor echó fertilizantes en sus terrenos para que la cosecha fuera mejor.* □ SINÓNIMOS: abono. FAMILIA: → fértil.

festejar [verbo] Hacer algo especial para celebrar lo que nos pone alegres: *Festejé mi cumpleaños con toda mi familia.* □ [Se escribe siempre con *j*]. SINÓNIMOS: celebrar. FAMILIA: → festejo.

festejo [sustantivo] [masculino] Fiesta que se realiza para celebrar algo: *El pueblo celebró el día de su patrón con grandes festejos.* □ FAMILIA: festejar.

festín [sustantivo] [masculino] Comida en la que hay gran variedad de platos: *Ayer tuvimos un festín en mi casa para celebrar el cumpleaños de mi abuela.* □ SINÓNIMOS: comilona.

festival [sustantivo] [masculino] Conjunto de actuaciones y espectáculos: *Mis padres vinieron a verme actuar en el festival de fin de curso. Esta película ha quedado ganadora en varios festivales de cine.* □ FAMILIA: → fiesta.

festividad [sustantivo] [femenino] Fiesta con que se celebra algo: *La festividad de San José es el día 19 de marzo.* □ FAMILIA: → fiesta.

festivo, va **1** [adjetivo] Alegre y divertido: *Contó lo que le había pasado en un tono festivo que nos hizo reír.* **2** [adjetivo o] [sustantivo] Día en que no se trabaja: *Los domingos son días festivos.* □ CONTRARIOS: **2** laborable. FAMILIA: → fiesta.

fetiche [sustantivo] [masculino] **1** Figura a la que se adora creyendo que tiene poderes sobrenaturales: *En algunas tribus los fetiches se consideraban auténticos dioses.* **2** Objeto que se cree que trae buena suerte: *Este lápiz es mi fetiche para los exámenes.* □ SINÓNIMOS: **2** amuleto, talismán.

feto [sustantivo] [masculino] Hijo cuando todavía está en la tripa de la madre: *Los fetos se alimentan de la madre.*

fiambre [sustantivo] [masculino] **1** Alimento preparado para comerlo frío después de asado o cocido: *La mortadela y el chorizo son dos tipos de fiambre.* **2** Cuerpo de una persona muerta: *En la película, el asesino escondía al fiambre en una cueva.* □ [El significado **2** es coloquial]. SINÓNIMOS: **2** cadáver. FAMILIA: fiambrera.

fiambrera [sustantivo] [femenino] Recipiente que se cierra de forma que no puede entrar aire y que sirve para llevar comida: *En la mochila llevo una fiambrera con filetes empanados.* □ FAMILIA: → fiambre.

FIAMBRERA

fiar [verbo] **1** Vender sin cobrar el dinero en ese mismo momento: *En esta tienda no se fía a nadie y hay que pagar al contado.* **2** **fiarse** Tener confianza en algo o en alguien: *Tú fíate de mí, que ya verás qué bien lo hago.* □ [Se conjuga como GUIAR]. SINÓNIMOS: **2** confiar. CONTRARIOS: **2** desconfiar.

fibra [sustantivo] [femenino] **1** Especie de hilo que forma los músculos y otros tejidos de los animales o de las plantas: *Los alimentos con fibra son muy sanos.* **2** Hilo que se obtiene de forma artificial y que se usa para hacer telas: *¿Esta camiseta es de algodón o de fibra?*

ficción [sustantivo] [femenino] Historia inventada: *La historia de Cenicienta es ficción.*

ficha [sustantivo] [femenino] **1** Objeto pequeño, generalmente delgado y plano, que se usa para cosas muy distintas: *Al parchís se juega con un tablero, unas fichas y un dado.* **2** Hoja de papel donde están escritos los datos de una persona o de una cosa: *Todos los libros de la biblioteca tienen hecha una ficha con el título y el autor.* 🔍 página 119. □ FAMILIA: fichar, fichaje, fichero.

fichaje [sustantivo] [masculino] Hecho de contratar a un deportista: *El fichaje del nuevo portero se realizará la próxima semana.* □ FAMILIA: → ficha.

fichar [verbo] **1** Anotar en un papel los datos

de una persona o de una cosa: *El bibliotecario se ocupa de fichar todos los libros nuevos que llegan a la biblioteca.* **2** Contratar a un deportista: *Mi equipo ha fichado a un extranjero para la próxima liga.* **3** Pasar una tarjeta especial por una máquina para contar cuánto tiempo se trabaja cada día: *En el trabajo tengo que fichar todos los días a la entrada y a la salida.* ☐ FAMILIA: → ficha.

fichero [sustantivo] [masculino] **1** Conjunto de fichas ordenadas: *Este médico tiene un amplio fichero de pacientes.* **2** Lugar donde se guardan en orden las fichas: *Voy a mirar en el fichero de la biblioteca a ver si tienen el libro que necesito.* 👁 página 119. **3** En informática, conjunto de datos grabados con un mismo nombre: *Para entrar en ese fichero tienes que teclear el nombre.* ☐ SINÓNIMOS: archivo. FAMILIA: → ficha.

fidelidad [sustantivo] [femenino] **1** Comportamiento del que nunca engaña a los demás ni los traiciona: *Mantener la fidelidad entre amigos es muy importante.* **2** Comportamiento del animal que no abandona a su amo: *Una de las características de los perros es su fidelidad.* **3** Exactitud en la reproducción o imitación de algo: *Mi equipo de música es de alta fidelidad.* ☐ SINÓNIMOS: **1,2** lealtad. CONTRARIOS: **1,2** traición. FAMILIA: → fe.

fideo [sustantivo] [masculino] **1** Pasta en forma de hilo que se usa para hacer sopa: *Me gusta más la sopa de fideos que la sopa de arroz.* **2** Persona muy delgada: *Mi hermana pequeña es un fideo.* ☐ [El significado **2** es coloquial].

fiebre [sustantivo] [femenino] **1** Subida de la temperatura del cuerpo a causa de una enfermedad: *Ayer no vine a clase porque tenía fiebre.* **2** Afición muy grande por algo: *Me ha entrado la fiebre por las motos, y veo todas las carreras que hay por la tele.* ☐ SINÓNIMOS: **1** calentura.

fiel [adjetivo] **1** Dicho de una persona, que nunca engaña a los demás ni los traiciona: *Eres una amiga fiel, y sé que nunca me abandonarás.* **2** Dicho de un animal, que no abandona a su amo: *El perro es un animal muy fiel.* **3** Que imita otra cosa y se le parece mucho: *Me hizo un relato fiel de los hechos.* **4** [adjetivo o sustantivo] Miembro de una iglesia: *El sacerdote se dirigió a los fieles que abarrotaban*

el templo. ☐ [No varía en masculino y en femenino]. SINÓNIMOS: **1,2** leal. CONTRARIOS: **1,2** traidor, traicionero. FAMILIA: → fe.

fiero, ra **1** [adjetivo] Dicho de un animal, que es muy peligroso para las personas: *¡Qué tigre tan fiero!* [femenino] **2** Animal salvaje: *Lo que más me gusta del circo son las fieras.* **3** Persona cruel o muy violenta: *Me da miedo contárselo, porque es una fiera y se enfada por todo.* **4** Persona muy buena en una actividad: *Mi hermana es una fiera jugando al baloncesto.* ☐ [Los significados **3** y **4** son coloquiales].

fiesta [sustantivo] [femenino] **1** Reunión de personas para divertirse o para celebrar algo: *El día que nos dan las vacaciones hacemos una fiesta en clase.* **2** Día en que no se trabaja: *Mañana es fiesta y cierran todas las tiendas.* **3** Día en que se celebra algo: *El veinticinco de diciembre es la fiesta de Navidad.* ☐ FAMILIA: festivo, festividad, festival, aguafiestas.

figura [sustantivo] [femenino] **1** Aspecto exterior de algo: *Tengo una goma de borrar con figura de coche.* **2** Dibujo o estatua que representan a alguien: *Se cayó al suelo una figura de porcelana y se rompió.* **3** Persona que destaca en una actividad: *Esa actriz es una auténtica figura del teatro.* ☐ SINÓNIMOS: **1** forma. FAMILIA: figurar.

figurar [verbo] **1** Dar a entender algo que no es cierto: *Mi madre figuró no darse cuenta, pero me vio.* **2** Estar en algún sitio: *¿Figura tu nombre en esta lista?* **3** Presumir de algo para que los demás te envidien: *Lo que más le gusta en esta vida es ir a fiestas y figurar.* **4 figurarse** Imaginar algo como si fuera cierto: *Figúrate lo que habría pasado si nos hubieran pillado...* ☐ SINÓNIMOS: **1** fingir, aparentar. FAMILIA: → figura.

fijar [verbo] **1** Sujetar algo de manera que no se pueda mover: *Tenemos que fijar bien la estantería para que no se caiga con el peso.* **2** Decidir algo de manera definitiva: *Todavía no hemos fijado dónde vamos a vivir.* **3** Dirigir la atención o la mirada a un punto fijo: *Cuando voy en coche, fijo la vista en la carretera para no marearme.* **4 fijarse** Darse cuenta de algo o prestarle atención: *¿Te has fijado en la tontería que ha dicho?* ☐ [Se escribe siempre con *j*]. SINÓNIMOS: **2** precisar.

a
b
c
d
e
f
g
h
i
j
k
l
m
n
ñ
o
p
q
r
s
t
u
v
w
x
y
z

CONTRARIOS: **3** distraer. **4** distraerse. FAMILIA: → fijo.

fijo, ja [adjetivo] **1** Que está bien sujeto y no se mueve: *¿Está bien fijo ese estante?* **2** Firme o estable: *¿Ya es fijo que mañana vamos al cine?* **3** [adverbio] **fijo** Sin duda: *Fijo que voy a tu fiesta.* □ SINÓNIMOS: **1** sujeto. **2,3** seguro. CONTRARIOS: **1** suelto. **2** dudoso. FAMILIA: fijar.

fila [sustantivo] [femenino] **1** Conjunto de cosas colocadas en línea: *¡Qué fila hay para sacar las entradas!* **2** [plural] Ejército: *Mi hermano tiene dieciocho años y ha sido llamado a filas.* **3** [expresión] **fila india** La formada por varias personas colocadas una detrás de otra: *El camino era tan estrecho que teníamos que ir en fila india.* □ SINÓNIMOS: **1** hilera, cola. FAMILIA: desfile, desfilar, desfiladero.

filatelia [sustantivo] [femenino] Afición a coleccionar sellos: *He ido con mis padres a una feria de filatelia a comprar sellos para mi colección.*

filete [sustantivo] [masculino] **1** Trozo delgado de carne para comer: *Comí un filete de ternera.* **2** Trozo de pescado, delgado y sin espinas: *Me gustan mucho los filetes de merluza.*

filial [adjetivo] De los hijos o relacionado con ellos: *Lo que sentimos por nuestros padres es amor filial.* □ [No varía en masculino y en femenino]. FAMILIA: → hijo.

film [sustantivo] [masculino] Película de cine: *Esta película recibió el premio al mejor film musical.* □ [Es una palabra inglesa. Su plural es *filmes*]. SINÓNIMOS: filme, película. FAMILIA: → filme.

filmar [verbo] Grabar las imágenes de una película con cámaras de cine: *Estas escenas se han filmado en un viejo castillo.* □ SINÓNIMOS: rodar. FAMILIA: → filme.

filme [sustantivo] [masculino] Película de cine: *Este filme se estrenó en un festival internacional.* □ [Es una palabra de origen inglés]. SINÓNIMOS: film, película. FAMILIA: film, filmar, filmina.

filmina [sustantivo] [femenino] Fotografía pequeña y transparente que está colocada en un cartón o en un plástico duro: *¿Quieres que te enseñe las filminas que hicimos en vacaciones?* □ SINÓNIMOS: diapositiva. FAMILIA: → filme.

filo [sustantivo] [masculino] Borde afilado que corta: *Este cuchillo corta muy bien porque tiene el filo muy afilado.* □ FAMILIA: afilar, afilado.

filtrar [verbo] Hacer pasar una sustancia por un filtro para quitarle lo que no sirve o lo que es malo: *La boquilla de los cigarros filtran el alquitrán del tabaco para que no llegue a los pulmones.* □ FAMILIA: → filtro.

filtro [sustantivo] [masculino] **1** Material que, al ser atravesado por una sustancia, se usa para separar la parte que no sirve: *El filtro de la cafetera impide que los granos de café molido se mezclen con el agua.* **2** Material que impide el paso de determinados rayos de luz: *Las gafas de sol buenas tienen un filtro para que el sol no haga daño a los ojos.* 🕶 página 432. □ FAMILIA: filtrar.

fin [sustantivo] [masculino] **1** Parte o momento en que algo termina: *Cuando terminó la película, en la pantalla apareció: «FIN».* **2** Lo que queremos conseguir cuando hacemos algo: *No sé con qué fin has venido.* **3** [expresión] **al fin y al cabo** Sin embargo, después de todo: *Al fin y al cabo, yo sólo hice lo que me pediste.* **en fin** En resumen: *En fin, que eso fue lo que nos pasó.* **fin de año** Última noche del año: *En fin de año tomamos las uvas cuando el reloj da las doce campanadas.* **fin de semana** Sábado y domingo: *Este fin de semana iremos al campo.* □ SINÓNIMOS: **1** final, término. **2** objeto, objetivo, finalidad. CONTRARIOS: **2** principio, inicio, comienzo. FAMILIA: final, finalidad, finalista, finalizar, semifinal, sinfín.

final [adjetivo] **1** Que termina algo: *La parte final de la película es muy emocionante.* **2** Que expresa finalidad: *En «Iré para verte», «para verte» tiene valor final.* **3** [sustantivo] [masculino] Parte o momento en que algo termina: *Al final del libro, el protagonista se salva.* **4** [sustantivo] [femenino] Última fase de una competición: *El equipo que gane la final será el ganador del torneo.* □ [Cuando es adjetivo no varía en masculino y en femenino]. SINÓNIMOS: fin, término. CONTRARIOS: inicio, principio, comienzo, empiece, origen. FAMILIA: → fin.

finalidad [sustantivo] [femenino] Lo que queremos conseguir cuando hacemos algo: *Lo hicieron con la finalidad de darme una sorpresa.* □ SINÓNIMOS: objetivo, fin, objeto. FAMILIA: → fin.

finalista [adjetivo o sustantivo] Que participa en la última fase de una competición: *Los dos finalistas se enfrentarán esta tarde para ver quién* queda *ganador del torneo.* □ [No varía en masculino y en femenino]. FAMILIA: → fin.

finalizar [verbo] **1** Dar fin a algo: *Ya hemos finalizado los preparativos.* **2** Llegar algo a su fin: *¿Cuándo finalizan las clases?* □ [La z se cambia en c delante de e, como en CAZAR]. SINÓNIMOS: acabar, terminar, concluir. **2** ultimar. CONTRARIOS: iniciar, empezar, comenzar. FAMILIA: → fin.

finca [sustantivo/femenino] Terreno o edificio que alguien posee en el campo o en la ciudad: *Mis padres tienen una finca en la sierra, y vamos todos los fines de semana.*

fingir [verbo] Dar a entender algo que no es cierto: *Fingí que no les oía para no tener que hacer lo que me decían.* □ [La g se cambia en j delante de a, o, como en DIRIGIR]. SINÓNIMOS: figurar, aparentar.

fino, na [adjetivo] **1** Delgado, poco grueso: *El papel de las servilletas es más fino que una cartulina.* **2** Que muestra buena educación: *Las personas finas no dicen tacos.* **3** Que ve, oye o huele muy bien: *Este perro de caza tiene un olfato muy fino.* **4** Delicado y de buena calidad: *Este anillo es de oro fino.* **5** Muy hábil en algo: *Tu explicación fue muy fina y acertada.* SINÓNIMOS: **2** delicado. **3** agudo. CONTRARIOS: **2** ordinario, basto, grosero, paleto, chabacano. **4** rústico, tosco, rudo. FAMILIA: finura, finolis, afinar, desafinar, refinar, refinado.

finolis [adjetivo o sustantivo] Que presume de que es muy fino, pero no lo es: *No seas finolis y coge el pastel con la mano.* □ [No varía en masculino y en femenino, ni en singular y plural. Es despectivo]. FAMILIA: → fino.

finta [sustantivo/femenino] Movimiento rápido y ágil que se hace en algunos deportes para engañar al contrario: *El delantero hizo una finta hacia la derecha, se fue a la izquierda y metió gol.*

finura [sustantivo/femenino] **1** Delgadez: *Las modelos destacan por la finura de su figura.* **2** Cortesía y buena educación de una persona: *No seas tan bruto y actúa con un poco más de finura.* **3** Buena calidad de algo: *La finura de esta nata hace que los pasteles estén exquisitos.* □ FAMILIA: → fino.

firma [sustantivo/femenino] **1** Nombre y apellidos de una persona cuando los escribe ella misma: *Mi firma es mi nombre con un garabato.* **2** Nombre legal de una empresa: *Trabajo para una importante firma de calzado deportivo.* □ FAMILIA: firmar.

firmamento [sustantivo/masculino] Espacio en el que están las estrellas: *Las noches de verano me gusta estar en el jardín mirando el firmamento.* □ SINÓNIMOS: cielo. 🔍 páginas 344-345.

firmar [verbo] Escribir la firma: *Al terminar la carta, firmé.* □ FAMILIA: → firma.

firme [adjetivo] **1** Que está bien sujeto y no se mueve ni se cae: *Pasa sin miedo por ese puente, porque es muy firme.* **2** Que no duda ni se deja dominar: *Se mantuvo firme en sus propósitos.* **3** [sustantivo/masculino] Suelo de las carreteras: *¡Cuidado, que el firme está resbaladizo!* □ [Cuando es adjetivo no varía en masculino y en femenino]. SINÓNIMOS: **1,2** seguro. CONTRARIOS: **1,2** vacilante. FAMILIA: firmeza.

firmeza [sustantivo/femenino] Lo que hace que algo se mantenga firme y seguro: *Me admira la firmeza con que tomas tus decisiones.* □ SINÓNIMOS: estabilidad, seguridad, solidez. CONTRARIOS: vacilación, duda. FAMILIA: → firme.

fiscal [sustantivo] Persona que acusa a alguien en un juicio: *La fiscal pidió diez años de cárcel para el acusado.* □ [No varía en masculino y en femenino].

fisgar [verbo] Buscar algo que los demás no quieren que se encuentre: *¿Quién te ha dado permiso para fisgar en mis cajones?* □ [La g se cambia en gu delante de e, como en PAGAR. Es coloquial]. SINÓNIMOS: husmear, curiosear, fisgonear.

fisgonear [verbo] Buscar algo que los demás no quieren que se encuentre: *¿Quién ha estado fisgoneando en mi armario?* □ [Es coloquial]. SINÓNIMOS: husmear, fisgar, curiosear.

físico, ca [adjetivo] **1** De la física o relacionado con esta ciencia: *La atracción que un imán ejerce sobre los metales es un fenómeno físico.* **2** Del cuerpo humano o relacionado con él: *Es muy deportista y tiene mucha fuerza física.* **3** [sustantivo] Persona que se dedica al estudio de la física: *De mayor quiero ser físico.* **4** [sustantivo/masculino] Aspecto de una persona: *Ese actor tiene un físico muy atractivo.* **5** [sustantivo/femenino] Ciencia que estudia los cuerpos que hay en el universo, sus formas, de qué se componen y otros fenómenos pare-

a
b
c
d
e
f
g
h
i
j
k
l
m
n
ñ
o
p
q
r
s
t
u
v
w
x
y
z

cidos: *La física nuclear estudia la composición del átomo.*

fisonomía [sustantivo/femenino] **1** Aspecto exterior de una persona: *No recuerdo bien su fisonomía, pero resultaba una persona muy atractiva.* **2** Aspecto externo de algo: *En los últimos años ha cambiado mucho la fisonomía de mi ciudad.*

flaco, ca [adjetivo] Con pocas carnes: *Debes comer más, que estás muy flaco.* □ SINÓNIMOS: delgado. CONTRARIOS: gordo, obeso.

flamante [adjetivo] Nuevo y con muy buen aspecto: *Llegó en un flamante coche deportivo.* □ [No varía en masculino y en femenino].

flamenco, ca **1** [adjetivo] Que falta al respeto a los demás: *No te pongas flamenca conmigo, porque me chivo a mamá.* **2** [adjetivo o sustantivo masculino] Forma de cantar y de bailar característica de Andalucía: *Me gusta mucho bailar flamenco.* 🔍 página 117. **3** [sustantivo/masculino] Ave con las patas y el cuello muy largos, y con las plumas en tonos rosas: *El flamenco es parecido a una cigüeña.* 🔍 página 20. □ [El significado **1** se usa mucho en la expresión *ponerse flamenco*].

flan **1** [sustantivo/masculino] Dulce que se hace en un molde con huevos, leche y azúcar: *El flan me gusta más que las natillas.* **2** [expresión] **estar hecho un flan** Estar muy nervioso: *El primer día de clase siempre voy al colegio hecho un flan.* □ [El significado **2** es coloquial].

flas o **[flash** [sustantivo/masculino] Luz que se enciende en una cámara de fotos cuando se hacen fotografías en sitios con poca luz: *Si haces fotos de noche tienes que usar el flas.* □ [*Flash* es una palabra inglesa. Su plural es *flases*]. 🔍 página 348.

flauta [sustantivo/femenino] Instrumento musical que consiste en un tubo con agujeros y que se toca soplando: *La flauta es un instrumento de viento.* □ FAMILIA: flautista. 🔍 página 606.

flautista [sustantivo] Músico que toca la flauta: *Una niña de mi clase es flautista en la orquesta del colegio.* □ [No varía en masculino y en femenino]. FAMILIA: → flauta.

flecha [sustantivo/femenino] **1** Arma que se dispara con un arco y que está formada por una barrita delgada con una punta de metal en el extremo: *Muchas tribus usan arcos y flechas para cazar.* **2** Cualquier cosa con esa forma:

Para salir de aquí, siga la dirección de las flechas. □ SINÓNIMOS: **1** saeta. FAMILIA: flechazo.

flechazo [sustantivo/masculino] **1** Herida hecha con una flecha: *El soldado recibió un flechazo en el hombro.* **2** Amor que una persona siente por otra de repente: *Lo nuestro fue un flechazo porque, en cuanto nos vimos, nos enamoramos el uno del otro.* □ FAMILIA: → flecha.

fleco [sustantivo/masculino] Adorno formado por una serie de hilos que cuelgan de una tela: *Mi bufanda termina en flecos por los dos extremos.* □ [Se usa más en plural]. FAMILIA: flequillo.

flemón [sustantivo/masculino] Bulto que sale en la cara porque se ha hinchado la encía: *Me duele una muela y me ha salido un flemón.*

FLEMÓN

flequillo [sustantivo/masculino] Pelo que cae sobre la frente: *Tengo que cortarme un poco el flequillo, porque me tapa los ojos.* □ FAMILIA: → fleco.

flexible [adjetivo] **1** Que se dobla fácilmente sin romperse: *El plástico es una materia flexible.* **2** Que puede cambiar según sean la situación o los deseos de los demás: *Es una persona flexible y comprende nuestro punto de vista aunque sea distinto del suyo.* □ [No varía en masculino y en femenino]. CONTRARIOS: inflexible, rígido. FAMILIA: → flexión.

flexión [sustantivo/femenino] Movimiento que consiste en doblar una parte del cuerpo: *En el gimnasio hacemos muchas flexiones.* □ FAMILIA: flexible, inflexible, flexo.

flexo [sustantivo/masculino] Lámpara para poner encima de una mesa y que sólo ilumine una parte de ella: *En cada mesa de la biblioteca hay un flexo.* □ FAMILIA: → flexión.

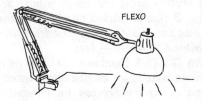

FLEXO

[flipar [verbo] Gustar mucho: *Tu mochila me flipa un montón, colega.* ☐ [Es coloquial].

flojo, ja [adjetivo] **1** Poco apretado o poco tirante: *No te ates tan flojos los cordones de los zapatos.* **2** Sin fuerza o sin energía: *Después de la gripe me quedé muy flojo.* **3** Con poco interés: *Tienes que estudiar más, porque vas muy flojo en lengua.* ☐ Sinónimos: débil. Contrarios: **1** fuerte. **2** potente, enérgico, poderoso. Familia: aflojar.

flor [sustantivo femenino] **1** Parte de la planta donde se encuentran los órganos para la reproducción: *El clavel es la flor que más me gusta.* 🖾 páginas 346-347. **2** Alabanza o piropo: *A todos nos gusta que nos echen flores.* **3** Lo mejor de algo: *A tu edad estás en la flor de la vida.* **4** [expresión] **a flor de piel** En la superficie: *Hoy tengo los nervios a flor de piel.* **ni flores** Ni idea: *Yo de francés, ni flores, porque nunca lo he estudiado.* ☐ [El significado **2** se usa más en plural. La expresión *ni flores* es coloquial]. Familia: flora, florecer, florero, florido, floripondio, florista, floristería.

flora [sustantivo femenino] Conjunto de las plantas características de una zona: *El cacto es típico de la flora del desierto.* ☐ Familia: → flor.

florecer [verbo] **1** Echar flores una planta: *En primavera las plantas florecen.* **2** Desarrollarse o nacer algo: *En esta zona florecieron hace años los negocios textiles.* ☐ [Es irregular y se conjuga como Parecer]. Familia: → flor.

florero [sustantivo masculino] Recipiente más alto que ancho que se usa para poner flores: *Puse en un florero el ramo que me regalaron.* ☐ Sinónimos: jarrón. Familia: → flor.

florido, da [adjetivo] Con muchas flores: *En primavera, los campos están floridos.* ☐ Familia: → flor.

floripondio [sustantivo masculino] Adorno exagerado: *No me gustan los vestidos llenos de lazos y floripondios.* ☐ [Es despectivo]. Familia: → flor.

florista [sustantivo] Persona que trabaja vendiendo plantas y flores: *La florista me dijo que enviarían el ramo a la hora que yo dijese.* ☐ [No varía en masculino y en femenino]. Familia: → flor.

floristería [sustantivo femenino] Tienda donde se venden plantas y flores: *En esa floristería preparan unos ramos preciosos.* ☐ Familia: → flor.

flota [sustantivo femenino] Conjunto de barcos, o de otro tipo de vehículos, que pertenecen a un mismo pueblo o a una misma empresa: *La flota canaria pesca en aguas atlánticas.* ☐ Familia: flotar, flotador.

flotador [sustantivo masculino] Objeto que sirve para hacer que algo flote en el agua: *Todavía no sé nadar y por eso me baño con flotador.* ☐ Familia: → flota.

flotar [verbo] **1** Estar algo en un líquido sin hundirse: *La madera flota en el agua.* **2** Estar algo en el aire sin tocar el suelo: *El humo del cigarro flotaba por la habitación.* **3** Notarse algo en el ambiente: *La alegría flota en clase el día de las vacaciones.* ☐ Familia: → flota.

fluir [verbo] **1** Correr un líquido o un gas: *El agua del manantial fluye entre las rocas.* **2** Salir las palabras o las ideas con mucha facilidad: *Estoy tan nervioso que no me fluyen las palabras.* ☐ [La *i* se cambia en *y* delante de *a, e, o,* como en Huir].

flúor [sustantivo masculino] Gas de color amarillento que se emplea para muchas cosas distintas: *El flúor es muy bueno para combatir la caries.* ☐ Familia: fluorescente.

fluorescente [sustantivo masculino] Tubo de cristal que emite luz y que funciona porque tiene un gas en su interior: *En la cocina de mi casa hay dos fluorescentes.* ☐ Familia: → flúor.

fluvial [adjetivo] De los ríos o relacionado con ellos: *Este río es tan ancho y tan profundo que permite la navegación fluvial.* ☐ [No varía en masculino y en femenino].

foca [sustantivo femenino] Animal que vive en zonas muy frías y que tiene una gruesa capa de grasa bajo la piel: *Las focas son mamíferos.*

foco [sustantivo masculino] **1** Lámpara eléctrica que da mucha luz: *Los focos iluminaron el escenario.* 🖾 página 158. **2** Punto de donde sale algo que se extiende en distintas direcciones: *Esta hoguera es un foco de calor.* ☐ Familia: enfocar.

fofo, fa [adjetivo] Blando y sin una forma definida: *Si no haces deporte, los músculos se te pondrán fofos.*

fogata [sustantivo femenino] Fuego que se hace al aire libre: *Recogimos leña para encender una fogata.* ☐ Sinónimos: hoguera. Familia: → fuego.

[foie-gras [sustantivo masculino] Alimento en forma de

a
b
c
d
e
f
g
h
i
j
k
l
m
n
ñ
o
p
q
r
s
t
u
v
w
x
y
z

pasta que se hace con el hígado de algunos animales: *Me he untado varias rebanadas de foie-gras.* □ [Es una palabra francesa. Se pronuncia «fuagrás»].

folclore [sustantivo][masculino] Conjunto de tradiciones de un pueblo: *El baile, la música y la artesanía forman parte del folclore de una región.*

folio [sustantivo][masculino] Hoja grande de papel: *El trabajo me ocupó cinco folios por las dos caras.*

follaje [sustantivo][masculino] Conjunto de hojas y ramas de los árboles y de otras plantas: *Muchos pájaros viven en el follaje del bosque.*

folleto [sustantivo][masculino] Papel impreso en el que se da información sobre algo: *Fui a una agencia de viajes a pedir folletos sobre Asturias.*

follón [sustantivo][masculino] **1** Mucho ruido y gran movimiento de personas: *¡Menudo follón se montó a la salida del cine!* **2** Conjunto de cosas mezcladas y sin orden: *Tengo un follón en los cajones...* □ SINÓNIMOS: lío, jaleo, cacao, embrollo, mogollón. **1** bulla, bullicio, alboroto, barullo, guirigay.

fomentar [verbo] Aumentar la actividad o la intensidad de algo: *El Gobierno ha tomado medidas para fomentar el empleo.*

fonda [sustantivo][femenino] Lugar en el que se da comida y alojamiento a cambio de dinero: *Esta fonda es mucho más barata que un hotel.* □ SINÓNIMOS: posada, hostal, hotel.

fondo [sustantivo][masculino] **1** Parte de abajo de un recipiente: *El fondo de una caja es la parte opuesta a la tapa.* **2** Distancia que hay desde la superficie de algo hasta la parte contraria: *Esta piscina tiene mucho fondo.* **3** Parte opuesta a la entrada de un lugar: *En el fondo del salón hay una estantería llena de libros.* **4** Superficie sobre la cual hay figuras dibujadas: *He pintado un retrato sobre un fondo verde.* **5** Lo más importante de algo: *En el fondo de este asunto había un problema de dinero.* **6** Conjunto de dinero que se reúne entre varios: *Si todos ponemos dinero tendremos un fondo para comprar el regalo.* **7** En deporte, resistencia física: *El maratón es una carrera de fondo, no de velocidad.* **8** [expresión] **a fondo** Hasta el máximo: *Me he estudiado a fondo la lección.* **bajos fondos** Parte más peligrosa de una ciudad: *No me atrevo a pasear solo por los bajos fondos.* □ SINÓNIMOS: **2** profundidad. CONTRARIOS: superficie.

fonética [sustantivo][femenino] Parte de la gramática que estudia cómo se pronuncian los sonidos de una lengua: *La fonética nos dice que la «c» puede sonar como la «z», en «cero», o como la «k», en «casa».*

fontanero, ra [sustantivo] Persona que trabaja arreglando grifos, cañerías y otras instalaciones parecidas: *Ha venido el fontanero a arreglar una gotera.*

forajido, da [sustantivo] Persona que vive huyendo de la justicia: *Un grupo de forajidos asaltó la diligencia.*

forastero, ra [adjetivo o][sustantivo] Que es de otro país o de otro lugar: *Todo el pueblo se preguntaba quién sería aquel forastero.*

forcejear [verbo] Luchar con una persona para intentar soltarse de ella: *Forcejearon hasta que uno de los dos logró escapar.* □ [Se escribe siempre con j].

forense [sustantivo] Médico que examina los cadáveres para determinar cuál ha sido la causa de su muerte: *La forense certificó que la víctima había fallecido por asfixia.* □ [No varía en masculino y en femenino].

forestal [adjetivo] De los bosques o relacionado con ellos: *Un guardia forestal avisó del incendio a los bomberos.* □ [No varía en masculino y en femenino].

forjar [verbo] **1** Golpear un metal cuando está caliente para darle forma: *El herrero forja el hierro.* **2** Imaginar o inventar algo: *Año tras año fue forjando en su mente lo que quería ser de mayor.* □ [Se escribe siempre con j].

forma [sustantivo][femenino] **1** Aspecto exterior de algo: *Este pastel tiene forma de corazón.* **2** Manera de hacer algo: *Lo dijo de tal forma que no lo entendí.* **3** Estado físico o mental de una persona: *Estoy en forma porque hago mucho deporte.* **4** Hostia consagrada: *Al comulgar tomamos la sagrada forma.* **5** [plural] Conjunto de modales de una persona: *Si no me lo pides con buenas formas no te lo daré.* □ SINÓNIMOS: **1** figura. **2,5** modo, manera. FAMILIA: formar, formación, formal, formalidad, informal, deformar, deformación, reformar, reforma, reformatorio.

formación [sustantivo][femenino] **1** Hecho de crear o de dar forma a algo: *La formación de las olas es debida al viento.* **2** Preparación de una persona para que pueda realizar una actividad: *Tienes muy mala formación en matemáticas, y apenas sabes sumar.* **3** Conjunto de personas colocadas en filas: *Los soldados desfilaron en formación.* □ SINÓNIMOS: **2** preparación. FAMILIA: → forma.

formal [adjetivo] Que tiene capacidad para saber lo que está bien y lo que está mal: *Sed formales y portaos bien.* □ [No varía en masculino y en femenino]. SINÓNIMOS: juicioso, sensato, prudente. CONTRARIOS: alocado, insensato, imprudente, informal. FAMILIA: → forma.

formalidad [sustantivo][femenino] Buen comportamiento y capacidad para saber lo que está bien y lo que está mal: *¡A ver si os comportáis con un poco más de formalidad!* □ FAMILIA: → forma.

formar [verbo] **1** Dar forma a algo: *Ya está hecha la masa, y ahora tenemos que formar las rosquillas.* **2** Crear o hacer algo: *Hemos formado un equipo de balonmano.* **3** Enseñar y preparar a alguien para que pueda realizar una actividad: *Los padres son los primeros responsables de formar a los hijos.* **4** Colocar en filas: *El profesor de educación física nos formó para desfilar por el patio.* □ SINÓNIMOS: **3** preparar. CONTRARIOS: **1** deformar. FAMILIA: → forma.

formidable [adjetivo] De tamaño, cantidad o calidad mayores de lo normal: *Es una mujer formidable en su trabajo.* □ [No varía en masculino y en femenino]. SINÓNIMOS: extraordinario, colosal, imponente.

fórmula [sustantivo][femenino] **1** Expresión formada por letras y números y que se usa para resolver algo: *En clase de matemáticas usamos muchas fórmulas.* **2** Manera práctica de resolver algo difícil: *¡Ojalá encontremos la fórmula de hacerlo sin que se den cuenta!* **3** Receta para preparar una medicina: *El farmacéutico preparó el jarabe con la fórmula que le dio el médico.* **4** Cada una de las categorías en que se dividen las carreras de coches: *Por la tele vi una carrera de fórmula 1.* □ FAMILIA: formular.

formular [verbo] Expresar algo con palabras: *El hada dijo al príncipe que formulase tres deseos.* □ FAMILIA: → fórmula.

[forofo, fa [sustantivo] Persona que admira y apoya con mucho interés a otra: *Soy una forofa del baloncesto, y no me pierdo ni un partido.* □ [Es coloquial]. SINÓNIMOS: aficionado, seguidor, hincha.

forrar [verbo] **1** Cubrir algo por dentro o por fuera con tela, papel o plástico para que no se estropee: *Al principio del curso forro todos los libros.* **2 forrarse** Hacerse muy rico: *Ese tipo se ha forrado con ese negocio.* □ [El significado **2** es coloquial]. FAMILIA: → forro.

forro [sustantivo][masculino] Tela, papel o plástico con que se cubre algo por dentro o por fuera para que no se estropee: *El forro de mi abrigo es de piel.* □ FAMILIA: forrar.

fortalecer [verbo] Hacer más fuerte: *El deporte fortalece los músculos.* □ [Es irregular y se conjuga como PARECER]. CONTRARIOS: debilitar. FAMILIA: → fuerte.

fortaleza [sustantivo][femenino] **1** Fuerza para superar las dificultades: *Tuvo mucha fortaleza cuando murió su madre.* **2** Especie de castillo que sirve para protegerse de un ataque enemigo: *En mi pueblo quedan las ruinas de una antigua fortaleza.* □ SINÓNIMOS: **2** alcázar. FAMILIA: → fuerte.

fortuna [sustantivo][femenino] **1** Gran cantidad de dinero: *Esa familia es millonaria y posee una fortuna.* **2** Casualidad o fuerza que hace que sucedan las cosas de una determinada manera: *La fortuna ha querido que volviéramos a encontrarnos después de tantos años.* **3** Buena suerte: *Has tenido mucha fortuna al salir ileso del accidente.* □ SINÓNIMOS: **2** destino. **3** suerte, dicha. CONTRARIOS: desdicha. FAMILIA: afortunado, desafortunado.

forzar [verbo] **1** Romper un objeto empleando la fuerza: *Los ladrones entraron en la casa forzando la cerradura.* **2** Obligar a alguien a hacer algo que no quiere hacer: *Me forzaron a ir con ellos.* **3** Obligar una persona a otra a mantener relaciones sexuales con ella: *El detenido fue acusado de haber forzado a una mujer.* □ [Es irregular]. SINÓNIMOS: **3** violar, abusar. FAMILIA: → fuerza. página 420.

forzoso, sa [adjetivo] Que es obligatorio o necesario: *Es forzoso que vengas cuanto antes.* □ FAMILIA: → fuerza.

forzudo, da [adjetivo] Que tiene mucha fuerza física: *Es tan forzuda que ella sola puede levantar este sillón.* □ FAMILIA: → fuerza.

a b c d e f g h i j k l m n ñ o p q r s t u v w x y z

fosa [sustantivo] [femenino] **1** Hoyo en el que se entierra a los muertos: *Todos lloraron cuando el ataúd fue depositado en la fosa.* **2** Agujero muy profundo en la tierra o en el mar: *A las fosas marinas apenas llega la luz del sol.* **3** [expresión] **fosas nasales** Agujeros de la nariz: *Estoy constipada y tengo irritadas las fosas nasales.*

[fosforescente [adjetivo] Que brilla en la oscuridad: *Mi despertador tiene los números de un color verde fosforescente.* □ [No varía en masculino y en femenino]. SINÓNIMOS: fosforito.

[fosforito [adjetivo] Fosforescente: *Tengo un rotulador naranja fosforito.* □ [Es coloquial. No varía en masculino y en femenino].

fósil [sustantivo] [masculino] Resto de animales y plantas que vivieron hace millones de años: *Los fósiles tienen apariencia de piedras.*

foso [sustantivo] [masculino] **1** Hoyo grande y estrecho que se hace en la tierra: *El castillo estaba rodeado por un foso.* ☜ página 156. **2** En un teatro, zona situada debajo del escenario y donde suele colocarse la orquesta: *He ido al ballet y los músicos estaban sentados en el foso.* □ SINÓNIMOS: **1** zanja.

foto [sustantivo] [femenino] Fotografía: *¿Te has traído la cámara de fotos?* □ [Es coloquial].

fotocopia [sustantivo] [femenino] Copia de un papel escrito que se obtiene con una cámara especial: *Las fotocopias son una especie de fotografías.* □ FAMILIA: → copia.

fotocopiar [verbo] Hacer fotocopia de un papel: *¿Me dejas fotocopiar tus apuntes de clase?* □ FAMILIA: → copia.

fotografía [sustantivo] [femenino] **1** Imagen que se obtiene con una cámara especial: *¿Te apetece ver mi álbum de fotografías?* **2** Técnica consistente en obtener ese tipo de imágenes: *Estoy haciendo un curso de fotografía en blanco y negro.* □ [En el significado **1** se usa mucho la forma abreviada *foto*]. FAMILIA: foto, fotografiar, fotográfico, fotógrafo. ☜ página 348.

fotografiar [verbo] Hacer fotografías: *Me gusta más fotografiar personas que paisajes.* □ [Se conjuga como GUIAR]. FAMILIA: → fotografía.

fotográfico, ca [adjetivo] De la fotografía o relacionado con esta técnica: *Siempre que voy de viaje me llevo la cámara fotográfica.* □ FAMILIA: → fotografía.

fotógrafo, fa [sustantivo] Persona que se dedica a hacer fotografías: *El día de la boda de mi primo hicieron las fotos unos fotógrafos profesionales.* □ FAMILIA: → fotografía.

frac [sustantivo] [masculino] Chaqueta de hombre que por delante termina en dos picos y por detrás, en dos picos más largos: *El director de la orquesta iba vestido con frac.* □ [Su plural es *fraques*. Es distinto que *chaqué*, que no termina en dos picos].

forzar		conjugación	
INDICATIVO		**SUBJUNTIVO**	
presente		**presente**	
fuerzo		fuerce	
fuerzas		fuerces	
fuerza		fuerce	
forzamos		forcemos	
forzáis		forcéis	
fuerzan		fuercen	
pretérito imperfecto		**pretérito imperfecto**	
forzaba		forzara, -ase	
forzabas		forzaras, -ases	
forzaba		forzara, -ase	
forzábamos		forzáramos, -ásemos	
forzabais		forzarais, -aseis	
forzaban		forzaran, -asen	
pretérito indefinido		**futuro**	
forcé		forzare	
forzaste		forzares	
forzó		forzare	
forzamos		forzáremos	
forzasteis		forzareis	
forzaron		forzaren	
futuro		**IMPERATIVO**	
forzaré			
forzarás		**presente**	
forzará		fuerza	(tú)
forzaremos		fuerce	(él)
forzaréis		forcemos	(nosotros)
forzarán		forzad	(vosotros)
		fuercen	(ellos)
condicional		**FORMAS NO PERSONALES**	
forzaría			
forzarías		**infinitivo**	**gerundio**
forzaría		forzar	forzando
forzaríamos			
forzaríais		**participio**	
forzarían		forzado	

FRAC

fracasar [verbo] No tener éxito: *La expedición fracasó a causa del mal tiempo.* □ CONTRARIOS: triunfar. FAMILIA: → fracaso.

fracaso [sustantivo/masculino] Resultado malo y distinto del que se esperaba: *No hay que dejarse vencer por los fracasos.* □ CONTRARIOS: éxito, triunfo. FAMILIA: fracasar.

fracción [sustantivo/femenino] **1** Parte que se separa de un todo: *Un cronómetro debe ser capaz de medir hasta las fracciones de un segundo.* ✍ página 612. **2** Número que expresa en cuántas partes se ha dividido la unidad y cuántas partes se cogen de ella: *La fracción 2/3 se lee «dos tercios».* □ SINÓNIMOS: **2** quebrado.

fractura [sustantivo/femenino] Proceso por el que algo se rompe: *Las fracturas de huesos se curan poniendo una escayola.* □ SINÓNIMOS: rotura. FAMILIA: fracturar.

fracturar [verbo] Romper algo duro: *Me fracturé la muñeca izquierda y tengo que llevar escayola treinta días.* □ FAMILIA: → fractura.

fragancia [sustantivo/femenino] Olor agradable: *¿No notas la fragancia de las rosas?* □ SINÓNIMOS: aroma, perfume. CONTRARIOS: peste.

fragata [sustantivo/femenino] Un tipo de barco: *La fragata es un barco de guerra.*

frágil [adjetivo] Que se rompe o se estropea fácilmente: *El vidrio es un material muy frágil.* □ [No varía en masculino y en femenino]. CONTRARIOS: resistente. FAMILIA: fragilidad.

fragilidad [sustantivo/femenino] Facilidad para romperse o estropearse: *Nos preocupa mucho la fragilidad de la salud de mi bisabuelo.* □ FAMILIA: → frágil.

fragmento [sustantivo/masculino] Parte que se separa de un todo: *El jarrón se cayó y se rompió en fragmentos.* □ SINÓNIMOS: pedazo, trozo. ✍ página 612.

fraile [sustantivo/masculino] Hombre que pertenece a ciertos grupos religiosos: *Mis primos van a un colegio de frailes.* □ [Delante de un nombre de persona se usa la forma abreviada fray].

frambuesa [sustantivo/femenino] Fruta parecida a la fresa, pero más pequeña: *La mermelada de frambuesa es la que más me gusta.*

francés, -a 1 [adjetivo o sustantivo] De Francia, que es un país europeo: *Tengo unos primos franceses que viven en París.* **2** [sustantivo/masculino] Lengua de éste y de otros países: *Estoy aprendiendo francés en una academia.*

franco, ca 1 [adjetivo] Que habla con claridad y de forma sincera: *Sé franco conmigo y dime lo que piensas.* **2** [sustantivo/masculino] Moneda de Francia y de otros países: *Si vas a Suiza necesitarás llevar francos.* □ FAMILIA: franqueza.

franja [sustantivo/femenino] Superficie más larga que ancha: *La bandera italiana tiene tres franjas verticales: verde, blanca y roja.*

franqueza [sustantivo/femenino] Sinceridad y claridad al hablar: *Me dijo con total franqueza que le había molestado lo que yo había dicho de él.* □ FAMILIA: → franco.

frasco [sustantivo/masculino] Recipiente, generalmente de cristal: *Procura tapar bien el frasco de colonia.* ✍ página 499.

frase [sustantivo/femenino] Conjunto de palabras que tiene sentido completo: *Esta frase tiene cinco palabras.* □ SINÓNIMOS: oración.

fraternal [adjetivo] Con las características que se consideran propias de los hermanos: *Mi amigo y yo estamos unidos por un cariño casi fraternal.* □ [No varía en masculino y en femenino]. FAMILIA: → hermano.

fraternidad [sustantivo/femenino] Relación de amor que existe entre los hermanos: *Debería haber fraternidad entre todos los seres humanos.* □ FAMILIA: → hermano.

fraterno, na [adjetivo] De los hermanos o relacionado con ellos: *El amor fraterno es el que yo siento por mis hermanos.* □ FAMILIA: → hermano.

fraude [sustantivo/masculino] Engaño que se hace para obtener algo en beneficio propio: *El fraude es un delito castigado por la ley.*

fray [sustantivo/masculino] Fraile: *Fray Jerónimo era el hermano encargado de la portería del convento.* □ [Se usa siempre delante de un nombre de persona].

frecuencia [sustantivo/femenino] Repetición de algo muy a menudo: *Viene con frecuencia a visitarnos.* □ FAMILIA: → frecuente.

frecuentar [verbo] Ir a un sitio o ver a una persona muy a menudo: *¿Frecuentas mucho esta cafetería?* □ FAMILIA: → frecuente.

frecuente [adjetivo] **1** Que se repite muy a menudo: *Es frecuente que nos encontremos por la calle.* **2** Que resulta normal: *Hoy ya*

a b c d e **f** g h i j k l m n ñ o p q r s t u v w x y z

a
b
c
d
e
f
g
h
i
j
k
l
m
n
ñ
o
p
q
r
s
t
u
v
w
x
y
z

no es frecuente que los hombres lleven sombrero. □ [No varía en masculino y en femenino]. CONTRARIOS: insólito. FAMILIA: frecuencia, frecuentar.

fregadero [sustantivo/masculino] Pila para fregar los cacharros en la cocina: *Como no tengo lavaplatos, limpio los cacharros en el fregadero.* □ FAMILIA: → fregar.

fregar [verbo] Limpiar con agua y jabón, frotando muy fuerte: *¿A quién le toca fregar hoy los cacharros?* □ [Es irregular y se conjuga como PENSAR]. FAMILIA: fregadero, fregona.

fregona [sustantivo/femenino] Instrumento de limpieza que sirve para fregar el suelo: *No pises ahora, que acabo de pasar la fregona.* □ FAMILIA: → fregar.

freidora [sustantivo/femenino] Electrodoméstico que sirve para freír los alimentos: *Enciende la freidora, que vamos a freír las croquetas.* □ FAMILIA: → freír.

freír [verbo] **1** Cocinar un alimento con aceite muy caliente: *He aprendido a freír un huevo.* **2 freírse** Pasar mucho calor: *Aquí hace tanto calor que me estoy friendo.* **3** [expresión] **freír a alguien** Molestarlo mucho y muy seguido: *Los mosquitos me están friendo.* □ [Es irregular y se conjuga como REÍR. Tiene dos participios: uno regular (freído) y otro irregular (frito)]. FAMILIA: freidora, frito.

frenar [verbo] **1** Hacer que un vehículo se pare o vaya más despacio: *Frena, que el semáforo está rojo.* **2** Impedir que algo siga actuando: *Esta medicina frena la subida de la fiebre.* □ SINÓNIMOS: detener, retrasar. CONTRARIOS: **1** acelerar, apresurar, precipitar. **2** activar, avivar. FAMILIA: → freno.

frenazo [sustantivo/masculino] Parada brusca: *Se cruzó un perro en la carretera y dimos un frenazo para no atropellarlo.* □ FAMILIA: → freno.

freno [sustantivo/masculino] Pieza que sirve para hacer que un vehículo vaya más despacio: *Los frenos de la bici están en el manillar.* □ CONTRARIOS: acelerador. FAMILIA: frenar, frenazo.

frente [sustantivo/masculino] **1** Parte de delante: *La entrada principal está en el frente de la catedral.* **2** Zona donde se lucha en una guerra: *Hubo miles de muertos en el frente.* **3** [sustantivo/femenino] Parte de la cara que está entre las cejas y el pelo: *Me ha salido un grano en la frente pero me lo tapo con el flequillo.* **4** [expresión] **hacer frente** Oponerse o enfrentarse:

Debes hacer frente a los problemas que te surjan. □ SINÓNIMOS: **4** afrontar, plantar cara. FAMILIA: enfrentar, enfrentamiento, enfrente, frontal.

fresa [sustantivo/femenino] Planta cuyo fruto es comestible y de color rojo: *De postre tomé fresas con nata.* □ FAMILIA: fresón.

fresca [sustantivo/femenino] Mira en **fresco, ca.**

frescales [sustantivo] Que se aprovecha de los demás siempre que puede: *No seas frescales y ayúdanos.* □ [No varía en masculino y en femenino, ni en singular y plural. Es coloquial]. SINÓNIMOS: fresco, carota, caradura, jeta, aprovechado. FAMILIA: → fresco.

fresco, ca [adjetivo] **1** Un poco frío: *En verano, las mañanas son más frescas que las tardes.* **2** Dicho de un alimento, que se tiene que consumir pronto porque, si no, se estropea: *¿Te apetece un vaso de leche fresca, recién ordeñada?* **3** Dicho de una tela, que no da calor: *El algodón es más fresco que la lana.* **4** Dicho de un acontecimiento, que acaba de ocurrir: *Traigo noticias frescas de tu casa.* **5** Que está joven y se conserva bien físicamente: *Los niños tienen una belleza fresca y sana.* **6** Que no está cansado: *Cuando me levanto, estoy más fresca que por las tardes.* **7** Que no se preocupa ni se pone nervioso por nada: *La regañé, pero se quedó tan fresca.* **8** [adjetivo o sustantivo] Que se aprovecha de los demás siempre que puede: *No seas fresco y coge la escoba, porque hoy te toca barrer a ti.* [sustantivo/masculino] **9** Tiempo frío: *Abrígate, que hoy hace fresco.* **10** Pintura que se hace directamente sobre las paredes y techos: *Los techos de este palacio son unos frescos pintados por un famoso pintor.* [sustantivo/femenino] **11** Tiempo frío en los días de calor, a primera o última hora del día: *En vacaciones me levanto con la fresca.* **12** Lo que se dice sin tener respeto a los demás: *¡Ni se te ocurra volverme a soltar una fresca!* **13** [expresión] **traer al fresco** No preocupar: *Me trae al fresco lo que los demás digan de mí.* □ SINÓNIMOS: **4** reciente, caliente, último. **8** frescales, jeta, caradura, carota, aprovechado. FAMILIA: frescura, frescales, refresco, refrescar, refrescante, fresquilla.

frescura [sustantivo/femenino] **1** Falta de vergüenza o respeto: *¡Menuda frescura, no intentes co-*

larte! **2** Temperatura agradable aunque un poco fría: *Se agradece la frescura de la sombra en estos días de calor.* ☐ SINÓNIMOS: **1** descaro, desvergüenza. FAMILIA: → fresco.

fresno [sustantivo masculino] Árbol de hojas anchas y verdes que crece en zonas húmedas: *La madera de fresno es muy apreciada porque es muy flexible.* 👁 página 18.

fresón [sustantivo masculino] Fruta parecida a la fresa, pero más grande: *Me gusta mucho el fresón con azúcar.* ☐ FAMILIA: → fresa.

fresquilla [sustantivo femenino] Fruta parecida al melocotón, pero más blanda: *Las fresquillas suelen ser más baratas que los melocotones.* ☐ FAMILIA: → fresco.

frialdad [sustantivo femenino] **1** Sensación causada por la falta de calor: *La frialdad del invierno termina cuando llega la primavera.* **2** Lo que sentimos cuando algo no nos importa o no le damos valor: *Me miró con frialdad y no me saludó siquiera.* ☐ SINÓNIMOS: **2** indiferencia. FAMILIA: → frío.

[friegaplatos [sustantivo masculino] Lavavajillas: *Voy a guardar las cosas, porque ya ha acabado el friegaplatos de lavarlas.* ☐ [No varía en singular y en plural. Es coloquial]. FAMILIA: → plato.

frigorífico [sustantivo masculino] Electrodoméstico que sirve para conservar fríos los alimentos y las bebidas: *Abre el frigorífico y coge lo que te apetezca.* ☐ SINÓNIMOS: nevera, refrigerador.

frío, a [adjetivo] **1** Con una temperatura más baja de lo normal: *Hoy el día está frío, así que abrígate bien.* **2** Dicho de una persona, que no manifiesta sus sentimientos: *Es un hombre muy frío, al que no le gusta besar ni abrazar a los demás.* **3** Dicho de un color, que se parece al azul o al verde: *Las paredes de un hospital suelen estar pintadas en tonos fríos.* **4** [sustantivo masculino] Temperatura muy baja: *Cuando nieva hace mucho frío.* **5** [expresión] **coger frío** Resfriarse: *Dormí sin arroparme y cogí frío.* **quedarse frío** Quedarse

sorprendido y sin saber qué hacer: *Cuando me lo contaron, me quedé frío del susto.* ☐ CONTRARIOS: **1** cálido, caluroso, caliente. **4** calor. FAMILIA: enfriar, friolero, frialdad.

friolero, ra **1** [adjetivo] Que siente mucho frío: *Soy tan friolera que duermo con cuatro mantas en la cama.* **2** [sustantivo femenino] Gran cantidad de dinero: *Es millonario y gana la friolera de un millón al mes.* ☐ [El significado **2** es coloquial]. CONTRARIOS: **1** caluroso. FAMILIA: → frío.

frito, ta **1** Participio irregular de **freír**. **2** [adjetivo] Dormido: *En cuanto me acosté me quedé frita.* ☐ [El significado **2** es coloquial y se usa mucho en la expresión quedarse frito]. SINÓNIMOS: **2** roque. CONTRARIOS: **2** despierto. FAMILIA: → freír.

frívolo, la [adjetivo] Que sólo quiere divertirse y no se preocupa de cuestiones más serias: *No seas tan frívolo y dedícate a algo más que acudir día tras día a fiestas y espectáculos.*

frondoso, sa [adjetivo] Con muchos árboles, plantas y ramas: *Es fácil perderse en un bosque tan frondoso.*

frontal [adjetivo] **1** De la frente o relacionado con ella: *Uno de los huesos del cráneo es el hueso frontal.* **2** De la parte de delante: *La fachada frontal de este edificio es muy bonita.* ☐ [No varía en masculino y en femenino]. FAMILIA: → frente.

frontera [sustantivo femenino] Límite o separación entre dos países o entre dos cosas: *Los Pirineos son la frontera de Francia con España. A veces es difícil establecer la frontera entre el bien y el mal.*

frontón [sustantivo masculino] **1** Lugar donde se juega a lanzar una pelota contra una pared y a golpearla cuando vuelve: *En la plaza de mi pueblo hay un frontón.* **2** En arquitectura, pieza en forma de triángulo: *Las fachadas de los antiguos templos griegos solían estar coronadas por un frontón.*

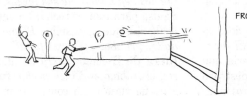

FRONTÓN

frotar [verbo] Pasar muchas veces una cosa sobre otra con fuerza: *Al fregar los cacharros, los frotamos con el estropajo.*

fructífero, ra [adjetivo] Que resulta útil o bueno para algo: *Mis esfuerzos han sido fructíferos y he conseguido lo que quería.* □ SINÓNIMOS: provechoso, beneficioso. FAMILIA: → fruta.

frustrar [verbo] **1** Quitar a alguien la alegría o las esperanzas: *No dejes que nada te frustre.* **2** Hacer fracasar un intento: *La tormenta ha frustrado nuestros planes de ir de excursión.* □ SINÓNIMOS: **2** abortar.

fruta [sustantivo femenino] Fruto comestible que producen algunas plantas: *Las naranjas y las manzanas son frutas.* □ FAMILIA: fruto, frutal, frutería, frutero, fructífero, lavafrutas.

frutal [adjetivo o sustantivo masculino] Dicho de un árbol, que da fruta: *El naranjo y el limonero son árboles frutales.* □ [Cuando es adjetivo no varía en masculino y en femenino]. FAMILIA: → fruta.

frutería [sustantivo femenino] Tienda donde se vende fruta: *Fui a la frutería y compré fresas y naranjas.* □ FAMILIA: → fruta.

frutero, ra 1 [sustantivo] Persona que vende fruta: *Mi frutera me ha dicho que hoy las peras eran exquisitas.* **2** [sustantivo masculino] Recipiente para colocar y servir la fruta: *¿Me das un plátano del frutero, por favor?* □ FAMILIA: → fruta.

fruto [sustantivo masculino] **1** Parte de la planta que tiene dentro las semillas: *Las nueces y las avellanas son frutos secos.* **2** Producto de las plantas y de la tierra: *Durante la cosecha se recoge el fruto de los campos.* **3** Lo que es resultado de algo: *Este despiste ha sido fruto del cansancio.* **4** Ganancia o beneficio que se obtiene de algo: *Hay que aprender a sacar fruto de los propios errores.* □ SINÓNIMOS: **3** producto, consecuencia. **4** provecho. FAMILIA: → fruta.

fucsia [adjetivo o sustantivo masculino] De un color rosa muy vivo: *El fucsia es un color muy llamativo.* □ [Cuando es adjetivo no varía en masculino y en femenino]. ✄ página 160.

fuego [sustantivo masculino] **1** Calor y luz que se desprenden de una materia que arde: *El fuego sirve para alumbrar.* **2** Esta materia que arde cuando es tan grande que destruye todo lo que encuentra: *Los bomberos apa-*

garon el fuego del rascacielos. **3** Disparo de un arma: *Los bandidos hicieron fuego para defenderse.* **4** Parte de una cocina donde se calientan los alimentos: *Pon el puré en el fuego para que se vaya calentando.* **5** [expresión] **fuegos artificiales** Cohetes y otro tipo de luces que se encienden en el cielo: *En las fiestas de mi pueblo todas las noches hay fuegos artificiales.* ✄ página 343. **jugar con fuego** Hacer algo peligroso para divertirse: *Conducir demasiado rápido es jugar con fuego.* □ SINÓNIMOS: **2** incendio. **4** hogar. FAMILIA: fogata.

fuelle [sustantivo masculino] **1** Objeto que sirve para que arda más el fuego: *Con el fuelle se aviva el fuego de la chimenea.* **2** En algunos instrumentos musicales, mecanismo que permite la entrada y la salida del aire: *Los acordeones tienen fuelle.*

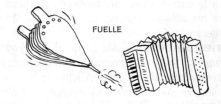

FUELLE

fuente [sustantivo femenino] **1** Lugar donde sale el agua que va por debajo de la tierra: *En el centro de la plaza hay una fuente.* ✄ páginas 17, 497. **2** Especie de plato grande donde se sirven los alimentos: *Que cada uno se sirva de la fuente las croquetas que quiera.* **3** Lo que da inicio a algo: *El agua es una fuente de energía.*

fuera [adverbio] **1** En el exterior: *Te han llamado por teléfono cuando estabas fuera. No dejes las cosas fuera de su sitio.* **2** Hacia el exterior: *El profesor me echó fuera de clase por estar hablando.* **3** Que no está dentro de unos límites o dentro de cierta actividad: *Las solicitudes que se entreguen fuera de plazo no serán atendidas. Los mayores siempre nos dejan fuera de sus juegos.* **4** [interjección] Se usa para indicar rechazo o para mandar a alguien que se marche: *El público, enfadado, gritaba: «¡Fuera, fuera!».* **5** [expresión] **fuera de** Excepto: *Fuera de algunos errores, el trabajo está bien hecho.* **fuera de sí** Muy nervioso o sin control sobre uno mismo: *Cuando se enfada, se pone fuera de sí y no hay quien le hable.* □ [No debe decirse *más fuera*, sino *más afuera*]. SINÓNIMOS: **1,2** afuera. CONTRARIOS: **1,2** dentro. **2** adentro. FAMILIA: afuera, afueras.

fuerte [adjetivo] **1** Que tiene mucha fuerza y resiste mucho: *Hago mucho deporte y estoy muy fuerte. El hierro es un material más fuerte que la madera.* **2** Que no se rinde fácilmente: *Tienes que ser fuerte y luchar contra las dificultades.* **3** Con efectos muy intensos o muy vivos: *Tengo un fuerte dolor de cabeza.* **4** Que tiene mucha importancia: *En el casino perdió una fuerte cantidad de dinero.* **5** Muy bien sujeto o muy apretado: *No puedo desatar el nudo porque está muy fuerte.* [sustantivo] [masculino] **6** Lugar rodeado de un muro para defenderse de los ataques enemigos: *Los soldados que se refugiaron en el fuerte huían de los indios.* **7** Actividad en la que destaca una persona: *Mi fuerte son las matemáticas, pero el dibujo no se me da bien.* **8** [adverbio] Con intensidad o en exceso: *Ayer cené muy fuerte y luego no me podía dormir.* □ [Cuando es adjetivo no varía en masculino y en femenino]. CONTRARIOS: **1-5** flojo. FAMILIA: fortalecer, fortaleza, confortar, reconfortar.

fuerza [sustantivo] [femenino] **1** Lo que hace que un cuerpo se mueva, se pare o cambie de forma: *Para que un cuerpo en reposo se mueva, hay que aplicarle una fuerza.* **2** Cualidades físicas que hacen que algo se mueva: *Mi hermano tiene mucha fuerza y levanta él solo un sillón.* **3** Capacidad para conseguir determinado resultado: *Con un poco de fuerza de voluntad conseguirás lo que te propongas.* **4** Intensidad con que algo se manifiesta: *La fuerza de su amor les trajo la felicidad.* **5** [plural] Conjunto de soldados de un país: *Ya han cesado los ataques de las fuerzas enemigas.* **6** [expresión] **a fuerza de algo** Habiéndolo usado mucho: *Todo lo conseguí a fuerza de trabajo.* **a la fuerza** Contra la propia voluntad: *No me puedes obligar a hacerlo a la fuerza.* **fuerza bruta** Violencia física: *Nunca debemos emplear la fuerza bruta contra los demás.* **fuerza mayor** Algo que no se puede evitar: *Razones de fuerza mayor me obligaron a suspender la fiesta.* **fuerza pública** o **fuerzas de orden público** La po-

licía y los guardias: *La fuerza pública tenía orden de no intervenir en la manifestación.* □ SINÓNIMOS: **2,3** vigor, energía, vitalidad, nervio. **4** potencia. CONTRARIOS: debilidad. FAMILIA: forzar, reforzar, forzoso, forzudo.

fuga [sustantivo] [femenino] **1** Hecho de irse de un lugar en el que se está encerrado: *La fuga de los presos se produjo por la noche.* **2** Salida de un gas o de un líquido por una abertura: *Si hay una fuga de gas es peligroso encender una cerilla.* □ SINÓNIMOS: **1** huida, evasión. **2** escape. FAMILIA: fugarse, fugaz, fugacidad, fugitivo.

fugacidad [sustantivo] [femenino] Carácter de lo que dura muy poco o de lo que pasa y desaparece muy pronto: *Perdona la fugacidad de mi visita, pero es que tengo muchísima prisa.* □ FAMILIA: → fuga.

fugarse [verbo] Escaparse o irse de un lugar en el que se está encerrado: *¡Alerta, el prisionero se ha fugado!* □ [La g se cambia en gu delante de e, como en PAGAR]. SINÓNIMOS: huir, evadirse. FAMILIA: → fuga.

fugaz [adjetivo] **1** Que pasa y desaparece muy rápido: *Las noches claras de verano se ven pasar por el cielo estrellas fugaces.* **2** Que dura muy poco: *Las personas mayores dicen que la juventud es fugaz.* □ [No varía en masculino y en femenino. Su plural es *fugaces*]. CONTRARIOS: duradero, permanente. FAMILIA: → fuga.

fugitivo, va [adjetivo o sustantivo] Que huye: *Los fugitivos se dirigen hacia la frontera.* □ FAMILIA: → fuga.

fulano, na [sustantivo] Palabra que se usa para nombrar a una persona cualquiera: *No me importa nada saber si vino Fulano o Mengano, así que, por favor, no me lo cuentes más veces.* □ [Se suele escribir con mayúscula]. SINÓNIMOS: mengano, zutano.

fular [sustantivo] [masculino] Pañuelo largo para el cuello, de tela muy fina: *El fular es como una bufanda muy fina.* □ [Es una palabra de origen francés].

fulgor [sustantivo] [masculino] Brillo muy intenso: *El fulgor de los fuegos artificiales iluminaba la oscuridad de la noche.*

fulminante [adjetivo] Muy rápido y de efectos inmediatos: *Murió de un fulminante ataque*

a
b
c
d
e
f
g
h
i
j
k
l
m
n
ñ
o
p
q
r
s
t
u
v
w
x
y
z

a

b

c

d

e

f

g

h

i

j

k

l

m

n

ñ

o

p

q

r

s

t

u

v

w

x

y

z

al corazón. □ [No varía en masculino y en femenino]. FAMILIA: → fulminar.

fulminar [verbo] **1** Matar o destruir de forma muy rápida: *Durante la tormenta se resguardó bajo un árbol y murió fulminado por un rayo.* **2** Desanimar o criticar a una persona: *Cuando vi las tonterías que decían, los fulminé con la mirada.* □ FAMILIA: fulminante.

fumador, -a [adjetivo o sustantivo] Que tiene costumbre de fumar: *En el avión hay asientos para fumadores y para no fumadores.* □ FAMILIA: → fumar.

fumar [verbo] Aspirar y echar el humo del tabaco: *Fumar es malo para la salud.* □ FAMILIA: fumador.

fumigar [verbo] Echar un producto en un lugar para matar bichos e insectos: *Había tantos mosquitos que el Ayuntamiento ordenó fumigar todo el pueblo.* □ [La g se cambia en gu delante de e, como en PAGAR].

función [sustantivo femenino] **1** Aquello para lo que algo sirve: *La función de este perro es vigilar la casa. La función de un armario es guardar cosas.* **2** Cada vez que se representa una obra de teatro o un espectáculo: *Fuimos al teatro a la función que empieza a las siete.* □ SINÓNIMOS: **1** finalidad. FAMILIA: funcionar, funcionamiento, funcionario.

funcionamiento [sustantivo masculino] Hecho de que algo realice la función que tiene: *El funcionamiento de un reloj de arena es muy sencillo.* □ FAMILIA: → función.

funcionar [verbo] Hacer una cosa lo que tiene que hacer porque es para lo que sirve: *El reloj se ha parado y no funciona.* □ FAMILIA: → función.

funcionario, ria [sustantivo] Persona que trabaja para el Estado y no en una empresa privada: *Mi hermano aprobó las oposiciones y ahora es funcionario.* □ FAMILIA: → función.

funda [sustantivo femenino] Lo que sirve para tapar algo y protegerlo: *¿Alguien ha visto la funda de mis gafas?* □ FAMILIA: enfundar, desenfundar.

fundación [sustantivo femenino] **1** Creación de una ciudad, una institución o una empresa: *Este año es el aniversario de la fundación del club.* **2** Organización creada con fines culturales, religiosos o de ayuda a los demás: *Esta fundación concede becas a los estudiantes que quieran hacer la tesis doctoral.* □ SINÓNIMOS: **1** establecimiento, creación. CONTRARIOS: **1** destrucción. FAMILIA: → fundar.

fundamental [adjetivo] Que es muy importante y muy necesario: *Para aprender es fundamental estudiar.* □ [No varía en masculino y en femenino]. SINÓNIMOS: básico, esencial, capital, principal, primario. CONTRARIOS: secundario, accesorio. FAMILIA: → fundar.

fundamento [sustantivo masculino] Cada uno de los puntos principales en que se basa un estudio o una idea: *No tienes derecho a acusar a nadie sin fundamentos.* □ SINÓNIMOS: principio. FAMILIA: → fundar.

fundar [verbo] **1** Crear una ciudad, una institución o una empresa: *Muchas ciudades antiguas se fundaban a la orilla de los ríos.* **2** Basar algo en datos que demuestren que es cierto: *¿En qué te fundas para decir que te engañé?* □ SINÓNIMOS: **1** crear, establecer. **2** apoyar. CONTRARIOS: **1** destruir. FAMILIA: fundación, fundamento, fundamental.

fundición [sustantivo femenino] Lugar en el que los metales se convierten en líquido por efecto del calor: *En una fundición hace mucho calor.* □ FAMILIA: → fundir.

fundir [verbo] **1** Convertir un sólido en líquido por efecto del calor: *Para fundir el hierro hace falta una temperatura muy alta.* **2** Unir o mezclar dos o más cosas diferentes: *Mi pandilla y la de mi hermano se han fundido y ahora vamos todos juntos.* **3** Gastar el dinero muy deprisa: *¿Ya te has fundido la paga que te di ayer?* **4 fundirse** Estropearse un aparato eléctrico: *Hay que cambiar la bombilla, porque ésta se ha fundido.* □ [El significado **3** es coloquial]. FAMILIA: fundición, fusión, fusionar.

fúnebre [adjetivo] **1** Relacionado con los difuntos: *El coche fúnebre transportó el féretro hasta el cementerio.* **2** Muy triste: *Daba pena ver el aspecto tan fúnebre que tenía.* □ [No varía en masculino y en femenino]. FAMILIA: → funeral.

funeral [sustantivo masculino] Ceremonia que se celebra en honor a un muerto: *Esta tarde tengo una misa porque es el funeral por mi abuelo.* □

[Significa lo mismo en singular que en plural]. FA-MILIA: fúnebre, funeraria.

funeraria [sustantivo][femenino] Empresa que se ocupa de enterrar a los muertos: *Un coche de la funeraria transportaba el ataúd del difunto camino del cementerio.* ☐ FAMILIA: → funeral.

funesto, ta [adjetivo] Triste, desgraciado o con malas consecuencias: *Perdió la vida en un funesto accidente de coche.*

funicular [sustantivo][masculino] Vehículo que se desplaza arrastrado por un cable o una cadena: *Este tren es un funicular que sube hasta la cima de la montaña.*

furgón [sustantivo][masculino] Vehículo largo que se usa para transportar cosas: *A la puerta de la comisaría había aparcados varios furgones policiales.* ☐ FAMILIA: furgoneta.

furgoneta [sustantivo][femenino] Vehículo más pequeño que un camión pero más grande que un coche, que sirve para transportar mercancías: *El panadero de mi barrio hace el reparto en una furgoneta.* ☐ FAMILIA: → furgón. 🖼 página 847.

furia [sustantivo][femenino] **1** Enfado tan grande que no se puede controlar: *Se puso rojo de furia y empezó a gritar.* **2** Violencia, fuerza o energía de algo: *La furia de la tempestad hizo naufragar el barco.* ☐ SINÓNIMOS: **1** ira. FAMILIA: furioso, furor, furibundo, enfurecer.

furibundo, da [adjetivo] **1** Tan enfadado que no se puede controlar: *Cuando le dije lo que pensaba, se puso rojo de ira y me lanzó una mirada furibunda.* **2** Que está muy entusiasmado por algo: *Soy una furibunda seguidora del equipo de baloncesto de mi ciudad.* ☐ SINÓNIMOS: **1** furioso. FAMILIA: → furia.

furioso, sa [adjetivo] **1** Tan enfadado que no se puede controlar: *Cuando vio que había sido engañado se puso furioso.* **2** Con mucha energía o con mucha fuerza: *Un viento furioso derribó varios árboles.* ☐ SINÓNIMOS: **1** furibundo. FAMILIA: → furia.

furor 1 [sustantivo][masculino] Enfado tan grande que no se puede controlar: *El furor de las olas hacía temblar a los marineros.* **2** [expresión] **hacer furor** Estar muy de moda: *Este año, el color rojo hace furor.* ☐ SINÓNIMOS: furia. FAMILIA: → furia.

furtivo, va [adjetivo] Que hace algo a escon-

didas y sin permiso, o que se hace así: *Los cazadores furtivos tuvieron que pagar una multa al ser descubiertos. La caza furtiva está prohibida.*

fusible [sustantivo][masculino] Especie de hilo que se funde cuando pasa demasiada corriente eléctrica: *Al encender al mismo tiempo la lavadora, el lavaplatos y la televisión, se fundió el fusible y nos quedamos sin luz.* ☐ SINÓNIMOS: plomos.

fusil [sustantivo][masculino] Arma de fuego que dispara balas: *Los soldados desfilaron con el fusil al hombro.* ☐ FAMILIA: fusilar, fusilamiento.

fusilamiento [sustantivo][masculino] Muerte dada a una persona con disparos de fusil: *Goya pintó en un cuadro muy famoso los fusilamientos del 2 de mayo en Madrid.* ☐ FAMILIA: → fusil.

fusilar [verbo] Matar a una persona con disparos de fusil: *En las guerras se fusila a muchas personas.* ☐ FAMILIA: → fusil.

fusión [sustantivo][femenino] **1** Conversión de un sólido en líquido por efecto del calor: *La fusión del hierro se produce a temperaturas elevadísimas.* **2** Mezcla o unión de dos cosas diferentes: *La fusión de estos dos partidos políticos ha dado lugar a un nuevo partido que se presentará a las próximas elecciones.* ☐ FAMILIA: → fundir.

fusionar [verbo] Unir dos o más cosas diferentes hasta formar una sola cosa: *Estas dos empresas se han fusionado para tener más fuerza y poder hacer frente a la competencia.* ☐ FAMILIA: → fundir.

fustigar [verbo] **1** Golpear a un caballo con una vara flexible: *El jinete fustigaba a la yegua para que corriese más deprisa.* **2** Criticar de forma muy dura: *Los periodistas fustigaron a ese personaje público a raíz de sus declaraciones contra la libertad de prensa.* ☐ [La g se cambia en gu delante de e, como en PAGAR].

[futbito [sustantivo][masculino] Deporte parecido al fútbol que se juega en un campo más pequeño: *Esta tarde hay un partido de futbito en el polideportivo del colegio.* ☐ FAMILIA: → fútbol.

fútbol [sustantivo][masculino] Deporte que se juega entre dos equipos de once jugadores y que consiste en mover el balón sin tocarlo con las manos: *Los árbitros de fútbol van vestidos de*

a
b
c
d
e
f
g
h
i
j
k
l
m
n
ñ
o
p
q
r
s
t
u
v
w
x
y
z

negro. □ [Es una palabra de origen inglés]. FAMI-LIA: futbolista, futbolín, futbito. 🔍 página 290.

futbolín [sustantivo] [masculino] Especie de mesa con muñecos que imitan un equipo de fútbol, en la que se juega como si se hiciera un partido de fútbol: *Para jugar al futbolín hay que mover a la vez todos los jugadores de una fila.* □ FAMILIA: → fútbol.

futbolista [sustantivo] Persona que juega al fútbol: *Los futbolistas profesionales ganan mucho dinero.* □ [No varía en masculino y en femenino]. FAMILIA: → fútbol.

futuro, ra 1 [adjetivo] Que todavía no ha sucedido: *En los días futuros recogeremos el fruto de lo que hagamos ahora.* [sustantivo] [masculino] **2** Tiempo que todavía no ha llegado: *En el futuro quiero ser médica.* **3** En gramática, tiempo del verbo que indica que la acción no se ha realizado todavía: *El futuro de indicativo del verbo «llevar» es «llevaré», «llevarás», etc.* □ SINÓNIMOS: **2** mañana, porvenir. CONTRARIOS: **1,2** pasado. **2** ayer.

geometría

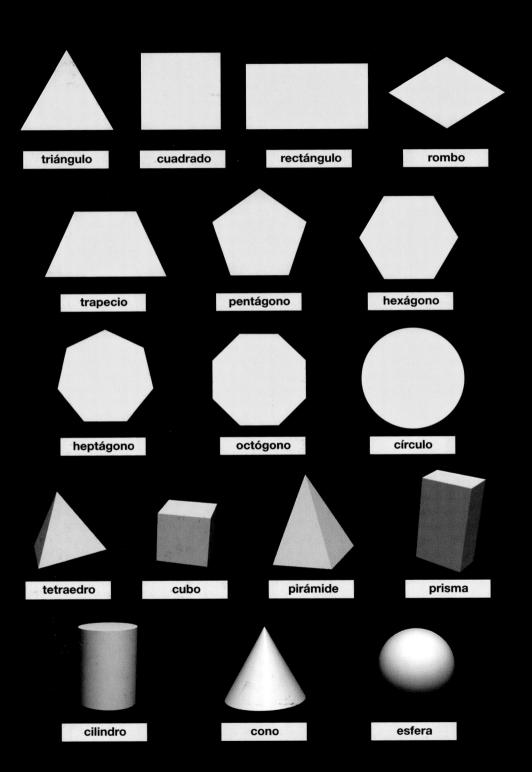

triángulo

cuadrado

rectángulo

rombo

trapecio

pentágono

hexágono

heptágono

octógono

círculo

tetraedro

cubo

pirámide

prisma

cilindro

cono

esfera

saludo

despedida

afirmación

negación

sonrisa

risa

carcajada

enfado

alegría

tristeza

mala idea

burla

guiño

vergüenza

disimulo

DE AGRICULTURA

hacha   hoz   azada   azadón   horca   guadaña

DE CARPINTERÍA

clavo   martillo   sierra   lima   alicates   tenazas

DE JARDINERÍA

manguera   regadera   tijeras de podar   pala   rastrillo   pico   cortadora de césped

DE ALBAÑILERÍA

espátula   paleta   taladradora   carretilla   llave inglesa   destornillador

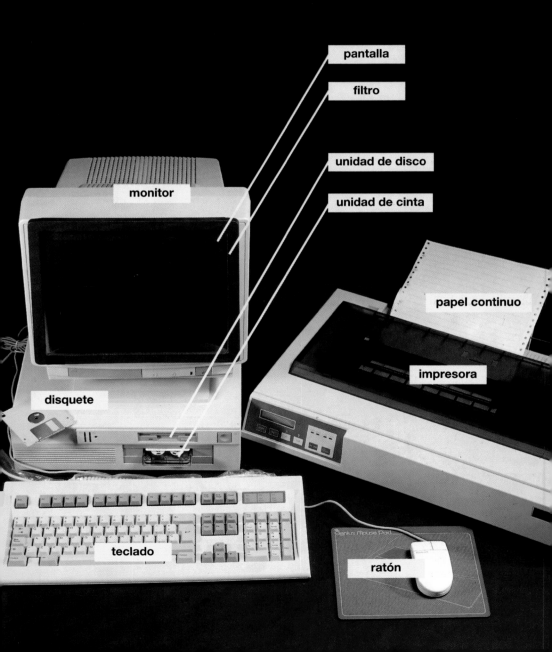

pantalla

filtro

unidad de disco

unidad de cinta

monitor

papel continuo

impresora

disquete

teclado

ratón

G g

g [sustantivo femenino] Letra número siete del abecedario: *La palabra «gesto» empieza por «g».* □ [Su nombre es ge. Delante de e, i, se pronuncia como una j: gente, girar. Delante de a, o, u, se pronuncia suave: gato, gordo, guapo. Cuando escribimos gue o gui, la u no se lee: guerra, guitarra. Cuando escribimos güe o güi, la u sí se lee: cigüeña, pingüino].

gabardina [sustantivo femenino] Prenda de vestir larga que se usa cuando llueve: *Cuando llueve me pongo mi gabardina marrón y cojo el paraguas.*

gacela [sustantivo femenino] Animal de color marrón y blanco, que tiene dos cuernos largos y finos y que se alimenta de hierba: *Las gacelas corren muy rápido.*

gaditano, na [adjetivo o sustantivo] De la provincia de Cádiz o de su capital: *Los carnavales gaditanos son muy famosos.*

gafas [sustantivo femenino plural] Aparato formado por dos cristales, que se apoya en la nariz y en las orejas y que sirve para ver mejor: *Antes usaba gafas, pero ahora llevo lentillas. Si vas a bucear, ponte las gafas y las aletas.* □ FAMILIA: gafotas. ✒ página 120.

gafe [adjetivo o sustantivo] Que lleva consigo la mala suerte: *Cuando voy de excursión siempre llueve, porque soy gafe.* □ [No varía en masculino y en femenino].

[gafotas [sustantivo] Persona que usa gafas: *Se ríen de mí porque llevo gafas y me llaman «gafotas».* □ [No varía en masculino y en femenino, ni en singular y plural. Es despectivo]. FAMILIA: → gafas.

gaita [sustantivo femenino] **1** Instrumento musical de viento, formado por una especie de bolsa con aire que suena al apretarla: *La gaita es típica de la música gallega y asturiana.* **2** Lo que molesta o resulta poco agradable: *Tener que ir a entrenar con este frío es una gaita.* □ [El significado **2** es coloquial].

gajo [sustantivo masculino] Cada una de las partes en las que está dividido el interior de algunos frutos: *¿Quieres un gajo de naranja?*

galápago [sustantivo masculino] Animal parecido a la tortuga, pero con los dedos unidos por una especie de piel: *Los galápagos viven en el agua.*

galaxia [sustantivo femenino] Sistema formado por estrellas, polvo y gas que giran alrededor de un núcleo central: *La Vía Láctea es la galaxia en la que se encuentra la Tierra.* ✒ página 345.

galería [sustantivo femenino] **1** Especie de habitación larga y estrecha que da luz a las habitaciones interiores: *Se ha escapado un preso de una de las galerías de la cárcel.* **2** Camino largo y estrecho que está bajo tierra: *Los mineros bajan a las galerías en un ascensor.* ✒ página 538. **3** Especie de calle cubierta a la que dan varios establecimientos comerciales: *Compró el pollo y la fruta en la galería de alimentación que hay en la esquina.* **4** [expresión] **galería de arte** Establecimiento comercial en el que se venden y se muestran al público cuadros y otros objetos de arte: *Este pintor ya ha expuesto en varias galerías de arte.*

galgo, ga [sustantivo] Perro de una raza que se caracteriza por tener el cuerpo muy delgado y la cola larga: *Los galgos son perros muy veloces.*

gallego, ga **1** [adjetivo o sustantivo] De la comunidad autónoma de Galicia: *La Coruña, Lugo, Orense y Pontevedra son las cuatro provincias gallegas.* **2** [sustantivo masculino] Lengua de esta comunidad: *El gallego proviene del latín.*

galleta [sustantivo femenino] **1** Dulce delgado y seco, hecho de harina, azúcar y otros ingredientes: *Para desayunar tomo leche con galletas.* **2** Golpe fuerte: *Me caí de la bici y me di una galleta.* □ [El significado **2** es coloquial].

GAITA

gallina 1 [adjetivo o sustantivo] Dicho de una persona, que es cobarde o que tiene miedo: *Es un gallina y no se atreve a ir al monte de noche.* **2** [sustantivo femenino] Un tipo de ave de granja que pone huevos: *En el corral hay gallos y gallinas.* ✙ página 20. □ [El significado **1** no varía en masculino y en femenino, y es despectivo]. CONTRARIOS: **1** valiente. FAMILIA: → gallo.

gallinero [sustantivo masculino] **1** Lugar en el que duermen las gallinas y otras aves de corral: *Voy todos los días al gallinero a recoger los huevos que ponen las gallinas.* **2** Lugar en el que hay mucho ruido: *Cuando el profesor entró en clase, dijo que dábamos tantas voces que aquello era un gallinero.* **3** En algunos teatros, conjunto de asientos del piso más alto: *Los asientos del gallinero suelen ser los más baratos.* □ [Los significados **2** y **3** son coloquiales]. FAMILIA: → gallo.

gallo 1 [adjetivo o sustantivo masculino] Dicho de un hombre, que se considera superior a los demás o que se cree muy valiente: *El jefe de la banda es un gallito que siempre va provocando a los demás.* [sustantivo masculino] **2** Macho de la gallina: *Los gallos tienen una gran cresta roja en la cabeza.* ✙ página 20. **3** Pez marino comestible que vive echado siempre del mismo lado sobre la arena del fondo del mar: *El gallo se parece al lenguado.* **4** Nota aguda y poco agradable que se emite al hablar o al cantar: *Mi hermano está cambiando la voz y a veces se le escapa algún gallo.* □ [El significado **1** se usa mucho en diminutivo: *gallito.* El significado **4** es coloquial]. FAMILIA: gallina, gallinero.

galón [sustantivo masculino] Especie de cinta que llevan en el brazo las distintas categorías del ejército: *Lleva los galones de cabo.*

galopar [verbo] Andar los caballos muy deprisa: *Cuando un caballo galopa, va más deprisa que cuando trota.* □ FAMILIA: → galope.

galope [sustantivo masculino] Modo de andar los caballos con el que van más deprisa: *Los jinetes avanzaban al galope.* □ FAMILIA: galopar.

gamba 1 [sustantivo femenino] Animal marino comestible con una cáscara de color rosa que cubre su cuerpo: *En este bar ponen unas gambas a la plancha muy buenas.* **2** [expresión] **meter la gamba** Hacer algo poco adecuado: *Has metido la gamba al decir que Roma es la capital de Francia, porque es la capital de Italia.* □ [El significado **2** es coloquial]. SINÓNIMOS: **2** meter la pata.

gamberrada [sustantivo femenino] Mala acción que se hace contra alguien o contra algo: *No sé quién habrá hecho la gamberrada de romper todas la farolas.* □ FAMILIA: → gamberro].

gamberro, rra [adjetivo o sustantivo] Que no tiene educación o que no se comporta como un buen ciudadano: *Ese gamberro se ha dedicado a romper todas las papeleras del parque.* □ FAMILIA: gamberrada.

gana [sustantivo femenino] **1** Deseo o voluntad de algo: *Tengo ganas de irme de vacaciones.* **2** Hambre o apetito: *Si no tienes gana, no te lo comas.* □ [Significa lo mismo en singular que en plural. El significado **2** es coloquial]. CONTRARIOS: desgana. FAMILIA: desgana.

ganadería [sustantivo femenino] **1** Conjunto de cuidados que se dan al ganado que se cría para explotarlo: *En este pueblo, la mayoría de la gente se dedica a la agricultura o a la ganadería.* **2** Ganado que pertenece a una persona: *En la corrida de hoy se torearán toros de distintas ganaderías.* □ FAMILIA: → ganado.

ganadero, ra 1 [adjetivo] Del ganado o relacionado con estos animales: *Mi primo es el dueño de esta explotación ganadera.* **2** [sustantivo] Persona que posee ganado: *Esta tarde se torearán seis toros de un famoso ganadero.* □ FAMILIA: → ganado.

ganado [sustantivo masculino] Conjunto de animales de cuatro patas que se crían para explotarlos: *Las ovejas son ganado lanar.* □ FAMILIA: ganadería, ganadero.

ganador, -a [adjetivo o sustantivo] Que gana: *El ganador de la carrera conseguirá la medalla de oro.* □ SINÓNIMOS: vencedor, campeón. CONTRARIOS: perdedor. FAMILIA: → ganar.

ganancia [sustantivo femenino] Beneficio económico que se obtiene de algo: *Piensa irse de vacaciones con las ganancias que ha conseguido en el negocio.* □ [Se usa más en plural]. CONTRARIOS: pérdida. FAMILIA: → ganar.

ganar [verbo] **1** Lograr bienes o riquezas: *En esta profesión se gana dinero, pero hay que trabajar mucho.* **2** Recibir un dinero como sueldo: *No quise decir cuánto gano porque es un asunto que sólo me interesa a mí.* **3** Conseguir algo: *Este físico ganó el premio Nobel el año pasado.* **4** Conseguir que alguien sienta algo por nosotros: *Con su actitud se ganó el cariño de todos.* **5** Tener alguna ventaja sobre los demás: *Aunque no es muy inteligente, nos gana a todos en experiencia.* **6 ganarse** Hacerse digno de algo: *Como no te estés quieto te vas a ganar una torta.* ☐ SINÓNIMOS: **5** superar, aventajar. **6** merecer. CONTRARIOS: **1,3,6** perder. FAMILIA: ganador, ganancia.

ganchillo [sustantivo] [masculino] **1** Aguja que termina en un gancho y que se usa para hacer labores: *Para hacer el chaleco con esta lana necesito un ganchillo más grueso.* **2** Labor que se hace con este tipo de aguja: *Mi madre me está enseñando a hacer ganchillo.* ☐ FAMILIA: → gancho.

gancho [sustantivo] [masculino] **1** Pieza curva y generalmente puntiaguda que sirve para coger o colgar algo: *En las carnicerías, los jamones cuelgan de ganchos.* **2** Fuerza o atractivo para la gente: *Este actor no es muy guapo, pero tiene gancho.* ☐ [El significado **2** es coloquial]. SINÓNIMOS: **1** garfio. **2** garra. FAMILIA: ganchillo, enganchar, enganche, enganchón, desenganchar.

gandul, -a [adjetivo o] [sustantivo] Que no quiere trabajar aunque tenga que hacerlo: *No seas gandul y ayúdame a poner la mesa.* ☐ [Es coloquial]. SINÓNIMOS: holgazán, vago, zángano. CONTRARIOS: trabajador, laborioso.

ganga [sustantivo] [femenino] Lo que tiene valor y se logra sin esfuerzo o por poco dinero: *Por este precio tan barato, este piso tan grande es una ganga.* ☐ SINÓNIMOS: chollo.

gángster [sustantivo] [masculino] Miembro de una banda organizada que se dedica a cometer delitos y a actuar de forma no legal en las grandes ciudades: *En la película salía un gángster que vendía bebidas alcohólicas cuando estaba prohibido vender alcohol.* ☐ [Es una palabra de origen inglés. Es distinto de *hámster*, que es un tipo de ratón. Su plural es *gángsteres*].

ganso, sa **1** [adjetivo o] [sustantivo] Que tiene poca habilidad y hace reír por eso: *Es un poco ganso y en gimnasia siempre nos hace reír.* **2** [sustantivo] Ave parecida al pato, con la parte superior del cuerpo de color gris y la parte inferior blanca: *En este pantano viven muchos gansos salvajes.* 🖎 página 20. ☐ [El significado **1** es coloquial]. SINÓNIMOS: **2** oca.

ganzúa [sustantivo] [femenino] Alambre fuerte doblado en forma de gancho, que se usa para abrir puertas en lugar de hacerlo con la llave: *Los ladrones abrieron la puerta del coche con una ganzúa.*

GANZÚA

garabato [sustantivo] [masculino] Conjunto de líneas mal hechas: *El niño hizo unos garabatos y dijo que había pintado un árbol.*

garaje [sustantivo] [masculino] **1** Local generalmente cubierto en el que se aparcan coches: *Se ha comprado un piso con plaza de garaje.* **2** Taller en el que se reparan automóviles: *Tengo que llevar el coche al garaje para que le cambien el aceite.*

garantía [sustantivo] [femenino] **1** Documento en el que se asegura que se va a cumplir una obligación: *Cuando compré la plancha, el dependiente me selló la garantía.* **2** Seguridad que se da de que se va a cumplir lo que se había dicho: *Necesito la garantía de que vas a cumplir tu parte del trato.* ☐ FAMILIA: garantizar.

garantizar [verbo] Asegurar que algo se va a cumplir: *Te garantizo que mañana tendrás lo que me pediste.* ☐ [La z se cambia en c delante de e, como en CAZAR]. FAMILIA: → garantía.

garbanzo **1** [sustantivo] [masculino] Planta que se cultiva en las huertas, cuya semilla es redonda y de color marrón claro, y que se cocina cuando ya está seca: *Mi plato favorito son los garbanzos con arroz.* 🖎 página 500. **2** [expresión] **ser el garbanzo negro** Destacar por las cualidades negativas: *Todos dicen que ese tipo es el garbanzo negro de su familia y que es un sinvergüenza.*

garbo [sustantivo] [masculino] Gracia en la forma de andar o de actuar: *Las modelos tienen mucho garbo al andar.* ☐ SINÓNIMOS: salero.

garfio [sustantivo] [masculino] Pieza curva y generalmente

a

b

c

d

e

f

g

h

i

j

k

l

m

n

ñ

o

p

q

r

s

t

u

v

w

x

y

z

puntiaguda que sirve para coger o colgar algo: *El pirata del cuento tenía un garfio en lugar de una mano.* □ SINÓNIMOS: gancho.

garganta [sustantivo] [femenino] **1** Zona delantera del cuello: *Los jerséis de cuello alto cubren la garganta.* **2** Parte interna del cuello, que se corresponde con esta zona: *Me he resfriado y me duele la garganta.* **3** Paso estrecho entre montañas: *El alud nos dejó atrapados en la garganta de la montaña.* ☞ página 709. □ FAMILIA: gargantilla.

gargantilla [sustantivo] [femenino] Pieza de adorno corta que rodea el cuello: *Para la fiesta me pondré una gargantilla de perlas.* □ FAMILIA: → garganta.

gárgara 1 [sustantivo] [femenino] Acción de mantener un líquido en la garganta, con la boca hacia arriba, sin tragarlo y echando el aire para moverlo: *Después de lavarte los dientes, haz gárgaras con este líquido y verás cómo se te quitan las llagas de la boca.* **2** [expresión] **mandar algo a hacer gárgaras** Rechazarlo o dejarlo abandonado: *Le ofrecí mi ayuda, y el muy desagradecido me mandó a hacer gárgaras.* □ [El significado **1** se usa más en plural. El significado **2** es coloquial].

garita [sustantivo] [femenino] Especie de torre o de cuarto pequeño que sirve para que se protejan las personas que cuidan algo: *El centinela vigilaba la entrada al lado de la garita.*

GARITA

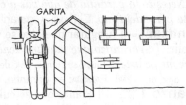

garra [sustantivo] [femenino] **1** Mano o pie de un animal, con fuertes uñas: *El león arañó al domador con las garras.* **2** Fuerza o atractivo para la gente: *Este cantante tiene mucha garra y atrae a mucha gente a sus conciertos.* □ SINÓNIMOS: **1** zarpa. **2** gancho. FAMILIA: desgarrar, desgarrón.

garrafa [sustantivo] [femenino] Recipiente que tiene el cuello largo y un asa: *En esta ciudad, el agua es tan mala que la gente la tiene que comprar en garrafas.* □ FAMILIA: garrafón.

GARRAFA  GARRAFÓN

garrafón [sustantivo] [masculino] Recipiente de forma más o menos redonda y generalmente de vidrio, que está protegido por una cubierta: *En la despensa hay un garrafón de vino.* □ FAMILIA: → garrafa.

garrapata [sustantivo] [femenino] Animal pequeño, de forma más o menos redonda, que vive sobre otros animales y se alimenta de la sangre que les chupa: *Mi perro lleva un collar especial para evitar que tenga garrapatas.*

garrota [sustantivo] [femenino] Palo grueso y fuerte que sirve para andar apoyándose en él: *Mi abuelo está cojo y anda apoyándose en una garrota.* □ SINÓNIMOS: garrote. FAMILIA: garrote, garrotazo.

garrotazo [sustantivo] [masculino] Golpe dado con un palo grueso: *Se pelearon y empezaron a darse garrotazos, hasta que acudió gente a separarlos.* □ FAMILIA: → garrota.

garrote [sustantivo] [masculino] Palo grueso y fuerte que sirve para andar apoyándose en él: *El viejecito nos dijo que sin su garrote no podía andar.* □ SINÓNIMOS: garrota. FAMILIA: → garrota.

gas [sustantivo] [masculino] **1** Materia en un estado parecido al del aire: *El hidrógeno es un gas.* **2** Materia parecida a la anterior, de la que se aprovecha la energía que produce al quemarse: *No sale agua caliente porque se ha acabado el gas de la bombona.* **3** [plural] Aire que se acumula en el organismo después de comer los alimentos: *Las judías me producen gases.* □ FAMILIA: gaseoso, gasóleo, gas-oil.

[gas-oil] [sustantivo] [masculino] Gasóleo: *Los camiones suelen funcionar con gas-oil.* □ [Es una palabra inglesa. Se pronuncia «gasóil»]. FAMILIA: → gas.

gasa [sustantivo] [femenino] **1** Tela que se usa para cubrir heridas: *El médico me tapó la herida con una gasa y con esparadrapo.* **2** Tela muy ligera y transparente: *El velo de la novia era de gasa.*

gaseoso, sa [adjetivo] **1** Que se encuentra

en estado de gas: *El vapor de agua está en estado gaseoso.* **2** Que contiene gases: *Me gustan los refrescos gaseosos.* **3** [sustantivo] [femenino] Bebida que tiene gas y que parece agua con azúcar: *En la comida, mis padres beben vino con gaseosa.* □ FAMILIA: → gas.

gasóleo [sustantivo] [masculino] Mezcla de líquidos que se usa para obtener energía: *Algunos coches, en lugar de funcionar con gasolina, funcionan con gasóleo.* □ SINÓNIMOS: gas-oil. FAMILIA: → gas.

gasolina [sustantivo] [femenino] Mezcla de líquidos que se quema fácilmente y que se usa para hacer funcionar algunos motores: *Se acabó la gasolina y el coche se paró.* □ FAMILIA: gasolinera.

gasolinera [sustantivo] [femenino] Establecimiento en el que se vende gasolina: *En algunas gasolineras te puedes poner la gasolina tú mismo.* □ FAMILIA: → gasolina.

gastar [verbo] **1** Emplear el dinero en algo: *Se gastó en libros todo el dinero que tenía.* **2** Acabar por el uso o por el paso del tiempo: *Voy a comprar un boli, porque éste ya se ha gastado.* **3** Usar o llevar de forma habitual: *Normalmente gasto zapatos planos, pero en las fiestas los llevo de tacón.* □ CONTRARIOS: **1,2** ahorrar, economizar. FAMILIA: gasto, malgastar, desgastar, desgaste.

gasto [sustantivo] [masculino] **1** Empleo de dinero en algo: *En casa somos muchos, y el gasto en comida es muy grande.* **2** Lo que se gasta: *Este mes ha habido muchos gastos.* □ FAMILIA: → gastar.

gastronomía [sustantivo] [femenino] Arte o técnica de preparar una buena comida: *Ese cocinero es un experto en gastronomía.*

gatear [verbo] Andar de rodillas y apoyando las palmas de las manos en el suelo: *El niño todavía no sabe andar, pero ya gatea.* □ FAMILIA: → gato.

gatillo [sustantivo] [masculino] Pieza de un arma de fuego que se aprieta con el dedo para disparar: *El atracador apretó el gatillo e hirió a un policía.*

gato, ta 1 [sustantivo] Animal que suele vivir con el hombre, que tiene el pelo suave y que caza ratones: *Los gatos maúllan.* **2** [sustantivo] [masculino] Máquina que sirve para levantar grandes pesos a poca altura: *En los coches conviene*

llevar un gato para poder cambiar las ruedas si se pinchan.* **3** [expresión] **a gatas** Apoyando las manos y las rodillas al andar: *Los bebés andan a gatas.* **haber gato encerrado** Haber algo secreto: *La policía sospecha de este asunto y cree que hay gato encerrado.*

llevarse el gato al agua Ganar o triunfar: *Mi equipo estuvo a punto de perder, pero al final se llevó el gato al agua.* □ [Las expresiones son coloquiales]. FAMILIA: gatear.

gavilán [sustantivo] [masculino] Ave que tiene las plumas de color gris y la cola larga: *Los gavilanes se alimentan de ratoncitos y de aves que cazan.* 🔍 página 20.

gaviota [sustantivo] [femenino] Ave de color blanco y gris que se alimenta de peces: *En el puerto hay muchas gaviotas.*

[gay [adjetivo o sustantivo masculino] Dicho de un hombre, que siente amor por otros hombres: *Mi vecino es gay y vive con otro hombre.* □ [Es una palabra inglesa. Se pronuncia «guéi». Cuando es adjetivo, no varía en masculino y en femenino].

gazpacho [sustantivo] [masculino] Alimento líquido que se toma frío y que fundamentalmente lleva pan, aceite, tomate y cebolla: *En verano, el gazpacho es una comida muy refrescante.*

ge [sustantivo] [femenino] Nombre de la letra *g*: *La primera letra de la palabra «ganso» es una ge.*

gel [sustantivo] [masculino] **1** Producto transparente parecido a una crema: *Me di un golpe en la rodilla y el médico me ha dicho que me ponga este gel.* **2** Jabón líquido: *Se ha acabado el gel y para ducharme he tenido que usar una pastilla de jabón.* □ FAMILIA: gelatina.

gelatina [sustantivo] [femenino] Alimento sólido y transparente: *De postre tomé gelatina de fresa.* □ FAMILIA: → gel.

gemelo, la 1 [adjetivo] Dicho de dos cosas, que son iguales y que se colocan juntas: *Los dos hermanos duermen en la misma habitación, en camas gemelas.* **2** [adjetivo o sustantivo] Que ha nacido a la vez que su hermano y que tiene un aspecto casi igual: *Los hermanos gemelos se originan a partir del mismo óvulo y son siempre del mismo sexo.* [sustantivo] [masculino] **3** Adorno formado por dos piezas unidas por una cadena y que sirve para abrochar las mangas de la camisa: *Mi padre usa gemelos cuando va a fiestas elegantes.* **4** Cada uno de los dos músculos que forman la parte de atrás de

a b c d e f **g** h i j k l m n ñ o p q r s t u v w x y z

a
b
c
d
e
f
g
h
i
j
k
l
m
n
ñ
o
p
q
r
s
t
u
v
w
x
y
z

la pierna, debajo de la rodilla: *Tiene unos gemelos muy desarrollados porque hace mucho ciclismo.* **5** [sustantivo masculino plural] Aparato que está formado por dos tubos y que permite ver lo que está lejos como si estuviera cerca: *Cuando voy de excursión siempre llevo los gemelos para ver pájaros y otros animales.* ☐ [El significado **2** es distinto de *mellizo*, que significa que se ha originado de distinto óvulo que su hermano]. SINÓNIMOS: **5** anteojos, prismáticos.

gemido [sustantivo masculino] Sonido con que se expresa un dolor o una pena: *Daba mucha pena oír los gemidos del enfermo.* ☐ SINÓNIMOS: quejido, queja, lamento, ay. FAMILIA: → gemir.

géminis [adjetivo o sustantivo] Uno de los doce signos del horóscopo: *Las personas que son géminis nacen entre el 22 de mayo y el 21 de junio.* ☐ [No varía en masculino y en femenino, ni en singular y plural].

gemir [verbo] Expresar con la voz un dolor o una pena: *Cuando se cayó y se rompió el brazo, gemía de dolor.* ☐ [Es irregular y se conjuga como PEDIR]. SINÓNIMOS: quejarse. FAMILIA: gemido.

generación [sustantivo femenino] Conjunto de las personas que tienen una edad parecida, y que por eso han recibido una misma educación y han vivido las mismas cosas: *Alberti es un escritor de la «Generación del 27». No es fácil que nos entendamos, porque somos de generaciones muy distintas.* ☐ FAMILIA: → generar.

general [adjetivo] **1** De un grupo de personas: *La pena ha sido general al conocerse la muerte de este famoso actor.* **2** Que ocurre o se usa con mucha frecuencia o de forma normal: *De forma general, suele llover por estas fechas.* **3** Que no entra en detalles: *Primero os daré una introducción general y luego os lo explicaré punto por punto.* **4** Dicho de una persona, que es la responsable máxima de la dirección de algo: *El proyecto debe ser aprobado por la directora general.* **5** [sustantivo masculino] Una de las categorías militares: *Un general es superior a un coronel.* ☐ [Cuando es adjetivo, no varía en masculino y en femenino]. SINÓNIMOS: **1** colectivo. CONTRARIOS: **1** particular, personal, individual. FAMILIA: generalizar, generalidad.

generalizar [verbo] **1** Extender algo o hacerlo público o normal: *Hace unos años se generalizó el uso de la minifalda.* **2** Considerar un conjunto de personas por lo que es alguno de los individuos que lo forman: *Es injusto que generalices y que digas que aquí todos somos unos vagos.* ☐ [La z se cambia en c delante de e, como en CAZAR]. FAMILIA: → general.

generar [verbo] Tener como efecto: *La sequía está generando hambre en muchas zonas de África.* ☐ SINÓNIMOS: producir, ocasionar, causar, traer. FAMILIA: generación.

género [sustantivo masculino] **1** Conjunto de seres que tienen una o varias características comunes: *Nosotros pertenecemos al género humano.* **2** Naturaleza o tipo: *No contestaré a preguntas de ese género porque creo que no interesan a nadie.* **3** Producto que se compra o se vende: *Si vas muy temprano a la frutería, verás cómo están colocando el género nuevo.* **4** En literatura, categoría en la que se agrupan las obras que tienen algunos rasgos comunes: *La lírica es uno de los géneros literarios.* **5** En gramática, masculino, femenino y neutro: *«Luna» es un sustantivo de género femenino y «cepillo», de género masculino.* ☐ SINÓNIMOS: **2** clase, especie. **3** artículo, mercancía.

generosidad [sustantivo femenino] Forma de ser de la persona que da lo que tiene sin buscar nada a cambio: *La generosidad es una de tus cualidades principales.* ☐ SINÓNIMOS: desprendimiento. CONTRARIOS: egoísmo. FAMILIA: → generoso.

generoso, sa [adjetivo] Que da lo que tiene sin buscar nada a cambio: *Es muy generoso y siempre ayuda a los demás.* ☐ SINÓNIMOS: espléndido. CONTRARIOS: tacaño, miserable, mísero, egoísta, avaro, ruin, roñica, roñoso, roña. FAMILIA: generosidad.

genial 1 [adjetivo] Muy bueno, estupendo o extraordinario: *Tu hermana es una chica genial y me cae muy bien.* **2** [adverbio] Muy bien o de forma extraordinaria: *El concierto estuvo genial.* ☐ [El significado **1** no varía en masculino y en femenino]. FAMILIA: → genio.

genialidad [sustantivo femenino] **1** Capacidad de hacer cosas nuevas o muy buenas: *Nadie discute la genialidad de este gran músico.* **2** Lo que es propio de un genio: *La idea que has te-*

nido me parece una auténtica genialidad. □
FAMILIA: → genio.

genio [sustantivo masculino] **1** Forma de ser de una persona: *Es de genio tranquilo y no suele enfadarse nunca.* **2** Mal humor: *Tienes tanto genio que te enfadas por todo.* **3** Persona que posee la capacidad de hacer cosas dignas de admiración: *Picasso fue un genio de la pintura.* **4** Personaje imaginario que aparece en los cuentos: *El genio concedió tres deseos al príncipe.* □ FAMILIA: genial, genialidad.

genital 1 [adjetivo] Que sirve para la producción de seres de la misma especie: *Los órganos genitales sirven para la reproducción de los seres vivos.* **2** [sustantivo masculino plural] Órganos sexuales externos: *El portero recibió un balonazo en los genitales.* □ [El significado **1** no varía en masculino y en femenino].

gente [sustantivo femenino] Conjunto de personas: *Cuando llueve, mucha gente va con paraguas.* □ FAMILIA: gentío, gentuza.

gentil [adjetivo] Amable o atento: *Este señor ha sido muy gentil al indicarnos dónde estaba la calle que buscábamos.* □ [No varía en masculino y en femenino]. FAMILIA: gentileza.

gentileza [sustantivo femenino] Lo que demuestra atención o respeto por alguien: *Tuvo la gentileza de ceder el asiento a un viejecito.* □ SINÓNIMOS: cortesía. CONTRARIOS: grosería. FAMILIA: → gentil.

gentío [sustantivo masculino] Gran cantidad de personas: *Un gran gentío esperaba en la calle para ver pasar el coche en el que iba el presidente.* □ SINÓNIMOS: multitud, muchedumbre. FAMILIA: → gente.

gentuza [sustantivo femenino] Gente poco agradable y que no es digna de respeto: *No consiento que digas que mis amigos son gentuza.* □ [Es despectivo]. FAMILIA: → gente.

geografía [sustantivo femenino] Ciencia que estudia los ríos, las montañas y otros aspectos de la Tierra: *En clase de geografía hemos estudiado cuáles son los ríos de España.* □ FAMILIA: geográfico.

geográfico, ca [adjetivo] De la geografía o relacionado con esta ciencia: *Las montañas son accidentes geográficos.* □ FAMILIA: → geografía.

geología [sustantivo femenino] Ciencia que estudia de qué está compuesta la Tierra y cómo se ha formado: *Me gusta mucho la geología y colecciono rocas y minerales.*

geometría [sustantivo femenino] Parte de las matemáticas que estudia los tipos de líneas, planos y figuras: *En clase de geometría nos han enseñado a diferenciar el cuadrado y el rectángulo.* □ FAMILIA: geométrico. 🔎 página 429.

geométrico, ca [adjetivo] De la geometría o relacionado con esta parte de las matemáticas: *El triángulo es una figura geométrica.* □ FAMILIA: → geometría.

geranio [sustantivo masculino] Planta cuyas flores se unen formando grupos y que suele cultivarse en jardines: *Las hojas de los geranios son de un verde mate.* 🔎 página 347.

germen [sustantivo masculino] **1** Lo que da origen a algo nuevo: *El germen del trigo es la parte de la semilla de la que brota este cereal.* **2** Ser vivo muy pequeño que puede producir o extender una enfermedad: *La suciedad favorece el desarrollo de gérmenes.* □ FAMILIA: germinar.

germinar [verbo] Salir una planta de su semilla: *Estas semillas germinarán en primavera.* □ SINÓNIMOS: brotar, nacer. FAMILIA: → germen.

gerundense [adjetivo o] De la provincia de Gerona o de su capital: *Las tierras gerundenses limitan con Francia por el norte.* □ [No varía en masculino y en femenino].

gerundio [sustantivo masculino] Forma del verbo, que termina en -ando o en -iendo: *El gerundio de «cantar» es «cantando».*

gestación [sustantivo femenino] Desarrollo de un nuevo ser vivo dentro del cuerpo de la madre: *En la especie humana, la gestación dura nueve meses.*

gesticular [verbo] Hacer gestos: *Cuando hablas, gesticulas tanto que me haces reír.* □ FAMILIA: → gesto.

gesto [sustantivo masculino] **1** Movimiento de la cara o de las manos con el que se expresa algo: *Me hizo un gesto para que me fuera de allí.* 🔎 página 430. **2** Acción que demuestra la forma de ser de alguien: *Darle tu comida a ese mendigo ha sido un gesto muy generoso de tu parte.* □ FAMILIA: gesticular.

gigante 1 [adjetivo] Más grande de lo normal:

Me comí un helado gigante. **2** [sustantivo] Persona mucho más alta de lo normal: *Los protagonistas del cuento eran un gigante y un enanito.* **3** [sustantivo] [masculino] Figura que representa a una persona muy alta y que se suele sacar por las calles durante las fiestas populares: *Cuando mi hermanito vio venir a los gigantes y cabezudos, echó a correr.* □ [En el significado **1** no varía en masculino y en femenino. En el significado **2**, su femenino es *giganta*]. SINÓNIMOS: **1** gigantesco, enorme. CONTRARIOS: **1,2** enano, diminuto. FAMILIA: gigantesco.

gigantesco, ca [adjetivo] Más grande de lo normal: *No te separes de mí, porque esta tienda es gigantesca y te puedes perder.* □ SINÓNIMOS: gigante, enorme. CONTRARIOS: diminuto, enano. FAMILIA: → gigante.

gilipollas [adjetivo o] [sustantivo] Tonto. □ [No varía en masculino y en femenino, ni en singular y plural. Se usa como insulto y su uso es vulgar]. FAMILIA: gilipollez.

gimnasia [sustantivo] [femenino] Conjunto de ejercicios que se hacen como deporte o para mantenerse en forma: *En clase de gimnasia hemos aprendido a hacer el pino y a dar volteretas.* □ FAMILIA: gimnasio, gimnasta. ✎ página 289.

gimnasio [sustantivo] [masculino] Lugar preparado para hacer gimnasia con distintos aparatos o para practicar algún deporte: *En ese gimnasio dan clases de yudo.* □ FAMILIA: → gimnasia.

gimnasta [sustantivo] Persona que practica algún tipo de gimnasia: *Esta gimnasta participó en las últimas Olimpiadas haciendo un ejercicio de aros y cintas.* □ [No varía en masculino y en femenino]. FAMILIA: → gimnasia.

gimotear [verbo] Llorar sin fuerza: *Deja de gimotear, porque no te voy a comprar la bici.* □ SINÓNIMOS: lloriquear.

ginebra [sustantivo] [femenino] Bebida alcohólica transparente: *El «gin tonic» es una bebida que se hace mezclando ginebra y tónica.*

gira [sustantivo] [femenino] Viaje que se hace por distintos lugares, volviendo al lugar de origen: *La compañía teatral actuará en muchas provincias durante su gira veraniega.* □ FAMILIA: girar.

girar [verbo] **1** Mover algo alrededor de un punto, o dar vueltas sobre él: *Si no giras la llave, no se abrirá la puerta. Deja de girar,* *que te vas a marear.* **2** Torcer, o cambiar la dirección que se llevaba: *Cuando llegues a esa calle, giras por la primera a la izquierda y encontrarás mi casa.* **3** Mandar a un lugar una cantidad de dinero por correo o por un sistema parecido: *Un estudiante de la Universidad pidió a sus padres que le giraran dinero para pagar el piso.* □ SINÓNIMOS: **2** virar. FAMILIA: giro, gira, giratorio.

girasol [sustantivo] [masculino] Planta que tiene la flor amarilla y que se mueve siguiendo la luz del Sol: *Las pipas son las semillas del girasol.* □ FAMILIA: → sol. ✎ página 347.

giratorio, ria [adjetivo] Que gira o se mueve alrededor de algo: *Los taburetes del mostrador de este bar son giratorios.* □ FAMILIA: → girar.

giro [sustantivo] [masculino] **1** Movimiento en círculo o alrededor de un punto: *El bailarín hizo varios giros en el aire.* **2** Aspecto que toma una conversación o un asunto: *Nuestra charla está tomando un giro demasiado serio.* □ SINÓNIMOS: **1** vuelta, rotación. **2** curso. FAMILIA: → girar.

gitano, na [adjetivo o] [sustantivo] De un pueblo que se caracteriza por mantener sus antiguas costumbres y por ser de piel morena y pelo muy negro: *El flamenco es un cante propio del pueblo gitano.*

glacial [adjetivo] **1** Muy frío: *Con este tiempo glacial no se puede salir de casa.* **2** Dicho de un lugar, que está situado en los extremos de la superficie terrestre: *Las zonas glaciales están cubiertas de hielo.* □ [No varía en masculino y en femenino. No confundir con *glaciar*]. SINÓNIMOS: **1** helado. CONTRARIOS: abrasador, ardiente.

glaciar [sustantivo] [masculino] Masa de hielo que se forma en lo alto de las montañas: *Cuando llega el calor, una parte de los glaciares se desliza poco a poco por la ladera de las montañas.* □ [No confundir con *glacial*].

GLACIAR

gladiador [sustantivo/masculino] Persona que luchaba contra otra o contra un león para divertir al público: *Los gladiadores actuaban en los antiguos circos romanos.*

global [adjetivo] En conjunto y sin ser dividido en partes: *Esta fotografía ofrece una visión global del edificio.* □ [No varía en masculino y en femenino]. FAMILIA: → globo.

globo [sustantivo/masculino] **1** Objeto de goma que se hincha si se llena de aire: *Un niño lloraba porque se le había explotado el globo.* **2** Vehículo que vuela y que está formado por una especie de bolsa hinchada con aire: *Me gustaría montarme en globo y poder ver a la gente desde el cielo.* ✎ página 292. **3** Objeto más o menos redondo con el que se cubre la luz de algunas lámparas: *Para cambiar la bombilla tienes que quitar el globo de cristal.* □ FAMILIA: global.

gloria [sustantivo/femenino] **1** Fama que una persona logra por sus cualidades o por sus buenas acciones: *Este actor alcanzó la gloria a los veinte años.* **2** Persona que logra esta fama: *Esta escritora es una de las glorias de la literatura española.* **3** Placer producido por algo: *Da gloria ver lo bien que os lo estáis pasando.* **4** Desarrollo muy grande de algo: *Con aquel emperador, Roma vivió una época de gloria.* **5** Vida al lado de Dios después de la muerte: *Mis padres me han explicado que las personas buenas alcanzarán la gloria.* □ CONTRARIOS: **3** dolor.

glorieta [sustantivo/femenino] Plaza redonda en donde terminan varias calles: *En el centro de la glorieta hay una estatua.*

glotón, -a [adjetivo o/sustantivo] Que come mucho y con muchas ganas: *No seas tan glotón y deja algún pastel para los demás.*

glúteo [sustantivo/masculino] Músculo que, junto con otros dos, forma cada uno de los dos lados del culo: *Los deportistas tienen los glúteos muy desarrollados.*

gnomo [sustantivo/masculino] Personaje imaginario de pequeño tamaño que vive en los bosques: *Los gnomos suelen tener poderes especiales.* □ [Se pronuncia «nomo»].

gobernador, -a [sustantivo] Jefe superior de una provincia o de una zona: *Los soldados desfilaron ante el gobernador militar de la región.* □ FAMILIA: → gobernar.

gobernante [sustantivo] Persona que gobierna un país o que forma parte del conjunto de personas que lo gobiernan: *El presidente del país se reunió con otros gobernantes europeos.* □ [No varía en masculino y en femenino]. FAMILIA: → gobernar.

gobernar [verbo] Dirigir a una persona o a una comunidad: *Los alcaldes gobiernan los pueblos y ciudades.* □ [Es irregular y se conjuga como PENSAR]. FAMILIA: gobierno, gobernante, gobernador.

gobierno [sustantivo/masculino] **1** Hecho de dirigir una comunidad o un grupo: *La democracia es una forma de gobierno.* **2** Conjunto de personas que dirigen un Estado: *Mañana hay una reunión del Gobierno para decidir las nuevas reformas.* □ [El significado **2** se suele escribir con mayúscula]. FAMILIA: → gobernar.

goce [sustantivo/masculino] Sensación que se tiene cuando algo produce mucho placer o mucha alegría: *Es un goce sentir la brisa en la cara cuando viajas en barco.* □ FAMILIA: → gozo.

gol [sustantivo/masculino] En algunos deportes, introducción del balón en el lugar donde se encuentra el portero: *El delantero metió dos goles.* □ FAMILIA: golear.

golear [verbo] Meter un equipo varios goles al equipo contrario: *En el último partido, nos golearon y perdimos cinco a cero.* □ FAMILIA: → gol.

golf [sustantivo/masculino] Deporte que consiste en meter una pequeña pelota en distintos agujeros del suelo golpeándola con una especie de palo: *El campo de golf está cubierto de césped.* ✎ página 291.

golfo, -a 1 [adjetivo o/sustantivo] Que tiene malas costumbres o que hace cosas malas: *No me gustan los amigos que tienes, porque me parecen todos unos golfos y unos caraduras.* **2** [sustantivo/masculino] Especie de curva grande que hay en la costa cuando el mar se mete en la tierra: *El golfo de Cádiz está en las costas de Huelva y de Cádiz.* ✎ página 536.

golondrina [sustantivo/femenino] Pájaro de cuerpo negro y blanco por el pecho que vive en distintos lugares según haga frío o calor: *En España hay golondrinas durante la primavera y el verano.* ✎ página 20.

golosina [sustantivo/femenino] Dulce de pequeño tamaño: *Las golosinas que más me gustan son los caramelos.* □ FAMILIA: → goloso.

goloso, sa [adjetivo o sustantivo] Que disfruta mucho comiendo dulces: *Soy tan goloso que me comería todos estos bombones.* □ FAMILIA: golosina.

golpe [sustantivo masculino] **1** Encuentro repentino y violento de un cuerpo contra otro: *Me he dado un golpe contra la puerta.* **2** Resultado que produce este encuentro violento: *El golpe que tengo en la pierna se me ha puesto morado.* **3** Lo que sucede de pronto y produce mucho dolor: *La muerte de esa chica tan joven ha sido un duro golpe para todos.* **4** Ataque que se realiza con la intención de robar: *La policía ha detenido a los autores del golpe.* **5** Conjunto de palabras graciosas que se dicen durante una conversación: *Nos reímos mucho con ella porque tiene unos golpes muy buenos.* **6** Momento en el que aparecen de manera repentina y con fuerza las señales de una enfermedad o de algo que se siente: *Me atraganté al beber agua y me dio un golpe de tos.* **7** [expresión] **de golpe** De forma repentina: *De golpe me acordé de que se me había olvidado llamar a mi amigo.* **de un golpe** De una sola vez: *Fuimos todos de un golpe a ver a nuestro amigo enfermo.* **no dar golpe** No trabajar nada: *¿Cómo piensas aprender sin dar golpe?* **golpe bajo** Lo que se hace o se dice con mala intención: *Criticarme a mis espaldas fue un golpe bajo.* **golpe de Estado** Intento violento de hacerse con el gobierno de un país: *Este golpe de Estado ha sido un atentado contra la democracia.* **golpe de vista** Visión rápida de algo: *Al primer golpe de vista supe que mi hermano no estaba allí.* □ SINÓNIMOS: **1** leche. **4** atraco. **5** salida, ocurrencia. **6** ataque, acceso. FAMILIA: golpear, agolparse.

golpear [verbo] Dar golpes: *Deja de golpear la pared, que molestas a los vecinos.* □ FAMILIA: → golpe.

goma [sustantivo femenino] **1** Hilo elástico que se usa para sujetar o atar cosas: *Ató las cartas con una goma.* **2** Objeto que se usa para quitar lo que se ha escrito o dibujado en un papel: *Acércame la goma, por favor, que tengo que borrar una palabra.* 👁 página 605. **3** Sustancia elástica e impermeable que se obtiene a partir del jugo de algunas plantas tropicales: *Siempre llevo zapatos de suela de goma.* **4** [expresión] **goma de mascar** Chicle: *Me gusta la goma de mascar de fresa.* □ SINÓNIMOS: **3** caucho. FAMILIA: gomina.

gomero, ra [adjetivo o sustantivo] De la isla española de La Gomera: *Cuando fui a Canarias, vi bailar a un grupo gomero.*

gomina [sustantivo femenino] Producto que se da en el cabello para que no se mueva: *El cantante llevaba gomina en el pelo y no se despeinó en toda la actuación.* □ FAMILIA: → goma.

góndola [sustantivo femenino] Barco alargado, pequeño y que es característico de la ciudad italiana de Venecia: *Las góndolas se mueven con un solo remo, colocado generalmente en la popa.*

GÓNDOLA

gong [sustantivo masculino] Instrumento formado por un disco de metal que se cuelga en posición vertical y se golpea con una especie de palo: *En la película, un chino golpeaba un gong para avisar de la entrada del emperador.*

[gordinflas [adjetivo o sustantivo] Gordo: *Ese gordinflas se cayó encima de mí y casi me aplasta.* □ [No varía en masculino y femenino, ni en singular y plural. Es despectivo]. FAMILIA: → gordo.

gordinflón, -a [adjetivo o sustantivo] Gordo: *Una gordinflona me dio tal pisotón que vi las estrellas.* □ [Es despectivo]. FAMILIA: → gordo.

gordo, da [adjetivo] **1** Que es más grande de lo normal o que hace más bulto: *Este diccionario es un libro más gordo que mis libros de texto.* **2** Grave o importante: *Estoy preocupada porque tengo un problema muy gordo.* **3** [adjetivo o sustantivo] Dicho de una persona o de un animal, que tiene muchas carnes o grasas: *El médico le ha mandado adelgazar porque está muy gordo.* **4** [sustantivo masculino] Premio más grande que se da en la lotería de Navidad: *A un vecino mío le ha tocado el gordo y se ha comprado una casa más grande.* **5** [expresión] **caer gordo** Resultar poco simpático: *Me cae gordo desde el día que me quitó el boli.* **ni gorda** Nada o casi nada: *Estoy un poco lejos y no veo ni gorda.* □ [Las expre-

siones son coloquiales]. SINÓNIMOS: **1,3** grueso.
3 gordinflas, gordinflón. CONTRARIOS: **3** delgado, flaco. FAMILIA: gordura, gordinflas, gordinflón, engordar.

gordura [sustantivo femenino] Gran cantidad de carnes o grasas que tiene una persona o un animal: *Tu gordura hace que te canses al andar.* □ CONTRARIOS: delgadez. FAMILIA: → gordo.

gorila [sustantivo masculino] **1** Mono de gran tamaño: *Los gorilas viven en África.* **2** Persona que protege a otra usando la fuerza física si es necesario: *El cantante iba rodeado de sus gorilas para evitar que nadie le hiciese nada.* □ [El significado **2** es coloquial y despectivo]. SINÓNIMOS: **2** guardaespaldas, matón.

gorra 1 [sustantivo femenino] Prenda de vestir que se usa para cubrir la cabeza y que suele tener por delante una parte más larga que protege la cara del sol: *Cuando voy en bici, me pongo una gorra.* **2** [expresión] **de gorra** De manera que pague otra persona: *Tiene mucha cara y siempre come de gorra.* □ [El significado **2** es coloquial]. FAMILIA: → gorro.

gorrino, na 1 [adjetivo o sustantivo] Que está sucio o que es muy sucio: *No seas gorrino y deja de meterte el dedo en la nariz.* **2** [sustantivo] Animal del que se sacan los jamones y que se cría para aprovechar su carne: *En el corral había gallinas y gorrinos.* □ [Se usa como insulto]. SINÓNIMOS: cerdo, cochino, marrano, guarro, puerco. CONTRARIOS: **1** limpio.

gorrión, -a [sustantivo] Pájaro muy común en España: *Los gorriones son de color pardo y tienen manchas negras o rojizas.* ◉ página 20.

gorro [sustantivo masculino] Prenda de vestir que se usa para cubrir la cabeza y que sirve para evitar el frío: *En invierno me pongo un gorro de lana que me tapa las orejas.* □ FAMILIA: gorra.

gorrón, -a [adjetivo o sustantivo] Que gasta lo de los demás y no paga nunca: *No compras nunca bocadillo porque eres un gorrón y luego comes del de los demás.* □ [Es coloquial].

gota [sustantivo femenino] **1** Parte muy pequeña y casi redonda de un líquido: *Cuando dejó de llover, caían gotas de las hojas de los árboles.* ◉ página 17. **2** Cantidad muy pequeña de algo: *A mi madre le gusta el café con una gota de leche.* **3** [expresión] **gota fría** Masa de aire muy frío que se forma en la atmósfera:

El riesgo de la gota fría es que llueva mucho y se produzcan inundaciones. □ SINÓNIMOS: **2** pizca, chispa. FAMILIA: gotear, gotera, goterón, cuentagotas.

gotear [verbo] Caer un líquido gota a gota: *Cierra bien el grifo para que no gotee.* □ FAMILIA: → gota.

gotera [sustantivo femenino] Sitio en el techo por donde se cuela el agua: *El techo está lleno de goteras porque en el tejado hay muchas tejas rotas.* □ FAMILIA: → gota.

goterón [sustantivo masculino] Gota grande de agua de lluvia: *Saqué la mano por la ventana para ver si llovía y me cayeron varios goterones.* □ FAMILIA: → gota.

gótico, ca 1 [adjetivo] Del gótico o con características de este estilo: *La catedral de Burgos es de estilo gótico.* **2** [masculino] En arte, estilo que se desarrolló en Europa desde el siglo XII hasta el siglo XV: *En el gótico, las catedrales suelen ser altas y con muchas ventanas con cristaleras.* ◉ página 341.

gozada [sustantivo femenino] Placer muy fuerte producido por algo: *Es una gozada estar de vacaciones.* □ [Es coloquial]. FAMILIA: → gozo.

gozar [verbo] **1** Sentir mucho placer o alegría: *Gozó muchísimo viendo aquella película tan buena.* **2** Tener algo bueno: *Ese joven goza de muchas cualidades.* □ [La z se cambia en c delante de e, como en → CAZAR]. SINÓNIMOS: disfrutar. CONTRARIOS: **1** sufrir. FAMILIA: → gozo.

gozo [sustantivo masculino] Sensación que se tiene cuando algo nos produce mucho placer: *¡Qué gozo sentí al verte de nuevo!* □ SINÓNIMOS: alegría, contento, dicha. CONTRARIOS: pena, tristeza, dolor, sufrimiento, pesar. FAMILIA: gozar, goce, gozada.

grabación [sustantivo femenino] **1** Acto en el que se registran imágenes o sonidos en un disco o en una cinta de modo que se puedan ver o escuchar de nuevo: *Me gustaría ver cómo se realiza la grabación de un disco.* **2** Disco o cinta en los que se registran estas imágenes o estos sonidos: *Me han regalado la última grabación de mi cantante preferido.* □ FAMILIA: → grabar.

grabado [sustantivo masculino] Imagen hecha en una superficie usando medios especiales: *Me gusta el grabado que hay colgado en la pared del comedor.* □ FAMILIA: → grabar.

grabar [verbo] **1** Hacer letras o imágenes en una superficie con herramientas especiales: *Grabaron mi nombre en la medalla en una joyería.* **2** Registrar una imagen o un sonido en un disco o en una cinta de modo que se puedan ver o escuchar de nuevo: *He visto una cinta de vídeo que mis padres grabaron cuando éramos bebés.* **3 grabarse** Fijarse algo en la memoria: *Aquel grito tan horrible se me grabó y no consigo olvidarlo.* □ FAMILIA: grabación, grabado.

gracia [sustantivo] [femenino] **1** Lo que resulta divertido o hace reír: *Deja de hacer gracias y ponte a hacer los deberes.* **2** Capacidad que tiene algo para divertir o hacer reír: *Tienes mucha gracia contando chistes.* **3** Habilidad que se tiene al hacer algo: *Anda con tanta gracia que todo el mundo lo mira.* **4** Conjunto de características que hacen agradable a una persona o a una cosa: *Ese actor no es guapo, pero su cara tiene cierta gracia.* **5** Regalo o favor que se da a una persona: *El hada madrina concedió tres gracias a la princesa.* **6 gracias** [interjección] Se usa para agradecer un favor que alguien nos ha hecho: *Gracias por haberme avisado.* **7** [expresión] **gracias a algo** A causa de algo que produce un bien o evita un mal: *Gracias a vuestra ayuda he podido terminar a tiempo.* **gracias a Dios** Se usa para expresar alegría o alivio por algo: *¡Gracias a Dios no ha habido heridos en el accidente!* □ SINÓNIMOS: **5** don. FAMILIA: gracioso, agradecer, agraciado, desgracia, desgraciado.

gracioso, sa [adjetivo] Que tiene gracia: *Nos reímos mucho con él porque es muy gracioso. Aunque no es guapa, tiene una cara graciosa.* □ FAMILIA: → gracia.

grada [sustantivo] [femenino] Asiento largo que hay en determinados lugares: *Vimos el partido de fútbol desde la primera grada.* □ FAMILIA: graderío.

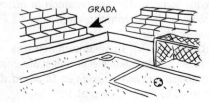

GRADA

graderío [sustantivo] [masculino] Conjunto de asientos largos que hay en determinados lugares: *El graderío de este estadio es mayor que el de ese otro y cabe más gente sentada.* □ FAMILIA: → grada.

grado [sustantivo] [masculino] **1** Cada uno de los estados, valores, características y situaciones que algo puede tener y a los que se puede poner un número: *Las quemaduras de segundo grado son graves. Los alumnos de primer grado están en el primer piso.* **2** Medida que sirve para saber lo grande o pequeño que es un ángulo: *Un ángulo recto mide noventa grados.* **3** Título que se obtiene al acabar determinados niveles de estudio: *Para ser profesor en un instituto se tiene que tener el grado de licenciado.* **4** En una serie, grupo formado por personas con las mismas características: *Los capitanes pertenecen al grado de los oficiales.* **5** En gramática, cada una de las formas con que se expresa la intensidad del significado de un adjetivo o de un adverbio: *El adjetivo «malo» está en grado positivo en la frase «Eres malo», en grado comparativo en «Eres más malo que yo» y en grado superlativo en «Eres malísimo».* **6** [expresión] **grado centígrado** Medida de temperatura: *El agua hierve a cien grados centígrados.* □ FAMILIA: gradual, graduar, centígrado.

gradual [adjetivo] Que se desarrolla poco a poco: *Durante la primavera suele haber un aumento gradual de las temperaturas.* □ [No varía en masculino y en femenino]. SINÓNIMOS: progresivo. CONTRARIOS: brusco. FAMILIA: → grado.

graduar [verbo] **1** Dar un grado determinado: *Algunas calefacciones tienen un dispositivo para graduar la temperatura.* **2** Hacer algo aumentando la acción poco a poco: *Si vas a correr el maratón, tienes que graduar tus fuerzas para no agotarte antes de llegar a la meta.* **3** Ver los grados que tiene algo: *El médico me graduó la vista con un aparato y me dijo que tenía que utilizar gafas.* □ [Se conjuga como ACTUAR]. FAMILIA: → grado.

grafía [sustantivo] [femenino] Signo escrito con el que se representa algo: *La grafía de la be mayúscula es «B».* □ FAMILIA: gráfico, caligrafía, ortografía, ortográfico, taquigrafía, taquígrafo, biografía, bibliografía.

gráfico, ca [adjetivo] **1** De los signos que representan algo: *En artes gráficas estudian todo lo relacionado con los distintos tipos de letras y cómo se usan para imprimir un libro.* **2** Dicho de una explicación, que es clara y fácil de comprender: *Me has hecho una descripción muy gráfica de cómo es tu casa y me la imagino perfectamente.* **3** [sustantivo] Dibujo que representa algo por medio de figuras o de signos: *Las columnas de distintos colores de este gráfico muestran los resultados de las elecciones.* □ [En el significado **3** se puede decir el *gráfico* y la *gráfica* sin que cambie de significado]. FAMILIA: → grafía.

gragea [sustantivo femenino] Medicina muy pequeña, redonda y de color: *El médico me ha mandado tomar dos grageas después de la comida.*

gramatical [adjetivo] De la gramática o relacionado con esta ciencia: *Las palabras «sujeto» y «predicado» se usan al hacer el análisis gramatical de las oraciones.* □ [No varía en masculino y en femenino]. FAMILIA: → gramática.

gramático, ca 1 [sustantivo] Persona que se dedica al estudio de la ciencia que trata de la forma de las palabras y de las oraciones: *Mi profesor de lengua es un gramático muy famoso.* [sustantivo femenino] **2** Ciencia que estudia la forma de las palabras de una lengua y sus combinaciones: *El estudio de la formación del plural de una palabra está dentro de la gramática.* **3** Libro en el que se pueden estudiar estas cosas: *Me tengo que comprar una gramática de inglés.* □ FAMILIA: gramatical.

gramo [sustantivo masculino] Medida que se usa para pesar: *Mil gramos equivalen a un kilogramo.* □ FAMILIA: kilogramo, hectogramo, miligramo, centigramo, decigramo, decagramo.

gramófono [sustantivo masculino] Aparato antiguo en el que se ponían los discos: *El gramófono servía para lo mismo que los tocadiscos.*

GRAMÓFONO

gran [adjetivo] Grande: *Hoy es un gran día. Mi madre es una gran persona.* [Va siempre delante de un sustantivo singular. No varía en masculino y en femenino].

granada [sustantivo femenino] **1** Fruto amarillo por fuera y rojo por dentro: *La carne de la granada está formada por muchos granos rojizos y muy jugosos.* **2** Explosivo que cabe en una mano y que se lanza justo antes de que explote: *La granada tiene forma de piña.* □ FAMILIA: granadina.

granadino, na 1 [adjetivo o sustantivo] De la provincia de Granada o de su capital: *Cuando estuve en tierras granadinas, visité La Alhambra.* **2** [sustantivo femenino] Refresco hecho con zumo de granada: *La granadina es una bebida de color rojizo.* □ FAMILIA: → granada.

granate [adjetivo o sustantivo masculino] De color rojo oscuro: *El vino tinto es de color granate.* □ [No varía en masculino y en femenino].

grande [adjetivo] **1** Que destaca por su tamaño o por sus cualidades: *Los rascacielos son edificios muy grandes.* **2** De mucha importancia: *Mañana es la fiesta grande de este pueblo.* **3** Que ya es adulto: *Mi hija dice que, cuando sea grande, será doctora.* **4** [sustantivo masculino] Persona noble o de clase social elevada: *Los grandes de España asistieron a la boda de la princesa.* □ [Cuando es adjetivo no varía en masculino y en femenino. Cuando *grande* va delante de un sustantivo singular, se cambia por *gran*: *gran amigo* (pero *amigo grande*)]. SINÓNIMOS: **2** importante. CONTRARIOS: **1-3** pequeño, chico. FAMILIA: agrandar, grandioso, grandullón, engrandecer.

grandioso, sa [adjetivo] Que produce una gran impresión por el tamaño o por las cualidades que tiene: *Los fuegos artificiales en el lago me parecieron un espectáculo grandioso.* □ FAMILIA: → grande.

grandullón, -a [adjetivo o sustantivo] Dicho de un chico, que es muy grande o que está muy alto para la edad que tiene: *Es una niña tan grandullona que sus amigos parecen cuatro o cinco años más pequeños que ella.* □ [Es coloquial]. FAMILIA: → grande.

granero [sustantivo masculino] Lugar en el que se guarda el grano: *Los agricultores guardaron el trigo en el granero.* □ FAMILIA: → grano.

granizado, da [adjetivo o sustantivo] Dicho de un refresco, que tiene hielo muy picado: *En verano, cuando salimos a tomar algo, yo siempre pido granizado de limón.* □ FAMILIA: → granizo.

granizar [verbo] Caer granizo: *No podemos salir ahora a la calle porque está granizando muy fuerte.* □ [La z se cambia en c delante de e, como en CAZAR]. FAMILIA: → granizo.

granizo [sustantivo masculino] Agua helada que cae de las nubes en forma de granos de hielo: *El granizo arruinó la cosecha.* □ FAMILIA: granizar, granizado. 🔍 página 17.

granja [sustantivo femenino] **1** Casa de campo que además tiene edificios para la gente y el ganado: *Mis tíos viven en una granja y, además de cultivar hortalizas, tienen cerdos, gallinas y vacas.* **2** Conjunto de todo lo necesario para la cría de algunos animales: *En esta granja de gallinas tienen unas instalaciones y una maquinaria muy modernas.* □ FAMILIA: granjero.

granjero, ra [sustantivo] Persona que posee una granja o que cuida de ella: *Mientras la granjera ordeñaba las vacas, el granjero les echaba comida.* □ FAMILIA: → granja.

grano [sustantivo masculino] **1** Semilla y fruto de algunas plantas: *De los granos de maíz molidos se obtiene una harina muy buena para cocinar.* **2** Parte muy pequeña de algo: *Después de estar en la playa, se me queda el pelo lleno de granos de arena.* **3** Bulto muy pequeño que aparece sobre la piel: *Me ha salido un grano en la barbilla y me duele.* **4** [expresión] **ir al grano** Contar lo fundamental de algo, sin quedarse en detalles sin importancia: *Ve al grano y dime sin rodeos qué es lo que quieres.* □ FAMILIA: granero.

granuja [adjetivo o sustantivo] Que engaña a los demás para conseguir algo: *Ese granuja me pidió dinero para dar de comer a sus hijos y se lo gastó en drogas.* □ [No varía en masculino y en femenino. Es despectivo].

grapa [sustantivo femenino] Pieza de metal que sirve para unir varios objetos: *El profesor nos ha dado tres fotocopias unidas con una grapa.* □ FAMILIA: grapar, grapadora.

grapadora [sustantivo femenino] Aparato que sirve para grapar: *¿Me dejas la grapadora para unir estas hojas?* □ FAMILIA: → grapa.

grapar [verbo] Unir con grapas: *He grapado*

los dibujos de este curso para tenerlos todos juntos. □ FAMILIA: → grapa.

grasiento, ta [adjetivo] Con mucha grasa: *La comida grasienta no me sienta bien.* □ FAMILIA: → grasa.

graso, sa **1** [adjetivo] Que tiene grasa o que está formado por ella: *Como tengo el pelo graso, tengo que lavármelo muy a menudo.* [sustantivo femenino] **2** Sustancia que hay en el cuerpo de los animales: *Las focas no pasan frío porque tienen mucha grasa.* **3** Sustancia que se pone en algunas piezas de una máquina para que funcionen bien: *Me he manchado el pantalón con la grasa de la cadena de la bici.* □ CONTRARIOS: **1** seco. FAMILIA: grasiento, engrasar, engrase.

gratis **1** [adjetivo] Que no cuesta dinero: *Me han dado dos entradas gratis para el partido de mañana.* **2** [adverbio] Sin pagar nada: *El padre de mi amigo es dueño de un cine y siempre nos invita a ver gratis las películas.* □ [No varía en masculino y en femenino, ni en singular y plural]. SINÓNIMOS: **1** gratuito. FAMILIA: gratuito.

gratitud [sustantivo femenino] Lo que sentimos cuando reconocemos un favor recibido y queremos corresponder a él: *Te debo gratitud eterna por haberme defendido ante aquellos brutos el otro día.* □ CONTRARIOS: ingratitud. FAMILIA: → grato.

grato, ta [adjetivo] Que produce placer: *Guardo muy gratos recuerdos de aquel verano que pasamos juntos.* □ SINÓNIMOS: agradable. FAMILIA: gratitud, ingrato, ingratitud.

gratuito, ta [adjetivo] **1** Que no cuesta dinero: *La entrada a esta exposición de pintura es gratuita.* **2** Sin base o sin fundamento: *No hagas comentarios gratuitos sobre quién es el culpable si no tienes pruebas.* □ SINÓNIMOS: **1** gratis. FAMILIA: → gratis.

grave [adjetivo] **1** Que tiene mucha importancia: *Mis padres me han enseñado a no contestar mal, porque es una falta de respeto muy grave.* **2** Dicho de una persona, que está muy enferma: *Trasladaron en una ambulancia a los heridos graves del accidente.* **3** Dicho de una palabra, que tiene el acento en la penúltima sílaba: *«Mapa» y «carácter» son palabras graves.* **4** Que se parece más al sonido de un trueno que al de un silbido: *El tambor tiene un sonido grave.* ☐ [No varía en masculino y en femenino]. SINÓNIMOS: **1** serio. **3** llano. CONTRARIOS: agudo. FAMILIA: gravedad, agravar.

gravedad [sustantivo] [femenino] **1** Importancia que algo tiene: *La gravedad de la lesión de la deportista hizo que la llevaran urgentemente al hospital.* **2** Fuerza con la que la Tierra atrae a todos los cuerpos que están sobre su superficie o próximos a ella: *La fuerza de gravedad hace que las cosas se caigan.* ☐ FAMILIA: → grave.

graznar [verbo] Emitir algunas aves su voz característica: *¿No oyes cómo graznan esos pájaros?* ☐ FAMILIA: graznido.

graznido [sustantivo] [masculino] Voz característica de algunas aves: *Mientras íbamos paseando por el campo, se oían los graznidos de los cuervos.* ☐ FAMILIA: → graznar.

greñas [sustantivo femenino plural] Pelo mal arreglado: *Córtate el pelo o recógetelo en una coleta, porque llevas unas greñas...*

griego, ga 1 [adjetivo o] [sustantivo o] De Grecia, que es un país de Europa: *Este libro explica con dibujos cómo vivían los antiguos griegos.* **2** [sustantivo] [masculino] Lengua de este país: *El griego se escribe con unas letras diferentes a las que usamos nosotros.*

grieta [sustantivo] [femenino] Abertura larga y estrecha: *Los vecinos de arriba dan tantos saltos que han hecho grietas en nuestro techo.* ☐ FAMILIA: agrietar.

grifo [sustantivo] [masculino] Lo que sirve para abrir y cerrar el paso de un líquido: *El grifo del agua caliente tiene un círculo rojo y el del agua fría, azul.* 🖎 página 499.

grillo, lla [sustantivo] Insecto de color negro y de cabeza redonda que produce un sonido agudo y siempre igual: *En verano se oye cantar a los grillos al atardecer.*

grima [sustantivo] [femenino] Sensación nada agradable: *Me da grima oír cómo alguien raspa la pizarra con las uñas.* ☐ SINÓNIMOS: dentera.

gripe [sustantivo] [femenino] Enfermedad infecciosa cuyas principales características son la fiebre y la sensación de encontrarse mal: *Estos días pasados no he venido a clase porque he estado en la cama con gripe.* ☐ SINÓNIMOS: trancazo. FAMILIA: griposo.

griposo, sa [adjetivo] Que tiene gripe: *Cuando estoy griposa, me sube mucho la fiebre.* ☐ FAMILIA: → gripe.

gris [adjetivo o sustantivo masculino] Del color que resulta de mezclar el blanco con el negro: *La ceniza de un cigarrillo es gris.* ☐ [Cuando es adjetivo, no varía en masculino y en femenino]. FAMILIA: grisáceo. 🖎 página 160.

grisáceo, a [adjetivo] De color parecido al gris: *Mi hermano tiene los ojos azules, pero cuando cambia la luz parece que los tiene grisáceos.* ☐ FAMILIA: → gris.

gritar [verbo] **1** Dar gritos: *Cuando el profesor nos dijo que íbamos a hacer una fiesta en clase, todos empezamos a gritar y a aplaudir de alegría.* **2** Levantar mucho la voz: *A mí no me grites, porque yo no tengo la culpa.* ☐ SINÓNIMOS: chillar. FAMILIA: → grito.

griterío [sustantivo] [masculino] Conjunto de voces altas que producen mucho ruido: *Háblame un poco más fuerte, porque hay tanto griterío que no te oigo nada.* ☐ FAMILIA: → grito.

grito [sustantivo] [masculino] **1** Sonido de la voz que se emite más fuerte de lo normal: *¿Qué te pasa que estás dando tantos gritos?* **2** Palabra que se emite de esta forma: *Los espectadores hicieron saludar al mejor jugador de su equipo después de repetir el grito de «¡Torero! ¡Torero!».* **3** [expresión] **a grito pelado** Dando voces: *Asómate a la ventana, que están tus amigos en la calle llamándote a grito pelado.* **el último grito** Lo más moderno: *Me he comprado un ordenador que es el último grito.* **pedir a gritos** Necesitar con urgencia: *Tu coche está pidiendo a gritos un lavado porque ya ni se ve a través de los cristales.* ☐ SINÓNIMOS: **1** chillido. FAMILIA: gritar, griterío.

grogui [adjetivo] **1** Que está casi dormido: *Me voy a la cama, porque hoy he madrugado mucho y ahora estoy grogui.* **2** Atontado y sin saber qué pasa: *Cuando el boxeador se levantó, se lo llevaron hasta su rincón, porque estaba grogui.* ☐ [Es una palabra de origen inglés. No varía en masculino y en femenino. El significado **1** es coloquial].

grosella [sustantivo] [femenino] Fruto de color rojo vivo, formado por una especie de granos: *He desayunado una tostada con mantequilla y* *mermelada de grosella.* □ [Cuando es adjetivo, no varía en masculino y en femenino].

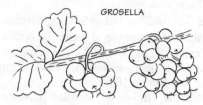

GROSELLA

grosería [sustantivo] [femenino] Falta de educación: *Me parece una grosería que no le cedas tu asiento en el autobús a esa señora embarazada.* □ CONTRARIOS: educación, cortesía, gentileza. FAMILIA: → grosero.

grosero, ra [adjetivo] [sustantivo o] Que no tiene educación: *Niño, no seas grosero y dale las gracias a este señor por el caramelo que te ha dado.* □ SINÓNIMOS: maleducado, basto, ordinario. CONTRARIOS: educado, fino. FAMILIA: grosería.

grosor [sustantivo] [masculino] Anchura de un cuerpo: *La suela de mis botas de lluvia es de un grosor mayor que la de los zapatos normales.* □ SINÓNIMOS: espesor, grueso. FAMILIA: → grueso.

grúa [sustantivo] [femenino] Máquina que se usa para elevar grandes pesos y transportarlos a distancias cortas: *Enfrente de mi casa están construyendo un edificio y hay una grúa.* 🔍 página 796.

grueso, sa 1 [adjetivo] Que es más grande de lo normal, o que hace más bulto: *Con estos zapatos de suela gruesa paso menos frío.* **2** [adjetivo o] [sustantivo] Dicho de una persona, que tiene muchas carnes o grasas: *El médico me ha dicho que debo adelgazar porque estoy demasiado grueso.* [sustantivo] [masculino] **3** Anchura de una cosa: *Cuando encargamos la librería, tuvimos que elegir nosotros el grueso de la madera.* **4** Parte principal o más importante de algo: *El grueso del ejército enemigo atacó la ciudad.* □ SINÓNIMOS: **1,2** gordo. **2** espesor, grosor. CONTRARIOS: **1,2** delgado. FAMILIA: grosor.

grulla [sustantivo] [femenino] Ave de gran tamaño con el cuello largo y negro y con la cola pequeña, que tiene las plumas de color gris: *Las grullas se suelen mantener sobre un solo pie cuando se posan.* 🔍 página 20.

grumete [sustantivo] [masculino] Muchacho que va en un barco ayudando a hacer algunas tareas: *Los grumetes aprenden el oficio de marinero ayudando a la tripulación del barco en sus faenas.*

grumo [sustantivo] [masculino] Parte dura que queda en una masa líquida: *Después de echar la harina, tienes que remover bien la masa del bizcocho para que no te queden grumos.*

gruñido [sustantivo] [masculino] **1** Sonido con el que se expresa disgusto o mal humor: *Le ofrecí un refresco, pero me contestó con un gruñido y pensé que estaría enfadado.* **2** Voz característica del cerdo y de otros animales: *Cuando pasé cerca de la pocilga se oían los gruñidos de los cerdos.* □ FAMILIA: → gruñir.

gruñir [verbo] **1** Mostrar disgusto por algo o quejarse de ello: *Si le dices que lo está haciendo mal, empezará a gruñir y a decir que le tienes manía.* **2** Emitir el cerdo y otros animales su voz característica: *Los cerdos gruñían cuando el granjero les echaba la comida.* □ [Es irregular y se conjuga como ZAMBULLIR]. FAMILIA: gruñido, gruñón.

gruñón, -a [adjetivo o] [sustantivo] Que muestra disgusto por algo, o que se queja con frecuencia: *No seas gruñón y no te enfades porque no hayas quedado tú el primero.* □ [Es coloquial]. FAMILIA: → gruñir.

grupo [sustantivo] [masculino] Conjunto de personas, de animales o de cosas que están juntos: *Tu grupo de amigos te está esperando en la calle para ir al cine.* □ FAMILIA: agrupar, agrupación.

gruta [sustantivo] [femenino] Espacio hueco que hay entre rocas o debajo de la tierra: *Detrás de esa gran cascada hay una gruta muy grande que se puede visitar.* □ SINÓNIMOS: cueva.

guacamayo [sustantivo] [masculino] Ave con plumas de colores muy vivos: *El guacamayo se posó en la rama de un árbol.* 🔍 página 711.

guadalajareño, ña [adjetivo o] [sustantivo] De la provincia de Guadalajara o de su capital: *La miel guadalajareña de la zona de La Alcarria tiene fama de ser muy buena.*

guadaña [sustantivo] [femenino] Herramienta que se usa para cortar la hierba muy cerca del suelo y que está formada por un mango largo al que se sujeta una cuchilla curva: *El agricultor*

▲

cortaba la hierba con una guadaña. 🔒 página 431.

guantazo [sustantivo][masculino] Golpe dado con la mano abierta: *Le dije que era un tramposo y me pegó un guantazo.* ☐ FAMILIA: → guante.

guante 1 [sustantivo][masculino] Prenda que sirve para proteger las manos: *Ponte los guantes de lana, que tienes las manos moradas de frío.* 🔒 página 497. **2** [expresión] **echar el guante** Coger: *¡Ya verás cuando te eche el guante por haberme roto mi caja de pinturas!* ☐ [El significado **2** es coloquial]. FAMILIA: guantazo, guantera.

guantera [sustantivo][femenino] En un automóvil, espacio cerrado que está a la derecha del conductor y que sirve para guardar objetos: *En la guantera llevo las gafas de sol.* ☐ FAMILIA: → guante.

guapo, pa [adjetivo] **1** Dicho de una persona, que resulta atractiva o que tiene una cara bella: *Tu madre es muy guapa.* **2** Bien vestido o bien arreglado: *Vinieron todos muy guapos a mi fiesta.*

guarda [sustantivo] Persona que se ocupa del cuidado de algo: *En algunos parques hay guardas que vigilan para que la gente no estropee las plantas.* ☐ [No confundir con *guardia*. No varía en masculino y en femenino]. FAMILIA: → guardar.

guardabarros [sustantivo][masculino] En algunos vehículos, pieza curva que está colocada sobre cada una de sus ruedas para evitar que salpiquen y manchen a quien va montado en ellos: *El faro de mi bici está en el guardabarros delantero.* ☐ [No varía en singular y en plural]. FAMILIA: → barro.

guardabosque o **[guardabosques** [sustantivo] Persona que cuida los bosques: *El guardabosques nos dijo que en esa zona estaba prohibido acampar y encender hogueras.* ☐ [No varía en masculino y en femenino. *Guardabosques* no varía en singular y en plural]. FAMILIA: → bosque.

guardacostas [sustantivo][masculino] Barco pequeño que cuida y vigila las costas: *La lancha que fue detenida por el guardacostas llevaba droga.* ☐ [No varía en singular y en plural]. FAMILIA: → costa.

guardaespaldas [sustantivo] Persona que protege a otra usando la fuerza física si es necesario: *Los guardaespaldas de la cantante impidieron que los periodistas le hicieran fotos.* ☐ [No varía en masculino y en femenino, ni en singular y plural]. SINÓNIMOS: gorila, matón. FAMILIA: → espalda.

guardameta [sustantivo] En algunos deportes, miembro del equipo que defiende la portería: *El guardameta despejó con los puños el balón y evitó el gol.* ☐ [No varía en masculino y en femenino]. SINÓNIMOS: portero, meta. FAMILIA: → meta.

guardar [verbo] **1** Cuidar de algo o defenderlo: *El perro guarda la casa mientras nosotros estamos fuera.* **2** Colocar en un lugar seguro o adecuado: *Cuando me quito las gafas las guardo en su funda para que no se me rompan.* **3** Conservar o tener: *Guardo los recortes de periódico en los que hablan de ti.* **4** Cumplir algo que tenemos la obligación de obedecer: *Nos pusieron una multa por no guardar los límites de velocidad.* **5** No gastar algo y dejarlo aparte: *He guardado parte del dinero que me regalaron y el resto me lo he gastado con mis amigos.* **6** **guardarse** Tener cuidado con algo o evitarlo: *Guárdate de las malas compañías.* ☐ CONTRARIOS: **5** ahorrar. FAMILIA: guarda, guardia, guardián, guardería, retaguardia, resguardar.

guardarropa [sustantivo][masculino] Lugar donde se dejan los abrigos y otros objetos: *Cuando voy a un concierto, dejo el abrigo en el guardarropa.* ☐ FAMILIA: → ropa.

guardería [sustantivo][femenino] Colegio para niños muy pequeños: *Cuando yo tenía dos años iba a la guardería.* ☐ SINÓNIMOS: jardín de infancia. FAMILIA: → guardar.

guardia 1 [sustantivo] Persona que pertenece a un grupo cuyo trabajo consiste en cuidar de algo o en defenderlo: *Cuando se estropean los semáforos, los guardias de tráfico se encargan de que los coches circulen con orden.* 🔒 página 794. [sustantivo][femenino] **2** Conjunto de personas armadas que se ocupan de la defensa de algo: *La guardia personal de la reina la acompaña en todos sus viajes.* **3** Servicio en el que hay que cuidar algo o defenderlo: *Mientras unos duermen, otros haremos guardia para vigilar el campamento.* **4** Servicio especial que se presta fuera del hora-

a
b
c
d
e
f
g
h
i
j
k
l
m
n
ñ
o
p
q
r
s
t
u
v
w
x
y
z

rio de trabajo obligatorio: *Cuando llevamos al bebé por la noche al hospital, nos atendió el médico de guardia.* **5** Situación de defensa o de vigilancia: *Continuad en guardia, porque aún no ha pasado el peligro.* □ [No confundir con guarda. El significado **1** no varía en masculino y en femenino]. FAMILIA: → guardar.

guardián, -a [sustantivo] Persona que guarda algo y cuida de ello: *Los bandidos golpearon al guardián de la cárcel y liberaron a su jefe.* □ FAMILIA: → guardar.

guarecer [verbo] Proteger de algo: *Nos guarecimos en un refugio hasta que pasó la nevada.* □ [Es irregular y se conjuga como PARECER]. FAMILIA: guarida.

guarida [sustantivo femenino] Lugar que sirve de refugio: *Esa cueva es la guarida de un oso.* □ FAMILIA: → guarecer.

guarnición [sustantivo femenino] **1** Conjunto de alimentos con que se acompaña una comida principal: *Sirvió la carne con una guarnición de patatas.* **2** Conjunto de personas que defiende un lugar: *El general esperaba que la guarnición del castillo se rindiera ante la falta de víveres y de agua.* □ SINÓNIMOS: **1** acompañamiento.

guarrada [sustantivo femenino] **1** Hecho que produce un daño a una persona: *Haber ido contando mis secretos por ahí es una guarrada que nunca te perdonaré.* **2** Lo que está sucio o para tirar: *Haz el favor de ordenar tu cuarto, porque lo tienes hecho una guarrada.* **3** Lo que se considera contrario a la moral establecida: *Mis padres no me dejan ver algunos programas de televisión por la noche porque sólo ponen guarradas.* □ [Es coloquial]. SINÓNIMOS: marranada. **2** porquería. **2,3** guarrería. FAMILIA: → guarro.

guarrería [sustantivo femenino] **1** Lo que está sucio o para tirar: *Tienes el cuaderno hecho una guarrería, todo manchado y arrugado.* **2** Lo que se considera contrario a la moral establecida: *Esas películas en las que salen todos desnudos sin venir a cuento me parecen una guarrería.* □ [Es coloquial]. SINÓNIMOS: guarrada, marranada. **1** porquería. FAMILIA: → guarro.

guarro, rra [adjetivo o sustantivo] **1** Que está sucio o que es muy sucio: *No seas guarra y no te limpies la boca con la manga, sino con la servilleta.*

2 Dicho de una persona, que tiene mala intención: *No le hagas caso, porque es un guarro y todo lo que está diciendo es mentira.* **3** [sustantivo] Animal del que se sacan los jamones y que se cría para aprovechar su carne: *Voy a la pocilga a echar de comer a los guarros.* □ [Los significados **1** y **2** son coloquiales]. SINÓNIMOS: cerdo. **1,3** cochino, marrano, gorrino, puerco. CONTRARIOS: **1** limpio. FAMILIA: guarrada, guarrería.

guasa [sustantivo femenino] Situación en la que todos se ríen de algo: *¡Qué guasa nos hemos pasado hoy en clase con el profesor, que llevaba un zapato marrón y el otro negro!* □ [Es coloquial]. SINÓNIMOS: pitorreo, burla, chunga. FAMILIA: guasón.

guasón, -a [adjetivo o sustantivo] Que se toma todo a broma: *Me reí mucho con tus amigos porque son muy guasones.* □ [Es coloquial]. FAMILIA: → guasa.

guateque [sustantivo masculino] Fiesta que se celebra en una casa, y en la que se come y se baila: *Mis padres se conocieron en un guateque que dio una de mis tías.*

[guay [adjetivo] Muy bueno o estupendo: *¡Qué mochila más guay llevas!* □ [No varía en masculino y en femenino. Es coloquial]. SINÓNIMOS: chachi, chupi.

guerra [sustantivo femenino] **1** Lucha con armas que se realiza entre grupos contrarios: *La guerra entre esos dos países duró varios años.* **2** [expresión] **dar guerra** Causar molestia: *Te puedes quedar con los abuelos si te portas bien y no les das guerra.* □ [El significado **2** es coloquial]. FAMILIA: guerrero, guerrilla, guerrillero, posguerra.

guerrero, ra **1** [adjetivo] De la guerra o relacionado con ella: *Los romanos tuvieron que luchar con tribus guerreras para conquistar muchas zonas de su imperio.* **2** [sustantivo] Persona que lucha en la guerra: *Los soldados americanos perdieron muchos hombres en aquella batalla contra los guerreros indios.* □ FAMILIA: → guerra.

guerrilla [sustantivo femenino] Grupo de personas que no pertenecen al ejército pero que luchan con armas contra el enemigo, aprovechando su conocimiento del terreno y los ataques por sorpresa: *La guerrilla causó mucho daño al ejército enemigo.* □ FAMILIA: → guerra.

guerrillero, ra [sustantivo] Persona que lucha en una guerrilla: *Los guerrilleros españoles lucharon contra el ejército francés de Napoleón en la guerra de Independencia.* ☐ FAMILIA: → guerra.

guía 1 [sustantivo] Persona que conduce a otras: *El guía del museo nos iba explicando las características de cada cuadro.* [sustantivo] [femenino] **2** Lo que dirige algo o da información acerca de ello: *En esta guía de Segovia vienen explicados todos los monumentos que vamos a visitar.* **3** Lista en la que aparece una serie de informaciones relacionadas con una determinada materia: *Busqué tu número en la guía de teléfonos, pero no venía.* ☐ [El significado **1** no varía en masculino y en femenino]. FAMILIA: → guiar.

guiar [verbo] **1** Llevar o dirigir hacia un lugar o hacia una situación: *Como yo me sé el camino, iré delante para guiaros.* **2 guiarse** Dejarse llevar: *Me guío mucho por mis impulsos y a veces me convendría más pensar antes de actuar.* ☐ [Al escribirlo hay que tener cuidado con los acentos]. SINÓNIMOS: **1** conducir. FAMILIA: guía.

guiar	conjugación
INDICATIVO	**SUBJUNTIVO**
presente	**presente**
guío	guíe
guías	guíes
guía	guíe
guiamos	guiemos
guiáis	guiéis
guían	guíen
pretérito imperfecto	**pretérito imperfecto**
guiaba	guiara, -ase
guiabas	guiaras, -ases
guiaba	guiara, -ase
guiábamos	guiáramos, -ásemos
guiabais	guiarais, -aseis
guiaban	guiaran, -asen
pretérito indefinido	**futuro**
guié	guiare
guiaste	guiares
guió	guiare
guiamos	guiáremos
guiasteis	guiareis
guiaron	guiaren
futuro	**IMPERATIVO**
guiaré	
guiarás	**presente**
guiará	guía (tú)
guiaremos	guíe (él)
guiaréis	guiemos (nosotros)
guiarán	guiad (vosotros)
	guíen (ellos)
condicional	**FORMAS NO PERSONALES**
guiaría	
guiarías	**infinitivo** **gerundio**
guiaría	guiar guiando
guiaríamos	**participio**
guiaríais	guiado
guiarían	

guijarro [sustantivo] [masculino] Piedra pequeña y lisa: *Estuvimos cogiendo guijarros en el río.*

guillotina [sustantivo] [femenino] **1** Máquina compuesta por una cuchilla que se usaba para matar a una persona cortándole la cabeza: *La guillotina se inventó en Francia en el siglo XVIII.* **2** Instrumento que se usa para cortar algo de golpe: *Cuando visitamos una imprenta nos enseñaron cómo cortaban el papel con la guillotina.*

GUILLOTINA

guinda [sustantivo] [femenino] **1** Fruto comestible de forma redonda y de color rojo: *A mí dame el trozo de tarta que tiene la guinda, por favor.* **2** Lo que pone el fin a algo y es lo mejor o lo peor de todo: *Aquella mala contestación fue la guinda que hizo que me enfadara.*

guindilla [sustantivo] [femenino] Fruto de forma alargada, de color rojo o verde, y que es muy picante: *¿Te gustan las guindillas en vinagre?.*

guiñar [verbo] Cerrar un ojo un momento, mientras el otro permanece abierto: *Me guiñó un ojo para saludarme.* ☐ FAMILIA: → guiño.

guiño [sustantivo] [masculino] Cierre rápido de un ojo mientras el otro permanece abierto: *Me hizo un guiño para saludarme cuando entré en la sala.* ☐ FAMILIA: guiñar. 🔊 página 430.

guiñol [sustantivo] [masculino] Especie de teatro en el que los personajes son unos muñecos que maneja una persona a la que no se ve y que introduce su mano en el interior de éstos: *Fuimos a ver un guiñol en el que salían un lobo y una niña, y los movía el mismo señor, cambiando las voces.* 🔊 página 343.

guión [sustantivo] [masculino] **1** Lo que se apunta de forma clara para que sirva de ayuda para algo: *Para escribir la redacción, podéis haceros* antes un guión en el que apuntéis las cosas sobre las que queréis hablar. **2** Texto que contiene lo que hay que decir o hacer en una película o en un programa de radio o de televisión: *El guión de esta película está basado en una novela del siglo pasado.* 🔎 página 158. **3** Signo que usamos al escribir para partir las palabras al final de una línea o para separar fechas: *Si no te cabe la palabra «ventana» en un línea, puedes separarla poniendo un guión después de la primera sílaba y escribiendo lo demás en la línea siguiente.* □ FAMILIA: guionista.

guionista [sustantivo] Persona que se dedica a escribir el texto de una película o de un programa de radio o de televisión: *Esta guionista de cine ha recibido varios premios por su última película.* □ [No varía en masculino y en femenino]. FAMILIA: → guión.

guipuzcoano, na [adjetivo o sustantivo] De la provincia de Guipúzcoa: *San Sebastián es la capital guipuzcoana.*

guirigay [sustantivo masculino] Mucho ruido y gran movimiento de personas: *Se formó tal guirigay a la salida del circo que casi se me pierde uno de mis hijos.* □ [Su plural es guirigáis. Es coloquial]. SINÓNIMOS: alboroto, bulla, bullicio, lío, jaleo, follón.

guirlache [sustantivo masculino] Un tipo de dulce que se hace con almendras tostadas y caramelo: *¿Te apetece una barrita de guirlache?*

guirnalda [sustantivo femenino] Especie de cinta que se usa como adorno y que suele estar hecha con flores o con papeles: *Decoraremos esta habitación con guirnaldas de colores y con globos.*

GUIRNALDA

guisante [sustantivo masculino] Planta que se cultiva en las huertas cuya semilla es verde, redonda y pequeña: *Los guisantes con jamón son mi plato favorito.* 🔎 página 500.

guisar [verbo] **1** Preparar un alimento para que se pueda comer, especialmente si se hace poniéndolo al fuego: *He guisado un trozo de carne de ternera con zanahorias, guisantes y patatas.* **2 guisarse** Prepararse u organizarse: *¿Sabes tú qué se está guisando en esas reuniones?* □ SINÓNIMOS: **1** cocinar. FAMILIA: → guiso.

guiso [sustantivo masculino] Plato que se suele preparar con trozos de carne, patatas, verduras u otros ingredientes cocidos al fuego: *He comido un guiso de carne de ternera muy rico.* □ FAMILIA: guisar.

güisqui [sustantivo masculino] Bebida alcohólica de color marrón claro: *A veces mis padres se toman un güisqui con hielo.* □ [Es una palabra de origen inglés. Se escribe también *whisky*].

guitarra [sustantivo femenino] Instrumento musical formado por una caja de madera con un agujero en el centro y que se toca al apretar sus cuerdas: *Llévate la guitarra a la excursión y cantaremos canciones.* □ FAMILIA: guitarrista.

guitarrista [sustantivo] Músico que toca la guitarra: *El guitarrista de este grupo de música es también el cantante solista.* □ [No varía en masculino y en femenino]. FAMILIA: → guitarra.

[gusa [sustantivo femenino] Hambre: *Ojalá esté pronto la comida, porque tengo una gusa...* □ [Es coloquial].

gusano [sustantivo masculino] Animal de cuerpo alargado y blando, y que no tiene esqueleto ni patas: *Las lombrices son gusanos.*

gustar [verbo] Resultar agradable algo o parecer bien: *Me gusta mucho la idea que se te ha ocurrido.* □ CONTRARIOS: disgustar, desagradar, molestar. FAMILIA: → gusto.

gusto [sustantivo masculino] **1** Capacidad para sentir los sabores: *El sentido del gusto está en la lengua.* **2** Sabor de las cosas que se siente a través de esta capacidad: *Esta leche debe de estar mala, porque tiene un gusto agrio.* **3** Sensación agradable que se siente cuando algo gusta mucho: *Da gusto ver a toda la familia reunida.* **4** Voluntad o decisión propias: *He venido por mi gusto, no porque me hayan obligado.* **5** Capacidad que tiene una persona para sentir lo que es bello y lo que es feo: *Tú y yo tenemos gustos diferentes.* **6** Cualidad que hace que algo resulte bello o feo: *Me parece de mal gusto que cuentes chistes de muertos cuando vas a visitar a un* *enfermo.* **7** [expresión] **a gusto** Bien o sin problemas: *Lo paso muy bien en tu casa porque estoy muy a gusto con tu familia.* **con mucho gusto** Se usa cuando nos mostramos dispuestos a hacer lo que se nos pide: *Te ayudo a subir las maletas con mucho gusto.* □ [Se usa mucho para responder de forma educada a una presentación: *Os presento a Raúl. -Mucho gusto*]. SINÓNIMOS: **3** placer, afición, inclinación. CONTRARIOS: **3** disgusto. FAMILIA: gustar, gustoso, disgusto, disgustar.

gustoso, sa [adjetivo] **1** Dicho de una persona, que hace algo contento y sin que le importe hacerlo: *Acepto gustosa tu invitación.* **2** Dicho de una cosa, que produce gusto: *Me resulta muy gustoso que me den un masaje en la espalda.* □ FAMILIA: → gusto.

[gymkhana [sustantivo femenino] Competición en la que las personas que participan deben salvar algunas dificultades: *Ganamos la gymkhana de coches porque obtuvimos los mejores tiempos al hacer cada prueba.* □ [Es una palabra inglesa. Se pronuncia «yincána»].

a
b
c
d
e
f
g
h
i
j
k
l
m
n
ñ
o
p
q
r
s
t
u
v
w
x
y
z

H h

h [sustantivo/femenino] Letra número ocho del abecedario: *La palabra «hábil» empieza por «h».* ☐ [Su nombre es *hache*. No se pronuncia, excepto cuando va detrás de la c: *coche*].

haba [sustantivo/femenino] Planta que se cultiva en las huertas y cuyo fruto es parecido a la judía, pero más grande: *En la menestra hay judías, guisantes y habas.* ☐ [Aunque es femenino, se usa con el, un, ningún y algún: el haba, las habas]. ✎ página 500.

haber [verbo] **1** Ocurrir algo o tener lugar: *Los domingos no hay clase.* **2** Existir o estar presente: *No hay motivo para que te enfades. En el zoológico hay animales salvajes.* **3** Seguido de la palabra *de*, indica obligación: *Ahora he de hacer un recado y no puedo quedarme.* **4** [expresión] **hay que hacer algo** Es obligatorio hacerlo: *Antes de cruzar la calle hay que mirar primero si viene algún coche.* **no hay de qué** Se usa para contestar cuando alguien nos da las gracias:

Cuando le di las gracias por llevarme a casa me contestó: «No hay de qué». ☐ [Es irregular. Seguido del participio de un verbo, sirve para conjugarlo en los tiempos compuestos: he llorado, habíamos tenido, habrán venido. Con el significado **2** no se dice había coches, sino había coches. No confundir con a ver]. SINÓNIMOS: **5** de nada.

hábil [adjetivo] **1** Que tiene capacidad para hacer algo bien: *Una amiga mía es muy hábil jugando al baloncesto.* **2** Que es adecuado para algo: *Con una hábil respuesta evitó decir la verdad.* ☐ [No varía en masculino y en femenino]. SINÓNIMOS: **1** capaz, mañoso, diestro. CONTRARIOS: torpe. **1** inepto, negado. FAMILIA: habilidad, rehabilitación.

habilidad [sustantivo/femenino] Capacidad para hacer algo bien: *Tengo habilidad para hacer trabajos manuales.* ☐ SINÓNIMOS: facilidad, destreza, maestría, maña, arte, mano. CONTRARIOS: torpeza. FAMILIA: → hábil.

habitación [sustantivo/femenino] Cada una de las partes en que se divide una casa: *Estudio en mi habitación.* ☐ SINÓNIMOS: cuarto, pieza. FAMILIA: → habitar.

habitante [sustantivo/masculino] Persona o animal que vive en un lugar: *Mi pueblo tiene mil habitantes.* ☐ FAMILIA: → habitar.

habitar [verbo] Ocupar un lugar y hacer vida en él: *Los hombres primitivos habitaban en cavernas.* ☐ SINÓNIMOS: vivir, residir, poblar. FAMILIA: habitación, habitante, deshabitado, hábitat.

hábitat [sustantivo/masculino] Zona con unas condiciones naturales determinadas y en la que vive una especie animal o vegetal: *El hábitat de los lobos es el bosque.* ☐ [Su plural es *hábitats*]. FAMILIA: → habitar.

hábito [sustantivo/masculino] **1** Lo que se hace con frecuencia: *Lavarse los dientes después de comer es un buen hábito.* **2** Vestido característico de un determinado grupo de personas: *Las monjas de mi colegio llevan hábito azul.* ☐ SINÓNIMOS: **1** costumbre, uso. FAMILIA: habitual, habituar.

habitual [adjetivo] Que siempre sucede así o siempre se hace así: *La hora habitual de comer en mi casa son las dos.* ☐ [No varía en

haber	conjugación
INDICATIVO	**SUBJUNTIVO**
presente	**presente**
he	haya
has	hayas
ha	haya
hemos	hayamos
habéis	hayáis
han	hayan
pretérito imperfecto	**pretérito imperfecto**
había	hubiera, -ese
habías	hubieras, -eses
había	hubiera, -ese
habíamos	hubiéramos, -ésemos
habíais	hubierais, -eseis
habían	hubieran, -esen
pretérito indefinido	**futuro**
hube	hubiere
hubiste	hubieres
hubo	hubiere
hubimos	hubiéremos
hubisteis	hubiereis
hubieron	hubieren
futuro	**IMPERATIVO**
habré	
habrás	**presente**
habrá	he (tú)
habremos	haya (él)
habréis	hayamos (nosotros)
habrán	habed (vosotros)
	hayan (ellos)
condicional	**FORMAS NO PERSONALES**
habría	
habrías	**infinitivo** **gerundio**
habría	haber habiendo
habríamos	**participio**
habríais	habido
habrían	

masculino y en femenino]. SINÓNIMOS: común, natural, lógico, usual, normal, ordinario, corriente. CONTRARIOS: anormal, raro, sorprendente, extraño, chocante. FAMILIA: → hábito.

habituar [verbo] Conseguir que algo se realice por costumbre: *Cuanto antes me habitúe a madrugar, menos me costará.* □ [Se conjuga como ACTUAR]. SINÓNIMOS: acostumbrar. FAMILIA: → hábito.

habla [sustantivo/femenino] Capacidad de hablar: *Del susto que me dio me quedé sin habla.* □ [Aunque es femenino, se usa con el, un, ningún y algún: *el habla, las hablas*]. FAMILIA: → hablar.

hablador, -a [adjetivo o/sustantivo] Que habla mucho: *Soy muy hablador y no puedo estar callado.* □ SINÓNIMOS: charlatán, parlanchín, cotorra, loro. CONTRARIOS: callado, reservado. FAMILIA: → hablar.

hablante [sustantivo/masculino] Persona que habla una lengua: *Cada vez hay más hablantes de español en el mundo.* □ FAMILIA: → hablar.

hablar [verbo] **1** Decir palabras: *Mi hermano pequeño está aprendiendo a hablar.* **2** Conocer una lengua lo suficiente como para usarla: *Estoy aprendiendo a hablar inglés.* **3** Dirigir la palabra a alguien: *No me hablo con ellos porque estamos enfadados.* **4** Comunicarse de alguna manera: *Los mudos hablan con las manos.* **5** [expresión] **ni hablar** Se usa para negar con energía: *Les pedí a mis padres que me compraran una moto y me dijeron que ni hablar.* □ SINÓNIMOS: comunicarse. **3** tratar. CONTRARIOS: **1** callar, enmudecer. FAMILIA: habla, hablador, hablante, malhablado.

hacer [verbo] **1** Fabricar o inventar: *Están haciendo un puente sobre el río.* **2** Realizar una actividad: *Hacemos gimnasia por la tarde.* **3** Mandar que alguien realice una actividad: *Nos hicieron estar en el teatro una hora antes de la función.* **4** Producir determinada causa o determinado efecto: *El zapato me hace daño.* **5** Preparar o arreglar: *Antes de irme al colegio hago la cama.* **6** Dar a entender algo: *No te hagas el sordo, que sé que me estás oyendo.* **7** Cumplir una determinada edad: *Pronto haré doce años.* **8** Estar el tiempo de una determinada manera: *Hoy hace mucho frío.* **9** Haber pasado determinado período de tiempo: *Hace dos*

meses que terminaron las vacaciones. **10** Emitir sonidos que no sean palabras: *El gato hace «miau» y el perro hace «guau».* **hacerse 11** Llegar a ser: *Mi hermano ya se ha hecho mayor.* **12** Acostumbrarse a algo: *Todavía no me he hecho al nuevo horario.* **13** Ponerse a un lado: *Hazte un poco más a la izquierda para que yo pueda pasar.* **14** [expresión] **hacerse con algo** Conseguirlo: *¿Dónde te has hecho con ese jersey tan bonito?* **qué se le va a hacer** Se usa cuando algo ya no se puede evitar: *¡Qué se le va a hacer si lo has intentado pero no lo has conseguido!* □ [Es irregular. Su participio es *hecho*. En el significado **3** no se dice *hacer de rabiar*, sino *hacer rabiar*]. CONTRARIOS: **1,5** deshacer. FAMILIA: hecho, deshacer, deshecho, rehacer, rehecho, quehacer, malhechor, bienhechor.

hacha [sustantivo/femenino] Herramienta formada por un palo que tiene en un extremo un trozo de metal afilado que corta: *Los leñadores cortaron la leña con un hacha.* □ [Aunque es femenino, se usa con el, un, ningún y algún: *el hacha, las hachas*]. 👁 página 431.

hacer		conjugación	
INDICATIVO		**SUBJUNTIVO**	
presente		**presente**	
hago		haga	
haces		hagas	
hace		haga	
hacemos		hagamos	
hacéis		hagáis	
hacen		hagan	
pretérito imperfecto		**pretérito imperfecto**	
hacía		hiciera, -ese	
hacías		hicieras, -eses	
hacía		hiciera, -ese	
hacíamos		hiciéramos, -ésemos	
hacíais		hicierais, -eseis	
hacían		hicieran, -esen	
pretérito indefinido		**futuro**	
hice		hiciere	
hiciste		hicieres	
hizo		hiciere	
hicimos		hiciéremos	
hicisteis		hiciereis	
hicieron		hicieren	
futuro		**IMPERATIVO**	
haré			
harás		**presente**	
hará		haz	(tú)
haremos		haga	(él)
haréis		hagamos	(nosotros)
harán		haced	(vosotros)
		hagan	(ellos)
condicional		**FORMAS NO PERSONALES**	
haría			
harías		**infinitivo**	**gerundio**
haría		hacer	haciendo
haríamos		**participio**	
haríais		hecho	
harían			

a

hache [sustantivo/femenino] Nombre de la letra *h*: *El adverbio «ahora» se escribe con hache intercalada.*

b

hachís [sustantivo/masculino] Droga que se obtiene de las flores de una planta: *El hachís es una droga que se fuma.* □ [No varía en singular y en plural. Se pronuncia «jachís». SINÓNIMOS: chocolate, costo.

c

d

hacia [preposición] **1** Indica la dirección a la que nos dirigimos: *Ese avión va hacia el aeropuerto.* **2** Indica tiempo o lugar aproximados: *La fiesta empezará hacia las cinco.* □ [No se dice hacia bajo, sino hacia abajo]. SINÓNIMOS: **1** para.

e

f

g

hacienda [sustantivo/femenino] Conjunto de todas las propiedades y de todo el dinero que alguien tiene: *Mis bisabuelos poseían una gran hacienda, fruto de muchos años de trabajo y ahorro.* □ SINÓNIMOS: bienes.

h

hada [sustantivo/femenino] Personaje imaginario con forma de mujer y que tiene poderes mágicos: *El hada movió su varita mágica y vistió a la muchacha como una princesa.* □ [Aunque es femenino, se usa con el, un, ningún y algún: el hada, las hadas].

i

j

k

halcón [sustantivo/masculino] Ave que se tenía en otros tiempos para cazar otras aves: *El halcón es parecido al águila.*

l

m

n

ñ

HALCÓN

o

p

q

r

[hall [sustantivo/masculino] Vestíbulo: *No te quedes en el hall esperando a mi hermano, pasa a la sala y siéntate.* □ [Es una palabra inglesa. Se pronuncia «jol»].

s

t

hallar [verbo] **1** Encontrar lo que se busca: *Hallaron el tesoro donde señalaba el mapa.* **2** Descubrir o inventar: *Aún no han hallado una vacuna contra esa enfermedad.* **3** Notar u observar: *El capitán del barco halló muy preocupados a sus hombres.* **4 hallarse** Estar o encontrarse: *Nos hallamos navegando a quince millas de la costa. Después de tomarte esto te hallarás mejor.* □ [No confundir él halla con él haya, del verbo haber]. CONTRARIOS: **1** perder. FAMILIA: hallazgo.

u

v

w

x

y

z

hallazgo [sustantivo/masculino] Conocimiento de lo que estaba escondido o no se conocía: *El hallazgo de una vacuna contra esa enfermedad salvaría muchas vidas.* □ SINÓNIMOS: descubrimiento. CONTRARIOS: pérdida. FAMILIA: → hallar.

halterofilia [sustantivo/femenino] Deporte que consiste en levantar pesas: *Los que practican la halterofilia son muy forzudos.* ✍ página 289.

hamaca [sustantivo/femenino] **1** Especie de cama de tela que se cuelga de sus extremos: *Cuando vamos al campo, colgamos una hamaca entre dos árboles y dormimos la siesta en ella.* **2** Especie de silla con el asiento y el respaldo de tela: *En la playa tomo el sol en una hamaca de rayas blancas y azules.* □ SINÓNIMOS: **2** tumbona.

HAMACA

hambre [sustantivo/femenino] **1** Sensación que producen las ganas de comer: *Tengo hambre, ¿podemos comer ya?* **2** Falta de los alimentos principales: *Desgraciadamente, cada año mueren de hambre muchas personas.* □ [Aunque es femenino, se usa con el, un, ningún y algún: el hambre, las hambres]. SINÓNIMOS: **1** apetito, gusa, debilidad. FAMILIA: hambriento.

hambriento, ta [adjetivo o/sustantivo] Que tiene mucha hambre: *Hoy no he tomado nada en el recreo y a la hora de la comida estaba hambrienta.* □ FAMILIA: → hambre.

hamburguesa [sustantivo/femenino] Carne picada que se come entre dos trozos redondos de pan blando: *Yo quiero una hamburguesa con patatas fritas.*

[hámster [sustantivo/masculino] Especie de ratón que se tiene en las casas: *Me han regalado un hámster blanco muy juguetón.* □ [Se pronuncia «jámster». Es distinto de gángster, que es un delincuente].

harapo [sustantivo/masculino] Ropa rota y vieja: *Era tan pobre que iba vestido con harapos.* □ SINÓNIMOS: andrajo.

harina [sustantivo/femenino] Polvo que se obtiene a partir del trigo: *La harina de trigo se consigue después de moler su grano.*

hartar [verbo] **1** Satisfacer por completo una necesidad: *Comió hasta hartar su hambre.* **2** Cansar a alguien hasta aburrirlo: *Me estoy hartando de que me preguntes tantas veces lo mismo.* □ SINÓNIMOS: **1** saciar. **2** aburrir. FAMILIA: → harto.

harto, ta [adjetivo] Cansado o aburrido: *Estoy harto de jugar siempre a lo que tú quieres.* □ FAMILIA: hartar.

hasta [preposición] **1** Indica el límite o el fin de algo: *Hoy tengo clase hasta las seis.* **2** Indica que lo que se dice a continuación nos sorprende porque no lo esperábamos: *El profesor le hizo una pregunta tan fácil que hasta yo sabía la respuesta.* **3** [conjunción] Se usa para introducir algunas oraciones: *Me quedo contigo hasta que me vengan a buscar.* **4** [expresión] **hasta luego** Se usa cuando nos despedimos de alguien: *Cuando me cruzo en el portal con mi vecino siempre me dice: «Hasta luego».* □ [No confundir con asta]. SINÓNIMOS: **2** incluso.

hastío [sustantivo/masculino] Lo que sentimos cuando algo nos aburre o nos cansa: *No dejes que el hastío te quite la ilusión.* □ SINÓNIMOS: aburrimiento, cansancio, fastidio.

haya [sustantivo/femenino] Árbol característico de climas húmedos, que tiene el tronco grueso y liso: *Las hojas de las hayas se caen en invierno.* □ [No confundir con aya. Aunque es femenino, se usa con el, un, ningún y algún: un haya, unas hayas. No confundir con halla, del verbo hallar]. ⚠ página 19.

haz [sustantivo/masculino] Conjunto de cosas alargadas que se atan juntas: *Junto a la chimenea había un haz de palos para encender el fuego.* □ [Su plural es haces].

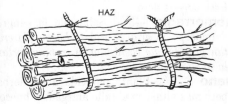

HAZ

hazaña [sustantivo/femenino] Hecho importante que se cuenta a los demás: *La película narraba las hazañas de un antiguo caballero.* □ SINÓNIMOS: proeza.

hazmerreír [expresión] **ser el hazmerreír** Ser tan ridículo que hace reír: *Tu extraña forma de vestir hace que seas el hazmerreír de todos.* □ [Es coloquial]. FAMILIA: → reír.

hebilla [sustantivo/femenino] Pieza, generalmente de metal, que sirve para apretar el cinturón: *La hebilla de mi cinturón es de metal.*

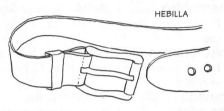

HEBILLA

hebra [sustantivo/femenino] **1** Lo que se pone en una aguja para coser: *Para coser este dobladillo necesito una hebra del mismo color que la tela.* **2** Hilo de alguna materia: *Antes de hervir las judías verdes, hay que cortarlas y quitarles las hebras.* □ SINÓNIMOS: **1** hilo. FAMILIA: enhebrar.

hechicero, ra [adjetivo o/sustantivo] Que usa poderes mágicos para conseguir algo: *El hechicero de la tribu invocó a los espíritus para que empezara a llover.* □ SINÓNIMOS: brujo, encantador, mago. FAMILIA: → hechizo.

hechizar [verbo] Usar poderes mágicos para cambiar algo: *La bruja hechizó al príncipe y lo convirtió en una bestia.* □ [La z se cambia en c delante de e, como en CAZAR]. SINÓNIMOS: encantar. FAMILIA: → hechizo.

hechizo [sustantivo/masculino] Lo que se hace para conseguir algo usando poderes mágicos: *La bruja convirtió al príncipe en rana utilizando un hechizo.* □ SINÓNIMOS: encantamiento. FAMILIA: hechizar, hechicero.

hecho, cha **1** Participio irregular de **hacer.** [sustantivo/masculino] **2** Lo que se hace: *No me creo tus promesas hasta que no me lo demuestres con hechos.* **3** Lo que ocurre o sucede: *En este lugar se produjeron unos hechos muy tristes.* **4** [expresión] **de hecho** En efecto: *Me dijo que no tendría problemas y, de hecho, así ha sido.* **hecho y derecho** Dicho de una persona, que ya es adulta: *Mi madre dice*

a b c d e f g **h** i j k l m n ñ o p q r s t u v w x y z

que tengo que comer para convertirme en un hombre hecho y derecho. □ [No confundir con *echo,* del verbo *echar*]. SINÓNIMOS: **2** obra, acción, acto. **3** suceso, acontecimiento. CONTRARIOS: **1** deshecho. FAMILIA: → hacer.

hectárea [sustantivo] [femenino] Medida de superficie: *Una hectárea equivale a diez mil metros cuadrados.* □ FAMILIA: → área.

hectogramo [sustantivo] [masculino] Medida que se usa para pesar: *Un hectogramo tiene cien gramos.* □ FAMILIA: → gramo.

hectolitro [sustantivo] [masculino] Medida de capacidad: *Un hectolitro tiene cien litros.* □ FAMILIA: → litro.

hectómetro [sustantivo] [masculino] Medida de longitud: *Un hectómetro tiene cien metros.* □ FAMILIA: → metro.

helada [sustantivo] [femenino] Mira en **helado, da.**

heladería [sustantivo] [femenino] Lugar en el que se hacen o se venden helados: *En esa heladería tienen unos helados muy ricos.* □ FAMILIA: → helar.

heladero, ra [sustantivo] Persona que hace o vende helados: *El heladero me ha regalado un polo de chocolate.* □ FAMILIA: → helar.

helado, da [adjetivo] **1** Muy frío: *Nada más llegar encendimos la estufa porque la casa estaba helada.* **2** Dicho de una persona, que está bajo el efecto de una impresión fuerte: *La noticia del accidente nos dejó helados.* **3** [sustantivo] [masculino] Dulce hecho con leche, azúcar y otras sustancias que se mezclan y se hielan: *Cuando hace calor, lo que más me apetece es un helado.* **4** [sustantivo] [femenino] Hecho de helarse el agua del ambiente porque hace mucho frío: *Esta noche ha habido helada, porque están los coches cubiertos de hielo.* □ SINÓNIMOS: **1** glacial. CONTRARIOS: **1** ardiente, abrasador. FAMILIA: → helar.

helar [verbo] **1** Volverse sólido un líquido por efecto del frío: *Metí un vaso de leche en el congelador y se ha helado.* **2** Estropear una planta el frío: *Si hace más frío, se helarán los brotes de los árboles y no saldrán las hojas.* **3** Hacer tanto frío que los líquidos se vuelven sólidos: *Cuando hiela es peligroso conducir porque se forma hielo en la carretera.* **4 helarse** Pasar mucho frío o ponerse muy frío: *¡Entra en casa, que te vas a helar ahí afuera!* □ [Es irregular y se conjuga como PENSAR]. SINÓNIMOS: **1,4** congelar. FAMILIA:

helado, heladero, heladería, helada, hielo, deshielo.

helecho [sustantivo] [masculino] Planta sin flores, de cuyo tallo nacen muchas raíces por un lado y grandes hojas verdes por el otro: *Los helechos crecen en zonas húmedas.*

hélice [sustantivo] [femenino] Instrumento en forma de «X» que gira y produce movimiento: *La motora se deslizaba a gran velocidad por el agua gracias al movimiento de la hélice.* □ FAMILIA: helicóptero.

HÉLICE

helicóptero [sustantivo] [masculino] Vehículo que vuela gracias a una gran hélice que tiene en el techo y que gira movida por un motor: *Un helicóptero de la policía vigilaba el tráfico desde el aire.* □ FAMILIA: → hélice.

hembra [sustantivo] [femenino] Ser vivo de sexo femenino: *La gallina es la hembra del gallo.* □ CONTRARIOS: macho.

hemiciclo [sustantivo] [masculino] Espacio en forma de medio círculo, con asientos ordenados en escalera: *La sala de sesiones del Congreso de los Diputados es un hemiciclo.*

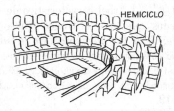
HEMICICLO

hemisferio [sustantivo] [masculino] Cada una de las dos mitades en que se considera dividida la Tierra: *Europa está en el hemisferio norte.* □ FAMILIA: → esfera.

hemorragia [sustantivo] [femenino] Salida de la sangre del cuerpo en gran cantidad: *La herida era tan grande que costó mucho trabajo cortar la hemorragia.*

heno [sustantivo] [masculino] Planta parecida a la hierba pero más alta, con el tallo alargado y hueco:

En esta comarca hay muchos campos sembrados de heno.

heptágono [sustantivo/masculino] Figura plana con siete lados: *Un heptágono regular tiene los siete lados iguales.* ✎ página 429.

herbívoro, ra [adjetivo o sustantivo masculino] Que se alimenta de hierbas y otros vegetales: *Las vacas y las ovejas son animales herbívoros.* □ FAMILIA: → hierba.

heredar [verbo] **1** Recibir lo que nos deja una persona al morir: *Mis abuelos han hecho testamento para que todo su dinero lo heredemos sus nietos.* **2** Tener alguna característica con la que hemos nacido porque es propia de nuestros padres o de nuestra familia: *Cuando me enfado, mi madre siempre me dice que he heredado el genio de mi padre.* □ FAMILIA: herencia, heredero.

heredero, ra [adjetivo o sustantivo] Que tiene derecho a recibir lo que otra persona le deja al morir: *Como mi abuelo no tuvo más hijos, mi padre es su único heredero.* □ SINÓNIMOS: sucesor. FAMILIA: → heredar.

herejía [sustantivo/femenino] Conjunto de ideas que no están de acuerdo con los principios de la iglesia católica: *Negar la existencia del Espíritu Santo se considera una herejía.*

herencia [sustantivo/femenino] Lo que se hereda: *Cuando recibió una herencia de un pariente lejano, usó el dinero para comprar una casita en el campo.* □ FAMILIA: → heredar.

herido, da 1 [adjetivo o sustantivo] Que tiene heridas: *Se llevaron al herido en una ambulancia.* **2** [sustantivo/femenino] Marca que se hace en la piel cuando nos caemos o nos cortamos y que suele sangrar: *Me he puesto una tirita en el dedo porque tengo una herida.* □ CONTRARIOS: **1** ileso. FAMILIA: → herir.

herir [verbo] **1** Hacer una herida a una persona: *Un oso atacó a un cazador y lo hirió con sus garras.* **2** Producir una impresión dolorosa en una persona: *El presentador de las noticias dijo que las imágenes del accidente podían herir la sensibilidad de los espectadores.* □ [Es irregular y se conjuga como SENTIR]. SINÓNIMOS: dañar, lastimar. **1** lesionar. FAMILIA: herida, herido.

hermanastro, tra [sustantivo] Lo que es una persona en relación con otra que tiene sólo el mismo padre o sólo la misma madre: *Des-pués de quedarse viuda, mi madre se volvió a casar y tuvo otro hijo, que es mi hermanastro.* □ FAMILIA: → hermano.

hermano, na [sustantivo] **1** Lo que es una persona en relación con otra que tiene sus mismos padres: *Mi hermano y yo vamos al mismo colegio.* **2** Persona que pertenece a una comunidad religiosa: *Las monjas que había en el hospital eran hermanas de la Caridad.* □ FAMILIA: hermanastro, fraternal, fraternidad, fraterno.

hermético, ca [adjetivo] Que se cierra por completo: *Algunos alimentos se conservan mejor en recipientes herméticos.*

hermoso, sa [adjetivo] **1** Muy agradable de ver o de oír: *El profesor nos leyó una hermosa poesía.* **2** Muy bueno o muy noble: *Fue un gesto hermoso por su parte ofrecernos su ayuda.* **3** Grande: *Las habitaciones de la casa son pequeñas, pero el comedor es muy hermoso.* **4** Dicho de una persona, que está sana y fuerte: *¡Qué hermosos están tus hijos!* □ SINÓNIMOS: **1** precioso, bello, bonito, lindo. CONTRARIOS: **1,2** feo. **3** pequeño. FAMILIA: hermosura.

hermosura [sustantivo/femenino] Lo que resulta agradable de ver o de oír: *El poema habla de la hermosura del paisaje.* □ SINÓNIMOS: belleza, preciosidad. CONTRARIOS: fealdad, espanto. FAMILIA: → hermoso.

héroe [sustantivo/masculino] Hombre que ha conseguido la admiración de los demás por sus acciones extraordinarias y llenas de valor: *Cuando salvé a mi hermano del fuego, mi padre me dijo: «Eres un héroe».* □ [El femenino es heroína]. CONTRARIOS: cobarde. FAMILIA: heroína, heroísmo, heroico.

heroico, ca [adjetivo] Digno de admiración por su valor y esfuerzo: *Se defendieron de forma heroica ante los ataques del enemigo.* □ CONTRARIOS: cobarde. FAMILIA: → héroe.

heroína [sustantivo/femenino] **1** Mujer que ha conseguido la admiración de los demás por sus acciones extraordinarias y llenas de valor: *A sus diez años, esta niña es una heroína que cuida de sus cuatro hermanos pequeños.* **2** Droga de aspecto parecido al azúcar: *La heroína y la cocaína son drogas muy peligrosas para la salud.* □ [El masculino del significado **1** es héroe].

a
b
c
d
e
f
g
h
i
j
k
l
m
n
ñ
o
p
q
r
s
t
u
v
w
x
y
z

SINÓNIMOS: **2** caballo. CONTRARIOS: **1** cobarde. FAMILIA: → héroe.

heroísmo [sustantivo] [masculino] Cualidades propias de un héroe, como el valor: *Los bomberos que salvaron a las víctimas del incendio dieron muestras de un gran heroísmo.* □ FAMILIA: → héroe.

herradura [sustantivo] [femenino] Pieza en forma de «U» que se pone a los caballos en las patas para que no se hagan daño al andar: *Las herraduras tienen agujeros para poder clavarlas a los cascos de los caballos.* □ FAMILIA: → hierro.

HERRADURA

herramienta [sustantivo] [femenino] Objeto que se usa para realizar un trabajo: *El martillo es una herramienta que se usa para golpear.* □ SINÓNIMOS: instrumento. 👁 página 431.

herrar [verbo] Poner herraduras a un caballo: *En el pueblo de mi abuelo había un herrero que se ocupaba de herrar los caballos.* □ [Es irregular y se conjuga como PENSAR. No confundir con errar]. FAMILIA: → hierro.

herrero, ra [sustantivo] Persona que trabaja dando forma al hierro: *El herrero metió una barra de hierro en el fuego y, cuando se puso roja, la sacó para darle forma con el martillo.* □ FAMILIA: → hierro.

hervir [verbo] **1** Calentar un líquido hasta una temperatura de más de cien grados: *Cuando un líquido hierve, hace burbujas.* **2** Cocinar un alimento en un líquido que tiene una temperatura muy alta: *Pon agua a calentar para hervir estos huevos.* □ [Es irregular y se conjuga como SENTIR]. SINÓNIMOS: cocer. **1** bullir.

hexágono [sustantivo] [masculino] Figura plana con seis lados: *Un hexágono regular tiene los seis lados iguales.* 👁 página 429.

hidratar [verbo] Cuidar la piel para que no se quede seca: *En casa usamos un jabón que, además de limpiar, hidrata la piel.*

hidroavión [sustantivo] [masculino] Avión que puede mantenerse sobre el agua: *Los hidroaviones que estaban apagando el incendio iban hasta un lago próximo para coger agua.* □ FAMILIA: → avión.

HIDROAVIÓN

hidrógeno [sustantivo] [masculino] Gas que, combinado con el oxígeno, forma el agua: *El hidrógeno es un gas que pesa menos que el aire.*

hiedra [sustantivo] [femenino] Planta de hojas verdes cuyas ramas se agarran a las superficies en las que se apoyan: *El muro que rodea el jardín está cubierto de hiedra.* □ [Se escribe también *yedra*].

hielo [sustantivo] [masculino] Agua que se ha vuelto sólida por el frío: *Si metes agua en el congelador, se hace hielo.* □ FAMILIA: → helar. 👁 página 17.

hiena [sustantivo] [femenino] Animal salvaje, parecido a un perro, con el pelo marrón o gris: *Las hienas comen carne de animales muertos.* □ [No confundir con *llena*].

HIENA

hierba [sustantivo] [femenino] Conjunto de plantas verdes, generalmente bajas, que crecen en el suelo: *En el campo había vacas comiendo hierba.* □ [Se escribe también *yerba*]. FAMILIA: herbívoro, hierbabuena.

hierbabuena [sustantivo] [femenino] Planta de olor agradable que se usa para cocinar: *Me gustan las infusiones de té con hierbabuena.* □ [Se escribe también *hierba buena*]. FAMILIA: → hierba.

hierro [sustantivo] [masculino] Metal de color oscuro y muy duro: *Las rejas del balcón son de hierro.* □ [No confundir con *yerro*]. FAMILIA: herrar, herrero, herradura.

hígado [sustantivo] [masculino] Órgano interno que está en la parte derecha y central del cuerpo: *Los filetes de hígado de ternera me gustan mucho.*

higiene [sustantivo] [femenino] Cuidado y falta de suciedad, necesarios para conservar la salud: *Lavarse los dientes es una medida de higiene para prevenir las caries.* □ FAMILIA: higiénico.

higiénico, ca [adjetivo] De la higiene o relacionado con lo que hay que hacer para estar limpio: *Ducharse todos los días es una medida higiénica.* □ FAMILIA: → higiene.

higo 1 [sustantivo] [masculino] Fruto de verano, blando y dulce: *El higo es el fruto de la higuera.* **2** [expresión] **de higos a brevas** Con poca frecuencia: *Veo a mis tíos de higos a brevas, porque viven en otra ciudad.* **estar hecho un higo** Tener muchas arrugas: *Esta camisa hay que plancharla porque está hecha un higo.* **higo chumbo** Fruto redondo que tiene la piel dura y con espinas: *El higo chumbo es el fruto de la chumbera.* □ [Las expresiones de higos a brevas y estar hecho un higo son coloquiales]. FAMILIA: higuera.

higuera [sustantivo] [femenino] Árbol que da higos: *La higuera tiene unas hojas muy grandes de color verde.* □ FAMILIA: → higo.

hijastro, tra [sustantivo] Lo que es una persona en relación con otra que se ha casado de nuevo con su madre o con su padre: *Mi madre quiere a su hijastro tanto como a mí.* □ FAMILIA: → hijo.

hijo, ja [sustantivo] Lo que es una persona en relación con sus padres: *Soy el hijo pequeño de la familia.* □ FAMILIA: hijastro, filial, ahijado.

hilar [verbo] **1** Convertir en hilo: *¿Tu madre sabe hilar la lana?* **2** Relacionar cosas diferentes: *El detective hiló todos los datos y descubrió al culpable.* □ SINÓNIMOS: **2** enlazar. FAMILIA: → hilo.

hilera [sustantivo] [femenino] Conjunto de cosas colocadas en línea: *En el almacén había una hilera de cajas apoyadas en la pared.* □ SINÓNIMOS: fila, cola. FAMILIA: → hilo.

hilo [sustantivo] [masculino] **1** Lo que se pone en una aguja para coser: *Mi madre ha bajado a comprar una bobina de hilo blanco.* **2** Un tipo de tela: *Estas sábanas son de hilo.* **3** Materia muy delgada y larga: *Este alambre está formado por varios hilos metálicos.* **4** Líquido que sale poco a poco: *De la fuente sólo salía un hilo de agua.* **5** Lo que da sentido a lo que se dice o a lo que ocurre: *Si no estás atento, perderás el hilo de la historia.* □ SINÓNIMOS: **1** hebra. FAMILIA: hilar, hilera.

himno [sustantivo] [masculino] Música y canción que se usan para alabar algo: *Todos los deportistas escucharon en silencio el himno de su país.*

hincapié [expresión] **hacer hincapié** Insistir mucho: *El profesor hizo hincapié en esta lección porque es muy importante.*

hincar [verbo] Introducir una cosa en otra apretando con fuerza: *Hinqué un palo en el suelo.* □ [La c se cambia en qu delante de e, como en SACAR]. SINÓNIMOS: clavar.

hincha [sustantivo] Persona que admira y apoya con mucho interés a otra: *Soy hincha del equipo de fútbol de mi ciudad y voy a ver todos sus partidos.* □ [No varía en masculino y en femenino]. SINÓNIMOS: seguidor, aficionado, forofo.

hinchar [verbo] **1** Llenar algo con aire o con otra cosa: *Hinché la rueda de la bici con una bomba.* **2** Aumentar la cantidad o la importancia de algo: *El periodista hinchó la noticia para que ocupara media página.* **3** **hincharse** Aumentar de tamaño una parte del cuerpo: *Me di un golpe tan fuerte que se me hinchó la rodilla.* **4** [expresión] **hincharse a algo** Hacer algo en gran cantidad: *Me hinché a comer y ahora me duele la tripa.* □ SINÓNIMOS: **1,2** inflar. **2** abultar, exagerar. **4** inflarse. CONTRARIOS: **1** deshinchar, desinflar. **3** deshincharse. FAMILIA: deshinchar, hinchazón.

hinchazón [sustantivo] [femenino] Aumento de tamaño de una parte del cuerpo: *Tengo una hinchazón en el tobillo porque me he hecho un esguince.* □ FAMILIA: → hinchar.

hindú [adjetivo o sustantivo] De la India, que es un país de Asia: *Los hindúes tienen la piel muy morena.* □ [No varía en masculino y en femenino. Su plural es hindús o hindúes (más culto)]. SINÓNIMOS: indio.

[híper [sustantivo] [masculino] Hipermercado: *Iremos al híper para hacer la compra de todo el mes.* □ [Es coloquial. No varía en singular y en plural].

hipermercado [sustantivo] [masculino] Tienda muy grande en la que se vende de todo y que tiene

a
b
c
d
e
f
g
h
i
j
k
l
m
n
ñ
o
p
q
r
s
t
u
v
w
x
y
z

hípico, ca 1 [adjetivo] Del caballo o relacionado con él: *Las competiciones hípicas se hacen en el hipódromo.* **2** [sustantivo femenino] Deporte que se practica con un caballo: *La hípica es un deporte olímpico.* 👁 página 291. □ SINÓNIMOS: **1** caballar. FAMILIA: hipódromo.

hipnotizar [verbo] Hacer que alguien se duerma de pie para que obedezca las órdenes de otro: *El mago hipnotizó a un señor que hizo todas las tonterías que le mandaban.* □ [La z se cambia en c delante de e, como en CAZAR].

hipo [sustantivo masculino] Ruido repetido que no se puede controlar al respirar: *Me dieron un susto para quitarme el hipo.*

hipócrita [adjetivo o sustantivo] Que no dice lo que piensa de verdad: *No quiero ser tu amigo porque eres un hipócrita.* □ [No varía en masculino y en femenino]. SINÓNIMOS: mentiroso, falso. CONTRARIOS: sincero.

hipódromo [sustantivo masculino] Lugar en el que se celebran carreras de caballos: *El hipódromo está a las afueras de la ciudad.* □ FAMILIA: → hípico.

hipopótamo [sustantivo masculino] Animal muy grande que vive en los ríos de África: *Los hipopótamos son animales tan grandes que necesitan vivir en el agua porque en la tierra se mueven muy despacio.*

hipoteca [sustantivo femenino] Cosa que sirve para asegurar el pago de una cantidad de dinero que se ha pedido prestada a un banco: *Si no pagas la hipoteca, el banco se quedará con tu casa.* □ SINÓNIMOS: garantía.

[hippy [adjetivo o sustantivo] Que está en contra de la violencia y a favor de vivir en contacto con la naturaleza: *Los hippies llevan el pelo largo y se visten con ropa muy alegre.* □ [Es una palabra inglesa. Se pronuncia «jipi». Su plural es *hippies*].

hispánico, ca [adjetivo] De España: *Las corridas de toros son una tradición hispánica.* □ SINÓNIMOS: español. FAMILIA: → hispano.

hispano, na [adjetivo o sustantivo] De España o de Hispanoamérica: *En Norteamérica viven muchos hispanos.* □ FAMILIA: hispánico, hispanohablante.

hispanoamericano, na 1 [adjetivo] De España y América: *Mañana se firmará un acuerdo hispanoamericano entre España y varias naciones de Sudamérica.* **2** [adjetivo o sustantivo] De las naciones de América que tienen como lengua oficial el español: *Argentina y Colombia son países hispanoamericanos.* □ [En el significado **2** se usa mucho la forma abreviada *hispano*]. FAMILIA: → americano.

hispanohablante [adjetivo o sustantivo] Que habla español: *En el mundo hay más de trescientos millones de hispanohablantes.* □ FAMILIA: → hispano.

histérico, ca [adjetivo o sustantivo] Que está muy excitado y ha perdido el control: *Cuando estoy muy nervioso y me sale algo mal, me pongo histérico.*

historia [sustantivo femenino] **1** Relato en el que se cuenta una serie de aventuras: *Abuela, cuéntame la historia de cuando te rompiste la pierna.* **2** Conjunto de acontecimientos pasados: *La colonización romana es muy importante en la historia de España.* **3** Ciencia que estudia estos acontecimientos: *Mi hermana es profesora de Historia de España y da clase en la universidad.* □ FAMILIA: histórico, historieta, prehistoria.

histórico, ca [adjetivo] De la historia o relacionado con ella: *Cristóbal Colón fue un personaje histórico.* □ FAMILIA: → historia.

historieta [sustantivo femenino] Historia que se dibuja: *¿No has leído nunca las historietas de Astérix?* □ SINÓNIMOS: cómic. FAMILIA: → historia.

[hobby [sustantivo masculino] Lo que nos gusta hacer en el tiempo libre: *Leer es mi hobby.* □ [Es una palabra inglesa. Se pronuncia «jobi». Su plural es *hobbies*]. SINÓNIMOS: afición.

hocico [sustantivo masculino] Parte de la cabeza de un animal en la que está la boca: *El hocico del cerdo es más alargado que el del perro.* □ SINÓNIMOS: morro.

[hockey [sustantivo masculino] Deporte en el que se juega con una bola pequeña que se golpea con un bastón: *El hockey se puede jugar sobre hierba o sobre hielo.* □ [Es una palabra inglesa. Se pronuncia «jókei». Es distinto de *yóquey* o *yoqui*, que significa *jinete profesional*]. 👁 página 290.

---

mucho sitio para aparcar los coches: *Mis padres hacen la compra en el hipermercado.* □ [Se usa mucho la forma abreviada *híper*]. FAMILIA: → mercado.

hogar [sustantivo] [masculino] **1** Lugar en el que se vive: *¡Qué hogar tan acogedor tienes!* **2** Familia con la que se vive: *Estaba deseando casarse y formar un hogar.* **3** Parte de una casa donde se hace fuego: *Mi abuela nos contaba cuentos sentados al calor del hogar.* □ SI-NÓNIMOS: **1** casa. **3** fuego.

hoguera [sustantivo] [femenino] Fuego que se hace al aire libre: *Hicimos una hoguera en el campo y la apagamos bien cuando nos fuimos.* □ SI-NÓNIMOS: fogata.

hoja [sustantivo] [femenino] **1** Parte verde y delgada de una planta: *Las hojas del pino pinchan.* **2** Cada una de las partes que forman una flor: *En mi jardín hay margaritas de hojas blancas y de hojas amarillas.* **3** Pieza de papel en la que se escribe: *Este libro es muy gordo y tiene muchas hojas.* **4** En un instrumento, parte de metal que corta: *Hay que afilar la hoja de la navaja porque no corta.* **5** Trozo delgado y plano de un material: *La puerta lleva una hoja metálica para que sea más fuerte y segura.* □ SINÓNIMOS: **2** pétalo. **5** lámina, plancha, chapa. FAMILIA: hojear, hojalata, milhojas, deshojar.

hojalata [sustantivo] [femenino] Trozo delgado de metal: *Los botes de conserva son de hojalata.* □ [Se escribe también *hoja de lata*]. SINÓNIMOS: lata. FA-MILIA: → hoja.

hojaldre [sustantivo] [masculino] Masa que, cuando se cue-ce, queda muy hueca: *He comido un pastel de hojaldre relleno de nata.*

hojear [verbo] Pasar las hojas de un libro: *Hojeé el libro para ver si me había dejado dentro alguna foto.* □ [Es distinto de *ojear*, que significa *mirar de manera rápida*]. FAMILIA: → hoja.

hola [interjección] Se usa para saludar: *¡Hola!, ¿cómo estás?* □ [No confundir con *ola*]. CONTRA-RIOS: adiós.

holgazán, -a [adjetivo o] [sustantivo] Que no quiere tra-bajar aunque tenga que hacerlo: *No seas holgazán y haz tu cama.* □ SINÓNIMOS:

vago, gandul, zángano. CONTRARIOS: traba-jador, laborioso.

hollín [sustantivo] [masculino] Polvo negro producido por el fuego: *Un deshollinador desatascó el hollín de la chimenea con una especie de escoba.* □ FAMILIA: deshollinador.

hombre [sustantivo] [masculino] **1** Miembro de la especie humana: *Todos los hombres somos mortales.* **2** Persona de sexo masculino: *Los hombres y las mujeres somos iguales ante la ley.* **3** Persona adulta de sexo masculino: *Ahora soy un niño, pero cuando sea un hombre viajaré mucho.* **4** [expresión] **hombre rana** Bu-ceador: *Un hombre rana sacó un cofre del fondo del mar.* ▱ página 120. □ [En los sig-nificados **2** y **3**, su femenino es *mujer*]. SINÓNIMOS: **1** mortal. **2** varón. FAMILIA: humano, huma-nidad, humanitario, humanismo, inhumano, sobrehumano.

hombrera [sustantivo] [femenino] **1** Pieza que se pone en el hombro debajo de la ropa: *Las hombreras se ponen para que los hombros parezcan más grandes.* **2** Cinta con la que se sujeta en los hombros una prenda de vestir: *Tengo un vestido de verano con hombreras.* □ SI-NÓNIMOS: **2** tirante. FAMILIA: → hombro.

HOMBRERA

hombro [sustantivo] [masculino] **1** Parte en la que se une el brazo con el cuerpo: *Llevo la mochila su-jeta a los hombros.* **2** Parte de una prenda de vestir que cubre esta zona: *Los militares llevan un adorno en los hombros de la cha-queta.* **3** [expresión] **cargado de hombros** Con los hombros un poco inclinados hacia delan-te: *Ese chico parece más bajo porque es car-gado de hombros.* □ FAMILIA: hombrera.

HOCKEY
SOBRE HIERBA

SOBRE HIELO

a b c d e f g **h** i j k l m n ñ o p q r s t u v w x y z

homenaje [sustantivo masculino] Acto que se celebra en honor de alguien: *Han hecho un homenaje a la niña que salvó a su hermano de morir ahogado.*

homicidio [sustantivo masculino] Muerte que una persona le produce a otra: *El protagonista de la película fue condenado por homicidio.*

homosexual [adjetivo o sustantivo] Que siente amor por personas de su mismo sexo: *Los hombres que se enamoran de otros hombres son homosexuales.* □ [No varía en masculino y en femenino]. FAMILIA: → sexo.

honda [sustantivo masculino] Mira en **hondo, da.**

hondo, da **1** [adjetivo] Que tiene el fondo muy separado de la superficie: *El pozo del que sacamos agua es muy hondo.* **2** [sustantivo femenino] Trozo largo y estrecho de cuero o de un material parecido, que se usa para lanzar piedras: *El pastor tenía una honda para cazar pájaros.* □ [No confundir honda con onda]. SINÓNIMOS: **1** profundo. FAMILIA: ahondar.

honesto, ta [adjetivo] **1** Puro o sin mala intención: *Las buenas personas tienen una mirada honesta.* **2** Que actúa con honradez y buena voluntad: *Un juez debe ser una persona honesta.* □ SINÓNIMOS: **1** decente. **2** honrado, recto, justo, íntegro. CONTRARIOS: **1** indecente. **2** injusto.

hongo [sustantivo masculino] Ser vivo que no es ni animal ni vegetal y que crece en lugares muy húmedos: *El champiñón es un hongo.* □ SINÓNIMOS: seta.

honor [sustantivo masculino] **1** Comportamiento de la persona que hace siempre lo que debe: *Las personas de honor siempre dicen la verdad.* **2** Gloria que se consigue por haber hecho algo importante: *El general que conquiste estos territorios conseguirá grandes honores.* **3** Demostración de aprecio que hace que una persona se sienta alabada: *Mi padre dijo que fue un honor que pensaran en él para el ascenso.* **4** Buena opinión que se tiene de una persona que se comporta de acuerdo con la moral establecida: *En muchas comedias antiguas, el protagonista defendía el honor de las mujeres.* **5** [expresión] **hacer honor a algo** Hacer que se note: *Hice honor a mi fama de glotón y me comí todos los pasteles.* □ SINÓNIMOS: **2** fama. **2,3** honra. FAMILIA: honorable.

honorable [adjetivo] Que es digno de ser respetado: *Mi abuelo es una persona honorable.* □ [No varía en masculino y en femenino]. SINÓNIMOS: respetable. FAMILIA: → honor.

honra [sustantivo femenino] **1** Respeto que los demás tienen hacia una persona: *El que obra mal mancha la honra de su familia.* **2** Demostración de aprecio que hace que una persona se sienta alabada: *El alcalde agradeció haber tenido la honra de inaugurar la exposición.* **3** Gloria que se consigue por haber hecho algo importante: *El caballero obtuvo una gran honra con sus hazañas.* □ SINÓNIMOS: **2,3** honor. **3** fama. CONTRARIOS: **1,2** deshonra. FAMILIA: honrar, honradez, honrado, deshonra.

honradez [sustantivo femenino] Forma de ser de las personas que actúan de manera recta y justa: *Si actúas con honradez todos te apreciarán.* □ SINÓNIMOS: honestidad, rectitud. FAMILIA: → honra.

honrado, da [adjetivo] **1** Que actúa de forma recta y justa: *Las personas honradas no engañan nunca a nadie.* **2** Que se realiza de forma digna: *Fue un gesto muy honrado por tu parte admitir que te habías equivocado.* □ SINÓNIMOS: honesto, recto, justo, íntegro. CONTRARIOS: injusto. FAMILIA: → honra.

honrar [verbo] **1** Respetar a una persona: *Todos debemos honrar a nuestros padres.* **2** Reconocer el esfuerzo de una persona: *Con este homenaje se honra a un científico que hizo un importante descubrimiento.* **3** Ser motivo de orgullo: *Te honra ser una persona tan sincera.* **4** **honrarse** Sentirse orgulloso de algo: *Un señor le dijo a mi padre: «Me honro en tenerte entre mis amigos».* □ FAMILIA: → honra.

hora [sustantivo femenino] **1** Período de tiempo que equivale a sesenta minutos: *Un día tiene veinticuatro horas.* **2** Momento justo para hacer algo: *Mi padre me dijo que ya era hora de irme a dormir.* **3** Momento determinado del día: *¿A qué hora llega el tren?* **4** Últimos momentos de la vida: *Cuando el enfermo vio que le llegaba su hora quiso ver a su familia.* **5** [expresión] **hora punta** Aquella en la que hay más cantidad de gente en un sitio: *El autobús iba lleno porque lo cogimos en una hora punta.* **horas muertas** Tiempo que pasa sin que nos demos cuenta: *Cuando es-*

a b c d e f g **h** i j k l m n ñ o p q r s t u v w x y z

toy aburrido me paso las horas muertas mi-rando por la ventana. □ [No confundir con ora. El plural de hora punta es horas punta]. FAMILIA: horario.

horario, ria 1 [adjetivo] De las horas o rela-cionado con ellas: *Cuando oí la señal hora-ria en la radio supe que eran las dos.* **2** [sustantivo] [masculino] Cuadro en el que se indican las ho-ras en las que se deben hacer determinadas cosas: *La profesora nos ha dado el horario de clases.* □ FAMILIA: → hora.

horca [sustantivo] [femenino] **1** Instrumento con el que se mata a una persona colgándola del cuello con una cuerda: *El malo de la película fue condenado a la horca.* **2** Herramienta for-mada por un palo terminado en dos o más puntas, que se usa para amontonar la paja: *El agricultor separó la paja del grano con la horca.* 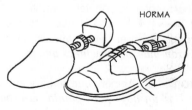 página 431. □ [No confundir con orca]. FAMILIA: ahorcar.

horchata [sustantivo] [femenino] Bebida dulce de color blanco que se toma muy fría: *La horchata está hecha con chufas.*

horizontal [adjetivo] Paralelo al suelo o al ho-rizonte: *Los estantes del armario son hori-zontales.* □ [No varía en masculino y en femenino]. CONTRARIOS: vertical. FAMILIA: → horizonte.

horizonte [sustantivo] [masculino] Línea en la que la tierra o el mar parece que se juntan con el cielo: *Vimos salir el Sol por el horizonte.* □ FA-MILIA: horizontal.

horma [sustantivo] [femenino] Instrumento que se intro-duce en un objeto y que sirve para darle forma: *Si se te han mojado los zapatos, pon-les la horma para que no se deformen.*

HORMA

hormiga [sustantivo] [femenino] Insecto pequeño, con el cuerpo de color negro, que vive debajo del suelo: *Dejé un momento el bocadillo en un banco del parque y se me llenó de hormigas.* □ FAMILIA: hormiguero.

hormigón [sustantivo] [masculino] Masa que se usa en la construcción y que se endurece al secarse:

El hormigón está formado por cemento, pe-queñas piedras, arena y agua. □ FAMILIA: hormigonera.

hormigonera [sustantivo] [femenino] Máquina que se usa para fabricar el hormigón con que se hace una construcción: *La hormigonera gira para que se mezclen los materiales que componen el hormigón.* □ FAMILIA: → hormigón. página 796.

hormiguero [sustantivo] [masculino] Lugar en el que vi-ven las hormigas: *Los hormigueros son tú-neles que hacen las hormigas bajo tierra.* □ FAMILIA: → hormiga.

horno [sustantivo] [masculino] **1** Aparato en cuyo interior se meten los alimentos para cocinarlos: *Mi madre ha hecho un bizcocho en el horno.* **2** Lugar en el que se hace y se vende pan: *En los hornos siempre huele a pan recién hecho.* **3** Aparato que se usa para cocer o fundir distintos materiales: *El alfarero mete las ja-rras de barro en el horno para que se en-durezcan.* **4** [expresión] **alto horno** El que se usa para fundir minerales de hierro: *En esta zona industrial hay varios altos hornos.* □ SINÓNIMOS: **2** panadería.

horóscopo [sustantivo] [masculino] **1** Explicación de nues-tro futuro según la posición de las estrellas el día de nuestro nacimiento: *Leí el horós-copo de virgo en la revista.* **2** Signo que tie-ne cada persona según la época del año en la que haya nacido: *Si nací el 14 de junio, mi horóscopo es géminis.*

horquilla [sustantivo] [femenino] Especie de gancho que sirve para sujetar el pelo: *Necesito una hor-quilla para sujetarme el flequillo.*

horrendo, da [adjetivo] **1** Que produce un miedo muy grande: *He tenido unas pesadi-llas horrendas.* **2** Muy feo, muy malo o nada agradable: *Con este tiempo tan horren-do no podremos salir de viaje.* **3** Muy gran-de o muy fuerte: *Hace un frío horrendo y no hago más que tiritar.* □ SINÓNIMOS: horrible. **1** espeluznante. **1,3** terrible. **2,3** horroroso, espantoso. **3** terrorífico. FAMILIA: horror.

horrible [adjetivo] **1** Que produce un miedo muy grande: *El monstruo de la película era tan horrible que al verlo nos pusimos a chi-llar.* **2** Muy feo, muy malo o nada agrada-ble: *Vas vestido de una forma tan horrible que cuando los demás te vean se van a reír.*

a b c d e f g **h** i j k l m n ñ o p q r s t u v w x y z

a
b
c
d
e
f
g
h
i
j
k
l
m
n
ñ
o
p
q
r
s
t
u
v
w
x
y
z

3 Muy grande o muy fuerte: *En este pueblo hace un calor horrible.* ☐ [No varía en masculino y en femenino. Los significados **2** y **3** son coloquiales]. SINÓNIMOS: horrendo. **1** espeluznante. **2,3** horroroso, espantoso. FAMILIA: → horror.

horripilar [verbo] Producir mucho miedo o mucho rechazo: *Me horripila madrugar.* ☐ SINÓNIMOS: horrorizar, espantar. CONTRARIOS: encantar. FAMILIA: → horror.

horror [sustantivo] [masculino] **1** Miedo muy grande: *Creí que la sombra que vi era un fantasma y sentí horror.* **2** Lo que produce una sensación de pena o de rechazo: *Esta película cuenta los horrores de la guerra.* ☐ SINÓNIMOS: terror, espanto. FAMILIA: horrorizar, horroroso, horrible, horripilar, horrendo.

horrorizar [verbo] Producir mucho miedo o mucho rechazo: *Me horroriza pensar que algún día dejes de ser mi amigo.* ☐ [La z se cambia en c delante de e, como en CAZAR]. SINÓNIMOS: horripilar, espantar. CONTRARIOS: encantar. FAMILIA: → horror.

horroroso, sa [adjetivo] **1** Muy feo, muy malo o nada agradable: *¡Qué día tan horroroso hace hoy!* **2** Muy grande o muy fuerte: *Algunas enfermedades producen unos dolores horrorosos.* ☐ SINÓNIMOS: horrendo, horrible, espantoso. **2** terrible, terrorífico. FAMILIA: → horror.

hortaliza [sustantivo] [femenino] Planta que se cultiva en una huerta para tomarla como alimento: *El tomate, la lechuga y la zanahoria son hortalizas.* ☐ FAMILIA: → huerta.

hortelano, na [sustantivo] Persona que cultiva una huerta: *El hortelano nos enseñó los tomates y lechugas que estaban naciendo.* ☐ FAMILIA: → huerta.

hortera [adjetivo o sustantivo] Que se considera feo y nada elegante: *Con esa camisa tan hortera pareces un payaso.* ☐ [No varía en masculino y en femenino]. SINÓNIMOS: macarra.

hospedaje [sustantivo] [masculino] Lugar en el que pasa la noche una persona: *Los viajeros encontraron hospedaje en la posada del pueblo.* ☐ SINÓNIMOS: alojamiento, albergue. FAMILIA: → hospedar.

hospedar [verbo] Dar o tomar alojamiento: *Los caballeros se hospedaron en una posada del camino.* ☐ SINÓNIMOS: alojar, albergar. FAMILIA: huésped, hospedaje.

hospital [sustantivo] [masculino] Lugar en el que se cura a los enfermos: *Mi hermano está en el hospital porque lo han operado de apendicitis.*

hospitalario, ria [adjetivo] **1** Que recibe de forma amable y atenta a otras personas: *Eres tan hospitalaria que siempre tienes la casa llena de invitados.* **2** Del hospital o relacionado con él: *Los médicos y las enfermeras forman parte del personal hospitalario.* ☐ FAMILIA: → hospitalidad.

hospitalidad [sustantivo] [femenino] Forma amable de recibir a las personas en nuestra casa: *Volveremos pronto a tu casa porque nos has atendido con mucha hospitalidad.* ☐ FAMILIA: hospitalario.

hostal [sustantivo] [masculino] Lugar en el que se da comida o alojamiento a cambio de dinero: *Pasamos la noche en un hostal y por la mañana seguimos el viaje.* ☐ SINÓNIMOS: hotel, posada, fonda.

hostia [sustantivo] [femenino] **1** Hoja de pan fina y redonda que el sacerdote da a los fieles en la misa: *Cuando comulgamos tomamos la hostia.* **2** Golpe. ☐ [El uso del significado **2** es vulgar y se usa mucho en expresiones vulgares]. SINÓNIMOS: **1** forma.

hostil [adjetivo] Que no es amigo: *Los dos adversarios se dirigieron miradas hostiles.* ☐ [No varía en masculino y en femenino]. SINÓNIMOS: enemigo.

hotel [sustantivo] [masculino] Lugar en el que se da comida o alojamiento a cambio de dinero: *En un hotel no tienes que hacerte la cama por la mañana.* ☐ SINÓNIMOS: posada, fonda, hostal. FAMILIA: motel, aparthotel, apartotel.

hoy [adverbio] **1** En el día que estamos: *Hoy hace sol.* **2** En el tiempo que estamos: *Hoy se curan más enfermedades que en el pasado.* ☐ SINÓNIMOS: **2** ahora.

hoyo [sustantivo] [masculino] Agujero que se hace en la tierra: *Haz un hoyo para plantar el árbol.* ☐ [No confundir con oyó, del verbo oír].

hoz [sustantivo] [femenino] **1** Herramienta que usan los agricultores para cortar el trigo: *La hoz está formada por un mango y una hoja curva que tiene el lado de dentro afilado.* **2** Paso estrecho y profundo que hay entre dos montañas: *Las hoces se forman por efecto de la erosión.* ☐ [Su plural es hoces].

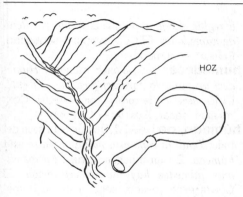

HOZ

hucha [sustantivo] [femenino] Recipiente en el que se guarda el dinero que ahorramos: *Las huchas tienen una ranura por la que se echan las monedas.*

hueco, ca 1 [adjetivo] Que no tiene nada en su interior: *Las cañerías son tubos huecos por los que pasa el agua.* [sustantivo] [masculino] **2** Abertura o espacio en el que no hay nada: *Me asomé al hueco de la escalera y te vi subir.* **3** Espacio que no está ocupado: *Hacedme un hueco entre vosotros dos.* □ SINÓNIMOS: **1** vacío. **3** sitio, lugar. CONTRARIOS: **1** macizo, relleno. FAMILIA: ahuecar.

huelga [sustantivo] [femenino] Hecho de no trabajar para protestar por algo: *Los trabajadores han hecho huelga para exigir mejores salarios.*

huella [sustantivo] [femenino] Marca de algo que queda en un sitio: *Seguimos las huellas del conejo y llegamos a la madriguera.*

huérfano, na [adjetivo o sustantivo] Que no tiene padre, madre o ninguno de los dos: *Cuando mi madre tenía quince años, sus padres murieron en un accidente y ella se quedó huérfana.* □ FAMILIA: orfanato.

huerta [sustantivo] [femenino] Terreno en el que se cultivan legumbres, verduras y árboles que dan frutas: *Mi tío cultiva en la huerta zanahorias, lechugas y judías.* □ [Es distinto de *huerto*, que es más pequeño]. FAMILIA: huerto, hortaliza, hortelano.

huerto [sustantivo] [masculino] Terreno pequeño en el que se cultivan legumbres, verduras y árboles que dan frutas: *Fuimos al huerto por manzanas, peras y ciruelas.* □ [Es distinto de *huerta*, que es más grande]. FAMILIA: → huerta.

hueso [sustantivo] [masculino] **1** Cada una de las piezas duras que forman el esqueleto: *En el museo vimos los huesos de un dinosaurio.* **2** Parte dura que hay en el interior de algunos frutos: *Me he tragado un hueso de aceituna.* □ FAMILIA: huesudo.

huésped, -a [sustantivo] Persona que se aloja en una casa que no es propia: *Los huéspedes del hotel pueden desayunar en la habitación.* □ FAMILIA: → hospedar.

huesudo, da [adjetivo] Tan delgado que se le notan mucho los huesos: *Este chico es muy huesudo y se le marcan las costillas.* □ FAMILIA: → hueso.

huevera [sustantivo] [femenino] Recipiente en el que se guardan los huevos: *Se me cayó la huevera al suelo y se rompieron todos los huevos.* □ FAMILIA: → huevo.

huevería [sustantivo] [femenino] Tienda en la que se venden huevos: *Compré una docena de huevos en la huevería.* □ FAMILIA: → huevo.

huevo [sustantivo] [masculino] **1** Lo que ponen las aves y algunos animales, que es blanco, casi redondo, y de donde salen las crías cuando ya están formadas: *Hemos visto un nido de golondrinas con dos huevos. Los huevos de las gallinas se usan como alimento.* **2** Testículo. □ [El uso del significado **2** es vulgar y se usa mucho en expresiones vulgares]. FAMILIA: huevera, huevería, ovario, óvulo.

huida [sustantivo] [femenino] Hecho de irse del lugar en el que se está encerrado: *El centinela fue arrestado porque no impidió la huida de los prisioneros.* □ SINÓNIMOS: fuga, evasión. FAMILIA: → huir.

huir [verbo] **1** Escapar de un sitio: *Los ladrones huyeron al oír a la policía.* **2** Evitar la relación con una persona: *Desde que tuvimos esa discusión, me huye.* □ [Al escribirlo hay que tener cuidado con el cambio de *i* en *y*]. SINÓNIMOS: **1** huir, evadirse. **2** rehuir. CONTRARIOS: **1** quedarse. FAMILIA: huida, rehuir, ahuyentar. página 468.

hule [sustantivo] [masculino] Plástico que se usa para proteger lo que está debajo: *Debajo del mantel siempre ponemos un hule.*

humanidad [sustantivo] [femenino] **1** Conjunto de todos los seres humanos: *La humanidad ha progresado mucho en los últimos años.* **2** Consideración y buenos sentimientos hacia los demás: *Es una mujer de gran humanidad y* *se preocupa mucho por las personas.* □ Si-NÓNIMOS: **1** sociedad. FAMILIA: → hombre.

humanitario, ria [adjetivo] Que ayuda a los demás: *Medicinas, alimentos y mantas son algunos de los envíos humanitarios que se han hecho a la zona de guerra.* □ FAMILIA: → hombre.

humano, na [adjetivo] **1** De los hombres y mujeres: *El lenguaje humano es distinto del de los animales.* **2** Que tiene consideración hacia los demás: *Es muy humano y no puede soportar ver sufrir a nadie.* **3** [sustantivo masculino plural] Miembros de la humanidad: *La Tierra es el planeta en el que vivimos los humanos.* □ CONTRARIOS: **2** inhumano. FAMILIA: → hombre.

humareda [sustantivo femenino] Gran cantidad de humo: *Se quemó el aceite de la sartén y se formó una gran humareda en la cocina.* □ FAMILIA: → humo.

humedad [sustantivo femenino] **1** Cantidad de agua que hay en un lugar: *En las zonas con humedad suele haber muchos mosquitos.* **2** Señal que deja el agua en una pared: *Tenemos que*

huir	conjugación
INDICATIVO	**SUBJUNTIVO**
presente	**presente**
huyo	huya
huyes	huyas
huye	huya
huimos	huyamos
huis	huyáis
huyen	huyan
pretérito imperfecto	**pretérito imperfecto**
huía	huyera, -ese
huías	huyeras, -eses
huía	huyera, -ese
huíamos	huyéramos, -ésemos
huíais	huyerais, -eseis
huían	huyeran, -esen
pretérito indefinido	**futuro**
huí	huyere
huiste	huyeres
huyó	huyere
huimos	huyéremos
huisteis	huyereis
huyeron	huyeren
futuro	**IMPERATIVO**
huiré	
huirás	**presente**
huirá	huye (tú)
huiremos	huya (él)
huiréis	huyamos (nosotros)
huirán	huid (vosotros)
	huyan (ellos)
condicional	**FORMAS NO PERSONALES**
huiría	
huirías	**infinitivo** **gerundio**
huiría	huir huyendo
huiríamos	**participio**
huiríais	huido
huirían	

arreglar el tejado porque el techo está lleno de humedades. □ CONTRARIOS: **1** sequedad. FAMILIA: → húmedo.

humedecer [verbo] Poner húmedo: *Humedecí un pañuelo para refrescarme la frente.* □ [Es irregular y se conjuga como PARECER]. CONTRARIOS: secar. FAMILIA: → húmedo.

húmedo, da [adjetivo] **1** Que no está seco del todo: *Tendí la ropa esta mañana y aún está húmeda.* **2** Con muchas lluvias: *En los climas húmedos hay mucha vegetación.* □ CONTRARIOS: reseco, seco. FAMILIA: humedad, humedecer, humidificador.

humidificador [sustantivo masculino] Aparato que sirve para mantener húmedo el ambiente: *El humidificador es bueno para la gente que está acatarrada.* □ FAMILIA: → húmedo.

humildad [sustantivo femenino] Forma de ser de una persona que no se cree mejor que los demás: *Sin humildad es difícil reconocer los propios errores.* □ SINÓNIMOS: modestia, sencillez. CONTRARIOS: vanidad, humos, orgullo, soberbia. FAMILIA: → humilde.

humilde [adjetivo] **1** Que no se cree mejor que los demás: *Hay que ser humilde y saber aceptar las propias equivocaciones.* **2** Que no pertenece a una clase social alta: *Mi familia es gente humilde y sin mucho dinero.* □ [No varía en masculino y en femenino]. SINÓNIMOS: **1** modesto, sencillo. CONTRARIOS: **1** vanidoso, orgulloso, soberbio. FAMILIA: humildad, humillar, humillación.

humillación [sustantivo femenino] Lo que siente una persona cuando es avergonzada por otra: *Un compañero de clase sintió una gran humillación cuando supo que todos se reían de él.* □ FAMILIA: → humilde.

humillar [verbo] Hacer que una persona sienta vergüenza ante los demás: *Mi vecino humilló a su amigo en público y dejaron de hablarse.* □ FAMILIA: → humilde.

humo [sustantivo masculino] **1** Gas que sale cuando hay fuego: *El humo sale por la chimenea.* **2** Vapor que sale de un líquido cuando está muy caliente: *La sopa está caliente todavía, porque veo que echa humo.* **3** [plural] Sensación de creerse mejor que los demás: *No me gusta que tengas tantos humos y presumas de lo rico que eres.* □ SINÓNIMOS: **3** vanidad, orgullo, soberbia. CONTRARIOS: **3** modestia, humildad. FAMILIA: humareda, ahumar, ahumado.

humor [sustantivo masculino] **1** Estado de ánimo: *Estoy contenta y de muy buen humor. Hoy no estoy de humor para aguantar bromas.* **2** Capacidad de ver el lado divertido de las cosas: *Tiene mucho sentido del humor y hace chistes de todo.* **3** [expresión] **humor negro** Capacidad de reírse de la muerte y de lo desagradable: *Los chistes de humor negro con muertos y tumbas no me gustan nada.* □ FAMILIA: humorista, malhumor, malhumorado.

humorista [sustantivo] Persona que trabaja haciendo reír al público: *Este humorista cuenta chistes muy buenos.* □ [No varía en masculino y en femenino]. SINÓNIMOS: cómico. FAMILIA: → humor.

hundimiento [sustantivo masculino] **1** Introducción de un cuerpo en un líquido o en otra cosa: *El hundimiento del barco se produjo porque chocó con unas rocas del fondo.* **2** Derrota o fracaso: *La crisis económica está provocando el hundimiento de muchas empresas.* **3** Destrucción o caída de una construcción: *Una explosión de gas produjo el hundimiento de la casa.* □ SINÓNIMOS: **3** derrumbamiento. CONTRARIOS: **3** construcción. FAMILIA: → hundir.

hundir [verbo] **1** Meter un cuerpo en un líquido o en otra cosa: *El barco fue bombardeado y se hundió.* **2** Hacer que una persona se sienta vencida: *Si queremos ganar el partido, no podemos hundirnos ahora.* **3** Destruir una construcción echándola abajo: *Un terremoto puede hacer que se hundan edificios enteros.* **4** Hacer fracasar o llevar a la ruina: *El exceso de deudas hundió la empresa.* **5** Hacer que una superficie se meta hacia adentro al apretarla o golpearla: *Unos gamberros tiraron piedras al coche y hundieron un poco el techo.* □ SINÓNIMOS: **1** sumergir. **2,3** derrumbar. **3** derribar. CONTRARIOS: **3** construir, levantar. FAMILIA: hundimiento.

huracán [sustantivo masculino] Viento muy fuerte que gira en grandes círculos: *El huracán arrancó varios árboles.* □ SINÓNIMOS: ciclón.

huraño, ña [adjetivo o sustantivo] Que no está cómodo con la gente y prefiere estar solo: *Es tan huraño que no tiene amigos.* □ CONTRARIOS: sociable.

hurgar [verbo] **1** Tocar de forma repetida en el mismo sitio: *No te hurgues en la nariz, que es una guarrería.* **2** Buscar en algún sitio para encontrar algo: *¿Quién ha estado hurgando en el cajón de mi mesilla?* □ [La g se cambia en gu delante de e, como en PAGAR].

hurtar [verbo] Coger sin permiso algo que no es nuestro: *En un descuido, me hurtaron la cartera.* □ SINÓNIMOS: robar, quitar, afanar. CONTRARIOS: dar.

husmear [verbo] **1** Buscar con el olfato: *Los perros de los cazadores husmeaban el rastro del conejo.* **2** Buscar algo que los demás no quieren que se encuentre: *No seas tan cotilla y no vuelvas a husmear en mi habitación.* □ SINÓNIMOS: **1** olfatear. **2** fisgar, curiosear, fisgonear.

I i

i 1 [sustantivo femenino] Letra número nueve del abecedario: *«Idea» empieza por «i».* **2** [expresión] **i griega** Nombre de la letra *y*: *La primera letra de «yo» es una i griega.* **i latina** Nombre de la letra *i*: *La palabra «mili» tiene dos íes latinas.* □ [Su plural es *is* o *íes* (más culto)].

iberoamericano, na [adjetivo o sustantivo] Del conjunto de países de América que tienen como lengua el español o el portugués: *Brasil y Argentina son dos países iberoamericanos porque en Brasil se habla el portugués y en Argentina, el español.* □ FAMILIA: → americano.

ibicenco, ca [adjetivo o sustantivo] De la isla española de Ibiza: *Las aguas ibicencas son claras y tranquilas.*

iceberg [sustantivo masculino] Gran masa de hielo que flota en el mar: *Un barco chocó contra un iceberg y se hundió.* □ [Es una palabra de origen inglés. Su plural es *icebergs*].

ICEBERG

ida [sustantivo femenino] Mira en **ido, da**.

idea [sustantivo femenino] **1** Lo que no existe en el mundo real, sino sólo en la mente: *Tendrás que convencerme con hechos y no con ideas, si quieres que te crea.* **2** Imagen que se forma en la mente: *No me hago idea de cómo es tu casa.* **3** Intención o propósito de hacer algo: *Aunque parece que ha ocurrido por casualidad, está hecho con idea.* 🔨 página 430. **4** Plan que se tiene para realizar algo: *Mi idea es ir mañana de excursión.* **5** Opinión o juicio formados sobre algo: *No estoy de acuerdo con tus ideas políticas.* **6** [expresión] **hacerse a la idea de algo** Aceptarlo: *Aunque no quieras venir, hazte a la idea de que tendrás que hacerlo.* **ideas de bombero** Las que resultan muy raras o muy locas: *Tienes ideas de bombero y no haces más que tonterías.* **no tener ni idea** No saber nada:

Yo no tengo ni idea de quién ha roto el cristal. □ [La expresión *no tener ni idea* es coloquial]. FAMILIA: ideal, idear, idealista.

ideal [adjetivo] **1** De las ideas o relacionado con ellas: *Las hadas son seres ideales.* **2** Que se considera perfecto: *Esta máquina te dice cuál es tu peso ideal.* **3** [masculino] Aquello a lo que se aspira porque se considera bueno: *Cada uno debe luchar por sus ideales.* □ [Cuando es adjetivo no varía en masculino y en femenino]. FAMILIA: → idea.

idealista [adjetivo o sustantivo] Que no actúa de acuerdo con el mundo real, sino con la idea de cómo deberían ser las cosas: *Es un idealista y cree que todo el mundo es bueno.* □ [No varía en masculino y en femenino]. FAMILIA: → idea.

idear [verbo] Pensar en la forma en que se puede realizar algo: *El prisionero ideó un plan para escaparse de los secuestradores.* □ SINÓNIMOS: proyectar, planear, concebir. FAMILIA: → idea.

ídem Lo mismo: *Si todos vais al cine, yo ídem.* □ [Es una palabra que viene del latín].

idéntico, ca [adjetivo] Igual o muy parecido: *Esos dos hermanos son idénticos porque son gemelos.* □ CONTRARIOS: distinto. FAMILIA: → identidad.

identidad [sustantivo femenino] Conjunto de características que permiten reconocer algo o saber qué es: *Las huellas dactilares han permitido conocer la identidad del asesino.* □ FAMILIA: idéntico, identificar.

identificar [verbo] **1** Reconocer algo que se ha encontrado: *La policía ya ha identificado el cadáver que apareció en la calle.* **2** Considerar que varias cosas distintas son la misma: *Hay gente que identifica tener mucho dinero con ser feliz, pero no son lo mismo.* **identificarse 3** Dar la información personal necesaria para ser reconocido: *El policía me pidió que me identificara y le enseñé mis documentos.* **4** Estar de acuerdo con alguien: *Me identifico completamente con tu forma de pensar.* □ [La c se cambia en qu delante de e, como en SACAR]. FAMILIA: → identidad.

idioma [sustantivo masculino] Lengua de un pueblo o nación: *El idioma oficial de Italia es el italiano.*

idiota [adjetivo o sustantivo] Que no actúa con inteligencia: *Esta equivocación sólo la ha podido cometer un idiota como tú.* □ [No varía en masculino y en femenino. Se usa como insulto]. SINÓNIMOS: necio, estúpido, imbécil. FAMILIA: idiotez.

idiotez [sustantivo] Lo que hace o dice una persona que no actúa con inteligencia: *Esa pregunta es una idiotez y no tiene ningún sentido.* □ [Su plural es *idioteces*]. SINÓNIMOS: estupidez. FAMILIA: → idiota.

ido, da [adjetivo] **1** Que no presta atención: *Estás un poco ida y no me estás escuchando.* **2** [sustantivo femenino] Marcha de un lugar: *He sacado un billete de ida y vuelta.* □ SINÓNIMOS: **2** abandono. CONTRARIOS: **2** llegada, venida, vuelta, regreso. FAMILIA: → ir.

ídolo [sustantivo masculino] **1** Imagen de un dios: *Los miembros de la tribu adoraban un ídolo hecho con piedras.* **2** Lo que es muy amado o muy admirado: *Ese futbolista es el ídolo de mi hermano.*

iglesia [sustantivo femenino] **1** Edificio al que se va para rezar y oír misa: *Todos los domingos voy a la iglesia.* 🔊 página 793. **2** Comunidad formada por todos los cristianos: *La Iglesia intenta vivir en la fe de Jesucristo.* **3** Cada una de las creencias religiosas cristianas: *La iglesia protestante no admite la autoridad del Papa como jefe supremo.* □ [Los significados **2** y **3** se suelen escribir con mayúscula].

iglú [sustantivo masculino] Casa construida con bloques de hielo: *Los esquimales viven en iglús.* □ [Es una palabra de origen inglés. Su plural es *iglús* o *iglúes* (más culto)].

ignorancia [sustantivo femenino] Falta de conocimiento sobre algo: *Si no vas al colegio vivirás siempre en la ignorancia.* □ CONTRARIOS: sabiduría. FAMILIA: → ignorar.

ignorante [adjetivo o sustantivo] Que no sabe nada o que sabe muy pocas cosas: *Voy al colegio para no ser un ignorante.* □ [No varía en masculino y en femenino]. SINÓNIMOS: inculto. CONTRARIOS: culto. FAMILIA: → ignorar.

ignorar [verbo] **1** No conocer algo: *Ignoro lo que dijo, porque yo no estaba allí.* **2** No hacer caso de algo o de alguien, o no prestarles atención: *Si no te cae bien, ignóralo y no*

le dirijas la palabra. □ SINÓNIMOS: **1** desconocer. CONTRARIOS: **1** saber, conocer. FAMILIA: ignorancia, ignorante.

igual [adjetivo] **1** Que tiene las mismas características que otra cosa: *Mi hermana y yo dormimos en dos camas iguales.* **2** Muy parecido: *Tu hermana es igual que tu padre.* **3** Liso o que no tiene diferencias de altura: *Para poder jugar al balón tenemos que encontrar un terreno que esté igual y sin piedras.* **4** [sustantivo] Persona que tiene la misma categoría que otra o que pertenece a su misma clase social: *Aunque seas más pequeño que yo, te trataré como a un igual.* **5** [sustantivo masculino] Signo que se usa en matemáticas y está formado por dos rayitas: *El signo «=» es un igual.* [adverbio] **6** Quizá: *Igual voy al cine esta tarde.* **7** De la misma manera: *Esos dos chicos hablan igual.* □ [Cuando es adjetivo y en el significado **4**, no varía en masculino y en femenino. Los significados **6** y **7** son coloquiales. No debe decirse *igual como*, sino *igual que*]. CONTRARIOS: desigual. **1,2,4** diferente, distinto, variado. FAMILIA: igualar, igualdad, desigual.

igualar [verbo] **1** Hacer que dos o más cosas sean iguales o parecidas: *Me he cortado un poco el pelo para igualar las puntas.* **2** Poner llano o liso: *Están igualando el camino porque tenía muchos baches.* □ SINÓNIMOS: **2** aplanar, allanar. FAMILIA: → igual.

igualdad [sustantivo femenino] Parecido entre una cosa y otra: *En la conferencia se habló de la igualdad de derechos entre el hombre y la mujer.* □ FAMILIA: → igual.

ilegal [adjetivo] Que no es legal: *Conducir un coche sin tener el carné de conducir es ilegal.* □ [No varía en masculino y en femenino]. SINÓNIMOS: clandestino, pirata. CONTRARIOS: legal. FAMILIA: → ley.

ilegible [adjetivo] Que no se puede leer porque no se entiende: *Tiene una letra ilegible y no entiendo lo que pone.* □ [No varía en masculino y en femenino]. FAMILIA: → leer.

ileso, sa [adjetivo] Que no ha sufrido ningún daño: *El conductor del vehículo que volcó salió ileso.* □ CONTRARIOS: herido. FAMILIA: → lesión.

iluminación [sustantivo femenino] **1** Hecho de poner luz en un lugar: *El encargado de la iluminación de este local es un experto en electricidad.* **2**

a b c d e f g h i j k l m n ñ o p q r s t u v w x y z

a
b
c
d
e
f
g
h
i
j
k
l
m
n
ñ
o
p
q
r
s
t
u
v
w
x
y
z

Cantidad de luz que hay en un lugar: *No debes leer si no hay buena iluminación.* □ FAMILIA: → iluminar.

iluminar [verbo] **1** Llenar de luz un lugar: *Una sola lámpara ilumina todo el comedor.* **2** Adornar con luces: *En las fiestas iluminan la plaza del pueblo.* □ SINÓNIMOS: **1** alumbrar. FAMILIA: iluminación.

ilusión [sustantivo][femenino] **1** Falsa imagen de las cosas producida por la imaginación o por los sentidos: *Aquí no hay nadie, son sólo ilusiones tuyas.* **2** Esperanza que es difícil que se cumpla: *Mi mayor ilusión es dar la vuelta al mundo.* **3** Alegría y satisfacción: *¡Qué ilusión que te hayas acordado de mi cumpleaños!* □ SINÓNIMOS: **2** sueño. CONTRARIOS: **2** desilusión, decepción. FAMILIA: ilusionar, ilusionista, desilusionar, desilusión.

ilusionar [verbo] **1** Producir ilusiones o esperanzas: *El proyecto me ha ilusionado y espero poder realizarlo.* **2** Producir alegría y satisfacción: *Me ilusionó mucho que me trajeras un regalo.* □ CONTRARIOS: desilusionar. FAMILIA: → ilusión.

ilusionista [sustantivo] Persona que hace juegos de manos: *El ilusionista hizo desaparecer una paloma.* □ [No varía en masculino y en femenino]. SINÓNIMOS: mago, prestidigitador. FAMILIA: → ilusión.

ilustración [sustantivo][femenino] **1** Hecho de adornar con imágenes un texto: *Este dibujante se dedica a la ilustración de libros infantiles.* **2** Imagen que hay en un texto: *Este diccionario lleva ilustraciones en negro y en color.*

ilustre [adjetivo] **1** Que tiene un origen digno de ser respetado: *Se va a casar con un miembro de una ilustre familia.* **2** Famoso o muy conocido: *He ido a ver una exposición de un ilustre pintor.* □ [No varía en masculino y en femenino].

imagen [sustantivo][femenino] **1** Figura que representa algo: *En la capilla hay una imagen de la Virgen.* **2** Aspecto y forma de actuar de una persona: *Los actores y las actrices tienen que cuidar mucho su imagen.* □ FAMILIA: imaginación, imaginar, imaginario.

imaginación [sustantivo][femenino] **1** Capacidad para representar algo en la mente: *Los niños pequeños suelen tener mucha imaginación.* **2** Creencia de que es real algo que no existe:

No nos sigue nadie, son sólo imaginaciones tuyas. **3** Habilidad para tener ideas nuevas: *Hay que tener mucha imaginación para escribir una novela.* □ [El significado **2** se usa más en plural]. FAMILIA: → imagen.

imaginar [verbo] **1** Inventar algo o representarlo en la mente: *No ha entrado ningún ladrón en casa, sólo lo has imaginado.* **2** Considerar que algo es posible a partir de lo que se conoce: *Me imagino que a esa hora ya estaré en casa.* □ SINÓNIMOS: **2** calcular, creer. FAMILIA: → imagen.

imaginario, ria [adjetivo] Que sólo existe en la imaginación: *Los duendes son seres imaginarios.* □ CONTRARIOS: real. FAMILIA: → imagen.

imán [sustantivo][masculino] Mineral u otra materia que tiene la propiedad de atraer algunos metales: *El hierro es atraído por los imanes.*

imbécil [adjetivo o][sustantivo] Que no actúa con inteligencia: *Ese imbécil casi me atropella.* □ [No varía en masculino y en femenino. Se usa como insulto]. SINÓNIMOS: necio, estúpido, idiota.

imitación [sustantivo][femenino] **1** Acción que se realiza copiando un modelo: *Ese actor hace imitaciones de personajes famosos.* **2** Lo que se ha hecho copiando otra cosa o se le parece mucho: *Este cuadro es imitación de uno muy famoso que hay en el museo.* □ SINÓNIMOS: **2** copia, calco, reproducción. FAMILIA: → imitar.

imitar [verbo] **1** Hacer algo igual que otra persona: *No imites mi forma de andar.* **2** Parecerse a algo: *Esta tela imita terciopelo.* □ SINÓNIMOS: **1** calcar, copiar. FAMILIA: imitación.

impaciencia [sustantivo][femenino] Lo que sentimos cuando tenemos ganas de que ocurra algo: *Esperaba las vacaciones con impaciencia.* □ CONTRARIOS: calma, tranquilidad, paciencia, serenidad. FAMILIA: → paciencia.

impacientarse [verbo] Ponerse nervioso cuando se espera algo: *No te impacientes, que ya sabes que siempre llegan tarde.* □ FAMILIA: → paciencia.

impaciente [adjetivo] Nervioso porque tiene muchas ganas de que ocurra algo: *Estoy impaciente por saber si te gusta el regalo que te he traído.* □ [No varía en masculino y en fe-

menino]. CONTRARIOS: paciente. FAMILIA: →
paciencia.

impacto [sustantivo masculino] **1** Golpe violento entre dos cuerpos: *El misil explotó en el momento del impacto.* **2** Fuerte impresión producida en el ánimo: *El asesinato de ese político ha causado un gran impacto en la población.*

impar [adjetivo o sustantivo masculino] Que no se puede dividir por dos: *El cinco es un número impar.* □ [Cuando es adjetivo, no varía en masculino y en femenino]. SINÓNIMOS: non. CONTRARIOS: par. FAMILIA: → par.

imparcial [adjetivo] Que no está ni a favor ni en contra de algo: *Buscaban a una persona que fuese imparcial para que decidiera cuál de los dos tenía razón.* □ [No varía en masculino y en femenino]. CONTRARIOS: parcial. FAMILIA: → parte.

impasible [adjetivo] Que no muestra lo que siente: *Me escuchó con gesto impasible.* □ [No varía en masculino y en femenino]. SINÓNIMOS: inalterable.

impecable [adjetivo] Que no tiene ningún defecto: *Eres muy cuidadoso y tus dibujos siempre son impecables.* □ [No varía en masculino y en femenino].

impedir [verbo] Poner dificultades para que se realice una acción o no dejar que se haga: *En la carretera había un tronco atravesado que impedía el paso de los coches.* □ [Es irregular y se conjuga como PEDIR]. CONTRARIOS: permitir.

impepinable [adjetivo] Que no admite ninguna duda: *Tengo pruebas impepinables de que soy inocente.* □ [Es coloquial. No varía en masculino y en femenino]. CONTRARIOS: dudoso.

imperativo, va 1 [adjetivo] Que manda o que expresa una obligación: *«Sal de aquí» es una oración imperativa.* **2** [sustantivo masculino] Uno de los tres grupos en que se dividen los tiempos de los verbos: *El imperativo del verbo «subir» es «sube tú», «suba él», «subamos nosotros», «subid vosotros», «suban ellos».*

imperceptible [adjetivo] Que no se nota nada o casi nada: *Después de la operación me quedó una cicatriz imperceptible.* □ [No varía en masculino y en femenino]. CONTRARIOS: acusado, llamativo.

imperdible [sustantivo masculino] Especie de alfiler doblado que se abrocha metiendo uno de sus

extremos en el otro: *El bebé lleva el chupete prendido al jersey con un imperdible.* □ FAMILIA: → perder.

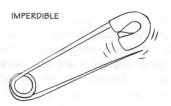

IMPERDIBLE

imperdonable [adjetivo] Que no se puede perdonar: *Es imperdonable que no me hayas avisado.* □ [No varía en masculino y en femenino]. FAMILIA: → perdonar.

imperfección [sustantivo] **1** Presencia de defectos: *Es muy exigente y no soporta la imperfección.* **2** Defecto o falta ligeros: *Si el jarrón tiene alguna imperfección nos devolverán el dinero.* □ CONTRARIOS: **1** perfección. FAMILIA: → perfecto.

imperfecto, ta [adjetivo] Que no es perfecto: *Es muy cuidadoso y no entregará un trabajo si cree que está imperfecto.* □ SINÓNIMOS: defectuoso. CONTRARIOS: perfecto. FAMILIA: → perfecto.

imperio [sustantivo masculino] **1** Forma de organización de un Estado que tiene poder sobre otros pueblos: *El imperio es una forma de organización poco corriente en esta época.* **2** Conjunto de pueblos o de países que están bajo la autoridad de un Estado: *Se dice que el imperio de Felipe II era tan grande que en él no se ponía el Sol.* □ FAMILIA: imperioso, emperador, emperatriz.

imperioso, sa [adjetivo] Que es muy necesario o urgente: *Tengo una necesidad imperiosa de verte.* □ FAMILIA: → imperio.

impermeable 1 [adjetivo] Que impide que pase el agua: *Los chubasqueros están hechos con una tela impermeable.* **2** [sustantivo masculino] Prenda de vestir que nos protege de la lluvia: *Llévate el impermeable por si llueve.* □ [Cuando es adjetivo, no varía en masculino y en femenino]. SINÓNIMOS: **2** chubasquero.

impertinente [adjetivo o sustantivo] Que molesta porque resulta poco oportuno: *Cada vez que habla ese impertinente es para hacer críticas poco adecuadas.* □ [No varía en masculino y en femenino].

ímpetu [sustantivo masculino] Fuerza o violencia grandes: *Si no tomas impulso con más ímpetu, no conseguirás saltar el potro.* □ FAMILIA: impetuoso.

impetuoso, sa [adjetivo] **1** Que tiene mucha fuerza o violencia: *Durante la tormenta, un viento impetuoso arrancó varios árboles.* **2** Que actúa deprisa y sin pensar en las consecuencias: *No seas tan impetuosa y piensa las cosas antes de tomar una decisión.* □ SINÓNIMOS: **2** impulsivo. FAMILIA: → ímpetu.

implicar [verbo] **1** Tener como consecuencia: *Aceptar un alto cargo en un trabajo implica una gran responsabilidad.* **2** Meter a una persona en un asunto: *Cuando confesaron, los ladrones implicaron a otro miembro de la banda en el robo.* □ [La c se cambia en qu delante de e, como en SACAR]. SINÓNIMOS: **1** suponer.

imponente [adjetivo] Que produce una gran impresión porque tiene el tamaño, la cantidad o la calidad mayores de lo normal: *Vive en un rascacielos imponente.* □ [No varía en masculino y en femenino]. SINÓNIMOS: extraordinario, colosal, brutal. FAMILIA: → imponer.

imponer [verbo] **1** Hacer que algo se haga o se cumpla de forma obligatoria: *El profesor impuso orden en la clase.* **2** Producir respeto, miedo o sorpresa: *Es una persona tan seria que hablar con ella impone mucho.* **3** Colocar o señalar lo que corresponde: *Le impusieron una medalla por arriesgar su vida al salvar a otras personas.* **4 imponerse** Ponerse alguien por delante o por encima de otros porque es mejor: *Gracias a un gran esfuerzo, el corredor consiguió imponerse en la carrera.* □ [Es irregular y se conjuga como PONER. Su participio es *impuesto*]. FAMILIA: impuesto, imponente.

importación [sustantivo femenino] Introducción en un país de un producto extranjero: *Las empresas de importación tienen muchos contactos con países extranjeros.* □ CONTRARIOS: exportación. FAMILIA: → importar.

importancia [sustantivo femenino] **1** Valor, interés o influencia: *Me he caído, pero sólo me he hecho un rasguño sin importancia.* **2** Categoría de una persona: *Participarán en la conferencia personas de gran importancia en el mundo de la cultura.* **3** [expresión] **darse importancia** Creerse superior a los demás: *Desde que consiguió el premio, se da tanta importancia que no hay quien lo aguante.* □ FAMILIA: → importar.

importante [adjetivo] Que destaca por sus cualidades o por su importancia: *Es muy importante para mí tener amigos.* □ [No varía en masculino y en femenino]. □ SINÓNIMOS: grande, estimable, notable. CONTRARIOS: insignificante. FAMILIA: → importar.

importar [verbo] **1** Tener valor, interés o influencia: *No me importa que se haya roto ese cromo, porque lo tengo repetido.* **2** Introducir en un país un producto extranjero: *Los países europeos importan petróleo de los países árabes.* □ [Se usa para pedir algo de forma educada: *¿Te importa pasarme la sal?*]. CONTRARIOS: **2** exportar. FAMILIA: importancia, importante, importación, importe.

importe [sustantivo masculino] Dinero que algo cuesta: *Mis padres pagaron el importe de sus compras con tarjeta de crédito.* □ SINÓNIMOS: precio, costo, coste. FAMILIA: → importar.

imposible 1 [adjetivo] Que molesta mucho y no se puede aguantar: *Cuando vienen visitas, el perro se pone imposible y tenemos que encerrarlo.* **2** [adjetivo o sustantivo masculino] Que no es posible o que resulta muy difícil: *Me resultó imposible llegar a tiempo. No puedo darte lo que me pides porque eso es un imposible.* **3** [expresión] **hacer lo imposible** Hacer todo lo que se puede para lograr algo: *Hice lo imposible para tener todo preparado a tiempo, pero no lo conseguí.* □ [Cuando es adjetivo no varía en masculino y en femenino]. SINÓNIMOS: **1** inaguantable. CONTRARIOS: **2** posible. FAMILIA: → poder.

impostor, -a [adjetivo o sustantivo] Que se hace pasar por lo que no es: *Un impostor se hizo pasar por empleado del gas para entrar a robar en una casa.*

impotente 1 [adjetivo] Que no tiene fuerza o poder para hacer algo: *Me veo impotente para solucionar todos los problemas.* **2** [adjetivo o sustantivo masculino] Dicho de un hombre, que no tiene la capacidad para realizar el acto sexual completo: *El médico le ha dicho que puede ser impotente debido a trastornos psíquicos.* □ [Cuando es adjetivo no varía en masculino y en femenino. Es distinto de *estéril,* que significa que *no puede tener hijos*]. FAMILIA: → poder.

impreciso, sa [adjetivo] Poco exacto: *Con estos datos tan imprecisos no sé de quién me estás hablando.* □ SINÓNIMOS: inexacto, vago. CONTRARIOS: preciso, exacto, justo. FAMILIA: → preciso.

impregnar [verbo] Mojar algo de forma que no admita más líquido: *Se limpió la herida con una gasa impregnada en agua oxigenada.*

imprenta [sustantivo] [femenino] **1** Técnica de copiar textos o imágenes por medio de diversos métodos: *Un buen impresor debe tener muchos conocimientos en imprenta.* **2** Máquina con que se imprime: *La cultura se difundió enormemente desde la invención de la imprenta.* **3** Taller o lugar en el que se imprime: *Trabajo en una imprenta.* □ FAMILIA: → imprimir.

imprescindible [adjetivo] Que se necesita para algo: *Para entrar en estas instalaciones deportivas es imprescindible enseñar el carné de socio.* □ [No varía en masculino y en femenino]. SINÓNIMOS: necesario, indispensable, preciso. FAMILIA: → prescindir.

impresión [sustantivo] [femenino] **1** Copia de un texto o de una imagen por medio de diversas técnicas: *Ha encargado la impresión de las tarjetas de visita a una imprenta.* **2** Efecto que algo produce en una persona o en un animal: *Se desmayó por la impresión que le causó la noticia.* **3** Opinión o idea formadas sobre algo: *Pórtate bien si quieres que la gente tenga una buena impresión de ti.* □ FAMILIA: impresionar, impresionante.

impresionante [adjetivo] Que produce admiración o una gran impresión: *Es impresionante lo bien que se oye la música en una sala de conciertos.* □ [No varía en masculino y en femenino]. SINÓNIMOS: espectacular. FAMILIA: → impresión.

impresionar [verbo] Producir una impresión fuerte en una persona: *Aquel accidente tan terrible me impresionó mucho.* □ SINÓNIMOS: afectar, conmover. FAMILIA: → impresión.

impreso, sa 1 [adjetivo] Que ha sido imprimido en papel por medio de diversas técnicas: *Los periódicos son una serie de hojas con noticias impresas.* [sustantivo] [masculino] **2** Libro u hoja escrita hechos con diversas técnicas: *Han robado de la biblioteca valiosos impresos del siglo XVI.* **3** Papel que hay que llenar para solicitar o resolver algo: *Cada año hay que rellenar y entregar el impreso de la declaración de Hacienda.* □ [No confundir con *imprimido:* no debe decirse *Han impreso un nuevo libro,* sino *Han imprimido un nuevo libro*]. FAMILIA: → imprimir.

impresor, -a 1 [sustantivo] Persona que trabaja imprimiendo textos e imágenes: *Mi vecino es impresor en una imprenta.* **2** [sustantivo] [femenino] Máquina que está comunicada con un ordenador y que copia en papel la información que recibe de éste: *Tengo que cambiar la cinta de la impresora porque ya no tiene tinta.* 🖙 página 432. □ FAMILIA: → imprimir.

imprevisto, ta [adjetivo o sustantivo masculino] Que sorprende porque no se espera: *He llegado tarde porque ha surgido un problema imprevisto.* □ SINÓNIMOS: inesperado. CONTRARIOS: previsto. FAMILIA: → prever.

imprimir [verbo] Copiar un texto o una imagen por medio de diversas técnicas: *Las imprentas modernas imprimen por medios informáticos.* □ [Su participio es *imprimido,* y no debe decirse *He impreso,* sino *He imprimido*]. FAMILIA: imprenta, impreso, impresora, impresor, impresión.

impropio, pia [adjetivo] Que no es propio de algo o que no resulta adecuado para ello: *Me extraña que mi hermano haya hecho lo que dices, porque es impropio de él hacer esas gamberradas.* □ CONTRARIOS: propio. FAMILIA: → propio.

improvisar [verbo] Hacer algo o realizarlo en el momento en que se piensa, usando sólo lo que se tiene a mano: *Con dos palos y una manta improvisamos una camilla para llevar al herido.* □ FAMILIA: de improviso.

improviso [expresión] **de improviso** De forma repentina y sin avisar: *Apareció en la reunión de improviso para ver qué estábamos haciendo.* □ FAMILIA: → improvisar.

imprudencia [sustantivo] [femenino] Falta de cuidado al hacer algo, que puede tener consecuencias graves: *El incendio se debió a la imprudencia de un vecino.* □ SINÓNIMOS: descuido.

a
b
c
d
e
f
g
h
i
j
k
l
m
n
ñ
o
p
q
r
s
t
u
v
w
x
y
z

CONTRARIOS: precaución, cautela. FAMILIA: → prudencia.

imprudente [adjetivo] Que no actúa con el cuidado necesario para evitar problemas: *No seas imprudente y no conduzcas a tanta velocidad.* □ [No varía en masculino y en femenino]. SINÓNIMOS: alocado, loco. CONTRARIOS: prudente, precavido, cauteloso. FAMILIA: → prudencia.

impuesto, ta **1** Participio irregular de **imponer.** **2** [sustantivo/masculino] Cantidad de dinero que se paga de forma obligatoria al Estado, a las comunidades autónomas o a los Ayuntamientos: *Una parte de los impuestos va destinada a crear hospitales y escuelas.* □ FAMILIA: → imponer.

impulsar [verbo] **1** Empujar algo para que tenga movimiento: *Los cohetes se impulsan gracias a los motores.* **2** Estimular a hacer algo: *Mi amor por los animales me impulsó a estudiar veterinaria.* □ SINÓNIMOS: **2** empujar. FAMILIA: → impulso.

impulsivo, va [adjetivo] Que actúa deprisa y sin pensar en las consecuencias: *Es muy impulsivo y cuando hace algo, no piensa en los problemas que puede haber.* □ SINÓNIMOS: impetuoso. FAMILIA: → impulso.

impulso [sustantivo/masculino] **1** Fuerza que produce un movimiento: *El delantero dio tanto impulso al balón que el portero no pudo pararlo.* **2** Motivo o deseo que llevan a actuar de una forma repentina y sin pensar en las consecuencias: *Al pasar por delante de la pastelería sentí el impulso de comprarme un bollo.* □ FAMILIA: impulsar, impulsivo.

inadaptado, da [adjetivo o sustantivo] Que no se adapta a la sociedad o a las distintas situaciones que puede haber: *Los mendigos suelen ser personas inadaptadas.* □ FAMILIA: → adaptar.

inadmisible [adjetivo] Que no se puede admitir: *Es inadmisible que seas tan impertinente, porque todos debemos tratar a los demás con respeto.* □ [No varía en masculino y en femenino]. CONTRARIOS: aceptable, pasable. FAMILIA: → admitir.

inagotable [adjetivo] Que no se puede acabar porque no tiene fin: *Este sabio profesor es una fuente inagotable de saber.* □ [No varía

en masculino y en femenino]. SINÓNIMOS: interminable. FAMILIA: → agotar.

inaguantable [adjetivo] Que no se puede aguantar: *Desde que le dijeron que era muy guapo está inaguantable.* □ [No varía en masculino y en femenino]. SINÓNIMOS: insoportable. FAMILIA: → aguantar.

inalterable [adjetivo] Que no cambia: *Su rostro permaneció inalterable cuando le dieron la noticia.* □ [No varía en masculino y en femenino]. SINÓNIMOS: impasible. FAMILIA: → alterar.

inanimado, da [adjetivo] Que no tiene vida: *Las piedras son seres inanimados.* □ CONTRARIOS: animado. FAMILIA: → ánimo.

inaudito, ta [adjetivo] Que sorprende tanto que no se puede creer: *Me parece inaudito que sólo castiguen con una pequeña multa a la persona que incendió el bosque.* □ FAMILIA: → oír.

inauguración [sustantivo/femenino] Acto con el que se celebra el comienzo de algo: *La inauguración de la feria fue presidida por el alcalde.* □ SINÓNIMOS: apertura. CONTRARIOS: clausura. FAMILIA: → inaugurar.

inaugurar [verbo] Hacer que algo empiece con una celebración: *El director inauguró el curso con un discurso.* □ SINÓNIMOS: abrir. CONTRARIOS: clausurar. FAMILIA: inauguración.

incalculable [adjetivo] Que es tan grande que no se puede calcular: *Esta joya tan antigua tiene un valor incalculable.* □ [No varía en masculino y en femenino]. FAMILIA: → calcular.

incansable [adjetivo] Que no se cansa: *No quiero jugar al tenis contigo porque eres incansable y me agotas.* □ [No varía en masculino y en femenino]. FAMILIA: → cansar.

incapacidad [sustantivo/femenino] Falta de capacidad para hacer algo: *Me da mucha rabia mi incapacidad para el dibujo.* □ CONTRARIOS: capacidad. FAMILIA: → capaz.

incapaz [adjetivo] **1** Que no tiene capacidad para hacer algo: *Me veo incapaz de explicarte esto tan complicado.* **2** Que no se atreve a hacer algo: *Yo soy incapaz de matar a una mosca.* □ [No varía en masculino y en femenino. Su plural es *incapaces*]. CONTRARIOS: capaz. FAMILIA: → capaz.

incendiar [verbo] Destruir con fuego algo que no tiene que quemarse: *La policía está buscando al loco que incendió el bosque.* □ FAMILIA: → incendio.

incendio [sustantivo][masculino] Fuego grande que destruye todo lo que encuentra: *Los bomberos son los encargados de apagar los incendios.* □ FAMILIA: incendiar.

incertidumbre [sustantivo][femenino] Falta de seguridad que se tiene sobre algo: *En la entrega de premios había gran incertidumbre porque nadie sabía quién iba a ser el ganador.* □ SINÓNIMOS: duda, vacilación. CONTRARIOS: certeza, certidumbre. FAMILIA: → cierto.

incesante [adjetivo] Que no para o no acaba: *El tráfico en esta calle es incesante.* □ [No varía en masculino y en femenino]. SINÓNIMOS: continuo. FAMILIA: → cesar.

incidente [sustantivo][masculino] Suceso que influye en un asunto del que no forma parte: *Durante la actuación hubo un incidente sin importancia, porque hubo un apagón de unos segundos.*

incienso [sustantivo][masculino] Sustancia que se saca de algunos árboles y que desprende un olor agradable cuando se quema: *El incienso se quema en algunas ceremonias religiosas.*

incierto, ta [adjetivo] Que no se sabe bien cómo va a ser: *El futuro es siempre incierto.* □ FAMILIA: → cierto.

incinerar [verbo] Quemar algo hasta convertirlo en cenizas: *En el testamento dejó dicho que no lo enterraran, sino que lo incineraran.* □ FAMILIA: → ceniza.

inclemencia [sustantivo][femenino] Tiempo frío y poco agradable: *La inclemencia del tiempo impidió que la boda se celebrara al aire libre.* □ SINÓNIMOS: dureza, crueldad. FAMILIA: → clemencia.

inclinación [sustantivo][femenino] **1** Posición no vertical de algo: *Ese cuadro cuelga con una ligera inclinación hacia la derecha.* **2** Dirección que toma algo: *Me alegra tu inclinación a practicar deportes.* **3** Lo que se siente por algo que nos interesa o que nos gusta: *Aún no sabe qué carrera estudiará, pero siente inclinación por la Historia.* □ SINÓNIMOS: **2** tendencia. **3** afición, gusto. FAMILIA: → inclinar.

inclinar [verbo] **1** Poner algo en una posición no vertical: *Para llenar el vaso tienes que inclinar la jarra.* **2** Hacer que una persona se decida: *Su mirada me inclina a pensar que es inocente.* **3 inclinarse** Tender a algo o mostrar interés por ello: *Después de dudar un momento, me incliné por la chaqueta negra.* □ FAMILIA: inclinación.

incluir [verbo] **1** Poner dentro de algo o hacer formar parte de ello: *Me incluyó en la lista de los invitados a la fiesta.* **2** Tener o llevar dentro de sí: *El precio incluye el viaje y el hotel.* □ [La i se cambia en y delante de a, e, o, como en HUIR]. CONTRARIOS: **1** excluir. FAMILIA: incluso, inclusive.

inclusive [adverbio] Indica que se tienen en cuenta los límites que se citan: *La tienda estará cerrada del 10 al 15 de este mes, ambos inclusive.* □ [No confundir con incluso; no debe decirse Hoy hace inclusive más frío que ayer, sino Hoy hace incluso más frío que ayer]. FAMILIA: → incluir.

incluso 1 [adverbio] Incluyendo algo o a alguien: *Nos engañó a todos, incluso a mí.* [preposición] **2** Indica que lo que se dice a continuación nos sorprende porque no lo esperábamos: *Fui incluso yo, que nunca voy a este tipo de espectáculos.* **3** Indica más fuerza en una comparación: *Esta canción es mala, pero esa otra es incluso peor.* **4** [conjunción] Se usa para expresar una dificultad que no impide que algo se realice: *Incluso sin tener ni idea, lo haré mejor que tú.* □ [No confundir con inclusive; no debe decirse Yo soy más listo que tú, inclusive más listo que ellos, sino Yo soy más listo que tú, incluso más listo que ellos]. SINÓNIMOS: **4** aun. **2** hasta. FAMILIA: → incluir.

incógnita [sustantivo][femenino] Lo que no se conoce: *El futuro es siempre una incógnita.* □ FAMILIA: → conocer.

incógnito [expresión] **de incógnito** De forma que nadie lo conozca: *Ese actor se pone gafas de sol para ir de incógnito y que sus admiradores no lo reconozcan.* □ FAMILIA: → conocer.

incoherencia [sustantivo][femenino] Falta de relación entre varias cosas: *Hay mucha incoherencia en lo que dices, porque tú sola te contradices.* □ FAMILIA: → coherente.

incoloro, ra [adjetivo] Sin color: *La gaseosa*

a
b
c
d
e
f
g
h
i
j
k
l
m
n
ñ
o
p
q
r
s
t
u
v
w
x
y
z

es una bebida dulce e incolora. □ FAMILIA: → color.

incomodar [verbo] Producir alguna molestia: *Sus continuas miradas me incomodaron.* □ FAMILIA: → cómodo.

incomodidad [sustantivo femenino] Lo que impide que algo resulte cómodo: *La vida sin agua corriente me parece llena de incomodidades.* □ CONTRARIOS: comodidad. FAMILIA: → cómodo.

incómodo, da [adjetivo] **1** Que no proporciona bienestar o descanso: *Este sillón es muy incómodo porque los muelles molestan.* **2** Que no resulta agradable: *Me encuentro en una situación incómoda porque no puedo mentir ni decir la verdad.* **3** Que no se siente bien: *Estoy incómodo porque me aprieta mucho el pantalón.* □ SINÓNIMOS: **2** embarazoso. CONTRARIOS: cómodo. FAMILIA: → cómodo.

incomparable [adjetivo] Que no se puede comparar con otra cosa: *Visité unos parajes de una belleza incomparable.* □ [No varía en masculino y en femenino]. CONTRARIOS: comparable. FAMILIA: comparar.

incompleto, ta [adjetivo] Que no está completo: *El puzzle está incompleto porque le faltan piezas.* □ CONTRARIOS: completo, íntegro. FAMILIA: → completar.

incomprendido, da [adjetivo o sustantivo] Que no es comprendido por los demás o que tiene unas cualidades que no se le reconocen: *Fue una escritora incomprendida mientras vivió, y con el paso de los años la gente valoró su obra.* □ [No confundir con *incomprensible*]. FAMILIA: → comprender.

incomprensible [adjetivo] Que es difícil de comprender: *Cuando hablas en sueños, dices cosas incomprensibles.* □ [No varía en masculino y en femenino. No confundir con *incomprendido*]. CONTRARIOS: comprensible, accesible. FAMILIA: → comprender.

incomprensión [sustantivo femenino] Falta de la capacidad necesaria para comprender las ideas y los comportamientos de los demás: *La incomprensión es causa de muchas discusiones entre la gente.* □ CONTRARIOS: comprensión. FAMILIA: → comprender.

incomunicar [verbo] Dejar un lugar o una persona sin posibilidad de comunicarse con otros: *Debido al temporal de nieve, estamos incomunicados con el exterior.* □ [La c se cambia en *qu* delante de *e*, como en SACAR]. SINÓNIMOS: aislar. CONTRARIOS: comunicar. FAMILIA: → comunicar.

inconfundible [adjetivo] Que no se puede confundir: *Te he reconocido desde lejos, porque tu forma de andar es inconfundible.* □ [No varía en masculino y en femenino]. FAMILIA: → confundir.

inconsciente [adjetivo] **1** Que está en un estado en el que no se da cuenta de lo que ocurre a su alrededor: *Se dio un golpe en la cabeza y cayó al suelo inconsciente.* **2** Que se hace sin querer: *El hipo es un movimiento inconsciente.* **3** [adjetivo o sustantivo] Que actúa sin pensar: *Eres un inconsciente si no te das cuenta del riesgo que corres al hacer eso.* □ [No varía en masculino y en femenino]. SINÓNIMOS: **2** involuntario. CONTRARIOS: **1,2** consciente. **2** voluntario. FAMILIA: → conciencia.

inconveniente [sustantivo masculino] Dificultad que se pone para hacer algo: *El dueño de la tienda no me puso ningún inconveniente cuando fui a devolver la camisa.* □ SINÓNIMOS: objeción, pega, pero, observación, desventaja. FAMILIA: → convenir.

incordiar [verbo] Molestar o enfadar: *Deja de incordiar a tu hermano y devuélvele el balón.* □ [Es coloquial]. SINÓNIMOS: chinchar, jorobar, fastidiar.

incorporar [verbo] **1** Hacer que una cosa forme parte de otra: *Esta carretera se incorpora a la autopista.* **2 incorporarse** Levantar la cabeza o la parte superior del cuerpo: *Me incorporé en la cama para que el médico me pudiera ver la garganta.*

incorrección [sustantivo femenino] **1** Error o defecto: *En la frase «Voy contigo al cines» hay una incorrección.* **2** Falta de educación o de respeto a las reglas sociales: *Todos lo miraron mal porque se estaba comportando con incorrección.* □ CONTRARIOS: corrección. FAMILIA: → corregir.

incorrecto, ta [adjetivo] Que no es correcto: *Piénsalo mejor, porque la respuesta que has dado es incorrecta.* □ CONTRARIOS: correcto, acertado, apropiado, adecuado, conveniente. FAMILIA: → corregir.

incrédulo, la [adjetivo o sustantivo] Que no se cree

nada: *Soy un incrédulo, y hasta que no lo vea con mis propios ojos, no lo creeré.* □ FAMILIA: → creer.

increíble [adjetivo] Que no se puede creer: *Lo que me estás contando es tan increíble que pienso que te lo estás inventando.* □ [No varía en masculino y en femenino]. SINÓNIMOS: inverosímil. FAMILIA: → creer.

incrustar [verbo] Hacer que algo entre en una cosa y que se quede allí: *Los policías sacaron las balas que se habían incrustado en las paredes.*

incubadora [sustantivo femenino] Lugar de un hospital donde se pone a los niños que nacen antes de tiempo o con algún problema: *Este bebé estuvo en la incubadora porque nació a los siete meses.* □ FAMILIA: → incubar.

INCUBADORA

incubar [verbo] **1** Calentar un ave los huevos hasta que nazca el ser que hay dentro: *Las gallinas se sientan sobre los huevos que han puesto para incubarlos.* **2** Desarrollar una enfermedad sin que se note: *El médico le dijo que había incubado la enfermedad durante el fin de semana y que ahora ya tenía los síntomas.* □ SINÓNIMOS: **1** empollar. FAMILIA: incubadora.

inculto, ta [adjetivo o sustantivo] Que no tiene cultura: *Lo malo no es ser inculto, sino no querer aprender.* □ SINÓNIMOS: ignorante, analfabeto. CONTRARIOS: culto. FAMILIA: → culto.

incultura [sustantivo femenino] Falta de cultura: *La incultura de esa persona queda manifiesta en las barbaridades que dice.* □ CONTRARIOS: cultura.

incurable [adjetivo] Que no se puede curar: *Muchos tipos de cáncer han dejado de ser enfermedades incurables.* □ [No varía en masculino y en femenino]. FAMILIA: → curar.

indagar [verbo] Intentar descubrir algo que no se sabe: *Indagué qué quería de regalo para su cumpleaños.* □ [La g se cambia en gu delante de e, como en PAGAR].

indecente 1 [adjetivo] Sucio o de mala calidad: *Aquel lugar estaba indecente, lleno de porquería y de bichos.* **2** [adjetivo o sustantivo] Que va en contra de la moral o de lo que se considera bueno: *Me parece indecente que mientas con ese descaro.* □ [No varía en masculino y en femenino]. CONTRARIOS: decente. **2** honesto. FAMILIA: → decente.

indecisión [sustantivo femenino] Falta de seguridad al elegir algo: *Tu indecisión hace que pierdas muchas oportunidades.* □ SINÓNIMOS: duda, vacilación. CONTRARIOS: decisión. FAMILIA: → decidir.

indeciso, sa [adjetivo o sustantivo] Que duda o que tiene problemas para decidirse: *No seas tan indeciso y escoge uno de los dos regalos.* □ FAMILIA: → decidir.

indefenso, sa [adjetivo o sustantivo] Que no tiene defensas o protección: *Hay que ser muy malvado para hacer daño a los seres indefensos.* □ FAMILIA: → defensa.

indefinido, da [adjetivo] Que tiene características que no son muy claras: *No sé qué color es, porque es un color indefinido entre gris y marrón.* □ SINÓNIMOS: indeterminado. CONTRARIOS: determinado. FAMILIA: → definir.

independencia [sustantivo femenino] **1** Situación en la que no se depende de nada y se tiene libertad en la forma de actuar: *Pienso hacer lo que te he dicho, con independencia de lo que tú opines.* **2** Situación de un Estado que se gobierna él mismo y no depende de otro: *He visto una película sobre la guerra de independencia norteamericana.* □ CONTRARIOS: dependencia. FAMILIA: → depender.

independiente 1 [adjetivo] Libre o que no depende de algo: *Hace años, esa empresa dependía de otra, pero ahora es independiente.* **2** [adjetivo o sustantivo] Que actúa con libertad y no está sujeto a ninguna idea determinada ni a ninguna persona: *Los periodistas independientes suelen ser objetivos.* □ [No varía en masculino y en femenino]. CONTRARIOS: dependiente. FAMILIA: → depender.

independizar [verbo] **1** Separar una cosa de otra: *Han puesto un biombo para independizar el comedor del salón.* **2 independizarse** Dejar de depender de otros: *Ese país se independizó el siglo pasado.* □ [La z se

a
b
c
d
e
f
g
h
i
j
k
l
m
n
ñ
o
p
q
r
s
t
u
v
w
x
y
z

cambia en c delante de e, como en CAZAR]. CONTRARIOS: depender. FAMILIA: → depender.

indeseable [adjetivo o sustantivo] Que no gusta nada y se considera muy malo: *No sé cómo puedes ir con esa gente indeseable.* □ [No varía en masculino y en femenino]. FAMILIA: → desear.

indestructible [adjetivo] Que no se puede destruir: *Esa ciudad está muy bien protegida y es indestructible.* □ [No varía en masculino y en femenino]. FAMILIA: → destruir.

indeterminado [adjetivo] **1** Que no se sabe muy bien cuál es: *Había un número indeterminado de personas.* **2** Que no se sabe cuándo acaba o que no tiene límite fijo: *Viviremos en ese país por un tiempo indeterminado.* □ SINÓNIMOS: indefinido. CONTRARIOS: determinado. FAMILIA: → determinar.

indicación [sustantivo femenino] **1** Palabra, gesto o señal que sirve para indicar algo: *Me hizo una indicación para que saliera de la sala.* **2** Consejo que se da para realizar algo: *Si no sigues las indicaciones del médico, no te pondrás bueno.* □ FAMILIA: → indicar.

indicar [verbo] **1** Mostrar o decir algo con señales, gestos u otra cosa: *Un peatón me indicó cómo llegar a la calle que estaba buscando.* **2** Dar un consejo o mandar algo: *El doctor me indicó que tomara el jarabe dos veces al día.* □ [La c se cambia en qu delante de e, como en SACAR]. SINÓNIMOS: **1** enseñar. FAMILIA: indicación, indicativo, indicio, índice.

indicativo [sustantivo masculino] Uno de los tres grupos en que se dividen los tiempos de los verbos: *El futuro de indicativo del verbo «nadar» es «nadaré», «nadarás», etc.* □ FAMILIA: → indicar.

índice [sustantivo masculino] **1** Lista ordenada de cosas: *Busca en el índice del libro en qué página empieza la lección tres.* **2** Dedo segundo de la mano o del pie, empezando a contar desde el más gordo: *El bolígrafo se coge con el índice y el pulgar.* □ FAMILIA: → indicar.

indicio [sustantivo masculino] Lo que permite suponer algo: *El suelo mojado de la calle es un indicio de que ha llovido.* □ SINÓNIMOS: señal, signo, síntoma. FAMILIA: → indicar.

indiferencia [sustantivo femenino] Lo que sentimos cuando algo no nos importa o no le damos valor: *No fue ni amable ni desagradable, sólo mostró indiferencia hacia nosotros.* □

SINÓNIMOS: frialdad. CONTRARIOS: interés. FAMILIA: indiferente.

indiferente [adjetivo] **1** Que no nos parece importante o que no tiene valor para nosotros: *Ese chico ni me cae bien ni me cae mal, me es indiferente.* **2** Que no tiene importancia porque no produce ningún cambio: *Es indiferente que sumes «2+4» o «4+2» porque el resultado es el mismo.* □ [No varía en masculino y en femenino]. FAMILIA: → indiferencia.

indígena [adjetivo o sustantivo] Que ha nacido en el lugar del que se está hablando y pertenece al grupo que ha vivido allí desde siempre: *Los colonizadores que llegaron a América ocuparon las tierras de los indígenas americanos.* □ [No varía en masculino y en femenino]. SINÓNIMOS: nativo, natural.

indigestión [sustantivo femenino] Dolor de estómago que ocurre cuando comemos mucho o cuando comemos algo que nos sienta mal: *Con todo los pasteles que te has comido, no me extraña que tengas una indigestión.* □ FAMILIA: → digerir.

indigesto, ta [adjetivo] Dicho de un alimento, que sienta mal: *Me duele el estómago porque la comida era muy indigesta.* □ FAMILIA: → digerir.

indignación [sustantivo femenino] Ira que se siente por algo que se considera malo y que no es justo: *¡Qué indignación sentí al ver lo mal que nos trataba!* □ FAMILIA: → digno.

indignar [verbo] Enfadar mucho algo que no se considera justo: *Me indigna que haya gente que maltrata a los niños.* □ FAMILIA: → digno.

indigno, na [adjetivo] **1** Que no es propio de algo o que no se corresponde con sus cualidades: *Ese mal comportamiento es indigno de una buena persona como tú.* **2** Que no merece alguna cosa: *Con tus malas acciones, eres indigno del cariño de tus amigos.* □ SINÓNIMOS: **1** impropio. CONTRARIOS: **1** propio. **2** digno. FAMILIA: → digno.

indio, dia [adjetivo o sustantivo] **1** De la India, que es un país de Asia: *Los indios consideran las vacas como animales sagrados.* **2** De los pueblos que vivían en América antes de que ese continente fuera descubierto: *Me gustan las películas de indios y vaqueros.* **3** [expresión] **ha-**

cer el indio Hacer cosas para que los demás se rían: *Deja de hacer el indio y haz los deberes.* □ [El significado **3** es despectivo]. Sinónimos: **1** hindú.

INDIO

indirecto, ta 1 [adjetivo] Que no es directo: *Me enteré de forma indirecta de tu llegada, porque tú no me avisaste.* **2** [sustantivo femenino] Medio que se usa para dar a entender algo sin decirlo de forma clara: *Lo que tengas que decirme dímelo cara a cara y sin indirectas, ¿de acuerdo?* □ Contrarios: directo. Familia: → dirección.

indiscreción [sustantivo femenino] Hecho de contar lo que debería callarse: *Ha sido una indiscreción que contaras mis secretos a todos.* □ Contrarios: discreción. Familia: → discreto.

indiscreto, ta [adjetivo] Que cuenta cosas que debe callar: *Es muy indiscreto y lo cuenta todo.* □ Contrarios: discreto, chismoso. Familia: → discreto.

indispensable [adjetivo] Que se necesita para algo: *El oxígeno es indispensable para vivir.* □ [No varía en masculino y en femenino]. Sinónimos: necesario, imprescindible, preciso.

individual [adjetivo] Para una sola persona, o propio de cada persona: *No había habitaciones dobles y he reservado dos individuales.* □ [No varía en masculino y en femenino]. Sinónimos: personal, particular. Contrarios: colectivo, general. Familia: → individuo.

individuo, dua [sustantivo] **1** Persona a la que no se conoce o cuyo nombre no se quiere decir: *Un individuo me preguntó la hora.* **2** Persona que no resulta nada agradable: *No me hablo con semejante individuo.* **3**

[sustantivo masculino] Persona considerada en sí misma y separada de los demás: *Todos los individuos tenemos los mismos derechos y deberes.* □ [El significado **2** es despectivo]. Sinónimos: **1** sujeto, tipo, tío. Familia: individual.

indudable [adjetivo] Que es cierto del todo y no admite ninguna duda: *Es indudable que tienes razón.* □ [No varía en masculino y en femenino]. Sinónimos: innegable. Familia: → duda.

indumentaria [sustantivo femenino] Ropa que usan las personas para vestirse: *Tiene muy mal gusto y su indumentaria es horrible.* □ Sinónimos: vestimenta.

industria [sustantivo femenino] Actividad económica que consiste en fabricar productos o prepararlos para darles distintos usos: *La industria textil catalana tiene mucha tradición.* □ Familia: industrial.

industrial [adjetivo o sustantivo] De la industria o relacionado con ella: *Esta región tiene mucha actividad industrial.* □ [No varía en masculino y en femenino]. Familia: → industria.

inepto, ta [adjetivo o sustantivo] Que no es nada hábil en algo: *Soy un inepto bailando y no consigo dar dos pasos sin perder el ritmo.* □ Sinónimos: negado, torpe. Contrarios: hábil, capaz, diestro, mañoso.

inercia [sustantivo femenino] **1** Fuerza que hace que los cuerpos sigan en movimiento cuando son empujados, o que sigan quietos si no se les empuja, hasta que otra fuerza lo impida: *La inercia hace que cuando un coche frena, tú te muevas hacia delante.* **2** Forma de hacer las cosas sin pensar y por costumbre: *Después de comer veo la tele por inercia, porque los programas que ponen no me interesan.*

inesperado, da [adjetivo] Que sorprende porque no se espera: *¡Qué visita tan inesperada!* □ Sinónimos: imprevisto. Contrarios: previsto. Familia: → esperar.

inestimable [adjetivo] Que es tan grande que resulta difícil darle el suficiente valor: *Conseguí recuperarme gracias a la inestimable ayuda de mis familiares y amigos.* □ [No varía en masculino y en femenino]. Familia: → estimar.

inevitable [adjetivo] Que no se puede evitar: *No te lamentes más, porque lo ocurrido era*

a

inevitable. □ [No varía en masculino y en femenino]. FAMILIA: → evitar.

b

inexacto, ta [adjetivo] No exacto o poco exacto: *Hay que comprobar estos datos, porque son inexactos.* □ SINÓNIMOS: impreciso, vago. CONTRARIOS: exacto, preciso. FAMILIA: → exacto.

c

d

inexistente [adjetivo] Que no existe: *En el desierto, el agua es casi inexistente y por eso hay muy poca vegetación.* □ [No varía en masculino y en femenino]. FAMILIA: → existir.

e

f

inexperto, ta [adjetivo o sustantivo] Que no tiene experiencia: *Aún soy muy inexperta manejando ordenadores.* □ SINÓNIMOS: novato, principiante. CONTRARIOS: experto, maestro. FAMILIA: → experiencia.

g

h

i

inexplicable [adjetivo] Que no se puede explicar o que no se puede entender: *Es inexplicable que se me cayera el vaso, porque lo tenía bien agarrado.* □ [No varía en masculino y en femenino]. FAMILIA: → explicar.

j

k

infalible [adjetivo] Que no falla nunca: *Tengo un remedio infalible para la tos con el que te curarás enseguida.* □ [No varía en masculino y en femenino]. FAMILIA: → fallo.

l

infame [adjetivo o sustantivo] Muy malo: *No terminamos de ver la película porque era infame.* □ [No varía en masculino y en femenino].

m

n

ñ

infancia [sustantivo femenino] **1** Primer período de la vida de una persona, desde que nace hasta los doce o catorce años: *Mis padres nos cuentan muchas cosas de su infancia.* **2** Conjunto de los niños: *Los derechos de la infancia deben respetarse tanto como los derechos de los adultos.* □ SINÓNIMOS: **1** niñez. FAMILIA: infantil, infante, infantería.

o

p

q

r

infante, ta [sustantivo] Hermano de un príncipe o de una princesa: *Al acto asistieron el príncipe de España y las infantas.* □ FAMILIA: → infancia.

s

t

infantería [sustantivo femenino] Grupo del ejército que está formado por soldados que van a pie: *La infantería se defendió de los ataques enemigos.* □ FAMILIA: → infancia.

u

v

w

infantil [adjetivo] De la infancia o relacionado con ella: *Tengo muchos libros de literatura infantil.* □ [No varía en masculino y en femenino]. FAMILIA: → infancia.

x

y

infarto [sustantivo masculino] Parada del corazón que puede producir la muerte: *Dicen que las per-*

z

sonas con problemas de obesidad tienen más posibilidades que las delgadas de tener un infarto.

infección [sustantivo femenino] Enfermedad que pasa de unos cuerpos a otros por contagio: *Los microbios producen infecciones.* □ FAMILIA: → infectar.

infeccioso, sa [adjetivo] De la infección o que la produce: *Algunas enfermedades infecciosas se contagian cuando hay contacto entre una persona infectada y otra sana.* □ FAMILIA: → infectar.

infectar [verbo] **1** Producir una infección: *La suciedad infecta las heridas.* **2** Pasar una enfermedad de un cuerpo a otro: *Han aislado a los animales enfermos para que no infecten a los demás.* □ [No confundir con *infestar*]. CONTRARIOS: desinfectar. FAMILIA: infección, infeccioso, desinfectar, desinfectante.

infeliz [adjetivo o sustantivo] **1** Que no es feliz o que da pena: *Soy muy infeliz porque nadie me quiere.* **2** Que tiene un carácter débil y es demasiado bueno: *Ese chico es un infeliz y todo el mundo se aprovecha de él.* □ [No varía en masculino y en femenino. Su plural es *infelices*]. SINÓNIMOS: desgraciado, **1** desdichado, pobre. CONTRARIOS: **1** feliz, afortunado, dichoso. FAMILIA: → feliz.

inferior [adjetivo] **1** Más bajo o más abajo: *Estoy en un curso inferior al tuyo porque soy un año más pequeño que tú.* **2** Más pequeño en cantidad: *El número de personas que han venido este año ha sido inferior al del año pasado.* □ [No varía en masculino y en femenino. No debe decirse *más inferior*, sino *inferior*]. CONTRARIOS: superior.

infestar [verbo] Llenar algo un lugar, ocupándolo del todo y produciendo molestias: *Mis padres han comprado un insecticida para acabar con las hormigas que infestan el jardín.* □ [No confundir con *infectar*]. SINÓNIMOS: invadir.

infierno [sustantivo masculino] **1** Según la tradición cristiana, lugar al que van los que han muerto en pecado muy grave: *El infierno consiste en estar separado de Dios para siempre.* **2** Lugar o situación nada agradables: *Mi madre siempre dice que cuando mis hermanos y yo nos peleamos nuestra casa es un infierno.* **3**

[expresión] **mandar algo al infierno** Rechazarlo o dejar de ocuparse de ello: *Me estoy poniendo tan nerviosa con este juego que lo voy a mandar al infierno.* □ [El significado **3** es coloquial]. CONTRARIOS: cielo, paraíso.

infinidad [sustantivo femenino] Gran cantidad de algo: *Me han traído del viaje infinidad de regalos.* □ SINÓNIMOS: sinfín. FAMILIA: → infinito.

infinitivo [sustantivo masculino] Forma del verbo que termina en *-ar*, *-er* o *-ir*: «*Amar*», «*temer*» y «*partir*» son *infinitivos*.

infinito, ta [adjetivo] **1** Que no tiene límite o fin: *El número de combinaciones que pueden hacerse con los números es infinito.* **2** Que tiene muchos elementos o es muy grande: *Tengo infinitas ganas de verte.* **3** [sustantivo masculino] Lugar que no tiene fin ni límites: *Estaba distraído y mirando al infinito.* □ FAMILIA: infinidad.

inflamable [adjetivo] Que puede quemarse fácilmente: *El alcohol y la gasolina son líquidos inflamables.* □ [No varía en masculino y en femenino]. FAMILIA: → inflamar.

inflamar [verbo] **1** Excitar los ánimos de alguien: *El discurso inflamó los ánimos de los asistentes.* **inflamarse 2** Empezar a quemarse algo de golpe: *En las gasolineras no se puede fumar por el peligro de que se inflame la gasolina.* **3** Producirse un bulto en una parte del cuerpo: *Tengo un diente picado y se me ha inflamado la encía.* □ CONTRARIOS: **1,2** apagar. FAMILIA: inflamable, antiinflamatorio.

inflar [verbo] **1** Llenar algo con aire o con otra cosa: *Tienes que soplar con más fuerza si quieres inflar el globo.* **2** Aumentar la cantidad o la importancia de algo: *Es un exagerado y le gusta inflar las historias.* **3** [expresión] **inflarse a hacer algo** Hacerlo en gran cantidad: *Estoy muy cansado porque me he inflado a correr.* □ SINÓNIMOS: hinchar. **2** abultar, exagerar. CONTRARIOS: **1** deshinchar, desinflar.

inflexible [adjetivo] Que no cambia de opinión o que no acepta los cambios: *Para algunas cosas soy inflexible, pero normalmente me adapto a los cambios.* □ [No varía en masculino y en femenino]. SINÓNIMOS: rígido. CONTRARIOS: flexible. FAMILIA: → flexión.

influencia [sustantivo femenino] **1** Poder que se tiene sobre algo: *No tienes ninguna influencia sobre mí, así que haré lo que me dé la gana.* **2** [plural] Conjunto de personas conocidas que pueden conseguir algo: *Ese joven no tiene influencias en esa empresa y, si consigue el trabajo, será por sus méritos.* □ SINÓNIMOS: **2** relaciones. FAMILIA: → influir.

influir [verbo] Producir un cambio o un efecto: *Mis padres han influido mucho en mi forma de ser.* □ [La *i* se cambia en y delante de a, e, o, como en HUIR]. FAMILIA: influencia.

información [sustantivo femenino] **1** Conjunto de noticias o de datos sobre alguna cosa: *No he conseguido la información que buscaba.* **2** Lugar donde se pueden conseguir datos sobre algo: *Pregunté el horario de los trenes en información.* □ FAMILIA: → informar.

informal 1 [adjetivo] Que es menos serio de lo que se considera que debe ser: *Viste de manera informal, con vaqueros y camisetas.* **2** [adjetivo o sustantivo] Que no cumple sus obligaciones: *Es un informal, porque nunca cumple lo que promete.* □ [No varía en masculino y en femenino]. CONTRARIOS: formal. FAMILIA: → forma.

informar [verbo] Dar noticias o datos sobre algo: *La radio informa de las noticias del día.* □ FAMILIA: información, informe, informativo, informática, informático.

informático, ca 1 [adjetivo] Relacionado con la informática o con los ordenadores: *Tengo un nuevo programa informático para mi ordenador.* **2** [adjetivo o sustantivo] Que se dedica a la informática: *Yo quiero ser informático porque me gustan mucho los ordenadores.* **3** [sustantivo femenino] Conjunto de conocimientos necesarios para guardar información en los ordenadores y trabajar con esta información: *Quiero estudiar informática para aprender a utilizar el ordenador.* □ FAMILIA: → informar. 📷 página 432.

informativo, va 1 [adjetivo] Que informa sobre algo: *En este folleto informativo se explica cómo hay que limpiarse los dientes.* **2** [sustantivo masculino] Programa de radio y televisión que da las noticias que han ocurrido: *En la televisión hay varios informativos a lo largo del día.* □ FAMILIA: → informar.

informe [sustantivo masculino] Conjunto de informaciones o de datos sobre algo: *El detective leyó el informe policial para conocer todo lo relacionado con el caso.* □ FAMILIA: → informar.

a b c d e f g h i j k l m n ñ o p q r s t u v w x y z

a

infusión [sustantivo femenino] Bebida que se hace cociendo plantas en agua: *Cuando me duele el estómago, me tomo una infusión de manzanilla.*

b

c

ingeniero, ra [sustantivo] Persona que hace los planos de puentes, aeropuertos, aviones y otras cosas: *El ingeniero comprueba que las obras del edificio se van haciendo como se indica en los planos.*

d

e

f

ingenio [sustantivo masculino] **1** Capacidad que tiene una persona para inventar cosas: *Tiene tanto ingenio que siempre está haciendo inventos.* **2** Gracia, atractivo o habilidad: *Mi amigo nos hace reír a todos con su ingenio.* □ SINÓNIMOS: **2** chispa. FAMILIA: ingenioso.

g

h

i

ingenioso, sa [adjetivo] **1** Que tiene capacidad para inventar cosas: *Tú eres muy ingenioso, así que seguro que se te ocurre algo para que nos enteremos cuándo se acerca alguien.* **2** Que tiene gracia: *Nos reímos mucho con sus ingeniosos comentarios.* □ FAMILIA: → ingenio.

j

k

l

ingenuidad [sustantivo femenino] Falta de mala intención: *Tu ingenuidad hace que te creas todo lo que te cuentan.* □ SINÓNIMOS: inocencia. CONTRARIOS: astucia. FAMILIA: → ingenuo.

m

n

ñ

ingenuo, nua [adjetivo o sustantivo] Que no tiene mala intención y resulta fácil de engañar: *Eres tan ingenuo que te crees todo lo que te dicen.* □ SINÓNIMOS: inocente. CONTRARIOS: astuto. FAMILIA: ingenuidad.

o

p

ingle [sustantivo femenino] Parte en la que se une la pierna con el cuerpo: *Mi madre me pone el termómetro en la ingle.*

q

r

INGLE

s

t

u

v

inglés, -a **1** [adjetivo o sustantivo] De Inglaterra, que es una región de Gran Bretaña: *Los ingleses y los escoceses viven en Gran Bretaña.* **2** [sustantivo masculino] Lengua que se habla en Gran Bretaña, en Estados Unidos y en otros países: *El inglés es el idioma más hablado en el mundo.* □ [El significado **1** es distinto de británico, que significa de Gran Bretaña].

w

x

y

z

ingratitud [sustantivo femenino] Forma de actuar de la persona que no agradece los favores que se le hacen: *Después de todo lo que te ayudé, no entiendo tu ingratitud.* □ CONTRARIOS: gratitud, reconocimiento. FAMILIA: → grato.

ingrato, ta [adjetivo] **1** Que no agradece los favores que se le han hecho: *No seas ingrato y reconoce que te hemos ayudado.* **2** Que no merece el esfuerzo que hemos hecho: *Es un trabajo ingrato, porque hay que dedicarle muchas horas y nadie se da cuenta de ello.* □ SINÓNIMOS: **1** desagradecido. CONTRARIOS: **1** agradecido. FAMILIA: → grato.

ingrediente [sustantivo masculino] Cada una de las sustancias con las que se prepara una comida: *Para hacer la paella necesitas arroz, carne, sal y otros ingredientes.*

ingresar [verbo] **1** Empezar a formar parte de un grupo de personas: *He ingresado en una asociación de montañeros.* **2** Entrar en un hospital para recibir allí cuidados médicos: *Me ingresaron de urgencias para operarme de apendicitis.* **3** Meter dinero en una cuenta que se tiene en un banco: *Cada cierto tiempo mi madre me ingresa dinero en mi cuenta.* □ SINÓNIMOS: **1** afiliarse, dar de alta. **2** hospitalizar. FAMILIA: → ingreso.

ingreso [sustantivo masculino] **1** Entrada de una persona en algún sitio o en algún grupo para estar allí un tiempo: *Celebramos el ingreso de mi hermano en la universidad con una pequeña fiesta.* **2** Hecho de meter dinero en la cuenta de un banco: *Todos los meses, mi hermano hace un ingreso en el banco.* **3** [plural] Cantidad de dinero que se recibe cada cierto tiempo: *Esta empresa tiene beneficios porque sus ingresos son muy grandes.* □ FAMILIA: ingresar.

inhalar [verbo] Respirar un gas u otras sustancias: *Inhalar gases tóxicos puede producir la muerte.*

inhumano, na [adjetivo] Tan cruel que no es propio de las personas: *Me parece inhumano permitir que la gente muera de hambre.* □ CONTRARIOS: humano. FAMILIA: → hombre.

inicial **1** [adjetivo] Del origen de algo o de su comienzo: *El ciclista partió con una diferencia inicial de cuatro minutos.* **2** [sustantivo femenino] Letra con la que empieza una palabra: *La ini-*

cial de mi nombre es una «V» porque me llamo Virginia. □ [Cuando es adjetivo no varía en masculino y en femenino]. FAMILIA: → inicio.

iniciar [verbo] **1** Dar comienzo: *La profesora inició la clase con un dictado.* **2** Dar los primeros conocimientos sobre algo: *Mis padres me iniciaron en la música.* □ SINÓNIMOS: **1** empezar, comenzar. CONTRARIOS: **1** terminar, acabar, ultimar, concluir, finalizar. FAMILIA: → inicio.

iniciativa [sustantivo femenino] **1** Idea que se da para comenzar algo: *La iniciativa de ir de excursión fue de un amigo mío.* **2** Capacidad para inventar o empezar algo: *Las personas con iniciativa siempre están haciendo cosas nuevas.* **3** [expresión] **tomar la iniciativa** Ser el primero en hacer algo: *Como nadie se atrevía a hablar, yo tomé la iniciativa y después hablaron todos.* □ FAMILIA: → inicio.

inicio [sustantivo masculino] Primer momento o primera parte de algo: *El inicio de la carrera lo marcó el juez con un disparo.* □ SINÓNIMOS: comienzo, principio, empiece. CONTRARIOS: fin, final, término. FAMILIA: iniciar, inicial, iniciativa.

injusticia [sustantivo femenino] Falta de justicia: *Quiero ser abogado y luchar contra la injusticia.* □ CONTRARIOS: justicia. FAMILIA: → justicia.

injusto, ta 1 [adjetivo] Que no es como debe ser según el derecho o la razón: *Es injusto que a él le traigas un regalo y a mí, no.* **2** [adjetivo o sustantivo] Que actúa sin honradez ni justicia: *Es una persona injusta y trata a las personas según le sean simpáticas o no.* □ CONTRARIOS: **1** justo. **2** honrado, recto, íntegro, honesto. FAMILIA: → justicia.

inmediato, ta [adjetivo] **1** Que sucede sin que pase nada de tiempo: *Mi respuesta a la pregunta fue inmediata y no la pensé ni un momento.* **2** Que está justo al lado: *Mi amiga vive en la casa inmediata a la mía.* **3** [expresión] **de inmediato** Muy pronto o en el mismo momento: *Pídeme lo que quieras y lo tendrás aquí de inmediato.* □ SINÓNIMOS: **2** junto. CONTRARIOS: **2** lejano.

inmenso, sa [adjetivo] Muy grande: *Este parque es tan inmenso que te puedes perder en él si no lo conoces.* □ CONTRARIOS: pequeño.

inmoral [adjetivo] Que se opone a los valores que se consideran buenos: *Me parece inmo*ral permitir que la gente se muera de hambre.* □ [No varía en masculino y en femenino]. CONTRARIOS: moral. FAMILIA: → moral.

inmortal [adjetivo] **1** Que no puede morir: *Sólo Dios es inmortal.* **2** Que no se olvida nunca o que siempre tendrá valor: *Las obras de arte hacen inmortales a sus autores.* □ [No varía en masculino y en femenino]. CONTRARIOS: **1** mortal. FAMILIA: → muerte.

inmortalizar [verbo] Hacer que algo dure siempre o que no se olvide: *Ese artista inmortalizó en sus cuadros el paisaje de esta región.* □ [La z se cambia en c delante de e, como en CAZAR]. FAMILIA: → muerte.

inmóvil [adjetivo] Que no se mueve: *Las hojas de los árboles están inmóviles porque no sopla nada de aire.* □ [No varía en masculino y en femenino]. SINÓNIMOS: quieto. CONTRARIOS: móvil. FAMILIA: → mover.

innegable [adjetivo] Que es cierto del todo: *Jamás ha hecho nada malo, y es innegable que es muy buena persona.* □ [No varía en masculino y en femenino]. SINÓNIMOS: indudable. FAMILIA: → negar.

innumerable [adjetivo] En una cantidad tan grande que no se puede contar: *Has cantado tan bien que recibirás innumerables felicitaciones.* □ [No varía en masculino y en femenino]. FAMILIA: → número.

inocencia [sustantivo femenino] **1** Falta de mala intención: *Todos se aprovechan de su inocencia y él no se da cuenta.* **2** Falta de culpa en un delito: *El abogado demostró la inocencia del acusado.* □ SINÓNIMOS: **1** ingenuidad. CONTRARIOS: **1** astucia. FAMILIA: → inocente.

inocentada [sustantivo femenino] Broma de poca importancia que consiste en hacer creer algo que es mentira: *El 28 de diciembre suelen gastarse inocentadas.* □ FAMILIA: → inocente.

inocente 1 [adjetivo] Que no debe molestar, porque se hace sin mala intención: *No te enfades por lo que he dicho, porque ha sido un comentario inocente sobre su forma de vestir.* [adjetivo o sustantivo] **2** Que no tiene la culpa: *Soy inocente, yo no he roto el jarrón.* **3** Que no tiene mala intención y resulta fácil de engañar: *Eres tan inocente que todo el mundo te toma el pelo.* □ [No varía en masculino y en femenino]. SINÓNIMOS: **3** ingenuo. CONTRA-

RIOS: **2** culpable. **3** astuto. FAMILIA: inocencia, inocentada.

inodoro, ra 1 [adjetivo] Que no tiene olor: *El agua es un líquido inodoro.* **2** [sustantivo masculino] Recipiente que hay en el cuarto de baño y en el que hacemos pis y caca: *El inodoro de mi cuarto de baño es blanco.* ☐ SINÓNIMOS: **2** váter, retrete. FAMILIA: → olor.

INODORO

inofensivo, va [adjetivo] Que no produce daño: *No le tengas miedo al perro, porque es un cachorro inofensivo.* ☐ CONTRARIOS: dañino, perjudicial. FAMILIA: → ofender.

inoportuno, na [adjetivo] Que sucede o se dice en el peor momento: *Tu llamada fue muy inoportuna, porque me estaba duchando.* ☐ CONTRARIOS: oportuno. FAMILIA: → oportuno.

inoxidable [adjetivo] Dicho de un metal, que no se estropea con el agua: *Estos cubiertos son de acero inoxidable.* ☐ [No varía en masculino y en femenino]. FAMILIA: → óxido.

inquietar [verbo] Hacer que alguien deje de estar tranquilo: *Mi perro se inquieta cuando hay tormenta.* ☐ SINÓNIMOS: preocupar. CONTRARIOS: calmar, sosegar, tranquilizar, despreocuparse. FAMILIA: → quieto.

inquieto, ta [adjetivo] **1** Que no está tranquilo: *El niño está inquieto porque le duele la tripa.* **2** Que no puede estarse quieto: *Es una persona inquieta y siempre está haciendo cosas nuevas.* ☐ SINÓNIMOS: **1** nervioso, intranquilo. CONTRARIOS: tranquilo. FAMILIA: → quieto.

inquietud [sustantivo femenino] **1** Sensación de la persona que no está tranquila: *Cuando tengo que viajar en tren siento cierta inquietud por si no llego a tiempo a la estación.* **2** Interés que tiene una persona por conocer cosas nuevas: *Es una chica con inquietudes y se interesa por la lectura, el cine y muchas otras cosas.* ☐ SINÓNIMOS: **1** preocupación. FAMILIA: → quieto.

inquilino, na [sustantivo] Persona que vive en una casa que no es suya a cambio de pagar una cantidad de dinero: *El propietario de la casa dice que está muy contento con sus nuevos inquilinos.*

insaciable [adjetivo] Que no se acaba o es difícil de satisfacer: *Tengo un hambre insaciable y me comería un jamón entero.* ☐ [No varía en masculino y en femenino]. FAMILIA: → saciar.

inscribir [verbo] Apuntar algo en una lista: *Mis padres me han inscrito en un gimnasio.* ☐ [Su participio es inscrito]. FAMILIA: inscrito.

inscrito, ta Participio irregular de **inscribir.** ☐ FAMILIA: → inscribir.

insecticida [sustantivo masculino] Producto que sirve para matar insectos: *Eché insecticida en la habitación porque había muchos mosquitos.* ☐ FAMILIA: → insecto.

insecto [sustantivo masculino] Animal de pequeño tamaño que suele tener alas: *La mariposa y la mosca son dos tipos de insecto.* ☐ FAMILIA: insecticida.

inseguridad [sustantivo femenino] Ausencia de seguridad: *Los vecinos del barrio protestan por la inseguridad que hay de noche en estas calles.* ☐ CONTRARIOS: seguridad. FAMILIA: → seguro.

inseguro, ra [adjetivo] **1** Que actúa sin seguridad: *Es una persona insegura y no tiene confianza en sí misma.* **2** Que no es firme o estable: *Su situación económica es insegura porque su contrato de trabajo dura sólo tres meses.* **3** Que tiene peligro o que puede producir daño: *No te acerques a la barandilla de la escalera porque es muy insegura y te puedes caer.* ☐ CONTRARIOS: seguro. FAMILIA: → seguro.

insensato, ta [adjetivo o sustantivo] Que no piensa las cosas que hace o que se pone en peligro sin darse cuenta: *Has sido un insensato al salir a la calle nevando y sólo con una camiseta de tirantes.* ☐ SINÓNIMOS: alocado, loco. CONTRARIOS: sensato, juicioso. FAMILIA: → sensato.

insensible [adjetivo] **1** Que no siente nada: *Desde el accidente, tiene una pierna insensible.* **2** Que se nota muy poco: *Ha subido tan poco la temperatura que el cambio es in-*

sensible. □ [No varía en masculino y en femenino]. CONTRARIOS: sensible. FAMILIA: → sentir.

inseparable [adjetivo] Que es muy difícil de separar de otra cosa: *Él y yo somos amigos inseparables.* □ [No varía en masculino y en femenino]. FAMILIA: → separar.

inservible [adjetivo] Que no sirve para nada: *Limpié la habitación y tiré las cosas inservibles.* □ [No varía en masculino y en femenino]. FAMILIA: → servir.

insignia [sustantivo femenino] Objeto que muestra que se pertenece a un grupo: *Llevo la insignia de mi equipo en la solapa de la chaqueta.*

insignificante [adjetivo] Tan pequeño que no tiene casi importancia: *No te preocupes, porque tu problema es insignificante.* □ [No varía en masculino y en femenino]. CONTRARIOS: importante, significativo. FAMILIA: → signo.

insinuar [verbo] Dar a entender algo sin decirlo de una manera clara: *Insinué que le quedaría mejor el otro jersey, pero no le dije que el que llevaba era muy feo.* □ [Se conjuga como ACTUAR].

insistente [adjetivo] Que insiste mucho: *No seas tan insistente, porque ya te he dicho que no te dejo lo que me pides.* □ [No varía en masculino y en femenino]. FAMILIA: → insistir.

insistir [verbo] **1** Repetir algo varias veces: *Si no te abre la puerta a la primera, insiste y sigue llamando, porque sé que está en casa.* **2** Destacar la importancia de algo: *El profesor insistió en que debíamos participar en la función de fin de curso.* **3** Mantenerse en una idea: *Insisto en que yo tengo razón y en que debéis hacerme caso.* □ SINÓNIMOS: **3** persistir. CONTRARIOS: **3** renunciar. FAMILIA: insistente.

insolación [sustantivo femenino] Estado de una persona que se siente mal porque le ha dado mucho el sol: *Ponte un rato a la sombra, que te va a dar una insolación.*

insolente [adjetivo o sustantivo] Que ofende porque falta al respeto o porque resulta atrevido: *Me han castigado por insolente, porque le dije al profesor que estaba explicando mal la lección.* □ [No varía en masculino y en femenino].

insólito, ta [adjetivo] Poco frecuente: *Contar un chiste es algo insólito en él, porque es muy serio.* □ CONTRARIOS: frecuente, normal, ordinario.

insomnio [sustantivo masculino] Falta de sueño cuando hay que dormir: *Estoy muy cansado, porque tengo insomnio y casi no duermo nada.*

inspeccionar [verbo] Examinar algo con atención: *La policía inspeccionó la zona en la que había estallado la bomba en busca de pistas.* □ SINÓNIMOS: explorar, reconocer. FAMILIA: inspector.

inspector, -a [sustantivo] Persona que tiene autoridad para examinar algo con mucha atención: *Hoy ha venido una inspectora del Ministerio de Educación para ver cómo daban las clases los profesores.* □ FAMILIA: → inspeccionar.

inspiración [sustantivo femenino] **1** Introducción de aire en los pulmones: *Cada vez que hacemos una inspiración, hinchamos el pecho.* **2** Lo que estimula a un artista a crear algo: *Este pintor encuentra la inspiración en los paisajes cercanos al mar.* □ SINÓNIMOS: **1** aspiración. **2** musa. FAMILIA: → inspirar.

inspirar [verbo] **1** Introducir aire en los pulmones: *En cuanto llegué al campo, inspiré profundamente el aire puro.* **2** Hacer sentir algo: *Ese actor tiene una mirada tan fría que inspira terror.* **3** Estimular a un artista a crear: *La infancia inspira a muchos poetas.* □ SINÓNIMOS: **1** aspirar. **2** mover, sugerir. CONTRARIOS: **1** espirar. FAMILIA: inspiración.

instalación [sustantivo femenino] **1** Preparación de algo en un sitio para que pueda ser usado: *Ha venido el electricista a hacer la instalación de los cables del salón.* **2** Colocación de una persona en un lugar: *El Ayuntamiento se encargará de la instalación provisional de las personas que han sido desalojadas de sus casas.* **3** Lugar que posee todo lo necesario para que se realice algo en él: *Mi colegio tiene unas instalaciones deportivas muy modernas.* □ FAMILIA: → instalar.

instalar [verbo] **1** Colocar algo en un lugar o prepararlo para que pueda ser usado: *Hoy vendrán a instalar el aire acondicionado.* **2** Colocar a una persona en un lugar: *Instalaremos a los invitados en tu habitación y tú dormirás con tu hermano.* □ FAMILIA: → instalación.

instantáneo, a **1** [adjetivo] Que se hace en el momento: *Esta sopa en sobre es instan-*

a b c d e f g h **i** j k l m n ñ o p q r s t u v w x y z

tánea y se prepara en un minuto. **2** [sustantivo/femenino] Fotografía que se obtiene en el momento: *El fotógrafo de la boda sacará instantáneas de los invitados.* □ FAMILIA: → instante.

instante [sustantivo/masculino] Período muy corto de tiempo: *Hace un instante tu hermano estaba aquí, pero ha tenido que salir.* □ SINÓNIMOS: momento. FAMILIA: instantáneo.

instintivo, va [adjetivo] Que se hace por instinto: *Los animales saben de forma instintiva quiénes son sus enemigos.* □ FAMILIA: → instinto.

instinto [sustantivo/masculino] Lo que hace que las personas o los animales actúen de determinada manera sin haberlo aprendido y sin pensarlo: *Los bebés saben mamar por instinto.* □ FAMILIA: instintivo.

institución [sustantivo/femenino] Organización que tiene funciones de interés público: *Los colegios son instituciones de enseñanza.* □ FAMILIA: → instituto.

instituto [sustantivo/masculino] **1** Centro en el que se enseñan determinadas materias: *Cuando acabe los estudios en el colegio, iré al instituto.* **2** Lugar en el que se prestan determinados servicios: *En muchos institutos de belleza dan masajes.* **3** Nombre que reciben algunas asociaciones de personas: *Mi tía pertenece a un instituto de religiosas que se dedican a la enseñanza.* □ FAMILIA: institución.

instrucción [sustantivo/femenino] **1** Hecho de enseñar los conocimientos necesarios para una actividad: *Mi padre se dedica a la instrucción de pilotos de aviones.* **2** Conjunto de conocimientos que posee una persona: *Si quieres ser una persona culta, debes tener una buena instrucción.* **3** [plural] Reglas necesarias para conseguir algo: *Para aprender a manejar el vídeo, debes leer primero las instrucciones.* □ FAMILIA: → instruir.

instructivo, va [adjetivo] Que sirve para enseñar: *Algunos juegos son muy instructivos.* □ FAMILIA: → instruir.

instructor, -a [sustantivo] Persona que se dedica a enseñar alguna actividad: *Los soldados aprendieron a montar a caballo siguiendo los consejos de su instructor.* □ FAMILIA: → instruir.

instruir [verbo] **1** Preparar a una persona o a un animal para que realicen determinada actividad: *El teniente instruye a sus soldados sobre cómo deben desfilar.* **2** Dar educación a una persona: *Los profesores instruyen a sus alumnos explicándoles las lecciones y enseñándoles cómo deben comportarse.* □ [La i se cambia en y delante de a, e, o, como en HUIR]. SINÓNIMOS: **1** adiestrar, ejercitar. **2** educar. FAMILIA: instrucción, instructivo, instructor.

instrumento [sustantivo/masculino] **1** Objeto que se usa para realizar un trabajo: *El lápiz, la regla, la goma y el sacapuntas son instrumentos de dibujo.* **2** Lo que sirve como medio para conseguir un fin: *El dinero es el instrumento que usamos para comprar cosas.* **3** Objeto que sirve para producir sonidos musicales: *La guitarra, el arpa y el violín son instrumentos de cuerda.* □ SINÓNIMOS: **1** herramienta.

insuficiente [adjetivo] Que no es suficiente: *Hay que traer más sillas porque las que hay son insuficientes para todos los que somos.* □ [No varía en masculino y en femenino]. CONTRARIOS: suficiente, bastante. FAMILIA: → suficiente.

insultar [verbo] Ofender a alguien con palabras: *Se enfadó conmigo y me insultó llamándome asqueroso.* □ FAMILIA: → insulto.

insulto [sustantivo/masculino] **1** Palabra que se dice para ofender a una persona: *«Lelo» y «bobo» son insultos.* **2** Lo que ofende a una persona: *El ministro consideró un insulto que el embajador no lo saludara.* □ FAMILIA: insultar.

intacto, ta [adjetivo] **1** Que no ha sido tocado: *La tarta está intacta porque estábamos esperando a que vinieras para comérnosla.* **2** Que no ha sufrido daño: *Se me cayó el espejo, pero, por suerte, quedó intacto.*

íntegro, gra [adjetivo] **1** Entero o con todas sus partes: *La versión íntegra de esa película dura tres horas.* **2** Que actúa con honradez y buena voluntad: *Un político debe ser una persona íntegra que busque el bien de los ciudadanos y no el suyo propio.* □ SINÓNIMOS: **1** completo. **2** honesto, honrado, recto, justo. CONTRARIOS: **1** incompleto. **2** injusto.

intelectual 1 [adjetivo] De la inteligencia o relacionado con ella: *Leer y estudiar son actividades intelectuales.* **2** [adjetivo o/sustantivo] Dicho de una persona, que se dedica a actividades que se realizan con la inteligencia: *Los científicos y los escritores son intelectuales.* □ [No varía en masculino y en femenino]. FAMILIA: → inteligencia.

inteligencia [sustantivo/femenino] Capacidad de las personas para comprender, conocer y razonar las cosas: *La inteligencia es lo que diferencia al hombre de los animales.* □ SINÓNIMOS: entendimiento, mente. FAMILIA: inteligente, intelectual.

inteligente [adjetivo] **1** Que tiene inteligencia: *Las personas somos seres inteligentes.* **2** Que muestra mucha inteligencia: *Fue inteligente aceptar su ayuda, porque solos no hubiéramos podido hacerlo.* □ [No varía en masculino y en femenino]. CONTRARIOS: tonto, bobo. FAMILIA: → inteligencia.

intemperie [expresión] **a la intemperie** Al aire libre: *Me encontré un perro abandonado que dormía a la intemperie y me lo llevé a casa.*

intención [sustantivo/femenino] **1** Idea que se tiene de hacer algo: *Tenemos la intención de ir al cine esta tarde.* **2** Mala idea con la que se hace o se dice algo: *Me dijo con toda intención que mi vestido era horrible.* □ FAMILIA: intencionado.

intencionado, da [adjetivo] Que tiene una intención determinada: *Tu empujón fue intencionado, porque querías tirarme a la piscina.* □ FAMILIA: → intención.

intensidad [sustantivo/femenino] Energía o fuerza que algo tiene: *La intensidad de las lluvias puede originar inundaciones.* □ CONTRARIOS: debilidad. FAMILIA: → intenso.

intenso, sa [adjetivo] Muy fuerte o muy grande: *Si muevo el pie, siento un intenso dolor en el tobillo.* □ CONTRARIOS: débil, flojo. FAMILIA: intensidad.

intentar [verbo] Hacer lo posible para realizar una acción: *Voy a intentar saltar tres escalones a la vez.* □ FAMILIA: → intento.

intento [sustantivo/masculino] **1** Propósito que se tiene de realizar algo: *El juez declaró al acusado inocente del intento de asesinato.* **2** Lo que se intenta: *Al tercer intento conseguí encestar el balón en la canasta.* □ FAMILIA: intentar.

intercalar [verbo] Poner una cosa entre otras que forman una serie: *En este diccionario se intercalan páginas en color con páginas en blanco y negro.*

intercambiar [verbo] Dar una cosa a cambio de otra: *Al comienzo del partido, los capitanes intercambiaron los banderines de sus equipos.* □ SINÓNIMOS: cambiar, canjear. FAMILIA: → cambiar.

intercambio [sustantivo/masculino] **1** Hecho de dar una cosa por otra: *Si te gusta leer, podemos hacer intercambio de libros.* **2** Cambio que hacen dos organismos o dos países, prestándose servicios el uno al otro: *Fue a estudiar a otro país por un programa de intercambio cultural.* □ FAMILIA: → cambiar.

interceder [verbo] Hablar en favor de una persona: *Intercedí por ti ante el profesor para que no te castigara.*

interés [sustantivo/masculino] **1** Lo que conviene a una persona: *Debes estudiar por tu propio interés, no porque yo quiera.* **2** Valor o importancia de algo: *Al principio del telediario hacen un resumen de las noticias de más interés.* **3** Ganas con las que se hace algo que queremos que salga bien o que nos interesa: *Si pones interés en aprender, te resultará muy fácil.* **4** Ganancia que produce una cantidad de dinero: *Los bancos dan intereses por meter dinero en una cuenta.* □ CONTRARIOS: **3** desinterés, indiferencia, frialdad. FAMILIA: interesar, interesado, interesante, desinterés, desinteresado.

interesado, da [adjetivo o sustantivo] **1** Que tiene interés en algo o que lo muestra: *Los que estén interesados en los cursos de verano, que hablen conmigo al acabar la clase.* **2** Que actúa sólo por su propio interés: *Eres muy interesado y nunca prestas nada si no puedes conseguir algo a cambio.* □ CONTRARIOS: **2** desinteresado. FAMILIA: → interés.

interesante 1 [adjetivo] Que interesa a alguien: *Me parece muy interesante lo que dices.* **2** [expresión] **hacerse alguien el interesante** Comportarse de una forma especial para llamar la atención: *Cuando hay invitados, mi hermano se hace el interesante para que todos se fijen en él.* □ [El significado **1** no varía en masculino y en femenino]. FAMILIA: → interés.

interesar [verbo] **1** Producir interés: *Me interesa saber cómo acabó la película.* **2** Hacer que alguien tenga interés por algo: *Los padres deben interesar a sus hijos en la lectura.* **3** Tener importancia: *Si quieres ser piloto, interesa que sepas hablar inglés.* **4 interesarse** Mostrar interés por algo: *Cuando estuve en el hospital, mucha gente se interesó por mi salud.* □ FAMILIA: → interés.

interior 1 [adjetivo] Que está en la parte de dentro o que está dentro de algo: *La parte interior de mi abrigo está forrada de piel.* **2** [adjetivo o sustantivo masculino] Dicho de una casa o de sus habitaciones, que no tiene ventanas que den a la calle: *Como el comedor es interior y muy oscuro, siempre tenemos la luz encendida.* [sustantivo masculino] **3** Parte de dentro de una cosa: *Por fuera parece un coche pequeño, pero tiene un interior muy amplio.* **4** Conciencia o pensamientos íntimos de una persona: *Tú sabes en tu interior que no has hecho bien y que debes pedir perdón.* □ [Cuando es adjetivo no varía en masculino y en femenino]. SINÓNIMOS: **1** interno. CONTRARIOS: exterior, externo. FAMILIA: → interno.

interjección [sustantivo femenino] Clase de palabra que sirve para expresar un estado de ánimo o para llamar a alguien: *«¡Eh!», «¡jolín!» y «¡bravo!» son interjecciones.* □ [Las interjecciones se escriben entre signos de admiración].

interlocutor, -a [sustantivo] Persona que toma parte en una conversación: *En un debate, los interlocutores no deben interrumpirse unos a otros.* □ FAMILIA: → locutor.

intermediario, ria [adjetivo o sustantivo] **1** Que actúa entre dos partes en lucha para intentar que se consiga la paz o que lleguen a un acuerdo: *El abuelo hizo de intermediario para que el padre y el hijo olvidaran el enfado.* **2** Que lleva los artículos desde la persona que los produce hasta la persona que los compra: *Los fruteros son los intermediarios entre los agricultores y los consumidores.* □ FAMILIA: → intermedio.

intermedio, dia 1 [adjetivo] Que está situado entre dos o más cosas: *Necesito una talla intermedia, porque la pequeña no me cabe y la grande se me cae.* **2** [sustantivo masculino] Espacio de tiempo que hay entre dos partes de una película o de otra cosa: *Aprovecharé el primer intermedio de la película para ir a beber agua.* □ SINÓNIMOS: **2** descanso. FAMILIA: intermediario.

interminable [adjetivo] Que dura tanto que parece que no tiene fin: *No tengo tiempo ahora para que me cuentes esa historia interminable.* □ [No varía en masculino y en femenino]. SINÓNIMOS: inagotable. FAMILIA: → terminar.

intermitente 1 [adjetivo] Que se interrumpe y vuelve a seguir, generalmente a intervalos regulares: *La luz intermitente del ascensor indica que la puerta está abierta.* **2** [sustantivo masculino] Luz que está situada a los lados de un automóvil y que se enciende y se apaga una y otra vez: *Los intermitentes se usan para indicar que se va a hacer un cambio de dirección.* □ [El significado **1** no varía en masculino y en femenino].

internacional [adjetivo] **1** De varias naciones o relacionado con ellas: *En las competiciones internacionales participan atletas de varios países.* **2** Que es conocido en todas partes: *Este director de cine tiene fama internacional.* □ [No varía en masculino y en femenino]. SINÓNIMOS: mundial, universal. FAMILIA: → nación.

internado [sustantivo masculino] Centro en el que viven personas internas: *Pasé el verano en un internado en Inglaterra para aprender inglés.* □ FAMILIA: → interno.

internar [verbo] **1** Llevar o ir al interior de un lugar: *Tened cuidado de no internaros en el bosque, no vaya a ser que os perdáis.* **2** Meter a una persona en un lugar para que permanezca en él: *El verano pasado mis padres me internaron en un colegio inglés.* □ FAMILIA: → interno.

interno, na 1 [adjetivo] Que está dentro de algo: *El estómago es un órgano interno.* **2** [adjetivo o sustantivo] Dicho de una persona, que vive en el lugar en el que trabaja o en el que estudia: *Mi mejor amigo es un alumno interno de mi colegio.* **3** [sustantivo] Persona que está en la cárcel: *Descubrieron a los internos que preparaban una fuga.* □ SINÓNIMOS: **1** interior. **3** preso. CONTRARIOS: exterior, externo. FAMILIA: internar, internado, interior.

interpretación [sustantivo femenino] **1** Explicación del significado de algo: *La frase «El gato está en el garaje» tiene dos interpretaciones, porque «gato» puede ser un animal o una herramienta.* **2** Hecho de representar un papel de cine o de teatro: *Esa actriz recibió un premio por su interpretación.* **3** Hecho de tocar una pieza musical: *El público aplaudió la interpretación de la orquesta.* ☐ SINÓNIMOS: **3** ejecución. FAMILIA: → interpretar.

interpretar [verbo] **1** Entender el significado de algo: *Si crees que me voy a ir de aquí, has interpretado mal mis palabras.* **2** Representar un papel de cine o de teatro: *Este actor siempre interpreta el papel de bueno.* **3** Tocar o cantar una pieza musical: *Los amigos de mis padres me pidieron que interpretara un vals al piano.* ☐ SINÓNIMOS: **2** desempeñar. **3** ejecutar. FAMILIA: interpretación, intérprete.

intérprete [sustantivo] **1** Persona que representa papeles de cine o de teatro: *Esta actriz es una de las mejores intérpretes del momento.* **2** Persona que toca una pieza musical o que la canta: *El intérprete español quedó en segundo lugar en el festival europeo de la canción.* **3** Persona que traduce para otros: *Para que se entrevistaran el ministro francés y el ruso, llamaron a una intérprete que traducía lo que iba diciendo cada uno.* ☐ [No varía en masculino y en femenino]. FAMILIA: → interpretar.

interrogación [sustantivo femenino] Signo que se coloca delante y detrás de una frase para indicar que es una pregunta: *La palabra «¿qué?» está escrita entre interrogaciones.* ☐ FAMILIA: → interrogar.

interrogar [verbo] Hacer preguntas: *La policía interrogó a los sospechosos.* ☐ [La g se cambia en gu delante de e, como en PAGAR]. SINÓNIMOS: preguntar. CONTRARIOS: contestar, responder. FAMILIA: interrogación, interrogatorio, interrogativo.

interrogativo, va [adjetivo] Que expresa una pregunta: *«¿Quién vino?» es una frase interrogativa.* ☐ FAMILIA: → interrogar.

interrogatorio [sustantivo masculino] Serie de preguntas que se hacen a una persona para aclarar un asunto: *Durante el interrogatorio, el detenido contó a la policía todo lo relacionado con el robo.* ☐ FAMILIA: → interrogar.

interrumpir [verbo] **1** Impedir la continuación de algo: *Interrumpieron el partido porque nevaba tanto que no se veía el balón.* **2** Cortar una conversación: *Haz el favor de no*

interrumpirme cuando hablo.* ☐ SINÓNIMOS: **1** detener. CONTRARIOS: proseguir, continuar, seguir. FAMILIA: interruptor.

interruptor [sustantivo masculino] Aparato que se usa para abrir o cerrar el paso de corriente eléctrica: *Para apagar la luz, tienes que darle al interruptor que está al lado de la puerta.* ☐ FAMILIA: → interrumpir.

INTERRUPTOR

intervalo [sustantivo masculino] Espacio que hay entre dos momentos o entre dos puntos: *He explicado lo mismo cinco veces en un intervalo de veinte minutos.*

intervención [sustantivo femenino] **1** Hecho de tomar parte en algo: *A mi profesor le gusta que tengamos intervenciones en clase.* **2** Hecho de abrir un cuerpo vivo para quitarle un órgano o para curar una parte enferma: *Los médicos nos dijeron que todo había salido bien en la intervención y que el abuelo se curaría.* ☐ SINÓNIMOS: **1** participación. **2** operación. FAMILIA: → intervenir.

intervenir [verbo] **1** Tomar parte en algo: *¿Quiénes van a intervenir en esa reunión?* **2** Controlar un teléfono para saber qué dicen los que hablan sin que ellos lo sepan: *Para intervenir un teléfono hay que tener un permiso especial.* **3** Realizar una operación médica: *Cuando el médico vio mi radiografía, dijo que tenía que intervenirme para colocar bien los huesos.* ☐ [Es irregular y se conjuga como VENIR]. SINÓNIMOS: **1** participar. **2** pinchar. **3** operar. FAMILIA: intervención.

intestino [sustantivo masculino] Especie de tubo que está en el interior del cuerpo, debajo del estómago: *El intestino está formado por el intestino delgado y por el intestino grueso, que termina en el ano.* ☐ SINÓNIMOS: tripa.

intimidad [sustantivo femenino] **1** Amistad íntima o muy estrecha: *No tenemos secretos entre nosotros porque entre tú y yo hay una gran intimidad.* **2** Parte privada de la vida de una persona: *El actor dijo que no contaría nada so-bre su intimidad.* □ FAMILIA: → íntimo.

íntimo, ma [adjetivo] **1** Profundo, interno o reservado: *La poesía suele ser una forma de expresar los sentimientos más íntimos.* **2** Que hace fácil la relación entre las personas: *La iluminación suave crea ambientes íntimos y acogedores.* **3** [sustantivo] Amigo de confianza: *A la boda sólo fueron los familiares de los novios y sus íntimos.* □ FAMILIA: intimidad.

intoxicación [sustantivo femenino] Daño en la salud que se produce por respirar, beber o comer algo perjudicial: *Unos mejillones en mal estado produjeron una grave intoxicación a varias personas.* □ FAMILIA: → tóxico.

intoxicar [verbo] Producir problemas de salud por respirar, beber o comer algo perjudicial: *No puedes beber agua de este río porque te puedes intoxicar.* □ [La c se cambia en qu delante de e, como en SACAR]. FAMILIA: → tóxico.

intranquilidad [sustantivo femenino] Situación en la que no se está tranquilo: *Pasé momentos de intranquilidad cuando supe que había habido un accidente por donde tú tenías que venir.* □ CONTRARIOS: tranquilidad, serenidad, sosiego. FAMILIA: → tranquilo.

intranquilo, la [adjetivo] Que no está tranquilo: *Cuando hay tormenta, mi perro está intranquilo.* □ SINÓNIMOS: inquieto. CONTRARIOS: tranquilo. FAMILIA: → tranquilo.

intratable [adjetivo] Dicho de una persona, que no se puede tratar con ella: *Cuando algo no sale como tú quieres, te vuelves intratable.* □ [No varía en masculino y en femenino]. FAMILIA: → tratar.

intrépido, da [adjetivo] Que no se detiene ante el peligro o ante las dificultades: *Los descubridores de tierras desconocidas son personas muy intrépidas.*

intriga [sustantivo femenino] **1** Acción que se realiza en secreto para conseguir un fin: *Consiguió que lo ascendieran gracias a sus intrigas.* **2** Conjunto de sucesos que despiertan el interés de la persona que los está siguiendo: *Me gustan las películas de intriga en las que pasan muchas cosas y no se sabe cómo van a acabar.* □ FAMILIA: intrigar.

intrigar [verbo] **1** Actuar en secreto para con-seguir algo: *¿Queréis dejar de intrigar contra mí?* **2** Producir interés y curiosidad: *Me intriga saber cómo te has enterado.* □ [La g se cambia en gu delante de e, como en PAGAR]. FAMILIA: → intriga.

introducción [sustantivo femenino] **1** Colocación de algo en el interior de una cosa o entre varias cosas: *El proceso de envasado de este vino termina en esta máquina con la introducción del tapón en la botella.* **2** Lo que va antes de algo y le sirve de presentación o de preparación: *En la introducción del libro, el autor explica cómo escribió esta novela.* □ SINÓNIMOS: **2** prólogo. FAMILIA: → introducir.

introducir [verbo] **1** Meter algo en el interior de una cosa o entre varias cosas: *Para llamar por teléfono desde una cabina, debes introducir una moneda antes de marcar el número.* **2** Poner algo en uso por primera vez: *Los españoles introdujeron el caballo en América.* □ [Es irregular y se conjuga como CONDUCIR]. FAMILIA: introducción.

intruso, sa [adjetivo o sustantivo] Que se ha introducido en un lugar sin derecho o sin permiso: *Mi vecino llamó a la policía porque vio unos intrusos en su jardín.*

intuición [sustantivo femenino] Capacidad para saber algo sin que nadie lo diga o sin que haya ninguna razón clara para saberlo: *Me dijeron que no vendrían, pero mi intuición me dice que sí.*

inundación [sustantivo femenino] Situación de un lugar cuando el agua lo ha cubierto: *Muchos agricultores han perdido sus cosechas por culpa de las inundaciones.* □ FAMILIA: → inundar.

inundar [verbo] **1** Cubrir el agua un lugar: *Las continuas lluvias terminarán inundando las calles del pueblo.* **2** Llenar un lugar por completo con algo: *Durante las fiestas, los turistas inundan el pueblo.* □ FAMILIA: inundación.

inútil [adjetivo] Que no sirve: *Un día de éstos tiraré los trastos inútiles que tengo aquí.* □ [No varía en masculino y en femenino]. CONTRARIOS: útil. FAMILIA: → útil.

invadir [verbo] **1** Entrar en un lugar por la fuerza y ocuparlo: *Los árabes invadieron la península Ibérica en el año 711.* **2** Llenar algo ocupándolo del todo: *Los aficionados invadieron el terreno de juego cuando acabó* el partido. □ Sinónimos: **2** infestar. Familia: invasión, invasor.

inválido, da [adjetivo o sustantivo] Dicho de una persona, que tiene problemas físicos o psíquicos que le impiden moverse bien: *Mi bisabuela está inválida y va en silla de ruedas.* □ Familia: → valer.

invariable [adjetivo] Que no varía o no cambia: *«Azul» es invariable en género y no cambia en masculino y en femenino.* □ [No varía en masculino y en femenino]. Contrarios: variable. Familia: → variar.

invasión [sustantivo] **1** Entrada en un lugar por la fuerza para quedarse en él: *Las guerras empiezan muchas veces por la invasión de un pueblo a otro.* **2** Asistencia de muchas cosas juntas a un lugar, de forma que producen molestias: *Ayer hubo una invasión de mosquitos en el jardín.* □ Sinónimos: **1** ocupación. Familia: → invadir.

invasor, -a [adjetivo o sustantivo] Que entra en un lugar por la fuerza para ocuparlo: *Los antiguos habitantes de la península Ibérica lucharon contra el ejército invasor del Imperio romano.* □ Familia: → invadir.

invencible [adjetivo] Que no puede ser vencido: *Durante mucho tiempo, Napoleón estuvo al mando de un ejército invencible.* □ [No varía en masculino y en femenino]. Familia: → vencer.

inventar [verbo] **1** Crear algo nuevo o descubrirlo: *Los chinos inventaron la pólvora.* **2** Presentar algo falso como real: *No te inventes más excusas.* □ Familia: invento, inventor.

invento [sustantivo masculino] **1** Lo que ha sido creado o descubierto y que antes no existía: *El avión fue un invento que cambió la forma de viajar.* **2** Lo que es falso pero se presenta como si fuera verdad: *Eso de que mi hermana te ha dejado su bici es un invento y no me lo creo.* □ Familia: → inventar.

inventor, -a [adjetivo o sustantivo] Que inventa o que se dedica a inventar: *El americano Alexander Graham Bell fue el inventor del teléfono.* □ Familia: → inventar.

invernadero [sustantivo masculino] Lugar cubierto y preparado para cultivar plantas: *En los invernaderos se cultivan plantas que hay que proteger del frío.* □ Familia: → invierno.

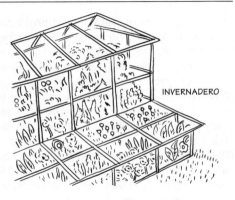

INVERNADERO

invernal [adjetivo] Del invierno o relacionado con él: *Me gustan los paisajes invernales, todos cubiertos de nieve.* □ [No varía en masculino y en femenino]. Familia: → invierno.

inverosímil [adjetivo] Que no se puede creer: *Dime la verdad y no me cuentes una historia tan inverosímil.* □ [No varía en masculino y en femenino]. Sinónimos: increíble.

invertebrado, da [adjetivo o sustantivo masculino] Dicho de un animal, que no tiene esqueleto: *Las arañas, los gusanos y las moscas son invertebrados.* □ Contrarios: vertebrado. Familia: → vértebra.

invertir [verbo] **1** Cambiar el orden de algo: *En la suma, si inviertes el orden de los números que sumas, el resultado es el mismo.* **2** Emplear una cantidad de dinero en algo, con la intención de conseguir ganancias: *Mis padres han invertido sus ahorros en un negocio.* **3** Llenar el tiempo haciendo algo: *Hemos invertido cuatro meses en este proyecto y creo que está muy bien elaborado.* □ [Es irregular y se conjuga como SENTIR]. Sinónimos: **3** emplear, ocupar.

investigación [sustantivo femenino] Trabajo de estudio que se realiza para aclarar o descubrir algo: *Este médico ha dedicado muchos años a la investigación del cáncer.* □ Familia: → investigar.

investigador, -a [sustantivo] Persona que se dedica a estudiar una cosa para aclarar o descubrir algo: *Esta bióloga es investigadora en unos laboratorios farmacéuticos.* □ Familia: → investigar.

investigar [verbo] **1** Hacer lo necesario para descubrir cómo y por qué ha ocurrido algo: *La policía está investigando un robo.* **2** Estudiar algo para aclararlo o descubrirlo: *Están investigando sobre el sida para encontrar un medicamento que lo cure.* □ [La g se cambia en gu delante de e, como en PAGAR]. FAMILIA: investigación, investigador.

invierno [sustantivo masculino] Estación del año entre el otoño y la primavera: *El invierno es la estación más fría de todas.* □ FAMILIA: invernal, invernadero.

invisible [adjetivo] Que no se puede ver: *Se dice que los fantasmas son invisibles.* □ [No varía en masculino y en femenino]. CONTRARIOS: visible. FAMILIA: → ver.

invitación [sustantivo femenino] **1** Hecho de invitar a una persona: *Aceptó mi invitación de ir al cine con mis padres.* **2** Tarjeta con la que se invita a algo: *Ten, es la invitación para mi fiesta de cumpleaños.* □ FAMILIA: → invitar.

invitado, da [sustantivo] Persona que recibe una invitación: *Después de la boda, los novios se hicieron fotos con los invitados.* □ SINÓNIMOS: convidado. FAMILIA: → invitar.

invitar [verbo] **1** Comunicar a una persona el deseo de que esté con nosotros cuando celebremos algo: *Os invito a mi fiesta de cumpleaños.* **2** Pagar lo que otros toman: *Vamos a tomarnos un helado, que hoy invito yo.* **3** Animar a hacer algo: *Este sol invita a ir de excursión.* □ SINÓNIMOS: **2** convidar. FAMILIA: invitación, invitado.

involuntario, ria [adjetivo] Que se hace sin querer: *Me dio un susto tan grande que di un grito involuntario.* □ SINÓNIMOS: inconsciente. CONTRARIOS: voluntario, consciente, automático. FAMILIA: → voluntad.

inyección [sustantivo femenino] Sustancia que se introduce en el cuerpo con una aguja para curar una enfermedad: *El médico me puso una inyección y no me dolió.* □ [Es distinto de jeringuilla, que es el instrumento que se usa para poner inyecciones]. FAMILIA: → inyectar.

inyectar [verbo] **1** Meter un líquido en el cuerpo con una aguja para curar una enfermedad: *El practicante no me hizo daño cuando me inyectó la vacuna en el brazo.* **2** Dar algo que sirve de estímulo: *Las palabras del entrenador inyectaron moral al equipo.* □ SINÓNIMOS: **1** pinchar. FAMILIA: inyección.

ir [verbo] **1** Moverse de un lugar a otro: *Hoy nos vamos al pueblo de vacaciones.* **2** Tener una dirección: *Esta carretera va de Valladolid a Segovia.* **3** Asistir a un lugar: *Voy al cole por las mañanas y por las tardes.* **4** Funcionar o marchar: *No puedo ver películas porque el vídeo no va bien.* **5** Actuar o encontrarse de determinada forma: *Desde que presto atención en clase, voy mejor en matemáticas.* **6** Arreglarse o vestirse: *No me gustan las chaquetas y siempre voy con jersey.* **7** Estar colocado: *¿Dónde va el tenedor, a la izquierda o a la derecha del plato?* **8** Ser adecuado o quedar bien: *Te va muy bien el pelo corto.* **9** Gustar o agradar: *Me va mucho hacer excursiones y pasear por el campo.* **10** Existir diferencia entre dos cosas que se comparan: *Del cuatro al nueve van cinco.* **11** Arriesgar o jugarse: *¿Cuánto te va a que llego antes que tú?* **12** Ser algo de determinada manera o desarrollarse así: *No te enfades, que lo que te he dicho iba en broma.* **irse 13** Abandonar un lugar por decisión propia: *Si no quieres jugar conmigo,*

ir	conjugación	
INDICATIVO		**SUBJUNTIVO**
presente		**presente**
voy		vaya
vas		vayas
va		vaya
vamos		vayamos
vais		vayáis
van		vayan
pretérito imperfecto		**pretérito imperfecto**
iba		fuera, -ese
ibas		fueras, -eses
iba		fuera, -ese
íbamos		fuéramos, -ésemos
ibais		fuerais, -eseis
iban		fueran, -esen
pretérito indefinido		**futuro**
fui		fuere
fuiste		fueres
fue		fuere
fuimos		fuéremos
fuisteis		fuereis
fueron		fueren
futuro		**IMPERATIVO**
iré		
irás		**presente**
irá		ve (tú)
iremos		vaya (él)
iréis		vayamos (nosotros)
irán		id (vosotros)
		vayan (ellos)
condicional		**FORMAS NO PERSONALES**
iría		
irías		**infinitivo** **gerundio**
iría		ir yendo
iríamos		**participio**
iríais		ido
irían		

me voy. **14** Morirse: *La casa está muy triste desde que se nos fue la abuelita.* **15** Gastarse algo: *Se me va el tiempo en tonterías.* **16** [expresión] **ir a hacer algo** Estar a punto de hacerlo o de ocurrir: *Ahora voy a comer. Parece que va a llover.* **ir alguien a lo suyo** Ocuparse sólo de sus asuntos: *No te hará caso, porque ése sólo va a lo suyo.* **ir de algo** Parecerlo o querer tenerlo: *Tú vas de listo en clase, pero cuando te preguntan siempre fallas.* **ir detrás de algo** Querer conseguirlo: *Hace un año que voy detrás de una bici de carreras.* **ir sobre algo** Tratar de ello: *La película va sobre unos niños que se pierden en un bosque.* **qué va** Se usa para decir que las cosas no son como otra persona dice: *No me he aburrido, qué va, lo pasé muy bien con ellos.* **ser el no va más** Ser lo mejor que puede haber: *Este juego de ordenador es el no va más.* □ [Es irregular. Su participio es *ido*. Los significados **4** y **14** son coloquiales. No debe decirse *Ves a tu cuarto*, sino *Ve a tu cuarto*]. SINÓNIMOS: **13** marcharse, ausentarse, largarse, abrirse. FAMILIA: ida, ido.

ira [sustantivo][femenino] Enfado muy fuerte o violento: *Se te notaba la ira que sentías cuando dijo esa mentira de ti.* □ FAMILIA: airado.

ironía [sustantivo][femenino] Lo que se dice con la intención de expresar justo lo contrario: *Es una ironía que le digas a una persona tan gorda que se la va a llevar el viento.* □ FAMILIA: irónico.

irónico, ca [adjetivo] Que expresa lo contrario de lo que dice en realidad: *Le dije que no me gustaba su dibujo y me contestó muy irónico que seguro que yo lo haría mejor.* □ FAMILIA: → ironía.

irracional [adjetivo o][sustantivo] **1** Que no tiene la capacidad de la razón: *Los animales son seres irracionales.* **2** Que no tiene sentido: *Querer estar a la vez en casa y en la playa es algo irracional.* □ [No varía en masculino y en femenino]. SINÓNIMOS: **2** disparatado, absurdo. CONTRARIOS: racional. **2** razonable, lógico. FAMILIA: → razón.

irreal [adjetivo] Que no existe de verdad: *Las cosas que suceden en los sueños son irreales.* □ [No varía en masculino y en femenino]. CONTRARIOS: real. FAMILIA: → real.

irrealizable [adjetivo] Que no se puede reali-

zar: *Los viajes al pasado o al futuro son todavía irrealizables.* □ [No varía en masculino y en femenino]. FAMILIA: → realizar.

irreconocible [adjetivo] Que no se puede saber qué es: *Me has hecho un retrato tan malo que estoy irreconocible.* □ [No varía en masculino y en femenino]. FAMILIA: → conocer.

irregular [adjetivo] **1** Que no es regular: *«Venir» es un verbo irregular.* **2** Que no se hace de acuerdo con una ley o con una regla establecidas: *Han denunciado la actuación irregular de ese político.* □ [No varía en masculino y en femenino]. CONTRARIOS: regular. FAMILIA: → regla.

irremediable [adjetivo] Que no se puede hacer nada para que no sea así: *Lo que ocurrió ya es irremediable.* □ [No varía en masculino y en femenino]. FAMILIA: → remedio.

irresistible [adjetivo] Que no se puede resistir: *Hoy no salgo porque hace un frío irresistible.* □ [No varía en masculino y en femenino]. FAMILIA: → resistir.

irresponsable [adjetivo o][sustantivo] Que no cumple sus deberes o sus obligaciones: *No seas irresponsable y haz los deberes.* □ [No varía en masculino y en femenino]. FAMILIA: → responder.

irritación [sustantivo][femenino] **1** Estado de una parte del cuerpo que se pone roja y pica o duele: *El polvo me produce irritación en los ojos.* **2** Enfado grande: *Me causa irritación ver que abusas de los más pequeños.* □ FAMILIA: → irritar.

irritar [verbo] **1** Enfadar mucho y poner nervioso: *No te irrites, que enseguida te traigo lo que me pides.* **2** Poner roja una parte del cuerpo, de forma que pica o duele: *Cuando estoy constipada se me irrita la nariz de tanto sonarme.* □ SINÓNIMOS: **1** acalorarse, calentar. CONTRARIOS: **1** calmar, apaciguar, serenar, tranquilizar, sosegar. FAMILIA: irritación.

irrompible [adjetivo] Que no se rompe o es muy difícil de romper: *Algunos deportistas usan gafas irrompibles cuando hacen deporte.* □ [No varía en masculino y en femenino]. FAMILIA: → romper.

isla [sustantivo][femenino] Parte de tierra que está rodeada de agua por todas partes: *Ibiza y Tenerife*

a

b

c

d

e

f

g

h

i

j

k

l

m

n

ñ

o

p

q

r

s

t

u

v

w

x

y

z

son dos islas españolas. ☐ FAMILIA: islote, aislar, aislado. 🔾 página 536.

islamismo [sustantivo masculino] Religión que fue enseñada por Mahoma: *Alá es el dios del islamismo.*

islote [sustantivo masculino] Isla pequeña y que no tiene población: *Iremos con la barca al islote que hay cerca de la playa.* ☐ FAMILIA: → isla.

istmo [sustantivo masculino] Parte de tierra, más larga que ancha, que une dos tierras más grandes: *El istmo de Panamá une América del Norte con América del Sur.*

ISTMO

italiano, na 1 [adjetivo o sustantivo] De Italia, que es un país de Europa: *La pizza es una comida italiana.* **2** [sustantivo masculino] Lengua de este país: *El italiano suena muy parecido al español.*

itinerario [sustantivo masculino] Conjunto de los lugares por los que se pasa para ir de un sitio a otro: *Como están de obras en la carretera, tenemos que cambiar nuestro itinerario para ir al pueblo.* ☐ SINÓNIMOS: camino, trayecto, ruta, recorrido.

izar [verbo] Subir una bandera o la vela de un barco tirando de una cuerda: *El capitán del barco mandó izar las velas cuando estaban llegando al puerto.* ☐ [La z se cambia en c delante de e, como en CAZAR]. CONTRARIOS: arriar.

izquierdo, da [adjetivo] **1** Dicho de una parte del cuerpo, que está situada en el lado del corazón: *Yo escribo con la mano izquierda.* **2** Que está situado en el lado que correspondería al corazón de una persona: *El conductor se sienta en el asiento izquierdo del coche.* [sustantivo femenino] **3** Pierna o mano que están situadas en el lado del corazón: *Como soy zurda, escribo con la izquierda.* **4** Dirección que corresponde al lado izquierdo: *Para llegar a la plaza, tienes que girar por la siguiente calle a la izquierda.* **5** Conjunto de ideas políticas a favor de la igualdad y de la libertad sociales: *Los partidos de izquierda se oponen a los de derechas o conservadores.* ☐ SINÓNIMOS: **3** zurda. CONTRARIOS: **1,2** derecho. **3-5** derecha.

jardín

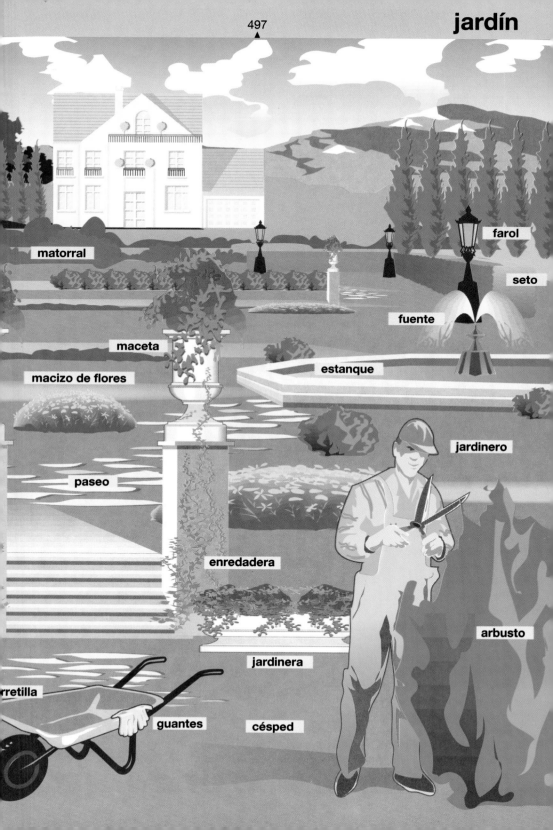

matorral

farol

seto

maceta

fuente

macizo de flores

estanque

jardinero

paseo

enredadera

arbusto

jardinera

rretilla

guantes

césped

laboratorio

balanza

tubo de ensayo

soporte de tubos de ensayo

pinzas

mechero

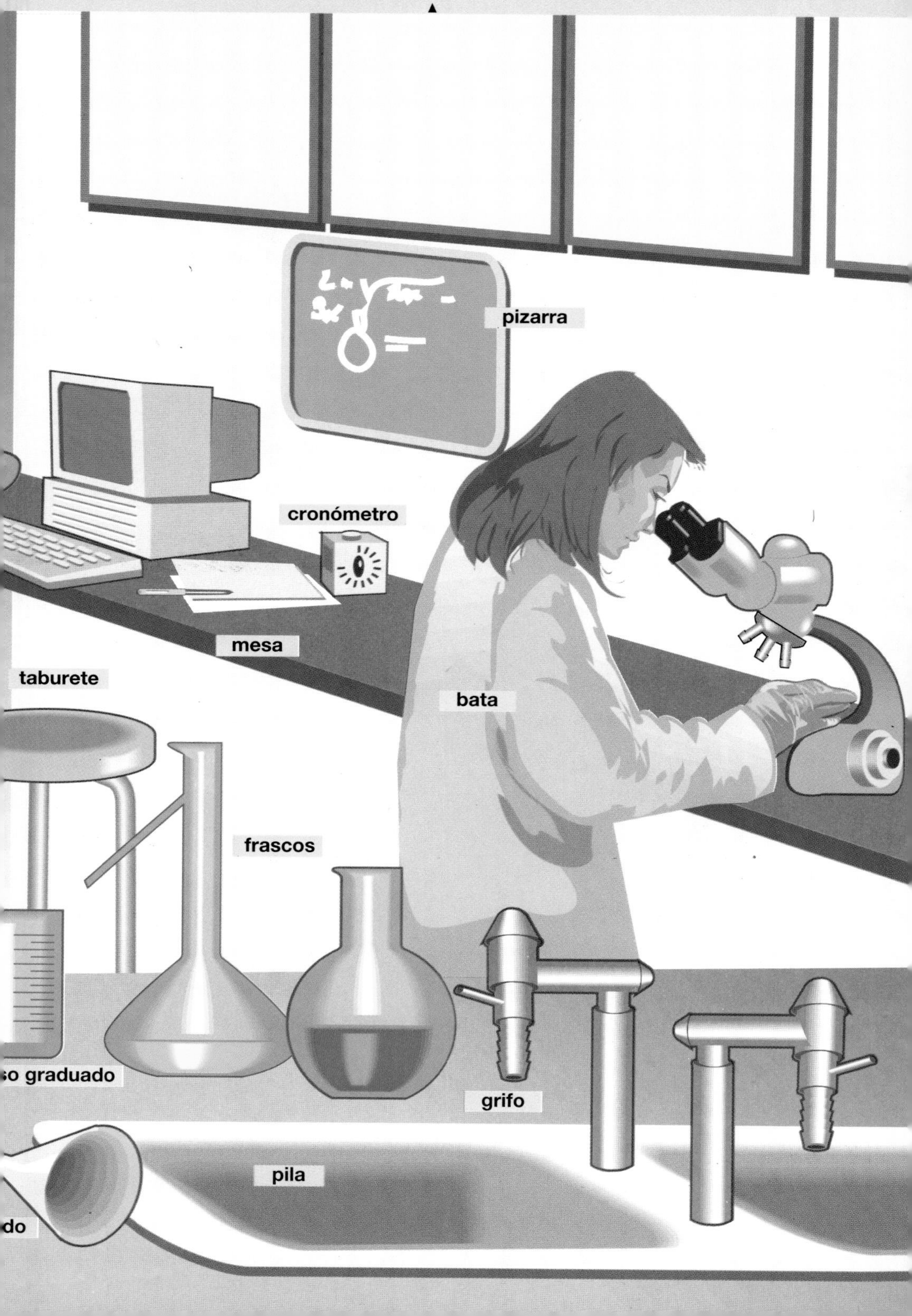

pizarra

cronómetro

mesa

taburete

bata

frascos

so graduado

grifo

pila

do

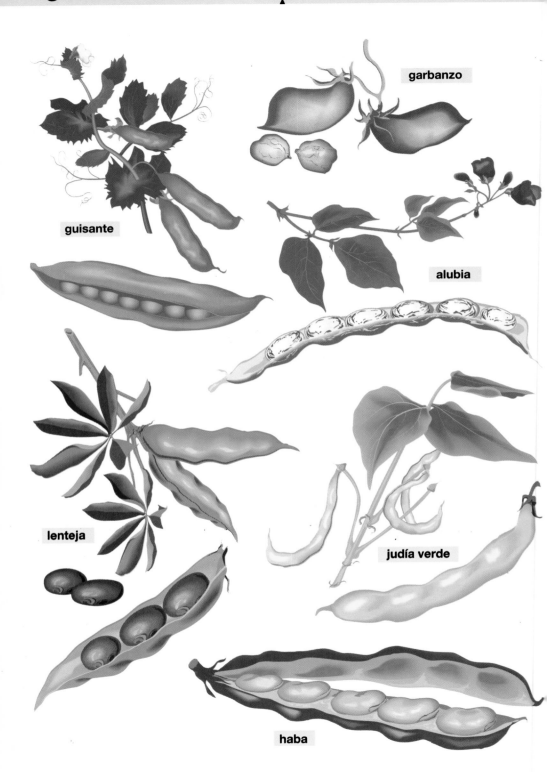

garbanzo

guisante

alubia

lenteja

judía verde

haba

J j

j [sustantivo] [femenino] Letra número diez del abecedario: *La palabra «juego» empieza por «j».* □ [Su nombre es *jota*].

jabalí [sustantivo] [masculino] Animal salvaje parecido al cerdo, pero con el pelo más duro y dos dientes grandes y puntiagudos que le salen hacia fuera, a los lados de la boca: *La hembra del jabalí es la jabalina.* □ [Su plural es *jabalís* o *jabalíes* (más culto)]. FAMILIA: jabalina, jabato.

jabalina [sustantivo] [femenino] **1** Especie de lanza que se usa en un deporte que consiste en ver quién la tira más lejos: *El lanzamiento de jabalina es una prueba de atletismo.* **2** Hembra del jabalí: *La jabalina amamanta a sus crías.* □ FAMILIA: → jabalí.

jabato, ta 1 [adjetivo o] [sustantivo] Valiente o atrevido: *Un jabato como yo no le tiene miedo a nada.* **2** [sustantivo] [masculino] Cría del jabalí: *Los jabatos no se separaban de la jabalina.* □ FAMILIA: → jabalí.

jabón [sustantivo] [masculino] Sustancia que se usa para lavar con agua: *La ropa se lava con agua y jabón.* □ FAMILIA: jabonera, enjabonar, jabonar.

jabonar [verbo] Dar jabón en algo: *Jabónate bien las manos para que queden limpias.* □ SINÓNIMOS: enjabonar. FAMILIA: → jabón.

jabonera [sustantivo] [femenino] Recipiente en el que se pone el jabón: *Cuando me fui al campamento, llevaba el jabón en una jabonera de plástico.* □ FAMILIA: → jabón.

jaca [sustantivo] [femenino] Hembra del caballo: *Yo aprendí a montar a caballo en una jaca muy mansa.* □ SINÓNIMOS: yegua.

jacinto [sustantivo] [masculino] Planta con las hojas largas y brillantes, cuyas flores tienen un olor fuerte y agradable: *Hay jacintos blancos, azules, rosas y amarillos.* 👁 página 346.

jadear [verbo] Respirar con dificultad por estar cansado: *Siempre llego a casa jadeando porque subo corriendo las escaleras.*

jaleo [sustantivo] [masculino] **1** Mucho ruido y gran movimiento de personas: *¿Qué pasa en la calle, que hay tanto jaleo?* **2** Conjunto de cosas mezcladas y sin orden: *¡Menudo jaleo tienes en el cajón!* □ SINÓNIMOS: lío, embrollo, cacao, follón, barullo. **1** alboroto, bulla, bullicio, cirio, guirigay.

jamás [adverbio] En ningún momento: *Te quiero mucho y jamás me olvidaré de ti.* □ SINÓNIMOS: nunca. CONTRARIOS: siempre.

jamón [sustantivo] [masculino] **1** Pata del cerdo: *Los jamones se curan al aire libre para su consumo.* **2** Pierna de una persona: *¡Vaya jamones que tiene ese atleta!* **3** [expresión] **jamón de York** El que está cocido y es de color rosa: *He cenado tres lonchas de jamón de York.* **jamón serrano** El que está curado, pero no cocido: *Nos pusieron unos tacos de jamón serrano como aperitivo.* **y un jamón** Se usa para negar o rechazar algo: *Ya no soy su amigo porque le pedí un libro y me dijo: «¡Y un jamón!».* □ [El significado **2** y la expresión *y un jamón* son coloquiales].

japonés, -a 1 [adjetivo o] [sustantivo] De Japón, que es un país de Asia: *Los productos japoneses se venden por todo el mundo. La mayoría de los japoneses vive en Tokio, que es la capital de Japón.* **2** [sustantivo] [masculino] Lengua de este país: *El japonés no se escribe con letras como las que se usan en español.*

jaqueca [sustantivo] [femenino] Dolor fuerte de cabeza: *Mi padre se toma una pastilla cuando tiene jaqueca.*

jara [sustantivo] [femenino] Arbusto que tiene las flores grandes y blancas: *Las hojas de algunas jaras son pegajosas.* 👁 página 346.

jarabe [sustantivo] [masculino] Medicina líquida: *Para curarte tienes que tomar el jarabe, aunque no te guste cómo sabe.*

jardín 1 [sustantivo] [masculino] Lugar en el que se cultivan plantas como adorno: *Delante de mi casa hay un jardín con rosales.* 👁 página 497. **2** [expresión] **jardín de infancia** Colegio para niños muy pequeños: *Mi hermanito va al jardín de infancia porque todavía es pequeño para venir a mi colegio.* □ SINÓNIMOS: **2** guardería. FAMILIA: jardinero, jardinería.

jardinera [sustantivo] [femenino] Mira en **jardinero, ra.**

jardinería [sustantivo] [femenino] Conjunto de conocimientos necesarios para cuidar plantas y jardines: *En este libro de jardinería enseñan a podar los árboles.* □ FAMILIA: → jardín.

jardinero, ra 1 [sustantivo] Persona que cuida de un jardín: *El jardinero riega por la tarde los árboles del jardín.* **2** [sustantivo] [femenino] Recipiente

a
b
c
d
e
f
g
h
i
j
k
l
m
n
ñ
o
p
q
r
s
t
u
v
w
x
y
z

grande y de forma alargada en el que se cultivan plantas: *En la terraza de mi casa hay una jardinera con margaritas.* □ FAMILIA: → jardín. ✿ página 497.

jarra 1 [sustantivo/femenino] Recipiente más alto que ancho, con una o dos asas, que se usa para contener un líquido: *Llené la jarra de agua.* **2** [expresión] **en jarras** Con las manos en la cintura y los codos separados del cuerpo: *Cuando mi madre se pone en jarras es que me va a regañar.* □ FAMILIA: jarro, jarrón.

jarro 1 [sustantivo/masculino] Jarra con una sola asa: *En este mesón sirven el vino en jarros de barro.* **2** [expresión] **llover a jarros** Llover mucho y con fuerza: *Ahora no puedo salir, porque está lloviendo a jarros.* □ FAMILIA: → jarra.

jarrón [sustantivo/masculino] Recipiente más alto que ancho que se usa para poner flores: *Pon el ramo de rosas en un jarrón con agua.* □ SINÓNIMOS: florero. FAMILIA: → jarra.

jaula [sustantivo/femenino] Especie de caja que sirve para tener animales dentro: *Tengo un canario en una jaula.* □ FAMILIA: enjaular.

jauría [sustantivo/femenino] Conjunto de perros que van juntos en una cacería: *Los cazadores prepararon la jauría para salir a la caza del zorro.*

jazmín [sustantivo/masculino] Planta con tallos muy largos y flores blancas o amarillas con un olor muy agradable: *Los jazmines son plantas que trepan por las paredes.*

[jazz [sustantivo/masculino] Música que tiene muchos cambios de ritmo y que se toca con gran libertad: *El contrabajo y el saxofón son los instrumentos típicos del jazz.* □ [Es una palabra inglesa. Se pronuncia «yas»].

jefatura [sustantivo/femenino] **1** Categoría de jefe: *Mi hermano quiere conseguir una jefatura en su trabajo.* **2** Oficina donde está la policía: *He denunciado un robo en la jefatura de policía.* □ FAMILIA: → jefe.

jefe, fa [sustantivo] Persona que manda o dirige a un grupo: *Yo soy la jefa de la pandilla.* □

SINÓNIMOS: patrón, superior. CONTRARIOS: subordinado. FAMILIA: jefatura.

jergón [sustantivo/masculino] Saco relleno de paja o de hierba que se usa para dormir: *El jergón es un tipo de colchón.*

jeringuilla [sustantivo/femenino] Instrumento formado por un tubo hueco y una aguja que se usa para introducir medicamentos en la sangre o en los músculos: *El practicante llevaba muchas jeringuillas en su maletín.* □ [Es distinto de *inyección*, que es la sustancia que se inyecta].

jeroglífico, ca 1 [adjetivo] Dicho de la escritura, que se escribe con imágenes en vez de con letras: *Los egipcios utilizaron la escritura jeroglífica.* [sustantivo/masculino] **2** Juego que consiste en descubrir una frase con la ayuda de una serie de imágenes: *Me dibujó un sol y una persona fea y supe que la respuesta del jeroglífico era «solfeo».* **3** Lo que es difícil de entender: *Las instrucciones de este juego son un jeroglífico, porque están mal explicadas.*

jersey [sustantivo/masculino] Prenda de vestir de punto que cubre el cuerpo hasta la cintura: *Tengo un jersey de lana que me quita mucho el frío.* □ [Su plural es *jerséis*].

jesuita [adjetivo o sustantivo masculino] De la Compañía de Jesús, que es una orden religiosa establecida por san Ignacio de Loyola: *Los jesuitas tienen el voto especial de la obediencia directa al Papa.* □ [Cuando es adjetivo, no varía en masculino y en femenino].

jeta 1 [adjetivo o sustantivo] Dicho de una persona, que se aprovecha de los demás siempre que puede: *No seas jeta y no intentes que te haga yo los deberes.* [sustantivo/femenino] **2** Falta de vergüenza: *Eso pídeselo tú, que tienes mucha jeta.* **3** Cara de una persona: *No pongas esa jeta, que no te he pedido nada raro.* □ [Es coloquial. El significado **1** no varía en masculino y en femenino]. SINÓNIMOS: **1** aprovechado, caradura, carota, fresco, frescales. **2** morro, rostro, cara, descaro. **3** rostro, cara, faz.

JARRA

JARRO

JARRÓN

jienense o **jiennense** [adjetivo o sustantivo] De la provincia de Jaén o de su capital: *El río Guadalquivir nace al este de la provincia jiennense.* □ [No varían en masculino y en femenino].

jilguero, ra [sustantivo] Pájaro que tiene las plumas marrones, las alas amarillas y negras, y la cabeza blanca con una mancha negra en lo alto y otra roja alrededor del pico: *Los jilgueros cantan muy bien.*

jinete [sustantivo masculino] Persona que monta a caballo: *El jinete desmontó de su caballo para dejarlo descansar.* □ [Cuando el jinete es una mujer se le llama amazona].

jirafa [sustantivo femenino] Animal con el cuello muy largo y el pelo de color amarillo con manchas marrones: *Las jirafas comen las hojas más altas de los árboles.* 🔍 página 848.

jo [interjección] Se usa para indicar sorpresa, admiración o disgusto: *¡Jo, qué guantes más bonitos tienes! ¡Jo, qué pena me da haber perdido el anillo!* □ [Es coloquial].

[jobar [interjección] Se usa para indicar sorpresa, admiración o disgusto: *¡Jobar, qué susto me has dado!* □ [Es coloquial].

joder [verbo] **1** Realizar el acto sexual. **2** Fastidiar. □ [Es vulgar. Se usa mucho como interjección].

jolgorio [sustantivo masculino] Diversión alegre y con mucho ruido en la que la gente se divierte mucho: *¡Menudo jolgorio había en mi casa el día de mi cumpleaños!* □ SINÓNIMOS: juerga.

[jolín o **[jolines** [interjección] Se usa para indicar sorpresa, admiración o disgusto: *¡No quiero ir contigo, jolín!* □ [Es coloquial].

[jopé [interjección] Se usa para indicar sorpresa, admiración o disgusto: *¡Jopé, qué suerte has tenido!* □ [Es coloquial].

jornada [sustantivo femenino] **1** Tiempo del día o de la semana durante el que se trabaja: *Mi jornada laboral es de siete horas.* **2** Período de tiempo de veinticuatro horas: *En el telediario se dicen las noticias más importantes de la jornada.* **3** [expresión] **jornada intensiva** La que se realiza en el trabajo sin parar para comer: *Por la tarde no trabajo porque tengo jornada intensiva de 8 a 15,30.* □ SINÓNIMOS: **2** día. FAMILIA: → jornal.

jornal [sustantivo masculino] Dinero que se gana por cada día de trabajo: *¡Tengo unas ganas de que*

me suban el jornal...! □ SINÓNIMOS: salario, sueldo, paga. FAMILIA: jornada, jornalero.

jornalero, ra [sustantivo] Persona que trabaja por un salario diario: *Muchos jornaleros del campo sólo encuentran trabajo en determinadas épocas del año.* □ FAMILIA: → jornal.

joroba [sustantivo femenino] **1** Bulto que tienen algunas personas en la espalda: *Si no te sientas bien, se te torcerá la columna vertebral y te saldrá joroba.* **2** Bulto que tienen algunos animales en el cuerpo: *Los camellos tienen dos jorobas y los dromedarios, solamente una.* **3** [interjección] Se usa para indicar sorpresa, admiración o disgusto: *¡Hazme caso ya, joroba!* □ [El significado **3** es coloquial]. SINÓNIMOS: **1** chepa. FAMILIA: jorobar, jorobado.

jorobado, da [adjetivo o sustantivo] Que tiene joroba: *Para la fiesta me pondré un cojín en la espalda y me disfrazaré de hombre jorobado.* □ FAMILIA: → joroba.

jorobar [verbo] Molestar o enfadar: *Me joroba que no me hagas caso cuando te hablo.* □ [Es coloquial]. SINÓNIMOS: fastidiar, incordiar, chinchar, repatear. FAMILIA: → joroba.

jota [sustantivo femenino] **1** Nombre de la letra *j*: *La palabra «jamás» empieza por jota.* **2** Baile, música y canción popular de algunas provincias españolas: *Yo sé bailar la jota segoviana.* 🔍 página 117. **3** [expresión] **ni jota** Nada o casi nada: *Sin gafas no veo ni jota.* □ [El significado **3** es coloquial].

joven 1 [adjetivo] De la juventud o relacionado con ella: *Han puesto una tienda de ropa joven.* **2** [adjetivo o sustantivo] Que tiene pocos años: *Este árbol es todavía joven porque tiene el tronco muy delgado. En todas partes se habla de los problemas de los jóvenes.* □ [No varía en masculino y en femenino]. SINÓNIMOS: mozo. **1** juvenil. CONTRARIOS: viejo, anciano, abuelo. FAMILIA: juventud, juvenil, rejuvenecer.

joya [sustantivo femenino] **1** Adorno que se ponen las personas y que está hecho con piedras y metales preciosos: *Guardo las joyas en una caja fuerte.* **2** Lo que vale mucho: *La profesora de mis hijos es una joya.* □ SINÓNIMOS: alhaja. **2** maravilla, tesoro. CONTRARIOS: **1** baratija. FAMILIA: joyero, joyería.

joyería [sustantivo femenino] Lugar en el que se hacen o se venden joyas: *He visto unos pendientes preciosos en esa joyería.* □ FAMILIA: → joya.

a b c d e f g h i **j** k l m n ñ o p q r s t u v w x y z

joyero, ra 1 [sustantivo] Persona que hace o vende joyas: *Se me ha roto una sortija y la he llevado al joyero para que la arregle.* **2** [sustantivo masculino] Caja en la que se guardan joyas: *Al abrir mi joyero, suena música.* □ FAMILIA: → joya.

juanete [sustantivo masculino] Bulto que sale en el hueso del dedo gordo del pie: *Mi abuela dice que no puede usar zapatos estrechos porque le duelen mucho los juanetes.*

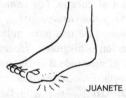

JUANETE

jubilación [sustantivo femenino] **1** Hecho de dejar de trabajar porque se ha llegado a la edad que establece la ley o por problemas de salud: *En casi todos los trabajos, la edad de jubilación es a los sesenta y cinco años.* **2** Dinero que cobra una persona que se ha jubilado: *Mi abuelo quiere que le suban la jubilación.* □ SINÓNIMOS: retiro. FAMILIA: → jubilar.

jubilar [verbo] **1** Hacer que una persona deje de trabajar porque ha llegado a la edad que establece la ley o por problemas de salud: *Mi abuela se jubiló a los sesenta y cinco años.* **2** Dejar de usar algo porque ya no vale: *Voy a tener que jubilar esta carpeta porque está muy rota.* □ [El significado **2** es coloquial]. SINÓNIMOS: **1** retirarse. **2** desechar, tirar. CONTRARIOS: **2** aprovechar. FAMILIA: jubilación.

júbilo [sustantivo masculino] Sensación muy alegre que se expresa con gestos: *Se abrazaron con júbilo cuando ganaron.* □ SINÓNIMOS: regocijo, entusiasmo.

judaísmo [sustantivo masculino] Religión basada en la ley de Moisés, que cree en un solo dios y espera la llegada del Hijo de Dios: *En el judaísmo, el sábado es el día sagrado.* □ FAMILIA: → judío.

judía [sustantivo femenino] Mira en **judío, a.**

judicial [adjetivo] Del juez, de la justicia o relacionado con ellos: *Una investigación judicial demostró que el acusado era culpable.* □ [No varía en masculino y en femenino]. FAMILIA: → juez.

judío, a 1 [adjetivo o sustantivo] Del judaísmo o relacionado con esta religión: *Las mujeres judías deben cubrirse la cabeza cuando entran en el templo.* [sustantivo femenino] **2** Planta que se cultiva en las huertas, cuyo fruto es verde, alargado y con los extremos terminados en punta: *La judía es comestible.* **3** Semilla de esta planta, que se cocina cuando está ya seca: *Las judías blancas son legumbres.* 🔎 página 500. □ SINÓNIMOS: **3** alubia. FAMILIA: judaísmo.

judo [sustantivo masculino] Yudo: *El judo es un sistema de defensa personal.* □ [Es una palabra de origen japonés. Se pronuncia «yudo»].

juego [sustantivo masculino] **1** Lo que se hace como diversión o para pasar el tiempo: *Dejad el juego y venid a merendar.* **2** Actividad que sirve para divertir a las personas y que tiene determinadas reglas: *El parchís y la oca son juegos de mesa. La lotería es un juego de azar.* **3** Conjunto de cosas que se usan para un mismo fin: *Tengo un juego de herramientas para arreglar la bicicleta.* **4** Combinación de cosas que produce un efecto agradable: *El juego de luces de la fiesta fue precioso.* **5** Movimiento que tienen las partes de algo si están unidas entre sí: *Tengo una lesión muscular y no puedo hacer bien el juego de la rodilla.* **6** Cada una de las partes en que se divide un partido: *Ya sólo nos falta un juego para terminar el partido de tenis.* **7** [expresión] **a juego** Que combina bien: *Tengo unos guantes a juego con el abrigo.* **fuera de juego** Posición de un jugador de fútbol cuando está por delante de los defensas del equipo contrario: *El árbitro anuló el gol porque el jugador estaba en fuera de juego.* **hacer juego** Combinar bien por el color o por la forma: *Las cortinas hacen juego con el sofá.* **juego de manos** El que consiste en hacer aparecer o desaparecer algo con las manos y ante la vista de los demás: *El mago hizo un juego de manos y sacó una flor de un pañuelo.* **juego de niños** Actividad que es muy fácil de hacer: *Hacer los deberes cuando me sé la lección es un juego de niños.* □ SINÓNIMOS: **1** diversión, distracción, entretenimiento. **1,2** pasatiempo. FAMILIA: → jugar.

juerga [sustantivo femenino] Diversión alegre y con ruido en la que la gente se divierte mucho: *El otro día estuvimos de juerga hasta muy tarde.* □ SINÓNIMOS: jolgorio. FAMILIA: juerguista.

juerguista [adjetivo o sustantivo] Persona a la que le gusta mucho divertirse: *Siempre está planeando fiestas porque es una juerguista.* □ [No varía en masculino y en femenino]. SINÓNIMOS: vividor. FAMILIA: → juerga.

jueves 1 [sustantivo masculino] Cuarto día de la semana: *El jueves está entre el miércoles y el viernes.* **2** [expresión] **no ser nada del otro jueves** Ser muy normal: *No sé por qué este libro es tan famoso, si no es nada del otro jueves.* □ [No varía en singular y en plural].

juez, -a [sustantivo] **1** Persona que tiene poder, según la ley, para decir si algo está bien o mal hecho y para poner un castigo cuando no se cumplen las leyes: *El juez hará pública la sentencia mañana.* **2** Persona que da determinado valor a lo que alguien ha realizado: *Uno de los jueces del concurso de redacción era profesor mío.* **3** Persona que hace que se cumplan las reglas de algo: *El juez anuló la carrera porque llovía demasiado.* **4** [expresión] **juez de línea** Persona que hace que se cumplan las reglas de fútbol desde fuera del campo: *El juez de línea es el ayudante del árbitro.* **juez de silla** Persona que hace cumplir las reglas de algunos deportes: *En el tenis y en el voleibol el árbitro es el juez de silla.* □ [El plural de *juez* es *jueces*. El femenino también puede ser *la juez*]. SINÓNIMOS: **3** árbitro. **4** exponer. FAMILIA: juzgar, juzgado, juicio, juicioso, judicial, prejuicio.

jugada [sustantivo femenino] **1** Cada una de las veces que juega una persona en un juego: *Si caes en esta casilla, estarás una jugada sin tirar el dado.* **2** Cada una de las acciones que se hacen en un juego: *Van a repetir las mejores jugadas del partido.* **3** Mala acción que se hace contra alguien: *Como vuelvas a hacerme una jugada así, no seré más tu amigo.* □ SINÓNIMOS: **3** faena, jugarreta. FAMILIA: → jugar.

jugador, -a [sustantivo] Persona que juega a algo: *Los jugadores de baloncesto suelen ser muy altos.* □ FAMILIA: → jugar.

jugar [verbo] **1** Hacer algo como diversión o para pasar el tiempo: *Puedes ir a jugar* cuando acabes lo que tienes que hacer. *No juegues con cerillas, que te quemarás.* **2** Participar en un juego o en un deporte: *Yo nunca he jugado a la lotería. ¿Jugamos al tenis?* **3** No tomar en serio algo importante: *No puedes jugar con los sentimientos de los demás.* **4 jugarse** Arriesgar o poner en peligro: *Los bomberos se juegan la vida para salvar a los demás.* **5** [expresión] **jugar limpio** No hacer trampas ni engaños: *Con mis amigos siempre juego limpio.* **jugar sucio** Engañar y hacer trampas: *No tienes amigos porque siempre juegas sucio.* □ [Es irregular]. SINÓNIMOS: **1** divertirse. FAMILIA: juego, jugada, jugador, jugarreta, juguete, juguetería, juguetón, juguetear, videojuego.

jugarreta [sustantivo femenino] Mala acción que se hace contra alguien: *Como vuelvas a hacerme una jugarreta, no me volveré a fiar de ti.* □ SINÓNIMOS: jugada, faena. FAMILIA: → jugar.

jugo [sustantivo masculino] **1** Líquido de un vegetal o de un animal: *La naranja es una fruta que tiene mucho jugo.* **2** Líquido que producen algunos órganos del cuerpo: *El estómago se*

jugar	conjugación
INDICATIVO	**SUBJUNTIVO**
presente	**presente**
juego	*juegue*
juegas	*juegues*
juega	*juegue*
jugamos	*juguemos*
jugáis	*juguéis*
juegan	*jueguen*
pretérito imperfecto	**pretérito imperfecto**
jugaba	*jugara, -ase*
jugabas	*jugaras, -ases*
jugaba	*jugara, -ase*
jugábamos	*jugáramos, -ásemos*
jugabais	*jugarais, -aseis*
jugaban	*jugaran, -asen*
pretérito indefinido	**futuro**
jugué	*jugare*
jugaste	*jugares*
jugó	*jugare*
jugamos	*jugáremos*
jugasteis	*jugareis*
jugaron	*jugaren*
futuro	**IMPERATIVO**
jugaré	
jugarás	**presente**
jugará	*juega* (tú)
jugaremos	*juegue* (él)
jugaréis	*juguemos* (nosotros)
jugarán	*jugad* (vosotros)
	jueguen (ellos)
condicional	**FORMAS NO PERSONALES**
jugaría	
jugarías	**infinitivo** **gerundio**
jugaría	*jugar* *jugando*
jugaríamos	**participio**
jugaríais	*jugado*
jugarían	

grega jugos para hacer la digestión. **3** Valor o interés: *Es un libro muy bueno y con mucho jugo.* □ FAMILIA: jugoso.

jugoso, sa [adjetivo] Que tiene jugo: *La sandía es una fruta muy jugosa.* □ CONTRARIOS: seco. FAMILIA: → jugo.

juguete [sustantivo masculino] Objeto que sirve para jugar: *En este armario guardo todos mis juguetes.* □ FAMILIA: → jugar.

juguetear [verbo] Jugar con algo sin poner mucha atención en ello: *Mientras me escuchaba, jugueteaba con unas monedas.* □ FAMILIA: → jugar.

juguetería [sustantivo femenino] Tienda en la que se venden juguetes: *En el escaparate de la juguetería había muchos muñecos de peluche.* □ FAMILIA: → jugar.

juguetón, -a [adjetivo] Que está siempre jugando: *Tengo una gata muy juguetona.* □ FAMILIA: → jugar.

juicio [sustantivo masculino] **1** Capacidad de una persona para saber lo que está bien y lo que está mal: *El juicio y la inteligencia distinguen a las personas de los animales.* **2** Idea que se tiene sobre algo: *No conozco bien a ese chico y no me he formado ningún juicio sobre él.* **3** Forma de actuar sabiendo lo que se hace: *Mi madre siempre dice que si yo tuviera más juicio no haría tantas tonterías.* **4** Acto en el que un juez juzga un hecho y dice la sentencia: *Ha comenzado ya el juicio sobre el robo del banco.* □ SINÓNIMOS: **1** razón, criterio, entendimiento. **2** opinión. **3** sensatez, madurez. FAMILIA: → juez.

juicioso, sa [adjetivo o sustantivo] Que tiene capacidad para saber lo que está bien y lo que está mal: *Sé que no harás tonterías, porque eres un niño muy juicioso.* □ SINÓNIMOS: sensato, cuerdo, formal. CONTRARIOS: insensato, alocado. FAMILIA: → juez.

julio [sustantivo masculino] Mes número siete del año: *Julio está entre junio y agosto.*

junco [sustantivo masculino] **1** Planta con tallos largos y lisos de color verde oscuro que crece en lugares húmedos: *Los juncos son plantas muy flexibles.* **2** Barco pequeño con velas rectangulares: *El junco es un barco típico de los países asiáticos.*

JUNCO

jungla [sustantivo femenino] Terreno lleno de plantas que es propio del clima tropical: *En la jungla hay muchos animales salvajes.* ✏ página 845.

junio [sustantivo masculino] Mes número seis del año: *Junio está entre mayo y julio.*

junta [sustantivo femenino] Mira en **junto, ta.**

juntar [verbo] **1** Poner algo de manera que se forme un conjunto: *Junté todos los caramelos en una caja.* **2** Poner muy cerca varias cosas: *Junta los pies y salta.* **3 juntarse** Ser amigo de alguien: *Ya no me junto con ellos, porque nos hemos enfadado.* □ [El significado **3** es coloquial]. SINÓNIMOS: **1** agrupar, reunir, amontonar. **2** unir, pegar, arrimar. **3** ajuntarse. CONTRARIOS: **1,2** desunir, separar, apartar. **1** esparcir. **2** alejar. FAMILIA: → junto.

junto, ta [adjetivo] **1** Que está a muy poca distancia: *Mi cama y la tuya están juntas.* **2** Que va en compañía o a la vez: *Vamos juntas a todas partes.* [sustantivo femenino] **3** Grupo de personas que se reúnen para tratar un asunto: *Hoy es la junta de vecinos para decidir si se pinta la escalera.* **4** Parte por donde se unen dos cosas: *El agua se escapa por la junta de las tuberías.* **junto** [adverbio] **5** En una posición muy cercana: *Mi casa está junto a un parque.* **6** Al mismo tiempo: *Junto con las imágenes se oía música.* □ SINÓNIMOS: **1** inmediato, próximo, cercano. **5** cerca. CONTRARIOS: **1** lejano. **5** lejos. FAMILIA: juntar, ajuntarse.

jurado [sustantivo masculino] Grupo de personas que juzga algo: *Los miembros del jurado han decidido ya quién es el ganador del concurso.* □ FAMILIA: → jurar.

juramento [sustantivo masculino] Promesa muy seria: *Un caballero siempre cumple sus juramentos.* □

SINÓNIMOS: palabra de honor. FAMILIA: → jurar.

jurar [verbo] **1** Prometer algo de forma muy seria, asegurando que es verdad: *Te juro que yo no he roto el jarrón.* **2** Prometer que se va a ser fiel a algo: *Los diputados deben jurar la Constitución.* □ FAMILIA: juramento, jurado, jurídico.

jurídico, ca [adjetivo] Del derecho, de las leyes o relacionado con ellos: *El lenguaje jurídico es muy complicado.* □ FAMILIA: → jurídico.

justicia [sustantivo femenino] **1** Lo que debe hacerse según el derecho y la razón: *La justicia debe ser igual para todas las personas.* **2** Conjunto de personas que pueden poner en práctica las leyes: *El ladrón acabó en manos de la justicia.* **3** Forma de actuar conforme a la ley y a lo que debe hacerse: *Hay que actuar con justicia y honradez.* □ CONTRARIOS: **1,3** injusticia. FAMILIA: justo, justificar, injusticia, injusto, justificante, ajusticiar.

justificante [sustantivo masculino] Prueba que demuestra algo: *Tengo un justificante del médico para que no me pongan falta por no haber ido ayer a clase.* □ FAMILIA: → justicia.

justificar [verbo] Dar razones o pruebas para demostrar algo: *El profesor exige que siempre justifiquemos nuestras faltas de asistencia a clase.* □ [La c se cambia en qu delante de e, como en SACAR]. FAMILIA: → justicia.

justo, ta [adjetivo] **1** Como debe ser según el derecho o la razón: *No es justo que a ti te hayan puesto más nota que a mí.* **2** Que es lo que se dice o lo que hace falta, y nada más ni nada menos: *Tengo cien pesetas justas. Diez minutos es el tiempo justo que necesito para vestirme.* **3** Que queda muy apretado: *He engordado y la ropa del año pasado me queda muy justa.* **4** [adjetivo o sustantivo] Que actúa con honradez y justicia: *Mi abuelo es una persona muy justa.* **5 justo** [adverbio] En el preciso momento o lugar: *Bajaré a la calle justo a las tres.* □ SINÓNIMOS: **2** exacto, preciso. **3** estrecho. **4** honesto, honrado, recto, íntegro. CONTRARIOS: **1,4** injusto. **3** amplio, ancho. FAMILIA: → justicia.

juvenil 1 [adjetivo] De la juventud o relacionado con ella: *Me gustaría escribir literatura juvenil.* **2** [adjetivo o sustantivo] Que pertenece a la categoría deportiva de los jóvenes: *A la categoría juvenil pertenecen los chicos que tienen entre quince y dieciocho años.* □ [No varía en masculino y en femenino]. SINÓNIMOS: **1** joven, mozo. CONTRARIOS: viejo. FAMILIA: → joven.

juventud [sustantivo femenino] **1** Período de la vida de una persona que va desde la niñez hasta la edad adulta: *Las personas mayores dicen que hay que aprovechar los años de juventud.* **2** Conjunto de características de los jóvenes: *Todavía no me dejan trabajar a causa de mi juventud.* **3** Conjunto de los jóvenes: *Dice mi abuelo que la juventud de hoy está loca.* □ CONTRARIOS: vejez. FAMILIA: → joven.

juzgado [sustantivo masculino] Lugar en el que se hacen los juicios: *Mis padres han ido al juzgado para ser testigos en un juicio.* □ FAMILIA: → juez.

juzgar [verbo] Decir si está bien o si está mal lo que ha hecho una persona: *Los jueces son los encargados de juzgar a los delincuentes.* □ [La g se cambia en gu delante de e, como en PAGAR]. FAMILIA: → juez.

a
b
c
d
e
f
g
h
i
j
k
l
m
n
ñ
o
p
q
r
s
t
u
v
w
x
y
z

K k

k [sustantivo] [femenino] Letra número once del abecedario: *La palabra «kilo» empieza por «k»*. □ [Su nombre es *ka*].

ka [sustantivo] [femenino] Nombre de la letra *k*: *La palabra «karaoke» tiene dos kas.*

[karaoke [sustantivo] [masculino] Bar donde la gente puede salir a cantar a un pequeño escenario: *Mis hermanos mayores estuvieron en un karaoke y dicen que, cuando salieron a cantar, todo el mundo los aplaudió.* □ [Es una palabra del japonés].

kárate [sustantivo] [masculino] Deporte en el que dos personas se pelean sin armas, usando las manos, los codos y los pies: *El kárate es de origen japonés.* □ [Es una palabra del japonés]. FAMILIA: karateca.

[karateca [sustantivo] Persona que hace kárate: *Los karatecas llevan quimonos blancos.* □ [No varía en masculino y en femenino]. FAMILIA: → kárate.

[katiuska [sustantivo] [femenino] Bota de goma que llega hasta debajo de la rodilla y que se usa los días de lluvia: *Cuando llueve, me pongo las katiuskas y así puedo saltar en todos los charcos.* □ [Es una palabra del ruso].

[ketchup [sustantivo] [masculino] Salsa de tomate: *Me tomé un perrito caliente con ketchup y mostaza.* □ [Es una palabra inglesa. Se pronuncia «kétchup»].

kilo [sustantivo] [masculino] **1** Kilogramo: *¿A cuánto está el kilo de uvas, por favor?* **2** Un millón de pesetas: *Esta casa cuesta muchos kilos.* □ [Se escribe también *quilo*. El significado **2** es coloquial].

kilogramo [sustantivo] [masculino] Medida que se usa para pesar: *Un kilogramo tiene mil gramos.* □ [Se usa mucho la forma abreviada *kilo*. Se escribe también *quilogramo*]. FAMILIA: → gramo.

kilométrico, ca [adjetivo] **1** Del kilómetro o relacionado con esta unidad de longitud: *¿Sabes qué distancia kilométrica existe entre esas dos ciudades?* **2** Muy largo: *He traído una cuerda de saltar kilométrica.* □ [Se escribe también *quilométrico*. El significado **2** es coloquial]. FAMILIA: → metro.

kilómetro [sustantivo] [masculino] Medida de longitud: *Un kilómetro tiene mil metros.* □ FAMILIA: → metro.

kiosco [sustantivo] [masculino] Quiosco: *He comprado esta revista en un quiosco de prensa.*

kiwi [sustantivo] [masculino] Fruta verde, en forma de huevo, con la cáscara llena de pelos y con muchas pepitas negras por dentro: *En la macedonia había trocitos de kiwi.* □ [Se pronuncia «kívi». Se escribe también *quivi*].

[koala [sustantivo] [masculino] Animal de pequeño tamaño y de color gris, que no tiene cola y que posee una especie de bolsa en la que lleva a sus crías: *El koala es un animal que vive en los bosques de eucaliptos de Australia.* □ [Se escribe también *coala*. No varía en masculino y en femenino].

KOALA

Ll

l [sustantivo femenino] Letra número doce del abecedario: *La palabra «letra» empieza por «l».* □ [Su nombre es *ele*. Cuando es doble, se pronuncia como en *pollo* y, al escribirla, nunca se puede dividir: *po-llo* (y no *pol-lo*)].

la 1 [pronombre personal] Es el femenino de *lo*: *A tu hermana la vi el otro día en el cine.* **2** [artículo] Es el femenino de *el*: *Aquí están las canicas.*

laberinto [sustantivo masculino] Lugar formado por muchos caminos que se cruzan y en el cual es muy difícil encontrar la salida: *Los setos de este jardín forman un laberinto.*

LABERINTO

labio [sustantivo masculino] Cada uno de los dos bordes de color rosa que cierran la boca: *Para silbar tienes que juntar los labios.* □ SINÓNIMOS: morros. FAMILIA: pintalabios.

labor [sustantivo femenino] **1** Cada una de las cosas que una persona tiene que hacer: *La labor del jardinero es cuidar el jardín.* **2** Trabajo del campo: *Los agricultores madrugan mucho para hacer las labores del campo.* **3** Obra que se hace a mano con hilo o con lana: *Esta revista enseña a hacer labores de costura.* □ SINÓNIMOS: **1** trabajo, quehacer, tarea, ocupación, faena. FAMILIA: laborable, laboral, laborioso, laboratorio.

laborable [adjetivo o sustantivo masculino] Día en que se trabaja: *En mi calendario, los días laborables vienen en negro y los festivos, en rojo.* □ [Cuando es adjetivo, no varía en masculino y en femenino]. CONTRARIOS: festivo. FAMILIA: → labor.

laboral [adjetivo] Del trabajo o relacionado con él: *Está muy preocupada porque tiene problemas laborales.* □ [No varía en masculino y en femenino]. FAMILIA: → labor.

laboratorio [sustantivo masculino] Lugar con los instrumentos y aparatos necesarios para hacer una investigación o un trabajo técnico: *El médico envió la muestra de sangre al laboratorio para que la analizaran.* 🔍 páginas 498-499. □ FAMILIA: → labor.

laborioso, sa [adjetivo] **1** Que trabaja mucho: *Las abejas y las hormigas son insectos muy laboriosos.* **2** Que se realiza con mucho trabajo o esfuerzo: *Aunque es un trabajo sencillo, es muy laborioso y exige mucha atención.* □ SINÓNIMOS: **1** trabajador. **2** trabajoso, penoso. CONTRARIOS: **1** holgazán, gandul, vago, zángano. FAMILIA: → labor.

labrador, -a [adjetivo o sustantivo] Que se dedica a los trabajos del campo: *Mi abuelo vive en un pueblo y es labrador.* □ SINÓNIMOS: labriego. FAMILIA: → labrar.

labrar [verbo] **1** Trabajar un material para darle forma o para adornarlo: *Los metales se labran con una especie de punzón.* **2** Mover la tierra haciendo surcos para sembrarla: *En algunos lugares se siguen usando animales para labrar.* **3** Conseguir o preparar: *Trabajé mucho para labrarme un buen futuro.* □ SINÓNIMOS: **2** arar. FAMILIA: labriego, labrador.

labriego, ga [sustantivo] Persona que se dedica a los trabajos del campo: *Los labriegos están muy preocupados porque la sequía puede hacer que se pierdan las cosechas.* □ SINÓNIMOS: labrador. FAMILIA: → labrar.

laca [sustantivo femenino] **1** Producto que se pone en el pelo para que dure más el peinado: *Después de peinarme, el peluquero me puso laca en el pelo.* **2** Sustancia dura y brillante que se saca de algunos árboles y que se usa para pintar: *Este mueble está recubierto por una capa de laca.*

lacayo [sustantivo masculino] Antiguo criado que tenía como trabajo principal acompañar a su amo: *El conde subió al coche de caballos cuando su lacayo le abrió la puerta.*

LACAYO

a
b
c
d
e
f
g
h
i
j
k
l
m
n
ñ
o
p
q
r
s
t
u
v
w
x
y
z

lacio, cia [adjetivo] **1** Dicho del cabello, que es liso y cae sin formar ondas ni rizos: *Me he rizado el pelo porque no me gusta tenerlo tan lacio.* **2** Dicho de una planta, estropeada o sin fuerzas: *Riega esa planta, porque ya tiene las hojas lacias.* □ SINÓNIMOS: **1** liso.

lacrimógeno, na [adjetivo] Que hace llorar: *La película era tan lacrimógena que todo el mundo salía del cine con los ojos rojos de haber llorado.* □ FAMILIA: → lágrima.

lactancia [sustantivo] [femenino] **1** Período de la vida de algunos seres vivos durante el que se alimentan de leche: *La lactancia de los bebés suele durar seis meses.* **2** Forma de alimentación durante este período: *Los médicos recomiendan la lactancia materna.* □ FAMILIA: → leche.

lácteo, a [adjetivo] De la leche o derivado de ella: *Los productos lácteos tienen mucho calcio.* □ FAMILIA: → leche.

ladera [sustantivo] [femenino] Lado inclinado de una montaña: *La roca cayó rodando por la ladera del monte y bloqueó la carretera.* □ FAMILIA: → lado. 🔎 página 709.

lado [sustantivo] [masculino] **1** Mitad derecha o izquierda de un cuerpo: *El corazón está en el lado izquierdo.* **2** Cada una de las dos superficies planas de algo: *En uno de los dos lados de la medalla está grabado mi nombre.* **3** Sitio o lugar: *Si quieres que vayamos a otro lado, dilo.* **4** Aspecto que se destaca al considerar algo: *Si lo miras por ese lado, creo que tienes razón.* **5** En matemáticas, cada una de las líneas que forman una figura: *Los triángulos tienen tres lados.* **6** [expresión] **al lado** Muy cerca: *No hace falta que me acompañes porque vivo aquí al lado.* **dar de lado a alguien** Rechazarlo o apartarse de él: *Todos te dan de lado porque saben que eres un mentiroso.* □ SINÓNIMOS: **2** cara. FAMILIA: lateral, ladera.

ladrar [verbo] Emitir el perro su voz característica: *Mi perro ladra cuando se acerca alguien que no conoce.* □ FAMILIA: ladrido.

ladrido [sustantivo] [masculino] Voz característica del perro: *Los ladridos del perro despertaron a todos los vecinos.* □ FAMILIA: → ladrar.

ladrillo [sustantivo] [masculino] Pieza de color rojo que se usa para construir muros o paredes: *Los ladrillos están hechos de barro cocido.*

ladrón, -a **1** [adjetivo o] [sustantivo] Que roba: *El ladrón entró en la casa por la ventana.* **2** [masculino] Enchufe que permite conectar a la corriente eléctrica varios aparatos a la vez: *Coloqué el ladrón para enchufar el radiador, la lámpara y el tocadiscos a la vez.* □ SINÓNIMOS: **1** caco, chorizo.

lagartija [sustantivo] [femenino] Animal de color verde y de pequeño tamaño, que tiene las patas cortas y el cuerpo alargado y terminado en una larga cola: *Las lagartijas suelen vivir en los huecos de los muros.* □ FAMILIA: → lagarto.

lagarto [sustantivo] [masculino] Animal de color verde, que tiene las patas cortas y el cuerpo alargado y terminado en una cola: *Los lagartos tienen la piel cubierta de escamas.* □ FAMILIA: lagartija.

lago [sustantivo] [masculino] Gran cantidad de agua que está en una zona hundida del terreno: *Al lado de mi pueblo hay un lago en el que suelo pescar con mi padre.* □ FAMILIA: laguna. 🔎 página 17.

lágrima [sustantivo] [femenino] **1** Cada una de las gotas de agua que salen por los ojos cuando lloramos: *Sécate las lágrimas y no llores más.* **2** Lo que tiene esta forma: *De la lámpara del comedor cuelgan lágrimas de cristal.* **3** [expresión] **lágrimas de cocodrilo** Las que caen sin que estemos tristes de verdad: *Con tus lágrimas de cocodrilo no conseguirás conmoverme.* **llorar a lágrima viva** Llorar mucho: *El niño lloraba a lágrima viva porque se había perdido.* **saltársele a alguien las lágrimas** Emocionarse mucho y estar a punto de llorar: *Cuando me despedí de mi familia estaba tan triste que se me saltaron las lágrimas.* □ FAMILIA: lagrimal, lacrimógeno.

lagrimal [sustantivo] [masculino] Parte del ojo que está cerca de la nariz: *Las lágrimas suelen caer por el lagrimal.* □ FAMILIA: → lágrima.

LAGRIMAL

laguna [sustantivo] [femenino] **1** Lago pequeño: *En estas lagunas hay muchas ranas.* 🔍 página 17. **2** Lo que no se sabe o no se recuerda: *El golpe en la cabeza le produjo lagunas en la memoria.* □ FAMILIA: → lago.

lamentable [adjetivo] Que causa pena o disgusto: *Después del incendio la casa quedó en un estado lamentable.* □ [No varía en masculino y en femenino]. FAMILIA: → lamento.

lamento [sustantivo] [masculino] Palabras y sonidos con que se expresa un dolor o una pena: *Por sus lamentos supe que le pasaba algo grave.* □ SINÓNIMOS: queja, quejido, gemido, ay. FAMILIA: lamentable.

lamer [verbo] Pasar la lengua repetidas veces sobre algo: *El perro lamió la leche que se me había caído al suelo.* □ FAMILIA: lametón.

lametón [sustantivo] [masculino] Cada una de las veces que se pasa la lengua con fuerza sobre algo: *Es un perro muy cariñoso y cuando nos ve, nos da lametones.* □ FAMILIA: → lamer.

lámina [sustantivo] [femenino] **1** Trozo delgado y plano de un material: *He forrado la pared con láminas de corcho.* **2** Papel en el que se ha imprimido una imagen: *He comprado un marco para colgar estas láminas en la pared.* □ SINÓNIMOS: **1** plancha, hoja, chapa.

lámpara [sustantivo] [femenino] Aparato que produce luz: *Se ha fundido una bombilla de la lámpara.* 🔍 página 539. □ FAMILIA: lamparón.

lamparón [sustantivo] [masculino] Señal de suciedad en la ropa: *Tendrás que cambiarte de camisa, porque la llevas llena de lamparones.* □ FAMILIA: → lámpara.

lana [sustantivo] [femenino] **1** Pelo que cubre el cuerpo de algunos animales y que se usa para tejer: *A las ovejas la lana las protege del frío.* **2** Hilo elaborado a partir de este pelo: *He comprado dos ovillos de lana para hacer un jersey.* □ FAMILIA: lanar.

lanar [adjetivo] Dicho de algunos animales, que tienen lana: *Las ovejas son ganado lanar.* □ [No varía en masculino y en femenino]. FAMILIA: → lana.

lancha [sustantivo] [femenino] Barca que suele tener motor: *Los submarinistas se tiraron al agua desde la lancha neumática.* 🔍 página 120.

langosta [sustantivo] [femenino] **1** Animal marino comestible, que tiene una cola larga y gruesa: *La langosta es más grande que la gamba.* **2** In-secto que puede volar y saltar, que se alimenta de vegetales y que se desplaza en grupos: *Una plaga de langostas arrasó los cultivos.* □ FAMILIA: langostino.

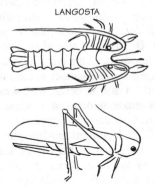

LANGOSTA

langostino [sustantivo] [masculino] Animal marino comestible, que tiene el cuerpo alargado y cubierto por una especie de cáscara: *Ayer comí langostinos en un restaurante.* □ FAMILIA: → langosta.

lanza [sustantivo] [femenino] Arma formada por una barra larga con la punta de metal: *Los guerreros de la tribu llevaban escudos y lanzas.* □ FAMILIA: → lanzar.

lanzado, da 1 [adjetivo] Muy rápido: *Cuando dieron la salida de la carrera, los coches salieron lanzados.* **2** [adjetivo o] [sustantivo o] Muy atrevido: *Aunque no sabía de qué iba el trabajo, como es muy lanzada, lo aceptó sin dudar.* □ [Es coloquial]. FAMILIA: → lanzar.

lanzamiento [sustantivo] [masculino] **1** Hecho de lanzar algo para que salga con fuerza en una dirección: *El lanzamiento del cohete espacial fue retransmitido por televisión.* **2** Anuncio que se hace para dar a conocer algo: *El regalo de este estuche forma parte del lanzamiento de esta nueva colonia.* **3** Prueba deportiva que consiste en lanzar un determinado objeto: *En las pruebas de lanzamiento de disco gana el deportista que consigue lanzar el disco más lejos.* 🔍 página 289. □ FAMILIA: → lanzar.

lanzar [verbo] **1** Soltar un objeto con fuerza para que salga en una dirección: *Lánzame el balón, a ver si lo cojo.* **2** Dirigir algo contra una persona: *Con la mirada que me lanzaste querías decir que me callara, ¿verdad?*

a b c d e f g h i j k l m n ñ o p q r s t u v w x y z

3 Dar a conocer algo que resulta nuevo: *En septiembre lanzaremos al mercado un nuevo modelo de coche.* **4** Producir algo y echarlo hacia fuera con fuerza: *El volcán en erupción lanza lava.* **lanzarse 5** Empezar a hacer algo con mucho ánimo y sin reflexionar: *Antes de lanzarte, piensa bien cómo vas a hacerlo.* **6** Tirarse sobre algo: *Cuando me vio, se lanzó hacia mí para abrazarme.* □ [La z se cambia en c delante de e, como en CAZAR]. SINÓNIMOS: **1** arrojar, echar, tirar. **4** despedir, emitir. **6** arrojarse, echarse, precipitarse. FAMILIA: lanza, lanzamiento, lanzado.

lapa [sustantivo] [femenino] **1** Animal marino que vive pegado en las rocas de las costas: *Las lapas tienen una concha en forma de cono.* **2** Persona que nos resulta pesada porque está a todas horas con nosotros: *Eres una lapa, y no puedo ir a ningún sitio sin que me sigas.* □ [El significado **2** es coloquial].

lapicero [sustantivo] [masculino] Especie de palo de madera que sirve para escribir y dibujar: *Si te equivocas al escribir con un lapicero, puedes borrarlo.* □ [Se usa mucho la forma abreviada lápiz]. FAMILIA: → lápiz.

lápida [sustantivo] [femenino] Piedra plana en la que se escribe algo: *En las lápidas de los cementerios están escritos los nombres de las personas que están enterradas.*

lápiz [sustantivo] [masculino] Lapicero: *Voy a colorear el dibujo con los lápices de colores.* □ [Su plural es lápices]. 🖈 página 605.

lapo [sustantivo] [masculino] Saliva que se expulsa por la boca: *Echar lapos no es de buena educación.* □ [Es vulgar]. SINÓNIMOS: escupitajo, escupitinajo.

largar [verbo] **1** Decir algo de forma poco adecuada o poco oportuna: *Nos largó un cuento que nadie creyó.* **2** Dar un golpe: *Se enfadó conmigo y me largó un porrazo.* **3** Echar o despedir a una persona de un lugar: *Me han largado del trabajo por llegar siempre tarde.* **4** Hablar demasiado: *No se te puede contar nada porque todo lo largas.* **5 largarse** Abandonar un lugar: *Me largué de allí cuando vi que la cosa se ponía fea.* □ [La g se cambia en gu delante de e, como en PAGAR. Es coloquial]. SINÓNIMOS: **4** abrirse, irse, marcharse. CONTRARIOS: **4** callar. **5** llegar. FAMILIA: → largo.

largo, ga [adjetivo] **1** Que tiene una longitud mayor de lo normal o de lo necesario: *Tienes el pelo muy largo. Los pantalones te quedan un poco largos.* **2** Que dura mucho tiempo: *El discurso ha sido demasiado largo.* **3** Dicho de un precio, que es más de lo que se indica: *No compré el pantalón porque costaba ocho mil pesetas largas.* **4** [sustantivo] [masculino] Distancia más grande de una superficie plana: *Estoy aprendiendo a nadar y ya me hago un largo de piscina sin pararme.* **5** [expresión] **a la larga** Después de algún tiempo: *Aunque con este régimen te parece que no adelgazas, a la larga notarás que pierdes peso.* **dar largas** Retrasar algo con algún propósito: *Cuando le hablo al jefe del aumento de sueldo siempre me da largas.* **largo y tendido** Durante mucho tiempo: *Hablamos largo y tendido del asunto.* □ CONTRARIOS: **1,2** corto. **2** breve, escaso. FAMILIA: alargado, alargar, larguirucho, largar.

larguirucho, cha [adjetivo] Dicho de una persona, que es muy alta y delgada: *De pequeño, este jugador de baloncesto era muy larguirucho.* □ [Es coloquial]. FAMILIA: → largo.

larva [sustantivo] [femenino] Animal joven que tiene un aspecto muy diferente al del adulto porque está en una fase de desarrollo anterior: *Los gusanos de seda son larvas de mariposas.*

láser [sustantivo] [masculino] Un tipo de rayo de luz: *El rayo láser es muy usado en medicina.*

lástima [sustantivo] [femenino] **1** Sensación de pena que se siente hacia alguien que sufre: *Ver a niños pidiendo limosna me da mucha lástima.* **2** Lo que produce esta sensación: *Es una lástima que no hayas llegado a tiempo para despedirte de tus amigos.* □ FAMILIA: lastimar, lastimoso.

lastimar [verbo] **1** Hacer una herida a una persona: *No cojas ese cuchillo tan afilado, que te puedes lastimar.* **2** Producir una impresión dolorosa en una persona: *Me lastimó mucho saber que no confiabas en mí.* □ SINÓNIMOS: herir, dañar. **1** lesionar. FAMILIA: → lástima.

lastimoso, sa [adjetivo] Que tiene un aspecto muy estropeado o muy malo: *Le presté el libro nuevo y me lo devolvió en un estado lastimoso, todo roto y arrugado.* □ [Es coloquial]. FAMILIA: → lástima.

lata [sustantivo femenino] **1** Hoja muy delgada de metal: *Los envases de muchos refrescos están hechos de lata.* **2** Recipiente hecho de este material: *Necesito una lata de guisantes y otra de pimientos para la ensaladilla.* **3** Lo que aburre, cansa o resulta demasiado largo: *Esta película es una lata y no voy a seguir viéndola.* **4** [expresión] **dar la lata** Molestar o aburrir: *No me des la lata para que te compre otro juguete, porque ya te he dicho que no.* □ [Los significados **3** y **4** son coloquiales]. SINÓNIMOS: **1** hojalata. **3** rollo, pesadez, petardo, peñazo, tostón, tabarra. FAMILIA: latoso, abrelatas, enlatar.

lateral 1 [adjetivo] Que está situado en un lado: *Las puertas laterales del teatro son para usarlas en caso de emergencia.* **2** [sustantivo masculino] Lo que está en un lado: *El banquillo de los reservas está situado en uno de los laterales del campo.* □ [Cuando es adjetivo, no varía en masculino y en femenino]. FAMILIA: → lado.

latido [sustantivo masculino] Cada uno de los golpes producidos por el movimiento del corazón: *Si apoyas la cabeza sobre mi pecho, podrás oír los latidos de mi corazón.* □ FAMILIA: → latir.

latigazo [sustantivo masculino] **1** Golpe dado con un látigo: *Los piratas castigaron al traidor a recibir veinte latigazos en la espalda.* **2** Dolor fuerte y que dura poco tiempo: *Ahora estoy bien, pero cuando me da un latigazo en el estómago, me doblo de dolor.* □ FAMILIA: → látigo.

látigo [sustantivo masculino] Objeto formado por una cuerda atada a un palo, que se usa para dar golpes: *El cochero utilizó el látigo para que los caballos fueran más deprisa.* □ FAMILIA: latigazo.

latín [sustantivo masculino] Lengua que hablaban los antiguos romanos: *El español, el francés y el italiano son lenguas derivadas del latín.* □ FAMILIA: latino.

latino, na 1 [adjetivo] Del latín o relacionado con esta lengua: *«Ídem» es una palabra latina.* **2** [adjetivo o sustantivo] De los países en los que se hablan lenguas derivadas del latín o relacionado con ellos: *Los portugueses, los españoles y los italianos somos latinos.* □ FAMILIA: → latín.

latinoamericano, na [adjetivo o sustantivo] Del conjunto de países de América con lenguas de origen latino: *Los países de América que tienen como idioma el francés, el español o el portugués son latinoamericanos.*

latir [verbo] Moverse el corazón: *Si te pones la mano en la parte izquierda del pecho, notarás cómo late el corazón.* □ SINÓNIMOS: palpitar. FAMILIA: latido.

latitud [sustantivo femenino] **1** Distancia de un punto en relación con la línea del Ecuador: *Si consultas un atlas, verás que los paralelos miden la latitud.* **2** Lugar o zona: *¡Hacía mucho que no te veíamos por estas latitudes!* □ [El significado **2** se usa más en plural].

latoso, sa [adjetivo o sustantivo] Que aburre o cansa mucho: *No seas latoso y deja de repetir tantas veces lo mismo.* □ SINÓNIMOS: pesado. CONTRARIOS: ameno. FAMILIA: → lata.

laúd [sustantivo masculino] Instrumento musical de cuerda, parecido a la guitarra pero más pequeño: *El laúd se suele tocar con púa.*

LAÚD

laurel 1 [sustantivo masculino] Árbol con las hojas alargadas y terminadas en punta, que se usan para dar sabor a la comida: *Si echas una hoja de laurel a las lentejas, te quedarán muy ricas.* **2** [expresión] **dormirse en los laureles** Reducir el esfuerzo porque se confía en lograr el éxito: *Si queréis ganar otra vez la liga este año, no os durmáis en los laureles y entrenad mucho.* □ [El significado **2** es coloquial].

lava [sustantivo femenino] Material líquido, espeso y muy caliente que lanzan los volcanes al exterior: *Cuando la lava se enfría, se forman rocas.*

lavable [adjetivo] Que se puede lavar sin que se estropee: *Hemos empapelado la habitación de los niños con un papel lavable de dibujos.* □ [No varía en masculino y en femenino]. FAMILIA: → lavar.

lavabo [sustantivo masculino] **1** Especie de recipiente que hay en el cuarto de baño y en el que nos lavamos las manos y la cara: *El lavabo de* mi cuarto de baño tiene un grifo con un mando para el agua fría y otro para el agua caliente. **2** Habitación en la que hay un recipiente para lavarnos y otro para hacer pis y caca: *Voy a preguntarle al camarero dónde están los lavabos.* □ SINÓNIMOS: **2** servicio. FAMILIA: → lavar.

lavadero [sustantivo/masculino] Lugar en el que se lava ropa: *La cocina de mi casa tiene una pila para fregar los platos y un lavadero para la ropa.* □ FAMILIA: → lavar. 🔍 página 155.

lavado [sustantivo/masculino] Limpieza que se hace con agua o con otro líquido: *En esta gasolinera hay una máquina de lavado de coches.* □ FAMILIA: → lavar.

lavadora [sustantivo/femenino] Electrodoméstico que sirve para lavar la ropa: *Cuando se pare la lavadora, tiende la ropa en la terraza, por favor.* □ FAMILIA: → lavar.

lavafrutas [sustantivo/masculino] Recipiente en el que se lava la fruta: *Encima del plato de postre nos pusieron un lavafrutas de cristal para lavar las cerezas.* □ [No varía en singular y en plural]. FAMILIA: → fruta.

lavandería [sustantivo/femenino] Lugar con grandes lavadoras al que se lleva la ropa a lavar: *Como no tengo lavadora en casa, llevo la ropa a la lavandería.* □ FAMILIA: → lavar.

lavandero, ra [sustantivo] Persona que trabaja lavando ropa: *Antes las lavanderas lavaban la ropa en el río.* □ FAMILIA: → lavar.

lavaplatos [sustantivo/masculino] Electrodoméstico que sirve para lavar los platos y otros cacharros de cocina: *Cuando acabéis de comer, metéis las cosas en el lavaplatos y lo ponéis en marcha.* □ [No varía en singular y en plural. Es coloquial]. SINÓNIMOS: lavavajillas, friegaplatos. FAMILIA: → plato.

lavar [verbo] Limpiar con agua algo que está sucio: *Lávate bien las manos con jabón antes de comer. ¿Se pueden lavar estos pantalones en la lavadora, o tengo que llevarlos al tinte?* □ FAMILIA: lavable, lavabo, lavado, lavadero, lavadora, lavandero, lavandería.

lavavajillas [sustantivo/masculino] **1** Electrodoméstico que sirve para lavar los platos y otros cacharros de cocina: *Cuando se pare el lavavajillas, coloca los platos y los vasos en su sitio.* **2** Producto que se usa para lavar la vajilla: *Cuando lavo los platos a mano siem-*

pre uso este lavavajillas porque quita muy bien la grasa.* □ [No varía en singular y en plural]. SINÓNIMOS: **1** lavaplatos, friegaplatos. FAMILIA: → vajilla.

laxante [adjetivo o sustantivo masculino] Que se toma para ayudar a hacer caca: *He tenido que tomar un laxante porque estoy muy estreñida.* □ [Cuando es adjetivo, no varía en masculino y en femenino].

lazada [sustantivo/femenino] Lazo que se suelta tirando de una punta: *Siempre llevo la coleta recogida con una lazada.* □ FAMILIA: → lazo.

lazarillo [sustantivo/masculino] Persona o animal que guían a un ciego: *Se subió en el autobús un chico ciego con un perro que era su lazarillo.*

lazo [sustantivo/masculino] **1** Especie de nudo que sirve para sujetar algo y adornarlo: *El regalo venía envuelto en un papel muy bonito con un lazo azul.* **2** Cuerda con un nudo en uno de sus extremos y que se usa para atrapar animales: *En el circo vi un vaquero que manejaba muy bien el lazo.* **3** Relación estrecha entre personas: *Es difícil que dejemos de ser amigos, porque entre nosotros existen fuertes lazos de amistad.* □ SINÓNIMOS: **3** nudo. FAMILIA: lazada, enlazar, enlace.

le [pronombre/personal] Indica la tercera persona: *A mi amigo le trajeron unos patines. No le digas nada a tu hermana. Diles que vengan con nosotros.* □ [No varía en masculino y en femenino. Su plural es *les*].

leal [adjetivo] **1** Dicho de una persona, que nunca engaña a los demás ni los traiciona: *Sé que puedo confiar en ti, porque eres una amiga leal.* **2** Dicho de un animal, que no abandona a su amo: *El perro es un animal muy leal.* □ [No varía en masculino y en femenino]. SINÓNIMOS: fiel. CONTRARIOS: traidor, traicionero. FAMILIA: lealtad.

lealtad [sustantivo/femenino] **1** Comportamiento del que nunca engaña a los demás ni los traiciona: *Es muy querido por todos debido a su sentido de la lealtad.* **2** Comportamiento del animal que no abandona a su amo: *La lealtad es una de las características más destacadas de los perros.* □ SINÓNIMOS: fidelidad. CONTRARIOS: traición. FAMILIA: → leal.

lección [sustantivo/femenino] **1** Cada una de las partes en que se divide una asignatura: *Cuando el profesor explica la lección, nosotros atende-*

mos. **2** Lo que nos enseña algo o sirve para que aprendamos de nuestros errores: *Espero que esto te sirva de lección y que no vuelvas a hacer tantas tonterías.*

lechal [adjetivo o sustantivo masculino] Dicho de un cordero, que todavía se alimenta de la leche de su madre: *La carne de cordero lechal es muy tierna.* □ [Cuando es adjetivo, no varía en masculino y en femenino]. FAMILIA: → leche.

leche [sustantivo femenino] **1** Líquido blanco que se forma en el pecho de las hembras de algunos animales: *La leche de las vacas se utiliza para la alimentación humana.* **2** Golpe. **3** [expresión] **leche condensada** La que está mezclada con azúcar y es más espesa: *La leche condensada se utiliza mucho para hacer postres.* **mala leche** Mala intención: *Se enfadó y nos tiró el balón con muy mala leche, para hacernos daño.* □ [El significado **2** es vulgar y se usa mucho en expresiones vulgares]. FAMILIA: lechal, lechero, lechería, lactancia, lácteo.

lechera [sustantivo femenino] Mira en **lechero, ra.**

lechería [sustantivo femenino] Tienda en la que se vende leche y productos derivados de ella: *Fui a la lechería a comprar leche, yogures y queso.* □ FAMILIA: → leche.

lechero, ra [adjetivo] **1** De la leche o relacionado con ella: *La leche de esta central lechera es de gran calidad.* **2** Dicho de una vaca, que se cría para aprovechar su leche: *En esta granja tienen vacas lecheras, gallinas y cerdos.* **3** [sustantivo] Persona que vende leche o la reparte por las casas: *Si no estamos en casa, el lechero deja las botellas en la puerta.* **4** [sustantivo femenino] Recipiente que se usa para llevar la leche o para guardarla: *Antes, la leche se llevaba en lecheras de metal gris con una tapa.* □ FAMILIA: → leche.

lecho [sustantivo masculino] **1** Cama preparada para descansar o para dormir: *Mis padres no se separaron ni un momento de mi lecho mientras estuve enfermo.* **2** Lugar por el que corren las aguas de un río: *En primavera, con*

el deshielo, aumenta el lecho del río. □ [El significado **1** se usa mucho en el lenguaje literario]. SINÓNIMOS: **2** cauce.

lechuga [sustantivo femenino] Planta de hojas verdes que se cultiva en las huertas y se come en ensalada: *Me gusta la ensalada de lechuga y tomate aliñada con aceite de oliva, vinagre y sal.*

lechuza [sustantivo femenino] Ave nocturna con el pico en forma de gancho y con las plumas de color claro: *En esa casa de campo abandonada viven muchas lechuzas.*

lector, -a **1.** [adjetivo o sustantivo] Que lee o es aficionado a la lectura: *Esta página de la revista está dedicada a las cartas que mandan los lectores.* **2** [sustantivo masculino] Aparato que reconoce determinadas señales y las interpreta de alguna manera: *Los lectores de este supermercado leen los códigos de barras de los productos y apuntan el precio en caja.* □ FAMILIA: → leer.

lectura [sustantivo femenino] **1** Actividad que consiste en comprender un texto escrito después de haber pasado la vista por él: *Si quieres ser una persona culta, debes dedicar más tiempo a la lectura.* **2** Lo que se lee: *Los cuentos de hadas son mi lectura favorita.* □ FAMILIA: → leer.

leer [verbo] **1** Pasar la vista por un texto escrito para comprender lo que hay en él: *Leed bien las preguntas de los ejercicios para saber qué es lo que tenéis que contestar. Estoy leyendo un libro de aventuras muy entretenido.* **2** Comprender el significado de algunos signos: *Los sordos saben leer el movimiento de los labios.* **3** Adivinar algo o llegar a conocerlo: *Me has leído el pensamiento, porque ir al cine es lo que me apetecía.* □ [Es irregular]. FAMILIA: lectura, lector, ilegible, releer.

legal [adjetivo] **1** De la ley o relacionado con ella: *El abogado informó a sus clientes sobre los pasos legales que debían seguir para*

LECTOR DE DISCOS COMPACTOS

LECTOR

LECTOR ÓPTICO

a
b
c
d
e
f
g
h
i
j
k
l
m
n
ñ
o
p
q
r
s
t
u
v
w
x
y
z

adoptar un bebé. **2** Dicho de una persona, que es leal o merece confianza: *Puedes contárselo todo, porque es un tipo muy legal y no dirá nada.* □ [No varía en masculino y en femenino. El significado **2** es coloquial]. CONTRARIOS: ilegal. FAMILIA: → ley.

legalizar [verbo] Hacer que algo sea legal o esté de acuerdo con la ley: *Hay gente que está a favor y gente que está en contra de que se legalice el consumo de drogas.* □ [La z se cambia en c delante de e, como en CAZAR]. FAMILIA: → ley.

legaña [sustantivo] [femenino] Líquido que se forma en los ojos y que se pone duro cuando se seca: *Esta mañana, al levantarme, tenía los ojos llenos de legañas.* □ [Se usa más en plural].

legión [sustantivo] [femenino] **1** Grupo del ejército que está formado por un tipo de soldados profesionales: *Mi padre hizo la mili en la legión en la ciudad de Ceuta.* **2** Grupo del ejército de los antiguos romanos: *Las legiones romanas conquistaron territorios muy alejados de Roma.* **3** Gran cantidad de personas o de animales: *Una legión de aficionados espe-*

raba al equipo campeón en el aeropuerto para darle la bienvenida.* □ [El significado **3** es coloquial]. FAMILIA: legionario.

legionario [sustantivo] [masculino] Una clase de soldado: *Los legionarios desfilan con un paso especial muy rápido.* □ FAMILIA: → legión.

legislación [sustantivo] [femenino] Conjunto de leyes por las que se gobierna un Estado o por las que se controla una actividad: *La legislación española es elaborada por los miembros del Parlamento.* □ FAMILIA: → ley.

legítimo, ma [adjetivo] **1** De acuerdo con la ley: *Yo soy el dueño legítimo de esta finca porque así aparece en el contrato.* **2** Que es justo desde el punto de vista de la razón o de la moral: *No es legítimo enriquecerse aprovechándose de los débiles.* **3** Auténtico o verdadero: *Este reloj vale mucho porque es de oro legítimo.* □ FAMILIA: → ley.

legua 1 [sustantivo] [femenino] Medida de longitud: *Una legua equivale aproximadamente a cinco kilómetros y medio.* **2** [expresión] **a la legua** Desde muy lejos o de forma clara: *Con esa camisa de color amarillo chillón se te ve a la legua.* □ [El significado **2** es coloquial].

legumbre [sustantivo] [femenino] Tipo de planta que tiene el fruto encerrado en una especie de bolsa alargada: *Los garbanzos, las lentejas y los guisantes son legumbres.* 🔍 página 500.

lejano, na [adjetivo] **1** Que está lejos en el espacio o en el tiempo: *La historia de este cuento sucedió hace mucho tiempo en un país muy lejano.* **2** Dicho de una relación, que se basa en lazos indirectos: *Mi padre heredó esta casa de un pariente lejano al que casi no conocía.* □ SINÓNIMOS: **1** distante, remoto. CONTRARIOS: cercano, próximo. **1** inmediato, junto. FAMILIA: → lejos.

lejía [sustantivo] [femenino] Líquido que limpia tanto que mata hasta los microbios: *La lejía desinfecta, pero también se come los colores de la ropa.*

lejos [adverbio] A gran distancia: *Mi casa está lejos del cole y por eso tengo que coger el autobús.* □ CONTRARIOS: cerca, junto. FAMILIA: alejar, alejamiento.

lengua [sustantivo] [femenino] **1** Parte blanda que hay en el interior de la boca y que sirve para chupar: *Los gatitos beben la leche sacando la lengua. No me saques la lengua, maledu-*

leer	conjugación
INDICATIVO	**SUBJUNTIVO**
presente	**presente**
leo	lea
lees	leas
lee	lea
leemos	leamos
leéis	leáis
leen	lean
pretérito imperfecto	**pretérito imperfecto**
leía	leyera, -ese
leías	leyeras, -eses
leía	leyera, -ese
leíamos	leyéramos, -ésemos
leíais	leyerais, -eseis
leían	leyeran, -esen
pretérito indefinido	**futuro**
leí	leyere
leíste	leyeres
leyó	leyere
leímos	leyéremos
leísteis	leyereis
leyeron	leyeren
futuro	**IMPERATIVO**
leeré	
leerás	**presente**
leerá	lee (tú)
leeremos	lea (él)
leeréis	leamos (nosotros)
leerán	leed (vosotros)
	lean (ellos)
condicional	**FORMAS NO PERSONALES**
leería	
leerías	**infinitivo** — **gerundio**
leería	leer — leyendo
leeríamos	
leeríais	**participio**
leerían	leído

cado. **2** Lo que tiene forma estrecha y alargada: *Cuando baja la marea, una lengua de tierra une esa isla con el continente.* **3** Conjunto de signos usados por una comunidad de personas para comunicarse: *En España se hablan distintas lenguas.* **4** [expresión] **irse alguien de la lengua** Hablar más de lo debido: *Esto es un secreto, así que no te vayas de la lengua.* **lengua de gato** Dulce de chocolate que tiene forma estrecha y alargada: *He comido tantas lenguas de gato seguidas que ahora me duele la tripa.* **lengua materna** El primer idioma que aprende una persona: *Mi lengua materna es el castellano, pero también sé inglés y catalán.* **tirar de la lengua a alguien** Intentar que diga lo que queremos saber: *No me tiréis de la lengua, porque no voy a contaros nada de lo que me dijo.* □ FAMILIA: lenguaje, lengüeta, bilingüe, bilingüismo, trabalenguas.

lenguado [sustantivo] [masculino] Pez marino que tiene el cuerpo casi plano y que vive echado siempre del mismo lado: *Me gustan mucho los filetes de lenguado.*

lenguaje [sustantivo] [masculino] **1** Capacidad que permite a las personas comunicarse y expresar su pensamiento: *El lenguaje diferencia a los seres humanos de los animales.* **2** Sistema que sirve para comunicar algo: *Los animales tienen su propio lenguaje.* **3** Modo particular de hablar que es propio de determinadas personas o de determinadas situaciones: *El lenguaje de los médicos cuando hablan de enfermedades me parece imposible de entender.* □ FAMILIA: → lengua.

lengüeta [sustantivo] [femenino] **1** Tira sobre la que se abrochan los cordones de un zapato: *Cuando te pongas las zapatillas deportivas, tienes que estirar bien la lengüeta y luego atarte los cordones.* **2** Pieza fina y pequeña por la que se sopla en algunos instrumentos musicales: *El clarinete tiene lengüeta.* □ FAMILIA: → lengua.

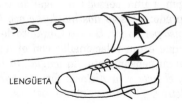

LENGÜETA

lente 1 [sustantivo] Pieza de cristal transparente que se usa para ver algo: *Los telescopios tienen lentes de distintos aumentos para ver las estrellas.* **2** [expresión] **lente de contacto** Cristal que se pone tocando el ojo para ver mejor: *Desde que llevo lentes de contacto veo mejor.* □ [En el significado **1** se puede decir *el lente* y *la lente* sin que cambie de significado]. SINÓNIMOS: **2** lentilla. FAMILIA: lentilla.

lenteja [sustantivo] [femenino] Planta que se cultiva en las huertas y que tiene unas semillas redondas, planas y de color marrón, que se cocinan cuando ya están secas: *Me encantan las lentejas con chorizo.* □ FAMILIA: lentejuela. ✍ página 500.

lentejuela [sustantivo] [femenino] Adorno pequeño y redondo que se cose a la ropa: *Mi madre tiene un traje de fiesta con lentejuelas negras que brillan mucho.* □ FAMILIA: → lenteja.

lentilla [sustantivo] [femenino] Cristal pequeño que se pone tocando el ojo para ver mejor: *Soy miope y llevo lentillas.* □ SINÓNIMOS: lente de contacto. FAMILIA: → lente.

lentitud [sustantivo] [femenino] Forma lenta o tranquila de hacer algo: *Como sigáis andando con esa lentitud, no llegaremos nunca a casa.* □ SINÓNIMOS: pesadez, tranquilidad. CONTRARIOS: rapidez, prontitud, diligencia, velocidad, prisa. FAMILIA: → lento.

lento, ta [adjetivo] **1** Que se mueve muy despacio: *La tortuga es un animal lento.* **2** Que tarda mucho tiempo en hacer las cosas: *Eres tan lento que siempre terminas de comer el último.* □ CONTRARIOS: rápido, veloz. FAMILIA: lentitud.

leña 1 [sustantivo] [femenino] Madera de los árboles que se corta en trozos y se usa para hacer fuego: *Mientras nosotros buscamos leña para hacer una hoguera, vosotros sacad la comida de las mochilas.* **2** [expresión] **dar leña** Pegar o golpear: *No me gusta jugar contra ese equipo porque los jugadores dan mucha leña.* **echar leña al fuego** Dar más motivos para que algo malo continúe: *Con lo enfadados que están, es mejor que no eches más leña al fuego contando lo que te han dicho de ellos.* □ [Las expresiones son coloquiales]. FAMILIA: leño, leñador, leñera.

leñador, -a [sustantivo] Persona que trabaja cortando o vendiendo leña: *Los leñadores* *salen muy temprano al bosque con sus hachas al hombro.* □ FAMILIA: → leña.

leñera [sustantivo] [femenino] Lugar en el que se guarda la leña: *La leñera del chalé está en el garaje.* □ FAMILIA: → leña.

leño [sustantivo] [masculino] **1** Trozo de árbol cortado y sin ramas: *Pon más leños en la chimenea, que se está apagando el fuego.* **2** Lo que resulta muy pesado o aburrido: *El programa era un leño y no pude acabar de verlo.* □ [El significado **2** es coloquial]. FAMILIA: → leña.

leo [adjetivo o] [sustantivo] Uno de los doce signos del horóscopo: *Las personas que son leo han nacido entre el 23 de julio y el 22 de agosto.* □ [No varía en masculino y en femenino].

león, -a [sustantivo] **1** Animal salvaje de color marrón, casi amarillo, que tiene unos dientes y unas uñas muy fuertes: *El león tiene una gran melena en la cabeza y la leona, no.* página 848. **2** Persona muy valiente o que tiene mucho genio: *Los soldados que defendían el castillo eran unos leones e hicieron huir al enemigo.*

leonés, -a [adjetivo o] [sustantivo] **1** De la provincia de León o de su capital: *La catedral leonesa es de arte gótico.* **2** De León, que fue un antiguo reino de la península Ibérica: *Los leoneses se unieron a los castellanos y formaron el reino de Castilla y León.*

leopardo [sustantivo] [masculino] Animal salvaje de color amarillo con manchas negras: *El leopardo vive en las selvas de Asia y África.*

LEOPARDO

leotardo [sustantivo] [masculino] Prenda de vestir que se ajusta a las piernas y las cubre desde los pies hasta la cintura: *En invierno voy al cole con leotardos de lana porque abrigan mucho.* □ [Significa lo mismo en singular que en plural].

lepra [sustantivo] [femenino] Enfermedad infecciosa que produce muchas heridas en la piel: *Antiguamente, la lepra era una enfermedad incurable.* □ FAMILIA: leproso.

leproso, sa [adjetivo o] [sustantivo] Que tiene lepra: *Antes, los leprosos tenían que vivir en lugares apartados del resto de las poblaciones para no contagiar a nadie.* □ FAMILIA: → lepra.

leridano, na [adjetivo o] [sustantivo] De la provincia de Lérida o de su capital: *Las montañas leridanas son ideales para la práctica del esquí.*

lesbiana [sustantivo] [femenino] Mujer que siente amor por otras mujeres: *Las lesbianas no se sienten atraídas por los hombres.*

lesión [sustantivo] [femenino] Problema físico que es producido por un golpe o por una enfermedad: *Tengo una lesión en el tobillo y no puedo jugar al baloncesto.* □ FAMILIA: lesionar, ileso.

lesionar [verbo] Hacer una herida a una persona: *Me lesioné en el entrenamiento de ayer y tengo que estar con el tobillo vendado dos semanas.* □ SINÓNIMOS: herir, dañar, lastimar. FAMILIA: → lesión.

letal [adjetivo] Que puede producir la muerte: *Los soldados que lanzaban los gases letales tenían la cara cubierta con una máscara.* □ [No varía en masculino y en femenino]. SINÓNIMOS: mortal, mortífero.

letanía [sustantivo] [femenino] Oración que reza una persona y que es repetida o contestada por los demás: *Después del rosario se suelen rezar las letanías a la Virgen.* □ [Se usa mucho en plural].

letargo [sustantivo] [masculino] Estado de reposo en el que viven algunos animales en determinadas épocas y en el que se detiene su actividad: *Las serpientes tienen un período de letargo en invierno.* □ FAMILIA: aletargar.

letra [sustantivo] [femenino] **1** Signo gráfico con que se representa un sonido: *La palabra «café» tiene cuatro letras.* **2** Forma de escribir este signo: *Ahora tengo mejor letra que cuando me enseñaron a escribir.* **3** En una pieza musical, conjunto de palabras que se cantan: *Me gusta tanto esta canción que me sé la letra.* **4** Cada uno de los documentos que obligan a una persona a pagar lo que ha comprado: *Ya sólo nos quedan cinco letras del piso por pagar.* **5** [plural] Conjunto de ciencias que están relacionadas con el hombre y con su pensamiento: *La lengua, la literatura, el arte y la historia forman parte de las letras.* □ FAMILIA: letrero, deletrear.

letrero [sustantivo masculino] Texto breve escrito en un lugar para indicar algo: *En la puerta de su despacho hay un letrero que dice: «Dirección».* ☐ SINÓNIMOS: rótulo. FAMILIA: → letra.

letrina [sustantivo femenino] Lugar en el que se hace pis y caca en un cuartel: *Los soldados tienen que limpiar las letrinas del cuartel.*

levadizo, za [adjetivo] Que se puede levantar: *Subieron el puente levadizo del castillo para que no pudieran entrar los enemigos.* ☐ FAMILIA: → levantar. 🖾 página 156.

levadura [sustantivo femenino] Sustancia blanca que hace que la masa de algunos alimentos quede más hueca y esponjosa: *Los bizcochos y el pan llevan levadura.*

levantar [verbo] **1** Mover de abajo hacia arriba: *Si queréis hacer alguna pregunta, levantad la mano.* **2** Poner derecho o en posición vertical: *Quien haya tirado esa silla que la levante.* **3** Construir un edificio o un monumento: *Han levantado una casa enfrente de la mía y ya no veo las montañas desde mi ventana.* **4** Producir o dar lugar: *Dejad ya de gritar, que me estáis levantando dolor de cabeza.* **5** Iniciar un movimiento de protesta contra una autoridad: *El ejército impidió que el pueblo se levantara contra el Gobierno.* **6** Poner fin a un castigo: *Me han levantado el castigo y ya puedo ver los dibujos animados en la tele.* **7** Quitar algo que se había montado: *Mañana temprano levantaremos el campamento y seguiremos nuestra excursión.* **8** Emitir la voz con fuerza: *Si no levantas un poco la voz, no te oirán tus compañeros de las últimas filas.* **9** Dar fuerza o hacer más fuerte: *Tus palabras me han levantado el ánimo y ya me siento mejor.* **levantarse 10** Dejar la cama después de haber dormido: *Los días que hay colegio me levanto a las ocho en punto.* **11** Empezar a producirse: *Abrígate, porque se ha levantado un viento muy fuerte.* ☐ SINÓNIMOS: **1** subir, elevar. **5** amotinar, sublevar. **1,5,8** alzar. CONTRARIOS: **1** caer, bajar, agachar. **1,2** derribar, derrumbar, hundir. **10** acostar. FAMILIA: levadizo.

levante [sustantivo masculino] Lugar por donde sale el Sol: *Hoy sopla viento de Levante.* ☐ [Cuando es el punto cardinal, se suele escribir con mayúscula]. SINÓNIMOS: este, oriente. CONTRARIOS: oeste, occidente, poniente. FAMILIA: levantino.

levantino, na [adjetivo o sustantivo] De Levante, que es una región del Este de España: *Las playas levantinas son visitadas por muchos turistas a lo largo del año.* ☐ FAMILIA: → levante.

leve [adjetivo] **1** Sin importancia o poco grave: *El coche quedó destrozado por el accidente, pero afortunadamente yo sólo me hice una herida leve en el brazo.* **2** Suave o de poca fuerza: *Después del calor que ha hecho, ahora sopla un leve viento.* **3** De poco peso: *No puedo levantar ni el más leve paquete porque tengo mal la espalda.* ☐ [No varía en masculino y en femenino]. SINÓNIMOS: ligero. CONTRARIOS: pesado.

ley [sustantivo femenino] **1** Conjunto de causas que hacen que una cosa sea siempre igual: *Según la ley de la gravedad, la Tierra atrae hacia su centro a todas las cosas.* **2** Conjunto de normas que hay que cumplir porque se ha fijado así: *Los conductores y los peatones deben respetar las leyes de tráfico.* **3** [expresión] **de ley** Dicho del oro o de la plata, que no son falsos: *Tengo una pulsera y una cadena de oro de ley.* **tomar ley a algo** Tomarle cariño: *Le tomé ley al pueblo de mi esposa y nos construimos una casa allí.* ☐ [Su plural es leyes]. FAMILIA: legal, legalizar, ilegal, legislación, legítimo.

leyenda [sustantivo femenino] Historia que cuenta sucesos imaginarios que se suelen basar en un hecho real: *Me gustan las leyendas de caballeros medievales.*

liana [sustantivo femenino] Planta de la selva que tiene el tallo largo y delgado, y que sube por los árboles: *Los monos se cuelgan de las lianas para moverse de árbol en árbol.*

LIANA

a
b
c
d
e
f
g
h
i
j
k
l
m
n
ñ
o
p
q
r
s
t
u
v
w
x
y
z

a b c d e f g h i j k **l** m n ñ o p q r s t u v w x y z

liar [verbo] **1** Atar una cosa con cuerdas o sujetarla con algo parecido: *Lié los periódicos viejos y los vendí al peso.* **2** Envolver el tabaco en un papel para hacer un cigarrillo: *Mi abuelo liaba sus propios pitillos.* **3** Dejar a una persona sin saber cómo actuar: *Empezaron todos a explicarme cómo tenía que hacerlo y al final sólo consiguieron liarme.* **4** Mezclar o confundir unas cosas con otras: *No líes lo que pasó con lo que te gustaría que hubiera pasado.* **liarse 5** Hacer algo durante mucho tiempo seguido: *Me encontré con un amigo, nos liamos a hablar y llegué tarde a mi casa.* **6** Equivocarse o tener un error: *Como sois tantos, siempre me lío y te llamo con el nombre de alguno de tus hermanos.* **7** Tener relaciones de amor una persona con otra sin estar casados entre sí: *Este actor está liado con una cantante muy famosa.* □ [Se conjuga como GUIAR. Los significados **3-7** son coloquiales]. SINÓNIMOS: **3,6** confundir. **4** embarullar. CONTRARIOS: **3,4,6** aclarar. FAMILIA: → lío.

libélula [sustantivo femenino] Insecto que tiene el cuerpo estrecho y alargado, y cuatro alas grandes: *Las libélulas suelen vivir junto a ríos y estanques.*

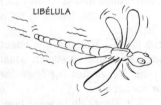

LIBÉLULA

liberar [verbo] **1** Dejar ir o dar la libertad: *Los secuestradores liberaron a sus rehenes.* **2** Quitar una carga o una obligación: *La lectura me libera de las preocupaciones.* □ SINÓNIMOS: **1** libertar, soltar. CONTRARIOS: **1** apresar, prender, capturar, detener, arrestar, esclavizar. FAMILIA: → libre.

libertad [sustantivo femenino] **1** Capacidad que poseen las personas para hacer o no hacer algo: *Tu libertad te permite elegir si vienes con nosotros o si te quedas con ellos.* **2** Condición del que no está preso o no es esclavo: *Creo que hay que dejar vivir a los animales en libertad. El juez lo declaró inocente y lo dejó en libertad.* **3** Permiso para hacer algo: *En los países democráticos existe libertad de expresión y cada uno puede decir públicamente lo que piensa.* **4** Confianza en el trato: *Sabes que soy tu amigo y que puedes hablar conmigo con toda libertad.* **5** [plural] Exceso de confianza: *Me sorprende que te tomes esas libertades conmigo, porque acabamos de conocernos.* □ CONTRARIOS: **2** esclavitud. FAMILIA: → libre.

libertar [verbo] Dejar ir o dar la libertad: *Cuando se abolió la esclavitud, libertaron a los esclavos.* □ SINÓNIMOS: liberar, soltar. CONTRARIOS: apresar, prender, detener, capturar, arrestar, esclavizar. FAMILIA: → libre.

libra 1 [adjetivo o sustantivo] Uno de los doce signos del horóscopo: *Las personas que son libra han nacido entre el 23 de septiembre y el 23 de octubre.* [sustantivo femenino] **2** Moneda de algunos países: *La libra esterlina es la moneda de Gran Bretaña.* **3** Medida antigua que servía para pesar: *Antes, las cosas se pesaban en libras en vez de en kilos.* □ [El significado **1** no varía en masculino y en femenino].

librar [verbo] **1** Sacar de un peligro o evitar un daño: *Mi hermano dijo que la mesa se había roto sola y así se libró de una regañina.* **2** Tener el día libre una persona que trabaja: *Trabajo los domingos, pero libro los jueves.* □ SINÓNIMOS: **1** salvar. FAMILIA: → libre.

libre [adjetivo] **1** Que puede hacer o no hacer algo sin que nadie le obligue: *Eres libre para pensar lo que quieras.* **2** Que no es esclavo, que no está preso o que no está sometido: *Todos los hombres y todas las mujeres de cualquier raza son libres.* **3** Que no cuesta dinero: *Hoy hay entrada libre en el museo.* **4** Dicho de una parte del cuerpo, que puede realizar sus funciones sin nada que se lo impida: *Dame algún paquete, que ya tengo las manos libres y puedo cogerlos.* **5** Que no está ocupado por nadie: *Cuando pase un taxi libre, lo paras.* **6** Dicho de un período de tiempo, que no está dedicado al trabajo: *Mi padre construye maquetas de barcos en sus ratos libres.* **7** Que no sigue ninguna orden o ninguna regla: *El tema de la redacción es libre, para que escribáis cada uno sobre lo que os apetezca.* **8** [expresión] **por libre** De forma independiente o sin contar con los demás: *Mi hermano va por libre y siempre hace lo que le apetece.* □ [No varía en masculino y en femenino. El significado **8** es coloquial]. CONTRARIOS: **2** esclavo, preso, prisionero, recluso, cautivo. FAMILIA: libertad, liberar, libertar, librar.

librería [sustantivo/femenino] **1** Tienda en la que se venden libros: *He estado con mis padres en una librería y me han comprado un libro de cuentos.* **2** Mueble o estantería para colocar libros: *La librería de mi habitación es de madera.* □ SINÓNIMOS: **2** biblioteca. FAMILIA: → libro.

libreta 1 [sustantivo/femenino] Libro pequeño que se usa para apuntar cosas: *Me han regalado una libreta para apuntar los teléfonos de mis amigos.* **2** [expresión] **libreta de ahorros** La que tiene una persona que ha metido su dinero en un banco: *Voy a mirar en la libreta de ahorros cuánto dinero tengo ahorrado, porque ya no recuerdo cuánto es.* □ FAMILIA: → libro.

libro 1 [sustantivo/masculino] Conjunto de hojas unidas en las que hay textos escritos o imágenes: *Estoy leyendo un libro de cuentos muy entretenido. ¿Me prestas tu libro de matemáticas?* **2** [expresión] **libro de caballerías** El que cuenta las aventuras de los antiguos caballeros: *Don Quijote leyó tantos libros de caballerías que se volvió loco.* **libro de escolaridad** El que tiene apuntadas las notas obtenidas por un alumno en cada curso: *Para poder matricularme en ese centro de estudios me pidieron el libro de escolaridad.* **libro de familia** El que tiene apuntados los nacimientos y las muertes de los miembros de una familia: *En nuestro libro de familia estamos apuntados mi padre, mi madre, mi hermana, mi hermano y yo.* **libro de texto** El que se usa en clase como guía de estudio: *Mi libro de texto de lengua tiene ejercicios después de cada unidad para que repasemos lo aprendido.* □ FAMILIA: libreta, librería.

licor [sustantivo/masculino] Bebida alcohólica: *Mi padre tomó un licor de manzana y mi madre, un licor de melocotón.*

licuadora [sustantivo/femenino] Aparato que sirve para convertir las frutas y las verduras en líqui-

do: *Me he hecho un zumo de zanahoria en la licuadora.* □ FAMILIA: → líquido.

líder [sustantivo] **1** Persona que dirige un grupo o que tiene influencia sobre él: *El cantante es el líder de este grupo musical.* **2** Persona que ocupa el primer lugar en una clasificación: *Mi equipo de balonmano es el líder de la liga.* □ [No varía en masculino y en femenino].

lidiar [verbo] **1** Ponerse frente a un toro en la plaza, hacerlo obedecer y darle muerte según determinadas reglas: *En una corrida se suelen lidiar seis toros.* **2** Luchar o pelear para conseguir algo: *Tuvimos que lidiar con nuestros padres para que nos dejaran acostarnos más tarde.* □ SINÓNIMOS: **1** torear.

liebre [sustantivo/femenino] Animal parecido al conejo, pero con las orejas más largas: *Las liebres corren mucho.*

lienzo [sustantivo/masculino] **1** Tela fuerte que está preparada para pintar sobre ella: *Para pintar al óleo necesitas un lienzo.* **2** Pintura hecha sobre esta tela: *En esta sala del museo están expuestos los mejores lienzos de un famoso pintor español.*

liga [sustantivo/femenino] **1** Cinta que sirve para sujetar algo: *Si se te caen las medias, ponte unas ligas de goma.* **2** Competición deportiva en la que participan varios equipos que deben jugar todos contra todos: *Hemos quedado campeones de la liga de fútbol que jugamos entre los colegios de mi zona.* **3** Asociación entre personas o países que tienen algo en común: *Pertenezco a una liga que se ocupa de mantener a los jóvenes alejados de las drogas.* □ FAMILIA: → ligar.

ligamento [sustantivo/masculino] Lo que une entre sí los huesos de las articulaciones: *Mi hermano se cayó jugando al baloncesto y sufre una lesión en los ligamentos de la rodilla.* □ FAMILIA: → ligar.

ligar [verbo] **1** Unir o relacionar una cosa con otra: *Desde que tú y yo nos conocimos nos liga una fuerte amistad.* **2** Establecer relaciones de amor poco serias y pasajeras: *Los amigos de mi hermano van los fines de semana a la discoteca a ligar.* **3** Reunir las cartas de la baraja adecuadas para conseguir una buena jugada: *Esta partida paso, porque no he ligado nada.* **4** [expresión] **ligarla** En algunos juegos, ser el encargado de buscar o de atrapar a los demás: *Si te han dado a ti, ahora la ligas tú y tienes que cogernos.* □ [La g se cambia en gu delante de e, como en PAGAR. Los significados **2**, **3** y **4** son coloquiales]. SINÓNIMOS: **2** enrollarse. FAMILIA: ligamento, liga, ligue, ligón.

ligereza [sustantivo femenino] **1** Poco peso: *A pesar de su ligereza, estas mantas abrigan mucho.* **2** Lo que se hace sin pensarlo bien o de forma poco seria: *Me parece una ligereza que dejes de ir a clase por quedarte ensayando el baile de fin de curso.* □ FAMILIA: → ligero.

ligero, ra [adjetivo] **1** De poco peso: *Yo cojo la maleta y tú lleva esta bolsa, que es más ligera.* **2** Suave o de poca fuerza: *Aquí por las noches corre una ligera brisa muy agradable.* **3** Sin importancia o poco grave: *Tengo un ligero dolor de cabeza.* **4** Rápido o ágil de movimientos: *Si vamos a paso ligero llegaremos antes de que cierren.* **5** Que abriga poco: *Este jersey tan ligero no te servirá de nada con el frío que hace.* **6** Que no engorda o que no resulta pesado para hacer la digestión: *Por la noche es mejor cenar algo ligero para dormir bien.* **7** [expresión] **a la ligera** Sin pensar o sin reflexionar: *No digas las cosas tan a la ligera, porque puedes herir a alguien con tus palabras.* □ SINÓNIMOS: **1-3** leve. CONTRARIOS: **1-3** pesado. FAMILIA: ligereza, aligerar.

[light [adjetivo] **1** Dicho de un alimento, que engorda menos de lo habitual: *Tomo refrescos light porque no tienen azúcar y tienen menos calorías.* **2** Suave o menos fuerte de lo habitual: *Los cigarrillos light tienen menos nicotina.* □ [Es una palabra inglesa. Se pronuncia «láit». No varía en masculino y en femenino, ni en singular y plural].

ligón, -a [adjetivo o sustantivo] Que intenta establecer siempre alguna relación de amor poco seria y pasajera: *Tu hermano es un ligón y siempre lo veo rodeado de chicas.* □ [Es coloquial]. FAMILIA: → ligar.

ligue [sustantivo masculino] **1** Relación de amor poco seria y pasajera: *Esa chica presume de que cada fin de semana tiene un nuevo ligue.* **2** Persona con la que se establece esta relación: *Ayer me presentó a su ligue.* □ [Es coloquial]. FAMILIA: → ligar.

lija [sustantivo femenino] Papel fuerte que tiene una de sus caras muy áspera: *La lija se usa para dejar lisa una superficie.* □ FAMILIA: lijar.

lijar [verbo] Pasar un papel que tiene una de sus caras muy áspera por encima de la superficie de un objeto para dejarla muy lisa: *Antes de pintar el armario tienes que lijarlo.* □ [Siempre se escribe con j]. FAMILIA: → lija.

lila [adjetivo o sustantivo masculino] **1** De color morado claro: *Me gusta cómo te queda esa blusa lila con ese pantalón blanco.* **2** Tonto y fácil de engañar: *No me extraña que te hayan timado, porque eres un lila.* **3** [sustantivo] Flor pequeña, de color morado o blanco, y de mucho olor: *Me gusta mucho cómo huele el jardín cuando florecen las lilas.* □ [Cuando es adjetivo no varía en masculino y en femenino. El significado **2** es coloquial].

lima [sustantivo femenino] **1** Herramienta que tiene la superficie rayada y que sirve para dejar un objeto liso: *El fontanero frotaba la tubería con una lima para quitar las partes que sobraban.* 🔎 página 431. **2** Persona que come mucho: *Mi hermano es una lima y se come cuatro filetes.* **3** Árbol cuyo fruto es parecido al limón, pero más verde y más pequeño: *La lima es más ácida que el limón.* □ [El significado **2** es coloquial]. FAMILIA: limar.

limar [verbo] **1** Dejar un objeto liso frotándolo con una herramienta que tiene la superficie rayada o muy áspera: *Mi madre se lima las uñas antes de pintárselas.* **2** Hacer algo para que una cosa sea mejor o más perfecta: *Creo que, si limamos un poco tu idea, el proyecto nos quedará perfecto.* **3** Hacer que algo se vuelva más débil o que desaparezca: *Si vais a trabajar tanto tiempo juntos, debéis limar vuestras diferencias.* □ FAMILIA: → lima.

limitar [verbo] **1** Marcar dónde empieza y dónde acaba una cosa: *Un muro de piedra limita la finca de mis tíos.* **2** Poner un límite al tamaño, a la cantidad o a la fuerza de algo: *Han limitado la velocidad máxima y ahora hay que ir más despacio por la carretera.* **3** Dicho de un lugar, estar justo al lado de otro: *España limita al norte con Francia y al oeste con Portugal.* **4** **limitarse** Centrarse en una acción y no hacer nada más: *Limítate a hacer tu trabajo y ya verás cómo no tienes ningún problema.* □ SINÓ-

NIMOS: **2** acortar, abreviar, reducir, disminuir, achicar. **3** lindar. CONTRARIOS: **2** ampliar, alargar, prolongar, agrandar. FAMILIA: → límite.

límite [sustantivo] [masculino] **1** Línea o borde que señala el lugar en el que empieza una cosa y acaba otra: *Recorrimos los límites de la finca a caballo.* **2** Punto extremo al que se puede llegar: *El límite de velocidad en las autopistas es de 120 km/h.* □ SINÓNIMOS: **2** tope. FAMILIA: limitar.

limón [sustantivo] [masculino] Fruto amarillo que está dividido en gajos y tiene sabor ácido: *Cuando me hago un zumo de limón, me pongo dos cucharaditas de azúcar.* □ FAMILIA: limonero, limonada, limonar.

limonada [sustantivo] [femenino] Bebida que sabe a limón: *En el cumpleaños de mi amigo nos dieron para beber limonada y refrescos.* □ FAMILIA: → limón.

limonar [sustantivo] [masculino] Terreno plantado de limoneros: *En Valencia hay muchos limonares.* □ FAMILIA: → limón.

limonero [sustantivo] [masculino] Árbol cuyo fruto es el limón: *He plantado una pepita de limón en una maceta para que me salga un limonero.* □ FAMILIA: → limón.

limosna [sustantivo] [femenino] Dinero que se da a los pobres: *Di una limosna a un pobre que pedía a la puerta de la iglesia.*

limpiabotas [sustantivo] Persona que trabaja limpiando los zapatos a otras personas: *Entró en el bar un limpiabotas con una caja en la que llevaba betún, trapos y cepillos.* □ [No varía en masculino y en femenino, ni en singular y plural]. FAMILIA: → bota.

limpiaparabrisas [sustantivo] [masculino] Aparato automático que tienen los automóviles para limpiar los cristales: *El limpiaparabrisas se mueve hacia un lado y hacia el otro para quitar las gotas de lluvia.* □ [No varía en singular y en plural]. FAMILIA: → brisa.

limpiar [verbo] **1** Quitar la suciedad: *Voy a limpiar el polvo con un trapo. Límpiate las manos antes de comer.* **2** Quitar lo que resulta perjudicial o lo que estorba: *Están limpiando de ratas las alcantarillas. Mi padre me limpió el pescado y le quitó las espinas.* **3** Dejar sin dinero: *Estuvo jugando a las cartas en el casino hasta que lo limpia-*

ron. □ [El significado **3** es coloquial]. CONTRARIOS: **1** manchar, ensuciar. FAMILIA: limpio, limpieza.

limpieza [sustantivo] [femenino] **1** Falta de suciedad: *Lo importante de un hotel es la limpieza y la comodidad de las habitaciones.* **2** Eliminación de la suciedad, de lo perjudicial o de lo que estorba: *Antes de irnos de vacaciones, tenemos que hacer limpieza general en casa.* □ CONTRARIOS: **1** suciedad, porquería, guarrería, roña. FAMILIA: → limpiar.

limpio, pia [adjetivo] **1** Que no tiene suciedad: *Me manché la camisa al desayunar y tuve que ponerme otra limpia.* **2** Que cuida de su higiene y de su aspecto: *Eres muy limpio y siempre vas muy bien peinado y oliendo a colonia.* **3** Que actúa con honradez y respetando las leyes: *No te pueden acusar de nada porque tu comportamiento ha sido limpio.* **4** Claro y bien determinado: *En la televisión nueva, las imágenes se ven muy limpias.* **5** Sin dinero: *No tengo nada para darte porque me ha pedido tu hermano dinero antes que tú y me ha dejado limpio.* **6 limpio** [adverbio] Con limpieza o con corrección: *El árbitro expulsó a un jugador por no jugar limpio.* □ [El significado **5** es coloquial]. SINÓNIMOS: **4** neto. CONTRARIOS: **1-3,6** sucio. **1,2** cerdo, cochino, marrano, puerco, guarro, gorrino. FAMILIA: → limpiar.

lince 1 [adjetivo o sustantivo masculino] Dicho de una persona, que es muy lista: *¡Eres un lince resolviendo jeroglíficos!* **2** [sustantivo] [masculino] Animal salvaje parecido al gato, pero más grande: *Los linces tienen muy buena vista.* □ [Cuando es adjetivo, no varía en masculino y en femenino. El significado **1** es coloquial].

LINCE

linchar [verbo] Matar a una persona un grupo de gente sin haberla juzgado la autoridad: *El juez llegó justo a tiempo para evitar que los habitantes del pueblo lincharan al ladrón de caballos.*

lindar [verbo] Dicho de un lugar, estar justo al lado de otro: *Mi casa linda con la tuya.* □ SINÓNIMOS: limitar.

lindo, da 1 [adjetivo] Muy agradable de ver o de oír: *¡Qué cara tan linda tiene tu bebé!* **2** [expresión] **de lo lindo** Mucho o en exceso: *Nos divertimos de lo lindo el otro día en tu casa.* □ SINÓNIMOS: **1** precioso, bello, bonito, hermoso. CONTRARIOS: **1** feo.

línea [sustantivo femenino] **1** Marca delgada y alargada: *Si en la carretera hay una línea continua, no se puede adelantar.* **2** Serie de cosas colocadas una al lado de otra o una detrás de otra: *El párrafo que has leído no se entiende porque te has saltado dos líneas.* **3** Servicio de transportes que tiene un recorrido fijo: *Para ir a mi casa en metro tienes que coger esta línea.* **4** Figura delgada de una persona: *No como dulces porque no quiero perder la línea.* **5** Manera de hacer las cosas: *¡Muy bien, sigue trabajando en esa línea!* **6** Comunicación telefónica: *No puedo llamar por teléfono porque no hay línea.* **7** Conjunto de productos con características comunes: *Esta casa acaba de sacar una nueva línea de productos de belleza.* **8** [expresión] **en líneas generales** Sin entrar en detalles: *Aunque tenga algunos fallos, en líneas generales tu trabajo está bien hecho.* □ SINÓNIMOS: **1** raya. FAMILIA: alineación.

lingote [sustantivo masculino] Barra de algunos metales: *Los ladrones robaron varios lingotes de oro del banco.*

lino [sustantivo masculino] Tipo de hilo con el que se hacen telas finas y que se arrugan mucho: *La ropa de lino es muy fresca y muy apropiada para el verano.*

linterna [sustantivo femenino] Objeto que se coge con una mano y que sirve para proyectar luz: *El acomodador iluminó nuestros asientos con la linterna.* ✍ página 120.

lío [sustantivo masculino] **1** Situación en la que hay mucho ruido y gran movimiento de personas: *¡Menudo lío había en casa el día de la boda de mi hermano!* **2** Conjunto de cosas mezcladas y sin orden: *Este lío no hay quien lo entienda.* **3** Conjunto de cosas atadas: *Hizo un lío con la ropa, lo metió en la maleta y se fue.* □ SINÓNIMOS: **1** alboroto, guirigay,

1,2 jaleo, cacao, follón, barullo. FAMILIA: liar, lioso.

lioso, sa [adjetivo] Complicado o difícil de entender: *Explícame otra vez esa lección tan liosa, por favor.* □ FAMILIA: → lío.

liquen [sustantivo masculino] Ser vivo formado por un hongo y un alga, que vive en zonas húmedas: *Los líquenes crecen en los troncos de los árboles.* ✍ página 711.

liquidar [verbo] **1** Pagar lo que se debe: *En cuanto me paguen, liquidaré la deuda que tengo contigo por el préstamo que me hiciste.* **2** Gastar o consumir por completo: *¿Os habéis liquidado una botella de zumo entre vosotros dos?* **3** Matar: *El gángster mandó liquidar al policía que quería meterlo en la cárcel.* **4** Vender las cosas de una tienda a un precio más barato: *Están liquidando la ropa de verano que les queda porque van a recibir la ropa de invierno.* □ [Los significados **2** y **3** son coloquiales].

líquido, da [adjetivo o sustantivo masculino] Dicho de una materia, que está en un estado parecido al del agua: *Los líquidos se miden por litros.* □ FAMILIA: licuadora.

lira [sustantivo femenino] **1** Antiguo instrumento musical con forma de «U», que se tocaba pulsando las cuerdas con las manos o con una púa: *Se suele representar al emperador romano Nerón tocando la lira.* **2** Moneda de Italia: *Cuando fui de viaje a Venecia, tuve que cambiar pesetas en liras.*

LIRA

lírico, ca 1 [adjetivo] Dicho de una pieza musical, que tiene algunas partes cantadas: *La ópera y la zarzuela son composiciones líricas.* **2** [adjetivo o sustantivo femenino] De la poesía o relacionado con ella: *El amor es un tema muy frecuente en las obras líricas.* □ SINÓNIMOS: **2** poético.

lirio [sustantivo masculino] Planta de jardín que tiene tallos largos y verdes de los cuales salen unas flores grandes y de colores fuertes: *Los li-rios del jardín del chalé son morados.*

lisiado, da [adjetivo o sustantivo] Dicho de una persona, que tiene una lesión permanente en los brazos o en las piernas: *No exageres, que romperse una pierna no significa que te vayas a quedar lisiado.* □ [Es despectivo].

liso, sa [adjetivo] **1** Dicho de un terreno, que es muy igual o que no tiene diferencias de altura: *Es menos cansado correr por un terreno liso que por un terreno con subidas y bajadas.* **2** Que no tiene partes que salen más que otras o que no tiene arrugas: *Tienes que planchar bien la tela, hasta que quede lisa del todo.* **3** Que no tiene adornos o que es de un solo color: *Con un pantalón de cuadros te va bien una camisa lisa.* **4** Dicho del pelo, que no tiene rizos: *Tengo el pelo liso y, cuando me canso de tenerlo siempre igual, me pongo rulos.* □ SINÓNIMOS: **1** llano. **4** lacio. CONTRARIOS: **1** abrupto. FAMILIA: alisar.

lista [sustantivo femenino] Mira en **listo, ta.**

listín [sustantivo masculino] Lista de teléfonos o de direcciones: *En mi casa tenemos el listín al lado del teléfono.* □ FAMILIA: → lista.

listo, ta [adjetivo] **1** Que entiende las cosas de forma fácil y rápida: *Todo lo que te enseño lo aprendes pronto porque eres muy lista.* **2** Preparado para hacer algo: *Ya estoy listo para salir a la calle.* **3** [adjetivo o sustantivo] Que sabe lo que quiere y actúa con inteligencia para conseguirlo: *Tú eres muy listo y siempre sabes qué es lo que te conviene.* **4** [sustantivo femenino] Serie de personas, de cosas o de sucesos, hecha generalmente en forma de columna: *He hecho una lista con los nombres de los amigos que quiero invitar a mi fiesta.* **5** [expresión] **lista negra** La que está formada por las cosas contra las que se tiene algo: *Si no vienes al cine con nosotros, te apunto en mi lista negra.* **pasar lista** Leer en voz alta los nombres de varias personas para ver si están todas presentes: *Si pasa lista la profesora, recordadle que he tenido que ir al médico.* □ [Las expresiones son coloquiales]. SINÓNIMOS: **2** dispuesto. CONTRARIOS: **1** torpe. **3** tonto, necio, bobo, estúpido, imbécil, idiota, burro, memo. FAMILIA: listín, alistarse.

litera [sustantivo femenino] **1** Mueble formado por dos o más camas puestas una encima de otra: *En mi habitación hay una litera de dos camas con una escalera para subir a la de arriba.* **2** Cada una de las camas que forman este mueble: *Yo duermo en la litera de abajo porque me da miedo caerme por la noche.* **3** Vehículo antiguo en el que viajaban una o dos personas y que era llevado por varios hombres: *En el Imperio romano, los grandes señores eran transportados en literas por sus esclavos.*

literario, ria [adjetivo] De la literatura o relacionado con este arte: *«Don Quijote de La Mancha» es una de las obras literarias más importantes de todos los tiempos.* □ FAMILIA: → literatura.

literato, ta [sustantivo] Persona que se dedica a la literatura o a su estudio: *Los literatos interpretan y estudian las obras de los grandes escritores.* □ FAMILIA: → literatura.

literatura [sustantivo femenino] Conjunto de obras escritas usando el lenguaje de una manera especial: *Los poemas, las novelas y las obras de teatro forman parte de la literatura.* □ FAMILIA: literario, literato.

litoral **1** [adjetivo] De la orilla del mar o de su costa: *En verano las ciudades litorales tienen más turistas que las del interior.* **2** [sustantivo masculino] Zona de terreno que toca con el mar: *Los pueblos del litoral tienen un clima suave.* □ [El significado **1** no varía en masculino y en femenino].

litro [sustantivo masculino] Medida de capacidad: *En esta botella caben dos litros.* □ FAMILIA: hectolitro, mililitro, centilitro, decalitro, decilitro, litrona.

[litrona [sustantivo femenino] Botella de cerveza de un litro: *A la puerta del bar había dos litronas vacías en el suelo.* □ [Es coloquial]. FAMILIA: → litro.

lívido, da [adjetivo] Dicho de una persona, que está muy pálida: *Al oír aquel estrépito, se quedó lívido del susto.*

llaga [sustantivo femenino] Herida que echa un poco de sangre y que sale en la piel: *Las llagas son heridas que tardan mucho tiempo en curar.* □ SINÓNIMOS: úlcera.

llama [sustantivo femenino] **1** Lo que se produce cuando algo se quema: *Las llamas desprenden calor.* **2** Animal que tiene el pelo largo y que en algunos países de Sudamérica se usa para llevar carga: *De las llamas se obtiene leche, carne y lana.*

LLAMA

llamada [sustantivo] [femenino] **1** Voz, gesto o sonido con los que se intenta atraer la atención de una persona o de un animal: *Este perro está adiestrado y acude a la llamada del guardia.* **2** Cada vez que se llama por teléfono: *Tuve que hacer varias llamadas urgentes desde una cabina de teléfonos.* □ FAMILIA: → llamar.

llamar [verbo] **1** Dirigirse a una persona por medio de palabras o de gestos: *He venido porque me ha parecido que me llamabas.* **2** Marcar el número de teléfono de una persona para hablar con ella: *He llamado a tu casa varias veces, pero nadie me ha cogido el teléfono.* **3** Pedir la presencia de alguien en un lugar: *Aprieta este botón si quieres llamar a la azafata.* **4** Dar nombre o tenerlo: *He llamado «Fofi» a mi perro. ¿Cómo te llamas?* **5** Nombrar con una palabra: *¿Cómo se llama esto en inglés?* **6** Golpear una puerta o hacer que suene un timbre: *No debe de haber nadie, porque he llamado varias veces y no abren la puerta.* □ SINÓNIMOS: **3** reclamar. FAMILIA: llamada, llamativo.

llamarada [sustantivo] [femenino] Llama grande que sale de forma repentina y se apaga rápidamente: *Al encender el soplete salió una gran llamarada.* □ FAMILIA: → llama.

llamativo, va [adjetivo] Que destaca mucho: *Siempre viste de una forma muy llamativa.* □ CONTRARIOS: imperceptible. FAMILIA: → llamar.

llano, na [adjetivo] **1** Dicho de un terreno, que es muy igual o que no tiene diferencias de altura: *Acamparemos cuando encontremos un terreno llano.* **2** Dicho de una palabra, que tiene el acento en la penúltima sílaba: *«Cuna» y «árbol» son palabras llanas.* **3** Sencillo, natural o fácil de tratar: *Este libro se lee muy bien porque está escrito con un lenguaje llano.* **4** [sustantivo] [masculino] Terreno sin diferencia de alturas: *Este pueblo está en un llano.* □ SINÓNIMOS: **1** liso. **2** grave. CONTRARIOS: **1** abrupto. FAMILIA: llanura, allanar, rellano.

llanto [sustantivo] [masculino] Salida de lágrimas que suele ir acompañada de lamentos: *El llanto del bebé cesó cuando su padre lo cogió en brazos.* □ SINÓNIMOS: lloro.

llanura [sustantivo] [femenino] Terreno llano y muy grande: *Desde lo alto del campanario se puede ver una gran llanura sembrada de trigo.* □ FAMILIA: → llano.

llave [sustantivo] [femenino] **1** Objeto que se usa para abrir o cerrar una cerradura: *Para abrir el buzón del portal necesitas una llave.* **2** Objeto que sirve para dar cuerda a un mecanismo: *Para que esta muñeca ande, tienes que darle cuerda con la llave.* **3** Herramienta que sirve para apretar o aflojar tuercas o tornillos: *Al apretar un tornillo con una llave, se hace más fuerza que con la mano.* **4** Mecanismo que sirve para permitir o para impedir el paso de algo: *Cuando nos vamos de viaje cerramos la llave del gas y la del agua.* **5** En algunos instrumentos musicales, pieza que abre o cierra el paso del aire: *En algunas flautas, los distintos sonidos se producen al abrir o cerrar las llaves.* **6** Movimiento que sirve para hacer caer a un contrario o para impedir que se mueva: *En clase de judo nos enseñan distintas llaves para luchar con el contrario.* **7** Signo que usamos al escribir para introducir una explicación o una clasificación: *La palabra {casa} está escrita entre llaves.* **8** [expresión] **llave de contacto** La

LLAVE

que pone en funcionamiento un mecanismo: *Sin la llave de contacto, el coche no puede arrancar.* **llave inglesa** La que se puede adaptar al tamaño de la tuerca: *La llave inglesa la suelen usar los mecánicos y los fontaneros.* ⚒ página 431.

llavero [sustantivo masculino] Objeto en el que se llevan las llaves: *No sé dónde he puesto el llavero con las llaves de casa.* □ FAMILIA: → llave.

llegada [sustantivo femenino] **1** Entrada en un lugar: *Estábamos preocupados porque esperábamos tu llegada ayer.* **2** Aparición o comienzo de algo: *Con la llegada del invierno vienen los primeros fríos.* **3** Lugar en el que termina una carrera deportiva: *Los periodistas esperaban a los corredores en la llegada.* □ SINÓNIMOS: **1** venida, vuelta. **3** meta. CONTRARIOS: **1** ida, abandono, marcha. **3** salida. FAMILIA: → llegar.

llegar [verbo] **1** Aparecer en un lugar: *Date prisa si no quieres llegar tarde.* **2** Alcanzar el final de un recorrido: *Gané la carrera porque llegué el primero.* **3** Durar hasta un momento determinado: *Si os coméis ahora los turrones, no llegarán a Navidad.* **4** Empezar o tener lugar: *Ha llegado la hora de tomar una decisión.* **5** Conseguir un objetivo: *Mi abuelo llegó a ser un escritor muy conocido.* **6** Alcanzar una situación o una cantidad: *Esta camisa está rebajada y no llega a mil pesetas.* **7** Extenderse hasta un punto determinado: *El pelo le llega hasta la cintura.* **8 llegarse** Acercarse a un lugar: *Me llegué hasta la esquina para ver si venías.* **9** [expresión] **llegar lejos** Alcanzar el éxito: *Esta chica pinta muy bien y estoy convencida de que llegará lejos.* □ [La g se cambia en *gu* delante de e, como en PAGAR]. CONTRARIOS: salir, marcharse, irse, largarse. FAMILIA: llegada.

llenar [verbo] **1** Ocupar un lugar que estaba vacío: *No me llenes mucho el plato porque no tengo hambre.* **2** Dar algo en gran cantidad: *Cuando me vio me llenó de besos.* **3** Satisfacer por completo: *El nuevo trabajo no me acaba de llenar.* **4** Escribir la información que se pide en un papel que tiene los espacios señalados para ello: *Cuando hayas llenado el impreso, entrégalo en ese despacho.* **5 llenarse** Quedarse lleno por haber

comido o bebido demasiado: *Si me lleno con el segundo plato, no podré comer postre.* □ [El significado **5** es coloquial]. SINÓNIMOS: **2** colmar, cubrir. **4** rellenar. CONTRARIOS: **1** vaciar. FAMILIA: → lleno.

lleno, na [adjetivo] **1** Ocupado de manera total: *Tiene el armario lleno de juguetes.* **2** Dicho de una persona, que está un poco gorda: *Hace régimen porque dice que está algo llenito.* **3** Que ha comido o bebido mucho: *Estoy tan llena que no puedo comer nada más.* □ SINÓNIMOS: **1** pleno. CONTRARIOS: vacío. FAMILIA: llenar, rellenar, relleno.

llevadero, ra [adjetivo] Que no resulta difícil de soportar: *Aunque me molesta un poco, es un dolor llevadero.* □ FAMILIA: → llevar.

llevar [verbo] **1** Transportar algo a otro lugar: *Este autobús me lleva hasta casa. Esto es mío y no quiero que te lo lleves.* **2** Conducir o dirigir hacia un determinado lugar: *Esta carretera lleva a mi pueblo.* **3** Ponerse una prenda de vestir: *Me gusta mucho el vestido que llevas.* **4** Tener, poseer o contener: *Llevo un pañuelo en el bolsillo.* **5** Sufrir o soportar: *Lleva su enfermedad con mucho ánimo.* **6** Dar o aportar: *Son muchos hermanos y la madre es la única que lleva dinero a casa.* **7** Necesitar, consumir o exigir: *La modista me dijo que hacerme el vestido le llevaría un mes.* **8** Hacerse cargo de algo o dirigirlo: *El director es el que lleva lo relativo a los contratos.* **9** Conducir un medio de transporte: *En las autoescuelas enseñan a llevar coches, motos o camiones.* **10** Seguir una música: *Cuando oigo música, siempre llevo el compás con el pie.* **11** Haber pasado un determinado tiempo haciendo algo: *Llevo tres horas esperándote.* **12** Sobrepasar en una determinada cantidad: *Soy más alta que mi hermano y le llevo más de seis centímetros.* **13** Haber realizado una determinada acción: *Lleva comidos tres platos de macarrones y todavía tiene hambre.* **llevarse 14** Sentir una emoción o una sensación: *¡Vaya susto me llevé cuando vi que no había nadie!* **15** En matemáticas, reservar una cantidad para añadirla al resultado siguiente: *Diez y cuatro son catorce, más dos que me llevaba, dieciséis.* **16** Estar de moda: *Este año se llevan las faldas largas.* **17** En-

a

tenderse dos o más personas: *Se acaban de conocer y ya se llevan de maravilla.* **18** [expresión] **llevarse por delante** Arrastrar con

b

fuerza o atropellar: *Una moto que iba a gran velocidad se lo llevó por delante y lo tuvieron que ingresar en el hospital.* □ SI-

c

NÓNIMOS: **3** usar. CONTRARIOS: **1** traer. FA-MILIA: llevadero.

d

llorar [verbo] **1** Derramar lágrimas: *Lloro por-que estoy triste.* **2** Quejarse mucho: *Siempre*

e

me está llorando y diciéndome que trabaja mucho. □ FAMILIA: lloro, lloroso, llorón, llo-

f

riquear, llorica.

g

llorica [sustantivo] Persona que llora con fre-cuencia y por cualquier motivo: *No seas llo-rica, que no te has hecho nada al caer.* □

h

[Es despectivo. No varía en masculino y en femenino]. FAMILIA: → llorar.

i

lloriquear [verbo] Llorar sin fuerza o de mentira: *Cuando no le compran lo que pide,*

j

se pone a lloriquear para ver si lo consigue. □ [Es despectivo]. SINÓNIMOS: gimotear. FAMI-

k

LIA: → llorar.

lloro [sustantivo masculino] Salida de lágrimas que suele ir acompañada de lamentos: *Los lloros del*

m

bebé nos despertaron a todos. □ SINÓNIMOS: llanto. FAMILIA: → llorar.

n

llorón, -a [adjetivo o sustantivo] Que llora mucho y con

ñ

facilidad: *Si vuestro bebé es llorón, no vais a poder dormir por las noches.* □ FAMILIA: →

o

llorar.

lloroso, sa [adjetivo] Que tiene señales de

p

haber llorado o de estar a punto de llorar: *Cuando acabó la película, casi todos los que*

q

estábamos en el cine teníamos los ojos llo-rosos. □ FAMILIA: → llorar.

r

llover [verbo] **1** Caer agua de las nubes en forma de gotas: *Coge el paraguas, que está*

s

lloviendo. **2** Caer algo de forma abundante: *Desde que salí en la tele, me llueven las ofer-*

t

tas para hacer cine. **3** [expresión] **como llovido**

u

del cielo Llegado sin que se espere: *El di-nero de la lotería me ha venido como llovido*

v

del cielo. **llover sobre mojado** Pasar algo que hace que una situación molesta resulte

w

todavía peor: *Me he enfadado porque, aun-que esto no haya sido nada, llueve sobre mo-*

x

jado. □ [Es irregular y se conjuga como MOVER]. FAMILIA: → lluvia.

y

llovizna [sustantivo femenino] Lluvia muy fina que cae de

z

forma suave: *Es mejor que cojas el para-guas, porque está cayendo una ligera llovizna.* □ FAMILIA: → lluvia.

lloviznar [verbo] Llover de forma suave, con gotas muy finas: *Al salir de casa, cogí el im-permeable porque estaba lloviznando.* □ SI-NÓNIMOS: chispear. FAMILIA: → lluvia.

lluvia [sustantivo femenino] **1** Caída de gotas de agua de las nubes: *La lluvia es muy buena para el campo.* **2** Agua o gotas de agua que caen de las nubes: *No llevo paraguas porque me gusta que la lluvia me dé en la cara.* 🔍 página 17. **3** Gran cantidad de algo: *Los pe-riodistas recibieron al presidente con una lluvia de preguntas.* □ [El significado **3** es co-loquial]. FAMILIA: llover, lluvioso, llovizna, llo-viznar.

lluvioso, sa [adjetivo] Con lluvias frecuentes: *En otoño, los días suelen ser lluviosos.* □ FAMILIA: → lluvia.

lo [artículo] Artículo que no es ni masculino ni femenino: *Lo bueno del colegio es que se aprenden muchas cosas.* □ [No tiene plural].

lo, la [pronombre personal] Indica la tercera persona: *¿Has visto a mi hermano? —No, no lo he visto. ¿Has traído las flores? —Sí, las he traído.*

lobato o **lobezno** [sustantivo masculino] Cría del lobo: *Los lobatos son muy juguetones.* □ FAMILIA: → lobo.

lobo, ba 1 [sustantivo] Animal salvaje parecido al perro: *Los lobos están en peligro de extin-ción.* **2** [expresión] **lobo de mar** Marinero con mucha experiencia: *No naufragamos duran-te la tormenta porque el capitán era un viejo lobo de mar que conocía bien aquellas aguas.* □ [El significado **2** es coloquial]. FAMILIA: lobato, lobezno.

local [adjetivo] **1** Propio o característico de un lugar: *Las ferias de los pueblos están llenas de colorido local.* **2** De una zona o de una región: *En el Ayuntamiento se tratan temas locales, y no asuntos que afecten a todo el país.* **3** Que pertenece o que afecta sólo a una parte de un todo: *Para sacarme la mue-la me han puesto anestesia local.* **4** [sustantivo masculino] Lugar cubierto y cerrado que suele estar en la parte baja de un edificio: *En este local van a poner una tienda de discos.* □ [Cuando es adjetivo no varía en masculino y en femenino]. FAMILIA: → lugar.

localidad [sustantivo femenino] **1** Ciudad o pueblo en los que viven personas: *Está prohibida la venta ambulante en toda la localidad.* **2** Plaza para un espectador: *Cada espectador se sentó en su localidad.* **3** Billete que da derecho a ocupar una de estas plazas: *Las localidades van numeradas.* □ SINÓNIMOS: **1** población. FAMILIA: → lugar.

localizar [verbo] Saber el lugar en el que se encuentra algo que se busca: *El equipo de rescate ha localizado a los montañeros que se habían perdido.* □ [La z se cambia en c delante de e, como en CAZAR]. FAMILIA: → lugar.

locatis [adjetivo o sustantivo] Loco: *Hay que estar un poco locatis para bañarse en el mar con este frío.* □ [Es coloquial. No varía en masculino y en femenino, ni en singular y plural]. FAMILIA: → loco.

loco, ca [adjetivo] **1** Muy grande o muy intenso: *Tengo unas ganas locas de que lleguen las vacaciones.* **2** Que siente mucho amor por algo o por alguien: *Está loca por un chico de su clase.* [adjetivo o sustantivo] **3** Que está mal de la cabeza: *Un loco asesinó a varias personas y luego se entregó a la policía.* **4** Que no piensa las cosas que hace o que se pone en peligro sin darse cuenta: *No seas loca y mira bien antes de cruzar.* **5** [expresión] **ni loco** De ninguna manera: *No pienso ir a su fiesta ni loca.* **volver loco** Gustar mucho: *Me vuelven loca los helados de chocolate.* □ [El significado **1** y las expresiones son coloquiales]. SINÓNIMOS: **3** demente, locatis. **4** insensato, alocado. CONTRARIOS: **3** cuerdo. **4** sensato, juicioso. FAMILIA: locura, alocado, locatis, enloquecer.

locomotor, -a 1 [adjetivo] Que está relacionado con el movimiento: *Los músculos y los huesos son parte del aparato locomotor.* **2** [sustantivo femenino] Vagón de un tren que mueve a los demás: *El maquinista va en la locomotora.* □ SINÓNIMOS: **2** máquina. FAMILIA: → motor.

locura [sustantivo femenino] **1** Enfermedad que tienen las personas que no están bien de la cabeza: *El médico dijo que la locura del paciente se podía deber a una lesión cerebral.* **2** Lo que hace o dice la persona que tiene poco juicio: *Es una insensata y disfruta haciendo locuras.* **3** Interés o entusiasmo muy grandes: *Esta canción me gusta con locura.* **4** [expresión] **de locura** Extraordinario o fuera de lo normal: *Tiene una casa de locura.* □ [Los significados **3** y **4** son coloquiales]. FAMILIA: → loco.

locutor, -a [sustantivo] Persona que trabaja dando noticias por la radio o por la televisión, o hablando por un micrófono: *Mi vecino es uno de los locutores que salen en el telediario.* □ FAMILIA: interlocutor.

lodo [sustantivo masculino] Barro fino que se forma con el agua: *Las orillas del riachuelo están llenas de lodo.* □ SINÓNIMOS: fango.

lógico, ca 1 [adjetivo] Normal o natural, porque está de acuerdo con la razón o con el sentido común: *Es lógico que si ayer trabajaste tú hasta muy tarde, hoy me quede trabajando yo.* **2** [sustantivo femenino] Sentido o significado de acuerdo con la razón: *Piensa un poco lo que me estás pidiendo y verás que no tiene ninguna lógica.* □ SINÓNIMOS: **1** normal, natural, racional, razonable. **2** sentido. CONTRARIOS: **1** irracional, disparatado, absurdo, anormal, raro, sorprendente, extraño, tonto.

lograr [verbo] Llegar a tener lo que se desea: *Aunque estaba muy cansada, logré llegar a la meta.* □ SINÓNIMOS: conseguir, alcanzar, adquirir, obtener, cobrar. CONTRARIOS: perder.

logroñés, -a [adjetivo o sustantivo] De la ciudad española de Logroño: *Tengo unos primos logroñeses que ahora viven en el extranjero.*

loma [sustantivo femenino] Montaña pequeña: *En lo alto de la loma hay una ermita.*

lombriz [sustantivo femenino] Gusano de color blanco o rojo que tiene el cuerpo dividido en anillos: *Las lombrices de tierra viven debajo del suelo.* □ [Su plural es *lombrices*].

lomo [sustantivo masculino] **1** Parte del cuerpo de algunos animales que está entre el cuello y las patas de atrás: *Cuando montas un caballo te sientas en los lomos.* **2** Carne de esta parte del animal: *Hoy he comido lomo de cerdo.* **3** Parte de un libro en la que van unidas las hojas: *En el lomo de un libro suele estar escrito el título.*

lona [sustantivo femenino] **1** Tela fuerte y resistente: *Los toldos están hechos de lona.* **2** En algunos deportes, suelo sobre el que se hace una competición: *Con aquel golpe, el boxeador logró que su rival quedara tendido en la lona.*

loncha [sustantivo] [femenino] Trozo ancho, alargado y de poco grosor que se corta de un alimento más grande: *He cogido unas lonchas de jamón para hacerme un bocadillo.* 🔖 página 612.

londinense [adjetivo o] [sustantivo] De Londres, que es la capital de Gran Bretaña: *El Támesis es un río londinense.* □ [No varía en masculino y en femenino].

longaniza [sustantivo] [femenino] Especie de chorizo largo y muy delgado, hecho de carne de cerdo picada: *Para merendar llevo pan y un trozo de longaniza.*

longitud [sustantivo] [femenino] **1** Distancia más grande de una superficie plana: *La longitud de esta pista de atletismo es de cuatrocientos metros.* **2** Distancia que existe desde un punto de la superficie de la Tierra hasta la línea que se considera como cero, y que es perpendicular a la línea del Ecuador: *La longitud se mide en grados Este-Oeste.*

loro [sustantivo] [masculino] **1** Ave que aprende a decir palabras y que tiene plumas de colores: *A los loros les gustan mucho las pipas.* 🔖 página 711. **2** Persona fea: *La bruja del cuento era un loro.* **3** Persona que habla mucho: *Ese chico es un loro y no para de hablar.* **4** Aparato de radio o radiocasete: *Si vienes a la fiesta, tráete el loro y unas cintas.* **5** [expresión] **estar al loro** Estar enterado de algo: *Si no estás al loro de lo que pasa, no opines.* □ [Los significados **2**, **3**, **4** y **5** son coloquiales]. SINÓNIMOS: **1** papagayo. **3** cotorra.

losa [sustantivo] [femenino] **1** Piedra grande, delgada y plana que sirve para cubrir el suelo: *Debajo de las losas de la iglesia están enterrados los monjes del monasterio.* **2** Lo que supone una dura carga difícil de soportar: *Nunca te haría daño porque no podría soportar esa losa sobre mi conciencia.* □ FAMILIA: loseta.

loseta [sustantivo] [femenino] Pieza fina hecha con un material duro que se usa para cubrir suelos: *He comprado las losetas para el suelo de la cocina a juego con los azulejos de la pared.* □ SINÓNIMOS: baldosa. FAMILIA: → losa.

lote [sustantivo] [masculino] Conjunto de cosas que tienen características parecidas: *Al comprar el tocadiscos me regalaron un lote de discos.*

lotería [sustantivo] [femenino] **1** Juego de azar en el que se premian los billetes cuyos números coinciden con otros números sacados de un bom-

bo: *Me han tocado varios millones en la lotería.* **2** Billete que se compra para jugar a este juego: *En el trabajo me han regalado lotería.* **3** Asunto en el que interviene la suerte: *Comprar melones es una lotería porque a veces salen buenos y a veces, como pepinos.* **4** [expresión] **lotería primitiva** La que da el premio máximo cuando los seis números elegidos coinciden con los que se sacan del bombo: *Cuando se juega a la lotería primitiva se marcan seis números del uno al cuarenta y nueve.* **tocar a alguien la lotería** Sucederle algo muy bueno: *Con una familia tan buena como la mía, me ha tocado la lotería.*

loto **1** [sustantivo] [masculino] Planta de hojas grandes, cuya flor es blanca y desprende muy buen olor: *El loto es una planta acuática.* **2** [sustantivo] [femenino] Juego en el que se consigue el premio máximo cuando los seis números elegidos coinciden con los que se han sacado del bombo: *Ganó mucho dinero jugando a la loto.* □ SINÓNIMOS: **2** lotería primitiva.

loza [sustantivo] [femenino] Material hecho con un barro muy fino, cocido y pintado, que sirve para fabricar objetos: *Los platos de mi casa son de loza.*

lubina [sustantivo] [femenino] Pez marino comestible que vive en las zonas rocosas que hay cerca de los ríos: *La lubina es un pescado exquisito.* 🔖 página 609.

lucense [adjetivo o] [sustantivo] De la provincia de Lugo o de su capital: *La ría de Vivero está en la costa lucense.* □ [No varía en masculino y en femenino].

lucero [sustantivo] [masculino] Estrella grande que brilla en el cielo: *Mira cómo brilla ese lucero.* □ FAMILIA: → luz.

lucha [sustantivo] [femenino] **1** Combate en el que se suelen usar la fuerza o las armas: *Varios soldados murieron en la lucha.* **2** Trabajo o esfuerzo para conseguir algo: *Es impresionante ver su lucha contra la enfermedad.* **3** [expresión] **lucha libre** Deporte en el que dos personas se pelean sin armas: *En la lucha libre se utilizan llaves para intentar derribar al contrario.* □ FAMILIA: → luchar.

luchador, -a **1** [adjetivo o] [sustantivo] Que no se rinde con facilidad ante las dificultades: *Las personas luchadoras se enfrentan a los proble-*

mas con optimismo. **2** [sustantivo] Persona que practica el deporte de la lucha: *Los luchadores pelean vigilados por un árbitro.* □ FAMILIA: → luchar.

luchar [verbo] **1** Pelear usando la fuerza o las armas: *Los dos ejércitos luchaban en el campo de batalla.* **2** Esforzarse mucho por conseguir algo: *Este actor tuvo que luchar mucho para lograr la fama.* □ FAMILIA: lucha, luchador.

luciérnaga [sustantivo] [femenino] Insecto que vuela y que despide una luz de color verde: *La hembra de las luciérnagas no tiene alas y da más luz que el macho.* □ FAMILIA: → luz.

lucio [sustantivo] [masculino] Pez que vive en los ríos y en los lagos y se alimenta de otros peces, de ranas y de sapos: *He pescado dos lucios en el pantano.* 🐟 página 609.

lucir [verbo] **1** Brillar o dar luz: *Las estrellas lucen en el cielo. Si la bombilla no luce, habrá que cambiarla.* **2** Dar algo el resultado que se espera: *Las horas que me he pasado en la cocina no me han lucido, porque al final la tarta se ha quemado.* **3** Mostrar

lucir		conjugación	
INDICATIVO		**SUBJUNTIVO**	
presente		**presente**	
luzco		luzca	
luces		luzcas	
luce		luzca	
lucimos		luzcamos	
lucís		luzcáis	
lucen		luzcan	
pretérito imperfecto		**pretérito imperfecto**	
lucía		luciera, -ese	
lucías		lucieras, -eses	
lucía		luciera, -ese	
lucíamos		luciéramos, -ésemos	
lucíais		lucierais, -eseis	
lucían		lucieran, -esen	
pretérito indefinido		**futuro**	
lucí		luciere	
luciste		lucieres	
lució		luciere	
lucimos		luciéremos	
lucisteis		luciereis	
lucieron		lucieren	
futuro		**IMPERATIVO**	
luciré			
lucirás		**presente**	
lucirá		luce	(tú)
luciremos		luzca	(él)
luciréis		luzcamos	(nosotros)
lucirán		lucid	(vosotros)
		luzcan	(ellos)
condicional		**FORMAS NO PERSONALES**	
luciría			
lucirías		**infinitivo**	**gerundio**
luciría		lucir	luciendo
luciríamos			
luciríais		**participio**	
lucirían		lucido	

algo presumiendo: *Va al teatro a lucir los modelitos.* **4 lucirse** Quedar muy bien o producir una buena impresión: *Me voy a lucir con el dibujo que he hecho, porque es muy bonito.* □ [Aparece una z delante de c cuando la siguen a, o]. FAMILIA: → luz.

lugar [sustantivo] [masculino] **1** Espacio que puede ser ocupado: *Busco un lugar para poder sentarme.* **2** Espacio adecuado para algo: *Éste no es un buen lugar para construir una casa.* **3** Población o zona: *Las fiestas del lugar son muy conocidas en toda la comarca.* **4** Posición o sitio ocupados: *El corredor que entró en primer lugar obtuvo la medalla de oro.* **5** [expresión] **dar lugar a algo** Ser la causa de ello: *Sus insultos dieron lugar a una pelea.* **en buen lugar** o **en mal lugar** Bien o mal considerado: *Con esa actitud tan gamberra, quedas en muy mal lugar.* **en lugar de** En vez de: *Si me caigo, en lugar de reírte, podías ayudarme.* **estar fuera de lugar** No ser oportuno: *Creo que lo que has dicho es mentira y está fuera de lugar.* **tener lugar** Suceder: *La entrega de premios tendrá lugar en el salón de actos.* □ SINÓNIMOS: **1** hueco. **1,2** sitio. FAMILIA: local, localizar, localidad.

lujo [sustantivo] [masculino] **1** Riqueza y comodidades que no son necesarias: *Está acostumbrado al lujo porque su familia tiene mucho dinero.* **2** Lo que no todo el mundo puede conseguir: *Tener tres meses enteros de vacaciones es un lujo para la mayoría de la gente.* **3** Gran cantidad de cosas que no son necesarias: *Me explicó su aventura con todo lujo de detalles.* □ FAMILIA: lujoso.

lujoso, sa [adjetivo] Con riquezas y comodidades que no son necesarias: *Pasamos la noche en un lujoso hotel.* □ FAMILIA: → lujo.

lumbre [sustantivo] [femenino] Fuego con llamas que generalmente se hace para cocinar o para calentarse: *Si vienes mojado, acércate a la lumbre para calentarte.* □ FAMILIA: luminoso, alumbrar, alumbrado, deslumbrar, deslumbrante.

luminoso, sa [adjetivo] **1** Que despide luz: *La farmacia tiene un cartel luminoso con una cruz verde.* **2** Que tiene luz o mucha luz: *Las habitaciones que dan al jardín son muy luminosas.* **3** Dicho de una idea, opor-

tuna o brillante: *¡Bravo, has tenido una idea luminosa!* □ [El significado **3** es coloquial]. SINÓNIMOS: **2** claro. CONTRARIOS: **2** oscuro. FAMILIA: → luz.

luna [sustantivo femenino] **1** Cuerpo sólido que está en el cielo y que da vueltas alrededor de un planeta: *El planeta Júpiter tiene doce lunas, mientras que la Tierra sólo tiene una.* 👁 página 344. **2** Lámina de cristal: *De un pelotazo rompieron la luna del escaparate.* **3** [expresión] **en la luna** Muy distraído: *No te enteras de nada porque siempre estás en la luna.* **luna creciente** Fase durante la cual la Luna se ve en forma de «D»: *La luna creciente está entre la luna nueva y la luna llena.* **luna de miel** Viaje que hacen las personas que se acaban de casar: *Cuando volvieron de la luna de miel, nos enseñaron las fotos de los lugares que habían visitado.* **luna llena** Fase durante la cual la Luna se ve completamente redonda: *Los lobos aullaban a la luna llena.* **luna menguante** Fase durante la cual la Luna se ve en forma de «C»: *La luna menguante está entre la luna llena y la luna nueva.* **luna nueva** Fase durante la cual la Luna no se ve: *Las noches de luna nueva son muy oscuras.* □ [Cuando se trata de la luna que gira alrededor de la Tierra, se escribe con mayúscula: *Los astronautas van a la Luna*]. SINÓNIMOS: **1** satélite. FAMILIA: lunar, lunático.

lunar 1 [adjetivo] De la Luna o relacionado con este satélite de la Tierra: *El cohete aterrizó en la superficie lunar.* [sustantivo masculino] **2** Mancha redonda y oscura que aparece en la piel: *Tengo un lunar en el brazo.* **3** Dibujo o mancha en forma de círculo que destaca del fondo: *Me he comprado una blusa de lunares.* □ [El significado **1** no varía en masculino y en femenino]. SINÓNIMOS: **3** mota. FAMILIA: → luna.

lunático, ca [adjetivo o sustantivo] Dicho de una persona, que tiene un carácter muy variable: *Ese lunático tan pronto te quiere mucho como te odia.* □ FAMILIA: → luna.

lunes [sustantivo masculino] Primer día de la semana: *El lunes está entre el domingo y el martes.* □ [No varía en singular y en plural].

lupa [sustantivo femenino] Especie de cristal que sirve para ver las cosas con un tamaño mayor que el real: *Si miras este insecto con la lupa, verás que tiene pelitos en las patas.*

lustro [sustantivo masculino] Período de tiempo de cinco años: *Si el niño tiene cinco años, ya ha vivido un lustro.*

luto [sustantivo masculino] **1** Signo de tristeza o de dolor por la muerte de una persona: *Las banderas llevan un lazo negro como señal de luto por la muerte del presidente.* **2** Ropa de color negro que se usa como señal de dolor por la muerte de alguien: *En el entierro todos iban de luto.* **3** Período de tiempo durante el que se muestra dolor por la muerte de alguien: *Habrá tres días de luto oficial por las personas que murieron en el terrible accidente.*

luz [sustantivo femenino] **1** Forma de energía que alumbra y hace posible la visión: *La luz se propaga a más velocidad que el sonido.* **2** Claridad que despiden algunos cuerpos: *Durante el apagón nos alumbramos con la luz de las velas.* **3** Aparato o dispositivo para alumbrar: *Si no ves bien, enciende la luz.* **4** Corriente eléctrica: *Tengo que pagar el recibo de la luz.* **5** [plural] Claridad de ideas: *No sé cómo, teniendo tan pocas luces, está en un puesto de tanta responsabilidad.* **6** [expresión] **a todas luces** Sin ninguna duda: *Lo que me estás diciendo es a todas luces imposible.* **dar a luz** Tener un hijo una mujer: *Mi hermana ha dado a luz en el hospital.* **luz verde** Permiso para hacer algo: *La dirección de la empresa ya me ha dado luz verde para empezar el nuevo proyecto.* **sacar a la luz** Dar a conocer: *Este periódico ha sacado a la luz los negocios sucios de este político.* **ver la luz** Nacer: *Esta revista vio la luz hace exactamente un año.* □ [Su plural es *luces*]. *Dar a luz* se prefiere para mujeres, y *parir* se usa más para animales]. FAMILIA: lucir, luminoso, lucero, luciérnaga, relucir, trasluz.

EL ESTADO ESPAÑOL

Fronteras internacionales
Límites de Comunidad
Límites provinciales
Núcleos de población:
Más de 1.000.000 de hab. ◼
De 500.000 a 1.000.000 de hab. ◻
De 200.000 a 500.000 hab. ◇
De 100.000 a 200.000 hab. ◉
De 50.000 a 100.000 hab. ●
Menos de 50.000 hab. ○
Capital de Estado ◱
Capital de Comunidad ◲

(*)Capitalidad alternativa. Las Palmas/Santa Cruz de Tenerife

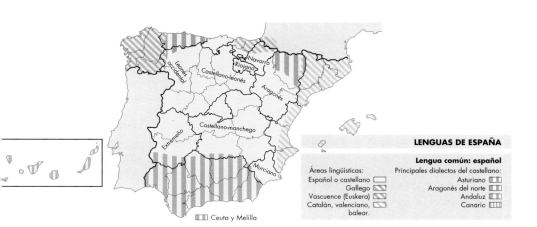

LENGUAS DE ESPAÑA

Lengua común: español

Áreas lingüísticas:
Español o castellano
Gallego
Vascuence (Euskera)
Catalán, valenciano, balear.

Principales dialectos del castellano:
Asturiano
Aragonés del norte
Andaluz
Canario

Ceuta y Melilla

Atlas geográfico, de Ediciones SM

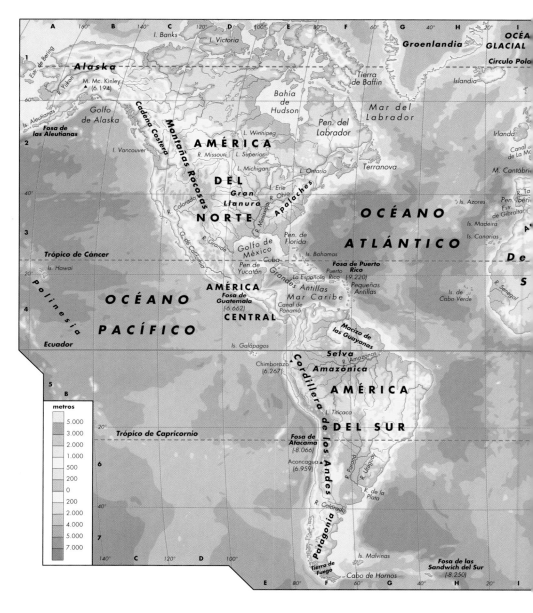

SUPERFICIE DE LOS OCÉANOS

Espacio ocupado por los océanos: 70,8%

- Océano Pacífico
- Océano Atlántico
- Océano Índico
- Océano Glaciar Ártico
- Océano Glaciar Antártico

14,1% 5,8%
2,7%
15,9%
32,3% 29,2%

- Espacio continental

EXTENSIÓN DE LOS OCÉANOS (en miles de km²)

Océano Pacífico	178.000
Océano Atlántico	92.000
Océano Índico	76.000
Océano Glaciar Ártico	11.000

Atlas geográfico, de Ediciones SM

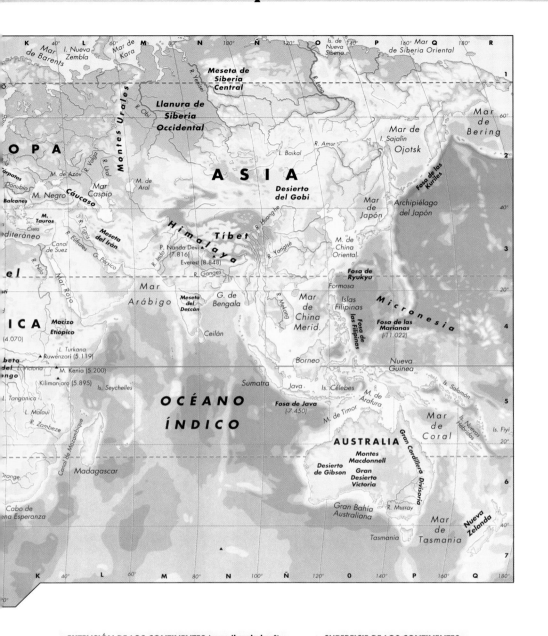

EXTENSIÓN DE LOS CONTINENTES (en miles de km²)

Continente		En miles de km²
Asia		44.000
África		30.000
América del Norte		24.000
América del Sur		18.000
Europa		10.000
Oceanía		9.000

SUPERFICIE DE LOS CONTINENTES

% sobre el total de las tierras emergidas

- Asia — 29%
- América — 20%
- África — 28%
- Antártida — 9,5%
- Europa — 6%
- Oceanía — 7,5%

marea baja

río

marea alta

golfo

cabo

acantilado

p

isla

archipiélago

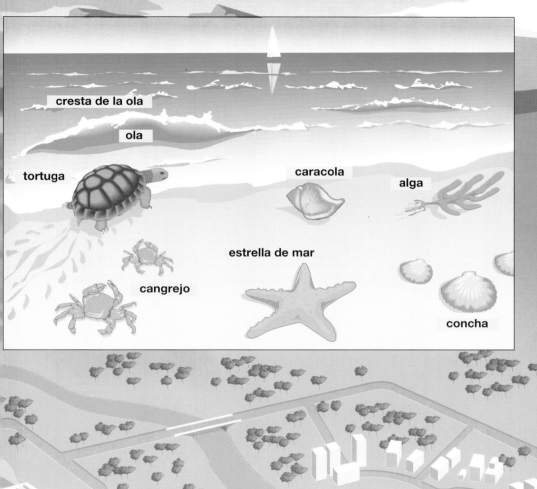

cresta de la ola

ola

tortuga

caracola

alga

estrella de mar

cangrejo

concha

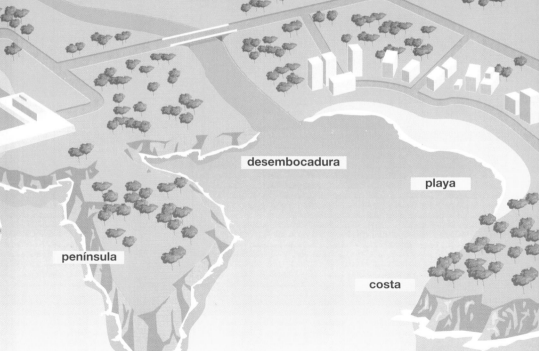

desembocadura

playa

península

costa

mina

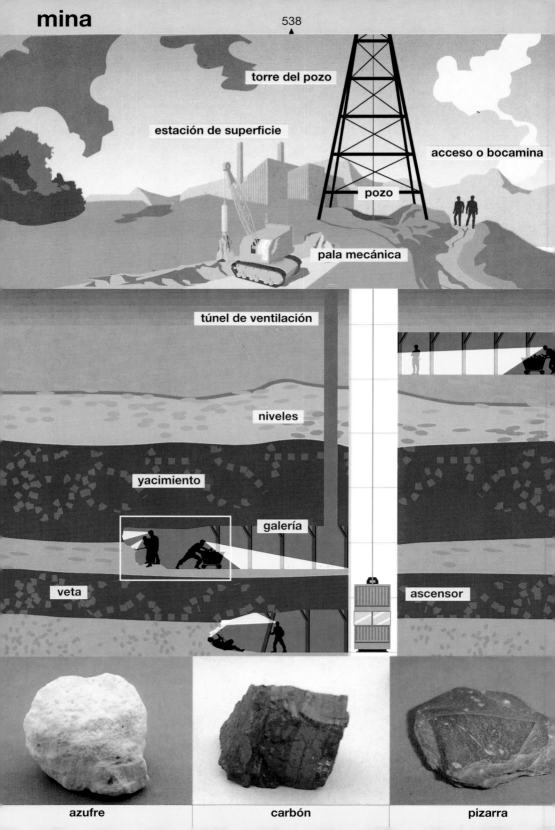

torre del pozo

estación de superficie

acceso o bocamina

pozo

pala mecánica

túnel de ventilación

niveles

yacimiento

galería

veta

ascensor

azufre

carbón

pizarra

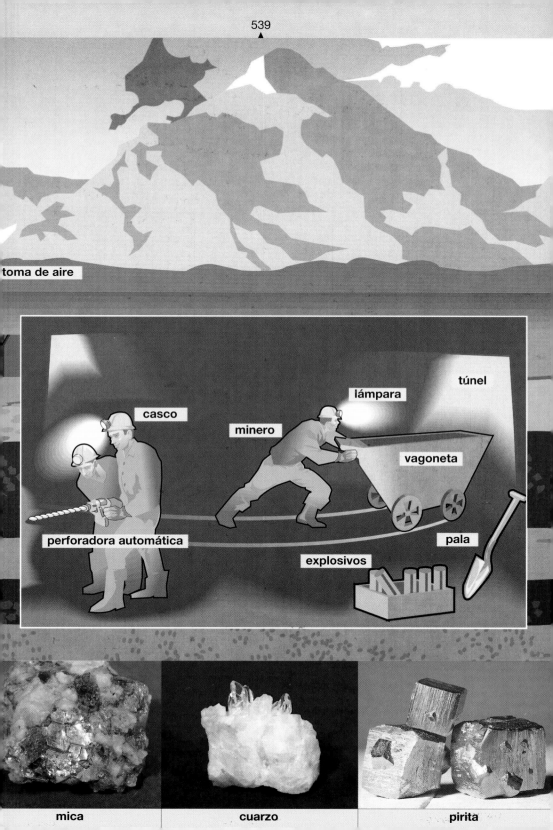

toma de aire

casco

lámpara

túnel

minero

vagoneta

perforadora automática

explosivos

pala

mica

cuarzo

pirita

Dolmen (Huesca, España)

Esfinge y pirámide (Egipto)

Partenón (Atenas, Grecia)

Coliseo de Roma (Italia)

Gran Muralla China

Basílica de El Vaticano

Gran Plaza (Brujas, Bélgica)

Palacio de Versalles (Francia)

La Alhambra (Granada, España)

Torre Eiffel (París, Francia)

Mezquita de Samarcanda (Uzbekistán)

Atomium (Bruselas, Bélgica)

M m

m [sustantivo femenino] Letra número trece del abecedario: *«Miedo» empieza por «m».* □ [Su nombre es eme].

macaco, ca [sustantivo] **1** Mono que tiene el pelo de color casi amarillento: *Los macacos habitan en los bosques europeos, asiáticos y africanos.* **2** Persona pequeña o de poca importancia: *No me importa nada lo que diga sobre mí esa macaca.* □ [El significado **2** es despectivo].

[macarra 1 [adjetivo o sustantivo] Que se considera feo y nada elegante: *No sé cómo te gusta esa camiseta tan macarra.* **2** [sustantivo] Persona que resulta violenta por su aspecto o por su comportamiento: *Me atracaron dos macarras.* □ [No varía en masculino y en femenino. Es despectivo]. SINÓNIMOS: **1** hortera.

macarrón [sustantivo masculino] **1** Tipo de pasta, hecha de harina de trigo, que tiene forma de tubo: *Hoy he comido macarrones con tomate y chorizo.* **2** Tubo fino que sirve para llevar algo por su interior: *Los cables de la luz que van por las paredes están protegidos por un macarrón.* □ [Es una palabra de origen italiano].

macedonia [sustantivo femenino] Postre que se hace con trozos de frutas: *Ayer tomé una macedonia de naranja, manzana, pera y plátano.*

maceta [sustantivo femenino] Recipiente que sirve para cultivar plantas: *Necesito una maceta de barro para plantar geranios.* □ SINÓNIMOS: tiesto. 👁 página 497.

machacar [verbo] **1** Deshacer o aplastar a golpes: *Necesito el mortero para machacar estos ajos.* **2** Destruir algo o acabar con ello: *Has machacado estos zapatos por jugar al fútbol con ellos.* **3** Vencer por mucha ventaja: *Hemos machacado a los de tercero por siete a cero.* **4** Insistir mucho sobre una cosa: *Estuvo machacándome todo el día para que lo dejara ir a casa de su amigo.* □ [La c se cambia en qu delante de e, como en SACAR. Los significados **2**, **3** y **4** son coloquiales]. FAMILIA: machacón.

machacón, -a [adjetivo] Que insiste tanto sobre algo que llega a ser pesado: *Eres tan machacona que seguro que te dan todo lo que pides.* □ FAMILIA: → machacar.

machete [sustantivo masculino] Cuchillo grande y fuerte: *El explorador se abría paso por la selva cortando la maleza con el machete.*

MACHETE

machista [adjetivo o sustantivo] Que considera al hombre superior a la mujer: *Es un machista y dice que las mujeres no sirven para trabajar en los negocios.* □ [No varía en masculino y en femenino]. CONTRARIOS: feminista. FAMILIA: → macho.

macho 1 [sustantivo masculino] Ser vivo de sexo masculino: *El caballo es el macho de la yegua.* **2** [expresión] **macho cabrío** El que es la pareja de la cabra: *El macho cabrío tiene cuernos muy grandes.* □ SINÓNIMOS: **2** cabrón. CONTRARIOS: **1** hembra. FAMILIA: machista.

macizo, za 1 [adjetivo] Que no tiene huecos en su interior: *Me han regalado un colgante de oro macizo.* **2** [adjetivo o sustantivo] Que tiene un cuerpo que se considera atractivo: *Me gusta ese actor porque está macizo.* **3** [sustantivo masculino] Grupo de montañas: *El Macizo Galaico está situado al este de la península Ibérica.* **4** Grupo de plantas que se pone como decoración en un jardín: *Hay una fuente junto al macizo de rosas.* 👁 página 497. □ [El significado **2** es coloquial]. CONTRARIOS: **1** vacío, hueco.

macuto [sustantivo masculino] Especie de saco que se lleva colgado del hombro: *Cuando voy a la piscina llevo la toalla y la crema en un macuto.*

madeja [sustantivo femenino] Hilo enrollado en vueltas iguales y grandes: *Si sujetas la madeja de lana con las dos manos, puedo hacer el ovillo para seguir tejiendo el jersey.*

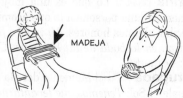

MADEJA

a b c d e f g h i j k l **m** n ñ o p q r s t u v w x y z

madera [sustantivo/femenino] **1** Materia que se saca del tronco de los árboles: *Esta mesa es de madera de pino.* **2** Capacidad natural que tiene una persona para realizar una actividad: *Sus padres lo apuntaron a clases de dibujo porque vieron que tenía madera de artista.* □ [El significado **2** es coloquial]. FAMILIA: madero.

madero [sustantivo/masculino] Pieza larga de madera: *Tienes que echar más maderos al fuego para que no se apague.* □ FAMILIA: → madera.

madrastra [sustantivo/femenino] Lo que es una mujer en relación con los hijos que no son suyos, pero sí de su marido: *Nuestra madre murió y nuestro padre se volvió a casar con una mujer que es nuestra madrastra y que nos quiere mucho.* □ FAMILIA: → madre.

madre [sustantivo/femenino] **1** Lo que es una mujer en relación con su hijo: *Mi madre y mi padre se conocen desde que eran pequeños.* **2** Causa u origen: *Se dice que la experiencia es la madre de la ciencia.* **3** Tratamiento que se da a algunas religiosas: *¿A qué hora es la misa hoy, madre?* □ SINÓNIMOS: **1** mamá. FAMILIA: madrastra, materno, maternal, maternidad, madrina, enmadrado.

madriguera [sustantivo/femenino] **1** Agujero bajo tierra en el que viven algunos animales: *Vimos salir un conejo de su madriguera.* **2** Lugar en el que se esconde una persona: *La policía atrapó a los ladrones en su madriguera.*

MADRIGUERA

madrileño, ña [adjetivo o/sustantivo] De la comunidad autónoma de Madrid o de su capital: *El cocido madrileño es mi plato favorito.*

madrina [sustantivo/femenino] Lo que es una mujer en relación con una persona a la que acompaña al recibir algunos honores: *Mi madre fue la madrina en la boda de mi hermano.* □ FAMILIA: → madre.

madrugada [sustantivo/femenino] Momento del día en el que sale el Sol: *Tenemos que levantarnos de madrugada para salir de viaje.* □ SINÓNIMOS: alba, amanecer. FAMILIA: → madrugar.

madrugador, -a [adjetivo o/sustantivo] Que tiene costumbre de levantarse temprano: *Mi padre es muy madrugador y siempre se levanta antes de las siete.* □ FAMILIA: → madrugar.

madrugar [verbo] Levantarse temprano: *Los sábados y los domingos no madrugo.* □ [La g se cambia en gu delante de e, como en PAGAR]. FAMILIA: madrugada, madrugador, madrugón.

madrugón [sustantivo/masculino] Acción de levantarse muy temprano: *El día que nos vamos de vacaciones siempre nos damos un madrugón.* □ [Es coloquial. Se usa mucho en la expresión darse un madrugón]. FAMILIA: → madrugar.

madurar [verbo] **1** Ponerse maduro un fruto: *Estos plátanos hay que dejarlos madurar, porque están muy verdes.* **2** Crecer y desarrollarse una persona en todos los aspectos: *Según vayas madurando tendrás que ir aceptando tus responsabilidades.* **3** Meditar una idea: *No voy a decirles nada sobre el viaje hasta que no haya madurado más el plan.* □ FAMILIA: → maduro.

madurez [sustantivo/femenino] **1** Forma de actuar sabiendo lo que se hace: *Demostraste tu madurez cuando te ofrecieron droga para fumar y tú la rechazaste.* **2** Período de la vida de una persona desde que es joven hasta que es vieja: *Dicen que la madurez es la mejor época de la vida.* □ SINÓNIMOS: **1** juicio, sensatez. FAMILIA: → maduro.

maduro, ra [adjetivo] **1** Dicho de un fruto, que ha alcanzado su desarrollo completo: *Las peras maduras son muy jugosas.* **2** Dicho de una persona, que ha crecido y se ha desarrollado en todos los aspectos: *Seguro que comprende lo que te ocurre, porque es una persona madura y sensata.* **3** Dicho de una idea, muy meditada: *Nos presentó un plan maduro y muy detallado.* □ SINÓNIMOS: verde. **2** adulto. FAMILIA: madurar, madurez.

maestría [sustantivo/femenino] Capacidad para hacer algo bien: *Es increíble la maestría que tienes para pintar.* □ SINÓNIMOS: facilidad, destreza, habilidad, arte, maña, mano. CONTRARIOS: torpeza. FAMILIA: → maestro.

maestro, tra **1** [adjetivo] Que destaca de los

demás por ser muy bueno o por ser muy importante: *Esta ópera es la pieza maestra del compositor alemán.* [sustantivo] **2** Persona cuyo trabajo consiste en enseñar una ciencia a sus alumnos: *La maestra nos ha enseñado hoy a multiplicar.* **3** Persona que sabe mucho de algo: *Si no sabes cómo usar el ordenador, pregúntale a mi hermano, que es un maestro en informática.* **4** Persona que dirige el desarrollo de una actividad: *El maestro de ceremonias pronunciaba el nombre de los invitados según iban llegando a la fiesta.* **5** [sustantivo] Torero: *El maestro consiguió dos orejas en la corrida de ayer.* □ SINÓNIMOS: **2** profesor. **3** experto. CONTRARIOS: **3** novato, inexperto, principiante. FAMILIA: amaestrar, maestría.

mafia [sustantivo femenino] **1** Organización criminal que hace seguir sus propias leyes mediante la violencia: *La Mafia surgió en Italia y se extendió a otros países del mundo.* **2** Grupo que para conseguir algo emplea métodos que no están permitidos: *El jurado de ese concurso es una mafia y siempre dan el premio a algún amigo o familiar suyo.* □ [El significado **1** se suele escribir con mayúscula. El significado **2** es coloquial].

magdalena [sustantivo femenino] Bollo pequeño que se cuece en un molde de papel: *He desayunado un vaso de leche con dos magdalenas.*

magia [sustantivo femenino] **1** Conjunto de conocimientos necesarios para conseguir algo usando poderes especiales: *Las brujas sabían mucho de magia.* **2** Habilidad para hacer algo fuera de lo normal: *El número de magia que más me gusta es el que hace desaparecer y aparecer a una persona.* **3** Conjunto de cualidades que algo posee y que hace que guste mucho a los demás: *Esa ciudad tiene tanta magia que uno siempre quiere volver a ella.* **4** [expresión] **magia negra** La que se usa para hacer daño a alguien: *La bruja usó magia negra para convertir al príncipe en rana.* □ FAMILIA: mago, mágico.

mágico, ca [adjetivo] **1** De la magia o relacionado con ella: *El hada tocó la calabaza con su varita mágica y la convirtió en carroza.* **2** Estupendo o extraordinario: *Preparó todo para que los dos enamorados dis-*

frutaran de una cena mágica.* □ FAMILIA: → magia.

[magnetofón o **magnetófono** [sustantivo masculino] Aparato que sirve para poner cintas y escucharlas: *Muchos magnetófonos permiten grabar cintas, además de reproducirlas.* □ [Magnetofón es coloquial]. SINÓNIMOS: casete.

magnífico, ca [adjetivo] Muy bueno o de grandes cualidades: *La vista desde lo alto de la montaña es magnífica.* □ SINÓNIMOS: espléndido. CONTRARIOS: horrible, horroroso, horrendo, espantoso.

magnitud [sustantivo femenino] **1** Tamaño o importancia de algo: *No te reirías de mí si supieras la enorme magnitud de mis problemas.* **2** Lo que puede ser objeto de medida: *La velocidad es una magnitud física.* □ SINÓNIMOS: **1** dimensión.

mago, ga [sustantivo] **1** Persona que hace juegos de manos: *El mago sacó una tira interminable de pañuelos de su sombrero.* **2** Persona que usa poderes mágicos para conseguir algo: *Merlín fue un famoso mago de la Edad Media.* **3** Persona que tiene especial habilidad para realizar una actividad: *Este futbolista es un mago con el balón y no hay quien se lo quite.* □ SINÓNIMOS: **1** prestidigitador, ilusionista. **2** hechicero, brujo, encantador. FAMILIA: → magia.

magullar [verbo] Golpear apretando con violencia una parte del cuerpo: *Se magulló la pierna al caerse y la tiene llena de moratones.*

mahometano, na [adjetivo o sustantivo] De la religión que fue enseñada por Mahoma: *Los fieles mahometanos creen en un solo dios, Alá.* □ SINÓNIMOS: musulmán.

mahonesa [sustantivo femenino] Mayonesa: *Me gustan los espárragos con mahonesa.*

maillot [sustantivo masculino] Prenda de vestir deportiva que se pega al cuerpo: *Los ciclistas usan maillot.* □ [Se pronuncia «mallót». Es una palabra de origen francés].

maíz [sustantivo masculino] Planta cuyo grano se usa como alimento: *Las palomitas son granos de maíz tostado.* □ [Su plural es maíces].

majadería [sustantivo femenino] Lo que hace una persona que actúa con poca inteligencia: *Deja de hacer majaderías con la gorra y póntela bien.* □ FAMILIA: → majadero.

majadero, ra [adjetivo o sustantivo] Que actúa con poca inteligencia: *No seas majadera y deja de decir bobadas.* □ FAMILIA: majadería.

[majara o **majareta** [adjetivo o sustantivo] Que está medio loco: *Hay que estar majareta para salir en camiseta con la nevada que está cayendo.* □ [No varían en masculino y en femenino. Son coloquiales]. SINÓNIMOS: chalado, pirado, chiflado.

majestad [sustantivo femenino] Tratamiento que se da a los reyes: *Sus Majestades los Reyes de España han regresado hoy de su viaje a Sevilla.* □ [Se usa más en las expresiones *Su Majestad* o *Vuestra Majestad*]. FAMILIA: majestuoso.

majestuoso, sa [adjetivo] Que provoca mucha admiración y un gran respeto: *Avanzó con paso majestuoso entre la multitud que lo aclamaba.* □ FAMILIA: → majestad.

majo, ja [adjetivo] Que resulta agradable porque posee alguna cualidad destacada: *Es una chica muy maja y con un buen corazón.*

[majorette [sustantivo femenino] Mujer que marcha en un desfile en algunas fiestas públicas: *Las majorettes llevaban un uniforme muy vistoso y movían un bastón con ritmo.* □ [Es una palabra inglesa. Se pronuncia «mayorét»].

mal 1 [adjetivo] Malo: *Pasé un mal rato cuando me quedé encerrado en el ascensor.* [sustantivo masculino] **2** Lo contrario de bien: *Los héroes luchan por acabar con el mal.* **3** Daño moral o físico: *No me gustan esos amigos con los que vas, porque te hacen mucho mal.* **4** Enfermedad o desgracia: *En cuanto encuentres trabajo se acabarán todos tus males.* **5** [adverbio] De mala manera o de manera contraria a como debe ser: *Tienes que repetir los ejercicios porque los has hecho muy mal.* **6** [expresión] **mal de ojo** Daño que se cree que puede hacer una persona a otra por mirarla de una determinada manera: *Parece que me han echado mal de ojo, porque me sale todo al revés.* **menos mal** Se usa para indicar que nos alegramos porque no ha sucedido algo que temíamos: *Menos mal que hoy no ha llovido.* □ [El significado **1** va siempre delante de un sustantivo masculino singular]. CONTRARIOS: **1** buen. **2,3,5** bien. FAMILIA: malo, maldad, maligno, malvado, maltrecho, maleza, malicia, malicioso.

malabarista [sustantivo] Persona que realiza juegos que consisten en lanzar objetos al aire y cogerlos sin que se le caigan: *El malabarista del circo lanzaba al aire tres bolos mientras tenía dos en las manos.* □ [No varía en masculino y en femenino].

MALABARISTA

malagueño, ña [adjetivo o sustantivo] De la provincia de Málaga o de su capital: *Marbella es un pueblo malagueño.*

maldad [sustantivo femenino] **1** Carácter de lo que es malo: *Por la maldad de sus obras, parece un monstruo más que un ser humano.* **2** Acción mala: *Algún día tendrá que pagar todas sus maldades.* □ CONTRARIOS: bondad. FAMILIA: → mal.

maldecir [verbo] **1** Decir maldiciones: *Se enfadó y empezó a maldecir contra todos los que estábamos allí.* **2** Quejarse o criticar de forma muy dura: *No maldigas a tus amigos, porque tú eres quien ha tenido la culpa de todo.* □ [Es irregular y se conjuga como BENDECIR. Su participio es *maldecido*]. SINÓNIMOS: **1** blasfemar. CONTRARIOS: bendecir. FAMILIA: maldición, maldito.

maldición [sustantivo femenino] **1** Castigo para que le suceda algo malo a alguien: *Se cumplió la maldición de la bruja y el príncipe se convirtió en una bestia.* **2** Expresión de enfado muy fuerte: *Cuando supo que no era el vencedor, empezó a soltar maldiciones y a decir palabrotas.* **3** [interjección] Se usa para indicar disgusto: *¡Maldición, me he olvidado tu encargo en casa!* □ CONTRARIOS: **1** bendición. FAMILIA: → maldecir.

maldito, ta 1 [adjetivo] Que produce enfado o molestia: *¡A ver si bajas esa maldita música que no me deja dormir!* **2** [adjetivo o sustantivo] Que ha recibido una maldición: *Sólo el amor de una mujer devolverá su aspecto normal al príncipe maldito.* **3** [expresión] **maldita sea** Se usa para indicar enfado o disgusto: *¡Maldita sea, he perdido las llaves!* □ CONTRARIOS: **1,2** bendito. FAMILIA: → maldecir.

maleducado, da [adjetivo o sustantivo] Que no tiene educación: *No seas maleducado y pide las cosas por favor.* □ SINÓNIMOS: grosero. CONTRARIOS: educado. FAMILIA: → educar.

maleducar [verbo] Educar mal a una persona porque se le permite casi todo: *Si consientes a tu hijo todos sus caprichos, lo vas a maleducar.* □ [La c se cambia en qu delante de e, como en SACAR]. FAMILIA: → educar.

malestar [sustantivo masculino] Sensación que tenemos cuando nos sentimos a disgusto o no nos sentimos cómodos: *No voy a salir de casa, porque tengo algo de fiebre y malestar general.* □ FAMILIA: → estar.

maleta 1 [sustantivo] Persona que es poco hábil al realizar una actividad: *Eres un maleta jugando al voleibol.* **2** [sustantivo femenino] Especie de caja con asa, que sirve para guardar la ropa cuando se va de viaje: *¿Has metido ya la ropa en la maleta?* □ [El significado **1** no varía en masculino y en femenino]. FAMILIA: maletín, maletero.

maletero, ra [sustantivo masculino] **1** En un vehículo, espacio en el que se mete el equipaje: *Cuando nos vamos de viaje, no cabe ni un alfiler en el maletero.* **2** En una casa, lugar en el que se guardan las maletas y otros objetos que no se usan a diario: *Tu bolsa de viaje está guardada en el maletero del armario.* □ FAMILIA: → maleta.

maletín [sustantivo femenino] Especie de maleta pequeña que se usa para llevar documentos: *Mi madre va a la oficina con un maletín negro.* □ FAMILIA: → maleta.

maleza [sustantivo femenino] Conjunto de hierbas que crecen sin orden en un terreno: *Tengo que arrancar la maleza del jardín.* □ FAMILIA: → mal. 🔎 página 710.

malgastar [verbo] Aprovechar mal algo: *Si malgastamos el tiempo no acabaremos el trabajo.* □ SINÓNIMOS: perder, desperdiciar. CONTRARIOS: aprovechar. FAMILIA: → gastar.

malhablado, da [adjetivo o sustantivo] Que habla con poca educación: *Tu amiga es muy malha-*blada y siempre está diciendo tacos. □ FAMILIA: → hablar.

malhechor, -a [sustantivo] Persona que comete delitos de forma habitual: *Los malhechores que detuvo la policía estaban acusados de varios robos.* □ CONTRARIOS: bienhechor. FAMILIA: → hacer.

malhumor [sustantivo masculino] Estado de ánimo que tiene una persona cuando se enfada por algo o cuando le han dado un disgusto: *Si estás de malhumor porque no puedes salir, no lo pagues con los demás.* □ [Se escribe también *mal humor*]. FAMILIA: → humor.

malhumorado, da [adjetivo] Que está enfadado por algo: *Llegó tarde y malhumorado porque le había pillado un atasco horrible.* □ [Se escribe también *mal humorado*]. FAMILIA: → humor.

malicia [sustantivo femenino] **1** Mala intención: *Me has acusado con malicia para que me echaran las culpas a mí.* **2** Habilidad para conseguir lo que queremos: *Para que un famoso conteste a las preguntas de un periodista, hace falta un poco de malicia.* □ FAMILIA: → mal.

malicioso, sa 1 [adjetivo] Con mala intención: *Has conseguido herirme con tus comentarios maliciosos sobre mi gordura.* **2** [adjetivo o sustantivo] Que suele pensar mal de los demás: *No seas malicioso y no pienses que cuando alguien te hace un regalo es porque quiere algo de ti.* □ FAMILIA: → mal.

maligno, na [adjetivo] **1** Que es tan grave que puede producir la muerte: *Le han dicho que tiene un tumor maligno y que le queda un año de vida.* **2** Muy malo: *No te convienen esas amistades porque ejercen una influencia maligna sobre ti.* □ SINÓNIMOS: **2** perverso, malvado. CONTRARIOS: **1** benigno. **2** bueno. FAMILIA: → mal.

malla [sustantivo femenino] **1** Tela parecida a una red: *He comprado un kilo de naranjas y venían en una malla roja de plástico.* **2** Tela formada por la unión de pequeños anillos de metal: *Lo que se ponían los guerreros medievales debajo de las armaduras estaba hecho de malla.* **3** Prenda de vestir, elástica y fina, que se pega al cuerpo: *Para hacer gimnasia y para hacer ballet se usa malla.* □ [El significado **3** es lo mismo en singular que en plural].

mallorquín, -a [adjetivo o sustantivo] De la isla española de Mallorca: *Las ensaimadas mallorquinas con cabello de ángel son exquisitas.*

malo, la [adjetivo] **1** Que no tiene las cualidades propias de su naturaleza: *He tenido que tirar la manzana porque estaba mala.* **2** Que no es como debe ser o como nos gusta que sea: *Hoy he tenido un día muy malo y no me ha salido nada bien.* **3** Perjudicial o con efectos negativos: *Fumar es malo para la salud.* **4** Enfermo: *Ayer no vine al cole porque estaba malo.* **5** Que hace mucho ruido o que no para quieto: *Niño, no seas malo y deja de revolver en el armario.* **6** Que anuncia una desgracia: *Es mala señal que haya salido del examen con esa cara tan triste.* **7** [adjetivo o sustantivo] Dicho de una persona, que no tiene cualidades morales buenas: *No se puede confiar en ella, porque es una mala persona.* **8** [expresión] **de malas** De mal humor: *Está de malas porque no ha podido irse al campo el fin de semana.* **poner malo** Enfadar mucho: *Me pone malo que me digas que vas a hacer una cosa y que luego no la hagas.* **ponerse mala** Tener una mujer la regla: *Me he puesto mala y necesito compresas.* **por las malas** A la fuerza: *No me lo comí cuando tenía que hacerlo y me obligó a comérmelo por las malas.* □ [Cuando malo va delante de un sustantivo, se cambia por mal: *mal amigo, mala amiga*]. CONTRARIOS: bueno. FAMILIA: → mal.

maloliente [adjetivo] Que huele mal: *Cámbiate de ropa, que llevas una camiseta sucia y maloliente.* □ [No varía en masculino y en femenino]. FAMILIA: → oler.

maltratar [verbo] Tratar mal: *Me parece una barbaridad que se maltrate a los animales.* □ FAMILIA: → tratar.

maltrecho, cha [adjetivo] Que está en mal estado por haber sido tratado mal: *Después de robarle, le dieron una paliza y lo dejaron maltrecho.* □ FAMILIA: → mal.

malva 1 [adjetivo o sustantivo masculino] Del color que resulta de mezclar morado y rosa: *El malva es como el violeta pálido.* **2** [sustantivo femenino] Planta que tiene flores de este color, reunidas en grupos: *Las malvas son silvestres.* **3** [expresión] **como una malva** Que hace lo que se le ordena sin protestar: *Le llamaron la atención por no hacer caso y ahora está como una malva.* **criar**

malvas Estar muerto: *Cuando le pregunté por el antiguo dueño, me dijo que estaba criando malvas desde hacía cinco años.* □ [Cuando es adjetivo, no varía en masculino y en femenino. Las expresiones son coloquiales].

malvado, da [adjetivo o sustantivo] Muy malo: *En esa película, unos malvados secuestran a la hija del dueño del rancho.* □ SINÓNIMOS: perverso, maligno, miserable. CONTRARIOS: bueno. FAMILIA: → mal.

mamá [sustantivo femenino] Madre: *Mamá, ¿cuándo viene papá?* □ [Es coloquial]. FAMILIA: premamá, mamitis.

mamar [verbo] Tomar un hijo la leche de su madre: *Los bebés maman cada tres horas.* □ FAMILIA: mamífero.

mamarracho [sustantivo masculino] Lo que es tan feo o tan raro que produce risa: *Se presentó en la fiesta hecha un mamarracho, con una ropa que parecía de su abuela.* □ [Es despectivo]. SINÓNIMOS: adefesio.

mamífero, ra [adjetivo o sustantivo masculino] Dicho de un animal, que se alimenta de la leche de su madre: *Los hombres somos mamíferos.* □ FAMILIA: → mamar.

[mamitis [sustantivo femenino] Ganas de estar siempre con la madre: *No tengas mamitis y no llores cuando te quedes solo con los abuelos.* □ [No varía en singular y en plural. Es coloquial]. FAMILIA: → mamá.

mamporro [sustantivo masculino] Golpe fuerte: *Nos enfadamos, empezamos a discutir y terminamos dándonos mamporros.* □ [Es coloquial].

mamut [sustantivo masculino] Especie de elefante que vivió hace muchos miles de años: *El mamut era muy peludo y tenía unos colmillos muy largos hacia arriba.* □ [Su plural es *mamutes*].

MAMUT

manada [sustantivo femenino] Conjunto de animales que viven juntos: *Los vaqueros vieron una manada de búfalos que cruzaba la pradera.*

manantial [sustantivo masculino] Corriente de agua que nace de forma natural: *El agua de este ma-*

nantial nace en unas rocas en lo alto de aquella montaña. ☐ FAMILIA: → manar. ✍ página 17.

manar [verbo] Salir un líquido de alguna parte: *Se asustó al ver que de la herida manaba mucha sangre.* ☐ FAMILIA: manantial.

manazas [sustantivo] Persona que no tiene habilidad para hacer trabajos con las manos: *Soy una manazas y no consigo pegar estos trozos en el lugar que les corresponde.* ☐ [No varía en masculino y en femenino, ni en singular y plural. Es coloquial]. CONTRARIOS: manitas. FAMILIA: → mano.

mancha [sustantivo] [femenino] **1** Señal de suciedad: *Tienes manchas de chocolate en la camisa.* **2** Señal pequeña que destaca por su color o por su aspecto: *Las jirafas son amarillas con manchas marrones.* **3** Lo que estropea algo bueno: *La expulsión del colegio durante una semana es una mancha en mi expediente académico.* ☐ SINÓNIMOS: **2** pinta. FAMILIA: manchar, quitamanchas.

manchar [verbo] Poner sucia una superficie dejando señales sobre ella: *¿Quién ha manchado la alfombra de café?* ☐ SINÓNIMOS: ensuciar. CONTRARIOS: limpiar. FAMILIA: → mancha.

manchego, ga [adjetivo o] [sustantivo] De la región española de La Mancha: *Este queso manchego es fuerte y muy sabroso.*

manco, ca **1** [adjetivo o] [sustantivo] Que no tiene uno o ambos brazos: *Se quedó manca y aprendió a hacer todo con una sola mano.* **2** [expresión] **no quedarse manco alguien** Ser tan bueno como otro: *Tu hermana bota muy bien el balón, pero tú no te quedas manca metiendo canastas.* ☐ [El significado **2** es coloquial].

mandamiento [sustantivo] [masculino] Lo que hay que cumplir: *Dios dio sus mandamientos a Moisés en el monte Sinaí.* ☐ FAMILIA: → mandar.

mandar [verbo] **1** Dar la orden de hacer algo: *Cuando hablamos en clase, el profesor manda que nos callemos.* **2** Gobernar o dirigir: *Aquí mando yo y tenéis que obedecerme.* **3** Hacer ir o hacer llegar: *Mi madre me mandó a la tienda a comprar el pan.* ☐ SINÓNIMOS: **1** ordenar, establecer. **3** enviar. CONTRARIOS: **1** obedecer. FAMILIA: mandamiento, mandato, mando, mandón, marimandón, comandante, comando.

mandarina [sustantivo] [femenino] Fruta parecida a la naranja, pero más pequeña: *Las mandarinas se pelan muy bien con la mano.*

mandato [sustantivo] [masculino] **1** Orden que da una autoridad: *Luchaban contra el enemigo en aquella batalla por mandato del rey.* **2** Tiempo durante el cual manda una autoridad: *El mandato de este ministro duró cuatro años.* ☐ FAMILIA: → mandar.

mandíbula **1** [sustantivo] [femenino] Cada uno de los dos huesos que forman la boca: *La raíz de los dientes está en las mandíbulas.* **2** [expresión] **reír a mandíbula batiente** Reír mucho: *La película era muy graciosa y los espectadores se reían a mandíbula batiente.* ☐ [El significado **2** es coloquial].

mandil [sustantivo] [masculino] Prenda que se pone por delante del cuerpo y encima de la ropa para no mancharla: *Los pescaderos suelen llevar un mandil de rayas verdes y negras.* ☐ SINÓNIMOS: delantal.

mando [sustantivo] [masculino] **1** Poder para mandar sobre algo: *En un barco, el capitán es la persona que tiene el mando.* **2** Persona o asociación que tienen este poder: *Los mandos de la policía estudian nuevas medidas de seguridad ciudadana.* **3** Lo que sirve para hacer funcionar un aparato: *Puedes encender la televisión desde el sillón apretando un botón del mando a distancia.* ☐ [El significado **2** se usa más en plural]. SINÓNIMOS: **1,2** autoridad. FAMILIA: → mandar.

mandón, -a [adjetivo o] [sustantivo] Que manda más de lo que debe mandar: *Lo haré cuando me lo digan mis padres, no cuando me lo digas tú, que eres un mandón.* ☐ [Es coloquial]. SINÓNIMOS: marimandón. FAMILIA: → mandar.

manecilla [sustantivo] [femenino] Varita delgada que sirve para señalar algo: *La manecilla larga del reloj marca las horas y la corta, los minutos.* ☐ SINÓNIMOS: saeta. FAMILIA: → mano.

manejable [adjetivo] Que se maneja con facilidad: *Me han regalado una agenda muy manejable y útil.* ☐ [No varía en masculino y en femenino]. FAMILIA: → manejar.

manejar [verbo] **1** Usar, especialmente si es con las manos: *¿Sabes manejar esta máquina de fotos?* **2** Gobernar o dirigir: *Los padres deben saber manejar a sus hijos.* **3 manejarse** Moverse sin dificultades: *Hace poco*

a b c d e f g h i j k l **m** n ñ o p q r s t u v w x y z

a
b
c
d
e
f
g
h
i
j
k
l
m
n
ñ
o
p
q
r
s
t
u
v
w
x
y
z

que me quitaron la escayola del pie, pero ya me manejo bien sin bastón. □ [Siempre se escribe con j]. FAMILIA: manejo, manejable.

manejo [sustantivo] [masculino] **1** Uso de algo, especialmente si se hace con las manos: *Estoy aprendiendo el manejo del nuevo ordenador.* **2** Lo que se hace con habilidad para conseguir algo: *Creo que están tramando algo contra ti, porque se traen muchos manejos y secretitos.* □ [El significado **2** es coloquial]. FAMILIA: → manejar.

manera [sustantivo] [femenino] **1** Forma particular de hacer algo: *Ésa no es manera de sentarse en público.* **2** Conjunto de modales de una persona: *Me sorprende que un niño como tú tenga maneras de persona mayor.* **3** [expresión] **de manera que** Se usa para expresar consecuencia: *Yo te he avisado, de manera que yo no tengo la culpa si te pasa algo.* **de todas maneras** A pesar de todo: *De todas maneras, podías habérmelo dicho antes.* □ SINÓNIMOS: modo, forma. FAMILIA: amanerado.

manga [sustantivo] [femenino] **1** Parte de una prenda de vestir que cubre el brazo: *En verano siempre llevo camisetas de manga corta.* **2** Tubo largo de un material impermeable que sirve para echar un líquido por uno de sus extremos: *Tengo una manga muy larga con la que puedo regar todo el jardín.* **3** Parte en la que se dividen algunas competiciones deportivas: *La esquiadora española hizo el mejor tiempo de la segunda manga.* **4** Especie de bolsa con un agujero que sirve para echar la nata en algunos pasteles: *El pastelero puso mi nombre en la tarta con la manga.* **5** [expresión] **manga ancha** Consideración de algo sin tener muy en cuenta las faltas: *La profesora ha corregido este trabajo con manga ancha porque, a pesar de los fallos, me ha dicho que no estaba mal.* **manga por hombro** Sin orden: *No saldrás hasta que arregles tu habitación, porque tienes todo manga por hombro.* **sacarse algo de la manga** Inventárselo: *¡No seas mentiroso y no te saques de la manga que yo te di permiso!* □ [Las expresiones son coloquiales]. SINÓNIMOS: **2** manguera. FAMILIA: remangar.

mangar [verbo] Robar: *Me han mangado las zapatillas de deporte en el gimnasio.* □ [La

g se cambia en gu delante de e, como en PAGAR. Es coloquial].

mango [sustantivo] [masculino] **1** Parte estrecha y alargada por la que se agarra algo con la mano: *Esta sartén tiene el mango de madera para no quemarse al cogerla.* **2** Árbol cuyo fruto tiene forma de pera, pero más gordo: *El mango es una fruta tropical.*

manguera [sustantivo] [femenino] Tubo largo de un material impermeable que sirve para echar un líquido por uno de sus extremos: *Los bomberos apagan los incendios con mangueras.* □ SINÓNIMOS: manga. 🖼 página 431.

manía [sustantivo] [femenino] **1** Costumbre que se tiene de hacer algo siempre de la misma manera: *Tengo la manía de beber dos vasos de agua antes de comer cualquier cosa.* **2** Mala voluntad que se tiene contra una persona: *Siempre me estás regañando porque me tienes manía.* □ [El significado **2** es coloquial]. SINÓNIMOS: **1** neura. FAMILIA: maniático.

maniático, ca [adjetivo o] [sustantivo] Que hace cosas por costumbre y siempre de la misma manera: *Soy un maniático con la comida y siempre tomo un poco de pan antes de tomar ninguna otra cosa.* □ FAMILIA: → manía.

manicomio [sustantivo] [masculino] Hospital para personas que tienen enfermedades de la mente: *Estás loco y acabarás en un manicomio.*

manicuro, ra 1 [sustantivo] Persona que cuida y arregla las manos y las uñas: *Mientras estaba en el secador, la manicura me limaba las uñas.* **2** [sustantivo] [femenino] Hecho de cuidar y arreglar las manos y las uñas: *Si no me hago la manicura, me salen padrastros.* □ FAMILIA: → mano.

manifestación [sustantivo] [femenino] **1** Expresión pública de una idea: *El entrenador hizo unas manifestaciones a la prensa después de la victoria de su equipo.* **2** Señal que hace que se vea o se note algo: *La risa es una manifestación de alegría.* **3** Conjunto de personas que se reúnen en un lugar público para pedir algo: *La manifestación de los agricultores por las calles de la ciudad produjo muchos atascos.* □ SINÓNIMOS: **2** muestra. FAMILIA: → manifestar.

manifestante [sustantivo] Persona que se reúne con otras en un lugar público para pedir algo o protestar por algo: *Los manifestantes* *llevaban pancartas en las que estaban escritas sus peticiones.* □ [No varía en masculino y en femenino]. FAMILIA: → manifestar.

manifestar [verbo] **1** Expresar algo de manera pública: *El actor manifestó a los periodistas que ésta había sido su mejor película.* **2** Mostrar o dejar ver: *Su rostro manifestaba cansancio y tristeza.* **3 manifestarse** Reunirse en un lugar público para pedir algo: *Los trabajadores se manifestaron frente al ministerio pidiendo que no se cerrara su fábrica.* □ [Es irregular y se conjuga como PENSAR]. SINÓNIMOS: **1** comunicar, decir. **2** demostrar. CONTRARIOS: **1** callar. FAMILIA: manifestación, manifestante.

manillar [sustantivo masculino] En un vehículo de dos ruedas, parte en la que se apoyan las manos para controlar la dirección: *Los frenos de la bici están en los extremos del manillar.* □ FAMILIA: → mano.

maniobra [sustantivo femenino] **1** Operación que se realiza para controlar la marcha de un vehículo: *He tenido que hacer varias maniobras para aparcar el coche.* **2** Lo que se hace con habilidad para conseguir un fin: *Cambiar de tema rápidamente fue una hábil maniobra para distraer nuestra atención.* **3** [plural] Conjunto de operaciones que realiza un ejército como ejercicio: *Durante las maniobras, los militares ensayan como si estuvieran en combate.* □ FAMILIA: maniobrar.

maniobrar [verbo] Realizar operaciones que sirven para controlar la marcha de un vehículo: *Tuve que maniobrar con rapidez para no atropellar a un perro que cruzó de repente.* □ FAMILIA: → maniobra.

manipular [verbo] **1** Cambiar algo para conseguir lo que queremos: *Aunque nosotros no estábamos de acuerdo con su idea, manipuló la información para decir que todos la apoyábamos.* **2** Trabajar algo con las manos o con algunos instrumentos: *Para manipular estas sustancias hay que ponerse guantes y trajes especiales.* □ FAMILIA: → mano.

maniquí 1 [sustantivo] Persona que trabaja poniéndose prendas de vestir para mostrarlas: *La maniquí llevaba un traje de fiesta.* **2** [sustantivo masculino] Figura con forma de persona: *Quiero el jersey rojo que lleva puesto el maniquí del escaparate, por favor.* □ [El significado **1**

no varía en masculino y en femenino. Su plural es *maniquís o maniquíes* (más culto)]. SINÓNIMOS: **1** modelo.

manitas 1 [sustantivo] Persona que tiene mucha habilidad con las manos: *Dale esa figura rota a mi hermano, que es un manitas y te la arreglará.* **2** [expresión] **hacer manitas** Acariciarse las manos dos personas: *Unos novios hacían manitas sentados en un banco del parque.* □ [No varía en masculino y en femenino, ni en singular y plural]. CONTRARIOS: **1** manazas. FAMILIA: → mano.

manivela [sustantivo femenino] Pieza doblada en ángulo recto y que se hace girar para mover algo: *El toldo de mi terraza se sube y se baja con una manivela.* □ FAMILIA: → mano.

MANIVELA

manjar [sustantivo masculino] Alimento exquisito: *Este asado de carne es un manjar.*

mano [sustantivo femenino] **1** Parte en que termina el brazo y que nos sirve para agarrar las cosas: *Yo escribo con la mano derecha.* **2** Capacidad para hacer algo bien: *Tienes muy buena mano para cuidar a los niños pequeños.* **3** Poder o influencia sobre algo: *Díselo tú, porque tienes mucha mano sobre ella y te hará caso.* **4** Estado de las cosas en las que ha participado alguien para hacerlas: *En la decoración de la casa se nota la mano de tu madre.* **5** Capa de alguna sustancia que se da sobre una superficie: *Después de pintar la puerta, hay que darle una mano de barniz.* **6** Especie de palo con el que se golpean algunos alimentos en el mortero: *Pásame la mano y el mortero, que voy a machacar unos ajos.* **7** Cada una de las veces que se reparten las cartas en algunos juegos: *Esta mano la gano yo porque tengo tres ases.* **8** Persona que está a la derecha del que reparte las cartas en algunos juegos: *Empiezas pidiendo carta tú, que eres mano.* **9** [expresión] **a mano** Sin usar máquinas: *Este vestido está hecho a mano.* **abrir la mano**

Ser menos duro: *Mis padres abrieron la mano y ya me dejan llegar más tarde.* **con la mano en el corazón** Con sinceridad: *Con la mano en el corazón te digo que nunca he conocido a nadie tan bueno.* **con las manos en la masa** En mitad de lo que se está realizando: *Iba a cogerle un jersey a mi hermano sin su permiso, pero me pilló con las manos en la masa.* **de segunda mano** Ya usado: *Mi coche es de segunda mano porque se lo compré a mi tío.* **echar una mano** Ayudar: *Si quieres, te echo una mano y acabaremos antes.* **en mano** En persona: *Dale esta carta a tu padre en mano, porque es muy importante.* **frotarse las manos** Alegrarse o sentir satisfacción: *No te frotes las manos pensando en lo que vas a hacer con el dinero hasta que no lo tengas seguro.* **írsele la mano a alguien** Pasarse: *Se te ha ido la mano con la sal y está demasiado salada la comida.* **mano a mano** Trabajando juntas dos personas: *Ese libro lo hicieron mano a mano dos famosos escritores.* **mano de obra** Trabajo que realiza una persona: *Lo más caro de la reforma que han hecho en casa no han sido los materiales, sino la mano de obra.* **mano de santo** Lo que resulta muy eficaz: *Bébete esta infusión, que es mano de santo para el dolor de estómago.* **mano izquierda** Habilidad para tratar asuntos difíciles: *Como se enfada por cualquier cosa, procura hablarle con mucha mano izquierda.* **meter mano** Tocar a una persona con intenciones sexuales: *Cuando intentó meterme mano, le di una torta.* **tener algo entre manos** Estar ocupado en ello: *Tengo entre manos un asunto muy complicado.* **tener la mano larga** Pegar a los demás sin que haya motivo: *No soy tu amigo, porque tienes la mano muy larga.* □ SINÓNIMOS: **3** habilidad, facilidad, destreza, maestría, maña, arte. CONTRARIOS: **3** torpeza. FAMILIA: manecilla, manillar, manicura, manitas, manazas, manivela, manojo, manopla, manipular, manosear, manotear, manotazo, manual, manufactura, pasamanos, antemano.

manojo 1 [sustantivo] [masculino] Conjunto de cosas alargadas que se pueden coger con la mano: *Compré un manojo de espárragos en la fru-* *tería.* **2** [expresión] **ser un manojo de nervios** Ser muy nervioso: *Tu hermana es un manojo de nervios y no puede parar quieta ni un momento.* □ [El significado **2** es coloquial]. FAMILIA: → mano.

manopla [sustantivo] [femenino] Prenda que sirve para proteger las manos, sin separar los dedos: *Cuando hace mucho frío, los niños van al cole con abrigo, manoplas, gorro y bufanda.* □ FAMILIA: → mano.

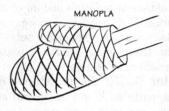

MANOPLA

manosear [verbo] **1** Tocar con las manos repetidamente: *No manosees el pan.* **2** Insistir mucho en un asunto: *Vamos a cambiar de tema, porque esa historia está ya muy manoseada.* □ SINÓNIMOS: **1** sobar. FAMILIA: → mano.

manotazo [sustantivo] [masculino] Golpe dado con la mano: *Le dije que no cogiera mis cosas, se enfadó y le di un manotazo.* □ FAMILIA: → mano.

manotear [verbo] Mover mucho las manos al hablar: *No manotees tanto cuando hables en público, porque parece que estás nervioso.* □ FAMILIA: → mano.

mansedumbre [sustantivo] [femenino] Falta de movimiento o de violencia: *Me tranquiliza la mansedumbre que transmite tu mirada.* □ FAMILIA: → manso.

mansión [sustantivo] [femenino] Casa muy grande: *La película transcurría en una vieja mansión habitada por fantasmas.*

manso, sa [adjetivo] Dicho de un animal, que no es violento o que deja que el hombre se ponga cerca de él: *Los animales amaestrados adquieren un carácter muy manso.* □ CONTRARIOS: bravo. FAMILIA: mansedumbre, amansar.

manta 1 [sustantivo] Persona poco hábil: *No me dejan jugar de portero porque dicen que soy un manta.* [sustantivo] [femenino] **2** Pieza de tela gruesa que sirve para dar calor: *En invierno duermo con tres mantas en la cama.* **3** Pez que tiene el cuerpo muy plano, de forma que parece una tela extendida: *El cuerpo de la manta tiene forma de rombo.* **4** [expresión] **a manta** En gran cantidad: *Como ha llovido mucho, este año hay flores a manta.* **liarse la manta a la cabeza** Decidirse a hacer algo sin pensar en las consecuencias: *Me lié la manta a la cabeza y acepté su propuesta de trabajo.* □ [El significado **1** no varía en masculino y en femenino. Las expresiones son coloquiales]. FAMILIA: mantear.

mantear [verbo] Lanzar al aire a una persona que está sobre una manta sujeta por varias personas: *Cuando ganaron la final, los jugadores del equipo mantearon a su entrenador.* □ FAMILIA: → manta.

manteca [sustantivo] [femenino] **1** Grasa de algunos animales: *La manteca de cerdo es de color blanco.* **2** Sustancia grasa que se obtiene de algunos frutos: *Cuando tengo los labios cortados, me pongo manteca de cacao.* □ FAMILIA: mantecada, mantecoso, mantequilla, mantequería.

mantecada [sustantivo] [femenino] Bollo pequeño que se suele cocer en un molde de papel cuadrado: *Las mantecadas se hacen con manteca, harina y huevos.* □ FAMILIA: → manteca.

mantecado [sustantivo] [femenino] **1** Dulce elaborado con manteca de cerdo: *En Navidad tomamos turrones, polvorones y mantecados.* **2** Helado hecho con leche, huevos y azúcar: *Yo quiero un cucurucho con dos bolas de mantecado.* □ FAMILIA: → manteca.

mantel [sustantivo] [masculino] Pieza de tela con la que se cubre la mesa durante las comidas: *Yo pongo el mantel y tú pones los platos y los vasos.* □ FAMILIA: mantelería, salvamanteles.

mantelería [sustantivo] [femenino] Conjunto formado por un mantel y servilletas que hacen juego: *Hoy comeremos con la mantelería blanca.* □ FAMILIA: → mantel.

mantener [verbo] **1** Sujetar algo o evitar que se caiga: *Mantén esta tela en alto para que*

no roce el suelo, por favor. **2** Conservar sin cambios: *Ya no estoy siguiendo ningún régimen, pero tengo cuidado con lo que como para ver si mantengo mi peso.* **3** Continuar una acción: *Mantuvimos una discusión muy interesante durante horas.* **4** Defender o hacer permanecer: *Mantengo que fuiste tú quien lo hizo y nadie me hará cambiar de idea.* **5** Cumplir lo que se ha prometido: *Te dije que no se lo diría a nadie y he mantenido mi promesa.* **6** Dar los alimentos necesarios para vivir: *Desde que murieron sus padres, los mantiene una tía suya.* **7** Dar nuevas fuerzas: *Esta buena noticia te ayudará a mantener la esperanza.* □ [Es irregular y se conjuga como TENER]. SINÓNIMOS: **6,7** alimentar, nutrir. FAMILIA: → tener.

mantequería [sustantivo] [femenino] Tienda en la que se vende mantequilla y otros productos que se obtienen de la leche: *Si vas a la mantequería, trae mantequilla, yogures y un litro de leche, por favor.* □ FAMILIA: → manteca.

mantequilla [femenino] Alimento blando que se obtiene de la grasa de la leche de la vaca: *¿Quieres una tostada con mantequilla para desayunar?* □ FAMILIA: → manteca.

mantilla [sustantivo] [femenino] Prenda de vestir que se pone sobre la cabeza y cae sobre los hombros: *La madrina del novio llevaba una mantilla de encaje negra.* □ FAMILIA: → manto.

manto [sustantivo] [masculino] **1** Prenda de vestir amplia, parecida a la capa, que cubre desde los hombros hasta los pies: *La imagen de la Virgen de mi pueblo lleva un manto blanco con bordados de oro.* **2** Una de las partes que forman la estructura de la Tierra: *El manto está situado entre el núcleo y la corteza terrestres.* □ FAMILIA: mantilla, mantón.

mantón [sustantivo] [masculino] Prenda de vestir que se echa sobre los hombros: *El mantón se suele llevar doblado en dos.* □ FAMILIA: → manto.

manual 1 [adjetivo] Que se realiza con las ma-

a b c d e f g h i j k l **m** n ñ o p q r s t u v w x y z

MANTILLA

MANTO

MANTÓN

a

b

c

d

e

f

g

h

i

j

k

l

m

n

ñ

o

p

q

r

s

t

u

v

w

x

y

z

nos: *Estamos haciendo una cesta de papel en la clase de trabajos manuales.* **2** [sustantivo] [masculino] Libro en el que se encuentra lo más importante de una materia: *He hecho el trabajo consultando un manual de botánica.* □ [El significado **1** no varía en masculino y en femenino]. FAMILIA: → mano.

manufactura [sustantivo] [femenino] **1** Obra hecha a mano o con ayuda de máquinas: *En esta tienda venden objetos de adorno y otras manufacturas.* **2** Fábrica en la que se hacen estos productos: *En Cataluña hay muchas manufacturas textiles.* □ FAMILIA: → mano.

manuscrito, ta 1 [adjetivo] Escrito a mano: *Recibí una nota manuscrita en la que se me invitaba a una fiesta.* **2** [sustantivo] [masculino] Texto escrito a mano: *Antes de que se inventara la imprenta sólo había manuscritos.* □ FAMILIA: → escribir.

manzana [sustantivo] [femenino] **1** Fruta comestible, casi redonda, de carne blanca: *Me gustan más las manzanas verdes que las rojas o las amarillas.* **2** Espacio urbano que está limitado por calles por todos sus lados: *Mi colegio está a dos manzanas de mi casa.* □ FAMILIA: manzano.

manzanilla [sustantivo] [femenino] Planta que tiene flores de color blanco con el centro amarillo y que se usa para hacer infusiones: *Tómate esta manzanilla y ya verás cómo se te pasa el dolor de tripa.*

manzano [sustantivo] [masculino] Árbol cuyo fruto es la manzana: *El manzano de nuestro jardín ya tiene flores.* □ FAMILIA: → manzana. ✍ página 19.

maña [sustantivo] [femenino] Mira en **maño, ña.**

mañana 1 [sustantivo] [masculino] Tiempo que todavía no ha llegado: *Mucha gente ahorra pensando en el mañana.* **2** [sustantivo] [femenino] Período de tiempo que está entre la noche y la tarde: *Las clases empiezan a las nueve de la mañana.* [adverbio] **3** En el día posterior al de hoy: *Si hoy es lunes, mañana será martes.* **4** En un tiempo futuro: *Hoy la empresa va bien, pero mañana, Dios dirá.* **5** [expresión] **hasta mañana** Se usa para despedirse: *Por hoy he terminado, así que, ¡hasta mañana!* **pasado mañana** En el día posterior al de mañana: *Si hoy es domingo, pasado mañana será martes.* □ SINÓNIMOS: **1** futuro, porvenir. CONTRARIOS: **1** pasado. **3,4** ayer. FAMILIA: mañanero, matinal, matutino.

mañanero, ra [adjetivo] De la mañana o relacionado con ella: *Me ha despertado el sol mañanero que entra por la ventana.* □ FAMILIA: → mañana.

maño, ña 1 [adjetivo o] [sustantivo] Dicho de una persona, que ha nacido en la comunidad autónoma de Aragón: *Jóvenes maños bailaban jotas.* [sustantivo] [femenino] **2** Capacidad para hacer algo bien: *Tienes mucha maña para tratar a los animales.* **3** Habilidad para conseguir lo que se desea: *No uses tus mañas para convencerme.* □ [El significado **1** es coloquial]. SINÓNIMOS: **2** habilidad, destreza, facilidad, maestría, arte, mano. CONTRARIOS: **2** torpeza. FAMILIA: mañoso.

mañoso, sa [adjetivo] Que tiene capacidad para hacer algo bien: *Es muy mañosa y los muebles de su casa se los ha hecho ella sola.* □ SINÓNIMOS: capaz, hábil, diestro. CONTRARIOS: torpe, negado, inepto. FAMILIA: → maña.

mapa [sustantivo] [masculino] Imagen que representa en un plano cómo es la superficie de la Tierra o cómo es una parte de ella: *En el mapa verás que España es más grande que Italia.* □ SINÓNIMOS: carta. FAMILIA: mapamundi. ✍ página 533.

mapamundi [sustantivo] [masculino] Mapa en el que se representa la superficie de la Tierra dividida en dos mitades: *Con un mapamundi puedes ver qué países están en el hemisferio norte y cuáles están en el hemisferio sur.* □ [Su plural es *mapamundis*]. FAMILIA: → mapa. ✍ páginas 534-535.

maqueta [sustantivo] [femenino] Copia exacta de un objeto que se hace a un tamaño reducido: *Me gusta construir maquetas de aviones y de barcos.* □ SINÓNIMOS: modelo.

maquillador, -a [sustantivo] Persona que trabaja maquillando a los demás: *La labor del maquillador es fundamental en el cine y en el teatro.* □ FAMILIA: → maquillar. ✍ página 158.

maquillaje [sustantivo] [masculino] Conjunto de pinturas que se usan para dar color a la cara: *Esa actriz siempre lleva mucho maquillaje.* □ FAMILIA: → maquillar.

maquillar [verbo] Dar pinturas en la cara: *En esta película maquillan al actor para que parezca un viejecito.* □ SINÓNIMOS: pintarse. FAMILIA: maquillaje, maquillador.

máquina [sustantivo] [femenino] **1** Aparato que aprovecha una fuerza o que la produce, y que tiene diferentes usos: *En mi casa hay una máquina de coser.* **2** Vagón de un tren que mueve a los demás: *El conductor del tren va en la máquina.* **3** [expresión] **a toda máquina** A gran velocidad: *Los coches van por la autopista a toda máquina.* □ SINÓNIMOS: **2** locomotora. FAMILIA: maquinaria, maquinilla, maquinista.

maquinaria [sustantivo] [femenino] Conjunto de máquinas que se usan para un fin determinado: *Esta empresa ha invertido mucho dinero en modernizar su maquinaria industrial.* □ FAMILIA: → máquina.

maquinilla [sustantivo] [femenino] Máquina pequeña que se usa para afeitar la barba: *Mi padre se afeita con una maquinilla eléctrica.* □ FAMILIA: → máquina.

maquinista [sustantivo] Persona que conduce un tren: *El maquinista esperaba la señal del jefe de estación para salir.* □ [No varía en masculino y en femenino]. FAMILIA: → máquina.

mar [sustantivo] **1** Masa de agua salada que cubre la mayor parte de la superficie de la Tierra: *La ballena y el tiburón son animales que viven en el mar.* ✍ páginas 536-537. **2** Cada una de las partes en que dividimos esta masa de agua: *Voy de vacaciones a un pueblo del mar Mediterráneo.* **3** Lago de gran extensión: *El río Danubio desemboca en el mar Negro.* **4** [expresión] **a mares** En gran cantidad: *No salgas ahora, que está lloviendo a mares.* **alta mar** Parte que está a bastante distancia de la costa: *Los barcos pesqueros pasan mucho tiempo en alta mar.* **hacerse a la mar** Salir del puerto para navegar: *Nos vamos en un barco que se hace a la mar a las ocho de la mañana.* **la mar de** Mucho o muy: *Hemos hecho la mar de cosas.* □ [Se puede decir *el mar* y *la mar* sin que cambie de significado]. FAMILIA: marino, marinero, marea, marítimo, marisco, marisma, submarino, amerizar.

marabunta [sustantivo] [femenino] **1** Conjunto formado por un gran número de hormigas que se comen todo lo que encuentran a su paso: *La marabunta es un peligro para las cosechas.* **2** Grupo de gente que produce mucho jaleo: *Hoy empezaban las rebajas y había una ma-*

rabunta esperando a que abrieran los grandes almacenes. □ [El significado **2** es coloquial].

maraca [sustantivo] [femenino] Instrumento musical formado por un mango y una especie de bola hueca que tiene algo en su interior y suena al agitarlo: *Las maracas se tocan cogiendo una con cada mano.*

MARACA

maratón [sustantivo] **1** Carrera que consiste en correr una distancia de aproximadamente cuarenta y dos kilómetros: *El maratón es una de las pruebas de atletismo más duras.* ✍ página 289. **2** Competición o espectáculo que dura más de lo normal: *Hemos participado en un maratón de baloncesto que duraba veinticuatro horas seguidas.* □ [Se puede decir *el maratón* y *la maratón* sin que cambie de significado].

maravilla **1** [sustantivo] [femenino] Lo que es extraordinario o muy bueno: *Tienes que ver esa película porque es una maravilla.* **2** [expresión] **a las mil maravillas** Muy bien: *La cena salió a las mil maravillas y todos pasamos un rato muy agradable.* □ SINÓNIMOS: prodigio, portento, alhaja, joya, tesoro. FAMILIA: maravilloso, maravillar.

maravillar [verbo] Producir mucha sorpresa o admiración: *Me maravilla lo bien que hablas inglés con lo poco que has estudiado.* □ SINÓNIMOS: asombrar, admirar, sorprender, pasmar. FAMILIA: → maravilla.

maravilloso, sa [adjetivo] Que produce mucha admiración porque es extraordinario: *¡Qué paisaje tan maravilloso se ve desde aquí!* □ SINÓNIMOS: fabuloso, fantástico. FAMILIA: → maravilla.

marca [sustantivo] [femenino] **1** Señal que permite reconocer algo: *Le he puesto una marca a mi maleta para no confundirla con las demás.* **2** Nombre que una fábrica da a sus productos: *La marca de estos coches es el apellido del señor que los inventó.* **3** Señal dejada por algo: *Cuando estoy morena, se me nota* *la marca del bañador.* **4** Mejor resultado que se ha registrado en un deporte: *En esta prueba, el nadador español ha mejorado su marca.* □ SINÓNIMOS: **4** plusmarca, récord. FAMILIA: marcar, marcador, plusmarca.

marcador [sustantivo] [masculino] En deporte, lugar en el que se anotan los tantos conseguidos por un equipo: *El marcador del pabellón de baloncesto permite ver el resultado del partido.* □ FAMILIA: → marca.

marcar [verbo] **1** Señalar algo con un signo para reconocerlo: *En mi casa somos muchos y marcamos la ropa con la inicial de cada uno para no confundirnos.* **2** Dejar una huella muy grande en algo: *El hecho de conocer a aquella mujer marcó su vida.* **3** Señalar una cantidad: *He pasado por un termómetro de la calle que marcaba siete grados.* **4** Determinar o fijar: *Me pongo el primero para marcar el paso al que vamos a subir la montaña.* **5** Hacer destacar: *Con esa falda tan estrecha se te marcan las caderas.* **6** Peinar el cabello para darle forma: *Hoy no me corte el pelo, por favor, sólo quiero lavar y marcar.* **7** Conseguir un tanto: *El equipo de casa marcó el gol de la victoria a dos minutos del final del partido.* **8** Intentar que el contrario no juegue como quiere: *Si conseguimos marcar bien al número nueve, mantendremos el empate.* □ [La c se cambia en qu delante de e, como en SACAR]. SINÓNIMOS: **1-3** señalar. FAMILIA: → marca.

marcha [sustantivo] [femenino] **1** Salida de un lugar: *A todos nos entristeció tu marcha.* **2** Desarrollo de algo: *Las reuniones de los alumnos con los profesores contribuirán a la buena marcha del curso.* **3** Energía o ganas de hacer muchas cosas: *Si después de cenar nos entra la marcha iremos a bailar.* **4** Ambiente que hay en un lugar: *En invierno, éste es un pueblo muerto, pero en verano tiene mucha marcha.* **5** Conjunto de personas que se reúnen para ir juntas a un mismo lugar con un fin determinado: *Hoy llega a Madrid la marcha de los mineros que vienen andando desde Asturias.* **6** Movimiento que hace un grupo de personas que van juntas a un mismo lugar: *El sábado nos vamos de marcha a un pueblo de la sierra.* **7** Movimiento que se hace en una dirección determinada: *Pue-des dar marcha atrás, porque no viene ningún coche.* **8** Música que sirve para acompañar el paso: *En los desfiles suenan marchas militares para que los soldados no pierdan el paso.* **9** Tipo de carrera en la que no se pueden tener levantados del suelo los dos pies a la vez: *Los corredores de marcha atlética andan de una forma extraña.* **10** En un vehículo, cada una de las posiciones del cambio de velocidades: *Mi coche tiene cinco marchas y marcha atrás.* **11** [expresión] **a marchas forzadas** Con prisa: *Tuve que terminar el trabajo a marchas forzadas para poder entregarlo hoy.* **a toda marcha** A gran velocidad: *Si queremos llegar a tiempo, tendremos que ir a toda marcha.* **sobre la marcha** A medida que se va haciendo algo: *No sé si nos dará tiempo a visitar ese pueblo, pero eso lo veremos sobre la marcha.* □ [Los significados **3** y **4** son coloquiales]. CONTRARIOS: **1** llegada. FAMILIA: marchar, marchoso.

marchar [verbo] **1** Ir de un lugar a otro: *¿A qué hora marcháis hacia Madrid?* **2** Desarrollarse o funcionar: *Estoy preocupado porque las cosas no marchan bien entre tú y yo.* **3** Funcionar un aparato: *Desde que lo llevé al taller, el coche marcha estupendamente.* **4** **marcharse** Abandonar un lugar por decisión propia: *Me marché de la ciudad y me fui a vivir al campo.* □ SINÓNIMOS: **1** ausentarse. **3** andar. **4** irse, abrirse, largarse. CONTRARIOS: **1,4** permanecer, quedarse. **4** acudir, ir, llegar. FAMILIA: → marcha.

marchitar [verbo] Estropearse una planta u otra cosa: *Si cortas las rosas del rosal, se marchitarán pronto.* □ FAMILIA: marchito.

marchito, ta [adjetivo] Sin fuerza o sin belleza: *Hay que cortar esas flores, porque están marchitas.* □ SINÓNIMOS: mustio. FAMILIA: → marchitar.

marchoso, sa [adjetivo o] [sustantivo] Alegre o divertido: *Aunque los veas tan serios, mis padres son muy marchosos.* □ [Es coloquial]. SINÓNIMOS: animado. FAMILIA: → marcha.

marciano, na [sustantivo] Habitante del planeta Marte: *Esa película trata de unos marcianos que vienen a la Tierra.*

marco [sustantivo] [masculino] **1** Lo que se pone alrededor de algunas cosas: *Encima de la chimenea* hay un retrato de mi abuela con un marco dorado. **2** Ambiente que rodea algo: *Una reunión de familia es un marco muy apropiado para que cuentes tus proyectos.* **3** Moneda de algunos países: *Para ir a Alemania tienes que cambiar pesetas por marcos.* □ SINÓNIMOS: **1** cerco. FAMILIA: enmarcar.

marea [sustantivo] [femenino] **1** Movimiento por el que las aguas del mar suben y bajan cada cierto tiempo: *Cuando el agua del mar asciende, hay marea alta, y cuando desciende, hay marea baja.* 🖂 página 536. **2** Gran cantidad de algo: *Una marea de admiradores esperaba la llegada de la actriz en el aeropuerto.* **3** [expresión] **marea negra** Conjunto de sustancias que se derraman en el mar a causa de un accidente: *Un petrolero se hundió frente a la costa y el petróleo que se derramó en el mar produjo una terrible marea negra.* □ FAMILIA: → mar.

marear [verbo] **1** Producir una sensación en la que sentimos que perdemos el equilibrio y tenemos ganas de devolver: *Leer cuando voy en coche me marea muchísimo.* **2** Cansar o molestar mucho: *Me estás mareando ya con tantas preguntas absurdas.* **3** Ponerse un poco borracho: *No bebe nunca, porque con tomarse una sola cerveza ya se marea.* □ [Los significados **2** y **3** son coloquiales]. FAMILIA: → mareo.

mareo [sustantivo] [masculino] **1** Sensación que tenemos cuando sentimos que perdemos el equilibrio y nos entran ganas de devolver: *Hacía tanto calor en el autobús que me dio un mareo y me desmayé.* **2** Lo que aburre o cansa mucho: *¡Qué mareo tu primo, se pasa todo el día hablando sin parar!* □ [El significado **2** es coloquial]. FAMILIA: marear.

marfil [sustantivo] [masculino] Material duro de color casi blanco del que están formados los dientes de algunos animales: *Los colmillos de los elefantes son de marfil.*

margarina [sustantivo] [femenino] Sustancia blanda, fabricada con grasas vegetales y animales: *Me gusta más el pan con margarina que con mantequilla.*

margarita [sustantivo] [femenino] Planta cuyas flores tienen pétalos blancos y el centro amarillo: *Las margaritas son muy decorativas.* 🖂 página 346.

margen [sustantivo] [masculino] **1** Límite o extremo: *Los márgenes de la carretera están señalados con una línea blanca continua.* **2** Espacio en blanco que se deja en una página entre sus bordes y la parte escrita: *Cuando se escribe en una hoja hay que dejar un margen a la izquierda un poco mayor que a la derecha.* **3** Diferencia que existe entre cómo se supone que es una cosa y cómo es esa cosa de verdad: *Los cálculos de esas ventas no son exactos, sino aproximados, porque tienen un pequeño margen de error.* **4** Ocasión o motivo: *Me han dado dos días de margen para presentar la solicitud.* **5** [sustantivo] [femenino] Borde de un río: *Tengo que estudiarme los afluentes del Duero por su margen derecha.* **6** [expresión] **al margen** Fuera o separado: *Vamos a dejarte al margen de este asunto porque puede resultar peligroso para ti.* □ SINÓNIMOS: **1,5** orilla. **5** ribera. CONTRARIOS: **1,2** centro. FAMILIA: marginar.

marginar [verbo] Dejar a una persona sola y separada del resto, tratándola peor que a los demás: *No podemos marginar a una persona porque no sea del mismo sexo, de la misma raza o de la misma religión que nosotros.* □ FAMILIA: → margen.

marica [adjetivo o sustantivo masculino] **1** Dicho de un hombre, que tiene las características que de manera tradicional se han considerado propias de las mujeres: *Dice que mi vecino es marica porque va maquillado.* **2** Dicho de un hombre, que siente amor por otros hombres: *Me dijo que no le gustan las mujeres porque es marica.* □ [Cuando es adjetivo, no varía en masculino y en femenino. Es despectivo]. SINÓNIMOS: **2** homosexual.

marido [sustantivo] [masculino] Lo que es un hombre en relación con la mujer con la que está casado: *Ese señor y esa señora están casados y son marido y mujer.* □ SINÓNIMOS: esposo.

marihuana [sustantivo] [femenino] Droga que se obtiene de las hojas de una planta: *La marihuana es una droga que se fuma.*

marimandón, -a [adjetivo o sustantivo] Que manda más de lo que debe mandar: *No vamos a jugar sólo a lo que tú dices, porque eres una marimandona.* □ [Es coloquial]. FAMILIA: → mandar.

marimorena [sustantivo] [femenino] Discusión con mucho

a b c d e f g h i j k l **m** n ñ o p q r s t u v w x y z

ruido: *Cuando unos chicos se intentaron colar, se armó la marimorena a la entrada del cine.* □ [Es coloquial. Se usa mucho en la expresión *armarse la marimorena*].

marina [sustantivo] [femenino] Mira en **marino, na**.

marinero, ra [adjetivo] **1** De la marina, de los marineros o relacionado con ellos: *Mis abuelos son de un pueblo marinero de Santander.* **2** Dicho de una prenda de vestir, que es parecida a la que llevan los marineros: *Tengo un traje marinero de rayas, con el cuello grande blanco y cuadrado por detrás.* **3** [sustantivo] [masculino] Persona que realiza los trabajos de un barco: *El capitán del barco ordenó a los marineros que limpiaran la cubierta.* ✍ página 794. □ [El significado **3** es distinto de *marino*, que significa *persona que se dedica a navegar*]. FAMILIA: → mar.

marino, na 1 [adjetivo] Del mar o relacionado con él: *Los corales, los peces y los mariscos forman parte de la fauna marina.* **2** [sustantivo] [masculino] Persona que se dedica a navegar: *Los marinos saben orientarse según la posición de las estrellas.* **3** [sustantivo] [femenino] Conjunto de buques de una nación: *Este portaaviones es el más moderno de todos los que posee la marina española.* □ [El significado **2** es distinto de *marinero*, que significa *persona que realiza los trabajos de un barco*]. FAMILIA: → mar.

marioneta [sustantivo] [femenino] Muñeco que es movido por medio de unos hilos: *Me costó aprender a mover la marioneta, porque al principio se me enredaban los hilos.*

mariposa [sustantivo] [femenino] **1** Insecto que tiene dos pares de alas grandes y de colores: *Hemos visto una mariposa que tenía las alas amarillas con manchitas azules y negras.* **2** Una forma de nadar: *Para nadar a mariposa hay que mover los dos brazos a la vez hacia adelante.*

mariquita [sustantivo] [femenino] Insecto de color rojo con puntos negros: *Cogí una mariquita, me la puse en la mano y echó a volar.*

marisabidillo, lla [sustantivo] Persona que cree que sabe más de lo que realmente sabe: *Eres un marisabidillo y te equivocas con tus respuestas más veces de las que piensas.* □ [Es coloquial]. FAMILIA: → saber.

marisco [sustantivo] [masculino] Animal marino comestible que no tiene huesos: *Los langostinos y los percebes son mis mariscos favoritos.* □ FAMILIA: → mar.

marisma [sustantivo] [femenino] Terreno más bajo que el nivel del mar, que se inunda con las aguas del mar o de los ríos: *El arroz se cultiva bien en las marismas del Guadalquivir.* □ FAMILIA: → mar.

marítimo, ma [adjetivo] Del mar o relacionado con él: *El clima marítimo es más suave que el del interior.* □ FAMILIA: → mar.

marmita [sustantivo] [femenino] Olla de metal que tiene tapa y una o dos asas: *El leñador preparaba su comida en una marmita.*

mármol [sustantivo] [masculino] Material muy duro que se usa para hacer figuras o para cubrir una superficie: *El suelo del hotel era de mármol y brillaba mucho.*

marmota [sustantivo] [femenino] **1** Animal de patas cortas y orejas pequeñas que está cubierto por mucho pelo: *Las marmotas son roedores que viven en las altas montañas de Europa y de América.* **2** Persona que duerme mucho: *Eres una marmota, y te pasas todo el día durmiendo.* □ [El significado **2** es coloquial].

marqués, -a [sustantivo] Título que poseen algunas personas que pertenecen a la clase noble: *El título de un marqués es superior al de un conde.*

marranada [sustantivo] [femenino] **1** Lo que está sucio o para tirar: *No comas mientras haces los deberes, porque vas a dejar el cuaderno hecho una marranada.* **2** Lo que se considera contrario a la moral establecida: *Me han dicho que no puedo ver esa película, porque sólo hay marranadas.* **3** Hecho que produce un daño a una persona: *No te perdono la marranada que me hiciste cuando me acusaste a mí de lo que habías hecho tú.* □ [Es coloquial]. SINÓNIMOS: guarrada. **1** porquería. **1,2** guarrería. FAMILIA: → marrano.

marrano, na 1 [adjetivo o] [sustantivo] Que está sucio o que es muy sucio: *Pon otro mantel, porque ése está muy marrano.* **2** [sustantivo] Animal del que se sacan los jamones y que se cría para aprovechar su carne: *Lo que sobra de comida se lo echamos al marrano para que se ponga muy gordo.* □ [Se usa como insulto]. SINÓNIMOS: cerdo, cochino, guarro, gorrino, puerco. CONTRARIOS: **1** limpio. FAMILIA: marranada.

marrón [adjetivo o sustantivo masculino] Del color de la tierra: *El chocolate es marrón.* □ [Cuando es adjetivo, no varía en masculino y en femenino. No debe usarse referido al pelo: *pelo castaño, no pelo marrón*]. ☜ página 160.

martes [sustantivo] [masculino] Segundo día de la semana: *El martes está entre el lunes y el miércoles.* □ [No varía en singular y en plural].

martillazo [sustantivo] [masculino] Golpe fuerte dado con un martillo: *Me di un martillazo en el dedo.* □ FAMILIA: → martillo.

martillo [sustantivo] [masculino] **1** Herramienta que sirve para golpear algo: *Necesito clavos y un martillo para colgar el cuadro.* ☜ página 431. **2** Bola de hierro que se lanza con una cadena que tiene atada: *El lanzamiento de martillo es una prueba de atletismo.* □ FAMILIA: martillazo.

mártir [sustantivo] **1** Persona que muere o sufre algún daño por defender sus creencias religiosas: *Este mártir fue quemado en la hoguera por no renunciar a su fe.* **2** Persona que sufre un trabajo largo y pesado: *Esa mujer es una mártir a la que sus hijos hacen sufrir mucho.* □ [No varía en masculino y en femenino]. FAMILIA: martirio.

martirio [sustantivo] [masculino] **1** Muerte o daño que se sufren por defender las creencias religiosas: *Muchos santos sufrieron martirio en épocas de persecución del cristianismo.* **2** Lo que hace sufrir mucho: *Estos zapatos tan duros son un martirio para los pies.* □ [El significado **2** es coloquial]. FAMILIA: → mártir.

[maruja [sustantivo] [femenino] Mujer que se dedica sólo a las tareas de la casa y al cuidado de la familia: *Dicen que ese programa está dirigido a las marujas, pero a mí también me gusta.* □ [Es despectivo].

marxismo [sustantivo] [masculino] Conjunto de ideas políticas que quiere acabar con las diferencias que existen entre las clases sociales: *El marxismo surgió para acabar con los graves injusticias que sufrían los trabajadores.* □ FAMILIA: marxista.

marxista [adjetivo o] [sustantivo] Que quiere acabar con las diferencias que existen entre las clases sociales: *Los marxistas luchan por una sociedad en la que no haya grandes diferencias entre las personas.* □ [No varía en masculino y en femenino]. FAMILIA: → marxismo.

marzo [sustantivo] [masculino] Mes número tres del año: *Marzo está entre febrero y abril.*

mas [conjunción] Se usa para indicar una dificultad: *Necesito su ayuda, mas no sé cómo pedírsela.* □ [Es distinto de *más*]. SINÓNIMOS: pero.

más 1 [sustantivo] [masculino] Signo que se usa en matemáticas y que se pone entre dos cantidades para indicar que se suman: *El más se representa con una cruz.* [adverbio] **2** En mayor cantidad o cualidad: *Soy más guapo que tú. Debes estudiar más.* **3** Seguido de una cantidad, indica que pasa por encima de ésta: *Llegas con más de media hora de retraso.* **4** Se usa para aumentar una cualidad: *¡Qué chico más simpático...!* **5** [expresión] **es más** Se usa para dar mayor fuerza a una frase: *No tengo ningún interés en oírte, es más, no me interesa nada lo que estás diciendo.* **más bien** Por el contrario: *Este pantalón no me parece que te esté grande, más bien te está estrecho.* **por más que** Aunque: *Por más que me lo repitas, no te voy a hacer caso.* **sin más ni más** Sin motivo o de forma repentina: *Sin más ni más se puso a insultarnos a todos y se fue.* □ [Es distinto de *mas*. No confundir de *más* con *demás*]. CONTRARIOS: **1-3** menos.

masa [sustantivo] [femenino] **1** Mezcla espesa y blanda, formada por la unión de un líquido y una materia en polvo: *La masa del bizcocho se hace con leche, aceite, harina, azúcar y huevos.* **2** Cantidad de materia que posee un cuerpo: *La masa se mide en kilogramos.* **3** Cantidad de materia: *Un océano es una gran masa de agua salada.* **4** Conjunto formado por un gran número de personas o de cosas: *Cuando vi la masa de gente que estaba esperando en la cola del cine, me vine sin comprar las entradas.* **5** [expresión] **en masa** Participando todos los miembros de un conjunto: *Cuando me dieron el premio, vino a verme toda mi familia en masa.* □ FAMILIA: amasar, amasijo.

masaje [sustantivo] [masculino] Presión que se realiza con las manos sobre alguna zona del cuerpo: *El médico me dijo que me diera un masaje en el tobillo a la vez que me daba la pomada.* □ FAMILIA: masajista.

masajista [sustantivo] Persona que se dedica a realizar presiones con las manos sobre alguna zona del cuerpo de otra persona: *El* masajista cuida los músculos de los jugadores del equipo para que no tengan lesiones. □ [No varía en masculino y en femenino]. FAMILIA: → masaje.

mascar [verbo] Partir y deshacer los alimentos en partes más pequeñas con los dientes: *No me dejan mascar chicle en clase.* □ [La c se cambia en qu delante de e, como en SACAR]. SINÓNIMOS: masticar.

máscara [sustantivo] [femenino] **1** Pieza con la forma de la cara de una persona o de un animal y que se pone para cubrir esta parte de la cabeza: *Me puse una máscara en las fiestas de carnaval.* **2** Aparato que cubre la cara o parte de ella y que sirve para evitar que se aspiren ciertos gases: *Los policías se pusieron unas máscaras para entrar a la nave donde habían echado los gases.* **3** Lo que cubre la forma de ser de alguien: *Tu comportamiento es una máscara para que no adivinemos tus intenciones.* □ SINÓNIMOS: **1** careta. FAMILIA: mascarilla, enmascarado, desenmascarar.

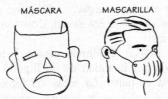

MÁSCARA   MASCARILLA

mascarilla [sustantivo] [femenino] **1** Pieza de tela que cubre la nariz y la boca: *Los médicos y enfermeros se ponen mascarilla cuando operan a un paciente para protegerlo y protegerse de los microbios.* **2** Aparato que se coloca sobre la boca y la nariz para aspirar ciertos gases: *Pusieron al herido una mascarilla con oxígeno antes de meterlo en la ambulancia.* **3** Capa de productos de belleza que se extienden sobre la cara durante cierto tiempo: *Mi madre se pone a veces una mascarilla de leche de pepino para tener la piel más suave.* □ FAMILIA: → máscara.

MÁSTIL

mascota [sustantivo] [femenino] Lo que representa a un grupo o a un acontecimiento: *La mascota de los mundiales de fútbol fue un perro vestido de futbolista.*

masculino, na [adjetivo] **1** Dicho de un animal, del sexo de los machos: *El espermatozoide es la célula sexual masculina.* **2** Dicho de una planta, que tiene los órganos que permiten que de otras plantas nazcan más de la misma especie: *Los estambres de las flores son masculinos.* **3** Del hombre o relacionado con él: *Ese actor tiene una voz muy masculina.* **4** [adjetivo o sustantivo masculino] En gramática, del género que tienen las palabras que suelen llevar delante el artículo *el, los, un* y *unos: Las palabras «perro» y «coche» son sustantivos masculinos.* □ CONTRARIOS: femenino.

masía [sustantivo] [femenino] Casa típica de Cataluña: *En las masías se suelen cultivar productos del campo.*

masticar [verbo] Partir y deshacer los alimentos en partes más pequeñas con los dientes: *Antes de tragarte la carne, tienes que masticarla bien.* □ [La c se cambia en qu delante de e, como en SACAR]. SINÓNIMOS: mascar.

mástil [sustantivo] [masculino] **1** En un barco, palo largo y vertical donde se sujeta una vela: *El marinero izó la vela del mástil.* **2** Palo donde se sujeta una bandera: *El soldado izó la bandera a lo alto del mástil.* **3** Pieza estrecha y larga donde van sujetas las cuerdas de algunos instrumentos: *Para tocar la guitarra, se coloca una mano sobre el mástil presionando las cuerdas.* □ SINÓNIMOS: **2** asta.

mastodonte [sustantivo] [masculino] Lo que es de gran tamaño: *Ese edificio de oficinas es un mastodonte que se ve desde cualquier punto de la ciudad.* □ [Es coloquial].

masturbarse [verbo] Darse placer sexual tocándose los órganos sexuales: *En una encuesta sobre el comportamiento sexual de los*

jóvenes se les preguntaba si alguna vez se habían masturbado.

mata [sustantivo/femenino] **1** Planta de tallo bajo que se divide en ramas: *La mata que mejor crece en este campo es el tomillo.* **2** Planta de poca altura: *Hemos cogido estos tomates de unas matas de la huerta.* **3** [expresión] **mata de pelo** Cabello abundante: *Con esa mata de pelo que tienes, nunca te quedarás calva.* □ FAMILIA: matorral.

matadero [sustantivo/masculino] Lugar en el que se matan animales que sirven para alimentar al hombre: *La carne que se vende en el pueblo es de las reses que matan en el matadero municipal.* □ FAMILIA: → matar.

matamoscas [sustantivo/masculino] Lo que sirve para matar moscas y mosquitos: *Este matamoscas es muy bueno y huele a limón.* □ [No varía en singular y en plural]. FAMILIA: → mosca.

matanza [sustantivo/femenino] **1** Multitud de muertes producidas de forma violenta: *En todas las guerras se producen horribles matanzas.* **2** Tarea de matar el cerdo y de preparar su carne para que sirva de alimento: *En muchos pueblos se sigue haciendo matanza.* **3** Conjunto de productos que se obtienen del cerdo después de esta tarea: *Este chorizo de matanza está más rico que el de la tienda.* □ FAMILIA: → matar.

matar [verbo] **1** Quitar la vida: *Un coche atropelló a un gato y lo mató.* **2** Pasar el tiempo: *Mientras te esperaba, maté el tiempo viendo escaparates.* **3** Destruir o hacer desaparecer: *Esa triste noticia mató mis esperanzas.* **4** Molestar o hacer sufrir mucho: *Me voy a quitar los zapatos, porque son nuevos y me están matando.* **matarse 5** Morirse o perder la vida: *Sus padres se mataron en un accidente de coche.* **6** Trabajar mucho o hacer un esfuerzo muy grande: *No hace falta que te mates preparando un banquete, con unos bocadillos nos basta.* **7** [expresión] **a matar** Fatal o muy mal: *No pueden estar juntos ni un momento porque se llevan a matar.*

matarlas callando Hacer algo malo en secreto y actuar como si no se hubiera hecho nada: *Ésa las mata callando, así que no te fíes de ella.* □ [El significado **2** y las expresiones son coloquiales]. SINÓNIMOS: **1** despachar, cargarse. CONTRARIOS: **1** resucitar, revivir. FA-

MILIA: matadero, matón, matanza, mate, rematar, remate.

matasanos [sustantivo] Médico: *No me hace falta ir al matasanos para saber que lo que tengo es un catarro.* □ [No varía en masculino y en femenino, ni en singular y plural. Es coloquial]. FAMILIA: → sano.

matasellos [sustantivo/masculino] Marca que se pone a los sellos de una carta para que no puedan ser usados más veces: *He recibido una carta con matasellos de Valladolid.* □ [No varía en singular y en plural]. FAMILIA: → sello.

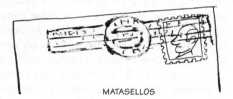

MATASELLOS

matasuegras [sustantivo/masculino] Tubo de papel enrollado que se estira cuando se sopla por un extremo: *En la fiesta todos jugábamos con matasuegras, sombreros de papel y serpentinas.* □ [No varía en singular y en plural].

mate 1 [adjetivo] Que no brilla: *Pintaremos la habitación de amarillo mate.* **2** [sustantivo/masculino] Planta que se usa para hacer infusiones: *Cuando voy a casa de mis amigos argentinos siempre me dan de beber mate.* □ [Cuando es adjetivo, no varía en masculino y en femenino]. CONTRARIOS: **1** brillante.

matemático, ca [adjetivo] **1** De la matemática o relacionado con esta ciencia: *La suma, la resta, la multiplicación y la división son las cuatro operaciones matemáticas.* **2** Exacto o perfecto: *Este reloj marca la hora con una precisión matemática.* **3** [sustantivo] Persona que se dedica a los estudios matemáticos: *Mis padres son matemáticos y profesores de instituto.* **4** [sustantivo/femenino] Ciencia que estudia los números, sus relaciones y sus propiedades: *En el examen de matemáticas nos pusieron tres problemas.* □ [El significado **4** se usa más en plural]. SINÓNIMOS: **4** matracas.

materia [sustantivo/femenino] **1** Sustancia de la que están hechas las cosas: *La madera es una materia que arde muy bien.* **2** Tema del que se habla: *En materia de barcos, pregúntale a* *mi padre lo que quieras, porque es un experto.* **3** Lo que se enseña en un colegio a los alumnos: *Matemáticas es la materia que mejor se me da este curso.* **4** Lo opuesto al espíritu: *Para algunos, el cuerpo es materia y el alma, espíritu.* **5** [expresión] **materia gris** Cerebro: *Si tuvieras un poco más de materia gris, comprenderías lo que estoy diciendo.* **materia prima** La que se usa en la fabricación de otros productos: *La materia prima de estos muebles es la madera.* □ FAMILIA: material, materialista.

material [adjetivo] **1** De la materia o relacionado con ella: *No te fijes en el valor material del regalo, sino en quién te lo ha regalado y por qué.* **2** Del cuerpo o de los sentidos: *Un objeto es algo material, pero un pensamiento, no.* **3** Que realiza una acción de manera directa y personal: *Ya han descubierto al autor material de ese crimen.* **4** [sustantivo masculino] Materia con la que se hace algo: *El mármol, la piedra y el bronce son materiales muy usados en escultura.* □ [Cuando es adjetivo no varía en masculino y en femenino]. SINÓNIMOS: **2** sensible. FAMILIA: → materia.

materialista [adjetivo o sustantivo] Que considera las cosas materiales como lo más importante que hay: *No te interesan la música o el amor porque eres un materialista.* □ [No varía en masculino y en femenino]. FAMILIA: → materia.

maternal [adjetivo] Con las características que se consideran propias de una madre: *Su tía lo cuidó con cariño maternal cuando su madre estuvo enferma.* □ [No varía en masculino y en femenino]. FAMILIA: → madre.

maternidad [sustantivo femenino] **1** Estado de la mujer que es madre: *Dice que la maternidad la ha hecho más generosa.* **2** Hospital para las mujeres que van a dar a luz: *Hemos estado en la maternidad viendo a mi madre y a mi nueva hermanita.* □ FAMILIA: → madre.

materno, na [adjetivo] De la madre o relacionado con ella: *La leche materna es la mejor alimentación para un bebé.* □ FAMILIA: → madre.

matinal [adjetivo] De la mañana o relacionado con ella: *Hoy ponen una buena película en la programación matinal de televisión.* □ [No varía en masculino y en femenino]. SINÓNIMOS: matutino. FAMILIA: → mañana.

matiz [sustantivo masculino] **1** Cada uno de los tonos que tiene un mismo color: *En un bosque se pueden ver muy bien los distintos matices del verde.* **2** Aspecto que proporciona determinado carácter a algo: *La palabra «matasanos» tiene un matiz despectivo para hablar de un médico.* **3** Detalle que no cambia la naturaleza de una cosa: *Aunque tú has dado muchos matices, los dos hemos descrito una mesa.* □ [Su plural es matices].

matón, -a 1 [adjetivo o sustantivo] Que disfruta metiéndose con personas más débiles: *No seas matón y no asustes a los pequeños.* **2** [sustantivo masculino] Persona que protege a otra usando la fuerza física si es necesario: *No hay quien se acerque a ese cantante porque siempre va rodeado de seis matones.* □ [Es coloquial y despectivo]. SINÓNIMOS: guardaespaldas, gorila. FAMILIA: → matar.

matorral [sustantivo masculino] Conjunto espeso de plantas de tallos bajos: *Me metí entre unos matorrales y tengo las piernas llenas de arañazos.* □ FAMILIA: → mata. 🐾 página 497.

matraca [sustantivo femenino] **1** Instrumento que produce mucho ruido al moverlo: *Vi una procesión de Semana Santa en la que hacían ruido con matracas.* **2** [plural] Matemáticas: *Las matracas son mi asignatura preferida.* **3** [expresión] **dar la matraca** Molestar repitiendo mucho una cosa: *Deja de darme la matraca con la fiesta de tu amigo porque no te voy a dejar ir.* □ [Los significados **2** y **3** son coloquiales].

matrícula [sustantivo femenino] **1** Registro del nombre de una persona en una lista oficial para un fin determinado: *Durante este mes se puede realizar la matrícula en el instituto para el curso que viene.* **2** En un vehículo, placa en la que aparece el número que ocupa en la lista de todos los vehículos de su provincia: *La matrícula del coche de mis padres es VA 7493 P.* **3** [expresión] **matrícula de honor** Nota más alta que puede obtener un alumno en una materia: *El año pasado mi hermana sacó varias matrículas de honor en la universidad.* □ FAMILIA: matricular.

matricular [verbo] Incluir en una lista oficial para un fin determinado: *Me he matriculado en inglés en una academia.* □ FAMILIA: → matrícula.

matrimonio [sustantivo masculino] **1** Unión de un hombre y de una mujer por la cual ambos prometen llevar una vida en común: *Celebraron su matrimonio en una ermita.* **2** Pareja de personas de distinto sexo que están casadas entre sí: *Mis padres han salido hoy a cenar con varios matrimonios amigos suyos.*

matutino, na [adjetivo] De la mañana o relacionado con ella: *Este curso mi horario es matutino y tengo las tardes libres.* □ SINÓNIMOS: matinal. FAMILIA: → mañana.

maullar [verbo] Emitir el gato su voz característica: *Los gatos, cuando maúllan, hacen «miau».* □ [Se conjuga como ACTUAR]. FAMILIA: maullido.

maullido [sustantivo masculino] Voz característica del gato: *No he podido dormir con los maullidos de los gatos del jardín.* □ FAMILIA: → maullar.

máximo, ma **1** [adjetivo] Lo más grande: *Nuestro equipo consiguió la máxima puntuación.* **2** [sustantivo masculino] Punto más alto al que algo puede llegar: *Pon el fuego al máximo para que la comida se caliente rápidamente.* [sustantivo femenino] **3** Frase corta que enseña algo: *Mi abuelo me repite una máxima tras otra, pero yo no las entiendo.* **4** Temperatura más alta a la que se llega: *Para mañana se espera una máxima de treinta y cinco grados.* □ CONTRARIOS: **1,2** mínimo.

mayo [sustantivo masculino] Mes número cinco del año: *Mayo está entre abril y junio.*

mayonesa [sustantivo femenino] Salsa que se hace con huevo y aceite, y que sirve para acompañar algunos alimentos: *He comido patatas fritas con mayonesa.* □ [Se escribe también mahonesa. No confundir con bayonesa, que es un tipo de dulce].

mayor [adjetivo] **1** Más grande: *Mi coche es mayor que el tuyo.* **2** Dicho de una persona, que tiene más edad que otra: *Tengo dos hermanos mayores.* **3** Dicho de una persona, que tiene muchos años: *Mis abuelos ya son muy mayores.* **4** Que tiene alguna autoridad sobre otros: *El cocinero mayor es el que organiza el trabajo a los demás cocineros.* **5** Dicho de una persona, que es adulta: *Cuando sea mayor seré piloto.* **6** [sustantivo masculino plural] Personas de las que se desciende: *Debemos aprovechar las experiencias de nuestros mayores.* **7** [expresión] **al por mayor** En gran cantidad: *En este almacén se venden cosas al por mayor a otras tiendas.* **pasar a mayores** Empezar a ser grave: *Si el problema pasa a mayores será difícil de solucionar.* □ [Cuando es adjetivo no varía en masculino y en femenino. En el significado **1** no debe decirse *Este coche es más mayor que ése*, sino *Este coche es mayor que ése*; en el significado **2** no debe decirse *Soy su hermana más mayor*, sino *Soy su hermana mayor*]. CONTRARIOS: menor. FAMILIA: mayoría, mayúscula, mayúsculo.

mayordomo, ma [sustantivo] Criado principal que organiza una casa y dirige las tareas de los demás criados: *El mayordomo era el criado más antiguo de la mansión.* 🔍 página 794.

mayoría [sustantivo femenino] **1** Parte mayor de un todo: *La mayoría de los niños de esta clase tiene nueve años.* **2** En una votación, mayor número de votos a favor: *Mi propuesta se aprobó por mayoría.* **3** [expresión] **mayoría de edad** Situación de la persona que ya ha llegado a la edad necesaria para poder tener todos sus derechos: *En España, la mayoría de edad se obtiene a los dieciocho años.* □ CONTRARIOS: minoría. FAMILIA: → mayor.

mayúsculo, la **1** [adjetivo] Muy grande: *Me he dado un susto mayúsculo.* **2** [adjetivo o sustantivo femenino] Dicho de una letra, que es de gran tamaño y que se utiliza al principio de un nombre propio y después de un punto: *«CASA» está escrito con mayúsculas.* □ CONTRARIOS: minúsculo. FAMILIA: → mayor.

maza [sustantivo femenino] **1** Arma de hierro que tenía forma de palo y terminaba en una bola: *La maza era un arma antigua que usaban los guerreros.* **2** Herramienta parecida a esta arma antigua: *La gimnasta hizo muy bien el ejercicio de mazas.* □ FAMILIA: → mazo.

mazapán [sustantivo masculino] Tipo de dulce que se come en Navidad: *El mazapán está hecho con almendras machacadas y azúcar.*

mazazo [sustantivo masculino] **1** Golpe dado con una maza o con un mazo: *Clavé la estaca con un par de mazazos.* **2** Impresión o sorpresa poco agradable: *La mala noticia fue un mazazo para todos.* □ FAMILIA: → mazo.

mazmorra [sustantivo femenino] Prisión que está en un sótano: *En las mazmorras del castillo había muchos prisioneros.* 🔍 página 156.

a b c d e f g h i j k l **m** n ñ o p q r s t u v w x y z

a

mazo [sustantivo] [masculino] **1** Martillo grande de madera: *Clavó las estacas en la tierra golpeándolas con el mazo.* **2** Conjunto de objetos que forman un grupo: *Si no puedes tirar, coge una carta del mazo.* ☐ FAMILIA: maza, mazazo.

me [pronombre] [personal] Indica la primera persona del singular y equivale a *yo*: *Me voy contigo. Mi tío me trajo un regalo.* ☐ [No varía en masculino y en femenino. Se usa para formar algunos verbos: *me fugaré*]. FAMILIA: → yo.

meada [sustantivo] [femenino] Pis que se hace de una vez: *Enfrente del portal había una meada de perro.* ☐ [Es coloquial]. FAMILIA: → mear.

mear [verbo] **1** Hacer pis: *Voy a mear, que ya no puedo aguantar más.* **2 mearse** Reírse mucho: *Cuenta unas historias tan graciosas que te meas.* ☐ [Es coloquial]. SINÓNIMOS: **1** orinar. FAMILIA: meada, meón.

mecachis [interjección] Se usa para indicar sorpresa, admiración o disgusto: *¡Mecachis, olvidé la cartera en casa!* ☐ [Es coloquial].

mecánico, ca [adjetivo] **1** De las máquinas o relacionado con ellas: *En este taller arreglan coches que tengan problemas mecánicos.* **2** Que se realiza con máquinas: *En esta fábrica, el proceso de fabricación es totalmente mecánico.* **3** Que se hace sin pensar, generalmente porque ya se ha hecho muchas veces: *Cuando me levanto por las mañanas lo hago todo de forma mecánica, porque voy dormida.* **4** [sustantivo] Persona que trabaja arreglando máquinas: *He llevado el coche al mecánico para que lo arregle.* 🔎 página 795. **5** [sustantivo] [femenino] Conjunto de conocimientos necesarios para poder dar movimiento a una máquina: *Sabe mucho de mecánica y ella misma se arregla el coche cuando se estropea.* ☐ FAMILIA: mecanismo.

mecanismo [sustantivo] [masculino] **1** Conjunto de piezas que, combinadas entre sí, producen un efecto: *Se ha roto el mecanismo del reloj y se ha parado.* **2** Forma en que algo funciona: *No entiendo el mecanismo de la lavadora porque es muy complicado.* ☐ FAMILIA: → mecánico.

mecanógrafo, fa [sustantivo] Persona que trabaja escribiendo a máquina: *La mecanógrafa del departamento se encarga de pasar las cartas a máquina.*

mecedora [sustantivo] [femenino] Silla que se balancea hacia delante y hacia atrás: *Mi abuela hace punto sentada en la mecedora.* ☐ FAMILIA: → mecer.

MECEDORA

mecer [verbo] Mover suavemente de un lado a otro: *Mecí al bebé hasta que se durmió.* ☐ [La c se cambia en z delante de a, o, como en VENCER]. FAMILIA: mecedora.

mecha [sustantivo] [femenino] **1** Cuerda torcida sobre sí misma y que arde fácilmente: *Las velas se encienden por la mecha.* **2** Grupo de pelos pintado de otro color: *Tengo el pelo oscuro, pero llevo mechas rubias.* **3** [expresión] **aguantar mecha** Sufrir sin quejarse: *Me contó mil historias aburridas y no tuve más remedio que aguantar mecha.* **a toda mecha** A gran velocidad: *Vine a casa a toda mecha para no llegar tarde.* ☐ [Las expresiones son coloquiales]. FAMILIA: mechero.

mechero [sustantivo] [masculino] Aparato que sirve para encender fuego y que funciona con gas o con gasolina: *Uso cerillas porque no tengo mechero.* ☐ SINÓNIMOS: encendedor. FAMILIA: → mecha. 🔎 página 498.

mechón [sustantivo] [masculino] Grupo de pelos: *Un mechón de pelo le caía sobre la cara.*

medalla [sustantivo] [femenino] Objeto de metal, plano y con alguna figura en sus caras: *He conseguido la medalla de oro en un campeonato de natación.* ☐ FAMILIA: medallón.

medallón [sustantivo] [masculino] **1** Joya que se lleva colgada del cuello: *Cuando eran novios, mi abuela le regaló a mi abuelo un medallón con una foto suya.* **2** Trozo redondo y grueso de un alimento: *Hoy he cenado medallones de merluza.* ☐ FAMILIA: → medalla.

media [sustantivo] [femenino] Mira en **medio, dia.**

mediano, na [adjetivo] **1** De una calidad o de un tamaño que están en medio de dos extremos: *La talla mediana está entre la pequeña y la grande.* **2** De mala calidad: *Su mediana inteligencia no le permite entender esas cosas.* **3** [sustantivo] [femenino] Zona que está en medio de una carretera y en la que no está permitida la circulación: *Han puesto vallas en la mediana de la autovía.* □ [El significado 2 es despectivo]. FAMILIA: → medio.

medianoche [sustantivo femenino] **1** Parte del día que está alrededor de las doce de la noche: *Dicen que los fantasmas aparecen a medianoche.* **2** Bollo pequeño y redondo que suele partirse en dos mitades para poner algún alimento en medio: *Para merendar he comido una medianoche con jamón.* □ [El significado **1** se escribe también *media noche.* El plural del significado **2** es *mediasnoches*]. CONTRARIOS: **1** mediodía. FAMILIA: → noche.

mediante [preposición] Indica que algo se utiliza como ayuda para realizar otra cosa: *No te fíes, porque todo lo consigue mediante engaños.* □ FAMILIA: → medio.

medicamento [sustantivo masculino] Sustancia que tomamos para curarnos cuando estamos enfermos: *Los medicamentos se venden en las farmacias.* □ SINÓNIMOS: medicina. FAMILIA: → medicina.

medicina [sustantivo femenino] **1** Ciencia que estudia las enfermedades: *Para ser médico hay que estudiar medicina.* **2** Sustancia que tomamos para curarnos cuando estamos enfermos: *Los jarabes y las pastillas son medicinas.* **3** Lo que sirve como solución contra un mal: *La lectura es la mejor medicina para el aburrimiento.* □ SINÓNIMOS: **2** medicamento. **3** antídoto, remedio. FAMILIA: médico, medicamento, medicinal.

medicinal [adjetivo] Que sirve para curar: *Algunas plantas tienen propiedades medicinales.* □ [No varía en masculino y en femenino]. FAMILIA: → medicina.

medición [sustantivo femenino] Comparación de algo con una unidad para saber el número de veces que la contiene: *Si la medición del terreno está mal hecha, no podemos saber cuántas hectáreas tiene esta finca.* □ SINÓNIMOS: medida. FAMILIA: → medir.

médico, ca 1 [adjetivo] De la medicina o relacionado con ella: *El farmacéutico leyó la receta médica para saber qué medicamento quería.* **2** [sustantivo] Persona que cura enfermos: *El médico me dijo que tomara un jarabe.* **3** [expresión] **médico de cabecera** El que ve al enfermo de manera habitual y no es el especialista: *Los médicos de cabecera*

son los que están normalmente en los ambulatorios. □ SINÓNIMOS: **2** doctor, matasanos. FAMILIA: → medicina.

medida [sustantivo femenino] **1** Cada una de las unidades que se usan para conocer longitudes, áreas o capacidades: *El metro es una medida de longitud.* **2** Comparación de algo con una unidad para saber el número de veces que la contiene: *Los relojes sirven para la medida del tiempo.* **3** Número que expresa el resultado de hacer esta operación: *¿Cuáles son tus medidas?* **4** Acción que sirve para evitar que algo ocurra: *El profesor ha tomado medidas para que los alumnos no se copien en los exámenes.* **5** Grado, cantidad o fuerza: *El Gobierno intentará cumplir lo prometido en la medida en que le sea posible.* **6** Cuidado o buen juicio: *Come con medida si no quieres que te duela la tripa.* **7** [expresión] **a medida** Que resulta adecuado para lo que se necesita: *Los trajes hechos a medida suelen resultar más caros que los que se compran en las tiendas.* **a medida que** Al mismo tiempo o a la vez: *A medida que se acerca el verano, las horas de luz van aumentando.* □ SINÓNIMOS: **2** medición. FAMILIA: → medir.

medieval [adjetivo] Del período de la historia que comprende los siglos V al XV: *En mi pueblo hay un castillo medieval.* □ [No varía en masculino y en femenino]. FAMILIA: → medio.

medio, dia [adjetivo] **1** Dicho de algo, que es igual a su mitad: *Compré medio kilo de pimientos.* **2** Entre dos extremos o entre dos cosas: *Es un cantante de calidad media, y no creo que llegue a triunfar.* **3** Que tiene las características que se consideran propias de un grupo: *En las encuestas se buscan la opiniones del ciudadano medio.* [sustantivo masculino] **4** Lugar que está a igual distancia de sus extremos: *Pon el florero en medio de la mesa.* **5** Momento o situación que está entre dos momentos o entre dos situaciones: *Se puso nervioso y se desmayó en medio de la ceremonia.* **6** Lo que sirve para conseguir un determinado fin: *Los medios que utilizó para lograr el contrato no eran legales.* **7** Lugar en el que vive y se desarrolla un ser vivo: *Los nenúfares necesitan un medio acuático para vivir.* **8** [sustantivo masculino plural] Ambiente o círculo social: *Es un pintor muy conocido en medios artísticos.* [sustantivo] [femenino] **9** Prenda de ropa interior femenina muy delgada, que cubre el pie y la pierna hasta la cintura: *Tengo que comprarme otras medias porque las que llevo están rotas.* **10** Prenda de vestir que cubre el pie y llega hasta debajo de la rodilla: *Los jugadores de mi equipo de fútbol llevan medias verdes.* **11** Cantidad que resulta de sumar una serie de cantidades y dividir por el número de cantidades que hemos sumado: *La media entre 4, 8 y 6 es 6, y se halla sumando los tres números y dividiéndolos entre 3.* **12 medio** [adverbio] No del todo o no completamente: *No te reconocí porque iba medio dormida.* **13** [expresión] **a medias** A partes iguales: *Haremos el trabajo a medias y así tardaremos menos.* **medio ambiente** Conjunto de condiciones que rodean a un ser vivo e influyen en él: *A esta empresa le han puesto una multa por estropear el medio ambiente.* **por medio de algo** Con su ayuda o valiéndose de ello: *Logré el trabajo por medio de un anuncio.* **quitar de en medio a alguien** Matarlo: *Contrataron a un asesino para quitar de en medio al chivato.* □ [La expresión quitar de en medio a alguien es coloquial]. SINÓNIMOS: **4** centro. CONTRARIOS: **2** extremo. FAMILIA: mediana, mediano, mediocre, promedio, medieval, mitad, intermedio.

mediocre [adjetivo o sustantivo] Que resulta poco importante o poco interesante: *Juego en un equipo mediocre y todavía no hemos ganado ningún partido.* □ [No varía en masculino y en femenino]. FAMILIA: → medio.

mediodía [sustantivo] [masculino] **1** Parte del día que está alrededor de las doce de la mañana: *A mediodía, los rayos del Sol caen perpendiculares a la Tierra.* **2** Mirando hacia donde sale el Sol, lugar que está a la derecha: *En el Mediodía español está Andalucía.* □ [El significado **2** se suele escribir con mayúscula]. SINÓNIMOS: **2** sur. CONTRARIOS: **2** norte. FAMILIA: → día.

medir [verbo] **1** Intentar saber la extensión de algo, comparándolo con la unidad: *La regla sirve para medir.* **2** Estudiar algo para conocerlo: *Debes medir bien lo que vas a hacer, para no arrepentirte después.* **3** Tener

una determinada extensión: *Esta habitación mide diez metros de largo.* □ [Es irregular y se conjuga como PEDIR]. FAMILIA: medida, medición.

meditación [sustantivo] [femenino] Actividad que consiste en pensar algo despacio y con atención: *Tras muchas horas de meditación, he conseguido descubrir cuál es mi problema.* □ SINÓNIMOS: reflexión. FAMILIA: → meditar.

meditar [verbo] Pensar algo despacio y con atención: *Meditaré lo que me has dicho y mañana te contestaré.* □ SINÓNIMOS: considerar, reflexionar, recapacitar. FAMILIA: meditación.

mediterráneo, a [adjetivo] Del mar Mediterráneo o relacionado con él: *Las aguas mediterráneas son cálidas.*

medusa [sustantivo] [femenino] Animal marino que es casi transparente cuando está en el agua: *Las medusas tienen forma de seta.*

MEDUSA

megafonía [sustantivo] [femenino] **1** Técnica que se ocupa de los aparatos necesarios para aumentar la fuerza de un sonido: *Para el concierto de esta noche necesitamos un especialista en megafonía.* **2** Conjunto de los aparatos que aumentan la fuerza de un sonido: *Se ha estropeado la megafonía del supermercado y no podemos avisar al dueño del coche mal aparcado para que lo retire.* □ FAMILIA: megáfono.

megáfono [sustantivo] [masculino] Aparato que aumenta la fuerza de un sonido: *Pasó un coche con un megáfono, anunciando la presencia del circo en la ciudad.* □ FAMILIA: megafonía.

MEGÁFONO

mejilla [sustantivo femenino] Cada una de las dos partes blandas de la cara que están debajo de los ojos y a los lados de la nariz: *Cuando tengo frío se me ponen las mejillas coloradas.* □ SINÓNIMOS: carrillo.

mejillón [sustantivo masculino] Animal marino comestible que tiene dos conchas negras: *En mi casa se ponen mejillones en la paella.*

mejor 1 [adjetivo] Más bueno: *Esta tarta te ha salido mejor que la del otro día.* [adverbio] **2** Más que bien: *Después de unos días en cama, ya me encuentro mejor.* **3** Indica que se prefiere otra cosa: *Hoy no me apetece salir, así que mejor vamos al cine mañana.* **4** [expresión] **a lo mejor** Indica duda o posibilidad: *A lo mejor este año no me voy de vacaciones.* □ [No varía en masculino y en femenino]. SINÓNIMOS: **4** tal vez, quizá, quizás, acaso. CONTRARIOS: **1,2** peor. FAMILIA: mejorar, mejoría, desmejorado.

mejorar [verbo] **1** Pasar a un estado mejor: *Ya se que intentas mejorar, pero no te esfuerzas lo suficiente.* **2** Hacer mejor: *Va a clases de inglés para mejorar sus conocimientos.* □ SINÓNIMOS: **2** perfeccionar. CONTRARIOS: empeorar. FAMILIA: → mejor.

mejoría [sustantivo femenino] Cambio para mejor: *En la tele han anunciado una mejoría del tiempo.* □ CONTRARIOS: empeoramiento. FAMILIA: → mejor.

mejunje [sustantivo masculino] Sustancia que resulta de mezclar varias cosas y que tiene un aspecto o un sabor poco agradables: *Mi padre se echa un mejunje en la cabeza para no quedarse calvo.*

melancolía [sustantivo femenino] Pena tranquila y profunda que dura mucho tiempo: *Cuando le entra la melancolía, se pasa el rato llorando y sin salir de la habitación.* □ FAMILIA: melancólico.

melancólico, ca [adjetivo] Con una pena muy honda y tranquila: *Desde que rompió con su novia, está triste y melancólico.* □ SINÓNIMOS: sombrío. FAMILIA: → melancolía.

melena [sustantivo femenino] **1** Pelo largo y suelto: *Tiene una melena muy larga y está pensando en cortársela.* **2** Pelo que rodea la cabeza del león: *Las leonas no tienen melena y los leones, sí.* □ FAMILIA: melenudo.

melenudo, da [adjetivo o sustantivo] Que tiene el pelo largo: *Mi hermano ha formado un grupo musical con otros dos melenudos como él.* □ [Es coloquial]. FAMILIA: → melena.

melillense [adjetivo o sustantivo] De la ciudad española de Melilla: *Los melillenses viven en el continente africano.* □ [No varía en masculino y en femenino].

mellizo, za [adjetivo o sustantivo] Que ha nacido a la vez que su hermano: *Esta chica no se parece en nada a su hermano mellizo.* □ [Es distinto de gemelo, que es el que se ha originado del mismo óvulo que su hermano].

melocotón [sustantivo masculino] Fruta de verano, redonda y de color amarillo con manchas rojizas: *La piel del melocotón tiene pelusa.* □ FAMILIA: melocotonero.

melocotonero [sustantivo masculino] Árbol cuyo fruto es el melocotón: *Las hojas del melocotonero son alargadas.* □ FAMILIA: → melocotón.

melodía [sustantivo femenino] Serie de sonidos diferentes ordenados según una idea musical determinada: *Interpreté con la guitarra una conocida melodía.* □ FAMILIA: melodioso.

melodioso, sa [adjetivo] Que resulta agradable de oír: *El canto melodioso de los pájaros anuncia la primavera.* □ FAMILIA: → melodía.

melón [sustantivo masculino] **1** Planta cuyo fruto es comestible, grande y de color amarillo o verde: *El melón tiene muchas pepitas dentro.* **2** Cabeza: *Me di un golpe en el melón y me quedé atontada.* □ [El significado **2** es coloquial]. FAMILIA: melonar.

melonar [sustantivo masculino] Terreno lleno de melones: *Cuando los melones están maduros, vamos al melonar a cogerlos.* □ FAMILIA: → melón.

membrana [sustantivo femenino] Especie de piel muy delgada: *Los murciélagos tienen membranas en las alas.*

membrete [sustantivo masculino] Nombre o dirección de una persona que aparecen impresos en la parte superior del papel de escribir: *Mi dirección está en el membrete de la carta.*

membrillo [sustantivo masculino] **1** Árbol cuyo fruto es de color amarillo y con el que se hace un tipo de dulce: *Los membrillos huelen muy bien.* **2** Dulce que se fabrica con este fruto: *Hoy he merendado pan con membrillo y galletas.*

memo, ma [adjetivo o sustantivo] Que actúa con poca in-

a
b
c
d
e
f
g
h
i
j
k
m
n
ñ
o
p
q
r
s
t
u
v
w
x
y
z

teligencia: *No seas memo y no te enfades por esa bobada.* □ [Es coloquial. Se usa como insulto]. Sinónimos: tonto, bobo. Contrarios: listo.

memoria [sustantivo femenino] **1** Capacidad de recordar algo: *No soy capaz de recordar tu nombre porque tengo muy mala memoria.* **2** Presencia en la mente de algo pasado: *No guardo memoria de todo lo que me ha pasado.* **3** Estudio que se hace sobre algo: *En la memoria están descritos los datos más importantes del experimento.* **4** [plural] Relato sobre los recuerdos de una persona: *Escribió en sus memorias la verdad de lo que pasó.* **5** [expresión] **de memoria** Usando sólo esta capacidad de la mente: *Si te aprendes la lección de memoria sin entenderla, es fácil que te equivoques.* **memoria de elefante** La que es capaz de recordar muchas cosas: *Presume de tener una memoria de elefante y de no olvidar nada.* □ Sinónimos: **2** recuerdo. Contrarios: **2** olvido. Familia: memorizar, desmemoriado.

memorizar [verbo] Fijar algo en la memoria: *Memoricé tu dirección para no olvidarla.* □ [La z se cambia en c delante de e, como en CAZAR]. Familia: → memoria.

menaje [sustantivo masculino] Conjunto de muebles, aparatos y otros objetos de una casa: *He comprado unas ollas y unas sartenes en la sección de menaje del supermercado.*

mencionar [verbo] Hablar de algo: *Nadie te ha mencionado ese asunto porque sabemos que no quieres hablar de ello.* □ Sinónimos: nombrar, citar.

mendigo, ga [sustantivo] Persona que pide dinero porque no tiene lo necesario para vivir: *Un mendigo pedía limosna a la puerta de la iglesia.* □ Sinónimos: pordiosero, pobre.

mendrugo [sustantivo masculino] **1** Trozo de pan duro: *El mendigo comía los mendrugos de pan que encontraba en la basura.* **2** Persona tonta o con poca inteligencia: *No te enfades por las tonterías que dice ese mendrugo.* □ [El significado **2** es coloquial].

menear [verbo] **1** Mover de un lado a otro: *Ayúdame a menear el árbol para que caiga la pelota que se ha quedado entre las ramas.* **2 menearse** Mover mucho el cuerpo al andar: *Las modelos se menean mucho cuando desfilan.* **3** [expresión] **de no te menees** Muy

grande o importante: *La noticia ha armado un escándalo de no te menees.* □ [Los significados **2** y **3** son coloquiales]. Sinónimos: **1** sacudir. Familia: → meneo.

meneo [sustantivo masculino] Movimiento de uno a otro lado: *Si no se despierta, dale un meneo.* □ Familia: menear.

menestra [sustantivo femenino] Comida hecha con varios tipos de verduras: *La menestra es una comida muy saludable.*

mengano, na [sustantivo] Palabra que se usa para nombrar a una persona cualquiera: *¡Me da igual si va a la fiesta Fulano, Mengano o el vecino del quinto!* □ [Se suele escribir con mayúscula]. Sinónimos: fulano, zutano.

menguante [adjetivo] Que se hace cada vez más pequeño: *La luna en cuarto menguante tiene forma de «C».* □ [No varía en masculino y en femenino]. Contrarios: creciente.

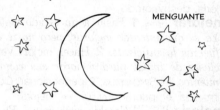

MENGUANTE

menhir [sustantivo masculino] Piedra muy grande y alargada que está puesta de pie en el suelo: *Los menhires son monumentos de la Prehistoria.*

menisco [sustantivo masculino] Especie de hueso en forma de media luna que está en el interior de la rodilla: *El futbolista se ha roto el menisco y lo tienen que operar.*

menor [adjetivo] **1** Más pequeño: *La hormiga es menor que el elefante.* **2** Dicho de una persona, que tiene menos edad que otra: *Fui al circo con mi hermana menor.* **3** [adjetivo o sustantivo] Dicho de una persona, que todavía no ha llegado a la edad necesaria para tener todos sus derechos: *Si eres menor de edad, todavía no puedes votar.* **4** [expresión] **al por menor** En poca cantidad: *La mayoría de las tiendas se dedica a la venta al por menor.* □ [Cuando es adjetivo no varía en masculino y en femenino]. Contrarios: mayor. **4** al por mayor. Familia: minoría, minúscula, minúsculo, mínimo.

menorquín, -a [adjetivo o sustantivo] De la isla española de Menorca: *Los menorquines y los ma-*

llorquines pertenecen a la misma comunidad autónoma.

menos 1 [sustantivo] [masculino] Signo que se usa en matemáticas y que se pone entre dos cantidades para indicar que se restan: *El menos se representa con una raya horizontal.* [adverbio] **2** En menor cantidad o cualidad: *Tú eres menos guapo que yo. Si quieres adelgazar, debes comer menos.* **3** Seguido de una cantidad, indica que no se llega a ella: *Esto costará menos de mil pesetas.* **4** [preposición] Fuera de algo o excepto algo: *Me gustan todas las verduras menos las alcachofas.* **5** [expresión] **a menos que** Se usa para expresar una condición: *No te volveré a hablar a menos que me pidas perdón.* **ser lo de menos** No tener importancia: *Lo importante en un regalo es que sea bonito; el precio es lo de menos.* □ CONTRARIOS: **1-3** más.

menosprecio [sustantivo] [masculino] Falta de interés o de consideración: *Tratan a los demás con menosprecio porque se creen superiores a ellos.* □ SINÓNIMOS: desprecio. CONTRARIOS: aprecio. FAMILIA: → apreciar.

mensaje [sustantivo] [masculino] **1** Noticia o información que se hace llegar a alguien: *Tengo un mensaje para ti.* **2** Idea profunda que se intenta hacer llegar a alguien: *Me gustan más las películas con mensaje que las que sólo intentan divertir.* □ SINÓNIMOS: **1** recado. FAMILIA: mensajero.

mensajero, ra 1 [adjetivo] Que lleva un mensaje: *Mi madre cría palomas mensajeras.* **2** [sustantivo] Persona que trabaja llevando mensajes o paquetes a otras personas: *Los mensajeros de esta empresa suelen ir en moto.* □ FAMILIA: → mensaje.

menstruación [sustantivo] [femenino] Pérdida de sangre que sufre la mujer una vez al mes: *La primera menstruación se suele tener alrededor de los doce años.* □ SINÓNIMOS: periodo, período, regla.

mensual [adjetivo] **1** Que se repite cada mes: *Esta revista es mensual y sale a la calle la primera semana de cada mes.* **2** Que dura un mes: *Este abono mensual de transportes sirve para montar en autobús, en metro y en tren.* □ [No varía en masculino y en femenino]. FAMILIA: → mes.

mensualidad [sustantivo] [femenino] Cantidad de dinero que se recibe o que se paga cada mes: *En la oficina de mi madre se pagan las mensualidades el primer día de cada mes.* □ FAMILIA: → mes.

menta [sustantivo] [femenino] Planta cuyas hojas tienen un olor agradable y se usan para hacer infusiones: *La menta tiene propiedades medicinales.* □ FAMILIA: mentolado.

mental [adjetivo] De la mente o relacionado con ella: *Los psiquiatras tratan a los enfermos mentales.* □ [No varía en masculino y en femenino]. FAMILIA: → mente.

mentalidad [sustantivo] [femenino] Forma de pensar: *No te gustan las cosas modernas porque tienes una mentalidad muy anticuada.* □ FAMILIA: → mente.

mente [sustantivo] [femenino] **1** Capacidad que tienen las personas para comprender, conocer y razonar: *Para entender esto hay que tener una mente despierta.* **2** Pensamiento, imaginación o voluntad: *No puedo quitarme de la mente lo que me has contado.* □ SINÓNIMOS: **1** entendimiento, inteligencia. FAMILIA: mental, mentalidad.

mentir [verbo] Decir mentiras: *Mis padres me riñeron porque les mentí.* □ [Es irregular y se conjuga como SENTIR]. FAMILIA: mentira, mentiroso, mentirijillas.

mentira [sustantivo] [femenino] Lo que no es verdad: *Le gusta decir mentiras y engañar a los demás.* □ SINÓNIMOS: falsedad, embuste, bola, trola. CONTRARIOS: verdad. FAMILIA: → mentir.

mentirijillas [expresión] **de mentirijillas** Sin ser verdad: *No me enfadé con tu comentario porque sabía que lo habías dicho de mentirijillas.* □ [Es coloquial]. FAMILIA: → mentir.

mentiroso, sa [adjetivo o] [sustantivo] Que suele decir mentiras: *Eres un mentiroso, y lo que has dicho no es verdad.* □ SINÓNIMOS: falso, hipócrita, embustero, bolero, farsante. CONTRARIOS: sincero. FAMILIA: → mentir.

mentolado, da [adjetivo] Que tiene sabor a menta: *Algunas personas fuman tabaco mentolado.* □ FAMILIA: → menta.

mentón [sustantivo] [masculino] Parte de la cara que está debajo de la boca y que sale un poco hacia afuera: *La perilla es una barba que sólo se deja crecer en el mentón.* □ SINÓNIMOS: barbilla.

menú [sustantivo] [masculino] **1** Conjunto de platos que forman una comida: *El menú está compuesto por un primer plato, un segundo plato y un postre.* **2** En un restaurante, lista de los platos y de las bebidas que se pueden elegir: *He elegido el plato más caro del menú.* □ SINÓNIMOS: **2** carta.

menudo, da [adjetivo] **1** Delgado o de pequeño tamaño: *Es muy menuda y usa tallas muy pequeñas.* **2** De poca importancia: *Lo más importante ya está solucionado, ahora sólo faltan los problemas menudos.* **3** Grande o importante: *¡Menuda película vimos el otro día!* **4** [expresión] **a menudo** De forma frecuente: *En esta zona llueve a menudo.* □ [El significado **3** es coloquial y va siempre delante de un sustantivo].

meñique [sustantivo] [masculino] Dedo más pequeño de la mano o del pie: *Este anillo tan pequeño sólo me cabe en el dedo meñique.*

meón, -a [adjetivo o] [sustantivo] Que hace mucho pis: *Es un meón y se pasa el día yendo al váter.* □ [Es coloquial]. FAMILIA: → mear.

mequetrefe [sustantivo] Persona de poco juicio que se mete en los asuntos de los demás: *No te fíes de ese mequetrefe porque no te va a guardar el secreto.* □ [No varía en masculino y en femenino. Es coloquial].

mercader [sustantivo] [masculino] Persona que trabaja vendiendo cosas: *Cuando estuve en Egipto le compré este traje a un mercader.* □ SINÓNIMOS: comerciante. FAMILIA: → mercado.

[mercadillo [sustantivo] [masculino] Mercado en el que se venden cosas baratas y que se celebra determinados días de la semana: *Los jueves ponen el mercadillo en la plaza del pueblo.* □ FAMILIA: → mercado.

mercado [sustantivo] [masculino] **1** Lugar en el que se venden comestibles: *Ve al mercado a comprar pescado y patatas.* **2** Conjunto de operaciones de compra y venta: *Los norteamericanos y los árabes dominan el mercado del petróleo.* **3** Grupo de personas que pueden comprar un producto: *Con este nuevo producto para jóvenes, la empresa busca ampliar el mercado y no limitarse sólo al mundo infantil.* **4** [expresión] **mercado negro** El que está fuera de la ley: *Se dedica a comprar oro en el mercado negro.* □ SINÓNIMOS: **1** plaza. FAMILIA: mercadillo, mercancía, mercader, mercante, mercantil, hipermercado, supermercado.

mercancía [sustantivo] [femenino] Producto que se compra o se vende: *Los trenes de mercancías son trenes que llevan productos de un sitio a otro para venderlos.* □ SINÓNIMOS: artículo, género. FAMILIA: → mercado.

mercante 1 [adjetivo] Del comercio que se realiza por el mar: *Es marino mercante y siempre está en alta mar.* **2** [sustantivo] [masculino] Barco que se dedica a llevar pasajeros y productos para el comercio: *En los mercantes, la carga va debajo de los camarotes de los pasajeros.* □ [El significado **1** no varía en masculino y en femenino]. FAMILIA: → mercado.

mercantil [adjetivo] Del comercio o relacionado con él: *Mi hermana estudia derecho y tiene una asignatura que es Derecho Mercantil, en la que les explican las leyes por las que se guía el comercio.* □ [No varía en masculino y en femenino]. FAMILIA: → mercado.

mercería [sustantivo] [femenino] Tienda en la que se venden objetos que se usan para coser: *He ido a la mercería para comprar un carrete de hilo y unos cuantos botones.*

[mercromina [sustantivo] [femenino] Líquido de color rojo que se pone en las heridas para que no se infecten: *Me he hecho un rasguño en la rodilla y me han puesto mercromina.*

mercurio [sustantivo] [masculino] Metal líquido muy pesado que tiene el color de la plata: *En el interior de los termómetros hay mercurio.*

merecer [verbo] Ser o hacerse digno de algo: *Te mereces la regañina por haber sido malo.* □ [Es irregular y se conjuga como PARECER]. SINÓNIMOS: ganarse. FAMILIA: merecido.

merecido [sustantivo] [masculino] Castigo que se considera justo: *¡Os daré vuestro merecido, malvados!* □ [Se usa mucho en la expresión dar a alguien su merecido]. FAMILIA: → merecer.

merendar [verbo] Tomar una comida ligera a media tarde: *Yo suelo merendar pan con chocolate. ¿A qué hora merendaremos?* □ [Es irregular y se conjuga como PENSAR]. FAMILIA: → merienda.

merendero [sustantivo] [masculino] Lugar al aire libre en el que se come: *Fuimos al campo y comimos en un merendero que había al lado del río.* □ FAMILIA: → merienda.

merendola [sustantivo] [femenino] Buena merienda: *Para*

*celebrar su cumpleaños nos preparó una me-
rendola.* □ [Es coloquial]. FAMILIA: → merienda.

merengue [sustantivo masculino] **1** Dulce que se hace
con clara de huevo y azúcar: *El merengue
suele ser de color blanco.* **2** Un tipo de música: *El merengue se baila en algunos países
del mar Caribe.*

meridiano, na [sustantivo masculino] Cada uno de los
círculos iguales que rodean la Tierra de
arriba abajo: *Los meridianos pasan por los
polos y son perpendiculares a los paralelos
terrestres.* □ FAMILIA: meridional.

MERIDIANO

meridional [adjetivo o sustantivo] Del Sur: *España está
en la zona meridional de Europa.* □ [No varía
en masculino y en femenino]. CONTRARIOS: septentrional. FAMILIA: → meridiano.

merienda **1** [sustantivo femenino] Comida ligera que se
hace a media tarde: *A la hora de la merien-
da salgo a jugar al parque.* **2** [expresión] **merienda de negros** Situación en la que hay
mucho ruido y falta orden: *La reunión era
una merienda de negros en la que todos querían hablar a la vez.* □ [El significado **2** es co-
loquial]. SINÓNIMOS: **1** merendola, merendo-
na. FAMILIA: merendar, merendero, merendola.

mérito [sustantivo masculino] Esfuerzo o acción por los
que alguien se merece algo bueno: *Yo sólo
hice lo que tú me dijiste, así que el mérito
es tuyo.*

merluzo, za **1** [adjetivo o sustantivo] Que es poco hábil
o que tiene poca inteligencia: *No seas mer-
luzo y fíjate en lo que haces.* [femenino] **2** Pez
marino comestible que tiene el cuerpo largo:
*Como tenía mal el estómago, sólo cené una
rodaja de merluza hervida.* **3** Borrachera:
*¡Vaya merluza llevas, y eso que sólo has to-
mado una cerveza!* □ [Los significados **1** y **3** son
coloquiales].

mermar [verbo] Hacer disminuir en tamaño,
en cantidad o en otra cosa: *Este error no
debe mermar tus esperanzas de mejorar.* □

SINÓNIMOS: reducir. CONTRARIOS: aumentar,
crecer.

mermelada [sustantivo femenino] Dulce que se hace con
fruta cocida y azúcar: *Merendé tostadas con
mantequilla y mermelada de fresa.*

mero, ra **1** [adjetivo] Puro o simple: *No te
ofendas por lo que dije, porque fue un mero
comentario.* **2** [sustantivo masculino] Pez marino comestible que tiene los ojos y la boca grandes: *El
mero suele vivir en el mar Cantábrico y en
el Mediterráneo.* 📷 página 608.

mes [sustantivo masculino] Cada uno de los doce períodos
de tiempo en que se divide un año: *Enero
tiene treinta y un días.* □ FAMILIA: mensual,
mensualidad, sietemesino, trimestre, trimestral, semestre, bimensual, bimestre, bimestral, cuatrimestral. 📷 página 153.

mesa [sustantivo femenino] **1** Mueble formado por una tabla que se apoya sobre una o varias patas:
*Quita lo que hay encima de la mesa, que
vamos a comer.* **2** Este mueble, cuando está
preparado para comer: *¿Para qué hora re-
servo la mesa en el restaurante?* **3** Comida
o alimentos: *Es amante de la buena mesa.*
4 [expresión] **de mesa** Que es adecuado para
ser comido o bebido durante las comidas: *He
comprado una botella de coñá y otra de vino
de mesa.* **mesa camilla** La redonda y con
cuatro patas: *En el cuarto de estar de mi
casa hay un sofá y una mesa camilla.* **mesa
redonda** Grupo de personas que se juntan
para hablar sobre un tema: *El presentador
del programa de televisión actuó de moderador en una mesa redonda sobre el ecologismo.* □ FAMILIA: mesilla.

meseta [sustantivo femenino] Terreno llano que se encuentra a una determinada altura: *En la
meseta castellana abunda el cultivo de cereales.* 📷 página 709.

mesilla [sustantivo femenino] Mesa pequeña que se coloca
al lado de la cama: *Tengo el despertador encima de la mesilla.* □ FAMILIA: → mesa.

mesón [sustantivo masculino] Lugar decorado de forma
tradicional, en el que se sirven comidas y
bebidas: *En este mesón ponen unas morcillas muy ricas.* □ FAMILIA: mesonero.

mesonero, ra [sustantivo] Persona que es
dueña de un lugar en el que se sirven comidas: *El mesonero nos trajo jamón y un
par de jarras de vino.* □ FAMILIA: → mesón.

mestizo, za 1 [adjetivo] Que resulta del cruce de dos razas diferentes: *Si cruzas un perro pastor alemán con un galgo, los hijos serán mestizos.* **2** [adjetivo o sustantivo] Dicho de una persona, que es hijo de un hombre de raza blanca y de una mujer de raza india, o hijo de una mujer de raza blanca y de un hombre de raza india: *Es mestizo porque su padre era inglés y su madre, una india apache.*

meta 1 [sustantivo masculino] En algunos deportes, miembro del equipo que defiende la portería: *El meta logró despejar el balón y evitó el gol.* **2** [sustantivo femenino] Lugar en el que termina una carrera deportiva: *En una carrera gana el que llegue primero a la meta.* **3** En algunos deportes, espacio entre dos postes por donde tiene que entrar el balón para conseguir un punto: *El delantero metió gol chutando desde muy cerca de la meta.* **4** Fin u objetivo que se quiere lograr: *Estoy orgullosa porque he logrado una de las metas que me había propuesto.* □ SINÓNIMOS: **1** guardameta, portero. **2** llegada. **3** portería. CONTRARIOS: **2** salida. FAMILIA: guardameta.

metáfora [sustantivo femenino] Forma de expresar algo usando una palabra con el significado de otra, porque están muy relacionadas: *En algunos poemas, «las perlas» es una metáfora de «los dientes», porque tanto las perlas como los dientes son muy blancos.*

metal 1 [sustantivo masculino] Material que brilla, y que es buen conductor del calor y de la electricidad: *El hierro, el cobre, la plata y el mercurio son metales.* **2** [expresión] **metal precioso** El que tiene gran valor y se usa para hacer joyas: *El platino, el oro y la plata son metales preciosos.* □ FAMILIA: metálico, metalizado, metalúrgico, metalúrgica.

metálico, ca 1 [sustantivo masculino] De metal o del metal: *Algunos objetos metálicos pueden oxidarse.* **2** [expresión] **en metálico** Con dinero: *Mi madre pagó en metálico porque en esa tienda no admitían cheques.* □ FAMILIA: → metal.

metalizado, da [adjetivo] Que brilla como el metal: *El color de mi coche es azul metalizado.* □ FAMILIA: → metal.

metalúrgico, ca 1 [adjetivo] De la técnica de extraer metales a partir de los minerales que los contienen, o relacionado con ella: *En el norte de España hay muchas industrias metalúrgicas.* **2** [sustantivo] Persona que trabaja usando esta técnica: *En esta empresa, los metalúrgicos estudian nuevos métodos de obtención de metales.* □ FAMILIA: → metal.

metamorfosis [sustantivo femenino] **1** Serie de cambios que sufren algunos animales a lo largo de su desarrollo: *El renacuajo es una fase de la metamorfosis de la rana.* **2** Cambio de una cosa en otra: *Desde que estuvo tan grave ha sufrido una metamorfosis, y ahora es una persona mucho más reflexiva.* □ [No varía en singular y en plural]. SINÓNIMOS: **2** transformación.

meteorología [sustantivo femenino] Conjunto de conocimientos que sirven para saber cómo se producen la nieve, la lluvia y otros fenómenos del tiempo: *Un experto en meteorología ha dicho que se acerca un huracán.*

metepatas [sustantivo] Persona que suele hacer o decir cosas que no resultan adecuadas: *Eres un metepatas y no debiste hablar de su antigua novia delante de él.* □ [No varía en masculino y en femenino, ni en singular y plural. Es coloquial y despectivo]. FAMILIA: → pata.

meter [verbo] **1** Introducir en algo o poner dentro de algún sitio: *Mete la ropa sucia en la lavadora.* **2** Poner una cantidad de dinero en un banco: *Meto en el banco todo el dinero que ahorro.* **3** Ocupar, usar o dedicar: *He metido mucho tiempo en este proyecto porque quiero que salga bien.* **4** Dejar a una persona en un centro para que viva allí: *Lo metieron en la cárcel por haber cometido un asesinato.* **5** Hacer que una persona tome parte en algo que no le interesa directamente: *Si te ayudo, me vas a meter en un lío.* **6** Producir una sensación o una respuesta: *Intentó meterme miedo para que no subiera al desván.* **7** Hacer aguantar algo que no resulta agradable: *Es muy pesado y siempre que nos pilla, nos mete un rollo horrible.* **8** Quitar un trozo de tela a una prenda de vestir: *Méteme un poco el bajo de la falda, que me está larga.* **9** Hacer creer a alguien algo que no es verdad: *Me metió una trola y yo me la creí.* **10** Poner algo de forma que rodee otra cosa: *Métete el anillo en el dedo.* **11** Dar un golpe: *Me metió tal patada que me dejó cojo.* **12** Hacer comprender algo a fuerza de insistir: *No hay quien te meta en la cabeza que no debes portarte así.* **meterse 13** Molestar a alguien ofendiéndolo: *No te metas conmigo, porque yo no te he hecho nada.* **14** Tomar parte en algo que no nos interesa directamente: *No estaba hablando contigo, así que no te metas en esto.* **15** Dejarse llevar por una sensación: *Me meto tanto en las películas que siempre lloro cuando hay una escena triste.* **16** Seguir una profesión o un estado: *Mi hermano quiere meterse fraile.* **17** Formar parte de un grupo de personas: *Consiguió meterse en la empresa gracias a su experiencia en trabajos parecidos.* **18** [expresión] **a todo meter** Muy rápido: *Salí del colegio a todo meter para llegar pronto a casa.* □ [Los significados **7** y **12** son coloquiales]. SINÓNIMOS: **17** entrar. CONTRARIOS: sacar. FAMILIA: arremeter.

método [sustantivo] [masculino] **1** Forma de actuar o de comportarse: *No me gustan los métodos que utilizas para conseguir las cosas.* **2** Forma ordenada de hacer algo: *Esta profesora utiliza un método muy eficaz para enseñarnos ortografía.* □ SINÓNIMOS: **2** sistema.

metomentodo [adjetivo o] [sustantivo] Que se interesa por cosas que no tienen por qué importarle: *Es un metomentodo y se pasa el día cotilleando sobre la vida de los demás.* □ [No varía en masculino y en femenino. Es despectivo]. FAMILIA: → todo.

metralleta [sustantivo] [femenino] Arma de fuego que dispara muchas balas seguidas a gran velocidad: *Disparó una ráfaga con la metralleta.*

metro [sustantivo] [masculino] **1** Medida de longitud: *El metro tiene cien centímetros.* **2** Objeto que sirve para la medida de longitudes: *Los carpinteros usan un metro plegable.* **3** Tren que generalmente va por debajo del suelo y que se usa para llevar personas en algunas ciudades: *Cuando voy al colegio, unas veces cojo el metro y otras, el autobús.* **4** [expresión] **metro cuadrado** Medida de superficie que equivale al área de un cuadrado que tiene un metro de lado: *Mi casa mide ciento veinte metros cuadrados.* □ FAMILIA: hectómetro, milímetro, centímetro, decámetro, decímetro, kilómetro, kilométrico, cuentakilómetros, diámetro.

mezcla [sustantivo] [femenino] **1** Unión de cosas distintas para formar un todo: *La macedonia es un postre que se hace con la mezcla de muchas frutas distintas.* **2** Unión entre razas o familias diferentes: *Hoy día es muy normal la mezcla de razas.* □ FAMILIA: mezclar.

mezclar [verbo] **1** Juntar una cosa con otra hasta que no puedan reconocerse como diferentes: *Si mezclas blanco y rojo obtendrás el color rosa.* **2** Dejar sin orden algo que estaba ordenado: *Tengo las fotos ordenadas por fechas, así que no me las mezcles.* **3** Meter a una persona en un asunto que no le interesa directamente: *No me mezcles en tus cosas.* **mezclarse 4** Relacionarse una persona con otras: *No te mezcles con ellos, que son unos gamberros.* **5** Unirse a una raza o a una familia diferentes: *La nobleza no solía mezclarse con el pueblo.* □ FAMILIA: → mezcla.

mezquita [sustantivo] [femenino] Edificio en el que hacen sus oraciones las personas de religión musulmana: *Para entrar en una mezquita hay que descalzarse.* 🔍 páginas 540, 793.

mi [pronombre] [posesivo] Mío: *Te presentaré a mis padres.* □ [Es distinto de *mí*. Va siempre delante de un sustantivo. No varía en masculino y en femenino]. FAMILIA: → yo.

mí [pronombre] [personal] Indica la primera persona del singular y equivale a *yo*: *Ese bollo es para mí. No me eches la culpa a mí.* □ [Es distinto de *mi*. No varía en masculino y en femenino]. FAMILIA: → yo.

mica [sustantivo] [femenino] Mira en **mico, ca.**

michelín [sustantivo] [masculino] Grasa que tienen algunas personas alrededor de la cintura: *Hago régimen para rebajar los michelines.* □ [Es coloquial].

mico, ca 1 [sustantivo] Mono de cola larga: *Los micos utilizan la cola para colgarse de los árboles.* **2** [sustantivo] [masculino] Persona de poca edad o de pequeña estatura: *No sé cómo dejas que ese mico te insulte.* **3** [sustantivo] [femenino] Mineral que forma capas transparentes: *La mica es un mineral muy frecuente en la naturaleza.* 🔍 página 539. **4** [expresión] **volverse mico** Necesitar mucho tiempo o mucho esfuerzo para hacer algo: *Tienes una letra tan mala, que me volví mico intentando leer tu carta.* □ [Los significados **2** y **4** son coloquiales].

microbio [sustantivo] [masculino] **1** Ser vivo tan pequeño

a
b
c
d
e
f
g
h
i
j
k
l
m
n
ñ
o
p
q
r
s
t
u
v
w
x
y
z

que sólo se puede ver con un microscopio: *Los virus son microbios.* **2** Lo que es muy pequeño: *No me dejan jugar con ellos porque dicen que todavía soy un microbio.* ☐ [El significado **2** es despectivo].

micrófono [sustantivo masculino] Aparato que permite aumentar la fuerza de un sonido, emitirlo y registrarlo: *Si no funciona el micrófono, los espectadores de las últimas filas no podrán oír bien la conferencia.* ☐ [Se usa mucho la forma abreviada *micro*].

microondas [sustantivo masculino] Aparato eléctrico en cuyo interior se meten los alimentos para que se calienten rápidamente: *Puse la taza con la leche un minuto en el microondas y casi me quemé al beberla.* ☐ [No varía en singular y en plural]. FAMILIA: → onda.

microscópico, ca [adjetivo] Que sólo puede verse con un microscopio: *Los virus son organismos microscópicos.* ☐ CONTRARIOS: gigante. FAMILIA: → microscopio.

microscopio [sustantivo masculino] Instrumento que sirve para poder ver las cosas que son muy pequeñas: *Las bacterias son tan pequeñas que sólo pueden verse con microscopio.* ☐ FAMILIA: microscópico.

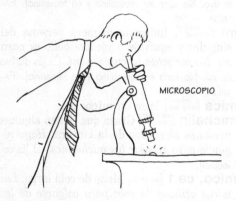

MICROSCOPIO

miedica [adjetivo o sustantivo] Miedoso: *No seas miedica y acércate al perro, que no muerde.* ☐ [No varía en masculino y en femenino. Es despectivo]. SINÓNIMOS: cobarde, cagón, cagado. CONTRARIOS: valiente, valeroso. FAMILIA: → miedo.

miedo [sustantivo masculino] **1** Sensación que sentimos cuando suponemos que puede pasarnos algo malo: *Me da miedo la oscuridad.* **2** Temor de que ocurra lo contrario de lo que se desea: *Tengo miedo de que llueva y no poda-*

mos ir al campo. **3** [expresión] **de miedo** Muy bueno o muy bien: *Me lo pasé de miedo.* ☐ [El significado **3** es coloquial]. SINÓNIMOS: **1** temor. FAMILIA: miedoso, miedica.

miedoso, sa [adjetivo o sustantivo] Que siente miedo por cualquier cosa: *Soy muy miedoso y todo me asusta.* ☐ SINÓNIMOS: miedica, cobarde, cagón, cagado. CONTRARIOS: valiente, valeroso. FAMILIA: → miedo.

miel [sustantivo femenino] **1** Sustancia muy dulce que producen las abejas: *En lugar de poner azúcar en el yogur, le pongo siempre miel.* **2** [plural] Sensación agradable que da el éxito: *Este deportista es un gran campeón que ya ha saboreado las mieles del triunfo.*

miembro [sustantivo masculino] **1** Extremidad que va unida al cuerpo: *Los miembros inferiores de una persona son las piernas.* **2** Persona o grupo que forman parte de un conjunto: *España es miembro de la Comunidad Europea.* **3** Lo que se une a otras cosas y forma un todo con ellas: *El sujeto y el predicado son miembros de la oración.* **4** [expresión] **miembro viril** Pene: *El miembro viril tiene un orificio por el que sale la orina.*

mientras 1 [adverbio] Durante el tiempo en el que algo sucede o se realiza: *Yo iré a comprar, y mientras, tú puedes barrer la casa.* **2** [conjunción] Se usa para expresar tiempo: *No hables mientras comes.* **3** [expresión] **mientras que** Se usa para expresar oposición: *Donde tú veraneas hace muy buen tiempo, mientras que aquí está lloviendo muchísimo.*

miércoles [sustantivo masculino] Tercer día de la semana: *El miércoles está entre el martes y el jueves.* ☐ [No varía en singular y en plural].

mierda [sustantivo femenino] **1** Sustancia marrón y de mal olor que sale por el culo: *Cuidado, no vayas a pisar esa mierda de perro.* **2** Lo que está sucio: *A ver si te lavas las manos, que las llevas llenas de mierda.* **3** Lo que tiene poco valor o poca calidad: *No sé cómo te han cobrado tanto por esta mierda.* **4** [interjección] Se usa para expresar disgusto o rechazo: *¡Mierda, me he vuelto a manchar la camisa!* **5** [expresión] **irse algo a la mierda** Estropearse: *Como me puse enferma, los planes para el fin de semana se fueron a la mierda.* **mandar algo a la mierda** Rechazarlo o dejar de ocuparse de ello: *Intentaré hacer el* *puzzle otra vez, pero si no me sale, lo mandaré a la mierda.* □ [Es vulgar]. SINÓNIMOS: **1** excremento. **1-3** caca. **2** suciedad. **2,3** porquería. **3** cagada, basura.

miga [sustantivo femenino] **1** Parte interna y blanda del pan: *La miga está debajo de la corteza.* **2** Trozo o cantidad pequeños de algo: *No ha quedado ni una miga de chocolate.* **3** Importancia o interés de algo: *Este asunto tiene mucha miga y necesito tiempo para estudiarlo.* **4** [plural] Comida que se hace con trozos de pan cocinados con aceite o con grasa: *Las migas son un plato típico de Extremadura.* **5** [expresión] **hacer buenas migas** Llevarse bien dos o más personas: *Hace muy buenas migas con su vecina y están todo el día juntas.* □ SINÓNIMOS: **2** migaja. FAMILIA: migaja.

migaja [sustantivo femenino] Trozo o cantidad pequeños de algo, especialmente si son de pan: *Cuando voy al parque, echo migajas de pan a los pajaritos.* □ SINÓNIMOS: miga. FAMILIA: → miga.

mil 1 [pronombre numeral] Número 1.000: *Este pantalón está de rebajas y cuesta mil pesetas.* **2** [sustantivo masculino] Conjunto de 1.000 unidades: *Tengo varios miles de sellos.* □ [El significado **1** no varía en masculino y en femenino. El significado **2** se usa más en plural]. SINÓNIMOS: **2** millar. FAMILIA: milenario, milenio, millar, milésimo.

milagro [sustantivo masculino] **1** Hecho en el que se considera que ha tomado parte Dios y que no se puede explicar por las leyes de la naturaleza: *El sacerdote nos contó el milagro de los panes y los peces.* **2** Lo que resulta muy raro: *Es un milagro que con la caravana que había hayamos llegado a tiempo.* **3** [expresión] **de milagro** Por poco o por casualidad: *He llegado a clase de milagro, porque estaban a punto de cerrar la puerta.* □ SINÓNIMOS: **2** prodigio. FAMILIA: milagroso.

milagroso, sa [adjetivo] **1** Que no puede ser explicado por las leyes de la ciencia o de la naturaleza: *Que Jesucristo resucitara a un muerto fue un hecho milagroso.* **2** Que hace hechos de este tipo: *Dicen que este agua es milagrosa y cura todos los males.* **3** Que resulta extraordinario o maravilloso: *Es milagroso que no os hicieseis nada en el acci-*

dente. □ SINÓNIMOS: **1** sobrenatural. **3** prodigioso. FAMILIA: → milagro.

milenario, ria 1 [adjetivo] Que tiene alrededor de mil años: *Esta ciudad es milenaria.* **2** [sustantivo masculino] Día en el que se cumplen mil o varios miles de años de un suceso: *El año 2492 se celebrará el milenario de la llegada de Colón a América.* □ FAMILIA: → mil.

milenio [sustantivo masculino] Período de tiempo de mil años: *Éste es el descubrimiento más importante del milenio.* □ FAMILIA: → mil.

milésimo, ma 1 [pronombre numeral] Que ocupa el lugar número mil en una serie: *Mi apellido empieza por «V» y, por orden alfabético, soy la milésima de la lista.* **2** [sustantivo femenino] Una de las mil partes en que algo se ha dividido: *El primer clasificado ganó la carrera por milésimas de segundo.* □ FAMILIA: → mil.

milhojas [sustantivo masculino] Dulce formado por varias capas entre las que se suele poner nata: *Compré un milhojas en la pastelería.* □ [No varía en singular y en plural. Se usa mucho una milhoja con el mismo significado]. FAMILIA: → hoja.

mili [sustantivo femenino] Servicio que presta un ciudadano a su país siendo soldado durante un período de tiempo determinado: *Mi hermano ha hecho la mili en el Ejército de Tierra.* □ [Es coloquial]. SINÓNIMOS: servicio militar. FAMILIA: → militar.

miligramo [sustantivo masculino] Medida que sirve para pesar: *Un gramo tiene mil miligramos.* □ FAMILIA: → gramo.

mililitro [sustantivo masculino] Medida de capacidad: *Un litro tiene mil mililitros.* □ FAMILIA: → litro.

milímetro [sustantivo masculino] Medida de longitud: *Un metro tiene mil milímetros.* □ FAMILIA: → metro.

militante [sustantivo] Persona que es miembro de un partido político: *Durante el congreso, los militantes elegirán por votación al nuevo presidente del partido.* □ [No varía en masculino y en femenino]. FAMILIA: → militar.

militar 1 [adjetivo] Del ejército o de la guerra: *Fui a ver un desfile militar.* **2** [sustantivo] Persona que sirve en el ejército: *Los militares visten de uniforme.* ✍ página 794. **3** [verbo] Formar parte de un partido político o de una asociación: *Milita en una asociación ecologista.* □ [Los significados **1** y **2** no varían en masculino y en femenino]. FAMILIA: militante, mili.

a
b
c
d
e
f
g
h
i
j
k
l
m
n
ñ
o
p
q
r
s
t
u
v
w
x
y
z

a

milla 1 [sustantivo/femenino] Medida de longitud: *Una milla equivale aproximadamente a 1.609 metros.* **2** [expresión] **milla náutica** Medida de longitud que se usa en el mar: *Una milla náutica equivale a 1.852 metros.*

millar [sustantivo/masculino] Conjunto de mil unidades: *Al concierto acudieron varios millares de espectadores.* □ SINÓNIMOS: mil. FAMILIA: → mil.

millón [pronombre/numeral] Número 1.000.000: *He ganado un millón de pesetas en la lotería.* □ [Se usa con la preposición de cuando después va el nombre de algo: *un millón de pesetas*; cuando después va otro pronombre numeral, no se pone la preposición de: *un millón cien mil pesetas*]. FAMILIA: millonario, millonada.

millonada [sustantivo/femenino] Cantidad muy grande de dinero: *Esta enorme casa cuesta una millonada.* □ FAMILIA: → millón.

millonario, ria 1 [adjetivo] Que llega a uno o más millones: *El ganador de la quiniela de esta semana se llevará un premio millonario.* **2** [adjetivo o/sustantivo] Que tiene muchos millones de pesetas: *Ese millonario heredó su fortuna de unos parientes.* □ FAMILIA: → millón.

mimar [verbo] **1** Mostrar amor y querer hacer lo que alguien nos pide: *Cuando estoy enferma me gusta que me mimen y que me traigan la comida a la cama.* **2** Tratar a un niño con demasiada consideración, dejándole hacer lo que quiera: *Tus padres te miman demasiado y por eso eres tan caprichoso.* **3** Tratar con mucho cuidado: *El coche te ha durado tantos años porque lo has mimado mucho.* □ SINÓNIMOS: **2** consentir. FAMILIA: → mimo.

mimbre [sustantivo] Arbusto que crece en las orillas de los ríos, y cuyas ramas son largas y delgadas y se usan para hacer objetos: *Cuando vamos de excursión llevo la merienda en una cesta de mimbre.* □ [Se puede decir *el mimbre* y *la mimbre* sin que cambie de significado].

mímica [sustantivo/femenino] Arte que consiste en comunicar algo mediante gestos y movimientos del cuerpo: *Cuando jugamos a las películas, uno de nosotros explica con mímica el título y los demás tenemos que adivinarlo.* □ FAMILIA: → mimo.

mimo [sustantivo/masculino] **1** Demostración de amor: *Le gustan mucho los niños y siempre que ve a uno le hace mimos.* **2** Gran consideración con la que se trata a los niños: *Siempre das a tu hijo todo lo que quiere, y creo que lo tratas con demasiado mimo.* **3** Ganas de que nos den amor o de que nos presten atención: *Cuando mi hermanito tiene mucho sueño le entra el mimo.* **4** Cuidado con que se trata o se hace algo: *Este jabón es muy suave y trata la piel con mimo.* **5** Tipo de teatro en el que no se usan palabras, sino sólo gestos: *Los actores de mimo suelen actuar con la cara pintada de blanco.* **6** Persona que actúa usando sólo los gestos: *Los domingos vamos al parque a ver actuar a los mimos.* □ [El significado **1** se usa más en plural]. FAMILIA: mimar, mimoso, mímica.

mimoso, sa 1 [adjetivo] Que muestra ganas de que le presten atención o de que cumplan sus deseos: *Cuando vienen visitas, los niños se ponen mimosos y quieren que les hagamos caso.* **2** [sustantivo/femenino] Arbusto de flores pequeñas y amarillas que tienen un olor agradable: *Las mimosas pueden llegar a ser grandes como árboles.* □ FAMILIA: → mimo.

mina [sustantivo/femenino] **1** Terreno del que se extraen minerales: *Se ha derrumbado una de las galerías de la mina.* 🔎 páginas 538-539. **2** Barra fina que llevan los lápices en su interior: *Sácale punta al lápiz, que se le ha roto la mina.* **3** Lo que se considera que tiene valor, porque puede proporcionar gran cantidad de algo: *Este cantante es una mina, y en todas partes consigue éxitos.* **4** Aparato que suele colocarse enterrado o en el agua y que está preparado para que explote al ser tocado: *El barco chocó con una mina y explotó.* □ FAMILIA: mineral, minero, minería, bocamina.

mineral 1 [adjetivo] Que pertenece a la sustancia que forma las piedras o que está compuesto de ella: *El yeso, el oro y la sal son sustancias minerales.* **2** [sustantivo/masculino] Sustancia que forma las piedras: *De las minas se sacan minerales.* □ [El significado **1** no varía en masculino y en femenino]. FAMILIA: → mina. 🔎 páginas 538-539.

minería [sustantivo/femenino] Técnica o industria de extraer minerales: *Un ingeniero especializado en minería estudia la posibilidad de abrir una mina en esta zona.* □ FAMILIA: → mina.

minero, ra 1 [adjetivo] De los terrenos de los

que se extraen minerales o relacionado con ellos: *En Asturias hay una gran industria minera.* **2** [sustantivo] Persona que trabaja extrayendo minerales: *Los mineros suelen trabajar bajo tierra.* 🖾 página 539. ☐ FAMILIA: → mina.

miniatura [sustantivo femenino] **1** Copia de algo en tamaño muy pequeño: *Colecciono coches antiguos en miniatura.* **2** Pintura de pequeño tamaño y generalmente hecha con mucho detalle: *Las miniaturas se hacían para ilustrar libros antiguos.*

[minibasket [sustantivo masculino] Tipo de baloncesto que se juega en un campo más pequeño que el habitual y con las canastas más bajas: *Participo en los campeonatos de minibasquet de mi colegio.* ☐ [Es una palabra inglesa].

minifalda [sustantivo femenino] Falda muy corta que queda por encima de las rodillas: *En verano me gusta ir con minifalda porque paso menos calor que con pantalones.* ☐ [Se usa mucho la forma abreviada *mini*]. FAMILIA: → falda.

mínimo, ma 1 [adjetivo] Lo más pequeño: *No haces ni el más mínimo esfuerzo para dejar bien tu trabajo.* **2** [sustantivo masculino] Punto más bajo al que puede llegar algo: *Pon el fuego al mínimo para que no se queme la comida.* **3** [sustantivo femenino] Temperatura más baja a la que se llega: *Se espera para los próximos días una mínima de dos grados bajo cero.* ☐ CONTRARIOS: máximo. FAMILIA: → menor.

minino, na [sustantivo] Gato: *Papá, ¿me das un poco de leche para dar de comer al minino?* ☐ [Es coloquial].

ministerio [sustantivo masculino] **1** Departamento que se encarga de determinados asuntos del gobierno de un Estado: *Los diplomáticos trabajan en el Ministerio de Asuntos Exteriores.* **2** Edificio en el que trabaja un ministro: *Estos impresos tienes que entregarlos en el ministerio.* **3** Función o empleo que se considera noble o de gran categoría: *El ministerio de los sacerdotes exige una gran entrega hacia los demás.* ☐ [El significado **1** se suele escribir con mayúscula]. FAMILIA: → ministro.

ministro, tra [sustantivo] **1** Persona que dirige un departamento que se encarga de determinados asuntos del gobierno del Estado: *El ministro de Defensa ha visitado el cuartel en el que hace la mili mi hermano.* **2** Per-

sona que tiene una función o un empleo que considera noble o de una gran categoría: *Los sacerdotes son los ministros de la Iglesia.* **3** [expresión] **primer ministro** Jefe de Gobierno de algunos países: *Mañana llegará a España el primer ministro de Gran Bretaña.* ☐ FAMILIA: ministerio.

minoría [sustantivo femenino] **1** Parte menor de un todo: *Las personas de raza blanca son minoría en África.* **2** En una votación, conjunto de votos distintos de la mayoría: *Haremos lo que hemos dicho, aunque una minoría haya votado lo contrario.* ☐ CONTRARIOS: mayoría. FAMILIA: → menor.

minucioso, sa [adjetivo] Que se preocupa por los más pequeños detalles: *Es una persona muy minuciosa y cuando hace un trabajo procura no cometer ni el más mínimo fallo.*

minúsculo, la 1 [adjetivo] Muy pequeño o poco importante: *Desde el avión, las casas se veían minúsculas.* **2** [adjetivo o sustantivo femenino] Dicho de una letra, que es de pequeño tamaño y que se utiliza normalmente: *En «Luis», todas las letras son minúsculas menos la «L».* ☐ CONTRARIOS: mayúsculo. FAMILIA: → menor.

minusválido, da [adjetivo o sustantivo] Dicho de una persona, que tiene problemas físicos o psíquicos que le impiden hacer determinadas cosas: *En mi clase hay un minusválido que va en silla de ruedas.* ☐ FAMILIA: → valer.

minutero [sustantivo masculino] Aguja de un reloj que señala los minutos: *El minutero es más largo que la aguja que señala las horas.* ☐ FAMILIA: → minuto.

minuto [sustantivo masculino] Período de tiempo que equivale a sesenta segundos: *Una hora tiene sesenta minutos.* ☐ FAMILIA: minutero.

mío, a [pronombre posesivo] Indica que algo pertenece a la primera persona del singular: *Este libro es mío.* ☐ [Cuando va delante de un sustantivo, se cambia por *mi*: *mi balón, mi casa*]. FAMILIA: → yo.

miope [adjetivo o sustantivo] Que tiene un defecto en la vista que le impide ver bien lo que está lejos: *Llevo gafas porque soy miope.* ☐ [No varía en masculino y en femenino]. SINÓNIMOS: corto de vista. FAMILIA: miopía.

miopía [sustantivo femenino] Defecto de la vista que impide ver bien lo que está lejos: *Las personas que tienen miopía pueden llevar gafas o lentillas.* ☐ FAMILIA: → miope.

mirado, da **1** [adjetivo] Que tiene cuidado: *Es muy mirado con sus cosas y siempre las tiene bien ordenadas.* [sustantivo femenino] **2** Examen rápido y por encima que se hace de algo con la vista: *Échale una mirada a mi trabajo y di qué te parece.* **3** Forma de mirar: *Tiene una mirada fría y calculadora.* □ FAMILIA: → mirar.

mirador [sustantivo masculino] **1** Lugar situado en un alto y desde el que se puede ver un paisaje: *Durante la excursión, paramos en un mirador desde el que se podía ver toda la sierra.* **2** Balcón cubierto y cerrado con cristales: *Suelo sentarme a leer en el mirador de la habitación.* **3** Especie de habitación estrecha cubierta con cristales, que suele estar en la parte alta de un edificio y desde la que se puede ver el exterior: *Los caserones aragoneses suelen tener un mirador en la parte alta.* □ FAMILIA: → mirar.

miramiento [sustantivo masculino] Consideración o respeto hacia algo: *Hace tiempo que nos conocemos, así que puedes decirme lo que piensas sin miramientos.* □ FAMILIA: → mirar.

mirar [verbo] **1** Observar o fijar la vista en algo: *Mira esta foto y dime si reconoces quién es.* **2** Buscar o intentar encontrar algo: *Mira en el armario, a ver si encuentras algo para ponerte.* **3** Registrar o examinar: *En el hospital me miraron de arriba abajo y me dijeron que no tenía nada malo.* **4** Considerar o tener en cuenta: *Mira bien lo que haces, no te vayas a arrepentir después.* **5** Estar colocado en dirección a un lugar: *Mi casa es muy fría porque mira al Norte.* □ FAMILIA: mirón, mirador, mirilla, miramiento, mirada, mirado.

mirilla [sustantivo femenino] Agujero pequeño hecho en una puerta, que sirve para poder ver lo que hay al otro lado: *Al mirar por la mirilla vi que el que llamaba a la puerta era mi hermano.* □ FAMILIA: → mirar.

mirlo [sustantivo masculino] Pájaro de color oscuro y pico amarillo que suele vivir en los jardines: *Los mirlos comen insectos, semillas y frutos.* 🕊 página 20.

mirón, -a [adjetivo o sustantivo] Que mira algo con mucha curiosidad o con mucho interés: *En la calle había un montón de mirones observando cómo los bomberos apagaban el incendio.* □ [Es coloquial]. FAMILIA: → mirar.

misa **1** [sustantivo femenino] Ceremonia en la que el sacerdote ofrece el cuerpo y la sangre de Jesucristo representados por el pan y el vino: *Los domingos suelo ir a misa por la mañana.* **2** [expresión] **ir algo a misa** Ser cierto o tenerse que hacer de forma obligatoria: *En esta empresa, lo que dice el jefe va a misa.* **misa del gallo** La que se celebra la noche anterior al día de Navidad: *En Nochebuena, después de cenar solemos ir a la misa del gallo.* □ SINÓNIMOS: **1** eucaristía.

miserable [adjetivo] **1** Que no es feliz y se siente triste: *Se queja de que lleva una vida miserable y dice que nunca conseguirá ser alguien importante.* **2** Que tiene poco valor o poca importancia: *No discutáis por una cosa tan miserable.* [adjetivo o sustantivo] **3** Muy malo: *Ese miserable es el que me engañó.* **4** Que no quiere gastar el dinero, sino guardarlo: *No seas tan miserable e invítanos a algo.* □ [No varía en masculino y en femenino. Los significados **3** y **4** son despectivos]. SINÓNIMOS: **1,2,4** mísero. **3** malvado. CONTRARIOS: **4** generoso, espléndido. FAMILIA: → miseria.

miseria [sustantivo femenino] **1** Falta de las cosas necesarias para vivir: *Algunas asociaciones ayudan a la gente que está en la miseria.* **2** Desgracia o pena: *En el reportaje, la gente contaba las miserias que habían pasado durante la guerra.* **3** Lo que resulta de poco valor o de poca importancia: *Para dejar esta miseria de propina, mejor no dejes nada.* **4** Forma de ser de las personas que no quieren gastar dinero: *Su miseria es tan grande que aunque tiene mucho dinero, va hecho un*

MIRADOR

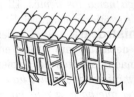

pordiosero. □ [El significado **3** es coloquial]. SI-NÓNIMOS: **1** pobreza, escasez, necesidad. CONTRARIOS: **1** abundancia, riqueza. FAMILIA: miserable, mísero.

misericordia [sustantivo femenino] Pena que se siente ante el dolor de los demás y que nos lleva a ayudarlos y perdonarlos: *El acusado pidió misericordia al juez.* □ SINÓNIMOS: piedad, caridad, compasión, clemencia. CONTRA-RIOS: crueldad. FAMILIA: misericordioso.

misericordioso, sa [adjetivo o sustantivo] Que siente o muestra pena ante el dolor de los demás, y los ayuda y perdona: *Si todos fuésemos más misericordiosos con los demás, en el mundo no habría tantos problemas.* □ SI-NÓNIMOS: compasivo, caritativo, piadoso. CONTRARIOS: cruel. FAMILIA: → misericordia.

mísero, ra [adjetivo] **1** Que tiene poco valor o poca importancia: *Parece mentira que os peleéis por un mísero caramelo.* **2** Que no es feliz y se siente triste: *Ese pobre hombre debe de llevar una vida mísera.* **3** [adjetivo o sustantivo] Que no quiere gastar el dinero, sino guardarlo: *No seas mísero y da el mismo dinero que hemos dado los demás.* □ [Los significados **1** y **3** son despectivos]. SINÓNIMOS: miserable. CONTRARIOS: **1** valioso. **2** dichoso, feliz. **3** generoso, espléndido. FAMILIA: → miseria.

misil [sustantivo masculino] Arma de gran tamaño, que tiene forma alargada y que explota al llegar a su objetivo: *Los misiles mataron a mucha gente durante la guerra.*

misión [sustantivo femenino] **1** Deber que se tiene que cumplir: *Educar a los hijos es una misión de los padres.* **2** Orden de hacer algo: *El soldado fue enviado a la zona enemiga con una misión secreta.* **3** Lugar al que van algunos religiosos para dar a conocer la religión cristiana: *Desde pequeña, su sueño fue ir a las misiones.* □ SINÓNIMOS: **1** cometido. FAMILIA: misionero.

misionero, ra [sustantivo] Persona que enseña la religión cristiana en sitios en donde no la conocen: *Es sacerdote y se ha ido de misionero al continente americano.* □ FAMILIA: → misión.

mismo, ma [adjetivo] **1** Que es ése y no otro diferente: *Siempre me levanto a la misma hora.* **2** Exactamente igual: *Nuestros coches son de la misma marca.* **3** Muy parecido o

de igual clase: *Se nota que sois hermanos porque tenéis los mismos ojos.* **4 mismo** [adverbio] Exactamente o en este momento: *Ahora mismo lo acabo.* □ [Se usa mucho para dar más fuerza a lo que se dice: *Lo he hecho yo mismo*]. FAMILIA: ensimismarse.

[miss [sustantivo femenino] Mujer que ha ganado un premio de belleza: *Para ser miss hay que tener buen tipo.* □ [Es una palabra inglesa].

misterio [sustantivo masculino] **1** Lo que está escondido y no tiene una explicación fácil: *Lo que ha ocurrido es un misterio y nadie sabe cúal es la causa.* **2** Asunto secreto que se calla y no se da a conocer a los demás: *No querían desvelar el misterio y se reunían sin que nadie lo supiera.* **3** Lo que no se comprende pero se cree: *Los cristianos creen en el misterio de la Santísima Trinidad.* □ FAMILIA: misterioso.

misterioso, sa [adjetivo] Que tiene misterio: *Vive de forma extraña y misteriosa.* □ FA-MILIA: → misterio.

místico, ca 1 [adjetivo o sustantivo] Que dedica su vida al desarrollo del espíritu: *Este monje es un místico y tiene un estrecho contacto con Dios.* **2** [sustantivo femenino] Lo que trata de la experiencia directa con Dios: *A la mayoría de las personas nos es muy difícil entender la mística.*

mitad [sustantivo femenino] **1** Cada una de las dos partes iguales en que se divide un todo: *Si tienes hambre, te doy la mitad de mi bocadillo.* **2** En un todo, punto o lugar que está a la misma distancia de sus extremos: *Ayer empecé a leerme este libro y ya voy por la mitad.* □ FAMILIA: → medio.

mitin [sustantivo masculino] Acto público en el que una o varias personas pronuncian discursos que tratan temas políticos o sociales: *En el mitin, el candidato dio a conocer sus proyectos.* □ [Es una palabra de origen inglés].

mito [sustantivo masculino] **1** Relato o historia en los que se cuentan las historias de los dioses: *Las sirenas forman parte de los mitos de la Antigüedad.* **2** Lo que llega a ser un modelo o entra a formar parte de la historia: *Desde que ganó la medalla de oro, esa atleta se ha convertido en un mito en su país.*

mixto, ta [adjetivo] Formado por cosas de distinta naturaleza: *En este concurso de baile*

a
b
c
d
e
f
g
h
i
j
k
l
m
n
ñ
o
p
q
r
s
t
u
v
w
x
y
z

sólo pueden participar parejas mixtas compuestas por un chico y una chica.

mobiliario [sustantivo masculino] Conjunto de muebles con unas características comunes: *Compré esta mesa de ordenador en una tienda de mobiliario de oficina.* ☐ FAMILIA: → mueble.

mocasín [sustantivo masculino] Zapato blando de piel: *Los mocasines eran el calzado típico de los indios americanos.*

mochila [sustantivo femenino] Especie de bolsa de tela fuerte que se lleva a la espalda colgada de los hombros: *Cuando voy de excursión, siempre llevo la cantimplora en la mochila.* 👁 página 154.

mochuelo [sustantivo masculino] **1** Ave de pequeño tamaño que caza de noche: *Los mochuelos se parecen a los búhos, pero son más pequeños.* **2** Lo que resulta pesado o difícil de hacer: *Como nadie quería recoger la mesa y fregar los cacharros, me tocó a mí cargar con el mochuelo.* **3** Culpa de la que nadie quiere hacerse responsable: *Cuando el profesor preguntó quién había roto el cristal, me cargaron el mochuelo a mí.* ☐ [Los significados **2** y **3** son coloquiales y se usan mucho en la expresión *cargar el mochuelo*].

MOCHUELO

moco 1 [sustantivo masculino] Líquido espeso que sale por la nariz: *Cuando estoy resfriada tengo muchos mocos.* **2** [expresión] **llorar a moco tendido** Llorar mucho: *Cuando se fue su madre, el bebé empezó a llorar a moco tendido.* **tirarse el moco** Darse importancia: *Se tira el moco de que es el que más corre de clase, pero no es verdad.* ☐ [El significado **1** se usa más en plural. Las expresiones son coloquiales]. FAMILIA: mocoso, moquear.

mocoso, sa 1 [adjetivo] Que tiene la nariz llena de mocos: *Estoy mocosa y no hago más que estornudar.* **2** [adjetivo o sustantivo] Que se comporta como un niño pequeño: *Dicen que soy un mocoso y que no puedo jugar con ellos.* ☐ [El significado **2** es despectivo]. FAMILIA: → moco.

moda [sustantivo femenino] Costumbre que suele durar poco tiempo y que es característica de un momento: *Los mayores dicen que no entienden las modas actuales.*

modales [sustantivo masculino plural] Comportamiento de una persona que indica si está bien o mal educada: *En tus modales se nota lo bien educado que estás.* ☐ SINÓNIMOS: educación. FAMILIA: → modo.

modelar [verbo] **1** Dar forma a una materia blanda: *Me gusta modelar la arcilla.* **2** Hacer cambiar algo poco a poco para que se parezca a un modelo: *El carácter y la personalidad se van modelando con los años.* ☐ FAMILIA: → modelo.

modelo [sustantivo] **1** Persona que trabaja poniéndose prendas de vestir para mostrarlas: *Para ser modelo hay que tener una buena figura.* **2** Persona que se presta para servir de ejemplo para que la pinten, hagan su figura o le hagan fotografías: *Los modelos de los pintores deben estarse muy quietos.* [sustantivo masculino] **3** Lo que sirve como ejemplo para hacer algo: *Dicen que su hijo es un niño modelo, que es muy obediente y nunca les hace enfadar.* **4** Copia de un objeto hecha en un tamaño pequeño: *Este avión de juguete es un modelo de un avión que voló hace cincuenta años.* **5** Cada objeto que está fabricado de acuerdo con unas características comunes a otros: *Estos dos coches son de la misma marca, pero son modelos distintos.* ☐ [Los significados **1** y **2** no varían en masculino y en femenino]. SINÓNIMOS: **1** maniquí. **4** maqueta. FAMILIA: modelar, aeromodelismo.

moderado, da [adjetivo] **1** Que no es ni poco ni mucho o está en medio de los extremos: *Para este domingo se espera un aumento moderado de las temperaturas.* **2** Que tiene ideas que no son extremas o que están en el punto medio: *Los miembros del partido moderado no están de acuerdo con esas medidas tan radicales y exageradas que se quieren tomar.* ☐ FAMILIA: → moderar.

moderador, -a [sustantivo] Persona que dirige una conversación dando la palabra por orden a quien corresponda: *El moderador de la tertulia nos dijo que, para hablar, teníamos que levantar la mano y esperar nuestro turno.* ☐ FAMILIA: → moderar.

moderar [verbo] **1** Disminuir la fuerza de algo que se considera mayor de lo normal: *Debes moderar la velocidad e ir más despacio.* **2** Dirigir una conversación dando la palabra a la persona que lo solicita: *El debate lo moderará un famoso periodista.* □ FAMILIA: moderado, moderador.

modernizar [verbo] Dar las características de lo que se considera moderno: *Van a modernizar la maquinaria de la fábrica para poder producir más barato.* □ [La z se cambia en c delante de e, como en CAZAR]. SINÓNIMOS: actualizar. FAMILIA: → moderno.

moderno, na [adjetivo] **1** De ahora o de un tiempo reciente: *Los coches modernos corren más que los antiguos.* **2** Que está al día de las nuevas ideas o de los nuevos adelantos: *Mi abuela, aunque es mayor, tiene una forma de pensar muy moderna.* □ CONTRARIOS: antiguo. **2** anticuado, caduco. FAMILIA: modernizar.

modestia [sustantivo] [femenino] **1** Forma de ser de una persona que no se cree mejor que las demás: *Actúas con tanta modestia que nadie diría que eres una famosa inventora.* **2** Situación en la que se tiene lo justo para vivir: *Vivimos con modestia, pero muy felices.* □ SINÓNIMOS: **1** humildad, sencillez. CONTRARIOS: **1** vanidad, orgullo, soberbia, humos. FAMILIA: → modesto.

modesto, ta [adjetivo] **1** Que no se cree mejor que los demás: *Tendrías que ser más modesta y dejar de hablar de todos tus éxitos.* **2** Sencillo o con pocos medios: *Mi padre trabaja en una empresa modesta que sólo tiene tres empleados.* □ SINÓNIMOS: humilde, sencillo. CONTRARIOS: **1** vanidoso, orgulloso, soberbio. FAMILIA: modestia.

modificación [sustantivo] [femenino] Cambio o diferencia pequeños: *Hay que hacer una modificación de última hora en el artículo que saldrá publicado en el periódico.* □ SINÓNIMOS: variación, transformación, alteración, novedad. FAMILIA: → modo.

modificar [verbo] Cambiar algo sin hacer que varíe mucho: *Si modificas un par de cosas, el trabajo estará perfecto.* □ [La c se cambia en qu delante de e, como en SACAR]. SINÓNIMOS: transformar, corregir, alterar, variar. FAMILIA: → modo.

modisto, ta [sustantivo] Persona que trabaja haciendo prendas de vestir que ella misma ha pensado: *Voy a ir a la modista a probarme el traje que me está haciendo.*

modo [sustantivo] [masculino] **1** Forma particular de hacer algo: *Creo que te saldría mejor si lo hicieras de otro modo.* **2** En gramática, cada uno de los tres grupos en que se dividen los tiempos de los verbos: *En español, los modos del verbo son «indicativo», «subjuntivo» e «imperativo».* **3** Conjunto de modales de una persona: *Es un niño mimado y tiene muy malos modos.* **4** [expresión] **a modo de** Como si fuera: *Se puso la carpeta a modo de paraguas para no mojarse.* □ [El significado **3** se usa más en plural]. SINÓNIMOS: **1,3** manera, forma. FAMILIA: modales, modificar, modificación.

modorra [sustantivo] [femenino] Sueño muy pesado o ganas de dormir: *Cuando como demasiado, me entra mucha modorra y me tengo que echar la siesta.* □ FAMILIA: amodorrar.

moflete [sustantivo] [masculino] Mejilla gordita: *Los bebés tienen mofletes.* □ [Es coloquial].

mogollón [sustantivo] [masculino] **1** Gran cantidad de algo: *Tiene mogollón de caramelos y no me quiere dar ninguno.* **2** Gran movimiento de personas: *No me gusta nada ir de compras en época de rebajas porque siempre hay un mogollón horroroso.* **3** [adverbio] Mucho: *La película me gustó mogollón.* □ [Es coloquial]. SINÓNIMOS: **2** follón.

moho [sustantivo] [masculino] Especie de polvo que sale en los alimentos cuando se han estropeado: *Al irnos de vacaciones se nos olvidó un limón en la nevera, y cuando volvimos estaba todo lleno de moho.* □ FAMILIA: mohoso.

mohoso, sa [adjetivo] Que está estropeado y se ha cubierto de una especie de polvo: *No guardes el pan en un sitio húmedo porque se va a poner mohoso.* □ FAMILIA: → moho.

mojar [verbo] **1** Poner algo húmedo con agua o con otro líquido: *Me he caído a la piscina y me he mojado.* **2** Bañar un alimento en otro alimento líquido: *Me gusta mojar el bizcocho en la leche.* **3 mojarse** Tomar parte en un asunto o dar la opinión que se tiene de él: *No dice lo que piensa porque no quiere mojarse.* □ [Se escribe siempre con j. El significado

a b c d e f g h i j k l **m** n ñ o p q r s t u v w x y z

a

b

c

d

e

f

g

h

i

j

k

l

m

n

ñ

o

p

q

r

s

t

u

v

w

x

y

z

3 es coloquial]. CONTRARIOS: **1,2** secar. FAMILIA: remojar, remojón, a remojo.

molde [sustantivo/masculino] Recipiente en el que se pone algo para que tome su forma: *Saca el flan del molde, que ya vamos a comer.*

molécula [sustantivo/femenino] Conjunto de átomos: *Dos átomos de hidrógeno y uno de oxígeno forman una molécula de agua.*

moler [verbo] **1** Golpear algo hasta hacerlo polvo o trozos muy pequeños: *En los molinos muelen el trigo para hacer harina.* **2** Hacer daño con golpes: *Ese boxeador molió a su contrincante.* □ [Es irregular y se conjuga como MOVER]. FAMILIA: molino, molinero, molinillo.

molestar [verbo] **1** Producir molestia: *No la molestes, que está estudiando.* **2** Producir enfado con algo que se ha hecho: *Se molestó porque le dije la verdad.* □ SINÓNIMOS: **1** estorbar. FAMILIA: molestia, molesto.

molestia [sustantivo/femenino] **1** Lo que se siente cuando algo nos perjudica o nos hace cambiar de costumbres: *Tenerte de invitada en casa no nos causa ninguna molestia.* **2** Lo que produce este perjuicio: *Tener que sacar al perro todos los días es una molestia.* **3** Dolor poco fuerte: *Después de la operación, tendrás algunas molestias.* □ FAMILIA: → molestar.

molesto, ta [adjetivo] **1** Que produce molestia: *Madrugar me resulta muy molesto.* **2** Que siente molestia: *Estoy molesta contigo porque no me felicitaste el día de mi cumpleaños.* □ FAMILIA: → molestar.

molinero, ra [sustantivo] Persona que trabaja moliendo grano: *El molinero ayudó al agricultor a llevar los sacos de trigo dentro del molino.* □ FAMILIA: → moler.

molinillo [sustantivo/masculino] **1** Aparato de cocina que se usa para moler los granos de café: *En casa no tenemos molinillo porque compramos el café ya molido.* **2** Juguete formado por un palo y una pieza en forma de «X» que gira con el viento: *Cuando fui al parque de atracciones, me compré un molinillo de color azul.* □ FAMILIA: → moler.

molino [sustantivo/masculino] **1** Máquina que se usa para moler el grano: *El molinero puso el trigo en la rueda del molino para hacer harina.* **2** Edificio en el que está esta máquina: *Los molinos tienen aspas que giran con el viento.* □ FAMILIA: → moler.

molusco [sustantivo/masculino] Animal que vive en el agua, que tiene el cuerpo blando y suele estar cubierto por una concha: *Cuando fui a Galicia comí muchos moluscos, sobre todo, mejillones y calamares.*

momentáneo, a [adjetivo] Que sólo dura cierto tiempo: *El enfermo tuvo una recaída momentánea.* □ SINÓNIMOS: pasajero. CONTRARIOS: permanente, duradero, continuo. FAMILIA: → momento.

momento [sustantivo/masculino] **1** Período muy corto de tiempo: *Espérame, que acabo en un momento.* **2** Período de tiempo concreto en el que sucede algo: *Esa actriz es la mejor del momento.* **3** Ocasión buena para algo: *Ya llegará el momento de irnos de viaje.* **4** [expresión] **al momento** Enseguida: *Nos abrió la puerta al momento.* **de momento** Por ahora: *De momento no puedo ir contigo, pero ya veremos dentro de un rato.* **por momentos** Poco a poco y de forma continua: *La salud del enfermo se agravaba por momentos.* □ SINÓNIMOS: **1** instante. **3** oportunidad. FAMILIA: momentáneo.

momia [sustantivo/femenino] Muerto que mantiene un aspecto parecido a cuando estaba vivo: *La momia egipcia estaba envuelta en tela blanca y metida en un sarcófago.*

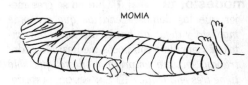

MOMIA

monada [sustantivo/femenino] Lo que resulta bonito o gracioso: *Ese vestido es una monada.* □ SINÓNIMOS: monería. FAMILIA: → mono.

monaguillo [sustantivo/masculino] Niño que ayuda a un sacerdote durante la misa: *El monaguillo tocó la campanilla cuando el sacerdote elevó el cáliz.*

monarca [sustantivo/masculino] Persona que tiene la autoridad más alta en determinados sistemas políticos: *El caballero se arrodilló ante el monarca.* □ [En plural, no significa el rey y la reina, por eso no debe decirse *Han venido los monarcas españoles*, sino *Han venido el monarca español y su* *esposa*]. SINÓNIMOS: rey, soberano. FAMILIA: monarquía.

monarquía [sustantivo] [femenino] **1** Sistema de gobierno en el que la autoridad más alta pasa de padres a hijos y la tiene una sola persona: *El sistema de gobierno en España es una monarquía parlamentaria.* **2** Estado o país que tiene este sistema de gobierno: *En Europa hay varias monarquías.* □ FAMILIA: → monarca.

monasterio [sustantivo] [masculino] Edificio grande en el que vive una comunidad religiosa: *Un monje nos enseñó el monasterio.*

monda 1 [sustantivo] [femenino] Piel que se quita de un fruto: *Echa las mondas de las patatas a la basura.* **2** [expresión] **ser la monda** Ser muy divertido: *Eres la monda y me río mucho contigo.* □ [El significado **2** es coloquial]. FAMILIA: mondar, mondo.

mondadientes [sustantivo] [masculino] Trozo pequeño de madera que se usa para pinchar alimentos o para limpiarse los restos de comida que quedan entre los dientes: *En el mostrador del bar había un palillero con mondadientes.* □ [No varía en singular y en plural]. SINÓNIMOS: palillo. FAMILIA: → diente.

mondar [verbo] **1** Quitar la piel a un fruto: *¿Me mondas la naranja, por favor?* **2 mondarse** Reírse mucho: *Mi compañero es muy gracioso y nos mondamos con sus chistes.* □ [El significado **2** es coloquial]. SINÓNIMOS: **1** pelar. **2** partirse, desternillarse. FAMILIA: → monda.

mondo [expresión] **mondo y lirondo** Sin nada que lo acompañe: *Cené un filete mondo y lirondo.* □ [Es coloquial]. FAMILIA: → monda.

moneda [sustantivo] [femenino] **1** Pieza redonda y de metal que sirve para comprar cosas: *Mi madre no tenía monedas y pagó con un billete.* **2** Unidad de dinero a un país: *La moneda española es la peseta.* □ FAMILIA: monedero.

monedero [sustantivo] [masculino] Especie de bolsa pequeña donde se llevan las monedas: *Se me rompió el monedero y todas las monedas se cayeron por el bolso.* □ FAMILIA: → moneda.

monería [sustantivo] [femenino] **1** Gesto gracioso que hace un niño pequeño: *A mis abuelos se le cae la baba con las monerías de mi hermanita.* **2** Lo que resulta bonito o gracioso: *Tu mochila es una monería.* □ SINÓNIMOS: monada. FAMILIA: → mono.

mongólico, ca [adjetivo o] [sustantivo] Que tiene una enfermedad que no permite el desarrollo normal mental y físico: *Tengo un hermano mongólico y todos lo queremos mucho porque es muy cariñoso.* □ [No debe usarse como insulto].

monicaco, ca [sustantivo] Persona baja o de pocos años: *El monicaco de tu hijo no para de chillar.* □ [Es coloquial]. FAMILIA: → mono.

monigote [sustantivo] [masculino] Muñeco o figura ridículos: *No haces más que perder el tiempo dibujando monigotes.* □ [Es despectivo]. SINÓNIMOS: fantoche.

monitor, -a 1 [sustantivo] Persona que dirige a otras que están aprendiendo a realizar alguna actividad: *El monitor de gimnasia me dijo que lo hacía muy bien.* **2** [sustantivo] [masculino] Aparato donde se registran imágenes y que se usa para controlar algo: *Por la noche, el guarda del banco mira los monitores para comprobar si entra alguien.* 👁 página 432.

monja [sustantivo] [femenino] Mujer que pertenece a una comunidad religiosa: *Las monjas de mi colegio llevan un hábito azul.*

monje [sustantivo] [masculino] Hombre que pertenece a determinada comunidad religiosa: *Un monje nos enseñó su monasterio.*

mono, na 1 [adjetivo] Guapo, bonito o gracioso: *Con ese corte de pelo estás muy mona.* **2** [sustantivo] Animal con pelo en el cuerpo, que se cuelga de las ramas de los árboles y que anda a cuatro patas o sólo con dos: *Algunos monos se parecen mucho al hombre.* 👁 página 710. [sustantivo] [masculino] **3** Prenda de vestir de una sola pieza que cubre el cuerpo y las piernas: *Mi padre es mecánico y trabaja con un mono azul.* **4** Situación en la que una persona necesita algo con urgencia: *Cuando los drogadictos están con el mono, se ponen muy nerviosos.* **5** [expresión] **el último mono** La persona menos importante: *Se queja de que en el trabajo es el último mono.* **mona de Pascua** Pastel con figuras de chocolate que se hace en los días próximos a la fiesta de Pascua de Resurrección: *Las monas de Pascua de Cataluña son muy famosas.* □ [El significado **4** es coloquial]. SINÓNIMOS: **1** cuco. **2** simio. CONTRARIOS: **1** feo. FAMILIA: monada, monería, monicaco.

monopatín [sustantivo] [masculino] Tabla de madera con

a b c d e f g h i j k l **m** n ñ o p q r s t u v w x y z

a
b
c
d
e
f
g
h
i
j
k
l
m
n
ñ
o
p
q
r
s
t
u
v
w
x
y
z

ruedas sobre la que alguien se sube para moverse de un lugar a otro: *Voy al parque en monopatín.* □ FAMILIA: → patín.

monótono, na [adjetivo] Que aburre porque siempre es igual: *Este trabajo es muy monótono y siempre hay que hacer lo mismo.*

monstruo [sustantivo/masculino] **1** Personaje imaginario que da mucho miedo: *El príncipe tuvo que luchar contra un monstruo para salvar a los habitantes de su reino.* **2** Lo que resulta muy feo o muy grande: *¡Vaya monstruo de edificio han construido al lado de mi casa!* **3** Persona muy mala: *Esos crímenes sólo los pudo cometer un monstruo.* **4** Persona que tiene grandes cualidades para hacer algo: *Hay que ser un monstruo para marcar siete goles en un partido.* □ [Los significados **2**, **3** y **4** son coloquiales]. SINÓNIMOS: **3** animal, bruto, bestia. FAMILIA: monstruoso.

monstruoso, sa [adjetivo] **1** Muy grande o muy feo: *Al lado de ese palacio antiguo han construido un edificio monstruoso.* **2** Propio de una persona muy mala: *Pegar a un bebé es algo monstruoso.* □ FAMILIA: → monstruo.

montacargas [sustantivo/masculino] Aparato que sirve para subir y bajar cosas pesadas: *Los empleados subieron los bidones al segundo piso en el montacargas.* □ [No varía en singular y en plural]. FAMILIA: → cargar.

montaje [sustantivo/masculino] **1** Hecho de juntar las piezas que forman algo: *Tendremos que llamar a un técnico para el montaje del equipo de música.* **2** Elección y colocación de las escenas rodadas de una película, dándole su forma última: *En el montaje de esta película se suprimieron algunas escenas.* **3** Colocación de todo lo necesario para que un espectáculo se realice: *Mis padres me han llevado a ver el último montaje de un director de teatro muy famoso.* **4** Lo que se prepara para que parezca otra cosa que no es: *Todo ha sido un montaje de tus amigos para gastarte una broma.* □ FAMILIA: → montar.

montaña [sustantivo/femenino] **1** Gran elevación natural del terreno: *Este pueblo está rodeado de montañas.* 🔎 página 709. **2** Montón de cosas puestas unas sobre otras: *En el despacho de mi madre hay montañas de papeles sobre la mesa.* **3** Cosa sin importancia que una persona considera muy importante: *Mi*

madre me dijo que no hiciese una montaña de semejante tontería.* **4** [expresión] **montaña rusa** Diversión de feria formada por grandes subidas y bajadas por las que se va a gran velocidad: *Yo no monto en la montaña rusa porque me da mucho miedo.* □ SINÓNIMOS: **1** monte. FAMILIA: monte, montañoso, montañero, montañismo, montañés.

montañero, ra [sustantivo] Persona que practica un deporte que consiste en andar por las montañas: *Pertenezco al club de montañeros de mi colegio.* □ FAMILIA: → montaña.

montañés, -a [adjetivo o sustantivo] Que vive en las montañas o que está en ellas: *Muchos montañeses se dedican a la ganadería.* □ FAMILIA: → montaña.

montañismo [sustantivo/masculino] Deporte que consiste en andar por las montañas: *Este sábado haré montañismo con mis padres.* □ [Es distinto de *alpinismo*, que es un deporte que consiste en escalar montañas]. FAMILIA: → montaña.

montañoso, sa [adjetivo] Que tiene muchas montañas: *El norte de España es muy montañoso.* □ FAMILIA: → montaña.

montar [verbo] **1** Juntar las piezas que forman algo: *El carpintero montó la estantería en la habitación.* **2** Poner lo necesario en un lugar para ocuparlo o vivir en él: *Mis nuevos vecinos ya han acabado de montar su casa.* **3** Establecer un negocio para que empiece a funcionar: *Estos abogados han montado un despacho en el centro de la ciudad.* **4** Hacer o realizar: *Los invitados a la fiesta montaron tal escándalo que un vecino llamó a la policía.* **5** Poner una piedra preciosa en un anillo o en otra joya: *Este joyero monta los diamantes en oro.* **6** Batir la nata u otra sustancia parecida hasta ponerlas espesas: *El pastelero monta todos los días la nata líquida para las tartas.* **7** Hacer todo lo necesario para que un espectáculo o una exposición puedan realizarse: *Este grupo de aficionados ha montado ya dos obras de teatro.* **8** Elegir y colocar las escenas rodadas de una película, dándole su forma última: *El director eligió las escenas para montar la película.* **9** Unirse sexualmente un animal macho a la hembra: *El ganadero llevó un caballo para que montase a la yegua.* **10** Subir o ponerse encima de un animal o de una cosa: *Cuando visité el hipódromo, me monté en un caballo.* **11** Ir a caballo o sobre otro animal parecido: *Mi padre aprendió a montar cuando era pequeño.* **12** Subir en un vehículo o usarlo: *Sólo he montado en tren dos veces, porque viajo siempre en coche.* **13** Conducir un vehículo de dos ruedas: *Mi hermanito ha aprendido a montar en bici.* □ SINÓNIMOS: **1,4** armar. **9** cubrir. **11** cabalgar. CONTRARIOS: **1,10** desmontar. **10,12** bajar, apear. FAMILIA: montaje, montura, desmontar, desmontable, remontar.

monte [sustantivo masculino] Gran elevación natural del terreno: *Este alpinista ha subido al monte más alto del país.* □ SINÓNIMOS: montaña. FAMILIA: → montaña, saltamontes.

montón [sustantivo masculino] **1** Conjunto de cosas puestas unas sobre otras: *En el suelo había varios montones de libros.* **2** Gran cantidad de algo: *Tiene un montón de discos.* **3** [expresión] **del montón** Que no destaca porque es igual a muchos otros: *Me parece un chico del montón, porque no es muy guapo, pero tampoco muy feo.* □ [El significado **3** es coloquial]. FAMILIA: amontonar.

montura [sustantivo femenino] **1** Animal sobre el que se puede ir montado: *El jinete subió de un salto sobre su montura.* **2** Objeto sobre el que se coloca o se monta una cosa: *Se me ha roto la montura de las gafas.* □ FAMILIA: → montar.

monumental [adjetivo] **1** De un monumento o relacionado con él: *La parte monumental de la ciudad es preciosa.* **2** Muy grande: *Me echó una bronca monumental.* □ [No varía en masculino y en femenino. El significado **2** es coloquial]. FAMILIA: → monumento.

monumento [sustantivo masculino] **1** Construcción que posee gran valor histórico: *En la parte antigua de esta ciudad hay muchos monumentos.* página 540. **2** Obra dedicada a alguien y que se coloca en un sitio público para que la gente la vea: *Esa escultura es un monumento al anterior alcalde.* □ FAMILIA: monumental.

moño 1 [sustantivo masculino] Conjunto de cabellos que se peinan enrollándolos sobre sí mismos y dejándolos bien sujetos: *Mi madre me pidió que le acercara las horquillas, porque se estaba haciendo un moño.* **2** [expresión] **hasta el moño** Cansado o aburrido de algo hasta no poder más: *Estoy hasta el moño de soportar tus tonterías.* □ [El significado **2** es coloquial].

moquear [verbo] Echar mocos por la nariz: *Estoy resfriada y no paro de moquear.* □ FAMILIA: → moco.

moqueta [sustantivo femenino] Tela fuerte con la que se cubren paredes o suelos: *La habitación del hotel tenía el suelo tapizado con una moqueta gris.*

mora [sustantivo femenino] Mira en **moro, ra.**

morado, da 1 [adjetivo o sustantivo masculino] Del color que tiene la piel cuando nos hemos dado un golpe: *Con el rojo y el azul se forma el morado.* página 160. **2** [sustantivo femenino] Lugar en el que vive una persona o un animal: *Los caballeros visitaron al príncipe en su morada.* **3** [expresión] **pasarlas moradas** Pasarlo muy mal: *Cuando me preguntó la lección, las pasé moradas porque no tenía ni idea.* **ponerse morado** Comer o beber mucho: *Me puse morada de pasteles y ahora me duele la tripa.* □ [Las expresiones son coloquiales]. FAMILIA: moratón.

moral [adjetivo] **1** Relacionado con el conjunto de valores y de reglas de conducta que se consideran buenos: *Mi abuelo dice que se están perdiendo los principios morales.* **2** Relacionado con el espíritu, y no con lo material ni con lo establecido por ley: *Para mí, cuidar de los enfermos es una obligación moral.* [sustantivo femenino] **3** Conjunto de valores y de reglas de conducta que se consideran buenos: *Mi moral me impide aprovecharme de los demás.* **4** Ánimo o confianza en uno mismo: *El entrenador nos levantó la moral para el partido.* □ [Los significados **1** y **2** no varían en masculino y en femenino]. CONTRARIOS: **1** inmoral. FAMILIA: moralidad, inmoral, moraleja.

moraleja [sustantivo femenino] Lo que se aprende de una historia que se nos cuenta para enseñarnos algo: *En la fábula de la cigarra y la hormiga, la moraleja es que debemos trabajar.* □ FAMILIA: → moral.

moralidad [sustantivo femenino] Acuerdo o coincidencia con los valores morales establecidos: *La censura prohibió la película por su falta de moralidad.* □ FAMILIA: → moral.

moratón [sustantivo masculino] Señal que se produce en la piel como resultado de un golpe: *Me di un golpe con la puerta y me ha salido un moratón.* □ SINÓNIMOS: cardenal. FAMILIA: → morado.

a
b
c
d
e
f
g
h
i
j
k
l
m
n
ñ
o
p
q
r
s
t
u
v
w
x
y
z

morcilla [sustantivo] [femenino] Alimento preparado con sangre cocida y mezclada con cebollas o con arroz: *Las morcillas de Burgos tienen mucha fama.*

mordaza [sustantivo] [femenino] Lo que se pone en la boca a una persona para que no pueda hablar o dar gritos: *El ladrón puso una mordaza al dueño de la tienda para que no pudiese pedir auxilio.* □ FAMILIA: amordazar.

MORDAZA

morder [verbo] Apretar algo con los dientes: *No tengas miedo, que mi perro no muerde.* □ [Es irregular y se conjuga como MOVER]. FAMILIA: mordisco, mordisquear, remordimiento.

mordisco [sustantivo] [masculino] **1** Hecho de apretar algo con los dientes: *Me gusta comerme la manzana dándole mordiscos.* **2** Trozo de comida que se saca de esta manera: *¿Me das un mordisco de tu bocadillo?* □ SINÓNIMOS: **2** bocado. FAMILIA: → morder.

mordisquear [verbo] Morder de forma repetida y con poca fuerza: *Tengo la manía de mordisquear la capucha del bolígrafo.* □ FAMILIA: → morder.

moreno, na [adjetivo o] [sustantivo] **1** De color parecido al marrón: *Con el café siempre tomo azúcar morena.* **2** Que tiene el pelo negro o casi negro: *Mi hermano es rubio, pero yo soy moreno.* **3** Que tiene la piel oscura o del color que adquiere cuando se toma el sol: *Me he puesto muy moreno en la playa.*

morfología [sustantivo] [femenino] Parte de la gramática que estudia cómo se forman las palabras: *La morfología estudia cómo de la palabra «perro» se forma el diminutivo «perrito», el aumentativo «perrazo» y otras palabras relacionadas, como «perrera».*

moribundo, da [adjetivo o] [sustantivo] Que está muriendo o a punto de morir: *Los buitres volaban alrededor de una vaca moribunda.* □ FAMILIA: → muerte.

morir [verbo] **1** Dejar de vivir: *Mi perro murió hace unos días.* **2** Acabar, terminar o llegar a su fin: *Este río muere en el mar.* **3** Sentir algo con mucha fuerza: *Me muero de ganas de salir de casa.* □ [Es irregular. Su participio es *muerto*]. SINÓNIMOS: **1** fallecer, expirar, palmar, estirar la pata, cascar, reventar, irse al otro barrio. CONTRARIOS: **1,2** nacer. **1** vivir, revivir. FAMILIA: → muerte.

moro, ra [adjetivo o] [sustantivo] **1** Del norte de África o relacionado con esta zona: *Un moro iba vendiendo alfombras y relojes por la calle.* **2** Que tenía la religión de Mahoma y que vivió en España entre los siglos VIII y XV: *Los Reyes Católicos vencieron al último rey moro y conquistaron Granada.* **3** [sustantivo] [femenino] Fruto formado por una especie de granos: *Las moras pueden ser blancas o moradas.* **4** [expresión] **no hay moros en la costa** Se usa para indicar que no hay nadie molesto que nos esté viendo u oyendo: *Ya puedes salir, que no hay moros en la costa.* □ [El significado **1** es despectivo. El significado **4** es coloquial].

morriña [sustantivo] [femenino] Sensación de pena que se siente por estar lejos de la tierra donde se nació: *Se dice que los gallegos suelen sentir*

morir	conjugación
INDICATIVO	**SUBJUNTIVO**
presente	**presente**
muero	muera
mueres	mueras
muere	muera
morimos	muramos
morís	muráis
mueren	mueran
pretérito imperfecto	**pretérito imperfecto**
moría	muriera, -ese
morías	murieras, -eses
moría	muriera, -ese
moríamos	muriéramos, -ésemos
moríais	murierais, -eseis
morían	murieran, -esen
pretérito indefinido	**futuro**
morí	muriere
moriste	murieres
murió	muriere
morimos	muriéremos
moristeis	muriereis
murieron	murieren
futuro	**IMPERATIVO**
moriré	
morirás	**presente**
morirá	muere (tú)
moriremos	muera (él)
moriréis	muramos (nosotros)
morirán	morid (vosotros)
	mueran (ellos)
condicional	**FORMAS NO PERSONALES**
moriría	
morirías	**infinitivo** **gerundio**
moriría	morir muriendo
moriríamos	**participio**
moriríais	muerto
morirían	

mucha morriña cuando están fuera de Galicia. □ [Es una palabra de origen gallego].

morro [sustantivo/masculino] **1** Parte de la cabeza de un animal en la que está la boca: *El cerdo tiene el morro muy alargado.* **2** Parte de algo que destaca por delante: *El morro de nuestro coche se abolló al chocar contra una farola.* **3** Falta de vergüenza: *Tienes mucho morro y eres capaz de aprovecharte de cualquiera.* **4** [plural] Labios: *Límpiate los morros, que los tienes manchados de chocolate.* **5** [expresión] **a morro** Dicho de una forma de beber, que se toma del recipiente y no se usa vaso: *Toma un vaso y no bebas a morro de la botella.* **de morros** Muy enfadado: *Estoy de morros porque no me han dejado bajar a jugar.* □ [Los significados **3**, **4** y **5** son coloquiales]. SINÓNIMOS: **1** hocico. **3** jeta, rostro, cara, descaro.

morsa [sustantivo/femenino] Animal que vive en el mar y que tiene dos dientes muy largos que le salen de la boca: *La morsa es parecida a la foca.*

MORSA

morse [sustantivo/masculino] Sistema de puntos y líneas que sirve para comunicarse a grandes distancias por medio de hilos eléctricos: *Un soldado mandó un mensaje a su capitán en morse.*

mortadela [sustantivo/femenino] Alimento redondo de color rosa que generalmente se come partido fino: *La mortadela es un embutido.*

mortal [adjetivo] **1** Que tiene que morir: *Todos los seres humanos somos mortales.* **2** Que puede producir la muerte: *Muchos venenos son mortales.* **3** Muy fuerte o muy grande: *Hace un frío mortal.* **4** [sustantivo/masculino] Miembro de la especie humana: *Te crees superior a los demás, pero eres como el resto de los mortales.* □ [Cuando es adjetivo no varía en masculino y en femenino. El significado **3** es coloquial]. SINÓNIMOS: **2** mortífero, letal. **4** hombre. CONTRARIOS: **1** inmortal. FAMILIA: → muerte.

mortero [sustantivo/masculino] **1** Recipiente redondo en el que se aplastan alimentos: *Para machacar el ajo tienes que golpearlo en el mortero.* **2** Arma parecida a un tubo, que se usa para lanzar bombas: *En esa guerra hubo muchos heridos por fuego de mortero.* □ [El significado **1** es distinto de *almirez*, que es un mortero de metal].

mortífero, ra [adjetivo] Que puede producir la muerte: *Las armas son mortíferas.* □ SINÓNIMOS: mortal, letal. FAMILIA: → muerte.

mosaico [sustantivo/masculino] Obra hecha con piezas de diversos materiales o de diversos colores, pegadas en una superficie para formar una imagen: *En clase estamos haciendo un mosaico con piedras de colores.*

MOSAICO

mosca 1 [sustantivo/femenino] Insecto que vuela y que suele molestar a las personas y a los animales: *Me da mucho asco que haya moscas*

alfabeto morse

-   representa un sonido breve.
—   representa un sonido más largo.

A · —	N — ·	1 · — — — —
B — · · ·	O — — —	2 · · — — —
C — · — ·	P · — — ·	3 · · · — —
D — · ·	Q — — · —	4 · · · · —
E ·	R · — ·	5 · · · · ·
F · · — ·	S · · ·	6 — · · · ·
G — — ·	T —	7 — — · · ·
H · · · ·	U · · —	8 — — — · ·
I · ·	V · · · —	9 — — — — ·
J · — — —	W · — —	0 — — — — —
K — · —	X — · · —	
L · — · ·	Y — · — —	
M — —	Z — — · ·	

       · · — — · ·   ? · · — — · ·   · — · — · —
       — · — · — ·   ! — · — · — —   ' · — — — — ·
       — · · · · —   · · — — · ·
       «» · — · · — ·   () — · — — · —

cerca de la comida. **2** [expresión] **mosquita muerta** Persona que parece tonta, pero no lo es: *Tu amiga parece una mosquita muerta, pero es una persona con las ideas muy claras y un carácter muy decidido.* **con la mosca detrás de la oreja** Con sospechas: *Nadie me ha contado qué ocurre, pero estoy con la mosca detrás de la oreja.* **por si las moscas** Por lo que pueda pasar: *Aunque he puesto el despertador para levantarme pronto, avísame, por si las moscas.* □ [Las expresiones son coloquiales]. FAMILIA: moscardón, mosquito, matamoscas.

moscardón [sustantivo] [masculino] Insecto parecido a la mosca, pero más grande: *Las vacas espantaban los moscardones moviendo la cola de un lado a otro.* □ FAMILIA: → mosca.

mosquear [verbo] **1** Hacer que se tengan sospechas: *No sé si está enfadado conmigo, pero me mosquea no saber nada de él desde hace días.* **2** Molestar o enfadar un poco: *No te mosquees por esa tontería.* □ [Es coloquial]. FAMILIA: → mosqueo.

mosqueo [sustantivo] [masculino] Sospecha o enfado que se tienen por algo: *En cuanto hablé con él y le expliqué lo que había pasado, se le pasó el mosqueo.* □ [Es coloquial]. FAMILIA: mosquear.

mosquetero [sustantivo] [masculino] Antiguo soldado que pertenecía a un grupo del ejército de Francia: *¿Has visto la película «Los tres mosqueteros»?*

mosquito [sustantivo] [masculino] Insecto más pequeño que la mosca: *Me ha picado un mosquito en la pierna.* □ FAMILIA: → mosca. 🦟 página 710.

mostaza [sustantivo] [femenino] Salsa de color amarillo que pica mucho: *Me gustan las salchichas con mostaza.*

mosto [sustantivo] [masculino] Líquido que se obtiene de la uva antes de hacerse vino y que no tiene alcohol: *Mi amigo tomó un zumo de naranja y yo, un mosto.*

mostrador [sustantivo] [masculino] Especie de mesa alargada sobre la que se ponen las bebidas en un bar o sobre la que se enseñan los productos en una tienda: *El dependiente extendió varias telas sobre el mostrador.* □ FAMILIA: → mostrar.

mostrar [verbo] **1** Poner algo en presencia de alguien: *El dependiente nos mostró varios vestidos.* **2** Indicar o enseñar mediante una explicación o una demostración: *Mi padre me mostró cómo poner en funcionamiento la lavadora.* **3** Dar a conocer una sensación o una cualidad: *Mostré mi alegría dando saltos.* **4 mostrarse** Comportarse de una determinada manera: *Desde hace unos días se muestra muy raro conmigo.* □ [Es irregular y se conjuga como CONTAR]. SINÓNIMOS: **1** presentar. CONTRARIOS: ocultar, esconder. FAMILIA: muestra, muestrario, mostrador, demostrar, demostración, demostrativo.

mota [sustantivo] [femenino] **1** Parte muy pequeña de un material: *Se me ha metido una mota de polvo en el ojo y me molesta.* **2** Señal redonda o muy pequeña que destaca por su color: *La tela es azul con motas blancas.* □ SINÓNIMOS: **2** lunar.

mote [sustantivo] [masculino] Nombre que se da a una persona y que sustituye al verdadero: *El mote que hemos puesto a mi hermano es «El Culebrilla», porque nunca se está quieto.* □ SINÓNIMOS: apodo, alias.

motel [sustantivo] [masculino] Hotel de carretera: *Cuando hicimos aquel viaje, dormimos una noche en un motel de la autopista.* □ FAMILIA: → hotel.

motín [sustantivo] [masculino] Movimiento violento de protesta contra una autoridad: *El capitán del barco logró acabar con el motín.* □ SINÓNIMOS: revuelta. FAMILIA: amotinar.

motivar [verbo] **1** Tener como efecto: *El hielo que había en la carretera motivó el accidente.* **2** Conseguir que alguien quiera hacer algo: *Mi madre me motivó para que estudiara más.* □ SINÓNIMOS: **1** producir, ocasionar, causar, traer. **2** animar. FAMILIA: → motivo.

motivo [sustantivo] [masculino] **1** Razón que nos mueve a hacer algo: *No tienes motivos para enfadarte.* **2** Tema central de una obra de arte, o imagen que se repite en una cosa: *El motivo de este jarrón es una escena de caza.* □ SINÓNIMOS: **1** causa, móvil. FAMILIA: motivar.

moto 1 [sustantivo] [femenino] Motocicleta: *Me gusta mucho ver por televisión las carreras de motos.* **2** [expresión] **estar como una moto** Estar loco o muy nervioso: *No puedo estarme quieto, porque hoy me dan las notas y estoy como una moto.* □ [El significado **2** es coloquial].

motocicleta [sustantivo] [femenino] Vehículo de dos ruedas y con motor: *Cuando cumpla los dieciocho años, me compraré una motocicleta.* □ [Se usa mucho la forma abreviada *moto*]. FAMILIA: motorista, motociclismo, motociclista, motocross. 🔧 página 846.

motociclismo [sustantivo masculino] Deporte que se practica con motos: *Un español fue el campeón de esa carrera de motociclismo.* □ FAMILIA: → motocicleta. 🔧 página 291.

motociclista [sustantivo] Persona que practica un deporte con motos: *Los motociclistas deben llevar el casco puesto.* □ [No varía en masculino y en femenino]. FAMILIA: → motocicleta.

[motocross [sustantivo masculino] Tipo de carrera con motos que se realiza en un camino de tierra con muchas subidas y bajadas: *Las motos de motocross tienen unas ruedas especiales.* □ [Es una palabra inglesa. Se pronuncia «motocrós». No varía en singular y en plural]. FAMILIA: → motocicleta.

motor, -a 1 [adjetivo o sustantivo masculino] Que hace que algo funcione o se desarrolle: *Para algunas personas, el motor de la vida es el amor.* **2** [sustantivo masculino] Máquina que cambia el movimiento en otra forma de energía: *Esta lancha neumática se mueve porque tiene un motor.* 🔧 página 120. **3** [sustantivo femenino] Barco de pequeño tamaño movido por esta máquina: *En el puerto había varias motoras.* □ [No debe decirse *motor a gasolina*, sino *motor de gasolina*]. FAMILIA: locomotora, locomotor.

motorista [sustantivo] Persona que conduce una moto: *En el atasco, los motoristas adelantaban a los coches.* □ [No varía en masculino y en femenino]. FAMILIA: → motocicleta.

[mousse [sustantivo femenino] Dulce ligero y blando que suele tomarse como postre: *Me encanta la mousse de chocolate.* □ [Es una palabra francesa. Se pronuncia «mus»].

mover [verbo] **1** Cambiar de posición o de lugar: *Moví la silla para estar más cerca de la mesa.* **2** Hacer movimientos: *Para volar, las aves necesitan mover las alas.* **3** Hacer sentir algo: *El mal aspecto de este chico mueve a la compasión.* **4** Hacer actuar de determinada forma: *A ese actor lo mueve el deseo de triunfar.* **5** Hacer lo necesario para conseguir o resolver algo: *¿Quieres que mueva este asunto a ver si lo arreglo?* **moverse 6** Andar o ir de un sitio a otro: *Siempre que*

vamos al centro de la ciudad nos movemos en autobús y en metro. **7** Darse prisa: *Muévete, que vamos a llegar tarde.* **8** Actuar en un ambiente o ir con frecuencia a determinados sitios: *Mis hermanos mayores, cuando salen los fines de semana, siempre se mueven por la misma zona.* □ [Es irregular]. SINÓNIMOS: **3** inspirar. **8** desenvolverse. FAMILIA: movimiento, móvil, movible, inmóvil, remover, conmover.

movible [adjetivo] Que puede moverse o ser movido: *Los asientos de los cines no suelen ser movibles.* □ [No varía en masculino y en femenino]. SINÓNIMOS: móvil. FAMILIA: → mover.

móvil 1 [adjetivo] Que puede moverse o ser movido: *Los bancos del parque son móviles y se pueden cambiar de sitio.* **2** [sustantivo masculino] Razón que nos mueve a hacer algo: *La policía todavía no ha averiguado el móvil del crimen.* □ [Cuando es adjetivo no varía en masculino y en femenino]. SINÓNIMOS: **1** movible. **2** motivo, causa. CONTRARIOS: inmóvil. FAMILIA: → mover.

movimiento [sustantivo masculino] **1** Cambio de lugar o

mover		conjugación	
INDICATIVO		**SUBJUNTIVO**	
presente		**presente**	
muevo		mueva	
mueves		muevas	
mueve		mueva	
movemos		movamos	
movéis		mováis	
mueven		muevan	
pretérito imperfecto		**pretérito imperfecto**	
movía		moviera, -ese	
movías		movieras, -eses	
movía		moviera, -ese	
movíamos		moviéramos, -ésemos	
movíais		movierais, -eseis	
movían		movieran, -esen	
pretérito indefinido		**futuro**	
moví		moviere	
moviste		movieres	
movió		moviere	
movimos		moviéremos	
movisteis		moviereis	
movieron		movieren	
futuro		**IMPERATIVO**	
moveré			
moverás		**presente**	
moverá		mueve	(tú)
moveremos		mueva	(él)
moveréis		movamos	(nosotros)
moverán		moved	(vosotros)
		muevan	(ellos)
condicional		**FORMAS NO PERSONALES**	
movería			
moverías		**infinitivo**	**gerundio**
movería		mover	moviendo
moveríamos			
moveríais		**participio**	
moverían		movido	

de posición: *En el planetario pudimos ver cómo es el movimiento de la Tierra alrededor del Sol.* **2** Cambio que se nota en algo que se agita o que no se está quieto: *Mira el movimiento del agua al cocer.* **3** Gran cantidad de acciones y de personas que se mueven de manera continua: *En esta zona comercial siempre hay mucho movimiento.* **4** Conjunto de expresiones o acciones religiosas, sociales o de otro tipo que tienen características comunes: *En el siglo XX ha habido un gran desarrollo del movimiento obrero.* **5** Salidas y entradas de dinero que se anotan en una cuenta del banco: *Me anotaron en la cartilla todos los movimientos del mes.* **6** Parte de una obra musical que se diferencia de las demás por sus características: *El primer movimiento de esta composición era más rápido que el segundo.* □ SINÓNIMOS: **3** actividad, trajín. CONTRARIOS: **1** reposo. **3** calma. FAMILIA: → mover.

mozo, za 1 [adjetivo] De la juventud o relacionado con ella: *Mis abuelos siempre nos cuentan historias de sus años mozos.* **2** [adjetivo o sustantivo] Que tiene pocos años: *Los mozos de mi pueblo corren delante del toro en los encierros.* [sustantivo masculino] **3** Persona que trabaja llevando cosas pesadas y haciendo otras cosas parecidas: *Uno de los mozos del almacén subió las cajas a la oficina.* **4** Joven que ha sido llamado para hacer el servicio militar: *Los mozos del pueblo están celebrando su marcha a la mili.* □ SINÓNIMOS: **1,2** joven. CONTRARIOS: **1,2** viejo. **2** anciano, abuelo.

muchacho, cha 1 [sustantivo] Niño o joven: *Tu hijo es un muchacho muy amable.* **2** [sustantivo femenino] Mujer que trabaja haciendo las tareas de la casa a cambio de dinero: *La muchacha de mi casa se va después de fregar los platos de la comida.* □ SINÓNIMOS: **2** chacha, chica.

muchedumbre [sustantivo femenino] Gran cantidad de personas: *Fuimos empujados por una muchedumbre que intentaba entrar en el estadio.* □ SINÓNIMOS: multitud, gentío. FAMILIA: → mucho.

mucho, cha 1 [pronombre indefinido] En cantidad grande: *Tengo muchas ganas de ir al cine. Me han felicitado muchos de mis compañeros de clase.* **2** mucho [adverbio] Más de lo normal o más de lo necesario: *No comas mucho, que luego te duele la tripa. Hace mucho que no vamos al zoo.* **3** [expresión] **por mucho que** Aunque: *Por mucho que lo repitas, no me lo creo.* □ [Cuando mucho va delante de un adjetivo o de un adverbio, se cambia por muy: muy fuerte. Son excepciones más, menos, antes, después, mayor, menor, mejor y peor]. SINÓNIMOS: **2** cantidad. CONTRARIOS: poco. FAMILIA: muchedumbre, multitud.

muda [sustantivo femenino] Mira en **mudo, da.**

mudanza [sustantivo femenino] Cambio de una casa a otra distinta, a la que nos llevamos todas nuestras cosas: *Cuando hicimos la mudanza, tuvimos que meter todas las cosas en cajas.* □ FAMILIA: → mudar.

mudar [verbo] **1** Cambiar, variar o hacer distinto: *Con los años, mis abuelos han mudado su forma de ver las cosas.* **2** Cambiar de ropa para poner otra limpia: *Ya eres mayorcito y te puedes mudar tú solo.* **3** Cambiar la piel u otras partes del cuerpo y salir otras nuevas: *Algunas serpientes mudan la piel cada cierto tiempo.* **4** **mudarse** Cambiarse de casa: *Hace dos años que nos mudamos a esta casa.* □ SINÓNIMOS: cambiar. FAMILIA: mudanza.

mudo, da 1 [adjetivo] Sin palabras, sin voz o sin sonido: *En la época de mis bisabuelos, el cine era mudo.* **2** [adjetivo o sustantivo] Que no puede hablar con palabras: *He aprendido a comunicarme con las manos para poder hablar con un amigo mudo.* **3** [sustantivo femenino] Conjunto de ropa interior que nos cambiamos de una vez: *Saqué la muda del cajón y la llevé al cuarto de baño antes de bañarme.* □ FAMILIA: enmudecer, tartamudo, tartamudear.

mueble [sustantivo masculino] Objeto que hay en las casas y en otros lugares y que tiene un uso concreto: *Los armarios y las camas son muebles.* □ FAMILIA: mobiliario, amueblar.

mueca [sustantivo femenino] Gesto que se hace con la cara para expresar algo o para hacer reír: *Me hizo muecas para burlarse de mí.*

MUECA

muela 1 [sustantivo] [femenino] Cada uno de los dientes grandes que sirven para aplastar los alimentos y que están en la parte posterior de la boca: *A mi hijo no le han salido todavía algunas muelas.* **2** [expresión] **muela del juicio** Cada uno de los cuatro dientes que salen cuando somos mayores: *A mi madre le han quitado las muelas del juicio.*

muelle [sustantivo] [masculino] **1** Hilo de metal en forma de rizo y que, si se aplasta, ocupa menos espacio: *El sofá está roto y se le ha salido un muelle.* **2** En un puerto y en otros lugares parecidos, construcción que se hace junto al agua para que sea más fácil la subida y bajada de personas y de productos: *Cuando el barco llegó al puerto, algunas personas que estaban en el muelle nos saludaron.* **3** En una estación de tren o en otros lugares, elevación hecha para que sea más fácil la carga y descarga de productos: *El camión aparcó junto a un muelle del almacén.*

muerte 1 [sustantivo] [femenino] Fin de la vida: *Lloré mucho la muerte de mi abuelo.* **2** [expresión] **a muerte** De manera muy fuerte: *Estas dos familias se odian a muerte.* **de mala muerte** Malo o de muy mal aspecto: *No había ninguna cafetería por allí y entramos en un bar de mala muerte.* □ [Las expresiones son coloquiales]. CONTRARIOS: **1** vida, nacimiento. FAMILIA: morir, muerto, mortal, moribundo, mortífero, inmortal.

muerto, ta 1 Participio irregular de **morir**. [adjetivo] **2** Sin actividad, o poco alegre y poco vivo: *En invierno, las playas están muertas.* **3** Tan cansado que ya no puede hacer nada: *He estudiado tanto que estoy muerto.* **4** [adjetivo o] [sustantivo] Sin vida: *En el accidente de coche hubo tres muertos.* **5** [sustantivo] [masculino] Lo que resulta pesado o difícil de hacer: *Nadie quería cargar con el muerto, y me tocó a mí darle la mala noticia.* □ [Los significados **2**, **3** y **5** son coloquiales. El significado **5** se usa mucho en la expresión *cargar con el muerto*]. CONTRARIOS: **2,4** vivo. FAMILIA: → muerte.

muestra [sustantivo] [femenino] **1** Parte o pequeña cantidad de algo, que tiene las características del todo del que se saca: *Mi abuela me dio una muestra de la tela para que comprase los botones del mismo color. Me sacaron una muestra de sangre para analizarla.* **2** Modelo que se toma para ser copiado: *Hice la letra igual a la de la muestra que me había dado la maestra.* **3** Señal que hace que se vea o se note algo: *Cuando nos dijeron que iríamos de excursión, no pudimos evitar las muestras de alegría.* **4** Exposición pública de un conjunto de cosas del mismo tipo: *Fui a una muestra de automóviles y vi los últimos modelos de cada marca.* □ SINÓNIMOS: **3** manifestación. **4** exhibición. FAMILIA: → mostrar.

muestrario [sustantivo] [masculino] Conjunto de productos que se usa para mostrar sus características: *El dependiente enseñó a mis padres un muestrario con los tipos de telas que tenían.* □ FAMILIA: → mostrar.

mugido [sustantivo] [masculino] Voz característica del toro o de la vaca: *Me di cuenta de que en el establo había vacas porque oí sus mugidos.* □ SINÓNIMOS: bramido. FAMILIA: → mugir.

mugir [verbo] Emitir el toro o la vaca su voz característica: *Las vacas mugían en el establo.* □ [La g se cambia en j delante de a, o, como en DIRIGIR]. SINÓNIMOS: bramar. FAMILIA: mugido.

mugre [sustantivo] [femenino] Suciedad que parece que está pegada a una superficie: *Las paredes de la casa tenían tanta mugre que hubo que rasparlas y pintarlas.*

mujer [sustantivo] [femenino] **1** Persona de sexo femenino: *Todos los hombres y mujeres tenemos los mismos derechos y deberes.* **2** Persona adulta de sexo femenino: *Esta mujer está embarazada.* **3** Lo que es una persona de sexo femenino en relación con el hombre con el que está casada: *Ayer vinieron a cenar a casa un amigo de mi padre y su mujer.* □ [En los significados **1** y **2**, su masculino es *hombre*]. SINÓNIMOS: **3** esposa, señora. CONTRARIOS: **1,2** varón.

mulato, ta [adjetivo o] [sustantivo] Que ha nacido de padres de diferente raza, siendo uno de raza negra y otro de raza blanca: *Mis hermanos y yo somos mulatos, porque mi madre es blanca y mi padre es de raza negra.*

muleta [sustantivo] [femenino] **1** Objeto que se usa para andar cuando alguien se ha roto una pierna: *Acércame las muletas, por favor, que me voy a levantar.* **2** Tela roja que usan los toreros cuando torean: *El toro rasgó con sus cuernos la muleta.* □ FAMILIA: muletilla.

muletilla [sustantivo femenino] Palabra o expresión que una persona repite cada cierto tiempo: *Cuando hablas, usas mucho la muletilla «o sea».* □ FAMILIA: → muleta.

mullir [verbo] Poner blando algo que estaba muy apretado: *Mullí el cojín antes de colocármelo en la espalda.* □ [Es irregular y se conjuga como ZAMBULLIR].

mulo, la [adjetivo o sustantivo] **1** Que resiste mucho en el trabajo: *Sólo un mulo puede levantar esta caja tan pesada.* **2** Que tiene una idea fija y no se deja convencer: *Hay que ser mula para decir esas tonterías.* **3** [sustantivo] Animal parecido al caballo, pero más pequeño: *Los mulos son más grandes que los burros.* □ [Los significados **1** y **2** son coloquiales]. SINÓNIMOS: **1,2** borrico. **2** testarudo, tozudo.

multa [sustantivo femenino] **1** Dinero que una autoridad dice que hay que pagar como castigo por haber hecho algo mal: *La bibliotecaria me dijo que tenía que pagar una multa por devolver el libro con retraso.* **2** Papel donde se dice el dinero que hay que pagar: *El policía de tráfico puso la multa en el parabrisas del coche mal aparcado.* □ FAMILIA: multar.

multar [verbo] Poner una multa: *Multaron a mi hermano por aparcar en una zona prohibida.* □ FAMILIA: → multa.

multicolor [adjetivo] De muchos colores: *Me puse una cinta multicolor en el pelo.* □ [No varía en masculino y en femenino]. FAMILIA: → color.

múltiple [adjetivo] De muchas maneras o con muchas partes: *Me hice una fractura múltiple en la pierna.* □ [No varía en masculino y en femenino. Cuando está en plural, significa *varios* o *muchos*: *Se han recibido múltiples quejas*]. FAMILIA: multiplicar, multiplicación, múltiplo.

multiplicación [sustantivo femenino] En matemáticas, operación que consiste en sumar un mismo número las veces que se indiquen: *El resultado de la multiplicación «2×3» es 6, y equivale a sumar «2+2+2».* □ FAMILIA: → múltiple.

multiplicar [verbo] **1** Hacer varias veces mayor: *Esta empresa ha multiplicado sus ganancias.* **2** Realizar una operación que consiste en sumar un mismo número las veces

que se indique: *El resultado de multiplicar 4 por 2 es 8.* **3 multiplicarse** Aumentar mucho el número de algo: *Si no pones nada de tu parte para arreglar las cosas, se te van a multiplicar los problemas.* □ [La c se cambia en qu delante de e, como en SACAR]. FAMILIA: múltiple.

múltiplo [adjetivo o sustantivo masculino] Dicho de un número, que contiene a otro un número exacto de veces: *El número 6 es múltiplo de 2 y de 3.* □ [Cuando es adjetivo, no varía en masculino y en femenino]. FAMILIA: → múltiple.

multitud [sustantivo femenino] Gran cantidad de personas: *Una multitud esperaba al cantante en el aeropuerto.* □ SINÓNIMOS: muchedumbre, gentío. FAMILIA: → mucho.

mundial [adjetivo] **1** Que es conocido en todas partes: *Es un cantante de fama mundial.* **2** Del mundo entero o relacionado con él: *La Organización Mundial de la Salud recomienda que las personas se vacunen para evitar enfermedades.* **3** [sustantivo masculino] Competición deportiva en la que pueden participar personas de todos los países: *Los mundiales de fútbol se celebran cada cuatro años.* □ [Cuando es adjetivo no varía en masculino y en femenino]. SINÓNIMOS: **1** universal, internacional. FAMILIA: → mundo.

mundo [sustantivo masculino] **1** Conjunto de todo lo que existe: *En la Biblia se dice que Dios creó el mundo en seis días.* **2** Parte de este conjunto: *Este crítico de arte sabe más que nadie sobre el mundo de la pintura.* **3** Conjunto de personas: *Este actor conoce a todo el mundo.* **4** [expresión] **caérsele a alguien el mundo encima** Sentirse muy mal por algo que ha sucedido: *Se me cayó el mundo encima cuando me dieron la mala noticia.* **de mundo** Que ha vivido todo tipo de experiencias: *Es una mujer de mundo y sabe salir airosa de cualquier situación.* **el otro mundo** Lo que hay después de la muerte: *El vecino se puso enfermo de repente y en dos días se fue al otro mundo.* **no ser algo nada del otro mundo** No ser especial, sino normal y corriente: *Ese actor no es nada del otro mundo, aunque a ti te parezca muy guapo.* **tercer mundo** Conjunto formado por los países más pobres: *Todos debemos ayudar al Tercer Mundo para que se* *desarrolle.* □ [La expresión *Tercer Mundo* se suele escribir con mayúscula]. Sinónimos: **1** universo, cosmos, creación. Familia: mundial, tercermundista.

munición [sustantivo] [femenino] Bala u otra cosa parecida que se ponen en las armas de fuego: *Al pistolero se le acabó la munición y el sheriff pudo capturarlo.*

municipal [adjetivo] De cada uno de los pueblos o ciudades que forman una provincia, o relacionado con ellos: *En verano voy a la piscina municipal de mi barrio.* □ [No varía en masculino y en femenino]. Familia: → municipio.

municipio [sustantivo] [masculino] **1** Cada uno de los pueblos y ciudades que forman una provincia: *Esta comarca está formada por veinte municipios.* **2** Conjunto formado por la persona que gobierna un pueblo o una ciudad y por las personas que la ayudan: *El municipio aprobó los presupuestos para asfaltar las calles del pueblo.* □ Sinónimos: **2** ayuntamiento. Familia: municipal.

muñeco, ca 1 [sustantivo] Juguete con figura de persona: *Tengo una muñeca que habla.* **2** [sustantivo] [femenino] Parte donde se unen el brazo y la mano: *Llevo el reloj en la muñeca izquierda.* □ Familia: muñequera.

muñequera [sustantivo] [femenino] Especie de tela que se pone en la muñeca cuando nos hemos hecho daño en ella: *Mi madre me ha puesto esta muñequera porque me dolía la muñeca.* □ Familia: → muñeca.

MUÑEQUERA

mural [sustantivo] [masculino] Obra u objeto que se colocan en una pared y que a veces sirven de exposición e información sobre una materia: *En el colegio hicimos un mural de animales y plantas.* □ Familia: → muro.

muralla [sustantivo] [femenino] Construcción que rodea un lugar y que sirve de defensa: *Cuando estuve en Ávila, paseé por sus murallas.* □ Sinó-

nimos: muro. Familia: → muro. 👁 página 156.

murciano, na [adjetivo o] [sustantivo] De la comunidad autónoma de Murcia, de esta provincia o de su capital: *Los productos de la huerta murciana son de gran calidad.*

murciélago [sustantivo] [masculino] Animal de pequeño tamaño, que vuela y que vive por la noche: *Cuando entré en la cueva, vi que los murciélagos estaban colgados boca abajo.*

MURCIÉLAGO

murga 1 [sustantivo] [femenino] Grupo de músicos que actúan en la calle: *Durante los carnavales, las murgas invaden las calles de Cádiz.* **2** [expresión] **dar la murga** Molestar al repetir mucho algo: *¿Cuándo vas a dejar de dar la murga con que te compre una bici, pesado?* □ [El significado **2** es coloquial].

murmullo [sustantivo] [masculino] Sonido suave y continuo: *Cuando estoy explicando una lección, no me gusta oír ni un murmullo.* □ Sinónimos: susurro, rumor. Familia: → murmurar.

murmurar [verbo] **1** Hablar mal de alguien que no está presente: *¿Qué estás murmurando de mi amigo?* **2** Hablar en voz muy baja: *No murmures y habla más alto, que no te oigo.* **3 murmurarse** Extenderse entre la gente una noticia que no se sabe si es cierta: *Se murmura que mi maestro se va de este colegio.* □ Sinónimos: **2** susurrar. **3** rumorearse. Contrarios: **2** vociferar, vocear. Familia: murmullo.

muro [sustantivo] [masculino] **1** Construcción vertical que se usa para hacer casas: *Los albañiles derribaron un muro para hacer la entrada al garaje.* **2** Construcción que rodea un lugar y que sirve de defensa: *Los soldados lograron hacer un agujero en los muros de la ciudad.* □ Sinónimos: **1** pared. **2** muralla. Familia: muralla, amurallado, mural.

musa [sustantivo] [femenino] Lo que estimula a un artista a crear: *La mujer de este pintor fue su musa.* □ Sinónimos: inspiración.

a b c d e f g h i j k l **m** n ñ o p q r s t u v w x y z

musaraña 1 [sustantivo femenino] Animal muy pequeño y parecido al ratón, pero con el hocico muy puntiagudo: *Las musarañas comen insectos.* **2** [expresión] **pensar en las musarañas** Estar con la mente en otro lugar y no darse cuenta de lo que sucede alrededor: *Iba pensando en las musarañas y me choqué contra una farola.* □ [El significado **2** es coloquial].

muscular [adjetivo] De los músculos o relacionado con ellos: *Tengo un dolor muscular en la pierna.* □ [No varía en masculino y en femenino]. FAMILIA: → músculo.

músculo [sustantivo masculino] Cada uno de los órganos del cuerpo que permiten moverse a las personas y a algunos animales: *Como hago mucho deporte, tengo los músculos muy desarrollados y estoy muy fuerte.* □ FAMILIA: muscular, musculoso.

musculoso, sa [adjetivo] Que tiene los músculos muy desarrollados: *Mi hermano es muy musculoso porque va todos los días al gimnasio.* □ FAMILIA: → músculo.

museo [sustantivo masculino] Lugar en el que se guardan y se enseñan objetos de valor: *En el museo que hemos visitado había cuadros, esculturas y muebles.* 📷 página 342.

musgo [sustantivo masculino] Planta muy pequeña, que nace en lugares húmedos y que suele formar una capa sobre algo: *El tronco de este árbol está cubierto de musgo.* 📷 página 711.

música [sustantivo femenino] Mira en **músico, ca.**

musical 1 [adjetivo] De la música o relacionado con ella: *El piano y la guitarra son instrumentos musicales.* **2** [adjetivo o sustantivo masculino] Dicho de una película o de un espectáculo, que tiene escenas cantadas o bailadas: *Cuando fui a Londres con mis padres, vi un musical en un teatro muy famoso.* □ [Cuando es adjetivo no varía en masculino y en femenino]. FAMILIA: → música.

músico, ca 1 [sustantivo] Persona que trabaja tocando un instrumento musical: *Es uno de los mejores músicos de esta orquesta.* [sustantivo femenino] **2** Arte que consiste en combinar sonidos y en saber cantarlos o tocarlos con algún instrumento: *Estudio música en el conservatorio porque quiero ser pianista.* **3** Obra hecha según esta arte: *Mi hermano hizo la letra de esta canción y yo, la música.* **4** [expresión] **con la música a otra parte** Se usa para indicar a alguien que se vaya y deje de molestar: *¡Vete con la música a otra parte, que me tienes mareada!* □ FAMILIA: musical.

muslo [sustantivo masculino] **1** Parte de una pierna o de una pata que va desde la cadera hasta la rodilla: *Estos pantalones cortos me llegan por la mitad del muslo.* **2** En un ave, parte de la pata con más carne: *Me comí dos muslos de pollo.*

mustio, tia [adjetivo] Sin fuerza o sin belleza: *Échales agua a las plantas, que están mustias.* □ SINÓNIMOS: marchito.

musulmán, -a [adjetivo o sustantivo] De la religión que fue enseñada por Mahoma: *Los árabes que conquistaron la península Ibérica eran musulmanes.* □ SINÓNIMOS: mahometano.

mutilar [verbo] Cortar una parte de un todo: *Un petardo mutiló la mano a mi vecino.*

mutuo, tua [adjetivo] Que se produce de igual manera entre las dos personas de las que se habla: *La amistad es un sentimiento mutuo entre tú y yo.*

muy [adverbio] Mucho: *Este parque es muy grande.* □ [Va siempre delante de un adjetivo o de un adverbio, pero no puede ir delante de *más, menos, antes, después, menor, mejor* y *peor*].

N n

n [sustantivo femenino] Letra número catorce del abecedario: *La palabra «nieve» empieza por «n»*. □ [Su nombre es ene].

nabo [sustantivo masculino] Planta que se cultiva en las huertas, porque su raíz es comestible: *El nabo es parecido a una zanahoria, pero más grueso y de color blanco.*

nacer [verbo] **1** Salir una persona o un animal del vientre de su madre: *Mi hermanito nació dos años después que yo.* **2** Salir un animal del huevo: *Nada más nacer, el pollito empezó a piar.* **3** Salir una planta de su semilla: *Si plantas un piñón, nacerá un pino.* **4** Aparecer el Sol o la Luna por el horizonte: *El sol nace por el este.* **5** Empezar, tener origen o tener principio: *Este río nace en las montañas. No sé de dónde nace esta pena que siento.* □ [Es irregular y se conjuga como PARECER]. SINÓNIMOS: **3** brotar, germinar. **5** proceder, provenir, venir. CONTRARIOS: morir. **4** ponerse. **5** desembocar. FAMILIA: nacimiento, nativo, renacer, renacimiento, renacentista.

nacimiento [sustantivo masculino] **1** Comienzo de la vida de un nuevo ser: *¿Cuál es tu fecha de nacimiento?* **2** Comienzo, origen o principio de algo: *El nacimiento de este río está en las montañas.* **3** Grupo de figuras con el que se representa cómo nació Jesucristo: *En Navidad ponemos un nacimiento con figuritas de arcilla.* □ SINÓNIMOS: **3** belén. CONTRARIOS: muerte. **1** fallecimiento. **2** final, término, destino. FAMILIA: → nacer.

nación [sustantivo femenino] **1** Conjunto de personas que viven en un país: *El presidente del Gobierno se dirigió a la nación en un mensaje televisivo.* **2** Lugar en el que vive este grupo de personas: *La nación portuguesa está al oeste de la nación española.* □ SINÓNIMOS: **1** pueblo. **2** país, patria. FAMILIA: nacional, nacionalidad, internacional.

nacional [adjetivo] De una nación o relacionado con ella: *El territorio nacional español está compuesto por diecisiete comunidades autónomas.* □ [No varía en masculino y en femenino]. FAMILIA: → nación.

nacionalidad [sustantivo femenino] Situación del que pertenece a una determinada nación: *Las personas nacidas en España tienen nacionalidad española.* □ FAMILIA: → nación.

nada 1 [pronombre indefinido] Ninguna cosa: *No quiero nada, gracias.* **2** [sustantivo femenino] Ausencia o falta total de cualquier cosa: *Una gran guerra podría reducirnos a la nada.* **3** [adverbio] Poco o de ninguna manera: *No lo estás haciendo nada bien. No lo vi nada animado.* **4** [expresión] **de nada** Se usa para contestar cuando alguien nos da las gracias: *Niño, cuando te dan las gracias por algo hay que contestar «De nada».* □ CONTRARIOS: **1** todo. FAMILIA: anonadar.

nadar [verbo] **1** Moverse por el agua moviendo brazos y piernas y sin tocar el fondo: *Como aún no sé nadar, me baño con flotador.* **2** Flotar en un líquido: *¡Mira cómo nada ese palo en el río!* **3** Tener mucha cantidad de algo: *Aunque esa persona nada en dinero, yo sé que no es feliz.* □ FAMILIA: natación, a nado.

nadie [pronombre indefinido] Ninguna persona: *No ha venido nadie. ¿Nadie sabe qué ha pasado aquí?* □ [No varía en masculino y en femenino].

nado [expresión] **a nado** Nadando: *Cruzó el río a nado.* □ FAMILIA: → nadar.

naipe [sustantivo masculino] Cada una de las cartulinas de una baraja: *Tráete los naipes, que vamos a jugar una partida.* □ SINÓNIMOS: carta.

nalga [sustantivo femenino] Cada una de las dos mitades de carne que forman el culo: *Me pusieron una inyección en la nalga derecha.*

nana [sustantivo femenino] Canción que se canta a los niños pequeños para dormirlos: *El bebé dejó de llorar cuando le canté una nana.*

nanay [interjección] Se usa para negar: *Cuando le pedí dinero, me contestó que nanay.*

napias [sustantivo femenino plural] Nariz: *¡Menudas napias tiene ese señor...!* □ [Es coloquial].

naranja 1 [adjetivo o sustantivo masculino] Del color que resulta de mezclar rojo y amarillo: *Las mandarinas son de color naranja.* 👁 página 160. **2** [sustantivo femenino] Fruto redondo, dividido en gajos, y de ese color: *El zumo de naranja me gusta mucho.* **3** [expresión] **media naranja** Persona que se entiende perfectamente con otra: *Sigo soltero porque aún no he encontrado a mi media*

a b c d e f g h i j k l m **n** ñ o p q r s t u v w x y z

a b c d e f g h i j k l m **n** ñ o p q r s t u v w x y z

naranja. □ [Cuando es adjetivo no varía en masculino y en femenino]. SINÓNIMOS: **1** anaranjado. FAMILIA: anaranjado, naranjada, naranjo.

naranjada [sustantivo femenino] Bebida que sabe a naranja: *¿Te apetece una naranjada fresquita?* □ FAMILIA: → naranja.

naranjo [sustantivo masculino] Árbol cuyo fruto es la naranja: *La flor del naranjo es el azahar.* □ FAMILIA: → naranja. 🔍 página 19.

narciso [sustantivo masculino] Planta de hojas alargadas que tiene una flor amarilla o blanca: *Los narcisos tienen forma de una campana rodeada de varios pétalos.* 🔍 página 347.

narigudo, da [adjetivo o sustantivo] Que tiene la nariz muy grande: *Aunque sea narigudo, a mí me parece muy guapo.* □ SINÓNIMOS: narizotas. FAMILIA: → nariz.

nariz 1 [sustantivo femenino] Parte de la cara que está entre los ojos y la boca y que sirve para respirar: *Sacó un pañuelo y se sonó la nariz.* **2** [interjección] **narices** Se usa para expresar sorpresa o disgusto: *¡Que te he dicho que no, narices!* **3** [expresión] **de las narices** Se usa detrás de algunas palabras cuando se les quiere dar un valor de desprecio: *El pesado este de las narices me va a volver loca.* **estar hasta las narices** Estar muy harto: *Estoy hasta las narices de que nunca me ayudes.* **meter las narices en algo** Intentar participar en ello aunque no sea asunto nuestro: *No metas las narices en mis asuntos y déjame en paz.* □ [Su plural es narices. Las expresiones son coloquiales]. SINÓNIMOS: **1** napias. FAMILIA: narigudo, narizotas, nasal.

narizotas [sustantivo] Persona que tiene la nariz muy grande: *Ese narizotas es muy amigo mío.* □ [No varía en masculino y en femenino, ni en singular y plural]. SINÓNIMOS: narigudo. FAMILIA: → nariz.

narración [sustantivo femenino] Historia que se cuenta con palabras: *El personaje principal de esta narración es un príncipe muy valiente.* □ SINÓNIMOS: relato. FAMILIA: → narrar.

narrador, -a [sustantivo] Persona que cuenta una historia: *El narrador de esta historia es su protagonista.* □ FAMILIA: → narrar.

narrar [verbo] Contar una historia: *En esta novela se narran las aventuras de un pirata.* □ SINÓNIMOS: referir, relatar. FAMILIA: narrador, narración.

nasal [adjetivo] De la nariz o relacionado con ella: *El tabique nasal es un hueso que divide la nariz en dos mitades.* □ [No varía en masculino y en femenino]. FAMILIA: → nariz.

nata [sustantivo femenino] **1** Sustancia espesa que se forma en la superficie de la leche: *Si dejas enfriar la leche se formará la nata.* **2** Crema que se hace mezclando esta sustancia con azúcar: *Me encantan los pasteles rellenos de nata.* □ FAMILIA: desnatado.

natación [sustantivo femenino] Deporte o ejercicio que consiste en nadar: *La natación es un deporte muy completo.* □ FAMILIA: → nadar. 🔍 página 292.

natillas [sustantivo femenino plural] Dulce elaborado con huevos, leche y azúcar: *Las natillas se comen con cuchara porque son cremosas.*

nativo, va [adjetivo o sustantivo] Que ha nacido en el lugar del que se está hablando: *Mi profesor de inglés es nativo de Inglaterra.* □ SINÓNIMOS: natural, indígena. FAMILIA: → nacer.

natural [adjetivo] **1** Que es resultado sólo de la acción de la naturaleza, sin que haya participado el ser humano ni ningún poder mágico: *El arco iris es un fenómeno natural.* **2** Que está relacionado con las propiedades características de las cosas: *Las ciencias naturales estudian cómo es el universo.* **3** Que se hace sin añadirle productos artificiales: *Todos los días desayuno un zumo de naranja natural.* **4** Que actúa de forma sencilla y sincera: *Aunque era la primera vez que nos veía, fue muy natural con nosotros.* **5** Que no sorprende, porque siempre sucede así: *Si comes demasiado es natural que engordes.* **6** [adjetivo o sustantivo masculino] Que ha nacido en un pueblo o en una nación: *Yo soy natural de un pueblecito de Burgos.* **7** [sustantivo masculino] Conjunto de características que definen una determinada forma de ser: *Soy de natural optimista, y nunca pienso que las cosas vayan a salir mal.* □ [Cuando es adjetivo no varía en masculino y en femenino]. SINÓNIMOS: **5** normal, lógico, común, habitual, usual, ordinario, corriente. **6** nativo, indígena. **7** carácter, naturaleza. CONTRARIOS: **1** sobrenatural. **3,4** artificial. **4** afectado. **5** sorprendente, raro, extraño, anormal, chocante. FAMILIA: naturaleza, naturalidad, sobrenatural.

naturaleza [sustantivo femenino] **1** Conjunto de todo lo que forma el universo y existe con independencia de la intervención del ser humano: *Los ecologistas defienden la necesidad de proteger la naturaleza.* **2** Conjunto de características propias de una determinada forma de ser: *El amor y el odio son sentimientos de la naturaleza humana.* **3** Conjunto de propiedades que determinan un género o un tipo de algo: *Fue un error de tal naturaleza que no hubo manera de arreglarlo.* **4** Lugar situado en el campo, lejos de las grandes ciudades: *Tengo una casita en las montañas, en plena naturaleza.* □ SINÓNIMOS: **2** natural, carácter, temperamento. FAMILIA: → natural.

naturalidad [sustantivo] [femenino] Sencillez y sinceridad en la forma de actuar: *Dime con toda naturalidad lo que pienses, que yo no me enfado.* □ CONTRARIOS: rareza, extrañeza. FAMILIA: → natural.

naufragar [verbo] Hundirse un barco: *El barco naufragó al chocar contra los arrecifes.* □ [La g se cambia en gu delante de e, como en PAGAR]. FAMILIA: naufragio, náufrago.

naufragio [sustantivo] [masculino] Accidente que consiste en que un barco se hunde: *Afortunadamente no hubo víctimas en el naufragio.* □ FAMILIA: → naufragar.

náufrago, ga [sustantivo] Persona que viajaba en un barco que se ha hundido: *El barco se hundió en alta mar y los náufragos tuvieron que refugiarse en una isla desierta.* □ FAMILIA: → naufragar.

náusea [sustantivo] [femenino] Movimiento repentino y rápido del estómago que se tiene cuando se está a punto de vomitar: *Olía tan mal que empecé a sentir náuseas y terminé vomitando.* □ [Se usa más en plural]. SINÓNIMOS: arcada.

náutico, ca 1 [adjetivo] De la navegación o relacionado con ella: *La vela es mi deporte náutico favorito.* **2** [sustantivo] [femenino] Conjunto de conocimientos necesarios para poder navegar: *Si no sabes nada de náutica, no podrás sacarte el título de patrón de yate.* □ SINÓNIMOS: **2** navegación. FAMILIA: → nave.

navaja [sustantivo] [femenino] Cuchillo que se dobla de forma que la parte que corta quede dentro del mango: *En la excursión se nos olvidó llevar la navaja y no pudimos partir el chorizo.* □ FAMILIA: navajazo.

navajazo [sustantivo] [masculino] Herida hecha con una navaja: *El atracador me amenazó con darme un navajazo si no le entregaba todo el dinero.* □ FAMILIA: → navaja.

naval [adjetivo] De los barcos o relacionado con ellos: *He visto una película sobre las fuerzas navales del ejército.* □ [No varía en masculino y en femenino]. FAMILIA: → nave.

navarro, rra [adjetivo o] [sustantivo] De la Comunidad Foral de Navarra, que es una comunidad autónoma española: *El territorio navarro tiene frontera con Francia.*

nave [sustantivo] [femenino] **1** Vehículo que va por el agua: *Varias naves entraron en el puerto.* **2** Vehículo que vuela por el aire o por el espacio: *Los astronautas viajan en naves espaciales.* **3** En un edificio, espacio amplio y alargado que se extiende entre dos muros: *El altar mayor de la catedral está en la nave central.* **4** Edificio grande de un solo piso que se usa como fábrica o para almacenar cosas: *Las grandes naves industriales suelen estar en las afueras de las ciudades.* □ SINÓNIMOS: **1** embarcación, barco. **2** astronave. FAMILIA: naval, navegar, navegable, navegación, navío, aeronave, astronave, náutico, aeronáutico.

navegable [adjetivo] Con las aguas lo suficientemente profundas como para que los barcos puedan navegar por ellas: *Este río no es navegable.* □ [No varía en masculino y en femenino]. FAMILIA: → nave.

navegación [sustantivo] [femenino] **1** Movimiento de un barco en el agua: *Las barcas de remos no son seguras para la navegación en alta mar.* **2** Viaje que se hace en un barco: *Colón estuvo varios meses de navegación antes de llegar a América.* **3** Conjunto de conocimientos necesarios para poder navegar: *Los marinos españoles que descubrieron América eran expertos en navegación.* □ SINÓNIMOS: **3** náutica. FAMILIA: → nave.

navegar [verbo] **1** Viajar en barco: *Nunca he navegado en yate.* **2** Moverse un barco por el agua: *El barco pirata navegaba a toda velocidad.* □ [La g se cambia en gu delante de e, como en PAGAR]. FAMILIA: → nave.

navidad [sustantivo] [femenino] Período de tiempo en el que se celebra el nacimiento de Jesucristo: *La Navidad es una fiesta muy familiar.* □

a
b
c
d
e
f
g
h
i
j
k
l
m
n
ñ
o
p
q
r
s
t
u
v
w
x
y
z

a

[En plural significa lo mismo que en singular. Se suele escribir con mayúscula]. FAMILIA: navideño.

b **navideño, ña** [adjetivo] De la Navidad o relacionado con ella: *El turrón es un dulce navideño.* □ FAMILIA: → navidad.

c

d **navío** [sustantivo] [masculino] Barco muy grande: *Los portaaviones son navíos de guerra.* □ SINÓNIMOS: buque. FAMILIA: → nave.

e **neblina** [sustantivo] [femenino] Niebla poco espesa: *La neblina da al paisaje un tono triste y melancólico.* □ FAMILIA: → niebla.

f

g **necesario, ria** [adjetivo] Que se necesita para algo: *La harina es necesaria para hacer pan.* □ SINÓNIMOS: preciso, imprescindible, indispensable. CONTRARIOS: superfluo. FAMILIA: necesidad, necesitar, necesitado, neceser.

h

i

j **neceser** [sustantivo] [masculino] Bolsa para guardar el peine, el jabón, el cepillo de dientes y otros objetos parecidos: *Al llegar al hotel, puse el neceser en el cuarto de baño.* □ [Es una palabra de origen francés]. FAMILIA: → necesario.

k

l

m

n

NECESER

ñ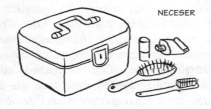

o

p **necesidad** [sustantivo] [femenino] **1** Aquello sin lo que no se puede estar: *Comer es una necesidad.* **2** Grandes ganas de hacer algo: *¿Tú no sientes la necesidad de hacer travesuras de vez en cuando?* **3** Falta de las cosas necesarias para vivir: *Se arruinaron y hoy están pasando muchas necesidades.* **4** [expresión] **hacer alguien sus necesidades** Hacer pis o caca: *Me han entrado ganas de hacer mis necesidades.* □ SINÓNIMOS: **3** pobreza, miseria. CONTRARIOS: **3** abundancia, riqueza. FAMILIA: → necesario.

q

r

s

t

u **necesitado, da** [adjetivo o] [sustantivo] Que no tiene lo necesario para vivir: *Todos tenemos que ayudar a los más necesitados.* □ SINÓNIMOS: pobre. CONTRARIOS: rico, acaudalado, adinerado, acomodado. FAMILIA: → necesario.

v

w

x **necesitar** [verbo] Tener necesidad de algo o no poder estar sin ello: *Necesitamos respirar*

y

z

para vivir. □ SINÓNIMOS: precisar, hacer falta. FAMILIA: → necesario.

necio, cia [adjetivo o] [sustantivo] Que no actúa con inteligencia: *No seas necio y deja de decir tonterías.* □ [Se usa como insulto]. SINÓNIMOS: tonto, bobo, estúpido, imbécil, idiota, burro. CONTRARIOS: listo, sabio.

nefasto, ta [adjetivo] Muy malo, muy triste o con terribles efectos: *Hoy he tenido un día nefasto porque todo me ha salido mal.* □ CONTRARIOS: afortunado.

negación [sustantivo] [femenino] **1** Palabra o expresión que se usan para decir que no: *«No» y «nunca» son negaciones.* 👉 página 340. **2** Rechazo de la existencia de algo: *La negación de Dios es propia del ateísmo.* □ CONTRARIOS: afirmación. **1** asentimiento. FAMILIA: → negar.

negado, da [adjetivo o] [sustantivo] Poco hábil en algo: *Soy una negada para el dibujo, pero se me da muy bien la gimnasia.* □ SINÓNIMOS: inepto, torpe. CONTRARIOS: hábil, capaz, mañoso, diestro. FAMILIA: → negar.

negar [verbo] **1** Decir que no: *Le pregunté si lo sabía y negó con la cabeza.* **2** Decir que algo no es cierto: *Todos decían que había sido culpa suya, pero él lo negaba.* **3** No dar lo que se pide: *Pedí permiso para llegar tarde y me lo negaron.* **4 negarse** No querer hacer algo: *Me niego a hacerlo todo yo sin que nadie me ayude.* □ [Es irregular y se conjuga como REGAR]. SINÓNIMOS: **3** prohibir. **4** rehusar. CONTRARIOS: **1,2** afirmar, asentir. **2** admitir, confesar. **3** permitir, autorizar, consentir. **3,4** acceder. **4** aceptar. FAMILIA: negación, negado, negativo, innegable, renegar.

negativo, va [adjetivo] **1** Que sirve para decir que no: *No esperaba una respuesta negativa a mi invitación.* **2** Que resulta malo o poco favorable: *El resultado del partido fue negativo para nosotros.* **3** Que siempre ve el lado malo de las cosas: *No seas tan negativo, y no pienses que todo va a salir mal.* **4** [sustantivo] [masculino] Material transparente a partir del cual se sacan en papel las copias de las fotografías: *No puedo sacar copias de esta foto porque he perdido el negativo.* **5** [sustantivo] [femenino] Negación o rechazo de algo que se pide: *No acepto negativas, así que tenéis que venir todos a mi fiesta.* □ SINÓNIMOS: **3** pesimista. CONTRARIOS: **1** afirmativo. **2,3** positivo. **3** optimista. FAMILIA: → negar.

negociar [verbo] **1** Tratar con alguien para comprar o vender algo: *Estamos negociando la compra de un piso.* **2** Intentar ponerse de acuerdo sobre un asunto: *Hemos negociado que unos hacen la comida y otros friegan los cacharros.* □ FAMILIA: → negocio.

negocio [sustantivo][masculino] **1** Actividad con la que se espera ganar dinero: *Le han salido mal los negocios y se ha arruinado.* **2** Local comercial: *En la esquina han abierto un negocio de importación de ordenadores.* □ FAMILIA: negociar.

negro, gra [adjetivo] **1** De color muy oscuro: *Seguro que habrá tormenta, porque las nubes son muy negras.* **2** Triste, malo o con poca suerte: *Hoy he tenido un día negro y todo me ha salido mal.* **3** Enfadado o de muy mal humor: *Mi hermana me tiene negro porque me echa las culpas de todo.* **4** [adjetivo o][sustantivo] Que es de una raza que se caracteriza por el color oscuro de la piel y el pelo rizado: *En África hay muchas personas de raza negra.* **5** [adjetivo o sus-][tantivo masculino] Del color del carbón: *Las noches sin luna son muy negras.* 👁 página 160. **6** [expresión] **tener la negra** Tener muy mala suerte: *Mi equipo tiene la negra y pierde siempre.* □ CONTRARIOS: **1** blanco, claro. **5** blanco. FAMILIA: negrura, negruzco.

negrura [sustantivo][femenino] Color negro: *Una de las características del carbón es la negrura.* □ CONTRARIOS: blancura. FAMILIA: → negro.

negruzco, ca [adjetivo] De color parecido al negro: *El humo de la chimenea ha puesto negruzcas las paredes.* □ CONTRARIOS: blancuzco. FAMILIA: → negro.

nene, na [sustantivo] Niño pequeño: *Dale el chupete al nene para que no llore.*

nenúfar [sustantivo][masculino] Planta de flores grandes que flota en el agua: *En el estanque del parque hay nenúfares.* 👁 página 346.

nervio [sustantivo][masculino] **1** Parte del cuerpo que hace llegar las sensaciones al cerebro: *Los nervios están distribuidos por todo el cuerpo.* **2** En la carne, parte blanca que es muy dura: *No digas que el filete está duro, porque no tiene ningún nervio.* **3** En una planta, cada uno de los hilos gruesos que hay en la superficie de las hojas: *Al tocar las hojas de*

los árboles por debajo, se notan los nervios. **4** Fuerza, energía o ganas de hacer cosas: *No seas tan pasivo y haz las cosas con un poco más de nervio.* **5** [plural] Estado de una persona cuando está muy excitada: *Cuando voy a hacer un examen, siempre me entran los nervios.* □ SINÓNIMOS: **4** vigor, vitalidad. **5** nerviosismo. CONTRARIOS: **5** tranquilidad, serenidad, sosiego, paz. FAMILIA: nervioso, nerviosismo.

nerviosismo [sustantivo][masculino] Estado de una persona cuando está muy excitada: *El día de las vacaciones se nota mucho nerviosismo en los alumnos.* □ SINÓNIMOS: nervios. CONTRARIOS: tranquilidad, serenidad, sosiego, paz, aplomo. FAMILIA: → nervio.

nervioso, sa [adjetivo] **1** De los nervios o relacionado con ellos: *El sistema nervioso transmite las sensaciones al cerebro.* **2** Que no está tranquilo o que se excita fácilmente: *El día antes de irme de vacaciones me pongo muy nervioso.* □ SINÓNIMOS: inquieto. CONTRARIOS: tranquilo. FAMILIA: → nervio.

neto, ta [adjetivo] **1** Puro, sin nada añadido: *El peso neto de una lata de guisantes es el peso de los guisantes sin el líquido.* **2** Claro y bien determinado: *Conservo un neto recuerdo de aquellos días.* □ SINÓNIMOS: **2** limpio. CONTRARIOS: **1** bruto.

neumático, ca 1 [adjetivo] Que se hincha con aire: *En verano, en la playa se ven muchas lanchas neumáticas.* **2** [sustantivo][masculino] Tubo de goma lleno de aire que forma parte de una rueda: *Un neumático de la bici se me pinchó con un clavo.*

neutral [adjetivo o][sustantivo] Que no está ni a favor ni en contra de algo: *Un árbitro tiene que ser neutral.* □ [No varía en masculino y en femenino]. FAMILIA: → neutro.

neutro, tra [adjetivo o sus-][tantivo masculino] En gramática, del género que no es ni masculino ni femenino: *El artículo «lo» es neutro.* □ FAMILIA: neutral.

nevada [sustantivo][femenino] Caída de nieve o cantidad de nieve que ha caído: *Con esta nevada no se puede salir a la calle.* □ FAMILIA: → nieve.

nevar [verbo] Caer nieve: *En las montañas muy altas nieva mucho.* □ [Es irregular y se conjuga como PENSAR]. FAMILIA: → nieve.

nevera [sustantivo][femenino] Electrodoméstico que sirve para conservar fríos los alimentos y las be-

a b c d e f g h i j k l m **n** ñ o p q r s t u v w x y z

a b c d e f g h i j k l m **n** ñ o p q r s t u v w x y z

bidas: *Los yogures se guardan en la nevera.* □ Sinónimos: frigorífico, refrigerador.

ni [conjunción] Se usa para unir frases negativas: *No me gusta ni la carne ni el pescado.*

nicho [sustantivo][masculino] **1** Hueco hecho en un muro para enterrar a un muerto: *En todos los cementerios hay paredes llenas de nichos.* **2** Hueco hecho en un muro para poner dentro un objeto: *En la fachada de la iglesia había un nicho con una escultura de la Virgen.*

NICHO

nicotina [sustantivo][femenino] Sustancia que tiene el tabaco: *La nicotina es perjudicial para la salud.*

nido [sustantivo][masculino] **1** Lugar que se construyen las aves para vivir y poner huevos: *En la torre de la iglesia hay un nido de cigüeñas.* **2** Lugar en el que viven algunos animales: *En el jardín hay un nido de lagartijas.* **3** Parte de un hospital en la que están los recién nacidos: *En el nido del hospital había cuatro recién nacidos.* □ Familia: anidar.

niebla [sustantivo][femenino] Nubes tan bajas que llegan al suelo: *Cuando hay niebla no se ve lo que está lejos.* □ Familia: neblina.

nieto, ta [sustantivo] Lo que es una persona en relación con sus abuelos: *Soy el nieto preferido de mis abuelos.* □ Familia: bisnieto, biznieto, tataranieto.

nieve [sustantivo][femenino] Agua helada que cae de las nubes: *La nieve cae en copos.* □ Familia: nevar, nevada, quitanieves. 👁 página 17.

ningún [pronombre][indefinido] Ninguno: *No quiero ningún pastel, gracias.* □ [Va siempre delante de un sustantivo masculino singular].

ninguno, na [pronombre][indefinido] Ni una sola persona o cosa: *Ninguno de nosotros sabe cómo ir a tu casa. No tengo ninguna canica roja.* □

[Cuando *ninguno* va delante de un sustantivo masculino se cambia por *ningún*: *ningún niño*].

niñería [sustantivo][femenino] Cosa sin importancia: *No te enfades por esas niñerías.* □ Sinónimos: pequeñez, tontería, bobada, chorrada. Familia: → niño.

niñero, ra [sustantivo] Persona que está en una casa para cuidar a los niños: *Cuando era pequeño me cuidaba una niñera.* □ Familia: → niño.

niñez [sustantivo][femenino] Primer período de la vida de una persona, desde que nace hasta los doce o catorce años: *Mi abuela nos cuenta aventuras de su niñez.* □ Sinónimos: infancia. Familia: → niño.

niño, ña 1 [sustantivo] Persona que tiene pocos años: *Todos los niños tienen que ir al colegio.* **2** [expresión] **niña de los ojos** Círculo negro y pequeño que está en el centro del ojo: *Cuando hay mucha luz, la niña de los ojos se cierra un poco.* □ Sinónimos: **2** pupila. Familia: niñez, niñero, niñería.

[niqui [sustantivo][masculino] Prenda de vestir deportiva con botones hasta la mitad del pecho: *En verano siempre voy con un niqui y pantalón corto.* □ [Es una palabra de origen inglés].

níspero [sustantivo][masculino] Árbol cuyo fruto es redondo, de color naranja suave, y comestible: *Los nísperos son una fruta de verano.*

nivel [sustantivo][masculino] **1** Altura hasta la que llega una cosa: *El nivel del río subirá si llueve mucho.* **2** Grado, categoría o situación: *¿En qué nivel de francés estás matriculado?* □ Familia: desnivel.

no [adverbio] **1** Se usa para negar o para responder de forma negativa: *No quiero ir. Le pedí la bici y me dijo que no.* **2** En preguntas, se usa para pedir permiso o cuando se espera una respuesta afirmativa: *Puedo ir con mis amigos, ¿no?* □ [Su plural es nos o noes (más culto)]. Contrarios: **1** sí.

noble 1 [adjetivo] Que tiene un carácter digno de admiración y respeto: *La mentira no es propia de una persona noble.* **2** [adjetivo o][sustantivo] Que pertenece a la clase más alta de la sociedad por su origen familiar: *Los marqueses son nobles.* □ [No varía en masculino y en femenino]. Contrarios: ruin. Familia: nobleza.

nobleza [sustantivo][femenino] **1** Grupo social formado por las personas que pertenecen a la clase más alta por su origen familiar: *Duques y condes forman parte de la nobleza.* **2** Forma de ser que merece admiración y respeto: *Ser capaz de perdonar las faltas de los demás demuestra nobleza.* □ FAMILIA: → noble.

noche **1** [sustantivo] [femenino] Período de tiempo desde que el Sol se pone hasta que vuelve a salir: *Las estrellas se ven de noche.* **2** [expresión] **buenas noches** Se usa para saludar cuando el Sol se ha puesto: *Buenas noches a todos, que me voy a acostar.* **de la noche a la mañana** En muy poco tiempo: *De la noche a la mañana, el barrio se ha llenado de tiendas.* **hacer noche** Detenerse para dormir: *Como el viaje será largo, haremos noche a mitad de camino.* **pasar la noche en blanco** Pasarla sin dormir: *Pasé la noche en blanco porque me dolía la tripa.* □ CONTRARIOS: **1** día. FAMILIA: nocturno, nochebuena, nochevieja, medianoche, anochecer, anoche, anteanoche, trasnochar.

nochebuena [sustantivo] [femenino] Fiesta en la que se celebra el nacimiento de Jesucristo: *La Nochebuena es el 24 de diciembre.* □ [Se escribe también *noche buena*. Se suele escribir con mayúscula]. FAMILIA: → noche.

nochevieja [sustantivo] [femenino] Última noche del año: *La Nochevieja es el 31 de diciembre.* □ [Se escribe también *noche vieja*. Se suele escribir con mayúscula]. FAMILIA: → noche.

noción [sustantivo] [femenino] **1** Idea, conocimiento o sensación que uno tiene de algo: *Cuando juegas, pierdes la noción del tiempo.* **2** Primeros conocimientos que se tienen de algo: *Sólo tengo nociones de inglés, y cuando estuve en Inglaterra no entendía nada.*

nocivo, va [adjetivo] Que es malo para la salud: *El tabaco es nocivo para la salud.* □ SINÓNIMOS: perjudicial, dañino, pernicioso. CONTRARIOS: bueno, saludable.

nocturno, na [adjetivo] De la noche o relacionado con ella: *La lechuza es un ave de vida nocturna.* □ FAMILIA: → noche.

nogal [sustantivo] [masculino] Árbol que da nueces: *La madera de nogal es rojiza.* □ FAMILIA: → nuez.

nómada [adjetivo o sustantivo] Que no vive siempre en el mismo lugar, sino que va cambiando de sitio: *Las tribus del desierto son tribus nómadas.* □ [No varía en masculino y en femenino].

nombrar [verbo] **1** Decir el nombre de algo: *Cuando el profesor pasa lista en clase nos va nombrando a todos uno por uno.* **2** Elegir para realizar una actividad: *Me nombraron delegada.* □ SINÓNIMOS: **1** mencionar, citar. **2** designar. FAMILIA: → nombre.

nombre [sustantivo] [masculino] **1** Palabra con la que se llama a las cosas: *¿Cuál es el nombre de esta flor?* **2** Clase de palabra que sirve para nombrar a personas, animales o cosas: *«Pez» y «grifo» son nombres, y «dormir» y «querer» son verbos.* **3** [expresión] **en nombre de alguien** En su lugar: *El delegado habló en nombre de toda la clase.* **no tener nombre** Ser terrible o muy malo: *Lo que has hecho no tiene nombre.* **nombre común** El que sirve para nombrar a cualquier persona o cosa que forma parte de un conjunto: *«Planeta», «hermano» y «país» son nombres comunes.* **nombre de pila** El de una persona: *Mi nombre de pila es María y mi apellido, Sanz.* **nombre propio** El que sirve para nombrar a una persona o una cosa determinadas: *«Marte», «Carlos» y «España» son nombres propios y se escriben con mayúscula inicial.* □ SINÓNIMOS: **2** sustantivo. FAMILIA: nombrar, pronombre.

non [adjetivo o sustantivo masculino] Impar: *El 1, el 3 y el 5 son nones.* □ [Cuando es adjetivo no varía en masculino y en femenino]. CONTRARIOS: par.

nordeste [sustantivo] [masculino] Lugar entre el Norte y el Este: *Cataluña está en el nordeste de la península Ibérica.* □ FAMILIA: → norte.

noria [sustantivo] [femenino] **1** Diversión de feria que consiste en una rueda muy grande con asientos, que gira despacio: *Desde lo alto de la noria se veía todo el parque de atracciones.* **2** Rueda que gira y tiene muchos cubos que entran vacíos en el agua y salen llenos: *La noria es un sistema antiguo de sacar agua.*

NORIA

a
b
c
d
e
f
g
h
i
j
k
l
m
n
ñ
o
p
q
r
s
t
u
v
w
x
y
z

norma [sustantivo] [femenino] Regla que se debe seguir para hacer algo bien: *Para conducir se deben seguir las normas de circulación.* □ FAMILIA: normal, normalidad, anormal, subnormal.

normal [adjetivo] **1** Que no sorprende, porque sucede siempre así: *Lo normal es que en verano haga calor.* **2** Que no destaca y es como muchos otros: *Es una chica muy normal.* □ [No varía en masculino y en femenino]. SINÓNIMOS: común, corriente, ordinario. **1** habitual, natural, lógico, usual. CONTRARIOS: anormal, raro. **1** insólito. **2** chocante, original. FAMILIA: → norma.

normalidad [sustantivo] [femenino] **1** Ausencia de sorpresa cuando sucede algo que siempre es así: *La normalidad del tráfico es total a estas horas.* **2** Ausencia de características diferentes: *Debes comportarte con normalidad para no llamar la atención.* □ CONTRARIOS: rareza. FAMILIA: → norma.

noroeste [sustantivo] [masculino] Lugar entre el Norte y el Oeste: *Galicia está en el noroeste de la península Ibérica.* □ FAMILIA: → norte.

norte [sustantivo] [masculino] Lugar que está a la izquierda cuando miramos hacia donde sale el Sol: *La brújula señala siempre el Norte.* □ [Cuando es el punto cardinal, se suele escribir con mayúscula]. CONTRARIOS: sur, mediodía. FAMILIA: nordeste, noroeste.

nos [pronombre] [personal] Indica la primera persona del plural y equivale a *nosotros* o *nosotras*: *Nos han traído fresas.* □ [No varía en masculino y en femenino. Se usa para formar algunos verbos: *nos acordaremos*]. FAMILIA: → nosotros.

nosotros, tras [pronombre] [personal] Indica la primera persona del plural: *Nosotros vamos a ir al cine esta tarde.* □ [Funciona como sujeto: *Nosotros comemos pan*]. FAMILIA: nos, nuestro.

nostalgia [sustantivo] [femenino] Sensación de pena por haber perdido algo bueno: *Recuerdo con nostalgia las vacaciones del verano pasado.*

nota [sustantivo] [femenino] **1** Texto escrito de pocas palabras: *Ayer estuve enferma y mis padres escribieron una nota para el profesor.* **2** Valor que se da a un ejercicio o a un examen: *Si sacas malas notas, te quedarás sin ver la tele.* **3** Sonido musical: *Las siete notas de la escala musical son do, re, mi, fa, sol, la, si.* **4** Papel en el que pone lo que hay que pagar: *Camarero, por favor, ¿nos trae la nota?* **5** [expresión] **dar la nota** Destacar o llamar la atención: *¿Es que siempre tienes que dar la nota cuando hay visitas?* □ SINÓNIMOS: **2** calificación. **4** cuenta, factura. FAMILIA: notar, anotar, anotación, notable.

notable 1 [adjetivo] Que destaca por sus cualidades o por su importancia: *Mi abuelo fue un notable político.* **2** [sustantivo] [masculino] Nota que indica que se ha aprobado de sobra: *El notable está entre el aprobado y el sobresaliente.* □ [El significado **1** no varía en masculino y en femenino]. SINÓNIMOS: **1** importante, grande, estimable. FAMILIA: → nota.

notar [verbo] Darse cuenta de algo: *Enseguida noté que me habían hurgado en el cajón.* □ SINÓNIMOS: percatarse, advertir, observar, reparar. FAMILIA: → nota.

notario, ria [sustantivo] Persona cuyo trabajo consiste en asegurar que algo es verdad: *El sorteo se celebró ante notario.*

noticia [sustantivo] [femenino] **1** Información sobre algo: *Hace tiempo que no tengo noticias de mi prima.* **2** Acontecimiento o suceso recientes: *¿Has oído las noticias en la radio?* □ SINÓNIMOS: nueva. **2** novedad.

novatada [sustantivo] [femenino] Broma pesada que los viejos de un grupo gastan a los nuevos: *La primera vez que fui a un campamento me gastaron la novatada de ponerme crema de afeitar en el cepillo de dientes.* □ FAMILIA: → nuevo.

novato, ta [adjetivo o] [sustantivo] Que no tiene experiencia: *Soy novata con la bicicleta, y me caigo mucho.* □ SINÓNIMOS: inexperto, principiante. CONTRARIOS: experto, maestro. FAMILIA: → nuevo.

novecientos, tas [pronombre] [numeral] Número 900: *Novecientos es nueve veces cien.* □ FAMILIA: → nueve.

novedad [sustantivo] [femenino] **1** Carácter de lo que es nuevo o no se conoce: *El primer nieto es siempre el centro de atención por la novedad.* **2** Lo que es nuevo o reciente: *Ya han puesto en los escaparates las novedades de primavera.* **3** Cambio o diferencia: *Todo sigue igual, sin novedad.* **4** Acontecimiento o suceso recientes: *Que prefiero las vacaciones al colegio no es ninguna novedad.* □ SINÓNIMOS: **3** variación, transformación, alteración, modificación. **4** noticia, nueva. CON-TRARIOS: **1** antigüedad. FAMILIA: → nuevo.

novela [sustantivo femenino] Historia larga que se cuenta por escrito: *Me encanta leer novelas de aventuras.* □ FAMILIA: novelista.

novelista [sustantivo] Persona que escribe relatos largos: *Julio Verne es un famoso novelista francés.* □ [No varía en masculino y en femenino]. FAMILIA: → novela.

noveno, na [pronombre numeral] **1** Que ocupa el lugar número nueve en una serie: *Vivo en el noveno piso.* **2** Una de las nueve partes en que algo se ha dividido: *Como somos nueve, a cada uno nos corresponde la novena parte de la tarta.* **3** [sustantivo femenino] Conjunto de oraciones que se repiten durante nueve días seguidos: *A principios de diciembre se reza en mi parroquia una novena a la Virgen.* □ FAMILIA: → nueve.

noventa [pronombre numeral] Número 90: *Mi bisabuela tiene noventa años.* □ [No varía en masculino y en femenino]. FAMILIA: → nueve.

noviazgo [sustantivo masculino] Relación entre dos personas que se quieren y que piensan casarse: *El noviazgo de mis padres duró tres años.* □ FAMILIA: → novio.

noviembre [sustantivo masculino] Mes número once del año: *Noviembre está entre octubre y diciembre.*

novillo, lla 1 [sustantivo] Hijo del toro cuando ya tiene dos o tres años: *En la plaza se lidiaron seis novillos de una conocida ganadería.* **2** [expresión] **hacer novillos** Faltar a clase sin permiso: *Cuando se enteraron mis padres de que había hecho novillos me regañaron.*

novio, via [sustantivo] **1** Persona que tiene relación con otra porque la quiere y quiere casarse con ella: *Mi hermana me ha presentado a su novio.* **2** Persona que acaba de casarse: *Al terminar la ceremonia, todos tiramos arroz a los novios.* □ SINÓNIMOS: prometido. FAMILIA: noviazgo.

nubarrón [sustantivo masculino] Nube muy grande y oscura: *El cielo se cubrió de nubarrones y hubo tormenta.* □ FAMILIA: → nube.

nube [sustantivo femenino] **1** Masa blanca o gris que hay en el cielo y que está formada por pequeñas gotas de agua: *Las nubes blancas parecen de algodón.* **2** Gran cantidad de alguna

cosa: *Sobre el charco había una nube de mosquitos.* ☛ página 710. **3** [expresión] **estar en las nubes** No estar atento: *Esta niña está en las nubes y nunca se entera de nada.* **estar por las nubes** Estar muy caro: *En esta época los fresones están por las nubes.* **poner por las nubes** Hablar muy bien de alguien o de algo: *Vengo contento, porque he hablado con tu profesora y te ha puesto por las nubes.* □ FAMILIA: nubarrón, nublar, nuboso.

nublar [verbo] **1** Hacer perder claridad: *Noté que me mareaba porque se me nubló la visión.* **2 nublarse** Llenarse de nubes: *Si el cielo se nubla, no saldremos de excursión.* □ SINÓNIMOS: **2** cubrirse, cerrarse. CONTRARIOS: **2** abrir, despejar, clarear, aclarar. FAMILIA: → nube.

nuboso, sa [adjetivo] Con muchas nubes: *El día está nuboso, pero no hace frío.* □ FAMILIA: → nube.

nuca [sustantivo femenino] Parte de atrás de la cabeza: *Es muy peligroso darse un golpe en la nuca.*

NUCA

nuclear [adjetivo] Que emplea la energía que se encuentra en los núcleos de los átomos: *Las centrales nucleares producen mucha energía eléctrica.* □ [No varía en masculino y en femenino]. SINÓNIMOS: atómico. FAMILIA: → núcleo.

núcleo [sustantivo masculino] **1** Parte central, principal o más importante: *En un átomo hay que distinguir el núcleo y la corteza.* **2** Zona donde hay cosas con características en común: *El tráfico es un problema en los grandes núcleos urbanos.* □ FAMILIA: nuclear.

nudillo [sustantivo masculino] Parte de los dedos por donde se doblan: *El timbre no funcionaba y tuve que llamar con los nudillos.* □ [Se usa más en plural]. FAMILIA: → nudo.

nudista [adjetivo o sustantivo] Que quiere vivir desnudo y en contacto con la naturaleza porque cree que la ropa no es natural: *Ésa es una playa* *de nudistas.* ☐ [No varía en masculino y en femenino]. FAMILIA: → desnudo.

nudo [sustantivo][masculino] **1** Lazo que se aprieta cuando se tira de sus dos extremos: *Ata el saco con una cuerda y aprieta bien el nudo.* **2** Bulto del tronco o del tallo de una planta: *Las ramas y las hojas de los árboles nacen por los nudos.* **3** Lugar en el que se unen o se cruzan varias cosas: *En un nudo ferroviario se cruzan varias vías.* **4** Relación estrecha entre personas: *Están unidos por los nudos de una vieja amistad.* **5** Parte en la que ocurre lo más importante y complicado de una historia: *El nudo de la novela se resuelve en el último capítulo.* **6** Medida de velocidad que se usa en el mar: *Los barcos miden la velocidad en nudos.* **7** Sensación de pena o de miedo: *Cuando me despido de alguien siempre se me pone un nudo en la garganta.* ☐ SINÓNIMOS: **4** lazo. FAMILIA: nudillo.

nuera [sustantivo][femenino] Lo que es una mujer en relación con los padres de su marido: *Las mujeres de mis hijos son mis nueras.* ☐ [Su masculino es yerno].

nuestro, tra [pronombre][posesivo] Indica que algo pertenece a la primera persona del plural: *Esos libros son suyos, pero éstos son nuestros.* ☐ FAMILIA: → nosotros.

nueve [pronombre][numeral] Número 9: *Las personas nacemos después de nueve meses de gestación.* ☐ [No varía en masculino y en femenino]. FAMILIA: noventa, novecientos, noveno.

nuevo, va [adjetivo] **1** Sin usar o poco usado: *No tires esta mochila, que todavía está nueva.* **2** Que se hace o se consigue por primera vez: *¿Te gusta mi nuevo peinado?* **3** Que se oye, se ve u ocurre por primera vez: *Como no me había enterado de esa noticia, es nueva para mí.* **4** Distinto de lo que existía o de lo que se conocía antes: *He visto una nueva película sobre esa misma historia.* **5** Muy descansado: *Después de dormir la siesta me he quedado nueva.* **6** [adjetivo o][sustantivo] Recién llegado a un lugar o a un grupo: *Hay dos chicos nuevos en clase.* **7** [sustantivo][femenino] Información sobre un suceso que no se conoce: *Cuando me dieron la buena nueva salté de alegría.* **8** [expresión] **de nuevo** Otra vez: *Haz el dibujo de nuevo y con más cuidado.* ☐ SINÓNIMOS: **7** novedad, noticia. CONTRARIOS:

1-4 viejo, antiguo. **3** conocido. **6** viejo. FAMILIA: novedad, novato, novatada, renovar, renovación.

nuez [sustantivo][femenino] **1** Fruto seco cuya cáscara es muy dura, con arrugas, de color marrón claro y que se abre en dos partes iguales: *La nuez es el fruto del nogal.* **2** Bulto que las personas tenemos en el cuello por delante: *La nuez se mueve al tragar.* ☐ [Su plural es nueces]. FAMILIA: nogal, cascanueces.

nulidad [sustantivo][femenino] Carácter de lo que no vale o no sirve para algo: *El árbitro indicó la nulidad del gol.* ☐ CONTRARIOS: validez. FAMILIA: → nulo.

nulo, la [adjetivo] Que no vale, no es útil o no sirve: *La salida de la carrera ha sido nula porque uno de los participantes salió antes de tiempo.* ☐ CONTRARIOS: válido. FAMILIA: nulidad, anular.

numeración [sustantivo][femenino] **1** Hecho de poner un número a una cosa: *La numeración de los portales de las casas nos permite encontrar una dirección.* **2** Sistema para expresar las cantidades: *Los signos de las numeraciones no son los mismos en todas partes.* **3** [expresión] **numeración arábiga** La que está formada por los números 0, 1, 2, 3, 4, 5, 6, 7, 8 y 9: *La numeración arábiga la trajeron a Europa los árabes.* **numeración romana** La que está formada por las letras I, V, X, L, C, D y M: *En la numeración romana la letra «D» equivale al número 500.* ☐ FAMILIA: → número.

numerador [sustantivo][masculino] En matemáticas, número que indica cuántas partes se cogen de la unidad: *En el quebrado 3/8, el numerador es 3.* ☐ CONTRARIOS: denominador. FAMILIA: → número.

numeral [adjetivo] Del número o relacionado con él: *El número 10 del sistema numeral español corresponde al X del sistema numeral romano.* ☐ [No varía en masculino y en femenino]. FAMILIA: → número.

numerar [verbo] Señalar con un número: *Numera las hojas sueltas de tu redacción para saber cómo hay que colocarlas.* ☐ [Es distinto de enumerar, que significa exponer por orden una serie de cosas]. FAMILIA: → número.

número [sustantivo][masculino] **1** Concepto matemático que expresa una cantidad con relación a una unidad: *Tenemos el mismo número de dedos en las manos que en los pies.* **2** Forma de escribir esta cantidad: *Los romanos escribían el número 5 como V.* **3** Cantidad no determinada: *En la fiesta había un gran número de personas.* **4** Cada una de las partes que forman un espectáculo: *Después de este cantante habrá un número de magia.* **5** Situación con la que se llama la atención: *¿Por qué montas este número cada vez que vamos al dentista?* **6** Revista o periódico que se publica en una fecha determinada: *Ya ha salido el número de agosto de esta revista.* **7** En gramática, singular y plural: *La palabra «flor» es de número singular y «flores», de número plural.* **8** [expresión] **número primo** El que sólo puede dividirse por sí mismo o por la unidad: *5 y 7 son números primos.* □ SINÓNIMOS: **2** cifra. **5** circo, espectáculo. FAMILIA: numerar, numeración, numeral, numeroso, numerador, innumerable, enumerar, enumeración.

numeroso, sa [adjetivo] Que tiene gran cantidad de elementos: *Soy de una familia numerosa porque somos siete hermanos.* □ SINÓNIMOS: cuantioso. CONTRARIOS: escaso, corto. FAMILIA: → número.

nunca [adverbio] En ningún momento: *Estoy triste porque nunca te acuerdas de mí.* □ SINÓNIMOS: jamás. CONTRARIOS: siempre.

nutria [sustantivo femenino] Animal que tiene el cuerpo delgado, alargado y cubierto de un pelo muy suave: *Las nutrias viven en las orillas de los ríos y nadan muy bien.*

NUTRIA

nutrición [sustantivo femenino] Función por medio de la cual se alimentan los seres vivos: *La nutrición permite a los seres vivos obtener la energía que necesitan.* □ FAMILIA: → nutrir.

nutrir [verbo] **1** Dar los alimentos necesarios para vivir: *Los animales carnívoros se nutren de carne.* **2** Dar nuevas fuerzas: *Tu alegría nutre mi esperanza.* **3** Proporcionar, suministrar o llenar: *Este manantial nutre de agua a todo el pueblo.* □ SINÓNIMOS: **1,2** alimentar, mantener. FAMILIA: nutritivo, nutrición.

nutritivo, va [adjetivo] Que alimenta: *Las golosinas no son nada nutritivas.* □ SINÓNIMOS: alimenticio. FAMILIA: → nutrir.

numeración		
romana	**arábiga**	**cardinales**
I	1	*uno*
II	2	*dos*
III	3	*tres*
IV	4	*cuatro*
V	5	*cinco*
VI	6	*seis*
VII	7	*siete*
VIII	8	*ocho*
IX	9	*nueve*
X	10	*diez*
XI	11	*once*
XII	12	*doce*
XIII	13	*trece*
XIV	14	*catorce*
XV	15	*quince*
XVI	16	*dieciséis*
XVII	17	*diecisiete*
XVIII	18	*dieciocho*
XIX	19	*diecinueve*
XX	20	*veinte*
XXI	21	*veintiuno*
XXII	22	*veintidós*
XXIII	23	*veintitrés*
XXIV	24	*veinticuatro*
XXV	25	*veinticinco*
XXVI	26	*veintiséis*
XXVII	27	*veintisiete*
XXVIII	28	*veintiocho*
XXIX	29	*veintinueve*
XXX	30	*treinta*
XL	40	*cuarenta*
L	50	*cincuenta*
LX	60	*sesenta*
LXX	70	*setenta*
LXXX	80	*ochenta*
XC	90	*noventa*
C	100	*cien, ciento*
CC	200	*doscientos*
CCC	300	*trescientos*
CD	400	*cuatrocientos*
D	500	*quinientos*
DC	600	*seiscientos*
DCC	700	*setecientos*
DCCC	800	*ochocientos*
CM	900	*novecientos*
M	1.000	*mil*
MM	2.000	*dos mil*

a b c d e f g h i j k l m **n** ñ o p q r s t u v w x y z

Ñ ñ

a
b
c
d
e
f
g
h
i
j
k
l
m
ñ
o
p
q
r
s
t
u
v
w
x
y
z

ñ [sustantivo] [femenino] Letra número quince del abecedario: *La tercera letra de «niño» es una «ñ».* □ [Su nombre es eñe].

ñandú [sustantivo] [masculino] Ave parecida al avestruz, pero más pequeña: *El ñandú vive en América del Sur.* □ [Su plural es ñandús o ñandúes (más culto)].

ÑANDÚ

ñoñería [sustantivo] [femenino] Lo que resulta característico de las personas tímidas, sosas o poco seguras: *Eres muy cursi y no haces más que ñoñerías.* □ FAMILIA: → ñoño.

ñoño, ña [adjetivo o] [sustantivo] De carácter tímido, soso o poco seguro: *No seas ñoño y ven a mi fiesta de cumpleaños, aunque no conozcas a todos mis amigos.* □ FAMILIA: ñoñería.

ñu [sustantivo] [masculino] Animal de color oscuro que tiene la cabeza grande con dos cuernos curvos y una especie de barba: *El ñu es un animal africano que suele vivir en rebaños con las cebras.* □ [Su plural es ñus o ñúes (más culto)].

oficina

ventanal

carpeta

archivador

escritorio

silla de ruedas

papelera

sobre

calendario

tijeras

lápiz

rotulador

capucha

grapadora

clip

pluma

sacapuntas

goma

rape

raya

pez espada

pez sierra

banco de sardinas

mero

tiburón

bacalao

anguila

trucha

lubina

lucio

salmón

pez tropical

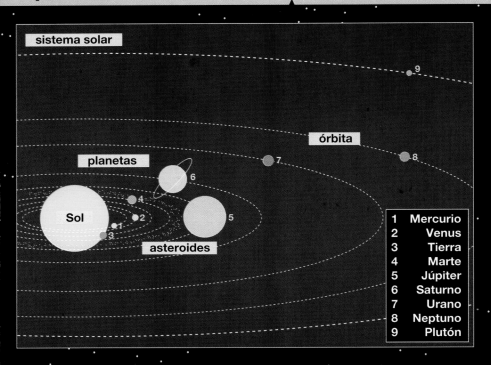

sistema solar

planetas

órbita

Sol

asteroides

9

7

8

6

4

2

1
3

5

1	Mercurio
2	Venus
3	Tierra
4	Marte
5	Júpiter
6	Saturno
7	Urano
8	Neptuno
9	Plutón

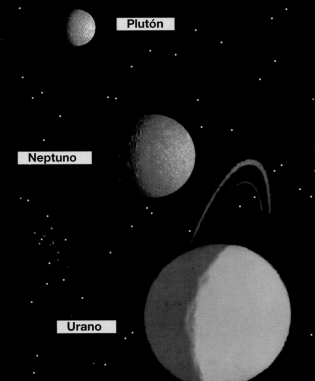

Plutón

Saturno

Neptuno

Urano

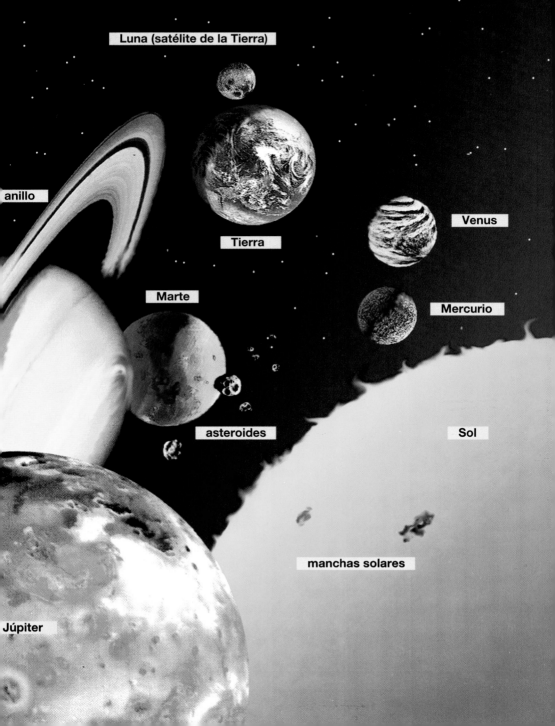

Luna (satélite de la Tierra)

anillo

Venus

Tierra

Marte

Mercurio

asteroides

Sol

manchas solares

Júpiter

pieza

fragmento

fracción

sección

dosis

toma

rodaja

loncha

rebanada

raja

tajada

porción

pincho

taco

ración

O o

o **1** [sustantivo] [femenino] Letra número dieciséis del abecedario: *«Obra» empieza por «o».* [conjunción] **2** Se usa para añadir otra posibilidad: *No sé si elegir el rojo o el azul.* **3** Se usa para añadir una explicación: *¿Me puedes dar una hoja o un papel para apuntar tu dirección?* **4** [expresión] **no saber hacer la «o» con un canuto** No saber nada: *No entiendo cómo ha conseguido un puesto tan importante, si no sabe hacer la «o» con un canuto.* **o sea** Se usa para añadir una explicación: *Esta tarde tengo entrenamiento, o sea, que llegaré más tarde.* □ [No confundir con oh. El plural del significado **1** es os u oes (más culto). Cuando es conjunción y va delante de una palabra que empieza por o-, ho-, se usa la forma u: *Ha llegado séptimo u octavo.* La expresión *No saber hacer la «o» con un canuto* es coloquial. Cuando puede confundirse con el número cero, debe escribirse con tilde: 10 ó 0,5].

oasis [sustantivo] [masculino] Lugar en medio del desierto donde hay plantas y agua: *Los camellos bebieron agua en el oasis.* □ [No varía en singular y en plural].

obedecer [verbo] **1** Hacer lo que una persona manda: *Obedece a tu hermano mayor y cruza la calle cuando él te diga.* **2** Cumplir una orden o una norma: *Todos los ciudadanos debemos obedecer las leyes.* **3** Tener una cosa el efecto que quiere la persona que la dirige: *Intenté frenar, pero los frenos no me obedecieron.* **4** Tener origen o tener principio: *La debilidad que sientes obedece a una falta de vitaminas.* □ [Es irregular y se conjuga como PARECER]. SINÓNIMOS: **4** provenir, proceder, nacer, venir. CONTRARIOS: desobedecer. **1** mandar, ordenar. FAMILIA: obediencia, obediente, desobedecer, desobediencia, desobediente.

obediencia [sustantivo] [femenino] Forma de actuar cuando se cumple lo que hay que hacer: *La obediencia a los superiores es uno de los votos que tienen los religiosos de algunas comunidades.* □ CONTRARIOS: desobediencia. FAMILIA: → obedecer.

obediente [adjetivo] Que cumple lo que se le manda: *Si le pides que te haga algo, lo hará enseguida, porque es muy obediente.* □ [No varía en masculino y en femenino]. SINÓNIMOS: dócil. CONTRARIOS: desobediente. FAMILIA: → obedecer.

obelisco [sustantivo] [masculino] Construcción vertical muy alta y que termina en punta: *En el centro de la plaza hay un obelisco que conmemora la victoria en una batalla.*

OBELISCO

obesidad [sustantivo] [femenino] Gran cantidad de carnes y de grasas de una persona: *La obesidad puede ocasionar problemas de salud.* □ SINÓNIMOS: gordura. CONTRARIOS: delgadez. FAMILIA: → obeso.

obeso, sa [adjetivo o] [sustantivo] Demasiado gordo: *El médico me ha puesto un régimen para adelgazar porque estoy obeso.* □ CONTRARIOS: delgado, flaco. FAMILIA: obesidad.

obispo [sustantivo] [masculino] Sacerdote encargado de los asuntos de religión de una zona geográfica grande: *Varios obispos españoles viajaron a Roma para hablar con el Papa.* □ FAMILIA: arzobispo.

objeción **1** [sustantivo] [femenino] Dificultad que se pone para hacer algo: *Siempre que propongo algo, te parece mal y pones objeciones.* **2** [expresión] **objeción de conciencia** Conjunto de ideas que tiene una persona y que le impiden realizar el servicio militar: *Si declaras objeción de conciencia, en lugar de hacer la mili tendrás que hacer un servicio social, ayudando en un hospital o algo parecido.* □ SINÓNIMOS: **1** inconveniente, pega, pero, observación. FAMILIA: → objetar.

objetar [verbo] **1** Poner dificultades para hacer algo: *Si quieres hacerte aviador, yo no tengo nada que objetar.* **2** No hacer el servicio militar porque las ideas que se tienen lo impiden: *Mi hermano mayor objetó y no hizo la mili.* □ SINÓNIMOS: **1** oponer. FAMILIA: objeción.

a
b
c
d
e
f
g
h
i
j
k
l
m
n
ñ
o
p
q
r
s
t
u
v
w
x
y
z

a
b
c
d
e
f
g
h
i
j
k
l
m
n
ñ
o
p
q
r
s
t
u
v
w
x
y
z

objetivo, va 1 [adjetivo] Que tiene en cuenta los hechos siguiendo sólo la razón: *Quiero que me des una visión objetiva de lo que ha ocurrido, y no tu opinión sobre ello.* [sustantivo/masculino] **2** Lo que queremos conseguir cuando hacemos algo: *Mi objetivo es quedar entre los tres primeros de la carrera.* **3** Parte de una máquina de fotografías que se dirige hacia el objeto que queremos sacar: *Juntaos un poco más, porque así no cabéis todos en el objetivo.* 🔍 página 348. **4** Blanco sobre el que se dispara un arma de fuego: *Este cañón puede alcanzar un objetivo situado a treinta kilómetros.* □ SINÓNIMOS: **2** objeto, finalidad, fin. CONTRARIOS: **1** subjetivo. FAMILIA: → objeto.

objeto [sustantivo/masculino] **1** Cualquier cosa que se puede tocar o que se puede ver: *Todos los objetos del escaparate están rebajados.* **2** Materia de la que trata algo: *El objeto de este diccionario es la explicación del significado de las palabras y del uso que tienen.* **3** Lo que queremos conseguir cuando hacemos algo: *El objeto de mi llamada es felicitarte por el premio que has conseguido.* □ SINÓNIMOS: **3** finalidad, fin, objetivo. FAMILIA: objetivo.

obligación [sustantivo/femenino] Lo que se tiene que hacer: *No me gusta nada madrugar, pero lo hago por obligación.* □ FAMILIA: → obligar.

obligar [verbo] **1** Hacer que alguien realice algo: *Yo no quería ir a su casa, pero ellos me obligaron.* **2 obligarse** Hacer una persona la promesa de cumplir lo que se ha propuesto: *Para no volver a quedarme dormido otro día, delante de ti me obligo a levantarme justo cuando suene el despertador.* □ [La g se cambia en gu delante de e, como en PAGAR]. FAMILIA: obligación, obligatorio.

obligatorio, ria [adjetivo] Que tiene que ser hecho: *Para bañarse en esta piscina es obligatorio llevar gorro o llevar el pelo recogido.* □ FAMILIA: → obligar.

oboe [sustantivo/masculino] Instrumento musical de madera parecido a la flauta: *El oboe es un instrumento de viento.* 🔍 página 607.

obra [sustantivo/femenino] **1** Cualquier cosa que se hace: *Este cuadro es la mejor obra de este pintor.* **2** Trabajo de construcción: *Estamos de obras en casa porque están reformando la cocina.* **3** Resultado de la acción de algo: *Esas manchas en la pared son obra de la humedad.* □ SINÓNIMOS: **1** hecho, acto. **1,2** acción. FAMILIA: obrar, obrero.

obrar [verbo] **1** Tener determinado comportamiento: *Debes obrar teniendo en cuenta qué es lo que más te conviene.* **2** Producir un efecto: *Este jarabe obra milagros contra la tos.* **3** Estar o hallarse: *No sé en manos de quién obrarán esos documentos.* □ SINÓNIMOS: **1** actuar, proceder, portarse, comportarse, conducirse. FAMILIA: → obra.

obrero, ra 1 [adjetivo] Relacionado con las personas que trabajan: *Ese político luchó para mejorar las condiciones de vida de la clase obrera.* **2** [sustantivo] Persona que trabaja en un sitio: *Los obreros de esta fábrica entran a trabajar a las siete de la mañana.* □ SINÓNIMOS: **2** trabajador. FAMILIA: → obra.

obsequiar [verbo] Dar regalos u ofrecer atenciones: *Los dueños de la casa nos obsequiaron con una cena espléndida.* □ FAMILIA: → obsequio.

obsequio [sustantivo/masculino] Atención o regalo: *Si viene a nuestro banco y abre una cuenta de ahorro, le daremos un obsequio.* □ FAMILIA: obsequiar.

observación [sustantivo/femenino] **1** Estudio que se hace de algo mirándolo con atención: *El enfermo está en observación para ver cómo evoluciona su enfermedad.* **2** Dificultad que se pone para hacer algo: *Si tienes que hacer alguna observación a mi propuesta, dímelo e intentaremos solucionarla.* □ SINÓNIMOS: **2** objeción, pega, pero, inconveniente. FAMILIA: → observar.

observador, -a [adjetivo] Que se fija mucho en todo: *Te diste cuenta de que faltaba una línea en el dibujo porque eres muy observador.* □ FAMILIA: → observar.

observar [verbo] **1** Estudiar algo mirándolo con atención: *Si observas despacio estos dos dibujos verás que no son iguales.* **2** Darse cuenta de algo: *Observo que has cambiado la mesa de sitio.* **3** Cumplir bien una ley: *Debes observar siempre las normas de la buena educación.* □ SINÓNIMOS: **2** notar, reparar, percatarse, advertir. FAMILIA: observación, observador, observatorio.

observatorio [sustantivo/masculino] Lugar que tiene

todo lo necesario para poder mirar con atención lo que hay en el cielo y realizar estudios sobre ello: *En la cima de ese monte hay un observatorio para estudiar las estrellas.* □ FAMILIA: → observar. ✿ página 345.

obsesión [sustantivo femenino] Idea que no se puede quitar de la mente: *Tiene la obsesión de que está gordo y no quiere comer casi nada.*

obstáculo [sustantivo masculino] **1** Lo que hace que algo resulte difícil o imposible de hacer: *Que hayas repetido un curso en el colegio no es obstáculo para que estudies una carrera universitaria.* **2** Barrera que hay que saltar en algunas carreras de deporte: *El atleta español tropezó con el segundo obstáculo en la carrera de vallas.*

obstante [expresión] **no obstante** Se usa para expresar algo contrario a lo que se acaba de decir: *Saldremos a las seis; no obstante, si alguien tiene que irse antes, puede hacerlo.*

obstinado, da [adjetivo] Que se mantiene firme en una idea y no quiere cambiarla: *Todos te decíamos que estabas equivocado, pero tú seguías obstinado en que tenías razón.*

obstruir [verbo] **1** Impedir el paso por un lugar: *Hay algo que obstruye la cañería y el lavabo no traga el agua.* **2** Hacer imposible o muy difícil el desarrollo de algo: *Lo acusaron de obstruir las investigaciones de la policía.* □ [La i se cambia en y delante de a, e, o, como en HUIR].

obtención [sustantivo femenino] **1** Hecho de conseguir lo que deseamos: *Todos me felicitaron por la obtención del premio.* **2** Proceso por el que se fabrica o se extrae algo: *La obtención de petróleo en el mar resulta muy costosa.* □ FAMILIA: → obtener.

obtener [verbo] **1** Llegar a tener algo: *Si mezclas pintura roja con pintura amarilla, obtendrás pintura naranja.* **2** Fabricar un producto o extraerlo: *En estas minas se obtiene mercurio.* □ [Es irregular y se conjuga como TENER]. SINÓNIMOS: **1** conseguir, lograr. CONTRARIOS: **1** perder. FAMILIA: obtención.

obús [sustantivo masculino] **1** Arma que sirve para lanzar bombas a gran distancia: *Los artilleros hacían prácticas de tiro con el obús.* **2** Lo que se lanza con esta arma: *Un obús que cayó cerca de aquí destruyó varios edificios.*

obvio, via [adjetivo] Que se nota o se comprende de una forma perfecta nada más verlo o nada más pensarlo: *Es obvio que si no estudias, no aprenderás nada.* □ SINÓNIMOS: claro, evidente.

oca [sustantivo femenino] **1** Ave parecida al pato, con la parte superior del cuerpo de color gris y la parte inferior blanca: *El edredón de mi cama está hecho con plumas de oca.* **2** Juego de mesa en el que participan varias personas: *Tengo un tablero que por un lado es una oca y por el otro, un parchís.* □ SINÓNIMOS: **1** ganso.

ocasión [sustantivo femenino] **1** Momento en el que sucede algo: *He visitado ese museo en varias ocasiones.* **2** Situación adecuada para hacer algo: *Ahora que estamos solos, es buena ocasión para que me hables de lo que te preocupa.* **3** [expresión] **de ocasión** Con un precio bajo: *Me he comprado una moto de ocasión que funciona perfectamente.* □ SINÓNIMOS: **2** oportunidad. FAMILIA: ocasionar.

ocasionar [verbo] Tener como efecto: *Te aseguro que no te ocasionaré ningún problema.* □ SINÓNIMOS: producir, causar, generar, motivar, acarrear, traer. FAMILIA: → ocasión.

ocaso [sustantivo masculino] **1** Momento en el que se pone el Sol: *Durante el ocaso comienza a oscurecerse el cielo.* **2** Decadencia o fin: *El anciano decía que había llegado al ocaso de su vida.* □ [No confundir con acaso. El significado **2** suele usarse en lenguaje literario].

occidental 1 [adjetivo] Del Oeste: *Galicia es la región más occidental de España.* **2** [adjetivo o sustantivo] Del conjunto de países del oeste de Europa y del norte de América: *Las culturas occidentales son bastante diferentes de las culturas orientales.* □ [No varía en masculino y en femenino]. CONTRARIOS: oriental. FAMILIA: → occidente.

occidente [sustantivo masculino] Lugar por donde se pone el Sol: *Portugal está al Occidente de España.* □ [Cuando es el punto cardinal, se suele escribir con mayúscula]. SINÓNIMOS: oeste, poniente. CONTRARIOS: este, oriente, levante. FAMILIA: occidental.

oceánico, ca [adjetivo] Del océano o relacionado con él: *Las ballenas forman parte de la fauna oceánica.* □ FAMILIA: → océano.

océano [sustantivo masculino] Mar grande y extenso: *El*

a
b
c
d
e
f
g
h
i
j
k
l
m
n
ñ
o
p
q
r
s
t
u
v
w
x
y
z

océano *Atlántico separa Europa y África de América.* □ FAMILIA: oceánico. 👁 páginas 534-535.

ochenta [pronombre numeral] Número 80: *Mi bisabuelo tiene ochenta años.* □ [No varía en masculino y en femenino]. FAMILIA: → ocho.

ocho [pronombre numeral] Número 8: *Dentro de ocho días nos dan las vacaciones.* □ [No varía en masculino y en femenino]. FAMILIA: ochenta, ochocientos, octavo, octógono.

ochocientos, tas [pronombre numeral] Número 800: *Tenemos que vender ochocientas papeletas entre todos los de la clase.* □ FAMILIA: → ocho.

ocio [sustantivo masculino] Tiempo libre: *Mis ratos de ocio los dedico a leer y a hacer deporte.* □ FAMILIA: ocioso.

ocioso, sa [adjetivo] **1** Que resulta inútil o que no es necesario: *Viendo la cara de disgusto que traes, sería ocioso preguntarte si te ha ido bien hoy.* **2** Que no está trabajando: *En lugar de estar ocioso tumbado en el sofá, podías ayudarme a colgar esta lámpara.* □ SINÓNIMOS: **2** desocupado. CONTRARIOS: **2** atareado. FAMILIA: → ocio.

ocre [adjetivo o sustantivo masculino] Del color de las hojas en otoño: *El ocre es un color entre el amarillo y el marrón.* □ [Cuando es adjetivo no varía en masculino y en femenino]. 👁 página 160.

octavo, va [pronombre numeral] **1** Que ocupa el lugar número ocho en una serie: *Agosto es el octavo mes del año.* **2** Una de las ocho partes en que algo se ha dividido: *La octava parte de cuarenta es cinco.* □ FAMILIA: → ocho.

octógono [sustantivo masculino] Figura plana con ocho lados: *El octógono es un polígono.* 👁 página 429. □ FAMILIA: → ocho.

octubre [sustantivo masculino] Mes número diez del año: *Octubre está entre septiembre y noviembre.*

ocular [adjetivo] **1** Del ojo o relacionado con él: *Casi no puedo abrir el ojo, porque tengo una infección ocular.* **2** Que se hace con los ojos o con la vista: *El juez me llamó a declarar porque fui testigo ocular de un atropello.* □ [No varía en masculino y en femenino]. FAMILIA: → ojo.

oculista [sustantivo] Médico que estudia las enfermedades de los ojos: *La oculista me dijo que tenía que llevar gafas.* □ [No varía en masculino y en femenino]. FAMILIA: → ojo.

ocultar [verbo] Poner algo de forma que no se vea o que no se reconozca: *Oculté mi diario en un cajón para que no lo encontrase nadie. Por la forma en que me has contado lo que pasó, sé que ocultas algo.* □ SINÓNIMOS: esconder. CONTRARIOS: mostrar, exponer, presentar, descubrir, desvelar, destapar, revelar. FAMILIA: → oculto.

oculto, ta [adjetivo] Que no se puede ver o que no se puede conocer: *Los días nublados, el sol permanece oculto detrás de las nubes.* □ SINÓNIMOS: escondido. FAMILIA: ocultar.

ocupación [sustantivo femenino] **1** Cada una de las cosas que una persona tiene que hacer: *Tengo tantas ocupaciones que casi no me queda tiempo libre.* **2** Entrada por la fuerza en un lugar para quedarse en él: *La ocupación de esos territorios provocó una guerra.* □ SINÓNIMOS: **1** quehacer, trabajo, faena, tarea, labor. **2** invasión. FAMILIA: → ocupar.

ocupante [sustantivo] Persona que ocupa un espacio: *Ninguno de los ocupantes del coche resultó herido en el accidente.* □ [No varía en masculino y en femenino]. FAMILIA: → ocupar.

ocupar [verbo] **1** Llenar un espacio: *Con tantos libros y cuadernos ocupas toda la mesa y no me dejas sitio.* **2** Usar algo de manera que nadie más pueda hacerlo: *Ahora no vayas al baño, porque alguien lo ha ocupado.* **3** Colocar todo lo necesario en un lugar para poder trabajar o vivir en él: *La oficina del primer piso ha sido ocupada por un arquitecto.* **4** Hacerse dueño de un lugar por medio de la fuerza: *Cuando el país vecino ocupó los territorios de la frontera, se declaró la guerra.* **5** Tener un trabajo: *¿Qué puesto ocupas en esa empresa?* **6** Llenar el tiempo haciendo algo: *Yo ocupo mi tiempo libre leyendo.* **ocuparse 7** Aceptar el cuidado o la dirección de algo: *Yo me ocupo de llamar a los de mi grupo para darles la noticia.* **8** Prestar atención a un asunto: *Ocúpate de tus asuntos y no te metas en los míos.* □ SINÓNIMOS: **4** conquistar, tomar. **6** emplear, invertir. **7,8** preocuparse. CONTRARIOS: **1,3,4** desocupar. **8** despreocuparse. FAMILIA: ocupación, ocupante, desocupar, desocupado.

ocurrencia [sustantivo femenino] **1** Idea repentina o que no se esperaba: *¡Qué ocurrencia, ir a bañaros al río justo después de cenar!* **2** Lo que hace gracia o sorprende: *Me muero de risa contigo, porque tienes unas ocurrencias...* □ SINÓNIMOS: **2** salida. FAMILIA: → ocurrir.

ocurrente [adjetivo] Que tiene ideas repentinas o muy graciosas: *Siempre sabes qué contestar, porque eres muy ocurrente.* □ [No varía en masculino y en femenino]. FAMILIA: → ocurrir.

ocurrir [verbo] **1** Producirse un hecho: *¿Qué ocurre ahí, que os reís tanto?* **2 ocurrirse** Venirse una idea a la mente y de repente: *Se me ha ocurrido que podemos hacerle una fiesta sorpresa mañana, que es su cumpleaños.* □ SINÓNIMOS: **1** pasar, suceder, acontecer. FAMILIA: ocurrencia, ocurrente.

oda [sustantivo femenino] Obra escrita en verso, dividida en partes iguales: *Las odas suelen ser poemas muy largos.*

odiar [verbo] Sentir un gran rechazo hacia algo que no nos gusta nada: *Cuando se enfadó conmigo me dijo que me odiaba. Odio madrugar.* □ SINÓNIMOS: detestar, aborrecer. CONTRARIOS: apreciar, amar, querer, adorar, estimar. FAMILIA: → odio.

odio [sustantivo masculino] Lo que sentimos hacia algo que no nos gusta nada: *No dejes que el odio llene de amargura tu corazón.* □ CONTRARIOS: amor, adoración, afecto, aprecio, estima, cariño, querer. FAMILIA: odiar, odioso.

odioso, sa [adjetivo] **1** Que hace sentir odio: *Me parece odioso que haya personas que disfrutan haciendo sufrir a los demás.* **2** Que no resulta agradable: *Es odioso tener que madrugar todos los días.* □ SINÓNIMOS: **2** desagradable. FAMILIA: → odio.

oeste [sustantivo masculino] Lugar por donde se pone el Sol: *El salón de mi casa está orientado al Oeste y por las tardes entra mucho sol por las ventanas.* □ [Cuando es el punto cardinal, se suele escribir con mayúscula]. SINÓNIMOS: occidente, poniente. CONTRARIOS: este, oriente, levante.

ofender [verbo] **1** Molestar a una persona diciendo algo malo sobre ella o faltándole al respeto: *Me ofende que pienses que yo te he robado ese dinero.* **2** Atacar, herir o hacer daño: *Estas imágenes son tan violentas que pueden ofender la sensibilidad de algunas*

personas. □ CONTRARIOS: **1** alabar, elogiar. FAMILIA: ofensa, ofensivo, inofensivo.

ofensa [sustantivo femenino] **1** Hecho de molestar a una persona diciendo algo malo sobre ella o faltándole al respeto: *Perdono tu ofensa, porque sé que me insultaste en un momento de mucho enfado.* **2** Lo que va en contra de lo que se considera de buen gusto o de buena educación: *Esos chistes tan vulgares me parecen una ofensa al buen gusto.* □ CONTRARIOS: **1** alabanza, elogio. FAMILIA: → ofender.

ofensivo, va [adjetivo] **1** Que ofende: *Debes pedirle perdón por las palabras ofensivas que has dicho contra su familia.* **2** Que sirve para atacar: *Los cañones son armas ofensivas y los escudos, defensivas.* **3** [sustantivo femenino] Ataque que realiza una fuerza militar contra otra: *El ejército consiguió resistir la ofensiva del enemigo sin rendirse.* □ CONTRARIOS: **2** defensivo. FAMILIA: → ofender.

oferta [sustantivo femenino] **1** Producto que se vende a un precio más bajo de lo normal: *Este jersey me salió muy barato porque era una oferta.* **2** Idea que se da para hacer algo: *Tengo varias ofertas de trabajo y he de pensar cuál es la que más me conviene.* **3** Presentación de un producto para su venta: *Esta marca de zapatillas de deporte tiene una oferta muy variada de modelos.* **4** [expresión] **estar de oferta** Tener el precio más bajo de lo normal: *Estas galletas están de oferta y, si se lleva tres cajas, sólo paga dos.* □ SINÓNIMOS: **2** ofrecimiento, proposición, propuesta, sugerencia.

oficial [adjetivo] Que reúne las condiciones necesarias para ser reconocido por el Estado o por un órgano que tenga autoridad: *Estoy realizando mis estudios en un centro oficial de enseñanza. La competición oficial empieza en septiembre, pero antes jugaremos unos partidos amistosos.* □ [No varía en masculino y en femenino]. FAMILIA: → oficio.

oficial, -a 1 [sustantivo] Persona que trabaja realizando determinadas tareas sin ser jefe: *Trabajo de oficiala en una peluquería.* **2** [sustantivo masculino] Una de las categorías militares: *Los tenientes son oficiales, pero los sargentos no lo son.* □ FAMILIA: → oficio.

oficina [sustantivo femenino] Lugar en el que se realizan trabajos de organización: *Han construido un*

a

edificio de oficinas muy alto cerca de aquí. □ FAMILIA: → oficio. 🔍 página 605.

oficinista [sustantivo] Persona que trabaja en una oficina: *Los oficinistas trabajan mucho con el ordenador.* □ [No varía en masculino y en femenino]. FAMILIA: → oficio.

oficio [sustantivo masculino] **1** Actividad que se realiza a cambio de un sueldo: *El oficio de bombero y el de piloto me parecen apasionantes.* **2** Función propia de algo: *El oficio del entrenador consiste en preparar a sus jugadores para que ganen todos los partidos.* **3** Ceremonia religiosa: *En Semana Santa suelo asistir a los oficios e ir a ver las procesiones.* □ [El significado **3** se usa más en plural]. SINÓNIMOS: **1** profesión, empleo, trabajo. FAMILIA: oficina, oficinista, oficial.

ofrecer [verbo] **1** Mostrar algo que se tiene para darlo al que lo quiera: *Si vas a comerte un caramelo, debes ofrecer a los demás por si también quieren.* **2** Tener determinada característica o mostrarla: *Este asunto tan complicado ofrece muchos problemas.* **3** Dar o celebrar: *Esta misa la ofrecemos por el eterno descanso de los que murieron ayer.* **4** Decir o mostrar lo que se puede obtener con algo: *Ofrecen una recompensa a quien encuentre al perro que se ha perdido.* **5 ofrecerse** Mostrarse dispuesto a realizar una acción: *Vi a una señora que iba muy cargada y me ofrecí a llevarle las bolsas.* □ [Es irregular y se conjuga como PARECER]. FAMILIA: ofrecimiento, ofrenda.

ofrecimiento [sustantivo masculino] **1** Idea que se da para hacer algo: *Acepto tu ofrecimiento de pasar el día juntos.* **2** Promesa de dar o de hacer algo: *Gracias por tu ofrecimiento para llevarme a casa, pero hoy me vienen a buscar en coche.* □ SINÓNIMOS: **1** propuesta, proposición, oferta, sugerencia. FAMILIA: → ofrecer.

ofrenda [sustantivo femenino] Lo que se ofrece en un gesto de amor o de respeto: *Durante la ofrenda del pan y del vino que el sacerdote hace a Dios en la eucaristía, cantaremos una canción.* □ FAMILIA: → ofrecer.

ofuscar [verbo] Hacer perder la razón: *Olvida mis palabras, porque me ofusqué con el enfado y no pensaba lo que te decía.* □ [La c

se cambia en qu delante de e, como en SACAR]. SINÓNIMOS: cegar.

ogro [sustantivo masculino] **1** Personaje imaginario de enorme tamaño y con forma humana: *El ogro del cuento asustaba a los niños.* **2** Persona cruel o de mal carácter: *No quiero ver a mi vecina, porque es un ogro.* □ [El significado **2** es despectivo].

oh [interjección] Se usa para indicar sorpresa, admiración o disgusto: *¡Oh, qué guapa te has puesto, mamá!* □ [No confundir con la vocal o].

oídas [expresión] **de oídas** Por habérselo oído a otros y no por haberlo visto: *Nunca he visto a ese profesor, pero lo conozco de oídas.* □ FAMILIA: → oír.

oído [sustantivo masculino] **1** Capacidad para oír: *El oído es uno de los cinco sentidos.* **2** Órgano que sirve para oír: *He cogido frío y me duelen los oídos.* **3** Capacidad para oír los sonidos musicales y notar sus diferencias: *Desentono al cantar porque tengo muy mal oído.* **4** [expresión] **al oído** En voz muy baja y poniéndonos muy cerca del que habla: *Me dijo un secreto al oído.* **de oído** Sin haber estudiado música: *Sé tocar la guitarra, pero sólo de oído.* **duro de oído** Que no oye bien: *Háblame más alto, que soy dura de oído.* **entrar algo por un oído y salir por el otro** Dar igual: *Lo que tú me digas, por un oído me entra y por otro me sale.* **prestar oídos a algo** Creerlo: *No prestes oídos a esas habladurías.* **ser todo oídos** Estar dispuesto a escuchar con atención: *Si quieres hablar de lo que te preocupa, soy toda oídos.* □ FAMILIA: → oír.

oír [verbo] **1** Sentir un sonido: *¿No has oído un ruido en el jardín?* **2** Hacer caso de un aviso o de algo que se pide: *Oye mi consejo y no te arrepentirás.* **3** [expresión] **como quien oye llover** Sin hacer caso: *Le mandas hacer algo y el muy desobediente te escucha como quien oye llover.* □ [Es irregular. Es distinto de escuchar, que significa oír con atención. El significado **3** es coloquial]. FAMILIA: oído, de oídas, oyente, audición, audiencia, audiovisual, auditivo, auditorio, inaudito.

ojal [sustantivo masculino] Abertura alargada por la que pasa un botón para abrochar una prenda de vestir: *Si el botón es mucho más grande que el ojal, no podrás abrocharlo.*

b
c
d
e
f
g
h
i
j
k
l
m
n
ñ
o
p
q
r
s
t
u
v
w
x
y
z

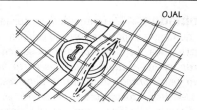

OJAL

ojalá [interjección] Se usa para indicar que se tienen muchas ganas de que suceda algo: *¡Ojalá vengan mis primos este sábado!*

ojeada [sustantivo] [femenino] Mirada rápida, sin fijarse mucho: *No he leído ese libro, pero le eché una ojeada y me gustaron los dibujos.* □ [Se usa mucho en la expresión *echar una ojeada*]. SINÓNIMOS: vistazo. FAMILIA: → ojo.

ojear [verbo] **1** Mirar de manera rápida, sin fijarse mucho: *He ojeado tu redacción y me parece que está muy bien escrita.* **2** Hacer ruido para que los animales se dirijan al lugar donde puedan ser cazados: *Mientras unos ojeaban la caza, los cazadores preparaban sus escopetas.* □ [Es distinto de *hojear*, que significa *pasar las hojas*]. FAMILIA: → ojo.

ojera [sustantivo] [femenino] Parte más oscura que sale debajo del ojo: *Tengo ojeras porque hoy he dormido muy poco.* □ [Se usa más en plural]. FAMILIA: → ojo.

ojo [sustantivo] [masculino] **1** Órgano que sirve para ver: *Los oculistas son los médicos que tratan las enfermedades de los ojos.* **2** Mirada o vista: *A ver cómo te portas, porque no pienso quitarte los ojos de encima.* **3** Atención o cuidado que se ponen en algo: *Ten mucho ojo al cruzar la calle.* **4** Abertura que atraviesa algo de parte a parte: *No consigo meter este hilo por el ojo de la aguja.* **5** Parte central de algo: *El ojo del huracán se está alejando de las islas hacia el océano.* **6** [interjección] Se usa para llamar la atención sobre algo: *¡Ojo!, prestad atención al semáforo antes de cruzar la carretera.* **7** [expresión] **a ojo** Calculando de forma aproximada: *Hice el bizcocho echando las cantidades a ojo, sin medirlas ni pesarlas.* **con cien ojos** Con mucho cuidado: *Escribí la redacción con cien ojos para no cometer faltas.* **con los ojos cerrados** Con toda seguridad: *He ido tantas veces a tu casa que ya sé ir con los ojos cerrados.* **cuatro ojos** Persona que lleva gafas: *En clase me llaman cuatro ojos, pero yo no les hago caso.* **echar el ojo a algo** Fijarse en ello con la intención de conseguirlo: *Cuando le echa el ojo a algo, no para hasta que lo consigue.* **en un abrir y cerrar de ojos** En un momento: *Dejé los pasteles en la mesa y se los comieron en un abrir y cerrar de ojos.* **entrar por los ojos** Gustar por su aspecto: *Los dibujos de la portada son tan bonitos que hacen que el libro entre por los ojos.* **no pegar ojo** No dormir nada: *Había un mosquito en mi cuarto que no me ha dejado pegar ojo en toda la noche.* **ojo a la funerala** El que está morado por un golpe: *Me choqué contra una farola y ahora tengo un ojo a la funerala.* **ojo avizor** Prestando mucha atención: *Yo estaré ojo avizor por si veo venir a alguien.* **ojo clínico** Capacidad que tiene una persona para darse cuenta de algo de forma rápida: *Yo tengo muy buen ojo clínico para saber si alguien me engaña.* **ojo de buey** Ventana circular que hay en los barcos: *Vi que nos acercábamos a tierra por el ojo de buey de mi camarote.* **ojo del culo** Ano. **ser el ojo de-**

oír	conjugación
INDICATIVO	**SUBJUNTIVO**
presente	**presente**
oigo	oiga
oyes	oigas
oye	oiga
oímos	oigamos
ois	oigáis
oyen	oigan
pretérito imperfecto	**pretérito imperfecto**
oía	oyera, -ese
oías	oyeras, -eses
oía	oyera, -ese
oíamos	oyéramos, -ésemos
oíais	oyerais, -eseis
oían	oyeran, -esen
pretérito indefinido	**futuro**
oí	oyere
oíste	oyeres
oyó	oyere
oímos	oyéremos
oísteis	oyereis
oyeron	oyeren
futuro	**IMPERATIVO**
oiré	
oirás	**presente**
oirá	oye (tú)
oiremos	oiga (él)
oiréis	oigamos (nosotros)
oirán	oíd (vosotros)
	oigan (ellos)
condicional	**FORMAS NO PERSONALES**
oiría	
oirías	**infinitivo** **gerundio**
oiría	oír oyendo
oiríamos	
oiríais	**participio**
oirían	oído

a
b
c
d
e
f
g
h
i
j
k
l
m
n
ñ
o
p
q
r
s
t
u
v
w
x
y
z

a
b
c
d
e
f
g
h
i
j
k
l
m
n
ñ
o
p
q
r
s
t
u
v
w
x
y
z

recho de alguien Tener su confianza: *Mi hermana dice que yo soy el ojo derecho de mi madre.* **un ojo de la cara** Mucho dinero: *No me han comprado ese muñeco porque cuesta un ojo de la cara.* □ [El uso de la expresión *cuatro ojos* es despectivo. El uso de la expresión *ojo del culo* es vulgar]. FAMILIA: ojera, ojear, ojeada, ocular, oculista, anteojos, de reojo.

ola [sustantivo] [femenino] **1** Cantidad de agua que se mueve en la superficie del mar: *Hoy hemos jugado en la playa a saltar las olas y nos hemos reído mucho.* 🔎 página 537. **2** Lo que produce un cambio repentino en la temperatura: *Una ola de frío ha dejado varios pueblos incomunicados por la nieve.* **3** Lo que hace que aparezca algo de forma repentina y en gran cantidad: *Se ha recibido en el periódico una ola de protestas por el artículo que se publicó la semana pasada.* **4** Movimiento que produce mucha gente junta: *La policía no podía contener la ola de aficionados que esperaba a los jugadores a la salida del estadio.* □ [No confundir con *hola*]. FAMILIA: oleaje, rompeolas.

ole u **olé** [interjección] Se usa cuando algo ha salido muy bien, o para dar ánimo: *¡Ole, qué bonito me ha quedado este dibujo!*

oleaje [sustantivo] [masculino] Movimiento que forman las olas: *Cuando hay mucho oleaje, es peligroso bañarse en el mar.* □ FAMILIA: → ola.

óleo [sustantivo] [masculino] Tipo de pintura que tiene una mezcla de aceite: *Se me da mejor pintar con óleo que con acuarela.*

oler [verbo] **1** Sentir un olor: *¿No hueles como si se estuviera quemando algo?* **2** Producir olor: *Este queso huele muy fuerte.* **3** Descubrir algo oculto: *Me olí que estabais tramando algo contra mí.* □ [Es irregular]. FAMILIA: → olor.

olfatear [verbo] Buscar con el olfato: *El perro olfateaba el suelo del jardín buscando un hueso que había enterrado.* □ SINÓNIMOS: husmear. FAMILIA: → olfato.

olfato [sustantivo] [masculino] **1** Capacidad para sentir los olores: *Los perros tienen el olfato más desarrollado que las personas.* **2** Capacidad para descubrir algo: *Tengo buen olfato para las personas y sé enseguida si son de fiar o no.* □ [El significado **2** es coloquial]. FAMILIA: olfatear.

olimpiada [sustantivo] [femenino] Competición internacional de juegos deportivos que se celebra cada cuatro años: *Las Olimpiadas se suelen celebrar en las ciudades que poseen lo necesario para practicar distintos deportes.* □ [Se suele escribir con mayúscula. Se usa más en plural]. FAMILIA: olímpico, paralimpiada, paralímpico. 🔎 página 343.

olímpico, ca [adjetivo] De las Olimpiadas o relacionado con ellas: *Los Juegos Olímpicos de 1992 se celebraron en Barcelona.* □ FAMILIA: → olimpiada.

oliva [sustantivo] [femenino] Fruto del que se extrae el aceite, que es parecido a una uva pero con un hueso muy duro dentro: *Prefiero la ensalada aliñada con aceite de oliva que con aceite de girasol.* □ SINÓNIMOS: aceituna. FAMILIA: → olivo.

olivar [sustantivo] [masculino] Lugar con muchos olivos plantados: *En Jaén hay grandes olivares.* □ FAMILIA: → olivo.

olivo [sustantivo] [masculino] Árbol de tronco corto y grueso cuyo fruto es la aceituna: *Los olivos tienen el tronco retorcido.* □ FAMILIA: oliva, olivar.

oler	conjugación	
INDICATIVO		**SUBJUNTIVO**
presente		**presente**
huelo		huela
hueles		huelas
huele		huela
olemos		olamos
oléis		oláis
huelen		huelan
pretérito imperfecto		**pretérito imperfecto**
olía		oliera, -ese
olías		olieras, -eses
olía		oliera, -ese
olíamos		oliéramos, -ésemos
olíais		olierais, -eseis
olían		olieran, -esen
pretérito indefinido		**futuro**
olí		oliere
oliste		olieres
olió		oliere
olimos		oliéremos
olisteis		oliereis
olieron		olieren
futuro		**IMPERATIVO**
oleré		
olerás		**presente**
olerá		huele (tú)
oleremos		huela (él)
oleréis		olamos (nosotros)
olerán		oled (vosotros)
		huelan (ellos)
condicional		**FORMAS NO PERSONALES**
olería		
olerías		**infinitivo** **gerundio**
olería		oler oliendo
oleríamos		**participio**
oleríais		olido
olerían		

olla 1 [sustantivo] [femenino] Recipiente de forma redonda, con una o dos asas, que se utiliza para cocinar: *Para hacer alubias para tantas personas necesito la olla grande.* **2** [expresión] **olla a presión** La que permite cocinar los alimentos de forma muy rápida: *Si pones las judías verdes en la olla a presión, estarán cocidas en diez minutos.*

olmo [sustantivo] [masculino] Árbol de tronco grueso que en el borde de las hojas tiene pequeños picos y que suele vivir muchos años: *En la plaza de mi pueblo hay un olmo de más de cien años.*

olor [sustantivo] [masculino] Lo que sentimos por la nariz al respirar: *Me gusta más el olor de las rosas que el de los claveles.* □ FAMILIA: oloroso, oler, maloliente, inodoro, desodorante.

oloroso, sa [adjetivo] Que tiene un olor agradable: *El tomillo es una planta olorosa.* □ SINÓNIMOS: aromático. FAMILIA: → olor.

olvidar [verbo] **1** Dejar de tener en la memoria algo que sabíamos: *He olvidado tu dirección.* **2** Dejar de sentir amor por algo querido: *Nunca me olvidaré de ti.* **3** No tener en cuenta: *Intenta olvidar lo que te dije ayer, porque estaba muy enfadado y no pensaba lo que decía.* □ CONTRARIOS: recordar, acordarse. FAMILIA: → olvido.

olvido [sustantivo] [masculino] **1** Hecho de olvidar algo: *No traer lo que me pediste ha sido un olvido tonto, porque lo tenía preparado.* **2** Lo que ocurre cuando algo no está en la mente de alguien: *Muchas personas famosas se depri-men cuando caen en el olvido.* □ CONTRARIOS: recuerdo, memoria. FAMILIA: olvidar.

ombligo [sustantivo] [masculino] **1** Pequeño agujero que tenemos en el centro del vientre: *El ombligo es la cicatriz que queda cuando se corta el cordón que une al bebé con su madre.* **2** Centro o punto más importante de algo: *Si fueras más modesta, no te creerías el ombligo del mundo.* □ FAMILIA: umbilical.

omisión [sustantivo] [femenino] Hecho de no decir o de no hacer algo: *El trabajo que has presentado está sólo regular, porque hay omisión de datos muy importantes.* □ FAMILIA: → omitir.

omitir [verbo] Dejar de decir o de hacer algo: *Cuéntamelo todo sin omitir ni un detalle.* □ FAMILIA: omisión.

once [pronombre] [numeral] Número 11: *Hay once huevos y falta uno para la docena.* □ [No varía en masculino y en femenino]. FAMILIA: undécimo.

onda [sustantivo] [femenino] **1** Elevación que se forma en la superficie de un líquido al agitarlo: *El viento produce ondas en la superficie del lago.* **2** Curva que se forma en algunas superficies: *Me gusta más el pelo con ondas que el pelo liso.* **3** Movimiento regular con el que se extienden algunas cosas a través del aire o de otro medio: *Los transistores captan las ondas de los programas que emite la radio.* **4** [expresión] **coger la onda** Entender lo que no se quiere decir de manera clara: *Después de varias indirectas, al final cogí la onda.* **estar en la onda** Conocer lo último de un asunto o de una actividad: *No sé qué grupos musicales están de moda, porque no estoy en la onda.* □ [No confundir con *honda*. El significado **2** se usa más en plural. Las expresiones son coloquiales]. FAMILIA: ondear, ondular, ondulado, ondulante, microondas.

ondear [verbo] Moverse haciendo curvas con forma de «S»: *Las banderas ondean al viento.* □ FAMILIA: → onda.

ondulado, da [adjetivo] Que tiene curvas en forma de «S»: *Tiene el pelo ondulado.* □ FAMILIA: → onda.

ondulante [adjetivo] Que hace curvas en forma de «S»: *El borracho andaba describiendo una línea ondulante.* □ [No varía en masculino y en femenino]. FAMILIA: → onda.

ondular [verbo] Hacer que aparezcan curvas en forma de «S» en una superficie: *Se pone rulos para ondularse el cabello.* □ FAMILIA: → onda.

onubense [adjetivo o] [sustantivo] De la provincia de Huelva o de su capital: *Veraneo en un pueblo andaluz de la costa onubense.* □ [No varía en masculino y en femenino].

opaco, ca [adjetivo] Que no deja pasar la luz: *El cristal es transparente y la madera, opaca.* □ CONTRARIOS: transparente.

opción [sustantivo] [femenino] **1** Posibilidad de elegir: *Lo haré, porque no tengo otra opción.* **2** Lo que se ha elegido o se puede elegir: *Debemos decidirnos entre la opción de ir al cine o la de ir al teatro.* **3** Derecho o posibilidad de obtener algo: *Ser familiar del difunto te da opción a la herencia.* □ SINÓNIMOS: **1** elección. FAMILIA: → optar.

ópera [sustantivo] [femenino] **1** Obra musical que se canta y se representa en los teatros: *En mi casa*

a

tenemos muchos discos de ópera. **2** Teatro en el que se representan obras de este tipo: *La Ópera de París es una de las más famosas del mundo.*

b

c

operación [sustantivo/femenino] **1** Acción que se realiza para conseguir un fin: *La policía ha puesto en marcha una operación para organizar la salida de coches en vacaciones.* **2** Hecho de abrir un cuerpo vivo para quitarle un órgano o para curar una parte enferma: *Me tienen que hacer una operación para quitarme el apéndice.* **3** Proceso matemático para obtener un resultado: *La suma es la operación contraria a la resta.* □ SINÓNIMOS: **2** intervención. FAMILIA: → operar.

d

e

f

g

h

operador, -a [sustantivo] **1** Persona especialista en el uso de aparatos técnicos: *Mi padre es operador de televisión.* **2** Persona que trabaja en una central de teléfonos y que hace posible que otras se comuniquen: *A algunos lugares no se puede llamar automáticamente y hay que solicitar la llamada a través de una operadora.* □ FAMILIA: → operar.

i

j

k

l

m

operar [verbo] **1** Realizar una operación médica: *Me tienen que operar de apendicitis.* **2** Producir un efecto: *La educación puede operar grandes transformaciones en una persona.* **3** Realizar operaciones matemáticas: *Las calculadoras permiten operar con mucha rapidez.* **4** Realizar una serie de actividades: *Esa empresa opera dentro y fuera de nuestro país.* □ SINÓNIMOS: **1** intervenir. FAMILIA: operación, operador.

n

ñ

o

opinar [verbo] **1** Tener una opinión sobre algo: *¿Qué opinas de mí?* **2** Expresar una opinión: *Tú siempre escuchas, pero nunca opinas sobre nada.* □ SINÓNIMOS: **1** considerar, pensar, creer, decir. FAMILIA: opinión.

p

q

r

opinión [sustantivo/femenino] Idea que alguien se forma al juzgar algo: *Me gustaría saber tu opinión sobre la película.* □ SINÓNIMOS: juicio, concepto, parecer. FAMILIA: → opinar.

s

t

u

opio [sustantivo/masculino] Droga que se obtiene de algunas plantas: *El opio produce mucho sueño.*

v

w

oponer [verbo] **1** Proponer algo contra lo que otro dice o siente: *Si nadie tiene nada que oponer, mi propuesta queda aceptada.* **2** Poner una cosa en contra: *Se rindieron sin oponer resistencia al enemigo.* **oponerse 3**

x

y

z

Ser una cosa contraria a otra o estar enfrente de ella: *El bien se opone al mal.* **4** Ponerse en contra de algo: *Me opongo a que se cometa esa injusticia.* □ [Es irregular y se conjuga como PONER. Su participio es *opuesto*]. SINÓNIMOS: **1** objetar. FAMILIA: oposición, opuesto.

oportunidad [sustantivo/femenino] Situación en la que es posible hacer algo: *En cuanto tenga una oportunidad, iré a visitarte.* □ SINÓNIMOS: momento, ocasión. FAMILIA: → oportuno.

oportuno, na [adjetivo] **1** Que es de la manera debida y que sucede en el momento adecuado: *Tu llegada es muy oportuna, porque necesitábamos alguien que nos ayudase.* **2** Que dice lo más adecuado en una conversación: *Estuviste muy oportuno cuando diste esa respuesta, porque yo no sabía qué decir.* □ SINÓNIMOS: acertado. **1** apropiado, conveniente. CONTRARIOS: inoportuno. FAMILIA: oportunidad, inoportuno.

oposición [sustantivo/femenino] **1** Relación contraria que hay entre dos cosas: *Aunque no opinemos exactamente lo mismo, entre tú y yo no llega a haber oposición.* **2** Posición de la persona que se opone a lo que otra dice o siente: *A pesar de vuestra oposición, haré lo que os he dicho.* **3** Conjunto de ejercicios que hay que hacer para conseguir algunos tipos de trabajos: *Para ser profesor en un colegio público hay que aprobar una oposición.* **4** Grupo que se opone a la política del que está en el poder: *Ese partido político ha pasado a la oposición, después de haber gobernado durante años.* □ [El significado **3** es lo mismo en singular y en plural]. FAMILIA: → oponer.

opresión [sustantivo/femenino] **1** Molestia producida por algo que aprieta: *Con ese pantalón tan ajustado, siento una opresión en el estómago.* **2** Situación en la que una persona está bajo el poder de otra, sin libertad ni derechos: *Los esclavos se rebelaron contra la opresión de sus amos.* □ FAMILIA: → oprimir.

oprimir [verbo] **1** Hacer presión o fuerza sobre algo: *Me he desabrochado el cinturón, porque me oprimía mucho el estómago.* **2** Hacer que una persona esté bajo el poder de otra, sin libertad ni derechos: *El pueblo se sublevó contra los gobernantes que lo* *oprimían.* □ Sinónimos: **1** apretar. Contrarios: **1** aflojar. Familia: opresión.

optar [verbo] **1** Decidirse por una posibilidad entre varias: *Si no puedes comprarte las dos cosas, tendrás que optar por una.* **2** Aspirar a una categoría o a un trabajo: *A ese puesto optan muchos candidatos y es difícil que me lo den a mí.* □ Sinónimos: **1** elegir, escoger. Familia: opción, optativo.

optativo, va [adjetivo] Que puede ser elegido: *Mi hermana tiene algunas asignaturas obligatorias y otras optativas.* □ Familia: → optar.

óptico, ca 1 [adjetivo] De la óptica o relacionado con esta técnica: *Un microscopio es un aparato óptico de gran precisión.* **2** [sustantivo] Persona que se dedica a la venta de objetos relacionados con la visión: *El óptico me ha recomendado unas gafas de sol oscuras.* [sustantivo/femenino] **3** Técnica de fabricar instrumentos para mejorar la visión: *Primero estudió óptica y más tarde se hizo oculista.* **4** Lugar en el que se venden estos instrumentos: *Me compré las lentillas en una óptica.* **5** Forma de pensar sobre un asunto: *Visto desde esa óptica, el problema es más grave de lo que pensé en un primer momento.* □ Sinónimos: **5** punto de vista.

optimismo [sustantivo/masculino] Forma de ser de la persona que siempre ve el lado bueno de las cosas: *Las personas con optimismo suelen ser muy alegres.* □ Contrarios: pesimismo. Familia: → óptimo.

optimista [adjetivo o/sustantivo] Que siempre ve el lado bueno de las cosas: *Hay que ser más optimista y no ponerse triste por cualquier problema.* □ [No varía en masculino y en femenino]. Sinónimos: positivo. Contrarios: negativo, pesimista. Familia: → óptimo.

óptimo, ma [adjetivo] El mejor: *Saqué un resultado óptimo en la prueba.* □ Contrarios: pésimo. Familia: optimismo, optimista.

opuesto, ta 1 Participio irregular de **oponer**. **2** [adjetivo] Que se opone a algo o que está enfrente de algo: *Si tienen ideas opuestas, es difícil que lleguen a entenderse.* □ Sinónimos: **2** contrario. Familia: → oponer.

oración [sustantivo/femenino] **1** Conjunto de palabras que se dirigen a un dios o a un santo para alabarlos o para pedirles algo: *Al acostarme,* *rezo un padrenuestro y otras oraciones.* **2** En gramática, conjunto de palabras que tiene sentido completo: *«Yo me llamo María» es una oración.* □ Sinónimos: **1** rezo. **2** frase. Familia: → orar.

orador, -a [sustantivo] Persona que sabe hablar en público y sabe convencer a la gente de lo que dice: *La conferenciante demostró ser una gran oradora.* □ Familia: → oral.

oral [adjetivo] **1** Que se expresa con palabras: *Prefiero los exámenes escritos, porque en los orales me pongo muy nerviosa.* **2** De la boca o relacionado con ella: *Las pastillas se toman por vía oral.* □ [No varía en masculino y en femenino]. Sinónimos: **1** verbal. Familia: orador.

orangután [sustantivo/masculino] Mono muy fuerte y muy grande: *Los orangutanes viven en la selva.*

ORANGUTÁN

orar [verbo] Dirigir oraciones a un dios o a un santo: *Cada noche, al acostarse, oraba y pedía a Dios por todos.* □ Sinónimos: rezar. Familia: oración.

órbita [sustantivo/femenino] **1** Movimiento que hacen los cuerpos que están en el cielo: *Los planetas se mueven describiendo una órbita alrededor del Sol.* ☜ página 610. **2** Cada uno de los huecos en los que están los ojos: *Me miró con unos ojos saltones que parecía que se le iban a salir de las órbitas.* **3** Área de influencia: *Ese asunto no entra dentro de la órbita de mi responsabilidad.* □ Sinónimos: **2** cuenca.

orden [sustantivo/masculino] **1** Colocación de algo de la manera adecuada: *Siempre tiene sus cosas en perfecto orden.* **2** Situación normal en la que todo está tranquilo y se respetan las normas: *La policía es una institución encargada de mantener el orden público.* **3** Categoría o clase de cosas: *Dejemos ese tema y pasemos a otro orden de cosas.* [sustantivo/femenino] **4** Lo que alguien manda para que otro obedezca:

Fue arrestado por no cumplir las órdenes de un superior. **5** Organización religiosa cuyos miembros viven de acuerdo con unas reglas: *Esa monja pertenece a una orden que vive en clausura.* **6** Organización que puede tener carácter militar y cuyo fin es dar premios a personas que lo merezcan: *Fueron condecorados con la cruz de la orden de Isabel la Católica.* **7** [expresión] **estar algo a la orden del día** Estar de moda o ser habitual: *Últimamente, los robos de coches están a la orden del día.* **del orden de** Más o menos la cantidad que se expresa: *Necesitaré del orden de veinte folios para el trabajo.* **llamar a alguien al orden** Decirle que cambie su comportamiento porque no es correcto: *El jefe llamó al orden a un empleado que llegaba todos los días tarde.* **orden del día** Lista de las tareas de las que hay que ocuparse ese día: *En el orden del día figuran los asuntos que se tratarán en la reunión.* **orden sacerdotal** Acto en el que se hace sacerdote a una persona: *Al acabar sus estudios en el seminario, recibió el sacramento del orden sacerdotal.* □ SINÓNIMOS: **4** mandato. CONTRARIOS: **1** desorden, desorganización. FAMILIA: ordenar, ordenado, ordenador, ordenanza, ordinal, desorden, desordenar, desordenado, subordinado.

ordenado, da [adjetivo] Con orden en sus acciones y en sus cosas: *Si fueses más ordenado, perderías menos cosas.* □ CONTRARIOS: desordenado. FAMILIA: → orden.

ordenador [sustantivo masculino] Máquina que trabaja de forma automática y muy rápida con la información que se le proporciona: *Voy a aprender informática para poder trabajar con ordenadores.* □ SINÓNIMOS: computadora. FAMILIA: → orden. 📷 páginas 119, 432.

ordenanza 1 [sustantivo] Persona que trabaja en una oficina haciendo recados y tareas para las que no se necesita especial preparación: *El ordenanza reparte el correo a los que trabajan en la oficina.* **2** [sustantivo femenino plural] Conjunto de reglas que da una autoridad para poner orden en una actividad o en un lugar: *Según las ordenanzas del Ayuntamiento, no se puede hacer ruido en la calle después de*

las doce de la noche. □ [El significado **1** no varía en masculino y en femenino]. FAMILIA: → orden.

ordenar [verbo] **1** Poner algo en orden o de la manera adecuada: *Tengo que ordenar mis cromos, porque no sé ni los que tengo.* **2** Dar la orden de hacer algo: *El coronel ordenó al soldado que se pusiera firme.* **3** Hacer sacerdote a una persona: *El obispo ordenará a varios nuevos sacerdotes.* □ SINÓNIMOS: **1** colocar, organizar, regular. **2** mandar, establecer. CONTRARIOS: **1** desordenar, desorganizar, descolocar. **2** obedecer. FAMILIA: → orden.

ordeñar [verbo] Sacar la leche a las vacas o a las hembras de algunos animales: *Vimos cómo un granjero ordeñaba una vaca.*

ordinal [adjetivo o sustantivo masculino] Que expresa orden: *«Primero», «segundo» y «tercero» son números ordinales.* □ [Cuando es adjetivo no varía en masculino y en femenino]. FAMILIA: → orden.

ordinario, ria [adjetivo] **1** Que no sorprende, porque sucede siempre así: *Lo ordinario es que los niños estudien y lo extraordinario, que trabajen.* **2** Que no destaca y es como muchos otros: *No necesito una pluma de lujo; con un bolígrafo ordinario me basta.* **3** [adjetivo o sustantivo] Que es poco delicado y sin educación: *Hablar diciendo tacos me parece muy ordinario.* **4** [expresión] **de ordinario** De manera normal o habitual: *Hoy nos han pedido el carné, pero de ordinario no suelen hacerlo.* □ SINÓNIMOS: **1** natural, lógico, usual, habitual. **1,2** común, corriente, normal. **3** basto, grosero. CONTRARIOS: **1** anormal, raro, sorprendente, extraño, chocante, insólito. **1,2** extraordinario. **3** delicado, fino, rudo. FAMILIA: extraordinario.

orégano [sustantivo masculino] Planta de olor agradable que se usa para dar sabor a las comidas: *Me gustan las pizzas con mucho orégano.*

oreja [sustantivo femenino] **1** Cada una de las dos partes que tenemos a los lados de la cabeza y por las que oímos: *Los pendientes son joyas que se ponen en las orejas.* **2** Lo que tiene una forma parecida a esta parte de la cabeza: *Me senté en un sillón de orejas tan cómodo que me quedé dormida.* **3** [expresión] **con las orejas gachas** Triste o con vergüenza por algo que ha sucedido: *Vino a pedirme perdón con las orejas gachas.* **orejas de supli-**

llo Las que se separan mucho de la cabeza: *Siempre lleva la melena suelta para taparse las orejas de soplillo.* **ver las orejas al lobo** Darse cuenta de un peligro próximo: *No reaccionó hasta que no vio las orejas al lobo y se asustó.* ☐ [Las expresiones son coloquiales]. FAMILIA: orejudo, auricular.

orejudo, da [adjetivo o sustantivo] Que tiene las orejas grandes y muy largas: *Los conejos son animales orejudos.* ☐ FAMILIA: → oreja.

orensano, na [adjetivo o sustantivo] De la provincia de Orense o de su capital: *Los orensanos y los pontevedreses son gallegos.*

orfanato [sustantivo masculino] Lugar donde se cuida a los niños que no tienen padres: *Creció en un orfanato porque sus padres murieron cuando era pequeña.* ☐ FAMILIA: → huérfano.

orfeón [sustantivo masculino] Grupo musical que canta sin acompañarse con instrumentos: *Fuimos a un concierto en el que cantaba un famoso orfeón.* ☐ SINÓNIMOS: coral.

organillo [sustantivo masculino] Instrumento musical con forma de órgano pequeño, que se hace sonar girando una pieza: *En las ferias madrileñas es típico bailar con música de organillo.* ☐ FAMILIA: → órgano.

ORGANILLO

organismo [sustantivo masculino] **1** Conjunto de los órganos de un cuerpo animal o vegetal: *La sangre es la encargada de repartir oxígeno por todo el organismo.* **2** Ser vivo: *Las bacterias son organismos que sólo se ven con microscopio.* **3** Asociación o centro organizado para realizar funciones determinadas: *La ONU es un organismo internacional creado para que los países solucionen de forma pacífica los problemas que tienen entre sí.* ☐ FAMILIA: → órgano.

organista [sustantivo] Músico que toca el órgano: *Contrataron a una organista para que tocara el órgano en la boda.* ☐ [No varía en masculino y en femenino]. FAMILIA: → órgano.

organización [sustantivo femenino] **1** Manera de estar formado algo según un orden o una estructura: *La buena organización es fundamental para que una empresa funcione.* **2** Conjunto de personas que forman un grupo organizado: *Esa organización se dedica a luchar contra el hambre.* ☐ CONTRARIOS: **1** desorganización, desorden, desbarajuste. FAMILIA: → órgano.

organizador, -a [adjetivo o sustantivo] Que organiza o que sabe organizar: *En esta oficina se necesita gente con capacidad organizadora.* ☐ FAMILIA: → órgano.

organizar [verbo] **1** Poner algo de acuerdo con un orden o con una estructura: *Un guardia organizaba el tráfico.* **2** Preparar todo lo necesario para algo: *Hemos organizado un banquete para celebrar tu cumpleaños.* **3** Formar o producir: *¡Menudo follón se organizó en la calle!* **4 organizarse** Hacer las cosas con determinado orden: *Si te organizaras mejor, te daría tiempo a hacer más cosas.* ☐ [La z se cambia en c delante de e, como en CAZAR]. SINÓNIMOS: **1** ordenar, regular. CONTRARIOS: **1** desorganizar, desordenar. FAMILIA: → órgano.

órgano [sustantivo masculino] **1** Cada una de las partes del cuerpo que realiza una función determinada: *El riñón y el hígado son dos órganos internos.* **2** Instrumento musical parecido a un piano, pero con tubos de distintos tamaños por los que sale el aire y en los que se produce el sonido: *En la catedral hay un órgano muy antiguo.* **3** Lo que sirve de instrumento o de medio para realizar una función: *El Parlamento es el órgano del Estado donde se hacen las leyes.* ☐ FAMILIA: organillo, organista, organismo, organización, organizar, organizador, desorganizar, desorganización.

orgullo [sustantivo masculino] **1** Sensación de creerse mejor que los demás: *Si no tuvieras tanto orgullo, no te costaría tanto pedir perdón.* **2** Satisfacción grande que siente una persona por algo suyo y que considera muy bueno: *Siempre hablas con orgullo de lo buenos que son tus padres.* **3** Buena consideración que tenemos de nosotros mismos y por la que esperamos el respeto de los demás: *A todos nos molesta que nos traten mal, porque todos tenemos nuestro orgullo.* ☐ SINÓNIMOS:

a
b
c
d
e
f
g
h
i
j
k
l
m
n
ñ
o
p
q
r
s
t
u
v
w
x
y
z

1 soberbia, vanidad, humos. CONTRARIOS: **1** modestia, humildad. FAMILIA: orgulloso, enorgullecer.

orgulloso, sa [adjetivo o sustantivo] Que tiene orgullo o que lo muestra: *Estoy orgullosa de los padres tan buenos que tengo.* □ SINÓNIMOS: vanidoso, soberbio. CONTRARIOS: humilde, modesto. FAMILIA: → orgullo.

orientación [sustantivo femenino] **1** Posición de algo en dirección a un punto: *En las habitaciones con orientación al Oeste da el sol toda la tarde.* **2** Hecho de saber la posición hacia la que algo está dirigido: *No tengo sentido de la orientación y enseguida me pierdo.* **3** Información que necesita recibir una persona para hacer algo: *El psicólogo del colegio da orientación a los alumnos y a los padres.* □ FAMILIA: → orientar.

oriental 1 [adjetivo] Del Este: *Alicante está en la costa oriental de España.* **2** [adjetivo o sustantivo] De Asia y de las zonas de Europa y de África más próximas a ella: *Los chinos son orientales.* □ [No varía en masculino y en femenino]. CONTRARIOS: occidental. FAMILIA: → oriente.

orientar [verbo] **1** Determinar la posición hacia la que algo está dirigido: *Los montañeros llevaban una brújula para orientarse.* **2** Dar a una persona la información que necesita para hacer algo: *El psicólogo del colegio me orientó sobre los estudios que podía seguir.* **3** Hacer que algo o alguien tomen una dirección determinada: *Orientó su vida hacia la investigación.* □ SINÓNIMOS: **3** encaminar, canalizar. CONTRARIOS: **1,2** desorientar. **1** extraviarse, perderse. FAMILIA: desorientar, orientación.

oriente [sustantivo masculino] Lugar por donde sale el Sol: *El Mediterráneo está al Oriente de España.* □ [Cuando es el punto cardinal, se suele escribir con mayúscula]. SINÓNIMOS: este, levante. CONTRARIOS: occidente, oeste, poniente. FAMILIA: oriental.

orificio [sustantivo masculino] Abertura más o menos redonda que hay en una superficie: *He hecho unos orificios en la hoja de papel para poder meterla en el cuaderno de anillas.* □ SINÓNIMOS: agujero.

origen [sustantivo masculino] **1** Primer momento de la existencia de algo: *En su origen, esta asociación tenía muy pocos miembros.* **2** Punto del que viene algo o en el que empieza a existir: *Esta estación es el origen de varias líneas de metro.* **3** Lo que produce algo: *Los médicos no saben cuál es el origen de esa enfermedad.* **4** Familia o grupo social en los que alguien nace: *Está orgullosa de sus orígenes.* □ SINÓNIMOS: **1-3** principio, comienzo, nacimiento. **3** causa, motivo. CONTRARIOS: **1,2** final, término. **2** destino. **3** consecuencia, efecto. FAMILIA: original.

original [adjetivo] **1** Del origen o relacionado con él: *El proyecto original ha ido cambiando mucho según se iba desarrollando.* **2** Que llama la atención porque es distinto de lo normal: *Todo el mundo se fija en él, porque lleva una ropa muy original.* **3** [adjetivo o sustantivo masculino] Que no es una copia: *Robaron el cuadro original y dejaron en su lugar una copia muy mala.* **4** [sustantivo masculino] Lo que sirve de modelo para una pintura o para una copia: *El parecido del retrato con el original es enorme.* □ [Cuando es adjetivo no varía en masculino y en femenino]. SINÓNIMOS: **2** singular, auténtico. CONTRARIOS: **2** común, corriente, normal. FAMILIA: → origen.

orilla [sustantivo femenino] **1** Extremo o límite de una superficie: *Haz un remate a la orilla de la tela para que no se deshaga.* **2** Borde de un río o de otro lugar con agua: *Estuvimos paseando a la orilla del mar, pero no nos bañamos.* □ SINÓNIMOS: margen. **2** ribera.

orina [sustantivo femenino] Líquido amarillo que sale del cuerpo para echar fuera sustancias perjudiciales: *Los pañales absorben la orina de los bebés.* □ SINÓNIMOS: pipí, pis. FAMILIA: orinar, orinal, urinario.

orinal [sustantivo masculino] Recipiente para hacer pis o caca: *Los niños pequeños hacen caca en el orinal.* □ FAMILIA: → orina.

orinar [verbo] Hacer pis: *La gente con problemas de riñón puede tener dificultades para orinar.* □ SINÓNIMOS: mear. FAMILIA: → orina.

ornitólogo, ga [sustantivo] Persona que sabe mucho de pájaros: *Los ornitólogos reconocen los pájaros por sus cantos.*

oro [sustantivo masculino] **1** Metal de color amarillo que se usa mucho para fabricar joyas: *Las personas casadas suelen llevar un anillo de oro.* **2** [plural] En una baraja, tipo de carta que tiene dibujada una o varias monedas: *El as de oros de esta baraja tiene dibujada una gran moneda amarilla.* **3** [expresión] **como oro en paño** Con mucho cuidado: *Guarda las fotos de sus nietos como oro en paño.* **de oro** Muy bueno o con unas cualidades que no se pueden mejorar: *Cervantes vivió en la edad de oro de nuestra literatura.* **hacerse de oro** Hacerse muy rico: *Si sale bien este negocio, nos haremos de oro.* **oro negro** Petróleo: *Los países árabes son grandes productores de oro negro.* □ FAMILIA: dorar, dorado.

orquesta [sustantivo/femenino] Conjunto de músicos que tocan bajo las órdenes de un director: *Los músicos de una orquesta tocan muchos instrumentos.* 🖾 páginas 606-607.

orquídea [sustantivo/femenino] Planta con unas flores de formas y colores extraños: *El día de su cumpleaños regalamos a mi madre una orquídea rosa.* 🖾 página 347.

ortiga [sustantivo/femenino] Planta que tiene las hojas cubiertas de pequeños pelos que, al rozarlos, hacen que nos pique la piel: *No toques las ortigas, o se te irritarán los dedos.*

ortodoncia [sustantivo/femenino] Tratamiento para arreglar los defectos de los dientes: *El dentista me está haciendo una ortodoncia porque tengo los dientes muy separados.*

ortografía [sustantivo/femenino] Manera correcta de escribir, según las reglas que están fijadas: *Escribir «hacer» sin hache es una falta de ortografía.* □ FAMILIA: → grafía.

ortográfico, ca [adjetivo] De las reglas que establecen la manera correcta de escribir, o relacionado con ellas: *Según una regla ortográfica, los nombres de las personas se escriben con mayúscula inicial.* □ FAMILIA: → grafía.

ortopédico, ca [adjetivo] Que sirve para evitar un defecto del cuerpo: *Llevo plantillas ortopédicas porque tengo los pies planos.*

oruga [sustantivo/femenino] Insecto con el cuerpo en forma de gusano y que todavía no es adulto: *Las orugas se convierten en mariposas cuando se hacen adultas.*

orzuelo [sustantivo/masculino] Especie de grano que sale en el borde del párpado: *El oculista me ha dado una pomada para que se me quite el orzuelo que me ha salido en el ojo.*

os [pronombre/personal] Indica la segunda persona del plural y equivale a *vosotros* o *vosotras*: *Os he traído un regalo.* □ [No varía en masculino y en femenino. Se usa para formar algunos verbos: os escapasteis]. FAMILIA: → vosotros.

osadía [sustantivo/femenino] Valor que tiene una persona que se atreve a todo: *¡Con qué osadía discutía ese pequeñajo con un boxeador!* □ SINÓNIMOS: audacia. FAMILIA: → osar.

osar [verbo] Decidirse a hacer algo nuevo o difícil: *Nadie osa llevarle la contraria porque tiene muy mal genio.* □ SINÓNIMOS: atreverse. FAMILIA: osadía.

[óscar [sustantivo/masculino] Premio de cine que se da en los Estados Unidos de América: *Esa película tiene el óscar al mejor director y a la mejor actriz.* □ [Es una palabra inglesa. No varía en singular y en plural].

oscense [adjetivo o/sustantivo] De la provincia de Huesca o de su capital: *En el Pirineo oscense hay importantes pistas de esquí.* □ [No varía en masculino y en femenino].

oscilar [verbo] **1** Hacer movimientos repetidos de un lado a otro: *Si el péndulo del reloj deja de oscilar, se pararán las agujas.* **2** Variar los límites de una cantidad o de un valor: *Las horas que dedico al deporte oscilan entre una y dos al día.* **3** No saber bien qué elegir: *Mi decisión oscila entre lo que debo hacer y lo que me apetecería hacer.*

oscurecer [verbo] **1** Poner más oscuro: *Para oscurecer un color, mézclalo con negro.* **2** Empezar a faltar la luz del día: *Enciende la luz, que está oscureciendo.* **3** Quitarle valor a algo o hacer que destaque menos: *Los rumores de que el árbitro estaba comprado oscurecieron el triunfo de los ganadores.* □ [Es irregular y se conjuga como PARECER]. SINÓNIMOS: **2** anochecer. **3** empañar. CONTRARIOS: **1** aclarar. **2** aclarar, clarear, amanecer. FAMILIA: → oscuro.

oscuridad [sustantivo/femenino] **1** Falta de luz: *La oscuridad de las noches sin luna es casi absoluta.* **2** Lugar en el que hay poca o ninguna luz: *Salió de la oscuridad de repente, y me asustó.* **3** Falta de información sobre algo para impedir que se conozca: *Sobre ese asunto nadie habla y reina la más absoluta oscuridad.* **4** Falta de fama o de conocimiento público: *El éxito le llegó después de*

a
b
c
d
e
f
g
h
i
j
k
l
m
n
ñ
o
p
q
r
s
t
u
v
w
x
y
z

años de trabajar en la oscuridad. □ CONTRARIOS: **1** claridad. FAMILIA: → oscuro.

oscuro, ra [adjetivo] **1** Que tiene poca o ninguna luz: *Me da miedo entrar en ese cuarto tan oscuro.* **2** Dicho de un color, que se parece al negro o que tiene más mezcla de negro que otro: *La tierra húmeda tiene un color más oscuro que la tierra seca.* **3** Poco claro o difícil de comprender: *Ese poeta tiene un estilo muy oscuro.* **4** [expresión] **a oscuras** Sin luz: *Se fundió la bombilla y nos quedamos a oscuras.* □ CONTRARIOS: **1** luminoso. **1-3** claro. FAMILIA: oscuridad, oscurecer.

osezno [sustantivo masculino] Cría del oso: *Los oseznos son muy juguetones.* □ FAMILIA: → oso.

oso, sa 1 [sustantivo] Animal salvaje de gran tamaño, con mucho pelo: *Los osos polares son de color blanco.* **2** [expresión] **anda la osa** Se usa para indicar sorpresa o admiración: *¡Anda la osa, si tenía aquí un caramelo del que no me acordaba!* **oso hormiguero** Animal que tiene la cola y la nariz muy largas, y que se alimenta de hormigas: *El oso hormiguero tiene una nariz que parece una trompa.* **oso panda** Animal que tiene mucho pelo, negro en las orejas, alrededor de los ojos y en las cuatro patas, y blanco en la cabeza y en la parte de atrás del cuerpo: *Los osos panda comen bambú.* 🐾 página 848. □ [La expresión *anda la osa* es coloquial]. FAMILIA: osezno.

ostentación [sustantivo femenino] **1** Demostración orgullosa de algo delante de los demás: *Deberías ser más modesta y no hacer tanta ostentación de tu riqueza.* **2** Gran cantidad de medios y de riqueza para hacer algo: *Con mi sueldo, no me puedo permitir montar una casa con mucha ostentación.* □ SINÓNIMOS: **2** pompa, aparato.

ostra 1 [sustantivo femenino] Animal marino comestible, que tiene dos conchas casi circulares y que vive pegado a las piedras: *Algunos tipos de ostras fabrican perlas.* **2** [interjección] **ostras** Se usa para indicar sorpresa, admiración o disgusto: *¡Ostras, qué tarde se me ha hecho...!* **3** [expresión] **aburrirse como una ostra** Aburrirse mucho: *La película era un rollo y nos aburrimos como ostras.* □ [Los significados **2** y **3** son coloquiales].

otoñal [adjetivo] Del otoño o relacionado con

esta estación: *Octubre es un mes otoñal.* □ [No varía en masculino y en femenino]. FAMILIA: → otoño.

otoño [sustantivo masculino] Estación del año entre el verano y el invierno: *En otoño se caen las hojas de algunos árboles.* □ FAMILIA: otoñal.

otorgar [verbo] Dar una persona lo que otra le pide: *Sólo el juez puede otorgar el perdón al acusado.* □ [La g se cambia en gu delante de e, como en PAGAR]. SINÓNIMOS: conceder.

otro, tra [pronombre indefinido] **1** Indica una persona o cosa distintas de las que se ha hablado o de las que hay: *No he visto a esa chica, he visto a otra.* **2** Indica un tiempo anterior: *La otra noche soñé contigo.*

ovación [sustantivo femenino] Aplauso muy grande que da un grupo de personas: *Al final de la representación, los espectadores premiaron a los actores con una ovación.*

oval [adjetivo] Con forma parecida a la de un huevo: *Sacaron unos aperitivos en una fuente oval.* □ [No varía en masculino y en femenino]. SINÓNIMOS: ovalado. FAMILIA: → óvalo.

ovalado, da [adjetivo] Con forma parecida a la de un huevo: *Algunas personas tenemos la cara redonda y otras, ovalada.* □ SINÓNIMOS: oval. FAMILIA: → óvalo.

óvalo [sustantivo masculino] Línea cerrada y que forma una figura parecida a un huevo: *El contorno de un rostro es parecido a un óvalo.* □ FAMILIA: oval, ovalado.

ovario [sustantivo masculino] Cada uno de los dos órganos que tienen las hembras dentro del vientre y en los que se forman las células sexuales: *Los ovarios son órganos femeninos de reproducción.* □ FAMILIA: → huevo.

oveja 1 [sustantivo femenino] Animal cuya lana se aprovecha para hacer telas y prendas de punto: *La oveja es la hembra del carnero.* **2** [expresión] **ser la oveja negra** Destacar en un grupo por una serie de cualidades que se consideran negativas: *Yo soy la oveja negra de mi familia, porque a todos les gusta leer menos a mí.* □ [El significado **2** es coloquial].

ovetense [adjetivo o sustantivo] De la ciudad española de Oviedo: *Los ovetenses son asturianos.* □ [No varía en masculino y en femenino].

ovillo [sustantivo masculino] **1** Bola que se hace enrollando hilo u otro material semejante: *He comprado un ovillo de lana para hacerme una* *bufanda.* **2** Lo que está enrollado y tiene una forma más o menos redonda: *¿Por qué no doblas la ropa en lugar de dejarla hecha un ovillo?*

ovino, na [adjetivo] De las ovejas y de los animales que tienen la piel cubierta de lana, o relacionado con ellos: *Las ovejas son ganado ovino.* □ [No confundir con bovino].

[ovni [sustantivo masculino] Objeto que vuela y que no se sabe qué es: *Un primo mío dice que existen los extraterrestres y que vuelan en ovnis.*

óvulo [sustantivo masculino] Célula sexual femenina: *Los óvulos se forman en los ovarios.* □ FAMILIA: → huevo.

oxidar [verbo] **1** Estropear un material por la acción del oxígeno o de otras sustancias: *El hierro se oxida con la humedad.* **2** Dejar de funcionar bien: *Piensas tan poco que se te va a oxidar el cerebro por falta de uso.* □ [El significado **2** es coloquial]. FAMILIA: → óxido.

óxido [sustantivo masculino] Capa que se forma sobre los metales por la acción del oxígeno o de otras sustancias: *El óxido del hierro es una especie de polvo de color marrón.* □ SINÓNIMOS: roña. FAMILIA: oxidar, inoxidable.

oxigenar [verbo] **1** Aumentar la cantidad de oxígeno en una sustancia: *Las plantas verdes contribuyen a oxigenar el aire.* **2 oxigenarse** Respirar aire libre: *Tengo ganas de ir al campo para oxigenarme un poco.* □ FAMILIA: → oxígeno.

oxígeno [sustantivo masculino] **1** Gas que no tiene color, sabor ni olor, y que forma parte del aire: *Al respirar, tomamos oxígeno.* **2** Aire puro: *Abre la ventana para que entre un poco de oxígeno.* □ [El significado **2** es coloquial]. FAMILIA: oxigenar.

oyente [sustantivo] Persona que escucha algo: *El locutor de radio dio las gracias a los oyentes por su atención.* □ [No varía en masculino y en femenino]. FAMILIA: → oír.

ozono [sustantivo masculino] Gas que se forma en el aire por la acción de descargas eléctricas: *La capa de ozono de la atmósfera es muy importante para la vida en la Tierra.*

a
b
c
d
e
f
g
h
i
j
k
l
m
n
ñ
o
p
q
r
s
t
u
v
w
x
y
z

P p

p [sustantivo] [femenino] Letra número diecisiete del abecedario: *La palabra «pino» empieza por «p».* □ [Su nombre es pe].

pabellón [sustantivo] [masculino] Edificio grande que se construye con una finalidad determinada: *Los análisis de sangre se hacen en el pabellón central del hospital.*

pacense [adjetivo o] [sustantivo] De la provincia de Badajoz o de su capital: *Unos primos míos son pacenses.* □ [No varía en masculino y en femenino]. SINÓNIMOS: badajocense.

pacer [verbo] Comer hierba el ganado en el campo: *Las vacas pacen en el prado.* □ [Es irregular y se conjuga como PARECER]. SINÓNIMOS: pastar. FAMILIA: apacentar.

pacharán [sustantivo] [masculino] Bebida alcohólica de un color parecido al rojo: *El pacharán es una bebida de origen navarro.*

pachorra [sustantivo] [femenino] Forma de ser de la persona que no se pone nerviosa por nada: *Tiene mucha pachorra y siempre se toma las cosas con tranquilidad.* □ SINÓNIMOS: calma. CONTRARIOS: impaciencia, nervios, nerviosismo.

pachucho, cha [adjetivo] Dicho de una persona, que está un poco enferma: *Ayer no fui a clase porque estuve un poco pachucha.* □ [Es coloquial]. SINÓNIMOS: pocho.

paciencia [sustantivo] [femenino] Capacidad para estar tranquilo cuando se espera algo o cuando se hace una cosa: *Ten paciencia, y espera a mañana para ver el regalo.* □ SINÓNIMOS: calma, tranquilidad. CONTRARIOS: impaciencia. FAMILIA: paciente, impaciencia, impaciente, impacientar.

paciente 1 [adjetivo] Que tiene paciencia: *Sé paciente con él y explícaselo hasta que lo comprenda.* **2** [sustantivo] Persona que está enferma: *Este médico visita a sus pacientes por la mañana.* □ [No varía en masculino y en femenino]. SINÓNIMOS: 2 enfermo. CONTRARIOS: 1 impaciente. FAMILIA: → paciencia.

pacífico, ca [adjetivo] Que rechaza las situaciones violentas: *No conseguirás discutir con ella porque es muy pacífica.* □ SINÓNIMOS: tranquilo. CONTRARIOS: violento. FAMILIA: → paz.

pacifista [adjetivo o] [sustantivo] Que defiende la paz: *Los pacifistas quieren acabar con cualquier tipo de violencia.* □ [No varía en masculino y en femenino]. FAMILIA: → paz.

pactar [verbo] Ponerse de acuerdo en algo: *¿No te acuerdas de que el otro día pactamos que iríamos juntos?* □ SINÓNIMOS: acordar, quedar, convenir. FAMILIA: → pacto.

pacto [sustantivo] [masculino] Lo que se decide entre dos partes y ambas deben cumplir: *He hecho un pacto con mis amigos para guardar un secreto.* □ SINÓNIMOS: trato, acuerdo, convenio. FAMILIA: pactar.

padecer [verbo] Sufrir algo malo: *La gente cruel disfruta viendo padecer a los demás. Mi padre padece del estómago y no puede comer de todo.* □ [Es irregular y se conjuga como PARECER]. FAMILIA: compadecer.

padrastro [sustantivo] [masculino] **1** Lo que es un hombre en relación con los hijos que no son suyos, pero sí de su mujer: *Cuando mi padre murió, mi madre se volvió a casar y mi padrastro me quiere mucho.* **2** Piel que se levanta alrededor de las uñas: *Tengo que cortarme este padrastro, porque me duele.* □ FAMILIA: → padre.

padre [sustantivo] [masculino] **1** Lo que es un hombre en relación con su hijo: *Mi padre y mi madre llevan quince años casados.* **2** Tratamiento que se da a algunos religiosos: *Hoy celebrará la misa el padre Juan.* **3** [plural] Lo que son un hombre y una mujer en relación con su hijo: *Hoy han venido a buscarme mis padres.* □ SINÓNIMOS: 1 papá. FAMILIA: padrastro, paterno, paternal, paternidad, padrenuestro, padrino, apadrinar.

padrenuestro [sustantivo] [masculino] Oración que empieza con las palabras *Padre nuestro: Entré en la capilla y recé un padrenuestro.* □ [Se escribe también padre nuestro]. FAMILIA: → padre.

padrino [sustantivo] [masculino] Lo que es un hombre en relación con una persona a la que acompaña al recibir algunos honores: *Mi padre fue el padrino de boda de mi hermana. El padrino y la madrina en el bautizo de mi hermano fueron mis tíos.* □ FAMILIA: → padre.

paella [sustantivo] [femenino] Comida hecha con arroz: *La* *paella puede tener carne, mariscos o verduras.* □ FAMILIA: paellera.

paellera [sustantivo] [femenino] Recipiente en el que se hace la paella: *La paellera es como una sartén grande con dos asas.* □ FAMILIA: → paella.

paga [sustantivo] [femenino] Dinero que se gana cada determinado período de tiempo: *Mis padres me dan la paga los domingos.* □ SINÓNIMOS: salario, sueldo, jornal. FAMILIA: → pagar.

pagano, na [adjetivo o] [sustantivo] Que no es cristiano: *Las antiguas religiones griega y romana eran paganas.*

pagar [verbo] **1** Dar dinero a cambio de algo: *No se puede entrar al cine si no pagas antes la entrada.* **2** Cumplir un castigo: *Lo metieron en la cárcel para que pagara su crimen.* □ [La g se cambia en gu delante de e]. SINÓNIMOS: **1** abonar, satisfacer. CONTRARIOS: **1** deber, adeudar, cobrar. FAMILIA: paga, pago.

página [sustantivo] [femenino] Cada una de las dos caras de las hojas de un libro: *Ésta es la página seiscientas treinta y una del diccionario.*

pago [sustantivo] [masculino] Hecho de dar dinero a cambio

pagar	conjugación	
INDICATIVO	**SUBJUNTIVO**	
presente	**presente**	
pago	pague	
pagas	pagues	
paga	pague	
pagamos	paguemos	
pagáis	paguéis	
pagan	paguen	
pretérito imperfecto	**pretérito imperfecto**	
pagaba	pagara, -ase	
pagabas	pagaras, -ases	
pagaba	pagara, -ase	
pagábamos	pagáramos, -ásemos	
pagabais	pagarais, -aseis	
pagaban	pagaran, -asen	
pretérito indefinido	**futuro**	
pagué	pagare	
pagaste	pagares	
pagó	pagare	
pagamos	pagáremos	
pagasteis	pagareis	
pagaron	pagaren	
futuro	**IMPERATIVO**	
pagaré	**presente**	
pagarás	paga	(tú)
pagará	pague	(él)
pagaremos	paguemos	(nosotros)
pagaréis	pagad	(vosotros)
pagarán	paguen	(ellos)
condicional	**FORMAS NO PERSONALES**	
pagaría	**infinitivo**	**gerundio**
pagarías	pagar	pagando
pagaría	**participio**	
pagaríamos	pagado	
pagaríais		
pagarían		

de algo: *Mis padres compraron un coche y el pago lo dividieron en seis plazos.* □ SINÓNIMOS: abono. FAMILIA: → pagar.

pagoda [sustantivo] [femenino] Templo de algunas culturas orientales: *Los tejados de las pagodas tienen las puntas hacia arriba.* 🔍 página 793.

paipay [sustantivo] [masculino] Instrumento que sirve para darse aire: *Los paipáis son una especie de abanicos redondos.* □ [Su plural es *paipáis*].

PAIPAY

país [sustantivo] [masculino] Territorio que forma una unidad política y cultural: *En este campeonato hay participantes de casi todos los países del mundo.* □ SINÓNIMOS: nación, patria.

paisaje [sustantivo] [masculino] Terreno que se ve desde un lugar: *El paisaje que rodea este pueblo es maravilloso.*

paisano, na [adjetivo o] [sustantivo] Que ha nacido en el mismo lugar que otra persona: *Los segovianos son mis paisanos, porque yo he nacido en un pueblo de Segovia.*

paja [sustantivo] [femenino] **1** Tallo seco de algunas plantas: *La paja del trigo se usa para alimentar al ganado.* **2** Tubo delgado y de plástico que se usa para beber líquidos: *El granizado de limón lo tomo con paja.* **3** Lo que resulta inútil: *Lo importante de este texto son sólo dos líneas y el resto es paja.* □ FAMILIA: pajar.

pajar [sustantivo] [masculino] Lugar en el que se guarda la paja: *Estuvimos jugando en el pajar y salimos con la ropa llena de pajitas.* □ FAMILIA: → paja.

pajarería [sustantivo] [femenino] Tienda en la que se venden pájaros y otros animales: *Compré un periquito en la pajarería.* □ FAMILIA: → pájaro.

pajarita [sustantivo] [femenino] **1** Especie de corbata con forma de lazo: *Los camareros llevan camisa blanca y pajarita negra.* **2** Figura de papel que tiene forma de pájaro: *¿Cómo tengo que*

a b c d e f g h i j k l m n ñ o **p** q r s t u v w x y z

a

b

c

d

e

f

g

h

i

j

k

l

m

n

ñ

o

p

q

r

s

t

u

v

w

x

y

z

doblar la hoja para hacer una pajarita? ☐ FAMILIA: → pájaro.

pájaro [sustantivo/masculino] Ave que vuela: *La gallina es un ave, pero no un pájaro.* ☐ FAMILIA: pajarería, pajarita, espantapájaros.

paje [sustantivo/masculino] Criado que ayudaba a su señor: *Un paje ayudó al caballero a subir al caballo.*

pala [sustantivo/femenino] **1** Herramienta que sirve para coger la tierra al cavar: *En la playa juego con un cubo y una pala de plástico.* 🔎 página 431. **2** Lo que se utiliza para golpear la pelota en algunos juegos: *Llévate las palas y la pelota para jugar en la playa.*

palabra [sustantivo/femenino] **1** Conjunto de sonidos que usamos para nombrar algo: *Si no conoces el significado de una palabra, debes buscarla en el diccionario.* **2** Seguridad de que se va a cumplir lo que se dice: *Te doy mi palabra de que yo no sabía nada.* **3** Derecho que se tiene a hablar: *Levanté la mano para pedir la palabra.* **4** [expresión] **dirigir la palabra a alguien** Hablar con él: *No le voy a dirigir la palabra hasta que no me pida perdón.* **medir las palabras** Hablar teniendo cuidado de lo que se dice: *Como se enfada por nada, mide tus palabras cuando hables con él.* **palabra de honor** Juramento: *De verdad que te acompaño, te doy mi palabra de honor.* ☐ SINÓNIMOS: **1** término, vocablo, voz. **2** promesa. FAMILIA: palabrota, apalabrar.

palabrota [sustantivo/femenino] Palabra fea y ofensiva: *Es de mala educación decir palabrotas.* ☐ FAMILIA: → palabra.

palacio [sustantivo/masculino] Casa muy grande en la que viven los reyes y otras personas importantes: *Cuando estuve en Madrid, visité el Palacio Real.* 🔎 página 540.

paladar [sustantivo/masculino] Parte del interior de la boca que está encima de la lengua: *Tengo una herida en el paladar y me escuece al beber zumo de limón.* ☐ SINÓNIMOS: cielo de la boca. FAMILIA: paladear.

paladear [verbo] Disfrutar poco a poco el sabor de una comida: *Los bombones me duran más que a ti, porque tú los devoras y yo los paladeo.* ☐ SINÓNIMOS: saborear. FAMILIA: → paladar.

palanca [sustantivo/femenino] Barra rígida que se usa

para hacer fuerza: *Los ladrones forzaron la puerta con una palanca y entraron en la casa.*

palancana o **palangana** [sustantivo/femenino] Recipiente muy ancho y poco profundo: *Mi madre mete los pies en una palangana con agua y sal cuando está muy cansada.*

PALANCANA O PALANGANA

palco [sustantivo/masculino] En un teatro, espacio con forma de balcón y con varios asientos: *En los palcos hay varias butacas.*

PALCO

palentino, na [adjetivo o/sustantivo] De la provincia de Palencia o de su capital: *La remolacha y la patata son cultivos palentinos.*

paleta [sustantivo/femenino] Mira en **paleto, ta.**

paleto, ta [adjetivo o/sustantivo] **1** Que se considera poco elegante: *¡Qué pantalones más paletos lleva...!* **2** De un pueblo o del campo: *Dibujó un paleto con boina y garrota.* [sustantivo/femenino] **3** Tabla en la que se ponen las pinturas para mezclarlas: *El pintor mojaba el pincel en la paleta.* **4** Herramienta que sirve para echar cemento al construir una pared: *El albañil cogía el cemento con la paleta y lo echaba sobre los ladrillos.* 🔎 página 431. ☐ [Los significados **1** y **2** son despectivos]. CONTRARIOS: **1** fino.

palidecer [verbo] Ponerse pálido: *Cuando vio que la herida le sangraba, palideció y se desmayó.* ☐ [Es irregular y se conjuga como PARECER]. FAMILIA: → pálido.

palidez [sustantivo/femenino] Color de la piel más claro de lo normal: *La palidez se te quitará tomando el sol.* ☐ FAMILIA: → pálido.

pálido, da [adjetivo] Que tiene un tono más claro que su color normal: *Al marearte te* *has puesto pálida.* □ FAMILIA: palidez, palidecer.

palillero [sustantivo masculino] Recipiente en el que se guardan los palillos: *Acércame el palillero para coger un palillo.* □ FAMILIA: → palo.

palillo [sustantivo masculino] **1** Trozo pequeño de madera que se usa para pinchar alimentos o para limpiarse los restos de comida que quedan entre los dientes: *Dame un palillo para pinchar las aceitunas.* **2** Trozo de madera redondo y largo: *El tambor se toca con dos palillos.* □ SINÓNIMOS: **1** mondadientes. FAMILIA: → palo.

palitroque [sustantivo masculino] Trozo de palo: *Eché un palitroque al río para ver cómo flotaba.* □ FAMILIA: → palo.

paliza [sustantivo femenino] **1** Golpes que se dan a alguien: *Después de robarle, los atracadores le dieron una paliza.* **2** Derrota importante que se sufre en un juego: *Os hemos dado una paliza al baloncesto porque no sabéis ni coger el balón.* **3** Trabajo agotador: *Me he dado una paliza ordenando la habitación.* **4** [expresión] **dar la paliza** Molestar o aburrir: *No me des la paliza, que tengo mucho que hacer.* □ [Los significados **2**, **3** y **4** son coloquiales]. SINÓNIMOS: **1** tunda, zurra.

palma [sustantivo femenino] **1** Cara inferior de la mano: *Enséñame las palmas de las manos para que yo vea que no escondes nada.* **2** Árbol sin ramas y con el tronco áspero, del que salen unas hojas largas, duras y lisas: *Cerca de la playa hay un paseo bordeado de palmas.* **3** [plural] Golpes que se dan con las manos para aplaudir: *Mientras unos bailaban sevillanas, los demás dábamos palmas.* **4** [expresión] **llevarse la palma** Destacar en algo: *Yo soy algo despistada, pero tú te llevas la palma.* □ SINÓNIMOS: **2** palmera. **3** palmada. FAMILIA: palmada, palmotear, palmo, palmera, palmero.

palmada [sustantivo femenino] Golpe que se da con la mano: *El profesor dio unas palmadas para que nos calláramos.* □ SINÓNIMOS: palmas. FAMILIA: → palma.

palmar [verbo] Morir: *La palmó en un accidente de avión.* □ [Es coloquial].

palmero, ra **1** [adjetivo o sustantivo] De la isla española de La Palma: *Los palmeros son canarios.* **2** [sustantivo femenino] Árbol sin ramas y de tronco áspero,

del que salen unas hojas largas, duras y lisas: *Algunas palmeras dan dátiles y otras, cocos.* página 19. □ SINÓNIMOS: **2** palma. FAMILIA: → palma.

palmo 1 [sustantivo masculino] Medida de longitud: *Un palmo es aproximadamente lo que mide una mano abierta y estirada, desde el pulgar hasta el meñique.* **2** [expresión] **con un palmo de narices** Sin lo que esperábamos conseguir: *Se enfadó, dijo que ya no había fiesta y nos dejó con un palmo de narices.* **palmo a palmo** Con mucho detalle y cuidado: *He buscado palmo a palmo por toda la habitación y no lo encuentro.* □ SINÓNIMOS: **1** cuarta. FAMILIA: → palma.

palmotear [verbo] Dar golpes chocando una mano con otra: *Cuando vio la papilla, el niño palmoteó de alegría.* □ FAMILIA: → palma.

palo [sustantivo masculino] **1** Trozo de madera más largo que grueso: *La bruja iba montada en el palo de la escoba.* **2** Golpe fuerte y doloroso: *Este pobre animal ha recibido muchos palos.* **3** Cada uno de los cuatro tipos de cartas que tiene una baraja: *Los palos de la baraja son: oros, copas, espadas y bastos.* **4** [expresión] **a palo seco** Sin nada para acompañar: *Se comió el bocadillo a palo seco, sin beber nada.* □ FAMILIA: palillo, palillero, palitroque, palote, apalear.

palomar [sustantivo masculino] Lugar en el que se crían palomas: *En la azotea de ese edificio hay un palomar.* □ FAMILIA: → palomo.

palomita [sustantivo femenino] Grano de maíz que se hace con aceite y sal: *Siempre que voy al cine compro una bolsa de palomitas.* □ [Se usa más en plural]. FAMILIA: → palomo.

palomo, ma [sustantivo] Ave de alas cortas y con plumas blancas, grises o azules, que suele estar en las plazas: *Antes se usaban palomas mensajeras para enviar noticias.* □ FAMILIA: palomar, palomita.

palote [sustantivo masculino] Cada una de las líneas que se hacen cuando se aprende a escribir: *Tengo un cuaderno para hacer palotes y caligrafía.* □ FAMILIA: → palo.

palpar [verbo] **1** Tocar con las manos: *El médico me palpó el vientre para ver si me dolía.* **2** Notar de una forma muy clara: *Se palpa en el ambiente que sucede algo raro.*

palpitar [verbo] Moverse el corazón: *Mi corazón comenzó a palpitar muy fuerte cuando oí que era la ganadora del concurso.* □ SINÓNIMOS: latir.

palurdo, da [adjetivo o sustantivo] Que no tiene educación: *Debes estudiar en serio si no quieres ser un palurdo toda tu vida.* □ [Es despectivo].

pamela [sustantivo femenino] Sombrero de ala muy ancha: *Cuando voy a la playa me pongo una pamela de paja para que no me dé el sol en la cara.*

pampa [sustantivo femenino] Llanura extensa y muy amplia, sin árboles, que es característica de Argentina: *He leído una novela en la que un niño atraviesa toda la pampa buscando a su madre.* 🔍 página 845.

pamplina [sustantivo femenino] Cosa sin importancia: *No le hagas caso y no te enfades, porque eso son pamplinas.* □ [Es coloquial]. SINÓNIMOS: tontería, bobada, pequeñez, chorrada.

pamplonica [adjetivo o sustantivo] De la ciudad española de Pamplona: *Los pamplonicas celebran sus fiestas en julio.* □ [No varía en masculino y en femenino].

pan 1 [sustantivo masculino] Masa de harina y agua que se cuece y sirve de alimento: *En mi pueblo cuecen el pan en horno de leña.* **2** [expresión] **ser el pan nuestro de cada día** Ser muy frecuente: *Aquí, que se vaya la luz y nos quedemos a oscuras es el pan nuestro de cada día.* **ser pan comido** Resultar muy fácil: *Trepar a un árbol es pan comido para mí.* □ [Las expresiones son coloquiales]. FAMILIA: panadero, panadería, panera, empanar, empanada, empanadilla.

pana [sustantivo femenino] Tela suave y gruesa que da calor: *Los pantalones de pana abrigan mucho.*

panadería [sustantivo femenino] Lugar en el que se hace o se vende pan: *En esta panadería venden también bollos y pasteles.* □ SINÓNIMOS: horno. FAMILIA: → pan.

panadero, ra [sustantivo] Persona que hace o vende pan: *El panadero me guarda dos barras todos los días.* □ FAMILIA: → pan.

panal [sustantivo masculino] Lugar que construyen las abejas con cera: *Las abejas guardan la miel en los panales.*

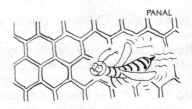

PANAL

pancarta [sustantivo femenino] Trozo grande de tela en el que se escribe algo para que lo vean los demás: *Fuimos al partido con una pancarta para animar a nuestro equipo.*

[panchito [sustantivo masculino] Un tipo de fruto seco: *Un panchito es un cacahuete pelado y frito.*

pancho, cha [adjetivo] Tranquilo y contento: *Aunque le dije que no lo estaba haciendo bien, se quedó tan pancha y siguió haciéndolo igual.* □ [Se usa mucho en la expresión quedarse tan pancho].

panda [sustantivo femenino] Grupo de personas que se juntan para algo: *Fuimos de excursión toda la panda de amigos.* □ SINÓNIMOS: cuadrilla. FAMILIA: pandilla.

pandereta [sustantivo femenino] Instrumento musical redondo, con unas piezas de metal a su alrededor que suenan al moverse: *En Navidad cantamos villancicos con guitarras y panderetas.* □ FAMILIA: → pandero. 🔍 página 607.

pandero [sustantivo masculino] **1** Instrumento musical redondo que suena al golpearlo: *En gimnasia tenemos que andar al ritmo que la profesora marca con el pandero.* **2** Culo: *Al bailar muevo el pandero.* □ [El significado **2** es coloquial]. FAMILIA: pandereta.

pandilla [sustantivo femenino] Grupo habitual de amigos: *A todos los de mi pandilla nos gusta hacer deporte.* □ FAMILIA: → panda.

panera [sustantivo femenino] Recipiente en el que se coloca el pan: *Sirvió el pan en una panera.* □ FAMILIA: → pan.

panorama [sustantivo masculino] **1** Paisaje extenso que se ve desde un lugar: *Merece la pena subir a la cumbre por el panorama que se contempla desde allí.* **2** Aspecto que presenta una situación: *En el telediario han hablado del panorama político actual.*

pantalla [sustantivo femenino] **1** Lo que se pone alrededor de una luz artificial: *La pantalla de la lámpara del salón es blanca.* **2** Superficie en la que vemos imágenes: *La pantalla del cine es blanca.* 🔍 página 432.

pantalón [sustantivo/masculino] Prenda de vestir que cubre las piernas y que se abrocha en la cintura: *En verano llevo pantalones cortos.* □ [Significa lo mismo en singular que en plural].

pantano [sustantivo/masculino] **1** Lugar grande que se construye para almacenar agua: *Este pantano proporciona agua a los pueblos de su alrededor.* **2** Terreno que tiene poca profundidad y está cubierto de agua y barro: *El protagonista se perdió en una zona de pantanos.* □ SINÓNIMOS: **1** embalse, presa. FAMILIA: pantanoso. □ FAMILIA: → pantano.

pantanoso, sa [adjetivo] Dicho de un terreno, que está cubierto de agua y barro: *Si vais de excursión, no os metáis en sitios pantanosos.* □ FAMILIA: → pantano.

pantera [sustantivo/femenino] Animal salvaje de color negro, parecido a un gato, pero más grande: *Las panteras son muy ágiles.* 🔍 página 711.

pantorrilla [sustantivo/femenino] Parte de atrás de la pierna, que está entre la rodilla y el tobillo: *Algunos deportistas tienen las pantorrillas muy desarrolladas.*

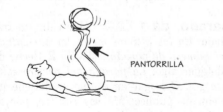

PANTORRILLA

panza [sustantivo/femenino] Tripa muy gorda: *Si comes tanto, te saldrá panza.* □ FAMILIA: panzada.

panzada [sustantivo/femenino] **1** Golpe dado con la panza: *Estoy aprendiendo a tirarme de cabeza al agua, y me pego cada panzada...* **2** [expresión] **darse una panzada de algo** Hacerlo con exceso: *Me gustó tanto la tarta que me di una panzada de comer.* □ [El significado **2** es coloquial]. FAMILIA: → panza.

pañal [sustantivo/masculino] Lo que se les pone a los niños pequeños para que absorba el pis y la caca: *Voy a cambiarle el pañal al bebé.* □ [Significa lo mismo en singular que en plural]. FAMILIA: → paño.

paño **1** [sustantivo/masculino] Trozo de tela: *Necesito un paño para limpiar los cristales.* **2** [expresión] **en paños menores** En ropa interior o casi desnudo: *No pases todavía a mi cuarto, que*

estoy en paños menores. □ FAMILIA: pañuelo, pañal.

pañuelo [sustantivo/masculino] **1** Trozo de tela que se usa para limpiarse la nariz: *Sacó el pañuelo y se sonó.* **2** Trozo de tela que se usa como adorno o para proteger del frío: *Cuando me duele la garganta, me pongo un pañuelo al cuello.* □ FAMILIA: → paño.

papa 1 [sustantivo/masculino] Sacerdote que tiene el grado más importante en la iglesia católica: *San Pedro fue el primer papa.* **2** [expresión] **ni papa** Nada o casi nada: *De todo lo que me explicó, no entendí ni papa.* □ [El significado **1** se suele escribir con mayúscula. El significado **2** es coloquial].

papá [sustantivo/masculino] **1** Padre: *Yo quiero mucho a mi papá.* **2** [plural] El padre y la madre: *Esta tarde voy al cine con mis papás.* □ [Es coloquial].

papada [sustantivo/femenino] Carne gorda que se forma debajo de la mandíbula inferior: *Has engordado tanto que te ha salido papada.*

papagayo, ya [sustantivo] Ave que aprende a repetir palabras y que tiene plumas de colores: *Estoy enseñando a hablar al papagayo que me regalaron.* □ SINÓNIMOS: loro.

papel [sustantivo/masculino] **1** Material con el que están hechas las hojas de un libro: *Escribo en papel cuadriculado para no torcerme.* **2** Documento que se necesita para algo: *¿Tienes todos los papeles preparados?* **3** Personaje que un actor representa: *Tengo que aprenderme el papel que me ha tocado hacer en la obra de fin de curso.* **4** [expresión] **papel carbón** El que es negro por una cara y se usa para hacer copias: *Necesito papel carbón para calcar este mapa del libro.* **papel charol** El que brilla mucho por una cara: *Hicimos un payaso con papel charol de muchos colores.* **papel higiénico** El que se usa en el cuarto de baño: *El papel higiénico se compra en las droguerías.* **perder los papeles** Actuar sin control a causa de los nervios: *No pierdas los papeles y piensa despacio qué tienes que hacer.* □ FAMILIA: papelera, papelería, papeleta, empapelar, pisapapeles.

papelera [sustantivo/femenino] Recipiente que se usa para tirar los papeles que no sirven: *En muchas farolas hay papeleras.* □ FAMILIA: → papel. 🔍 página 605.

a
b
c
d
e
f
g
h
i
j
k
l
m
n
ñ
o
p
q
r
s
t
u
v
w
x
y
z

papelería [sustantivo femenino] Tienda en la que se vende papel y otros objetos para escribir: *He comprado un boli y un cuaderno en la papelería.* □ FAMILIA: → papel.

papeleta [sustantivo femenino] **1** Papel pequeño y con un número, que da la posibilidad de recibir un premio si se tiene suerte: *Si me compras una papeleta para este sorteo, te puede tocar una radio.* **2** Asunto difícil de resolver: *¡Menuda papeleta tengo encima!* □ [El significado **2** es coloquial]. FAMILIA: → papel.

[paperas [sustantivo femenino plural] Enfermedad infantil: *Cuando se tienen paperas, se inflama la zona del cuello que está cerca de las orejas.*

papilla [sustantivo femenino] Comida blanda que toman los niños pequeños: *Los bebés toman papillas y biberones.*

papiro [sustantivo masculino] Especie de papel en el que se escribía hace siglos: *El papiro se obtenía de los tallos de unas plantas.*

paquete [sustantivo masculino] Objeto que se envuelve para llevarlo a algún sitio: *Estoy deseando abrir el paquete para ver qué me han enviado.* □ FAMILIA: empaquetar.

par 1 [adjetivo o sustantivo] Que se puede dividir por dos: *El 4, el 8 y el 10 son números pares.* **2** [sustantivo masculino] Conjunto de dos cosas de una misma clase: *Tengo un par de zapatos negros.* **3** [expresión] **a la par** A la vez: *Habéis ganado los dos, porque habéis llegado a la par.* **de par en par** Abierto del todo: *Si abres la ventana de par en par entrará más aire.* □ [Cuando es adjetivo no varía en masculino y en femenino]. SINÓNIMOS: **2** pareja. CONTRARIOS: **1** impar, non. FAMILIA: pareja, impar.

para [preposición] **1** Indica finalidad: *Necesito unas tijeras para recortar esta foto.* **2** Indica la dirección a la que nos dirigimos: *Me encontré con tu hermano cuando yo iba para tu casa.* **3** Indica el tiempo en el que algo va a suceder: *Lo tendrás todo preparado para cuando llegues del colegio.* **4** Indica relación o comparación: *Estás muy alto para la edad que tienes.* **5** Indica motivo o causa: *¿Para qué has venido a verme?* **6** Indica que algo está muy próximo: *Cállate ya, que la película está para comenzar.* □ SINÓNIMOS: **2** hacia.

parábola [sustantivo femenino] Historia inventada que se nos cuenta para que aprendamos algo: *En la parábola del hijo pródigo, Jesucristo nos enseña lo mucho que Dios quiere a todos los hombres.*

parabrisas [sustantivo masculino] Cristal que está en la parte de delante de un automóvil: *El parabrisas debe estar siempre limpio para que el conductor pueda ver bien.* □ [No varía en singular y en plural]. FAMILIA: → brisa.

paracaídas [sustantivo masculino] Especie de saco que frena la caída de una persona que salta de un avión: *El piloto se salvó porque saltó en paracaídas antes de que se estrellara su avión.* □ [No varía en singular y en plural]. FAMILIA: → caer.

paracaidista [sustantivo] Persona que salta de un avión con un paracaídas: *Los paracaidistas saltaron del avión uno a uno.* □ [No varía en masculino y en femenino]. FAMILIA: → caer.

parachoques [sustantivo masculino] Pieza de un automóvil que lo protege de los golpes por delante y por detrás: *Nos dieron un golpe en el coche y nos abollaron el parachoques.* □ [No varía en singular y en plural]. FAMILIA: → chocar.

parado, da 1 [adjetivo o sustantivo] Que está sin trabajo: *En los últimos meses ha aumentado el número de parados.* [sustantivo femenino] **2** Hecho de detener algo: *La parada del portero evitó un gol.* **3** Lugar en el que se detiene un vehículo público: *Me voy contigo, porque cojo el autobús en la misma parada que tú.* **4** [expresión] **salir mal parado** Acabar mal: *Salí mal parada de ese asunto, y por eso nunca cuento nada sobre él.* □ FAMILIA: → parar.

parador [sustantivo masculino] Hotel muy bueno, generalmente en edificios antiguos: *Algunos paradores son monumentos históricos.* □ FAMILIA: → parar.

paraguas [sustantivo masculino] Instrumento que sirve para protegerse de la lluvia: *Menos mal que tengo paraguas, porque está lloviendo.* □ [No varía en singular y en plural]. FAMILIA: → agua.

paragüero [sustantivo masculino] Recipiente que sirve para dejar los paraguas: *Antes de salir, cogí el paraguas del paragüero.* □ FAMILIA: → agua.

paraíso [sustantivo masculino] **1** Lugar donde vivían

Adán y Eva, que fueron el primer hombre y la primera mujer creados por Dios, según cuenta la Biblia: *Adán y Eva fueron expulsados del Paraíso cuando pecaron.* **2** Lugar bonito, tranquilo y agradable: *Este jardín tan frondoso es un auténtico paraíso.* ☐ [El significado **1** se suele escribir con mayúscula]. CONTRARIOS: infierno.

paraje [sustantivo] [masculino] Lugar que está lejos o separado: *En esta región son frecuentes los parajes desérticos.*

paralelo, la 1 [adjetivo] Parecido o semejante: *Aciertas siempre con lo que me regalas porque nuestros gustos son paralelos.* **2** [adjetivo o sustantivo femenino] Que está siempre a la misma distancia de una línea y no la toca nunca: *Los raíles de la vía del tren son paralelos.* **3** [sustantivo] [masculino] En geografía, cada uno de los círculos imaginarios que rodean la Tierra a lo ancho: *El ecuador es el paralelo más grande.*

[paralimpiada [sustantivo] [femenino] Competición internacional de juegos deportivos en la que sólo pueden participar personas con problemas físicos o psíquicos: *Algunos participantes de la Paralimpiada van en sillas de ruedas.* ☐ [Se suele escribir con mayúscula. Se dice también *paraolimpiada*. Significa lo mismo en singular y en plural]. FAMILIA: → olimpiada. ✗ página 289.

[paralímpico, ca [adjetivo] De la Paralimpiada o relacionado con este tipo de competición: *Algunos atletas paralímpicos son ciegos.* ☐ [Se dice también *paraolímpico*]. FAMILIA: → olimpiada. ✗ página 289.

parálisis [sustantivo] [femenino] Pérdida de la capacidad de movimiento de una parte del cuerpo: *De pequeño tuvo una enfermedad que le causó parálisis en ambas piernas.* ☐ [No varía en singular y en plural]. FAMILIA: → paralizar.

paralítico, ca [adjetivo o sustantivo] Que no tiene movimiento en alguna parte de su cuerpo: *Un accidente de coche lo dejó paralítico y ahora va en silla de ruedas.* ☐ FAMILIA: → paralizar.

paralizar [verbo] **1** Impedir el movimiento de una parte del cuerpo: *Una enfermedad le paralizó las piernas.* **2** Detener el desarrollo de algo: *La falta de pruebas paralizó las investigaciones.* ☐ [La z se cambia en c delante de e, como en CAZAR]. FAMILIA: parálisis, paralítico.

[parapente [sustantivo] [masculino] Especie de paracaídas que se usa para lanzarse desde un sitio muy alto: *El parapente es rectangular y se dirige con unas cuerdas.*

parar [verbo] **1** Dejar de hacer algo: *Ya ha parado de llover.* **2** Detener el movimiento de algo: *Si no sabes parar un balón, no puedes jugar de portero.* **3** Llegar a manos de otra persona: *Sé que se lo di a alguien, pero no sé a quién fue a parar.* **4** Hallarse o encontrarse: *Necesito saber dónde para tu hermana porque tengo que darle un recado.* ☐ SINÓNIMOS: **1** cesar. FAMILIA: parada, parado, paro, parador.

pararrayos [sustantivo] [masculino] Aparato que sirve para proteger los edificios de los rayos: *Cuando hay tormenta no me preocupo, porque en el tejado de mi casa hay un pararrayos.* ☐ [No varía en singular y en plural]. FAMILIA: → rayo.

parásito, ta [adjetivo o sustantivo] Que vive alimentándose de otro ser vivo: *Los piojos son parásitos que producen picor en la cabeza.*

parcela [sustantivo] [femenino] **1** Parte en la que se divide un terreno: *Mis padres tienen una parcela en el pueblo de mis abuelos.* **2** Parte pequeña de un todo: *No puedes saber cómo soy, porque sólo conoces una parcela de mi vida.*

parche [sustantivo] [masculino] **1** Lo que se pone para tapar un roto: *Se me pinchó la rueda y tuve que ponerle un parche.* **2** Piel que tienen algunos instrumentos musicales y que suena cuando se golpea: *El parche de un tambor se puede golpear con la mano o con un palillo.*

parchís [sustantivo] [masculino] Juego de mesa en el que participan varias personas: *Al parchís se juega con fichas de colores, un tablero dividido en casillas y un dado.*

parcial [adjetivo] **1** Que no es completo: *En un eclipse parcial de Luna se ve un trozo negro y el resto, blanco.* **2** Que está a favor o en contra de algo: *Un árbitro de fútbol no debe ser parcial.* ☐ [No varía en masculino y en femenino]. CONTRARIOS: **1** completo, absoluto, total. **2** imparcial. FAMILIA: → parte.

a
b
c
d
e
f
g
h
i
j
k
l
m
n
ñ
o
p
q
r
s
t
u
v
w
x
y
z

a
b
c
d
e
f
g
h
i
j
k
l
m
n
ñ
o
p
q
r
s
t
u
v
w
x
y
z

PARAPENTE

pardo, da [adjetivo] Del color marrón de la tierra: *Muchos animales tienen el pelo de color pardo.*

parecer 1 [sustantivo masculino] Opinión o juicio que se tienen sobre algo: *Si me preguntas mi parecer, te diré que no estoy de acuerdo.* [verbo] **2** Tener un aspecto determinado: *Pareces enfadado, ¿te pasa algo?* **3** Haber señales de que va a pasar algo: *Llévate el paraguas, porque parece que va a llover.* **4 parecerse** Ser semejante a algo: *Te pareces muchísimo a tu madre.* □ [Es irregular]. FAMILIA: parecido.

parecer		conjugación
INDICATIVO		**SUBJUNTIVO**
presente		**presente**
parezco		parezca
pareces		parezcas
parece		parezca
parecemos		parezcamos
parecéis		parezcáis
parecen		parezcan
pretérito imperfecto		**pretérito imperfecto**
parecía		pareciera, -ese
parecías		parecieras, -eses
parecía		pareciera, -ese
parecíamos		pareciéramos, -ésemos
parecíais		parecierais, -eseis
parecían		parecieran, -esen
pretérito indefinido		**futuro**
parecí		pareciere
pareciste		parecieres
pareció		pareciere
parecimos		pareciéremos
parecisteis		pareciereis
parecieron		parecieren
futuro		**IMPERATIVO**
pareceré		
parecerás		**presente**
parecerá		parece (tú)
pareceremos		parezca (él)
pareceréis		parezcamos (nosotros)
parecerán		pareced (vosotros)
		parezcan (ellos)
condicional		**FORMAS NO PERSONALES**
parecería		
parecerías		**infinitivo** **gerundio**
parecería		parecer pareciendo
pareceríamos		**participio**
pareceríais		parecido
parecerían		

parecido, da 1 [adjetivo] Que se parece a algo: *Tengo un jersey muy parecido al tuyo.* **2** [sustantivo masculino] Conjunto de características que hacen que una cosa se parezca a otra: *El parecido que hay entre tú y tu hermano es muy grande.* □ SINÓNIMOS: **2** aire. FAMILIA: → parecer.

pared 1 [sustantivo femenino] Construcción vertical que forma un edificio: *He puesto un póster en la pared de mi habitación.* **2** [expresión] **subirse por las paredes** Estar muy enfadado: *Está que se sube por las paredes porque la han engañado.* □ SINÓNIMOS: **1** muro.

pareja [sustantivo femenino] **1** Conjunto de dos cosas de la misma clase: *Los guantes se compran por parejas.* **2** Conjunto de dos personas de distinto sexo: *Tu padre y tu madre hacen muy buena pareja.* □ SINÓNIMOS: **1** par. FAMILIA: → par.

parentesco [sustantivo masculino] Relación familiar que existe entre dos personas: *El parentesco que hay entre ella y yo es el de tía y sobrino.* □ FAMILIA: → pariente.

paréntesis [sustantivo masculino] Signo que usamos al escribir para añadir algo: *(Este ejemplo está escrito entre paréntesis).* □ [No varía en singular y en plural].

parida [sustantivo femenino] Tontería: *No puedo perder el tiempo oyendo tus paridas.* □ [Es vulgar].

pariente [sustantivo] Persona que tiene alguna relación familiar con otra: *Mis abuelos y mis primos son parientes míos.* □ [No varía en masculino y en femenino]. SINÓNIMOS: familiar. FAMILIA: parentesco.

paripé [sustantivo masculino] Lo que se hace para que parezca verdad sin serlo: *¡Menudo paripé montaste para hacernos creer que estabas enfermo!*

parir [verbo] Tener un hijo una mujer o la hembra de algunos animales: *La gata parió cinco gatitos.* □ [Parir se usa más para animales y dar a luz se prefiere para mujeres]. FAMILIA: parto.

[parking] [sustantivo masculino] Aparcamiento: *Los grandes almacenes suelen tener un parking para sus clientes.* □ [Es una palabra inglesa. Se pronuncia «párkin»].

parlamentario, ria 1 [adjetivo] Del Parlamento o relacionado con este órgano político: *En la sesión parlamentaria de ayer se discutió el proyecto de una nueva ley.* **2** [sustantivo] Miembro de un Parlamento: *Los par-*

lamentarios no aprobaron la ley propuesta por el ministro. □ FAMILIA: → parlamento.

parlamento [sustantivo masculino] Órgano político cuya tarea principal es hacer las leyes de un país: *El Parlamento lo forman los representantes elegidos por los ciudadanos.* □ [Se suele escribir con mayúscula]. FAMILIA: parlamentario.

parlanchín, -a [adjetivo o sustantivo] Que habla mucho: *Eres tan parlanchina que no me dejas decir ni una palabra.* □ [Es coloquial]. SINÓNIMOS: charlatán, hablador, cotorra, loro. CONTRARIOS: callado, reservado.

paro [sustantivo masculino] **1** Hecho de interrumpir algo: *Falleció por un paro respiratorio.* **2** Falta de trabajo: *Lo despidieron de la empresa y ahora está en paro.* □ SINÓNIMOS: **2** desempleo. CONTRARIOS: **2** empleo. FAMILIA: → parar.

parpadear [verbo] **1** Abrir y cerrar los ojos: *Se me ha metido algo en el ojo y no puedo dejar de parpadear.* **2** Verse una luz un rato sí y otro no: *Los intermitentes de los coches son luces que parpadean.* □ FAMILIA: → párpado.

párpado [sustantivo masculino] Trozo de piel que protege los ojos: *Cuando dormimos, tenemos los párpados cerrados.* □ FAMILIA: parpadear.

parque [sustantivo masculino] **1** Terreno con plantas y árboles que sirve como lugar de recreo: *En el parque que está cerca de mi casa hay columpios.* **2** Especie de mueble rodeado por una red en el que se pone a los niños pequeños para que jueguen: *Mi hermana pequeña tiene el parque lleno de juguetes.* □ SINÓNIMOS: **2** corral.

parqué [sustantivo masculino] Suelo de madera: *Mi casa tiene parqué en las habitaciones y baldosas en los cuartos de baño.*

parra [sustantivo femenino] Planta a la que se le ponen unos palos para hacerla crecer agarrada a ellos: *La parra que hay en el porche de mi casa da uvas en verano.*

párrafo [sustantivo masculino] Cada una de las partes de un texto que están separadas entre sí por un punto y aparte: *Este párrafo ocupa cuatro líneas.*

parrilla [sustantivo femenino] Instrumento formado por unas barras de metal y que sirve para cocinar alimentos al fuego: *Fuimos a comer al* campo y llevamos parrillas para asar chuletas. □ FAMILIA: parrillada.

PARRILLA

parrillada [sustantivo femenino] Comida hecha en una parrilla: *Mi madre hizo una parrillada en el campo el día de su cumpleaños.* □ FAMILIA: → parrilla.

párroco [adjetivo o sustantivo masculino] Dicho de un sacerdote, que es el encargado de una iglesia a la que van de forma habitual los fieles de un lugar: *Nos da catequesis el párroco de esta iglesia.* □ FAMILIA: → parroquia.

parroquia [sustantivo femenino] Iglesia a la que van de forma habitual los fieles de un lugar: *Los martes voy a catequesis en mi parroquia.* □ FAMILIA: parroquial, párroco.

parroquial [adjetivo] De una parroquia o relacionado con ella: *Mis padres se casaron en la iglesia parroquial de su pueblo.* □ [No varía en masculino y en femenino]. FAMILIA: → parroquia.

parte 1 [sustantivo masculino] Información que se comunica cada cierto tiempo: *Según el parte médico, los heridos están fuera de peligro.* [sustantivo femenino] **2** Lo que se coge de un todo: *Como somos ocho, hay que dividir la tarta en ocho partes.* **3** Lugar o espacio: *Vete a otra parte, que no te quiero ni ver.* **4** Aspecto en el que algo se puede considerar: *Por una parte, quiero ir contigo, pero por otra, prefiero quedarme.* **5** [expresión] **de parte de alguien** En su nombre: *Di que vas de mi parte, y verás qué bien te trata.* □ FAMILIA: parcial, particular, partir, partida, partitura, partícula, apartar, aparte, imparcial, repartir, reparto, compartir.

participación [sustantivo femenino] Hecho de tomar parte en una actividad: *La participación de los tenistas españoles en el campeonato fue un éxito.* □ SINÓNIMOS: intervención. FAMILIA: → participar.

participante [sustantivo] Persona que participa en algo: *Los participantes en el concurso*

a

b

tienen que contestar a las preguntas del presentador. □ [No varía en masculino y en femenino]. FAMILIA: → participar.

participar [verbo] Tomar parte en algo: *Participé en la carrera y quedé segunda.* □ SINÓNIMOS: intervenir. FAMILIA: participación, participante.

c

d

e

participio [sustantivo] [masculino] Forma del verbo que termina en *-ado* o en *-ido* si es regular: *El participio del verbo «amar» es «amado», el de «temer» es «temido» y el de «partir» es «partido».*

f

g

partícula [sustantivo] [femenino] Parte muy pequeña de una materia: *Cuando da la luz en el mueble, se ven las partículas de polvo.* □ FAMILIA: → parte.

h

i

particular [adjetivo] **1** De una persona o propio de ella: *Mi opinión particular es que no hemos acertado con lo que hemos hecho.* **2** Raro o extraordinario: *No me contó nada particular, sino que me repitió lo de siempre.* **3** [expresión] **en particular** Especialmente: *Siempre eres graciosa, pero hoy en particular has estado más divertida que nunca.* □ [No varía en masculino y en femenino]. SINÓNIMOS: **1** personal, individual. **2** especial, singular, excepcional. CONTRARIOS: **1** colectivo, general, universal. **2** común, corriente, normal. FAMILIA: → parte.

j

k

l

m

n

ñ

o

p

partida [sustantivo] [femenino] **1** Marcha de un lugar: *Antes de la partida estuvimos preparando lo necesario para el viaje.* **2** Conjunto de las partes que forman un juego: *El que gane tres partidas seguidas será el vencedor.* **3** Conjunto de unidades que tienen alguna característica común: *Han retirado del mercado una partida de embutidos en mal estado.* □ FAMILIA: → parte.

q

r

s

partidario, ria [adjetivo o] [sustantivo] Que defiende una idea determinada: *Soy partidaria de decir la verdad, aunque a veces sea difícil.* □ SINÓNIMOS: adicto, adepto. CONTRARIOS: contrario, enemigo, adversario, rival. FAMILIA: → partido.

t

u

v

w

partido [sustantivo] [masculino] **1** Organización política formada por un conjunto de personas que defienden las mismas ideas: *En las elecciones, los ciudadanos votan al partido político que prefieren.* **2** Competición deportiva en la que juegan dos equipos: *Ayer fui al estadio*

x

y

z

a ver un partido de balonmano. □ FAMILIA: partidario.

partir [verbo] **1** Dividir algo en partes: *He partido la barra de pan en tres trozos para hacer tres bocadillos.* **2** Ponerse en marcha: *¿A qué hora parte el último tren para Valladolid?* **3** Salir o arrancar: *¿Sabes de quién partió la idea de comprarle un regalo?* **4** **partirse** Reírse mucho: *Es tan gracioso que cuando cuenta chistes, te partes.* **5** [expresión] **a partir de** Desde: *A partir de mañana no tenemos clase por las tardes.* □ SINÓNIMOS: **2** salir. **4** mondarse, desternillarse, troncharse. FAMILIA: → parte.

partitura [sustantivo] [femenino] Texto escrito de una obra musical: *Para tocar esta canción tengo que leer la partitura, porque no me la sé de memoria.*

parto [sustantivo] [masculino] Hecho de tener un hijo una mujer o la hembra de algunos animales: *El parto fue esta mañana, y tanto la madre como la niña están bien.* □ FAMILIA: → parir.

párvulo, la [sustantivo] Niño o niña pequeños: *Para entrar en ese colegio, los niños deben tener seis años, porque no admiten párvulos.*

pasa [sustantivo] [femenino] Mira en **paso, sa.**

pasable [adjetivo] Que no está mal del todo: *Mi examen estaba pasable, pero el profesor me dijo que trabajara más.* □ [No varía en masculino y en femenino]. SINÓNIMOS: aceptable. CONTRARIOS: inadmisible. FAMILIA: → pasar.

pasada [sustantivo] [femenino] **1** Hecho de pasar sobre algo: *Ya me sé el tema, pero voy a darle otra pasada para fijarlo mejor.* **2** Lo que destaca porque se sale de lo corriente: *Me han regalado un juego de ordenador que es una pasada.* **3** [expresión] **de pasada** Sin poner mucha atención: *No sé cuánto cuesta, porque lo vi en el escaparate de pasada y no me fijé en el precio.* **mala pasada** Mala acción que se hace contra alguien: *Me jugaste una mala pasada cuando intentaste engañarme en ese asunto.* □ [El significado **2** es coloquial]. FAMILIA: → pasar.

pasadizo [sustantivo] [masculino] Paso estrecho que sirve para hacer más corto el camino que va de una parte a otra: *Entraron en el castillo por un pasadizo secreto sin que los viera nadie.* □ FAMILIA: → pasar.

pasado 1 [adjetivo o sustantivo masculino] Dicho de un tiempo del verbo, que indica que la acción ya ha

3.ª conjugación: PARTIR

INDICATIVO

presente	pretérito perfecto
parto	he partido
partes	has partido
parte	ha partido
partimos	hemos partido
partís	habéis partido
parten	han partido

pretérito imperfecto	pretérito pluscuamperfecto
partía	había partido
partías	habías partido
partía	había partido
partíamos	habíamos partido
partíais	habíais partido
partían	habían partido

pretérito indefinido (1)	pretérito anterior
partí	hube partido
partiste	hubiste partido
partió	hubo partido
partimos	hubimos partido
partisteis	hubisteis partido
partieron	hubieron partido

futuro	futuro compuesto
partiré	habré partido
partirás	habrás partido
partirá	habrá partido
partiremos	habremos partido
partiréis	habréis partido
partirán	habrán partido

condicional	condicional compuesto
partiría	habría partido
partirías	habrías partido
partiría	habría partido
partiríamos	habríamos partido
partiríais	habríais partido
partirían	habrían partido

SUBJUNTIVO

presente	pretérito perfecto
parta	haya partido
partas	hayas partido
parta	haya partido
partamos	hayamos partido
partáis	hayáis partido
partan	hayan partido

pretérito imperfecto	pretérito pluscuamperfecto
partiera, -ese	hubiera, -ese partido
partieras, -eses	hubieras, -eses partido
partiera, -ese	hubiera, -ese partido
partiéramos, -ésemos	hubiéramos, -ésemos partido
partierais, -eseis	hubierais, -eseis partido
partieran, -esen	hubieran, -esen partido

futuro	futuro compuesto
partiere	hubiere partido
partieres	hubieres partido
partiere	hubiere partido
partiéremos	hubiéremos partido
partiereis	hubiereis partido
partieren	hubieren partido

IMPERATIVO

presente

parte	(tú)
parta	(él)
partamos	(nosotros)
partid	(vosotros)
partan	(ellos)

FORMAS NO PERSONALES

infinitivo	infinitivo compuesto
partir	haber partido

gerundio	gerundio compuesto
partiendo	habiendo partido

participio

partido

(1) Se llama también **pretérito perfecto simple**.

a
b
c
d
e
f
g
h
i
j
k
l
m
n
ñ
o
p
q
r
s
t
u
v
w
x
y
z

ocurrido: *En la frase «Ayer fui al cine», «fui» está en un tiempo pasado.* **2** [sustantivo] [masculino] Tiempo que ya ha pasado: *Debemos aprender de los errores del pasado para no volver a cometerlos.* □ SINÓNIMOS: pretérito. **2** ayer. CONTRARIOS: futuro. **2** mañana, porvenir. FAMILIA: → pasar.

pasador [masculino] **1** Instrumento que se usa para sujetar el pelo: *Siempre llevo una coleta cogida con un pasador de flores.* **2** Instrumento que sirve para sujetar la corbata a la camisa: *Le hemos regalado a mi padre un pasador por su cumpleaños.*

pasaje [sustantivo] [masculino] **1** Billete para un viaje en barco o en avión: *Antes de embarcar, hay que enseñar los pasajes a la azafata.* **2** Conjunto de personas que viajan en un barco o en un avión: *El piloto dio la bienvenida a todo el pasaje antes de despegar.* **3** Paso estrecho que hay entre dos calles, generalmente cubierto: *Para ir a esa calle tiene usted que atravesar este pasaje comercial.* **4** Fragmento de una obra de literatura: *El escritor leyó al público un pasaje de su último libro.* □ FAMILIA: pasajero.

pasajero, ra **1** [adjetivo] Que sólo dura un cierto tiempo: *Ya no me duele la cabeza, fue sólo un dolor pasajero.* **2** [sustantivo] Persona que viaja en un vehículo: *El jefe de estación gritó: «¡Pasajeros al tren!».* □ SINÓNIMOS: **1** momentáneo, provisional. CONTRARIOS: **1** permanente, duradero, continuo. FAMILIA: → pasaje.

pasamanos [sustantivo] [masculino] Parte de una escalera que sirve para apoyar la mano: *Tropecé en un escalón, pero no me caí porque me agarré al pasamanos.* □ [No varía en singular y en plural]. FAMILIA: → mano.

PASAMANOS

pasaporte [sustantivo] [masculino] Documento que se usa cuando se viaja a otro país: *Cuando llegamos a Londres, enseñamos el pasaporte a la policía.*

pasapurés [sustantivo] [masculino] Aparato que se usa para hacer purés: *Hice puré de lentejas pasándolas por el pasapurés.* □ [No varía en singular y en plural]. FAMILIA: → puré.

pasar [verbo] **1** Llevar o mover de un lugar a otro: *¿Me pasas el azúcar, por favor?* **2** Cambiar de situación o de categoría: *Hemos pasado de ser los quintos de la liga a ser los primeros.* **3** Atravesar una cosa a otra: *Pasaremos el río en barca.* **4** Dar o proporcionar: *Lo juzgaron por traidor, porque pasaba información al enemigo.* **5** Sufrir o aguantar: *No te paso ni una mala contestación más.* **6** Ser superior en algo: *He crecido tanto que ya paso en altura a mi madre.* **7** Acabar o terminar: *Ya pasó el peligro. ¿Se te ha pasado ya el enfado?* **8** Tener éxito en una prueba: *¿Has pasado el examen de ingreso?* **9** Mover algo por encima de otra cosa: *Si pasas un paño por los cristales empañados, verás lo que hay fuera.* **10** Olvidar algo: *Se me pasó el día de tu cumpleaños, por eso no te felicité.* **11** Poner una película: *¿A qué hora pasan esa serie de policías en la tele?* **12** Ocupar un período de tiempo: *Siempre paso el verano en un pueblo de Segovia con mi familia.* **13** Entrar o ir al interior: *No te quedes en la puerta y pasa, por favor.* **14** Vivir o estar a gusto: *No sé cómo puedes pasar sin tomar bombones teniendo la caja delante.* **15** No jugar en algunos juegos cuando toca la vez porque no se puede: *Paso porque no tengo ninguna ficha con un cinco o con un dos.* **16** Transcurrir un período de tiempo: *Este curso se me ha pasado volando.* **17** Producirse un hecho: *¿Qué ha pasado aquí, que hay tanto jaleo?* **pasarse 18** Ir más lejos de lo permitido: *Te has pasado diciéndome que soy un inútil y que nunca dejaré de serlo.* **19** Estropearse una fruta: *Hay que comerse estos plátanos antes de que se pasen.* **20** [expresión] **pasar de algo** No preocuparse por ello: *Paso de lo que me digas porque no me interesa tu opinión.* **pasar de largo** No parar: *Aunque te llamen, tú pasa de largo, que tenemos prisa.* **pasar por alto** No hacer caso: *Pasó por alto mis advertencias y le fue muy mal.* □ [El significado **18** y las expresiones son coloquiales]. SINÓNIMOS: **6,8** superar. **17** ocurrir, acontecer, suceder. FAMILIA: paso, pasable, pasado, pasada, pasadizo, pase, pasarela, pasota, repasar, repaso, antepasado, traspasar, pasodoble.

pasarela [sustantivo] [femenino] **1** Puente pequeño que sirve para cruzar a pie una carretera: *Para coger el autobús cruzo la carretera por una pasarela.* **2** Camino estrecho y elevado por el que se hacen desfiles: *Las modelos caminan por una pasarela para que el público vea bien la ropa que llevan.* □ FAMILIA: → pasar.

pasatiempo [sustantivo] [masculino] Lo que se hace como diversión o para pasar el tiempo: *Los jeroglíficos son pasatiempos.* □ SINÓNIMOS: diversión, distracción, entretenimiento, juego. FAMILIA: → tiempo.

pascua 1 [sustantivo] [femenino] Fiesta en la que se celebran algunos de los sucesos más importantes de la vida de Jesucristo: *La Pascua de Resurrección es el día más importante para los católicos.* **2** [expresión] **estar alguien como unas pascuas** Estar muy contento: *Estoy como unas pascuas desde que sé que me vas a llevar al cine.* **hacer la pascua a alguien** Molestarlo o perjudicarlo: *Si no puedes venir me has hecho la pascua, porque ya te he sacado la entrada.* □ [El significado **1** se suele escribir con mayúscula]. FAMILIA: pascual.

pascual [adjetivo] De la fiesta religiosa de la Pascua: *El sábado santo por la noche se celebra la vigilia pascual.* □ [No varía en masculino y en femenino]. FAMILIA: → pascua.

pase [sustantivo] [masculino] **1** Permiso que se da por escrito para poder entrar en un lugar: *Nos han dado pases gratis para ver esa exposición.* **2** Hora a la que comienza la película en un cine: *Fuimos al pase de las siete porque no había entradas para el de las cuatro.* **3** Forma de lanzar el balón a un compañero en algunos deportes: *En baloncesto hay pases que se dan con una mano o con las dos.* **4** Cada una de las veces que el torero deja pasar al toro: *El público aplaudió el pase de pecho del torero.* **5** Desfile de modelos: *Estuvimos en un pase de moda para este verano.* □ FAMILIA: → pasar.

pasear [verbo] **1** Andar para hacer ejercicio o para pasar el rato: *Me gusta pasear por el campo.* **2** Llevar de paseo: *Hoy te toca a ti pasear al perro.* □ FAMILIA: → paseo.

paseo [sustantivo] [masculino] **1** Lo que hacemos cuando andamos para hacer ejercicio: *Algunas tardes salgo a dar un paseo con mis padres.* **2** Lugar público por el que se puede pasear: *En las ciudades que tienen mar suele haber un paseo marítimo.* 🔎 página 497. **3** [expresión] **mandar algo a paseo** Rechazarlo o dejarlo abandonado: *Me he enfadado con mi compañero porque le ofrecí mi ayuda y me mandó a paseo.* □ [El significado **3** es coloquial]. SINÓNIMOS: **1** vuelta. FAMILIA: pasear.

pasillo [sustantivo] [masculino] Parte estrecha y larga a la que dan las habitaciones de una casa: *La habitación de mis padres está al fondo del pasillo.* □ SINÓNIMOS: corredor.

pasión [sustantivo] [femenino] **1** Lo que se siente con fuerza por alguien: *El amor y el odio son pasiones.* **2** Fuerza con la que se siente algo: *Me quiere con pasión y no soporta que alguien me haga daño.* **3** Lo que gusta muchísimo: *El fútbol es la pasión de muchas personas.* □ SINÓNIMOS: **1** afecto, sentimiento. FAMILIA: apasionar, apasionante.

pasivo, va [adjetivo] Que no hace nada y deja que los demás lo hagan por él: *Es muy pasivo y nunca participa en lo que hacemos en clase.* □ CONTRARIOS: activo.

pasmado, da [adjetivo o] [sustantivo] Que casi no se puede mover por la sorpresa o por otra razón: *Su respuesta fue tan absurda que me dejó pasmado.* □ FAMILIA: → pasmar.

pasmar [verbo] Producir mucha sorpresa o admiración: *Me pasma que puedas decir algo tan grave sin tener pruebas de ello.* □ [Es coloquial]. SINÓNIMOS: asombrar, admirar,

PASARELA

sorprender, maravillar. FAMILIA: pasmado, pasmarote.

pasmarote [sustantivo masculino] Persona que se queda sin saber qué hacer: *Cuando me dijo que yo era la ganadora me quedé como un pasmarote.* ☐ [Es coloquial]. FAMILIA: → pasmar.

paso, sa 1 [adjetivo] Dicho de una fruta, que ha sido secada al aire: *Me gustan las ciruelas pasas.* [sustantivo masculino] **2** Movimiento que se realiza con cada uno de los pies al andar: *Mi hija aún no sabe andar, pero está dando sus primeros pasos.* **3** Espacio que se avanza con cada uno de estos movimientos: *En esta habitación hay diez pasos de una pared a otra.* **4** Manera de andar: *Si vas con él tardarás mucho, porque tiene un paso muy lento.* **5** Cada uno de los movimientos que se hacen con los pies al bailar: *Mi madre me enseñó los pasos del vals.* **6** Lo que hay que hacer para conseguir algo: *Debes seguir las instrucciones sin saltarte ningún paso.* **7** Lugar por el que se pasa de una parte a otra: *Para cruzar esta calle tienes que hacerlo por el paso de peatones.* **8** Cruce de un lugar a otro: *El paso de este río se hace en barca.* **9** Circulación que se realiza por un lugar: *En la salida de los aparcamientos subterráneos hay una señal que prohíbe el paso a los peatones.* **10** Desarrollo continuo del tiempo: *Con el paso de los años irás adquiriendo experiencia.* **11** Tiempo durante el que se está en un lugar: *Recuerdo con cariño mi paso por el colegio.* **12** Huella que queda en el suelo al andar: *Lo encontraron después de seguir sus pasos en el barro.* **13** Suceso importante en la vida de una persona: *Mis padres dicen que venir a vivir a esta ciudad supuso un gran paso para ellos.* **14** [sustantivo femenino] Uva que se ha secado al aire: *Este bizcocho tiene pasas y trozos de naranja.* **15** [expresión] **apretar el paso** Ir más deprisa: *Si no apretamos el paso, vamos a llegar tarde.* **de paso** Aprovechando la ocasión: *Voy a echar esta carta y, de paso, traigo el pan.* **paso a nivel** Lugar en el que se cruzan al mismo nivel una vía del tren con un camino: *Los pasos a nivel suelen estar protegidos con una barrera que se baja cuando se acerca el tren.* **paso de cebra** Lugar en el que los coches deben detenerse para dejar cruzar la calle a la gente: *Los pasos de cebra están pintados en las carreteras con unas franjas blancas paralelas.* ☐ [El significado **6** se usa más en plural]. FAMILIA: → pasar.

pasodoble [sustantivo masculino] Música popular española que se baila en pareja: *En la verbena bailé un pasodoble con mi padre.* ☐ FAMILIA: → pasar. ✍ página 117.

[pasota [adjetivo o sustantivo] Que no siente interés ni preocupación por nada: *No seas pasota y decide qué vas a hacer, porque de esto depende tu futuro.* ☐ [No varía en masculino y en femenino. Es coloquial]. FAMILIA: → pasar.

pasta [sustantivo femenino] **1** Masa de harina y agua con la que se hacen algunos alimentos: *Los macarrones, los fideos y los espaguetis son tres tipos de pasta.* **2** Dulce pequeño y duro que se coge con la mano: *He merendado té con pastas.* **3** Masa hecha con sustancias que se aplastan y se mezclan con un líquido: *Haz una pasta con yeso para tapar los agujeros de la pared.* **4** Cada una de las tapas de un libro: *Este libro tiene las pastas forradas de piel.* **5** Dinero: *Siempre está presumiendo de que tiene mucha pasta.* **6** [expresión] **pasta de dientes** La que usamos para lavarnos los dientes: *En casa usamos una pasta de dientes que tiene flúor.* ☐ [El significado **5** es coloquial]. SINÓNIMOS: **6** dentífrico. FAMILIA: empastar, empaste.

pastar [verbo] Comer hierba el ganado en el campo: *Las vacas pastan en el prado.* ☐ SINÓNIMOS: pacer. FAMILIA: pasto, pastor.

pastel [sustantivo masculino] **1** Dulce pequeño y blando que se coge con la mano: *Los pasteles que más me gustan son los rellenos de chocolate.* **2** Tipo de pintura en forma de barra: *Las pinturas pastel son de colores suaves.* **3** [expresión] **descubrir el pastel** Descubrir algo que se preparaba a escondidas: *Cuando ya se iban a escapar, la policía descubrió el pastel e impidió la fuga.* ☐ [El significado **3** es coloquial]. FAMILIA: pastelero, pastelería.

pastelería [sustantivo femenino] Lugar en el que se hacen o se venden pasteles: *Tengo que ir a la pastelería a recoger la tarta que he encargado.* ☐ FAMILIA: → pastel.

pastelero, ra [sustantivo] Persona que hace o vende pasteles: *El pastelero me dijo que la*

tarta de manzana estaba exquisita. □ FA-
MILIA: → pastel.

pasterizado, da o **pasteurizado, da**
[adjetivo] Dicho de un alimento, que ha sido
tratado para destruir las bacterias que pudiera tener: *La leche pasteurizada conserva
intactas sus cualidades.*

pastilla [sustantivo femenino] **1** Medicina sólida que se
toma y que tiene un tamaño pequeño: *A las
tres tengo que tomarme una pastilla para la
alergia.* **2** Trozo pequeño de algo duro: *Me
han regalado una pastilla de jabón que huele a limón.* **3** [expresión] **a toda pastilla** Muy
deprisa: *Vístete a toda pastilla, que llegamos tarde.* □ [El significado **3** es coloquial].

pasto [sustantivo masculino] **1** Hierba que come el ganado
en el campo: *Si no llueve un poco, no habrá
pasto suficiente para todo el ganado.* **2** Campo
donde hay esta hierba: *El pastor lleva su ganado a los pastos por la mañana.* □ [El significado **2** se usa más en plural]. FAMILIA: → pastar.

pastor, -a [sustantivo] **1** Persona que cuida el
ganado: *Desde la carretera vimos a un pastor con sus ovejas.* **2** Persona que pertenece
a una iglesia y que cuida de un grupo de
fieles: *Los obispos y los sacerdotes son los
pastores de la iglesia católica.* **3** [expresión]
pastor alemán Perro grande que tiene el
pelo negro y marrón: *Mi perro es un pastor
alemán.* □ FAMILIA: → pastar.

pata [sustantivo femenino] Mira en **pato, ta.**

patada **1** [sustantivo femenino] Golpe fuerte dado con el
pie: *Se enfadó conmigo y empezó a darme
patadas.* **2** [expresión] **a patadas** En gran cantidad: *Aún podrás comprarlo, porque había
libros como éste a patadas.* **dar cien patadas** Resultar muy molesto: *Me da cien
patadas tener que salir ahora que ya me había puesto el pijama.* **en dos patadas** Rápidamente: *Eso es tan fácil de hacer que ya
verás cómo lo acabo en dos patadas.* □ [Las
expresiones son coloquiales]. SINÓNIMOS: **1** puntapié. FAMILIA: → pata.

patalear [verbo] Mover las piernas de forma
rápida y repetida: *El niño lloraba y pata-
leaba de rabia.* □ FAMILIA: → pata.

pataleta [sustantivo femenino] Ataque de nervios que nos
da cuando algo no sale como queremos: *Casi
me da una pataleta cuando me dijeron que no
podrías venir.* □ [Es coloquial]. FAMILIA: → pata.

patata [sustantivo femenino] Planta que se cultiva porque
tiene una raíz que se puede comer y es ma-
rrón por fuera y amarilla por dentro: *He comido huevos con patatas fritas.*

patatús [sustantivo masculino] Ataque de nervios o enfermedad que da de pronto: *Le dio un patatús
y hubo que llevarlo al hospital.* □ [No varía
en singular y en plural. Es coloquial].

paté [sustantivo masculino] Pasta blanda, generalmente de
carne, que se unta en el pan: *El paté que
más me gusta es el de hígado de pato con
pimienta.* □ [Es una palabra de origen francés].

patear [verbo] **1** Dar golpes con los pies: *El público pateó en el teatro porque la representación fue pésima.* **2** Andar a pie por un lugar:
*Hemos pateado todo el barrio buscando una
farmacia.* □ [Es coloquial]. FAMILIA: → pata.

patente **1** [adjetivo] Que es tan claro que no tiene duda: *Tu cara de enfado es una muestra
patente de que no te ha gustado nada lo que
te he dicho.* **2** [sustantivo femenino] Documento oficial que
da derecho a explotar un invento o una mar-
ca: *Este producto sólo puede fabricarlo la empresa que tiene la patente.* □ [Cuando es adjetivo
no varía en masculino y en femenino]. SINÓNIMOS: **1**
evidente.

paternal [adjetivo] Propio de un padre o de los
padres: *Alimentar, vestir y educar a los hijos
son obligaciones paternales.* □ [No varía en masculino y en femenino]. FAMILIA: → padre.

paternidad [sustantivo femenino] Estado del hombre que
es padre: *La paternidad lo ha convertido en
un hombre menos egoísta.* □ FAMILIA: → padre.

paterno, na [adjetivo] Del padre o de los padres: *Tengo doce primos por línea paterna y
cinco por línea materna.* □ FAMILIA: → padre.

patilla [sustantivo femenino] **1** Pelo que crece por delante
de las orejas: *Cuando se lleva el pelo corto,
las patillas se ven mucho.* **2** Parte alargada
con que se sujetan las gafas en las orejas:
Se me ha roto una patilla de las gafas. □
[Se usa más en plural].

PATILLA

patín [sustantivo masculino] Especie de bota que tiene ruedas o una cuchilla larga y que sirve para moverse resbalando por una superficie lisa: *Mis patines son blancos con las ruedas rojas.* □ FAMILIA: patinar, patinaje, patinador, patinazo, patinete, monopatín.

patinador, -a [sustantivo] Persona que patina como deporte: *Esa patinadora da saltos y hace piruetas sin caerse nunca.* □ FAMILIA: → patín.

patinaje [sustantivo masculino] Deporte que consiste en moverse resbalando con una especie de botas con ruedas o cuchillas: *En el patinaje sobre hielo hay que realizar una serie de ejercicios al compás de una música.* □ FAMILIA: → patín. 🖾 página 291.

patinar [verbo] **1** Moverse resbalando sobre el suelo con una especie de botas que tienen ruedas o cuchillas: *Estoy aprendiendo a patinar sobre hielo.* **2** Resbalar sin que se pueda controlar el movimiento: *Las placas de hielo hicieron patinar al coche.* □ FAMILIA: → patín.

patinazo [sustantivo masculino] **1** Movimiento rápido que se hace cuando se ha pisado algo que resbala mucho: *Pisé una cáscara de plátano y di un patinazo, pero conseguí mantener el equilibrio.* **2** Error que comete una persona: *¡Qué patinazo, te he llamado Juan durante todo el día y resulta que te llamas Bartolo!* □ [El significado **2** es coloquial]. FAMILIA: → patín.

patinete [sustantivo masculino] Juguete que sirve para subirse en él de pie y que tiene una barra en la parte de delante para poder agarrarse a ella: *Para moverte con el patinete tienes que poner un pie en la tabla y darte impulso con el otro pie en el suelo.* □ FAMILIA: → patín.

patio 1 [sustantivo masculino] Espacio sin techo que forma parte de algunos edificios: *Me caí en el patio del colegio y me hice una herida.* 🖾 página 156. **2** [expresión] **patio de butacas** Planta baja de un teatro en la que están los asientos: *Se ve mejor el escenario desde el patio de butacas que desde los palcos.*

pato, ta [sustantivo] **1** Ave de pico ancho y aplastado, con el cuello corto y las patas pequeñas: *En el estanque hay varios patos blancos con el pico amarillo.* 🖾 página 20. **2** Persona que se mueve con poca gracia:

No quiero que sea mi pareja en el baile porque es un pato. [sustantivo femenino] **3** Cada una de las piernas de un animal: *Un caballo tiene cuatro patas.* **4** Pieza en la que se apoya algo: *Esta mesa tiene cuatro patas.* **5** [expresión] **a pata** A pie o andando: *Se nos rompió el coche y tuvimos que venir a pata.* **estirar la pata** Morir: *Estiró la pata y se fue al otro mundo.* **mala pata** Mala suerte: *¡Qué mala pata tengo, porque me han preguntado justo lo que no me sabía!* **meter la pata** Equivocarse o hacer algo mal: *Has metido la pata al contárselo, porque ella no tenía que enterarse.* **pagar el pato** Sufrir un castigo sin merecerlo: *Yo no tengo por qué pagar el pato si la culpa ha sido tuya.* **patas arriba** Con todo mal colocado: *Me han dicho que ordene mi habitación porque está patas arriba.* **patas de gallo** Arrugas que salen alrededor de los ojos: *No debe de ser muy joven, porque tiene muchas patas de gallo.* □ [El significado **2** y las expresiones son coloquiales]. FAMILIA: patada, patalear, pataleta, patear, patoso, metepatas.

patoso, sa [adjetivo o sustantivo] Que tiene poca gracia o poca habilidad: *Eres una patosa bailando.* □ FAMILIA: → pato.

patria [sustantivo femenino] Lugar en el que ha nacido una persona: *La patria de los españoles es España.* □ SINÓNIMOS: nación, país. FAMILIA: patriota, patriotismo, patriótico, compatriota.

patriota [adjetivo o sustantivo] Que ama su nación o el lugar en el que ha nacido: *Mi padre es muy patriota y habla muy bien de España.* □ [No varía en masculino y en femenino]. FAMILIA: → patria.

patriótico, ca [adjetivo] Del lugar en el que se ha nacido o del amor que se siente por él: *Realizaron un acto patriótico en homenaje a los soldados que habían dado la vida por su nación.* □ FAMILIA: → patria.

patriotismo [sustantivo masculino] Amor al lugar en el que se ha nacido: *Su patriotismo le hizo llorar de emoción al oír el himno nacional.* □ FAMILIA: → patria.

patrocinar [verbo] **1** Pagar una actividad para poder hacer publicidad de algo: *A nuestro equipo de fútbol lo patrocina una marca de ropa.* **2** Proteger algo para que pueda salir adelante: *El colegio patrocina la* revista que realizan los alumnos. □ FAMILIA: → patrón.

patrón, -a [sustantivo] **1** Persona que manda o dirige un grupo: *El patrón del barco ordenó a los marineros que subieran a bordo la mercancía.* **2** Dueño o señor: *En esta novela se cuenta la historia de los patronos de unas enormes extensiones de tierra.* **3** Dueño de la casa que sirve de alojamiento a alguien: *La patrona de esta pensión cuida a los estudiantes como si fueran sus propios hijos.* **4** Santo que ha sido elegido protector de algo: *San José de Calasanz es el patrono de los escolares.* **5** [sustantivo masculino] Lo que sirve de modelo para hacer otra cosa igual: *Con estos patrones puedes hacerte varios vestidos.* □ [En los significados **1**, **2**, **3** y **4**, el masculino también puede ser *patrono*]. SINÓNIMOS: **1** jefe, superior. FAMILIA: patrocinar.

patrulla [sustantivo femenino] Grupo pequeño de personas que tienen un objetivo en común: *La patrulla de policía atrapó a los ladrones que trataban de huir.* □ FAMILIA: patrullar.

patrullar [verbo] Ir de vigilancia por un lugar: *Después del atraco, la policía patrulló por todo el barrio hasta que encontraron a los atracadores.* □ FAMILIA: → patrulla.

patuco [sustantivo masculino] Especie de zapato de lana que usan los niños pequeños o algunos adultos para dormir: *El bebé patalea tanto que se quita él solo los patucos.*

pausa [sustantivo femenino] Descanso breve: *En un escrito, el punto indica una pausa mayor que la coma.* □ FAMILIA: pausado.

pausado, da [adjetivo] Que se hace de forma lenta: *Me gusta escuchar música de ritmo pausado porque me relaja mucho.* □ FAMILIA: → pausa.

pavimentar [verbo] Cubrir el suelo con algún material para que quede firme y llano: *Están pavimentando la acera de mi casa con losas grandes.* □ FAMILIA: → pavimento.

pavimento [sustantivo masculino] Superficie que se pone sobre el suelo para que esté firme y llano: *El pavimento de las carreteras es de asfalto.* □ FAMILIA: pavimentar.

pavo, va 1 [adjetivo o sustantivo] Que tiene poca gracia: *Con lo pava que eres, no sé cómo quieres ser actriz.* **2** [sustantivo] Ave de granja que tiene un trozo de carne roja que le cuelga del pico:

El día de Nochebuena en mi casa cenamos pavo. 🔎 página 20. **3** [expresión] **edad del pavo** Edad en la que se deja de ser niño: *Mi hermana está en la edad del pavo y se pasa el día delante del espejo.* **pavo real** Ave que tiene una larga cola con plumas de colores muy vivos: *Cuando un pavo real macho abre la cola parece un gran abanico de colores.* 🔎 página 20. □ [El significado **1** es coloquial].

payasada [sustantivo femenino] Lo que se hace para que se rían los demás: *Cuando mi padre me vio llorando, empezó a hacer payasadas para que se me pasara.* □ FAMILIA: → payaso.

payaso, sa [sustantivo] **1** Persona que trabaja haciendo reír a los demás: *Me reí mucho en el circo cuando los payasos empezaron a tirarse tartas.* **2** Persona que hace reír: *Eres una payasa, siempre poniendo caras y voces raras.* □ [El significado **2** es coloquial]. FAMILIA: payasada.

paz [sustantivo femenino] **1** Ausencia de guerra o falta de violencia: *¡Por fin llegó la paz tras varios meses de guerra!* **2** Acuerdo en el que dos países que están en guerra deciden terminarla: *Los soldados regresaron a sus hogares después de que se firmara la paz.* **3** Situación en la que se está tranquilo y sin problemas con los demás: *Deja en paz a tu hermana.* **4** [expresión] **estar en paz** Haber devuelto un favor: *Ellos me ayudaron una vez y yo les ayudo ahora, así que estamos en paz.* **hacer las paces** Volver a ser amigos: *Me peleé con ella esta mañana, pero ya hemos hecho las paces.* □ [Su plural es *paces*]. SINÓNIMOS: **3** calma, sosiego. FAMILIA: pacífico, pacifista, apaciguar, apacible.

pazo [sustantivo masculino] Casa típica de Galicia: *Los pazos tienen grandes jardines alrededor.*

pe 1 [sustantivo femenino] Nombre de la letra *p*: *La palabra «papel» tiene dos pes.* **2** [expresión] **de pe a pa** Desde el principio hasta el fin: *Me gusta tanto esa canción que me la sé de pe a pa.* □ [El significado **2** es coloquial].

peaje [sustantivo masculino] Dinero que hay que pagar para poder pasar por una autopista: *En esta autopista, el peaje se puede pagar también con tarjetas de crédito.*

peatón, -a [sustantivo] Persona que va a pie: *Los peatones deben cruzar las calles por los*

a

lugares donde hay semáforos o pasos de ce-bra. □ FAMILIA: peatonal. 👁 página 796.

b

peatonal [adjetivo] De la persona que va a pie: *Esta calle es peatonal y por ella no pue-den pasar coches.* □ [No varía en masculino y en femenino]. FAMILIA: → peatón.

c

peca [sustantivo femenino] Mancha pequeña y oscura en la piel: *Tengo la cara llena de pecas.* □ FA-MILIA: pecoso.

d

e

pecado [sustantivo masculino] **1** Lo que va en contra de la ley de Dios: *Se arrepintió de sus pecados.* **2** Lo que va contra las reglas morales: *Me parece un pecado que tires comida a la ba-sura cuando hay tanta gente que se muere de hambre.* □ FAMILIA: → pecar.

f

g

pecador, -a [adjetivo o sustantivo] Que no cumple la ley de Dios: *Dios quiere a todos los hombres, aunque seamos pecadores.* □ FAMILIA: → pe-car.

h

i

pecar [verbo] No cumplir la ley de Dios: *Cuando pecamos, nos alejamos de Dios.* □ [La c se cambia en qu delante de e, como en SACAR]. FAMILIA: pecado, pecador.

j

k

pecera [sustantivo femenino] Recipiente de cristal que sirve para mantener vivos a los peces: *Me han regalado una pecera redonda con dos peces naranjas.* □ FAMILIA: → pez.

l

m

pecho [sustantivo masculino] **1** Parte del cuerpo que va desde el cuello hasta la cintura: *El corazón y los pulmones están en el pecho.* **2** Parte del cuerpo de las mujeres en la que se pro-duce la leche cuando tienen un hijo: *La ac-triz llevaba un vestido muy ajustado que le marcaba el pecho.* **3** [expresión] **dar el pecho** Alimentar una madre a su hijo con su pro-pia leche: *Después de dar el pecho a su bebé, la madre lo cambió y lo durmió.* **tomarse algo a pecho** Tomárselo muy en serio: *No te enfades y no te tomes la broma tan a pe-cho.* □ SINÓNIMOS: **2** seno, teta. FAMILIA: pe-chuga, apechugar.

n

ñ

o

p

q

r

pechuga [sustantivo femenino] Pecho de las aves: *Ayer cené pechuga de pollo.* □ FAMILIA: → pecho.

s

pecoso, sa [adjetivo o sustantivo] Que tiene muchas manchitas oscuras en la piel: *Esa niña pe-lirroja es muy pecosa.* □ FAMILIA: → peca.

t

u

pedal [sustantivo masculino] Sitio sobre el que se pone el pie para que una máquina empiece a fun-cionar: *La bicicleta tiene dos pedales.* □ FA-MILIA: pedalear.

v

w

x

y

z

pedalear [verbo] Mover los pedales: *Cuanto más rápido pedalees, más deprisa irá la bi-cicleta.* □ FAMILIA: → pedal.

pedante [adjetivo o sustantivo] Que actúa de forma or-gullosa porque cree que lo sabe todo: *Se cree muy listo, pero sólo es un pedante.* □ [No varía en masculino y en femenino].

pedazo 1 [sustantivo masculino] Parte que se separa de un todo: *¿Puedo coger otro pedazo más de tarta?* **2** [expresión] **caerse a pedazos** Estar en muy malas condiciones: *Esta casa está tan vieja que se cae a pedazos.* **ser alguien un pedazo de pan** Ser muy bueno: *Te hará cualquier favor que le pidas, porque es un pedazo de pan.* □ [Las expresiones son coloquia-les]. SINÓNIMOS: **1** trozo, cacho, porción, frac-ción, fragmento. FAMILIA: despedazar.

pedestal [sustantivo masculino] Lugar en el que se coloca una figura para que esté en alto: *En la pla-za hay una estatua sobre un pedestal.*

PEDESTAL

pediatra [sustantivo] Médico que estudia las enfermedades de los niños y de las niñas: *Hoy han llevado a mi hermano pequeño al pediatra.* □ [No varía en masculino y en femenino. Es distinto de *puericultor*, que es el especialista en el desarrollo infantil].

pedido [sustantivo masculino] Lo que se pide porque se va a comprar: *Cuando compro mucho en el su-permercado, me llevan el pedido a casa.* □ FAMILIA: → pedir.

pedigüeño, ña [adjetivo o sustantivo] Que pide con fre-cuencia: *No seas tan pedigüeña y espera a que te ofrezcan.* □ FAMILIA: → pedir.

pedir [verbo] **1** Rogar a alguien que nos dé lo que necesitamos: *¿Has pedido permiso a tus padres para venir a mi casa? A la salida de* *la iglesia había una mujer pidiendo.* **2** Poner precio a algo: *Dime cuánto pides por tu coche.* **3** Querer o desear: *Te pido que me escuches un momento.* □ [Es irregular]. FAMILIA: petición, pedido, pedigüeño.

pedo [sustantivo] [masculino] **1** Gas que sale por el culo: *¿Quién se ha tirado un pedo?* **2** Borrachera: *No bebo alcohol y nunca he cogido un pedo.* □ [Es coloquial]. FAMILIA: pedorreta.

pedorreta [sustantivo] [femenino] Sonido hecho con la boca: *Cuando dije que yo no iba, empezaron a burlarse de mí y a hacerme pedorretas.* □ [Es coloquial]. FAMILIA: → pedo.

pedrada [sustantivo] [femenino] Golpe dado con una piedra que se lanza: *Rompí un cristal de una pedrada y tuve que pagarlo.* □ FAMILIA: → piedra.

pedrusco [sustantivo] [masculino] Trozo grande de piedra: *Debajo de esos pedruscos hay bichos.* □ [Es coloquial]. FAMILIA: → piedra.

pega 1 [sustantivo] [femenino] Dificultad que se pone para hacer algo: *Este viaje es una idea genial y no puedes poner ninguna pega.* **2** [expresión] **de pega** De mentira: *Me asusté cuando le vi*

pedir	conjugación
INDICATIVO	**SUBJUNTIVO**
presente	**presente**
pido	pida
pides	pidas
pide	pida
pedimos	pidamos
pedís	pidáis
piden	pidan
pretérito imperfecto	**pretérito imperfecto**
pedía	pidiera, -ese
pedías	pidieras, -eses
pedía	pidiera, -ese
pedíamos	pidiéramos, -ésemos
pedíais	pidierais, -eseis
pedían	pidieran, -esen
pretérito indefinido	**futuro**
pedí	pidiere
pediste	pidieres
pidió	pidiere
pedimos	pidiéremos
pedisteis	pidiereis
pidieron	pidieren
futuro	**IMPERATIVO**
pediré	**presente**
pedirás	pide (tú)
pedirá	pida (él)
pediremos	pidamos (nosotros)
pediréis	pedid (vosotros)
pedirán	pidan (ellos)
condicional	**FORMAS NO PERSONALES**
pediría	**infinitivo** **gerundio**
pedirías	pedir pidiendo
pediría	**participio**
pediríamos	pedido
pediríais	
pedirían	

con el dedo ensangrentado, pero luego me di cuenta de que era de pega.* □ [Es coloquial]. SINÓNIMOS: **1** inconveniente, objeción, pero, observación, desventaja. FAMILIA: → pegar.

pegadizo, za [adjetivo] Que se graba en la memoria fácilmente: *Esa canción será un éxito porque es muy pegadiza.* □ FAMILIA: → pegar.

pegajoso, sa [adjetivo] **1** Que se pega mucho a las cosas: *He estado pegando cromos y me han quedado las manos pegajosas.* **2** Que molesta porque se pone demasiado cariñoso: *No seas pegajoso y sepárate un poco de mí.* □ SINÓNIMOS: **2** empalagoso. FAMILIA: → pegar.

pegamento [sustantivo] [masculino] Sustancia que sirve para pegar: *Estoy pegando cromos y necesito un tubo de pegamento.* □ SINÓNIMOS: cola. FAMILIA: → pegar.

pegar [verbo] **1** Unir una cosa a otra de forma que no puedan separarse: *No te sientes en esa silla, porque acabo de pegar la pata que tenía rota.* **2** Dar golpes: *Le dije que no, se enfadó y me pegó una torta.* **3** Poner una cosa muy cerca de otra: *Si pegamos las sillas a la pared, tendremos más sitio para bailar.* **4** Pasar una enfermedad de una persona o un animal a otros: *No bebas de su vaso, porque te puede pegar el catarro.* **5** Hacer algo igual que otra persona: *Pasamos tanto tiempo juntos que se me ha pegado tu forma de hablar.* **6** Dar o producir: *Como no dejes de pegar gritos, me voy.* **7** Quedar bien: *¿Pega este jersey rojo con esta camisa amarilla?* **8** Darse un golpe o chocar: *Cuidado no te pegues con el pico de la ventana que está abierta.* **pegarse 9** Quedarse una comida unida al fondo del recipiente en el que se está haciendo: *Tienes que echar más agua para que no se peguen las lentejas.* **10** Unirse una persona a otra sin haber sido invitada: *Se nos pegó el pesado de tu primo y no pudimos librarnos de él en toda la tarde.* **11** Quedarse algo grabado en la memoria sin poder olvidarlo: *Se me ha pegado esta canción y llevo todo el día cantándola.* **12** [expresión] **pegársela** Caerse o tener un accidente: *No te subas a ese árbol, que te la vas a pegar.* □ [La g se cambia en gu delante de e, como en PAGAR. Los significados **4**, **5**, **6**, **7**, **10** y

a
b
c
d
e
f
g
h
i
j
k
l
m
n
ñ
o
p
q
r
s
t
u
v
w
x
y
z

a
b
c
d
e
f
g
h
i
j
k
l
m
n
ñ
o
p
q
r
s
t
u
v
w
x
y
z

12 son coloquiales]. SINÓNIMOS: **1** adherir. **2** golpear, azotar, calentar, cascar. **3** juntar, acercar, aproximar, arrimar. **4** contagiar. **9** agarrarse. CONTRARIOS: **1** despegar, desprender. **3** separar, alejar, apartar. FAMILIA: pega, pegamento, pegadizo, pegajoso, pegatina, pegote, despegar, despegue, apegarse, apego.

pegatina [sustantivo] [femenino] Trozo de papel que se pega por una de sus caras: *Tengo la carpeta llena de pegatinas.* □ SINÓNIMOS: adhesivo. FAMILIA: → pegar.

pegote [sustantivo] [masculino] **1** Lo que está muy espeso y se pega: *No dejes enfriar el arroz, porque se quedará hecho un pegote.* **2** Lo que se añade a algo y lo estropea: *El retrato estaría bien si no fuera por el pegote del edificio del fondo que le has puesto.* □ [Es coloquial]. FAMILIA: → pegar.

peinado [sustantivo] [masculino] Forma de arreglarse el pelo: *El día de la fiesta me haré un peinado especial.* □ FAMILIA: → peinar.

peinar [verbo] **1** Arreglar el pelo: *Siempre me peino antes de salir de casa.* **2** Andar por un lugar buscando algo con mucha atención: *La policía peinará la zona hasta que encuentre a los chicos que se han perdido.* □ CONTRARIOS: **1** despeinar. FAMILIA: peine, peinado, peineta, despeinar.

peine [sustantivo] [masculino] Lo que usamos para arreglarnos el pelo: *Los peines para el pelo rizado tienen las púas más separadas que los peines para el pelo liso.* □ FAMILIA: → peinar.

peineta [sustantivo] [femenino] Especie de peine pequeño que se usa para sujetar el pelo: *La mantilla es una prenda de vestir que se sujeta con una peineta.* □ FAMILIA: → peinar.

PEINETA

[pela [sustantivo] [femenino] Peseta: *¿Tienes cien pelas para prestarme?* □ [Es coloquial].

peladilla [sustantivo] [femenino] Dulce pequeño en forma de bola blanca y relleno de un fruto seco: *Las peladillas son almendras bañadas en azúcar.*

pelado, da [adjetivo] **1** Que no tiene lo que suele cubrirlo: *Cerca del pueblo hay un monte pelado, sin árboles ni plantas.* **2** Escaso o muy justo: *He aprobado por poco, porque he sacado un cinco pelado.* **3** [adjetivo o] [sustantivo] Pobre o sin dinero: *Después de comprar el regalo de mi madre me quedé pelado, pero no me importa.* **4** [masculino] Forma de estar cortado el pelo: *En verano me hago un buen pelado para tener menos calor.* □ [Los significados **2**, **3** y **4** son coloquiales]. FAMILIA: → pelar.

pelar [verbo] **1** Quitar la piel a un fruto: *¿Me pelas la naranja, por favor?* **2** Quitar las plumas a un ave: *Cuando fui a la pollería, me pelaron el pollo que compré.* **3** Cortar el pelo: *¿En qué peluquería te han pelado?* **4** **pelarse** Caerse la piel: *Me quemé al tomar el sol y ahora se me está pelando la espalda.* **5** [expresión] **que se las pela** Muy deprisa o muy bien: *Aunque la persigas nunca la cogerás, porque esa niña corre que se las pela.* **ser duro de pelar** Ser difícil de convencer: *Aunque seas dura de pelar, intentaré convencerte.* □ [Las expresiones son coloquiales]. SINÓNIMOS: **1** mondar. **2** desplumar. FAMILIA: pelado.

peldaño [sustantivo] [masculino] Cada una de las partes de una escalera donde se apoya el pie: *Tenía tanta prisa que bajé los peldaños de dos en dos.* □ SINÓNIMOS: escalón.

pelea [sustantivo] [femenino] Discusión o lucha: *¡Menuda pelea se organizó en la cola cuando un señor intentó colarse!* □ SINÓNIMOS: batalla. FAMILIA: pelear, peleón.

pelear [verbo] **1** Tener una discusión o una lucha con alguien: *Me peleé con él porque nos insultó a ti y a mí.* **2** Trabajar mucho para conseguir algo: *Tuve que pelear mucho para poder estudiar Medicina y hacerme cirujana.* **3** **pelearse** Enfadarse o dejar de ser amigos: *No vale la pena pelearse por esa tontería.* □ SINÓNIMOS: **1,3** discutir, reñir, regañar. **3** enemistar. FAMILIA: → pelea.

peleón, -a [adjetivo] Que se pelea por cualquier cosa: *Eres tan peleón que siempre acabamos discutiendo.* □ FAMILIA: → pelea.

peletería [sustantivo] [femenino] Lugar en el que se hacen o se venden prendas de piel: *En el escaparate de esta peletería hay un abrigo de visón.* □ FAMILIA: → piel.

pelícano [sustantivo/masculino] Ave que tiene el pico en forma de bolsa: *El pelícano es un ave acuática.* 🖎 página 20.

película [sustantivo/femenino] **1** Historia contada con una serie de imágenes en movimiento: *Fui al cine a ver una película de dibujos animados.* **2** Cinta de un material plástico en la que se registran imágenes: *¿Me pones el rollo de película en la cámara de fotos?* 🖎 página 158. **3** Capa muy fina que cubre algo: *Las capas de una cebolla están separadas entre sí por una película transparente.* □ SINÓNIMOS: **1** filme, film.

peligrar [verbo] Estar en peligro: *¡Corre, avísale de que su vida peligra!* □ FAMILIA: → peligro.

peligro [sustantivo/masculino] **1** Situación en la que es posible que ocurra algo malo: *Antes de cruzar la carretera, debes asegurarte de que no hay peligro.* **2** Lo que puede producir un daño: *Los conductores borrachos son un peligro para los demás.* □ SINÓNIMOS: **2** amenaza. CONTRARIOS: seguridad. FAMILIA: peligroso, peligrar.

peligroso, sa [adjetivo] Que tiene peligro o que puede causar daño: *Es peligroso dejar medicamentos al alcance de los niños.* □ FAMILIA: → peligro.

pelirrojo, ja [adjetivo o/sustantivo o] Que tiene el pelo de color parecido al rojo: *En mi casa todos somos pelirrojos y con pecas.* □ FAMILIA: → pelo.

pellejo [sustantivo/masculino] **1** Capa exterior que cubre el cuerpo de las personas y de los animales: *Cuando estoy nervioso me muerdo las uñas y el pellejo.* **2** Piel fina de algunas frutas: *A los niños pequeños se les dan las uvas peladas para que no se atraganten con el pellejo.* □ SINÓNIMOS: **1** piel. FAMILIA: → piel.

pellizcar [verbo] **1** Coger un pequeño trozo de piel y apretar con fuerza: *Me he pellizcado un dedo con la cremallera.* **2** Coger una pequeña cantidad de alguna cosa: *Pellizqué el bizcocho para probarlo.* □ [La c se cambia en qu delante de e, como en SACAR]. FAMILIA: → pellizco.

pellizco [sustantivo/masculino] **1** Presión que se hace al coger un pequeño trozo de piel y apretarlo con fuerza: *Me dio un pellizco en el brazo para que me callara.* **2** Trozo pequeño que se coge de algo: *Déjame probar un pellizco de ese pastel.* **3** [expresión] **un buen pellizco** Gran cantidad de algo: *Se han comprado otra casa porque les ha tocado un buen pellizco de dinero en la lotería.* □ [El significado **3** es coloquial]. FAMILIA: pellizcar.

pelma [adjetivo o/sustantivo o] Pelmazo: *No seas pelma y deja ya de contarme todas las enfermedades que has pasado.* □ [Es coloquial]. SINÓNIMOS: plasta.

pelmazo [adjetivo o/sustantivo o] Que aburre mucho: *Su hermano es tan pelmazo que nadie quiere sentarse a su lado.* □ [No varía en masculino y en femenino. Es coloquial]. SINÓNIMOS: pelma, plasta.

pelo [sustantivo/masculino] **1** Especie de hilo muy fino y suave que nace en el cuerpo de una persona o de un animal: *El perro ha dejado el sillón lleno de pelos.* **2** Conjunto de estos hilos: *Unos perros tienen el pelo más largo que otros.* **3** Conjunto de estos hilos que nacen en la cabeza: *De pequeño tenía el pelo rubio, pero ahora lo tengo castaño.* **4** Hilo de lana o de otra cosa parecida: *No puedo ponerme jerséis de pelo largo, porque me pican.* **5** Conjunto de hilos muy finos y cortos que cubren algunas superficies: *La piel del melocotón tiene un pelo muy suave.* **6** Cantidad muy pequeña de algo: *No podrás engañarla, porque no tiene ni un pelo de tonta.* **7** [expresión] **al pelo** En el momento adecuado: *Tu llegada nos vino al pelo, porque te necesitábamos.* **con pelos y señales** Con mucho detalle: *Me contó con pelos y señales cómo le habían cosido la herida y casi me mareo.* **no tener pelos en la lengua** Decir lo que se piensa sin preocuparse de si va a molestar o no: *Si lo has hecho fatal, te lo dirá, porque no tiene pelos en la lengua.* **poner los pelos de punta** Asustar mucho: *Cuando te vi con esa horrible careta, se me pusieron los pelos de punta.* **por los pelos** Por muy poco: *El suelo resbala y no me he caído por los pelos.* **tirarse de los pelos** Estar muy enfadado por algo que ya no tiene arreglo: *Ya no adelantas nada tirándote de los pelos, así que cálmate.* **tomar el pelo a al-**

a
b
c
d
e
f
g
h
i
j
k
l
m
n
ñ
o
p
q
r
s
t
u
v
w
x
y
z

a
b
c
d
e
f
g
h
i
j
k
l
m
n
ñ
o
p
q
r
s
t
u
v
w
x
y
z

guien Reírse de él: *Me tomaron el pelo diciéndome que me había tocado un premio y me lo creí.* □ [El significado **6** y las expresiones son coloquiales]. SINÓNIMOS: **3** cabello. FAMILIA: pelón, pelusa, peludo, peluca, peluquero, peluquería, peluquín, pelirrojo, peluche, depilar, terciopelo.

pelón, -a [adjetivo o sustantivo] Que tiene poco pelo: *Casi todos los bebés son pelones.* □ FAMILIA: → pelo.

pelota 1 [adjetivo o sustantivo] Que alaba a alguien para conseguir algo: *Siempre está haciéndole favores a la profesora, porque es un pelota.* [sustantivo femenino] **2** Bola llena de aire que se usa para jugar: *Hoy en el recreo hemos jugado con una pelota de goma.* **3** Juego que se realiza con esta bola: *No me dejan jugar a la pelota en casa.* **4** [plural] Testículos. **5** [expresión] **en pelotas** Desnudo: *En ese kiosko hay revistas de gente en pelotas.* □ [No varía en masculino y en femenino. Los significados **1** y **5** son coloquiales. El significado **4** es vulgar y se usa mucho en expresiones vulgares]. SINÓNIMOS: **1** pelotillero. **2** balón. FAMILIA: pelotazo, pelotillero, apelotonar.

pelotazo [sustantivo masculino] Golpe dado con una pelota: *Me dieron un pelotazo en la cara y me salió una marca roja.* □ SINÓNIMOS: balonazo. FAMILIA: → pelota.

pelotillero, ra [adjetivo o sustantivo] Que alaba mucho a alguien para conseguir algo: *Es una pelotillera y en cuanto quiere algo de mí, empieza a decirme que hago todo muy bien.* □ [Es coloquial]. SINÓNIMOS: pelota. FAMILIA: → pelota.

pelotón [sustantivo masculino] Grupo formado por muchas personas: *El sargento pasó revista a los soldados de su pelotón.*

peluca [sustantivo femenino] Pelo de mentira para ponerse en la cabeza: *Me disfracé con una peluca amarilla.* □ FAMILIA: → pelo.

peluche [sustantivo masculino] Tela que tiene pelo suave y un poco largo: *Me han regalado un osito de peluche.* □ FAMILIA: → pelo.

peludo, da [adjetivo] Que tiene mucho pelo: *Mi hermano es muy peludo y tiene pelos hasta en la espalda.* □ FAMILIA: → pelo.

peluquería [sustantivo femenino] Lugar en el que se corta y se arregla el pelo: *Mi madre va a la peluquería para que le tiñan el pelo.* □ FAMILIA: → pelo.

peluquero, ra [sustantivo] Persona que se dedica a cortar y arreglar el pelo: *Siempre voy al mismo peluquero porque ya sabe cómo me gusta que me peine.* □ FAMILIA: → pelo.

peluquín [sustantivo masculino] Pelo de mentira que se usa para cubrir sólo una parte de la cabeza: *Usa peluquín porque no le gusta que le vean la calva.* □ FAMILIA: → pelo.

pelusa [sustantivo femenino] **1** Pelo suave y corto: *Cepilló el abrigo porque tenía pelusas.* **2** Polvo y suciedad que se forman en el suelo cuando no se limpia: *Debajo de las camas siempre se forman pelusas.* **3** Envidia que siente un niño: *Mi hijo mayor tiene pelusa de su hermano pequeño.* □ SINÓNIMOS: **3** celos. FAMILIA: → pelo.

pelvis [sustantivo femenino] Conjunto de huesos que unen el cuerpo y las piernas: *No puede andar bien porque se ha dado un golpe en la pelvis.* □ [No varía en singular y en plural].

pena [sustantivo femenino] **1** Sensación que se tiene cuando pasa algo triste: *Me dio mucha pena que se muriera mi perro.* **2** Castigo que se pone a una persona que ha hecho algo malo: *El juez ha condenado al delincuente a una pena de dos años de cárcel.* **3** [expresión] **a duras penas** Con mucha dificultad: *Tenía tanto sueño que a duras penas podía mantener los ojos abiertos.* **de pena** Muy mal: *Repetiré el dibujo, porque me ha salido de pena.* □ SINÓNIMOS: **1** tristeza, pesar, sufrimiento. CONTRARIOS: **1** alegría, gozo, contento, dicha, felicidad. FAMILIA: apenar, penoso.

penalti [sustantivo masculino] **1** En fútbol, la falta más grave: *El árbitro pitó penalti porque un jugador tocó el balón con la mano dentro del área.* **2** Hecho de lanzar el balón desde dentro del área y de forma que sólo participen el que lo lanza y el portero: *Como el partido acabó en empate, después hubo penaltis hasta que uno de los equipos ganó.* □ [Es una palabra de origen inglés].

pendiente [adjetivo] **1** Que todavía no está terminado: *Es mejor no dejar cosas pendientes de un día para otro.* **2** Que está atento a algo: *Me va a llamar un amigo y estoy pendiente del teléfono.* **3** [sustantivo masculino] Adorno que se pone en las orejas: *Mi madre usa unos pendientes de perlas.* **4** [sustantivo femenino] Terreno inclinado: *Después de subir la pendiente, tuve que sentarme a descansar.* □ SINÓNIMOS: **4** cuesta.

péndulo [sustantivo] [masculino] Cuerpo que cuelga de un punto y se balancea de un lado a otro: *El péndulo de los relojes de pared regula el movimiento de las manecillas.*

pene [sustantivo] [masculino] Órgano sexual masculino: *Los hombres expulsan la orina por el pene.* □ SINÓNIMOS: pilila, pito, cola, miembro viril.

penetrar [verbo] Meterse algo muy adentro en una cosa: *Date crema en las manos hasta que penetre bien.* □ SINÓNIMOS: entrar, adentrarse. CONTRARIOS: salir. FAMILIA: compenetrarse.

penicilina [sustantivo] [femenino] Sustancia que se usa para curar algunas enfermedades: *La penicilina cura las infecciones.*

península [sustantivo] [femenino] Tierra rodeada de agua por todas partes menos por una: *España y Portugal forman la península Ibérica.* □ FAMILIA: peninsular. 🔱 página 537.

peninsular [adjetivo o] [sustantivo o] De una península o relacionado con ella: *Un territorio peninsular está rodeado de agua por todas partes menos por una.* □ [No varía en masculino y en femenino]. FAMILIA: → península.

penitencia [sustantivo] [femenino] Lo que hacemos para que se nos perdone alguna falta: *El pecador se arrepintió e hizo penitencia por sus pecados.*

penoso, sa [adjetivo] **1** Que produce pena: *Es penoso que haya gente que se muere de hambre.* **2** Que cuesta mucho trabajo: *A mí me resulta penoso tener que madrugar todos los días.* □ SINÓNIMOS: **1** doloroso, triste. CONTRARIOS: **1** alegre. FAMILIA: → pena.

pensador, -a [sustantivo] Persona que tiene una gran cultura y que piensa sobre temas importantes: *Los filósofos griegos fueron grandes pensadores.* □ FAMILIA: → pensar.

pensamiento [sustantivo] [masculino] **1** Capacidad de pensar: *El pensamiento es propio de los seres humanos.* **2** Lo que se piensa: *Daría lo que fuera por saber tus pensamientos.* **3** Planta que tiene las flores con hojas de tres colores: *Tengo una maceta con pensamientos amarillos, blancos y morados.* □ FAMILIA: → pensar.

pensar [verbo] **1** Formar una idea en la mente: *Ya he pensado lo que haremos este fin de semana.* **2** Examinar algo con atención: *He pensado mucho en lo que me dijiste.* **3** Tener una opinión sobre algo: *Pienso que estás equivocado.* **4** Tener la intención de hacer algo: *Aunque tú no vengas, yo pienso ir.* □ [Es irregular]. SINÓNIMOS: **3** considerar, opinar, creer, decir. FAMILIA: pensamiento, pensativo, pensador.

pensativo, va [adjetivo] Que está pensando: *Ibas tan pensativo que no me oíste cuando te llamé.* □ FAMILIA: → pensar.

pensión [sustantivo] [femenino] **1** Dinero que recibe cada cierto tiempo una persona que no trabaja por alguna razón: *Mi abuelo empezó a cobrar la pensión dos meses después de jubilarse.* **2** Hotel barato: *Como tiene problemas económicos, utiliza su casa como pensión para estudiantes.* □ FAMILIA: pensionista.

pensionista [sustantivo] Persona mayor que ya no trabaja y recibe dinero cada cierto tiempo: *Esta agencia organiza viajes muy baratos para pensionistas.* □ [No varía en masculino y en femenino]. FAMILIA: → pensión.

pensar		conjugación	
INDICATIVO		**SUBJUNTIVO**	
presente		**presente**	
pienso		piense	
piensas		pienses	
piensa		piense	
pensamos		pensemos	
pensáis		penséis	
piensan		piensen	
pretérito imperfecto		**pretérito imperfecto**	
pensaba		pensara, -ase	
pensabas		pensaras, -ases	
pensaba		pensara, -ase	
pensábamos		pensáramos, -ásemos	
pensabais		pensarais, -aseis	
pensaban		pensaran, -asen	
pretérito indefinido		**futuro**	
pensé		pensare	
pensaste		pensares	
pensó		pensare	
pensamos		pensáremos	
pensasteis		pensareis	
pensaron		pensaren	
futuro		**IMPERATIVO**	
pensaré			
pensarás		**presente**	
pensará		piensa (tú)	
pensaremos		piense (él)	
pensaréis		pensemos (nosotros)	
pensarán		pensad (vosotros)	
		piensen (ellos)	
condicional		**FORMAS NO PERSONALES**	
pensaría			
pensarías		**infinitivo**	**gerundio**
pensaría		pensar	pensando
pensaríamos		**participio**	
pensaríais		pensado	
pensarían			

a

pentágono [sustantivo masculino] Figura plana con cinco lados: *El pentágono es un tipo de polígono.* 🔍 página 429.

b

pentagrama [sustantivo masculino] Conjunto de cinco líneas paralelas y cuatro espacios sobre los que se escribe música: *Los cuadernos de música tienen pentagramas.*

c

d

penúltimo, ma [adjetivo o sustantivo] Que está delante del último: *Noviembre es el penúltimo mes del año.* □ FAMILIA: → último.

e

f

penumbra [sustantivo femenino] Situación en la que hay poca luz: *Al atardecer, la habitación se queda en penumbra.*

g

peña [sustantivo femenino] **1** Piedra grande: *Nos sentamos a descansar a la sombra de unas peñas.* **2** Grupo de gente que apoya algo: *Mis amigos y yo pertenecemos a una peña de fútbol.* □ SINÓNIMOS: **1** roca. FAMILIA: peñasco, peñón, despeñar.

h

i

j

k

peñasco [sustantivo masculino] Peña grande y elevada: *¿A que no eres capaz de subir a ese peñasco?* □ FAMILIA: → peña.

l

[peñazo [adjetivo o sustantivo masculino] Que aburre mucho: *Esta lección es un peñazo y no consigo aprenderla.* □ [Es coloquial]. SINÓNIMOS: rollo, tostón, petardo, pesadez, lata.

m

n

peñón [sustantivo masculino] Montaña con grandes piedras: *Desde el peñón de Gibraltar se ve algunos días la costa africana.* □ FAMILIA: → peña.

ñ

o

p

peón [sustantivo masculino] Persona que trabaja en la construcción y no se ha especializado: *Empezó siendo peón de albañil, pero ahora ya es maestro de obras.*

q

r

peonza [sustantivo femenino] Juguete que se lanza contra el suelo para que gire: *Tienes que enrollar la cuerda en la peonza y lanzarla al suelo.*

s

t

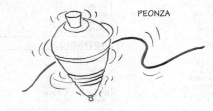

PEONZA

u

v

w

x

peor **1** [adjetivo] Más malo que otra cosa: *Estos zapatos son peores que ésos y se romperán antes.* **2** [adverbio] Más que mal: *Mi dibujo está peor hecho que el tuyo.* □ [El significado **1** no

y

z

varía en masculino y en femenino]. CONTRARIOS: mejor. FAMILIA: empeorar, empeoramiento.

pepinillo [sustantivo masculino] Pepino muy pequeño: *Los pepinillos se suelen conservar en vinagre.* □ FAMILIA: → pepino.

pepino [sustantivo masculino] Planta cuyo fruto es alargado y de color verde por fuera y blanco por dentro: *En la ensalada he echado lechuga, tomate, cebolla y pepino.* □ FAMILIA: pepinillo.

pepita [sustantivo femenino] **1** Semilla de algunas plantas: *Las pepitas de la sandía son negras.* **2** Trozo de oro u otro metal tal como se encuentra en la tierra: *Los buscadores de oro encontraron varias pepitas en el río.* □ SINÓNIMOS: **1** pipa.

pepito [sustantivo masculino] **1** Bollo alargado relleno de crema o de chocolate: *Me gustan mucho los pepitos fritos recubiertos de azúcar.* **2** Bocadillo de carne: *Yo pedí un pepito de ternera.*

pequeñez [sustantivo femenino] Cosa sin importancia: *Se enfadó por una pequeñez.* □ [Su plural es pequeñeces]. SINÓNIMOS: niñería, tontería, bobada, pamplina, chorrada. FAMILIA: → pequeño.

pequeño, ña [adjetivo] **1** Que tiene poco tamaño: *Mi habitación es muy pequeña y sólo cabe la cama.* **2** De poca importancia: *Tiene una pequeña herida en la rodilla.* **3** [adjetivo o sustantivo] Que tiene pocos años: *Volvimos a casa porque el pequeño estaba cansado.* □ CONTRARIOS: **1,2** grande, hermoso. **1** inmenso. FAMILIA: pequeñez.

pera [sustantivo femenino] Fruta que tiene la piel lisa, de color verde o amarillo, y el interior blanco: *La pera es el fruto del peral.* □ FAMILIA: peral.

peral [sustantivo masculino] Árbol que da peras: *El peral es un árbol frutal.* □ FAMILIA: → pera.

percance [sustantivo masculino] Suceso malo que no se espera y que suele ser poco grave: *Tuvo un pequeño percance al ir a la estación y perdió el tren.* □ SINÓNIMOS: contratiempo, accidente, contrariedad.

percatarse [verbo] Darse cuenta de algo: *Cuando se percató de que le habían engañado, se enfadó mucho.* □ SINÓNIMOS: notar, observar, reparar, advertir.

percebe [sustantivo masculino] Animal que vive pegado

en las piedras del mar: *El percebe es un marisco que tiene forma de pezuña de caballo.*

percha [sustantivo/femenino] Especie de gancho que sirve para colgar la ropa: *Cuando se quitó el abrigo, lo colgó en una percha del armario.* □ FAMILIA: perchero.

perchero [sustantivo/masculino] Mueble que sirve para colgar la ropa: *En mi clase, el perchero está al lado de la puerta.* □ FAMILIA: → percha.

perdedor, -a [adjetivo o/sustantivo] Que pierde: *El equipo perdedor quedará eliminado de la liga.* □ CONTRARIOS: ganador, vencedor, campeón, victorioso. FAMILIA: → perder.

perder [verbo] **1** No encontrar algo que teníamos: *Se me perdió el lápiz y tuve que comprarme otro.* **2** Aprovechar mal algo: *No se puede perder el tiempo cuando se tienen tantas cosas que hacer.* **3** No llegar a tiempo a algo: *Perdí el autobús y llegué tarde al colegio.* **4** Salir poco a poco un líquido de donde está: *La botella de plástico tiene una raja y pierde agua.* **5** Dejar de tener algo: *Ese jugador ha perdido mucho dinero en el bingo. Si no te pones las gafas, perderás vista.*

perder		conjugación	
INDICATIVO		**SUBJUNTIVO**	
presente		**presente**	
pierdo		pierda	
pierdes		pierdas	
pierde		pierda	
perdemos		perdamos	
perdéis		perdáis	
pierden		pierdan	
pretérito imperfecto		**pretérito imperfecto**	
perdía		perdiera, -ese	
perdías		perdieras, -eses	
perdía		perdiera, -ese	
perdíamos		perdiéramos, -ésemos	
perdíais		perdierais, -eseis	
perdían		perdieran, -esen	
pretérito indefinido		**futuro**	
perdí		perdiere	
perdiste		perdieres	
perdió		perdiere	
perdimos		perdiéremos	
perdisteis		perdiereis	
perdieron		perdieren	
futuro		**IMPERATIVO**	
perderé			
perderás		**presente**	
perderá		pierde	(tú)
perderemos		pierda	(él)
perderéis		perdamos	(nosotros)
perderán		perded	(vosotros)
		pierdan	(ellos)
condicional		**FORMAS NO PERSONALES**	
perdería			
perderías		**infinitivo**	**gerundio**
perdería		perder	perdiendo
perderíamos			
perderíais		**participio**	
perderían		perdido	

6 No conseguir algo: *Nuestro equipo ha perdido el campeonato.* **7** Dejar de tener las cualidades que se tenían antes: *Desde que han cambiado al presentador, el programa ha perdido mucho.* **8 perderse** No encontrar el camino: *No conozco tu barrio y me he perdido.* □ [Es irregular]. SINÓNIMOS: **1** extraviar. **2** desperdiciar, malgastar. **8** extraviarse, desorientarse. CONTRARIOS: **1** hallar, encontrar. **2** aprovechar. **5-7** ganar. **8** orientarse. FAMILIA: pérdida, perdedor, imperdible.

pérdida [sustantivo/femenino] **1** Daño que se produce en algo: *Las lluvias han causado grandes pérdidas en la cosecha.* **2** Desperdicio o mal uso de algo: *Ir a ver esa película tan mala ha sido una pérdida de tiempo.* **3** Falta de lo que se tenía: *La pérdida de las personas queridas es siempre dolorosa.* □ SINÓNIMOS: **3** hallazgo. CONTRARIOS: **1** ganancia. **3** adquisición. FAMILIA: → perder.

perdigón [sustantivo/masculino] Bola pequeña de plomo que se pone en un arma para cazar: *Ese cazador tiene una escopeta de perdigones.*

perdiz [sustantivo/femenino] Ave pequeña que tiene en el cuello una especie de anillo negro: *La perdiz tiene el pico y las patas rojizos.* □ [Su plural es *perdices*].

perdón [sustantivo/masculino] Olvido de las faltas que alguien ha cometido: *Te pido perdón por lo que te hice.* □ SINÓNIMOS: disculpa. CONTRARIOS: condena, venganza. FAMILIA: → perdonar.

perdonar [verbo] Olvidar las faltas de alguien: *Te perdono, pero no lo vuelvas a hacer.* □ SINÓNIMOS: disculpar, absolver. CONTRARIOS: condenar, vengar. FAMILIA: perdón, imperdonable.

perdurar [verbo] Durar mucho tiempo: *Tu recuerdo perdura en mi memoria.* □ SINÓNIMOS: continuar, persistir. FAMILIA: → durar.

peregrinar [verbo] Viajar a un lugar sagrado: *Los musulmanes peregrinan a La Meca.* □ FAMILIA: peregrino.

peregrino, na [adjetivo o/sustantivo] Que viaja a un lugar sagrado: *El peregrino llegó a la ermita tras varios meses de andar por los caminos.* □ FAMILIA: → peregrinar.

perejil [sustantivo/masculino] Planta verde que se usa para dar sabor a la comida: *Tienes que ma-*

a
b
c
d
e
f
g
h
i
j
k
l
m
n
ñ
o
p
q
r
s
t
u
v
w
x
y
z

chacar ajo y perejil para los filetes empanados.

perenne [adjetivo] Dicho de una hoja, que no se cae en invierno: *Los pinos son árboles de hoja perenne.* □ [No varía en masculino y en femenino]. CONTRARIOS: caduco.

pereza [sustantivo] [femenino] Ganas de no hacer nada: *¡Qué pereza me entra después de comer...!* □ CONTRARIOS: diligencia. FAMILIA: perezoso, desperezarse.

perezoso, sa [adjetivo o sustantivo] Que no tiene ganas de hacer nada: *No seas perezoso y levántate, que ya es la hora.* □ FAMILIA: → pereza.

perfección [sustantivo] [femenino] Falta total de errores: *La perfección de esta redacción se merece una buena nota.* □ CONTRARIOS: imperfección. FAMILIA: → perfecto.

perfeccionar [verbo] Hacer mejor algo: *No me gusta mucho el dibujo que he hecho y tengo que perfeccionarlo.* □ SINÓNIMOS: mejorar. FAMILIA: → perfecto.

perfecto, ta [adjetivo] **1** Que no tiene ningún defecto: *Me han puesto una buena nota porque hice un examen perfecto.* **2** Que resulta adecuado para algo: *He encontrado un trabajo perfecto para ti.* □ CONTRARIOS: **1** imperfecto, defectuoso. FAMILIA: perfección, perfeccionar, imperfección, imperfecto, desperfecto.

perfil [sustantivo] [masculino] **1** Posición de lado, no de frente: *Cuando te pones de perfil, se te ve una nariz enorme.* **2** Línea que forma una figura: *Cuando el sol está ocultándose, se ve el perfil de la montaña.* □ SINÓNIMOS: **2** contorno, silueta.

perforadora [sustantivo] [femenino] Máquina que sirve para hacer agujeros en una superficie dura: *Los mineros utilizan perforadoras automáticas.* □ FAMILIA: → perforar. 👁 página 539.

perforar [verbo] Hacer un agujero en algo: *Me han perforado las orejas para ponerme pendientes.* □ FAMILIA: perforadora.

perfumar [verbo] Dar buen olor: *¿Quieres echarte colonia, o tú nunca te perfumas?* □ FAMILIA: → perfume.

perfume [sustantivo] [masculino] **1** Sustancia que tiene un olor agradable: *Hemos regalado a mi madre un perfume francés.* **2** Olor agradable: *Me gusta el perfume de las flores.* □ SINÓNIMOS:

2 aroma, fragancia. CONTRARIOS: **2** peste. FAMILIA: perfumar, perfumería.

perfumería [sustantivo] [femenino] Tienda en la que se venden productos para el cuidado personal: *En las perfumerías venden jabón y colonia.* □ FAMILIA: → perfume.

pergamino [sustantivo] [masculino] Especie de papel en el que se escribía hace siglos: *El pergamino se hacía con pieles de animales.*

perilla 1 [sustantivo] [femenino] Barba que se deja crecer debajo de la boca: *Mi padre tiene perilla.* **2** [expresión] **de perillas** Muy bien: *Nos vino de perillas que vinieses a ayudarnos a terminar el trabajo.*

PERILLA

periódico, ca 1 [adjetivo] Que sucede cada cierto tiempo: *Este enfermo tiene que hacerse una revisión periódica.* **2** [sustantivo] [masculino] Especie de revista en la que se dan las noticias del día: *Mis padres leen el periódico todos los días.* □ SINÓNIMOS: **2** diario. FAMILIA: periodista, periodismo.

periodismo [sustantivo] [masculino] Trabajo que consiste en dar noticias: *Quiero dedicarme al periodismo y trabajar en la radio.* □ FAMILIA: → periódico.

periodista [sustantivo] Persona que trabaja dando noticias: *Es periodista y trabaja en la televisión.* □ [No varía en masculino y en femenino]. FAMILIA: → periódico.

periodo o **período** [sustantivo] [masculino] **1** Espacio de tiempo: *La infancia es el primer período en la vida de una persona.* **2** Pérdida de sangre que tiene la mujer una vez al mes: *Mi madre utiliza compresas cuando tiene el período.* □ SINÓNIMOS: **1** etapa. **2** menstruación, regla.

peripecia [sustantivo] [femenino] Suceso curioso que ocurre en un viaje: *Nos contó todas las peripecias de su viaje a la India.* □ SINÓNIMOS: aventura.

periquete [sustantivo] [masculino] Espacio corto de tiempo:

*Espérame fuera, que me visto en un peri-
quete.*

periquito, ta [sustantivo] Ave pequeña con el
pico en forma de gancho y que puede aprender a hablar: *Los periquitos suelen ser de
color azul, verde o amarillo.*

periscopio [sustantivo masculino] Aparato que sirve para
ver la superficie desde debajo del mar: *Los
submarinos llevan periscopios.*

PERISCOPIO

perjudicar [verbo] Producir daño: *Hablar en
clase mientras el profesor explica nos perjudica porque no atendemos.* □ [La c se cambia en qu delante de e, como en SACAR]. SINÓNIMOS:
dañar. CONTRARIOS: beneficiar. FAMILIA: →
perjuicio.

perjudicial [adjetivo] Que es malo para algo:
El tabaco es perjudicial para la salud. □
[No varía en masculino y en femenino]. SINÓNIMOS:
nocivo, dañino, pernicioso. CONTRARIOS:
bueno, saludable, inofensivo. FAMILIA: →
perjuicio.

perjuicio [sustantivo masculino] Daño que se hace a alguien: *Que hables en clase es un perjuicio
para tus compañeros.* □ [Es distinto de prejuicio,
que es lo que se piensa de algo antes de conocerlo].
FAMILIA: perjudicar, perjudicial.

perla 1 [sustantivo femenino] Especie de bola pequeña
que se usa para hacer joyas: *Las perlas naturales se encuentran dentro de las ostras.*
2 [expresión] **de perlas** Muy bien: *Tu ayuda
me ha venido de perlas.*

permanecer [verbo] **1** Mantenerse de determinada manera: *¿Por qué has permanecido
callada toda la tarde?* **2** Estar en un lugar
durante cierto tiempo: *¿Cuánto tiempo per-
maneciste perdido en el monte?* □ [Es irregular
y se conjuga como PARECER]. SINÓNIMOS: **1** continuar. **2** quedarse. CONTRARIOS: **2** marchar.
FAMILIA: permanente.

permanente 1 [adjetivo] Que dura mucho
tiempo, o que no para o no acaba: *No sé qué
es lo que le preocupa, pero tiene un mal hu-*

mor permanente. **2** [sustantivo femenino] Rizos que se hacen en el pelo de forma que duren mucho
tiempo: *Ha ido a la peluquería a hacerse
una permanente.* □ [El significado **1** no varía en
masculino y en femenino]. SINÓNIMOS: **1** duradero, continuo. CONTRARIOS: **1** pasajero,
momentáneo, provisional. FAMILIA: → permanecer.

permiso [sustantivo masculino] **1** Posibilidad que se nos
da para hacer lo que pedimos: *Mis padres
han dado permiso a mi hermana mayor
para llegar tarde hoy.* **2** Posibilidad de faltar al trabajo: *Le dieron un permiso en la
oficina para ir al médico.* □ SINÓNIMOS: **1**
autorización. FAMILIA: → permitir.

permitir [verbo] **1** Dejar a alguien que haga
algo: *En casa no nos permiten acostarnos
después de las diez.* **2** Dejar que algo suceda: *Las autoridades del aeropuerto permitie-
ron que el avión aterrizara.* **3** Hacer posible:
El coche permite viajar más rápido. □ SI-
NÓNIMOS: **1** autorizar. **1,2** consentir. **2** admitir, tolerar. CONTRARIOS: **1** negar. **1,2** prohibir, impedir. FAMILIA: permiso.

pernicioso, sa [adjetivo] Que es muy malo
para algo: *El tabaco es pernicioso para la
salud.* □ SINÓNIMOS: nocivo, perjudicial, dañino. CONTRARIOS: bueno, saludable.

pero 1 [sustantivo masculino] Dificultad que se pone para
hacer algo: *Pone peros a todo lo que le propongo.* [conjunción] **2** Se usa para indicar una
dificultad: *Me gustaría ir, pero no puedo.* **3**
Se usa para dar mayor fuerza a lo que se
dice: *¿Pero quién te va a querer más que yo?*
□ [El significado **1** se usa más en plural]. SINÓNI-
MOS: **1** objeción, inconveniente, pega, observación. **2** mas.

perol [sustantivo masculino] Cazuela con forma de media
esfera: *Los peroles suelen ser de metal.* □
FAMILIA: perola.

perola [sustantivo femenino] Cazuela pequeña con forma
de media esfera: *Preparó el caldo en una perola.* □ FAMILIA: → perol.

perpendicular [adjetivo] Que forma un ángulo recto con una línea: *Una pared es perpendicular al suelo.* □ [No varía en masculino y
en femenino].

perpetuo, tua [adjetivo] Que dura siempre:
Condenaron al preso a cadena perpetua.

perplejo, ja [adjetivo] Tan sorprendido que

a
b
c
d
e
f
g
h
i
j
k
l
m
n
ñ
o
p
q
r
s
t
u
v
w
x
y
z

no sabe cómo actuar: *Se quedó perplejo y sin saber qué hacer.*

perrera [sustantivo femenino] Lugar donde se guarda a los perros que se han perdido: *En la perrera municipal encontramos a mi perro.* □ FA-MILIA: → perro.

perrito [expresión] **perrito caliente** Pan blando y alargado con una salchicha dentro: *Cené un perrito caliente con mostaza y tomate.*

perro, rra [sustantivo] **1** Animal de cuatro patas que vive con el hombre, le hace compañía y se usa para cazar: *Mi perro ladra cada vez que entro en casa.* **2** Persona mala: *¡No seas perro, hombre!* **3** [sustantivo] Disgusto que se tiene por no conseguir lo que se quiere: *¡Menuda perra cogió el niño porque no le compraron una chocolatina!* **4** [sustantivo fe-menino plural] Dinero: *Se compra todo lo que quiere porque tiene muchas perras.* **5** [expresión] **de perros** Muy malo: *Hacía un día de perros y no salimos de casa.* □ [El significado **2** es despectivo y se usa como insulto]. SINÓNIMOS: **1** can, chucho. **3** rabieta. FAMILIA: perrera, perrito caliente, tragaperras.

persecución [sustantivo femenino] **1** Hecho de ir detrás de algo que intenta escapar: *La persecución de los ladrones duró varias horas.* **2** Intento de acabar con lo que se considera malo: *La policía se dedica a la persecución de los delitos.* □ FAMILIA: → seguir.

perseguir [verbo] **1** Ir detrás de algo para cogerlo: *El gato persigue al ratón.* **2** Intentar acabar con lo que se considera malo: *Las autoridades persiguen el tráfico de drogas.* **3** Intentar conseguir algo: *Este actor persigue la fama.* □ [Es irregular y se conjuga como SEGUIR]. SINÓNIMOS: **1** acosar. FAMILIA: → seguir.

persiana [sustantivo femenino] Lo que se pone en puertas y ventanas para que no entre la luz: *Antes de irme a dormir, bajé las persianas.*

persistir [verbo] **1** Mantenerse en una idea: *Si persiste en ir a estudiar a Londres, no se lo podremos negar.* **2** Durar mucho tiempo: *Si persiste el mal tiempo, no iremos a la sierra.* □ SINÓNIMOS: **1** insistir. **2** perdurar, continuar. CONTRARIOS: **1** renunciar.

persona [sustantivo femenino] **1** Miembro de la especie humana: *Hay que respetar a todas las per-*

sonas. **2** En gramática, *yo, tú, él, ella, nosotros, nosotras, vosotros, vosotras, ellos, ellas*: *«Vemos» es un verbo que está en primera persona del plural.* **3** [expresión] **primera persona** La que señala al que habla: *«Yo», «nosotros» y «nosotras» son formas de la primera persona.* **segunda persona** La que señala al que oye: *«Tú», «vosotros» y «vosotras» son formas de la segunda persona.* **tercera persona** La que no señala ni al que habla ni al que oye: *«Él», «ella», «ellos» y «ellas» son formas de la tercera persona.* □ SINÓNIMOS: **1** gente, ser. FAMILIA: personal, personalidad, personaje.

personaje [sustantivo masculino] **1** Persona que destaca en una actividad: *Ese escritor es todo un personaje en el mundo de la cultura.* **2** Persona inventada que aparece en una historia: *Los tres personajes del cuento eran niños.* □ SINÓNIMOS: **1** personalidad. FAMILIA: → persona.

personal 1 [adjetivo] De una persona o propio de ella: *El profesor nos preguntó nuestra opinión personal del libro.* [sustantivo masculino] **2** Conjunto de las personas que trabajan en una misma empresa: *El personal de esta empresa es muy trabajador.* **3** Gente: *Había tanto personal que no se podía pasar.* □ [Cuando es adjetivo no varía en masculino y en femenino. El significado **3** es coloquial]. SINÓNIMOS: **1** particular, individual. **2** plantilla. CONTRARIOS: **1** colectivo, general. FAMILIA: → persona.

personalidad [sustantivo femenino] **1** Conjunto de características que diferencian a una persona de las demás: *No tiene personalidad y siempre hace lo que dicen sus amigos.* **2** Persona que destaca en una actividad: *Han invitado a la fiesta a varias personalidades del mundo de la cultura.* □ SINÓNIMOS: **2** personaje. FAMILIA: → persona.

perspectiva [sustantivo femenino] **1** Técnica que permite dibujar objetos que no son planos en una superficie que sí lo es: *Si dibujas un túnel sin perspectiva, en el papel se verá un arco.* **2** Punto de vista desde el que se considera algo: *El asunto que te preocupa te parecerá una tontería si lo miras desde otra perspectiva.*

persuadir [verbo] Convencer a alguien para

que haga algo: *Nos persuadieron para que los acompañásemos.* □ FAMILIA: persuasivo.

persuasivo, va [adjetivo] Que tiene poder para convencer: *Es muy persuasivo y siempre hacemos lo que él quiere.* □ SINÓNIMOS: convincente. FAMILIA: → persuadir.

pertenecer [verbo] **1** Ser algo propiedad de alguien: *La casa en la que veraneamos pertenece a mis abuelos.* **2** Formar parte de algo: *Pertenezco al equipo de fútbol del colegio.* □ [Es irregular y se conjuga como PARECER].

pértiga [sustantivo femenino] Palo largo que se usa para saltar sobre algo: *Mi primo se dedica al atletismo y practica el salto con pértiga.*

perverso, sa [adjetivo o sustantivo] Muy malo: *Esas maldades sólo se le pueden ocurrir a personas perversas.* □ SINÓNIMOS: malvado, maligno. CONTRARIOS: bueno. FAMILIA: → pervertir.

pervertir [verbo] Hacer malo a alguien: *Se juntó con mala gente y se pervirtió.* □ [Es irregular y se conjuga como SENTIR]. FAMILIA: perverso.

pesa [sustantivo femenino] **1** Pieza que sirve para calcular el peso de algo: *En un platillo de la balanza colocó las naranjas y en el otro, una pesa de dos kilos.* **2** Pieza muy pesada que una persona sube y baja para hacer más fuertes los músculos: *El deportista levantó unas pesas de doscientos kilos.* □ FAMILIA: → peso.

pesadez [sustantivo femenino] **1** Forma lenta o tranquila de hacer algo: *Los hipopótamos se mueven con pesadez.* **2** Lo que aburre o resulta cansado: *No terminé el libro porque era una pesadez.* **3** Sensación de peso: *No comas tanto, que luego tendrás pesadez de estómago.* □ SINÓNIMOS: **1** lentitud, tranquilidad. **2** tostón, rollo, petardo, peñazo, lata. CONTRARIOS: **1** rapidez, prontitud, velocidad, diligencia. FAMILIA: → peso.

pesadilla [sustantivo femenino] Sueño que produce miedo: *Me desperté gritando porque tuve una pesadilla.*

pesado, da [adjetivo] **1** Que tiene mucho peso: *Yo llevé el paquete menos pesado.* **2** Que aburre o cansa mucho: *Hacer el trabajo me resultó fácil, pero pasarlo a máquina es muy pesado.* **3** Que produce una sensación de peso: *He comido tanto que siento el es-*tómago pesado. **4** Que molesta: *Me disculpé con mi hermano porque le gasté una broma pesada.* **5** Dicho del sueño, que es muy profundo: *Tiene el sueño tan pesado que no lo despierta ni un terremoto.* □ SINÓNIMOS: **2** aburrido, latoso. CONTRARIOS: **1** ligero, leve. **2** ameno, entretenido, divertido. FAMILIA: → peso.

pesar 1 [sustantivo masculino] Sensación de pena que se tiene cuando pasa algo que nos duele: *Sintió un gran pesar cuando vio que su amigo no le hablaba.* [verbo] **2** Tener un peso determinado: *Yo peso cuarenta kilos.* **3** Tener mucho peso: *No es recomendable que una mujer embarazada levante cosas que pesen.* **4** Calcular el peso de algo: *Esta balanza pesa mal.* **5** Influir en algo: *Las opiniones de los padres pesan mucho en los hijos.* **6** Producir pena o dolor algo que se ha hecho: *Me pesa haberte dado una torta y espero que me perdones.* **7** [expresión] **a pesar de** Aunque sea una dificultad: *A pesar de que no me gusta mucho la sopa, me la comí.* □ SINÓNIMOS: **1** pena, tristeza, dolor, sufrimiento. CONTRARIOS: **1** alegría, gozo, dicha, felicidad. FAMILIA: → peso.

pesca [sustantivo femenino] Actividad que consiste en sacar peces del agua: *Aunque la pesca parece aburrida, a mí me gusta mucho.* □ FAMILIA: → pez.

pescadería [sustantivo femenino] Tienda en la que se vende pescado: *Compramos el pescado y el marisco en esta pescadería.* □ FAMILIA: → pez.

pescadero, ra [sustantivo] Persona que vende pescado: *Le dije al pescadero que cortara en rodajas el besugo.* □ FAMILIA: → pez.

pescadilla [sustantivo femenino] Cría de la merluza: *Las pescadillas se suelen cocinar enteras.* □ FAMILIA: → pez.

pescado 1 [sustantivo masculino] Pez que sirve como alimento: *En esta pescadería venden pescado fresco y congelado.* **2** [expresión] **pescado azul** El que tiene mucha grasa: *La sardina es pescado azul.* **pescado blanco** El que tiene poca grasa: *La merluza es pescado blanco.* □ FAMILIA: → pez.

pescador, -a [sustantivo] Persona que pesca: *Cuando hace mal tiempo, los pescadores no salen a la mar.* □ FAMILIA: → pez.

a b c d e f g h i j k l m n ñ o **p** q r s t u v w x y z

pescar [verbo] **1** Sacar peces del agua: *El domingo pasado fuimos a pescar al río.* **2** Empezar a tener una enfermedad: *Pescó tal resfriado que estuvo una semana en la cama.* **3** Sorprender o encontrar en determinada situación: *Me pescaron justo cuando me escapaba.* □ [La c se cambia en qu delante de e, como en SACAR. Los significados **2** y **3** son coloquiales]. SINÓNIMOS: **2** atrapar, agarrar, contraer. **2,3** pillar, coger. FAMILIA: → pez.

pescuezo [sustantivo masculino] Parte de atrás del cuello: *Se me ha olvidado la bufanda y me entra frío por el pescuezo.*

pesebre [sustantivo masculino] Especie de recipiente en el que comen algunos animales: *Echó la paja en el pesebre y las vacas se acercaron a comer.*

PESEBRE

peseta [sustantivo femenino] Moneda española: *Un duro vale cinco pesetas.* □ SINÓNIMOS: pela, cala, cuca, rubia.

pesimismo [sustantivo masculino] Forma de ser de la persona que siempre ve el lado malo de las cosas: *Si te sale algo mal, vuelve a intentarlo y no dejes que el pesimismo te venza.* □ CONTRARIOS: optimismo. FAMILIA: → pésimo.

pesimista [adjetivo o sustantivo] Que siempre ve el lado malo de las cosas: *Si no fueras tan pesimista, serías más feliz.* □ [No varía en masculino y en femenino]. SINÓNIMOS: negativo. CONTRARIOS: optimista, positivo. FAMILIA: → pésimo.

pésimo, ma [adjetivo] El peor: *Tuvimos muy mala suerte y hemos hecho un pésimo partido.* □ CONTRARIOS: pésimo. FAMILIA: pesimismo, pesimista.

peso [sustantivo masculino] **1** Cantidad que pesa una cosa: *Mi peso habitual es cuarenta kilos.* **2** Instrumento que sirve para pesar: *La balanza y la báscula son pesos.* **3** Bola de hierro que se lanza en algunas pruebas deportivas: *Para practicar el lanzamiento de peso hay que tener mucha fuerza.* **4** Importancia o influencia que tiene algo: *Nos ha dado algunas razones de peso para convencernos.* **5** Lo que produce preocupación y problemas: *Cuando me dijo que todo se había solucionado, me quitó un peso de encima.* □ SINÓNIMOS: **5** carga. FAMILIA: pesar, pesa, pesado, pesadez, contrapeso.

pesquero, ra [adjetivo o sustantivo masculino] De la pesca o relacionado con esta actividad: *Cuando empezó el mal tiempo, los barcos pesqueros volvieron al puerto.* □ FAMILIA: → pez.

pestaña [sustantivo femenino] **1** Pelo que sale en el borde de los ojos: *Yo tengo las pestañas negras y muy largas.* **2** Parte estrecha que hay en el borde de algo: *Para hacer esta caja, mete las pestañas de los bordes en las ranuras correspondientes.* □ FAMILIA: pestañear.

pestañear [verbo] Abrir y cerrar los ojos de forma rápida y repetida: *Pestañeo mucho porque tengo una mota de polvo en el ojo.* □ FAMILIA: → pestaña.

peste [sustantivo femenino] **1** Enfermedad contagiosa que produce un gran número de muertos: *Antiguamente, las ratas transmitían la peste.* **2** Mal olor muy fuerte: *En verano, los contenedores de basura echan una peste asquerosa.* **3** Lo que resulta negativo o puede producir un daño: *Estas moscas son una verdadera peste.* □ CONTRARIOS: **2** fragancia, aroma, perfume. FAMILIA: apestar, apestoso.

pestillo [sustantivo masculino] Pieza que sirve para cerrar de forma segura puertas y ventanas: *Cuando me quedo solo en casa, cierro la puerta de la calle con pestillo.*

petaca [sustantivo femenino] **1** Especie de bolsa pequeña donde se lleva el tabaco: *Sacó la petaca y me ofreció un cigarro.* **2** Especie de botella plana y pequeña que se usa para llevar alguna bebida: *Esta petaca cabe en el bolsillo de la camisa.*

pétalo [sustantivo masculino] Cada una de las partes que forman una flor: *Los pétalos de esta margarita son blancos, y su centro es amarillo.* □ SINÓNIMOS: hoja.

petardo [sustantivo masculino] **1** Especie de bomba pequeña que hace mucho ruido al explotar: *Me dan miedo los petardos.* **2** Lo que aburre o resulta cansado: *No acabé de ver la película porque era un petardo.* □ SINÓNIMOS: **2** tostón, rollo, peñazo, pesadez, lata.

petición [sustantivo femenino] Ruego que se hace para

pedir algo: *La directora prometió atender todas las peticiones que le hiciéramos.* □ SINÓNIMOS: solicitud. FAMILIA: → pedir.

peto [sustantivo] [masculino] **1** Parte de una prenda de vestir que cubre el pecho: *Este bebé lleva siempre pantalones con peto.* **2** Prenda de vestir que tiene una pieza que cubre el pecho: *En verano me pongo mucho un peto azul.*

petróleo [sustantivo] [masculino] Líquido de color negro del que se obtiene la gasolina: *El petróleo se saca de debajo de la tierra.* □ SINÓNIMOS: oro negro, crudo. FAMILIA: petrolero, petrolífero.

petrolero, ra 1 [adjetivo] Del petróleo o relacionado con él: *La industria petrolera es muy importante en muchos países árabes.* **2** [sustantivo] [masculino] Barco en el que se lleva el petróleo de un lugar a otro: *Los petroleros son barcos muy grandes.* □ [Es distinto de petrolífero, que significa que contiene petróleo]. FAMILIA: → petróleo.

petrolífero, ra [adjetivo] Que contiene petróleo: *Hay yacimientos petrolíferos en el mar del Norte.* □ [Es distinto de petrolero, que significa relacionado con el petróleo]. FAMILIA: → petróleo.

pez [sustantivo] [masculino] Animal que tiene el cuerpo cubierto de escamas y que vive dentro del agua: *Los peces nadan gracias a las aletas.* □ [Su plural es peces]. FAMILIA: pesca, pescar, pescado, pescadero, pescadería, pescador, pesquero, pescadilla, pecera. 🔍 páginas 608-609.

pezón [sustantivo] [masculino] Punta oscura en que acaban los pechos: *El bebé tenía tanta hambre que chupaba con fuerza el pezón de su madre.*

pezuña [sustantivo] [femenino] Parte donde termina la pata de algunos animales: *Los cerdos y las vacas tienen pezuñas.* □ FAMILIA: → uña.

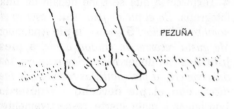

PEZUÑA

piadoso, sa [adjetivo] **1** Que siente pena ante el dolor de los demás y los ayuda y perdona: *Es una persona piadosa y trata siempre de ayudar a los demás.* **2** Que siente mucho amor religioso: *Es muy piadoso y* reza todos los días a la Virgen. □ SINÓNIMOS: **1** compasivo, caritativo, misericordioso. **2** pío. CONTRARIOS: **1** cruel. FAMILIA: → piedad.

pianista [sustantivo] Músico que toca el piano: *El pianista se sentó en el taburete y empezó a tocar.* □ [No varía en masculino y en femenino]. FAMILIA: → piano.

piano [sustantivo] [masculino] Instrumento musical que se apoya sobre tres o cuatro patas, y que produce el sonido al golpear con los dedos las piezas blancas y negras que tiene: *Al pulsar las teclas del piano, unos macillos golpean las cuerdas del interior.* □ FAMILIA: pianista. 🔍 página 606.

piar [verbo] Emitir un pollo su voz característica: *Los polluelos piaban alrededor de la gallina.* □ [Se conjuga como GUIAR].

piara [sustantivo] [femenino] Grupo de cerdos: *El granjero lleva la piara al campo para que coma bellotas.*

picador, -a 1 [sustantivo] Torero que va montado en un caballo y pica al toro con una especie de lanza: *No hay picadores en todas las corridas de toros.* **2** [sustantivo] [femenino] Aparato que sirve para picar alimentos: *Piqué la cebolla en la picadora.* □ FAMILIA: → picar.

picadura [sustantivo] [femenino] **1** Herida que hacen algunos animales cuando muerden o pican: *Tengo dos picaduras de mosquito en el brazo.* **2** Pequeño agujero hecho en una cosa: *El dentista me dijo que tenía dos picaduras en los dientes.* □ FAMILIA: → picar.

picante 1 [adjetivo] Que trata de sexo: *Me sonrojo cuando oigo algún chiste picante.* **2** [adjetivo o sustantivo masculino] Que resulta fuerte al comerlo y pica en la boca: *No puedo comer cosas picantes porque luego me duele el estómago.* □ [Cuando es adjetivo no varía en masculino y en femenino]. SINÓNIMOS: **1** verde. FAMILIA: → picar.

picaporte [sustantivo] [masculino] Pieza de una puerta que se coge con la mano para abrirla y cerrarla: *Si no bajas el picaporte, la puerta no se abre.*

picar [verbo] **1** Cortar en trozos pequeños: *Siempre que pico cebolla, lloro.* **2** Hacer agujeros en una superficie: *Los albañiles picaron el suelo de la casa.* **3** Herir con un objeto que acaba en punta: *Me piqué con*

a b c d e f g h i j k l m n ñ o **p** q r s t u v w x y z

una aguja. **4** Morder o herir algunos animales con el pico o con la boca: *Mientras dormía, me ha picado un mosquito en la pierna.* **5** Comer un alimento en pequeñas cantidades: *Si quieres adelgazar, no debes picar entre una comida y otra.* **6** Coger un ave la comida con el pico: *Las palomas picaban el pan que les había echado una anciana.* **7** Producir un alimento una sensación fuerte cuando se come: *Las guindillas pican mucho.* **8** Producir una sensación en la piel que hace que necesitemos tocarla una y otra vez: *No puedo dejar de rascarme porque los granos me pican.* **9** Calentar mucho el sol: *En verano pica mucho el sol.* **10** Decir algo a alguien para que responda de alguna manera: *Si vas a seguir picándome, lo mejor que puedo hacer es marcharme.* **11** Caer en un engaño: *Un señor picó en un timo y le estafaron mucho dinero.* **picarse 12** Enfadarse o molestarse una persona: *Mi compañero se picó porque le dije lo que pensaba de su comportamiento.* **13** Estropearse el vino o tomar un sabor agrio: *Este vino se ha picado porque la botella no estaba bien cerrada.* **14** Moverse mucho el mar levantando olas pequeñas: *El mar empezó a picarse al atardecer.* **15** Meterse droga en la sangre: *Este drogadicto se pica heroína.* □ [La c se cambia en qu delante de e, como en SACAR. Los significados **10**, **11**, **12** y **15** son coloquiales]. SINÓNIMOS: **3,10** pinchar. **15** pincharse, chutarse. FAMILIA: picador, picadura, picante, pico, picotazo, picor, picudo, piqueta.

picardía [sustantivo] [femenino] **1** Habilidad para conseguir lo que se quiere: *Mi hermana tiene mucha picardía y siempre se sale con la suya.* **2** Habilidad para hablar del sexo sin que resulte ofensivo: *En esta comedia hay varias escenas con mucha picardía.* □ SINÓNIMOS: **1** astucia. FAMILIA: → pícaro.

pícaro, ra [adjetivo o] [sustantivo] Que es listo y tiene habilidad para conseguir lo que quiere: *El muy pícaro intentó engatusarme con alabanzas.* □ SINÓNIMOS: astuto, pillo, zorro, CUCO. FAMILIA: picardía.

picha [sustantivo] [femenino] Pene. □ [Es vulgar].

[picnic [sustantivo] [masculino] Comida en el campo: *El día del picnic todos llevamos comida y bebida.* □ [Se pronuncia «pícnic». Es una palabra inglesa].

pico [sustantivo] [masculino] **1** Boca de un ave: *Las aves cogen el alimento con el pico.* **2** Punta o parte de algo que sale hacia fuera: *Se dio un golpe con el pico de la mesa.* **3** Herramienta que sirve para picar en una superficie: *Hizo un agujero en la tierra con un pico.* 🖾 página 431. **4** Parte más alta de una montaña: *Cuando el alpinista alcanzó el pico de la montaña, puso una bandera.* 🖾 página 709. **5** Cantidad pequeña y no determinada que sobra de un número: *Llegamos a casa a las cinco y pico.* **6** Forma de hablar: *Con ese pico que tienes, convences a todos.* □ FAMILIA: → picar.

picor [sustantivo] [masculino] Sensación que produce algo que pica: *Me comí un caramelo para ver si se me pasaba el picor de garganta.* □ FAMILIA: → picar.

picota [sustantivo] [femenino] **1** Tipo de cereza, más grande y sin rabillo: *La picota no es tan redonda como la cereza.* **2** Nariz: *Con esa picota que tienes, seguro que no se te caen las gafas.* □ [El significado **2** es coloquial].

picotazo [sustantivo] [masculino] Herida que hace un ave con el pico: *La gallina me dio un picotazo en la mano al echarle de comer.* □ FAMILIA: → picar.

picudo, da [adjetivo] Con mucho pico: *La bruja llevaba un sombrero negro y picudo.* □ SINÓNIMOS: puntiagudo. FAMILIA: → picar.

pie [sustantivo] [masculino] **1** Parte en que termina la pierna y que se apoya en el suelo: *Tengo los pies planos y tengo que usar botas especiales.* **2** Parte de una cosa con la que se apoya en un sitio: *El pie de esta lámpara es una vasija de barro.* **3** Parte en la que acaba algo: *Siempre dejo la bata a los pies de la cama.* **4** Texto corto que se pone debajo de una fotografía: *En el pie de foto estaba escrito el nombre del actor.* **5** [expresión] **a pie** Andando: *Me gusta recorrer la ciudad a pie.* **a pies juntillas** Sin dudar nada: *Soy muy confiada y me creo a pies juntillas todo lo que me dicen.* **con el pie derecho** o **izquierdo** Con buena o mala suerte, respectivamente: *Hoy me he levantado con el pie izquierdo y todo me sale mal.* **con pies de plomo** Con mucho cuidado: *Se lo pregunté con pies de plomo para no ofenderla.* **dar pie** Dar motivo: *Esta actriz es muy sencilla y no le gus-*

ta dar pie a las habladurías. **de** o **en pie** Levantado: *Traed sillas para que puedan sentarse los que están de pie.* **hacer pie** Tocar el fondo de manera que la cabeza quede fuera del agua: *No puedo meterme en ese lado de la piscina, porque no hago pie y no sé nadar.* **no tener pies ni cabeza** No tener sentido: *Me estás mintiendo, porque lo que dices no tiene pies ni cabeza.* □ SINÓNIMOS: **1** pinrel, queso. FAMILIA: puntapié, ciempiés, tentempié.

piedad [sustantivo] [femenino] Pena que se siente ante el dolor de los demás y que nos lleva a ayudarlos y perdonarlos: *Tuvo piedad de nosotros y no nos castigó por lo que habíamos hecho.* □ SINÓNIMOS: compasión, caridad, misericordia, clemencia. CONTRARIOS: crueldad. FAMILIA: piadoso, pío, apiadarse.

piedra [sustantivo] [femenino] **1** Trozo de un mineral: *Por este camino lleno de piedras no se puede andar en bici.* **2** Especie de bolita dura que se forma en algunos órganos del cuerpo: *Han operado a mi vecino porque tenía piedras en el riñón.* **3** [expresión] **de piedra** Muy sorprendido: *Había estudiado mucho y me quedé de piedra cuando me dijo que la respuesta estaba mal.* **piedra preciosa** Mineral de gran valor que se usa para hacer joyas: *El diamante, la esmeralda y el rubí son piedras preciosas.* □ [El significado **2** es coloquial]. SINÓNIMOS: **2** cálculo. FAMILIA: pedrada, pedrusco, apedrear.

piel [sustantivo] [femenino] **1** Capa exterior que cubre el cuerpo de las personas y de los animales: *He estado en la playa y tengo la piel muy morena.* **2** Parte exterior que cubre algunos frutos: *Yo siempre me como las manzanas con la piel.* **3** [expresión] **piel de gallina** La de las personas cuando tiene pequeños bultitos: *Cuando hace mucho frío, se me pone piel de gallina.* □ SINÓNIMOS: **1** pellejo. FAMILIA: peletería, pellejo, despellejar.

pienso [sustantivo] [masculino] Alimento seco para el ganado: *El granjero compró varios sacos de pienso para sus vacas.*

pierna [sustantivo] [femenino] **1** Parte del cuerpo humano que va desde el tronco hasta el pie: *Las piernas nos permiten andar.* **2** Parte más ancha de las patas de algunos animales: *Mi padre ha hecho una pierna de cordero asa-*

da. **3** [expresión] **dormir a pierna suelta** Dormir muy bien: *Estaba tan cansado que he dormido a pierna suelta.* □ [El significado **3** es coloquial].

pieza [sustantivo] [femenino] **1** Cada una de las partes que forman un todo: *Se ha perdido una pieza del puzzle.* 🖎 página 612. **2** Trozo de tela que se fabrica de una vez: *Esta tela está rebajada porque son los últimos metros de la pieza.* **3** Animal que se caza o se pesca: *Este chico ha ganado el campeonato de pesca porque consiguió la pieza más grande.* **4** Obra musical o de teatro: *Estoy escuchando las piezas más conocidas de este compositor.* **5** Cada una de las partes en que se divide una casa: *Usaron la pieza más grande de la casa como comedor.* **6** Objeto que forma parte de un conjunto: *El cañón es una pieza de artillería.* **7** [expresión] **de una pieza** Muy sorprendido: *Cuando me dijo que no me sentara a su lado, me quedé de una pieza.* □ SINÓNIMOS: **5** cuarto, habitación.

pifia [sustantivo] [femenino] Hecho que produce un daño pequeño: *Si no me has traído lo que te pedí, menuda pifia me has hecho.* □ SINÓNIMOS: descuido, faena.

pijama [sustantivo] [masculino] Prenda de dos piezas que se usa para dormir: *En invierno duermo con un pijama de lana.*

[pijo, ja [sustantivo] Persona que muestra en su forma de actuar que tiene dinero: *Ese pijo cambia de coche todos los años.* □ [Es despectivo].

pila [sustantivo] [femenino] **1** Pieza de pequeño tamaño que produce electricidad: *Esta radio funciona con pilas.* **2** Recipiente que sirve para echar agua y tiene un agujero para poder vaciarlo: *Poned los platos en la pila para fregarlos.* 🖎 página 499. **3** Montón de cosas puestas unas sobre otras: *Junto a la pared había una pila de cajas.*

pilar [sustantivo] [masculino] **1** Pieza que sirve para apoyar sobre ella algo muy pesado: *Las estatuas del museo están colocadas sobre pilares de mármol.* **2** Lo que sirve de apoyo: *Vosotros dos sois los pilares del equipo.* □ SINÓNIMOS: columna.

píldora [sustantivo] [femenino] **1** Medicina que generalmente tiene forma de bolita: *El médico me ha recetado unas píldoras para el dolor de* *estómago.* **2** Medicina que toman las mujeres cuando no quieren tener hijos: *La píldora es un anticonceptivo que impide que la mujer se quede embarazada.*

[pilila [sustantivo] [femenino] Pene: *Los niños tienen pilila y las niñas, no.* □ [Es coloquial].

pillar [verbo] **1** Pasar un vehículo por encima de algo: *Mi padre dio un frenazo para no pillar a un perro.* **2** Coger o agarrar: *El ladrón pilló lo que encontró de valor en la casa.* **3** Sorprender o encontrar en determinada situación: *Me pillaron comiéndome el chocolate a escondidas.* **4** Sujetar algo con fuerza de modo que no se pueda mover: *Quita la mano de ahí, no te la vaya a pillar al cerrar la puerta.* **5** Empezar a tener una enfermedad: *Pillé tal catarro que estuve una semana en la cama.* **6** Entender el significado de algo: *Siempre me tienen que explicar los chistes, porque no pillo ni uno.* **7** Estar o encontrarse en un determinado lugar: *El colegio pilla muy lejos y tengo que ir en metro.* □ [Los significados **2**, **3**, **5** y **6** son coloquiales]. SINÓNIMOS: **1** atropellar, arrollar. **2,5** atrapar. **3,5** pescar. **3,5,6** coger. **3,5** agarrar. **5** contraer. **7** quedar. FAMILIA: → pillo.

pillo, lla [adjetivo o] [sustantivo] **1** Que es muy listo y tiene habilidad para conseguir lo que quiere: *Es un pillo y saca beneficio de todo.* **2** Que hace travesuras: *¿Qué estará haciendo ese pillo, que está tan calladito en ese rincón?* □ SINÓNIMOS: **1** astuto, pícaro, zorro, cuco. **2** travieso, trasto, revoltoso. FAMILIA: pillar.

pilotar [verbo] Conducir un vehículo: *Los aviadores pilotan aviones.* □ FAMILIA: → piloto.

piloto 1 [sustantivo] Persona que conduce un vehículo: *De mayor quiero ser piloto de aviones.* 🔍 página 795. **2** [sustantivo] [masculino] Luz que indica que algo está funcionando: *Cuando se enciende el piloto de la plancha es que se está calentando.* □ [El significado **1** no varía en masculino y en femenino]. SINÓNIMOS: **1** conductor. **2** chivato. FAMILIA: pilotar, copiloto.

pimentón [sustantivo] [masculino] Polvo de color rojo que se usa para dar sabor a los alimentos: *El pimentón se hace machacando pimientos secos.* □ FAMILIA: → pimiento.

pimienta [sustantivo] [femenino] Semilla que se usa para dar a los alimentos un sabor más fuerte: *La*

pimienta tiene un sabor picante. □ FAMILIA: → pimiento.

pimiento 1 [sustantivo] [masculino] Fruto de forma alargada que está hueco y es de color verde o rojo: *He comido una ensalada de tomates y pimientos.* **2** [expresión] **como un pimiento** Muy rojo: *Me dio tanta vergüenza que me puse como un pimiento.* **pimiento morrón** El que es rojo: *Los pimientos morrones son muy grandes.* **un pimiento** Muy poco o nada: *Me importa un pimiento que no me acompañes. Eso no vale un pimiento.* □ FAMILIA: pimentón, pimienta.

pimpón [sustantivo] Deporte parecido al tenis, que se juega sobre una mesa y con palas de madera: *La mesa de pimpón es rectangular y de color verde.* □ [Se escribe también ping-pong]. SINÓNIMOS: tenis de mesa.

PIMPÓN O PING-PONG

[pin [sustantivo] [masculino] Adorno pequeño que suele ser de metal y que se sujeta en una prenda de vestir: *Me puse el pin de mi equipo de fútbol en la solapa del abrigo.* □ [Es una palabra inglesa].

pinacoteca [sustantivo] [femenino] Museo en el que hay cuadros: *El Museo del Prado es la pinacoteca más importante de Madrid.*

pinar [sustantivo] [masculino] Lugar con muchos pinos: *Aquí huele muy bien porque hay un pinar muy cerca.* □ FAMILIA: → pino.

pincel [sustantivo] [masculino] Instrumento que sirve para pintar y tiene un grupo de pelos en la punta: *Necesito un pincel para pintar un cuadro con acuarelas.* □ FAMILIA: pincelada.

pincelada [sustantivo] [femenino] Línea corta de pintura que se da con un pincel: *Cuando te acercas a algunos cuadros, se notan mucho las pinceladas.* □ FAMILIA: → pincel.

pinchadiscos [sustantivo] Persona que trabaja poniendo discos de música: *Mi hermano es pinchadiscos en una discoteca.* □ [No varía en masculino y en femenino, ni en singular y plural]. FAMILIA: → disco.

pinchar [verbo] **1** Herir con un objeto que acaba en punta: *Me he pinchado con una aguja.* **2** Hacer un pequeño agujero en una superficie: *Hay que cambiar la rueda de la bici porque se ha pinchado.* **3** Sujetar una cosa con un objeto puntiagudo: *Con el tenedor pinchas el filete.* **4** Decir algo a alguien para que responda de alguna manera: *Como me sigas pinchando, me voy.* **5** Controlar un teléfono para saber qué dicen los que hablan sin que ellos lo sepan: *Notaron que les habían pinchado el teléfono porque al descolgarlo oyeron un ruido raro.* **6** Poner un disco para que se oiga: *En las fiestas, yo siempre me encargo de pinchar los discos.* **7** Meter un líquido en el cuerpo con una aguja para curar una enfermedad: *Cuando me pusieron la vacuna, me pincharon en el brazo.* **8 pincharse** Meterse droga en la sangre: *El drogadicto ha pedido ayuda para dejar de pincharse.* □ [Los significados **5**, **6** y **8** son coloquiales]. SINÓNIMOS: **1,4** picar. **5** intervenir. **7** inyectar. **8** picarse, chutarse. FAMILIA: → pincho.

pinchazo [sustantivo masculino] **1** Herida que hace un objeto acabado en punta: *Todavía se me nota en el brazo el pinchazo de la vacuna.* **2** Pequeño agujero que se hace en algo: *Cambiamos la rueda del coche porque tenía un pinchazo.* **3** Dolor agudo: *Mi padre fue al médico porque sentía unos pinchazos en el costado.* □ FAMILIA: → pincho.

pincho [sustantivo masculino] **1** Cualquier cosa fina que acaba en una punta afilada: *El puerco espín tiene el cuerpo cubierto de pinchos.* **2** Porción de comida que se toma con una bebida: *El camarero nos puso unos pinchos de tortilla con los refrescos.* ☞ página 612. **3** [expresión] **pincho moruno** Carne asada, partida en trozos y colocada en un palo: *Mi pincho moruno tiene trozos de cebolla entre la carne.* □ FAMILIA: pinchar, pinchazo.

ping-pong [sustantivo masculino] Pimpón: *El ping-pong se juega con palas de madera.* □ [Se pronuncia «pimpón»]. SINÓNIMOS: tenis de mesa.

pingüino [sustantivo masculino] Ave que tiene el cuerpo negro por detrás y blanco por delante, y vive en zonas muy frías: *Los pingüinos no pueden volar y viven en el polo sur.* ☞ página 20.

pino [sustantivo masculino] **1** Árbol que tiene las hojas estrechas y puntiagudas, y que no se caen en invierno: *No todos los pinos tienen piñas con piñones.* ☞ página 18. **2** Ejercicio de gimnasia en el que se apoyan las manos en el suelo y se suben los pies: *Es fácil hacer el pino apoyándose en una pared.* **3 en el quinto pino** Muy lejos: *No podemos ir andando a tu casa porque está en el quinto pino.* □ [El significado **3** es coloquial]. FAMILIA: pinar, piña, piñón, piñata.

pinrel [sustantivo masculino] Pie: *¡Haz el favor de quitar los pinreles del sofá!* □ [Es coloquial].

pinta [sustantivo femenino] **1** Aspecto exterior de algo: *¡Qué pinta tan rara tienes con ese sombrero!* **2** Señal pequeña que destaca por su color o por su aspecto: *Las mariquitas son rojas con pintas negras.* □ [El significado **1** es coloquial]. SINÓNIMOS: **1** apariencia, facha. **2** mancha. FAMILIA: → pintar.

pintado, da 1 [adjetivo] Muy parecido: *No puedes negar que en la cara eres pintado a tu madre.* **2** [sustantivo femenino] Escrito que se hace en una pared: *Fueron multados por llenar el muro de pintadas.* □ FAMILIA: → pintar.

pintalabios [sustantivo masculino] Barra de color que sirve para pintarse los labios: *Al darme un beso, me manchó la cara de pintalabios.* □ [No varía en singular y en plural]. FAMILIA: → labio.

pintar [verbo] **1** Hacer figuras sobre una superficie con líneas y colores: *He pintado un coche en mi cuaderno de dibujo.* **2** Cubrir una superficie con un color: *Han pintado mi habitación de azul.* **3** Hacer líneas: *El bolígrafo no pinta porque se le ha acabado la tinta.* **4** Importar o valer: *Vete, que aquí no pintas nada.* **5 pintarse** Darse pinturas en la cara: *Mi madre se pinta los labios de rojo.* □ SINÓNIMOS: **1** dibujar. **3** escribir. **5** maquillarse. FAMILIA: pintura, pintor, pintarrajear, pinta, pintado, pintoresco.

pintarrajear [verbo] Pintar mal, poniendo unas líneas sobre otras: *No te voy a dejar más libros, porque los pintarrajeas.*

pintaúñas [sustantivo masculino] Líquido que se usa para

a

b

c

d

e

f

g

h

i

j

k

l

m

n

ñ

o

p

q

r

s

t

u

v

w

x

y

z

pintar la uñas: *El pintaúñas se extiende sobre las uñas con un pincel.* □ [No varía en singular y en plural]. FAMILIA: → uña.

pintor, -a [sustantivo] **1** Persona que pinta cuadros: *Goya es uno de los mejores pintores españoles.* **2** Persona que trabaja pintando paredes y otras superficies: *Busco un pintor para que me pinte las habitaciones.* □ FAMILIA: → pintar.

pintoresco, ca [adjetivo] Muy característico y propio de algo: *Desde este mirador se pueden contemplar las vistas más pintorescas de la zona.* □ FAMILIA: → pintar.

pintura [sustantivo femenino] **1** Técnica y arte de hacer figuras en una superficie por medio de líneas y colores: *Dibujo mucho mejor desde que hice un curso de pintura.* **2** Cuadro o cualquier otra cosa pintada: *En el Museo del Prado se encuentran las mejores pinturas de Velázquez.* **3** Producto que se usa para pintar: *Hemos comprado pintura blanca para pintar la valla.* □ FAMILIA: → pintar.

pinza [sustantivo femenino] **1** Instrumento formado por dos piezas que permiten coger o sujetar cosas: *Uso pinzas para tender la ropa.* ✍ página 498. **2** Parte de las patas de algunos animales, que abren y cierran para coger cosas o para defenderse: *En la playa, un cangrejo me pellizcó en el pie con sus pinzas.* **3** Parte doblada y cosida en una prenda de vestir, que sirve para darle forma: *La blusa lleva una pinza a cada lado para que se ajuste mejor al pecho.* □ [El significado **1** es lo mismo en singular que en plural].

piña [sustantivo femenino] **1** Especie de fruto del pino y de otros árboles: *Los piñones están dentro de las piñas.* **2** Fruta de gran tamaño que es de color amarillo por dentro y se suele comer en rodajas: *Abriremos una lata de piña en almíbar para el postre.* □ FAMILIA: → pino.

piñata [sustantivo femenino] Recipiente lleno de regalos que se cuelga para que alguien lo rompa y caiga lo que tiene dentro: *En mi fiesta de cumpleaños me taparon los ojos para que rompiera la piñata con un palo.* □ FAMILIA: → pino.

piño [sustantivo masculino] Diente: *Te vas a caer de la bici y te vas a romper los piños.* □ [Es coloquial].

piñón [sustantivo masculino] **1** Fruto seco de pequeño tamaño y de forma alargada, que tiene la cáscara muy dura y lisa: *Los piñones están dentro de las piñas.* **2** En una bicicleta, especie de rueda pequeña y con dientes que hace que se muevan las ruedas grandes: *La cadena de la bicicleta se coloca alrededor del piñón.* □ FAMILIA: → pino.

pío, a 1 [adjetivo] Que siente mucho amor religioso: *Es un hombre muy pío y oye misa todos los días.* **2** [expresión] **no decir ni pío** No decir nada: *Se quedó tan sorprendido que no volvió a decir ni pío.* □ [El significado **2** es coloquial]. SINÓNIMOS: **1** piadoso. FAMILIA: → piedad.

piojo [sustantivo masculino] Insecto muy pequeño que vive en el pelo de las personas y de los animales: *La profesora dijo que había piojos en el colegio y que vigiláramos la limpieza del pelo.*

pionero, ra [adjetivo o sustantivo] Que hace algo antes que los demás: *Esta editorial fue pionera en la publicación de libros infantiles.*

pipa [sustantivo femenino] **1** Utensilio que se usa para fumar y que está formado por un tubo con un recipiente donde se echa el tabaco: *El capitán del barco tenía barba y fumaba en pipa.* **2** Semilla de algunas plantas: *Me gustan más las pipas de girasol que las de calabaza.* **3** [expresión] **pasarlo pipa** Divertirse mucho: *En la fiesta de cumpleaños lo pasamos pipa.* □ [El significado **3** es coloquial]. SINÓNIMOS: **2** pepita.

pipí [sustantivo masculino] Pis: *Todos los bebés se hacen pipí encima.* □ [Es coloquial]. SINÓNIMOS: orina. FAMILIA: → pis.

piqueta [sustantivo femenino] Herramienta parecida al martillo, pero con uno de los extremos terminado en punta: *La arqueóloga golpeaba la roca con la piqueta para coger algunos trozos y examinarlos en el laboratorio.* □ FAMILIA: → picar.

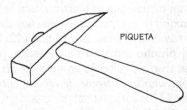

PIQUETA

pirado, da [adjetivo o sustantivo] Que está medio loco: *Hay que estar pirado para hacer esas idio-*

teces. □ [Es coloquial]. Sinónimos: chalado, majara, majareta, chiflado. Familia: → pirarse.

piragua [sustantivo/femenino] Barco pequeño, largo y estrecho: *Las piraguas se impulsan con remos.* □ Familia: piragüismo.

PIRAGUA

piragüismo [sustantivo/masculino] Deporte que consiste en navegar en unos barcos pequeños, largos y estrechos: *Me voy a comprar una piragua para poder practicar el piragüismo en el río.* □ Familia: → piragua. página 292.

pirámide [sustantivo/femenino] **1** Cuerpo con varias caras que salen de una sola base y se juntan en un punto: *Las caras de una pirámide son triángulos.* página 429. **2** Construcción que tiene esta forma: *Las pirámides egipcias eran las sepulturas de los faraones.* página 540.

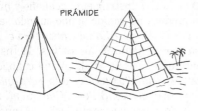

PIRÁMIDE

pirarse [verbo] **1** Irse de un lugar: *En cuanto acabe la partida me piro, porque me están esperando en casa.* **2** Volverse medio loco: *Desde que volviste de vacaciones te has pirado, porque no paras de hacer tonterías.* □ [Es coloquial]. Familia: pirado.

pirata [adjetivo] **1** De los piratas o característico de ellos: *El barco pirata llevaba una bandera negra con una calavera.* **2** Que se hace sin el permiso necesario: *Una emisora de radio que no tenga autorización para emitir programas es una emisora pirata.* [sustantivo] **3** Persona que roba barcos en el mar: *El pirata del cuento tenía una pata de palo.* **4** Persona que se queda con el trabajo que ha hecho otra: *Los piratas de la informática*

consiguen información de otros ordenadores que no son suyos.* □ [No varía en masculino y en femenino]. Sinónimos: **2** clandestino, ilegal. **3** corsario.

pirenaico, ca [adjetivo o sustantivo] De los montes Pirineos: *La región pirenaica es una zona montañosa que está entre Francia y España.*

pirita [sustantivo/femenino] Mineral de hierro, de color muy brillante: *En mi colección de minerales tengo pirita en formas geométricas.* página 539.

piropo [sustantivo/masculino] Expresión con la que se alaba la belleza de alguien: *Mi hermana se pone colorada cuando le dicen piropos.*

pirrar [verbo] Gustar mucho: *Me pirran los bombones.* □ [Es coloquial].

pirueta [sustantivo/femenino] Salto que se da en el aire: *El bailarín hizo una pirueta cruzando varias veces los pies en el aire.* □ Sinónimos: cabriola.

[piruleta [sustantivo/femenino] Dulce de forma aplanada, que se chupa cogiéndolo de un palito: *Mi piruleta es de fresa y tiene forma de corazón.* □ Familia: → pirulí.

pirulí [sustantivo/masculino] Dulce alargado, que se chupa cogiéndolo de un palito: *Los pirulís tienen forma de cono.* □ Familia: piruleta.

pis [sustantivo/masculino] Líquido amarillo que sale del cuerpo para echar fuera sustancias perjudiciales: *Déjame entrar en el baño, que me estoy haciendo pis.* □ [Es coloquial]. Sinónimos: pipí, orina. Familia: pipí.

pisada [sustantivo/femenino] **1** Cada una de las veces que se pone un pie en el suelo cuando se anda: *He oído pisadas en el pasillo.* **2** Huella que deja el pie: *Un perro ha dejado sus pisadas en el cemento fresco.* □ Familia: → pisar.

pisapapeles [sustantivo/masculino] Objeto que se pone sobre los papeles para que no se muevan: *Mi padre tiene un pisapapeles encima de la mesa.* □ [No varía en singular y en plural]. Familia: → papel.

pisar [verbo] **1** Poner el pie sobre algo: *No pises el suelo, que acabo de fregar.* **2** Estar una cosa sobre otra: *Levanta la silla, que has pisado con la pata el borde del abrigo.* **3** Entrar en un lugar: *Nunca has pisado un museo y no sabes lo que te pierdes.* **4** Tratar mal: *No se puede pisar a la gente.* □ Sinó-

a b c d e f g h i j k l m n ñ o **p** q r s t u v w x y z

NIMOS: **4** pisotear. FAMILIA: pisada, piso, pisotear, pisotón, apisonar, apisonadora.

piscina [sustantivo/femenino] Lugar que se construye para llenarlo de agua y poder nadar: *En cuanto abran la piscina iré a nadar.* 👁 página 155.

piscis [adjetivo o/sustantivo] Uno de los doce signos del horóscopo: *Las personas que son piscis nacen entre el 19 de febrero y el 20 de marzo.* □ [No varía en masculino y en femenino, ni en singular y plural].

piso [sustantivo/masculino] **1** Superficie sobre la que se ponen los pies cuando se anda: *El piso del vestíbulo es de mármol.* **2** Cada una de las diferentes alturas que forman un edificio: *Mi casa está en el segundo piso.* **3** Cada una de las casas que hay en un edificio: *Mis padres han comprado un piso de cuatro habitaciones.* **4** Parte del zapato que se apoya en el suelo: *El piso de las zapatillas de deporte es de goma.* **5** Cada una de las alturas que tiene una cosa: *La tarta tenía tres pisos.* □ SINÓNIMOS: **1** suelo. **2** planta. FAMILIA: → pisar.

pisotear [verbo] **1** Poner los pies varias veces sobre algo hasta estropearlo: *No pisotees el césped.* **2** Tratar muy mal: *Es una persona tan malvada que pisotea a los que son más débiles que él.* □ SINÓNIMOS: **2** pisar. FAMILIA: → pisar.

pisotón [sustantivo/masculino] Golpe fuerte que se da con el pie al pisar: *Me dieron un pisotón en el pie y todavía me duelen los dedos.* □ FAMILIA: → pisar.

pista [sustantivo/femenino] **1** Lo que se deja al pasar por un sitio: *En la cacería, los perros siguieron la pista del zorro.* **2** Lo que permite descubrir algo: *Te daré una pista para que adivines quién ha venido.* **3** Lugar liso y preparado para realizar alguna actividad: *Nunca he patinado en una pista de hielo.* □ SINÓNIMOS: **1** rastro.

pistacho [sustantivo/masculino] Fruto seco con la cáscara muy dura y con el interior de color verde: *Los pistachos se pelan separando las dos partes de la cáscara.*

pistola [sustantivo/femenino] **1** Arma de fuego de pequeño tamaño: *Los policías llevan pistola y porra.* **2** Utensilio que tiene una forma parecida a la de esta arma: *Los coches se pintan con pistola.* **3** Barra de pan: *Me he hecho un enorme bocadillo con media pistola.* □ FAMILIA: pistolera, pistolero.

pistolero, ra 1 [sustantivo] Persona que usa pistola para hacer lo que la ley no permite: *El pistolero tenía atemorizado a todo el pueblo.* **2** [sustantivo/femenino] Especie de bolsa para guardar la pistola: *Los policías llevan la pistolera colgando de un cinturón.* □ FAMILIA: → pistola.

pitar 1 [verbo] Hacer un sonido agudo: *La bocina del coche está estropeada y no pita.* **2** [expresión] **pitando** Muy deprisa: *Sal pitando, o llegarás tarde al gimnasio.* □ [El significado **2** es coloquial]. SINÓNIMOS: **1** chiflar. FAMILIA: pito, pitido.

pitido [sustantivo/masculino] Sonido agudo: *Hay que llamar al técnico porque la televisión tiene un pitido muy molesto.* □ FAMILIA: → pitar.

pitillera [sustantivo/femenino] Especie de caja donde se llevan cigarrillos: *En esta pitillera caben veinte cigarros.* □ FAMILIA: → pitillo.

pitillo [sustantivo/masculino] Cigarro pequeño y delgado: *Hace más de tres años que en mi casa nadie fuma un solo pitillo.* □ SINÓNIMOS: cigarrillo. FAMILIA: pitillera.

pito [sustantivo/masculino] **1** Instrumento pequeño y hueco que produce un sonido agudo cuando se sopla por él: *El guardia de tráfico tocó el pito para que se parasen los coches.* **2** Instrumento que hace un ruido agudo cuando se toca: *El conductor tocó el pito para que el peatón se apartase.* **3** Pene: *Cuando mi madre bañó a mi hermanito, le vi el pito.* **4** [expresión] **un pito** Nada: *Me importa un pito que no me hables.* **por pitos o por flautas** Por un motivo o por otro: *Por pitos o por flautas, nunca me deja su libro de cuentos.* □ [Los significados **3** y **4** son coloquiales]. SINÓNIMOS: **1** silbato. **2** bocina, claxon. FAMILIA: → pitar.

pitorrearse [verbo] Reírse mucho de algo: *Encima de que todo me ha salido mal, te pitorreas de mí.* □ [Es coloquial]. SINÓNIMOS: burlarse. FAMILIA: → pitorreo.

pitorreo [sustantivo/masculino] Situación en la que todos se ríen de algo: *¡Menudo pitorreo os traéis con mi nuevo corte de pelo!* □ [Es coloquial]. SINÓNIMOS: burla, guasa, chunga. FAMILIA: pitorrearse.

a b c d e f g h i j k l m n ñ o **p** q r s t u v w x y z

pizarra [sustantivo] [femenino] **1** Superficie sobre la que se escribe con tiza: *El profesor me mandó borrar la pizarra cuando acabamos la clase.* 🔍 página 499. **2** Piedra que se separa fácilmente en capas planas y delgadas: *En la sierra, muchos tejados son de pizarra.* 🔍 página 538. □ SINÓNIMOS: **1** encerado.

pizca [sustantivo] [femenino] Cantidad muy pequeña de algo: *A este guiso le falta una pizca de sal.* □ SINÓNIMOS: gota, chispa.

pizza [sustantivo] [femenino] Comida hecha con una masa redonda sobre la que se colocan diferentes ingredientes: *La pizza es una comida típica de Italia.* □ [Es una palabra italiana. Se pronuncia «pítsa»].

placa [sustantivo] [femenino] **1** Trozo delgado y plano de un material duro: *El nombre del colegio está grabado en una placa que hay en la puerta.* **2** Superficie de metal que produce calor: *No toques la placa de la cocina, porque te quemarás.*

placer 1 [sustantivo] [masculino] Sensación agradable que se siente cuando algo gusta mucho: *¡Qué placer es bañarse en la piscina cuando hace calor...!* **2** [verbo] Agradar o gustar: *Si le place a la abuela, os acompañaremos al parque.* □ [Es un verbo irregular]. SINÓNIMOS: **1** gusto. CONTRARIOS: **1** suplicio, tormento, tortura. FAMILIA: complacer, complaciente.

plaga [sustantivo] [femenino] **1** Suceso que causa gran daño a mucha gente: *Esta enfermedad es una plaga de nuestra sociedad.* **2** Gran cantidad de animales que causan daño: *No se puede ir por esa parte del río porque hay una plaga de mosquitos.* **3** Gran cantidad de algo que molesta: *Una plaga de gente inundó la playa.* □ FAMILIA: plagarse.

plagarse [verbo] Llenarse un lugar de algo que molesta: *La playa se plagó de gente.* □ [La g se cambia en gu delante de e, como en PAGAR]. FAMILIA: → plaga.

plan [sustantivo] [masculino] **1** Intención de hacer algo: *Con la lluvia, se han fastidiado mis planes de salir al campo.* **2** Conjunto de puntos o ideas que sirve de base para hacer algo: *En muchos colegios se está poniendo en práctica el nuevo plan de estudios.* **3** Manera de actuar de una persona: *Mi compañero está en plan tonto y no hay quien lo aguante.* □ SINÓNIMOS: **1,2** proyecto. **2** programa. FAMILIA: planear, plantear, planificar.

plancha [sustantivo] [femenino] **1** Utensilio que se usa para quitar las arrugas de la ropa: *Las planchas de vapor necesitan agua para planchar.* **2** Trozo delgado y plano de un material: *Este armario va reforzado con planchas de metal.* **3** [expresión] **en plancha** Poniendo el cuerpo paralelo al suelo: *No sabe tirarse de cabeza a la piscina y se tira en plancha.* □ SINÓNIMOS: **2** lámina, hoja, chapa. FAMILIA: planchar.

planchar [verbo] Quitar las arrugas a una tela: *Mi padre me planchó los pantalones.* □ FAMILIA: → plancha.

planear [verbo] **1** Pensar en la forma en la que se va a realizar algo: *Hemos planeado lo que vamos a hacer estas vacaciones.* **2** Volar un avión sin usar el motor: *Debido a una avería del motor, tuvimos que aterrizar planeando.* **3** Volar un ave con las alas extendidas y sin moverlas: *Muchas aves rapaces planean mientras buscan desde el aire a su presa.* □ SINÓNIMOS: **1** proyectar, idear. FAMILIA: **1** → plan. **2,3** → plano.

planeta [sustantivo] [masculino] Cuerpo sólido que está en

placer	conjugación
INDICATIVO	**SUBJUNTIVO**
presente	**presente**
plazco	plazca
places	plazcas
place	plazca o plegue
placemos	plazcamos
placéis	plazcáis
placen	plazcan
pretérito imperfecto	**pretérito imperfecto**
placía	placiera, -ese
placías	placieras, -eses
placía	placiera, -ese o plugiera, -ese
placíamos	placiéramos, -ésemos
placíais	placierais, -eseis
placían	placieran, -esen
pretérito indefinido	**futuro**
plací	placiere
placiste	placieres
plació o plugo	placiere o plugiere
placimos	placiéremos
placisteis	placiereis
placieron o pluguieron	placieren
futuro	**IMPERATIVO**
placeré	
placerás	**presente**
placerá	place (tú)
placeremos	plazca (él)
placeréis	plazcamos (nosotros)
placerán	placed (vosotros)
	plazcan (ellos)
condicional	**FORMAS NO PERSONALES**
placería	
placerías	**infinitivo** **gerundio**
placería	placer placiendo
placeríamos	**participio**
placeríais	placido
placerían	

el cielo y que gira alrededor de una estrella: *La Tierra, Marte y Venus son planetas del sistema solar.* ✍ páginas 610-611.

planificar [verbo] Organizar algo que se va a hacer: *El director ha planificado las conferencias del curso entero.* ☐ [La c se cambia en qu delante de e, como en SACAR]. SINÓNIMOS: programar. FAMILIA: → plan.

plano, na 1 [adjetivo] Llano o liso: *Las pistas de aterrizaje de los aeropuertos son planas.* [sustantivo] [masculino] **2** Papel en el que se dibuja un terreno o una construcción: *El arquitecto ha presentado los planos del nuevo edificio.* **3** En matemáticas, superficie que puede contener una recta: *Para imaginar un plano, piensa en una hoja de papel.* **4** Superficie formada por todos los objetos que están a la misma distancia de la persona que los mira: *En la fotografía, lo que estaba en primer plano ha salido borroso.* **5** Punto de vista desde el que se puede considerar algo: *Para solucionar tu problema, debes mirarlo desde un plano más optimista.* **6** [sustantivo] [femenino] Página de un periódico o de una revista: *Los periódicos publicaron la noticia del escándalo en primera plana.* ☐ FAMILIA: planear, aplanar, aplanado, explanada.

planta [sustantivo] [femenino] **1** Ser vivo que crece y vive en un lugar y que no puede moverse: *En el jardín hay muchas plantas.* **2** Parte del pie que se apoya en el suelo al andar: *Si andas descalzo se te mancharán las plantas de los pies.* **3** Cada una de las diferentes alturas que forman un edificio: *Vivo en la planta baja de este edificio.* **4** Figura plana con la forma del suelo de un edificio: *Mi compañera dibujó la planta de su casa y señaló qué habitación era la suya.* **5** Aspecto de una persona: *¡Qué buena planta tiene ese chico!* **6** Fábrica o industria: *En esta planta eléctrica se genera mucha energía.* ☐ SINÓNIMOS: **1** vegetal. **3** piso. FAMILIA: plantar, plantación, plantilla, trasplantar, trasplante.

plantación [sustantivo] [femenino] Terreno en el que se cultivan plantas de una misma clase: *En Cuba hay plantaciones de tabaco.* ☐ FAMILIA: → planta.

plantar [verbo] **1** Meter una planta en la tierra para que crezca: *He plantado un geranio en esta maceta.* **2** Llenar un terreno de

plantas: *Quiere plantar toda esta zona con pinos.* **3** Poner algo en un sitio: *Cuando le di el regalo me plantó dos besos.* **4** No ir una persona al lugar en el que debía encontrarse con alguien: *No se casaron porque plantó al novio en la puerta de la iglesia.* **5** **plantarse** Llegar a un lugar en poco tiempo: *Había poco tráfico y en un momento me planté en su casa.* ☐ [Los significados **3**, **4** y **5** son coloquiales]. FAMILIA: → planta.

plantear [verbo] **1** Preparar algo que todavía no está hecho para hacerlo después: *He planteado bien el problema de matemáticas, pero me he equivocado al sumar.* **2** Decir o dar a conocer un asunto: *Le planteé mi problema y me dijo que no me preocupara.* **3** **plantearse** Considerar algo de forma seria y con detalle: *No voy muy bien en los estudios y me estoy planteando ir a una academia particular.* ☐ FAMILIA: → plan.

plantilla [sustantivo] [femenino] **1** Pieza con que se cubre el interior de la planta de un zapato: *Llevo unas plantillas en las botas para que no huelan.* **2** Pieza que se pone sobre otra y que sirve como guía para cortar o para dibujar: *Los dibujos te saldrán iguales si los haces con una plantilla.* **3** Conjunto de las personas que trabajan en un mismo sitio: *El entrenador está muy contento con toda la plantilla.* ☐ SINÓNIMOS: **3** personal. FAMILIA: → planta.

plasta 1 [adjetivo o] [sustantivo] Que molesta o resulta pesado: *No seas plasta y deja de darme la lata.* **2** [sustantivo] [femenino] Sustancia blanda y espesa: *Este puré es una plasta que no se puede comer.* ☐ [Es coloquial. El significado **1** no varía en masculino y en femenino]. SINÓNIMOS: pelma, pelmazo. FAMILIA: plastelina, plastilina.

[plastelina o **[plastilina** [sustantivo] [femenino] Pasta blanda de diferentes colores que sirve para hacer figuras: *He hecho un perro de plastelina.* ☐ FAMILIA: → plasta.

plástico, ca [sustantivo] [masculino] Material parecido al papel, impermeable y a veces transparente: *He forrado los libros con plástico para no estropearlos.*

plata [sustantivo] [femenino] Metal de color parecido al blanco y al gris que se usa para fabricar joyas: *Me han regalado una cadena de plata.* ☐ FAMILIA: plateado, platino.

platanero, ra 1 [adjetivo] De los plátanos o relacionado con ellos: *Las islas Canarias tienen una gran producción platanera.* **2** [sustantivo] Árbol cuyo fruto es el plátano: *Cortó un racimo de plátanos de un platanero.* □ FAMILIA: → plátano. ✍ página 19.

plátano [sustantivo/masculino] Fruto alargado y curvo, con una cáscara verde que se pone amarilla cuando está maduro: *A los monos les encantan los plátanos.* □ SINÓNIMOS: banana. FAMILIA: platanera, platanero, aplatanar.

plateado, da [adjetivo] Del color de la plata o con una capa de plata: *El marco del espejo es plateado.* □ FAMILIA: → plata.

platillo [sustantivo/masculino] **1** Pieza pequeña parecida a un plato: *Las balanzas tienen un platillo a cada lado.* **2** [plural] Instrumento musical formado por dos piezas de metal que se chocan una contra otra: *Yo toco los platillos en la banda de mi colegio.* **3** [expresión] **platillo volante** Nave que vuela por el espacio y no tiene un origen conocido: *Dijo que vio aterrizar un platillo volante del que salieron unos marcianos.* □ FAMILIA: → plato.

platino [sustantivo/masculino] Metal precioso del color de la plata: *El platino se usa en joyería y es más valioso que el oro.* □ FAMILIA: → plata.

plato [sustantivo/masculino] **1** Recipiente redondo que se usa para servir comidas: *Los platos hondos son para la sopa.* **2** Alimento que se prepara para ser comido: *De primer plato hay lentejas.* **3** Lo que tiene forma redonda, fina y más o menos plana: *Coloca el disco sobre el plato del tocadiscos y ponlo en marcha.* □ FAMILIA: platillo, escurreplatos, lavaplatos, friegaplatos.

plató [sustantivo/masculino] Lugar cubierto en el que se hacen películas o programas: *Cuando el director dio la orden de empezar a rodar, el plató quedó en silencio.* □ [Es una palabra de origen francés].

playa [sustantivo/femenino] Zona de arena en la orilla del agua: *Me gusta ir a la playa y hacer castillos de arena.* □ FAMILIA: playero. ✍ página 537.

[playback [sustantivo/masculino] Forma de cantar en un espectáculo, que consiste en mover los labios sin decir nada, porque la canción suena por otra parte: *Ese cantante no sabe hacer el playback y cuando mueve los labios no*

coincide con lo que se oye. □ [Es una palabra inglesa. Se pronuncia «pléibac»].

[playboy [sustantivo/masculino] Hombre que le gusta a muchas mujeres: *Se cree un playboy y piensa que todas las mujeres se enamoran de él.* □ [Es una palabra inglesa. Se pronuncia «pléiboi»].

playero, ra 1 [adjetivo] Que es adecuado para estar en la playa: *Me he comprado un vestido playero que deja la espalda al aire.* **2** [sustantivo/femenino] Especie de zapatos de tela que se suelen usar en verano: *Para ir a la playa me pondré camiseta, pantalones cortos y playeras.* □ FAMILIA: → playa.

plaza [sustantivo/femenino] **1** Lugar ancho de una población, al que van a dar varias calles: *El Ayuntamiento está en la plaza mayor del pueblo.* **2** Lugar en el que cabe una persona o una cosa: *Se venden pisos con plaza de garaje.* **3** Empleo o trabajo: *Se ha presentado a una oposición para sacar una plaza de maestro.* **4** Lugar en el que se venden comestibles: *Vamos a la plaza a hacer la compra de la semana.* **5** [expresión] **plaza de toros** Espacio de forma circular en el que se celebran corridas de toros: *El sueño del torero era torear en la plaza de toros de la capital.* □ SINÓNIMOS: **3** puesto, destino. **4** mercado. FAMILIA: plazoleta, desplazar. ✍ página 540.

plazo [sustantivo/masculino] **1** Período de tiempo que se fija para hacer algo: *Las solicitudes que lleguen fuera de plazo no serán admitidas.* **2** Cada una de las partes en que se divide una cantidad que se paga de varias veces: *Se compraron un coche y lo pagaron a plazos.* □ FAMILIA: aplazar, aplazamiento.

plazoleta [sustantivo/femenino] Plaza pequeña: *En el parque hay una plazoleta con una fuente en medio.* □ FAMILIA: → plaza.

plegaria [sustantivo/femenino] Ruego que se hace a un dios o a un santo: *En sus oraciones nunca olvida una plegaria por la paz en el mundo.*

pleito [sustantivo/masculino] Disputa en la que decide un juez: *Te pueden poner un pleito por no respetar la ley.*

pleno, na [adjetivo] **1** Ocupado de manera total: *Es joven y se siente pleno de energía.* **2** Que está en el momento central: *En pleno verano hace muchísimo calor.* **3** [sustantivo/masculino] Junta general de un grupo, a la que asisten todos sus miembros: *El día de la inauguración, el Rey presidió el pleno del Parlamento.* **4** [expresión] **en pleno** En conjunto y sin dejar a nadie fuera: *El equipo en pleno apoyó a su entrenador.* ☐ Sinónimos: **1** lleno. Contrarios: **1** vacío.

pliego [sustantivo] [masculino] **1** Hoja muy grande de papel: *He comprado varios pliegos de papel charol para hacer trabajos manuales.* **2** Papel en el que se expresa algo: *Los vecinos escribieron un pliego de protesta por la falta de seguridad de la zona.* ☐ Familia: → pliegue.

pliegue [sustantivo] [masculino] Arruga que se forma en un material al poner una parte de él sobre otra: *Haciéndole pliegues a una hoja de papel puedes hacer un barquito.* ☐ Familia: pliego, desplegar.

plinto [sustantivo] [masculino] Aparato de gimnasia formado por varios cajones de madera puestos unos sobre otros: *Los gimnastas subían al plinto de un salto y daban una voltereta sobre él.*

PLINTO

plomo [sustantivo] [masculino] **1** Metal gris y muy pesado: *Las balas suelen ser de plomo.* **2** Lo que resulta muy pesado: *¡Ese chico es un plomo y aburre a cualquiera!* **3** [plural] Especie de hilo que se funde cuando pasa demasiada corriente eléctrica por él: *Cuando se funden los plomos, se va la luz.* ☐ [El significado **2** es coloquial]. Sinónimos: **3** fusible.

pluma [sustantivo] [femenino] **1** Cada una de las piezas que cubren la piel de un ave: *Los canarios tienen las plumas amarillas.* **2** Instrumento que sirve para escribir con tinta: *El día de mi primera comunión me regalaron una pluma y un bolígrafo.* 🖎 página 605. ☐ Familia: plumaje, plumero, desplumar.

plumaje [sustantivo] [masculino] Conjunto de plumas de un ave: *El pavo real tiene el plumaje de vivos colores.* ☐ Familia: → pluma.

plumero [sustantivo] [masculino] **1** Objeto que se usa para quitar el polvo y que está formado por un conjunto de plumas atadas a un palo: *Puedes limpiar el polvo de los muebles con un plumero.* **2** Adorno de plumas: *Las bailarinas del espectáculo llevaban plumeros en la cabeza.* **3** [expresión] **vérsele el plumero a alguien** Descubrirse lo que quiere hacer: *Aunque quiso disimular, yo le vi el plumero enseguida.* ☐ [El significado **3** es coloquial]. Familia: → pluma.

plumier [sustantivo] [masculino] Caja que se usa para guardar lápices: *En el plumier llevo un bolígrafo, varias pinturas y una goma.* ☐ [Es una palabra de origen francés].

plural 1 [adjetivo] Que presenta gran variedad de aspectos: *Quiero oír a varios testigos para tener una visión plural de lo que pasó.* **2** [adjetivo o sustantivo masculino] En gramática, dicho de una palabra, que se refiere a varias cosas: *«Brujas» es un sustantivo femenino plural. El plural de «reloj» es «relojes».* ☐ [Cuando es adjetivo no varía en masculino y en femenino].

pluriempleo [sustantivo] [masculino] Situación de una persona que tiene más de un empleo: *En esta oficina no está permitido el pluriempleo.* ☐ Familia: → empleo.

[plusmarca [sustantivo] [femenino] Mejor resultado que se ha registrado en un deporte: *Esa corredora tiene la plusmarca nacional de maratón.* ☐ Sinónimos: marca, récord. Familia: → marca.

población [sustantivo] [femenino] **1** Conjunto de los habitantes de un lugar: *La población americana se caracteriza por la variedad de razas.* **2** Lugar con habitantes y con edificios y espacios para vivir en él: *Santander es una población del norte de España.* ☐ Sinónimos: **2** localidad. Familia: → poblar.

poblado [sustantivo] [masculino] Lugar en el que vive un conjunto de personas: *Los indios americanos solían vivir en poblados.* ☐ Familia: → poblar.

poblar [verbo] Ocupar un lugar y hacer vida en él: *A América llegaron colonos europeos para poblar los territorios conquistados. Miles de especies animales pueblan la Tierra.* ☐ [Es irregular y se conjuga como CONTAR]. Sinónimos: habitar, vivir. Contrarios: despoblar. Familia: población, poblado, despoblar, repoblar, repoblación.

pobre [adjetivo] **1** Que es escaso o que no basta: *Con esas pobres razones no puedes justificar lo que has hecho.* **2** De poco valor o de poca calidad: *El pordiosero llevaba unas ropas pobres y gastadas.* [adjetivo o sustantivo] **3** Que no tiene lo necesario para vivir: *Tuvo que trabajar desde niño porque su familia era muy pobre.* **4** Que no es feliz o que da pena: *¡Pobre hombre, tan joven y ya viudo!* **5** [sustantivo] Persona que pide dinero porque no tiene lo necesario para vivir: *A la salida de la iglesia había varios pobres pidiendo.* □ [No varía en masculino y en femenino. En el significado **4** se usa delante de un nombre]. SINÓNIMOS: **3** necesitado. **4** desdichado, desgraciado, infeliz. **5** mendigo, pordiosero. CONTRARIOS: **1-3** rico. **3** acaudalado, adinerado. **4** afortunado, dichoso, feliz. FAMILIA: pobreza, empobrecer.

pobreza [sustantivo femenino] **1** Falta de las cosas necesarias para vivir: *Vive en la pobreza y tiene que pedir para comer.* **2** Falta de algo o cantidad escasa de ello: *Acostúmbrate a usar el diccionario y terminarás con tu pobreza de vocabulario.* □ SINÓNIMOS: escasez, carencia, necesidad. **1** miseria. CONTRARIOS: abundancia, riqueza. FAMILIA: → pobre.

pocho, cha [adjetivo] **1** Dicho de un alimento, que está demasiado maduro: *Con este calor, enseguida se pone pocha la fruta.* **2** Dicho de una persona, que está un poco enferma: *Llevo dos días pocho en la cama.* **3** [sustantivo femenino] Judía blanca temprana: *Hoy comeremos pochas con chorizo.* □ [El significado **2** es coloquial]. SINÓNIMOS: **2** pachucho.

pocilga [sustantivo femenino] Lugar donde viven los cerdos: *Supimos que había una pocilga cerca por el fuerte olor que se respiraba.*

poción [sustantivo femenino] Bebida que sirve de medicina o que tiene propiedades mágicas: *El personaje del cuento se transformaba en tigre al tomarse una poción mágica.*

poco, ca 1 [pronombre indefinido] En cantidad pequeña: *Tengo pocas hojas para escribir.* **2** [sustantivo masculino] Cantidad pequeña: *Todos los días dedico un poco de tiempo a leer.* **3 poco** [adverbio] Menos de lo normal o menos de lo necesario: *Si trabajas mucho y duermes poco, enfermarás.* **4** [expresión] **por poco** Casi: *Tropecé y por poco me caigo.* □ [No debe decirse *una poca de suerte*, sino *un poco de suerte*]. CONTRARIOS: **1-3** mucho.

poda [sustantivo femenino] Hecho de cortar las ramas a una planta para que se desarrolle con más fuerza: *Si la poda no se realiza a tiempo, se puede estropear la planta.* □ FAMILIA: → podar.

podar [verbo] Cortar las ramas a una planta para que se desarrolle con más fuerza: *Los árboles se podan para que crezcan con más fuerza.* □ FAMILIA: poda.

poder [sustantivo masculino] **1** Capacidad o fuerza para hacer algo: *Cuando te veo estudiar con este ruido, me admira tu poder de concentración.* **2** Autoridad o capacidad para mandar: *Un jefe tiene poder sobre las personas que están a sus órdenes.* **3** Gobierno de un país: *Para llegar al poder, hay que ganar las elecciones.* **4** Derecho de poseer algo: *Todo lo que tengo pasará algún día a tu poder.* [verbo] **5** Tener capacidad para hacer algo: *No soy millonario y no puedo comprarme todo lo que me apetece.* **6** Tener derecho o permiso para hacer algo: *Pregunté a mis padres si podía volver tarde a casa.* **7** Ser capaz de vencer a alguien: *¡No te metas conmigo, que*

poder	conjugación
INDICATIVO	**SUBJUNTIVO**
presente	**presente**
puedo	pueda
puedes	puedas
puede	pueda
podemos	podamos
podéis	podáis
pueden	puedan
pretérito imperfecto	**pretérito imperfecto**
podía	pudiera, -ese
podías	pudieras, -eses
podía	pudiera, -ese
podíamos	pudiéramos, -ésemos
podíais	pudierais, -eseis
podían	pudieran, -esen
pretérito indefinido	**futuro**
pude	pudiere
pudiste	pudieres
pudo	pudiere
pudimos	pudiéremos
pudisteis	pudiereis
pudieron	pudieren
futuro	**IMPERATIVO**
podré	
podrás	**presente**
podrá	puede (tú)
podremos	pueda (él)
podréis	podamos (nosotros)
podrán	poded (vosotros)
	puedan (ellos)
condicional	**FORMAS NO PERSONALES**
podría	
podrías	**infinitivo** **gerundio**
podría	poder pudiendo
podríamos	
podríais	**participio**
podrían	podido

a
b
c
d
e
f
g
h
i
j
k
l
m
n
ñ
o
p
q
r
s
t
u
v
w
x
y
z

te puedo! **8** Existir la posibilidad de que algo ocurra: *Si pones de tu parte, puede que todo salga bien.* **9** [expresión] **poderes públicos** Conjunto de las autoridades que gobiernan un país: *El Gobierno y los ayuntamientos forman parte de los poderes públicos.* **¿se puede?** Se usa para pedir permiso cuando queremos entrar a un lugar: *Alguien llamó a la puerta y preguntó: «¿Se puede?».* □ [Es irregular]. Sinónimos: **4** posesión, propiedad, dominio. Familia: posibilidad, posible, poderoso, potencia, potente, apoderar, imposible, impotente, todopoderoso.

poderoso, sa [adjetivo] **1** Que es muy bueno en su clase o que tiene capacidad para lograr buenos resultados: *Ese medicamento es un poderoso remedio contra la fiebre.* **2** Grande o fuerte: *Tengo poderosas razones para rechazar tu oferta.* **3** [adjetivo o sustantivo] Que tiene mucho poder: *Los poderosos deberían ayudar a los necesitados.* □ Sinónimos: **1** eficaz. **2** potente. Contrarios: **2** débil, flojo. Familia: → poder.

podio o **podium** [sustantivo masculino] Lugar al que suben los ganadores de una competición para recibir su premio: *Los tres primeros clasificados se subieron al podium.* □ [Su plural es podios].

PODIO O PODIUM

podrido, da Participio irregular de **pudrir**. □ Familia: → pudrir.

podrir [verbo] Pudrir: *Esta carne se ha podrido por no guardarla en la nevera.* □ [Sólo se usan el infinitivo y el participio]. Familia: → pudrir.

poema [sustantivo masculino] Obra escrita en verso: *Sé recitar un poema de memoria.* □ Sinónimos: poesía. Familia: → poesía.

poesía [sustantivo femenino] Obra escrita en verso: *El profesor de lengua nos ha recitado una poesía en clase.* □ Sinónimos: poema. Familia: poema, poeta, poetisa, poético.

poeta [sustantivo masculino] Hombre que escribe poemas: *Me parece más difícil ser poeta que ser novelista.* □ [Aunque el femenino es poetisa, también se usa mucho una poeta]. Familia: → poesía.

poético, ca [adjetivo] De la poesía o relacionado con ella: *El amor y los sentimientos son temas muy poéticos.* □ Sinónimos: lírico. Familia: → poesía.

poetisa [sustantivo femenino] Mujer que escribe poemas: *Mi compañera escribe versos y dice que es poetisa.* □ [El masculino es poeta]. Familia: → poesía.

polaco, ca **1** [adjetivo o sustantivo] De Polonia, que es un país de Europa: *La capital polaca es Varsovia.* **2** [sustantivo masculino] Lengua de este país: *El polaco es una lengua de la misma familia que el ruso.*

polar [adjetivo] Del polo norte o del polo sur de la Tierra: *En las zonas polares hace mucho frío.* □ [No varía en masculino y en femenino]. Familia: → polo.

polea [sustantivo femenino] Rueda con una cuerda que sirve para levantar pesos sin esfuerzo: *El pozo tiene una polea para subir el cubo lleno de agua.*

POLEA

polémico, ca **1** [adjetivo] Que provoca muchas discusiones: *El debate se puso al rojo vivo porque el tema era muy polémico.* **2** [sustantivo femenino] Discusión fuerte sobre un tema: *Hay una gran polémica sobre dónde se deben construir las cárceles.*

polen [sustantivo masculino] Polvo que sueltan las flores para que nazcan plantas nuevas: *En primavera estornudo mucho porque soy alérgica al polen.*

poleo [sustantivo] [masculino] Planta de olor agradable que se usa para preparar infusiones: *Me gustan las infusiones de menta y poleo.*

[poli [sustantivo] Policía: *En la calle hay un poli dirigiendo el tráfico.* ◻ [Es coloquial. No varía en masculino y en femenino].

policía 1 [sustantivo] Miembro de la policía: *Los policías vigilaban la manifestación.* ⚲ página 794. **2** [sustantivo] [femenino] Conjunto de personas que mantienen el orden público y cuidan de la seguridad de los ciudadanos: *Los agentes de policía suelen ir armados.* ◻ [Se usa mucho la forma abreviada *poli*. El significado **1** no varía en masculino y en femenino]. FAMILIA: policiaco, policíaco, policial.

policiaco, ca o **policíaco, ca** [adjetivo] De la policía o relacionado con ella: *En las películas policíacas, la policía siempre atrapa a los delincuentes.* ◻ SINÓNIMOS: policial. FAMILIA: → policía.

policial [adjetivo] De la policía o relacionado con ella: *Han abierto una investigación policial sobre el robo del banco.* ◻ [No varía en masculino y en femenino]. SINÓNIMOS: policiaco, policíaco. FAMILIA: → policía.

polideportivo [sustantivo] [masculino] Lugar que tiene todo lo necesario para practicar deporte: *Este polideportivo tiene piscina y campo de baloncesto.* ◻ FAMILIA: → deporte.

polígono [sustantivo] [masculino] **1** Figura plana limitada por tres o más líneas rectas: *Un cuadrado es un polígono de cuatro lados.* ⚲ página 160. **2** Zona que suele estar en los alrededores de una ciudad y que está dedicada a un fin determinado: *En los polígonos industriales hay muchas fábricas.*

polilla [sustantivo] [femenino] Insecto con alas, de color gris o marrón, que suele volar de noche: *Esas mariposas que revolotean alrededor de las luces son polillas.*

político, ca [adjetivo] **1** De la política o relacionado con esta actividad: *Los partidos políticos son fundamentales en una democracia.* **2** Que es familiar de otra persona porque ha habido un matrimonio: *Cuando mis padres se casaron, el hermano de mi madre se convirtió en hermano político de*

mi padre. **3** [sustantivo] Persona que se dedica a la política: *Los políticos de la oposición critican al Gobierno.* [sustantivo] [femenino] **4** Actividad de los que gobiernan y de los que quieren gobernar un país: *Se dedicó a la política y llegó a ser ministro.* **5** Dirección que se da a las actividades que se realizan: *En época de crisis, muchas empresas siguen una política de ahorro.*

polizón [sustantivo] [masculino] Persona que viaja en barco escondida y sin billete: *Al llegar al puerto, el capitán entregó a la policía al polizón que habían descubierto.*

pollería [sustantivo] [femenino] Tienda en la que se venden huevos, pollos y otras aves: *Mi madre ha comprado un pollo en la pollería para asarlo.* ◻ FAMILIA: → pollo.

pollo, lla 1 [sustantivo] Gallo o gallina jóvenes y criados para servir de alimento a las personas: *Muchos domingos mi madre compra para comer un pollo asado.* **2** [sustantivo] [masculino] Cría de un ave: *La paloma está incubando los huevos y dentro de unos días saldrán los pollitos.* **3** [sustantivo] [femenino] Pene. ◻ [No confundir *pollo* con *poyo*. El uso del significado **3** es vulgar y se usa mucho en expresiones vulgares]. FAMILIA: pollería, empollar.

polo [sustantivo] [masculino] **1** Cada una de las zonas que están en los extremos de la Tierra: *Los esquimales viven en el polo norte.* **2** Helado alargado con un palo para cogerlo: *Me gustan más los cucuruchos que los polos.* **3** Prenda de vestir deportiva, con cuello de camisa y con botones hasta la mitad del pecho: *El tenista llevaba pantalón corto y polo blancos.* **4** Cada uno de los dos extremos de un cuerpo en los que hay más energía de una misma clase: *Una pila tiene un polo positivo y otro negativo.* ◻ FAMILIA: polar.

polución [sustantivo] [femenino] Suciedad del aire o del medio ambiente: *Los humos de los coches y de las fábricas producen polución.* ◻ SINÓNIMOS: contaminación.

polvareda [sustantivo] [femenino] Nube de polvo que se levanta de la tierra: *Cuando pasan los coches por este camino levantan una gran polvareda.* ◻ FAMILIA: → polvo.

polvo [sustantivo] [masculino] **1** Conjunto de granos muy pequeños de tierra o de otras sustancias que flotan en el aire y que se quedan sobre

a
b
c
d
e
f
g
h
i
j
k
l
m
n
ñ
o
p
q
r
s
t
u
v
w
x
y
z

los objetos: *No me importa barrer, pero me molesta quitar el polvo de los muebles.* **2** Conjunto de granos muy pequeños a que queda reducida una sustancia: *En casa usamos chocolate en polvo.* **3** [plural] Producto de belleza para dar color a la cara: *Mi madre se da polvos y colorete.* **4** [expresión] **hacer polvo** Destruir o romper: *El niño estuvo jugando con tu reloj y lo ha dejado hecho polvo.* **echar un polvo** Tener relaciones sexuales. □ [La expresión *echar un polvo* es vulgar]. FAMILIA: polvareda, polvoriento, polvorín, pólvora, polvorón, pulverizar, espolvorear, desempolvar.

pólvora [sustantivo femenino] Sustancia en polvo que puede explotar: *Muchas armas antiguas se cargaban con pólvora.* □ FAMILIA: → polvo.

polvoriento, ta [adjetivo] Lleno de polvo: *Los estantes altos están polvorientos porque no alcanzo a limpiarlos.* □ FAMILIA: → polvo.

polvorín [sustantivo masculino] Lugar donde se guardan explosivos: *Es muy peligroso hacer fuego cerca de un polvorín.* □ FAMILIA: → polvo.

polvorón [sustantivo masculino] Dulce de forma redondeada y que se deshace enseguida al comerlo: *En Navidad siempre me inflo de mazapanes y polvorones.* □ FAMILIA: → polvo.

pomada [sustantivo femenino] Medicina en forma de crema que se extiende sobre la piel: *Cuando me torcí el tobillo, me dieron una pomada para calmar el dolor.*

pomelo [sustantivo masculino] Fruto redondeado, parecido a la naranja pero de color amarillo: *El pomelo tiene sabor amargo.*

pompa [sustantivo femenino] **1** Especie de globo de aire que se forma en algunas sustancias: *Hice una pompa con el chicle.* **2** Gran cantidad de medios para celebrar algo: *La boda se celebró con mucha pompa.* **3** [expresión] **pompas fúnebres** Ceremonias en honor de una persona muerta: *Cuando murió mi tío, una funeraria organizó las pompas fúnebres.* □ SINÓNIMOS: **1** burbuja. **2** aparato, ostentación. CONTRARIOS: **2** sencillez.

[pompi o **[pompis** [sustantivo masculino] Culo: *Mi madre me dio un azote en el pompis.* □ [Son coloquiales. *Pompis* no varía en singular y en plural].

pompón [sustantivo masculino] Bola que suele ser de lana y que se usa como adorno: *El niño lleva un gorro con un pompón en lo alto.*

pómulo [sustantivo masculino] Cada una de las dos partes de la cara que están debajo de los ojos: *Los pómulos son la parte alta de las mejillas.*

poncho [sustantivo masculino] Prenda de abrigo formada por una manta con una abertura en el centro para meter la cabeza: *En la película salía un vaquero con un sombrero y un poncho.*

poner [verbo] **1** Colocar en un lugar determinado: *Pon el abrigo en el perchero.* **2** Empezar a estar de determinada manera: *No te pongas triste.* **3** Introducir o añadir: *No pongas tanta sal a la comida.* **4** Preparar algo con lo necesario para algún fin: *Yo pongo la mesa mientras tú haces la ensalada.* **5** Imaginar algo como si fuera cierto o suponerlo: *Pongamos que soy yo el que ha tenido la culpa, ¿qué me pasaría?* **6** Cubrir el cuerpo con una prenda: *No sé qué ponerme para la fiesta.* **7** Empezar a tener: *¿Por qué pones esa cara si ya sabías lo que tenías que hacer?* **8** Decir o expresar: *No entiendo lo que pone en esta carta.* **9** Escribir o anotar: *Voy a poner mi nombre en el cuaderno.* **10**

poner	conjugación
INDICATIVO	**SUBJUNTIVO**
presente	**presente**
pongo	ponga
pones	pongas
pone	ponga
ponemos	pongamos
ponéis	pongáis
ponen	pongan
pretérito imperfecto	**pretérito imperfecto**
ponía	pusiera, -ese
ponías	pusieras, -eses
ponía	pusiera, -ese
poníamos	pusiéramos, -ésemos
poníais	pusierais, -eseis
ponían	pusieran, -esen
pretérito indefinido	**futuro**
puse	pusiere
pusiste	pusieres
puso	pusiere
pusimos	pusiéremos
pusisteis	pusiereis
pusieron	pusieren
futuro	**IMPERATIVO**
pondré	
pondrás	**presente**
pondrá	pon (tú)
pondremos	ponga (él)
pondréis	pongamos (nosotros)
pondrán	poned (vosotros)
	pongan (ellos)
condicional	**FORMAS NO PERSONALES**
pondría	**infinitivo** **gerundio**
pondrías	poner poniendo
pondría	
pondríamos	**participio**
pondríais	puesto
pondrían	

Producir huevos un ave: *La gallina puso un huevo.* **11** Hacer lo necesario para que funcione un aparato: *Pon la calefacción.* **12** Dar un nombre a una persona o a un animal: *Mis padres me pusieron de nombre «Nieves».* **13** Mostrar una obra de teatro o una película: *Hoy ponen en la tele una película que quiero ver.* **14** Extender una sustancia sobre una superficie: *Ponte un poco de crema en la cara.* **ponerse 15** Llegar a un lugar: *Si salgo ahora me pondré en tu casa en diez minutos.* **16** Ocultarse el Sol o la Luna en el horizonte: *Cuando el Sol se pone empieza a oscurecer.* **17** [expresión] **poner bien** o **mal algo** Hablar bien o mal de ello: *En el periódico han puesto muy bien el libro que me regalaste.* **ponerse a hacer algo** Empezar a hacerlo: *Ahora mismo me pongo a buscar lo que me pides.* **ponerse con algo** Dedicarse a hacerlo: *Cuando llegue a casa me pondré con los deberes.* □ [Es irregular. Su participio es *puesto*]. Sinónimos: **13** emitir, representar. **14** untar. Contrarios: **1,3,4,6,11** quitar. **16** nacer. Familia: posición, postura, puesto, puesta, poniente, componer, oponer, imponer, exponer, reponer, disponer, proponer, suponer.

póney o **poni** [sustantivo] [masculino] Caballo de una raza que se caracteriza por su poca altura: *En las ferias suele haber ponis.* □ [Son palabras de origen inglés. El plural de *póney* es *póneis*].

poniente [sustantivo] [masculino] Lugar por donde se pone el Sol: *El Sol sale por Oriente y se pone por Poniente.* □ [Cuando es el punto cardinal se suele escribir con mayúscula]. Sinónimos: occidente, oeste. Contrarios: este, oriente, levante. Familia: → poner.

pontevedrés, -a [adjetivo o] [sustantivo] De la provincia de Pontevedra o de su capital: *Vigo es una ciudad pontevedresa.*

pontífice [sustantivo] [masculino] Sacerdote que tiene un grado importante en la iglesia católica y que manda en una zona: *El Papa y los obispos son pontífices.*

pop 1 [adjetivo] Del pop o relacionado con este tipo de música: *Fuimos a un concierto pop.* **2** [sustantivo] [masculino] Tipo de música moderna y ligera: *Me gusta más el pop que el jazz.* □ [Es una palabra de origen inglés. Cuando es adjetivo no varía en masculino y en femenino, ni en singular y plural].

popa [sustantivo] [femenino] Parte de atrás de un barco: *La popa es el extremo opuesto a la proa.* □ Contrarios: proa.

popular [adjetivo] **1** Del pueblo o relacionado con él: *En las grandes ciudades se han perdido muchas tradiciones populares.* **2** Que puede ser pagado por gente que tiene poco dinero: *En las rebajas se puede comprar ropa muy buena a precios populares.* **3** Que es conocido y querido por la gente: *La película tendrá éxito porque los actores son muy populares.* □ [No varía en masculino y en femenino]. Familia: → pueblo.

popularidad [sustantivo] [femenino] Fama que se tiene entre la mayoría de la gente: *Ese actor alcanzó la popularidad con su primera película.* □ Familia: → pueblo.

por 1 [sustantivo] [masculino] Signo en forma de «x» que se usa en matemáticas: *El por es el signo de la multiplicación.* [preposición] **2** Indica lugar o tiempo aproximados: *Sé que Juan vive por aquí.* **3** Indica una parte o un lugar determinados: *El vestido se ha roto por la manga.* **4** Indica el modo de hacer algo: *Si no me puedes llamar por teléfono, contéstame por carta.* **5** Indica motivo o causa: *Me has cogido el lápiz sólo por fastidiar.* **6** Indica proporción entre varias cantidades: *Si dividimos entre todos lo que nos ha costado, tocamos a cien pesetas por persona.* **7** Indica que las partes de una serie se consideran por separado: *Enséñame los cromos uno por uno.* **8** A favor de algo o en su defensa: *Si mis amigos votan por mí, saldré elegido.* **9** Teniendo en cuenta algo: *Por mí, puedes hacer lo que quieras.* **10** A cambio de algo: *Te doy esto por poco dinero.* **11** En busca de algo: *¿Vienes conmigo por agua?* **12** [expresión] **estar por hacer algo** Faltar o no estar hecho: *La casa está por barrer porque no me ha dado tiempo.* **por mucho que** Indica una dificultad que no impide que se realice algo: *Por mucho que te cueste, tienes que estudiar.* **por qué** Se usa para preguntar el motivo de algo: *¿Por qué no vienes conmigo?* **tener a alguien por algo** Considerar que es así: *Me tienes por una persona valiente, pero a mí me dan miedo muchas cosas.* □ [No confundir por qué con porque ni con porqué].

porcelana [sustantivo] [femenino] Material fino y con bri-

a
b
c
d
e
f
g
h
i
j
k
l
m
n
ñ
o
p
q
r
s
t
u
v
w
x
y
z

a

b

c

d

e

f

g

h

i

j

k

l

m

n

ñ

o

p

q

r

s

t

u

v

w

x

y

z

llo, que se usa para fabricar tazas, platos, figuras de adorno y otros objetos: *La porcelana es un tipo de cerámica.*

porcentaje [sustantivo] [masculino] Cantidad que representa una parte de un total de cien: *El porcentaje de alumnos aprobados es de un noventa por ciento.* □ SINÓNIMOS: tanto por ciento. FAMILIA: → cien.

porche [sustantivo] [masculino] Espacio con techo que está delante de la entrada o de uno de los lados de un edificio: *Cuando hace mucho calor, salimos a comer al porche del chalé.*

porcino, na [adjetivo] Del cerdo o relacionado con él: *El chorizo y el salchichón son productos porcinos.* □ FAMILIA: → puerco.

porción [sustantivo] [femenino] Parte separada de algo que se ha dividido: *He comprado una caja de queso en porciones.* □ SINÓNIMOS: pedazo, trozo. 👁 página 612.

pordiosero, ra [adjetivo o] [sustantivo] Que pide dinero porque no tiene lo necesario para vivir: *A la entrada de la iglesia hay pordioseros pidiendo limosna.* □ SINÓNIMOS: mendigo, pobre.

pornográfico, ca [adjetivo] Que presenta lo relacionado con el sexo de manera ofensiva para la moral: *Los niños tienen prohibida la entrada a espectáculos pornográficos.* □ [Se usa mucho la forma abreviada porno].

poro [sustantivo] [masculino] Cada uno de los pequeños agujeros que hay en algunas superficies y que no se ven a simple vista: *Nuestra piel está llena de poros por los que sale el sudor.*

porque [conjunción] Se usa para expresar causa: *Mi amigo no me habla porque nos hemos enfadado.* □ [No confundir con por qué ni con porqué].

porqué [sustantivo] [masculino] Causa o motivo de algo: *No entiendo el porqué de tu enfado.* □ [No confundir con porque ni con por qué].

porquería [sustantivo] [femenino] **1** Lo que está sucio o para tirar: *No sé cómo no te da asco vivir en medio de tanta porquería.* **2** Lo que no funciona bien: *Estos patines son una porquería porque las ruedas no giran bien.* **3** Lo que tiene poco valor o poca calidad: *Me salió una porquería de dibujo y lo tuve que repetir.* □ [Es coloquial]. SINÓNIMOS: basura, mierda. **1** guarrada, guarrería, marranada, suciedad. **3** mierda, caca, cagada. CONTRARIOS: **1** limpieza. FAMILIA: → puerco.

porra [sustantivo] [femenino] **1** Especie de churro grande: *Los domingos desayunamos chocolate con porras.* **2** Palo que es más estrecho por donde se agarra que por el otro extremo: *En las cartas, el as de bastos se representa con una porra.* **3** Objeto en forma de palo que usan los policías: *Los policías llevan la porra colgada del cinturón.* **4** [interjección] **porras** Se usa para indicar disgusto o para decir algo con fuerza: *¡Que me dejes en paz, porras!* **5** [expresión] **irse algo a la porra** Estropearse: *De pronto empeoró el tiempo y nuestra excursión se fue a la porra.* **mandar algo a la porra** Dejar de ocuparse de ello: *Se hartó y lo mandó todo a la porra.* □ [Las expresiones son coloquiales]. FAMILIA: porrazo, aporrear.

porrazo [sustantivo] [masculino] Golpe muy fuerte: *Resbalé y me di un buen porrazo contra el suelo.* □ SINÓNIMOS: trastazo, tortazo, trompazo, batacazo, bofetada. FAMILIA: → porra.

porrillo [expresión] **a porrillo** En gran cantidad: *Me llevo bien con todo el mundo y tengo amigos a porrillo.* □ [Es coloquial].

porro [sustantivo] [masculino] Cigarrillo que tiene droga: *Muchos que empiezan fumando porros acaban convirtiéndose en drogadictos.* □ SINÓNIMOS: canuto.

porrón [sustantivo] [masculino] Recipiente que se usa para beber, poniéndolo en alto y sin tocarlo con la boca: *Cada vez que bebo en porrón me mancho la camisa.*

PORRÓN

portaaviones [sustantivo] [masculino] Barco de guerra preparado para llevar aviones: *Los portaaviones tienen pistas para que los aviones despeguen y aterricen.* □ [No varía en singular y en plural]. FAMILIA: → avión.

portada [sustantivo] [femenino] **1** Primera página de un periódico o de una revista: *En la portada del periódico vienen las noticias más importantes.* **2** Página del comienzo de un libro, en la que aparece el título completo y otras informaciones: *En la parte inferior de la* *portada del libro se lee el nombre de la editorial y su dirección.* **3** Muro exterior principal de un edificio importante: *El museo está en un edificio que tiene una portada llena de esculturas.* □ FAMILIA: → puerta.

portador, -a [sustantivo] **1** Persona que puede causar el contagio de una enfermedad aunque ella no esté enferma: *Los portadores de sida no están enfermos, pero tienen el virus que lo causa.* **2** Persona que tiene en sus manos un papel que puede ser cambiado por dinero: *En el décimo de lotería pone: «El portador de este recibo juega la cantidad de 2.000 pesetas».* □ FAMILIA: → portar.

portaequipaje o **portaequipajes** [sustantivo masculino] Parte de un coche donde se lleva el equipaje: *El portaequipajes de este coche está detrás.* □ [Portaequipajes no varía en singular y en plural]. FAMILIA: → equipo.

portal [sustantivo masculino] **1** Parte de un edificio que está después de cruzar la puerta principal y por la que se pasa a las casas: *Llama al portero automático para que nos abran la puerta del portal.* 🕮 página 796. **2** En un nacimiento de Navidad, parte que representa el lugar donde nació Jesucristo: *En el portal puse las figuras de la Virgen, san José, el Niño, el buey y la mula.* □ FAMILIA: → puerta.

portar [verbo] **1** Llevar o traer: *La policía puede portar armas.* **2 portarse** Tener determinado comportamiento: *Pórtate bien.* □ SINÓNIMOS: **2** comportarse, conducirse, actuar, obrar, proceder. FAMILIA: portador, portátil, importar, exportar.

portátil [adjetivo] Que es fácil de llevar de un lugar a otro: *Me han regalado una máquina de escribir portátil.* □ [No varía en masculino y en femenino]. FAMILIA: → portar.

portavoz [sustantivo] Persona que habla en nombre de otros: *El delegado de clase es nuestro portavoz.* □ [No varía en masculino y en femenino. Su plural es portavoces]. FAMILIA: → voz.

portazo [sustantivo masculino] Golpe que da una puerta cuando se cierra con fuerza: *Por muy enfadado que estés, no debes marcharte dando un portazo.* □ FAMILIA: → puerta.

portento [sustantivo masculino] Lo que es extraordinario o maravilloso: *Esa niña es un portento y a*

los cinco años ya sabía tocar el arpa. □ SINÓNIMOS: prodigio, maravilla.

portería [sustantivo femenino] **1** Lugar en el que está el portero de un edificio: *Si no quieres subir a mi casa, puedes dejar el paquete en la portería.* **2** En algunos deportes, espacio entre dos postes y por donde tiene que entrar el balón para conseguir un punto: *Si expulsan al portero, se tiene que poner otro jugador en la portería.* □ SINÓNIMOS: **2** meta. FAMILIA: → puerta.

portero, ra [sustantivo] **1** Persona que está en la puerta de un edificio controlando quién entra y quién sale: *Como no me acordaba de cuál era tu piso, se lo pregunté al portero.* **2** En algunos deportes, miembro del equipo que defiende la portería: *El portero paró un penalti.* **3** [expresión] **portero automático** Aparato que permite abrir la puerta de un edificio desde el interior de cada casa: *Ese teléfono que hay en el pasillo es el portero automático.* □ SINÓNIMOS: **2** guardameta, meta. FAMILIA: → puerta.

portugués, -a 1 [adjetivo o sustantivo] De Portugal, que es un país de Europa: *Lisboa es la capital portuguesa.* **2** [sustantivo masculino] Lengua de este país: *Para un español no es muy difícil entender el portugués.*

porvenir [sustantivo masculino] Tiempo futuro: *Tienes que estudiar ahora para tener un buen porvenir.* □ SINÓNIMOS: futuro, mañana. CONTRARIOS: pasado, ayer. FAMILIA: → venir.

posada [sustantivo femenino] Lugar en el que se da comida o alojamiento a cambio de dinero: *Como no encontraron posada, durmieron al aire libre.* □ SINÓNIMOS: fonda, venta, hostal, hotel. FAMILIA: → posar.

posar [verbo] **1** Permanecer en una posición para servir de modelo a un artista: *Estoy posando para que un pintor me haga un retrato.* **2** Poner una cosa sobre otra de manera suave: *El niño posó su mano en la cabeza del gato y lo acarició.* **3 posarse** Dejar de volar y detenerse en un lugar de manera suave: *¡Mira ese pajarillo que se ha posado en la rama del árbol!* □ FAMILIA: posada, poso.

posavasos [sustantivo masculino] Especie de plato pequeño que se coloca debajo de los vasos para no dejar marca en las mesas: *El camarero*

a
b
c
d
e
f
g
h
i
j
k
l
m
n
ñ
o
p
q
r
s
t
u
v
w
x
y
z

nos sirvió cada bebida con un posavasos de cartón. □ [No varía en singular y en plural]. FAMILIA: → vaso.

poseer [verbo] Tener algo propio: *Posee buenas cualidades para la música.* □ [Es irregular y se conjuga como LEER]. CONTRARIOS: carecer. FAMILIA: posesión, posesivo.

posesión [sustantivo femenino] **1** Lo que se posee: *Además de tener mucho dinero, entre sus posesiones cuenta con varias tierras.* **2** Derecho de poseer algo: *Heredó de su padre la posesión de la casa.* **3** [expresión] **tomar posesión de un cargo** Empezar a cumplir sus funciones de manera oficial: *El nuevo ministro tomó posesión de su cargo al día siguiente de haber dimitido el anterior.* □ [El significado **1** se usa más en plural]. SINÓNIMOS: **1,2** propiedad, dominio. **2** poder. FAMILIA: → poseer.

posesivo, va [adjetivo] Dicho de una persona, que trata a los demás como si fuesen de su propiedad: *Si no fueses tan posesivo, no te importaría que tu amigo tuviese otros amigos aparte de ti.* □ FAMILIA: → poseer.

posguerra [sustantivo femenino] Tiempo que sigue a una guerra: *Mis abuelos cuentan que en la posguerra pasaron mucha hambre.* □ FAMILIA: → guerra.

posibilidad [sustantivo femenino] **1** Ocasión para hacer algo: *Si se te presenta la posibilidad de hacer un viaje, aprovéchala.* **2** Medios que permiten hacer algo: *Con mis posibilidades económicas, no puedo comprarme un coche tan caro.* □ [El significado **2** se usa más en plural]. SINÓNIMOS: **1** oportunidad. **2** recurso. FAMILIA: → poder.

posible [adjetivo] Que puede ser o que puede hacerse: *Alguien se ha llevado el libro, porque no es posible que haya desaparecido solo.* □ [No varía en masculino y en femenino]. CONTRARIOS: imposible. FAMILIA: → poder.

posición [sustantivo femenino] **1** Modo en que algo está puesto: *Es más cómodo estar tumbado que en posición vertical.* **2** Lugar que ocupa algo: *El barco comunicó por radio cuál era su posición.* **3** Manera de pensar sobre un asunto: *¿Cuál es tu posición sobre lo que estamos discutiendo?* □ SINÓNIMOS: **1,3** postura. **2** puesto. **3** actitud. FAMILIA: → poner.

positivo, va [adjetivo] **1** Que resulta bueno o

favorable: *Sería muy positivo ganar el próximo partido.* **2** Que siempre ve el lado bueno de las cosas: *Aprende a ser positivo y a no dejarte vencer por los problemas.* □ SINÓNIMOS: **2** optimista. CONTRARIOS: negativo. **2** pesimista.

poso [sustantivo masculino] Especie de polvos que dejan algunos líquidos en el fondo del recipiente que los contiene: *Después de tomar café, siempre quedan algunos posos en la taza.* □ FAMILIA: → posar.

postal **1** [adjetivo] Del servicio de correos o relacionado con él: *Me ha llegado un paquete postal certificado.* **2** [sustantivo femenino] Tarjeta que se envía por correo, con una fotografía por un lado y espacio en blanco por el otro para poder escribir: *Siempre que voy de vacaciones mando postales a mis amigos.* □ [El significado **1** no varía en masculino y en femenino].

poste [sustantivo masculino] Palo que está puesto de forma vertical y que sirve como apoyo o como señal: *Una portería de fútbol está formada por dos postes y un madero horizontal.*

póster [sustantivo masculino] Especie de cuadro de papel que se coloca en una pared: *Me han regalado un póster para mi habitación.* □ [Su plural es pósteres, aunque se usa mucho pósters].

posterior [adjetivo] **1** Que ocurre después: *El martes es el día posterior al lunes.* **2** Que está detrás: *Mi coche tiene cinturones de seguridad en el asiento posterior.* □ [No varía en masculino y en femenino]. SINÓNIMOS: **1** siguiente. CONTRARIOS: anterior. **2** delantero.

postizo, za [adjetivo o sustantivo masculino] Que es de mentira, aunque parece de verdad: *Mi abuelo usa dentadura postiza. Esta trenza tan larga que llevo es un postizo.* □ CONTRARIOS: natural.

postre [sustantivo masculino] Alimento que se toma al final de una comida: *De postre tomaremos flan.*

postura [sustantivo femenino] **1** Modo en que algo está puesto: *Me duele la espalda por sentarme en mala postura.* **2** Manera de pensar sobre un asunto: *Ésta es mi postura sobre el tema.* □ SINÓNIMOS: posición. **2** actitud. FAMILIA: → poner.

potable [adjetivo] Que se puede beber porque no es malo para la salud: *No bebas agua de un río sin saber si es potable o no.* □ [No varía en masculino y en femenino].

potaje [sustantivo] [masculino] Comida caliente hecha con legumbres y verduras: *En mi casa el potaje se hace con garbanzos y espinacas.*

potencia [sustantivo] [femenino] **1** Poder para producir un efecto: *Los coches deportivos llevan motores de gran potencia.* **2** País que tiene un gran poder internacional: *Las grandes potencias se han puesto de acuerdo para reducir el armamento en el mundo.* **3** [expresión] **ser algo en potencia** Poder llegar a serlo: *Este niño es un genio en potencia.* □ SINÓNIMOS: **1** fuerza. CONTRARIOS: **1** debilidad. FAMILIA: → poder.

potente [adjetivo] **1** Que tiene capacidad para producir un efecto: *En los conciertos al aire libre utilizan altavoces muy potentes para que se oiga bien el sonido.* **2** Grande o fuerte: *Se oyó un potente grito.* □ [No varía en masculino y en femenino]. SINÓNIMOS: **2** poderoso. CONTRARIOS: **2** débil, flojo. FAMILIA: → poder.

potingue [sustantivo] [masculino] **1** Comida o bebida poco agradables: *Ese potingue no hay quien se lo coma.* **2** Producto de belleza: *Tú no necesitas darte potingues en la cara para estar guapa.* □ [Es coloquial].

potito [sustantivo] [masculino] Alimento para niños pequeños, en forma de puré y que se vende en recipientes de cristal: *El bebé come potitos y papillas.*

potro, tra **1** [sustantivo] Cría del caballo: *Vimos una yegua amamantando a su potro.* **2** [sustantivo] [masculino] Aparato de gimnasia que se usa para saltar por encima de él: *Delante del potro ponemos un trampolín para darnos impulso.* **3** [sustantivo] [femenino] Buena suerte: *Tiene mucha potra y todo le sale bien.* □ [El significado **3** es coloquial].

poyo [sustantivo] [masculino] Banco de piedra pegado a la pared: *Varios hombres charlaban sentados en el poyo de la fachada.* □ [No confundir con pollo].

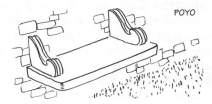

POYO

pozo [sustantivo] [masculino] **1** Agujero cavado en la tierra para sacar agua: *Junto al pozo hay un cubo para sacar el agua.* 🐾 página 17. **2** Lugar por el que se entra bajo tierra para extraer minerales: *Estos mineros trabajan en un pozo de carbón.* 🐾 página 538.

practicante **1** [adjetivo o sustantivo] Que tiene una religión y cumple lo que ésta le manda: *Voy a misa todos los domingos porque soy católica practicante.* **2** [sustantivo] Persona que trabaja poniendo inyecciones: *El practicante me puso la vacuna.* □ [No varía en masculino y en femenino]. FAMILIA: → práctico.

practicar [verbo] **1** Realizar una actividad de forma habitual: *Practico deporte desde que era pequeño.* **2** Repetir algo para conseguir hacerlo bien: *Los gimnastas practican cada ejercicio cientos de veces.* **3** Hacer o realizar: *Para curarme, el médico me tiene que practicar una sencilla operación.* **4** Tener una religión y cumplir lo que manda: *Muchos españoles practican el catolicismo.* □ [La c se cambia en qu delante de e, como en SACAR]. SINÓNIMOS: **2** ensayar. FAMILIA: → práctico.

práctico, ca [adjetivo] **1** De la práctica o relacionado con la acción y no con las ideas: *Prefiere los conocimientos prácticos a los teóricos.* **2** Que resulta útil: *Se han comprado un microondas y dicen que es muy práctico.* **3** Que actúa de acuerdo con el mundo real: *Es mejor ser práctico y ver las cosas como son en vez de como querríamos que fuesen.* [sustantivo] [femenino] **4** Hecho de realizar una actividad de forma habitual: *La práctica de un deporte es una costumbre sana.* **5** Habilidad que se consigue al realizar esta actividad: *Aunque hacer ganchillo parece difícil, cuando se tiene práctica es fácil.* **6** Hecho de aplicar una idea: *El plan parecía perfecto, pero falló en la práctica.* □ CONTRARIOS: **1,3** teórico. FAMILIA: practicar, practicante.

pradera [sustantivo] [femenino] Terreno llano y grande, cubierto de hierba: *Entre estas montañas hay muchas praderas.* □ FAMILIA: → prado. 🐾 página 845.

prado [sustantivo] [masculino] Terreno llano y cubierto de hierba: *Las vacas pacen en el prado.* □ FAMILIA: pradera.

precaución [sustantivo] [femenino] Cuidado que se pone al hacer algo para evitar problemas: *Debes* *conducir con mucha precaución.* □ SINÓNIMOS: prudencia, cautela. CONTRARIOS: descuido. FAMILIA: precavido.

precavido, da [adjetivo] Que actúa con cuidado para evitar problemas: *Si fueras más precavido, no te llevarías tantos disgustos.* □ SINÓNIMOS: prudente, cauteloso. CONTRARIOS: imprudente, descuidado, alocado. FAMILIA: → precaución.

precedente [sustantivo masculino] Hecho que ha ocurrido antes y que se tiene en cuenta para juzgar otro que ocurre después: *Lo que tú has hecho no tiene precedentes en nuestra familia.* □ SINÓNIMOS: antecedente. FAMILIA: → preceder.

preceder [verbo] Ir por delante: *El otoño precede al invierno.* □ SINÓNIMOS: anteceder. CONTRARIOS: seguir. FAMILIA: precedente.

precio [sustantivo masculino] **1** Dinero que algo cuesta: *En las rebajas bajan los precios.* **2** Lo que cuesta conseguir algo: *No merece la pena hacerse rico al precio de perder la salud por trabajar tanto.* □ SINÓNIMOS: **1** coste, costo, importe.

preciosidad [sustantivo femenino] Lo que resulta muy bonito: *¡Qué preciosidad de bebé!* □ SINÓNIMOS: belleza, hermosura. CONTRARIOS: espanto. FAMILIA: → precioso.

precioso, sa [adjetivo] **1** Muy agradable de ver o de oír: *La orquesta tocó una preciosa melodía.* **2** De mucho valor: *Los diamantes son piedras preciosas.* □ SINÓNIMOS: **1** bello, bonito, hermoso, lindo. **2** valioso. CONTRARIOS: **1** feo. FAMILIA: preciosidad.

precipicio [sustantivo masculino] Terreno con una pendiente casi vertical: *Al borde de la carretera hay un precipicio muy profundo.* □ FAMILIA: → precipitar.

precipitar [verbo] **1** Hacer que algo suceda más deprisa: *El escándalo precipitó la dimisión del ministro.* **precipitarse 2** Tirarse desde un lugar alto: *Un coche se salió en la curva y se precipitó por el acantilado.* **3** Hacer algo deprisa y sin pensar: *No te precipites y piensa bien lo que vas a decir.* □ SINÓNIMOS: **1** acelerar. **2** arrojarse, lanzarse. CONTRARIOS: **1** retrasar, frenar. **3** contenerse. FAMILIA: precipicio.

precisar [verbo] **1** Decir algo de manera exacta: *El testigo no pudo precisar la hora en que vio al acusado.* **2** Tener necesidad de algo o no poder estar sin ello: *Dijo que podía hacerlo solo y que no precisaba de nadie.* □ SINÓNIMOS: **1** fijar. **2** necesitar, hacer falta. FAMILIA: → preciso.

precisión [sustantivo femenino] Manera exacta y muy clara de hacer algo: *Esta balanza indica el peso con gran precisión.* □ SINÓNIMOS: exactitud. FAMILIA: → preciso.

preciso, sa [adjetivo] **1** Que se necesita para algo: *Es preciso hacer algo para acabar con el hambre en el mundo.* **2** Que es lo que se dice, nada más y nada menos: *Él salía en el preciso momento en que yo llegaba.* **3** Exacto y claro: *Las imágenes de estas fotos son muy precisas.* □ SINÓNIMOS: **1** necesario, imprescindible, indispensable. **2** justo, exacto. CONTRARIOS: **2** inexacto. **3** impreciso, vago. FAMILIA: precisar, precisión, impreciso.

precoz [adjetivo] Que destaca muy pronto en una actividad: *Es un niño precoz y aprendió a leer antes de ir al colegio.* □ [No varía en masculino y en femenino. Su plural es precoces]. SINÓNIMOS: adelantado. CONTRARIOS: retrasado.

predecir [verbo] Decir lo que va a suceder antes de que ocurra: *La mujer del tiempo ha predicho lluvias para mañana.* □ [Es irregular. Su participio es predicho]. SINÓNIMOS: anunciar, pronosticar. FAMILIA: predicción, predicho.

predicado [sustantivo masculino] En gramática, parte de la oración cuyo núcleo es el verbo: *En la oración «Carlos viene a casa», «viene a casa» es el predicado.* □ FAMILIA: → predicar.

predicar [verbo] **1** Pronunciar discursos un sacerdote para enseñar la religión: *El sacerdote predica los domingos en misa.* **2** Defender una idea: *Siempre predicas que tenemos que ayudarnos, pero tú eres un egoísta.* □ [La c se cambia en qu delante de e, como en SACAR]. FAMILIA: predicado.

predicción [sustantivo femenino] Anuncio de lo que puede suceder en el futuro: *Según las últimas predicciones del tiempo, van a bajar las temperaturas.* □ SINÓNIMOS: pronóstico, augurio. FAMILIA: → predecir.

predicho, cha Participio irregular de **predecir**. □ FAMILIA: → predecir.

predominio [sustantivo masculino] Mayor poder o mayor cantidad de una cosa sobre otras: *Mi colegio es mixto, pero en mi clase hay predominio de chicas sobre chicos.* □ FAMILIA: → dominar.

preescolar [adjetivo o sustantivo masculino] Del nivel de estudios anterior a la enseñanza primaria: *Mi hermano de tres años recibe enseñanza preescolar.* □ [Cuando es adjetivo no varía en masculino y en femenino]. FAMILIA: → escuela.

prefabricado, da [adjetivo] Que ha sido fabricado antes en un sitio distinto del lugar en que se va colocar: *Los que perdieron su vivienda en el terremoto fueron alojados en casas prefabricadas.* □ FAMILIA: → fabricar.

preferencia [sustantivo femenino] **1** Ventaja que se tiene sobre algo: *En este cruce tienen preferencia los coches que vienen por la derecha.* **2** Lo que se siente hacia algo que gusta más que otra cosa: *Me gustan todos los pasteles, pero tengo preferencia por los de chocolate.* □ FAMILIA: → preferir.

preferible [adjetivo] Mejor o que conviene más: *Hemos hecho mucha comida porque es preferible que sobre a que falte.* □ [No varía en masculino y en femenino]. FAMILIA: → preferir.

preferir [verbo] Estar más a favor de una cosa que de otra: *Prefiero los alimentos dulces a los salados.* □ [Es irregular y se conjuga como SENTIR]. FAMILIA: preferible, preferencia.

prefijo [sustantivo masculino] **1** Grupo de letras que se añaden al comienzo de una palabra para darle un significado determinado: *El prefijo «pre-» significa «antes» y forma palabras como «predecir».* 🖈 página 684. **2** Conjunto de números que se añaden delante de un número de teléfono para llamar a otra ciudad o a otro país: *¿Qué prefijo hay que marcar para llamar a Barcelona?* □ [En el significado **1** es distinto de sufijo, que se añade a una palabra por detrás].

pregón [sustantivo masculino] Lo que se anuncia en voz alta para que todo el mundo lo oiga: *Un actor muy famoso leyó el pregón anunciando las fiestas.* □ FAMILIA: pregonar.

pregonar [verbo] **1** Anunciar algo para que lo sepa todo el mundo: *Si te cuento un secreto no es para que lo vayas pregonando por ahí.* **2** Anunciar algo a voces: *Los vendedores ambulantes van pregonando sus mercancías por la calle.* □ SINÓNIMOS: **1** proclamar, publicar, divulgar, declarar, airear. CONTRARIOS: callar. FAMILIA: → pregón.

pregunta [sustantivo femenino] Información que se pide sobre algo que se quiere saber: *El profesor me hizo una pregunta muy difícil y no supe contestarla.* □ CONTRARIOS: contestación, respuesta. FAMILIA: preguntar, preguntón.

preguntar [verbo] Hacer preguntas: *Si no entiendes algo, pregúntaselo a la profesora.* □ SINÓNIMOS: interrogar. CONTRARIOS: contestar, responder. FAMILIA: → pregunta.

preguntón, -a [adjetivo o sustantivo] Que pregunta mucho: *Ese niño es tan preguntón que acaba con mi paciencia.* □ [Es coloquial]. FAMILIA: → pregunta.

prehistoria [sustantivo femenino] Parte de la historia que va desde el origen del hombre hasta que aparecen los primeros documentos escritos: *En la prehistoria, los hombres vivían en cavernas.* □ FAMILIA: → historia.

prejuicio [sustantivo masculino] Lo que se piensa de algo antes de conocerlo: *Eso de que yo soy un cobarde es un prejuicio que tienes contra mí.*

predecir		conjugación	
INDICATIVO		**SUBJUNTIVO**	
presente		**presente**	
predigo		prediga	
predices		predigas	
predice		prediga	
predecimos		predigamos	
predecís		predigáis	
predicen		predigan	
pretérito imperfecto		**pretérito imperfecto**	
predecía		predijera, -ese	
predecías		predijeras, -eses	
predecía		predijera, -ese	
predecíamos		predijéramos, -ésemos	
predecíais		predijerais, -eseis	
predecían		predijeran, -esen	
pretérito indefinido		**futuro**	
predije		predijere	
predijiste		predijeres	
predijo		predijere	
predijimos		predijéremos	
predijisteis		predijereis	
predijeron		predijeren	
futuro		**IMPERATIVO**	
prediciré			
predicirás		**presente**	
predicirá		predice	(tú)
prediciremos		prediga	(él)
predeciréis		predigamos	(nosotros)
predicirán		predecid	(vosotros)
		predigan	(ellos)
condicional			
prediciría		**FORMAS NO PERSONALES**	
predicirías			
prediciría		**infinitivo**	**gerundio**
prediciríamos		predecir	prediciendo
prediciríais		**participio**	
predicirían		predicho	

a
b
c
d
e
f
g
h
i
j
k
l
m
n
ñ
o
p
q
r
s
t
u
v
w
x
y
z

□ [Es distinto de *perjuicio*, que significa *daño que se hace a alguien*]. FAMILIA: → juez.

premamá [adjetivo] De la mujer que va a tener un hijo: *Los vestidos premamá son muy anchos.* □ [No varía en masculino y en femenino, ni en singular y plural]. FAMILIA: → mamá.

prematuro, ra 1 [adjetivo] Antes de tiempo: *Me parece prematuro pensar ya lo que vamos a hacer el año que viene.* **2** [adjetivo o sustantivo] Dicho de un niño, que ha nacido antes de tiempo: *Un bebé que ha nacido a los siete meses de estar en el vientre de su madre es un niño prematuro.*

premiar [verbo] Dar un premio: *En el colegio han premiado a los ganadores del torneo de ajedrez.* □ SINÓNIMOS: recompensar. CONTRARIOS: castigar, sancionar. FAMILIA: → premio.

premio [sustantivo masculino] **1** Lo que se da a una persona por haber hecho algo muy bien: *Todos*

prefijos

prefijo	significado	ejemplo
a–	Negación o privación	*asimétrico, anormal*
aero–	Aire	*aeropuerto, aeronave*
ante–	Antes	*anteanoche, antebrazo*
anti–	Oposición	*antirreglamentario,*
	Protección	*antirrobo*
auto–	Uno mismo	*autorretrato,*
	Automóvil	*autoescuela*
bi–	Dos	*bicolor, bimensual*
biblio–	Libro	*biblioteca, bibliografía*
bio–	Vida	*biología, biografía*
con–, com–, co-	Compañía	*convivir, compatriota, coautor*
contra–	Contrario	*contradecir, contratiempo*
des–	Privación o negación	*desabrochar, desconfiar*
entre–	Situación intermedia	*entrecejo, entreabrir*
extra–	Fuera	*extraoficial*
hidro–	Agua	*hidroavión*
hiper–	Muy grande	*hipermercado, hipersensible*
in–, im–, i–	Negación	*incómodo, imposible, ilegal*
inter–	Entre, en medio	*intermediario, intervenir*
multi–	Mucho	*multicolor*
orto–	Bien hecho	*ortografía, ortodoncia*
poli–	Muchos	*polideportivo*
pos–, post–	Después	*posguerra, postparto*
pre–	Antes	*predecir, prever*
pro–	Hacia delante	*promover,*
	En lugar de	*procónsul*
psico–	Mente	*psicología*
pueri–	Niño	*puericultor*
re–	Repetición	*releer, recaer,*
	Intensidad	*rebuscar, rebonito*
retro–	Hacia atrás	*retrovisor*
semi–	Mitad	*semicírculo, semirrecta*
sub–	Debajo	*subcampeón, submarino*
super–	Encima	*superponer,*
	Intensidad	*superfino*
tele–	Lejos	*televisión, teléfono*
trans–, tras–	A través de	*transbordo, trasluz*
ultra–	Más allá	*ultramar,*
	Intensidad	*ultraligero*
vice–	En vez de	*vicepresidente, vicesecretario*

los años se entrega el premio Nobel de literatura a un gran escritor. **2** Lo que se gana en un sorteo o en un concurso: *El primer premio de la lotería son muchos millones de pesetas.* ☐ SINÓNIMOS: **1** recompensa. CONTRARIOS: castigo, sanción. FAMILIA: premiar.

prenda [sustantivo] [femenino] **1** Lo que nos ponemos para vestirnos: *Las chaquetas y los jerséis son prendas de abrigo.* **2** Lo que se entrega a alguien para que esté seguro de que vamos a cumplir una promesa: *Si no te fías, puedo dejarte mi reloj como prenda.* **3** [expresión] **no soltar prenda** No decir nada de lo que se sabe: *Si alguien me dice que le guarde un secreto, yo no suelto prenda.* ☐ [El significado **3** es coloquial].

prender [verbo] **1** Empezar a quemarse algo: *Esa leña no prende bien porque está mojada.* **2** Encender con fuego o quemar: *Prende una vela, porque no hay luz y no veo nada.* **3** Sujetar algo con un objeto que tenga punta: *La modista prendió el bajo del vestido con alfileres.* **4** Atrapar a alguien y quitarle la libertad: *La policía persiguió al ladrón para prenderlo.* **5** Empezar una planta a echar raíces en la tierra: *Planté una rama de rosal y ya ha prendido.* ☐ SINÓNIMOS: **1** arder. **4** detener, capturar, apresar, arrestar. **5** arraigar, agarrar, enraizar. CONTRARIOS: **1** apagarse. **2** apagar, extinguir, sofocar. **3** desprender. **4** liberar, libertar, soltar. FAMILIA: desprender, desprendimiento.

prensa [sustantivo] [femenino] **1** Conjunto de los periódicos y de las revistas: *La noticia del accidente de avión ha salido en toda la prensa.* **2** Conjunto de periodistas: *El presidente contestó a las preguntas de la prensa.* **3** Máquina que sirve para aplastar algunas cosas: *Las aceitunas se meten en una prensa para hacer el aceite.*

preñada [adjetivo] Dicho de una mujer o de una hembra, que va a tener un hijo: *La vaca está preñada y pronto tendrá terneros.* ☐ [*Preñada* se usa más para animales y *embarazada* o *encinta* se prefiere para mujeres].

preocupación [sustantivo] [femenino] Sensación de la persona que no está tranquila o que siente algún temor: *Mi padre dice que las preocupaciones no le dejan dormir.* ☐ SINÓNIMOS: inquietud. FAMILIA: → preocupar.

preocupar 1 [verbo] Hacer que alguien deje de estar tranquilo: *Llegué tarde a casa y mis padres se preocuparon mucho.* **2** [expresión] **preocuparse de algo** Prestar atención a un asunto: *Preocúpate de tus asuntos y no te metas en la vida de los demás.* ☐ [La c se cambia en qu delante de e, como en SACAR]. SINÓNIMOS: **1** inquietar. **2** ocuparse. CONTRARIOS: **1** tranquilizar, sosegar, calmar, despreocuparse. FAMILIA: preocupación, despreocuparse.

preparación [sustantivo] [femenino] **1** Colocación de algo de forma adecuada para un fin: *Todos hemos participado en la preparación del banquete.* **2** Hecho de enseñar algo para poder realizar una actividad: *Los profesores se encargan de la preparación de sus alumnos.* **3** Estudio de una materia: *He dedicado muchas horas a la preparación de este examen.* ☐ SINÓNIMOS: **1** organización. **2** formación. FAMILIA: → preparar.

preparar [verbo] **1** Poner algo de manera adecuada para un fin: *Antes de acostarme, preparo la ropa que me voy a poner al día siguiente.* **2** Enseñar a alguien a realizar una actividad: *En el colegio nos preparan para saber desenvolvernos en la vida.* **3** Estudiar una materia: *He preparado muy bien esta asignatura.* ☐ SINÓNIMOS: **1** disponer, arreglar. **2** formar. FAMILIA: preparación, preparativo.

preparativo [sustantivo] [masculino] Lo que se hace para preparar algo: *Los novios están muy ocupados con los preparativos de la boda.* ☐ [Se usa más en plural]. FAMILIA: → preparar.

preposición [sustantivo] [femenino] Clase de palabra que sirve para unir dos expresiones cuando la segunda depende de la primera: *En la frase «Voy hasta tu casa», «hasta» es una preposición.*

presa [sustantivo] [femenino] Mira en **preso, sa.**

prescindir [verbo] **1** No tener en cuenta algo: *Cuéntame lo que pasó, pero prescinde de los detalles.* **2** Quedarse sin algo: *Tendré que prescindir de algunos caprichos.* ☐ SINÓNIMOS: **2** desprenderse. FAMILIA: imprescindible.

presencia [sustantivo] [femenino] **1** Hecho de estar una persona en un lugar: *La presencia del rey daba al acto un carácter solemne.* **2** Existencia de algo en un lugar: *La presencia de*

a
b
c
d
e
f
g
h
i
j
k
l
m
n
ñ
o
p
q
r
s
t
u
v
w
x
y
z

a
b
c
d
e
f
g
h
i
j
k
l
m
n
ñ
o
p
q
r
s
t
u
v
w
x
y
z

fiebre es síntoma de enfermedad. **3** Aspecto exterior: *No sé cómo sabrá esa comida, pero tiene muy buena presencia.* □ CONTRARIOS: **1,2** ausencia. FAMILIA: → presente.

presenciar [verbo] Estar presente en un acontecimiento y verlo: *Los testigos de un accidente son las personas que lo presenciaron.* □ FAMILIA: → presente.

presentación [sustantivo/femenino] **1** Colocación de algo a la vista de alguien: *Sin la presentación del carné de socio, no te dejarán entrar en el club.* **2** Hecho de dar a conocer algo a los demás: *Asistí a la presentación del nuevo libro de ese poeta.* **3** Aspecto exterior de algo: *La comida tenía una presentación estupenda.* □ FAMILIA: → presente.

presentador, -a [sustantivo] Persona que presenta espectáculos o programas de televisión: *El presentador del telediario cuenta las noticias.* □ FAMILIA: → presente.

presentar [verbo] **1** Poner algo en presencia de alguien: *Me dijo que me iba a traer un dibujito y lo que me presentó fue un cuadro enorme.* **2** Dar a conocer a los demás: *No me atrevo a hablar con una persona que no me han presentado.* **3** Tener determinada característica: *Los elefantes presentan unos colmillos muy desarrollados.* **4** Proponer a una persona para algo: *Cada partido político presenta su propio candidato.* **5** Anunciar un espectáculo o un programa de televisión: *Han elegido a un actor famoso para presentar el nuevo concurso.* **6 presentarse** Aparecer una persona en un sitio: *Como se presentó sin avisar, no teníamos nada preparado.* □ SINÓNIMOS: **1** mostrar, exponer. **6** asistir. CONTRARIOS: **1** ocultar, esconder. **6** ausentarse, marcharse. FAMILIA: → presente.

presente 1 [adjetivo] Que está en un lugar: *Me gustaría que mañana estuvieras presente.* [adjetivo o sustantivo masculino] **2** Que ocurre en el momento en el que se habla: *Procuro vivir el presente y olvidarme del pasado.* **3** Dicho de un tiempo del verbo, que indica que la acción está ocurriendo: *El presente de indicativo de «jugar» es «juego», «juegas», etc.* **4** Lo que se da a alguien para agradarle: *El rey obsequió a sus invitados con ricos presentes.* □ [Cuando es adjetivo no varía en masculino y en femenino]. SINÓNIMOS: **2** actual. **4** regalo, obsequio.

CONTRARIOS: **1** ausente. FAMILIA: presentar, presentación, presencia, presenciar, presentador.

presentimiento [sustantivo/masculino] Sensación de que algo va a ocurrir: *Tengo el presentimiento de que algo malo va a pasar.* □ SINÓNIMOS: corazonada. FAMILIA: → sentir.

presentir [verbo] Tener la sensación de que algo va a ocurrir: *Nadie me dijo que ibas a venir, pero yo lo presentía.* □ [Es irregular y se conjuga como SENTIR]. FAMILIA: → sentir.

preservar [verbo] Defender de un daño o de un peligro: *Las prendas de abrigo nos preservan del frío.* □ SINÓNIMOS: proteger, resguardar. CONTRARIOS: atacar. FAMILIA: preservativo.

preservativo [sustantivo/masculino] Especie de bolsa muy fina que se ponen los hombres en el pene cuando van a tener relaciones sexuales: *El uso del preservativo evita embarazos y contagios de enfermedades.* □ FAMILIA: → preservar.

presidencia [sustantivo/femenino] **1** Trabajo del presidente: *Ese político aspira a la presidencia del país.* **2** Lugar de trabajo de un presidente: *El presidente se entrevistó con los ministros en la Presidencia.* **3** Conjunto de personas que dirigen un grupo o que ocupan el lugar más importante en un acto: *En la corrida de toros, la presidencia concedió dos orejas a un torero.* □ FAMILIA: → presidir.

presidente, ta [sustantivo] **1** Persona que dirige un gobierno o un grupo: *El candidato más votado en las elecciones será el próximo presidente del Gobierno.* **2** Persona que ocupa el lugar más importante en un acto: *La presidenta del jurado felicitó al ganador del premio y a todos los concursantes.* □ FAMILIA: → presidir.

presidio [sustantivo/masculino] Lugar donde se lleva a las personas para castigarlas por un delito: *El delincuente fue condenado a pasar varios años en presidio.* □ SINÓNIMOS: cárcel, prisión.

presidir [verbo] **1** Dirigir un gobierno o un grupo: *Ese empresario preside la empresa que él mismo fundó.* **2** Ocupar el lugar más importante en un acto: *Cuando comemos en casa toda la familia, mi abuelo preside la mesa.* **3** Dirigir algo por ser lo más importante: *El afán de ayudar a los demás presidió siempre la vida del santo.* □ FAMILIA: presidencia, presidente.

presión [sustantivo] [femenino] **1** Fuerza que se hace sobre una superficie: *Después de poner pegamento en los trozos rotos, hay que juntarlos y hacer presión para que se peguen bien.* **2** Influencia que se hace sobre una persona para obligarla a hacer algo: *Yo hago lo que quiero y no tengo por qué aguantar presiones de nadie.* □ FAMILIA: presionar.

presionar [verbo] **1** Hacer fuerza sobre una superficie: *Para poner en marcha la máquina, presiona ese botón.* **2** Hacer algo para obligar a una persona a actuar de determinada manera: *No necesito que nadie me presione para hacer lo que tengo que hacer.* □ FAMILIA: → presión.

preso, sa 1 [adjetivo o] [sustantivo] Que está en la cárcel: *Cuando el preso cumplió su condena fue puesto en libertad.* [sustantivo] [femenino] **2** Lo que puede ser cazado: *El cazador persiguió a su presa por el bosque.* **3** Muro grueso que se construye en los ríos para almacenar sus aguas: *Están construyendo una presa en el río.* 🔍 página 17. **4** Lugar en el que se almacenan estas aguas: *Como en mi pueblo no hay mar, en verano nos bañamos en una presa cercana.* □ SINÓNIMOS: **1** prisionero, recluso, cautivo. **4** embalse, pantano. CONTRARIOS: **1** libre. FAMILIA: apresar, prisión, prisionero, aprisionar.

préstamo [sustantivo] [masculino] **1** Hecho de dar algo con la intención de que sea devuelto: *He solicitado el préstamo de un libro en la biblioteca.* **2** Lo que se da con la condición de que se devuelva: *He pedido un préstamo al banco para comprar un coche.* □ FAMILIA: prestar.

prestar [verbo] **1** Entregar algo a alguien con la condición de que nos lo devuelva: *¿Me prestas tu bici?* **2** Realizar una acción: *Cuando hablo, quiero que todos me prestéis atención.* **prestarse 3** Ofrecerse para hacer algo: *Se prestó voluntario para ayudarnos.* **4** Dar motivo a algo: *Eso que has dicho se presta a ser entendido de varias maneras.* □ [En el significado **2** suele tener verbos equivalentes: *prestar ayuda* equivale a *ayudar*, *prestar atención* equivale a *atender*, *prestar juramento* equivale a *ju-*

rar]. SINÓNIMOS: **1** dejar. **2** dar. **3** brindarse. FAMILIA: → préstamo.

prestidigitador, -a [sustantivo] Persona que hace juegos de manos: *El prestidigitador sacó un conejo de la chistera.* □ SINÓNIMOS: mago, ilusionista.

prestigio [sustantivo] [masculino] Buena fama: *Esta escritora tiene mucho prestigio.* □ SINÓNIMOS: crédito.

presumido, da [adjetivo o] [sustantivo] **1** Que se arregla mucho para resultar más guapo: *Por ahí viene ese presumido con sus zapatos nuevos.* **2** Que se cree superior a los demás y lo muestra en su forma de actuar: *No me gusta que seas tan presumido y que trates a los demás con desprecio.* □ FAMILIA: → presumir.

presumir [verbo] **1** Sentirse superior a los demás en algo y mostrarlo a todos: *No presumas de ser tan listo.* **2** Arreglarse mucho para resultar más guapo: *Va muy bien vestida porque le gusta presumir.* □ FAMILIA: presumido.

presupuesto [sustantivo] [masculino] **1** Conjunto de operaciones que se hacen antes de empezar una obra para calcular lo que va a costar: *Hemos pedido presupuesto a varios albañiles para ver quién nos hace la obra por menos dinero.* **2** Dinero con el que se cuenta para hacer algo: *No puedo ir todos los días al cine, porque mi presupuesto es muy pequeño.*

pretender [verbo] Intentar conseguir algo: *No pretendas convencerme de algo tan absurdo.* □ SINÓNIMOS: aspirar, procurar, tratar. CONTRARIOS: renunciar. FAMILIA: pretendiente.

pretendiente [sustantivo] [masculino] Hombre que aspira a casarse con una mujer: *Mi abuela nos contó que de joven tuvo muchos pretendientes.* □ FAMILIA: → pretender.

pretérito, ta 1 [adjetivo] Que ya ha pasado: *En los libros de historia se habla de cosas pretéritas.* **2** [adjetivo o sustantivo masculino] Dicho de un tiempo del verbo, que indica que la acción ya ha ocurrido: *«Hemos estado» es el pretérito perfecto de indicativo del verbo «estar».* □ SINÓNIMOS: **1,2** pasado. CONTRARIOS: **1,2** futuro.

pretexto [sustantivo] [masculino] Lo que se dice para que nos disculpen por algo: *Eso de que no te de-*

a
b
c
d
e
f
g
h
i
j
k
l
m
n
ñ
o
p
q
r
s
t
u
v
w
x
y
z

jan salir tus padres es un pretexto para no venir conmigo. □ Sinónimos: disculpa, excusa.

prevenir [verbo] **1** Hacer algo para evitar un mal: *Lo mejor para prevenir la caries es la limpieza diaria de los dientes.* **2** Avisar a una persona de un peligro: *Te digo lo que te puede pasar para prevenirte y que así estés preparada.* □ [Es irregular y se conjuga como venir]. Sinónimos: **2** advertir. Familia: desprevenido.

prever [verbo] **1** Suponer algo que va a pasar: *Nadie podía prever que aquel negocio acabaría fracasando.* **2** Preparar lo que se cree que se va a necesitar para hacer algo: *Ante el anuncio de la nevada, se han previsto medidas para que no se interrumpa el tráfico.* □ [Es distinto de proveer. Es irregular y se conjuga como ver. Su participio es previsto]. Sinónimos: **1** sospechar. Familia: previsión, previsor, previsto, imprevisto.

previsión [sustantivo femenino] Suposición de algo que va a pasar: *Si se cumplen mis previsiones, podemos terminar el trabajo en una semana.* □ Familia: → prever.

previsor, -a [adjetivo o sustantivo] Que actúa teniendo en cuenta lo que puede pasar: *Nada me pilla por sorpresa, porque soy muy previsora.* □ Familia: → prever.

previsto, ta Participio irregular de **prever.** □ [No confundir con provisto]. Contrarios: imprevisto, inesperado. Familia: → prever.

prima [sustantivo femenino] Mira en **primo, ma.**

primario, ria [adjetivo] **1** Que es lo primero en orden o en importancia: *La enseñanza primaria es obligatoria para todos los niños.* **2** Simple o poco desarrollado: *En los países menos desarrollados se siguen utilizando métodos de trabajo muy primarios.* □ Sinónimos: **1** básico, fundamental, esencial, capital, principal. **2** primitivo. Contrarios: **1** secundario, accesorio. Familia: → primero.

primavera [sustantivo femenino] Estación del año entre el invierno y el verano: *Los árboles florecen en primavera.* □ Familia: primaveral.

primaveral [adjetivo] De la primavera o relacionado con ella: *Aunque estamos en febrero, las temperaturas son primaverales.* □ [No varía en masculino y en femenino]. Familia: → primavera.

primer [adjetivo] Primero: *Mi primer libro me lo regalaron cuando cumplí tres años.* □ [Va siempre delante de sustantivo].

primero, ra 1 [pronombre numeral] Que ocupa el lugar número uno en una serie: *Yo soy el primero de mis hermanos.* **2** primero [adverbio] Antes que nada: *Primero haz los deberes y luego ya tendrás tiempo de jugar.* **3** [expresión] **a primeros** Al principio de un período de tiempo: *A primeros de agosto nos vamos de vacaciones.* **de primera** Muy bueno o excelente: *Nos dieron un banquete de primera.* □ [Cuando primero va delante de un sustantivo se cambia por primer: primer curso]. Contrarios: último. Familia: primario, primogénito.

primitivo, va [adjetivo] **1** De los orígenes o de los primeros tiempos de algo: *La primitiva catedral se incendió y sobre ella se construyó la actual.* **2** Simple o poco desarrollado: *Los hombres de las cavernas fabricaban herramientas muy primitivas.* □ Sinónimos: **2** primario.

primo, ma 1 [sustantivo] Lo que es una persona en relación con el hijo o con la hija de su tío o de su tía: *Los hijos de mis tíos son primos míos.* [sustantivo femenino] **2** Dinero que se da a alguien como premio: *Si la selección gana, cada jugador recibirá una prima.* **3** Dinero que se paga por un seguro: *La prima del seguro del coche se paga cada año.* **4** [expresión] **hacer el primo** Dejarse engañar: *¡Ya he vuelto a hacer el primo ayudando a ese egoísta!* □ Sinónimos: **4** hacer el canelo.

primogénito, ta [adjetivo o sustantivo] Dicho de un hijo, que es el primero que ha nacido: *Antiguamente, el hijo primogénito de un noble heredaba todas sus tierras.* □ Familia: → primero.

princesa [sustantivo femenino] **1** Hija del rey a la que le corresponde llegar a ser reina: *Al morir el rey, la princesa subió al trono.* **2** Mujer que pertenece a una familia real: *A la fiesta asistieron los príncipes y princesas de la casa real británica.* □ [El masculino es príncipe]. Familia: → príncipe.

principal [adjetivo] Que es lo más importante o lo preferido: *Cuando estudio, subrayo siempre las ideas principales para recordarlas mejor.* □ [No varía en masculino y en femenino]. Sinónimos: fundamental, esencial, capital, básico, primario. CONTRARIOS: accesorio, secundario.

príncipe [sustantivo] [masculino] **1** Hijo del rey al que le corresponde llegar a ser él también rey: *El príncipe de Asturias es el heredero de la corona española.* **2** Hombre que pertenece a una familia real: *Entre los invitados a la boda estaban los príncipes de la casa real británica.* □ [El femenino es *princesa*]. FAMILIA: princesa.

principiante, ta [adjetivo o] [sustantivo] Que no tiene experiencia: *Se nota que ese profesor es un principiante, porque le falta soltura explicando las cosas.* □ [Cuando es adjetivo no varía en masculino y en femenino. El femenino también puede ser *la principiante*]. SINÓNIMOS: novato, inexperto. CONTRARIOS: experto, maestro. FAMILIA: → principio.

principio [sustantivo] [masculino] **1** Primer momento o primera parte de algo: *Llegamos tarde y nos perdimos el principio de la película.* **2** Origen o causa de algo: *Aquel error fue el principio de todos sus problemas.* **3** Cada una de las ideas fundamentales que determinan la forma de ser de alguien: *Aprovecharme de las desgracias de otros va contra mis principios.* **4** Cada una de las ideas fundamentales en las que se basa un estudio: *Mi hermano estudia con un libro titulado «Principios de Física».* **5** [expresión] **a principios** En los primeros momentos: *El nuevo parque se inaugurará a principios del próximo mes.* **al principio** En los primeros momentos: *Al principio parecía una chica tímida, pero ha resultado muy abierta.* **en principio** De forma general y sin hacer un examen profundo: *En principio, me parece posible lo que dices, pero ya veremos.* □ [Los significados **3** y **4** se usan más en plural]. SINÓNIMOS: **1** inicio. **1,2** comienzo, empiece. **2** raíz. **4** fundamento. CONTRARIOS: **1** fin, final, término. **2** consecuencia, efecto. FAMILIA: principiante.

pringar [verbo] **1** Poner sucio algo con grasa o con una sustancia que se pega: *Al prepararme el bocadillo me he pringado de mantequilla.* **2** Hacer que una persona participe en un asunto: *Déjame en paz y no me pringues en tus líos.* **3** Trabajar más que otros y haciendo los trabajos más duros: *¡Ya estoy*

harta de pringar yo siempre! □ [La g se cambia en *gu* delante de e, como en PAGAR. Los significados **2** y **3** son coloquiales]. FAMILIA: pringue, pringoso.

pringoso, sa [adjetivo] Que está lleno de grasa y se pega: *Friega bien esta sartén, porque está muy pringosa.* □ FAMILIA: → pringar.

pringue [sustantivo] **1** Grasa que sueltan algunos alimentos cuando se cocinan: *El pan untado en el pringue del tocino engorda mucho, pero a mí me encanta.* **2** Suciedad con aspecto de grasa: *Echa esa ropa a lavar, que la traes llena de pringue.* □ [Se puede decir *el pringue* y *la pringue* sin que cambie de significado]. FAMILIA: → pringar.

prioridad [sustantivo] [femenino] **1** Lo que se prefiere o se considera más importante: *No me importaría tener una moto, pero no está entre mis prioridades.* **2** Mayor importancia de una cosa sobre otras: *Los encargos del jefe tienen prioridad sobre las demás tareas y hay que hacerlos antes.* □ FAMILIA: prioritario.

prioritario, ria [adjetivo] Que se considera más importante que otras cosas: *Para los padres, la educación de sus hijos ha de ser algo prioritario.* □ FAMILIA: → prioridad.

prisa [sustantivo] [femenino] **1** Gran velocidad con que se hace algo: *Date prisa, que no llegamos.* **2** Necesidad de que algo se haga lo antes posible: *No me puedo entretener, porque tengo prisa.* **3** [expresión] **correr prisa algo** Ser urgente: *Por favor, envíeme pronto el pedido, que me corre prisa.* □ SINÓNIMOS: **1** prontitud, rapidez, diligencia. **2** urgencia. CONTRARIOS: **1** lentitud, tranquilidad. FAMILIA: aprisa, deprisa, apresurar.

prisión [sustantivo] [femenino] Lugar en el que se mete a una persona para castigarla por un delito: *Un preso se ha escapado esta noche de la prisión.* □ SINÓNIMOS: cárcel, presidio. FAMILIA: → preso.

prisionero, ra [adjetivo o] [sustantivo] Que está en la cárcel: *Los prisioneros serán liberados cuando termine la guerra.* □ SINÓNIMOS: preso, recluso, cautivo. CONTRARIOS: libre. FAMILIA: → preso.

prisma [sustantivo] [masculino] Cuerpo con dos bases y con los lados paralelos: *Las cajas de zapatos tie-*

a

nen forma de prisma. □ FAMILIA: prismáticos. ✺ página 429.

b

prismáticos [sustantivo masculino plural] Aparato que está formado por dos tubos y que permite ver lo que está lejos como si estuviera cerca: *El capitán miraba hacia la costa con los prismáticos.* □ SINÓNIMOS: anteojos, gemelos. FAMILIA: → prisma.

c

d

e

f

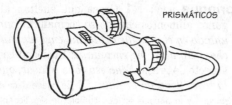

PRISMÁTICOS

g

h

i

privación [sustantivo femenino] **1** Pérdida o falta de algo que se tenía: *Los jueces condenaron al preso a la pena de privación de libertad.* **2** [plural] Falta de lo necesario para vivir: *Durante la guerra los habitantes de la ciudad pasaron hambre y muchas privaciones.* □ FAMILIA: → privar.

j

k

l

privado, da [adjetivo] **1** Que corresponde sólo a una persona o a un grupo determinados: *El actor no quiso hablar de su vida privada.* **2** Que no es del Estado, sino de alguien en particular: *Los colegios pueden ser públicos o privados.* □ CONTRARIOS: público. FAMILIA: → privar.

m

n

ñ

o

p

privar [verbo] **1** Dejar sin algo que antes se tenía: *A los presos se les priva de la libertad.* **2** Gustar mucho: *Me priva el chocolate.* **3 privarse** Rechazar algo por voluntad propia: *No te prives de estos pasteles, porque están buenísimos.* □ [El significado **2** es coloquial]. SINÓNIMOS: **1** quitar, despojar. **3** renunciar, abstenerse. CONTRARIOS: **1** proporcionar, suministrar, proveer, facilitar, surtir. FAMILIA: privado, privación.

q

r

s

t

privilegiado, da 1 [adjetivo] Que es mucho mejor que otras cosas del mismo tipo: *Mi vecino tiene una vista privilegiada y, a pesar de sus años, no usa gafas.* **2** [adjetivo o sustantivo] Que tiene ventajas que no todo el mundo tiene: *Las personas privilegiadas no deben olvidar las necesidades de los pobres.* □ FAMILIA: → privilegio.

u

v

w

x

y

privilegio [sustantivo masculino] Ventaja que no tiene todo el mundo: *El atleta que gane la carrera*

z

tendrá el privilegio de saludar al rey. □ FAMILIA: privilegiado.

pro 1 [sustantivo masculino] Lo que algo tiene de bueno: *Antes de tomar una decisión, estudia los pros y los contras.* **2** [expresión] **en pro de algo** En su favor: *Esta asociación lucha en pro de la justicia.* □ [Se usa mucho delante de un nombre con el significado de *a favor de*: *asociación pro derechos humanos*. El significado **1** se usa mucho en plural]. SINÓNIMOS: ventaja. CONTRARIOS: **1** contra, desventaja, pega, inconveniente.

proa [sustantivo femenino] Parte de delante de un barco: *Los barcos cortan el agua con la proa.* □ CONTRARIOS: popa.

probabilidad [sustantivo femenino] Posibilidad de que algo ocurra: *Las probabilidades de que mañana llueva son grandes.* □ FAMILIA: → probar.

probable [adjetivo] Que es fácil que ocurra: *Es probable que en verano nos vayamos a la playa.* □ [No varía en masculino y en femenino]. SINÓNIMOS: fácil. CONTRARIOS: improbable. FAMILIA: → probar.

probador [sustantivo masculino] Lugar que se usa para que una persona se pruebe la ropa antes de comprarla: *El probador de esta tienda tiene un espejo y una percha.* □ FAMILIA: → probar.

probar [verbo] **1** Tomar una pequeña cantidad de comida o de bebida: *Prueba la sopa para ver si está salada.* **2** Usar algo para ver si funciona: *Probé la bicicleta en la tienda antes de comprarla.* **3** Demostrar que algo es verdad: *El abogado pudo probar que el acusado era inocente.* **4** Intentar hacer algo: *Probé a hacer el pino y me caí.* **5** Examinar a alguien para conocer sus cualidades: *El entrenador probó a todos los jugadores antes de elegir a los que ficharía.* □ [Es irregular y se conjuga como CONTAR]. SINÓNIMOS: **1** catar. **2** ensayar. **4** tratar. FAMILIA: probador, probable, probabilidad, prueba, comprobar.

problema [sustantivo masculino] **1** Pregunta con una serie de informaciones a partir de las cuales se obtiene la respuesta: *Ya he resuelto el problema de matemáticas.* **2** Situación difícil que debemos vencer: *El problema del hambre en el mundo debería desaparecer.* □ FAMILIA: problemático.

problemático, ca [adjetivo] Que produce problemas: *Elegir algo siempre es problemático, porque supone que debemos rechazar otra cosa.* □ FAMILIA: → problema.

procedencia [sustantivo] [femenino] Origen o principio de algo: *¿Cuál es tu lugar de procedencia?* □ FAMILIA: → proceder.

proceder 1 [sustantivo] [masculino] Forma de comportarse una persona: *No estoy de acuerdo con tu proceder.* [verbo] **2** Tener origen o tener principio: *El español procede del latín.* **3** Tener determinado comportamiento: *Estoy orgulloso de tu forma de proceder.* **4** Venir de un lugar: *Estos muebles proceden de un antiguo palacio.* **5** Empezar a realizar una acción: *El alcalde procedió a la inauguración del polideportivo.* □ SINÓNIMOS: **1** comportamiento, conducta. **2** nacer, venir, obedecer. **2,4** provenir. **3** actuar, obrar, portarse, comportarse, conducirse. FAMILIA: procedencia.

procesión [sustantivo] [femenino] Conjunto de personas que van andando despacio por las calles, y llevan imágenes y objetos religiosos: *Las procesiones de Semana Santa son muy populares en España.*

proceso [sustantivo] [masculino] Conjunto de estados o de momentos que se suceden uno detrás de otro: *Vendimiar, prensar la uva, meterla en cubas y dejarla reposar forman parte del proceso de elaboración del vino.*

proclamar [verbo] **1** Anunciar algo para que lo sepa todo el mundo: *En esta poesía el poeta proclama su amor hacia su enamorada.* **2** Comenzar a ponerse en práctica una forma de gobierno: *Tras una votación fue proclamada la república.* □ SINÓNIMOS: declarar. **1** pregonar, publicar, divulgar, airear. CONTRARIOS: **1** callar.

procrear [verbo] Tener hijos: *Todos los seres vivos pueden procrear.* □ FAMILIA: → crear.

procurar [verbo] Intentar conseguir algo: *Mi madre siempre me dice que procure llegar pronto a casa.* □ SINÓNIMOS: tratar, pretender, aspirar. CONTRARIOS: renunciar.

prodigio [sustantivo] [masculino] **1** Lo que es extraordinario o maravilloso: *Este niño es un prodigio en atletismo.* **2** Lo que resulta muy raro: *Es un prodigio que hayas llegado puntual, porque siempre llegas tarde.* □ SINÓNIMOS:

1 maravilla, portento. **2** milagro. FAMILIA: prodigioso.

prodigioso, sa [adjetivo] Que resulta extraordinario o maravilloso: *Los milagros son hechos prodigiosos.* □ SINÓNIMOS: milagroso. FAMILIA: → prodigio.

producción [sustantivo] [femenino] **1** Hecho de producir algo la naturaleza: *El aumento de la producción de carbón puede agotar las minas.* **2** Hecho de fabricar algo: *La producción de juguetes ha aumentado en los últimos años.* □ SINÓNIMOS: **2** fabricación, elaboración, creación. FAMILIA: → producto.

producir [verbo] **1** Tener como efecto: *La falta de higiene dental produce caries.* **2** Dar frutos la naturaleza: *Los nogales producen nueces.* **3** Fabricar algo: *Esta fábrica produce un millón de envases al día.* □ [Es irregular y se conjuga como CONDUCIR]. SINÓNIMOS: **1** ocasionar, causar, generar, motivar, acarrear, traer. **3** elaborar, crear. FAMILIA: → producto.

producto [sustantivo] [masculino] **1** Lo que se produce: *Los tomates son productos de la huerta.* **2** Resultado de algo: *Este premio es producto de muchos años de trabajo.* **3** En matemáticas, resultado de multiplicar algo: *El producto de multiplicar 4 por 2 es 8.* □ SINÓNIMOS: **1,2** fruto. **2** consecuencia. FAMILIA: producción, producir, productor.

productor, -a 1 [adjetivo o sustantivo] Que produce: *Estas heladas han perjudicado a los productores de naranjas.* **2** [sustantivo] Persona que da dinero para que se realice una obra de arte: *Esa actriz estuvo casada con un famoso productor de cine.* □ FAMILIA: → producto.

proeza [sustantivo] [femenino] Hecho que demuestra valor: *Con el miedo que le tienes al agua, lanzarte al río para salvarme ha sido una proeza.* □ SINÓNIMOS: hazaña.

profanar [verbo] Tratar sin respeto algo sagrado: *Alguien profanó el cementerio rompiendo varias tumbas.* □ FAMILIA: → profano.

profano, na [adjetivo] **1** No sagrado o no religioso: *Estoy en un coro y cantamos canciones religiosas y canciones profanas.* **2** Que no entiende de algo: *No me atreví a opinar porque ellos eran expertos y yo era profano en la materia.* □ FAMILIA: profanar.

profecía [sustantivo] [femenino] Anuncio de algo que se cree que sucederá en el futuro: *Los antiguos profetas hacían profecías en las que decían lo que iba a suceder.* □ FAMILIA: → profeta.

profesión [sustantivo] [femenino] Actividad que se realiza a cambio de un sueldo: *La profesión que más me gusta es la de bombero.* □ SINÓNIMOS: trabajo, oficio, empleo. FAMILIA: profesional, profesor.

profesional 1 [adjetivo] Que está relacionado con el trabajo: *La medicina es una actividad profesional muy importante.* **2** [adjetivo o sustantivo] Que se dedica a una profesión: *Profesores y maestros son profesionales de la enseñanza.* □ [No varía en masculino y en femenino]. FAMILIA: → profesión.

profesor, -a [sustantivo] Persona cuyo trabajo consiste en enseñar una ciencia a sus alumnos: *La profesora de matemáticas nos ha mandado hacer una división.* □ SINÓNIMOS: maestro. FAMILIA: → profesión.

profeta [sustantivo] [masculino] Hombre que anuncia lo que cree que va a suceder en el futuro: *La Biblia nos cuenta que los profetas anunciaron la llegada del hijo de Dios.* □ [El femenino es *profetisa*]. FAMILIA: profecía, profetizar, profetisa.

profetisa [sustantivo] [femenino] Mujer que anuncia lo que cree que va a suceder en el futuro: *Una profetisa ha dicho que el fin del mundo está próximo.* □ [El masculino es *profeta*]. FAMILIA: → profeta.

profetizar [verbo] Anunciar lo que se cree que va a suceder: *Muchos profetas han profetizado cómo será el fin del mundo.* □ [La z se cambia en c delante de e, como en CAZAR]. SINÓNIMOS: adivinar, pronosticar. FAMILIA: → profeta.

profundidad [sustantivo] [femenino] **1** Distancia que hay entre la superficie de algo y su fondo: *Como no sé nadar, no me baño donde hay mucha profundidad.* **2** Intensidad o fuerza de algo: *En la película se habla de ese tema en profundidad.* **3** [plural] Parte más honda de algo: *El barco hundido reposaba en las profundidades del mar.* □ SINÓNIMOS: **1** fondo. FAMILIA: → profundo.

profundizar [verbo] **1** Hacer más profundo: *Para profundizar el hoyo utilizaron una excavadora.* **2** Estudiar algo con atención: *Este investigador ha profundizado mucho*
en el estudio de algunas enfermedades tropicales. □ [La z se cambia en c delante de e, como en CAZAR]. SINÓNIMOS: ahondar. FAMILIA: → profundo.

profundo, da [adjetivo] **1** Intenso, fuerte o muy grande: *La noticia me ha producido un profundo dolor.* **2** Que tiene el fondo muy separado de la superficie: *Este pozo es muy profundo.* **3** Que tiene un sonido fuerte: *El monstruo habló con voz profunda y misteriosa.* □ SINÓNIMOS: **2** hondo. CONTRARIOS: **1,2** superficial. FAMILIA: profundidad, profundizar.

programa [sustantivo] [masculino] **1** Cada uno de los espacios que se emiten por la televisión: *El telediario, las películas y los concursos son distintos tipos de programas.* **2** Conjunto de puntos o de ideas que sirve de base para hacer algo: *En el discurso, el candidato explicó su programa electoral.* **3** Conjunto de operaciones que realiza una máquina de forma ordenada: *He conseguido un nuevo programa de ordenador.* □ SINÓNIMOS: **2** plan, proyecto. FAMILIA: programación, programar.

programación [sustantivo] [femenino] **1** Preparación de algo que se va a hacer más adelante: *Mi hermano mayor se encarga de la programación del vídeo, porque yo no sé.* **2** Conjunto de programas de televisión: *Yo sólo veo la programación infantil.* □ FAMILIA: → programa.

programar [verbo] **1** Organizar algo que se va a hacer: *He programado mis deberes para que también me dé tiempo a jugar.* **2** Preparar una máquina para que haga determinado trabajo: *Las lavadoras se programan para que laven distintos tipos de ropa.* □ SINÓNIMOS: **1** planificar. FAMILIA: → programa.

progresar [verbo] Pasar a un estado mejor: *Si el enfermo progresa adecuadamente, pronto estará curado.* □ SINÓNIMOS: avanzar, adelantar, mejorar. CONTRARIOS: empeorar. FAMILIA: → progreso.

progresista [adjetivo o sustantivo] Que está a favor de los cambios sociales: *Las leyes progresistas intentan favorecer a los más necesitados.* □ [No varía en masculino y en femenino. Se usa mucho la forma abreviada *progre*]. CONTRARIOS: conservador. FAMILIA: → progreso.

progresivo, va [adjetivo] Que se desarrolla poco a poco: *Este estudio dice que está habiendo un aumento progresivo del consumo de leche.* □ SINÓNIMOS: gradual. CONTRARIOS: brusco. FAMILIA: → progreso.

progreso [sustantivo] [masculino] Desarrollo hacia algo mejor: *El profesor ha dicho a mis padres que está muy contento con los progresos que estoy haciendo.* □ SINÓNIMOS: avance, adelanto. CONTRARIOS: retraso. FAMILIA: progresar, progresista, progresivo.

prohibir [verbo] No dejar hacer algo: *En este parque se prohíbe pisar el césped.* □ [Al escribirlo hay que tener cuidado con los acentos]. SINÓNIMOS: negar. CONTRARIOS: permitir, autorizar, consentir, tolerar, admitir.

prójimo [sustantivo] [masculino] Lo que es una persona en relación con el resto de los seres humanos: *Debes tratar siempre al prójimo como te gustaría que te trataran a ti.* □ SINÓNIMOS: semejante.

proletario, ria 1 [adjetivo] De los proletarios

prohibir	conjugación
INDICATIVO	**SUBJUNTIVO**
presente	**presente**
prohíbo	prohíba
prohíbes	prohíbas
prohíbe	prohíba
prohibimos	prohibamos
prohibís	prohibáis
prohíben	prohíban
pretérito imperfecto	**pretérito imperfecto**
prohibía	prohibiera, -ese
prohibías	prohibieras, -eses
prohibía	prohibiera, -ese
prohibíamos	prohibiéramos, -ésemos
prohibíais	prohibierais, -eseis
prohibían	prohibieran, -esen
pretérito indefinido	**futuro**
prohibí	prohibiere
prohibiste	prohibieres
prohibió	prohibiere
prohibimos	prohibiéremos
prohibisteis	prohibiereis
prohibieron	prohibieren
futuro	**IMPERATIVO**
prohibiré	**presente**
prohibirás	prohíbe (tú)
prohibirá	prohíba (él)
prohibiremos	prohibamos (nosotros)
prohibiréis	prohibid (vosotros)
prohibirán	prohíban (ellos)
condicional	**FORMAS NO PERSONALES**
prohibiría	
prohibirías	**infinitivo** **gerundio**
prohibiría	prohibir prohibiendo
prohibiríamos	
prohibiríais	**participio**
prohibirían	prohibido

o relacionado con estas personas: *Los sindicatos son organizaciones proletarias.* **2** [sustantivo] Persona que trabaja para otra a cambio de dinero: *Los obreros comenzaron a llamarse «proletarios» a partir del siglo XIX.*

prólogo [sustantivo] [masculino] Lo que va antes de algo y le sirve de presentación: *En el prólogo del libro el autor cuenta cuál fue su objetivo al escribirlo.* □ SINÓNIMOS: introducción. CONTRARIOS: epílogo.

prolongar [verbo] Hacer más largo: *Han prolongado las vías del tren para que llegue también a otros pueblos.* □ [La g se cambia en gu delante de e, como en PAGAR]. SINÓNIMOS: alargar, ampliar. CONTRARIOS: acortar, abreviar, reducir.

promedio [sustantivo] [masculino] Cantidad media entre varias cantidades: *Si yo doy dos canicas, tú das seis y ella da siete, hemos dado un promedio de cinco canicas cada uno.* □ FAMILIA: → medio.

promesa [sustantivo] [femenino] **1** Lo que se asegura que se va a hacer: *Mi madre cumplió su promesa de llevarme al cine..* **2** Lo que tiene buenas cualidades para triunfar: *Este muchacho es una promesa del canto.* □ SINÓNIMOS: **1** palabra. FAMILIA: → prometer.

prometer [verbo] **1** Asegurar que algo es cierto: *Te prometo que yo no he roto el jarrón.* **2** Dar muestras de tener buenas cualidades: *Esta joven atleta promete mucho en carreras de velocidad.* **3 prometerse** Darse promesa de casarse: *Mis padres han organizado una fiesta para celebrar que mi hermano se ha prometido con su novia.* □ SINÓNIMOS: **3** comprometerse. FAMILIA: promesa, prometido.

prometido, da [sustantivo] Persona que se va a casar con otra: *El prometido de mi hermana vino ayer a comer a casa.* □ SINÓNIMOS: novio. FAMILIA: → prometer.

pronombre 1 [sustantivo] [masculino] Clase de palabra que sustituye o que determina al nombre: *«Yo» es un pronombre personal.* **2** [expresión] **pronombre demostrativo** El que sirve para señalar algo: *«Este», «ese» y «aquel» son pronombres demostrativos.* **pronombre indefinido** El que sirve para indicar algo de una forma no determinada: *«Alguno», «alguien» y «ninguno» son pronombres indefi-*

a
b
c
d
e
f
g
h
i
j
k
l
m
n
ñ
o
p
q
r
s
t
u
v
w
x
y
z

nidos. **pronombre numeral** El que sirve para expresar cantidad u orden: *«Ocho», «segundo», «doble» y «tercio» son pronombres numerales.* **pronombre personal** El que sirve para nombrar directamente al que habla, o al que escucha, o al que no está: *«Yo», «tú», «él» y «ella» son pronombres personales.* **pronombre posesivo** El que se usa para indicar posesión: *«Su», «nuestra» y «suyos» son pronombres posesivos.* **pronombre relativo** El que se refiere a una persona, un animal o una cosa que ya ha sido nombrado: *«Que», «quien» y «cuyo» son pronombres relativos.* □ FAMILIA: → nombre.

pronosticar [verbo] Decir lo que va a suceder en el futuro a partir de algo que se conoce: *En la televisión han pronosticado que va a empezar el buen tiempo.* □ [La c se cambia en qu delante de e, como en SACAR]. SINÓNIMOS: anunciar, predecir, augurar. FAMILIA: → pronóstico.

pronóstico [sustantivo/masculino] **1** Anuncio de lo que puede suceder en el futuro: *El pronóstico meteorológico dice que mañana lloverá.* **2** Opinión que se forma el médico sobre el estado del enfermo: *El médico ha dicho que esa enfermedad es de pronóstico grave.* □ SINÓNIMOS: **1** predicción, augurio. FAMILIA: pronosticar.

prontitud [sustantivo/femenino] Forma rápida de hacer algo: *La policía y la ambulancia acudieron con prontitud al lugar del accidente.* □ SINÓNIMOS: rapidez, velocidad, diligencia, prisa. CONTRARIOS: lentitud, tranquilidad, pesadez. FAMILIA: → pronto.

pronto, ta 1 [adjetivo] Que ocurre de forma rápida: *Los médicos esperan la pronta recuperación del enfermo.* **2** [sustantivo/masculino] Lo que nos da de forma repentina y nos empuja a hacer algo sin pensar: *Le dio un pronto y se fue de la habitación sin despedirse.* **pronto** [adverbio] **3** Dentro de poco tiempo: *Pronto empezarán las clases.* **4** Antes de tiempo: *Has llegado pronto y aún no me he arreglado.* **5** [expresión] **de pronto** Sin que nadie lo espere: *De pronto empezó a llover.* □ [El significado **2** es coloquial]. SINÓNIMOS: **2** arrebato, repente. **4** temprano. CONTRARIOS: **4** tarde. FAMILIA: prontitud.

pronunciar [verbo] **1** Emitir un sonido para hablar: *Mi hermano pequeño no sabe pronunciar bien la «r».* **2** Decir algo en voz alta y ante el público: *El escritor premiado pronunció un discurso de agradecimiento.* **3** Hacer que algo se note más: *Este vestido pronuncia la figura de la modelo.* **4 pronunciarse** Hablar en favor o en contra de algo: *No quiso pronunciarse sin tener todos los datos.* □ SINÓNIMOS: **3** resaltar, destacar, acentuar, subrayar, poner de relieve. CONTRARIOS: **3** disimular.

propaganda [sustantivo/femenino] Lo que se hace para convencer a la gente de las buenas cualidades de algo: *Esta colonia se ha vendido muy bien gracias a la propaganda que han hecho en televisión.* □ FAMILIA: → propagar.

propagar [verbo] Extender o hacer llegar algo a muchos lugares: *El viento ha propagado el incendio a todo el monte.* □ [La g se cambia en gu delante de e, como en PAGAR]. FAMILIA: propaganda.

propiedad [sustantivo/femenino] **1** Lo que se posee: *Es muy rico y tiene muchas propiedades.* **2** Derecho de poseer algo: *Tengo la plaza de garaje alquilada, y no en propiedad.* **3** Característica importante de algo: *Esta planta tiene propiedades medicinales.* **4** Forma exacta de hablar: *Para poder entendernos tenemos que hablar con propiedad.* □ SINÓNIMOS: **1,2** posesión, dominio, poder. **3** cualidad, carácter. FAMILIA: → propio.

propietario, ria [adjetivo o sustantivo] Que posee algo: *Habrá reunión de propietarios para hablar sobre los problemas que afectan a los vecinos del edificio.* □ SINÓNIMOS: dueño, amo. FAMILIA: → propio.

propina [sustantivo/femenino] Dinero que se da como premio: *Dimos una propina al camarero porque fue muy simpático.*

propio, pia [adjetivo] **1** Que pertenece a la persona de quien se habla: *Mi vecino va al trabajo en coche propio.* **2** Que es característico de algo y que sirve para distinguirlo de lo demás: *No es propio de él haberse enfadado por esa tontería.* **3** Que resulta adecuado para algo: *Este vestido no es propio para pasar el día en el campo.* □ FAMILIA: propiedad, propietario, apropiarse, apropiado, impropio, expropiar.

proponer [verbo] **1** Dar una idea para que

sea aceptada: *Propuse ir a la playa, pero nadie me hizo caso*. **2 proponerse** Decidirse a cumplir algo: *Me he propuesto estudiar todos los días, y así lo haré*. □ [Es irregular y se conjuga como PONER. Su participio es *propuesto*]. SINÓNIMOS: **1** sugerir. FAMILIA: proposición, propuesto, propósito.

proporción [sustantivo] [femenino] **1** Cantidad de algo en relación con todo el conjunto: *Para hacer la tarta debes añadir los ingredientes en las proporciones adecuadas*. **2** Equilibrio entre las distintas partes de algo: *Para que una estatua resulte bonita, debe tener proporción*. **3** [plural] Dimensiones de algo: *Las grandes proporciones del incendio obligaron a evacuar a la población*. □ SINÓNIMOS: **2** correspondencia. FAMILIA: proporcionado, proporcionar.

proporcionado, da [adjetivo] Que tiene equilibrio entre sus distintas partes: *Los modelos suelen tener una figura esbelta y muy bien proporcionada*. □ FAMILIA: → proporción.

proporcionar [verbo] Dar algo que resulta necesario: *Este río nos proporciona el agua que bebemos*. □ SINÓNIMOS: suministrar, facilitar, proveer, abastecer, surtir. CONTRARIOS: quitar, privar, despojar. FAMILIA: → proporción.

proposición [sustantivo] [femenino] Idea que se da para hacer algo: *El director estudiará todas las proposiciones que le hagan*. □ SINÓNIMOS: propuesta, sugerencia, ofrecimiento, oferta. FAMILIA: → proponer.

propósito 1 [sustantivo] [masculino] Intención de hacer algo: *Este año tengo el propósito de estudiar mucho*. **2** [expresión] **a propósito** Con intención de hacer lo que se hace: *Me enfadé porque me empujó a propósito*. □ SINÓNIMOS: **1** ánimo. FAMILIA: → proponer.

propuesto, ta 1 Participio irregular de **proponer**. **2** [sustantivo] [femenino] Idea que se da para hacer algo: *La propuesta para ampliar la carretera no fue aceptada*. □ SINÓNIMOS: **2** proposición, sugerencia, ofrecimiento, oferta. FAMILIA: → proponer.

prórroga [sustantivo] [femenino] Tiempo añadido con el que se aumenta la duración de algo: *Si la prórroga del partido termina en empate, habrá penaltis*. □ FAMILIA: prorrogar.

prorrogar [verbo] Aumentar el tiempo que dura algo: *Debido a las interrupciones, el árbitro prorrogó el partido cinco minutos más*. □ [La g se cambia en gu delante de e, como en PAGAR]. FAMILIA: → prórroga.

prosa [sustantivo] [femenino] Forma de escribir sin hacer versos: *Las redacciones se escriben en prosa*.

proseguir [verbo] Seguir con lo que se estaba haciendo: *Proseguiremos la explicación después del descanso*. □ [Es irregular y se conjuga como SEGUIR]. SINÓNIMOS: continuar. CONTRARIOS: interrumpir, desistir, abandonar, dejar. FAMILIA: → seguir.

prosperar [verbo] Tener éxito o tener buena suerte: *Dice que si su nuevo negocio prospera, abrirá otras tiendas*. □ FAMILIA: → próspero.

próspero, ra [adjetivo] Que se desarrolla de forma favorable: *En la carta me desean un próspero año nuevo*. □ CONTRARIOS: desfavorable. FAMILIA: prosperar.

prostituta [sustantivo] [femenino] Mujer que mantiene relaciones sexuales a cambio de dinero: *A estas horas de la noche, el parque está lleno de prostitutas*. □ SINÓNIMOS: puta.

protagonista [sustantivo] Personaje más importante: *El protagonista de la película era guapo, bueno y valiente*. □ [No varía en masculino y en femenino].

protección [sustantivo] [femenino] Lo que sirve para evitar un daño: *Cuando vayas a la playa ponte una crema con protección solar si no quieres quemarte*. □ SINÓNIMOS: amparo. FAMILIA: → proteger.

protector, -a [adjetivo o] [sustantivo] Que protege: *Los albañiles usan casco como medida protectora contra los accidentes*. □ FAMILIA: → proteger.

proteger [verbo] Defender de un daño o de un peligro: *Los abrigos protegen del frío*. □ [La g se cambia en j delante de a, o, como en COGER]. SINÓNIMOS: preservar, resguardar, abrigar, amparar, valer. CONTRARIOS: atacar. FAMILIA: protección, protector.

protesta [sustantivo] [femenino] Demostración de que no estamos de acuerdo con algo: *Desde el escenario se oían las protestas del público*. □ FAMILIA: → protestar.

protestante [adjetivo o] [sustantivo] Del protestantismo o relacionado con esta religión: *Los sacerdotes* *protestantes pueden casarse.* □ [No varía en masculino y en femenino]. FAMILIA: → protestar.

protestantismo [sustantivo/masculino] Religión creada por el religioso alemán Lutero: *El protestantismo se fundó en el siglo XVI.* □ FAMILIA: → protestar.

protestar [verbo] Decir que no se está de acuerdo con algo: *Aunque protesté, acabé haciendo lo que me pedían.* □ FAMILIA: protesta, protestantismo, protestante.

provecho **1** [sustantivo/masculino] Fruto o ganancia que se obtienen de algo: *Los optimistas saben sacar provecho de las malas experiencias.* **2** [expresión] **de provecho** Útil para la sociedad: *El profesor dice que hay que estudiar para llegar a ser personas de provecho.* □ SINÓNIMOS: beneficio, utilidad. FAMILIA: provechoso, aprovechar, aprovechable, aprovechado.

provechoso, sa [adjetivo] Que resulta útil o bueno para algo: *Estudiar ahora te resultará provechoso en el futuro.* □ SINÓNIMOS: beneficioso, fructífero. FAMILIA: → provecho.

proveer [verbo] Dar algo que resulta necesario: *Esta empresa proveyó a los exploradores de todo lo que necesitaban para la expedición.* □ [No confundir con prever. Es irregular y se conjuga como LEER. Su participio es provisto]. SINÓNIMOS: suministrar, proporcionar, facilitar, abastecer, surtir. CONTRARIOS: quitar, privar, despojar. FAMILIA: provisto, desprovisto.

provenir [verbo] Tener origen o tener principio: *El virus que causa esta enfermedad proviene de un virus animal.* □ [Es irregular y se conjuga como VENIR]. SINÓNIMOS: venir, nacer, proceder, obedecer. FAMILIA: → venir.

provincia [sustantivo/femenino] Cada una de las divisiones que forman el territorio de un país: *Orense es una provincia.* □ FAMILIA: provincial, provinciano.

provincial [adjetivo] De la provincia o relacionado con ella: *Las multas hay que pagarlas en la Dirección Provincial de Tráfico.* □ [No varía en masculino y en femenino]. FAMILIA: → provincia.

provinciano, na [adjetivo] Propio de una provincia o relacionado con ella: *La vida provinciana es más tranquila que la de la capital.* □ FAMILIA: → provincia.

provisional [adjetivo] Que sólo dura un cierto tiempo: *Ocupó el cargo de forma provisio-*

nal. □ [No varía en masculino y en femenino]. SINÓNIMOS: pasajero. CONTRARIOS: duradero, permanente, continuo.

provisto, ta **1** Participio irregular de **proveer**. **2** [adjetivo] Con lo necesario para hacer algo: *Tengo la despensa provista de todo tipo de conservas.* □ [No confundir con previsto]. CONTRARIOS: **2** desprovisto, falto. FAMILIA: → proveer.

provocar [verbo] **1** Producir una respuesta: *Mi cara de sorpresa provocó sus carcajadas.* **2** Hacer que una persona se enfade y responda con violencia: *Le pegué una torta porque él me provocó diciéndome mentiras sobre ti.* **3** Llamar la atención en asuntos relacionados con el sexo: *Llevaba la ropa tan ajustada que iba provocando.* □ [La c se cambia en qu delante de e, como en SACAR]. FAMILIA: provocativo.

provocativo, va [adjetivo] **1** Que produce una respuesta violenta: *Su actitud es tan crítica y provocativa que le ha causado muchos problemas con la gente.* **2** Que llama la atención en asuntos relacionados con el sexo: *Este escote resulta muy provocativo.* □ FAMILIA: → provocar.

proximidad [sustantivo/femenino] **1** Distancia corta o situación cercana: *La proximidad del examen me pone cada día más nerviosa.* **2** [plural] Lugar cercano: *El castillo está en las proximidades del pueblo.* □ SINÓNIMOS: cercanía. FAMILIA: → próximo.

próximo, ma **1** [adjetivo] Que está a muy poca distancia: *Mi casa está próxima al colegio.* **2** [adjetivo o sustantivo] Que está justo después de algo: *Para ir a la plaza, tuerce a la derecha en la próxima calle.* □ SINÓNIMOS: **1** cercano, junto. CONTRARIOS: **1** lejano, remoto, distante. FAMILIA: proximidad, aproximar, aproximado, aproximación.

proyectar [verbo] **1** Lanzar o dirigir hacia adelante: *Los focos proyectan luz sobre el escenario.* **2** Pensar la forma en la que se va a realizar algo: *Conozco al arquitecto que proyectó este puente.* **3** Hacer que se vea una imagen sobre una superficie: *Proyecté las diapositivas en la pared.* □ SINÓNIMOS: **1** despedir. **2** idear, planear. FAMILIA: proyecto, proyector, proyectil.

proyectil [sustantivo/masculino] Lo que se lanza con un

arma: *Las balas y los cohetes son proyectiles.* □ FAMILIA: → proyectar.

proyecto [sustantivo/masculino] **1** Intención de hacer algo: *Tiene muchos proyectos para cuando sea mayor.* **2** Conjunto de puntos ordenados que sirve de base para hacer algo: *En el proyecto se recogen sólo los puntos más importantes.* □ SINÓNIMOS: plan, programa. FAMILIA: → proyectar.

proyector [sustantivo/masculino] Aparato eléctrico que sirve para mostrar una imagen sobre una superficie: *El profesor emplea en clase un proyector de diapositivas.* □ FAMILIA: → proyectar.

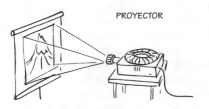

PROYECTOR

prudencia [sustantivo/femenino] Cuidado que se pone al hacer algo para evitar problemas: *Debes conducir con prudencia para evitar los accidentes de tráfico.* □ SINÓNIMOS: precaución, cautela. CONTRARIOS: descuido, imprudencia. FAMILIA: prudente, imprudencia, imprudente.

prudente [adjetivo] Que actúa con cuidado para evitar problemas: *Debes ser prudente y conducir con cuidado.* □ [No varía en masculino y en femenino]. SINÓNIMOS: precavido, cauteloso. CONTRARIOS: alocado, imprudente. FAMILIA: → prudencia.

prueba [sustantivo/femenino] **1** Examen que se hace para ver si algo funciona bien: *El médico me hizo unas pruebas de estómago.* **2** Lo que sirve para demostrar la verdad de algo: *El acusado ha sido declarado inocente porque no había pruebas que indicaran que era culpable.* **3** Intento de hacer algo: *Si haces la prueba, verás que dar una voltereta es fácil.* **4** Lo que sirve para demostrar las cualidades de algo: *Si no superas la prueba física, no podrás formar parte del equipo.* **5** Parte pequeña de algo, que sirve para examinar su calidad: *Cogieron unas pruebas de agua para ver si se podía beber.* **6** [expresión] **a prueba** Para ver si sirve: *Estuvo quince días trabajando a prueba para ver si servía para el puesto.* **a prueba de algo** Preparado para resistirlo: *Es un coche blindado y a prueba de bombas.* □ FAMILIA: → probar.

psicología [sustantivo/femenino] **1** Ciencia que estudia el comportamiento de las personas: *Mi prima estudia psicología.* **2** Forma de sentir o de pensar de una persona: *El detenido tiene la psicología de un asesino.* □ [Se escribe también *sicología*]. FAMILIA: → psíquico.

psicólogo, ga [sustantivo] Persona que estudia el comportamiento de las personas: *El psicólogo del colegio nos ha hecho unas pruebas de personalidad.* □ [Se escribe también *sicólogo*]. FAMILIA: → psíquico.

psiquiatra [sustantivo] Médico que estudia las enfermedades de la mente: *El psiquiatra le ha diagnosticado una depresión.* □ [No varía en masculino y en femenino. Se escribe también *siquiatra*]. FAMILIA: → psíquico.

psiquiatría [sustantivo/femenino] Ciencia que estudia las enfermedades de la mente: *La psiquiatría es una especialidad médica.* □ [Se escribe también *siquiatría*]. FAMILIA: → psíquico.

psíquico, ca [adjetivo] De la mente humana o relacionado con ella: *El médico le ha dicho que padece una enfermedad psíquica.* □ [Se escribe también *síquico*]. FAMILIA: psicología, psicólogo, psiquiatría, psiquiatra.

púa [sustantivo/femenino] **1** Diente de un peine: *Se ha roto una púa del peine.* **2** Cada una de las espinas que cubren el cuerpo de algunos animales: *Las púas del erizo le sirven de defensa.* **3** Pieza pequeña que se usa para tocar algunos instrumentos musicales de cuerda: *La guitarra se puede tocar con una púa.*

[pub [sustantivo/masculino] Bar en el que se toman bebidas alcohólicas y se escucha música: *Los asientos de este pub son cómodos.* □ [Es una palabra inglesa. Se pronuncia «pab». Se usa mucho el plural inglés *pubs*, que se pronuncia «pabs»].

pubis [sustantivo/masculino] Zona del cuerpo humano que está debajo del vientre y entre las piernas: *Los adultos tienen el pubis cubierto de vello.* □ [No varía en singular y en plural].

publicación [sustantivo/femenino] **1** Impresión de un escrito para que lo conozca mucha gente: *En el periódico me prometieron la publicación de mi carta.* **2** Obra impresa para que pue-

a
b
c
d
e
f
g
h
i
j
k
l
m
n
ñ
o
p
q
r
s
t
u
v
w
x
y
z

a
b
c
d
e
f
g
h
i
j
k
l
m
n
ñ
o
p
q
r
s
t
u
v
w
x
y
z

da conocerla mucha gente: *Esta revista es una publicación semanal.* ☐ FAMILIA: → público.

publicar [verbo] **1** Anunciar algo para que lo sepa todo el mundo: *No vayas por ahí publicando los secretos de los demás.* **2** Imprimir una obra para que pueda conocerla mucha gente: *Envió su novela a una editorial y se la han publicado.* ☐ [La c se cambia en qu delante de e, como en SACAR]. SINÓNIMOS: **1** proclamar, pregonar, divulgar, declarar, airear. CONTRARIOS: callar. FAMILIA: → público.

publicidad [sustantivo femenino] **1** Exposición de algo para que sea conocido por todos: *El actor dio publicidad a su boda para salir en las revistas.* **2** Anuncio que sirve para dar a conocer algo: *En los intermedios de las películas de televisión siempre ponen publicidad.* ☐ FAMILIA: → público.

público, ca [adjetivo] **1** Que es visto o conocido por todos: *Desde que sale en la tele se ha convertido en un personaje público.* **2** Que pertenece a todo el pueblo: *Este jardín es privado y no podemos entrar, pero cerca hay un parque público.* **3** Del Estado o relacionado con él: *Voy a un colegio público y mis vecinos van a uno privado.* [sustantivo masculino] **4** Conjunto de personas que asisten a un espectáculo: *Al final del concierto el público aplaudió con ganas.* **5** Conjunto de personas que forman un grupo: *Esta novela va dirigida a un público juvenil.* **6** [expresión] **en público** Delante de todos: *Aunque niegan ser novios, se les ha visto cogidos de la mano en público.* ☐ CONTRARIOS: **2,3** privado. FAMILIA: publicar, publicidad, publicación.

puchero 1 [sustantivo masculino] Recipiente con asas que se usa para cocinar: *He puesto al fuego el puchero con la sopa.* **2** [expresión] **hacer pucheros** Poner cara de empezar a llorar: *El bebé empezó a hacer pucheros cuando le quité el chupete.*

pudín [sustantivo masculino] Comida que se hace mezclando varios alimentos y echándolos en un recipiente para que luego quede con su forma: *De primer plato comimos pudín de pescado.* ☐ [Es una palabra de origen inglés y por eso mucha gente pronuncia «púdin»].

pudor [sustantivo masculino] Vergüenza que se siente cuando los demás conocen algo íntimo que

no queremos que se sepa: *Esa actriz nunca posa desnuda por pudor.*

pudrir [verbo] Estropear una materia que no es mineral: *La humedad del sótano ha podrido la madera que guardábamos allí. El pescado se pudre si no se mete en la nevera.* ☐ [El infinitivo también puede ser podrir. Su participio es podrido]. FAMILIA: podrir, podrido.

pueblo [sustantivo masculino] **1** Población con pocos habitantes: *Mi abuelo vive en un pueblo y se dedica a la agricultura.* **2** Conjunto de personas que viven en un país: *Mis amigos extranjeros dicen que el pueblo español es muy abierto.* **3** Grupo de las personas de un país que no tienen poder: *En la Edad Media era el pueblo quien pagaba la mayor cantidad de impuestos.* ☐ SINÓNIMOS: **2** nación. FAMILIA: popular, popularidad.

puente [sustantivo masculino] **1** Construcción que sirve para cruzar un río o una carretera: *Este puente es tan estrecho que sólo se puede cruzar a pie.* ✍ página 17. **2** Día que está entre dos días de fiesta y que se toma de vacaciones: *Como el jueves es fiesta, nos cogeremos el viernes de puente.* **3** Pieza que une los dientes artificiales a los naturales: *Se me rompió la muela y el dentista me puso otra postiza sujeta con un puente.* **4** Parte alta de un barco desde la que se dan las órdenes: *El capitán estaba apoyado en la barandilla del puente de mando.* **5** Arco de la planta del pie: *Los pies planos no tienen puente.* **6** Ejercicio de gimnasia que consiste en poner el cuerpo en forma de arco hacia atrás, apoyando las manos y los pies: *Para hacer el puente hay que ser flexible.* **7** [expresión] **puente aéreo** Trayecto que realiza un avión de forma frecuente entre dos lugares: *Mi madre va a Barcelona en el puente aéreo y vuelve en el mismo día.*

puerco, ca 1 [adjetivo o sustantivo] Que está muy sucio o que es muy sucio: *No seas puerco y lávate las manos antes de comer.* **2** [sustantivo] Animal del que se sacan los jamones y que se cría para aprovechar su carne: *A los puercos les gustan las bellotas.* **3** [expresión] **puerco espín** Animal que tiene el cuerpo cubierto de espinas: *El puerco espín se alimenta de raíces y frutos.* ☐ [Se usa como insulto]. SINÓNIMOS: **1,2** cerdo, cochino, marrano, guarro, gorrino. CONTRARIOS: **1** limpio. FAMILIA: porcino, porquería.

puericultor, -a [sustantivo] Persona especialista en el desarrollo de los niños y de las niñas: *Cuando yo sea mayor quiero ser puericultor para trabajar en una escuela infantil.* □ [Es distinto de *pediatra*, que es el médico de niños y niñas].

puerro [sustantivo masculino] Planta que se cultiva en las huertas y que tiene un sabor parecido al de la cebolla: *Los puerros son de color blanco y verde.*

puerta [sustantivo femenino] **1** Hueco que sirve para entrar o salir de un lugar: *Mi primo es tan alto que tiene que agacharse para pasar por la puerta.* **2** Lo que sirve para cerrar este hueco: *La puerta de mi habitación es de madera.* □ FAMILIA: portada, portal, portazo, portero, portería, soportal.

puerto [sustantivo masculino] **1** Lugar de la costa que está preparado para que los barcos puedan quedarse en él: *Los barcos pesqueros se han quedado en el puerto y no han salido a navegar porque hay tormenta.* 🔎 página 536. **2** Camino que permite pasar de un lado al otro de una montaña: *Tendremos que pasar el puerto con cadenas porque está nevando.* □ FAMILIA: aeropuerto.

pues [conjunción] **1** Se usa para expresar causa: *Quédate con esto, pues tú lo necesitas más que yo.* **2** Se usa para expresar consecuencia: *No sabes qué ha pasado, ¿no?, pues entonces cállate.* **3** Se pone al principio de una frase para decir algo con más fuerza: *¡Pues sí que estamos buenos si no has traído el balón...!* □ SINÓNIMOS: **1** puesto que, porque.

puesto, ta **1** Participio irregular de **poner**. **2** [adjetivo] Bien vestido o arreglado: *Todos los de la fiesta iban muy puestos.* [sustantivo masculino] **3** Lugar que ocupa algo: *Acabé la carrera en segundo puesto.* **4** Lugar en el que se realiza algo: *Mi primo está como voluntario en un puesto de la Cruz Roja.* **5** Tienda pequeña que suele colocarse en la calle: *Me compré estos pantalones en un puesto del mercadillo.* **6** Empleo o trabajo: *Mi madre ocupa un puesto muy importante en su empresa.* [sustantivo femenino] **7** Colocación de algo en el lugar o en la forma adecuada: *Estuve en la plaza viendo la puesta en pie de la nueva estatua.* **8** Hecho de que el Sol se esconda en el horizonte: *En la puesta de Sol, el cielo se pone de color rojo.* **9** Hecho de poner huevos un ave: *Este granjero tiene muchas gallinas dedicadas a la puesta de huevos.* **10** [expresión] **puesto en algo** Con muchos conocimientos en ello: *Mi hermano está muy puesto en matemáticas y me explica lo que no entiendo.* **puesto que** Se usa para expresar causa: *No contesté la pregunta, puesto que no sabía la respuesta.* □ [El significado **2** y la expresión *puesto en algo* son coloquiales]. SINÓNIMOS: **3** posición. **6** plaza, destino. FAMILIA: → poner.

pulga [sustantivo femenino] Insecto de pequeño tamaño que vive sobre algunos animales y se alimenta de la sangre que les chupa: *Mi perro tiene pulgas y está todo el día rascándose.*

pulgar [sustantivo masculino] Dedo más gordo de la mano o del pie: *Cuando al bebé se le cae el chupete se chupa el pulgar.*

pulgón [sustantivo masculino] Insecto muy pequeño que vive en algunas plantas: *El jardinero echó polvos en las plantas para matar los pulgones.*

pulir [verbo] **1** Poner lisa una superficie y hacer que brille: *Han pulido el suelo del portal y ahora resbala mucho.* **2** Quitar las faltas o los defectos de algo: *Ya he terminado la redacción, pero tengo que pulir un poco el estilo.*

pulla [sustantivo femenino] Lo que se dice para molestar a alguien: *Por más pullas que me lances no vas a conseguir que me enfade.*

pulmón [sustantivo masculino] **1** Órgano blando del pecho que nos permite respirar: *Las personas tienen dos pulmones que están debajo de las costillas.* **2** [plural] Capacidad de una persona para aspirar una gran cantidad de aire: *Para atravesar la piscina por debajo del agua hay que tener muchos pulmones.* □ [El significado **2** es coloquial]. FAMILIA: pulmonía.

pulmonía [sustantivo femenino] Enfermedad del pulmón: *Está ingresada en el hospital porque tiene pulmonía.* □ FAMILIA: → pulmón.

pulpa [sustantivo femenino] Parte blanda de una fruta: *En una naranja, la pulpa es lo que se come.*

PULPA

pulpo [sustantivo masculino] **1** Animal marino que tiene ocho brazos: *Los brazos de los pulpos se llaman tentáculos y tienen ventosas para agarrarse a las rocas.* **2** Cinta elástica que termina en unos ganchos y que sirve para sujetar objetos: *Sujeté las maletas a la baca del coche con el pulpo.*

pulsar [verbo] Hacer presión sobre algo con los dedos: *Al pulsar el botón, las puertas del ascensor se abrieron.*

pulsera [sustantivo femenino] **1** Adorno que se pone alrededor de la muñeca: *Tengo una pulsera con mi nombre grabado.* **2** Cinta con que se sujeta el reloj a la muñeca: *Se me ha perdido el reloj porque se me soltó la pulsera.*

pulso [sustantivo masculino] **1** Movimiento del corazón que se nota en la muñeca: *El médico me ha tomado el pulso para ver si tengo fiebre.* **2** Capacidad para mantener la mano firme al hacer algo: *Para enhebrar una aguja hay que tener buen pulso.* **3** [expresión] **a pulso** Haciendo fuerza con la muñeca y con la mano, sin apoyar el brazo, para levantar un peso: *Para salir de la piscina a pulso hay que tener mucha fuerza.*

pulverizar [verbo] Convertir en polvo: *Si golpeas la tiza con una piedra, la pulverizarás.* □ [La z se cambia en c delante de e, como en CAZAR]. FAMILIA: → polvo.

puma [sustantivo masculino] Animal salvaje parecido a un gato, pero más grande, que tiene el pelo suave y de color parecido al amarillo: *El puma se alimenta de los animales que caza.*

[punk o **[punki** [adjetivo o sustantivo] Que está en contra de todo lo que sea tradicional y lo muestra de forma violenta con su aspecto y con su forma de ser: *Algunos punkis llevan el pelo en forma de cresta.* □ [Son palabras inglesas. No varían en masculino y en femenino. También se pronuncian «pank» o «pánki»].

punta [sustantivo femenino] **1** Extremo o parte final de algo: *La punta de este cuchillo es redonda.* **2** Pieza pequeña de metal que sirve para sujetar la madera: *Las tablas de este cajón están clavadas con puntas.* **3** [expresión] **a punta pala** En gran cantidad: *¡Qué suerte!, ese tiene dinero a punta pala.* **de punta en blanco** Muy elegante: *Cuando sale los domingos se pone de punta en blanco.* **por la otra punta** Se usa para indicar que algo es lo contrario de lo que se dice: *Si no entiendes esto es que eres muy inteligente, pero por la otra punta.* **sacar punta a algo** Buscarle un significado que no tiene: *Es muy quisquilloso y a todo le saca punta.* **tener algo en la punta de la lengua** Estar a punto de recordarlo: *Tengo la respuesta en la punta de la lengua.* □ [Las expresiones son coloquiales]. FAMILIA: puntiagudo, puntero, puntilla, despuntar, sacapuntas.

puntada [sustantivo femenino] Cada uno de los puntos que se hacen al coser: *Haz las puntadas más juntas para que se noten menos.* □ FAMILIA: → punto.

puntapié [sustantivo masculino] Golpe dado con la punta del pie: *De un puntapié mandó el balón al fondo del jardín.* □ SINÓNIMOS: patada. FAMILIA: → pie.

puntear [verbo] **1** Dibujar o pintar con puntos: *He punteado el dibujo con un lápiz.* **2** Tocar la guitarra golpeando sus cuerdas por separado: *En el recital, el guitarrista punteaba de maravilla.* □ FAMILIA: → punto.

puntera [sustantivo femenino] Mira en **puntero, ra.**

puntería [sustantivo femenino] Habilidad de una persona para dar en el blanco cuando dispara: *Hay que tener mucha puntería para dar a esa lata que está tan lejos.*

puntero, ra 1 [adjetivo o sustantivo] Que destaca sobre los demás: *Trabaja en una empresa puntera del sector de la informática.* **2** [sustantivo masculino] Palo largo que sirve para señalar algo: *He salido a la pizarra a señalar con el puntero los ríos de España.* **3** [sustantivo femenino] Parte del zapato o de la media que cubre los dedos del pie: *Tienes rozadas las punteras de los zapatos porque le das patadas a todo.* □ FAMILIA: → punta.

PUNTERO

puntiagudo, da [adjetivo] Con mucho pico: *Tiene la nariz puntiaguda y los ojos grandes.* □ SINÓNIMOS: picudo. FAMILIA: → punta.

puntilla [sustantivo/femenino] **1** Adorno de tela en forma de cinta que tiene los bordes terminados en puntas: *El cuello de mi camisa tiene una puntilla alrededor.* **2** Especie de cuchillo corto y agudo: *El torero remató el segundo toro de la tarde con la puntilla.* **3** [expresión] **de puntillas** Apoyándose sólo sobre las puntas de los pies: *Entré en la habitación de puntillas para no despertar a mi hermana.* □ FAMILIA: → punta.

punto [sustantivo/masculino] **1** Señal pequeña y circular: *La «i» se escribe con un punto encima.* **2** Un tipo de tela: *Las camisetas de punto son elásticas.* **3** Cada uno de los nudos que forman este tipo de tela: *En el elástico de mi jersey hay cincuenta puntos.* **4** Cada una de las veces que el médico introduce la aguja en la piel para cerrar una herida: *Me caí y me tuvieron que dar dos puntos en la rodilla.* **5** Cada una de las unidades que sirven para dar valor a algo: *En baloncesto, una canasta vale dos puntos.* **6** Cada uno de los grados de una serie ordenada de cosas: *Tienes razón sólo hasta cierto punto.* **7** Sitio o lugar: *La meta es el punto de llegada.* **8** Situación o momento en el que ocurre algo: *La situación del país está en un punto crítico.* **9** Cada uno de los asuntos de que trata algo: *El acuerdo que se ha firmado consta de diez puntos.* **10** Temperatura necesaria para conseguir que se produzcan determinados cambios físicos: *El punto de ebullición del agua es cien grados.* **11** Signo escrito que indica el fin de una frase: *El punto representa una pausa mayor que la coma.* **12** [expresión] **a punto** Listo para algo: *Arréglate y avísame cuando estés a punto.* **en punto** Dicho de una hora, que es justo ésa: *Llegué a casa a las cuatro en punto.* **en su punto** En su mejor estado: *El asado estaba en su punto.* **estar a punto de hacer algo** Estar ya casi realizando esa acción: *Estaba a punto de salir cuando llamaron al teléfono.* **punto cardinal** Cada uno de los cuatro que sirven para saber en qué dirección vamos: *Los puntos cardinales son Norte, Sur, Este y Oeste.* **punto débil** Parte de algo en la que es más fácil producir un daño: *Sé bastante de literatura, pero mi punto débil es el arte.* **punto de nieve** Forma en la que queda la clara de huevo después de agitarla mucho: *Para hacer merengue hay que montar las claras a punto de nieve.* **punto de vista** Forma de pensar sobre un asunto: *Desde mi punto de vista, lo que has hecho no está bien.* **punto por punto** Con detalle y sin olvidar nada: *Cuéntame lo que pasó punto por punto.* □ [En matemáticas no debe usarse el punto en lugar de la coma al escribir decimales: no debe escribirse 0,8, sino 0,8]. FAMILIA: puntear, puntada, puntuar, puntual, puntuación, puntualidad.

puntuación [sustantivo/femenino] **1** Colocación de los signos necesarios para que se pueda leer y comprender un texto: *El punto, la coma y los puntos suspensivos son algunos signos de puntuación.* **2** Número de puntos conseguidos en una prueba o en un juego: *La puntuación que ha conseguido esta gimnasta ha sido muy baja.* □ FAMILIA: → punto.

puntual 1 [adjetivo] Que llega a la hora anun-

punto		
.	punto y seguido	Indica el final de una frase cuando después sigue otra. Lo que sigue se escribe con mayúscula inicial.
	punto y aparte	Indica el final de un párrafo. Lo que sigue se escribe con mayúscula inicial.
	punto final	Indica el final de un texto.
;	punto y coma	Indica una pausa mayor que la coma. Lo que sigue se escribe con minúscula inicial: *No vengas ahora; no estaremos en casa.*
:	dos puntos	Introduce palabras que alguien ya ha dicho. Lo que sigue se escribe con mayúscula inicial: *Tú dijiste: «Iré a tu fiesta».* Introduce una explicación. Lo que sigue se escribe con minúscula inicial: *Yo sé quién es ese chico: mi primo.*
...	puntos suspensivos	Indican que la frase queda sin terminar: *Como se entere mamá...*

ciada: *Si no eres puntual nos perderemos el principio de la película.* **2** [adverbio] A tiempo o a la hora esperada: *El autobús vino puntual y yo llegué pronto al trabajo.* □ [El significado **1** no varía en masculino y en femenino]. FAMILIA: → punto.

puntualidad [sustantivo] [femenino] Falta de retraso cuando se llega en el tiempo anunciado: *Llegó a la cita con puntualidad, justo a tiempo.* □ FAMILIA: → punto.

puntuar [verbo] **1** Poner en un texto los signos necesarios para que se pueda leer y comprender: *Puntúa bien la redacción y pon los puntos y las comas necesarios.* **2** Dar puntos a algo para indicar si nos gusta o no: *El juez puntuó el ejercicio de gimnasia con un nueve.* **3** Conseguir puntos en algunos juegos: *En esta carrera de motos sólo puntúan los diez primeros.* □ [Se conjuga como ACTUAR]. FAMILIA: → punto.

punzón [sustantivo] [masculino] Instrumento terminado en punta que se usa para hacer agujeros: *El pescadero partió la barra de hielo con un punzón para poner el pescado encima.*

PUNZÓN

puñado [sustantivo] [masculino] Lo que cabe dentro de una mano cerrada: *El tendero me dio un puñado de caramelos.* □ FAMILIA: → puño.

puñal [sustantivo] [masculino] Arma parecida a un cuchillo: *El explorador se defendió del tigre con un puñal.* □ FAMILIA: puñalada, apuñalar.

puñalada [sustantivo] [femenino] Herida hecha con un puñal: *El ladrón me amenazó con darme una puñalada.* □ FAMILIA: → puñal.

puñeta 1 [sustantivo] [femenino] Lo que molesta o resulta difícil: *Este ejercicio es la puñeta y no consigo resolverlo.* **2** [expresión] **irse algo a hacer puñetas** Estropearse: *Con la lluvia se ha ido a hacer puñetas nuestra excursión.* **mandar algo a hacer puñetas** Rechazarlo o dejar de ocuparse de ello: *Se hartó y lo mandó todo a hacer puñetas.* □ [Es coloquial].

puñetazo [sustantivo] [masculino] Golpe dado con la mano cerrada: *Tengo el ojo morado de un puñetazo.* □ FAMILIA: → puño.

puño [sustantivo] [masculino] **1** Mano cerrada: *Dio un golpe en la mesa con el puño para que nos calláramos.* **2** Parte de una prenda de vestir que rodea la muñeca: *En el puño de la camisa hay un botón.* □ FAMILIA: puñado, puñetazo, empuñar.

pupa [sustantivo] [femenino] **1** Herida que sale en los labios: *Cuando tengo fiebre me salen pupas.* **2** Daño o dolor: *Me he caído y me he hecho pupa en la rodilla.* □ [Es coloquial]. SINÓNIMOS: **1** calentura.

pupilo, la 1 [sustantivo] Persona que está bajo la protección de otra: *Cuando quedó huérfano fue pupilo de su tío.* **2** [sustantivo] [femenino] Círculo negro y pequeño que está en el centro del ojo: *Cuando no hay luz, la pupila se hace más grande.* □ SINÓNIMOS: **2** niña de los ojos.

pupitre [sustantivo] [masculino] Mesa para los alumnos en el colegio: *Mi pupitre tiene un cajón para guardar los libros.*

puré [sustantivo] [masculino] Comida que se hace aplastando los alimentos: *De primer plato hay puré de patatas.* □ FAMILIA: pasapurés.

pureza [sustantivo] [femenino] **1** Falta de mezcla con otra cosa: *Siempre presume de la pureza de raza de su perro.* **2** Falta de maldad: *Es una persona que se caracteriza por la pureza de sus sentimientos.* **3** Falta total de suciedad: *Esta fuente es famosa por la pureza de sus aguas.* □ FAMILIA: → puro.

purificar [verbo] Convertir algo en puro o limpio: *Las industrias que cogen agua de los ríos deben purificarla después de haberla utilizado.* □ [La c se cambia en qu delante de e, como en SACAR]. FAMILIA: → puro.

puro, ra [adjetivo] **1** Que no está mezclado con otra cosa: *Me han regalado un jersey de pura lana.* **2** Que es bueno y respeta los principios morales establecidos: *Sentía por ella un amor sincero y puro.* **3** Que está totalmente limpio: *Esta tarde iremos al campo a respirar aire puro.* **4** [sustantivo] [masculino] Cigarro grueso de color marrón: *Los puros están hechos con hojas de tabaco enrolladas.* □ FAMILIA: pureza, purificar.

purpurina [sustantivo] [femenino] Polvo fino que brilla: *En* *el árbol de Navidad hay colgadas bolas con purpurina.*

pus [sustantivo masculino] Líquido espeso de color casi amarillo que sale de las heridas infectadas: *El médico me ha limpiado el pus de la herida con una gasa.* □ [No debe decirse *la pus*].

puta [sustantivo femenino] Prostituta. □ [Es vulgar. Se usa como insulto y en expresiones vulgares]. FAMILIA: putada, putear.

putada [sustantivo femenino] Faena. □ [Es vulgar]. FAMILIA: → puta.

putear [verbo] Fastidiar. □ [Es vulgar]. FAMILIA: → puta.

puzzle [sustantivo masculino] Juego que está formado por una serie de piezas que hay que unir para formar una imagen: *Me han regalado un puzzle de quinientas piezas.* □ [Es una palabra inglesa. Se pronuncia «púzle»].

a
b
c
d
e
f
g
h
i
j
k
l
m
n
ñ
o
p
q
r
s
t
u
v
w
x
y
z

Q q

a
b
c
d
e
f
g
h
i
j
k
l
m
n
ñ
o
p
q
r
s
t
u
v
w
x
y
z

q [sustantivo femenino] Letra número dieciocho del abecedario: *La palabra «queso» empieza por «q».* ☐ [Su nombre es *cu*. Se escribe siempre *qu*, aunque la *u* no se pronuncia. Sólo se usa delante de *e*, *i*].

que 1 [pronombre relativo] Se usa para sustituir el nombre de una persona o de una cosa que ya se conocen o de las que ya se ha hablado antes: *El niño que te saludó es mi hermano. Eso fue lo que me dijo.* [conjunción] **2** Se usa para introducir oraciones: *Quiero que vengas. Hemos quedado en que vendrían ellos. ¡Que ya te he dicho que sí, no seas pesado!* **3** Se usa en algunas comparaciones: *Me gusta más jugar que estudiar.* **4** Se usa para expresar causa: *No insistas, que no me vas a convencer.* **5** Se usa para expresar finalidad: *Dame ese abrigo, que lo cuelgue.* **6** Se usa para expresar consecuencia: *Me aburrí tanto que no paré de bostezar.* **7** Se usa para introducir una frase negativa: *Lloro de rabia, que no de pena.* **8** Se usa para relacionar dos o más posibilidades: *Que llores, que no llores, no irás a la fiesta.* **9** Se usa detrás del adverbio *sí* para afirmar con mayor energía: *Sí que lo haré.* **10** Se usa detrás de un verbo repetido para expresar que la acción se realizó con intensidad: *Estuvimos toda la tarde corre que te corre.* ☐ [No confundir con *qué*. Cuando es pronombre, no varía en masculino y en femenino, ni en singular y plural. No se dice *Ha venido el niño que su padre es inglés*, sino *Ha venido el niño cuyo padre es inglés*. Cuando es conjunción, sirve para formar muchas expresiones: *a menos que*, *así que*, etc.].

qué 1 [pronombre interrogativo] Se usa para preguntar algo: *¿Qué hora es? No sé qué puedo hacer.* **2** [pronombre exclamativo] Se usa para dar mayor fuerza a lo que se dice: *¡Qué susto me has dado!* **3** [expresión] **por qué** Se usa para preguntar el motivo de algo: *¿Por qué no has venido con tus amigos?* **qué tal** Se usa como saludo: *¿Qué tal?, hacía mucho que no sabía nada de ti.* ☐ [No varía en masculino y en femenino, ni en singular y plural. No confundir con *que*. No confundir *por qué* con *porque*, ni con *porqué*].

quebrado [adjetivo o sustantivo masculino] Número que expresa en cuántas partes se ha dividido la unidad y cuántas partes se cogen de ella: *El quebrado 1 / 5 se lee «un quinto».* ☐ SINÓNIMOS: fracción. FAMILIA: → quebrar.

quebrantar [verbo] No cumplir una regla o una obligación: *Si lo prometiste, ahora no puedes quebrantar tu promesa.* ☐ SINÓNIMOS: romper. ◆

quebrar [verbo] **1** Hacer trozos algo duro: *En el circo vimos un forzudo que podía quebrar una barra de metal.* **2** Fracasar un negocio: *La empresa quebró y los dueños se arruinaron.* ☐ [Es irregular y se conjuga como PENSAR]. SINÓNIMOS: **1** romper. **2** hundirse. FAMILIA: quiebra, quebrado.

quedar [verbo] **1** Citarse con una persona para encontrarse con ella: *¿A qué hora quedamos mañana?* **2** Estar o encontrarse: *¿Dónde queda la parada del autobús?* **3** Continuar existiendo: *Del antiguo castillo sólo quedan ruinas.* **4** Faltar por hacer: *Ya sólo me queda poner la mesa y todo estará listo.* **5** Llegar algo al fin: *Tus promesas quedaron en nada.* **6** Sentar bien o mal una prenda de vestir: *Esta camisa me queda pequeña.* **7** Producir buena o mala impresión en los demás: *Has quedado fatal diciendo esas tonterías.* **8** Ponerse de acuerdo en algo: *Habíamos quedado en que me llamarías tú.* **quedarse 9** Estar en un sitio y no moverse de él: *Ayer no salí y me quedé en casa.* **10** Ponerse de alguna manera: *Me quedé blanca del susto.* **11** Coger algo como si fuera propio: *Quédate con el libro, que yo no lo necesito.* **12** [expresión] **quedarse con alguien** Tomarle el pelo: *No te quedes conmigo y dime la verdad.* ☐ SINÓNIMOS: **1** citarse. **2** pillar. **4** restar. **5** terminar, acabar, concluir. **8** acordar, convenir, pactar. **9** permanecer. **11** apropiarse, apoderarse, adueñarse, adjudicarse. **12** engañar. CONTRARIOS: **9** marchar, ausentarse.

quehacer [sustantivo masculino] Cada una de las cosas que una persona tiene que hacer: *Las personas ocupadas tienen muchos quehaceres.* ☐ [Se usa más en plural]. SINÓNIMOS: tarea, ocupación, trabajo, faena, labor. FAMILIA: → hacer.

queja [sustantivo/femenino] **1** Sonido con que se expresa un dolor o una pena: *Era terrible oír aquellas quejas de dolor.* **2** Expresión de disgusto que usamos para protestar por algo: *El alcalde escuchó las quejas de los vecinos y prometió soluciones.* □ SINÓNIMOS: **1** lamento, quejido, gemido, ay. FAMILIA: quejarse, quejido, quejica.

quejarse [verbo] **1** Expresar con la voz un dolor o una pena: *El niño se quejaba de dolor de tripa.* **2** Expresar disgusto por algo y protestar por ello: *Los vecinos del edificio se quejan del ruido del bar de abajo.* □ [Siempre se escribe con j]. SINÓNIMOS: **1** gemir. **2** reclamar. FAMILIA: → queja.

quejica [adjetivo o sustantivo] Que se queja por todo: *No seas quejica y deja de llorar, porque sólo te has hecho un arañazo.* □ [Es coloquial. No varía en masculino y en femenino]. FAMILIA: → queja.

quejido [sustantivo/masculino] Sonido con que se expresa un dolor o una pena: *Era terrible oír los quejidos del enfermo.* □ SINÓNIMOS: queja, lamento, gemido, ay. FAMILIA: → queja.

quemadura [sustantivo/femenino] Herida producida por el fuego o por algo que quema: *Las quemaduras que produce el sol en la piel pueden ser muy peligrosas.* □ FAMILIA: → quemar.

quemar [verbo] **1** Destruir con fuego: *El jardinero ha quemado las hierbas secas del jardín. Un incendio quemó los campos.* **2** Sentir dolor al tocar algo muy caliente o al estar muy cerca de ello: *Me he quemado al probar la sopa. Ponte crema para tomar el sol, o te quemarás.* **3** Secar el calor o el frío a una planta: *Con estas temperaturas tan bajas se van a quemar las plantas de la terraza.* **4** Hacer que una persona pierda el buen humor: *No dejes que las preocupaciones te quemen.* **5** Producir tanto calor que hace daño: *En los días de verano, el sol quema.* □ [El significado **4** es coloquial]. SINÓNIMOS: **2,5** abrasar. **4** enfadar. **5** achicharrar. FAMILIA: quemadura.

querer 1 [sustantivo/masculino] Lo que sentimos por una persona a la que amamos: *En muchas canciones se habla de las penas del querer.* [verbo] **2** Sentir amor hacia algo: *Quiero mucho a mi familia.* **3** Tener deseo de algo: *Quiero que vengas a mi fiesta.* **4** Estar decidido a hacer algo: *Quiero estudiar medicina cuando sea mayor.* **5** Intentar conseguir algo: *Si te sigues portando mal es que quieres quedarte castigado.* **6** [expresión] **sin querer** Sin intención: *Perdona si te he molestado, lo hice sin querer.* □ [Como verbo, es irregular]. SINÓNIMOS: **1** amor, cariño. **2** amar, apreciar, adorar, estimar. **3** desear, apetecer. CONTRARIOS: **1** odio. **2** odiar, aborrecer, detestar. **6** aposta, adrede. FAMILIA: querido.

querido, da [sustantivo] Persona que mantiene una relación de amor con otra sin estar casada con ella: *Se separaron cuando ella se enteró de que su marido tenía una querida.* □ [Es despectivo]. SINÓNIMOS: amante. FAMILIA: → querer.

quesero, ra 1 [adjetivo] Del queso o relacionado con él: *La producción quesera está muy relacionada con la producción lechera.* **2** [sustantivo/femenino] Recipiente en el que se guarda el queso: *Al levantar la tapa de la quesera, se extendió por la habitación el olor a queso.* □ FAMILIA: → queso.

quesito [sustantivo/masculino] Porción pequeña de queso

querer	conjugación
INDICATIVO	**SUBJUNTIVO**
presente	**presente**
quiero	quiera
quieres	quieras
quiere	quiera
queremos	queramos
queréis	queráis
quieren	quieran
pretérito imperfecto	**pretérito imperfecto**
quería	quisiera, -ese
querías	quisieras, -eses
quería	quisiera, -ese
queríamos	quisiéramos, -ésemos
queríais	quisierais, -eseis
querían	quisieran, -esen
pretérito indefinido	**futuro**
quise	quisiere
quisiste	quisieres
quiso	quisiere
quisimos	quisiéremos
quisisteis	quisiereis
quisieron	quisieren
futuro	**IMPERATIVO**
querré	
querrás	**presente**
querrá	quiere (tú)
querremos	quiera (él)
querréis	queramos (nosotros)
querrán	quered (vosotros)
	quieran (ellos)
condicional	**FORMAS NO PERSONALES**
querría	
querrías	**infinitivo** **gerundio**
querría	querer queriendo
querríamos	
querríais	**participio**
querrían	querido

a
b
c
d
e
f
g
h
i
j
k
l
m
n
ñ
o
p
q
r
s
t
u
v
w
x
y
z

envuelta en papel: *He merendado un quesito con galletas.* □ FAMILIA: → queso.

queso [sustantivo masculino] **1** Alimento sólido que se obtiene de la leche: *El queso de bola es redondo y tiene la corteza roja.* **2** Pie: *Ponte las zapatillas, que huele a queso.* **3** [expresión] **dársela a alguien con queso** Engañarlo: *No te fíes de ellos, que te la van a dar con queso.* □ [Los significados **2** y **3** son coloquiales]. SINÓNIMOS: **2** pinrel. FAMILIA: quesero, quesito, requesón.

quicio 1 [sustantivo masculino] Parte lateral de una puerta o de una ventana por donde se unen a la pared: *En el quicio están las bisagras.* **2** [expresión] **sacar a alguien de quicio** Hacerle perder los nervios: *Me saca de quicio que la gente sea tan mentirosa.* **sacar algo de quicio** Darle un sentido que no tiene: *No saques de quicio lo que te he dicho, que no tienes razón.*

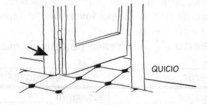

QUICIO

quiebra [sustantivo femenino] **1** Situación de las empresas que tienen que cerrar por falta de dinero: *La empresa está en quiebra y miles de trabajadores perderán sus empleos.* **2** Daño que se produce en algo que se rompe: *No dejes que las dificultades produzcan una quiebra en tu ánimo.* □ FAMILIA: → quebrar.

quien 1 [pronombre relativo] Se usa para sustituir el nombre de una persona que ya se conoce o de la que ya se ha hablado antes: *Yo soy quien preguntaba por ti. Son tus amigos quienes saben lo que ocurrió.* **2** [expresión] **no ser quien** No ser la persona adecuada: *Como no estuviste allí, tú no eres quien para contar lo que pasó.* **quien más, quien menos** Todas las personas: *Quien más, quien menos, todos teníamos algo que decir.* □ [No confundir con quién. No varía en masculino y en femenino].

quién 1 [pronombre interrogativo] Se usa para preguntar por una persona: *¿Quién me ha llamado por teléfono?* **2** [pronombre exclamativo] Se usa para indicar admiración o sorpresa: *¡Quién iba a pensar que no te gustaban los pasteles!* □ [No confundir con quien. No varía en masculino y en femenino].

quienquiera [pronombre indefinido] Se usa para hablar de una persona cualquiera: *Quienquiera que haya venido, se ha olvidado aquí el paraguas. Quienesquiera que sean las que gritan, espero que se callen ya.* □ [No varía en masculino y en femenino. Su plural es quienesquiera].

quieto, ta [adjetivo] Que no se mueve: *Estáte quieto y deja de correr.* □ SINÓNIMOS: inmóvil. FAMILIA: quietud, inquieto, inquietar, inquietud.

quietud [sustantivo femenino] Ausencia de movimiento, o situación tranquila, silenciosa y pacífica: *Ningún ruido alteraba la quietud del campo al amanecer.* □ FAMILIA: → quieto.

quilo [sustantivo masculino] Kilogramo: *He comprado dos quilos de naranjas.* □ [Se escribe también kilo].

químico, ca 1 [adjetivo] De la química o relacionado con esta ciencia: *La fórmula química del agua es H_2O.* **2** [sustantivo] Persona que se dedica al estudio de la química: *Mis padres son químicos y trabajan en el mismo laboratorio.* **3** [sustantivo femenino] Ciencia que estudia los cambios de unas sustancias en otras: *La química estudia los elementos que componen las sustancias.*

quimono [sustantivo masculino] **1** Prenda de vestir abierta por delante y muy ancha que llega hasta los pies: *El quimono es una prenda típica japonesa.* **2** Conjunto de chaqueta y pantalón muy anchos que se usa para practicar algunos deportes: *Mi traje de judo es un quimono blanco con un cinturón naranja.* □ [Es una palabra de origen japonés].

QUIMONO

quince [pronombre numeral] Número 15: *Tengo clase de piano dos veces al mes, cada quince días.* □ [No varía en masculino y en femenino]. FAMILIA: quincena, quincenal.

quincena [sustantivo femenino] Período de tiempo de

quince días: *Todos los veranos pasamos una quincena en la playa.* □ FAMILIA: → quince. 🐦 página 153.

quincenal [adjetivo] **1** Que sucede cada quince días: *Asisto a clases quincenales de solfeo.* **2** Que dura quince días: *Los campamentos de verano suelen ser quincenales.* □ [No varía en masculino y en femenino]. FAMILIA: → quince.

quiniela [sustantivo/femenino] Juego en el que se dicen los resultados que se cree que va a haber en determinadas competiciones deportivas: *Todos los domingos hago una quiniela de fútbol.*

quinientos, tas [pronombre/numeral] Número 500: *Este diccionario tiene más de quinientas páginas.*

quinqué [sustantivo/masculino] Lámpara de aceite cuya llama va protegida por un tubo de cristal: *Cuando no existía la luz eléctrica se usaban quinqués para iluminar las habitaciones.*

QUINQUÉ

quinto, ta [pronombre/numeral] **1** Que ocupa el lugar número cinco en una serie: *Nuestro equipo es el quinto de la clasificación.* **2** Una de las cinco partes en que algo se ha dividido: *La quinta parte de ciento veinticinco pesetas son cinco duros.* **3** [sustantivo/masculino] Joven que ha sido llamado para hacer el servicio militar: *Mi hermano es quinto este año y tiene que hacer la mili.* [sustantivo/femenino] **4** Conjunto de personas que han nacido el mismo año: *Tus compañeros de clase y tú sois de la misma quinta.* **5** Casa en el campo que se utiliza como lugar de diversión: *Los fines de semana se va a su quinta a descansar.* □ FAMILIA: → cinco.

quintuplicar [verbo] Multiplicar algo por cinco o hacerlo cinco veces mayor: *La fábrica marcha estupendamente y los beneficios se han quintuplicado en los últimos años.* □ [La c se cambia en qu delante de e, como en SACAR]. FAMILIA: → cinco.

quiosco [sustantivo/masculino] **1** Especie de casa peque-

ña que se pone en las aceras para vender periódicos o flores: *Todos los días compro el periódico en el quiosco de la esquina.* **2** Especie de edificio, abierto por los lados, que se coloca al aire libre en parques y jardines: *Tomaremos un refresco en el quiosco que hay en el parque.* □ [Se escribe también kiosco].

quiqui [sustantivo/masculino] Peinado que se hace recogiendo el pelo corto en lo alto de la cabeza y dejándolo suelto desde ahí: *Mi hermana pequeña siempre va peinada con un quiqui, y ella dice que es como una palmera.* □ [Es coloquial].

quirófano [sustantivo/masculino] Habitación de un hospital donde los médicos hacen operaciones: *Cuando me operaron de apendicitis, me llevaron al quirófano en camilla.*

quirúrgico, ca [adjetivo] De la cirugía o relacionado con esta parte de la medicina: *Los cirujanos son los médicos especialistas en realizar operaciones quirúrgicas.*

quisquilloso, sa [adjetivo o/sustantivo] **1** Que se ofende por todo: *No seas quisquillosa y deja de enfadarte por tonterías.* **2** Que se fija demasiado en cosas sin importancia: *Mi hermano es muy quisquilloso y se pasa el día protestando.* □ SINÓNIMOS: chinche.

quiste [sustantivo/masculino] Bulto que sale en una parte del cuerpo: *Cuando un grano tarda en desaparecer, es posible que sea un quiste.*

quitamanchas [sustantivo/masculino] Producto para limpiar la suciedad de la ropa: *Un quitamanchas limpia la ropa sin necesidad de lavarla.* □ [No varía en singular y en plural]. FAMILIA: → mancha.

quitanieves [sustantivo/femenino] Máquina que quita la nieve de las carreteras: *Cuando nieva mucho, las quitanieves son necesarias para que los coches puedan circular.* □ [No varía en singular y en plural]. FAMILIA: → nieve.

quitar [verbo] **1** Coger sin permiso algo que no es nuestro: *¿Quién me ha quitado el dinero que tenía en el bolsillo?* **2** Dejar sin algo que antes se tenía: *Como no te portes bien, te quitaré la paga.* **3** Hacer desaparecer: *Este detergente quita muy bien las manchas de grasa.* **4** Ser un problema o una dificultad: *Que no me guste ir de compras no quita para que no te acompañe esta tarde.* **quitarse** **5** Colocarse en un sitio di-

a
b
c
d
e
f
g
h
i
j
k
l
m
n
ñ
o
p

q

r
s
t
u
v
w
x
y
z

ferente: *Quítate de la ventana, que no veo.* **6** Dejar de hacer algo que se hacía habitualmente: *Mi madre se ha quitado de fumar.* □ [El significado **6** es coloquial]. SINÓNIMOS: **1** robar, hurtar, afanar. **2** despojar, privar. **5** apartarse. CONTRARIOS: **1,2** dar, suministrar, proveer, proporcionar, surtir, facilitar, entregar. **3,5** poner. FAMILIA: desquitar.

quivi [sustantivo masculino] Kiwi: *Los trocitos verdes que ves en la macedonia son rodajas de quivi.*

quizá o **quizás** [adverbio] Indica duda o posibilidad: *Quizá te llame para que me ayudes.* □ SINÓNIMOS: acaso, tal vez, a lo mejor, igual. CONTRARIOS: seguro.

relieve

montaña

cordillera

cima

ladera

pico

glaciar

meseta

garganta

valle

colina

cañón

sembrado

desfiladero

vega

volcán

selva

nube de mosquitos

serpiente

enredadera

mono

liana

maleza

canoa

piragua

cocodrilo

leopardo

guacamayo

pantera

loro

musgo

araña

tigre

liquen

planta carnívora

DE PELIGRO

curva peligrosa

estrechamiento de la calzada

paso de niños

curvas peligrosas

obras

ceda el paso

pavimento deslizante

paso de ganado

paso de animales en libertad

viento transversal

DE PROHIBICIÓN

detención obligatoria

prohibido adelantar

adelantamiento prohibido para camiones

entrada prohibida a peatones

circulación prohibida

prohibido hacer sonar la bocina

prohibido torcer a la derecha

prohibido pasar sin detenerse

prohibido el paso

prohibido aparcar

DE OBLIGACIÓN

camino reservado para peatones

camino reservado para bicicletas

velocidad mínima

sentido obligatorio

luz de cruce

INFORMATIVAS

agua

información turística

carril obligatorio para tráfico lento

autopista

fin de autopista

paso de peatones

velocidad máxima aconsejada

hospital

estacionamiento

taxis

R r

r [sustantivo/femenino] Letra número diecinueve del abecedario: *La palabra «rata» empieza por «r». La «r» de «cara» no se pronuncia igual que la «r» de «rama».* ☐ [Su nombre es erre. A principio de palabra y detrás de n, l, s, se pronuncia como cuando se escribe doble: *ropa, honra, carro.* Y cuando se escribe doble, no se debe dividir: ca-rro (y no car-ro)].

rábano 1 [sustantivo/masculino] Planta de hojas grandes, que tiene la raíz casi redonda, de sabor picante y comestible: *Los rábanos pueden ser de color blanco, rojo, amarillento o negro.* **2** [expresión] **un rábano** Muy poco o nada: *Lo que hagas con tu vida, a mí me importa un rábano.* ☐ [El significado **2** es coloquial].

rabia [sustantivo/femenino] **1** Enfermedad que sufren algunos animales: *Hemos vacunado a nuestro perro para que no coja la rabia.* **2** Lo que sentimos cuando algo nos enfada mucho: *Me da mucha rabia no poder ir mañana de excursión.* ☐ SINÓNIMOS: **2** coraje. FAMILIA: rabiar, rabieta, rabioso, cascarrabias.

rabiar [verbo] **1** Mostrar el enfado que se siente: *Deja tranquilo al niño, que parece que te gusta hacerle rabiar.* **2** [expresión] **a rabiar** Mucho o más de lo normal: *Me gustan los dulces a rabiar.* ☐ [El significado **2** es coloquial]. FAMILIA: → rabia.

rabieta [sustantivo/femenino] Disgusto que se tiene por no conseguir algo: *Como no le compraron el juguete que quería, mi hermanito cogió una rabieta.* ☐ [Es coloquial]. SINÓNIMOS: perra. FAMILIA: → rabia.

rabioso, sa [adjetivo] **1** Muy enfadado: *Estoy rabioso porque no me dejaron ir con ellos a jugar al parque.* **2** Muy grande: *Tengo unas ganas rabiosas de bailar.* **3** [adjetivo o sustantivo] Que tiene la enfermedad de la rabia: *Me tuvieron que poner una inyección porque me mordió un perro rabioso.* ☐ [El significado **2** es coloquial]. FAMILIA: → rabia.

rabo [sustantivo/masculino] **1** Parte final del cuerpo de algunos animales: *Mi perro es un pastor alemán y tiene el rabo largo y las orejas tiesas.* **2** Lo que cuelga de forma parecida a la cola de un animal: *Tienes que hacer el rabo de la «a» más largo para que no se confunda con una «o».* **3** Especie de palo pequeño que tienen algunos frutos: *Cuando me como una pera sólo dejo el rabo y las pepitas.* **4** Pene. ☐ [El significado **4** es vulgar]. SINÓNIMOS: **1** cola. FAMILIA: taparrabo, taparrabos.

racha [sustantivo/femenino] **1** Período de tiempo de buena o de mala suerte: *Estoy teniendo una buena racha y todo me sale bien.* **2** Golpe de viento: *Al doblar la esquina, una racha de viento me levantó la falda.*

racial [adjetivo] De la raza o relacionado con ella: *No debemos considerar a nadie inferior por motivos raciales.* ☐ [No varía en masculino y en femenino]. FAMILIA: → raza.

racimo [sustantivo/masculino] Conjunto de uvas unidas a un palo común: *De postre quiero un racimo de uvas.*

ración [sustantivo/femenino] Cantidad de comida que corresponde a una persona o a un animal: *Como no has venido a comer, te he guardado tu ración de tarta en la nevera.* ✍ página 612.

racional [adjetivo] **1** De la razón o relacionado con ella: *Las personas usan su capacidad racional cuando piensan.* **2** Que tiene sentido: *Hay que buscar una solución racional al problema del paro.* **3** [adjetivo o sustantivo] Que posee la capacidad de la razón: *El ser humano es un ser racional.* ☐ [No varía en masculino y en femenino]. SINÓNIMOS: **2** razonable, lógico. CONTRARIOS: **2** disparatado, absurdo, tonto. **2,3** irracional. FAMILIA: → razón.

racismo [sustantivo/masculino] Forma de pensar por la que se considera inferiores a las personas que pertenecen a otra raza distinta de la propia: *Debemos eliminar el racismo de la sociedad.* ☐ FAMILIA: → raza.

racista [adjetivo o sustantivo] Que defiende la idea de que algunas personas son inferiores porque pertenecen a otra raza: *Hoy empieza el juicio contra los racistas que golpearon a unos jóvenes de raza negra.* ☐ [No varía en masculino y en femenino]. FAMILIA: → raza.

radar [sustantivo/masculino] Aparato que permite descubrir la presencia y el movimiento de un objeto que no se ve: *En los aeropuertos hay radares para localizar los aviones que se*

a
b
c
d
e
f
g
h
i
j
k
l
m
n
ñ
o
p
q
r
s
t
u
v
w
x
y
z

aproximan para tomar tierra. □ [Es una palabra de origen inglés. No debe pronunciarse «rádar»].

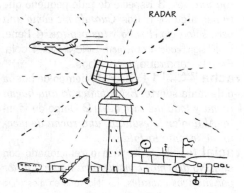

RADAR

radiactividad [sustantivo] [femenino] Energía que se produce al romperse el núcleo de los átomos: *La radiactividad tiene efectos sobre los organismos vivos.* □ FAMILIA: → activo.

radiactivo, va [adjetivo] De la radiactividad o relacionado con esta energía de los átomos: *Algunos elementos químicos son radiactivos.* □ FAMILIA: → activo.

radiador [sustantivo] [masculino] Aparato de calefacción: *Puse los calcetines mojados sobre el radiador para que se secaran antes.*

radiante [adjetivo] **1** Que brilla mucho: *Hoy hace un sol radiante.* **2** Que está muy alegre: *Llegó radiante y sonriente.* □ [No varía en masculino y en femenino]. SINÓNIMOS: **1** resplandeciente. CONTRARIOS: **2** triste.

radiar [verbo] **1** Emitir algo por radio: *¿A qué hora radian las noticias?* **2** Tratar algo con rayos X para curarlo: *El médico dijo que tenían que radiar el tumor.* □ FAMILIA: → radio.

radical [adjetivo] **1** Completo y total: *He notado un cambio radical en su comportamiento.* **2** Que no admite discusión o que no acepta otras ideas: *Eres demasiado radical y por eso te enfadas cuando encuentras gente que no piensa como tú.* □ [No varía en masculino y en femenino].

radio [sustantivo] [masculino] **1** Línea recta que sale del centro de un círculo y llega hasta su extremo: *Se me enganchó un palo en los radios de la rueda de la bici y me caí.* **2** Espacio determinado de una zona: *La policía está*

buscando a los excursionistas desaparecidos en un radio de diez kilómetros. [sustantivo] [femenino] **3** Medio por el que se comunica el sonido a través del aire: *Esta emisora de radio sólo pone música española.* **4** Aparato que recibe el sonido que se comunica a través del aire: *Enciende la radio para que escuchemos las noticias.* □ SINÓNIMOS: **4** transistor. FAMILIA: radiar, radiotelevisión, radioyente, radiocasete, radiografía.

radiocasete [sustantivo] [masculino] Aparato que tiene una radio y en el que se pueden escuchar cintas: *Cuando me bajo del coche siempre quito el radiocasete para que no me lo roben.* □ [En la lengua coloquial se usa mucho la forma abreviada casete]. FAMILIA: → radio.

radiografía [sustantivo] [femenino] Fotografía de alguna parte del cuerpo que se hace por medio de rayos X: *Cuando me torcí el pie, me hicieron una radiografía para ver si me había roto algún hueso.* □ FAMILIA: → radio.

[radiotelevisión [sustantivo] [femenino] Medio de comunicar sonidos e imágenes a través del aire: *La radiotelevisión ofrece noticias y acontecimientos en directo desde cualquier parte del mundo.* □ FAMILIA: → radio.

radioyente [sustantivo] Persona que oye lo que se emite por radio: *Los radioyentes pueden pedirnos canciones llamando al teléfono de nuestra emisora.* □ [No varía en masculino y en femenino]. FAMILIA: → radio.

raer [verbo] Rozar una superficie hasta romperla o gastarla: *No puedes llevar la falda tan larga, porque raerás el bajo.* □ [Es irregular. No confundir con roer].

raíl [sustantivo] [masculino] Especie de barra sobre la que se mueven los trenes en las vías: *Los raíles son las dos líneas paralelas por las que circulan las ruedas de los trenes.*

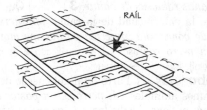

RAÍL

raíz [sustantivo] [femenino] **1** Parte de una planta que crece bajo tierra: *La zanahoria es una raíz.* **2** Origen o causa de algo: *Tu falta de organiza-*

ción es la raíz de tus problemas. **3** Parte oculta donde empieza algo: *El dentista me dijo que el flemón se debía a una infección en la raíz de la muela.* **4** En gramática, parte de una palabra que es común a varias palabras de la misma familia: *En palabras como «comer», «comedor», «comida» y «comilón», la raíz es «com-».* □ [Su plural es *raíces*]. SINÓNIMOS: **2** principio, comienzo, empiece. CONTRARIOS: **2** consecuencia. FAMILIA: arraigar, enraizar.

raja [sustantivo] [femenino] **1** Abertura larga producida generalmente por algo que corta: *Me he hecho una raja en el dedo al cortar el pan.* **2** Trozo de un alimento que se corta a lo largo o a lo ancho: *¿Me das otra raja de sandía, por favor?* 🔎 página 612. □ FAMILIA: rajar.

rajar [verbo] **1** Romper algo haciendo una abertura larga: *Se me ha rajado la camisa con un clavo.* **2** Hablar mucho: *Hay que ver cómo raja tu hermano, no ha callado en toda la tarde.* **3** Herir con un cuchillo o con un arma parecida: *El atracador me dijo que si no le daba el dinero me rajaría.* **4** rajar-

se Decidir no hacer lo que se había dicho que se iba a realizar: *Mi hermano iba a venir a la excursión, pero se ha rajado y ya no viene.* □ [Siempre se escribe con j. Los significados **2**, **3** y **4** son coloquiales]. FAMILIA: → raja.

rallador [sustantivo] [masculino] Objeto de cocina que sirve para cortar un alimento en trozos muy finos y muy pequeños: *Voy a rallar el queso para los espaguetis con el rallador.* □ FAMILIA: → rallar.

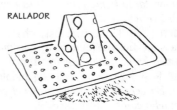

RALLADOR

rallar [verbo] Cortar un alimento en trozos muy finos y muy pequeños: *Voy a rallar un poco de pan duro para empanar los filetes.* □ [No confundir con *rayar*]. FAMILIA: rallador.

rama [sustantivo] [femenino] **1** Parte de una planta que nace del tronco principal y que tiene hojas, flores y frutos: *Hay un nido en la rama de ese árbol.* **2** Conjunto de cosas que tienen su origen en algo común: *No conocía a mi tío, porque pertenece a la rama de la familia que vive en Cádiz.* **3** Cada una de las partes en que se divide un campo del saber: *El cálculo es una rama de las matemáticas.* **4** [expresión] **andarse por las ramas** Detenerse en lo que menos importa de un asunto, olvidando lo más importante: *No te andes por las ramas y dime de una vez si pasó algo malo.* □ FAMILIA: → ramo.

ramo [sustantivo] [masculino] **1** Conjunto de flores: *Después de entregarme el premio, me dieron un ramo de flores muy bonito.* **2** Rama cortada del árbol: *El sacerdote bendijo durante la misa los ramos de olivo.* **3** Cada una de las partes en que se divide una ciencia, una industria o una actividad: *Los obreros que hacen casas pertenecen al ramo de la construcción.* □ FAMILIA: rama.

rampa [sustantivo] [femenino] Terreno inclinado y liso por el que se sube o se baja de un lugar a otro: *En mi colegio hay rampas para los minusválidos al lado de las escaleras.*

rana [sustantivo] [femenino] Animal con la cabeza grande y

raer	conjugación		
INDICATIVO		**SUBJUNTIVO**	
presente		**presente**	
rao, raigo o rayo		raiga o raya	
raes		raigas o rayas	
rae		raiga o raya	
raemos		raigamos o rayamos	
raéis		raigáis o rayáis	
raen		raigan o rayan	
pretérito imperfecto		**pretérito imperfecto**	
raía		rayera, -ese	
raías		rayeras, -eses	
raía		rayera, -ese	
raíamos		rayéramos, -ésemos	
raíais		rayerais, -eseis	
raían		rayeran, -esen	
pretérito indefinido		**futuro**	
raí		rayere	
raíste		rayeres	
rayó		rayere	
raímos		rayéremos	
raísteis		rayereis	
rayeron		rayeren	
futuro		**IMPERATIVO**	
raeré		**presente**	
raerás		rae	(tú)
raerá		raiga o raya	(él)
raeremos		raigamos o rayamos	(nosotros)
raeréis		raed	(vosotros)
raerán		raigan o rayan	(ellos)
condicional		**FORMAS NO PERSONALES**	
raería		**infinitivo**	**gerundio**
raerías		raer	rayendo
raería		**participio**	
raeríamos		raído	
raeríais			
raerían			

a

b

c

d

e

f

g

h

i

j

k

l

m

n

ñ

o

p

q

r

s

t

u

v

w

x

y

z

las patas de atrás muy largas, que le sirven para dar grandes saltos: *Las ranas tienen los ojos saltones y viven cerca del agua.*

rancho [sustantivo masculino] Granja grande en la que se crían caballos y otros animales: *El protagonista de la película era dueño de un rancho con caballos y vacas.*

rancio, cia [adjetivo] Dicho de un alimento, que tiene un sabor y un olor más fuertes de lo normal por el paso del tiempo: *Si dejas el jamón tanto tiempo fuera de la nevera, se pondrá rancio.*

ranura [sustantivo femenino] Abertura estrecha que hay en la superficie de una cosa: *Las monedas se meten en la hucha por la ranura.*

rapar [verbo] Cortar el pelo dejándolo muy corto: *En verano me rapo porque el pelo me da mucho calor.* □ [Es coloquial].

rapaz [adjetivo o sustantivo femenino] Dicho de un ave, que tiene el pico y las uñas muy fuertes y que se alimenta de carne: *El águila y el halcón son aves rapaces.* □ [Cuando es adjetivo no varía en masculino y en femenino. Su plural es *rapaces*].

rape [sustantivo masculino] Pez marino comestible: *El rape es un pez que vive pegado al fondo del mar.* 🔍 página 608.

rapidez [sustantivo femenino] Gran velocidad con que se hace algo: *Comió con rapidez para llegar a tiempo.* □ SINÓNIMOS: velocidad, prontitud, diligencia, prisa. CONTRARIOS: lentitud, pesadez, tranquilidad. FAMILIA: → rápido.

rápido, da [adjetivo] **1** Que se mueve a gran velocidad: *Ganó la carrera el corredor más rápido.* **2** Que se hace o sucede en poco tiempo: *Sólo tengo tiempo para hacerte una rápida visita.* [sustantivo masculino] **3** Corriente violenta de un río, que se produce porque el paso se hace estrecho e inclinado: *En las zonas de rápidos es muy peligroso navegar.* **4** Tren de viajeros que va a gran velocidad: *Un rápido sólo tiene parada en las grandes estaciones.* **5 rápido** [adverbio] A gran velocidad: *Habéis comido tan rápido que os va a doler el estómago.* □ SINÓNIMOS: **1** ágil. CONTRARIOS: **1,2** lento. FAMILIA: rapidez.

raptar [verbo] Llevarse a una persona a la fuerza: *La policía detuvo a los que raptaron a un niño a la salida del colegio.*

raqueta [sustantivo femenino] Especie de pala que se usa en algunos juegos para golpear la pelota: *Me han regalado una raqueta de tenis.*

raquítico, ca [adjetivo] **1** Muy débil y muy delgado: *Si comieras más y mejor, no estarías tan raquítico.* **2** Muy pequeño: *Has crecido tanto que se te ha quedado la ropa raquítica.* □ [Es coloquial].

rareza [sustantivo femenino] Lo que resulta raro o poco frecuente: *Es mi amigo y, a pesar de sus rarezas, es un buen muchacho.* □ CONTRARIOS: normalidad. FAMILIA: → raro.

raro, ra [adjetivo] **1** Que resulta extraño o que produce sorpresa porque es distinto de lo habitual: *Me pareció una película muy rara, porque acaba cuando menos te lo esperas.* **2** Que es poco frecuente: *Rara vez se me olvida algo.* □ SINÓNIMOS: **1** anormal, sorprendente, extraño. CONTRARIOS: natural, común, normal, habitual, usual, lógico, corriente, ordinario. FAMILIA: rareza.

rascacielos [sustantivo masculino] Edificio de mucha altura y de muchos pisos: *En Nueva York hay rascacielos de más de cien pisos.* □ [No varía en singular y en plural].

rascar [verbo] **1** Pasar las uñas por la piel: *Me rasqué la picadura y me hice sangre.* **2** Resultar áspera una cosa para la piel al rozarla: *Si no pones suavizante al lavar las toallas, después rascan.* □ [La c se cambia en qu delante de e, como en SACAR. El significado **2** es coloquial].

rasgar [verbo] Romper algo tirando de ello: *Rasgué mi camisa para hacer vendas y ayudar al herido.* □ [La g se cambia en gu delante de e, como en PAGAR]. SINÓNIMOS: desgarrar. FAMILIA: rasguño.

rasgo [sustantivo masculino] **1** Lo que es propio de algo y lo hace distinto de otras cosas: *Tu sinceridad es el rasgo que más me gusta de ti.* **2** Característica de la cara de una persona: *Reconocí que era tu hermano porque tiene tus rasgos.* **3** [expresión] **a grandes rasgos** Sin entrar en detalles: *La película trata, a grandes rasgos, de un policía que busca a un ladrón.* □ [El significado **2** se usa más en plural]. SINÓNIMOS: **1** característica.

rasguño [sustantivo masculino] Herida poco profunda: *Me caí de la bici, pero sólo me hice unos rasguños.* □ SINÓNIMOS: arañazo, raspón, rasponazo. FAMILIA: → rasgar.

raso [sustantivo masculino] Tela de seda que brilla: *Siempre me pongo un lazo de raso en la coleta.*

raspa [sustantivo/femenino] Espina del pescado: *El gato cogió una raspa del cubo de la basura.*

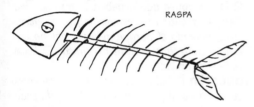

RASPA

raspar [verbo] Rozar una cosa contra algo duro: *Si raspas el trozo de madera con un papel de lija quedará muy suave.*

raspón o **rasponazo** [sustantivo/masculino] Herida poco profunda: *Me caí cuando iba corriendo y me hice un raspón en la rodilla.* □ SINÓNIMOS: arañazo, rasguño.

rastras [expresión] **a rastras** Arrastrando el cuerpo: *Los indios se acercaron a rastras hasta el campamento enemigo.*

rastrillo [sustantivo/masculino] Herramienta que tiene un mango largo y que se usa para coger del suelo hierba, hojas y otras cosas parecidas: *El jardinero quitaba con el rastrillo las hojas secas. Cuando voy a la playa, juego con una pala y un rastrillo de plástico.*

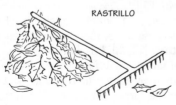

RASTRILLO

rastro [sustantivo/masculino] Lo que se deja al pasar por un sitio: *Los perros siguieron el rastro del conejo hasta su madriguera.* □ SINÓNIMOS: pista.

rata 1 [adjetivo o/sustantivo] Persona que intenta gastar lo menos posible: *Eres un rata y nunca nos invitas a nada.* **2** [sustantivo/femenino] Animal de color gris que tiene la cabeza pequeña, el cuerpo gordo, las patas muy cortas y una cola muy larga: *En los lugares en los que hay mucha suciedad suele haber ratas.* □ [El significado **1** es coloquial y no varía en masculino y en femenino. El significado **2** es distinto de *ratón*, que es un animal más pequeño y menos dañino. Se usa como insulto]. FAMILIA: → ratón.

ratero, ra [sustantivo] Ladrón que roba cosas de poco valor: *Unos rateros me quitaron el monedero en el autobús.*

rato 1 [sustantivo/masculino] Espacio de tiempo más o menos corto: *Tu hermano se ha ido hace un rato.* **2** [expresión] **a ratos** En unos momentos sí y en otros no: *Sólo me duele a ratos.* **para rato** Para mucho tiempo: *No me esperes, porque voy a ordenar mi habitación y tengo para rato.* **pasar el rato** Ocupar el tiempo haciendo algo agradable: *Mientras te esperaba, estuve mirando escaparates para pasar el rato.*

ratón, -a 1 [sustantivo] Animal de patas muy cortas y con la cabeza pequeña, que vive en las casas o en el campo: *Los gatos cazan ratones.* **2** [sustantivo/masculino] Instrumento que sirve para trabajar con un ordenador: *El ratón se usa con una sola mano y deslizándolo sobre una superficie plana.* 🔍 página 432. □ [El significado **1** es distinto de *rata*, que es un animal más grande y más dañino]. FAMILIA: rata, ratonera.

ratonera [sustantivo/femenino] Trampa para cazar ratones: *Hemos puesto una ratonera con queso en el sótano.* □ FAMILIA: → ratón.

raya [sustantivo/femenino] **1** Marca delgada y alargada: *Me gusta tu camisa de rayas blancas y azules.* **2** Límite que se pone a algo: *Te estás pasando de la raya y me estoy hartando.* **3** Línea que queda en la cabeza al separar el pelo con el peine hacia los lados: *Siempre llevo raya a un lado.* **4** Signo que usamos al escribir para empezar un diálogo o para añadir una explicación: *La raya es más larga que el guión.* **5** Pez que tiene el cuerpo muy plano y la cola larga y delgada: *La raya vive en mares templados y fríos.* 🔍 página 608. **6** [expresión] **a raya** Dentro de los límites establecidos: *No soy capaz de mantener a raya a estos niños tan traviesos.* □ [No confundir con *ralla*, del verbo *rallar*]. SINÓNIMOS: **1** línea. FAMILIA: rayar, rayado, subrayar.

rayado, da [adjetivo] Con líneas: *Me gusta escribir en hojas de papel rayado para no torcerme.* □ [No confundir con *rallado*, del verbo *rallar*]. FAMILIA: → raya.

rayar [verbo] **1** Estropear algo haciendo líneas o marcas en su superficie: *No arrastres la silla, que vas a rayar el parqué.* **2** Estar una cosa muy cerca de otra: *Tu ingenuidad*

a
b
c
d
e
f
g
h
i
j
k
l
m
n
ñ
o
p
q
r
s
t
u
v
w
x
y
z

raya en la estupidez. **3** Salir el Sol: *Levantaremos el campamento cuando raye el día.* □ [No confundir con *rallar*]. FAMILIA: → raya.

rayo [sustantivo] [masculino] **1** Descarga eléctrica que se produce cuando chocan dos nubes: *Si ves un rayo y tardas mucho en oír el trueno, es que la tormenta aún está lejos.* **2** Línea de luz que sale de un punto: *En verano me gusta despertarme con los rayos de sol que entran por la ventana.* **3** Lo que es muy rápido: *Este chico es un rayo corriendo los cien metros lisos.* **4** [expresión] **a rayos** Muy mal: *No te pongas esa crema, porque huele a rayos.* **rayos X** Los que pueden atravesar ciertos cuerpos: *Me miraron por rayos X para ver si tenía algún problema en los pulmones.* □ [El significado **3** y la expresión *a rayos* son coloquiales. No confundir con *rallo*, del verbo *rallar*]. SINÓNIMOS: **3** centella. FAMILIA: pararrayos.

raza [sustantivo] [femenino] Categoría a la que pertenece un conjunto de seres vivos que tienen una serie de características en común: *¿De qué raza es este perro?* □ FAMILIA: racial, racismo, racista.

razón [sustantivo] [femenino] **1** Capacidad de una persona para juzgar o entender algo: *La razón distingue a las personas de los animales.* **2** Lo que nos hace actuar de una manera determinada: *Tengo mis razones para no fiarme de ella.* **3** Verdad en lo que se dice o en lo que se hace: *Tienes razón, esta caja pesa mucho.* □ SINÓNIMOS: **1** criterio, juicio, entendimiento. FAMILIA: razonar, razonable, razonamiento, racional, irracional.

razonable [adjetivo] **1** Que tiene sentido: *¿No te das cuenta de que lo que dices no es razonable?* **2** Suficiente o bastante: *Creo que ese libro tiene un precio razonable, y no me parece caro.* □ [No varía en masculino y en femenino]. SINÓNIMOS: **1** racional, lógico. CONTRARIOS: **1** irracional, disparatado, absurdo, tonto. FAMILIA: → razón.

razonamiento [sustantivo] [masculino] Conjunto de razones que sirven para demostrar algo o para convencer a alguien: *Tu razonamiento me ha convencido de que ese lugar es el mejor para ir de excursión.* □ SINÓNIMOS: argumento. FAMILIA: → razón.

razonar [verbo] **1** Pensar algo, ordenando ideas en la mente para llegar a una conclu-

sión: *Si razonas acerca de lo ocurrido, verás que tu comportamiento no ha sido correcto.* **2** Dar razones que prueben lo que se dice: *Debéis razonar las respuestas de los ejercicios, diciendo el porqué del sí o del no con el que contestáis a cada pregunta.* □ FAMILIA: → razón.

reacción [sustantivo] [femenino] Acción que se hace como respuesta a algo: *A veces la fiebre es la reacción del organismo a una vacuna.* □ FAMILIA: reaccionar.

reaccionar [verbo] **1** Actuar como respuesta a algo: *Si el enfermo no reacciona a este tratamiento, habrá que cambiárselo.* **2** Volver a la situación normal: *Dieron un vaso de agua al señor que se había desmayado para que reaccionara y volviera en sí.* □ SINÓNIMOS: **1** responder. FAMILIA: → reacción.

reactor [sustantivo] [masculino] Motor que produce movimiento al echar los gases que él mismo produce: *El avión no despegó porque tenía un fallo en uno de los reactores.*

real [adjetivo] **1** Que existe de verdad: *Esta película cuenta una historia real que ocurrió hace veinte años.* **2** Del rey o relacionado con él: *Ayer visitamos el Palacio Real de Madrid.* □ [No varía en masculino y en femenino]. CONTRARIOS: **1** irreal, imaginario. FAMILIA: realidad, realismo, realista, irreal, realizar.

realidad [sustantivo] [femenino] **1** Todo lo que existe y forma el mundo real: *Los sentidos permiten al ser humano captar la realidad.* **2** Lo que ocurre de forma verdadera: *Por desgracia, el hambre es todavía una realidad en muchos países del mundo.* □ SINÓNIMOS: verdad. FAMILIA: → real.

realismo [sustantivo] [masculino] Hecho de ver las cosas tal como son: *Si pienso en el otro equipo con realismo, creo que nunca podremos ganar.* □ FAMILIA: → real.

realista [adjetivo] Que actúa con sentido práctico porque ve las cosas tal como son: *Soy realista y creo que tienes muchas posibilidades de ganar el primer premio.* □ [No varía en masculino y en femenino]. FAMILIA: → real.

realización [sustantivo] [femenino] Puesta en práctica de algo: *La realización de este proyecto costará mucho dinero.* □ FAMILIA: → realizar.

realizar [verbo] **1** Llevar algo a la práctica: *La policía realizó un registro de la zona en* *busca de los atracadores.* **2 realizarse** Sentirse contento por haber conseguido lo que se quería: *Me realizo en mi trabajo en el hospital, porque siempre he querido ser médico.* □ [La z se cambia en c delante de e, como en CAZAR]. SINÓNIMOS: **1** cumplir, efectuar, llevar a cabo, ejecutar. FAMILIA: realización, irrealizable.

reanimar [verbo] Dar fuerzas a una persona o hacer que vuelva en sí después de haber perdido el conocimiento: *Después de pasar tanto frío, necesito tomar algo caliente para reanimarme.* □ FAMILIA: → ánimo.

reanudar [verbo] Continuar algo que había sido interrumpido: *Cuando dejó de llover, se reanudó el partido de tenis.*

rebaja [sustantivo/femenino] **1** Disminución del precio de un producto: *Si compras dos botellas en lugar de una, te hacen una rebaja de cien pesetas.* **2** Venta de productos a un precio más bajo: *Compré en rebajas dos jerséis por el precio de uno.* □ FAMILIA: rebajar.

rebajar [verbo] **1** Hacer más bajo: *En algunas calles han rebajado el escalón de la acera para que puedan cruzar sin problemas personas minusválidas.* **2** Disminuir el precio de un producto: *Estoy esperando a que rebajen ese tocadiscos, porque me parece muy caro.* □ [Siempre se escribe con j]. FAMILIA: → rebaja.

rebanada [sustantivo/femenino] Trozo fino de pan: *He desayunado leche con una rebanada de pan con mermelada.* 🔍 página 612.

rebañar [verbo] Aprovechar los restos de comida que quedan en un recipiente: *Estaban tan ricos los macarrones con tomate que rebañé el plato con pan.*

rebaño [sustantivo/masculino] Conjunto de cabezas de ganado: *El pastor cuida de su rebaño.*

rebeca [sustantivo/femenino] Chaqueta de punto sin cuello, abierta por delante y con botones: *Espero que luego no haga mucho frío, porque sólo llevo una rebeca.*

rebelarse [verbo] **1** Levantarse contra la autoridad en lugar de obedecerla: *Los marineros se rebelaron contra el capitán del barco.* **2** Oponerse del todo a algo: *Me rebelo a aceptar las cosas como están, porque me parece una injusticia.* □ [No confundir con *relevar* ni con *revelar*]. CONTRARIOS: **2** adaptarse, amoldarse, acomodarse, acoplarse, conformarse. FAMILIA: → rebelde.

rebelde 1 [adjetivo] Difícil de controlar o de educar: *Tienes el pelo muy rebelde y parece que siempre estás despeinado.* **2** [adjetivo o sustantivo] Que se levanta contra una autoridad a la que debe obedecer: *Las tropas rebeldes lucharon contra el ejército nacional.* □ [No varía en masculino y en femenino]. FAMILIA: rebeldía, rebelarse, rebelión.

rebeldía [sustantivo/femenino] Oposición de una persona a ser controlada por otra: *En el colegio me regañaron por mi rebeldía.* □ FAMILIA: → rebelde.

rebelión [sustantivo/femenino] Movimiento de protesta que un grupo de personas inicia contra la autoridad a la que debe obedecer: *El general consiguió acabar con la rebelión.* □ SINÓNIMOS: alzamiento. FAMILIA: → rebelde.

rebosante [adjetivo] Que está muy lleno: *Llegó rebosante de felicidad.* □ [No varía en masculino y en femenino]. CONTRARIOS: vacío. FAMILIA: → rebosar.

rebosar [verbo] **1** Salirse un líquido por encima de los bordes de un recipiente: *No me acordé de retirar el cazo del fuego y la leche rebosó.* **2** Tener algo en gran cantidad: *Ese chico rebosa bondad y simpatía.* □ SINÓNIMOS: **2** abundar. FAMILIA: rebosante.

rebotar [verbo] Cambiar de dirección un cuerpo al chocar con algo: *Tira la pelota con fuerza para que rebote en el suelo y salga para arriba.* □ FAMILIA: → botar.

rebote [sustantivo/masculino] **1** Cambio de dirección de un cuerpo al chocar con algo: *El rebote del balón en la pared hizo que volviera hacia nosotros.* **2** Pelota que cambia de dirección al chocar con algo: *En baloncesto es muy importante saber coger los rebotes.* **3** [expresión] **de rebote** Por casualidad: *Este trabajo lo iba a hacer otra persona, pero se puso enferma y me tocó a mí de rebote.* □ [El significado **3** es coloquial]. FAMILIA: → botar.

rebozar [verbo] **1** Cubrir un alimento con huevo y harina para cocinarlo: *Rebozó el pescado antes de freírlo.* **2** Cubrir una cosa por completo con una sustancia: *Al jugar en la playa nos rebozamos de arena.* □ [La z se cambia en c delante de e, como en CAZAR].

rebuscado, da [adjetivo] Demasiado compli-

a
b
c
d
e
f
g
h
i
j
k
l
m
n
ñ
o
p
q
r
s
t
u
v
w
x
y
z

cado: *Me dio una explicación tan rebuscada que es difícil de creer.* □ CONTRARIOS: sencillo, simple. FAMILIA: → buscar.

rebuznar [verbo] Emitir su voz característica el asno: *El asno rebuznó cuando le echaron la carga encima.* □ FAMILIA: rebuzno.

rebuzno [sustantivo/masculino] Voz característica del asno: *Los rebuznos del burro parecen quejidos.* □ FAMILIA: → rebuznar.

recado [sustantivo/masculino] **1** Aviso que se envía a alguien: *¿Te dio mi madre el recado de que no te puedo acompañar?* **2** Tarea de la que alguien tiene que ocuparse: *Salgo a hacer unos recados, pero vuelvo enseguida.* □ SINÓNIMOS: **1** mensaje.

recaer [verbo] Ponerse peor de una enfermedad o volver a tenerla después de haber mejorado: *Todavía no estás curado, y si no te cuidas, recaerás.* □ [Es irregular y se conjuga como CAER]. CONTRARIOS: recuperarse. FAMILIA: → caer.

recalcar [verbo] Expresar algo destacándolo de manera especial: *Me repitió la frase recalcando cada palabra.* □ [La c se cambia en qu delante de e, como en SACAR]. SINÓNIMOS: acentuar, subrayar.

recambio [sustantivo/masculino] Pieza que se usa para cambiarla por otra que ya no sirve: *Tengo que comprar un recambio para el bolígrafo.* □ SINÓNIMOS: repuesto. FAMILIA: → cambiar.

recapacitar [verbo] Pensar algo despacio y con cuidado: *Recapacité sobre lo que había hecho y me arrepentí.* □ SINÓNIMOS: reflexionar, meditar, recapacitar.

recargar [verbo] Adornar o cargar demasiado: *Me gustarían más tus dibujos si los hicieses más sencillos y los recargaras menos.* □ [La g se cambia en gu delante de e, como en PAGAR]. FAMILIA: → cargar.

recaudación [sustantivo/femenino] Cantidad de dinero que se reúne entre mucha gente: *Los ladrones entraron en la tienda y se llevaron la recaudación del día.* □ FAMILIA: → recaudar.

recaudar [verbo] Reunir una cantidad de dinero que otros dan o pagan: *Los impuestos permiten al Estado recaudar el dinero de los ciudadanos.* □ FAMILIA: recaudación.

recepción [sustantivo/femenino] **1** Lugar que hay en algunos sitios para apuntar a los clientes o las personas que van allí: *Al llegar al hotel,* fuimos a recepción para inscribirnos. **2** Fiesta o ceremonia para recibir a alguien: *El rey ofrecerá una recepción a los nuevos embajadores.* □ SINÓNIMOS: **2** recibimiento. FAMILIA: → recibir.

receptor [sustantivo/masculino] Aparato que sirve para recibir las señales enviadas a distancia por radio o por otros medios: *En nuestro receptor de televisión se ven varios canales.* □ CONTRARIOS: transmisor. FAMILIA: → recibir.

receta [sustantivo/femenino] **1** Nota en la que figuran las medicinas que el médico manda al enfermo: *El farmacéutico me dijo que no podía venderme ese medicamento sin receta médica.* **2** Nota en la que se explica cómo se prepara algo y de qué se compone: *Tengo una receta para hacer un bizcocho.* □ FAMILIA: recetar.

recetar [verbo] Mandar el médico una medicina o un tratamiento a un enfermo: *El médico me recetó un jarabe contra la tos.* □ FAMILIA: → receta.

rechazar [verbo] **1** Decir que no a algo: *Quise hacerle un regalo, pero lo rechazó.* **2** Resistir la fuerza con la que algo viene y hacer que vuelva atrás: *Los soldados rechazaron el ataque enemigo.* □ [La z se cambia en c delante de e, como en CAZAR]. SINÓNIMOS: **1** rehusar, negar. CONTRARIOS: **1** aceptar, admitir, ceder, acceder. FAMILIA: rechazo.

rechazo [sustantivo/masculino] **1** Hecho de decir que no a algo: *Un voto negativo supone el rechazo de la propuesta.* **2** Hecho de no aceptar bien el cuerpo las sustancias o los órganos que no son suyos: *Cuando se trasplanta un órgano, hay peligro de rechazo.* □ CONTRARIOS: aceptación. FAMILIA: → rechazar.

rechistar [verbo] Hablar para protestar: *Quiero que obedezcas sin rechistar.*

rechoncho, cha [adjetivo] Grueso y de poca altura: *No creo que ese caballo tan rechoncho pueda saltar la valla.* □ [Es coloquial].

rechupete [expresión] **de rechupete** Muy bueno o muy bien: *Con mis amigos me lo paso de rechupete.* □ [Es coloquial].

recibidor [sustantivo/masculino] Cuarto pequeño que está a la entrada de una casa: *Estuve en esa casa, pero sólo fui a llevar un paquete y no pasé del recibidor.* □ FAMILIA: → recibir.

recibimiento [sustantivo/masculino] **1** Hecho de recibir a alguien que viene de fuera: *A mi llegada,* *me hicieron un recibimiento emocionante.* **2** Hecho de recibir algo de determinada manera: *Esa película no ha tenido un buen recibimiento entre el público.* ☐ SINÓNIMOS: **2** recepción. FAMILIA: → recibir.

recibir [verbo] **1** Aceptar algo que nos dan: *He recibido una carta por correo.* **2** Sufrir una acción o una impresión: *Ese chico se ha desmayado porque ha recibido un golpe en la cabeza.* **3** Prestar atención a una visita: *El señor director no puede recibirme hoy y me ha convocado para mañana.* **4** Esperar a alguien que viene de fuera: *Cuando volví de viaje, mi familia fue a recibirme a la estación.* **5** Responder de determinada manera ante algo que ocurre: *La crítica recibió muy bien la novela.* ☐ SINÓNIMOS: **5** acoger. CONTRARIOS: **2** rechazar. **4** despedir. FAMILIA: recepción, recibimiento, recibo, recibidor, receptor, recipiente.

recibo [sustantivo masculino] Papel en el que consta que se ha recibido algo, generalmente un pago: *Cuando compro algo me suelen dar un recibo.* ☐ SINÓNIMOS: factura, cuenta. FAMILIA: → recibir.

reciclar [verbo] Hacer lo necesario para que un material usado sirva para usarlo otra vez: *Hay contenedores para tirar botellas de cristal y reciclar el vidrio.* ☐ FAMILIA: → ciclo.

recién [adverbio] Desde hace muy poco tiempo: *El pan recién hecho está caliente y crujiente.* ☐ [Se usa delante de un participio: *recién llegado, recién nacido*]. FAMILIA: → reciente.

reciente [adjetivo] **1** Que es nuevo o que se acaba de hacer: *Me gusta el olor del pan reciente.* **2** Que ha ocurrido hace poco: *Traigo noticias recientes.* ☐ [No varía en masculino y en femenino]. SINÓNIMOS: **2** último, caliente, fresco. FAMILIA: recién.

recinto [sustantivo masculino] Espacio cerrado: *Un polideportivo es un recinto preparado para practicar deportes.*

recipiente [sustantivo masculino] Objeto que sirve para contener algo: *Una botella es un recipiente que sirve para contener líquidos.* ☐ FAMILIA: → recibir.

recíproco, ca [adjetivo] Que se recibe igual que se da: *En una amistad, la confianza debe ser recíproca.*

recital [sustantivo masculino] **1** Espectáculo musical en el que actúa un artista: *Se cerrará el acto con un recital de piano.* **2** Acto en el que se leen poemas: *Vino un poeta al colegio para darnos un recital.* ☐ FAMILIA: → recitar.

recitar [verbo] **1** Decir un poema en voz alta: *Recitas tan bien que nos emocionas.* **2** Decir algo de memoria y en voz alta: *No sirve de nada que sepas recitar la lección si no la has entendido.* ☐ FAMILIA: recital.

reclamación [sustantivo femenino] Queja para protestar por algo: *Pedimos el libro de reclamaciones para protestar por el mal servicio que nos dieron en el hotel.* ☐ FAMILIA: → reclamar.

reclamar [verbo] **1** Expresar disgusto por algo y protestar por ello: *Volvimos a la tienda para reclamar, porque nos habían vendido un aparato defectuoso.* **2** Pedir algo a lo que se tiene derecho: *La sociedad reclama puestos de trabajo para todos.* **3** Pedir la presencia de alguien en un lugar: *Te reclaman en el despacho de la directora.* ☐ SINÓNIMOS: **1** quejarse. **2** exigir, reivindicar. **3** llamar. FAMILIA: reclamación.

recluso, sa [adjetivo o sustantivo] Que está en la cárcel: *En la prisión hay horas fijas para visitar a los reclusos.* ☐ SINÓNIMOS: preso, prisionero, cautivo. CONTRARIOS: libre.

recluta [sustantivo masculino] Persona que empieza a hacer el servicio militar: *Los nuevos reclutas aprenden a desfilar en el patio del cuartel.* ☐ FAMILIA: reclutar.

reclutar [verbo] Llamar a una persona para que entre en el ejército: *Cada año, el Gobierno recluta a los jóvenes en edad de hacer el servicio militar.* ☐ FAMILIA: → recluta.

recobrar [verbo] **1** Volver a tener algo que se ha perdido: *Recobramos el dinero gracias a que la policía detuvo a los ladrones.* **recobrarse 2** Volver a estar sano: *Hasta que no me recobre del todo, no quiero salir a la calle.* **3** Volver en sí después de haber perdido el sentido: *Perdí el conocimiento, pero me recobré enseguida.* ☐ SINÓNIMOS: **1** recuperar. **2** restablecerse. **2,3** recuperarse, reponerse. CONTRARIOS: **1** perder. FAMILIA: → cobrar.

recodo [sustantivo masculino] Curva cerrada que se forma en un lugar: *Dejamos de ver la barca* *cuando giró en el recodo del río.* □ FAMILIA: → codo.

RECODO

recogedor [sustantivo masculino] Objeto parecido a una pala, que se usa para coger la basura al barrer: *Acércame el cubo de la basura, que voy a tirar lo que llevo en el recogedor.* □ SINÓNIMOS: cogedor. FAMILIA: → coger.

recoger [verbo] **1** Guardar algo con orden: *Cuando acabes de jugar, recoge tus juguetes.* **2** Coger algo: *Recoge esos papeles y échalos a la basura.* **3** Ir juntando cosas que estaban separadas: *Lleva meses recogiendo datos para escribir un informe.* **4** Ir a buscar algo a un lugar para llevárselo: *Mi padre me recoge a la salida del colegio.* **5** Dar a alguien un refugio o un lugar donde vivir: *En ese asilo recogen ancianos sin hogar.* □ [La g se cambia en j delante de a, o, como en COGER]. SINÓNIMOS: **5** acoger, dar asilo. CONTRARIOS: **1** desordenar. **2** tirar. FAMILIA: → coger.

recolección [sustantivo femenino] Trabajo que consiste en coger la cosecha: *Cada año se contratan jornaleros para la recolección de la aceituna.* □ SINÓNIMOS: cosecha. FAMILIA: → colección.

recolectar [verbo] **1** Coger la cosecha cuando los frutos están maduros: *En la vendimia se recolecta la uva.* **2** Reunir una cantidad de cosas: *Estamos recolectando dinero para el viaje de fin de curso.* □ SINÓNIMOS: **1** cosechar. FAMILIA: → colección.

recomendable [adjetivo] Que resulta bueno: *Es recomendable mirar a derecha e izquierda antes de cruzar una calle.* □ [No varía en masculino y en femenino]. SINÓNIMOS: aconsejable. FAMILIA: → recomendar.

recomendación [sustantivo femenino] **1** Consejo que se da porque se considera que puede hacer bien: *Sigue las recomendaciones del médico y pronto estarás mejor.* **2** Interés que alguien se toma por una persona para que tenga ventaja sobre otros: *Sin una buena*

recomendación, no creo que te admitan en ese club. □ FAMILIA: → recomendar.

recomendar [verbo] **1** Dar un consejo: *Te recomiendo que no salgas con este tiempo.* **2** Hablar a alguien a favor de una persona para que tenga ventaja sobre otros: *La contrataron porque la recomendó el director en persona.* □ [Es irregular y se conjuga como PENSAR]. SINÓNIMOS: **1** aconsejar. FAMILIA: recomendación, recomendable.

recompensa [sustantivo femenino] Lo que se da como premio por haber hecho algo: *La policía ha ofrecido una recompensa a quien dé alguna pista.* □ SINÓNIMOS: premio. CONTRARIOS: castigo. FAMILIA: → compensar.

recompensar [verbo] Dar un premio por haber hecho algo: *Recompensarán a los que den pistas sobre el paradero del ladrón.* □ SINÓNIMOS: premiar. CONTRARIOS: castigar. FAMILIA: → compensar.

reconciliar [verbo] Hacer que dos personas vuelvan a tener una buena relación: *Estábamos peleados, pero ya nos hemos reconciliado.*

reconfortar [verbo] Dar a alguien fuerza o ánimo, especialmente cuando los ha perdido: *Tus palabras de apoyo me reconfortan.* □ SINÓNIMOS: confortar. FAMILIA: → fuerte.

reconocer [verbo] **1** Darse cuenta de quién es alguien o de qué cosa es algo: *Vino disfrazada y no la reconocí.* **2** Admitir que algo es de determinada manera: *Reconoció su error y me pidió perdón.* **3** Examinar algo con atención para conocer su estado: *El médico me reconoció a fondo y me dijo que estaba sano.* □ [Es irregular y se conjuga como PARECER]. SINÓNIMOS: **3** explorar, inspeccionar. FAMILIA: → conocer.

reconocimiento [sustantivo masculino] **1** Hecho de darse cuenta de quién es alguien o de qué cosa es algo: *Hicieron una rueda de reconocimiento en la comisaría para que el testigo identificase al asesino.* **2** Consideración de que algo es de determinada manera: *Le hicieron un homenaje en reconocimiento de sus muchos méritos.* **3** Examen que se hace de algo con atención para conocer su estado: *Es bueno hacerse un reconocimiento médico todos los años para prevenir enfermedades.*

□ Sinónimos: **3** exploración. Familia: → conocer.

reconquista [sustantivo femenino] Proceso para volver a conseguir algo que se ha perdido: *La reconquista cristiana de la España ocupada por los musulmanes duró ocho siglos.* □ Familia: → conquistar.

reconstrucción [sustantivo femenino] Nueva construcción de algo que se había destruido: *La reconstrucción del puente derrumbado llevará varios meses.* □ Familia: → construir.

reconstruir [verbo] **1** Arreglar o volver a construir algo que se ha destruido: *Tardaron un año en reconstruir el teatro que se había quemado.* **2** Unir lo que se sabe de un acontecimiento para llegar a saber cómo fue: *La policía intentó reconstruir la escena del crimen a partir de las declaraciones de los testigos.* □ [La *i* se cambia en *y* delante de *a, e, o,* como en HUIR]. Familia: → construir.

récord [sustantivo masculino] **1** Mejor resultado que se ha registrado en un deporte: *Ese atleta ha batido el récord mundial de su especialidad.* **2** Nivel más alto conseguido en una actividad: *El tiempo que esa obra de teatro lleva en cartel es todo un récord.* □ [Es una palabra de origen inglés. Se pronuncia «récor». Su plural es récords]. Sinónimos: **1** marca, plusmarca.

recordar [verbo] **1** Tener algo en la memoria: *¿Recuerdas cómo se llamaba aquella chica?* **2** Hacer que algo no se olvide: *Recuérdame que me lleve este libro cuando me vaya.* **3** Hacer que se piense en otra cosa por su parecido: *Tu estilo pintando recuerda al de un pintor famoso.* □ [Es irregular y se conjuga como CONTAR]. Sinónimos: **1,2** acordarse. Contrarios: **1,2** olvidar. Familia: recordatorio.

recordatorio [sustantivo masculino] Tarjeta en la que se recuerda la fecha de un acontecimiento: *En los recordatorios de mi primera comunión aparece mi foto.* □ Familia: → recordar.

recorrer [verbo] Hacer el recorrido de una distancia o atravesar un lugar de un extremo a otro: *Los atletas recorrerán veinte kilómetros a pie.* □ Sinónimos: cubrir. Familia: → correr.

recorrido [sustantivo masculino] Conjunto de los lugares por los que se pasa para ir de un sitio a otro: *Cada línea de autobús tiene un reco-*

rrido fijo. □ Sinónimos: camino, itinerario, ruta, trayecto. Familia: → correr.

recortable [sustantivo masculino] Hoja de papel con figuras dibujadas que se pueden cortar: *Me han regalado unos recortables de una muñeca y sus vestidos.* □ Familia: → corte.

recortar [verbo] **1** Cortar lo que sobra de algo, dando determinada forma: *Recorté el cupón siguiendo la línea de puntos.* **2** Hacer menor en cantidad, en tamaño o en otra cosa: *En tiempos de crisis se recortan gastos.* **3 recortarse** Verse la figura de una cosa sobre otra: *Tu sombra se recorta en la pared.* □ Sinónimos: **2** disminuir, reducir. Contrarios: **2** aumentar. Familia: → corte.

recorte [sustantivo masculino] **1** Trozo que se corta de algo: *Después de hacerme el vestido, quedaron unos recortes de tela.* **2** Proceso por el que algo se hace menor en tamaño, en cantidad o en otra cosa: *El Gobierno ha anunciado un recorte de los gastos públicos en los próximos presupuestos.* □ Sinónimos: **2** disminución, reducción. Contrarios: **2** aumento. Familia: → corte.

recostar [verbo] Inclinar el cuerpo o una de sus partes y apoyarlos sobre algo: *Recosté la cabeza en el sillón y me quedé dormida.* □ [Es irregular y se conjuga como CONTAR]. Familia: → costado.

recoveco [sustantivo masculino] Lugar escondido: *Conozco todos los rincones y recovecos de este parque.*

recrear [verbo] **1** Hacer algo igual que un modelo: *El libro recrea la sociedad de aquella época.* **2** Proporcionar diversión, descanso o satisfacción: *Los padres se recrean con las primeras palabras de sus hijos.* □ Sinónimos: entretener, distraer. Contrarios: **2** cansar, aburrir. Familia: → crear.

recreativo, va [adjetivo] Que sirve para divertir: *Fuimos a jugar al billar a un salón de juegos recreativos.* □ Familia: → crear.

recreo [sustantivo masculino] Período de tiempo en el que se interrumpen las clases para descansar: *En el recreo salimos al patio a jugar.* □ Familia: → crear.

recta [sustantivo femenino] Mira en **recto, ta.**

rectangular [adjetivo] Con forma de rectángulo: *Estas hojas tienen forma rectangular.* □ [No varía en masculino y en femenino]. Familia: → ángulo.

a b c d e f g h i j k l m n ñ o p q r s t u v w x y z

a

rectángulo, la [sustantivo] [masculino] Figura plana con cuatro ángulos rectos y cuatro lados iguales dos a dos: *Estas hojas son rectángulos de papel.* ✂ página 429. □ FAMILIA: → ángulo.

b

c

rectificar [verbo] **1** Cambiar algo para quitar un error o una falta: *Rectifica el resultado, que está equivocado.* **2** Cambiar la forma de actuar o de pensar porque no se consideran correctas: *Me di cuenta de que iba por mal camino y rectifiqué a tiempo.* □ [La c se cambia en qu delante de e, como en SACAR]. SINÓNIMOS: **1** corregir, enmendar. FAMILIA: → recto.

d

e

f

g

rectitud [sustantivo] [femenino] Carácter de las personas o de los hechos rectos y justos: *Tiene la conciencia tranquila porque actuó con rectitud.* □ SINÓNIMOS: honestidad, honradez. FAMILIA: → recto.

h

i

recto, ta [adjetivo] **1** Que no está inclinado ni tiene curvas ni ángulos: *Los bordes de estas hojas son rectos.* **2** Que se dirige hacia un punto sin cambiar de dirección: *Por esta calle vas recta a la plaza.* **3** Que actúa como debe, con honradez y con justicia: *Mantuvo siempre un comportamiento recto y honrado.* **4** [sustantivo] [masculino] Última parte del intestino: *El recto termina en el ano.* **5** [sustantivo] [femenino] Línea que no cambia de dirección: *Dos rectas paralelas no se cruzan por mucho que se prolonguen.* □ SINÓNIMOS: **1,2** derecho. **2** directo. **3** honesto, honrado, justo, íntegro. CONTRARIOS: **1** torcido. **3** injusto. FAMILIA: rectitud, rectificar, semirrecta.

j

k

l

m

n

ñ

o

recuadro [sustantivo] [masculino] Línea cerrada en forma de cuadrado: *Justo detrás de este ejemplo hay un recuadro.* □ FAMILIA: → cuadro.

p

recuento [sustantivo] [masculino] Cuenta que se hace del número de cosas que forman un conjunto: *Hasta que no se haga el recuento de votos, no se sabrá quién ha ganado las elecciones.* □ FAMILIA: → contar.

q

r

s

recuerdo [sustantivo] [masculino] **1** Presencia en la mente de algo pasado: *Guardo muy buen recuerdo de aquel verano.* **2** Lo que sirve para que se recuerde algo: *Ese jarrón es un recuerdo de un viaje que hice.* **3** [plural] Saludo que se envía a una persona por medio de otra: *Me encontré con Juan y me dio recuerdos para ti.* □ SINÓNIMOS: **1** memoria. CONTRARIOS: **1** olvido. FAMILIA: → recordar.

t

u

v

w

x

y

z

recuperación [sustantivo] [femenino] Vuelta a un estado

normal o bueno: *Después de la enfermedad se aprecian síntomas de recuperación de la salud.* □ FAMILIA: → recuperar.

recuperar [verbo] **1** Volver a tener lo que se ha perdido: *Recuperé lo que me habían robado gracias a que la policía detuvo a los ladrones.* **2** Aprobar un examen o una materia que se habían suspendido: *Mi primo de quince años tiene que recuperar matemáticas en septiembre.* **3 recuperarse** Volver a estar normal o en buen estado: *Después de una larga crisis, la economía empieza a recuperarse.* □ SINÓNIMOS: **1** recobrar. **3** recobrarse. CONTRARIOS: **3** recaer. FAMILIA: recuperación.

recurrir [verbo] Dirigirse a una persona o hacer uso de algo para que nos ayuden en la solución de algo: *Cuando no entiendo algo, recurro a mi hermano mayor para que me lo explique.* □ SINÓNIMOS: apelar, acudir. FAMILIA: recurso.

recurso [sustantivo] [masculino] Lo que permite conseguir algo o dar solución a un asunto: *Si pierdes el autobús, siempre te queda el recurso de venir andando.* □ SINÓNIMOS: posibilidad. FAMILIA: → recurrir.

red [sustantivo] [femenino] **1** Especie de tela hecha de cuerdas que se cruzan formando cuadrados: *Los pescadores echan las redes al mar y las sacan llenas de peces.* **2** Conjunto de personas o de cosas organizadas para un mismo fin: *Han detenido a los jefes de la red de traficantes de drogas.*

redacción [sustantivo] [femenino] **1** Expresión de algo por escrito: *Los redactores del periódico se encargan de la redacción de las noticias.* **2** Ejercicio que consiste en expresar algo de manera escrita: *En clase de lengua hemos hecho una redacción sobre el otoño.* **3** Conjunto de las personas que trabajan escribiendo en un periódico o en otro sitio: *La redacción de esta revista está formada por veinte periodistas.* □ FAMILIA: → redactar.

redactar [verbo] Expresar algo por escrito: *Cuanto más leas y más palabras conozcas, mejor redactarás.* □ FAMILIA: redacción, redactor.

redactor, -a [adjetivo o] [sustantivo] Que trabaja expresando cosas por escrito: *Las definiciones de* *este diccionario están escritas por varios re-dactores.* □ FAMILIA: → redactar.

redicho, cha [adjetivo o sustantivo] Que habla con palabras demasiado escogidas: *Esa niña es tan redicha que parece una persona mayor cuando habla.* □ [Es coloquial]. FAMILIA: → decir.

redil [sustantivo masculino] Terreno rodeado por una cerca, en el que se guarda el ganado: *El pastor metió el rebaño en el redil.*

redoblar [verbo] **1** Aumentar mucho: *Tenemos que redoblar nuestros esfuerzos.* **2** Tocar el tambor haciendo rebotar en él los palos de manera repetida: *¿No oyes redoblar los tambores?* □ FAMILIA: → doblar.

redondear [verbo] **1** Terminar algo de modo que quede perfecto: *He escrito un cuento muy bonito y estoy buscando un buen final para redondearlo.* **2** Expresar una cantidad en números redondos: *Si el total es 20,5, puedes redondearlo y poner 20 ó 21.* □ FAMILIA: → redondo.

redondel [sustantivo masculino] Círculo: *Una «o» tiene forma de redondel.* □ [Es coloquial]. FAMILIA: → redondo.

redondo, da [adjetivo] **1** Con forma de círculo o de esfera: *Una pelota es redonda.* **2** Perfecto o bien logrado: *La fiesta ha salido redonda y todos se han ido muy contentos.* **3** Dicho de una cantidad, que está expresada con unidades enteras y sin decimales: *Veinte es un número redondo.* **4** [sustantivo masculino] Pieza de carne cortada en forma de tubo: *Hemos comido redondo de ternera al horno.* **5** [expresión] **a la redonda** Alrededor de un punto: *Por aquí no vive nadie en varios kilómetros a la redonda.* □ [Los significados **2** y **3** son coloquiales]. SINÓNIMOS: **1** esférico. FAMILIA: redondel, redondear.

reducción [sustantivo femenino] Proceso por el que algo se hace menor en tamaño, en cantidad o en fuerza: *Los manifestantes pedían la reducción de la jornada laboral en una hora.* □ SINÓNIMOS: recorte, disminución. CONTRARIOS: aumento. FAMILIA: → reducir.

reducido, da [adjetivo] Pequeño en tamaño, en cantidad o en fuerza: *No sé cómo pudimos meternos tantas personas en un espacio tan reducido.* □ SINÓNIMOS: corto, escaso. CONTRARIOS: amplio. FAMILIA: → reducir.

reducir [verbo] **1** Hacer menor en tamaño, en cantidad o en fuerza: *Si metes más muebles aquí, se va a reducir mucho el espacio.* **2** Hacer que una cosa se vuelva otra peor: *El incendio redujo la casa a cenizas.* **3** Consistir una cosa en otra más simple: *Todos nuestros problemas se reducen a que no tenemos dinero.* **4** Sujetar a alguien: *Los vigilantes redujeron a los atracadores y les quitaron las armas.* □ [Es irregular y se conjuga como CONDUCIR]. SINÓNIMOS: **1** disminuir, recortar, limitar, mermar. CONTRARIOS: **1** aumentar, ampliar, agrandar, crecer. FAMILIA: reducción, reducido.

referencia [sustantivo femenino] **1** Lo que se nombra o se cita al hablar o al escribir sobre algo: *En su discurso incluyó dos referencias a hechos muy recientes.* **2** Lo que sirve como modelo: *Uso este libro como punto de referencia.* □ FAMILIA: → referir.

referendo o **referéndum** [sustantivo masculino] Votación en la que se pide la opinión del pueblo sobre algo muy importante: *Los ciudadanos españoles votaron a favor o en contra de la Constitución en el referéndum de 1978.* □ [Su plural es *referendos* o *referéndums*].

referir [verbo] **1** Dar a conocer con palabras una historia o un suceso: *El escritor refiere en el libro muchas aventuras.* **2 referirse** Citar algo o hablar de ello: *Cuando dije que os daría una sorpresa me refería a esto.* □ [Es irregular y se conjuga como SENTIR]. SINÓNIMOS: **1** contar, narrar, relatar. FAMILIA: referencia.

refilón [expresión] **de refilón** De pasada: *Vi el coche de refilón porque pasó muy deprisa.* □ [Es coloquial].

refinado, da [adjetivo] **1** Delicado, muy fino o excelente: *Tienes unos gustos muy refinados y elegantes.* **2** Que ha sido muy mejorado o que está cuidado hasta los más mínimos detalles: *La gasolina es un producto refinado del petróleo.* □ CONTRARIOS: **1** tosco, basto, rústico, rudo. FAMILIA: → fino.

refinar [verbo] **1** Hacer que algo sea más puro o más fino, quitándole lo que le sobra: *El azúcar se refina, por eso es blanco.* **2** Hacer que una persona se comporte de una forma más fina y elegante: *Tienes que refinar tus modales.* □ FAMILIA: → fino.

reflejar [verbo] **1** Hacer que la luz, el calor o

el sonido cambien de dirección: *Los espejos reflejan las imágenes.* **2** Mostrar o dejar ver: *Su cara refleja cansancio.* □ [Se escribe siempre con *j*]. FAMILIA: → reflejo.

reflejo, ja 1 [adjetivo o sustantivo masculino] Que se hace sin querer y se produce como respuesta a un estímulo: *Quitar la mano cuando te quemas es un acto reflejo.* [sustantivo masculino] **2** Luz que cambia de dirección al chocar con un objeto: *El reflejo del sol en el agua me hace daño a la vista.* **3** Imagen que aparece en algunas superficies al poner un objeto delante de ellas: *Vi mi reflejo en el agua.* **4** Lo que muestra o expresa algo: *Los saltos que da son reflejo de su alegría.* **5** [plural] Capacidad para responder a algo de forma rápida y eficaz: *Con el paso de los años, todos perdemos reflejos.* □ FAMILIA: reflejar.

reflexión [sustantivo femenino] Actividad que consiste en pensar algo despacio y con atención: *La reflexión es necesaria para actuar de forma correcta.* □ SINÓNIMOS: meditación. FAMILIA: → reflexionar.

reflexionar [verbo] Pensar algo despacio y con atención: *Después de mucho reflexionar, decidió lo que haría.* □ SINÓNIMOS: meditar, recapacitar, considerar. FAMILIA: reflexión.

reforma [sustantivo femenino] Cambio que se hace en algo con intención de mejorarlo: *La tienda de la esquina está cerrada por reforma.* □ FAMILIA: → forma.

reformar [verbo] **1** Cambiar algo con la intención de mejorarlo: *Hemos reformado la casa y ahora parece más grande.* **2** Hacer que alguien deje de comportarse de una forma que se considera negativa: *Debes reformarte y dejar de ser un gamberro.* □ FAMILIA: → forma.

reformatorio [sustantivo masculino] Lugar en el que viven los menores de edad que han cometido algún delito, porque no pueden estar todavía en la cárcel: *Está en el reformatorio porque lo pillaron robando con doce años.* □ FAMILIA: → forma.

reforzar [verbo] Hacer más fuerte: *Cuando se supo que podía haber un robo en la zona, la policía reforzó la vigilancia.* □ [Es irregular y se conjuga como FORZAR]. CONTRARIOS: debilitar, disminuir. FAMILIA: → fuerza.

refrán [sustantivo masculino] Frase popular que contiene un consejo: *«Quien a buen árbol se arrima, buena sombra le cobija»* es un refrán que significa que quien tiene buenos amigos puede recibir buenas ayudas.

refrescante [adjetivo] Que produce sensación de frío: *En verano apetecen bebidas refrescantes.* □ [No varía en masculino y en femenino]. FAMILIA: → fresco.

refrescar [verbo] **1** Disminuir el calor o la temperatura: *En verano suele refrescar por las noches.* **2** Hacer recordar: *Tendrás que refrescarme la memoria, porque no recuerdo lo que me dijiste.* □ [La c se cambia en qu delante de e, como en SACAR]. FAMILIA: → fresco.

refresco [sustantivo masculino] Bebida que se toma para tener menos calor: *Los refrescos no suelen tener alcohol.* □ FAMILIA: → fresco.

refrigerador, -a [sustantivo] Electrodoméstico que sirve para conservar fríos los alimentos y las bebidas: *La carne debe guardarse en el refrigerador para que se conserve más tiempo.* □ SINÓNIMOS: nevera, frigorífico.

refuerzo [sustantivo masculino] Lo que hace que algo sea más fuerte o más resistente: *He llevado la bota al zapatero para que me ponga unos refuerzos en la puntera.* □ FAMILIA: → fuerza.

refugiado, da [sustantivo] Persona que huye de una guerra o de una desgracia: *El Ayuntamiento ha pedido a los ciudadanos que acojan en sus casas a refugiados de otro país.* □ FAMILIA: → refugio.

refugiar [verbo] Dar a alguien protección o refugio: *Cuando empezó a llover, corrimos a refugiarnos en un portal.* □ SINÓNIMOS: cobijar. FAMILIA: → refugio.

refugio [sustantivo masculino] **1** Ayuda o protección: *Los gobiernos deben dar refugio a las personas que lo necesitan.* **2** Lugar que sirve para protegerse de algún peligro: *Nos protegimos de la nevada en un refugio de montaña.* **3** Lo que sirve de ayuda o alivia una pena: *La lectura es mi refugio.* □ SINÓNIMOS: **1** asilo. FAMILIA: refugiar, refugiado.

refunfuñar [verbo] Protestar en voz baja: *No refunfuñes y haz lo que te digo.* □ [Es coloquial]. SINÓNIMOS: renegar.

regadera 1 [sustantivo femenino] Recipiente con la boca terminada en agujeros, que se usa para echar agua a las plantas: *Riego las macetas con una regadera.* ✤ página 431. **2** [expresión]

como una regadera Loco: *Hace cosas muy raras porque está como una regadera.* □ [El significado **2** es coloquial]. FAMILIA: → regar.

regadío [sustantivo] [masculino] Tierra en la que se cultivan plantas que necesitan agua con frecuencia para poder crecer: *Las lechugas y las zanahorias son plantas de regadío.* □ CONTRARIOS: secano. FAMILIA: → regar.

regalar [verbo] Dar algo sin recibir nada a cambio: *Mis padres me han regalado un libro por mi cumpleaños.* □ FAMILIA: regalo.

regaliz [sustantivo] [masculino] Pasta dulce que se hace a partir del tallo de una planta y que suele ser de color negro o rojo: *El regaliz se come como golosina en pastillas o en barritas.* □ [Su plural es *regalices*].

regalo [sustantivo] [masculino] Lo que se da a alguien sin recibir nada a cambio: *Cuando mi madre vuelve de un viaje, siempre nos trae regalos.* □ FAMILIA: → regalar.

regañadientes [expresión] **a regañadientes** De mala gana o con disgusto: *Fue a la compra a regañadientes, porque quería quedarse jugando con sus amigos.* □ [Se escribe también *a regaña dientes*]. FAMILIA: → diente.

regañar [verbo] **1** Llamar la atención a alguien para decirle lo que ha hecho mal: *No te subas a la silla, que te van a regañar.* **2** Tener una discusión con alguien: *Ha regañado con su novio y no se hablan.* □ [El significado **2** es coloquial]. SINÓNIMOS: reñir. **1** reprender. **2** pelear, discutir. FAMILIA: regañina.

regañina [sustantivo] [femenino] Palabras con las que se llama la atención a alguien que ha hecho algo mal: *¡Menuda regañina me echaron por llegar tarde...!* □ [Es coloquial]. FAMILIA: → regañar.

regar [verbo] **1** Echar agua sobre una planta: *Riega las plantas si no quieres que se sequen.* **2** Ir un río por una zona: *El Ebro riega las ciudades de Logroño y Zaragoza.* □ [Es irregular]. FAMILIA: riego, regadera, regadío, reguero.

regata [sustantivo] [femenino] Carrera de barcos: *Hoy no se ha podido celebrar la regata porque el mar estaba muy agitado.*

regate [sustantivo] [masculino] Movimiento rápido del cuerpo para evitar algo: *El futbolista tuvo que hacer varios regates para que no le quitaran el balón.* □ FAMILIA: → regatear.

regatear [verbo] **1** Discutir el precio de un producto la persona que lo quiere comprar y la que lo quiere vender: *El comprador regatea para intentar que el vendedor le venda el producto más barato.* **2** Hacer un movimiento rápido con el cuerpo para evitar algo: *El jugador regateó a dos contrarios y consiguió meter gol.* **3** Dar algo en la menor cantidad posible: *No regateé esfuerzos para conseguir lo que quería.* □ FAMILIA: regate.

regazo [sustantivo] [masculino] Zona de una persona sentada, que va desde la cintura hasta las rodillas: *Me gusta que el abuelo me siente en su regazo y me cuente cuentos.*

REGAZO

régimen [sustantivo] [masculino] **1** Comida especial para no engordar o para no ponerse enfermo: *Es*

regar		conjugación	
INDICATIVO		**SUBJUNTIVO**	
presente		**presente**	
riego		riegue	
riegas		riegues	
riega		riegue	
regamos		reguemos	
regáis		reguéis	
riegan		rieguen	
pretérito imperfecto		**pretérito imperfecto**	
regaba		regara, -ase	
regabas		regaras, -ases	
regaba		regara, -ase	
regábamos		regáramos, -ásemos	
regabais		regarais, -aseis	
regaban		regaran, -asen	
pretérito indefinido		**futuro**	
regué		regare	
regaste		regares	
regó		regare	
regamos		regáremos	
regasteis		regareis	
regaron		regaren	
futuro		**IMPERATIVO**	
regaré			
regarás		**presente**	
regará		riega	(tú)
regaremos		riegue	(él)
regaréis		reguemos	(nosotros)
regarán		regad	(vosotros)
		rieguen	(ellos)
condicional		**FORMAS NO PERSONALES**	
regaría			
regarías		**infinitivo**	**gerundio**
regaría		regar	regando
regaríamos			
regaríais		**participio**	
regarían		regado	

a b c d e f g h i j k l m n ñ o p q **r** s t u v w x y z

a

b

c

d

e

f

g

h

i

j

k

l

m

n

ñ

o

p

q

r

s

t

u

v

w

x

y

z

peligroso hacer un régimen para adelgazar sin consultar con el médico. **2** Sistema político por el que se gobierna una nación: *En los países de régimen democrático, los ciudadanos eligen a los gobernantes.* □ [Su plural es regímenes]. SINÓNIMOS: **1** dieta.

regimiento [sustantivo/masculino] Grupo grande de soldados: *Un regimiento suele estar al mando de un coronel.*

región [sustantivo/femenino] Cada una de las zonas en que se divide un lugar: *Durante la comida bebieron vino de la región.* □ FAMILIA: regional.

regional [adjetivo] De una región o relacionado con ella: *Mi colegio participa en un torneo regional de baloncesto.* □ [No varía en masculino y en femenino]. FAMILIA: → región.

registrar [verbo] **1** Examinar con detalle para encontrar algo: *La policía registró la casa buscando pistas del ladrón.* **2** Apuntar un nombre en una lista: *¿Te has registrado ya en la lista del viaje de fin de curso?* **3** Anotar algo en un sitio: *El secretario registró por escrito todo lo ocurrido.* **4 registrarse** Producirse o suceder: *Este mes se han registrado menos accidentes de tráfico.* □ FAMILIA: → registro.

registro [sustantivo/masculino] **1** Examen de algo con atención para encontrar alguna cosa: *Encontraron el arma durante el registro del piso.* **2** Introducción de un nombre en una lista: *La persona encargada de la biblioteca hace el registro de todos los libros nuevos que llegan.* **3** Libro o escrito en el que se escriben estos nombres: *Todas las personas deben estar inscritas en el registro.* □ FAMILIA: registrar.

regla [sustantivo/femenino] **1** Objeto plano y alargado que sirve para dibujar líneas rectas y para medir distancias entre dos puntos: *En la clase de dibujo usamos la regla y el compás.* **2** Lo que todos deben cumplir porque se ha fijado así: *No puedo jugar porque no conozco las reglas del juego.* **3** Modo en que se produce algo de forma habitual: *Por regla general, comemos a las dos.* **4** Pérdida de sangre que sufre la mujer una vez al mes: *Las compresas se usan cuando se tiene la regla.* **5** [expresión] **en regla** De forma correcta: *El vigilante vio que todo estaba en regla y nos dejó*

pasar. □ [El significado **4** es coloquial]. SINÓNIMOS: **4** menstruación, periodo, período. FAMILIA: reglamento, reglamentario, regular, irregular, antirreglamentario.

reglamentario, ria [adjetivo] Que cumple lo que mandan las reglas: *Me han regalado un balón de fútbol reglamentario.* □ CONTRARIOS: antirreglamentario. FAMILIA: → regla.

reglamento [sustantivo/masculino] Conjunto ordenado de reglas que regulan la forma en que algo debe realizarse: *Para ser un buen árbitro hay que saberse muy bien el reglamento.* □ FAMILIA: → regla.

regocijar [verbo] Poner alegre: *La noticia de tu boda nos regocijó.* □ [Se escribe siempre con j]. FAMILIA: → regocijo.

regocijo [sustantivo/masculino] Sensación alegre y feliz que se expresa con gestos: *El abuelo miraba con regocijo cómo se divertían sus nietos.* □ SINÓNIMOS: júbilo, entusiasmo. FAMILIA: regocijar.

regresar [verbo] Ir de nuevo al punto del que se había partido: *Nos vamos de viaje y no sé cuándo regresaremos.* □ SINÓNIMOS: volver. FAMILIA: → regreso.

regreso [sustantivo/masculino] Vuelta al lugar del que se partió: *A mi regreso os contaré dónde estuve de viaje.* □ SINÓNIMOS: venida. CONTRARIOS: ida. FAMILIA: regresar.

reguero [sustantivo/masculino] Línea continua que deja un líquido que se va cayendo: *La botella estaba rota y has dejado un reguero de agua por todo el pasillo.* □ FAMILIA: → regar.

regular [adjetivo] **1** De tamaño o de características normales: *Este cuadro tiene un tamaño regular, es decir, ni muy grande, ni muy pequeño.* **2** Que sigue unas reglas o es de unas proporciones determinadas: *«Amar» es un verbo regular, mientras que «hacer» no lo es.* [verbo] **3** Hacer que algo se desarrolle con orden o según una regla: *Los semáforos sirven para regular el tráfico.* **4** Controlar un sistema: *Este botón sirve para regular el volumen de la tele.* **5** [adverbio] No muy bien: *Hoy me encuentro regular porque me duele la tripa.* □ [Cuando es adjetivo no varía en masculino y en femenino]. SINÓNIMOS: **3** ordenar, organizar. CONTRARIOS: **2** irregular. **3** desordenar, desorganizar. FAMILIA: → regla.

rehabilitación [sustantivo/femenino] Conjunto de técnicas que sirven para que una parte del cuerpo pueda volver a realizar su función: *Después de la operación de rodilla tuvo que hacer ejercicios de rehabilitación para poder volver a andar sin cojear.* □ FAMILIA: → hábil.

rehacer [verbo] **1** Volver a hacer algo: *El dibujo tenía tantos fallos que lo borré y lo tengo que rehacer.* **2 rehacerse** Tomar nuevas fuerzas o nuevos ánimos: *Ha sufrido una larga enfermedad y le ha costado rehacerse.* □ [Es irregular y se conjuga como HACER. Su participio es rehecho]. FAMILIA: → hacer.

rehecho, cha Participio irregular de **rehacer**. □ FAMILIA: → hacer.

rehén [sustantivo masculino] Persona a la que se tiene prisionera para obligar a otros a cumplir algo: *Los atracadores dijeron que si no les dejaban escapar, matarían a los rehenes.*

rehuir [verbo] **1** Rechazar algo por miedo: *Eres un cobarde, por eso rehúyes esa situación.* **2** Evitar la relación con una persona: *Me rehúye porque cree que estoy enfadada con él.* □ [La i se cambia en y delante de a, e, o, como en HUIR. El acento se pone como en ACTUAR]. SINÓNIMOS: **2** huir. FAMILIA: → huir.

rehusar [verbo] No querer hacer algo: *Rehusó mi invitación de venir a casa diciendo que estaba cansada.* □ [Se conjuga como ACTUAR]. SINÓNIMOS: negarse, rechazar. CONTRARIOS: aceptar, acceder.

reina [sustantivo femenino] **1** Mujer que tiene la autoridad más alta en determinados sistemas políticos: *La reina de Gran Bretaña se llama Isabel.* **2** Mujer del rey: *Cuando el príncipe sea rey, su mujer será reina.* **3** Mujer que en algunas fiestas es elegida para que ocupe un lugar de honor: *La reina de las fiestas saludó desde el balcón del ayuntamiento.* □ [El masculino es rey]. FAMILIA: → rey.

reinado [sustantivo masculino] Tiempo durante el que un rey manda en un lugar: *España ingresó en la Comunidad Europea durante el reinado de Juan Carlos I.* □ FAMILIA: → rey.

reinar [verbo] **1** Mandar el rey o el soberano en un lugar: *Colón llegó a América cuando en España reinaban los Reyes Católicos.* **2** Tener la autoridad más alta en algunos sistemas políticos: *En las monarquías modernas, los reyes reinan, pero no gobiernan el*

país. **3** Haber algo en gran cantidad: *Cuando los niños están durmiendo, la paz reina en casa.* □ FAMILIA: → rey.

reino [sustantivo masculino] **1** Estado en el que el rey tiene la más alta autoridad: *En el cuento, el paje llevó por todo el reino la noticia de la boda del príncipe.* **2** Espacio propio de una actividad: *Eso que me cuentas sólo puede ocurrir en el reino de la fantasía.* **3** Cada una de las categorías más altas en las que se dividen los seres vivos: *Los árboles pertenecen al reino vegetal.* □ SINÓNIMOS: **2** ámbito, campo. FAMILIA: → rey.

reír **1** [verbo] Expresar alegría moviendo la boca y haciendo unos sonidos especiales: *Contó un chiste y nos hizo reír a carcajadas.* **2** [expresión] **reírse de algo** Tomárselo a broma y no hacer caso de ello: *Hace lo que le da la gana y se ríe de todo lo que le digo.* □ [Es irregular]. SINÓNIMOS: **2** burlarse, pitorrearse, cachondearse. FAMILIA: risa, risueño, hazmerreír, sonreír, sonrisa, sonriente.

reivindicar [verbo] **1** Pedir con fuerza algo a lo que se tiene derecho: *Los manifestantes*

reír	conjugación
INDICATIVO	**SUBJUNTIVO**

presente	**presente**
río	ría
ríes	rías
ríe	ría
reímos	riamos
reís	riáis
ríen	rían

pretérito imperfecto	**pretérito imperfecto**
reía	riera, -ese
reías	rieras, -eses
reía	riera, -ese
reíamos	riéramos, -ésemos
reíais	rierais, -eseis
reían	rieran, -esen

pretérito indefinido	**futuro**
reí	riere
reíste	rieres
rió	riere
reímos	riéremos
reísteis	riereis
rieron	rieren

futuro	**IMPERATIVO**
reiré	
reirás	**presente**
reirá	ríe (tú)
reiremos	ría (él)
reiréis	riamos (nosotros)
reirán	reíd (vosotros)
	rían (ellos)

condicional	**FORMAS NO PERSONALES**
reiría	
reirías	**infinitivo** **gerundio**
reiría	reír riendo
reiríamos	
reiríais	**participio**
reirían	reído

reivindicaban sus derechos. **2** Decir alguien que él es el responsable de una cosa: *En una llamada al periódico, unos terroristas reivindicaron el atentado.* □ [La c se cambia en qu delante de e, como en SACAR]. SINÓNIMOS: **1** exigir, reclamar.

reja 1 [sustantivo] [femenino] Conjunto de barras que se ponen en un sitio para que no se pueda entrar ni salir por él: *En las casas bajas, las ventanas suelen tener rejas para evitar robos.* **2** [expresión] **entre rejas** En la cárcel: *El autor del delito merece estar entre rejas.* □ [El significado **2** es coloquial]. SINÓNIMOS: verja. FAMILIA: rejilla, enrejar, enrejado.

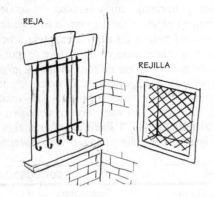

REJA

REJILLA

rejilla [sustantivo] [femenino] Especie de red de metal que se pone en un hueco para que no entre ni salga nada por él: *Habrá que poner una rejilla en la ventana del sótano para que no entren animales.* □ FAMILIA: → reja.

rejuvenecer [verbo] Volver a tener la fuerza y la energía propias de las personas jóvenes: *Mi abuela dice que rejuvenece viéndonos jugar.* □ [Es irregular y se conjuga como PARECER]. CONTRARIOS: envejecer. FAMILIA: → joven.

relación [sustantivo] [femenino] **1** Asociación entre dos cosas que tienen algo común: *Lo que me dices no tiene relación con lo que te he contado.* **2** Unión que se establece entre personas: *Entre nosotros hay una relación de amistad.* **3** [plural] Conjunto de personas conocidas que pueden ayudarnos a conseguir algo: *Conoce a mucha gente y tiene muchas relaciones.* **4** [expresión] **relaciones públicas** Trabajo que consiste en relacionarse con la gente para darles a conocer algo: *Las personas que se* dedican a las relaciones públicas suelen ser muy simpáticas.* □ FAMILIA: relacionar, relativo.

relacionar [verbo] **1** Establecer lo que tienen en común dos o más cosas: *La policía busca alguna pista que pueda relacionar los dos robos.* **2** **relacionarse** Tratarse con otras personas: *Me relaciono mucho con mis vecinos.* □ FAMILIA: → relación.

relajar [verbo] Hacer que disminuya la tensión: *Tomar un baño de agua tibia relaja.* □ [Se escribe siempre con j].

relámpago [sustantivo] [masculino] **1** Luz fuerte que dura muy poco y que se produce cuando chocan dos nubes: *Primero se vio el relámpago y luego se oyó el trueno.* **2** Lo que es muy rápido: *Me hizo una visita relámpago y se fue enseguida porque tenía mucha prisa.*

relatar [verbo] Dar a conocer con palabras una historia o un suceso: *El testigo relató lo que había ocurrido.* □ SINÓNIMOS: contar, referir, narrar. FAMILIA: → relato.

relativo, va [adjetivo] **1** Que tiene relación con algo: *Tenéis que hacer una redacción sobre un tema relativo a lo que os he explicado.* **2** Que se considera en relación con otras cosas: *Lo que has dicho es una verdad relativa, porque depende del punto de vista.* □ CONTRARIOS: **2** absoluto. FAMILIA: → relación.

relato [sustantivo] [masculino] Historia que se cuenta con palabras: *Me regalaron un libro de relatos.* □ SINÓNIMOS: narración. FAMILIA: relatar.

releer [verbo] Volver a leer algo: *Releyó la carta para asegurarse de que no había puesto ninguna falta de ortografía.* □ [Es irregular y se conjuga como LEER]. FAMILIA: → leer.

relevar [verbo] Sustituir a una persona por otra en una actividad o en un trabajo: *Cuando estés cansada yo te relevaré.* □ [No confundir con rebelarse ni con revelar]. FAMILIA: relevo.

relevo [sustantivo] [masculino] Sustitución de una persona por otra en una actividad o en un trabajo: *El relevo de la guardia se hace cada dos horas.* □ FAMILIA: → relevar.

relieve [sustantivo] [masculino] **1** Figura que está más alta que el resto de la superficie: *La parte alta de las columnas de la iglesia tiene unos preciosos relieves.* 🔎 página 341. **2** Conjunto de los accidentes de la superficie de la Tierra: *Las montañas, los ríos y los valles son accidentes del relieve.* 🔍 página 709. **3** Importancia de algo: *La conferencia la dio un científico de relieve.* **4** [expresión] **poner de relieve** Hacer que algo se note más: *Con aquellas palabras puso de relieve su entusiasmo.* □ Sinónimos: **4** destacar, resaltar, acentuar, pronunciar, subrayar. Contrarios: **4** disimular.

religión [sustantivo femenino] Conjunto de ideas o de creencias de las personas que creen en un dios: *La religión cristiana enseña a amar a Dios y al prójimo como a uno mismo.* □ Familia: religioso.

religioso, sa [adjetivo] **1** De la religión o relacionado con ella: *La oración es una práctica religiosa.* **2** Que practica una religión y cumple con sus reglas: *Es una persona muy religiosa y va a misa todos los días.* **3** [adjetivo o sustantivo] Que ha dedicado su vida a Dios: *En mi colegio dan clase varios religiosos.* □ Familia: → religión.

relinchar [verbo] Emitir su voz característica el caballo: *Este caballo me conoce y relincha cuando me ve.* □ Familia: relincho.

relincho [sustantivo masculino] Voz característica del caballo: *En la cuadra se oían los relinchos del caballo.* □ Familia: → relinchar.

reliquia [sustantivo femenino] Parte del cuerpo de un santo o de alguna cosa suya, a las que se da culto: *La sangre del santo es la reliquia más venerada de esta iglesia.*

rellano [sustantivo masculino] Parte de una escalera donde acaban los escalones y donde se puede hacer una parada antes de continuar subiendo: *Los vecinos han decidido poner una planta en cada rellano de la escalera.* □ Sinónimos: descansillo. Familia: → llano.

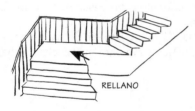

RELLANO

rellenar [verbo] **1** Volver a llenar algo que está medio vacío: *Rellené el jarrón con agua para que las flores no se estropearan.* **2** Po-

ner en el interior de un alimento otros alimentos: *Rellenó la carne con aceitunas y jamón.* **3** Escribir la información que se pide en un papel que tiene los espacios señalados para ello: *Cuando hayas rellenado el impreso, entrégalo en esa ventanilla.* □ Sinónimos: **3** llenar. Familia: → lleno.

relleno, na [adjetivo] **1** Con el interior lleno de algo: *De aperitivo quiero aceitunas rellenas.* **2** Dicho de una persona, que está un poco gorda: *Quiere ponerse a régimen porque está un poco rellenito.* **3** [sustantivo masculino] Lo que se necesita para llenar el interior de algo: *Mi almohada tiene un relleno de plumas.* □ [El significado **2** es coloquial]. Familia: → lleno.

reloj [sustantivo masculino] Instrumento con el que se mide el tiempo: *Me he dejado el reloj en casa y no sé qué hora es.* □ Familia: relojero, relojería, contrarreloj. 🔍 página 732.

relojería 1 [sustantivo femenino] Tienda en la que se arreglan o se venden relojes: *He ido a cambiar la pila de mi reloj a la relojería de la esquina.* **2** [expresión] **de relojería** Dicho de una bomba, que tiene un reloj que hace que explote en un determinado momento: *La bomba de relojería estalló cuando el reloj marcó la hora fijada.* □ Familia: → reloj.

relojero, ra [sustantivo] Persona que se dedica a arreglar o a vender relojes: *He llevado el reloj al relojero para que le cambie la pila.* □ Familia: → reloj.

relucir [verbo] **1** Brillar o despedir rayos de luz: *Esta plata está tan limpia que reluce.* **2** Ser importante o notarse mucho: *Su belleza relucía en la fiesta.* **3** [expresión] **salir a relucir algo** Ser dicho o mencionado por alguien: *No quiero que este tema salga otra vez a relucir.* □ [Es irregular y se conjuga como LUCIR]. Sinónimos: **1** relumbrar, resplandecer. Familia: → luz.

relumbrar [verbo] Brillar o despedir rayos de luz: *Las espadas de los guerreros relumbraban al sol.* □ Sinónimos: relucir, resplandecer.

remangar [verbo] Subir la parte baja de la ropa: *Me remangué los pantalones para que no se me mojaran al atravesar el río.* □ [La g se cambia en gu delante de e, como en PAGAR]. Familia: → manga.

remar [verbo] Mover los remos de un barco

a
b
c
d
e
f
g
h
i
j
k
l
m
n
ñ
o
p
q
r
s
t
u
v
w
x
y
z

para que se mueva sobre el agua: *Remamos hasta la playa y escondimos la barca detrás de una roca.* □ FAMILIA: → remo.

rematar [verbo] **1** Dar fin a algo o terminarlo: *Remató la conferencia contando algunas anécdotas graciosas.* **2** Acabar de matar a una persona o a un animal que están medio muertos: *Cuando vio que su caballo estaba herido, lo remató para que no sufriera.* **3** Acabar de estropear algo que estaba mal: *Después de todo lo que me había pasado, para rematar el día me caí y me rompí el brazo.* **4** Gastar del todo algo que ya estaba empezado: *Antes de empezar otra botella, remata esta que está medio vacía.* **5** Asegurar el último punto al coser algo: *No rematé la costura y se me ha descosido la manga.* **6** En algunos deportes, lanzar el balón con fuerza para conseguir un gol: *El delantero remató, pero no consiguió meter gol.* □ [Los significados **3** y **4** son coloquiales]. FAMILIA: → matar.

remate [sustantivo masculino] **1** Lo que sirve para terminar algo: *Como remate de su actuación, cantó una de sus canciones más famosas.* **2** En algunos deportes, lanzamiento del balón con fuerza para conseguir un gol: *Conseguí un gol con un remate de cabeza.* **3** [expresión] **de remate** Del todo: *Una tontería así sólo puede hacerla un bobo de remate.* □ [El significado **3** es coloquial]. FAMILIA: → matar.

remediar [verbo] **1** Poner solución a un daño o intentar arreglarlo: *Le pedí disculpas para intentar remediar el daño que le había hecho.* **2** Evitar que suceda algo que se considera malo: *No está bien que me duerma mientras hablas, pero tengo tanto sueño que no puedo remediarlo.* □ SINÓNIMOS: **1** reparar. FAMILIA: → remedio.

remedio [sustantivo masculino] **1** Lo que sirve como solución contra un mal: *Este jarabe es un buen remedio para la tos.* **2** Cambio para quitar algo que está mal: *Si no ponemos re-*

medio, nuestros planes fracasarán. **3** [expresión] **no haber más remedio** Ser totalmente necesario: *Ya sé que no te gusta, pero si no hay más remedio, tendrás que hacerlo.* □ [El significado **3** es coloquial]. SINÓNIMOS: **1** antídoto, medicina. FAMILIA: remediar, irremediable.

remendar [verbo] Poner un trozo de tela o de otro material en algo que está roto para arreglarlo: *Llevó los zapatos al zapatero para que se los remendara.* □ [Es irregular y se conjuga como PENSAR]. FAMILIA: remiendo.

remiendo [sustantivo masculino] Trozo de tela o de otro material que se pone para arreglar algo roto: *Estos pantalones necesitan un remiendo.* □ FAMILIA: → remendar.

REMIENDO

remite [sustantivo masculino] Nota que se pone en la parte de atrás de una carta y en la que se indica la persona que la envía y su dirección: *Si los carteros no encuentran la dirección a la que se manda una carta, la devuelven a las señas del remite.* □ FAMILIA: → remitir.

remitir [verbo] **1** Enviar algo a otra persona: *Te remitiré un cheque por el valor de lo que te he comprado.* **2** Disminuir o ser menos fuerte: *Cuando la fiebre remita, el peligro habrá pasado.* **3** Poner una señal en un escrito para indicar que se tiene que buscar información en otra parte: *Con esta llamada, el autor remite al primer capítulo del libro.* **4 remitirse** Basarse en algo: *Como prueba de lo que digo, me remito a las fotos que salieron en las revistas.* □ FAMILIA: remite.

remo [sustantivo masculino] **1** Especie de pala larga y estrecha que sirve para mover algunos barcos

RELOJ

DE PULSERA

DE ARENA

DE SOL

DE PÉNDULO

DE CUCO

por el agua: *Las piraguas son barcas que se impulsan con remos*. **2** Deporte que consiste en hacer carreras en barcas movidas con estas palas: *El remo es un deporte olímpico*. □ FAMILIA: remar.

remojar [verbo] Meter algo en agua: *He remojado los cacharros antes de meterlos en el friegaplatos*. □ [Siempre se escribe con j]. FAMILIA: → mojar.

remojo [expresión] **a remojo** o **en remojo** Dentro del agua durante cierto tiempo: *Antes de cocer los garbanzos, hay que ponerlos en remojo la noche anterior*. □ FAMILIA: → mojar.

remojón [sustantivo masculino] Baño de agua: *Me di un remojón en la piscina para quitarme el calor*. □ FAMILIA: → mojar.

remolacha [sustantivo femenino] Planta que tiene la raíz parecida a la patata, de color rojo o blanco, y que se puede comer: *De la remolacha se saca el azúcar*.

remolcar [verbo] Arrastrar un vehículo tirando de él: *Tuvimos una avería en la carretera y llamamos a una grúa para que nos remolcara hasta un taller*. □ [La c se cambia en qu delante de e, como en SACAR]. FAMILIA: remolque.

remolino [sustantivo masculino] **1** Movimiento rápido y que da muchas vueltas: *Es peligroso bañarse en este río porque hay muchos remolinos*. **2** Conjunto de pelos que salen en diferentes direcciones y que son difíciles de peinar: *Tengo que ponerme laca para peinarme este remolino que me sale en la nuca*. **3** Montón de gente que se junta sin ningún orden en un lugar: *Un remolino de periodistas esperaba al político para que hiciera unas declaraciones*. □ FAMILIA: arremolinarse.

remolón, -a [adjetivo o sustantivo] Que intenta no hacer algo que tiene que hacer: *Siempre te haces el remolón para levantarte*. □ [Es coloquial].

remolque [sustantivo masculino] Vehículo sin motor que es movido por otro que tira de él: *Este ca-*

mión lleva un remolque cargado de alimentos congelados. □ FAMILIA: → remolcar.

remontar [verbo] **1** Subir una pendiente: *Cuando remontemos esta cuesta, llegaremos a la cima de la montaña*. **2** Navegar aguas arriba: *Los salmones siempre remontan el río en la misma época del año*. **3** Elevarse en el aire: *Es impresionante ver cómo las águilas remontan el vuelo*. **4** Vencer o pasar: *Tuvimos que remontar algunas dificultades para conseguir sacar adelante nuestro proyecto*. □ CONTRARIOS: **1** bajar. FAMILIA: → montar.

remordimiento [sustantivo masculino] Sensación que siente una persona en su interior después de realizar algo que considera malo: *Tengo remordimientos por no haberte ayudado cuando me lo pediste*. □ FAMILIA: → morder.

remoto, ta [adjetivo] **1** Que está lejos en el espacio o en el tiempo: *En tiempos remotos existían los dinosaurios. Quiero visitar remotos países*. **2** Que es difícil que suceda o que sea verdad: *No pierdo las esperanzas mientras exista una posibilidad, por muy remota que sea*. □ SINÓNIMOS: **1** distante, lejano. CONTRARIOS: **1** cercano, próximo.

remover [verbo] **1** Mover algo de forma continua: *Si remueves la leche con la cucharilla se enfriará un poco*. **2** Volver a tratar algo olvidado: *Es mejor que no removamos ese asunto, porque no quiero volver a enfadarme contigo*. □ [Es irregular y se conjuga como VOLVER]. SINÓNIMOS: **1** agitar, sacudir. FAMILIA: → mover.

renacentista [adjetivo o sustantivo] Del Renacimiento o relacionado con este movimiento cultural del siglo XVI: *El arte renacentista supuso una vuelta a los modelos clásicos de Grecia y Roma*. □ [No varía en masculino y en femenino]. FAMILIA: → nacer. 🔍 página 341.

renacer [verbo] Tomar nuevas fuerzas: *Siempre que veo películas de aventuras, renacen*

REMOLINO

en mí las ganas de viajar. □ [Es irregular y se conjuga como PARECER]. FAMILIA: → nacer.

renacimiento [sustantivo] [masculino] Movimiento cultural de los siglos XV y XVI, y que supone una vuelta a los valores que había en las antiguas Grecia y Roma: *Las esculturas del Renacimiento están muy bien proporcionadas.* □ [Se suele escribir con mayúscula]. FAMILIA: → nacer. 🔎 página 341.

renacuajo [sustantivo] [masculino] **1** Cría de la rana: *Los renacuajos tienen cola.* **2** Persona pequeña en edad o en estatura: *Me lo paso genial jugando con estos renacuajos en el parque.* □ [El significado **2** es coloquial].

rencor [sustantivo] [masculino] Sensación de disgusto que siente una persona contra otra por algo que ya ha pasado: *¿Aún me guardas rencor porque no quise ir a tu casa cuando me invitaste?* □ FAMILIA: rencoroso.

rencoroso, sa [adjetivo o] [sustantivo] Que siente disgusto contra otra persona por algo que ya ha pasado: *No seas rencoroso y perdóname.* □ FAMILIA: → rencor.

rendija [sustantivo] [femenino] Abertura larga y estrecha que se forma entre dos cosas muy próximas: *Todos los días me despierta la luz que entra por las rendijas de la persiana.*

rendir [verbo] **1** Producir beneficios o provecho: *Cuando estudio, rindo más por la tarde que por la mañana.* **2** Dar u ofrecer: *En las iglesias se rinde culto a Dios.* **3** Cansar mucho: *Estos niños tan traviesos rinden a cualquiera.* **4 rendirse** Darse por vencido: *Me rindo, así que dime ya cuál es la solución de la adivinanza.* □ [Es irregular y se conjuga como PEDIR].

renegar [verbo] **1** Abandonar las creencias religiosas y rechazarlas: *Renegó de su fe.* **2** Rechazar algo y no querer saber nada de ello: *Renegó de sus amigos cuando se enteró de las gamberradas que hacían.* **3** Protestar en voz baja: *No reniegues y ponte a hacer lo que te he pedido.* □ [Es irregular y se conjuga como REGAR. El significado **3** es coloquial]. SINÓNIMOS: **3** refunfuñar. CONTRARIOS: **1** abrazar. FAMILIA: → negar.

renglón [sustantivo] [masculino] Conjunto de palabras escritas una al lado de otra: *Esta palabra del diccionario ocupa cuatro renglones.* □ SINÓNIMOS: línea.

reno [sustantivo] [masculino] Animal parecido al ciervo, que vive en climas fríos y que tiene unos cuernos muy grandes: *Los renos se utilizan para tirar de los trineos.*

RENO

renovación [sustantivo] [femenino] Cambio de una cosa por otra parecida, pero nueva o mejor: *El mejor jugador del equipo ha firmado hoy la renovación de su contrato por dos años más.* □ FAMILIA: → nuevo.

renovar [verbo] **1** Cambiar una cosa por otra parecida, pero nueva o mejor: *Tengo que llevar una foto para que me renueven el carné de la biblioteca.* **2** Dar nueva fuerza: *Las vacaciones sirven para renovar las ganas de estudiar.* □ [Es irregular y se conjuga como CONTAR]. FAMILIA: → nuevo.

renta [sustantivo] [femenino] Ganancia que produce algo cada cierto período de tiempo: *Mis padres han hecho la declaración de la renta para pagar los impuestos.* □ FAMILIA: rentable.

rentable [adjetivo] Que produce una ganancia suficiente o que merece la pena: *Abrir una tienda en esta calle tan transitada es un negocio muy rentable.* □ [No varía en masculino y en femenino]. FAMILIA: → renta.

renunciar [verbo] **1** Rechazar algo por voluntad propia: *Este jugador renunció a una oferta de otro equipo porque quería seguir jugando en su club de siempre.* **2** Abandonar una idea: *Renuncié a mi idea de ser astronauta, y ahora quiero ser bombero.* □ SINÓNIMOS: **1** privarse, abstenerse. CONTRARIOS: **2** insistir, persistir, intentar, aspirar.

reñir [verbo] **1** Llamar la atención a una persona para decirle que ha hecho algo mal: *Mis padres me riñen si llego tarde a casa.* **2** Tener una discusión con alguien: *¿Es que no sabéis jugar sin reñir?* **3** Enfadarse o dejar de ser amigos: *Después de varios años de relación, riñeron y ahora no se hablan.* □ [Es irregular y se conjuga como CEÑIR]. SINÓNIMOS: **1** reprender. **1,2** regañar. **2,3** discutir, pelearse. **3** enemistarse. FAMILIA: riña.

reojo [expresión] **de reojo** Sin mirar directamente: *Aunque yo estaba sentada en la primera fila, miré de reojo y te vi llegar.* □ FAMILIA: → ojo.

reparación [sustantivo] [femenino] Lo que se hace para arreglar algo: *La reparación de la televisión fue muy cara.* □ FAMILIA: → reparar.

reparar [verbo] **1** Hacer que algo que no funciona vuelva a funcionar: *Hay que llevar a reparar la plancha, porque está averiada.* **2** Darse cuenta de algo: *Reparé enseguida en tu nuevo corte de pelo.* **3** Arreglar un daño o una ofensa: *Te pido perdón, dime cómo puedo reparar el daño que te hice.* □ SINÓNIMOS: **1** arreglar. **2** observar, notar, percatarse, advertir. **3** remediar. CONTRARIOS: **1** estropear, averiarse, escacharrar, destrozar, romper. FAMILIA: reparación.

repartir [verbo] **1** Dividir algo entre varias personas de forma que a cada uno le toque parte de ello: *Te doy a ti la tableta de chocolate, pero la tienes que repartir con tus hermanos.* **2** Colocar o extender algo del modo más adecuado: *Tienes que repartir mejor la pintura para que no se noten los brochazos.* **3** Entregar un producto a distintas personas: *El cartero reparte las cartas por las casas.* □ SINÓNIMOS: distribuir. FAMILIA: → parte.

reparto [sustantivo] [masculino] **1** División de algo entre varias personas de forma que a cada uno le toque una parte: *Todos los trozos deben ser iguales para que no haya quejas en el reparto de la tarta.* **2** Colocación o situación de algo como debe ser: *El reparto del equipaje es importante para que el coche no vaya más cargado de un lado que de otro.* **3** Hecho de entregar un producto a distintas personas: *Dentro de cinco minutos llegará el reparto del correo.* **4** Lista de los actores y de los personajes de una película: *En el reparto de esta película están los mejores actores y actrices del momento.* □ SINÓNIMOS: **1-3** distribución. FAMILIA: → parte.

repasar [verbo] **1** Examinar una obra ya terminada para arreglar las cosas que quedan mal: *Repasé la suma y vi que me había equivocado en un número.* **2** Estudiar de nuevo algo que ya hemos estudiado para aprenderlo mejor: *Tengo que repasar la tabla de multiplicar, porque a veces me confundo.* □ FAMILIA: → pasar.

repaso [sustantivo] [masculino] **1** Examen que hacemos de algo que ya está terminado para arreglar las cosas que quedan mal: *Si has acabado el examen, dale un repaso para ver si has escrito mal alguna palabra.* **2** Estudio que se hace de algo ya estudiado: *Antes de preguntarnos la lección, la profesora nos deja hacer un repaso.* □ FAMILIA: → pasar.

repatear [verbo] Molestar o enfadar mucho: *Me repatea que no me mires cuando te hablo.* □ [Es coloquial]. SINÓNIMOS: jorobar, fastidiar.

repelente [adjetivo] Dicho de una persona, que da la impresión de que lo sabe todo y resulta poco agradable por eso: *Sólo un niño repelente como tú se permitiría corregir a una persona mayor porque ha dicho mal una palabra.* □ [No varía en masculino y en femenino. Es coloquial]. FAMILIA: → repeler.

repeler [verbo] **1** Lanzar o echar algo fuera de sí y con fuerza: *El portero repelió el balón con los puños e impidió el gol.* **2** Oponerse o producir rechazo: *Me repele la gente mentirosa.* □ FAMILIA: repelente.

repelús [sustantivo] [masculino] Sensación de miedo o de asco: *Me da repelús bañarme en la piscina si el agua está sucia.* □ [Es coloquial].

repente 1 [sustantivo] [masculino] Lo que nos da de forma repentina y nos empuja a hacer algo sin pensar: *Estábamos hablando todos tan tranquilos, cuando le dio un repente y se fue sin decir adiós a nadie.* **2** [expresión] **de repente** Sin que nadie lo espere o sin pensar: *Me quedé dormido viendo la tele y de repente me desperté.* □ SINÓNIMOS: **1** pronto, arrebato. FAMILIA: repentino.

repentino, na [adjetivo] Que no se espera o que no se sabe que va a ocurrir: *Fue una muerte repentina que nos llenó de pena.* □ SINÓNIMOS: súbito. FAMILIA: → repente.

repercutir [verbo] Producir un efecto en otra cosa: *Que tú hables en clase repercute en todos tus compañeros, porque los distraes.*

repertorio [sustantivo] [masculino] **1** Conjunto de números que realiza un artista: *La cantante ofreció en este concierto las mejores canciones de su repertorio.* **2** Colección de cosas: *Me río mu-*

a b c d e f g h i j k l m n ñ o p q **r** s t u v w x y z

a
b
c
d
e
f
g
h
i
j
k
l
m
n
ñ
o
p
q
r
s
t
u
v
w
x
y
z

cho con tu primo porque tiene un repertorio de chistes graciosísimos.

repetición [sustantivo/femenino] **1** Hecho de mostrar algo de nuevo: *En la repetición de la jugada se ve claramente que hubo penalti.* **2** Hecho de volver a hacer algo: *La repetición de la función de teatro será el lunes.* ☐ FAMILIA: → repetir.

repetir [verbo] **1** Volver a hacer algo o volver a decirlo: *¿Puedes repetirme la pregunta, que no te he oído?* **2** Volver a servirse una comida: *He repetido arroz y ahora estoy lleno.* **3** Volver a la boca el sabor de un alimento: *El pepino y el ajo repiten mucho.* **4 repetirse** Insistir mucho en una cosa: *Cuéntame otra cosa, porque te repites tanto que ya me aburres.* ☐ [Es irregular y se conjuga como PEDIR]. FAMILIA: repetición.

repicar [verbo] Sonar una campana de forma repetida: *Las campanas repicaban mientras los novios salían de la iglesia.* ☐ [La c se cambia en qu delante de e, como en SACAR]. FAMILIA: repique.

repipi [adjetivo o/sustantivo] Que cree que lo sabe todo y resulta poco natural al hablar: *Un niño repipi me dijo que los alumnos estaban desarrollando sus músculos en el gimnasio.* ☐ [No varía en masculino y en femenino. Es coloquial].

repique [sustantivo/masculino] Conjunto de sonidos producidos por una campana: *El repique de las campanas anunciaba la misa de siete.* ☐ FAMILIA: → repicar.

repisa [sustantivo/femenino] Tabla sobre la que se colocan cosas: *Encima de la mesa de mi habitación tengo una repisa con libros.*

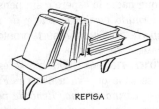

REPISA

repleto, ta [adjetivo] Muy lleno: *Tienes la mesa repleta de trastos y así no puedes estudiar.*

replicar [verbo] **1** Contestar a una pregunta diciendo lo contrario: *Pregunté a una chica si estaba libre el asiento y me replicó que estaba ocupado.* **2** Contestar mal: *No seas mal educado y no me repliques.* ☐ [La c se cambia en qu delante de e, como en SACAR].

repoblación [sustantivo/femenino] Proceso por el que se vuelven a plantar árboles y otras plantas: *La repoblación de estas zonas con pinos se hace para aprovechar el suelo y producir madera.* ☐ FAMILIA: → poblar.

repoblar [verbo] Volver a plantar árboles en la tierra de un lugar: *Han empezado a repoblar este monte que se quedó sin vegetación después del incendio.* ☐ [Es irregular y se conjuga como CONTAR]. FAMILIA: → poblar.

repollo [sustantivo/masculino] Planta que se cultiva en las huertas y que es una especie de bola formada por hojas grandes verdes y blancas: *Cuando se cuece el repollo huele muy fuerte.*

reponer [verbo] **1** Poner una cosa igual a otra que falta: *Hay que reponer jabón en el lavabo, porque he gastado lo poco que quedaba.* **2** Volver a poner un espectáculo: *Estoy esperando a que repongan esa película en el cine, porque quiero verla de nuevo.* **3** Responder o contestar a una pregunta: *Cuando le preguntaron si tenía novio, la cantante repuso que eso era algo que no pensaba decir a los periodistas.* **reponerse 4** Volver a estar sano: *Cuando te repongas de la operación, iremos al campo.* **5** Volver a estar tranquilo: *Cuando me reponga del disgusto, entraré en la sala, porque no quiero que me vean llorar.* ☐ [Es irregular y se conjuga como PONER. Su participio es *repuesto*]. SINÓNIMOS: **4** recuperarse, recobrarse, restablecerse. FAMILIA: repuesto.

reportaje [sustantivo/masculino] Trabajo en el que se dan noticias relacionadas con un asunto determinado: *He visto un reportaje en televisión sobre la vida de las abejas.* ☐ FAMILIA: → reportero.

reportero, ra [sustantivo] Periodista que se encarga de buscar noticias: *Los reporteros de esta revista siempre consiguen entrevistas con políticos muy importantes.* ☐ FAMILIA: reportaje.

reposar [verbo] **1** Descansar o interrumpir un trabajo: *Para reponer energías, hay que reposar de vez en cuando.* **2** Apoyar una cosa en otra: *Si quieres dormir, puedes reposar la cabeza sobre mi hombro.* **3** Dejar quieto: *Después de hacer la masa del biz-*

cocho, déjala reposar diez minutos. □ FA-MILIA: reposo.

reposo [sustantivo masculino] Falta de actividad o de movimiento: *Después de un día de tanto trabajo, necesito un rato de reposo.* □ CONTRARIOS: movimiento. FAMILIA: → reposar.

reprender [verbo] Llamar la atención a una persona para decirle que ha hecho algo mal: *Mis padres me reprendieron por decir mentiras.* □ SINÓNIMOS: reñir, regañar.

representación [sustantivo femenino] **1** Imagen que sustituye a algo: *Las letras son la representación escrita de los sonidos.* **2** Lo que hace una persona cuando actúa en nombre de otra: *Mis padres fueron a la boda de mi primo en representación de toda la familia.* **3** Hecho de representar una obra de teatro: *Cuando acabó la representación, los actores salieron a recibir los aplausos del público.* □ SINÓNIMOS: **3** función. FAMILIA: → representar.

representante [sustantivo] Persona que actúa en nombre de otra: *Los periodistas hablaron con el representante de la actriz para que les concediera una entrevista.* □ [No varía en masculino y en femenino]. SINÓNIMOS: agente. FAMILIA: → representar.

representar [verbo] **1** Ser una cosa la imagen de otra: *Este cuadro representa a la familia de un rey español.* **2** Actuar una persona en nombre de otra: *Me han elegido para que represente a todos los de mi clase en el concurso.* **3** Hacer una obra de teatro: *Hemos representado en el colegio una comedia muy divertida.* **4** Dar la impresión de tener una determinada edad: *Tengo ocho años, pero todos dicen que represento diez.* □ FAMILIA: representación, representante.

represión [sustantivo femenino] Hecho de no dejar que se hagan o se digan algunas cosas: *Aquel dictador ejercía una gran represión y el pueblo estaba muy descontento.* □ FAMILIA: → reprimir.

reprimir [verbo] **1** No dejar que se note un deseo o un sentimiento: *No pude reprimir el llanto cuando me enteré de la triste noticia.* **2** Impedir por la fuerza que se haga o se diga algo: *El ejército reprimió la rebelión con las armas.* □ SINÓNIMOS: **1** aguantar, contener, dominar. FAMILIA: represión.

reprochar [verbo] Decir a una persona que ha hecho algo malo: *Te reprocho que me engañaras.* □ FAMILIA: → reproche.

reproche [sustantivo masculino] Lo que se dice a una persona porque ha hecho algo malo: *Tu mala conducta sólo merece reproches.* □ FAMILIA: reprochar.

reproducción [sustantivo femenino] **1** Proceso por el cual los seres vivos consiguen que nazcan otros de su misma especie: *Hoy nos han explicado en clase la reproducción de algunas plantas y de algunos animales.* **2** Cualquier cosa que se hace igual a otra o que se le parece mucho: *Vimos en el museo unos cañones que eran reproducciones exactas de los utilizados antiguamente.* □ SINÓNIMOS: **2** calco, copia, imitación. FAMILIA: → reproducir.

reproducir [verbo] **1** Producir de nuevo o volver a hacer: *Si grabas esta música en una cinta, podrás reproducirla en un casete todas las veces que quieras.* **2** Hacer una copia: *Esta fotocopiadora reproduce los originales al mismo tamaño, más pequeños o más grandes.* **3** Ser copia de algo: *Los cuadros del salón de mi casa reproducen obras de Velázquez.* **4 reproducirse** Dicho de un ser vivo, conseguir que nazcan otros de su misma especie: *Las plantas se reproducen por medio del polen.* □ [Es irregular y se conjuga como CONDUCIR]. FAMILIA: reproducción.

reptar [verbo] Andar arrastrando el cuerpo: *Las serpientes reptan.* □ FAMILIA: reptil.

reptil [adjetivo o sustantivo masculino] Dicho de un animal, que es de sangre fría y que se mueve arrastrando el cuerpo: *Las serpientes, los lagartos y las tortugas son reptiles.* □ [Cuando es adjetivo no varía en masculino y en femenino]. FAMILIA: → reptar.

república [sustantivo femenino] **1** Sistema de gobierno en el que no hay rey y la autoridad más alta la tiene una persona elegida por los ciudadanos: *El rey tuvo que abandonar el país cuando fue proclamada la república en su nación.* **2** Estado o país que tiene esta forma de gobierno: *Italia y Francia son dos repúblicas europeas, pero España es un reino.* □ FAMILIA: republicano.

republicano, na [adjetivo o sustantivo] Que defiende la república como forma de gobierno: *Portugal*

a

b

c

d

e

f

g

h

i

j

k

l

m

n

ñ

o

p

q

r

s

t

u

v

w

x

y

z

es un país republicano. □ FAMILIA: → república.

repuesto, ta 1 Participio irregular de **reponer. 2** [sustantivo] [masculino] Pieza que se usa para cambiarla por otra que ya no sirve: *En esta tienda venden repuestos de bicicleta.* □ SINÓNIMOS: **2** recambio. FAMILIA: → reponer.

repugnancia [sustantivo] [femenino] Sensación que no resulta nada agradable y está producida por algo que no nos gusta: *Ese olor tan apestoso me produce repugnancia.* □ SINÓNIMOS: asco. FAMILIA: repugnante.

repugnante [adjetivo] Que produce una sensación que no resulta nada agradable: *El olor de ese mejunje me parece repugnante.* □ [No varía en masculino y en femenino]. SINÓNIMOS: asqueroso. FAMILIA: → repugnancia.

requesón [sustantivo] [masculino] Especie de queso muy blando y de color blanco: *Me gusta tomar requesón con miel.* □ FAMILIA: → queso.

requetebién [adverbio] Muy bien: *Te ha quedado el dibujo requetebién y lo vamos a colgar en la pared.* □ [Es coloquial]. FAMILIA: → bien.

requisito [sustantivo] [masculino] Condición necesaria para algo: *Para participar en este concurso, el requisito es tener diez años cumplidos.*

res [sustantivo] [femenino] Animal de cuatro patas y de ciertas especies: *Los vaqueros iban a caballo guiando cientos de reses.* □ SINÓNIMOS: cabeza.

resaca [sustantivo] [femenino] **1** Movimiento hacia adentro de las olas del mar después de tocar la orilla: *Si hay mucha resaca, es peligroso bañarse.* **2** Sensación que tiene una persona cuando se despierta después de haber bebido mucho alcohol: *Cuanto más dulce es una bebida alcohólica, más resaca produce.* □ [El significado **2** es coloquial].

resaltar [verbo] **1** Hacer que algo se note más: *Esta camisa blanca resalta tu moreno.* **2** Notarse más: *En este escritor resalta su imaginación.* □ SINÓNIMOS: destacar. **1** acentuar, pronunciar, subrayar, poner de relieve. **2** despuntar, sobresalir. CONTRARIOS: **1** disimular. FAMILIA: → saltar.

resbaladizo, za [adjetivo] Que resbala mucho: *Se ha caído el aceite y el suelo está resbaladizo.* □ FAMILIA: → resbalar.

resbalar [verbo] **1** Moverse algo rápidamente sobre una superficie: *Me gusta ver cómo resbalan las gotas de lluvia en el cristal.* **2** Hacer que algo se deslice sobre una superficie: *Ten cuidado de no caerte, porque acaban de dar cera al suelo y resbala mucho.* **3** Dar igual: *Me resbala lo que pienses de mí.* □ [El significado **3** es coloquial]. FAMILIA: resbaladizo, resbalón.

resbalón [sustantivo] [masculino] Caída que se produce al pisar una superficie que resbala: *Había agua en el suelo, di un resbalón y me caí.* □ FAMILIA: → resbalar.

rescatar [verbo] Salvar de un daño o de un peligro: *Han enviado un helicóptero para rescatar a los náufragos del barco hundido.* □ FAMILIA: rescate.

rescate [sustantivo] [masculino] **1** Dinero que hay que pagar para que suelten a una persona que ha sido cogida contra su voluntad: *Los secuestradores piden un rescate de varios millones de pesetas.* **2** Conjunto de operaciones que se realizan para salvar a una persona que está en peligro: *Varias patrullas de policía trabajan en el rescate de los dos montañeros perdidos durante la tormenta de nieve.* □ SINÓNIMOS: **2** salvamento. FAMILIA: → rescatar.

resecar [verbo] Secar mucho: *El sol reseca la piel.* □ [La c se cambia en qu delante de e, como en SACAR]. FAMILIA: → seco.

reseco, ca [adjetivo] Demasiado seco: *Hemos caminado tanto y hace tanto calor que tengo la boca reseca.* □ CONTRARIOS: húmedo. FAMILIA: → seco.

reserva 1 [sustantivo] Persona que sustituye a otra en una competición deportiva: *Los reservas se sientan con el entrenador en el banquillo.* [sustantivo] [femenino] **2** Conjunto de cosas que se guardan para usarlas más adelante: *Se está acabando la reserva de víveres.* **3** Acuerdo que se hace para que nos guarden algo que queremos usar: *He hecho la reserva de los billetes de avión, pero aún no los he pagado.* **4** Cuidado que se pone al hacer o al decir algo: *Se trata de un asunto secreto y debes ocuparte de él con mucha reserva.* **5** Falta de confianza: *Somos amigos y siempre nos hablamos sin reservas.* **6** Territorio limitado: *Esta zona de montañas es una reserva natural de buitres.* **7** [sustantivo femenino plural] Conjunto de cosas que permiten resolver una necesidad o que sirven para hacer algo: *Es un país muy rico porque posee muchas reservas naturales.* □ [El significado **1** no varía en masculino y en femenino]. FAMILIA: reservar, reservado.

reservado, da [adjetivo] Que habla poco o que cuenta pocas cosas: *Soy muy reservada cuando estoy con gente con la que no tengo confianza.* □ SINÓNIMOS: callado. CONTRARIOS: hablador, charlatán, parlanchín, cotorra. FAMILIA: → reserva.

reservar [verbo] **1** Guardar para más adelante: *Hay que reservar algo de comida para los que vengan después.* **2** Coger una cosa para que la use una persona determinada: *Si llegas antes que yo, resérvame un asiento a tu lado.* □ FAMILIA: → reserva.

resfriado [sustantivo masculino] Enfermedad que se produce generalmente por cambios repentinos y fuertes de temperatura: *Cogí un resfriado y estoy venga a estornudar.* □ SINÓNIMOS: constipado, catarro.

resfriarse [verbo] Coger un resfriado: *El otro día salí con el pelo mojado a la calle y me resfrié.* □ [Se conjuga como GUIAR]. SINÓNIMOS: acatarrarse, constiparse.

resguardar [verbo] Proteger algo de un daño o de un peligro: *Nos podemos resguardar de la lluvia en el portal de esa casa.* □ SINÓNIMOS: proteger, preservar. CONTRARIOS: atacar. FAMILIA: → guarda.

residencia [sustantivo femenino] **1** Lugar en el que se vive: *Mis padres son de Salamanca, pero hace tiempo que fijaron su residencia en Zamora.* **2** Casa en la que se vive, especialmente si es grande: *Los Reyes están pasando sus vacaciones en su residencia de verano.* **3** Lugar en el que viven personas que tienen algunas características en común: *En Navidad visitamos una residencia de ancianos con el colegio.* □ FAMILIA: → residir.

residir [verbo] **1** Ocupar un lugar y hacer vida en él: *La familia de mi padre siempre ha residido en Cádiz.* **2** Tener algo como base: *¡Ah, ya veo dónde reside el problema!* □ SINÓNIMOS: **1** vivir, habitar. **2** consistir. FAMILIA: residencia.

residuo [sustantivo masculino] Parte que queda o que so-

bra de algo: *Los residuos radiactivos son muy peligrosos.*

resignación [sustantivo femenino] Paciencia para aceptar algo malo: *Mi tía soporta con resignación su enfermedad y hace todo lo posible para curarse.* □ FAMILIA: → resignarse.

resignarse [verbo] Aceptar con paciencia algo malo: *No me resigno a quedarme sin vacaciones.* □ FAMILIA: resignación.

resina [sustantivo femenino] Sustancia de algunas plantas: *La resina es muy pegajosa.*

resistencia [sustantivo femenino] **1** Oposición fuerte: *Los delincuentes se entregaron a la policía sin resistencia.* **2** Capacidad para resistir o aguantar: *Como hago deporte, tengo mucha resistencia física.* □ FAMILIA: → resistir.

resistente [adjetivo] Que resiste o aguanta muy bien: *Este material es muy resistente al calor.* □ [No varía en masculino y en femenino]. CONTRARIOS: frágil. FAMILIA: → resistir.

resistir [verbo] **1** Aguantar o mantener con fuerza: *Estas columnas resisten el peso de toda la casa.* **2** Durar o permanecer en el tiempo: *Los alimentos congelados resisten mucho tiempo sin estropearse.* **3 resistirse** Oponerse con fuerza a hacer algo: *Me resisto a creer todas las barbaridades que cuentas de mis amigos.* □ FAMILIA: resistencia, resistente, irresistible.

resolver [verbo] **1** Encontrar la solución correcta a algo que no se sabe: *¿A que no eres capaz de resolver este jeroglífico?* **2** Tomar una decisión: *He resuelto estudiar periodismo.* □ [Es irregular y se conjuga como VOLVER. Su participio es *resuelto*]. SINÓNIMOS: **1** acertar, adivinar, solucionar. **2** acordar, decidir. FAMILIA: resuelto.

respaldo [sustantivo masculino] **1** Parte de un mueble en la que se apoya la espalda: *Los taburetes son asientos que no tienen respaldo.* **2** Apoyo, ayuda o protección: *Siempre tendré el respaldo de mi familia.* □ FAMILIA: → espalda.

RESPALDO

a
b
c
d
e
f
g
h
i
j
k
l
m
n
ñ
o
p
q
r
s
t
u
v
w
x
y
z

respectivo, va [adjetivo] Dicho de una cosa, que se corresponde con otra: *Vinieron a cenar todos mis tíos con sus hijos respectivos.* □ FAMILIA: → respecto.

respecto [expresión] **al respecto** En relación con lo que se trata: *Estoy de acuerdo con vosotros y no tengo nada que decir al respecto.* **respecto de algo** o **respecto a algo** En relación con ello: *No sé qué pensar respecto a lo que me cuentas.* □ FAMILIA: respectivo.

respetable [adjetivo] **1** Que merece ser respetado: *Mis opiniones son tan respetables como las tuyas.* **2** Grande o importante: *El coche ha costado una respetable suma de dinero.* □ [No varía en masculino y en femenino. El significado **2** es coloquial]. SINÓNIMOS: **1** honorable. **2** considerable. FAMILIA: → respeto.

respetar [verbo] **1** Tener respeto hacia algo o mostrarlo: *Aunque no estoy de acuerdo contigo, respeto tus opiniones.* **2** Aceptar algo y obedecerlo: *Si no respetas las señales de circulación, tendrás un accidente.* □ FAMILIA: → respeto.

respeto [sustantivo masculino] **1** Atención, cuidado o buena educación con los que tratamos las cosas que admiramos o que nos gustan: *El respeto es muy importante para convivir.* **2** Miedo o temor: *No es que no me gusten los perros, pero les tengo cierto respeto.* □ FAMILIA: respetar, respetable, respetuoso.

respetuoso, sa [adjetivo] Que muestra respeto: *Hay que ser respetuoso con todas las personas.* □ FAMILIA: → respeto.

respingón, -a [adjetivo] Dicho de la nariz, que tiene la punta hacia arriba: *Tengo la nariz respingona.*

RESPINGÓN

respiración [sustantivo femenino] Entrada y salida de aire en los pulmones: *Cuando corremos, el ritmo de la respiración se hace más rápido.* □ FAMILIA: → respirar.

respirar [verbo] **1** Introducir aire en los pul-

mones y después hacerlo salir: *Me gusta ir al campo y respirar aire puro.* **2** Descansar tranquilo después de algún temor: *No respiré hasta ver que llegabas sano y salvo.* □ FAMILIA: respiración, respiro, respiratorio.

respiratorio, ria [adjetivo] De la respiración o relacionado con ella: *Los pulmones son parte del aparato respiratorio.* □ FAMILIA: → respirar.

respiro [sustantivo masculino] Rato de descanso o de tranquilidad: *Si estás cansado de estudiar, tómate un respiro.* □ FAMILIA: → respirar.

resplandecer [verbo] **1** Brillar o despedir rayos de luz: *La plata estaba muy limpia y resplandecía.* **2** Mostrar una sensación alegre o feliz: *Tu cara resplandece de felicidad.* □ [Es irregular y se conjuga como PARECER]. SINÓNIMOS: **1** relucir, relumbrar. FAMILIA: resplandor, resplandeciente.

resplandeciente [adjetivo] Que brilla mucho: *Llevas los zapatos resplandecientes.* □ [No varía en masculino y en femenino]. SINÓNIMOS: radiante. FAMILIA: → resplandecer.

resplandor [sustantivo masculino] Luz o brillo producidos por algunas cosas: *A lo lejos se ve el resplandor de una hoguera.* □ FAMILIA: → resplandecer.

responder [verbo] **1** Dar respuesta a algo: *Respondí a todas las preguntas que me hizo el profesor.* **2** Dar una respuesta con mala educación: *No me gusta que me respondas.* **3** Tener el resultado o el efecto esperados: *El enfermo responde muy bien a este tratamiento y pronto se curará.* **4** Tener lo necesario para algo: *Buscamos un empleado que responda a las necesidades del puesto.* **5** Ser responsable de algo: *Los guardaespaldas responden de la seguridad del presidente.* □ [Es irregular]. SINÓNIMOS: **1,2** contestar. CONTRARIOS: **1** preguntar, interrogar. FAMILIA: respuesta, responsable, responsabilidad, irresponsable.

responsabilidad [sustantivo femenino] **1** Capacidad de las personas para cumplir sus deberes o sus obligaciones: *A medida que te hagas mayor, aumentará tu sentido de la responsabilidad.* **2** Deber u obligación que alguien tiene: *Que tu habitación esté ordenada es responsabilidad tuya.* □ FAMILIA: → responder.

responsable 1 [adjetivo] Que cumple sus deberes o sus obligaciones: *Es un alumno responsable y estudioso.* [adjetivo o sustantivo] **2** Que tiene como deber ocuparse de algo y cuidar de ello: *El profesor habló con el responsable de la biblioteca.* **3** Que tiene la culpa de algo: *Yo soy el responsable de que lo hayamos hecho mal.* □ [No varía en masculino y en femenino]. SINÓNIMOS: **3** culpable. CONTRARIOS: **1** irresponsable. FAMILIA: → responder.

respuesta [sustantivo femenino] **1** Lo que se dice a una pregunta: *Me quedé en silencio porque no sabía la respuesta.* **2** Lo que se hace cuando se contesta a una llamada: *Ya he recibido tu respuesta a mi carta.* **3** Lo que sirve para corresponder a algo: *Este premio ha sido la respuesta a mi esfuerzo.* **4** Efecto o resultado de algo: *Si no hay respuesta a este medicamento, tendremos que cambiarlo.* □ CONTRARIOS: **1** pregunta. FAMILIA: → responder.

resta [sustantivo femenino] En matemáticas, operación que consiste en calcular la diferencia que hay entre dos cantidades: *«5 − 2» es una resta y el resultado es «3».* □ FAMILIA: restar, resto.

restablecer [verbo] **1** Establecer algo de nue-

responder		conjugación
INDICATIVO		**SUBJUNTIVO**
presente		**presente**
respondo		responda
respondes		respondas
responde		responda
respondemos		respondamos
respondéis		respondáis
responden		respondan
pretérito imperfecto		**pretérito imperfecto**
respondía		respondiera, -ese
respondías		respondieras, -eses
respondía		respondiera, -ese
respondíamos		respondiéramos, -ésemos
respondíais		respondierais, -eseis
respondían		respondieran, -esen
pretérito indefinido		**futuro**
respondí o *repuse*		respondiere
respondiste o *repusiste*		respondieres
respondió o *repuso*		respondiere
respondimos o *repusimos*		respondiéremos
respondisteis o *repusisteis*		respondiereis
respondieron o *repusieron*		respondieren
futuro		**IMPERATIVO**
responderé		
responderás		**presente**
responderá		responde (tú)
responderemos		responda (él)
responderéis		respondamos (nosotros)
responderán		responded (vosotros)
		respondan (ellos)
condicional		**FORMAS NO PERSONALES**
respondería		
responderías		**infinitivo** **gerundio**
respondería		responder respondiendo
responderíamos		
responderíais		**participio**
responderían		respondido

vo: *El técnico arregló la avería y restableció la comunicación telefónica.* **2 restablecerse** Volver a estar sano: *En cuanto me restablezca de la operación, volveré al colegio.* □ [Es irregular y se conjuga como PARECER]. SINÓNIMOS: **2** reponerse, recobrarse, recuperarse. FAMILIA: → establecer.

restar [verbo] **1** Realizar la operación matemática que consiste en calcular la diferencia que hay entre dos cantidades: *El resultado de restar seis menos dos es cuatro.* **2** Quitar o hacer más pequeño: *Este defecto de fabricación resta valor al mueble.* **3** Faltar por hacer una acción: *El trabajo está casi acabado, sólo resta darle un repaso.* □ SINÓNIMOS: **3** quedar. CONTRARIOS: **2** añadir, agregar, sumar. FAMILIA: → resta.

restaurante [sustantivo masculino] Lugar público donde se va a comer: *Fuimos a cenar a un restaurante de comida italiana.*

restaurar [verbo] **1** Volver a hacer útil algo antiguo o arreglar algo que se había estropeado: *Un especialista en arte ha restaurado el cuadro.* **2** Volver a establecer algo o a ponerlo como estaba: *Ya no se oyen esos ruidos y se ha restaurado la paz.*

resto [sustantivo masculino] **1** Parte que queda de un todo: *Mis amigos y yo nos sentamos, pero el resto de la gente se quedó de pie.* **2** En matemáticas, resultado de restar dos números: *¿Cuál es el resto de esta operación?* **3** [plural] Cuerpo muerto: *Han encontrado en unas ruinas los restos de varios animales.* **4** [expresión] **restos mortales** Cuerpo muerto de una persona: *Mañana se enterrarán los restos mortales del actor fallecido.* □ SINÓNIMOS: **2** diferencia. FAMILIA: → resta.

restregar [verbo] Pasar algo por un lugar varias veces y con fuerza: *Restriega bien los platos con el estropajo para que queden limpios.* □ [Es irregular y se conjuga como REGAR].

resucitar [verbo] Volver una persona a vivir después de haber muerto: *En la Biblia se cuenta que Jesucristo resucitó.* □ CONTRARIOS: matar. FAMILIA: resurrección.

resuelto, ta **1** Participio irregular de **resolver**. **2** [adjetivo] Valiente, atrevido o rápido en decidir: *Es una persona resuelta y no vacila ante nada.* □ FAMILIA: → resolver.

resultado [sustantivo masculino] **1** Lo que es consecuen-

a
b
c
d
e
f
g
h
i
j
k
l
m
n
ñ
o
p
q
r
s
t
u
v
w
x
y
z

cia de algo: *Esta cicatriz es resultado de una caída.* **2** Solución de una operación matemática: *Aunque el problema está bien planteado, el resultado no es el correcto.* **3** Información que se obtiene a partir de una operación o de un examen: *Fui a recoger los resultados de los análisis de sangre.* **4** Beneficio que se obtiene de algo: *Este abrigo me ha dado muy buen resultado porque me costó barato y me ha durado varios años.* □ CONTRARIOS: **1** causa. FAMILIA: → resultar.

resultar [verbo] **1** Ser o quedar de determinada manera: *La película resultó interesante.* **2** Producir lo que se espera: *La excusa que nos inventamos no resultó, y nos castigaron por llegar tarde.* □ FAMILIA: resultado.

resumen 1 [sustantivo masculino] Conjunto de palabras que cuentan lo más importante de algo: *Haz un resumen de la lección.* **2** [expresión] **en resumen** Como conclusión: *En resumen, no sabemos qué hacer.* □ SINÓNIMOS: síntesis. **2** total, en suma. FAMILIA: → resumir.

resumir [verbo] Contar algo diciendo sólo lo más importante: *¿Te resumo la película?* □ SINÓNIMOS: abreviar, reducir. CONTRARIOS: alargar, ampliar. FAMILIA: resumen.

resurrección [sustantivo femenino] Vuelta a la vida de una persona que había muerto: *En la Biblia se cuenta la resurrección de Jesucristo.* □ FAMILIA: → resucitar.

retablo [sustantivo masculino] Pintura o escultura que cubren la pared de algunas iglesias: *El retablo de la catedral está detrás del altar mayor.*

RETABLO

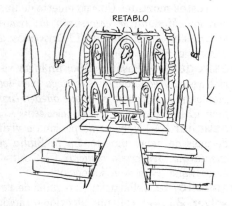

retaco, ca [adjetivo o sustantivo] Que es bajo y gordo: *De pequeño eras un retaco, pero ahora eres muy alto y delgado.* □ [Es despectivo].

retaguardia [sustantivo femenino] Parte de atrás de un ejército, que está lejos del enemigo: *Los heridos en la batalla eran llevados a la retaguardia.* □ FAMILIA: → guardar.

retahíla [sustantivo femenino] Conjunto de cosas que se dicen una después de otra: *Estabas nervioso y soltaste una retahíla de disparates.*

retar [verbo] Decir una persona a otra que participe contra ella en una lucha o en una competición: *Me retó a una carrera.* □ SINÓNIMOS: desafiar. FAMILIA: → reto.

retener [verbo] Conservar, detener o mantener en algún sitio: *Esa presa retiene el agua del embalse.* □ [Es irregular y se conjuga como TENER]. FAMILIA: → tener.

retirado, da 1 [adjetivo] Que está lejos o separado de algo: *Buscamos en el bosque un lugar retirado para merendar.* **2** [adjetivo o sustantivo] Que ha dejado de trabajar porque ha llegado a la edad que establece la ley, o porque tiene algún problema de salud: *Mi tío está retirado desde hace varios años.* [sustantivo femenino] **3** Marcha de un lugar o abandono de una actividad: *La retirada del cantante ha entristecido a sus admiradores.* **4** Hecho de quitar algo de un lugar: *Estos camiones se encargan de la retirada de basuras.* □ SINÓNIMOS: **1** apartado. FAMILIA: → retirar.

retirar [verbo] **1** Quitar o separar de un lugar: *Retírate de la puerta, que quiero pasar.* **2** Hacer que una persona deje de hacer algo: *Una lesión lo retiró del deporte.* **3** Dejar de mantener lo que se ha dicho o se ha hecho antes: *Estaba equivocado y retiro lo que dije.* **4** Dejar de dar algo: *Se enfadó conmigo y me retiró el saludo.* **retirarse 5** Irse a un lugar apartado: *El novelista se retiró al campo para poder escribir.* **6** Dejar una persona de trabajar porque ha llegado a la edad que establece la ley, o porque tiene problemas de salud: *Mi abuelo se retiró a los sesenta y cinco años.* □ SINÓNIMOS: **1,2** apartar. **6** jubilarse. FAMILIA: retirada, retiro, retirado.

retiro [sustantivo masculino] **1** Hecho de dejar de trabajar porque se ha llegado a la edad que establece la ley, o porque se tienen problemas de salud: *El retiro es obligatorio a los sesenta y cinco años.* **2** Dinero que se cobra cuando se ha dejado de trabajar por la edad o por cuestiones de salud: *Mis abuelos viven del retiro.* **3** Lugar tranquilo que está lejos o separado de todo: *De vez en cuando, huye de la ciudad a su retiro de la montaña.* □ SINÓNIMOS: **1,2** jubilación. FAMILIA: → retirar.

reto [sustantivo] [masculino] **1** Hecho de decir una persona a otra que participe contra ella en una lucha o en una competición: *El campeón español de ajedrez aceptó el reto del jugador francés.* **2** Lo que resulta difícil de hacer y que supone una victoria: *Este papel tan difícil es un reto para esa actriz.* □ SINÓNIMOS: **1** desafío. FAMILIA: retar.

retocar [verbo] Arreglar algo un poco: *Mi madre ha ido al servicio a retocarse el peinado.* □ [La c se cambia en qu delante de e, como en SACAR]. FAMILIA: → tocar.

retoque [sustantivo] [masculino] Pequeño arreglo o cambio que se hace en algo para que quede mejor: *Ya sólo me queda dar los últimos retoques al dibujo.* □ FAMILIA: → tocar.

retorcer [verbo] Torcer algo dándole vueltas alrededor de sí mismo: *No me retuerzas el brazo, que me haces daño.* □ [Es irregular y se conjuga como COCER]. FAMILIA: → torcer.

retorcido, da [adjetivo] Que hace que las cosas parezcan más difíciles o más raras de lo que son: *Tiene un lenguaje muy retorcido y no me entero de nada de lo que dice.* □ FAMILIA: → torcer.

retornar [verbo] Volver a un lugar o a una situación anterior: *El emigrante retornó a su país cuando se jubiló.*

retortijón [sustantivo] [masculino] Dolor fuerte que se siente en el estómago o en el vientre: *Tengo retortijones porque la cena me ha sentado mal.* □ [Es coloquial].

retransmisión [sustantivo] [femenino] Hecho de transmitir un programa desde una emisora: *¿A qué hora empieza la retransmisión del partido?* □ FAMILIA: → transmitir.

retransmitir [verbo] Transmitir un programa desde una emisora: *Retransmitieron en directo el partido.* □ FAMILIA: → transmitir.

retrasado, da 1 [adjetivo] Que va por detrás de lo normal o que no tiene un desarrollo normal: *Mi profesor me ayuda porque voy un poco retrasado en matemáticas.* **2** [adjetivo o sustantivo] Dicho de una persona, que tiene una inteligencia menos desarrollada de lo

normal: *Las personas retrasadas necesitan una educación especial.* □ [En la acepción **2** es despectivo y no se debe usar como insulto]. SINÓNIMOS: **1** adelantado. FAMILIA: → atrás.

retrasar [verbo] **1** Cambiar la hora de un reloj poniendo una hora que ya ha pasado: *Alguien me había retrasado el reloj y llegué tarde a la cita.* **2** Dejar algo para hacerlo más tarde: *Retrasamos la vuelta de las vacaciones para evitar atascos.* **3** Hacer que algo se haga más despacio: *Como no has hecho tu parte, has retrasado el trabajo de los demás.* **retrasarse 4** Llegar tarde o más tarde de lo esperado: *El autobús del colegio se retrasó diez minutos.* **5** Quedarse atrás: *Me retrasé en los estudios y ahora tengo que estudiar el doble.* □ SINÓNIMOS: **1,2** atrasar. **4** atrasarse. CONTRARIOS: adelantar. **2** anticipar. **3** acelerar, apresurar, precipitar, activar. FAMILIA: → atrás.

retraso [sustantivo] [masculino] **1** Llegada a un lugar más tarde de lo esperado: *Perdonad mi retraso.* **2** Tiempo posterior al momento señalado para algo: *El tren llegó con un retraso de diez minutos.* **3** Falta de desarrollo en algo: *Este niño tiene un retraso en el crecimiento a causa de una enfermedad.* □ SINÓNIMOS: **2** atraso. CONTRARIOS: adelanto. **1** adelantamiento. **1,2** anticipación, antelación. **3** avance, progreso. FAMILIA: → atrás.

retratar [verbo] Dibujar algo o hacer una fotografía de ello: *El fotógrafo nos retrató a todos sentados.* □ FAMILIA: → retrato.

retrato [sustantivo] [masculino] Imagen que representa a una persona: *En el comedor de mi casa hay un retrato de mis abuelos.* □ FAMILIA: retratar, autorretrato.

retrete [sustantivo] [masculino] **1** Recipiente que hay en el cuarto de baño y en el que hacemos pis y caca: *El retrete y el lavabo de los servicios del colegio son blancos.* **2** Habitación en la que está este recipiente: *El retrete está al fondo del pasillo.* □ SINÓNIMOS: baño, váter. **1** inodoro. **2** servicio.

retroceder [verbo] Volver hacia atrás: *Es una persona muy atrevida y no retrocede ante el peligro.* □ CONTRARIOS: avanzar, adelantar. FAMILIA: retroceso.

retroceso [sustantivo] [masculino] Movimiento hacia atrás: *Me gusta ver el avance y el retroceso de las*

a
b
c
d
e
f
g
h
i
j
k
l
m
n
ñ
o
p
q
r
s
t
u
v
w
x
y
z

a
b
c
d
e
f
g
h
i
j
k
l
m
n
ñ
o
p
q
r
s
t
u
v
w
x
y
z

olas en la playa. □ CONTRARIOS: avance, adelanto. FAMILIA: → retroceder.

retrovisor [sustantivo masculino] Espejo que llevan los vehículos en la parte de delante y que sirve para ver lo que hay detrás: *Cuando conduces, tienes que mirar mucho por el retrovisor.* □ FAMILIA: → ver.

retumbar [verbo] Hacer algo mucho ruido de forma que parece que vibra: *El ruido del trueno retumbó por toda la casa.*

reuma o **reúma** [sustantivo masculino] Reumatismo: *Mi abuelo tiene muchos dolores en la pierna porque tiene reúma.*

reumatismo [sustantivo masculino] Enfermedad que produce dolores en las uniones de los huesos: *En invierno, mi abuela se queja más de su reumatismo.* □ [Se usan mucho las formas abreviadas *reuma* y *reúma*].

reunión [verbo] Unión de varias cosas o personas para un fin determinado: *Mañana hay una reunión de vecinos a las tres.* □ FAMILIA: → unir.

reunir [verbo] **1** Poner juntas varias cosas de manera que formen un conjunto: *Estoy reu-*

reunir	conjugación
INDICATIVO	**SUBJUNTIVO**
presente	**presente**
reúno	reúna
reúnes	reúnas
reúne	reúnas
reunimos	reunamos
reunís	reunáis
reúnen	reúnan
pretérito imperfecto	**pretérito imperfecto**
reunía	reuniera, -ese
reunías	reunieras, -eses
reunía	reuniera, -ese
reuníamos	reuniéramos, -ésemos
reuníais	reunierais, -eseis
reunían	reunieran, -esen
pretérito indefinido	**futuro**
reuní	reuniere
reuniste	reunieres
reunió	reuniere
reunimos	reuniéremos
reunisteis	reuniereis
reunieron	reunieren
futuro	**IMPERATIVO**
reuniré	
reunirás	**presente**
reunirá	reúne (tú)
reuniremos	reúna (él)
reuniréis	reunamos (nosotros)
reunirán	reunid (vosotros)
	reúnan (ellos)
condicional	**FORMAS NO PERSONALES**
reuniría	
reunirías	**infinitivo** **gerundio**
reuniría	reunir reuniendo
reuniríamos	
reuniríais	**participio**
reunirían	reunido

niendo sellos para hacer una colección. **2** **reunirse** Juntarse dos o más personas en un lugar: *Nos reuniremos en mi casa para celebrar mi cumpleaños.* □ [Al escribirlo hay que tener cuidado con los acentos]. SINÓNIMOS: **1** juntar, agrupar, amontonar. CONTRARIOS: **1** desunir, separar, apartar, esparcir. **2** separarse. FAMILIA: → unir.

revancha [femenino] Lo que se hace para devolver un daño o un disgusto: *Ellos nos ganaron el primer partido, pero en el próximo nos tomaremos la revancha.*

revelación [sustantivo femenino] Descubrimiento de algo que no se conocía: *Ese atleta tan joven ha sido la gran revelación de estos campeonatos.* □ FAMILIA: → velar.

revelar [verbo] **1** Manifestar o dar a conocer algo que no se sabía: *Nunca te revelaré mis secretos.* **2** Mostrar algo por alguna señal: *Tu cara revela una gran alegría.* **3** Hacer que se vean las imágenes de una película de fotografía: *Tengo que llevar a revelar el carrete de fotos.* □ [No confundir con *rebelarse* ni con *relevar*]. CONTRARIOS: **1,2** ocultar. FAMILIA: → velar.

reventar [verbo] **1** Romperse o explotar algo de golpe porque tenía mucha presión: *El ruido del globo al reventar hizo llorar al bebé.* **2** Sentir algo con fuerza o tener un deseo muy fuerte: *Mi hermano revienta por conocer mis secretos.* **3** Molestar o enfadar: *Me revienta que me pongas en ridículo.* □ [Es irregular y se conjuga como PENSAR. Los significados **2** y **3** son coloquiales]. SINÓNIMOS: **1** estallar.

reverencia [sustantivo femenino] Movimiento que se hace con el cuerpo en señal de respeto: *El caballero hizo una reverencia ante el rey.*

revés [sustantivo masculino] **1** Parte de un objeto que es contraria a la que se considera principal o más perfecta: *En el revés de la camisa se ven las costuras.* **2** Golpe dado con la parte de fuera de la mano: *Tengo la cara roja del revés que me dio el muy bruto.* **3** Lo que produce sufrimiento o dificultades: *A pesar de que la vida le ha dado muchos reveses, conserva su buen humor.* **4** En tenis y otros juegos, golpe que se da a la pelota cuando llega por el lado contrario al de la mano con que se agarra la raqueta: *El tenista dio un revés y evitó que la pelota saliera del campo.*

5 [expresión] **al revés** Cambiando el orden o de forma distinta del todo: *«Orbil» es «libro» al revés.* □ CONTRARIOS: **1** derecho.

revisar [verbo] Ver algo o volver a verlo con mucha atención: *Revisé la suma por si me había equivocado.* □ FAMILIA: → ver.

revisión [sustantivo/femenino] Estudio que se hace de algo con mucha atención: *Cada seis meses voy al dentista para que me haga una revisión dental.* □ FAMILIA: → ver.

revisor, -a [sustantivo] Persona que trabaja en un transporte público para comprobar que tenemos billete: *El revisor del tren me pidió el billete y me hizo un agujero en él con un aparato.* □ FAMILIA: → ver.

revista [sustantivo/femenino] **1** Especie de libro pero más delgado y más grande: *He visto un jersey muy bonito en una revista de modas.* **2** Espectáculo de teatro en el que hay escenas musicales y escenas habladas: *En esa revista sale un grupo de bailarines vestidos con trajes brillantes.* **3** [expresión] **pasar revista** Comprobar que algo está como debe estar: *El capitán pasó revista al campamento.* □ FAMILIA: revistero.

revistero [sustantivo/masculino] Mueble donde se ponen las revistas y los periódicos: *Recoge todas las revistas que hay en la casa y colócalas en el revistero.* □ FAMILIA: → revista.

revivir [verbo] **1** Volver a vivir o a tener fuerza: *Las plantas reviven en primavera.* **2** Recordar algo del pasado como si hubiera sucedido hace poco: *A mi abuelo le encanta revivir su infancia.* □ CONTRARIOS: morir, matar.

revolcarse [verbo] Echarse sobre algo dando vueltas: *Los niños se revolcaban por el césped.* □ [Es irregular y se conjuga como VOLCAR]. FAMILIA: → volcar.

revolotear [verbo] Volar en círculos o con movimientos rápidos: *Las mariposas revoloteaban alrededor de las flores.* □ FAMILIA: → volar.

revoltijo [sustantivo/masculino] Conjunto de cosas sin orden: *Tu habitación está hecha un asco y hay un gran revoltijo de trastos.* □ FAMILIA: → revolver.

revoltoso, sa [adjetivo o/sustantivo] Que no está quieto ni un momento o que hace travesuras: *Mi hijo es muy revoltoso.* □ SINÓNIMOS: travieso, pillo, trasto. FAMILIA: → revolver.

revolución [sustantivo/femenino] **1** Situación que se produce cuando todo un pueblo lucha para cambiar un sistema político de forma total: *En Francia hubo una revolución muy importante en 1789.* **2** Cambio rápido y profundo: *El descubrimiento de la penicilina supuso una revolución en medicina.* □ FAMILIA: revolucionar, revolucionario.

revolucionar [verbo] Producir un gran movimiento o cambio: *Este niño es tan trasto que nos revoluciona a todos.* □ FAMILIA: → revolución.

revolucionario, ria [adjetivo o/sustantivo] **1** De la revolución o relacionado con ella: *A lo largo de la historia ha habido muchos movimientos revolucionarios.* **2** Que produce un cambio violento o total en las cosas: *Ese invento tan revolucionario cambiará nuestras vidas.* □ FAMILIA: → revolución.

revolver [verbo] **1** Mover algo en todas las direcciones para que se mezcle: *Revuelve bien el azúcar en la leche.* **2** Mezclar algo de forma que pierda el orden: *No me revuelvas los papeles.* **3** Examinar o buscar con detalle para descubrir algo: *¿Quién ha revuelto en mis papeles?* **revolverse 4** Moverse de un lado a otro en un lugar: *Cuando tienes pesadillas, te revuelves en la cama.* **5** Hacer frente a una persona u oponerse a algo que no gusta: *Me revolví contra él porque abusó de su poder.* □ [No confundir con *revólver*. Es irregular y se conjuga como VOLVER. Su participio es *revuelto*]. FAMILIA: revuelto, revoltoso, revoltijo.

revólver [sustantivo/masculino] Arma de fuego que tiene una pieza que gira y en la que se meten las balas: *El vaquero sacó el revólver y disparó.* □ [No confundir con *revolver*].

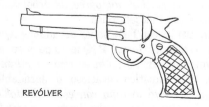

REVÓLVER

revuelo [sustantivo/masculino] Movimiento de personas y ruido que se producen ante una sorpresa:

a b c d e f g h i j k l m n ñ o p q **r** s t u v w x y z

Se armó un gran revuelo cuando nos dijeron que al día siguiente no teníamos clase.

revuelto, ta 1 Participio irregular de **revolver. 2** [sustantivo] [masculino] Comida que se hace mezclando huevos con otros alimentos: *Me he comido un revuelto de gambas.* **3** [sustantivo] [femenino] Movimiento violento de gente que protesta contra una autoridad: *Debido a la subida de los precios, se han producido varias revueltas callejeras.* □ SINÓNIMOS: **3** motín. FAMILIA: → revolver.

rey [sustantivo] [masculino] **1** Hombre que tiene la autoridad más alta en algunos sistemas políticos: *El rey y la reina vivían en un palacio.* **2** Carta de la baraja española que representa a este hombre: *El rey tiene escrito el número doce.* **3** Lo que destaca entre otras cosas iguales: *Este cantante es el rey del rock and roll.* □ [Su plural es reyes. En el significado **1** y **3**, su femenino es reina]. FAMILIA: reina.

rezar [verbo] Decir una oración a un dios o a un santo: *Recé un padrenuestro y dos avemarías.* □ [La z se cambia en c delante de e, como en CAZAR]. SINÓNIMOS: orar. FAMILIA: rezo.

rezo [sustantivo] [masculino] Conjunto de palabras que se dirigen a un dios o a un santo: *Cada noche digo mis rezos en voz baja.* □ SINÓNIMOS: oración. FAMILIA: → rezar.

ría [sustantivo] [femenino] Parte del mar que entra en un río: *La ría de Bilbao es navegable.* □ FAMILIA: → río.

riachuelo [sustantivo] [masculino] Río pequeño y con poca agua: *Ese riachuelo se puede cruzar de un salto.* □ FAMILIA: → río.

riada [sustantivo] [femenino] Aumento grande del agua de un río, que suele producir inundaciones: *Si sigue lloviendo tanto, podría haber una riada.* □ FAMILIA: → río.

ribera [sustantivo] [femenino] Borde de un río: *Junto a la ribera del río hay un paseo de árboles.* □ SINÓNIMOS: margen, orilla.

rico, ca [adjetivo] **1** De sabor agradable: *¡Qué rica estaba la tarta!* **2** Que tiene algo en gran cantidad: *La fruta es rica en vitaminas.* **3** Simpático, gracioso o agradable: *¡Qué rica está la niña con ese trajecito!* **4** [adjetivo o] [sustantivo] Que tiene mucho dinero: *Le tocó la lotería y se hizo rico.* □ SINÓNIMOS: **1** sabroso. **4** acaudalado, adinerado, acomodado.

CONTRARIOS: **4** pobre, necesitado. FAMILIA: riqueza, ricura, enriquecer, enriquecedor.

ricura [sustantivo] [femenino] Lo que resulta bonito o simpático: *¡Qué ricura de bebé!* □ [Es coloquial]. FAMILIA: → rico.

ridiculizar [verbo] Hacer bromas de algo para reírse de ello: *Un compañero empezó a imitarme y me ridiculizó delante de todos.* □ [La z se cambia en c delante de e, como en CAZAR]. FAMILIA: → ridículo.

ridículo, la [adjetivo] **1** Que produce risa porque es muy raro: *Con ese disfraz, tienes un aspecto ridículo.* **2** Escaso o de poca importancia: *Con el sueldo tan ridículo que tengo, no me llega ni para comer.* **3** [sustantivo] [masculino] Situación de una persona que produce la risa de los demás: *Hice el ridículo delante de todos.* □ FAMILIA: ridiculizar.

riego [sustantivo] [masculino] Proceso que consiste en echar agua sobre una planta para que crezca: *El riego de los campos es necesario para que den frutos.* □ FAMILIA: → regar.

rienda [sustantivo] [femenino] **1** Cada una de las dos cintas que se sujetan a la boca de un caballo y que sirven para dirigirlo: *El jinete tiró de las riendas para que el caballo se parase.* **2** [plural] Lo que permite controlar o dirigir algo: *Ella lleva las riendas de todos los asuntos económicos.* **3** [expresión] **a rienda suelta** Con toda libertad o sin ningún control: *En el campo los niños juegan a rienda suelta.*

riesgo [sustantivo] [masculino] Posibilidad de que se produzca un daño: *¡Tranquilo, que no corres riesgo!* □ FAMILIA: arriesgar, arriesgado.

rifa [sustantivo] [femenino] Juego que consiste en sacar un número por sorteo y dar un premio a la persona que tenga ese número: *En la rifa me tocó una bicicleta.* □ FAMILIA: → rifar.

rifar [verbo] Dar un premio a la persona que tenga el mismo número que otro que se saca por sorteo: *Nos dio una papeleta a cada uno para rifar una muñeca entre todos.* □ FAMILIA: rifa.

rifle [sustantivo] [masculino] Un tipo de arma de fuego: *En las películas del Oeste, los soldados se defienden de los indios con rifles.*

rígido, da [adjetivo] **1** Que no se puede doblar: *Me han escayolado el brazo para que lo mantenga rígido unas semanas.* **2** Que es muy severo o que no acepta cambios: *Tiene*

▲

unas ideas muy rígidas y no acepta puntos de vista distintos al suyo. □ Sinónimos: **2** inflexible. Contrarios: flexible.

rimar [verbo] Acabar dos palabras o dos versos con sonidos iguales o muy parecidos: *«Fuente» rima con «puente».*

rimbombante [adjetivo] Que llama mucho la atención: *Ese poeta utiliza palabras muy raras y rimbombantes.* □ [No varía en masculino y en femenino]. Contrarios: sencillo, discreto.

rincón [sustantivo/masculino] **1** Parte interior del ángulo que forman dos paredes o dos lados: *En un rincón de la sala había una mesita.* **2** Lugar escondido o aparte: *Esta ciudad está llena de preciosos rincones para descubrir.* □ Familia: arrinconar, arrinconado.

rinoceronte [sustantivo/masculino] Animal de gran tamaño, con uno o dos cuernos sobre la nariz y con la piel muy dura: *La piel del rinoceronte es parecida a la del elefante.* 🐾 página 848.

riña [sustantivo/femenino] Discusión entre dos o más personas: *Se organizó una riña y terminó en pelea.* □ Familia: → reñir.

riñón [sustantivo/masculino] **1** Cada uno de los dos órganos del cuerpo por los que pasa la sangre para limpiarse de sustancias perjudiciales: *En los riñones se produce la orina.* **2** [plural] Zona del cuerpo en la que están estos órganos: *Me duelen los riñones y no me puedo agachar.* **3** [expresión] **un riñón** Mucho dinero: *¡Ya puede ser buena esta máquina, porque me ha costado un riñón!* □ [El significado **3** es coloquial]. Familia: riñonera.

[riñonera [sustantivo/femenino] Cinturón que lleva una pequeña bolsa: *Llevo la cartera y las llaves en una riñonera.* □ Familia: → riñón.

río [sustantivo/masculino] Corriente de agua que va a parar al mar o a otro sitio: *El río Ebro desemboca en el Mediterráneo.* 🐾 páginas 17, 536. □ Familia: ría, riachuelo, riada.

riojano, na [adjetivo o/sustantivo] De la comunidad autónoma de La Rioja o de su provincia: *Logroño es la capital riojana.*

riqueza [sustantivo/femenino] **1** Gran cantidad de bienes o de dinero que tiene una persona: *No debes querer a las personas por su riqueza, sino por su forma de ser.* **2** Gran cantidad de medios económicos o naturales: *La riqueza minera de esta región permite crear muchos*

puestos de trabajo en las minas. □ Contrarios: escasez, pobreza, carencia, miseria. **1** necesidad, aprieto. Familia: → rico.

risa [sustantivo/femenino] Gestos y sonidos que hacemos al reírnos: *He oído vuestras risas y vengo a ver qué os divierte tanto.* 🐾 página 430. □ Familia: → reír.

risueño, ña [adjetivo] Que ríe a menudo: *Es una persona muy risueña y alegre.* □ Contrarios: triste, serio. Familia: → reír.

rítmico, ca [adjetivo] Del ritmo o con ritmo: *Los latidos del corazón son muy rítmicos.* □ Familia: → ritmo.

ritmo [sustantivo/masculino] Orden y velocidad con que se suceden los sonidos: *Me gustan las canciones de ritmo rápido.* □ Familia: rítmico.

rito [sustantivo/masculino] **1** Conjunto de reglas fijadas para las ceremonias religiosas: *Celebraron su boda según el rito católico.* **2** Ceremonia o costumbre que se repite siempre igual: *Hacer una fiesta en el campo para celebrar mi cumpleaños se ha convertido en un rito.*

rival [adjetivo o/sustantivo] Que lucha en contra: *Nuestro equipo se enfrenta a un duro rival.* □ [No varía en masculino y en femenino]. Sinónimos: adversario, enemigo, contrario. Contrarios: aliado, amigo, partidario. Familia: rivalidad.

rivalidad [sustantivo/femenino] Relación entre dos personas que luchan entre sí por conseguir algo: *Somos buenos amigos y no existe rivalidad entre nosotros.* □ Sinónimos: competencia, enemistad. Contrarios: alianza. Familia: → rival.

rizar [verbo] **1** Hacer rizos al pelo: *Tengo el pelo liso y me pongo rulos para rizármelo.* **2** Hacerse pequeñas olas en el mar: *Se ha levantado viento y empieza a rizarse el mar.* □ [La z se cambia en c delante de e, como en CAZAR]. Contrarios: **1** alisar. Familia: → rizo.

rizo 1 [sustantivo/masculino] Conjunto de pelos con forma de anillo: *Tiene el pelo lleno de rizos.* **2** [expresión] **rizar el rizo** Hacer algo demasiado complicado: *Lo que yo hice era difícil, pero lo tuyo fue rizar el rizo.* □ [El significado **2** es coloquial]. Familia: rizar.

robar [verbo] **1** Coger sin permiso algo que no es nuestro: *Alguien me abrió el bolso y me robó la cartera.* **2** En algunos juegos, coger una carta o una pieza del montón: *Antes de robar una carta, tienes que echar otra.* □

a
b
c
d
e
f
g
h
i
j
k
l
m
n
ñ
o
p
q
r
s
t
u
v
w
x
y
z

SINÓNIMOS: **1** hurtar, quitar, afanar, mangar, cepillar. CONTRARIOS: **1** dar. FAMILIA: robo, antirrobo.

roble [sustantivo/masculino] Árbol de tronco grueso y madera muy dura: *La madera del roble se usa para hacer muebles.* 👁 página 19.

robo [sustantivo/masculino] **1** Hecho de coger sin permiso algo que no es nuestro: *El robo es un delito.* **2** Lo que se hace para obtener una ganancia con engaño: *Esos precios tan altos son un robo.* □ FAMILIA: → robar.

robot [sustantivo/masculino] Máquina que puede realizar operaciones de manera automática: *Tenemos un robot de cocina que bate, pica alimentos y amasa.* □ [Su plural es *robotes*, aunque se usa mucho *robots*].

robusto, ta [adjetivo] Fuerte y con mucha vida: *En el centro del jardín había un árbol grande y robusto.* □ CONTRARIOS: débil.

roca [sustantivo/femenino] **1** Material duro que forma el suelo de la Tierra: *Las rocas están formadas por minerales.* **2** Bloque de este material: *Estuve sentado en una roca mirando el mar.* □ SINÓNIMOS: **2** peña. FAMILIA: rocoso.

roce [sustantivo/masculino] **1** Toque ligero de algo: *Me gusta sentir el roce de la brisa en la cara.* **2** Marca que se deja sobre una superficie al rozarla: *Estos muebles están ya viejos y llenos de roces.* **3** Relación frecuente entre dos personas: *Aunque trabajamos en la misma empresa, apenas tenemos roce.* **4** Discusión de poca importancia: *Hemos tenido algún roce, pero nos llevamos bien.* □ SINÓNIMOS: **2** rozadura. **3** trato. FAMILIA: → rozar.

rociar [verbo] Extender un líquido en gotas muy pequeñas: *Cogió un spray y se roció de colonia.* □ [Se conjuga como GUIAR]. FAMILIA: → rocío.

rocío [sustantivo/masculino] Conjunto de gotas de agua muy pequeñas que se forman cuando hace frío por la noche: *Al amanecer, las plantas estaban llenas de rocío.* □ FAMILIA: rociar. 👁 página 17.

[rock 1 [adjetivo] Del rock and roll o relacionado con este tipo de música: *En la fiesta actuó un conjunto rock.* **2** [expresión] **rock and roll** Tipo de música con mucho ritmo y que se suele tocar con instrumentos eléctricos: *El cantante Elvis Presley fue el rey del rock and roll.* 👁 página 117. □ [Es una palabra

inglesa. Se pronuncian «roc» y «rocanról». El significado **1** no varía en masculino y en femenino].

rocoso, sa [adjetivo] Lleno de rocas: *En esta zona, el fondo del mar es muy rocoso.* □ FAMILIA: → roca.

rodaja [sustantivo/femenino] Trozo de un alimento en forma de círculo: *Corté el salchichón en rodajas.* □ FAMILIA: → rueda. 👁 página 612.

rodaje [sustantivo/masculino] Proceso por el que se registran las imágenes de una película con cámaras de cine: *El rodaje de la película duró varias semanas.* □ FAMILIA: → rueda. 👁 páginas 158-159.

rodar [verbo] **1** Dar vueltas un cuerpo alrededor de su centro: *Se me cayó la pelota y salió rodando.* **2** Moverse por medio de ruedas: *En la oficina tenemos sillas que ruedan.* **3** Ir de un lado a otro: *Estoy harta de rodar de aquí para allá todo el día.* **4** Grabar las imágenes de una película con cámaras de cine: *Rodarán varias escenas en un estudio.* □ [Es irregular y se conjuga como CONTAR. El significado **3** es coloquial]. SINÓNIMOS: **4** filmar. FAMILIA: → rueda.

rodear [verbo] Estar o ir alrededor de algo: *Una verja de hierro rodea el patio.* □ FAMILIA: → rueda.

rodeo [sustantivo/masculino] **1** Recorrido que se hace para ir a un sitio y que es más largo que el normal: *Tardamos más porque dimos un rodeo.* **2** Manera no directa de decir algo: *Déjate de rodeos y dime de una vez qué quieres de mí.* **3** Espectáculo en el que se montan caballos o toros salvajes y se intenta hacerlos obedecer: *Los rodeos son típicos de Estados Unidos.* □ FAMILIA: → rueda.

rodilla 1 [sustantivo/femenino] Parte externa por la que se dobla la pierna: *Al arrodillarte, te apoyas sobre las rodillas.* **2** [expresión] **de rodillas** Apoyado sobre esta parte del cuerpo: *Se puso de rodillas para rezar.* □ FAMILIA: rodillera, arrodillarse.

rodillera [sustantivo/femenino] **1** Pieza de tela que se pone en una prenda de vestir a la altura de la rodilla: *Llevo los pantalones con rodilleras para tapar el agujero que tengo en la rodilla.* **2** Especie de venda que se coloca rodeando la rodilla para protegerla: *Los porteros de fútbol suelen ponerse rodilleras.* □ FAMILIA: → rodilla.

rodillo [sustantivo/masculino] Objeto de cocina que se usa haciéndolo girar: *El rodillo se usa para estirar la masa.* □ FAMILIA: → rueda.

roedor [sustantivo/masculino] Animal que tiene en cada mandíbula dos dientes largos y fuertes que le sirven para cortar: *El ratón es un roedor.* □ FAMILIA: → roer.

roer [verbo] **1** Cortar algo duro con los dientes y arrancando trozos muy pequeños: *Los ratones han roído el queso.* **2** Quitarle a un hueso poco a poco la carne que tiene pegada: *Los perros tienen la costumbre de roer los huesos hasta dejarlos limpios.* □ [Es irregular. No confundir con *raer*]. FAMILIA: roedor.

rogar [verbo] Pedir algo con mucha educación o como un favor: *Te ruego que me perdones.* □ [Es irregular y se conjuga como CONTAR]. SINÓNIMOS: suplicar. FAMILIA: ruego.

rojizo, za [adjetivo] De color parecido al rojo: *Al atardecer, el cielo se puso rojizo.* □ FAMILIA: → rojo.

rojo, ja [adjetivo o sustantivo] **1** Del color de la sangre: *Las fresas maduras son rojas.* 🔎 página 160. **2** Que tiene ideas políticas de izquier-

---

roer	conjugación
INDICATIVO	**SUBJUNTIVO**
presente	**presente**
roo, roígo o royo	roa, roiga o roya
roes	roas, roigas o royas
roe	roa, roiga o roya
roemos	roamos, roigamos o royamos
roéis	roáis, roigáis o royáis
roen	roan, roigan o royan
pretérito imperfecto	**pretérito imperfecto**
roía	royera, -ese
roías	royeras, -eses
roía	royera, -ese
roíamos	royéramos, -ésemos
roíais	royerais, -eseis
roían	royeran, -esen
pretérito indefinido (1)	**futuro**
roí	royere
roíste	royeres
royó	royere
roímos	royéremos
roísteis	royereis
royeron	royeren

futuro	**IMPERATIVO**	
roeré	**presente**	
roerás	roe	(tú)
roerá	roa, roiga o roya	(él)
roeremos	roamos, roigamos o royamos	(nosotros)
roeréis	roed	(vosotros)
roerán	roan, roigan o royan	(ellos)

condicional	**FORMAS NO PERSONALES**	
roería	**infinitivo**	**gerundio**
roerías	roer	royendo
roería		
roeríamos	**participio**	
roeríais	roído	
roerían		

---

das: *A los comunistas se les llama «rojos».* **3** [expresión] **al rojo vivo** Con este color por la acción del calor: *Si calientas mucho un hierro, se pone al rojo vivo.* □ [El significado **2** es coloquial]. FAMILIA: rojizo, enrojecer, sonrojar.

rollizo, za [adjetivo] Gordo: *¡Qué bebé tan rollizo!* □ [Es coloquial]. FAMILIA: → rollo.

rollo [sustantivo/masculino] **1** Lo que tiene forma de tubo: *El papel de plata se vende en rollos.* **2** Lo que aburre, cansa o resulta demasiado largo: *Me dijo que quería contarme una historia y me soltó un rollo...* □ [El significado **2** es coloquial]. SINÓNIMOS: **2** tostón, pesadez, petardo, peñazo, lata. FAMILIA: enrollar, desenrollar, rollizo.

romance [sustantivo/masculino] **1** Relación de amor entre dos personas: *Ese actor tuvo un romance con una modelo.* **2** Un tipo de poesía popular: *¿Conoces el romance que empieza: «Éstas son las mañanitas...»?* □ FAMILIA: → romano.

románico, ca 1 [adjetivo] Del románico o con características de este estilo: *En mi pueblo hay una iglesia románica.* **2** [sustantivo/masculino] En arte, estilo que triunfó en Europa entre los siglos XI y XIII, y que tuvo un carácter religioso, con líneas sencillas y pocos adornos: *Los monumentos más característicos del Románico son las iglesias.* 🔎 página 341. □ [El significado **2** se suele escribir con mayúscula]. FAMILIA: → romano.

romano, na [adjetivo o sustantivo] **1** De Roma, que es la capital de Italia: *Muchos monumentos romanos son de la época del Renacimiento.* **2** De la antigua Roma o de los estados que estuvieron bajo su control: *En Segovia aún se conserva un acueducto romano.* □ FAMILIA: románico, romance.

romántico, ca [adjetivo o sustantivo] Que expresa amor o que da mucha importancia al amor: *La escena de los dos enamorados mirándose a la luz de la luna era muy romántica.*

rombo [sustantivo/masculino] Figura plana con cuatro lados iguales dos a dos y con dos ángulos mayores que los otros dos: *Tengo un jersey de rombos.* 🔎 página 429.

romería [sustantivo/femenino] Fiesta popular que se celebra con un paseo hasta un lugar sagrado: *En septiembre es la romería de mi pueblo.*

rompecabezas [sustantivo/masculino] Juego compuesto

a
b
c
d
e
f
g
h
i
j
k
l
m
n
ñ
o
p
q
r
s
t
u
v
w
x
y
z

a
b
c
d
e
f
g
h
i
j
k
l
m
n
ñ
o
p
q
r
s
t
u
v
w
x
y
z

por una serie de piezas que hay que combinar para formar una figura: *Las piezas de los rompecabezas suelen tener forma de dados.* □ [No varía en singular y en plural]. FAMILIA: → cabeza.

rompeolas [sustantivo/masculino] Muro de un puerto, que se construye para proteger una zona de las olas: *Los días de tormenta, el agua del mar pasa por encima del rompeolas.* □ [No varía en singular y en plural]. FAMILIA: → ola.

ROMPEOLAS

romper [verbo] **1** Hacer trozos algo: *Se me ha caído el jarrón y se ha roto.* **2** Estropear algo: *La radio no funciona porque se ha roto.* **3** Hacer una abertura en algo: *Se me rompió el pantalón cuando me caí.* **4** Impedir que algo continúe: *Estábamos todos callados y nadie se atrevía a romper el silencio.* **5** No cumplir una regla o una obligación: *Si rompes tu promesa, no volveré a fiarme de ti.* **6** Empezar a suceder algo: *Cuando el agua rompa a hervir, echa los macarrones.* **7** Deshacerse una ola: *Me gusta ver cómo rompen las olas al chocar contra las rocas.* **8** [expresión] **romper con alguien** Dejar de tener relación con él: *Rompí con él y no he vuelto a verlo.* □ [Su participio es *roto*]. SINÓNIMOS: **1** quebrar. **5** quebrantar. **6** comenzar, empezar, iniciarse. CONTRARIOS: **2** arreglar, reparar. FAMILIA: rotura, ruptura, roto, irrompible.

ron [sustantivo/masculino] Bebida alcohólica dulce y transparente, de color blanco o dorado: *Según las novelas, los piratas bebían mucho ron.*

roncar [verbo] Hacer un sonido grave al respirar cuando se está dormido: *Supe que estabas dormido porque te oí roncar.* □ [La c se cambia en qu delante de e, como en SACAR]. FAMILIA: → ronco.

ronco, ca [adjetivo] Dicho de una persona, que habla con una voz más débil o más grave de lo normal: *He cogido frío en la garganta y me he quedado ronca.* □ FAMILIA: ronquera, roncar, ronquido.

ronda [sustantivo/femenino] Hecho de pasear por un sitio vigilándolo: *Los centinelas del castillo hacían la ronda por las murallas.* ✍ página 156.

rondar [verbo] **1** Andar por un lugar de noche vigilándolo: *Los centinelas rondaban el castillo.* **2** Dar vueltas por un sitio: *Siempre hay niños rondando por el parque.*

ronquera [sustantivo/femenino] Pequeño problema en las cuerdas vocales que hace que la voz suene menos o más grave: *Tengo ronquera de tanto gritar.* □ FAMILIA: → ronco.

ronquido [sustantivo/masculino] Ruido que una persona hace al respirar cuando está dormida: *Se ha dormido, porque oigo sus ronquidos.* □ FAMILIA: → ronco.

ronronear [verbo] Emitir un gato un sonido grave como señal de que está a gusto: *El gato ronroneaba mientras lo acariciaban.*

roña **1** [adjetivo o/sustantivo] Avaro: *¡No seas tan roña, que te sobra el dinero!* [sustantivo/femenino] **2** Suciedad muy pegada: *Frótate fuerte con la esponja para que salga toda la roña.* **3** Capa que se forma sobre los metales por la acción del oxígeno o de otras sustancias: *Esos hierros viejos están llenos de roña.* □ [El significado **1** es coloquial y no varía en masculino y en femenino]. SINÓNIMOS: **3** óxido. CONTRARIOS: **1** generoso. **2** limpieza. FAMILIA: roñoso, roñica.

roñica [adjetivo o/sustantivo] Avaro: *No seas tan roñica y danos un poco de tu bocadillo.* □ [Es coloquial. No varía en masculino y en femenino]. CONTRARIOS: generoso. FAMILIA: → roña.

roñoso, sa [adjetivo] **1** Avaro: *Es tan roñosa que no ha venido a mi cumpleaños para no hacerme un regalo.* **2** Dicho de un metal, que está cubierto por una capa que se forma por la acción del oxígeno: *Antes de pintar la verja, hay que limpiar las partes roñosas.* □ [El significado **1** es coloquial]. CONTRARIOS: **1** generoso. FAMILIA: → roña.

ropa **1** [sustantivo/femenino] Conjunto de prendas de tela que sirven para vestirse o para otros usos: *Tengo que cambiar la ropa de la cama.* **2** [expresión] **ropa interior** La de uso personal, que no se ve cuando se va vestido: *Los cal-zoncillos y las bragas son ropa interior.* □ FAMILIA: ropero, arropar, guardarropa.

ropero [sustantivo] [masculino] Lugar para guardar la ropa: *Deja el abrigo en el ropero de la entrada.* □ FAMILIA: → ropa.

roque [adjetivo] Dormido: *Estaba tan cansada que me quedé roque enseguida.* □ [Es colo-quial. No varía en masculino y en femenino]. SINÓNIMOS: frito. CONTRARIOS: despierto.

rosa 1 [adjetivo o sustantivo masculino] Del color que resulta de mezclar el rojo y el blanco: *El helado de fre-sa es rosa.* 🔍 página 160. **2** [sustantivo] [femenino] Flor con un olor agradable, con muchas hojas y con el tallo con espinas: *Le he regalado a mi madre un ramo de rosas.* 🔍 página 346. **3** [expresión] **como una rosa** Muy bien o en muy buen estado: *Cuando duermo bien, me levanto como una rosa.* □ [Cuando es adjetivo no varía en masculino y en femenino. El significado **3** es coloquial]. FAMILIA: rosado, rosal.

rosado, da 1 [adjetivo] De color rosa o pa-recido al rosa: *Esa muñeca tiene la cara ro-sada.* **2** [sustantivo] [masculino] Vino de color rojo claro: *¿Pe-dimos un rosado para acompañar la comi-da?* □ FAMILIA: → rosa.

rosal [sustantivo] [masculino] Arbusto cuya flor es la rosa: *El rosal ya tiene capullos y pronto estará lle-no de rosas.* □ FAMILIA: → rosa.

rosario [sustantivo] [masculino] **1** Conjunto de oraciones or-denadas en quince grupos, que recuerdan los quince sucesos más importantes de la vida de Jesucristo: *En cada misterio del ro-sario se rezan un padrenuestro y diez ave-marías.* **2** Especie de cadena formada por bolas separadas de diez en diez, que se usa para rezar: *Cada bola del rosario representa un avemaría.*

rosca [sustantivo] [femenino] **1** Lo que tiene forma circu-lar, con un espacio vacío en el centro: *He comprado una rosca de pan.* **2** Marca en forma de círculo que tienen los tornillos y otros objetos y que permite meterlos en otras piezas dándoles vueltas: *Esta botella tiene tapón de rosca.* □ FAMILIA: rosquilla, roscón, enroscar, desenroscar.

roscón [sustantivo] [masculino] Bollo grande en forma cir-cular y con un espacio vacío en el centro: *Lo que más me gusta del roscón de Reyes es encontrar la sorpresa.* □ FAMILIA: → rosca.

rosquilla [sustantivo] [femenino] Dulce en forma circular y con un agujero en el centro: *Con el café nos sirvieron pastas y rosquillas.* □ FAMILIA: → rosca.

rostro [sustantivo] [masculino] **1** Parte de la cabeza en la que están los ojos, la nariz y la boca: *Es una chica de rostro muy agradable.* **2** Falta de vergüenza: *No tengas rostro y ayúdame.* □ [El significado **2** es coloquial]. SINÓNIMOS: cara. **1** faz. **2** morro, jeta, descaro.

rotación [sustantivo] [femenino] Movimiento de un cuerpo alrededor de su centro: *Cada vuelta de ro-tación de la Tierra dura un día.* □ SINÓNI-MOS: vuelta, giro. FAMILIA: → rueda.

roto, ta 1 Participio irregular de **romper**. **2** [sustantivo] [masculino] Agujero que se hace en un ma-terial al romperse: *Me enganché con un alambre y me hice un roto en el pantalón.* □ FAMILIA: → romper.

rotulador [sustantivo] [masculino] Especie de bolígrafo que tiene en su interior un material empapado de tinta: *Mi profesora nos corrige los ejer-cicios con un rotulador rojo.* □ FAMILIA: → rótulo. 🔍 página 605.

rótulo [sustantivo] [masculino] Texto breve escrito en un lu-gar para indicar algo: *Muchas tiendas tie-nen rótulos luminosos para anunciarse.* □ SINÓNIMOS: letrero. FAMILIA: rotulador.

rotundo, da [adjetivo] Claro, firme y que no ofrece duda: *Se negó de una manera tan ro-tunda que no insistí más.* □ SINÓNIMOS: ter-minante.

rotura [sustantivo] [femenino] Proceso por el que algo se rompe o se hace pedazos: *El estallido de la bomba provocó la rotura de muchos crista-les.* □ [No confundir con *ruptura*]. SINÓNIMOS: fractura. FAMILIA: → romper.

[roulotte [sustantivo] [femenino] Especie de vehículo pre-parado para poder vivir en él y que se en-gancha a un coche para moverlo: *En el cam-ping había varias roulottes.* □ [Es una palabra francesa. Se pronuncia «rulót». Su plural es *roulottes*]. SINÓNIMOS: caravana. 🔍 página 154.

rozadura [sustantivo] [femenino] **1** Herida en la superficie de la piel, que se hace al rozarnos algo duro: *Los zapatos nuevos me han hecho una ro-zadura.* **2** Marca que se deja sobre una su-perficie al rozarla: *He dado con las ramas de un árbol y le he hecho una rozadura al*

a

b

c

d

e

f

g

h

i

j

k

l

m

n

ñ

o

p

q

r

s

t

u

v

w

x

y

z

coche. □ Sinónimos: **2** roce. Familia: → rozar.

rozar [verbo] **1** Tocar algo de manera muy suave: *Me rozó con la mano y me hizo una caricia.* **2** Estar muy cerca de algo: *Ese hombre rozará los cincuenta años.* □ [La z se cambia en c delante de e, como en CAZAR]. Familia: roce, rozadura.

rubéola [sustantivo] [femenino] Enfermedad infecciosa que produce pequeños granos o marcas rojas en la piel: *La rubéola y el sarampión son enfermedades propias de la infancia.* □ [Siempre lleva el acento puesto en la e].

rubí [sustantivo] [masculino] Piedra preciosa de color rojo que se usa para hacer joyas: *Lleva un collar de rubíes y esmeraldas.* □ [Su plural es rubís o rubíes (más culto)].

rubio, bia 1 [adjetivo o] [sustantivo] De color parecido al amarillo o con el pelo de este color: *En mi familia somos todos rubios.* **2** [adjetivo o sustantivo masculino] Dicho del tabaco, que es de color claro y tiene un olor y un sabor suaves: *Tan perjudicial es el tabaco rubio como el negro.* **3** [expresión] **rubio platino** Amarillo muy claro: *Se ha teñido el pelo de color rubio platino.*

ruborizar [verbo] Poner la cara de color rojo por la vergüenza que se siente: *Te ruborizaste cuando te dijo que estabas muy guapo.* □ [La z se cambia en c delante de e, como en CAZAR]. Sinónimos: sonrojar.

rudo, da [adjetivo] **1** Con poca educación o poco delicado al tratar a los demás: *Es un hombre con una manera de hablar un poco ruda.* **2** Duro o difícil de aguantar: *Este año hemos tenido un rudo invierno.* □ Sinónimos: **1** basto, tosco, ordinario. Contrarios: **1** delicado, fino, refinado, cortés. **2** suave.

rueda 1 [sustantivo] [femenino] Objeto de forma circular y que puede girar sobre su centro: *Los coches tienen cuatro ruedas.* **2** [expresión] **rueda de prensa** Grupo de periodistas reunidos para escuchar a una persona y hacerle preguntas: *Después del encuentro entre los dos presidentes habrá una rueda de prensa.* **sobre ruedas** Sin problemas: *Al principio tuvimos alguna dificultad, pero ahora todo va sobre ruedas.* □ [La expresión sobre ruedas es coloquial]. Familia: rodar, rodaje, ruedo, rodear, rodeo, rodaja, rodillo, rotación.

ruedo [sustantivo] [masculino] Lugar de una plaza de toros en el que se torea: *El torero dio la vuelta al ruedo entre los aplausos del público.* □ Sinónimos: arena. Familia: → rueda.

ruego [sustantivo] [masculino] Hecho de pedir algo con mucha educación o como un favor: *Insistió tanto en que la ayudara que accedí a sus ruegos.* □ Familia: → rogar.

rufián [sustantivo] [masculino] Hombre malo o sin honor: *Ese rufián nos engañó a todos y se fue con nuestro dinero.* □ [Es despectivo].

[rugby [sustantivo] [masculino] Deporte parecido al fútbol, que se juega con un balón alargado: *Los jugadores de rugby no llevan casco.* □ [Es una palabra inglesa. Se pronuncia «rúgbi»].

rugido [sustantivo] [masculino] Voz característica del león y de otros animales salvajes: *Los rugidos del tigre me dan miedo.* □ Familia: → rugir.

rugir [verbo] Emitir su voz característica el león y de otros animales salvajes: *El cazador disparó cuando oyó rugir al león.* □ [La g se cambia en j delante de a, o, como en DIRIGIR]. Familia: rugido.

ruido [sustantivo] [masculino] Sonido fuerte que molesta: *En la fiesta había tanto ruido que apenas podíamos hablar.* □ Contrarios: silencio. Familia: ruidoso.

ruidoso, sa [adjetivo] Que hace mucho ruido: *La aspiradora es muy ruidosa.* □ Sinónimos: escandaloso, estrepitoso. Contrarios: silencioso, callado. Familia: → ruido.

ruin [adjetivo] **1** Que tiene malas intenciones y no es digno de admiración ni respeto: *Ese malvado es el ser más ruin que conozco.* **2** Que no gasta nada, porque lo único que quiere es tener muchas cosas: *Es tan ruin que no prestaría dinero ni a su mejor amigo.* □ [No varía en masculino y en femenino]. Sinónimos: **2** avaro, tacaño, roña, roñica, roñoso. Contrarios: **1** noble. **2** generoso.

ruina [sustantivo] [femenino] **1** Situación en la que se ha perdido todo el dinero: *Sus negocios fracasaron y se quedó en la ruina.* **2** Destrucción muy grande: *El terremoto provocó una verdadera ruina.* **3** [plural] Restos de edificios destruidos: *En Mérida se conservan ruinas romanas.* □ Familia: arruinar.

ruiseñor [sustantivo] [masculino] Pájaro de pequeño tamaño y que canta de manera muy agradable: *Cuando alguien canta muy bien, se dice que canta como un ruiseñor.*

ruleta [sustantivo] [femenino] Juego que está formado por una especie de rueda que gira, con números dibujados en ella y una pequeña bola: *Cuando juega a la ruleta en el casino, siempre apuesta por el mismo número.*

RULETA

rulo [sustantivo] [masculino] Pieza pequeña en forma de tubo, en la que se enrolla el pelo para rizarlo: *El peluquero me puso rulos.*

rumbo [sustantivo] [masculino] Camino que sigue algo en su movimiento: *El barco salió del puerto con rumbo a alta mar.* □ SINÓNIMOS: dirección.

rumiante [adjetivo o sustantivo masculino] Dicho de un animal, que come: *Las vacas son rumiantes, tragan la comida entera y luego les vuelve a la boca para masticarla.* □ [Cuando es adjetivo no varía en masculino y en femenino]. FAMILIA: → rumiar.

rumiar [verbo] **1** Masticar el alimento que vuelve a la boca después de haberlo tragado: *Los animales rumiantes tragan la hierba y luego la rumian.* **2** Pensar algo despacio y dándole muchas vueltas: *No rumies más esa tontería.* □ [El significado **2** es coloquial]. FAMILIA: rumiante.

rumor [sustantivo] [masculino] **1** Lo que se dice como si fuera verdad aunque no se tengan pruebas: *No hagas caso de esos rumores maliciosos.* **2** Sonido suave y continuo: *¡Qué agradable es el rumor del arroyo!* □ SINÓNIMOS: **1** cuento, chisme. **2** murmullo, susurro. FAMILIA: rumorear.

rumorearse [verbo] Extenderse entre la gente una noticia que no se sabe si es cierta: *En el colegio se rumorea que van a cambiar al director.* □ SINÓNIMOS: murmurarse. FAMILIA: → rumor.

ruptura [sustantivo] [femenino] Fin que se pone a una relación entre personas: *El Gobierno anunció la ruptura de relaciones diplomáticas con ese país.* □ [No confundir con *rotura*]. FAMILIA: → romper.

rural [adjetivo] Del campo o relacionado con él: *La vida rural suele ser más tranquila que la de las ciudades.* □ [No varía en masculino y en femenino]. SINÓNIMOS: campesino, campestre, rústico. CONTRARIOS: urbano.

ruso, sa 1 [adjetivo o sustantivo] De Rusia, que es un país de Europa: *Moscú es la capital rusa.* **2** [sustantivo] [masculino] Lengua de este país y de otros lugares: *El ruso se escribe con un alfabeto distinto del nuestro.*

rústico, ca [adjetivo] **1** Del campo o relacionado con él: *Tiene una vivienda rústica en las montañas.* **2** Poco delicado o hecho con materiales poco finos: *Estos muebles son un poco rústicos pero muy resistentes.* □ SINÓNIMOS: **1** rural, campesino, campestre. **2** tosco, basto. CONTRARIOS: **2** fino, delicado, refinado.

ruta [sustantivo] [femenino] Conjunto de los lugares por los que se pasa para ir de un sitio a otro: *Todos los días hago la misma ruta para ir al colegio.* □ SINÓNIMOS: camino, itinerario, trayecto, recorrido.

rutina [sustantivo] [femenino] Costumbre que se tiene de hacer algo de forma automática y sin pensar: *Aunque no tenga que ir a clase, me levanto a la hora de todos los días por rutina.*

a
b
c
d
e
f
g
h
i
j
k
l
m
n
ñ
o
p
q
r
s
t
u
v
w
x
y
z

S s

s [sustantivo] [femenino] Letra número veinte del abecedario: *La palabra «sal» empieza por «s».* □ [Su nombre es ese].

sábado [sustantivo] [masculino] Sexto día de la semana: *El sábado está entre el viernes y el domingo.*

sabana [sustantivo] [femenino] Terreno amplio y llano que se caracteriza por tener mucha hierba y pocos árboles: *Los leones, las cebras y las jirafas son animales que viven en la sabana.* □ [No confundir con *sábana*]. ✍ página 845.

sábana [sustantivo] [femenino] Cada una de las dos piezas de tela que se ponen en la cama y entre las que se mete una persona: *Las mantas se ponen encima de las sábanas.* □ [No confundir con *sabana*].

saber [verbo] **1** Estar informado de algo: *No sabía que te ibas a ir tan pronto.* **2** Tener grandes conocimientos sobre alguna materia: *Mi hermana sabe muchas matemáticas.* **3** Tener capacidad o habilidad para hacer algo: *No sé conducir.* **4** Tener sabor: *Esta comida sabe muy fuerte.* □ [Es irregular]. SINÓNIMOS: **1** conocer. CONTRARIOS: **1** ignorar, desconocer. FAMILIA: sabio, sabiduría, sabiondo, marisabidillo.

sabiduría [sustantivo] [femenino] Conocimiento profundo de algo: *La sabiduría se adquiere tras muchos años de estudio y de experiencia.* □ CONTRARIOS: ignorancia. FAMILIA: → saber.

sabio, bia [adjetivo o] [sustantivo] Que demuestra sabiduría: *Me dio sabios consejos.* □ CONTRARIOS: necio. FAMILIA: → saber.

sabiondo, da [adjetivo o] [sustantivo] Que cree saber más de lo que realmente sabe: *No te hagas el sabiondo, que no tienes ni idea.* □ [Es despectivo]. FAMILIA: → saber.

sable [sustantivo] [masculino] Arma parecida a la espada pero con una forma algo curva: *Algunos militares llevan sable.*

SABLE

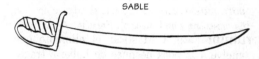

sabor [sustantivo] [masculino] Lo que se siente en la boca al comer o al beber: *Los pasteles tienen un sabor dulce.* □ FAMILIA: saborear, sabroso.

saborear [verbo] **1** Disfrutar poco a poco el sabor de una comida: *Para saborear la comida hay que comer despacio.* **2** Sentir placer por algo, disfrutándolo despacio: *Todos los participantes en la carrera deseaban saborear la victoria.* □ SINÓNIMOS: paladear. FAMILIA: → sabor.

sabotaje [sustantivo] [masculino] Destrucción de algo en señal de lucha o de protesta: *El corte en la energía eléctrica se debió a un sabotaje.*

sabroso, sa [adjetivo] De buen sabor: *Tu padre ha preparado una comida muy sabrosa.* □ SINÓNIMOS: rico. FAMILIA: → sabor.

sacacorchos [sustantivo] [masculino] Objeto que sirve para sacar el corcho que cierra una botella: *Las botellas de vino se suelen abrir con sacacorchos.* □ [No varía en singular y en plural]. FAMILIA: → corcho.

sacapuntas [sustantivo] [masculino] Objeto que sirve para sacar punta a los lápices: *Pásame el sacapuntas, por favor, que se me ha roto la mina*

saber	conjugación
INDICATIVO	**SUBJUNTIVO**
presente	**presente**
sé	sepa
sabes	sepas
sabe	sepa
sabemos	sepamos
sabéis	sepáis
saben	sepan
pretérito imperfecto	**pretérito imperfecto**
sabía	supiera, -ese
sabías	supieras, -eses
sabía	supiera, -ese
sabíamos	supiéramos, -ésemos
sabíais	supierais, -eseis
sabían	supieran, -esen
pretérito indefinido	**futuro**
supe	supiere
supiste	supieres
supo	supiere
supimos	supiéremos
supisteis	supiereis
supieron	supieren
futuro	**IMPERATIVO**
sabré	
sabrás	**presente**
sabrá	sabe (tú)
sabremos	sepa (él)
sabréis	sepamos (nosotros)
sabrán	sabed (vosotros)
	sepan (ellos)
condicional	**FORMAS NO PERSONALES**
sabría	
sabrías	**infinitivo** **gerundio**
sabría	saber sabiendo
sabríamos	**participio**
sabríais	sabido
sabrían	

a b c d e f g h i j k l m n ñ o p q r **s** t u v w x y z

del lápiz. □ [No varía en singular y en plural]. FA-
MILIA: → punta. 🔍 página 605.

sacar [verbo] **1** Poner fuera algo que estaba
dentro: *Sacó la mano del bolsillo y llamó al
timbre.* **2** Llegar a un resultado por medio
de pistas o de señales: *Después de lo que te
he dicho, saca tú mismo las conclusiones.* **3**
Obtener o conseguir: *La gasolina se saca del
petróleo.* **4** Producir o inventar: *Me han dicho que van a sacar un nuevo modelo de coche.* **5** Mostrar o dar a conocer: *En la fiesta
sacó su vena bromista y no paró de contar
chistes.* **6** Hacer más larga o más ancha una
prenda de vestir: *Me han tenido que sacar
el bajo de los pantalones porque he crecido.*
7 Comprar una entrada o un billete: *He sacado entradas para el cine.* **8** Poner en juego una pelota: *Este tenista saca con mucha
fuerza.* **9** Ser superior, o tener más de algo:
*El primer ciclista sacó varios minutos de
ventaja al segundo clasificado.* **10** Hacer
una fotografía: *¿Nos sacas una foto, por favor?* **11** Citar, nombrar o traer a la conversación: *Cuando estés con él, no saques este*

sacar	conjugación
INDICATIVO	**SUBJUNTIVO**
presente	**presente**
saco	*saque*
sacas	*saques*
saca	*saque*
sacamos	*saquemos*
sacáis	*saquéis*
sacan	*saquen*
pretérito imperfecto	**pretérito imperfecto**
sacaba	sacara, -ase
sacabas	sacaras, -ases
sacaba	sacara, -ase
sacábamos	sacáramos, -ásemos
sacabais	sacarais, -aseis
sacaban	sacaran, -asen
pretérito indefinido	**futuro**
saqué	sacare
sacaste	sacares
sacó	sacare
sacamos	sacáremos
sacasteis	sacareis
sacaron	sacaren
futuro	**IMPERATIVO**
sacaré	
sacarás	**presente**
sacará	saca (tú)
sacaremos	*saque* (él)
sacaréis	*saquemos* (nosotros)
sacarán	sacad (vosotros)
	saquen (ellos)
condicional	**FORMAS NO PERSONALES**
sacaría	
sacarías	**infinitivo** **gerundio**
sacaría	sacar sacando
sacaríamos	
sacaríais	**participio**
sacarían	sacado

tema, porque ya sabes que no le gusta. □ [La
c se cambia en qu delante de e]. SINÓNIMOS: **1**
extraer. CONTRARIOS: meter. FAMILIA: saque.

sacarina [sustantivo femenino] Sustancia parecida al
azúcar, que se usa para dar sabor dulce a
las comidas: *Uso sacarina en el café porque
no quiero engordar.*

sacerdote [sustantivo masculino] Hombre que ha dedicado su vida a un dios: *Algunos sacerdotes
católicos llevan sotana.* □ [El femenino es *sacerdotisa*]. FAMILIA: sacerdotisa.

sacerdotisa [sustantivo femenino] Mujer que se dedica
a hacer ceremonias religiosas en honor de
un dios: *Las sacerdotisas romanas estaban
al cuidado de los templos.* □ [Su masculino es
sacerdote]. FAMILIA: → sacerdote.

saciar [verbo] Satisfacer por completo una necesidad: *Cuando el perro sació su hambre,
se echó a dormir.* □ SINÓNIMOS: hartar. FA-
MILIA: insaciable.

saco 1 [sustantivo masculino] Especie de bolsa grande que
se usa para llevar algo: *Tengo que comprar
unos sacos de pienso para los cerdos.* **2** [ex-
presión] **saco de dormir** El que está hecho de
tela y sirve para dormir en él: *Cuando vayas de camping, no te olvides el saco de dormir.* 🔍 página 154.

sacramento [sustantivo masculino] En la religión cristiana, signo mediante el cual Dios actúa en las
almas de los hombres: *Este año hago la Primera Comunión, y será la primera vez que
reciba el sacramento de la eucaristía.*

sacrificar [verbo] **1** Ofrecer algo en honor de
un dios: *Los antiguos sacrificaban animales
a los dioses para que estuvieran contentos.*
2 Matar un animal para venderlo como comida: *La carne que venden en las carnicerías es de animales que han sido sacrifica-
dos en el matadero.* **3** Rechazar algo para
conseguir otra cosa: *Sacrificó su día libre
para ayudarme a pintar la casa.* **4** **sacri-
ficarse** Hacer de forma generosa algo que
cuesta mucho: *Mis padres se iban a ir de
viaje, pero se sacrificaron y se quedaron en
casa cuidándome cuando me puse enfermo.*
□ [La c se cambia en qu delante de e, como en
SACAR]. FAMILIA: → sacrificio.

sacrificio [sustantivo masculino] **1** Ceremonia en la que
se ofrece una víctima a un dios como señal
de respeto: *En la Biblia se cuenta cómo eran*

a
b
c
d
e
f
g
h
i
j
k
l
m
n
ñ
o
p
q
r
s
t
u
v
w
x
y
z

los sacrificios que los antiguos israelitas ofrecían a Dios. **2** Lo que cuesta un gran esfuerzo: *Dejar de comer dulces sería un sacrificio para mí, porque soy muy goloso.* **3** Acto generoso que supone un gran esfuerzo y que se hace por amor: *Pudo estudiar una carrera gracias a los sacrificios que hicieron sus padres.* ☐ FAMILIA: sacrificar.

sacudida [sustantivo] [femenino] **1** Movimiento violento de un lado a otro: *Con las sacudidas del terremoto se derrumbaron varios edificios.* **2** Impresión muy fuerte: *La noticia de la muerte de su hijo fue una gran sacudida para los padres.* ☐ FAMILIA: → sacudir.

sacudir [verbo] **1** Mover de un lado a otro: *Me sacudió del hombro para que me despertara.* **2** Dar golpes a algo o moverlo en el aire para limpiarlo: *Para quitar el polvo a las alfombras hay que tenderlas y sacudirlas con una especie de pala.* **3** Pegar o dar golpes: *Como te portes mal, te voy a sacudir.* **4** Producir una impresión muy fuerte: *Aquel horrible crimen sacudió a todo el país.* ☐ SINÓNIMOS: **1** agitar, remover, menear, zarandear. FAMILIA: sacudida.

saeta [sustantivo] [femenino] Arma que se dispara con un arco y que está formada por una barrita delgada que tiene una punta de metal: *Los arqueros disparaban saetas desde la torre del castillo.* ☐ SINÓNIMOS: flecha.

safari [sustantivo] [masculino] **1** Especie de excursión que se hace para cazar animales de gran tamaño en algunas regiones de África: *En el safari, uno de los cazadores fue atacado por un rinoceronte.* **2** Lugar en el que hay animales libres para que los vea la gente: *En los safaris está prohibido bajarse de los coches.*

sagitario [adjetivo o] [sustantivo] Uno de los doce signos del horóscopo: *Las personas que son sagitario han nacido entre el 23 de noviembre y el 21 de diciembre.* ☐ [No varía en masculino y en femenino].

sagrado, da [adjetivo] **1** De un dios o relacionado con su culto: *Una iglesia es un lugar sagrado.* **2** Que es digno de respeto: *Mis amigos son sagrados y no admito que nadie se meta con ellos.* ☐ FAMILIA: sagrario.

sagrario [sustantivo] [masculino] En la religión cristiana, lugar en el que el sacerdote guarda el pan

y el vino cuando se han convertido en el cuerpo y la sangre de Jesucristo: *Antes de la comunión, el sacerdote sacó las hostias y el cáliz del sagrario.* ☐ FAMILIA: → sagrado.

sal [sustantivo] [femenino] **1** Sustancia blanca que se usa para cocinar los alimentos y que da el sabor al agua del mar: *Pon vinagre, aceite y sal en la ensalada.* **2** Gracia en la forma de hablar o en los gestos: *¡Qué poca sal tiene ese chico y qué aburrido resulta!* ☐ SINÓNIMOS: **2** salero. CONTRARIOS: **2** sosería. FAMILIA: salado, salero, saleroso, ensalada, ensaladera, ensaladilla.

sala [sustantivo] [femenino] **1** Local o habitación con un uso determinado: *La reunión se celebrará en una de las salas de la planta baja.* **2** Habitación de una casa en la que hace vida toda la familia: *Comeremos en el comedor y tomaremos el café en la sala.* ☐ FAMILIA: salón.

salado, da [adjetivo] **1** Con sal o con más sal de la necesaria: *Estas patatas fritas están demasiado saladas.* **2** Que resulta gracioso: *Es tan salado que nunca te aburres con él.* ☐ CONTRARIOS: soso. FAMILIA: → sal.

salario [sustantivo] [masculino] Cantidad de dinero que se gana por un trabajo: *Con el salario de mis padres tenemos dinero suficiente para vivir.* ☐ SINÓNIMOS: sueldo, jornal, paga.

salchicha [sustantivo] [femenino] Alimento delgado y alargado, hecho con carne de cerdo picada, y que se suele comer frito o cocido: *Los perritos calientes son salchichas dentro de un bollo de pan alargado.* ☐ FAMILIA: salchichón.

salchichón [sustantivo] [masculino] Alimento de color rosa oscuro, hecho con carne de cerdo picada: *Merendé un bocadillo de salchichón.* ☐ FAMILIA: → salchicha.

salero [sustantivo] [masculino] **1** Recipiente en el que se guarda o se sirve la sal: *Pásame el salero, por favor, porque estas patatas están sosas.* **2** Gracia en la forma de hablar o de actuar: *Para bailar bien este baile hay que tener mucho salero.* ☐ SINÓNIMOS: **2** sal, garbo. CONTRARIOS: sosería. FAMILIA: → sal.

saleroso, sa [adjetivo o] [sustantivo] Que tiene gracia al hablar y al moverse: *Nos hizo pasar un buen rato porque es una persona muy salerosa.* ☐ CONTRARIOS: soso. FAMILIA: → sal.

salida [sustantivo] [femenino] **1** Lugar por el que se sale de un sitio: *Te espero en la salida del cine.* **2** Inicio del movimiento a otro lugar: *La salida del avión se ha retrasado una hora.* **3** Lugar del que se sale para hacer un recorrido: *No pude participar en la carrera porque no llegué a tiempo a la salida.* **4** Fin de una actividad o de una condición: *El ex ministro no quiso hablar de su salida del gobierno.* **5** Presencia de algo que antes no estaba: *En invierno, la salida del Sol se produce más tarde que en verano.* **6** Frase graciosa y aguda: *Tienes unas salidas que me hacen morirme de risa.* **7** Colocación de un producto a la venta: *¿Te has enterado de la salida de una nueva revista de motos?* **8** [sustantivo femenino plural] Posibilidades que ofrecen los distintos estudios para encontrar trabajo en el futuro: *Dicen que las carreras de ciencias tienen más salidas que las de letras.* **9** [expresión] **salida de tono** Palabras que molestan porque son poco oportunas: *Sus continuas salidas de tono resultan incómodas para los demás.* □ SINÓNIMOS: **6** ocurrencia, golpe. CONTRARIOS: **1** entrada, acceso. **3** llegada, meta. FAMILIA: → salir.

salir [verbo] **1** Pasar de dentro a fuera: *No salgas a la calle sin paraguas, que llueve mucho. El Sol sale por el Este.* **2** Ponerse en marcha: *¿A qué hora sale el tren?* **3** Quedar libre de algo que produce molestia: *Te has metido en un buen lío y no sé cómo vas a salir de ésta.* **4** Aparecer, mostrarse o dejarse ver: *No salgo en la foto porque fui yo el que la hice.* **5** Resultar, quedar o acabar siendo algo: *El bizcocho te ha salido muy bien.* **6** Ir a la calle a pasear o a divertirse: *Después de clase salimos un rato con los amigos.* **7** Ser novio o novia: *Mi hermano está saliendo con la hermana de un amigo suyo.* **8** Destacar, estar más alto o más afuera: *Los balcones salen un poco de las casas.* **9** Nacer o tener origen: *Este árbol salió de una semilla como ésta.* **10** Ser elegido por votación: *Salió presidente en la segunda votación.* **11** Ir a parar: *Si sigues esta carretera, saldrás a la autovía.* **12** Desaparecer una señal de suciedad: *Si la mancha no sale con jabón, tendrás que poner los pantalones en lejía.* **13** Ponerse un producto a la venta: *Esta revista sale los jueves.* **14**

Costar o valer algo: *Con el descuento te saldrá más barato.* **15** Resultar bien hecho un trabajo: *No me sale porque no sé cómo hacerlo.* **16** Comenzar un juego: *Cuando se juega a las cartas, sale el jugador que está a la derecha del que ha repartido.* **17** [expresión] **salir a alguien** Parecérsele mucho: *Has salido a tu padre en lo alta que eres.* **salirse alguien con la suya** Hacer su voluntad en contra de la opinión de los demás: *Es muy testarudo y siempre se sale con la suya.* □ [Es irregular]. SINÓNIMOS: **2** partir. **8** sobresalir. **11** desembocar. CONTRARIOS: **1** entrar, acceder, adentrarse, penetrar. **2** llegar. FAMILIA: salida, salido, sobresalir, sobresaliente.

saliva [sustantivo femenino] Líquido transparente que está dentro de la boca: *La saliva ayuda a tragar los alimentos.*

salmantino, na [adjetivo o sustantivo] De la provincia de Salamanca o de su capital: *Mi hermana estudia en la universidad salmantina.*

salmo [sustantivo masculino] Especie de canción con la que se alaba a Dios: *Los fieles cantaron un salmo en alabanza a Dios.*

salir		conjugación	
INDICATIVO		**SUBJUNTIVO**	
presente		**presente**	
salgo		salga	
sales		salgas	
sale		salga	
salimos		salgamos	
salís		salgáis	
salen		salgan	
pretérito imperfecto		**pretérito imperfecto**	
salía		saliera, -ese	
salías		salieras, -eses	
salía		saliera, -ese	
salíamos		saliéramos, -ésemos	
salíais		salierais, -eseis	
salían		salieran, -esen	
pretérito indefinido		**futuro**	
salí		saliere	
saliste		salieres	
salió		saliere	
salimos		saliéremos	
salisteis		saliereis	
salieron		salieren	
futuro		**IMPERATIVO**	
saldré			
saldrás		**presente**	
saldrá		sal	(tú)
saldremos		salga	(él)
saldréis		salgamos	(nosotros)
saldrán		salid	(vosotros)
		salgan	(ellos)
condicional		**FORMAS NO PERSONALES**	
saldría			
saldrías		**infinitivo**	**gerundio**
saldría		salir	saliendo
saldríamos			
saldríais		**participio**	
saldrían		salido	

a b c d e f g h i j k l m n ñ o p q r **s** t u v w x y z

salmón [sustantivo/masculino] Pez de color más o menos gris, que tiene la carne de color rosa: *El salmón es un pez marino, pero durante una temporada vive en los ríos.* 🔎 página 609.

salón [sustantivo/masculino] **1** Local o habitación grande en los que se celebran actos a los que asiste mucha gente: *El concierto tendrá lugar en el salón de actos del colegio.* **2** Habitación principal de una casa, en la que se suele recibir a las visitas: *Mis padres no nos dejan jugar en el salón porque dicen que lo manchamos todo.* **3** Establecimiento en el que se prestan determinados servicios: *En este salón de belleza dan muy bien los masajes.* □ FAMILIA: → sala.

salpicadura [sustantivo/femenino] Señal que deja un líquido que se esparce en el lugar en el que cae: *Llevas la camisa llena de salpicaduras de aceite.* □ FAMILIA: → salpicar.

salpicar [verbo] **1** Poner húmeda o sucia una superficie por medio de gotas pequeñas: *Cuidado con la manguera, que me salpicas.* **2** Influir algo en la fama de una persona de manera negativa: *El escándalo salpicó a varios ministros y no tuvieron más remedio que dimitir.* □ [La c se cambia en qu delante de e, como en SACAR]. FAMILIA: salpicadura.

salsa [sustantivo/femenino] **1** Caldo o crema hechos con varias sustancias mezcladas y que se prepara para acompañar algunas comidas: *Cogí un poco de pan para mojarlo en la salsa de tomate.* **2** Lo que hace que algo sea más atractivo, más agradable o más interesante: *Para las personas a las que les gusta el riesgo, el peligro es la salsa de la vida.* **3** [expresión] **en su salsa** En su ambiente: *Aunque parezca una persona muy aburrida, cuando está en su salsa es muy divertida.* □ FAMILIA: salsera.

salsera [sustantivo/femenino] Recipiente en el que se sirven las salsas: *Pásame la salsera, por favor, que me voy a poner mayonesa en los espárragos.* □ FAMILIA: → salsa.

saltamontes [sustantivo/masculino] Insecto con las patas de atrás más grandes y fuertes que las otras y que se mueve dando grandes saltos: *Los saltamontes viven en el campo.* □ [No varía en singular y en plural]. FAMILIA: → monte.

SALTAMONTES

saltar [verbo] **1** Levantarse con fuerza del suelo o del lugar en que se está, para caer en el mismo sitio o en otro: *Salté a la otra orilla del arroyo.* **2** Lanzarse desde una altura para caer más abajo: *Salté desde el tercer escalón.* **3** Destacar o hacerse notar: *No sé qué le habrás hecho, pero salta a la vista que le caes mal.* **4** Decir algo en la conversación de forma repentina: *Cuando le pregunté por qué lo había hecho, saltó con una tontería.* **5** En deporte, salir al terreno de juego: *El público aplaudió cuando los jugadores saltaron al campo.* **6** Mostrar exteriormente que se está enfadado por algo: *Tiene un genio muy vivo y salta enseguida.* **7** Salir un líquido hacia arriba con fuerza: *Si echas una gota de agua en aceite hirviendo, salta mucho.* **8** Empezar a funcionar un aparato: *Cuando entraron los ladrones, saltó la alarma.* **9** Pasar algo por alto: *Vuelve a leer el párrafo, porque te has saltado una frase.* **10 saltarse** No cumplir una ley o una regla: *Se saltó una señal de stop y tuvo un accidente.* □ SINÓNIMOS: **1** brincar. FAMILIA: salto, saltimbanqui, resaltar, asaltar, asalto, sobresaltar, saltear.

saltear [verbo] **1** Realizar una acción a ratos: *Los días de clase se saltean con los fines de semana.* **2** Cocinar un poco un alimento con aceite: *Salteó los guisantes con un poco de jamón.* □ FAMILIA: → saltar.

saltimbanqui [sustantivo] Persona que salta y hace ejercicios de equilibrio para que la gente lo vea: *En el parque, un saltimbanqui andaba sobre una pelota.* □ [No varía en masculino y en femenino]. FAMILIA: → saltar.

salto [sustantivo/masculino] **1** Elevación con fuerza del lugar en el que se está, para caer en el mismo sitio o en otro: *La jugadora de baloncesto dio un salto y encestó.* **2** Hecho de lanzarse desde una altura para caer más abajo: *Este nadador es especialista en saltos de trampolín.* 🔎 página 292. **3** Paso de una situación o de un lugar a otros, sin pasar por lo que está entre medias: *En la película hay un salto en el tiempo y, de repente, el protagonista pasa de ser un niño a ser ya un viejo.* **4** Caída de gran cantidad de agua desde una determinada altura: *Las cataratas son saltos de agua.* **5** Prueba deportiva que consiste en saltar una altura o una longitud: *Los deportistas que practican salto de altura suelen ser muy altos.* 🔍 página 289. **6** [expresión] **a salto de mata** Sin seguir un ritmo regular y saltando de un lugar a otro: *No es una persona constante y hace las cosas a salto de mata.* **salto mortal** El que se hace lanzándose de cabeza y dando la vuelta en el aire: *El gimnasta hizo un doble salto mortal.* □ Sinónimos: **1** brinco. Familia: → saltar.

salud **1** [sustantivo femenino] Estado en el que se encuentra un organismo vivo que realiza sus funciones de forma normal: *Mi bisabuela no tiene muy buena salud y siempre está enferma.* **2** [interjección] Se usa para saludar o para desear un bien a alguien: *Al brindar, levantamos las copas y dijimos: «¡Salud!».* □ Familia: saludable.

saludable [adjetivo] **1** Que es bueno para conservar la salud: *El aire del campo es más saludable que el de la ciudad.* **2** Que tiene o muestra buena salud: Tienes un aspecto muy saludable. □ [No varía en masculino y en femenino]. Sinónimos: **1** bueno, sano. Contrarios: **1** nocivo, perjudicial, dañino, pernicioso. Familia: → salud.

saludar [verbo] Dirigir un saludo a una persona: *Me saludó diciendo: «¡Buenos días!».* □ Familia: → saludo.

saludo [sustantivo masculino] Palabra o gesto de cortesía o de respeto: *«Hola» es una palabra que se usa como saludo.* □ Familia: saludar. 🔍 página 430.

salva [sustantivo femenino] Mira en **salvo, va.**

salvación [sustantivo femenino] Proceso por el que algo se salva de un daño o de un peligro: *Las últimas lluvias han sido la salvación de la cosecha de este año.* □ Sinónimos: salvamento. Familia: → salvar.

salvador, -a [adjetivo o sustantivo] Que salva de un mal o de un peligro: *Los bomberos fueron mis salvadores en el incendio.* □ Familia: → salvar.

salvajada [sustantivo femenino] Lo que hace o dice una persona salvaje y cruel: *Que seas capaz de*

maltratar a los animales me parece una salvajada.* □ Sinónimos: brutalidad, atrocidad. Familia: → salvaje.

salvaje [adjetivo] **1** Dicho de un animal, que no vive en relación directa con el hombre: *Los tigres son animales salvajes.* **2** Dicho de un terreno, que está sin cultivar: *En estos terrenos salvajes viven muchas especies animales.* **3** Que no se puede controlar o frenar: *Tengo un hambre salvaje.* [adjetivo o sustantivo] **4** Que no conoce el desarrollo de la civilización: *La expedición fue atacada por una tribu salvaje.* **5** De poca educación o de poca inteligencia: *No seas salvaje, ¡mira que decir que París es la capital de España...!* **6** Que demuestra crueldad: *Esta barbaridad sólo puede haberla hecho una persona salvaje y sin sentimientos.* □ [No varía en masculino y en femenino. El significado **3** es coloquial. Los significados **5** y **6** son despectivos]. Contrarios: **1** doméstico. Familia: salvajada, salvajismo.

salvajismo [sustantivo masculino] Comportamiento de las personas salvajes y crueles: *Romper los cristales de las tiendas fue una muestra de salvajismo.* □ Familia: → salvaje.

salvamanteles [sustantivo masculino] Objeto sobre el que se colocan objetos muy calientes para proteger el mantel: *Antes de llevar la fuente a la mesa, pon el salvamanteles.* □ [No varía en singular y en plural]. Familia: → mantel.

SALVAMANTELES

salvamento [sustantivo masculino] Conjunto de operaciones que se realizan para salvar a una persona que está en peligro: *Un equipo de salvamento rescató a los montañeros que se habían perdido.* □ Sinónimos: rescate, salvación. Familia: → salvar.

salvar [verbo] **1** Sacar de un peligro o evitar un daño: *El socorrista me salvó de morir ahogada.* **2** Vencer o evitar algo que resulta difícil: *El caballo salvó los obstáculos sin derribar ninguno.* **3** Dejar algo aparte o no tenerlo en cuenta: *Todos los actores de la*

a
b
c
d
e
f
g
h
i
j
k
l
m
n
ñ
o
p
q
r
s
t
u
v
w
x
y
z

película han estado mal, el único que se salva es el director. **4** Atravesar una distancia: *Salvó a nado la distancia que separa las dos islas.* **5** En religión, llevar al cielo: *Jesucristo vino al mundo para salvar a todos los hombres.* □ Sinónimos: **1** librar. **2** superar. Contrarios: **1,5** condenar. Familia: salvación, salvador, salvamento, salvo, salve.

salvavidas [sustantivo masculino] Objeto que permite flotar sobre la superficie del agua: *Cuando me caí del barco, me tiraron un salvavidas para que no me ahogara.* □ [No varía en singular y en plural]. Familia: → vida.

salve [sustantivo femenino] Oración a la Virgen María: *La salve empieza así: «Dios te salve, Reina y Madre...».* □ Familia: → salvar.

salvo, va 1 [adjetivo] Sin daño o sin peligro: *Los niños que se habían perdido fueron rescatados sanos y salvos.* **2** [sustantivo femenino] Disparo o grupo de disparos que se hacen como saludo, o para avisar de algo: *El presidente fue recibido con una salva de cañones.* **3 salvo** [preposición] Sin tener en cuenta algo: *Salvo el final, la película me ha parecido un rollo.* **4** [expresión] **a salvo** Seguro o fuera de peligro: *Los bomberos nos pusieron a salvo de las llamas.* □ Sinónimos: **3** excepto. Familia: → salvar.

samba [sustantivo femenino] Música característica de Brasil, que es un país de América del Sur: *La samba se baila con un ritmo rápido.* ✍ página 117.

san [adjetivo] Santo: *San Cristóbal es el patrón de los conductores.* □ [Va siempre delante de un nombre propio de hombre, menos con *Domingo, Tomás* y *Tomé: san Carlos, santo Tomás*].

sanar [verbo] Volver a tener salud: *Los médicos hacen todo lo posible para sanar a los enfermos.* □ Sinónimos: curarse. Contrarios: enfermar. Familia: → sano.

sanatorio [sustantivo masculino] Establecimiento en el que están los enfermos que necesitan recibir un tratamiento: *Mi madre es médica en un sanatorio de enfermos mentales.* □ Familia: → sano.

sanción [sustantivo femenino] Pena o castigo que se pone a quien no cumple una ley o una regla: *El juez no lo castigó con la cárcel, pero le puso*

otro tipo de sanción. □ Contrarios: premio. Familia: sancionar.

sancionar [verbo] Poner una pena o un castigo: *El árbitro sancionó a un jugador por haber cometido una falta.* □ Contrarios: premiar. Familia: → sanción.

sandalia [sustantivo femenino] Zapato que se sujeta al pie con una especie de cintas: *Las sandalias son zapatos de verano.*

sandía [sustantivo femenino] Planta cuyo fruto es comestible y redondo, de color verde por fuera y rojo por dentro: *La sandía es una fruta de verano.*

sándwich [sustantivo masculino] Alimento preparado con dos trozos cuadrados de pan con algo de relleno entre ellos: *Con dos rebanadas de pan de molde y queso me he hecho un sándwich.* □ [Es una palabra de origen inglés. Se pronuncia «sángüich». Su plural es *sándwiches*]. Sinónimos: emparedado.

sangrar [verbo] Echar sangre: *Apriétate la herida con el algodón para que no sangre.* □ Familia: → sangre.

sangre [sustantivo femenino] **1** Líquido de color rojo que circula por los vasos del cuerpo de las personas y de los animales: *Cuando te haces una herida, sale sangre.* **2** Familia o grupo social en el que se ha nacido: *Antes, los reyes sólo podían casarse con personas de sangre real.* **3** [expresión] **sangre azul** Origen noble: *Los príncipes son de sangre azul.* **sangre fría** Capacidad para mantenerse tranquilo y no perder los nervios: *No es nada nervioso y tiene mucha sangre fría.* □ Familia: sangrar, sangría, sangriento, ensangrentar, desangrar.

sangría [sustantivo femenino] Bebida hecha con vino y trozos de frutas: *En verano, mis padres preparan sangría para celebrar fiestas con sus amigos.* □ Familia: → sangre.

sangriento, ta [adjetivo] Con sangre: *Fue acusado de haber cometido un sangriento asesinato.* □ Familia: → sangre.

sanidad [sustantivo femenino] Conjunto de servicios y de personas que se dedican a mantener y a cuidar la salud pública: *El Ministerio de Sanidad ha mandado a un inspector para que vea las condiciones en las que está la cocina de este bar.* □ Familia: → sano.

sanitario, ria 1 [adjetivo] De la salud pública

o relacionado con ella: *El personal sanitario del hospital fue muy amable conmigo cuando me operaron.* **2** [adjetivo o sustantivo masculino] Dicho de un aparato, que está en el cuarto de baño y sirve para la limpieza personal: *Los sanitarios de mi cuarto de baño son grises.* □ FAMILIA: → sano.

sano, na [adjetivo] **1** Con buena salud: *Mis hijos crecen sanos y fuertes.* **2** Que es bueno para conservar la salud: *Hacer ejercicio es muy sano.* **3** En buen estado o sin daño: *No juguéis con la fruta, porque no vais a dejar ni una sana.* **4** Sin mala idea o sin malas costumbres: *Mis amigos son personas alegres y sanas.* **5** [expresión] **cortar por lo sano** Solucionar algo con energía o de raíz: *Cuando supo que su amiga la engañaba, cortó por lo sano y no la ha vuelto a ver.* □ [El significado **5** es coloquial]. SINÓNIMOS: **1** bueno. **2** saludable. CONTRARIOS: **1** enfermo. FAMILIA: sanar, sanatorio, sanidad, sanitario, matasanos.

sanseacabó [interjección] Se usa para dar por terminado un asunto: *Te he dicho que no iré, y sanseacabó.* □ [Es coloquial]. FAMILIA: → acabar.

santanderino, na [adjetivo o sustantivo] De la ciudad española de Santander: *La ciudad santanderina tiene playas.*

santiamén [expresión] **en un santiamén** Enseguida: *Espérame, que acabo en un santiamén.* □ FAMILIA: → amén.

santidad [sustantivo femenino] **1** Cualidad o estado de santo: *Llevó una vida de santidad.* **2** Tratamiento que se da al Papa: *Su Santidad ha bendecido a los fieles que estaban en la plaza.* □ [El significado **2** se usa más en las expresiones *Su Santidad* o *Vuestra Santidad*]. FAMILIA: → santo.

santiguarse [verbo] Hacerse uno mismo la señal de la cruz tocando primero la frente y el pecho, y después el hombro izquierdo y el hombro derecho: *Tiene la costumbre de santiguarse al salir de casa.* □ [Se conjuga como AVERIGUAR]. FAMILIA: → santo.

santo, ta **1** [adjetivo] Que sigue la ley de Dios: *El sacerdote dijo: «Nos hemos reunido para unir a esta pareja en santo matrimonio».* [adjetivo o sustantivo] **2** Dicho de una persona, que ha sido declarada por la iglesia católica como modelo de vida cristiana: *En las iglesias, cada capilla está dedicada a un santo.* **3** Di-

cho de una persona, que tiene mucha paciencia o que sirve de ejemplo: *Eres una santa por aguantar todas las bromas que te gastamos.* **4** [sustantivo masculino] Día en el que una persona celebra el nombre que tiene: *¿Me regalarás algo por mi santo?* **5** [expresión] **a santo de qué** Con qué motivo o con qué razón: *¿A santo de qué vas diciendo por ahí que estoy enferma, si no es verdad?* **írsele a alguien el santo al cielo** Olvidarse por completo de algo: *Se me fue el santo al cielo y no me acordé de llamarte.* **llegar y besar el santo** Conseguir a la primera lo que se quiere: *No digas que ha sido llegar y besar el santo, porque me ha costado mucho trabajo conseguirlo.* **santo y seña** Conjunto de palabras que sirven como contraseña: *Para que te deje pasar, tienes que decir el santo y seña.* □ [Cuando va delante de un nombre propio de hombre, menos con *Domingo*, *Tomás* y *Tomé*, se cambia en san: *san Martín*, *santo Domingo*. Las expresiones son coloquiales. Se usa para dar más fuerza a lo que se dice: *En esta santa casa nunca deja de sonar el teléfono*]. FAMILIA: san, santoral, santuario, santidad, santiguarse.

santoral [sustantivo masculino] Lista de los santos cuya fiesta se celebra en cada uno de los días del año: *En el santoral he visto que hoy es san Cipriano.* □ FAMILIA: → santo.

santuario [sustantivo masculino] Lugar en el que se dan muestras de amor y de respeto a un dios o a otros seres sagrados: *Edificaron un santuario en el sitio en el que se dice que se apareció la Virgen.* □ FAMILIA: → santo.

sapo [sustantivo masculino] Animal que vive cerca del agua y que tiene las patas de atrás tan largas que le permiten dar grandes saltos: *Los sapos se diferencian de las ranas en que tienen la piel más arrugada.*

saque [sustantivo masculino] **1** En deporte, hecho de lanzar una pelota para empezar el juego o para continuarlo: *Este tenista tiene un saque muy potente.* **2** Capacidad para comer o beber mucho: *En casa todos tenemos buen saque y nos comemos todo lo que nos ponen.* □ [El significado **2** es coloquial]. FAMILIA: → sacar.

saquear [verbo] Robar o coger todo lo que hay en un lugar: *Los soldados saquearon la ciudad.*

sarampión [sustantivo masculino] Enfermedad contagio-

a

sa cuya principal característica son las marcas rojas que aparecen en la piel: *Mi hermano me ha contagiado el sarampión.*

b

sarcófago [sustantivo][masculino] Especie de caja en la que se entierra un cadáver: *En el museo de Historia vimos un sarcófago egipcio con una momia dentro.*

c

d

sardana [sustantivo][femenino] Baile y música populares de la comunidad autónoma de Cataluña: *La sardana se baila en corro.* ✍ página 117.

e

f

sardina [sustantivo][femenino] Pez marino comestible de color azul y gris: *He comido sardinas asadas.* ✍ página 608.

g

sargento, ta 1 [sustantivo] Persona que manda mucho: *Tu hermana es una sargenta y siempre está regañándonos.* **2** [sustantivo][masculino] Una de las categorías militares: *El sargento enseñaba a desfilar a los soldados en el patio del cuartel.* □ [El significado **1** es coloquial].

h

i

j

sarta [sustantivo][femenino] Conjunto de hechos que se suceden unos a otros y que están relacionados entre sí: *Siempre que llegas tarde cuentas una sarta de mentiras y ya nadie te cree.* □ SINÓNIMOS: cadena, serie, sucesión.

k

l

m

sartén [sustantivo][femenino] Recipiente de cocina, de forma circular, que es poco hondo y que tiene un mango largo: *Los huevos fritos se hacen en la sartén.*

n

ñ

sastre, tra [sustantivo] Persona que trabaja haciendo trajes: *Mi padre va al sastre a hacerse los trajes.* □ FAMILIA: sastrería.

o

sastrería [sustantivo][femenino] Lugar en el que se hacen, se arreglan o se venden trajes: *He llevado a la sastrería una chaqueta para que le cambien las solapas.* □ FAMILIA: → sastre.

p

q

r

satélite 1 [sustantivo][masculino] Cuerpo que da vueltas alrededor de un planeta: *La Luna es el satélite de la Tierra.* ✍ página 611. **2** [expresión] **satélite artificial** Aparato que se ha lanzado al espacio para que dé vueltas alrededor de la Tierra: *Los satélites artificiales sirven para mejorar las comunicaciones.*

s

t

u

satisfacción [sustantivo][femenino] **1** Placer que se siente por algo: *Sentí mucha satisfacción cuando me dieron el premio.* **2** Razón que sirve para arreglar un daño que hemos producido: *Me debes una satisfacción por los insultos que me dijiste ayer delante de todos.* □ FAMILIA: → satisfacer.

v

w

x

y

z

satisfacer [verbo] **1** Conseguir un deseo o realizarlo: *Te he comprado una guitarra para satisfacer tus deseos de aprender a tocar un instrumento.* **2** Gustar o agradar: *Me satisface ver que estás contento en tu nuevo colegio.* **3** Cubrir una necesidad: *Esta casa tan grande satisface las necesidades de una familia numerosa como la nuestra.* **4** Dar dinero a cambio de algo: *En cuanto me paguen, satisfaré todas las deudas que tengo contigo.* □ [Es irregular y se conjuga como HACER. Su participio es *satisfecho*]. SINÓNIMOS: **4** pagar, abonar. CONTRARIOS: **4** deber, adeudar. FAMILIA: satisfacción, satisfactorio, satisfecho.

satisfactorio, ria [adjetivo] Que satisface porque se considera bueno o favorable: *Los resultados de los análisis son satisfactorios y ya no queda rastro de la enfermedad.* □ FAMILIA: → satisfacer.

satisfecho, cha 1 Participio irregular de **satisfacer**. **2** [adjetivo] Contento y alegre: *Estoy muy satisfecha por lo bien que os habéis portado hoy.* □ CONTRARIOS: **2** triste. FAMILIA: → satisfacer.

sauce 1 [sustantivo][masculino] Árbol de tronco grueso y derecho y que tiene muchas ramas: *Los sauces suelen crecer en las orillas de los ríos.* **2** [expresión] **sauce llorón** Árbol que tiene las ramas muy largas y que cuelgan mucho: *Las ramas de algunos sauces llorones caen tanto que llegan a tocar el suelo.*

sauna [sustantivo][femenino] Baño de vapor a temperaturas muy altas: *La sauna hace sudar mucho.*

savia [sustantivo][femenino] **1** Sustancia líquida que circula por el interior de las plantas: *Las plantas se alimentan de la savia.* **2** Lo que da fuerza: *Estos jugadores jóvenes son la savia que necesitaba el equipo.* □ [No confundir con *sabia*, que es el femenino de *sabio*].

saxofón [sustantivo][masculino] Instrumento musical de viento que está compuesto por un tubo de metal con forma de «J»: *La música de jazz se suele tocar con saxofón, contrabajo y piano.* □ [Se usa mucho la forma abreviada saxo].

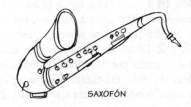

SAXOFÓN

se [pronombre] [personal] Indica la tercera persona y equivale a *él, ella, ellos* o *ellas: Ella se ducha por la mañana. Estos libros se los traje a tus primos.* □ [Es distinto de *sé*, del verbo saber. No varía en masculino y en femenino, ni en singular y plural. Se usa para formar algunos verbos: *se fugó, se burlaron*]. FAMILIA: → él.

secador [sustantivo] [masculino] Aparato que sirve para secar el pelo: *Cuando me seco el pelo con el secador, se me queda más rizado.* □ FAMILIA: → seco.

secadora [sustantivo] [femenino] Electrodoméstico que sirve para secar la ropa: *Cuando acaba la lavadora, meto la ropa en la secadora y después la plancho.* □ FAMILIA: → seco.

secano [sustantivo] [masculino] Tierra de cultivo que sólo recibe agua cuando llueve: *El trigo y la cebada son cultivos de secano y no hay que regarlos.* □ CONTRARIOS: regadío. FAMILIA: → seco.

secar [verbo] **1** Dejar algo sin agua o sin líquido: *Voy a tender la ropa al sol para que se seque antes.* **2** Ponerse dura una sustancia: *No te sientes en esa silla, porque todavía no se ha secado la pintura.* □ [La c se cambia en qu delante de e, como en SACAR]. CONTRARIOS: **1** humedecer, mojar. FAMILIA: → seco.

sección [sustantivo] [femenino] Cada una de las divisiones de algo que tienen una función o una tarea determinadas: *En estos grandes almacenes, la sección de ropa de señoras está debajo de la sección de caballeros.* □ SINÓNIMOS: departamento. FAMILIA: sector, secta.

seco, ca [adjetivo] **1** Que no tiene agua u otro líquido: *He quitado la ropa del tendedero porque ya está seca.* **2** Con pocas lluvias: *Los cactos crecen muy bien en climas secos.* **3** Dicho de una planta, que está muerta: *Durante el otoño, el suelo está cubierto de hojas secas.* **4** Con menos grasa de lo normal: *Este champú es especial para cabellos secos.* **6** Dicho de un golpe, que se produce con fuerza y de forma rápida: *El profesor dio un golpe seco en la mesa para que nos calláramos.* **7** Que resulta poco agradable o poco simpático: *Eres tan seco que no se puede hablar contigo de nada.* **8** Muerto en el acto: *El vaquero dejó seco al ladrón de caballos de un solo disparo.* **9** Con mucha sed: *Después de la caminata por el campo, llegué*

a casa seca. **10** [expresión] **a secas** Sin añadir nada: *Se comió el filete a secas y no quiso ensalada.* **en seco** De forma repentina: *El conductor dio un frenazo en seco y me di en la cabeza con el asiento de delante.* □ [Los significados **8** y **9** son coloquiales]. SINÓNIMOS: **8** tieso. CONTRARIOS: **1** jugoso. **2** húmedo. **3** verde. **4** graso. FAMILIA: secar, sequía, sequedad, secadora, secador, secano, resecar, reseco.

secretaría [sustantivo] [femenino] Lugar en el que trabaja un secretario: *Tengo que arreglar unos papeles de la matrícula en la secretaría del colegio.* □ FAMILIA: → secretario.

secretario, ria [sustantivo] Persona que trabaja al servicio de otra ayudándola en tareas de organización: *Un secretario se ocupa de recibir las llamadas telefónicas del jefe y de organizar su correspondencia y sus citas.* □ FAMILIA: secretaría.

secreto, ta 1 [adjetivo] Que no es sabido ni conocido por casi nadie: *Los dueños del castillo huyeron por un pasadizo secreto.* **2** [sustantivo] [masculino] Lo que alguien no quiere que sepan los demás: *Acércate, que te voy a contar un secreto al oído para que no se entere nadie.*

secta [sustantivo] [femenino] Grupo pequeño que se separa de una iglesia o de un conjunto de ideas, especialmente cuando los demás lo consideran equivocado: *Un amigo mío pertenece a una secta religiosa.* □ FAMILIA: → sección.

sector [sustantivo] [masculino] Parte de un todo que tiene un conjunto de características que lo diferencian del resto: *Vivo en el sector norte de la ciudad.* □ FAMILIA: → sección.

secuestrador, -a [sustantivo] Persona que realiza un secuestro: *Los secuestradores han mandado una carta en la que piden un rescate.* □ FAMILIA: → secuestro.

secuestrar [verbo] Llevarse a una persona a la fuerza y no dejarla ir hasta que alguien pague una cantidad de dinero por ella: *Los que secuestraron al empresario han pedido cien millones de pesetas a su familia a cambio de liberarlo.* □ FAMILIA: → secuestro.

secuestro [sustantivo] [masculino] Hecho de llevarse a una persona a la fuerza y de mantenerla en contra de su voluntad para pedir que se pague una cantidad de dinero por ella: *La policía ha detenido a unos terroristas que prepara-*

ban el secuestro de un ministro. □ FAMILIA: secuestrar, secuestrador.

secundario, ria [adjetivo] Que depende de otra cosa: *Para poder estudiar la enseñanza secundaria es necesario tener unos conocimientos previos y básicos.* □ SINÓNIMOS: accesorio. CONTRARIOS: principal, fundamental, esencial, capital, básico, primario. FAMILIA: → segundo.

sed [sustantivo] [femenino] **1** Ganas de beber: *El agua es lo que mejor calma la sed.* **2** Deseo muy grande de conseguir algo: *La sed de triunfo de este deportista lo lleva a ser siempre el mejor.* □ FAMILIA: sediento.

seda [sustantivo] [femenino] **1** Hilo fino producido por un tipo de gusano: *La seda es flexible y brillante.* **2** Tela hecha con este hilo: *Las corbatas de seda brillan mucho y son muy suaves.* □ FAMILIA: sedoso.

sediento, ta [adjetivo] Que tiene sed: *Éste es el tercer vaso de agua que me bebo, porque estoy sedienta.* □ FAMILIA: → sed.

sedoso, sa [adjetivo] Que tiene las características de la seda: *Este champú me deja el pelo muy suave y sedoso.* □ FAMILIA: → seda.

segador, -a 1 [sustantivo] Persona que trabaja en los campos cortando la hierba u otras plantas parecidas al trigo: *Un grupo de segadores se dirigía a los campos a trabajar.* **2** [sustantivo] [femenino] Máquina que sirve para cortar la hierba y otras plantas: *Segar con una segadora es mucho más rápido que segar con la hoz.* □ FAMILIA: → segar.

segar [verbo] Cortar la hierba u otras plantas: *Antiguamente, los agricultores segaban los cereales con una hoz o con una guadaña.* □ [Es irregular y se conjuga como REGAR]. FAMILIA: siega, segadora, segador.

seglar [adjetivo o] [sustantivo] Que no es sacerdote ni pertenece a una orden religiosa: *En mi parroquia, los seglares participamos en diversas labores ayudando a los sacerdotes.* □ [No varía en masculino y en femenino].

segmento [sustantivo] [masculino] **1** Parte de una línea recta que está entre dos puntos: *Hoy nos han enseñado en clase a sumar segmentos.* **2** Parte que se divide o se separa de un todo: *Un segmento del público protestó contra la decisión del árbitro.*

segoviano, na [adjetivo o] [sustantivo] De la provincia de Segovia o de su capital: *Veraneo en un pueblo segoviano cercano a la sierra.*

seguido, da [adjetivo] Sin interrupción: *Lleva tres días seguidos lloviendo sin parar.* □ SINÓNIMOS: consecutivo. FAMILIA: → seguir.

seguidor, -a [sustantivo] Persona que siente gran interés por un espectáculo y que suele asistir a él: *Los seguidores del equipo contrario silbaban cada vez que uno de los nuestros cogía el balón.* □ SINÓNIMOS: aficionado, hincha, forofo, fan. FAMILIA: → seguir.

seguir [verbo] **1** Ir detrás de algo: *Quien quiera un helado que me siga.* **2** Ir por un determinado camino sin separarse de él: *Si sigues esta calle, llegarás a mi colegio.* **3** Actuar de acuerdo con algo: *Para montar este juguete tienes que seguir las instrucciones que vienen en la caja.* **4** Hacer lo mismo que se estaba haciendo: *Vamos a seguir leyendo el cuento.* **5** Permanecer o mantenerse: *El recuerdo de esas vacaciones sigue vivo en mi memoria.* **6 seguirse** Sacar una conclusión a partir de algo: *Dijo que no le interesaban los deportes, de donde se sigue que no ven-*

seguir		conjugación	
INDICATIVO		**SUBJUNTIVO**	
presente		**presente**	
sigo		siga	
sigues		sigas	
sigue		siga	
seguimos		sigamos	
seguís		sigáis	
siguen		sigan	
pretérito imperfecto		**pretérito imperfecto**	
seguía		siguiera, -ese	
seguías		siguieras, -eses	
seguía		siguiera, -ese	
seguíamos		siguiéramos, -ésemos	
seguíais		siguierais, -eseis	
seguían		siguieran, -esen	
pretérito indefinido		**futuro**	
seguí		siguiere	
seguiste		siguieres	
siguió		siguiere	
seguimos		siguiéremos	
seguisteis		siguiereis	
siguieron		siguieren	
futuro		**IMPERATIVO**	
seguiré			
seguirás		**presente**	
seguirá		sigue	(tú)
seguiremos		siga	(él)
seguiréis		sigamos	(nosotros)
seguirán		seguid	(vosotros)
		sigan	(ellos)
condicional		**FORMAS NO PERSONALES**	
seguiría			
seguirías		**infinitivo**	**gerundio**
seguiría		seguir	siguiendo
seguiríamos			
seguiríais		**participio**	
seguirían		seguido	

drá a ver el partido. □ [Es irregular]. CONTRA-RIOS: **1** preceder, anteceder. **4** interrumpir, desistir, abandonar, dejar. FAMILIA: seguido, seguidor, proseguir, perseguir, persecución, conseguir.

según 1 [preposición] Indica un punto de vista: *Según mi profesora, tengo que estudiar más en casa.* [adverbio] **2** De acuerdo con algo: *Te llevaré al cine o no, según te portes hoy.* **3** Dependiendo de algo: *Me pondré abrigo o chaqueta, según el frío que haga.*

segundo, da 1 [pronombre numeral] Que ocupa el lugar número dos en una serie: *Soy la segunda de la lista de clase.* **2** [sustantivo masculino] Cada uno de los períodos de tiempo en que se divide un minuto: *Un minuto tiene sesenta segundos.* **3** [sustantivo femenino plural] Intención con la que alguien hace algo: *Lo dijo con segundas, para ver cómo reaccionaba yo a sus comentarios.* □ FAMILIA: secundario.

seguridad [sustantivo femenino] **1** Ausencia de peligro o de daño: *La policía se encarga de mantener la seguridad ciudadana.* **2** Lo que hace que algo se mantenga firme, seguro o con equilibrio: *Al ir en coche es obligatorio abrocharse el cinturón de seguridad.* **3** Ausencia de duda: *Sé con toda seguridad que tú no lo hiciste.* □ SINÓNIMOS: **2** estabilidad, firmeza, solidez. CONTRARIOS: inseguridad. **1** peligro. **2** duda. FAMILIA: → seguro.

seguro, ra [adjetivo] **1** Libre de peligro o de riesgo: *Tengo el dinero en el banco porque me parece más seguro que tenerlo en casa.* **2** Firme o estable: *No tengas miedo de caerte al agua, porque este puente es muy seguro.* **3** Que no ofrece duda o que no tiene duda: *Estoy segura de que he dejado aquí mi cuaderno.* [sustantivo masculino] **4** Contrato por el que una persona paga a una empresa para que, en caso de que le ocurra algo malo, ésta le pague una determinada cantidad de dinero: *Tuve un accidente de coche y, gracias al seguro, pude pagar el arreglo.* **5** Lo que se pone en una cosa para que no se abra sin querer: *Cuando llevo a mis hijos pequeños en el coche, cierro las puertas con seguro.* **seguro** [adverbio] **6** Sin duda: *Sé seguro que es así.* **7** De manera bastante probable: *Seguro que no te acuerdas de qué día es mi cumpleaños, ¿a que no?* □ SINÓNIMOS: **6** fijo. **7**

seguramente. CONTRARIOS: **1-3** inseguro. **3** dudoso. **6,7** quizá, quizás. FAMILIA: seguridad, asegurar, inseguro.

seis [pronombre numeral] Número 6: *Mi hermana pequeña tiene seis años.* □ [No varía en masculino y en femenino]. FAMILIA: seiscientos, sexto, sesenta.

seiscientos, tas [pronombre numeral] Número 600: *Esta catedral tiene más de seiscientos años.* □ FAMILIA: → seis.

seísmo [sustantivo masculino] Movimiento o temblor que se produce en la superficie de la Tierra: *Debido a un seísmo, se han producido grietas en las paredes de las casas.* □ SINÓNIMOS: terremoto, temblor de tierra.

selección [sustantivo femenino] **1** Elección de lo que se considera mejor o más adecuado entre las distintas cosas que forman un grupo: *Hay una exposición en el museo con una selección de los mejores cuadros de un pintor español.* **2** Equipo que se forma con las personas que mejor juegan a un deporte para participar en una competición internacional: *La selección nacional de baloncesto juega esta tarde contra la selección italiana.* □ FAMILIA: seleccionar, selecto.

seleccionar [verbo] Elegir una cosa entre otras de un grupo porque la consideramos la mejor o la más adecuada: *Me han seleccionado para cantar en el coro del colegio.* □ FAMILIA: → selección.

selecto, ta [adjetivo] Que se considera lo mejor en relación con algo de la misma especie: *Este hotel es uno de los más selectos y lujosos de la ciudad.* □ FAMILIA: → selección.

sellar [verbo] **1** Imprimir con un sello: *Cuando pagues, di que te sellen el recibo.* **2** Cerrar una cosa de forma que resulte difícil de abrir: *Sellaron la entrada de la mina para que no pudiera entrar nadie.* □ FAMILIA: → sello.

sello [sustantivo masculino] **1** Trozo pequeño de papel que tiene algo dibujado y que se pega en los sobres que se mandan por correo o en algunos documentos oficiales: *Los sellos se colocan en la parte superior derecha de los sobres.* **2** Instrumento que sirve para imprimir lo que está dibujado en él: *El bibliotecario tiene un sello con el que nos marca el carné cada vez que sacamos un libro.* **3**

a
b
c
d
e
f
g
h
i
j
k
l
m
n
ñ
o
p
q
r
s
t
u
v
w
x
y
z

Lo que está impreso con este instrumento: *Las papeletas de la rifa llevan el sello del colegio.* **4** Anillo ancho que lleva algo impreso en su parte superior: *Me han regalado un sello de oro con mis iniciales.* ☐ FAMILIA: sellar, matasellos.

selva [sustantivo] [femenino] Bosque muy grande y húmedo en el que crecen muchas plantas: *Los monos son animales propios de la selva.* 🔍 páginas 710-711.

semáforo [sustantivo] [masculino] Aparato eléctrico con luces de colores que sirven para regular la circulación: *Los coches no pueden pasar cuando el semáforo está rojo.* ☐ SINÓNIMOS: disco. 🔍 página 796.

semana 1 [sustantivo] [femenino] Período de tiempo de siete días: *La semana empieza el lunes y acaba el domingo.* 🔍 página 153. **2** [expresión] **entre semana** Todos los días de la semana, excepto los dos últimos: *El fin de semana hago las cosas que entre semana no me permite hacer el trabajo.* **semana santa** Aquella en la que los cristianos celebran la muerte y resurrección de Jesucristo: *El día más importante de la Semana Santa es el Domingo de Resurrección.* ☐ [Semana Santa se suele escribir con mayúscula]. FAMILIA: semanal, semanario.

semanal [adjetivo] **1** Que se repite cada semana: *Esta revista es semanal y sale a la venta todos los martes.* **2** Que dura una semana: *Este bono de transporte tiene validez semanal.* ☐ [No varía en masculino y en femenino]. FAMILIA: → semana.

semanario [sustantivo] [masculino] Obra impresa que aparece cada semana: *Este semanario de economía sale a la venta los jueves.* ☐ FAMILIA: → semana.

semántica [sustantivo] [femenino] Parte de la gramática que estudia el significado de las palabras: *Los sinónimos de las palabras y sus contrarios son estudiados por la semántica.*

semblante [sustantivo] [masculino] Expresión de la cara: *Sé que llevas varios días con problemas, porque tienes el semblante triste.* ☐ SINÓNIMOS: cara, faz.

sembrado [sustantivo] [masculino] Tierra sembrada con muchas semillas del mismo tipo: *Esta carretera está bordeada por sembrados de trigo.* ☐ FAMILIA: → sembrar. 🔍 página 709.

sembrador, -a [sustantivo] Persona que siembra semillas para que crezcan: *El sembrador llevaba un sombrero para protegerse del sol.* ☐ FAMILIA: → sembrar.

sembrar [verbo] Echar semillas en la tierra para que crezcan: *Sembré melones en mi huerto.* ☐ [Es irregular y se conjuga como PENSAR]. FAMILIA: siembra, sembrado, sembrador.

semejante 1 [adjetivo] Que es casi igual a otra cosa o que se le parece mucho: *Esta figura de barro es muy semejante a una que tenemos en mi casa.* **2** [sustantivo] [masculino] Lo que es una persona en relación con el resto de los seres humanos: *Debes respetar a tus semejantes.* ☐ [El significado **1** no varía en masculino y en femenino. Se usa para dar más fuerza a lo que se dice: ¿Cómo has podido decir semejante tontería?]. SINÓNIMOS: **2** prójimo.

semen [sustantivo] [masculino] Líquido que contiene las células sexuales masculinas: *Le hicieron unas pruebas de semen para ver si podía tener hijos.* ☐ SINÓNIMOS: esperma.

semestre [sustantivo] [masculino] Período de tiempo de seis meses: *Después de Navidad, sólo queda un semestre de clases.* ☐ FAMILIA: → mes. 🔍 página 153.

semifinal [sustantivo] [femenino] Cada uno de los dos partidos anteriores al último: *En las semifinales juegan cuatro equipos, y los dos que ganen jugarán la final.* ☐ FAMILIA: → fin.

semilla [sustantivo] [femenino] **1** Parte del fruto de los vegetales que contiene el origen de una nueva planta: *Las pepitas de los limones son su semilla.* **2** Lo que es origen de algo: *El egoísmo es la semilla de otros males.* ☐ SINÓNIMOS: simiente.

SELLO

seminario [sustantivo] [masculino] **1** Centro en el que estudian y se forman los hombres que van a ser sacerdotes: *Éste es mi último año en el seminario, porque me ordeno sacerdote en mayo.* **2** Grupo de personas que se reúnen para trabajar sobre algo concreto, y lugar en el que se reúnen: *La profesora de lengua ha organizado un seminario de lectura.*

semirrecta [sustantivo] [femenino] En matemáticas, cada una de las partes en que un punto divide a una recta: *Si pintas una línea recta y sobre ella trazas un punto, lo que queda a la derecha y a la izquierda de éste son semirrectas.* □ FAMILIA: → recta.

senado [sustantivo] [masculino] **1** Conjunto de personas que cambian o aprueban las leyes hechas para gobernar un país: *Las leyes que son aprobadas por el Congreso de los Diputados pasan al Senado para ser modificadas, rechazadas o aprobadas.* **2** Edificio en el que se juntan estas personas: *Mañana voy con mi colegio a visitar el Senado.* □ [Es distinto de Congreso, que es el conjunto de personas que hacen las leyes con las que se gobierna un país, y el edificio en el que se reúnen]. FAMILIA: senador.

senador, -a [sustantivo] Persona elegida por los ciudadanos para que los represente y cambie o apruebe las leyes con las que se gobierna un país: *El cargo de senador en España dura cuatro años.* □ FAMILIA: → senado.

sencillez [sustantivo] [femenino] **1** Falta de adornos o de cosas que no son necesarias: *Me gusta la sencillez con que tienes puesto tu cuarto.* **2** Lo que resulta sencillo y cuesta poco hacer: *Tengo un libro de recetas de cocina de gran sencillez.* **3** Forma de ser de una persona que no se cree mejor que los demás: *La sencillez de mis padres hace que cualquiera se sienta a gusto con ellos.* □ SINÓNIMOS: **3** humildad, modestia. CONTRARIOS: **1** aparato, pompa. **3** vanidad, soberbia, orgullo, humos. FAMILIA: → sencillo.

sencillo, lla [adjetivo] **1** Que no está compuesto por varias cosas: *Me ato las zapatillas con un nudo doble porque con un nudo sencillo se me sueltan los cordones.* **2** Que no tiene adornos que no son necesarios: *La decoración de esta casa es sencilla y muy agradable.* **3** Que se hace con poco trabajo

o con poco esfuerzo: *Esa adivinanza es muy sencilla y cualquiera la acierta.* **4** Que no se cree mejor que los demás: *Me gustan las personas sencillas y detesto a los fanfarrones.* □ SINÓNIMOS: **1** simple. **3** fácil. **4** humilde, modesto. CONTRARIOS: rebuscado. **2** rimbombante, barroco. **3** difícil, crudo, chungo. **4** orgulloso, vanidoso, soberbio. FAMILIA: sencillez.

senda [sustantivo] [femenino] Camino estrecho: *Esa senda es un atajo para llegar hasta el río.* □ SINÓNIMOS: sendero. FAMILIA: sendero.

sendero [sustantivo] [masculino] Camino estrecho: *Cuando fuimos al prado, cogimos un sendero que no conocíamos y casi nos perdimos.* □ SINÓNIMOS: senda. FAMILIA: → senda.

sendos, das [pronombre inde-] [finido plural] Uno para cada uno: *He visto a tus tres hijos paseando en sendas bicicletas por el parque.* □ [Es distinto de *ambos*, que significa el uno y el otro].

seno [sustantivo] [masculino] **1** Parte del cuerpo de las mujeres en la que se produce la leche cuando tienen un hijo: *Ese artista pintaba cuadros de mujeres con un seno descubierto.* **2** Parte interna de algunas cosas: *Muchos minerales están en el seno de la Tierra y hay que excavar para extraerlos.* □ SINÓNIMOS: **1** pecho, teta, busto.

sensación [sustantivo] [femenino] **1** Lo que nos llega por medio de los sentidos: *Si tocas un hielo, experimentarás una sensación de frío.* **2** Sorpresa producida en alguien: *Con ese peinado causarás sensación en la fiesta.* **3** Idea que tenemos a partir de algo: *Tengo la sensación de que me estás tomando el pelo.* □ FAMILIA: → sentir.

sensacional [adjetivo] Muy bueno o extraordinario: *Tengo una profesora sensacional.* □ [No varía en masculino y en femenino]. SINÓNIMOS: estupendo. FAMILIA: → sentir.

sensatez [sustantivo] [femenino] Forma de actuar sabiendo lo que se hace: *Tienes que decidir con sensatez cuál de las dos ofertas te conviene más.* □ [Su plural es *sensateces*]. SINÓNIMOS: juicio, madurez. FAMILIA: → sensato.

sensato, ta [adjetivo] Que tiene capacidad para saber lo que está bien y lo que está mal: *Sé que eres una niña sensata y que no harás nada peligroso mientras estoy fuera.* □ SINÓNIMOS: juicioso, prudente, formal,

a
b
c
d
e
f
g
h
i
j
k
l
m
n
ñ
o
p
q
r
s
t
u
v
w
x
y
z

a

b

c

d

e

f

g

h

i

j

k

l

m

n

ñ

o

p

q

r

s

t

u

v

w

x

y

z

cuerdo. CONTRARIOS: insensato, imprudente, loco, alocado. FAMILIA: sensatez, insensato.

sensibilidad [sustantivo] [femenino] **1** Capacidad para sentir algo: *Me quemé con la sopa y tardé un poco en recuperar la sensibilidad en la lengua.* **2** Capacidad de una persona para ponerse en el lugar de los demás y comprender sus problemas: *Creo que si todos tuviéramos un poco más de sensibilidad, no habría tanta gente pobre y desgraciada.* □ FAMILIA: → sentir.

sensible [adjetivo] **1** Que tiene capacidad de sentir: *Los seres vivos son seres sensibles.* **2** Que se impresiona con facilidad: *Soy muy sensible y lloro en todas las películas tristes.* **3** Del cuerpo o de los sentidos: *Las cosas sensibles las podemos ver, oír, tocar, oler o comer.* **4** Que se ve de forma clara: *El enfermo ha experimentado una sensible mejoría.* □ [No varía en masculino y en femenino]. SINÓNIMOS: **3** material. CONTRARIOS: insensible. FAMILIA: → sentir.

sentar [verbo] **1** Colocar a una persona de manera que quede apoyada y descansando sobre el culo: *Me senté en el sofá.* **2** Resultar algo de determinada manera: *Te sientan muy bien esos pantalones.* **3** Establecer algo que sirve de base: *Antes de empezar a jugar vamos a sentar las normas del juego, para que luego no haya peleas.* □ [Es irregular y se conjuga como PENSAR]. SINÓNIMOS: **2** caer. FAMILIA: asiento.

sentencia [sustantivo] [femenino] Decisión que un juez o un tribunal toman al final de un juicio: *La sentencia del juez condena al acusado a pasar cinco años en la cárcel.*

sentido [sustantivo] [masculino] **1** Capacidad para sentir las cosas materiales: *Los cinco sentidos son: oído, gusto, tacto, olfato y vista.* **2** Capacidad que tenemos para darnos cuenta de lo que sucede a nuestro alrededor: *Me di un golpe en la cabeza y perdí el sentido.* **3** Capacidad que se tiene para realizar algo o para comprenderlo: *No comprendes los chistes porque no tienes sentido del humor.* **4** Lo que tiene un significado que está de acuerdo con la razón: *No tiene sentido que te vayas andando a casa si yo vengo a buscarte en coche.* **5** Significado de una palabra: *Si no conoces el sentido de una palabra, debes*

consultar el diccionario. **6** Cada una de las dos direcciones que se pueden tomar en una misma calle: *La calle de mi casa es de sentido único y sólo vienen coches por la izquierda.* **7** [expresión] **sentido común** Capacidad para juzgar algo de acuerdo con la razón: *Si tuvieras un poco de sentido común sabrías que cruzar una carretera sin mirar es muy peligroso.* □ SINÓNIMOS: **2** conciencia, conocimiento. **4** lógica. FAMILIA: → sentir.

sentimental 1 [adjetivo] Que está relacionado con el amor o con otras cosas parecidas: *Esta revista cuenta que ese actor mantiene una relación sentimental con una modelo.* **2** [adjetivo o sustantivo] Que se deja llevar por las cosas que siente en su interior: *No me gustan las despedidas porque soy muy sentimental y siempre lloro.* □ [No varía en masculino y en femenino]. FAMILIA: → sentir.

sentimiento [sustantivo] [masculino] **1** Lo que se siente con fuerza por alguien: *El amor es un sentimiento que hace que perdonemos muchas cosas.* **2** Estado de ánimo: *Cuando llueve mucho me invade un sentimiento de tristeza.* □ SINÓNIMOS: **1** afecto, pasión. FAMILIA: → sentir.

sentir [verbo] **1** Recibir a través de los sentidos: *¿No sientes un fuerte olor a quemado?* **2** Tener una sensación: *Siento mucha alegría de verte tan feliz.* **3** Tener la impresión de que algo va a ocurrir: *Hemos trabajado tanto que siento que va a salir todo estupendamente.* **4** Tener disgusto porque algo ha salido mal: *Siento que no te dejen venir con nosotros al cine.* **5** **sentirse** Encontrarse en un estado o en una situación: *Me siento mejor después de haber tomado la aspirina.* □ [Es irregular]. FAMILIA: sensible, sensibilidad, sensación, sensacional, sentido, sentimiento, sentimental, presentir, presentimiento, insensible.

seña [sustantivo] [femenino] **1** Gesto que se hace para dar a entender algo: *Me hizo una seña con la mano para que me quedase donde estaba.* **2** Medio que se usa para recordar algo: *Hice una seña en la pared para marcar dónde tenía que clavar el cuadro.* **3** [plural] Calle, número y piso en el que vive una persona: *Les di mis señas para que me mandaran el libro* *por correo.* □ SINÓNIMOS: **1** señal. **3** dirección, domicilio. FAMILIA: señal, señalar, señalizar, señalización, contraseña.

señal [sustantivo] [femenino] **1** Marca que se hace para reconocer algo: *He hecho una señal en mi lápiz para no confundirlo con el tuyo.* **2** Huella o impresión que queda de algo: *La herida se curó, pero me ha quedado señal.* **3** Lo que permite suponer algo: *Tu alegría es señal de que todo salió bien.* **4** Lo que representa algo: *Esa señal de tráfico indica que está prohibido adelantar.* **5** Gesto que se hace para dar a entender algo: *Me hizo una señal para que me levantase.* **6** Cantidad de dinero que se paga para que nos guarden una cosa que queremos comprar: *No llevábamos bastante dinero para comprar el abrigo y dejamos una señal.* **7** Sonido que producen algunos aparatos para informar de algo: *El teléfono debe de estar roto, porque no da la señal.* □ SINÓNIMOS: **3** indicio, síntoma. **3,4** signo. **5** seña. FAMILIA: → seña.

señalar [verbo] **1** Poner una señal para co-

nocer algo: *He señalado con lápiz en el libro una frase que me gusta mucho.* **2** Indicar algo con señales o con palabras: *Me señaló con la cabeza quiénes eran sus padres.* **3** Fijar o determinar algo: *Los novios ya han señalado el día de la boda.* □ SINÓNIMOS: marcar. FAMILIA: → seña.

señalización [sustantivo] [femenino] Hecho de indicar algo con determinadas señales: *Nos equivocamos de carretera porque la señalización no era clara.* □ FAMILIA: → seña. ✎ página 712.

señalizar [verbo] Indicar algo con señales: *La salida de emergencia de los cines está siempre señalizada.* □ [La z se cambia en c delante de e, como en CAZAR]. FAMILIA: → seña.

señor, -a [sustantivo] **1** Persona adulta que impone respeto: *Un señor me indicó dónde estaba la tienda.* **2** Tratamiento de respeto que se da a una persona adulta: *Por favor, señora, ¿me puede decir la hora?* **3** Tratamiento que se pone delante del apellido de las personas casadas: *El señor Ramírez ha llamado por teléfono.* **4** [sustantivo] [femenino] Lo que es una mujer en relación con el hombre con el que está casada: *El ministro asistió al acto acompañado de su señora.* □ [El significado **4** es coloquial]. SINÓNIMOS: **4** esposa, mujer. FAMILIA: señorito, señorial.

señorial [adjetivo] Que provoca admiración por su aspecto impresionante: *El conde y la condesa vivían en una mansión señorial de cincuenta habitaciones.* □ [No varía en masculino y en femenino]. FAMILIA: → señor.

señorito, ta 1 [sustantivo] Tratamiento que se daba a los hijos de los señores: *El ama de llaves quería mucho a la señorita porque la había visto nacer.* [sustantivo] [femenino] **2** Tratamiento que se daba a las mujeres solteras: *Se alquila habitación a señora o señorita.* **3** Tratamiento que se da a las mujeres que hacen determinados trabajos: *La señorita me ha dicho que me porto muy bien en clase.* □ CONTRARIOS: **2** señora. FAMILIA: → señor.

separación [sustantivo] [femenino] **1** Colocación de una cosa en un lugar distinto del de otra con la que estaba: *Hemos hecho la separación de estas dos habitaciones poniendo un tabique en medio.* **2** Distancia que hay entre dos cosas separadas: *Cuando un coche adelanta a*

sentir	conjugación
INDICATIVO	**SUBJUNTIVO**
presente	**presente**
siento	sienta
sientes	sientas
siente	sienta
sentimos	sintamos
sentís	sintáis
sienten	sientan
pretérito imperfecto	**pretérito imperfecto**
sentía	sintiera, -ese
sentías	sintieras, -eses
sentía	sintiera, -ese
sentíamos	sintiéramos, -ésemos
sentíais	sintierais, -eseis
sentían	sintieran, -esen
pretérito indefinido	**futuro**
sentí	sintiere
sentiste	sintieres
sintió	sintiere
sentimos	sintiéremos
sentisteis	sintiereis
sintieron	sintieren
futuro	**IMPERATIVO**
sentiré	
sentirás	**presente**
sentirá	siente (tú)
sentiremos	sienta (él)
sentiréis	sintamos (nosotros)
sentirán	sentid (vosotros)
	sientan (ellos)
condicional	**FORMAS NO PERSONALES**
sentiría	
sentirías	**infinitivo** **gerundio**
sentiría	sentir sintiendo
sentiríamos	
sentiríais	**participio**
sentirían	sentido

a
b
c
d
e
f
g
h
i
j
k
l
m
n
ñ
o
p
q
r
s
t
u
v
w
x
y
z

un ciclista, tiene que dejar una separación suficiente para que no haya peligro. **3** Situación que se produce cuando dos personas casadas se separan sin romper el acuerdo de matrimonio: *Desde la separación de sus padres, mi amigo pasa un fin de semana con su madre y el siguiente fin de semana, con su padre.* □ FAMILIA: → separar.

separar [verbo] **1** Poner una cosa en un lugar distinto del de otra con la que estaba: *He separado los papeles que no sirven de los que sí.* **2 separarse** Romper una persona la relación que mantenía con otra: *Los padres de mi amigo se han separado y ahora él vive con su madre.* □ SINÓNIMOS: **1** alejar, apartar. CONTRARIOS: **1** juntar, unir, agrupar, reunir, amontonar, acercar, aproximar, pegar, arrimar, encontrarse. FAMILIA: separación, inseparable.

sepia [sustantivo femenino] Animal marino que tiene diez brazos: *La sepia es parecida al calamar.*

septentrional [adjetivo] Del Norte: *En las regiones septentrionales de España hace más frío que en las regiones del sur.* □ [No varía en masculino y en femenino]. CONTRARIOS: meridional.

septiembre [sustantivo masculino] Mes número nueve del año: *Septiembre está entre agosto y octubre.*

séptimo, ma [pronombre numeral] **1** Que ocupa el lugar número siete en una serie: *En clase me siento en la séptima fila.* **2** Una de las siete partes en que algo se ha dividido: *La séptima parte de catorce es dos.* □ FAMILIA: → siete.

sepulcro [sustantivo masculino] Construcción de piedra levantada sobre el suelo, en la que se entierra a un muerto: *Cerca del altar está el sepulcro del cardenal que mandó construir esta catedral.*

sepultar [verbo] **1** Enterrar a un muerto: *Mi tío fue sepultado en ese cementerio.* **2** Cubrir algo de forma que no se vea: *Tras las inundaciones, el lodo ha sepultado los campos.* □ FAMILIA: sepultura.

sepultura [sustantivo femenino] **1** Hecho de enterrar a un muerto: *Ayer dieron cristiana sepultura a los restos mortales del escritor.* **2** Lugar donde está enterrado un muerto: *En el ce-*

menterio había muchas sepulturas con flores. □ FAMILIA: → sepultar.

sequedad [sustantivo femenino] **1** Falta de agua o de otro líquido: *Este terreno no puede ser cultivado por su sequedad.* **2** Forma poco amable o cariñosa de tratar a los demás: *Me contestó con mucha sequedad, como si estuviese enfadado conmigo.* □ CONTRARIOS: **1** humedad. FAMILIA: → seco.

sequía [sustantivo femenino] Período de tiempo en el que no llueve: *La sequía ha arruinado la cosecha de este año.* □ FAMILIA: → seco.

séquito [sustantivo masculino] Conjunto de personas que van acompañando a alguien importante: *En el avión viajó el rey con todo su séquito.* □ SINÓNIMOS: comitiva, corte, cortejo, acompañamiento.

ser [sustantivo masculino] **1** Cualquier cosa que tiene vida: *Las personas, los animales y las plantas son seres vivos.* **2** Persona: *¡Vaya ser que tengo por hermano, siempre metiéndose conmigo!* **3** Vida o existencia: *Los padres nos dan el ser.* [verbo] **4** Tener una característica: *Soy más alto que tú. El jarrón es muy grande.*

ser	conjugación
INDICATIVO	**SUBJUNTIVO**
presente	**presente**
soy	sea
eres	seas
es	sea
somos	seamos
sois	seáis
son	sean
pretérito imperfecto	**pretérito imperfecto**
era	fuera, -ese
eras	fueras, -eses
era	fuera, -ese
éramos	fuéramos, -ésemos
erais	fuerais, -eseis
eran	fueran, -esen
pretérito indefinido	**futuro**
fui	fuere
fuiste	fueres
fue	fuere
fuimos	fuéremos
fuisteis	fuereis
fueron	fueren
futuro	**IMPERATIVO**
seré	
serás	**presente**
será	sé (tú)
seremos	sea (él)
seréis	seamos (nosotros)
serán	sed (vosotros)
	sean (ellos)
condicional	**FORMAS NO PERSONALES**
sería	
serías	**infinitivo** **gerundio**
sería	ser siendo
seríamos	
seríais	**participio**
serían	sido

5 Nacer en un lugar o pertenecer a él: *Soy de León. Soy de ese colegio.* **6** Tener un determinado uso o servir para algo: *Este peine es para pelos rizados.* **7** Pensar que va a ocurrir algo: *Era de esperar que no viniera.* **8** Suceder, ocurrir o producirse un hecho: *¿Cómo fue el accidente?* **9** Haber o existir: *Era una vez un país donde los hombres eran gigantes.* **10** Valer o costar: *¿Cuánto es este lápiz, por favor?* **11** Pertenecer, corresponder o tocar: *Este lápiz no es mío.* **12** Indica la hora o la fecha: *Son las dos de la tarde.* **13** Indica el resultado de una operación matemática: *Tres por dos son seis.* □ [Es irregular. Su participio es *sido*. Seguido del participio de un verbo, sirve para formar la voz pasiva: *fueron llamados, será metido, han sido recibidas*].

serenar [verbo] Poner tranquilo o en paz: *Serénate, porque perdiendo los nervios no vas a conseguir nada.* □ SINÓNIMOS: calmar, tranquilizar, apaciguar, sosegar, enfriar. CONTRARIOS: calentar, irritar, acalorarse, acelerarse. FAMILIA: → sereno.

serenata [sustantivo] [femenino] **1** Conjunto de canciones que se cantan en la calle durante la noche en honor de un persona: *El novio y sus amigos dieron una serenata a la novia la víspera de la boda.* **2** Lo que se repite muchas veces hasta llegar a enfadar: *¡Vaya serenata que me dio el niño con que le comprase la bici!* □ FAMILIA: → sereno.

serenidad [sustantivo] [femenino] Capacidad para mantenerse tranquilo y no perder los nervios: *Si no pierdes la serenidad, todo te saldrá bien.* □ SINÓNIMOS: calma, tranquilidad, sosiego. CONTRARIOS: intranquilidad, nervios, nerviosismo. FAMILIA: → sereno.

sereno, na [adjetivo] **1** Que está tranquilo, en paz o sin movimiento: *Cuando el mar está sereno, los barcos salen a navegar.* **2** Que no está borracho: *No probé el alcohol y permanecí serena toda la fiesta.* **3** [masculino] Persona que trabajaba cuidando las calles durante la noche y que abría las puertas de los edificios a los que vivían en ellos: *Para avisar al sereno de que abriera el portal se daban palmadas.* □ SINÓNIMOS: **2** sobrio. CONTRARIOS: **2** borracho, ebrio, bebido. FAMILIA: serenar, serenidad, serenata.

serie [sustantivo] [femenino] **1** Conjunto de cosas que se suceden unas a otras y que están relacionadas entre sí: *Un año es una serie de doce meses.* **2** Conjunto de personas o de cosas que tienen algo en común: *Vino una serie de personas preguntando por ti y a todos les dije que no estabas.* **3** Obra que se emite por partes en la radio o en la televisión: *Todos los viernes veo en la tele una serie policíaca.* **4** Conjunto de sellos o de billetes que se ponen en circulación al mismo tiempo: *Este billete de mil pesetas tiene distinto número de serie que este otro.* **5** [expresión] **en serie** De forma que se fabrican muchos productos iguales, siguiendo un mismo modelo y usando máquinas: *La fabricación en serie es más barata y más rápida que la producción manual.* **fuera de serie** Muy bueno: *Es un estudiante fuera de serie.* □ SINÓNIMOS: **1** cadena, sarta, sucesión.

seriedad [sustantivo] [femenino] **1** Característica de las personas formales o responsables en su forma de actuar: *Habló con toda seriedad y sé que cumplirá lo que prometió.* **2** Falta de humor o de alegría: *Tu seriedad me hace pensar que te ha pasado algo malo.* □ FAMILIA: → serio.

serio, ria [adjetivo] **1** Que es formal o responsable en la forma de actuar: *Es una persona seria y, si se ha comprometido a hacerlo, lo hará.* **2** Con un aspecto que no hace reír: *Es una persona muy seria y nunca la he visto sonreír.* **3** Que tiene mucha importancia: *Es un problema muy serio y no sé cómo lo vamos a solucionar.* □ SINÓNIMOS: **3** grave. CONTRARIOS: **2** cómico, gracioso, divertido, risueño. FAMILIA: seriedad.

sermón [sustantivo] [masculino] **1** Exposición que hace un sacerdote para enseñar cosas de religión a sus fieles: *En el sermón de la misa, el sacerdote nos ha explicado lo grande que es la misericordia de Dios con los seres humanos.* **2** Lo que se dice muchas veces para que alguien haga algo: *Mi padre me echó un sermón por llegar tarde a casa.* □ [El significado **2** es coloquial y despectivo].

serpentina [sustantivo] [femenino] Cinta larga de papel que se tira en una fiesta sujetándola por un extremo: *En la fiesta de Nochevieja lanzamos serpentinas y confeti de colores.* □ FAMILIA: → serpiente.

a
b
c
d
e
f
g
h
i
j
k
l
m
n
ñ
o
p
q
r
s
t
u
v
w
x
y
z

serpiente [sustantivo/femenino] Animal de cuerpo muy alargado, sin pies y que se mueve arrastrándose: *Algunas serpientes miden varios metros.* ☐ SINÓNIMOS: culebra. FAMILIA: serpentina. 🔁 página 710.

serrar [verbo] Cortar algo con una sierra: *El carpintero serró la madera con una sierra eléctrica.* ☐ [Es irregular y se conjuga como PENSAR]. SINÓNIMOS: aserrar. FAMILIA: → sierra.

serrín [sustantivo/masculino] Conjunto de trocitos de madera que caen al cortarla con una sierra: *El suelo del bar estaba mojado y echaron serrín para que la gente no resbalase al pisar las baldosas.* ☐ FAMILIA: → sierra.

servicial [adjetivo] Que ayuda a los demás de manera rápida y con ganas: *Es una persona muy servicial y siempre está dispuesta a hacer un favor.* ☐ [No varía en masculino y en femenino]. FAMILIA: → servir.

servicio [sustantivo/masculino] **1** Uso de algo: *Este abrigo lo tengo desde hace muchos años y me ha prestado muy buen servicio.* **2** Favor que se hace a otra persona: *Gracias, me has hecho un gran servicio al ayudarme.* **3** Hecho de repartir o de llevar algo a un lugar: *El servicio de electricidad funciona muy bien en esta zona.* **4** Organización y conjunto de personas que se dedican a cubrir las necesidades de un grupo: *El servicio sanitario acudió rápidamente a auxiliar a los accidentados.* **5** Conjunto de objetos que se usan para algo: *Como regalo de boda nos compró un servicio de café.* **6** En tenis y otros deportes, hecho de sacar la pelota: *Este tenista gana siempre porque tiene un servicio muy bueno.* **7** Habitación en la que nos lavamos y hacemos pis y caca: *Los servicios del restaurante están al fondo del local.* **8** [expresión] **de servicio** Trabajando cuando corresponde, o cumpliendo con la función que se tiene: *Ese guarda no está de servicio, porque hoy es su día de descanso.* **servicio militar** El que presta un ciudadano a su país siendo soldado durante un período de tiempo determinado: *Mi padre hizo el servicio militar en Marina.* ☐ SINÓNIMOS: **6** saque. **7** lavabo. FAMILIA: → servir.

servidor, -a [sustantivo] Tratamiento que usa una persona cuando habla de sí misma: *Un servidor se va a su casa.* ☐ [Es coloquial. Se usaba para contestar de forma muy educada cuando alguien preguntaba por nosotros: —¿Quién es Inés? —Servidora]. FAMILIA: → servir.

servilleta [sustantivo/femenino] Trozo de tela o de papel que sirve para limpiarse las manos o los labios durante las comidas: *Se te ha olvidado poner las servilletas en la mesa.* ☐ FAMILIA: → servir.

servilletero [sustantivo/masculino] Objeto donde se meten las servilletas: *Mi servilletero es un aro de color azul.* ☐ FAMILIA: → servir.

servir [verbo] **1** Valer o ser útil para un fin determinado: *Estas tijeras no sirven para cortar el metal.* **2** Trabajar una persona para otra, sobre todo si hace las tareas de la casa: *El mayordomo llevaba sirviendo al duque más de quince años.* **3** Hacer una persona algo que supone un bien para otra: *Los alcaldes deben servir a sus ciudadanos.* **4** Ocuparse de poner y quitar una mesa, o de traer la comida y la bebida que alguien ha pedido: *En ese restaurante tardan mucho en servirte.* **5** Repartir o llevar algo a un lugar: *Esta churrería sirve a todos los bares de la zona.* **6** Poner una comida en el plato o una bebida en el vaso: *¿Te sirvo un poco más de agua?* ☐ [Es irregular y se conjuga como PEDIR]. SINÓNIMOS: **1** valer. FAMILIA: servicio, servicial, servidor, siervo, inservible, servilleta, servilletero, autoservicio.

sesenta [pronombre/numeral] Número 60: *Mi abuelo tiene sesenta años.* ☐ [No varía en masculino y en femenino]. FAMILIA: → seis.

sesión [sustantivo/femenino] **1** Cada una de las funciones en que se representa un espectáculo: *En este cine hay tres sesiones: una a las cuatro, otra a las siete y la última, a las diez.* **2** Espacio de tiempo durante en que se desarrolla una actividad: *La modelo tiene mañana una sesión de fotografías.*

seso [sustantivo/masculino] **1** Masa que está dentro de la cabeza: *No quiero comer sesos de cordero porque no me gustan.* **2** Capacidad para pensar o para actuar con juicio: *Tiene tan poco seso que no me extraña que haga locuras.* ☐ [No confundir con sexo. El significado **2** es coloquial].

seta [sustantivo/femenino] Ser vivo que no es animal ni vegetal y que crece en lugares húmedos:

Encontré en el bosque unas setas con forma de sombrilla. □ Sinónimos: hongo.

setecientos, tas [pronombre][numeral] Número 700: *Invitaron a setecientas personas a la entrega de premios.* □ Familia: → siete.

setenta [pronombre][numeral] Número 70: *En esta sala hay setenta sillas.* □ [No varía en masculino y en femenino]. Familia: → siete.

seto [sustantivo][masculino] Especie de valla hecha con plantas que están muy juntas: *Los setos del jardín no dejaban ver la piscina que había detrás.* ☞ página 497.

seudónimo [sustantivo][masculino] Nombre falso que usa un autor para ocultar su verdadero nombre: *La escritora firmaba con un seudónimo de hombre y nadie sabía que era una mujer.*

severo, ra [adjetivo o][sustantivo] **1** Que resulta poco agradable o poco amable: *A pesar de que no habíamos hecho nada malo, sus palabras fueron muy severas con nosotros.* **2** Que quiere que algo se haga como está mandado: *Mis profesores son muy severos conmigo en los estudios y me exigen muchísimo.* □ Sinónimos: **1** duro.

sevillano, na 1 [adjetivo o][sustantivo] De la provincia de Sevilla o de su capital: *Los sevillanos tienen un acento especial al hablar.* **2** [sustantivo fe-][menino plural] Baile, música y canción populares típicos de Andalucía: *Las sevillanas son canciones muy alegres.* ☞ página 117.

sexo [sustantivo][masculino] **1** Diferencia entre los machos y las hembras que se nota en la distinta forma del cuerpo: *Es muy difícil distinguir el sexo de algunos insectos.* **2** Conjunto de seres que son todos machos o todos hembras: *Las mujeres y las niñas forman parte del sexo femenino.* **3** Órganos del cuerpo que se pueden ver y que sirven para tener hijos: *Un chico se bañaba desnudo en la playa y, cuando nos vio llegar, ocultó su sexo con la mano.* □ [No confundir con seso]. Familia: sexual, sexualidad, sexy, homosexual.

sexto, ta [pronombre][numeral] **1** Que ocupa el lugar número seis en una serie: *Es el sexto año que estoy en el colegio.* **2** Una de las seis partes en que algo se ha dividido: *El día de la huelga de autobuses sólo vino a clase una sexta parte de los alumnos.* □ Familia: → seis.

sexual [adjetivo] Del sexo o relacionado con

ello: *La educación sexual es esencial para el desarrollo de las personas.* □ [No varía en masculino y en femenino]. Familia: → sexo.

sexualidad [sustantivo][femenino] Conjunto de características o de fenómenos relacionados con el sexo: *Mis padres me han explicado cosas sobre la sexualidad, y ya sé cómo nacen los niños.* □ Familia: → sexo.

[sexy [adjetivo] Que tiene atractivo sexual: *Todo el mundo dice que ese actor es muy sexy aunque no sea guapo.* □ [Es una palabra inglesa. No varía en masculino y en femenino]. Familia: → sexo.

[sheriff [sustantivo][masculino] Persona que hace que se cumpla la ley en algunos lugares de Estados Unidos: *El sheriff de la película de vaqueros encarcelaba a los pistoleros.* □ [Es una palabra inglesa. Se pronuncia «chérif»].

[show [sustantivo][masculino] Espectáculo que está hecho para divertir al público: *El presentador del show anunció la actuación de un grupo musical.* □ [Es una palabra inglesa. Se pronuncia «chóu». Se usa mucho el plural shows].

si [conjunción] **1** Se usa para expresar una condición: *Iré si me apetece.* **2** Se usa para introducir una pregunta o una duda: *No sé si vendrá.* **3** Detrás de *como*, se usa para expresar una comparación: *Esta niña grita como si la estuvieran matando.* **4** Se usa para dar más fuerza a algo: *Mira si es bobo que se creyó que los patos hablan.* **5** Se usa para introducir un deseo: *Si quisieras venir conmigo...* **6** [expresión] **si no** En caso contrario: *Cómete lo que te he puesto, porque si no, te lo pondré esta noche para cenar.* □ [No confundir con sí. No confundir si no con sino].

sí 1 [pronombre][personal] Indica la tercera persona y equivale a *él, ella, ellos* o *ellas: Se mareó y le dimos aire para que volviera en sí.* [adverbio] **2** Se usa para responder de forma afirmativa: *Sí quiero que vengas. Le pedí permiso y me dijo que sí.* **3** Se usa para decir algo con una fuerza especial: *Tu sí que tienes el pelo largo.* [Es distinto de si. El significado **1** no varía en masculino y en femenino]. Contrarios: **2** no. Familia: **1** → él.

sicología [sustantivo][femenino] Psicología: *La sicología estudia el comportamiento humano.* □ Familia: → síquico.

sicólogo, ga [sustantivo] Psicólogo: *Fui al si-*

cólogo porque no logro concentrarme en los estudios. □ FAMILIA: → síquico.

sida [sustantivo masculino] Enfermedad que destruye las defensas del cuerpo: *El sida es una de las enfermedades que más muertes está ocasionando en el siglo XX.*

sidra [sustantivo femenino] Bebida de color amarillo que se obtiene de la manzana: *La sidra es una bebida típica de Asturias.*

siega [sustantivo femenino] Hecho de cortar la hierba u otras plantas: *Esta máquina se encarga de la siega de los cereales.* □ FAMILIA: → segar.

siembra [sustantivo femenino] Hecho de echar semillas en la tierra para que crezcan: *La siembra de algunos cereales se realiza en octubre.* □ FAMILIA: → sembrar.

siempre [adverbio] **1** En todo momento o durante toda la vida: *Siempre te recordaré.* **2** Teniendo al menos una posibilidad: *Aunque no pueda hacértelo él, siempre podrá ayudarte.* **3** [expresión] **hasta siempre** Se usa para despedirse de alguien a quien quizá no volvamos a ver, para no hacer tan difícil la despedida: *No me digas «¡Adiós!», dime «¡Hasta siempre!», porque nunca me olvidaré de ti.* **siempre que** Se usa para expresar una condición: *Iré, siempre que vayas tú también.* □ CONTRARIOS: **1** nunca, jamás.

sien [sustantivo femenino] Cada una de las dos partes que están a los lados de la frente y en las que, al poner las manos, se siente el paso de la sangre: *Un golpe muy fuerte en las sienes puede producir la muerte.*

SIEN

sierra [sustantivo femenino] **1** Herramienta con una parte de metal acabada en dientes y que sirve para cortar madera: *Los carpinteros utilizan mucho la sierra.* 🔧 página 431. **2** Conjunto de montañas acabadas en punta o formadas por muchas rocas: *Este fin de semana subiremos a la sierra a esquiar.* □ FAMILIA: aserrar, serrar, serrín.

siervo, va [sustantivo] Persona que hace todo lo que otra le manda y se dedica a cumplir sus deseos: *El carota de mi hermano mayor se cree que yo soy su siervo.* □ FAMILIA: → servir.

siesta [sustantivo femenino] Sueño que alguien se echa después de comer: *En verano, cuando hace mucho calor, me echo la siesta un ratito.*

siete 1 [pronombre numeral] Número 7: *Ese cuento tiene siete páginas.* **2** [sustantivo masculino] Roto en forma de este número que se hace en una tela: *Me enganché el vestido en un clavo y me he hecho un siete.* □ [No varía en masculino y en femenino]. FAMILIA: séptimo, setenta, setecientos.

sietemesino, na [adjetivo o sustantivo] Que nace a los siete meses de haberse formado en vez de a los nueve: *Mi hijo es sietemesino y nació pesando un kilo menos de lo habitual.* □ FAMILIA: → mes.

sigla [sustantivo femenino] Palabra formada con las letras con las que empiezan otras: *«CE» es la sigla de «Comunidad Europea».*

siglo [sustantivo masculino] Período de tiempo de cien años: *Yo he nacido en el siglo XX.*

significado [sustantivo masculino] Lo que algo quiere decir: *Siempre busco en el diccionario las palabras cuyo significado desconozco.* □ FAMILIA: → signo.

significar [verbo] **1** Expresar o querer decir: *¿Qué significa esa señal de tráfico?* **2** Ser importante o tener importancia: *Mi familia significa mucho para mí.* □ [La c se cambia en qu delante de e, como en SACAR]. SINÓNIMOS: **2** suponer. FAMILIA: → signo.

significativo, va [adjetivo] Que tiene importancia: *Tus buenas notas son significativas, demuestran que te has esforzado.* □ SINÓNIMOS: importante. CONTRARIOS: insignificante. FAMILIA: → signo.

signo [sustantivo masculino] **1** Lo que representa algo: *La coma es un signo gráfico que representa una pequeña pausa.* **2** Lo que permite suponer algo: *Tu risa es signo de que estás contento.* **3** Cada uno de los doce grupos en que se divide el horóscopo: *Yo soy géminis, ¿y tú qué signo eres?* □ SINÓNIMOS: **1,2** señal. **2** indicio, síntoma. FAMILIA: significado, significar, significativo, insignificante.

siguiente [adjetivo] Que va después: *Quiero que mañana traigáis leído el tema siguiente.*

☐ [No varía en masculino y en femenino]. SINÓNIMOS: posterior. CONTRARIOS: anterior.

sílaba [sustantivo] [femenino] Sonido o conjunto de sonidos que se pronuncian en un solo golpe de voz: *La palabra «apagón» tiene tres sílabas: «a-pa-gón», y se acentúa en la última.*

silbar [verbo] Producir silbidos o sonidos parecidos: *¿Sabes silbar esta canción?* ☐ FAMILIA: silbido, silbato.

silbato [sustantivo] [masculino] Instrumento pequeño y hueco que produce un sonido agudo cuando se sopla por él: *Los árbitros usan silbato en todos los partidos.* ☐ SINÓNIMOS: pito. FAMILIA: → silbar.

silbido [sustantivo] [masculino] Sonido agudo que se produce al hacer salir el aire por la boca a través de los labios puestos como si fuéramos a pronunciar una «u»: *El público despidió al árbitro con silbidos de protesta.* ☐ SINÓNIMOS: → silbar.

silencio [sustantivo] [masculino] Lo que sucede cuando no se oye ningún ruido: *Todos nos quedamos en silencio cuando nos dio la mala noticia.* ☐ FAMILIA: silencioso.

silencioso, sa [adjetivo] **1** Sin ruidos: *Fui a leer a un rincón apartado y silencioso del jardín.* **2** Que no hace ruido o hace muy poco: *Es un chico tan silencioso que casi no se nota cuándo está en casa.* ☐ SINÓNIMOS: callado. CONTRARIOS: ruidoso, escandaloso, estrepitoso. FAMILIA: → silencio.

silla 1 [sustantivo] [femenino] Mueble con una parte para apoyar la espalda y que sirve para que se siente una sola persona: *En clase, cada alumno tenemos un pupitre y una silla.* **2** [expresión] **silla de ruedas** La que tiene ruedas en las patas y usan las personas que no pueden andar: *En el hospital trasladan a algunos enfermos en sillas de ruedas.* 🔈 página 605. ☐ FAMILIA: sillón, sillín, ensillar, telesilla.

sillín [sustantivo] [masculino] Asiento sobre el que se monta una persona en una bicicleta o en un vehículo parecido: *Mi padre me bajó el sillín de la bicicleta porque estaba muy alto para mí.* ☐ FAMILIA: → silla.

sillón [sustantivo] [masculino] Mueble más grande, bajo y cómodo que una silla: *Me senté en el sillón y me quedé dormido.* ☐ FAMILIA: → silla.

silueta [sustantivo] [femenino] Línea que forma una figura: *Quiero que dibujes la silueta de la casa, sin puertas ni ventanas.* ☐ SINÓNIMOS: perfil, contorno.

silvestre [adjetivo] Dicho de una planta, que es propia del campo y nace sin que nadie la haya cultivado: *Fui de paseo por el bosque y cogí un ramo de flores silvestres.* ☐ [No varía en masculino y en femenino].

simbólico, ca [adjetivo] Que tiene valor no por lo que realmente es sino por lo que significa: *Una cruz verde es una figura simbólica que representa una farmacia.* ☐ FAMILIA: → símbolo.

símbolo [sustantivo] [masculino] Objeto o imagen que representan algo: *La cruz es el símbolo del cristianismo.* ☐ FAMILIA: simbólico.

simetría [sustantivo] [femenino] Igualdad que existe entre dos partes que están divididas por una línea que pasa justo por el centro: *El esqueleto humano guarda simetría entre la mitad derecha y la mitad izquierda.*

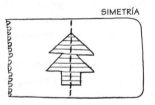

SIMETRÍA

simiente [sustantivo] [femenino] **1** Parte del fruto de los vegetales que contiene el origen de una nueva planta: *La simiente de las sandías son las pepitas que hay dentro de ella.* **2** Lo que es origen de algo: *La amistad entre un hombre y una mujer a menudo es la simiente del amor.* ☐ SINÓNIMOS: semilla.

similar [adjetivo] Que tiene parecido con algo: *Da igual que compres este traje o el otro, porque la calidad de ambos es similar.* ☐ [No varía en masculino y en femenino. No confundir con *simular*].

simio, mia [sustantivo] Animal con mucho pelo en el cuerpo, que se cuelga de las ramas de los árboles y que anda a cuatro patas o sólo con dos: *El gorila es un tipo de simio.* ☐ SINÓNIMOS: mono.

simpatía [sustantivo] [femenino] **1** Lo que se siente hacia alguien que nos gusta: *Siento una gran simpatía por tus hermanos.* **2** Forma de ser de la persona que resulta muy agradable: *Tu* *simpatía hace que todos te queramos.* □ SI-NÓNIMOS: **1** aprecio, estima, cariño, afecto. CONTRARIOS: antipatía. FAMILIA: simpático, simpatizar.

simpático, ca [adjetivo] Que resulta muy agradable: *Es una chica muy alegre y simpática y enseguida hace amigos.* □ CONTRA-RIOS: antipático. FAMILIA: → simpatía.

simpatizar [verbo] Sentir amistad hacia alguien o llevarse bien con él: *Es una persona tan agradable que enseguida simpaticé con ella.* □ [La z se cambia en c delante de e, como en CAZAR]. FAMILIA: → simpatía.

simple [adjetivo] **1** Que sólo está formado por una cosa: *El pretérito imperfecto («comía») es un tiempo verbal simple, frente al pretérito perfecto («he comido»), que es un tiempo compuesto.* **2** Sencillo o fácil: *Esta teoría es muy simple y la entenderás.* **3** [adjetivo o sustantivo] Que no tiene mucha inteligencia o que es fácil de engañar: *Es una persona tan simple que se cree todo lo que le cuentas.* □ [No varía en masculino y en femenino]. SINÓNIMOS: **1,2** sencillo. CONTRARIOS: **1** compuesto. **2** rebuscado.

simular [verbo] Presentar como cierto o como real algo que no lo es: *Simulé que me iba y todos se lo creyeron.* □ [No confundir con *similar*]. FAMILIA: disimular, disimulo.

simultáneo, a [adjetivo] Que se hace al mismo tiempo que otra cosa: *Al bailar, tus movimientos y los de tu pareja deben ser simultáneos.*

sin [preposición] **1** Indica falta o ausencia de algo: *Me gusta la comida sin sal.* **2** Se usa para decir que no se hace una acción: *Estoy enfermo del estómago y llevo dos días sin comer.* **3** [expresión] **sin embargo** Se usa para oponer una frase: *No tengo mucho tiempo libre, sin embargo, os ayudaré en todo lo que pueda.* □ CONTRARIOS: **1** con.

sinagoga [sustantivo femenino] Templo en el que los judíos celebran sus actos religiosos: *Visité una sinagoga construida hace siglos.* ☞ página 793.

sincero, ra [adjetivo] Que no miente, o que dice lo que piensa de verdad: *Es una persona sincera y nunca dice lo contrario de lo que siente.* □ CONTRARIOS: hipócrita, mentiroso, falso, embustero.

sindicato [sustantivo masculino] Asociación que defiende los intereses de un grupo de trabajadores: *El sindicato textil ha organizado una manifestación de protesta.*

sinfín [sustantivo masculino] Gran cantidad de algo: *Estoy pasando una mala época y tengo un sinfín de problemas.* □ SINÓNIMOS: infinidad. FA-MILIA: → fin.

singular 1 [adjetivo] Raro y muy poco frecuente: *Este muchacho tiene unas cualidades singulares que poca gente tiene.* **2** [adjetivo o sustantivo masculino] En gramática, dicho de una palabra, que se refiere sólo a una cosa: *El singular de «calcetines» es «calcetín».* □ [Cuando es adjetivo no varía en masculino y en femenino]. SI-NÓNIMOS: **1** único, excepcional, aislado, particular, especial, original. CONTRARIOS: **1** común, corriente, normal.

siniestro, tra 1 [adjetivo] Malo o que da miedo: *Ese caserón abandonado tiene un aspecto siniestro por la noche.* **2** [sustantivo masculino] Accidente que produce mucho daño o destruye algo: *El Estado pagará una pensión a los familiares de las víctimas del siniestro.*

sino 1 [sustantivo masculino] Destino o fuerza que hace que las cosas sean de determinada forma y que no se puedan cambiar: *Tengo mala suerte y es mi sino que estas cosas me pasen a mí.* [conjunción] **2** Se usa para oponer una cosa a otra: *No estoy leyendo, sino escuchando música.* **3** Se usa detrás de *no sólo* para añadir algo a lo dicho: *No sólo es una persona guapa, sino también inteligente y agradable.* □ [No confundir con *si no*].

sinónimo, ma [sustantivo masculino] Palabra cuyo significado es igual al de otra: *«Señal» y «signo» son sinónimos de «síntoma».* □ CONTRA-RIOS: contrario, antónimo.

sintaxis [sustantivo femenino] Parte de la gramática que estudia cómo se unen las palabras para formar oraciones: *Según la sintaxis, una oración está compuesta por un sujeto y un predicado.* □ [No varía en singular y en plural].

síntesis [sustantivo femenino] Conjunto de palabras que son lo más importante de algo: *En el periódico viene una síntesis del argumento de la película.* □ [No varía en singular y en plural]. SI-NÓNIMOS: resumen.

sintético, ca [adjetivo] Que no es natural

pero imita las cosas naturales: *Este maletín es de piel sintética.* □ CONTRARIOS: natural.

síntoma [sustantivo] [masculino] **1** Cambio en el estado de salud producido por una enfermedad y que permite reconocerla: *La fiebre es un síntoma de muchas enfermedades.* **2** Lo que permite suponer que algo sucede o va a suceder: *El descenso del número de parados es un síntoma de que la economía se recupera.* □ SINÓNIMOS: **2** señal, signo, indicio.

sintonizar [verbo] Hacer que una imagen o un sonido se vean o se oigan bien: *Esta televisión sintoniza automáticamente las cadenas.* □ [La z se cambia en c delante de e, como en CAZAR].

sinvergüenza [adjetivo o] [sustantivo] **1** Que actúa sin vergüenza o que falta al respeto a los demás: *Esa sinvergüenza no ha dejado de insultarnos desde que hemos llegado.* **2** Que actúa en contra de la moral o de la ley: *En esa tienda son unos sinvergüenzas, porque me vendieron una cosa rota y no me la han cambiado.* □ [No varía en masculino y en femenino. No confundir con *sin vergüenza*]. FAMILIA: → vergüenza.

siquiatra [sustantivo] Psiquiatra: *Los siquiatras son médicos que estudian las enfermedades de la mente.* □ [No varía en masculino y en femenino]. FAMILIA: → síquico.

siquiatría [sustantivo] [femenino] Psiquiatría: *La siquiatría trata de curar las enfermedades mentales de las personas.* □ FAMILIA: → síquico.

síquico, ca [adjetivo] Psíquico: *Algunas enfermedades físicas están originadas por problemas síquicos.* □ FAMILIA: sicología, sicólogo, siquiatría, siquiatra.

siquiera [adverbio] Por lo menos o tan sólo: *Me gustaría que me ayudaras siquiera por una vez.*

sirena [sustantivo] [femenino] **1** Ser imaginario que tiene cuerpo de mujer hasta la cintura y cola de pez: *Se dice que las sirenas nadan y cantan muy bien.* **2** Aparato que produce un sonido muy fuerte y que avisa de un peligro: *Pasó a toda velocidad una ambulancia con la sirena.*

sistema [sustantivo] [masculino] **1** Forma ordenada de hacer algo: *La profesora nos ha enseñado un sistema para aprendernos las tablas de multiplicar.* **2** Conjunto de unidades relaciona-

das entre sí y que constituyen un todo: *Marte y la Tierra forman parte del sistema de planetas que giran alrededor del Sol.* ✦ páginas 610-611. **3** Conjunto de órganos del cuerpo que tienen una función determinada: *El estómago y el intestino son partes del sistema digestivo.* **4** [expresión] **por sistema** Por costumbre: *Pase lo que pase, siempre me echas a mí la culpa por sistema.* □ SINÓNIMOS: **1** método.

sitiar [verbo] Rodear un lugar para impedir la salida o la entrada de alguien: *El ejército enemigo sitió la ciudad hasta que se rindieron sus habitantes.* □ SINÓNIMOS: cercar, asediar. FAMILIA: → sitio.

sitio [sustantivo] [masculino] **1** Espacio que no está ocupado: *Si llegáis antes que yo, cogedme un sitio.* **2** Espacio adecuado para algo: *Me encantaría tener una casa en este sitio.* **3** Lugar que corresponde a una persona en un determinado momento: *Mi sitio ahora está al lado de los que me necesitan.* **4** Lo que hace un ejército al rodear un lugar para impedir la salida o la entrada de alguien: *Resistieron el sitio de la ciudad hasta que recibieron los refuerzos de su ejército.* **5** [expresión] **dejar en el sitio** Dejar muerto en el acto: *¡Menudo susto me has dado, casi me dejas en el sitio!* □ [El significado **5** es coloquial]. SINÓNIMOS: **1** hueco. **1,2** lugar. **4** cerco. FAMILIA: sitiar, situar, situación.

situación [sustantivo] [femenino] **1** Colocación en un lugar o en un tiempo determinados: *El piloto del avión comunicó su situación por radio.* **2** Estado o condición: *Si yo estuviera en tu situación, diría la verdad.* □ FAMILIA: → sitio.

SIRENA

a
b
c
d
e
f
g
h
i
j
k
l
m
n
ñ
o
p
q
r
s
t
u
v
w
x
y
z

a b c d e f g h i j k l m n ñ o p q r **s** t u v w x y z

situar [verbo] **1** Poner en un lugar o en un tiempo determinados: *Nos hemos situado en el mejor sitio para ver bien el desfile.* **2 situarse** Conseguir una buena posición social, económica o política: *Mi mayor aspiración es situarme como abogada.* □ [Se conjuga como ACTUAR]. FAMILIA: → sitio.

[slip [sustantivo] [masculino] Prenda de ropa interior masculina que cubre desde la cintura hasta donde empiezan las piernas: *El slip es más ajustado que el calzoncillo tradicional.* □ [Es una palabra inglesa. Se pronuncia «eslíp»].

so [interjección] Se usa para hacer que un animal de carga se pare: *El cochero gritó: «¡So, caballo!».* □ [Se usa con algunos insultos para dar más fuerza a lo que se dice: *¡Qué daño me has hecho, so bruta!*]. CONTRARIOS: arre.

sobaco [sustantivo] [masculino] Hueco que queda debajo del brazo en la parte en la que se une al cuerpo: *Tengo muchas cosquillas en los sobacos.* □ SINÓNIMOS: axila.

sobar [verbo] Tocar con las manos repetidamente: *No sobes los pasteles y coge el que vayas a tomar.* □ SINÓNIMOS: manosear.

soberano, na 1 [adjetivo] Libre e independiente: *España es un país soberano.* **2** [adjetivo o] [sustantivo] Que tiene la autoridad más alta: *El actual soberano de España es Juan Carlos I.* □ SINÓNIMOS: **2** rey, monarca.

soberbio, bia [adjetivo] **1** Que tiene mucho orgullo o que lo muestra: *Eres tan soberbio que no eres capaz de pedir perdón.* **2** Magnífico o estupendo: *En este museo hay una soberbia colección de cuadros.* **3** [sustantivo] [femenino] Sensación de creerse mejor que los demás: *Tu soberbia te impide reconocer que hay otros que juegan mejor que tú al tenis.* □ SINÓNIMOS: **1** vanidoso, orgulloso. **3** vanidad, orgullo, humos. CONTRARIOS: **1** humilde, modesto. **3** modestia, humildad.

sobornar [verbo] Conseguir un favor de una persona a cambio de pagarle un dinero: *El preso sobornó a uno de los vigilantes de la cárcel para que lo ayudara a escapar.*

soborno [sustantivo] [masculino] Pago de dinero para intentar conseguir un favor: *Lo detuvieron por intento de soborno a un agente de policía.*

sobra [sustantivo fe-] [menino plural] Lo que queda de algo: *Hoy vamos a cenar las sobras de la comida.* □ FAMILIA: → sobrar.

sobrar [verbo] **1** Haber más cantidad de la que se necesita: *Sólo hay sitio para seis personas, así que, de los diez que somos, sobramos cuatro.* **2** Quedar como resto de algo: *Como no han venido tus hermanos a comer, ha sobrado comida.* □ FAMILIA: sobra.

sobrasada [sustantivo] [femenino] Especie de pasta hecha con carne de cerdo muy picada: *La sobrasada mallorquina es exquisita.*

sobre [sustantivo] [masculino] **1** Cubierta de papel en la que se mete una carta para enviarla por correo: *Voy a poner un sello en el sobre y me bajo a echar esta carta al buzón.* 🖾 página 605. **2** Recipiente de papel en el que vienen algunas sustancias: *Esta medicina la hay en sobres o en cápsulas.* [preposición] **3** Indica un lugar o una posición superiores: *No pongas los pies sobre la mesa.* **4** Indica relación con algo: *¿Qué sabes tú sobre este asunto?* **5** Indica cantidad aproximada: *Llamé a tu casa sobre las seis.* □ CONTRARIOS: **3** bajo.

sobredosis [sustantivo] [femenino] Cantidad mayor de lo normal de una droga o de una medicina, que puede ser peligrosa para la salud: *El joven hallado en el parque murió por una sobredosis de heroína.* □ [No varía en singular y en plural]. FAMILIA: → dosis.

sobrehumano, na [adjetivo] Que es superior a lo que se considera propio de un ser humano: *Tuve que hacer un esfuerzo sobrehumano para resistir el dolor hasta que llegó el médico.* □ FAMILIA: → hombre.

sobrenatural [adjetivo] Que no obedece a las leyes de la naturaleza, sino a un poder superior: *Los milagros son hechos sobrenaturales.* □ [No varía en masculino y en femenino]. SINÓNIMOS: milagroso. CONTRARIOS: natural. FAMILIA: → natural.

sobrentender [verbo] Entender algo más que aquello que se está expresando: *Si me estás contando lo que vamos a hacer en tu fiesta, sobrentiendo que estoy invitada a ella.* □ [Se escribe también sobreentender. Es irregular y se conjuga como PERDER]. FAMILIA: → entender.

sobresaliente 1 [adjetivo] Que destaca, o que se nota más que otros: *El entrenador me dijo que mi actuación había sido sobre-*

saliente. **2** [sustantivo/masculino] Nota que indica que se ha hecho un examen muy bien: *Mi hermana mayor estudia mucho y saca muchos sobresalientes.* ☐ [El significado **1** no varía en masculino y en femenino]. FAMILIA: → salir.

sobresalir [verbo] **1** Notarse más o quedar por encima: *Esa montaña tan alta sobresale entre las demás.* **2** Destacar entre otros por algo: *Sobresales por tu buen comportamiento.* ☐ [Es irregular y se conjuga como SALIR]. SINÓNIMOS: **1** resaltar, destacar, despuntar. **2** distinguirse. FAMILIA: → salir.

sobresaltar [verbo] Asustar, preocupar o hacer que una persona no esté tranquila: *Tuve una pesadilla y me sobresalté.* ☐ FAMILIA: → saltar.

sobrevivir [verbo] **1** Vivir después de un accidente grave o después de la muerte de otra persona: *Nadie sobrevivió al naufragio.* **2** Vivir justo con lo necesario: *Con las reservas que quedaban, sobrevivieron hasta que los rescataron.* ☐ FAMILIA: → vivir.

sobrino, na [sustantivo] Lo que es una persona en relación con el hermano o con la hermana de su padre o de su madre: *Tengo tres sobrinos: dos son hijos de mi hermana y el otro es hijo de mi hermano.*

sobrio, bria [adjetivo] Que no está borracho: *Si no estás sobrio, no conduzcas.* ☐ SINÓNIMOS: sereno. CONTRARIOS: ebrio, borracho, bebido.

socavón [sustantivo/masculino] Agujero que se hace en el suelo porque se ha hundido el terreno: *Han cortado esta calle porque hay un socavón enorme.* ☐ FAMILIA: → cavar.

SOCAVÓN

sociable [adjetivo] Que está cómodo con la gente y no tiene problemas para tratar con las personas: *Nunca te faltarán amigos porque eres muy sociable.* ☐ [No varía en masculino y en femenino]. CONTRARIOS: huraño. FAMILIA: → sociedad.

social [adjetivo] De la sociedad o relacionado con ella: *El Gobierno está preocupado por los problemas sociales.* ☐ [No varía en masculino y en femenino]. FAMILIA: → sociedad.

socialismo [sustantivo/masculino] Conjunto de ideas que defienden que todas las cosas deben ser repartidas por el Estado: *El socialismo intenta lograr una sociedad en la que no existan diferencias económicas entre sus miembros.* ☐ FAMILIA: → sociedad.

socialista [adjetivo o/sustantivo] Que defiende la idea de que todas las cosas deben ser repartidas por el Estado: *Los periódicos publicaron los nombres de los candidatos socialistas a las elecciones.* ☐ [No varía en masculino y en femenino]. FAMILIA: → sociedad.

sociedad [sustantivo/femenino] **1** Conjunto de todos los seres humanos: *La sociedad tiene unas normas que sus miembros deben respetar.* **2** Conjunto de personas que se unen para un determinado fin: *Pertenezco a una sociedad protectora de animales abandonados.* ☐ SINÓNIMOS: **1** humanidad. **2** asociación. FAMILIA: social, socialismo, socialista, sociable, socio, asociar, asociación, asociado.

socio, cia [sustantivo] **1** Persona que se une a otra para conseguir algo: *Estoy buscando un socio para poner un negocio a medias.* **2** Amigo o compañero: *Oye, socio, ¿nos vamos esta tarde al cine?* ☐ [El significado **2** es coloquial]. FAMILIA: → sociedad.

socorrer [verbo] Ayudar a alguien que lo necesita o que se encuentra en peligro: *Varios peatones fueron a socorrer al señor que fue atropellado por un coche.* ☐ SINÓNIMOS: auxiliar. FAMILIA: → socorro.

socorrista [sustantivo] Persona que trabaja prestando ayuda en caso de accidente: *En todas las piscinas debe haber un socorrista.* ☐ [No varía en masculino y en femenino]. FAMILIA: → socorro.

socorro [sustantivo/masculino] Ayuda que se presta a una persona que la necesita o que está en peligro: *Al oír los gritos, unos chicos acudieron en socorro de una señora que estaba siendo atracada.* ☐ [Se usa para pedir ayuda urgente: ¡Socorro, no sé nadar!]. SINÓNIMOS: auxilio. FAMILIA: socorrer, socorrista.

sofá 1 [sustantivo/masculino] Asiento cómodo para dos o más personas: *En el salón de mi casa hay un sofá para tres personas.* **2** [expresión] **sofá**

a b c d e f g h i j k l m n ñ o p q r **s** t u v w x y z

a
b
c
d
e
f
g
h
i
j
k
l
m
n
ñ
o
p
q
r
s
t
u
v
w
x
y
z

cama El que se puede usar como cama: *Mi hermano duerme en un sofá cama en el salón.*

sofocante [adjetivo] Que produce una sensación como si nos ahogáramos: *Voy a salir a tomar el aire, porque ahí dentro hace un calor sofocante.* ☐ [No varía en masculino y en femenino]. FAMILIA: → sofocar.

sofocar [verbo] **1** Hacer que se acabe un fuego: *Los bomberos sofocaron el incendio del edificio.* **2** Cansar mucho o poner muy nervioso: *Estáte tranquilo, porque no te conviene sofocarte.* **3 sofocarse** Avergonzarse o ponerse rojo de vergüenza: *En cuanto te dicen que estás muy guapo, te sofocas y ya no sabes dónde mirar.* ☐ [Es irregular y se conjuga como SACAR]. SINÓNIMOS: **1** extinguir, apagar. CONTRARIOS: **1** prender. FAMILIA: sofocante.

soga [sustantivo femenino] Cuerda gruesa: *Esa cuerda tan fina no me sirve; es mejor una soga.*

soja [sustantivo femenino] Planta de cuyo fruto se extrae aceite y harina: *He comido una ensalada con brotes de soja y maíz.*

sol [sustantivo masculino] **1** Estrella que es el centro de un sistema: *En una galaxia puede haber varios soles.* 🔍 páginas 610-611. **2** Luz o calor del Sol sobre la Tierra: *Cuando tomes el sol debes protegerte con alguna crema.* **3** Lo que se considera muy bueno o gusta mucho: *Tu hija pequeña es un sol.* ☐ [El significado **3** es coloquial. Cuando se trata de la estrella que es el centro del sistema de la Tierra, se escribe con mayúscula: *La Tierra gira alrededor del Sol*]. FAMILIA: solar, soleado, girasol.

solapa [sustantivo femenino] Parte de una prenda de vestir que corresponde al pecho y que suele ir doblada hacia fuera: *Me reconocerás porque llevaré un clavel rojo en la solapa.*

SOLAPA

solar 1 [adjetivo] Del Sol o relacionado con esta estrella: *Algunos rayos solares son perjudiciales para la piel.* **2** [sustantivo masculino] Terreno en el que se pueden construir edificios: *En este*

solar van a construir unos grandes almacenes. ☐ [El significado **1** no varía en masculino y en femenino]. FAMILIA: → sol.

soldado [sustantivo masculino] Persona que sirve en el ejército: *Los soldados desfilaban en el patio del cuartel.*

soldar [verbo] Pegar y unir una cosa con otra de forma que no se puedan separar: *El fontanero soldó las cañerías con un soplete.* ☐ [Es irregular y se conjuga como CONTAR].

[soleado, da [adjetivo] Con sol y sin nubes: *El día amaneció muy soleado, pero por la tarde se nubló.* ☐ FAMILIA: → sol.

soledad [sustantivo femenino] Falta de compañía: *Para estudiar bien necesito silencio y soledad.* ☐ CONTRARIOS: compañía. FAMILIA: → solo.

solemne [adjetivo] Con mucha importancia o muy serio: *Este vestido de fiesta tan elegante sólo lo uso en ocasiones solemnes.* ☐ [No varía en masculino y en femenino. Se usa para dar más fuerza a lo que se dice: *Has dicho una solemne tontería*].

soler [verbo] **1** Hacer algo por costumbre: *Los días que hay colegio suelo acostarme pronto.* **2** Ser frecuente u ocurrir de forma habitual: *Aquí, en enero, suele hacer mucho frío.* ☐ [Es irregular y se conjuga como MOVER. Se usa siempre seguido de un verbo en infinitivo]. SINÓNIMOS: **1** acostumbrar.

solicitar [verbo] Pedir algo con respeto o siguiendo los pasos necesarios: *He solicitado una beca de estudios.* ☐ FAMILIA: solicitud.

solicitud [sustantivo femenino] Ruego que se hace para pedir algo: *Hemos presentado una solicitud para que se hagan más campos de deportes.* ☐ SINÓNIMOS: petición. FAMILIA: → solicitar.

solidaridad [sustantivo femenino] Apoyo a las personas que se encuentran en una situación difícil: *Debes mostrar más solidaridad con las personas que no son tan afortunadas como tú.*

solidez [sustantivo femenino] Lo que hace que algo se mantenga firme, seguro o con buen equilibrio: *Estos cimientos tan gruesos dan solidez a este puente.* ☐ SINÓNIMOS: estabilidad, firmeza, seguridad. FAMILIA: → sólido.

sólido, da 1 [adjetivo] Firme, seguro y fuerte: *Los cimientos hacen que las casas sean sólidas.* **2** [adjetivo o sustantivo masculino] Dicho de una materia, que no es ni un líquido ni un gas: *El hielo es agua en estado sólido.* ☐ FAMILIA: solidez.

solista [sustantivo] Persona que canta o que toca una pieza musical ella sola: *En un concierto para violín y orquesta, el solista toca el violín de pie.* □ [No varía en masculino y en femenino]. FAMILIA: → solo.

solitario, ria 1 [adjetivo] Vacío o sin gente: *No pases por el parque por la noche, porque está muy solitario.* **2** [adjetivo o sustantivo] Solo o sin compañía: *Podíais ir a jugar con ese muchacho, porque está siempre muy solitario.* **3** [sustantivo masculino] Juego de cartas para una sola persona: *Pasé la tarde muy entretenida haciendo solitarios.* **4** [sustantivo femenino] Gusano plano que vive en el intestino de algunos animales: *Dicen que las personas que tienen la solitaria no engordan aunque coman mucho.* □ FAMILIA: → solo.

sollozar [verbo] Llorar con mucha pena: *El niño empezó a sollozar cuando vio que se había perdido.* □ [La z se cambia en c delante de e, como en CAZAR]. FAMILIA: → sollozo.

sollozo [sustantivo masculino] Ruido que se hace al respirar cuando se llora: *La niña contó a su padre entre sollozos lo que le había hecho su hermana.* □ FAMILIA: sollozar.

solo, la [adjetivo] **1** Único y sin que haya otros iguales: *Yo he tomado un solo pastel.* **2** Sin otra cosa: *Quiero un vaso de leche sola, sin azúcar.* **3** Sin compañía: *Tengo una habitación para mí sola.* **4** [sustantivo masculino] Pieza musical que toca o que canta una única persona: *Los solos de piano de este concierto son preciosos.* **5** [expresión] **a solas** Sin nadie que haga compañía: *Me da miedo quedarme a solas en una habitación a oscuras.* □ [Es distinto de *sólo*]. FAMILIA: soledad, solitario, solista.

solo o **sólo** [adverbio] Únicamente: *Mi hermana sólo tiene tres años.* □ [Se escribe con acento para no confundirlo con el adjetivo *solo*: *Un hombre solo* significa *un hombre que no está en compañía. Un hombre sólo* significa *un hombre solamente, no varios*].

solomillo [sustantivo masculino] Trozo alargado de carne que está en la espina dorsal de algunos animales: *El solomillo es una carne muy tierna.*

soltar [verbo] **1** Quitar las cuerdas que sujetan algo: *Se te ha soltado el cordón del zapato.* **2** Dejar ir o dar la libertad: *La policía soltó al detenido.* **3** Dejar algo suelto o dejar de sujetarlo: *Ayúdame a subir a la valla,* pero no me sueltes, porque me caigo. **4** Decir algo que deberíamos callar: *Me soltó que ya estaba harto de tantas tonterías.* **5** Echar fuera de sí: *Me gusta mojar pan en el jugo que suelta la carne asada.* **6 soltarse** Saber hacer algo después de haber estado practicándolo: *Está aprendiendo a hablar inglés y cada vez se suelta más.* □ [Es irregular y se conjuga como CONTAR]. SINÓNIMOS: **2** liberar, libertar. **5** desprender. CONTRARIOS: **2** apresar, detener, capturar, prender, arrestar. **3** agarrar, atrapar, enganchar. **2,3** coger. FAMILIA: suelto, soltura.

soltero, ra [adjetivo o sustantivo] Que no está casado: *Mi hermano mayor está todavía soltero aunque ya tiene novia.*

soltura [sustantivo femenino] Capacidad para hacer algo de manera fácil: *Los jugadores de fútbol tienen mucha soltura manejando el balón con los pies.* □ FAMILIA: → soltar.

solución [sustantivo femenino] **1** Lo que resuelve una duda o una dificultad: *Esta peluca es la solución para tus problemas de calvicie.* **2** En matemáticas, resultado de una cuenta o de un problema: *La solución de mi suma estaba mal porque había sumado un dos en lugar de un tres.* □ FAMILIA: solucionar.

solucionar [verbo] Encontrar la solución: *Si queréis seguir siendo amigos, tenéis que hablar y solucionar vuestros problemas.* □ SINÓNIMOS: acertar, adivinar, resolver. FAMILIA: → solución.

sombra 1 [sustantivo femenino] Imagen oscura que deja un cuerpo al lado contrario del sitio por donde le da la luz: *Podemos merendar sentados a la sombra de esos árboles.* **2** [expresión] **a la sombra** En la cárcel: *Pasó varios años a la sombra por robar un banco.* □ [El significado **2** es coloquial]. FAMILIA: sombrío, sombrilla, sombrero.

sombrero 1 [sustantivo masculino] Prenda de vestir que cubre la cabeza: *En la película, los vaqueros llevaban sombrero.* **2** [expresión] **sombrero de copa** El que es alto, en forma de tubo, y tiene la parte de arriba plana: *El bailarín llevaba frac y sombrero de copa.* **sombrero hongo** El de ala estrecha y que tiene la parte de arriba baja y redonda: *Conocí a un señor inglés que llevaba un traje oscuro,*

a
b
c
d
e
f
g
h
i
j
k
l
m
n
ñ
o
p
q
r
s
t
u
v
w
x
y
z

a

sombrero hongo y paraguas. □ FAMILIA: →
sombra.

b **sombrilla** [sustantivo/femenino] Paraguas que sirve para
protegerse del sol: *Ponte debajo de la som-*
c *brilla, porque ya has tomado mucho el sol.*
□ FAMILIA: → sombra. 🔸 página 154.

d **sombrío, a** [adjetivo] **1** Dicho de un lugar,
que tiene poca luz y muchas sombras: *Esa*
e *parte del jardín es muy sombría porque tie-*
ne muchos árboles. **2** Con una pena muy
f honda y tranquila: *Desde que murieron sus*
padres está triste y sombría. □ SINÓNIMOS:
g **2** melancólico. FAMILIA: → sombra.

h **someter** [verbo] **1** Hacer que alguien acepte
la autoridad de otra persona a la fuerza:
i *Los romanos sometieron a los habitantes de*
las zonas que conquistaban. **2** Poner bajo el
j interés o la autoridad de alguien: *Nos so-*
metemos a tu autoridad porque tú eres el
k *jefe.* **3** Hacer que algo reciba determinada
acción: *Sometieron al prisionero a un inte-*
l *rrogatorio para que confesara lo que sabía.*

m **somier** [sustantivo/masculino] Parte de una cama que se
apoya sobre las patas: *El colchón se coloca*
n *encima del somier.*

ñ

SOMIER

o

p

q

son 1 [sustantivo/masculino] Sonido musical agradable:
r *Todo el mundo empezó a bailar cuando se*
oyeron los primeros sones de la banda. **2** [ex-
s presión] **sin ton ni son** Sin razón: *Tu amigo*
es un pesado porque se enfada sin ton ni
t *son.* □ [El significado **2** es coloquial].

u **sonajero** [sustantivo/masculino] Juguete que produce ruido cuando es agitado: *El bebé reía al escu-*
v *char los cascabeles del sonajero.* □ FAMILIA:
→ sonar.

w **sonámbulo, la** [adjetivo o/sustantivo] Que anda y hace
cosas sin darse cuenta mientras está dor-
x mido: *Mi hermano es sonámbulo y se levan-*
ta de la cama por la noche.

y **sonar** [verbo] **1** Producir ruido o sonido: *El*
piano está desafinado y suena mal. **2** Pro-
z ducir un recuerdo poco exacto de algo que

se conocía antes: *Me suena la cara de ese*
señor. **3** Mencionarse o citarse: *Su nombre*
suena mucho como próximo entrenador. **4**
sonarse Limpiarse la nariz con un pañuelo:
Suénate con mi pañuelo y deja ya de llorar.
□ [Es irregular y se conjuga como CONTAR]. FAMILIA:
sonido, sonoro, sonajero, soniquete, super-
sónico.

sonido [sustantivo/masculino] Lo que se siente a través
del oído: *El sonido de la «u» es muy diferen-*
te al sonido de la «a». □ FAMILIA: → sonar.

soniquete [sustantivo/masculino] Ruido poco fuerte, pero
continuado y molesto: *Me molesta el soni-*
quete de la lavadora. □ [Es despectivo]. FAMI-
LIA: → sonar.

sonoro, ra [adjetivo] Que suena o va acompañado de sonido: *La banda sonora de esta*
película incluye canciones en inglés. □ FA-
MILIA: → sonar.

sonreír [verbo] **1** Reír suavemente y sin producir sonidos: *Cuando sonríes estás mucho*
más guapo. **2** Mostrarse favorable: *No pue-*
do quejarme, porque la vida me ha sonreído
desde que era pequeño. □ [Es irregular y se conjuga como REÍR]. FAMILIA: → reír.

sonriente [adjetivo] Que sonríe o que ríe suavemente: *Me encanta verte siempre tan son-*
riente y de tan buen humor. □ [No varía en
masculino y en femenino]. FAMILIA: → reír.

sonrisa [sustantivo/femenino] Gesto que hacemos cuando
sonreímos: *Me saludó con una sonrisa.* □
FAMILIA: → reír. 🔸 página 340.

sonrojar [verbo] Poner la cara roja por la
vergüenza: *Soy muy tímido y me sonrojo*
cuando tengo que hablar en público. □
[Siempre se escribe con j]. SINÓNIMOS: ruborizar-
se. FAMILIA: → rojo.

soñar [verbo] **1** Representar algo en la mente
mientras se duerme: *Hoy he soñado que un*
dinosaurio me perseguía. **2** Desear algo que
no se tiene: *Siempre he soñado con vivir en*
una casa en el campo. **3** Considerar real
algo que no es cierto: *Tú has soñado si dices*
que ayer estuve en tu casa. □ [Es irregular y se
conjuga como CONTAR]. FAMILIA: → sueño.

sopa 1 [sustantivo/femenino] Comida que se prepara con
agua y pasta, pan o verduras: *Hoy hemos*
comido sopa de fideos. **2** [expresión] **hasta en**
la sopa En todas partes: *Esa modelo hace*
tantos anuncios que está hasta en la sopa.

hecho una sopa Muy mojado: *Empezó a llover cuando salí del cole y llegué a casa hecho una sopa.* **quedarse sopa** Quedarse dormido: *La película era tan aburrida que me quedé sopa viéndola.* □ [Las expresiones son coloquiales]. FAMILIA: sopera, sopero.

sopapo [sustantivo masculino] Golpe dado con la mano en la cara: *Le dije que era una vaca y me dio un sopapo.*

sopero, ra 1 [adjetivo] Que se usa para la sopa: *El plato sopero es más hondo que el de postre.* **2** [sustantivo femenino] Recipiente que se usa para servir la sopa en la mesa: *Has traído la sopera, pero sin el cazo no podremos servir la comida.* □ FAMILIA: → sopa.

soplar [verbo] **1** Hacer salir el aire con fuerza por la boca: *Para apagar las velas de la tarta tienes que soplar fuerte.* **2** Correr el viento de forma que se note: *Abrígate, que hoy sopla mucho viento.* **3** Dar una información de forma que nadie lo note: *Sóplame la segunda pregunta del examen, que no me la sé.* □ [El significado **3** es coloquial]. FAMILIA: soplo, soplido, soplón, soplete.

soplete [sustantivo masculino] Instrumento que se usa para fundir metales: *El soplete sirve para soldar piezas de metal.* □ FAMILIA: → soplar.

SOPLETE

soplido [sustantivo masculino] Cantidad de aire que se saca de una vez por la boca: *Apagó la cerilla de un soplido.* □ FAMILIA: → soplar.

soplo [sustantivo masculino] **1** Movimiento fuerte del viento: *Un soplo de viento me quitó el sombrero.* **2** Información que se da en secreto: *El soplo que dieron a la policía permitió que apresaran a los traficantes de drogas.* **3** Espacio muy corto de tiempo: *He llegado en un soplo porque me han traído en coche.* □ FAMILIA: → soplar.

soplón, -a [adjetivo o sustantivo] Dicho de una persona, que da información en secreto: *No seas soplón y no te chives a nadie.* □ [Es coloquial]. FAMILIA: → soplar.

soponcio [sustantivo masculino] Susto o impresión muy grandes: *Casi me da un soponcio cuando me dijeron que no íbamos de excursión.* □ [Es coloquial].

soportal [sustantivo masculino] Espacio cubierto que está delante de las entradas principales de los edificios: *Cuando llueve, paseamos bajo los soportales de la plaza.* □ FAMILIA: → puerta.

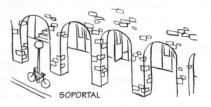

SOPORTAL

soportar [verbo] **1** Sujetar algo sin dejarlo caer: *Las columnas soportan el peso del techo.* **2** Sufrir algo con paciencia: *No soporto que me grites.* □ SINÓNIMOS: **1** aguantar, sufrir. **2** tolerar, tragar. FAMILIA: soporte.

soporte [sustantivo masculino] Lo que se usa como apoyo o para aguantar algo: *Coloca este tubo de ensayo en el soporte para que no se caiga, por favor.* □ FAMILIA: → soportar. 🖾 página 498.

sor [sustantivo femenino] Mujer que pertenece a una comunidad religiosa: *Mi tía es monja y sus alumnos la llaman sor Teresa.*

sorber [verbo] **1** Beber algo aspirando: *Toma esta pajita para sorber el refresco.* **2** Mantener los mocos en la nariz, respirando con fuerza hacia adentro: *Toma un pañuelo y suénate, porque sorber los mocos es de mala educación.* □ [No confundir con absorber]. FAMILIA: → sorbo.

sorbo [sustantivo masculino] **1** Trago que se da aspirando: *No comas la sopa a sorbos, porque es de mala educación.* **2** Cantidad pequeña de un líquido: *¿Me dejas que pruebe un sorbo de tu refresco?* □ FAMILIA: sorber, absorber, absorbente.

sordera [sustantivo femenino] Falta o disminución de la capacidad de oír: *Debido a su sordera, debe usar un aparato especial colocado en la oreja.* □ FAMILIA: → sordo.

sordo, da 1 [adjetivo] De sonido grave o apagado: *Al caer, el cuerpo sin. vida produjo un sonido sordo.* **2** [adjetivo o sustantivo] Que no oye nada o que no oye bien: *Mi abuelo está un poco sor-*

do y tenemos que hablarle muy alto para que nos oiga. □ FAMILIA: sordera, sordomudo, ensordecedor.

sordomudo, da [adjetivo o sustantivo] Que no oye nada desde que nació, y por eso tampoco puede hablar: *Los sordomudos hablan por señas.* □ FAMILIA: → sordo.

soriano, na [adjetivo o sustantivo] De la provincia de Soria o de su capital: *Los sorianos forman parte de la comunidad autónoma de Castilla-León.*

sorprendente [adjetivo] Que produce una gran sorpresa: *Con lo que te gusta el baloncesto, es sorprendente que no vinieras a ver el partido.* □ [No varía en masculino y en femenino]. SINÓNIMOS: asombroso, chocante, raro. CONTRARIOS: natural, habitual, normal, corriente, ordinario. FAMILIA: → sorpresa.

sorprender [verbo] **1** Encontrar de pronto a alguien en determinada situación: *Mis padres me sorprendieron cogiendo chocolate a escondidas.* **2** Producir sorpresa: *No me sorprende lo que me cuentas porque ya lo sabía.* □ SINÓNIMOS: **2** asombrar, admirar, maravillar, pasmar, chocar, extrañar. FAMILIA: → sorpresa.

sorpresa [sustantivo femenino] **1** Impresión fuerte que nos produce algo no esperado: *¡Qué sorpresa me he llevado cuando os he visto venir!* **2** Lo que produce esta impresión: *Si vas de viaje tráeme alguna sorpresa, anda...* **3** [expresión] **por sorpresa** Sin que nadie lo espere: *Llegó por sorpresa.* □ SINÓNIMOS: **1** asombro. FAMILIA: sorprender, sorprendente.

sortear [verbo] **1** Dar algo dejando que la suerte decida a quién se da: *En el supermercado van a sortear un coche.* **2** Evitar con habilidad algo que resulta difícil o peligroso: *Hay varios obstáculos que tendrás que sortear.* □ FAMILIA: → sorteo.

sorteo [sustantivo masculino] Proceso en el que se decide por medio de la suerte a quién se le da algo: *Ganó un millón de pesetas en el sorteo de la semana pasada.* □ FAMILIA: sortear.

sortija [sustantivo femenino] Anillo que se lleva en los dedos: *Le gustan mucho las joyas y lleva los dedos llenos de sortijas.*

sosegar [verbo] Poner tranquilo o en paz: *Sosiégate y cuéntame con calma lo que ha pasado.* □ [Es irregular y se conjuga como REGAR].

SINÓNIMOS: tranquilizar, calmar, serenar, apaciguar. CONTRARIOS: inquietar, irritar, acalorarse, acelerarse. FAMILIA: sosiego.

sosería [sustantivo femenino] Falta de gracia en la forma de hablar o de actuar: *Es imposible que hagas reír a alguien contando los chistes con tanta sosería.* □ [Es coloquial]. CONTRARIOS: sal, salero. FAMILIA: → soso.

sosiego [sustantivo masculino] Falta de actividad o de ruido: *Hay tanto lío que no tengo ni un momento de sosiego.* □ SINÓNIMOS: calma, tranquilidad, paz, serenidad. CONTRARIOS: impaciencia, intranquilidad. FAMILIA: → sosegar.

soso, sa **1** [adjetivo] Con poca sal o sin ella: *El médico le ha dicho que es mejor que tome las comidas sosas.* **2** [adjetivo o sustantivo] Sin gracia: *Cuentas los chistes de una forma tan sosa que no hay quién se ría.* □ CONTRARIOS: salado. **2** saleroso. FAMILIA: sosería.

sospecha [sustantivo femenino] Suposición de algo a partir de algunas señales: *Tengo la sospecha de que no vendrá.* □ FAMILIA: sospechar, sospechoso.

sospechar [verbo] **1** Suponer que va a pasar algo a partir de algunas señales: *Sospecho que va a llover.* **2** Pensar o creer que una persona ha hecho algo: *La policía sospecha del mayordomo como autor del asesinato.* □ SINÓNIMOS: **1** prever. FAMILIA: → sospecha.

sospechoso, sa **1** [adjetivo] Que da motivos para que no confíen en él: *Esas miraditas y esas risas me resultan sospechosas.* **2** [adjetivo o sustantivo] Dicho de una persona, que puede haber hecho determinada acción porque hay señales que lo indican: *La policía ya ha interrogado a los principales sospechosos.* □ FAMILIA: → sospecha.

sostén [sustantivo masculino] **1** Lo que sirve para sujetar, apoyar o mantener algo: *Los padres son el sostén de una familia.* **2** Prenda interior femenina que sirve para sujetar el pecho: *Con el bañador puesto no se usa sostén.* □ SINÓNIMOS: **2** sujetador. FAMILIA: → sostener.

sostener [verbo] **1** Sujetar algo sin dejarlo caer: *¿Me sostienes los libros mientras me ato los zapatos?* **2** Defender una idea o una teoría: *La policía sostiene que los ladrones tenían la llave de la casa en la que entraron.*

□ [Es irregular y se conjuga como TENER]. SINÓNIMOS: **1** aguantar, tener. FAMILIA: sostén.

sota [sustantivo femenino] Carta de la baraja española que representa una figura humana: *La sota suele tener el número diez.*

sotana [sustantivo femenino] Prenda de vestir de color negro que llega hasta los pies y que usan algunos sacerdotes: *Las sotanas tienen muchos botones por delante.*

sótano [sustantivo masculino] Parte de un edificio que está a un nivel más bajo que el de la calle: *En los sótanos de la casa han hecho cuartos trasteros.*

[souvenir [sustantivo masculino] Lo que se compra como recuerdo: *Cuando estoy de viaje siempre compro algún souvenir.* □ [Es una palabra francesa. Se pronuncia «suvenír»].

[spray [sustantivo masculino] Líquido que está en un recipiente y que cuando se lanza al exterior sale en gotas muy pequeñas: *La laca que usa mi madre está en un spray.* □ [Es una palabra inglesa. Se pronuncia «esprái». Se usa mucho el plural inglés *sprays*].

[sprint [sustantivo masculino] Último esfuerzo de los que participan en una carrera para conseguir mayor velocidad y llegar primero: *En el sprint, el ganador de la carrera sacó varios metros de ventaja al resto de los corredores.* □ [Es una palabra inglesa. Se pronuncia «esprín». Se usa mucho el plural inglés *sprints*].

[squash [sustantivo masculino] Deporte que se practica en un lugar cerrado y que consiste en lanzar una pelota contra la pared, golpeándola con una raqueta: *La raqueta de squash es más pequeña que la de tenis.* □ [Es una palabra inglesa. Se pronuncia «escuás»].

[stop [sustantivo masculino] Señal de tráfico que obliga a pararse: *Es obligatorio parar en los cruces en los que hay un stop.* □ [Es una palabra inglesa. Se pronuncia «estóp»]. FAMILIA: autostop.

su [pronombre posesivo] Suyo: *Su madre me ha invitado a merendar. No conozco sus gustos.* □ [Va siempre delante de un sustantivo. No varía en masculino y en femenino]. FAMILIA: → él.

suave [adjetivo] **1** Que es liso o que resulta agradable cuando se toca: *Esta crema deja la piel muy suave.* **2** Que resulta agradable a los sentidos porque no es fuerte: *Las colonias tienen un olor más suave que los perfumes.* **3** Que no ofrece oposición o que no

necesita esfuerzo: *Las llaves entran muy suaves en la cerradura porque le he puesto aceite.* □ [No varía en masculino y en femenino]. CONTRARIOS: **1,2** áspero. **2** duro. FAMILIA: suavidad, suavizar, suavizante.

suavidad [sustantivo femenino] **1** Característica de lo que tiene la superficie lisa y resulta agradable y suave al tocarlo: *Este producto hace que la ropa recupere su suavidad.* **2** Característica de lo que es suave o agradable: *Háblale con suavidad porque está muy enfadado.* □ SINÓNIMOS: **2** dulzura, blandura. CONTRARIOS: aspereza. **2** dureza. FAMILIA: → suave.

suavizante [adjetivo o sustantivo masculino] Que hace que algo sea más suave: *Cuando me lavo el pelo me pongo suavizante para que no me cueste desenredarlo.* □ [Cuando es adjetivo no varía en masculino y en femenino]. FAMILIA: → suave.

suavizar [verbo] Hacer suave: *Esta crema suaviza las manos.* □ [La z se cambia en c delante de e, como en CAZAR]. FAMILIA: → suave.

subasta [sustantivo femenino] Venta pública en la que se da lo que se vende a la persona que ofrece más dinero: *He ido a una subasta de objetos antiguos.* □ FAMILIA: subastar.

subastar [verbo] Vender algo a quien ofrezca más dinero por ello: *Mañana subastarán varios cuadros de un famoso pintor en esta galería.* □ FAMILIA: → subasta.

subcampeón, -a [sustantivo] Persona o equipo que consigue el segundo lugar en una competición: *El subcampeón recibió la medalla de plata.* □ FAMILIA: → campeón.

súbdito, ta [sustantivo] Ciudadano de un país, que debe obedecer a las autoridades políticas: *Las leyes deben cumplirlas todos los súbditos del país.*

subida [sustantivo femenino] **1** Paso a un lugar más alto: *La subida a la montaña fue muy cansada.* **2** Paso a un grado o a un punto superiores: *Mañana habrá una subida de las temperaturas.* **3** Terreno que sube, cuando se ve desde abajo: *La subida era tan fuerte que desde abajo no se veía la cumbre.* □ SINÓNIMOS: **1,2** ascenso. CONTRARIOS: bajada, descenso. FAMILIA: → subir.

subir [verbo] **1** Ir a un lugar o a una posición superiores o más altos: *Si no llegas, súbete a la silla.* **2** Poner en un lugar o en una posición superiores: *Súbete las mangas y ayúdame a fregar.* **3** Aumentar la fuerza, la cantidad o el valor de algo: *En estos últimos meses los precios han subido y está todo más caro.* **4** Entrar en un vehículo o usarlo: *Si no subes ya al autobús, lo vas a perder.* **5** Ponerse encima de un animal o de otra cosa: *Súbete a la moto, que nos vamos.* □ SINÓNIMOS: **1,3** ascender, alzar, levantar. CONTRARIOS: bajar. **1,3** descender, caer. **4** apear. FAMILIA: subida.

súbito, ta [adjetivo] Rápido y sin que se espere: *Un súbito golpe de viento cerró la puerta.* □ SINÓNIMOS: repentino.

subjetivo, va [adjetivo] Que tiene en cuenta los hechos desde un punto de vista personal y no desde la razón: *No seas tan subjetivo y sé más imparcial.* □ CONTRARIOS: objetivo. FAMILIA: → sujeto.

subjuntivo [sustantivo masculino] Uno de los tres grupos en que se dividen los tiempos de los verbos: *El presente de subjuntivo del verbo «soñar» es «sueñe», «sueñes», «sueñe», «soñemos», «soñéis», «sueñen».*

sublevar [verbo] Hacer que un grupo de personas inicie un movimiento de protesta contra una autoridad: *Varios oficiales se sublevaron porque no estaban de acuerdo con las órdenes que habían recibido.* □ SINÓNIMOS: amotinar, alzar, levantar.

submarino, na 1 [adjetivo] De la zona que está bajo la superficie del mar: *He visto un documental sobre la vida submarina.* **2** [sustantivo masculino] Barco que puede navegar bajo la superficie del mar: *Los submarinos tienen un periscopio para ver la superficie.* □ FAMILIA: → mar.

subnormal [adjetivo o sustantivo] Dicho de una persona, que tiene un desarrollo inferior al que sería normal para su edad: *No se debe llamar «subnormal» a un deficiente.* □ [No varía en masculino y en femenino. Es despectivo y no debe usarse como insulto]. SINÓNIMOS: anormal. FAMILIA: → norma.

subordinado, da [sustantivo] Persona que está a las órdenes de otra o que depende de ella: *En la reunión, el jefe dijo a sus subordinados que debían esforzarse más.* □ CONTRARIOS: jefe, superior. FAMILIA: → orden.

subrayar [verbo] **1** Señalar con una línea por debajo: *En este texto, subraya las palabras que empiecen con mayúscula.* **2** Pronunciar o expresar algo destacándolo de manera especial: *El profesor subrayó la necesidad de estudiar para tener una buena educación.* □ SINÓNIMOS: **2** acentuar, recalcar, destacar, resaltar, poner de relieve. CONTRARIOS: **2** disimular. FAMILIA: → raya.

subterráneo, a [adjetivo o sustantivo masculino] Que está bajo tierra: *El metro es un tren que va por túneles subterráneos.* □ FAMILIA: → tierra.

suburbio [sustantivo masculino] Barrio que está cerca de una ciudad y en el que vive gente que no tiene mucho dinero: *En los suburbios están construyendo muchas casas nuevas.* □ FAMILIA: → urbano.

subvencionar [verbo] Dar una ayuda económica: *El colegio subvenciona la mitad del lo que vale la excursión.*

suceder [verbo] **1** Producirse un hecho: *No sé cómo ha podido suceder esta desgracia.* **2** Seguir o ir detrás de otra cosa en orden, tiempo o número: *Los días se suceden a lo largo del año.* **3** Sustituir a una persona en un trabajo o en una función: *Lo estoy dejando todo preparado para el que me suceda.* □ SINÓNIMOS: **1** ocurrir, pasar, acontecer. FAMILIA: suceso, sucesivo, sucesión.

sucesión [sustantivo femenino] **1** Serie de hechos o de cosas que se suceden unos a otros y que están relacionados entre sí: *Una semana es la sucesión de siete días.* **2** Cambio de una persona por otra en un trabajo o en una función: *Los periódicos hablan sobre la persona más adecuada para la sucesión del presidente.* **3** Conjunto de las personas que descienden de otra: *Si alguien muere sin sucesión, sus bienes pasan al Estado.* □ SINÓNIMOS: **1** serie, cadena, sarta. FAMILIA: → suceder.

sucesivo, va [adjetivo] Que sucede o sigue a algo: *En días sucesivos te iré dando el resto del dinero.* □ FAMILIA: → suceder.

suceso [sustantivo masculino] Lo que ocurre o sucede: *Aquel suceso nos impresionó a todos.* □ SINÓNIMOS: hecho, acontecimiento. FAMILIA: → suceder.

suciedad [sustantivo femenino] Lo que no está limpio o está para tirar: *Es un cochino y no le importa vivir entre tanta suciedad.* □ SINÓNI-

MOS: porquería, guarrería, basura, mierda. CONTRARIOS: limpieza. FAMILIA: → sucio.

sucio, cia [adjetivo] **1** Que tiene suciedad: *Cámbiate la camisa, que la llevas muy sucia.* **2** Que produce suciedad: *Las palomas son unos animales muy sucios que lo dejan todo perdido.* **3** Que no actúa con honradez o que no respeta la ley: *Me han dicho que anda metido en negocios sucios y que la policía lo vigila.* **4 sucio** [adverbio] Sin respetar las leyes: *Eres un tramposo y has jugado sucio.* □ CONTRARIOS: limpio. FAMILIA: suciedad, ensuciar.

sucursal [adjetivo o sustantivo femenino] Dicho de un establecimiento, que depende de otro que es el principal: *El director de la sucursal del banco me dijo que aquellos documentos tenían que revisarse en la oficina central.* □ [Cuando es adjetivo no varía en masculino y en femenino].

[sudadera [sustantivo femenino] Prenda de vestir deportiva que suele ser de algodón y que cubre desde el cuello hasta la cintura: *Después del partido me puse la sudadera para no enfriarme.* □ FAMILIA: → sudor.

sudafricano, na [adjetivo o sustantivo] **1** De la zona sur de África: *Madagascar es una isla sudafricana.* **2** De la República Sudafricana, que es un país de África: *La mayoría de los sudafricanos son de raza negra.* □ FAMILIA: → africano.

sudamericano, na [adjetivo o sustantivo] De la parte sur de América: *En algunos países sudamericanos se habla el español y en otros, el portugués.* □ FAMILIA: → americano.

sudar [verbo] **1** Perder agua y otras sustancias a través de la piel: *Cuando estoy nerviosa me sudan las manos.* **2** Trabajar o esforzarse mucho: *Has tenido que sudar para responder bien a la pregunta tan difícil que te he hecho, ¿eh?* □ [El significado **2** es coloquial]. FAMILIA: → sudor.

sudeste [sustantivo masculino] Lugar entre el Sur y el Este: *Murcia está en el sudeste de España.* □ SINÓNIMOS: sureste. FAMILIA: → sur.

sudoeste [sustantivo masculino] Lugar entre el Sur y el Oeste: *Huelva está en el sudoeste de España.* □ SINÓNIMOS: suroeste. FAMILIA: → sur.

sudor [sustantivo masculino] Líquido transparente que sale por la piel cuando tenemos calor: *Hacía tanto calor que todos teníamos la camisa manchada de sudor.* □ FAMILIA: sudoroso, sudar, sudadera.

sudoroso, sa [adjetivo] Lleno de sudor: *Llegó corriendo y sudoroso.* □ FAMILIA: → sudor.

sueco, ca **1** [adjetivo o sustantivo] De Suecia, que es un país de Europa: *Los suecos viven en el norte de Europa.* **2** [sustantivo masculino] Lengua de este país: *Mi amigo habla sueco porque su madre nació en Suecia.* **3** [expresión] **hacerse alguien el sueco** Hacer como si no se oyera o como si no se entendiera algo: *No te hagas el sueco y responde, que te estoy preguntando a ti.* □ [El significado **3** es coloquial].

suegro, gra [sustantivo] Lo que es una persona en relación con el marido de su hija o con la mujer de su hijo: *Mis padres son los suegros de mi marido.*

suela [sustantivo femenino] Parte del zapato que se apoya en el suelo: *Las zapatillas de deporte tienen la suela de goma.*

sueldo [sustantivo masculino] Cantidad de dinero que se paga por un trabajo: *Mis jefes me han dicho que si trabajo bien, me subirán el sueldo.* □ SINÓNIMOS: salario, jornal, paga.

suelo [sustantivo masculino] Superficie sobre la que se ponen los pies cuando se anda: *En mi casa, el suelo es de madera.* □ SINÓNIMOS: piso. FAMILIA: entresuelo.

suelto, ta [adjetivo] **1** Que no está pegado o unido a otras cosas: *Los granos de arroz de la paella deben quedar sueltos.* **2** Libre, o que no está sujeto: *No lleves el perro suelto, porque se puede escapar.* **3** Que no forma parte de un conjunto o que se ha separado de él: *No sé si encontrarás un vestido que te vaya bien, porque sólo quedan tallas sueltas.* **4** Que hace la caca líquida: *Si estás suelta, lo mejor es que sólo comas arroz y pescado hervidos.* **5** [adjetivo o sustantivo masculino] Dicho del dinero, que está en monedas de poco valor: *No tengo suelto, sólo llevo billetes.* □ CONTRARIOS: **1,2** fijo. **2** sujeto. FAMILIA: → soltar.

sueño [sustantivo masculino] **1** Conjunto de imágenes que aparecen en la mente mientras se duerme: *Te voy a contar el sueño que he tenido esta noche.* **2** Ganas de dormir: *Tengo mucho sueño porque hoy he madrugado.* **3** Lo que no es real o no tiene posibilidad de serlo: *Mi sueño es conseguir este premio.* □ SINÓNIMOS: **3** ilusión. FAMILIA: soñar, soñador.

suero [sustantivo] [masculino] Líquido que se mete en la sangre del organismo con una aguja como medicina o como alimentación: *Desde que está en el hospital ya le han puesto dos botellas de suero.*

suerte [sustantivo] [femenino] **1** Destino, casualidad o fuerza que hace que sucedan las cosas de una determinada manera: *La suerte ha querido que nos conociéramos.* **2** Lo que hace que algo resulte favorable o contrario: *Es muy supersticioso y lleva un amuleto para ahuyentar la mala suerte.* **3** Lo que hace que algo resulte favorable: *¡Vaya suerte tienes, ya te ha vuelto a tocar la lotería!* □ SINÓNIMOS: **1,3** fortuna. **3** chiripa.

suficiente 1 [adjetivo] Que es adecuado para lo que se necesita: *No hay suficiente comida para todos.* **2** [sustantivo] [masculino] Nota que indica que se ha pasado el nivel de conocimientos que se pide: *Mi hermano ha sacado suficiente en Música.* □ [El significado **1** no varía en masculino y en femenino]. SINÓNIMOS: **1** bastante. CONTRARIOS: insuficiente.

sufijo [sustantivo] [masculino] Grupo de letras que se añaden al final de una palabra para darle un significado determinado: *El sufijo «-ito» significa «pequeño» y sirve para formar palabras: «perrito», «tontita».* □ [Es distinto de *prefijo*, que se añade a una palabra por delante].

sufrimiento [sustantivo] [masculino] Sensación que se tiene cuando pasa algo triste: *Aquella despedida me causó un gran sufrimiento.* □ SINÓNIMOS: pena, tristeza, dolor, pesar. CONTRARIOS: alegría, gozo, contento, dicha, felicidad. FAMILIA: → sufrir.

sufrir [verbo] **1** Sentir con fuerza un daño o algo que resulta doloroso: *Verte tan triste me hace sufrir.* **2** Aceptar algo que no resulta agradable sin quejarse: *No sufro a las personas que se creen superiores a los demás.* □ SINÓNIMOS: **2** soportar. CONTRARIOS: **1** gozar, disfrutar. FAMILIA: sufrimiento.

sugerencia [sustantivo] [femenino] Idea que se da para hacer algo: *La idea de ir a ver esa película fue una sugerencia de un amigo.* □ SINÓNIMOS: proposición, propuesta, ofrecimiento, oferta. FAMILIA: → sugerir.

sugerir [verbo] **1** Dar una idea para hacer algo: *Como no sabíamos qué plato elegir, el camarero nos sugirió el pescado.* **2** Hacer

sentir algo o hacer pensar en algo: *Una misma música puede sugerir cosas muy distintas a cada persona.* □ [Es irregular y se conjuga como SENTIR]. SINÓNIMOS: **1** proponer. **2** inspirar. FAMILIA: sugerencia.

suicidarse [verbo] Quitarse la vida por voluntad propia: *La desesperación lleva a algunas personas a suicidarse.* □ FAMILIA: suicidio.

suicidio [sustantivo] [masculino] Hecho de quitarse la vida por voluntad propia: *Su intento de suicidio se debió a que sufría una profunda depresión.* □ FAMILIA: → suicidarse.

suizo, za 1 [adjetivo o] [sustantivo] De Suiza, que es un país de Europa: *Berna es la capital suiza.* **2** [sustantivo] [masculino] Bollo alargado, con un montoncito de azúcar en el centro: *He desayunado un vaso de leche y un suizo.*

sujetador [sustantivo] [masculino] Prenda interior femenina que sirve para sujetar el pecho: *La blusa se trasparenta y se te ve el sujetador.* □ SINÓNIMOS: sostén. FAMILIA: → sujeto.

sujetar [verbo] Agarrar o mantener algo seguro, de modo que no se mueva o no se caiga: *Las columnas sujetan el techo.* □ SINÓNIMOS: sostener, aguantar, soportar. FAMILIA: → sujeto.

sujeto, ta [adjetivo] **1** Que está seguro y no se mueve: *Lleva el pelo sujeto con una goma.* **2** Que depende de algo, o que puede recibir el efecto de algo: *Los políticos están sujetos a las críticas de todo el mundo.* **3** [sustantivo] [masculino] Persona a la que no se conoce o cuyo nombre no se quiere decir: *¿Quién era aquel sujeto que nos saludó?* **4** En gramática, palabra o conjunto de palabras de una oración que van en singular o en plural según el verbo esté en singular o en plural: *En la oración «Las flores huelen bien», «las flores» es el sujeto.* □ SINÓNIMOS: **1** fijo. **3** individuo, tipo, tío. CONTRARIOS: **1** suelto. FAMILIA: subjetivo, sujetar, sujetador.

sultán, -a [sustantivo] Príncipe o primer gobernante en algunos países musulmanes: *El antiguo emperador turco era un sultán.*

suma [sustantivo] [femenino] **1** Operación que consiste en reunir varias cantidades o cosas en una sola: *El signo de la suma es una cruz.* **2** Resultado de esta operación: *Cuatro es la suma de dos y dos.* **3** Cantidad de dinero o conjunto de varias unidades: *Ese cochazo te habrá costado una buena suma de dinero.* **4** [expresión] **en suma** Como conclusión o para terminar: *En suma, que si no cambias de actitud vas a tener problemas.* □ SINÓNIMOS: **2** total. **4** en resumen. FAMILIA: → sumar.

sumar [verbo] Unir varias cantidades o cosas en una sola: *Ya sé sumar y restar.* □ SI-

NÓNIMOS: añadir, agregar. CONTRARIOS: quitar, restar. FAMILIA: suma.

sumergir [verbo] Introducir algo del todo en un líquido: *Los submarinos son barcos que pueden sumergirse en el agua.* □ [La g se cambia en j delante de a, o, como en DIRIGIR]. SINÓNIMOS: hundir.

suministrar [verbo] Dar algo que resulta ne-

sufijos		
sufijos	**significado**	**ejemplo**
–áceo, ácea	Parecido a	*rosáceo*
–aco, –aca	Despectivo	*pajarraco, libraco*
	Gentilicio	*austriaco, polaca*
–ada	Golpe o herida	*patada, puñalada*
	Acción	*tontada, marranada*
–aje	Acción	*aterrizaje, hospedaje*
	Conjunto	*ramaje, correaje*
–ajo, aja	Despectivo	*pequeñajo*
–ano, –ana	Gentilicio	*italiano, peruana*
–ario, –aria	Profesión	*bibliotecario, boticaria*
–astro, –astra	Despectivo	*camastro, poetastro*
–avo, –ava	Indica una parte	*doceavo, quinceava*
–azo	Golpe	*cabezazo, puñetazo*
–azo, –aza	Aumentativo	*padrazo, cochazo*
–ción	Acción	*ventilación, colocación*
–dad	Cualidad	*bondad, antigüedad*
–dero, –dera	Lugar	*matadero, pradera*
–dor, –dora	Profesión	*pescador, vendedora*
–eño, –eña	Gentilicio	*extremeño, malagueña*
–ería	Tienda	*panadería, heladería*
–ería	Acción	*niñería, tontería*
–ero, –era	Profesión	*torero, enfermera*
–eza	Cualidad	*belleza, franqueza*
–ezno, –ezna	Cría	*lobezno, osezno*
–ico, –ica	Relación	*económico, artística*
–il	Relación	*varonil, infantil*
–ín, –ina	Diminuto	*lapicerín, librín*
–ísimo, ísima	Superlativo	*tontísimo, flaquísima*
–ismo	Sistema	*comunismo, humanismo*
–ista	Profesión	*taxista, recepcionista*
–ito, –ita	Diminutivo	*padrecito, barquita*
–izo, –iza	Semejanza	*pajizo, enfermiza*
–mente	Forma o manera	*tontamente, fácilmente*
–miento	Acción	*movimiento, alejamiento*
–ón, –ona	Aumentativo	*zapatón, cabezona*
–or, –ora	Que hace algo	*defensor, habladora*
–oso, –osa	Cualidad	*perezoso, verdosa*
–ote, –ota	Aumentativo	*grandote, blancota*
–ucho, –ucha	Despectivo	*feúcho, casucha*
–uco, –uca	Diminutivo	*feúco, ventanuco*
–udo, –uda	Abundancia	*bigotudo, peluda*
–uzco, –uzca	Cualidad	*blancuzco, parduzca*

a
b
c
d
e
f
g
h
i
j
k
l
m
n
ñ
o
p
q
r
s
t
u
v
w
x
y
z

a
b
c
d
e
f
g
h
i
j
k
l
m
n
ñ
o
p
q
r
s
t
u
v
w
x
y
z

cesario: *Durante la sequía, unos camiones cisterna se encargaron de suministrar agua a la población.* □ SINÓNIMOS: proveer, facilitar, proporcionar, abastecer, surtir. CONTRARIOS: quitar, privar, despojar.

[súper 1 [adjetivo] Superior o muy bueno: *¡Esa marca de coches es súper, eh!* **2** [sustantivo masculino] Supermercado: *Fui al súper a comprar fiambres y bebidas.* **3** [sustantivo femenino] Gasolina de calidad superior: *La súper es más cara que la gasolina normal.* □ [El significado **1** no varía en masculino y en femenino, ni en singular y plural. Los significados **1** y **2** son coloquiales]. FAMILIA: → superior.

superar [verbo] **1** Ser mejor o superior en algo: *Esta asignatura supera en dificultad a todas las demás.* **2** Vencer una dificultad o tener éxito en una prueba: *Si no superas esta prueba, no pasarás a la final.* **3** Ir más allá de un límite: *Este verano, las temperaturas superaron los cuarenta grados.* **4** **superarse** Hacer algo mejor que en otras ocasiones: *Siempre te salen muy buenas las tartas, pero con ésta te has superado.* □ SINÓNIMOS: **1,2** pasar. **1** aventajar, ganar. **2** salvar. **3** batir. FAMILIA: → superior.

superficial [adjetivo] **1** De la superficie o relacionado con ella: *Un rasguño es una herida superficial.* **2** Que se basa en el aspecto externo de algo, sin prestar atención a lo más profundo: *No seas tan superficial e intenta conocer a fondo a la gente.* □ [No varía en masculino y en femenino]. CONTRARIOS: profundo. FAMILIA: → superficie.

superficie [sustantivo femenino] **1** Parte externa de un cuerpo: *¡Qué superficie tan áspera!* **2** Extensión de tierra: *En esta superficie van a construir unos grandes almacenes.* **3** Extensión plana de una figura: *La superficie de un rectángulo equivale al resultado de multiplicar su base por su altura.* □ SINÓNIMOS: **3** área. CONTRARIOS: **1** fondo. FAMILIA: superficial.

superfluo, flua [adjetivo] Que no es necesario o que está de más: *Tengo que ahorrar y no quiero gastarme el dinero en cosas superfluas.* □ CONTRARIOS: necesario.

superior [adjetivo] **1** Más alto o más arriba: *He conocido al vecino del piso superior.* **2** Que es mayor en calidad o en cantidad: *El peso de mi padre es superior al mío.* **3** Ex-

celente o muy bueno: *La comida te ha salido superior.* **4** [adjetivo o sustantivo masculino] Dicho de una persona, que tiene autoridad sobre otras que dependen de ella: *Un soldado debe obedecer las órdenes de su superior.* □ [Cuando es adjetivo no varía en masculino y en femenino. Con el significado **3** se usa mucho la forma abreviada súper]. SINÓNIMOS: **4** jefe. CONTRARIOS: inferior. **4** subordinado. FAMILIA: superioridad, súper, supremo, superar, superlativo.

superioridad [sustantivo femenino] Estado o condición de lo que es superior en cantidad o en calidad: *La superioridad de nuestro equipo quedó clara al ganar por tanta diferencia de puntos.* □ FAMILIA: → superior.

superlativo, va [adjetivo o sustantivo masculino] Que expresa superioridad en su significado: *«Muy alto» y «altísimo» son dos superlativos de «alto».* □ FAMILIA: → superior.

supermercado [sustantivo masculino] Establecimiento en el que se venden alimentos y otros productos, y donde el cliente se sirve a sí mismo y paga a la salida: *Siempre hago la compra en el supermercado.* □ [Se usa mucho la forma abreviada súper]. FAMILIA: → mercado.

superstición [sustantivo femenino] Creencia que no se apoya en una religión ni en la razón: *Creer que pasar debajo de una escalera trae mala suerte es una superstición.* □ FAMILIA: supersticioso.

supersticioso, sa [adjetivo] Que cree en cosas que no se apoyan en una religión ni en la razón: *Es muy supersticioso y no se viste de amarillo porque cree que trae mala suerte.* □ FAMILIA: → superstición.

superviviente [adjetivo o sustantivo] Que queda vivo después de un accidente grave o de la muerte de otra persona: *En los accidentes de aviación no suele haber supervivientes.* □ [No varía en masculino y en femenino]. FAMILIA: → vivir.

suplemento [sustantivo masculino] Lo que completa algo o lo hace más amplio: *Los domingos, el periódico trae un suplemento en color.*

suplente [adjetivo o sustantivo] Que sustituye a una persona que falta: *El portero titular se lesionó y lo sustituyó el suplente.* □ [No varía en masculino y en femenino]. SINÓNIMOS: sustituto.

suplicar [verbo] Pedir algo como un favor y sin orgullo: *Te suplico que me ayudes, por-*

que no sé cómo salir de este problema. ☐ [La c se cambia en qu delante de e, como en SACAR]. SINÓNIMOS: rogar.

suplicio [sustantivo masculino] Lo que hace sufrir mucho o causa un gran dolor: *¡Qué suplicio aguantar a ese pesado todo el día!* ☐ SINÓNIMOS: tormento, tortura. CONTRARIOS: placer.

suponer [verbo] **1** Considerar algo como cierto o como posible: *Te cogí el libro porque supuse que no te hacía falta.* **2** Significar, costar o tener como consecuencia: *Terminar esto a tiempo me va a suponer mucho esfuerzo.* **3** Tener valor o importancia: *Tu amistad supone mucho para mí.* ☐ [Es irregular y se conjuga como PONER. Su participio es supuesto]. SINÓNIMOS: **1** creer, calcular, imaginar. **2** implicar. **3** significar. FAMILIA: → poner.

suposición [sustantivo femenino] Consideración de que algo es de determinada manera: *Mi suposición resultó equivocada.* ☐ SINÓNIMOS: supuesto. FAMILIA: → suponer.

supositorio [sustantivo masculino] Medicina de forma alargada y terminada en punta, que se introduce por el agujero del culo: *El médico me ha mandado unos supositorios.*

supremo, ma [adjetivo] Con el grado más alto: *El Tribunal Supremo es el que tiene mayor autoridad.* ☐ FAMILIA: → superior.

suprimir [verbo] Quitar algo o hacerlo desaparecer: *Suprimieron una parte de la película porque resultaba demasiado larga.* ☐ SINÓNIMOS: eliminar.

supuesto, ta **1** Participio irregular de **suponer**. **2** [adjetivo] Que se considera verdadero, aunque no se ha demostrado: *Han detenido al supuesto autor del robo.* **3** [sustantivo masculino] Consideración de que algo es de determinada manera, aunque no se haya demostrado: *Los científicos hacen experimentos para comprobar si son ciertos los supuestos de sus teorías.* **4** [expresión] **por supuesto** Sin duda: *Le pregunté si me ayudaba y contestó: «¡Por supuesto!».* ☐ SINÓNIMOS: suposición. **4** desde luego. FAMILIA: → suponer.

sur [sustantivo masculino] Mirando hacia donde sale el sol, lugar que está a la derecha: *España, Italia y Grecia son países del sur de Europa.* ☐ [Cuando es el punto cardinal se suele escribir con mayúscula]. SINÓNIMOS: mediodía. CONTRARIOS: norte. FAMILIA: sudeste, sudoeste, sureste, suroeste.

sureste [sustantivo masculino] Lugar entre el Sur y el Este: *Almería está en el sureste de España.* ☐ SINÓNIMOS: sudeste. FAMILIA: → sur.

[surf [sustantivo masculino] Deporte que consiste en usar una tabla para moverse sobre las olas: *En la playa siempre hay alguien practicando surf.* ☐ [Es una palabra inglesa].

SURF

surgir [verbo] Mostrarse algo o empezar a existir: *A última hora empezaron a surgir problemas de todo tipo.* ☐ [La g se cambia en j delante de a, o, como en DIRIGIR]. SINÓNIMOS: brotar, aparecer. CONTRARIOS: desaparecer.

suroeste [sustantivo masculino] Lugar entre el Sur y el Oeste: *El Golfo de Cádiz está al suroeste de la península Ibérica.* ☐ SINÓNIMOS: sudoeste. FAMILIA: → sur.

surtidor, -a [sustantivo masculino] **1** Aparato que hay en las estaciones de servicio para echar gasolina a los vehículos: *En la gasolinera hay un surtidor de gasolina normal y otro de súper.* **2** Fuente por la que sale un líquido: *En el centro del parque hay un surtidor.* ☐ FAMILIA: → surtir.

SURTIDOR

surtir [verbo] Dar algo que resulta necesario: *Esa central lechera surte de leche a toda la comarca.* ☐ SINÓNIMOS: suministrar, proporcionar, proveer, abastecer, facilitar. CONTRARIOS: privar, quitar, despojar. FAMILIA: surtidor.

suspender [verbo] **1** Poner o sacar una nota que indica que no se tiene un nivel de conocimientos suficiente: *Si no estudias sus-*

a

b

c

d

e

f

g

h

i

j

k

l

m

n

ñ

o

p

q

r

s

t

u

v

w

x

y

z

penderás los exámenes. **2** Impedir que siga el desarrollo de algo: *Empezó a llover y tuvieron que suspender la fiesta al aire libre.* **3** Colgar algo en alto de modo que se sujete en el aire por un punto: *El alpinista bajó la montaña suspendiéndose de una cuerda.* □ SINÓNIMOS: **1** catear, cepillarse. **2** interrumpir, parar, cancelar, detener. CONTRARIOS: **1** aprobar. FAMILIA: suspenso, suspense.

suspense [sustantivo masculino] Misterio que hay en una situación porque no se conoce lo que puede suceder: *Las novelas de intriga tienen suspense.* □ FAMILIA: → suspender.

suspenso [sustantivo masculino] Nota que indica que no se ha llegado a un nivel de conocimientos suficiente: *Una nota inferior a cinco es un suspenso.* □ SINÓNIMOS: calabaza, cate. CONTRARIOS: aprobado. FAMILIA: → suspender.

suspirar [verbo] Hacer respiraciones profundas y largas, generalmente para expresar pena, deseo o descanso: *La viuda no dejó de llorar y de suspirar durante todo el entierro.* □ FAMILIA: suspiro.

suspiro [sustantivo masculino] Respiración profunda y larga, que suele expresar pena, deseo o descanso: *Cuando me dijeron que el peligro había pasado, di un suspiro de alivio.* □ FAMILIA: → suspirar.

sustancia [sustantivo femenino] **1** Cualquier materia en cualquier estado: *Un pegamento es una sustancia que pega.* **2** Jugo que se extrae de los alimentos, o parte de ellos que alimenta más: *Echa un hueso de jamón al cocido para darle sustancia.* □ [Se escribe también *substancia*].

sustantivo [sustantivo masculino] Clase de palabra que sirve para nombrar a personas, animales o

cosas: *«Diente» y «dulzura» son sustantivos.* □ SINÓNIMOS: nombre.

sustitución [sustantivo femenino] Colocación de una cosa en lugar de otra: *El entrenador decidió la sustitución de un delantero por un defensa.* □ [Se escribe también *substitución*]. SINÓNIMOS: cambio. FAMILIA: → sustituir.

sustituir [verbo] Poner una cosa en lugar de otra: *Sustituye los números por las letras correspondientes y leerás una palabra.* □ [La *i* se cambia en *y* delante de *a*, *e*, *o*, como en HUIR. Se escribe también *substituir*]. SINÓNIMOS: cambiar. FAMILIA: sustituto.

sustituto, ta [adjetivo o sustantivo] Que sustituye a una persona en sus funciones: *Si un profesor se pone enfermo, viene un sustituto para que no perdamos clases.* □ [Se escribe también *substituto*]. SINÓNIMOS: suplente. FAMILIA: → sustituir.

susto [sustantivo masculino] Impresión fuerte y repentina, causada por la sorpresa o por el miedo: *Se escondió detrás de la puerta para darme un susto cuando yo entrara.* □ FAMILIA: asustar, asustadizo.

susurrar [verbo] Hablar en voz muy baja: *Me susurró un secreto al oído.* □ SINÓNIMOS: murmurar. CONTRARIOS: vociferar, vocear, chillar. FAMILIA: susurro.

susurro [sustantivo masculino] Sonido suave y continuo: *Cuando el maestro dijo que íbamos a hacer un juego, se oyeron susurros en la clase.* □ SINÓNIMOS: murmullo, rumor. CONTRARIOS: chillido. FAMILIA: → susurrar.

suyo, ya [pronombre posesivo] Indica que algo pertenece a la tercera persona: *La chaqueta es de mi prima, pero los zapatos no son suyos.* □ [Cuando va delante de un sustantivo se cambia por *su*: *su lápiz, sus gafas*]. FAMILIA: → él.

templo egipcio

templo griego

templo romano

iglesia

ermita

capilla

catedral

sinagoga

mezquita

pagoda

militar

marinero

guardia urbano

policía

guardia de seguridad

bombero

dependienta

barrendero

cartera

mayordomo

doncella

camarero

cocinero

botones

chófer

jefe de estación

azafata

piloto

colegiales

cirujana

enfermera

mecánico

deportista

árbitro

a

tachar [verbo] **1** Hacer líneas sobre algo escrito para que no se vea o porque nos hemos confundido: *¿Por qué has tachado lo que yo había escrito?* **2** Señalar lo que alguien tiene de malo: *Me tachó de egoísta.* □ FAMILIA: tachón, tachadura.

b

c

tachón [sustantivo masculino] Conjunto de líneas que se hacen unas sobre otras para tapar lo que se ha escrito porque no sirve: *Me confundí al escribir esa palabra e hice un tachón.* □ SINÓNIMOS: tachadura. FAMILIA: → tachar.

d

e

f

tachuela [sustantivo femenino] Especie de clavo con la punta muy corta y la cabeza muy grande: *La tapicería del sofá está clavada con tachuelas.*

g

h

i

taco [sustantivo masculino] **1** Trozo pequeño y gordo de un material: *Puse un taco de madera encajado en la puerta para que no se cerrara.* **2** Trozo pequeño y gordo de un alimento: *Cortó el queso en tacos.* 🖾 página 612. **3** Palabra que suena mal o que se dice para insultar: *Aunque estés enfadado, no debes decir tacos.* **4** Mezcla de ideas que nos confunde: *Me hice un taco y contesté a las preguntas al revés.* **5** Gran cantidad de algo: *Encima de la silla hay un taco de discos.* **6** Palo largo que se usa para golpear las bolas en algunos juegos: *¡Cómo vas a jugar al billar, si no sabes ni coger el taco...!* **7** [plural] Años de edad de una persona: *Mi padre ya tiene cuarenta y cinco tacos.* □ [Las acepciones **4**, **5** y **7** son coloquiales].

j

k

l

m

n

ñ

o

p

tacón [sustantivo masculino] Parte del zapato que se apoya en el suelo y que está debajo del talón: *Mi madre usa zapatos de tacón alto.* □ FAMILIA: taconear.

q

r

s

taconear [verbo] Golpear el suelo varias veces seguidas con la parte de abajo de los zapatos: *Me gustaría saber taconear como los bailarines de flamenco.* □ FAMILIA: → tacón.

t

u

táctico, ca **1** [adjetivo] Relacionado con el plan o con el sistema para hacer algo: *El coronel explicó el esquema táctico de la batalla.* **2** [sustantivo femenino] Plan o sistema para conseguir algo: *Si quieres que te haga caso tendrás que cambiar de táctica y dejar de darme la tabarra.*

v

w

x

y

táctil [adjetivo] Del sentido que permite conocer las cosas al tocarlas: *Los ciegos se guían por

z

las sensaciones táctiles. □ [No varía en masculino y en femenino]. FAMILIA: → tacto.

tacto [sustantivo masculino] **1** Capacidad para sentir las cosas al tocarlas: *Las personas ciegas tienen el tacto más desarrollado que los demás.* **2** Hecho de tocar algo: *Al tacto, adiviné el objeto que era.* **3** Habilidad para tratar con las personas sin hacerles daño ni molestarlas: *Como era un asunto muy delicado, se lo dije con mucho tacto.* □ FAMILIA: táctil.

tajada [sustantivo femenino] **1** Trozo cortado de un alimento: *Me comí dos tajadas de carne guisada.* 🖾 página 612. **2** Ganancia que se obtiene de algo y que se divide entre varios: *Cuando nos repartimos los premios, tú siempre te llevas la mejor tajada.* □ [El significado **2** es coloquial].

tal [adjetivo] **1** Igual o de la misma forma: *Es tal como me imaginaba.* **2** Tan grande o muy grande: *Me llevé tal sorpresa que me quedé sin habla.* [adjetivo o sustantivo] **3** Se usa para indicar algo de lo que se ha estado hablando: *¿Quién ha tenido tal idea?* **4** Se usa para indicar algo no conocido o no determinado: *No me importa lo que haga tal persona, pero sí lo que hagas tú.* **5** [expresión] **con tal de** Con la condición de: *Te acompañaré, con tal de que luego tú me ayudes a acabar esto.* **tal cual** De igual forma que algo: *Se lo expliqué tal cual, con las mismas palabras que tú.* □ [No varía en masculino y en femenino].

taladradora [sustantivo femenino] Máquina que sirve para hacer agujeros en una superficie dura: *He hecho un agujero en la pared con la taladradora.* 🖾 página 431. □ FAMILIA: → taladro.

taladrar [verbo] **1** Hacer agujeros en una superficie con un instrumento acabado en punta: *Tienes que taladrar la pared para meter ese clavo.* **2** Molestar mucho un ruido: *Esos golpes me taladran los oídos.* □ FAMILIA: → taladro.

taladro [sustantivo masculino] **1** Instrumento que sirve para hacer agujeros: *Si quieres hacer un agujero más grande, tienes que colocar en el taladro eléctrico una punta más gruesa.* **2** Agujero hecho con este instrumento: *Tienes que hacer varios taladros en la pared para colgar el espejo.* □ FAMILIA: taladrar, taladradora.

talar [verbo] Cortar un árbol por la parte baja del tronco: *Los leñadores talaron algunos árboles del bosque.*

talco [sustantivo masculino] Piedra blanda de la que se obtienen unos polvos que se echan sobre la piel cuando nos pica: *Los polvos de talco suavizan la piel.*

talento [sustantivo masculino] Inteligencia o capacidad que se tiene para hacer muy bien algo: *Es una actriz con mucho talento y pronto será famosa.*

talgo [sustantivo masculino] Un tipo de tren: *El talgo es más rápido que otros trenes.*

talismán [sustantivo masculino] Objeto que se cree que da buena suerte: *Siempre llevo mi talismán a los exámenes.* □ SINÓNIMOS: amuleto, fetiche.

talla [sustantivo femenino] **1** Medida que usamos en una prenda de vestir: *Mi talla de pantalones es la misma que la tuya.* **2** Altura de una persona desde los pies a la cabeza: *Si tus padres son de talla pequeña, tú no vas a ser muy alto.* **3** Importancia de una persona por sus cualidades: *Los que ayudan a los demás sin recibir nada a cambio tienen una gran talla humana.* **4** Imagen hecha de madera: *En la iglesia hay varias tallas de santos.* **5** [expresión] **dar la talla** Tener las cualidades necesarias para hacer algo: *A mi hermano no le han dado el trabajo porque dicen que no daba la talla.* □ SINÓNIMOS: **2** estatura. FAMILIA: tallar, taller.

tallar [verbo] **1** Medir la altura de una persona: *Junto al reconocimiento médico que me han hecho, me han tallado y pesado.* **2** Dar forma a un material duro: *Este joyero talla diamantes.* □ FAMILIA: → talla.

taller [sustantivo masculino] **1** Lugar en el que se hacen obras y trabajos con las manos: *Ese local es un taller de cerámica.* **2** Curso donde se aprenden cosas sobre algún arte: *Me apunté a un taller de pintura.* **3** Lugar en el que se arreglan cosas: *Mi padre es mecánico y trabaja en ese taller.* □ FAMILIA: → talla.

tallo [sustantivo masculino] Parte de una planta de donde salen las ramas, las hojas o las flores: *El tallo de la rosa tiene espinas.*

talón [sustantivo masculino] **1** Parte de atrás del pie de una persona: *El talón es redondeado.* **2** Hoja en la que se escribe algo y que luego se arranca para dársela a alguien: *Los cheques son talones.* **3** [expresión] **pisarle a alguien los talones** Seguirlo de cerca: *La policía va pisando los talones al fugitivo.* □ FAMILIA: talonario.

talonario [sustantivo masculino] Especie de cuaderno de pequeñas hojas de papel en las que se escribe algo y luego se arrancan: *Mi madre pidió en el banco un talonario de cheques.* □ FAMILIA: → talón.

tamaño [sustantivo masculino] Conjunto de las medidas de algo: *Esta camisa es de menor tamaño que la tuya.*

tambalearse [verbo] **1** Moverse algo de un lado a otro como si estuviera a punto de caer: *Me dieron un empujón y me tambaleé.* **2** Estar poco seguro: *Tus conocimientos se tambalean porque no los has aprendido bien.*

también [adverbio] Se usa para indicar unión o relación con algo: *Yo también estoy de acuerdo. Si tú vas, yo también.* □ CONTRARIOS: tampoco.

tambor [sustantivo masculino] **1** Instrumento musical redondo y hueco, que se toca golpeándolo con dos palos: *Deja de tocar el tambor, que me estás dando dolor de cabeza.* 🔍 página 606. **2** Lo que por su forma se parece a este instrumento: *La lavadora debe de estar rota, porque el tambor no da vueltas.*

tampoco [adverbio] Se usa para indicar unión con otra frase negativa: *Ellos no me han felicitado por mi cumpleaños, pero tú tampoco.* □ CONTRARIOS: también.

tampón [sustantivo masculino] **1** Caja pequeña que tiene dentro un material mojado con tinta: *La bibliotecaria mojó el sello del colegio en el tampón y marcó con él el libro prestado.* **2** Objeto alargado que se ponen las mujeres para absorber la sangre cuando tienen el período: *Algunas mujeres usan tampones y otras, compresas.*

tan [adverbio] **1** Indica cantidad: *¡Qué coche tan bonito!* **2** Indica igualdad con otra cosa: *Yo soy tan listo como tú.* **3** Indica consecuencia: *Esta maleta es tan pesada que no puedo con ella.*

tanda [sustantivo femenino] **1** Conjunto de cosas iguales o con alguna característica común: *Tengo una tanda de ropa para lavar.* **2** Cada una de las veces en las que hay que hacer algo o cada uno de los grupos en que se divide un conjunto: *No llegué de los primeros y entré en la segunda tanda.*

tango [sustantivo masculino] Baile, música y canción típicos de Argentina: *Los tangos suelen ser muy tristes.* 🔍 página 117.

tanque [sustantivo masculino] **1** Vehículo de guerra, fuerte y pesado, que se usa para andar por terrenos difíciles: *Los tanques tienen un cañón en la parte de arriba.* **2** Recipiente grande donde se guarda algo: *Ese camionero está llenando el tanque de la gasolina de su camión.* □ SINÓNIMOS: **1** carro de combate.

tantear [verbo] Intentar descubrir lo que alguien piensa sobre algo sin que se dé cuenta: *Tanteé a mis padres para saber si me dejarían ir a la excursión.* □ FAMILIA: → tanto.

tanto, ta 1 [adjetivo o sustantivo] Mucho o en una cantidad grande: *No sé cómo voy a hacer tantas cosas.* **2** [sustantivo masculino] Punto que se obtiene en un juego cada vez que se vence al contrario: *Mi equipo de fútbol ganó por dos tantos a uno.* **tanto** [adverbio] **3** Indica cantidad: *No fuerces tanto la vista.* **4** Indica igualdad con otra cosa: *Sabe tanto como yo de matemáticas.* **5** [expresión] **estar al tanto** Estar enterado: *Ya estoy al tanto de cómo van las clases.* **las tantas** Muy tarde: *Cuando vayas a llegar a las tantas, avísame para que no me asuste.* **por tanto** Se usa para expresar consecuencia: *Tu dibujo está mal, por tanto, tienes que mejorarlo.* **tanto por ciento** Cantidad que representa una parte de un total de cien: *Un tanto por ciento de mi paga semanal la gasto en golosinas.* □ FAMILIA: tantear.

tapa [sustantivo femenino] **1** Pieza que cubre o cierra algo que se puede abrir: *¿Dónde está la tapa de la caja de zapatos?* **2** Parte del zapato que se apoya en el suelo y que corresponde a la zona del tacón: *Las tapas se colocan debajo del tacón.* **3** Cada una de las dos partes exteriores y duras de un libro: *En la tapa delantera del libro está el título.* **4** Alimento que se pone para acompañar la bebida: *El camarero nos puso unas tapas de queso con los refrescos.* □ FAMILIA: tapar, tapadera, tapón, taponar, tapete, destapar.

tapadera [sustantivo femenino] **1** Tapa de un recipiente: *Mi padre colocó la cacerola en el fuego y la tapó con la tapadera.* **2** Lo que sirve para ocultar algo malo: *Ese negocio era una tapadera para el contrabando de tabaco.* □ FAMILIA: → tapa.

tapar [verbo] **1** Poner algo encima de otra cosa de modo que ésta no se vea: *Cuando cojas las pastas, tapa la caja para que no se estropeen.* **2** Cerrar una abertura o meter algo en ella de modo que quede cerrada: *Me tapé la nariz porque olía muy mal.* **3** Esconder algo mostrando otra cosa en su lugar: *No intentes tapar tus defectos, porque todos los conocemos.* **4** Cubrir con ropa para proteger del frío: *Me tapé bien porque hacía muchísimo frío y no quería coger un catarro.* □ SINÓNIMOS: **1,3** cubrir. CONTRARIOS: destapar. **1,3** descubrir. **3** desvelar. FAMILIA: → tapa.

taparrabo o **taparrabos** [sustantivo masculino] Trozo pequeño de tela o de otra cosa que usan algunas personas para taparse los órganos sexuales: *En esa tribu se visten con un taparrabos hecho con piel de leopardo.* □ [Taparrabos no varía en singular y en plural]. FAMILIA: → rabo.

TAPARRABO O TAPARRABOS

tapete [sustantivo masculino] Trozo de tela que se pone sobre una mesa para jugar a algunos juegos

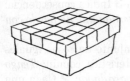

TAPA

o como adorno: *Las mesas de juego del bar tienen un tapete verde.* □ FAMILIA: → tapa.

tapia [sustantivo femenino] Pared que separa un terreno: *Saltamos la tapia del jardín subiéndonos uno encima del otro.* □ FAMILIA: tapiar.

tapiar [verbo] **1** Cerrar un hueco construyendo una pared: *Los albañiles tapiaron una de las puertas de la casa.* **2** Rodear un lugar con un muro: *Han tapiado el campo de fútbol para que no entre nadie sin permiso.* □ FAMILIA: → tapia.

tapicería [sustantivo femenino] **1** Lugar donde ponen telas a los muebles: *Mis padres han llevado varias sillas a una tapicería para que las forren con la misma tela que el sillón nuevo.* **2** Tela que se usa para cubrir muebles y otras cosas de la casa: *La tapicería de este sillón es de cuadros.* □ FAMILIA: → tapiz.

tapicero, ra [sustantivo] Persona que se dedica a poner telas a los muebles que las necesitan: *Mis padres dijeron al tapicero que forrara el sillón con cuero negro.* □ FAMILIA: → tapiz.

tapiz [sustantivo masculino] Especie de cuadro que se hace con tela y que se usa como adorno para cubrir paredes: *En ese palacio hay varios tapices con escenas de caza.* □ [Su plural es *tapices*]. FAMILIA: tapizar, tapicería, tapicero.

tapizar [verbo] Cubrir parte de un mueble con tela: *Como este sillón está ya muy viejo, he llamado a un tapicero para que lo tapice.* □ [La z se cambia en c delante de e, como en CAZAR]. FAMILIA: → tapiz.

tapón [sustantivo masculino] **1** Lo que se pone en un agujero para cerrarlo: *El tapón de esta botella es de corcho.* **2** Lo que impide el paso de algo por algún sitio: *Como la calle está en obras, todos los días se forma un tapón de coches.* **3** Persona baja y gorda: *Esa pareja es muy curiosa, porque uno es muy alto y el otro es un tapón.* □ [El significado **3** es coloquial]. FAMILIA: → tapa.

taponar [verbo] Cerrar un agujero o impedir el paso por algún lugar: *Ese coche mal aparcado tapona la calle.* □ FAMILIA: → tapa.

taquigrafía [sustantivo femenino] Forma de escribir muy rápida y en la que se usan signos especiales: *Esta secretaria coge a taquigrafía las cartas que le dicta su jefa.* □ FAMILIA: → grafía.

taquígrafo, fa [sustantivo] Persona que sabe escribir de forma muy rápida y con signos especiales: *El taquígrafo cogió hasta la última coma del discurso.* □ FAMILIA: → grafía.

taquilla [sustantivo femenino] **1** Lugar donde se venden entradas o billetes para ir a algún sitio: *Me acerqué a la taquilla del cine a comprar las entradas.* **2** Mueble para que una persona guarde sus cosas por poco tiempo: *En los gimnasios hay taquillas para dejar la ropa mientras se hace deporte.* □ FAMILIA: taquillero.

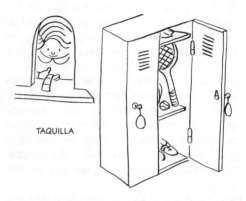

TAQUILLA

taquillero, ra 1 [adjetivo] Dicho de un espectáculo, que produce mucho dinero porque va mucha gente a verlo: *Esta película ha sido una de las más taquilleras en la historia del cine.* **2** [sustantivo] Persona que vende entradas para un espectáculo o billetes para viajar: *El taquillero del cine me dio entradas para las butacas de la décima fila.* □ FAMILIA: → taquilla.

tarado, da [adjetivo o sustantivo] Que está loco o que tiene algún defecto que le impide comportarse como los demás: *Hay que estar tarado para hacer semejantes locuras.* □ [Es despectivo].

tarántula [sustantivo femenino] Araña grande, negra y con pelos: *Las tarántulas son venenosas.*

tararear [verbo] Cantar la música de una canción, pero no la letra: *Está tan contento que tararea a todas horas su canción preferida.*

tardanza [sustantivo femenino] Retraso, o uso de mucho tiempo para hacer algo: *Mis padres estaban preocupados por mi tardanza.* □ FAMILIA: → tarde.

tardar [verbo] **1** Usar una cantidad de tiempo

en hacer algo: *Tardé mucho en encontrar la solución de la adivinanza.* **2** Usar más tiempo del normal en hacer algo: *Es raro que tarde en llegar, porque es una persona muy puntual.* □ FAMILIA: → tarde.

tarde 1 [sustantivo/femenino] Período de tiempo que va desde después de comer hasta que deja de haber luz del sol: *Los viernes por la tarde no tengo clase.* [adverbio] **2** En las últimas horas del día o de la noche, o en la parte última de un período de tiempo: *No te acuestes tarde, que mañana tienes que madrugar.* **3** Después de un tiempo señalado: *He llegado tarde a la cita porque cuando salía de casa me han llamado por teléfono.* **4** [expresión] **buenas tardes** Se usa para saludar después de comer y antes de hacer la última comida del día: *Buenas tardes, ¿qué tal has pasado la mañana?* **de tarde en tarde** De manera poco frecuente o dejando pasar mucho tiempo entre una cosa y otra: *Nos llama por teléfono de tarde en tarde, así que no sé qué hace ahora.* □ CONTRARIOS: **2,3** temprano, pronto. FAMILIA: tardar, tardanza, tardón, tardío.

tardío, a [adjetivo] Que se retrasa, o que ocurre después del tiempo normal: *Este año la cosecha ha sido tardía porque ha llovido muy poco.* □ CONTRARIOS: temprano. FAMILIA: → tarde.

tardón, -a [adjetivo o sustantivo] Que suele hacer las cosas muy despacio: *Eres un tardón y siempre tenemos que esperarte.* □ FAMILIA: → tarde.

tarea [sustantivo/femenino] Cada una de las cosas que una persona tiene que hacer: *Toda la familia ayuda en las tareas de la casa.* □ SINÓNIMOS: quehacer, ocupación, trabajo, faena, labor. FAMILIA: atareado.

tarifa [sustantivo/femenino] Precio fijo que hay que pagar por recibir algún servicio: *Ha subido la tarifa del teléfono.*

tarima [sustantivo/femenino] Superficie levantada a poca altura del suelo: *La mesa del profesor está sobre la tarima de la clase.*

TARIMA

tarjeta [sustantivo/femenino] Trozo de cartulina o de otro material, que suele tener algo escrito: *En la tienda nos dieron una tarjeta con el teléfono. Las tarjetas de crédito son de plástico.*

tarraconense [adjetivo o sustantivo] De la provincia de Tarragona o de su capital: *Cuando estuve en Cataluña, fui de excursión a algunas playas tarraconenses.* □ [No varía en masculino y en femenino].

tarrina [sustantivo/femenino] Recipiente pequeño y con tapa, que se usa para meter algunos alimentos: *¿Me pasas la tarrina de la mantequilla, por favor?* □ FAMILIA: → tarro.

TARRINA

TARRO

tarro 1 [sustantivo/masculino] Recipiente de cristal o de barro, que suele ser más alto que ancho: *Se me cayó un tarro de mermelada.* **2** [expresión] **comer el tarro a alguien** Intentar que piense de determinada manera: *No me comas el tarro, que no voy a hacer lo que tú dices.* **comerse alguien el tarro** Pensar mucho en algo: *No vas a solucionar nada comiéndote el tarro.* □ [Las expresiones son coloquiales]. FAMILIA: tarrina.

tarta [sustantivo/femenino] Dulce grande que suele tener forma redonda: *El día de mi cumpleaños nos comimos una tarta de chocolate.* □ FAMILIA: tartera.

tartaja [adjetivo o sustantivo] Tartamudo: *Me río mucho con los chistes de tartajas.* □ [No varía en masculino y en femenino. Es despectivo].

tartamudear [verbo] Hablar sin poder decir las palabras enteras y de una vez: *Cuando me pongo nervioso tartamudeo un poco.* □ FAMILIA: → mudo.

tartamudo, da [adjetivo o sustantivo] Que tiene problemas al hablar y lo hace sin poder decir las palabras enteras y de una sola vez: *Los tartamudos pueden aprender a hablar bien del todo.* □ SINÓNIMOS: tartaja. FAMILIA: → mudo.

tartera [sustantivo/femenino] Recipiente que se cierra de forma que no puede entrar aire y que sirve para llevar comida: *Cuando voy de excur-*

sión, llevo la tortilla en una tartera. □ SI-NÓNIMOS: fiambrera. FAMILIA: → tarta.

tarugo [sustantivo] [masculino] **1** Trozo de madera corto y gordo: *Coge un tarugo y échalo al fuego.* **2** Persona que tiene dificultad para entender las cosas: *¡Hay que ser tarugo para no comprender este problema tan sencillo!* □ [El significado **2** es despectivo]. SINÓNIMOS: **2** zoquete.

tarumba [adjetivo] Con una sensación de no saber lo que pasa alrededor: *Con tanto jaleo estoy un poco tarumba.* □ [No varía en masculino y en femenino. Es coloquial].

tasar [verbo] Fijar el precio o el valor de algo: *Mi madre ha llevado el anillo a un joyero para que lo tasara.*

tasca [sustantivo] [femenino] Bar sin lujos en el que sirven comidas y bebidas: *Mis padres dicen que en las tascas se come lo típico de una ciudad.* □ SINÓNIMOS: taberna.

tatarabuelo, la [sustantivo] Abuelo o abuela de nuestros abuelos: *Mi abuela dice que me parezco a mi tatarabuelo.* □ FAMILIA: → abuelo.

tataranieto, ta [sustantivo] Lo que somos en relación con los abuelos de nuestros abuelos: *Ese señor tan anciano tiene dos tataranietos.* □ FAMILIA: → nieto.

tatuaje [sustantivo] [masculino] Imagen que se hace con tinta bajo la piel para que no se borre al lavarnos: *Ese hombre lleva un tatuaje en el brazo.*

taurino, na [adjetivo] De los toros o relacionado con ellos: *Varios toreros participaron en el festival taurino que se celebró durante las fiestas.* □ FAMILIA: → toro.

tauro [adjetivo o] [sustantivo] Uno de los doce signos del horóscopo: *Las personas que son tauro han nacido entre el 20 de abril y el 21 de mayo.* □ [No varía en masculino y en femenino]. FAMILIA: → toro.

taxi [sustantivo] [masculino] Coche que podemos parar para que nos lleve a algún sitio a cambio de dinero: *En las estaciones de tren suele haber taxis esperando a los viajeros.* □ FAMILIA: taxista. ✒ página 847.

taxista [sustantivo] Persona que conduce un taxi: *Los taxistas conocen muy bien la ciudad.* □ [No varía en masculino y en femenino]. FAMILIA: → taxi.

taza [sustantivo] [femenino] **1** Recipiente pequeño con un asa, que sirve para tomar leche u otros líquidos: *¿Te apetece una taza de té?* **2** Recipiente sobre el que nos sentamos al hacer caca: *La taza del váter de mi casa es blanca.* □ FAMILIA: tazón.

tazón [sustantivo] [masculino] Especie de taza grande y sin asa: *Eché la leche y los cereales en mi tazón de desayuno.* □ FAMILIA: → taza.

te 1 [pronombre] [personal] Indica la segunda persona del singular y equivale a *tú*: *¿Te sabes la lección? ¿Quién te dijo que vinieras?* **2** [sustantivo] [femenino] Nombre de la letra *t*: *La palabra «tarta» tiene dos tes.* □ [No confundir con *té*. El significado **1** no varía en masculino y en femenino, y se usa para formar algunos verbos: *te burlas*]. FAMILIA: → tú.

té [sustantivo] [masculino] Planta cuyas hojas se usan para hacer infusiones: *El té tiene propiedades excitantes, como el café.* □ [No confundir con *te*]. FAMILIA: tetera.

teatral [adjetivo] **1** Del teatro o relacionado con él: *En este periódico viene la programación teatral.* **2** Que no es natural ni lo parece: *No seas tan teatral y aprende a comportarte con sencillez.* □ [No varía en masculino y en femenino]. SINÓNIMOS: **2** dramático. FAMILIA: → teatro.

teatro [sustantivo] [masculino] **1** Lugar donde los actores representan obras habladas: *El sábado fui al teatro y el domingo, al cine.* ✒ página 342. **2** Obra en la que se cuenta una historia como si los personajes estuvieran hablando entre ellos: *Este autor escribió teatro y poesía.* **3** Lo que se hace cuando se actúa de forma poco natural: *Deja de hacer teatro, que ya sabemos que la mitad de lo que cuentas es mentira.* □ [El significado **3** es coloquial y se usa mucho en las expresiones hacer teatro o echar mucho teatro]. FAMILIA: teatral, anfiteatro.

tebeo [sustantivo] [masculino] Revista para niños en la que las historias se cuentan con dibujos: *Los tebeos suelen contar historias divertidas.*

techo 1 [sustantivo] [masculino] Parte de arriba de una habitación o de una construcción: *Las lámparas cuelgan del techo.* **2** [expresión] **doble techo** Tela que cubre por encima una tienda de campaña: *El doble techo es impermeable para que la tienda no se moje aunque llueva.* ✒ página 155.

tecla [sustantivo] [femenino] Pieza de algunos instrumentos musicales y de algunas máquinas, que se

a

aprieta para que funcionen: *Los pianos tienen muchas teclas.* □ FAMILIA: teclear, teclado.

b

teclado [sustantivo][masculino] Conjunto de teclas de un instrumento musical o de una máquina: *El teclado del ordenador tiene teclas con letras, números y otros signos.* □ FAMILIA: → tecla.

c

d

teclear [verbo] Apretar las teclas de algunos instrumentos musicales o de algunas máquinas: *Se pasa el día tecleando en la máquina de escribir.* □ FAMILIA: → tecla.

e

f

técnico, ca [adjetivo] **1** Relacionado con el uso de los métodos y conocimientos de los que se sirve una ciencia, un arte o una actividad: *El locutor dijo que las interferencias se debían a problemas técnicos.* **2** Dicho de una palabra, que es propia del lenguaje que usa una ciencia, un arte o una profesión: *No me lo expliques con palabras tan técnicas, que no me voy a enterar.* **3** [sustantivo] Persona que conoce muy bien los métodos propios de una ciencia, de un arte o de una actividad: *Tendré que llamar al técnico para que venga a arreglar la lavadora.* **4** [sustantivo][femenino] Método que se usa en una ciencia, en un arte o en una actividad: *Ese pintor domina la técnica de la acuarela.*

g

h

i

j

k

l

m

n

teja [sustantivo][femenino] Pieza de barro cocido que se usa para cubrir los tejados: *Se han roto varias tejas y ahora tenemos goteras.* □ FAMILIA: tejado.

ñ

o

tejado [sustantivo][masculino] Parte superior de un edificio: *Los técnicos se subieron al tejado para arreglar la antena de la televisión.* □ FAMILIA: → teja.

p

q

tejemaneje [sustantivo][masculino] **1** Engaño o mentira para conseguir algo: *Es muy astuto y lo logra todo gracias a sus tejemanejes.* **2** Actividad o movimiento continuos: *Hacer una mudanza es meterse en un tejemaneje agotador.* □ [Es coloquial]. FAMILIA: → tejer.

r

s

t

tejer [verbo] **1** Hacer un tejido con hilos o con otros materiales: *Antes se tejía a mano, pero*

u

ahora se teje con máquinas.* **2** Formar en la mente una idea o un plan: *El jefe del grupo fue el que tejió el plan.* □ [Se escribe siempre con j]. FAMILIA: tejido, textil, tejemaneje.

tejido [sustantivo][masculino] **1** Material que se hace al cruzar hilos entre sí: *Esta falda es cara porque está hecha con un tejido de muy buena calidad.* **2** Conjunto de células parecidas que forman las distintas partes del cuerpo: *El corazón está formado por tejido muscular.* □ FAMILIA: → tejer.

tela [sustantivo][femenino] **1** Material hecho con hilos cruzados entre sí: *Para hacer el vestido necesito un metro de tela.* **2** Capa fina que se forma en algunas cosas: *Cuando se enfría la leche, se forma por encima una especie de tela blanca, que es la nata.* **3** Dinero: *Para comprar eso se necesita mucha tela.* **4** [adverbio] Mucho: *Este libro me ha gustado tela.* **5** [expresión] **poner en tela de juicio** Poner en duda: *La policía puso en tela de juicio las declaraciones del sospechoso.* □ [Los significados **3** y **4** son coloquiales]. FAMILIA: telar, telaraña, telón.

telar [sustantivo][masculino] Máquina para tejer: *Los tapices que cuelgan de las paredes del palacio están hechos en un telar.* □ FAMILIA: → tela.

telaraña [sustantivo][femenino] Tela en forma de red que hacen las arañas: *Una mosca quedó atrapada en una telaraña.* □ [Se escribe también *tela de araña*]. FAMILIA: → tela.

tele [sustantivo][femenino] Televisión: *Los dibujos animados son el programa de la tele que más me gusta.* □ [Es coloquial]. FAMILIA: → televisión.

telediario [sustantivo][masculino] Programa de noticias que se emite todos los días en la televisión: *Al final del telediario hacen un resumen de las noticias más importantes.* □ FAMILIA: → televisión.

teleférico [sustantivo][masculino] Especie de caja que va colgada de un cable grueso y que sirve para llevar viajeros a lugares que están muy al-

v

w

x

y

z

TECLA, TECLADO

tos: *Cogimos el teleférico para llegar al mirador que hay en la cima de la montaña.*

TELEFÉRICO

telefonazo [sustantivo] [masculino] Llamada de teléfono: *Cuando estés lista, dame un telefonazo para avisarme.* □ [Es coloquial]. FAMILIA: → teléfono.

telefonear [verbo] Llamar por teléfono: *Me telefoneó para decirme que no vendría.* □ FAMILIA: → teléfono.

telefónico, ca [adjetivo] Del teléfono o relacionado con él: *Ha recibido varias llamadas telefónicas.* □ FAMILIA: → teléfono.

telefonillo [sustantivo] [masculino] Aparato que está en la puerta de salida de un edificio y sirve para hablar con alguien que está dentro del edificio: *El cartero ha llamado al telefonillo para que abramos la puerta y pueda repartir las cartas.* □ FAMILIA: → teléfono.

telefonista [sustantivo] Persona que se encarga de recibir llamadas de teléfono y pasarlas a las personas que corresponda: *El telefonista me ha dicho que no me puede poner con el director porque en este momento no está.* □ [No varía en masculino y en femenino]. FAMILIA: → teléfono.

teléfono [sustantivo] [masculino] **1** Sistema eléctrico que permite hablar con una persona que está lejos: *A algunas aldeas todavía no ha llegado el teléfono.* **2** Aparato que sirve para hablar con una persona que está lejos: *Algunos teléfonos tienen teclas y otros, una especie de ruedecita.* **3** Número que tiene cada uno de estos aparatos: *Tengo tu teléfono apuntado en mi agenda.* □ FAMILIA: telefónico, telefonazo, telefonear, telefonillo, telefonista.

telegrafiar [verbo] Enviar un mensaje de forma rápida a través de hilos eléctricos: *Los mensajes se telegrafían en morse.* □ [Se conjuga como GUIAR]. FAMILIA: → telégrafo.

telegráfico, ca [adjetivo] **1** Relacionado con el sistema para enviar mensajes de forma rápida y a través de hilos eléctricos: *El uso del teléfono es posterior al sistema telegráfico.* **2** Dicho de la forma de escribir, con frases claras y cortas: *El profesor dijo que una redacción no hay que escribirla con un estilo telegráfico.* □ FAMILIA: → telégrafo.

telégrafo [sustantivo] [masculino] **1** Sistema para enviar mensajes de forma rápida a través de hilos eléctricos: *Para enviar un mensaje por telégrafo hay que saber morse.* **2** [plural] Servicio público que se ocupa de estos mensajes: *Fui a la oficina de Correos y Telégrafos para enviar un telegrama.* □ FAMILIA: telegrafiar, telegráfico.

telegrama [sustantivo] [masculino] Mensaje escrito que se envía a través de hilos eléctricos: *Los telegramas se pagan según el número de palabras que tenga el mensaje.*

telele [sustantivo] [masculino] Pérdida del sentido o ataque de nervios: *Estoy tan nerviosa que me va a dar un telele.* □ [Es coloquial].

telenovela [sustantivo] [femenino] Serie de televisión que suele tratar temas de amor: *Las telenovelas tienen muchísimos capítulos.* □ FAMILIA: → televisión.

telepatía [sustantivo] [femenino] Capacidad de las personas para comunicarse por medio de la mente sin usar el lenguaje: *Piensa en algo, a ver si me concentro y lo adivino por telepatía.*

telescopio [sustantivo] [masculino] Instrumento en forma de tubo y con varias lentes, que sirve para ver las estrellas: *Le gusta mucho la astronomía y quiere comprarse un telescopio para estudiar el cielo.*

TELESCOPIO

telesilla [sustantivo] [masculino] Especie de silla que va colgada de un cable grueso y que sirve para llevar personas por el aire a un lugar alto:

A esta pista de esquí se puede subir con el telesilla. ☐ FAMILIA: → silla.

TELESILLA

telespectador, -a [sustantivo] Persona que ve la televisión: *Varios telespectadores llamaron al programa para decir que les gustaba mucho.* ☐ SINÓNIMOS: televidente. FAMILIA: → televisión.

teletexto [sustantivo/masculino] Servicio de información que tienen las televisiones y que emite noticias e informaciones escritas: *Para hacer avanzar las páginas del teletexto debes apretar algunas teclas del mando a distancia.* ☐ FAMILIA: → televisión.

televidente [sustantivo] Persona que ve la televisión: *Los televidentes de este programa podrán ganar muchos premios.* ☐ [No varía en masculino y en femenino]. SINÓNIMOS: telespectador. FAMILIA: → televisión.

televisar [verbo] Emitir algo por televisión: *¿Sabes por qué cadena televisan el partido de esta tarde?* ☐ FAMILIA: → televisión.

televisión [sustantivo/femenino] **1** Sistema para emitir imágenes y sonidos a gran distancia: *Gracias a la televisión, las noticias llegan a todas partes.* **2** Empresa que se dedica a emitir estas imágenes: *Las distintas televisiones compiten entre sí para conseguir mayor número de espectadores.* **3** Aparato en el que se ven imágenes que han sido emitidas a gran distancia: *En casa, la televisión está en la sala de estar.* ☐ [Se usa mucho la forma abreviada *tele*]. SINÓNIMOS: **3** televisor, caja boba, caja tonta. FAMILIA: tele, televisor, telediario, televisar, televisivo, televidente, telespectador, telenovela, teletexto.

televisivo, va [adjetivo] De la televisión o relacionado con ella: *Éste es uno de los programas televisivos con más éxito.* ☐ FAMILIA: → televisión.

televisor [sustantivo/masculino] Aparato en el que se ven imágenes que han sido emitidas a gran distancia: *Si el televisor se ha estropeado, ha-*

brá que avisar al técnico. ☐ [Se usa mucho la forma abreviada *tele*]. SINÓNIMOS: televisión. FAMILIA: → televisión.

telón [sustantivo/masculino] Cortina grande que cierra la parte del teatro en la que actúan los actores: *Al acabar la función se baja el telón.*

tema [sustantivo/masculino] **1** Idea o asunto de que trata algo: *No quiero hablar más del tema.* **2** Cada una de las unidades o partes en que se divide una materia de estudio: *El profesor nos explicó el segundo tema del libro.* **3** Canción u obra musical: *En el concierto, el grupo tocó sus temas más conocidos.*

temblar [verbo] **1** Agitarse con movimientos rápidos y frecuentes: *Sal del agua, que estás temblando de frío.* **2** Tener mucho miedo o estar muy nervioso: *Tiemblo sólo de pensar lo que le puede haber pasado.* ☐ FAMILIA: temblor, tembloroso.

temblor [sustantivo/masculino] **1** Serie de movimientos rápidos y frecuentes: *Tenía tanto miedo que me entró un temblor por todo el cuerpo.* **2** [expresión] **temblor de tierra** Movimiento que se produce en la superficie de la Tierra: *El temblor de tierra produjo grietas en algunos edificios.* ☐ SINÓNIMOS: **2** terremoto, seísmo. FAMILIA: → temblar.

tembloroso, sa [adjetivo] Que tiembla o se agita: *Llegó tembloroso, como si hubiese visto un fantasma.* ☐ FAMILIA: → temblar.

temer [verbo] **1** Tener miedo de alguien o de algo: *Muchos animales temen el fuego.* **2** Pensar que va a suceder algo malo: *Temo que no llegues a tiempo.* ☐ FAMILIA: temor, temeroso, temible, atemorizar.

temeroso, sa [adjetivo] Que tiene miedo o temor: *Me pidió perdón, temeroso de que me hubiera enfadado.* ☐ [Es distinto de *temible*, que significa *que produce miedo*]. FAMILIA: → temer.

temible [adjetivo] Que produce temor: *Parece muy simpático, pero es temible cuando se enfada.* ☐ [No varía en masculino y en femenino. Es distinto de *temeroso*, que significa *que tiene miedo*]. FAMILIA: → temer.

temor [sustantivo/masculino] Sensación que tenemos cuando pensamos que puede ocurrir algo malo: *Cuando era pequeña, tenía temor a la oscuridad y dormía con la luz encendida.* ☐ SINÓNIMOS: miedo. FAMILIA: → temer.

temperamento [sustantivo/masculino] **1** Conjunto de ca-

2.ª conjugación: TEMER

INDICATIVO

presente	pretérito perfecto
temo	he temido
temes	has temido
teme	ha temido
tememos	hemos temido
teméis	habéis temido
temen	han temido

pretérito imperfecto	pretérito pluscuamperfecto
temía	había temido
temías	habías temido
temía	había temido
temíamos	habíamos temido
temíais	habíais temido
temían	habían temido

pretérito indefinido (1)	pretérito anterior
temí	hube temido
temiste	hubiste temido
temió	hubo temido
temimos	hubimos temido
temisteis	hubisteis temido
temieron	hubieron temido

futuro	futuro compuesto
temeré	habré temido
temerás	habrás temido
temerá	habrá temido
temeremos	habremos temido
temeréis	habréis temido
temerán	habrán temido

condicional	condicional compuesto
temería	habría temido
temerías	habrías temido
temería	habría temido
temeríamos	habríamos temido
temeríais	habríais temido
temerían	habrían temido

SUBJUNTIVO

presente	pretérito perfecto
tema	haya temido
temas	hayas temido
tema	haya temido
temamos	hayamos temido
temáis	hayáis temido
teman	hayan temido

pretérito imperfecto	pretérito pluscuamperfecto
temiera, -ese	hubiera, -ese temido
temieras, -eses	hubieras, -eses temido
temiera, -ese	hubiera, -ese temido
temiéramos, -ésemos	hubiéramos, -ésemos temido
temierais, -eseis	hubierais, -eseis temido
temieran, -esen	hubieran, -esen temido

futuro	futuro compuesto
temiere	hubiere temido
temieres	hubieres temido
temiere	hubiere temido
temiéremos	hubiéremos temido
temiereis	hubiereis temido
temieren	hubieren temido

IMPERATIVO

presente

teme	(tú)
tema	(él)
temamos	(nosotros)
temed	(vosotros)
teman	(ellos)

FORMAS NO PERSONALES

infinitivo	infinitivo compuesto
temer	haber temido

gerundio	gerundio compuesto
temiendo	habiendo temido

participio
temido

(1) Se llama también **pretérito perfecto simple**.

racterísticas que definen la forma de ser de una persona: *Tiene un temperamento alegre y siempre está contenta.* **2** Forma de ser de una persona firme y que actúa con energía: *Mi abuela es una mujer de mucho temperamento.* □ SINÓNIMOS: carácter. **1** naturaleza.

temperatura [sustantivo] [femenino] Grado de calor de un cuerpo: *La fiebre es el aumento de la temperatura de un organismo.*

tempestad [sustantivo] [femenino] Situación del tiempo cuando hay fuertes vientos, lluvias y truenos: *La tempestad fue la causa de que el barco chocara contra el acantilado.* □ SINÓNIMOS: temporal, tormenta.

templado, da [adjetivo] **1** Que no está ni caliente ni frío: *En verano hace tanto calor que el agua de la piscina está templada.* **2** Valiente y tranquilo: *Para meter una canasta en el último segundo hay que tener los nervios muy templados.* □ SINÓNIMOS: **1** tibio. FAMILIA: → templar.

templar [verbo] **1** Quitar el frío por medio del calor: *He puesto la leche al fuego para templarla.* **2** Preparar un instrumento musical para que al tocarlo suene bien: *El guitarrista templó la guitarra antes de empezar a tocar.* **3** Disminuir la fuerza de algo: *Mis palabras de disculpa templaron su ira.* □ [El significado **3** se usa mucho en el lenguaje literario]. SINÓNIMOS: **2** afinar. CONTRARIOS: **2** desafinar. FAMILIA: templado, temple.

temple [sustantivo] [masculino] **1** Valor y fuerza necesarios para hacer frente a las dificultades: *Hay que tener mucho temple para no deprimirse en los momentos tristes.* **2** Un tipo de pintura: *El temple es pegajoso, pero las acuarelas, no.* □ FAMILIA: → templar.

templo [sustantivo] [masculino] **1** Lugar dedicado a un dios o un santo y en el que los fieles rezan: *Las iglesias son templos cristianos y las mezquitas son templos musulmanes.* 🔍 página 793. **2** Lugar en el que se cultiva o se practica una actividad importante: *La universidad es el templo del saber.*

temporada [sustantivo] [femenino] Período de tiempo que se considera como un conjunto: *Llevo una temporada con muchos dolores de cabeza.* □ FAMILIA: → tiempo.

temporal [adjetivo] **1** Del tiempo o relacio-

nado con él: *Las horas y los minutos son espacios temporales.* **2** Que no dura siempre: *Le han hecho un contrato temporal de un mes.* **3** [sustantivo] [masculino] Situación del tiempo cuando hay fuertes vientos, lluvias y truenos: *Los barcos no saldrán a pescar hasta que no se aleje el temporal.* □ [Cuando es adjetivo no varía en masculino y en femenino]. SINÓNIMOS: **3** tempestad, tormenta. FAMILIA: → tiempo.

temprano, na **1** [adjetivo] Que se adelanta o que ocurre antes del tiempo normal: *La fruta temprana es más cara que la normal.*

temprano [adverbio] **2** En las primeras horas del día o de la noche, o al principio de un período de tiempo: *Me voy a acostar porque mañana tengo que levantarme temprano.* **3** Antes de lo normal: *Hoy he llegado temprano porque he salido de casa un poco antes.* □ SINÓNIMOS: **2,3** pronto. CONTRARIOS: **1** tardío. **2,3** tarde.

tenaz [adjetivo] **1** Que se esfuerza y permanece firme hasta conseguir lo que desea: *Conseguirá lo que se proponga porque es una persona tenaz.* **2** Que resulta difícil de quitar o de separar: *Estas manchas tan tenaces no se van ni con lejía.* □ [No varía en masculino y en femenino. Su plural es *tenaces*].

tenaza [sustantivo] [femenino] Herramienta que sirve para arrancar cosas o para sujetarlas: *Arrancó el clavo de la silla con unas tenazas.* □ [Significa lo mismo en singular que en plural].

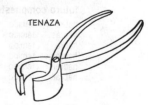

TENAZA

tendedero [sustantivo] [masculino] Lugar en el que se tiende la ropa: *Si ya está seca, recoge la ropa del tendedero, por favor.* □ FAMILIA: → tender. 🔍 página 155.

tendencia [sustantivo] [femenino] Dirección que toma algo: *Le gusta vestir siguiendo las tendencias de la moda.* □ SINÓNIMOS: inclinación. FAMILIA: → tender.

tender [verbo] **1** Colgar la ropa para que se seque: *No puedo tender la ropa porque no* *llego a la cuerda.* **2** Dar algo a alguien poniéndoselo cerca: *Me tendió la mano para ayudarme a subir el muro.* **3** Preparar un engaño para que alguien caiga en él: *Los bandidos cayeron en la trampa que les había tendido la policía.* **4** Extender en una superficie: *El médico me dijo que me tendiera en la cama y me miró la herida.* **5** Colocar algo entre dos puntos: *Han tendido un puente para comunicar las orillas del río.* **6** Ir en determinada dirección: *El tiempo tiende a mejorar poco a poco.* □ [Es irregular y se conjuga como PERDER]. FAMILIA: tendedero, tendencia.

tendero, ra [sustantivo] Persona que trabaja en una tienda en la que se venden alimentos: *Le pedí al tendero que me diera doscientos gramos de jamón y que me lo cortara muy fino.* □ FAMILIA: → tienda.

tendón [sustantivo masculino] Especie de cuerda que une los músculos a los huesos: *El tendón de Aquiles está en el talón.*

tenedor [sustantivo masculino] Cubierto con el que se pinchan los alimentos sólidos: *Mi tenedor tiene el mango de madera y tres dientes.*

tener [verbo] **1** Poseer una cosa como propia: *Yo tengo una muñeca con un vestido azul. ¿Qué tienes en el bolsillo?* **2** Poseer alguna característica: *Tengo nueve años. El limón tiene un sabor ácido.* **3** Considerar a una persona como propia porque se tiene alguna relación con ella: *Tengo dos hermanos. Los amigos que tengo viven cerca de mi casa. ¿Ya tienes novio?* **4** Disfrutar de algo o poder usarlo: *La semana que viene tengo dos días de fiesta. Ahora no tengo tiempo.* **5** Sujetar algo sin dejarlo caer: *Yo te tengo al niño mientras tú preparas el biberón.* **6** Contener o incluir en sí: *Esta ciudad tiene un millón de habitantes. La botella tiene agua.* **7** Mantener firme o derecho: *Perdona que me siente, pero estoy agotada y no me tengo en pie.* **8** Deber hacer un trabajo: *Mañana tengo una cita y no puedo faltar.* **9** Sentir una sensación: *Tengo mucho frío. ¿Tienes sueño? Tuve miedo.* **10** Sufrir una enfermedad: *Si tienes catarro, no vayas al colegio.* **11** [expresión] **no tenerlas alguien todas consigo** Sentir temor por algo: *Aunque ha dicho que vendrá,*

no las tengo todas conmigo y creo que no va a venir. **tener que hacer algo** Ser obligatorio o necesario hacerlo: *Todos tenemos que respetar la naturaleza.* **tener que ver** Estar relacionado: *Mi enfado no tiene nada que ver con lo que me has dicho antes.* □ [Es irregular]. CONTRARIOS: **1-4** carecer. **5** sostener. FAMILIA: contener, obtener, mantener, retener, sostener.

teniente [sustantivo] **1** Una de las categorías militares: *Un teniente tiene menos categoría que un capitán.* **2** Persona que sustituye a otra en determinados trabajos: *El teniente de alcalde hace las funciones del alcalde cuando éste no está.* □ [No varía en masculino y en femenino].

tenis 1 [sustantivo masculino] Deporte que se juega con una pelota y una especie de pala con cuerdas, en un campo que está dividido en dos por una red: *Las pelotas de tenis botan muy bien.* 🢁 página 290. **2** [expresión] **tenis de mesa** Deporte parecido al tenis, que se juega sobre una mesa y con palas de madera: *El campeonato de tenis de mesa lo ha ga-*

tener		conjugación
INDICATIVO		**SUBJUNTIVO**
presente		**presente**
tengo		tenga
tienes		tengas
tiene		tenga
tenemos		tengamos
tenéis		tengáis
tienen		tengan
pretérito imperfecto		**pretérito imperfecto**
tenía		tuviera, -ese
tenías		tuvieras, -eses
tenía		tuviera, -ese
teníamos		tuviéramos, -ésemos
teníais		tuvierais, -eseis
tenían		tuvieran, -esen
pretérito indefinido		**futuro**
tuve		tuviere
tuviste		tuvieres
tuvo		tuviere
tuvimos		tuviéremos
tuvisteis		tuviereis
tuvieron		tuvieren
futuro		**IMPERATIVO**
tendré		
tendrás		**presente**
tendrá		ten (tú)
tendremos		tenga (él)
tendréis		tengamos (nosotros)
tendrán		tened (vosotros)
		tengan (ellos)
condicional		**FORMAS NO PERSONALES**
tendría		
tendrías		**infinitivo** **gerundio**
tendría		tener teniendo
tendríamos		**participio**
tendríais		tenido
tendrían		

a
b
c
d
e
f
g
h
i
j
k
l
m
n
ñ
o
p
q
r
s
t
u
v
w
x
y
z

nado un jugador japonés. □ [No varía en singular y en plural]. SINÓNIMOS: **2** pimpón, pingpong. FAMILIA: tenista.

tenista [sustantivo] Persona que juega al tenis: *Cuando acabó el partido, el tenista cogió su raqueta y se fue al vestuario.* □ [No varía en masculino y en femenino]. FAMILIA: → tenis.

tenor 1 [sustantivo masculino] Hombre que canta con un tono de voz muy agudo: *En esta ópera interviene un famoso tenor.* **2** [expresión] **a tenor de algo** Teniéndolo en cuenta: *A tenor de los datos que poseemos, la situación va mejorando.*

tensar [verbo] Estirar algo mucho tirando de sus extremos con fuerza: *Tensa más la cuerda para que, al tender la ropa, no arrastre por el suelo.* □ FAMILIA: → tensión.

tensión [sustantivo femenino] **1** Estado en el que se encuentra un cuerpo que está muy estirado: *La cuerda se rompió porque tenía demasiada tensión.* **2** Situación de oposición entre personas o entre grupos humanos: *La reunión entre los presidentes ayudó a disminuir la tensión entre los dos países.* **3** Estado de la persona que está muy nerviosa y excitada: *Está de mal humor porque su trabajo le produce mucha tensión.* **4** Diferencia de fuerza eléctrica entre dos puntos, que permite que pase la electricidad: *Estos postes eléctricos son de alta tensión.* □ FAMILIA: tensar, tenso.

tenso, sa [adjetivo] **1** Dicho de un cuerpo, que está muy estirado: *Las cuerdas de la raqueta deben estar bien tensas.* **2** Que está excitado y muy nervioso: *Relájate y no estés tan tenso.* **3** Dicho de una situación, que resulta violenta o molesta: *Un pequeño incidente ha sido la causa de que las relaciones entre los dos países sean tan tensas.* □ SINÓNIMOS: tirante. FAMILIA: → tensión.

tentación [sustantivo femenino] Lo que nos empuja a hacer algo que no debemos hacer: *Estos pastelitos son una tentación, pero estoy a régimen y no puedo comerlos.* □ FAMILIA: → tentar.

tentáculo [sustantivo masculino] Especie de brazo blando que tienen algunos animales: *Las ventosas de los tentáculos de los pulpos les sirven para coger cosas con fuerza.*

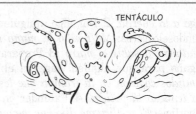

TENTÁCULO

tentar [verbo] **1** Tocar con las manos: *Tenté la pared para encontrar el interruptor de la luz.* **2** Empujar a una persona a hacer algo que no debe: *Tu invitación me tienta, pero no puedo aceptarla.* □ [Es irregular y se conjuga como PENSAR]. FAMILIA: tentación.

tentempié [sustantivo masculino] Comida ligera que se toma para volver a tener fuerzas: *A media mañana tomamos un tentempié para poder aguantar hasta la hora de la comida.* □ [Es coloquial]. FAMILIA: → pie.

teñir [verbo] Poner una cosa de color distinto al que tenía: *Soy moreno, pero me he teñido de rubio.* □ [Es irregular y se conjuga como CEÑIR]. CONTRARIOS: desteñir. FAMILIA: desteñir.

teología [sustantivo femenino] Ciencia que trata de Dios: *En el seminario, los futuros sacerdotes estudian teología.*

teoría [sustantivo femenino] **1** Conocimiento que se tiene de las cosas por medio del pensamiento y no por medio de la práctica: *Primero os explicaré la teoría y luego haremos unos ejercicios.* **2** Idea que se tiene de algo, pero que no ha sido demostrada: *Hasta que una teoría no se pone en práctica, no se sabe con seguridad si el resultado será el esperado.* □ FAMILIA: teórico.

teórico, ca 1 [adjetivo] De las ideas o relacionado con ellas y no con la práctica: *Después de la explicación teórica sobre los imanes, el profesor nos enseñó cómo un imán atraía el hierro.* **2** [adjetivo o sustantivo] Que conoce las cosas por medio del pensamiento, no como son en el mundo real: *Para un teórico del fútbol es muy fácil meter un gol, pero cuando estás jugando un partido resulta más difícil.* □ CONTRARIOS: práctico. FAMILIA: → teoría.

terapia [sustantivo femenino] Sistema que se usa para curar una enfermedad: *Si el enfermo no responde a la terapia que se le está aplicando, habrá que hacerle nuevos análisis.* □ SINÓNIMOS: tratamiento.

tercer [adjetivo] Tercero: *Vivo en el tercer piso.* □ [Va siempre delante de un sustantivo masculino singular]. FAMILIA: → tres.

tercermundista [adjetivo] **1** Del Tercer Mundo o relacionado con estos países menos desarrollados: *En la reunión se acordó destinar una ayuda a los países tercermundistas.* **2** Propio de países poco desarrollados: *Los habitantes de estos pueblos tan alejados se quejan de tener una atención médica tercermundista.* □ [No varía en masculino y en femenino. El significado **2** es despectivo]. FAMILIA: → mundo.

tercero, ra [pronombre][numeral] **1** Que ocupa el lugar número tres en una serie: *Eres la tercera persona que me llama por teléfono.* **2** Una de las tres partes en que algo se ha dividido: *La tercera parte de noventa pesetas son treinta.* **3** [adjetivo o][sustantivo] Que está entre dos o más personas o que actúa entre ellas para que lleguen a un acuerdo: *Como los dos no llegaban a un acuerdo, pidieron ayuda a un tercero.* □ [Cuando *tercero* va delante de un sustantivo, se cambia por *tercer*: *tercer año*]. FAMILIA: → tres.

tercio, cia [pronombre][numeral] Una de las tres partes en que algo se ha dividido: *Como éramos tres, a cada uno le tocó un tercio de la tortilla.* □ FAMILIA: → tres.

terciopelo [sustantivo][masculino] Tela muy suave y con pelo: *Lleva la coleta atada con un lazo de terciopelo.* □ FAMILIA: → pelo.

terco, ca [adjetivo o][sustantivo] Que tiene una idea fija y que no se deja convencer: *No insistas, porque es un terco y cuando dice que no, es que no.* □ SINÓNIMOS: testarudo, tozudo, borrico. FAMILIA: terquedad.

tergal [sustantivo][masculino] Tela muy fuerte: *La ropa de tergal no hay que plancharla.*

terminación [sustantivo][femenino] **1** Fin de algo: *El constructor dice que falta un mes para la terminación de las obras.* **2** Parte última de algo: *La terminación del infinitivo de los verbos de la primera conjugación es «-ar».* □ FAMILIA: → terminar.

terminante [adjetivo] Claro y que no ofrece duda: *El acusado negó de forma terminante haber cometido el delito.* □ [No varía en masculino y en femenino]. SINÓNIMOS: rotundo. FAMILIA: → terminar.

terminar [verbo] **1** Dar fin a algo: *Cuando termines la sopa, puedes comer un filete.* **2** Llegar algo al fin: *Cuando termine la película, iremos a pasear.* **3** [expresión] **terminar con alguien** Dejar de tratarse con él: *Tú y yo hemos terminado y no quiero volver a verte.* □ SINÓNIMOS: **1,2** acabar, concluir, finalizar. **2** ultimar. CONTRARIOS: iniciar, empezar, comenzar. FAMILIA: término, terminación, terminante, interminable.

término [sustantivo][masculino] **1** Fin o conclusión: *Con esas palabras el presentador dio término a la transmisión.* **2** Último punto de un lugar o de un período de tiempo: *Esta señal indica que hemos llegado al término de la provincia.* **3** Conjunto de sonidos que usamos para nombrar algo: *Busca en el diccionario los términos cuyo significado no conozcas.* **4** Cada una de las partes o de los puntos que forman un todo: *Fue cesado por no cumplir los términos del contrato.* **5** Plano formado por las cosas que están a una misma distancia de la persona que las mira: *Los que estaban en primer término de la fotografía salieron borrosos.* **6** [expresión] **término medio** Cantidad media entre varias cantidades: *Estudio por término medio dos horas al día.*

término municipal Terreno que ocupa cada uno de los pueblos y ciudades que forman una provincia: *Es este término municipal está prohibida la venta ambulante.* □ SINÓNIMOS: **1,2** final, fin. **3** palabra, vocablo, voz. CONTRARIOS: **1,2** origen, principio, comienzo, inicio. FAMILIA: → terminar.

termita [sustantivo][femenino] Insecto que se alimenta de madera: *La pata de ese mueble está llena de agujeros de termitas y es fácil que se rompa.*

termo [sustantivo][masculino] Recipiente que se usa para que lo que se mete en su interior conserve la temperatura que tenía al principio: *Puse el café en el termo para que cuando llegaras todavía estuviera caliente.* □ FAMILIA: termómetro.

termómetro [sustantivo][masculino] Instrumento que se usa para medir la temperatura: *Si el termómetro marca treinta y seis grados, no tienes fiebre.* □ FAMILIA: → termo.

ternero, ra 1 [sustantivo] Cría de la vaca: *El ternero seguía a su madre por todo el prado.*

a b c d e f g h i j k l m n ñ o p q r s **t** u v w x y z

a
b
c
d
e
f
g
h
i
j
k
l
m
n
ñ
o
p
q
r
s
t
u
v
w
x
y
z

2 [sustantivo] [femenino] Carne de este animal: *Fui a la carnicería y compré tres filetes de ternera.*

ternura [sustantivo] [femenino] Amor cariñoso que se muestra hacia algo: *Como el bebé no te conoce, háblale con ternura para que no se asuste.* □ FAMILIA: → tierno.

terquedad [sustantivo] [femenino] Forma de ser de las personas que tienen ideas fijas y no se dejan convencer: *Defiende sus ideas con tanta terquedad que nunca escucha las opiniones de los demás.* □ FAMILIA: → terco.

terraplén [sustantivo] [masculino] Terreno un poco inclinado: *El ciclista se salió de la carretera y cayó por el terraplén.* □ FAMILIA: → tierra.

terraza [sustantivo] [femenino] **1** Parte abierta de una casa, que da al exterior y que está por encima del nivel del suelo: *Voy a regar las plantas de la terraza.* **2** Tejado plano de un edificio, que está rodeado por un muro que sirve de protección: *En la terraza del edificio hay un tendedero al que suben a tender la ropa todos los vecinos.* **3** Zona que está delante de un bar o de un restaurante, en la que los clientes se sientan al aire libre: *Hasta que no haga buen tiempo no abrirán la terraza de este bar.* **4** Terreno llano y en forma de escalón, que se hace en la pendiente de una montaña para poder cultivar plantas: *En este valle tan cerrado, los habitantes de los pueblos plantan árboles frutales en las terrazas que hacen en las montañas.*

terremoto [sustantivo] [masculino] Movimiento que se produce en la superficie de la Tierra: *El terremoto ha producido grietas en las carreteras.* □ SINÓNIMOS: seísmo, temblor de tierra. FAMILIA: → tierra.

terreno [sustantivo] [masculino] **1** Sitio o espacio de tierra: *Voy a construirme una casa en un terreno que tengo en ese pueblo.* **2** Campo en el que se pueden demostrar mejor las cualidades de algo: *Si hablamos de matemáticas, estoy en mi terreno y sé lo que digo.* **3** Conjunto

de materias o de ideas relacionadas con lo que se indica: *En este programa se tratan temas que pertenecen al terreno de lo desconocido.* □ SINÓNIMOS: **2** territorio. **3** área. FAMILIA: → tierra.

terrestre [adjetivo] **1** Del planeta Tierra: *La atmósfera es una de las capas terrestres.* **2** De la superficie de la Tierra: *La mayoría de los mamíferos son terrestres, pero los delfines son acuáticos y los murciélagos, aéreos.* □ [No varía en masculino y en femenino]. FAMILIA: → tierra.

terrible [adjetivo] **1** Que produce un miedo muy grande: *Los protagonistas de la película eran atacados por un monstruo terrible.* **2** Difícil de aguantar o de sufrir: *Tengo un miedo terrible a las serpientes.* **3** Muy grande o muy fuerte: *Después de tanto tiempo sin comer, tengo un hambre terrible.* □ [No varía en masculino y en femenino]. SINÓNIMOS: **1** espeluznante. **1,3** horrendo, terrorífico. **2,3** horroroso, espantoso. FAMILIA: → terror.

territorio [sustantivo] [masculino] **1** Parte de la superficie de la Tierra: *El jefe indio decía que los blancos no podían entrar en el territorio indio.* **2** Campo en el que se pueden demostrar mejor las cualidades de algo: *Si hablamos de ese tema se encontrará muy cómodo, porque es su territorio.* □ SINÓNIMOS: **2** terreno. FAMILIA: → tierra.

terrón [sustantivo] [masculino] **1** Especie de bola pequeña de tierra: *Al arar un terreno se hacen terrones.* **2** Masa pequeña de alguna sustancia: *El azúcar se puede comprar en paquetes, en sobres o en terrones.* □ FAMILIA: → tierra.

terror [sustantivo] [masculino] Miedo muy grande o muy fuerte: *En las películas de terror suelen aparecer seres monstruosos.* □ SINÓNIMOS: horror, espanto. FAMILIA: terrible, terrorífico, terrorismo, terrorista, aterrorizar.

terrorífico, ca [adjetivo] **1** Que produce terror: *No quiero que me cuentes estas historias terroríficas, porque luego tengo pesadi-*

TERRAZA

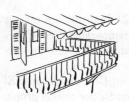
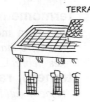

llas. **2** Muy fuerte o muy grande: *Tengo unas ganas terroríficas de que lleguen las vacaciones.* □ SINÓNIMOS: terrible, espantoso, horroroso, horrendo. FAMILIA: → terror.

terrorismo [sustantivo masculino] Sistema para conseguir algo por medio de la violencia y de los asesinatos: *El Gobierno pide la ayuda de los ciudadanos para acabar con el terrorismo.* □ FAMILIA: → terror.

terrorista [adjetivo o sustantivo] Que usa la violencia y los asesinatos como método para conseguir algo: *Los terroristas detenidos se confesaron culpables de varios atentados.* □ [No varía en masculino y en femenino]. FAMILIA: → terror.

terso, sa [adjetivo] Liso y sin arrugas: *Esta crema deja la piel tersa.*

tertulia [sustantivo femenino] Conjunto de personas que se reúnen para hablar: *Son famosas las tertulias que se hacen en este café para hablar de literatura.*

tesorero, ra [sustantivo] Persona que se ocupa de guardar y de administrar el dinero de un grupo de personas: *Me han elegido tesorera de la clase y todos me dan a mí el dinero que estamos reuniendo para comprar un acuario.* □ FAMILIA: → tesoro.

tesoro [sustantivo masculino] **1** Dinero, joyas u otros objetos de valor reunidos y guardados: *Los piratas enterraron el tesoro en la playa.* **2** Lo que vale mucho: *Tus padres tienen que estar orgullosos de ti porque eres un tesoro.* **3** Conjunto de bienes y de riquezas que posee un Estado: *Los impuestos que pagan los ciudadanos van al Tesoro Público.* □ [El significado **3** se suele escribir con mayúscula]. SINÓNIMOS: **2** joya, alhaja, maravilla. FAMILIA: tesorero, atesorar.

test [sustantivo masculino] Prueba con preguntas cortas: *Los psicólogos del colegio nos han hecho un test para saber cómo estudiamos y qué es lo que mejor hacemos.* □ [Es una palabra inglesa].

testamento [sustantivo masculino] Declaración que hace una persona de la forma en la que quiere que se repartan sus bienes después de que haya muerto: *En su testamento dejó todo a sus hijos.*

testarudo, da [adjetivo o sustantivo] Que tiene ideas fijas y no se deja convencer: *Eres tan testaruda que no paras hasta conseguir lo que te propones.* □ SINÓNIMOS: tozudo, mulo, terco, borrico.

testículo [sustantivo masculino] Cada uno de los dos órganos de forma redonda en los que se forman las células sexuales masculinas: *Los golpes en los testículos duelen mucho.* □ SINÓNIMOS: huevo, cojón, pelotas, bolas.

testificar [verbo] **1** Declarar una persona como testigo: *Me han llamado para que testifique ante un juez lo que vi el día del accidente.* **2** Ser prueba de algo: *Estos documentos testifican que yo soy la dueña del coche.* □ [La c se cambia en qu delante de e, como en SACAR]. FAMILIA: → testigo.

testigo 1 [sustantivo] Persona que está presente mientras ocurre algo: *Dos testigos del atropello aseguraron que el camión se había saltado el semáforo en rojo y a toda velocidad.* **2** [sustantivo masculino] Especie de palo que un miembro de un equipo da a un compañero para que siga corriendo en su lugar: *En una carrera de relevos, el testigo no se puede caer.* **3** [expresión] **testigo de Jehová** Persona que practica una de las religiones cristianas: *Los testigos de Jehová siguen al pie de la letra lo que dice la Biblia.* □ [El significado **1** no varía en masculino y en femenino]. FAMILIA: testificar, testimonio.

testimonio [sustantivo masculino] **1** Declaración en la que una persona asegura algo: *Gracias al testimonio de los testigos, el acusado fue declarado inocente.* **2** Prueba de la verdad de algo: *Las pinturas de las paredes son el testimonio de que en estas cavernas habitaron seres humanos hace mucho tiempo.* □ FAMILIA: → testigo.

teta [sustantivo femenino] Parte del cuerpo de las mujeres en la que se produce la leche cuando tienen un hijo: *Las niñas todavía no tienen tetas, por eso no usan sujetador.* □ [Es coloquial]. SINÓNIMOS: pecho, seno. FAMILIA: tetilla, tetina.

tetera [sustantivo femenino] Recipiente para hacer té o para servirlo: *Coge la tetera y sírvete tú mismo otra taza de té, si te apetece.* □ FAMILIA: → té.

tetilla [sustantivo femenino] Teta de hombre: *A los hombres se les ven las tetillas cuando están en bañador.* □ FAMILIA: → teta.

tetina [sustantivo femenino] Pieza de goma que sirve para que los niños muy pequeños puedan beber líquidos: *La tetina del biberón tiene un agu-*

a
b
c
d
e
f
g
h
i
j
k
l
m
n
ñ
o
p
q
r
s
t
u
v
w
x
y
z

jero para que salga la leche. ☐ FAMILIA: →
teta.

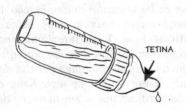

TETINA

[tetra brik [sustantivo] [masculino] Recipiente de cartón
que se usa para contener líquidos: *En casa
compramos la leche en tetra brik.*

tetraedro [sustantivo] [masculino] Cuerpo limitado por cuatro caras iguales: *El tetraedro es un cuerpo
cuyas caras son triángulos con los tres lados
iguales.* 🔎 página 429.

textil [adjetivo] **1** De la tela o relacionado con
ella: *En Cataluña hay muchas fábricas textiles.* **2** Dicho de una materia, que sirve
para fabricar telas: *El algodón es una planta textil.* ☐ [No varía en masculino y en femenino].
FAMILIA: → tejer.

texto [sustantivo] [masculino] Conjunto de palabras que forman un documento escrito: *Tuvimos que
traducir un texto de inglés a español.*

tez [sustantivo] [femenino] Aspecto externo de la cara de
una persona: *Todos en mi familia tenemos
la tez muy clara y nos quemamos enseguida
con el sol.* ☐ [Su plural es teces].

ti [pronombre] [personal] Indica la segunda persona del singular y equivale a *tú*: *Esto es para ti. ¿A ti
quién te ha dicho eso?* ☐ [No varía en masculino
y en femenino]. FAMILIA: → tú.

tibio, bia 1 [adjetivo] Que no está ni caliente
ni frío: *Me ducho con agua tibia.* **2** [expresión]
ponerse tibio Comer o beber mucho: *Había tanta comida en la fiesta que nos pusimos tibios.* ☐ SINÓNIMOS: **1** templado.

tiburón [sustantivo] [masculino] Pez marino que tiene una
boca muy grande y con muchos dientes: *Al
ver asomar la aleta de un tiburón en el
agua, los bañistas salieron corriendo.*

tic [sustantivo] [masculino] Movimiento del cuerpo que hace
una persona sin darse cuenta y que se re-
pite con frecuencia: *Mi amigo tiene un tic y
cada dos por tres levanta las cejas.* ☐ [Su
plural es tics].

tictac [sustantivo] [masculino] Ruido que produce un reloj:

*En el silencio de la noche sólo se oía el tictac
del reloj del salón.*

tiempo [sustantivo] [masculino] **1** Lo que se mide con el reloj y sirve para saber cuánto dura algo: *Los
días, las semanas y los meses son períodos
de tiempo. ¿Cuánto tiempo tardarás?* **2** Período durante el que sucede algo: *En tiempos de los romanos se hablaba latín.* **3** Momento adecuado para algo: *El otoño es el
mejor tiempo para visitar este pueblo.* **4**
Cada uno de los períodos en que se divide
algo: *Cuando acabó el primer tiempo del
partido, íbamos ganando por más de quince
puntos.* **5** Clima propio de un período o de
un lugar concretos: *¡Ojalá haga mañana
buen tiempo para poder ir de excursión!* **6**
Forma del verbo que expresa los distintos
momentos en que ocurre la acción: *Los tiempos verbales en la lengua española son presente, pasado y futuro.* **7** [expresión] **del tiempo** Dicho de una bebida, a la temperatura
del ambiente: *Cuando tomo un refresco en
un bar, lo pido del tiempo porque, si está
muy frío, me da dolor de garganta.* **hacer
tiempo** Hacer algo hasta que llegue el momento oportuno para algo: *Mientras llegaba
el tren, hice tiempo leyendo revistas.* **tiempo
compuesto** En gramática, el que está formado por el verbo *haber* y por el participio
del verbo que se conjuga: *«He corrido» y
«había dormido» son dos tiempos compuestos.* **tiempo simple** En gramática, el que se
conjuga sin el verbo *haber*: *El presente y el
pretérito imperfecto son tiempos simples.* ☐
FAMILIA: temporal, temporada, pasatiempo,
contratiempo, contemporáneo.

tienda [sustantivo] [femenino] **1** Lugar en el que se venden
cosas: *Siempre me compro la ropa en la mis-
ma tienda.* 🔎 página 796. **2** Especie de
casa hecha con unos palos que se fijan en
la tierra y una tela que se pone por encima:
*Los indios hacían sus tiendas con las pieles
de los animales que cazaban.* **3** [expresión]
tienda de campaña Especie de casa hecha
con unos palos y con una tela, que sirve
para dormir en el campo: *Nada más llegar
al camping, montamos la tienda de campaña y nos fuimos a pasear.* 🔎 página 154.
☐ FAMILIA: tendero.

tierno, na [adjetivo] **1** Que se corta fácilmente: *El filete está tan tierno que casi se puede partir sin cuchillo.* **2** Que siente amor o que lo expresa: *Es muy tierno ver a un padre con su hijo en brazos.* □ SINÓNIMOS: **1** blando. **2** amoroso, cariñoso. CONTRARIOS: **1** duro. FAMILIA: ternura, enternecer.

tierra [sustantivo] [femenino] **1** Superficie que no está ocupada por el agua: *Los pasajeros del crucero se pusieron muy contentos cuando vieron tierra.* **2** Materia que compone el suelo natural: *Mi madre ha comprado tierra para las macetas.* **3** Terreno dedicado al cultivo: *Mis abuelos tenían tierras en las que cultivaban trigo.* **4** Zona o región que pertenece a una división establecida: *Ese cartel indica que entramos en tierras segovianas.* **5** [expresión] **echar por tierra** Estropear o echar a perder: *Has echado por tierra mis ilusiones al decirme que no me ayudarás.* **quedarse en tierra** No poder subir a un vehículo: *Llegué a la estación cuando el tren salía y tuve que quedarme en tierra.* **tierra adentro** En un lugar interior y lejos de las costas: *Los piratas dejaron las barcas en la playa y se dirigieron tierra adentro para enterrar el tesoro.* **tomar tierra** Descender un avión y posarse en el suelo: *Cuando el avión va a tomar tierra, hay que abrocharse el cinturón de seguridad.* □ [Cuando se escribe con mayúscula es el planeta en el que vivimos: *La Tierra da vueltas alrededor del Sol*]. FAMILIA: terreno, terrestre, terremoto, territorio, terrón, extraterrestre, enterrar, entierro, desenterrar, desterrar, destierro, subterráneo, terraplén.

tieso, sa [adjetivo] **1** Duro, firme o rígido: *El pelo de una escoba es un ejemplo de algo tieso.* **2** Dicho de una persona, que es muy seria y se muestra superior a los demás: *Cuando te conocí me pareciste muy tieso, pero ahora sé que eres muy simpático.* **3** Con mucho frío: *Me he quedado tieso esperándote a la puerta del cine.* **4** Muerto en el acto: *En la película, el asesino dejó tieso al gángster de un tiro en la cabeza.* **5** [expresión] **quedarse tieso** Recibir una gran impresión: *Me quedé tieso cuando supe que el señor que me regañó el otro día era tu padre.* □ [Los significados **3**, **4** y **5** son coloquiales]. SINÓNIMOS: **4** seco.

tiesto [sustantivo] [masculino] Recipiente que se usa para cultivar plantas: *He plantado geranios y rosas en los tiestos de la terraza.* □ SINÓNIMOS: maceta.

tigre [sustantivo] [masculino] Animal salvaje que tiene el cuerpo casi naranja con rayas negras: *El tigre corre mucho y da grandes saltos.* 🐾 página 711. □ [Su femenino es *tigresa*].

tijera 1 [sustantivo] [femenino] Instrumento que sirve para cortar y que está formado por dos hojas de acero colocadas en forma de «X», que se abren y se cierran con una mano: *En el colegio usamos tijeras con las puntas redondas para no cortarnos.* 🐾 página 605. **2** [expresión] **de tijera** Dicho de un objeto, que tiene dos piezas en forma de «X» para que se pueda abrir y cerrar: *Las sillas de tijera se doblan fácilmente.* □ [El significado **1** es lo mismo en singular que en plural].

tila [sustantivo] [femenino] Infusión que se hace con las flores de un árbol: *La tila calma los nervios.*

tilde [sustantivo] [femenino] Signo que se escribe en la vocal de la sílaba que se pronuncia con más fuerza: *La palabra «camión» se escribe con tilde en la «o».* □ SINÓNIMOS: acento.

timar [verbo] **1** Engañar a alguien para sacarle dinero: *Me has timado, porque ese libro vale quinientas pesetas y tú me lo has vendido por dos mil.* **2** No cumplir lo que se había prometido: *Me timaron cuando compré ese juego para el ordenador porque no sirve para el modelo que yo tengo.* □ FAMILIA: → timo.

timbal [sustantivo] [masculino] Instrumento musical parecido al tambor pero con forma de media naranja: *Normalmente se tocan dos timbales.* 🐾 página 606.

timbrazo [sustantivo] [masculino] Toque fuerte de un timbre: *Has despertado al bebé con tus timbrazos.* □ FAMILIA: → timbre.

timbre [sustantivo] [masculino] **1** Aparato que produce un sonido cuando se aprieta y que sirve para llamar a un sitio: *Tienes que llamar al timbre para que te abran la puerta.* **2** Característica propia del sonido de un instrumento musical o de la voz de una persona: *Tu amigo tiene un timbre de voz muy chillón.* □ FAMILIA: timbrazo.

timidez [sustantivo] [femenino] Falta de seguridad en uno mismo y dificultad para relacionarse con los demás: *Para vencer tu timidez debes estar*

a
b
c
d
e
f
g
h
i
j
k
l
m
n
ñ
o
p
q
r
s
t
u
v
w
x
y
z

más tiempo con otras personas y ver que no pasa nada por hablar con ellas. □ [Su plural es *timideces*]. FAMILIA: → tímido.

tímido, da 1 [adjetivo] Que tiene poca fuerza o que no se nota de forma clara: *Me dijo que sí con una tímida sonrisa.* **2** [adjetivo o sustantivo] Dicho de una persona, que no tiene seguridad en sí misma y tiene dificultades para tratar a los demás: *Es tan tímida que, cada vez que habla, se pone colorada.* □ FAMILIA: timidez.

timo [sustantivo masculino] Robo o engaño que se hacen a una persona para sacarle dinero: *Esta pulsera es un timo, porque me dijeron que era de oro y sólo tiene un baño dorado.* □ FAMILIA: timar.

timón [sustantivo masculino] Aparato que sirve para llevar la dirección de un barco: *El marinero giró el timón cuando el capitán le ordenó cambiar el rumbo.*

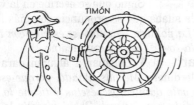
TIMÓN

tímpano [sustantivo masculino] Especie de piel muy estirada que está en el interior del oído: *Si se rompe el tímpano te puedes quedar sordo.*

tinaja [sustantivo femenino] Recipiente grande de barro que se usa para contener líquidos: *Antiguamente, el agua de la lluvia se recogía en tinajas.*

TINAJA

tinerfeño, ña [adjetivo o sustantivo] De la isla española de Tenerife: *Las playas tinerfeñas son muy visitadas por turistas españoles y extranjeros.*

tinglado [sustantivo masculino] **1** Situación en la que hay mucho movimiento de personas y gran rui-

do: *Dos señores organizaron un tinglado enorme en el autocar porque los dos querían el mismo asiento.* **2** Conjunto de cosas mezcladas sin orden: *Antes de bajar a la calle, tienes que recoger el tinglado de juguetes que hay en tu habitación.* □ [Es coloquial].

tiniebla [sustantivo femenino] Falta de luz: *Estuvimos toda la noche en tinieblas, porque se fue la luz y sólo teníamos una vela.* □ [Se usa más en plural].

tino [sustantivo masculino] **1** Habilidad para hacer bien alguna cosa o para acertar en algo: *¡Vaya tino, has dado con el dardo en el centro de la diana!* **2** Cuidado que se pone al hacer algo: *Tienes que decirle con mucho tino que no puedes ir para que no se moleste.* □ SINÓNIMOS: **1** acierto, destreza. CONTRARIOS: **1** desacierto, torpeza. FAMILIA: atinar.

tinta [sustantivo femenino] **1** Sustancia líquida que se usa para escribir, para dibujar o para imprimir: *Se me acabó la tinta del bolígrafo y tuve que seguir escribiendo con un lápiz.* **2** Líquido oscuro que sueltan algunos animales marinos: *Los calamares sueltan tinta para defenderse.* **3** [expresión] **saber de buena tinta** Estar bien informado: *Sé de buena tinta que están preparando una fiesta sorpresa para tu hermana.* □ [El significado **3** es coloquial]. FAMILIA: tintero.

tinte [sustantivo masculino] **1** Sustancia que se usa para cambiar el color de una cosa: *He comprado un tinte negro para teñir tus zapatos marrones.* **2** Lugar en el que limpian la ropa o le cambian el color: *He llevado al tinte tu anorak para que le quiten las manchas de grasa.* **3** Lo que se da a una cosa para que tome determinado aspecto: *El director se encargó de poner algunos tintes de humor en su despedida para que no resultara muy triste.* □ SINÓNIMOS: **2** tintorería.

tintero [sustantivo masculino] Recipiente que contiene la tinta de escribir: *He comprado un tintero azul para cargar la pluma.* □ FAMILIA: → tinta.

tintinear [verbo] **1** Producir una campana pequeña su sonido característico: *La campanilla tintineaba mientras la agitaba la maestra.* **2** Producir un sonido semejante a éste: *Las copas tintineaban cuando las lle-*

vaba en la bandeja porque chocaban unas con otras. □ FAMILIA: → tintineo.

tintineo [sustantivo] [masculino] Sonido característico de una campana pequeña y de otros objetos parecidos: *Por todo el patio se oía el tintineo de la campanilla, que nos avisaba de que subiéramos a las clases.* □ FAMILIA: tintinear.

tinto [sustantivo] [masculino] Vino de color rojo muy oscuro: *Para acompañar la carne tomaremos un tinto de La Rioja.*

tintorería [sustantivo] [femenino] Lugar en el que limpian la ropa o le cambian el color: *Estas corbatas de seda las llevo a la tintorería porque, si las lavo en casa, se estropean.* □ SINÓNIMOS: tinte.

tío, a [sustantivo] **1** Lo que es una persona en relación con los hijos de su hermano o de su hermana: *Mis tíos son los hermanos de mis padres.* **2** Persona que no se conoce o cuyo nombre no se quiere decir: *¿Quién era el tío que iba contigo en el coche?* **3** [expresión] **no hay tu tía** Se usa para indicar la dificultad para hacer algo o para evitarlo: *No hay tu tía, así que tendrás que ir.* □ [El significado **2** es despectivo. El significado **3** es coloquial. Se usa para dar más fuerza a un insulto: *¡Deja eso, tío guarro!*]. SINÓNIMOS: **1** tito. **2** individuo, sujeto, tipo.

tiovivo [sustantivo] [masculino] Diversión de feria formada por una serie de figuras que giran y sobre las que se suben las personas: *Fuimos a la feria y estuve toda la tarde dando vueltas en el tiovivo.* □ [Su plural es *tiovivos*]. SINÓNIMOS: caballitos.

típico, ca [adjetivo] Que es característico de algo o que lo representa: *La tortilla de patatas es una comida típica española.*

tipo, pa 1 [sustantivo] Persona a la que no se conoce o cuyo nombre no se quiere decir: *¿Quién es ese tipo con el que estabas hablando?* [sustantivo] [masculino] **2** Grupo que forman las cosas que tienen caracteres comunes: *Me gusta la ropa de tipo deportivo.* **3** Figura de una persona: *Todo te sienta bien porque tienes muy buen tipo.* **4** [expresión] **jugarse el tipo** Arriesgarse a un peligro: *Los conductores de automovilismo se juegan el tipo en cada vuelta por quedar campeones.* **mantener el tipo** Mostrarse tranquilo en una situación difícil: *Aunque yo también tenía*

mucho miedo, mantuve el tipo para que no se asustaran los pequeños. □ [Las expresiones son coloquiales]. SINÓNIMOS: **1** individuo, sujeto, tío. **2** especie.

tique [sustantivo] [masculino] **1** Papel con el que se demuestra que hemos pagado algo: *Quiero cambiar estas zapatillas y he traído el tique que me dieron.* **2** Tarjeta que permite usar un servicio durante un número limitado de veces: *He sacado un tique para la piscina municipal, que me sirve para diez días.* □ [Es una palabra de origen inglés].·

tiquismiquis [adjetivo o] [sustantivo] Que hace las cosas con mucho cuidado o que quiere que todo esté hecho a la perfección: *No seas tiquismiquis y límpiate con este trapo si no hay servilletas.* □ [Se escribe también *tiquis miquis*. No varía en masculino y en femenino, ni en singular y plural].

tira 1 [sustantivo] [femenino] Trozo largo y estrecho de un material que se dobla de forma fácil: *Mi mochila tiene dos tiras para que me la cuelgue de los hombros.* **2** [expresión] **la tira** Gran cantidad: *Mi hermano tiene la tira de juguetes y me los deja todos.* □ [El significado **2** es coloquial]. FAMILIA: tirita.

tirachinas [sustantivo] [masculino] Especie de palo que acaba en dos puntas abiertas que están unidas por una goma y que sirve para lanzar piedras pequeñas: *Me han quitado el tirachinas porque he roto un cristal.* □ [No varía en singular y en plural]. SINÓNIMOS: tirador. FAMILIA: → china.

TIRACHINAS

tirado, da [adjetivo] **1** Muy barato: *Me compré este libro tan gordo y con tantas fotos porque estaba tirado.* **2** Muy fácil: *Hacer el pino apoyándote en la pared está tirado.* **3** Sin medios o sin ayuda: *Se nos rompió el coche en la carretera y nos quedamos tirados hasta que pasó un señor que paró a ayudarnos.* [sustantivo] [femenino] **4** Distancia larga que hay entre un sitio y otro: *De aquí al río todavía*

a
b
c
d
e
f
g
h
i
j
k
l
m
n
ñ
o
p
q
r
s
t
u
v
w
x
y
z

queda una tirada, pero es un camino muy bonito. **5** Cada uña de las veces que le toca jugar a una persona: *Necesito que me salga un cinco en esta tirada para poder ganar.* **6** Conjunto de copias que se publican de una obra: *La tirada de este periódico es de doscientos mil ejemplares.* **7** [expresión] **de una tirada** De una vez: *Ese cuento es muy corto y se lee de una tirada.* □ [Los significados **1**, **2** y **3** son coloquiales]. SINÓNIMOS: **2** chupado. FAMILIA: → tirar.

tirador, -a 1 [sustantivo] Persona que dispara: *Los cazadores son buenos tiradores con la escopeta.* [sustantivo] [masculino] **2** Pieza que sirve para tirar de algo: *Los cajones de mi cómoda tienen tiradores para poder abrirlos.* **3** Especie de palo que acaba en dos puntas abiertas que están unidas por una goma y que sirve para lanzar piedras pequeñas: *Echamos un concurso para ver quién lanzaba más lejos una piedrecita con el tirador y gané yo.* □ SINÓNIMOS: **3** tirachinas. FAMILIA: → tirar.

tiranía [sustantivo] [femenino] Forma de gobierno en la que el poder lo tiene una sola persona que lo ha conseguido de forma no legal y que gobierna según su voluntad: *El pueblo se rebeló porque no podía soportar más la tiranía a la que estaba sometido.* □ FAMILIA: → tirano.

tirano, na [adjetivo o sustantivo] **1** Que se aprovecha del poder que tiene para obligar a los demás a que hagan lo que quiere: *No seas tirano y ve tú a buscar tus cosas en lugar de mandar a tu hermano pequeño.* **2** Que obtiene el gobierno de un Estado de forma no legal y que gobierna según su voluntad: *El tirano hacía pagar a su pueblo impuestos tan altos que casi no les quedaba dinero para comer.* □ FAMILIA: tiranía.

tirante [adjetivo] **1** Dicho de un cuerpo, que está muy estirado: *La goma tiene que estar tirante para que podamos jugar a saltarla.* **2** Dicho de una situación, que resulta violenta o molesta: *Desde que discutieron, cada vez que se ven se produce una situación muy tirante porque no se saludan.* **3** [sustantivo] [masculino] Cinta con la que se sujeta a los hombros una prenda de vestir: *Me resulta más cómodo llevar el pantalón con tirantes que con cinturón.* □ [Cuando es adjetivo no varía en masculino y en femenino. El significado **3** se usa más en plural].

SINÓNIMOS: **1,2** tenso. **3** hombrera. FAMILIA: → tirar.

tirar [verbo] **1** Soltar un objeto con fuerza para que salga en una dirección: *Los payasos tiraban caramelos a los niños del público.* **2** Dejar caer algo en un lugar: *Los papeles se tiran a la papelera, no al suelo.* **3** Disparar con un arma de fuego: *Estoy aprendiendo a tirar con una escopeta de perdigones.* **4** Suspender un examen: *A mi hermano mayor le han vuelto a tirar el inglés.* **5** Aprovechar algo mal: *Comprarse un coche que cuesta veinte millones de pesetas me parece tirar el dinero.* **6** Gustar o atraer: *No me tiran mucho las legumbres, pero si hay lentejas, las comeré.* **7** Hacer fuerza para atraer algo o para arrastrarlo: *Dos caballos tiraban del carro.* **8** Durar o mantenerse: *Aunque son de hace tres años, tiraré con estos zapatos hasta que me compre otros.* **9** Torcer o tomar una determinada dirección: *Seguiremos esta calle y luego tiraremos por la primera a la derecha.* **10** Dicho de un color, parecerse a otro: *El rosa de tu camiseta tira a rojo.* **11** Funcionar bien: *La moto de mi hermano tira muy bien y sube las cuestas con facilidad.* **tirarse 12** Dejarse caer: *¿Sabes tirarte de cabeza a la piscina?* **13** Permanecer o estar: *Te has tirado una hora hablando por teléfono, pesado.* **14** Tener relaciones sexuales con una persona. □ [Los significados **4**, **6**, **8**, **11** y **13** son coloquiales. El significado **14** es vulgar]. SINÓNIMOS: **1** lanzar. **1,2** echar. **12** lanzarse. **14** cepillarse. CONTRARIOS: **2** recoger. **4** aprobar. FAMILIA: tirado, tirante, tirador, tirón, tiro, tirotear, tiroteo.

[tirita [sustantivo] [femenino] Pequeño trozo de tela o de plástico que se pone sobre una herida pegado a la piel: *Después de lavarme la herida de la rodilla con agua oxigenada, me pusieron una tirita.* □ FAMILIA: → tira.

tiritar [verbo] Temblar de frío: *Hacía tanto frío en aquella sala que todos tiritábamos.* □ FAMILIA: tiritera, tiritona.

tiritera o **tiritona** [sustantivo] [femenino] Temblor del cuerpo producido por el frío o por la fiebre: *Sal ya del agua y ven a que te seque, que tienes una tiritona tremenda.* □ FAMILIA: → tiritar.

tiro [sustantivo] [masculino] **1** Disparo que se hace con un arma de fuego: *El cazador mató al león de un tiro.* **2** Hecho de lanzar algo en una dirección determinada: *Hoy nos han enseñado en gimnasia cómo se hace el tiro a canasta en baloncesto.* 🔎 página 289. **3** Conjunto de animales que arrastran algo: *Los bueyes y las mulas son animales de tiro.* **4** [expresión] **a tiro** Al alcance: *Tienes esa oportunidad a tiro, y sería una pena que no la aprovecharas.* **de tiros largos** Muy elegante: *Cuando mis padres fueron a la fiesta, se vistieron de tiros largos.* **ni a tiros** De ningún modo: *No consigo deshacer este nudo ni a tiros.* **salir el tiro por la culata** Resultar algo al revés de lo que se esperaba: *Le dije que esa carpeta era muy bonita para que me la regalara, pero me salió el tiro por la culata, porque se la compró ella.* **sentar como un tiro** Sentar muy mal: *Me sentó como un tiro que me mintieras.* ☐ [Las expresiones son coloquiales]. FAMILIA: → tirar.

tirón [sustantivo/masculino] **1** Movimiento violento que se hace de golpe al tirar de algo: *Tienes que dar un tirón para abrir la puerta del armario.* **2** Dolor que se siente en un músculo por haber hecho un esfuerzo muy grande: *Me dio un tirón en el muslo haciendo gimnasia porque no había calentado bien los músculos.* **3** Hecho de robar el bolso a otra persona tirando con fuerza de él y escapando después: *Pasaron dos chicos en una moto y el que iba detrás le dio el tirón a una señora.* **4** [expresión] **de un tirón** De una vez: *Me empecé el libro y, como me gustaba tanto, me lo leí de un tirón.* ☐ [El significado **4** es coloquial]. FAMILIA: → tirar.

tirotear [verbo] Disparar varias veces seguidas con un arma de fuego: *Unos terroristas tirotearon un autobús en el que viajaban varios militares.* ☐ FAMILIA: → tirar.

tiroteo [sustantivo/masculino] Serie de disparos repetidos que se hacen con un arma de fuego: *Uno de los atracadores resultó herido en el tiroteo con la policía.* ☐ FAMILIA: → tirar.

títere [sustantivo/masculino] **1** Muñeco que se mueve por medio de hilos o metiendo la mano en su interior: *Los títeres se usan para hacer teatro de guiñol.* **2** Persona que tiene poca voluntad y se deja llevar por los demás: *Aunque no lo parezca, el director es sólo un tí-*

tere que hace lo que le dice el subdirector. **3** [expresión] **no dejar títere con cabeza** Dejarlo todo destrozado: *Empezó a hablar mal de todos y no dejó títere con cabeza.* ☐ [Los significados **2** y **3** son coloquiales]. FAMILIA: titiritero.

titiritero, ra [sustantivo] Persona que hace teatro con unos muñecos a los que mueve tirando de unos hilos: *Los niños disfrutaban con la historia representada por los titiriteros.* ☐ FAMILIA: → títere.

tito, ta [sustantivo] Tío: *Mi tito me ha llevado a ver una película de dibujos.* ☐ [Es coloquial].

titubear [verbo] **1** Tener dudas sobre lo que hay que hacer en determinado momento o en determinado asunto: *Cuando vio que el niño tenía mucha fiebre, no titubeó y lo llevó al hospital.* **2** Equivocarse al hablar: *Cuando estoy con alguien a quien no conozco, titubeo y me confundo al hablar.* ☐ FAMILIA: → titubeo.

titubeo [sustantivo/masculino] **1** Duda que se siente sobre lo que hay que hacer en determinado momento o en determinado asunto: *Elegí el jersey azul sin titubeos porque el azul es mi color favorito.* **2** Falta de seguridad al hablar o al elegir las palabras: *Sé que tus titubeos son producidos por la timidez, no porque no sepas la lección.* ☐ FAMILIA: titubear.

titular 1 [adjetivo o/sustantivo] Dicho de una persona, que tiene algo como propio y de nadie más: *Sólo puede sacar dinero del banco el titular de esta cuenta de ahorro en persona.* **2** [sustantivo/masculino] Frase que aparece sobre una noticia en un periódico: *Cuando no tengo tiempo de leer el periódico entero, leo sólo los titulares.* **3** [verbo] Poner título a una obra: *La película que vi ayer se titula «Una tarde en el campo».* ☐ [Cuando es adjetivo no varía en masculino y en femenino]. FAMILIA: → título.

título [sustantivo/masculino] **1** Conjunto de palabras que se ponen como nombre a una obra: *La película tiene un título muy interesante.* **2** Documento o nombre que tienen las personas que han conseguido vencer en algo: *He conseguido el título de campeona de España.* **3** Categoría de las personas que pertenecen a la clase social más alta: *Todos los que asistieron a la fiesta tenían algún título nobiliario.* **4** Documento legal que da un derecho o establece una obligación: *Tengo que sacar una fotocopia del título de propiedad de estos terrenos.* □ FAMILIA: titular.

tiza [sustantivo] [femenino] Barrita que se usa para escribir en algunas superficies: *Mi profesora escribe en la pizarra con tizas blancas y de colores.*

toalla 1 [sustantivo] [femenino] Pieza de tela que se usa para secarse el cuerpo: *Sécate bien las manos con la toalla y ven a comer.* **2** [expresión] **tirar la toalla** Abandonar algo o darse por vencido: *No tires la toalla y lucha hasta el final para conseguir lo que quieres.* □ [El significado **2** es coloquial]. FAMILIA: toallero.

toallero [sustantivo] [masculino] Lo que sirve para colgar las toallas: *El toallero de mi cuarto de baño tiene forma de anilla.* □ FAMILIA: → toalla.

[toba [sustantivo] [femenino] Golpe que se da haciendo resbalar un dedo sobre otro: *Me dio una toba en la oreja para hacer una gracia, pero me hizo mucho daño.*

tobillo [sustantivo] [masculino] Parte por la que se une la pierna con el pie: *Las botas son zapatos que tapan los tobillos.*

tobogán [sustantivo] [masculino] Construcción en forma de plano inclinado por la que las personas se dejan resbalar sentadas: *Para tirarse del tobogán hay que subir primero unas escaleras.*

toca [sustantivo] [femenino] Prenda de tela que usan algunas religiosas para cubrirse la cabeza: *Las monjas de ese convento llevan el hábito gris y la toca blanca.*

TOCA

tocadiscos [sustantivo] [masculino] Aparato que permite oír el sonido de un disco: *Tienes que poner la aguja del tocadiscos con cuidado encima del disco para no rayarlo.* □ [No varía en singular y en plural]. FAMILIA: → disco.

tocador [sustantivo] [masculino] Mueble que tiene un espejo y que usa una persona para peinarse o para arreglarse: *Mi madre tiene las cosas de maquillaje en la mesa del tocador.*

tocar [verbo] **1** Poner la mano sobre un objeto: *No toques la puerta, porque está recién pintada.* **2** Poner una cosa junto a otra: *Tenéis que colocar las sillas de forma que no toquen la pared.* **3** Hacer sonar bien un instrumento musical: *Estoy aprendiendo a tocar la guitarra.* **4** Hacer sonar un aparato: *Toqué el timbre varias veces, pero nadie me abrió la puerta.* **5** Interpretar una pieza musical: *Cuando toquen un vals, lo bailaremos.* **6** Tratar un asunto o hablar de él: *En el programa de hoy tocaremos el tema de la educación de nuestros hijos.* **7** Llegar el momento adecuado para hacer algo: *Bájate del columpio, que ahora me toca subir a mí.* **8** Ser una cosa responsabilidad de una persona: *Cuidar el medio ambiente es una cuestión que nos toca a todos.* **9** Corresponder algo a alguien: *A mi vecino le ha tocado un premio.* □ [La c se cambia en qu delante de e, como en SACAR]. FAMILIA: toque, toquetear, retocar, retoque.

tocayo, ya [sustantivo] Persona que tiene el mismo nombre que otra: *Tu padre es tocayo mío porque se llama Raúl, como yo.*

tocino 1 [sustantivo] [masculino] Capa de grasa del cerdo: *La sopa quedará más sabrosa si le echas tocino al caldo.* **2** [expresión] **tocino de cielo** Dulce hecho con huevo y azúcar: *El tocino de cielo parece un flan cuadrado.*

todavía [adverbio] **1** Hasta el momento en que se está hablando: *No sé todavía si vamos mañana de excursión o si nos quedamos.* **2** Indica que una cosa es superior a otra en algo: *Este juguete es todavía más caro que el que yo he pedido.* **3** Sin embargo: *Esta vez lo has hecho bien, pero todavía lo puedes hacer mucho mejor.* □ SINÓNIMOS: **1** aún.

todo, da 1 [pronombre] [indefinido] Indica que algo se toma por entero o en su conjunto: *Hoy habéis venido todos los de la clase.* **2** [sustantivo] [masculino] Cosa entera o considerada como la suma de sus partes: *Una familia es un todo formado por un padre, una madre y sus hijos.* **3** [expresión] **jugarse el todo por el todo** Arriesgar mucho para conseguir algo: *Sabía que no eras culpable y por eso me jugué el todo por el todo para demostrárselo.* **sobre todo** En primer lugar en importancia: *Me gustan mucho los deportes pero, sobre todo, me gusta el baloncesto.* □ [Se usa para dar más fuerza a lo que se dice: *Ese atleta es todo músculos*]. CON-

TRARIOS: **1** nada. FAMILIA: total, totalidad, metomentodo.

todopoderoso, sa [adjetivo] Que lo puede todo: *Creo firmemente que Dios es todopoderoso.* □ FAMILIA: → poder.

toldo [sustantivo masculino] Cubierta de tela gruesa que se pone para dar sombra: *Voy a bajar el toldo de la terraza, porque da mucho sol en esta habitación.*

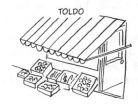

TOLDO

toledano, na [adjetivo o sustantivo] De la provincia de Toledo o de su capital: *Los mazapanes toledanos tienen mucha fama porque están muy buenos.*

tolerancia [sustantivo femenino] Respeto hacia las opiniones de los demás: *Debes tener más tolerancia y admitir que otros tengan otras ideas religiosas diferentes a las tuyas.* □ FAMILIA: → tolerar.

tolerar [verbo] **1** Sufrir con paciencia algo malo: *Tolero mejor el calor que el frío.* **2** Dejar que algo suceda: *No te tolero que hables mal de mi amigo estando yo delante.* □ SINÓNIMOS: **1** aguantar, soportar, tragar. **2** permitir, consentir, admitir. CONTRARIOS: **2** prohibir. FAMILIA: tolerancia.

toma [sustantivo femenino] **1** Hecho de hacerse dueño de un lugar por la fuerza: *La toma de la ciudad de Granada supuso el fin de la presencia de los árabes en la península Ibérica.* **2** Parte de algo que se come o se bebe de una vez: *Las tomas de leche de un bebé suelen ser cada tres horas.* 🖝 página 612. **3** Abertura por la que sale una cantidad de agua: *El jardinero puso la manguera en la toma de agua del jardín y empezó a regar.* **4** Lugar por donde un aparato recibe la corriente: *La toma de la antena estaba suelta y por eso se veía mal la imagen.* **5** Plano que ofrece una cámara o una máquina de fotografías: *Este avión realiza tomas aéreas de las ciudades para hacer luego los mapas.* □ FAMILIA: → tomar.

tomar [verbo] **1** Coger algo con la mano: *Tú lleva esta caja, que yo tomaré la maleta.* **2** Empezar a tener algo o conseguirlo: *¿Has tomado mi dirección para escribirme en verano?* **3** Comer o beber: *¿Quieres tomar más sopa?* **4** Adoptar algo para emplearlo: *Tenemos que tomar precauciones para no quemarnos con el sol.* **5** Entender algo de determinada manera: *Se tomó a broma mis críticas y no se enfadó.* **6** Recibir algo o aceptarlo: *Te tomo la palabra y, en cuanto pueda, iré a tu casa a cenar.* **7** Hacerse dueño de un lugar por medio de la fuerza: *Los enemigos tomaron la ciudad.* **8** Subir en un vehículo público: *Tomaremos un taxi para llegar antes.* **9** Recibir los efectos de algo: *Me gusta tomar el sol en la piscina.* **10** Seguir una dirección: *Si tomas por la primera a la izquierda llegaremos antes que ellos.* **11** [expresión] **tomarla con alguien** Hacer todo lo posible por molestarlo: *Como la has tomado conmigo, me echas la culpa de todo, aunque yo no haya sido.* □ [El significado **11** es coloquial]. SINÓNIMOS: **7** conquistar, ocupar. FAMILIA: toma.

tomate [sustantivo masculino] **1** Planta que se cultiva en las huertas y cuyo fruto es rojo y casi redondo: *Me gusta la ensalada de lechuga y tomate.* **2** Roto en una prenda de punto: *No puedes ponerte esos calcetines, porque tienen un tomate en el talón.* **3** Situación en la que hay mucho ruido y gran movimiento de personas: *¡Menudo tomate se organizó en la cola del cine cuando unas señoras intentaron colarse!* □ [Los significados **2** y **3** son coloquiales].

tómbola [sustantivo femenino] Juego en el que se pueden ganar premios comprando una papeleta: *Organizaron una tómbola y a mí me tocó una bicicleta.*

tomillo [sustantivo masculino] Planta que tiene las hojas y las flores pequeñas y que huele muy bien: *Fuimos al campo a coger tomillo para colgarlo de los armarios y que perfume la ropa.*

tomo 1 [sustantivo masculino] Cada una de las partes en que se divide una obra y que forma un libro por separado: *Si quieres saber más cosas sobre los perros, mira en el quinto tomo de la enciclopedia.* **2** [expresión] **de tomo y lomo** De importancia: *Tengo un problema de tomo y*

a
b
c
d
e
f
g
h
i
j
k
l
m
n
ñ
o
p
q
r
s
t
u
v
w
x
y
z

a
b
c
d
e
f
g
h
i
j
k
l
m
n
ñ
o
p
q
r
s
t
u
v
w
x
y
z

lomo y no sé qué hacer para solucionarlo. □ [El significado **2** es coloquial].

ton [expresión] **sin ton ni son** Sin razón: *Empezó a regañarme sin ton ni son, porque yo no había hecho nada de lo que él decía.* □ [Es coloquial].

tonalidad [sustantivo femenino] Variedad de tonos en los colores: *En primavera se ven muchas tonalidades de verde en los campos.* □ FAMILIA: → tono.

tonel [sustantivo masculino] **1** Recipiente de gran tamaño, que está formado por tablas curvas: *La bodega estaba llena de toneles de vino.* **2** Persona muy gruesa: *Tengo que comer menos porque estoy hecha un tonel.* □ [El significado **2** es coloquial].

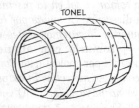

TONEL

tonelada [sustantivo femenino] Medida que se usa para pesar: *Una tonelada equivale a mil kilogramos.*

tónico, ca 1 [adjetivo o sustantivo masculino] Que devuelve las fuerzas: *El médico me ha recetado un tónico para que me abra el apetito.* **2** [sustantivo masculino] Líquido que se usa para limpiar la piel de la cara o para dar más fuerza al cabello: *Después de quitarse el maquillaje, mi madre se da un tónico para refrescar la cara.* [sustantivo femenino] **3** Bebida con gas, un poco amarga y transparente: *Ella pidió un zumo de limón y yo, una tónica.* **4** Característica general de algo: *El aburrimiento fue la tónica general de la reunión.* □ FAMILIA: → tono.

tono [sustantivo masculino] **1** Característica por la que un sonido es más grave o más agudo: *La voz de los hombres suele ser de tonos más graves que la de las mujeres.* **2** Característica particular con que se produce algo: *La discusión tomó un tono violento.* **3** Grado de color: *Hemos decorado la sala con tonos claros.* **4** Energía o buen estado del cuerpo: *Me siento decaído y el médico me ha mandado vitaminas para que recupere el tono.* **5** [expresión] **a tono** De manera adecuada y que no

resulte extraña: *Los invitados iban muy elegantes, a tono con la ocasión.* **darse tono** Darse importancia: *Se pasa el día hablando de la gente famosa que conoce para darse tono.* **estar fuera de tono** Ser poco adecuado: *Está bien que le llames la atención por lo que ha hecho, pero insultarle está fuera de tono.* □ FAMILIA: entonar, entonación, desentonar, tonalidad, tónico.

tontada [sustantivo femenino] Lo que se hace o se dice sin una base razonable: *Déjate de tontadas y háblame en serio.* □ SINÓNIMOS: tontería, tontuna, bobada, bobería. FAMILIA: → tonto.

tontaina [adjetivo o sustantivo] Tonto: *¡Si será tontaina, que le gastan una broma y se echa a llorar!* □ [Es coloquial. No varía en masculino y en femenino]. FAMILIA: → tonto.

tontear [verbo] **1** Hacer o decir cosas tontas: *Deja de tontear y ponte a trabajar de una vez.* **2** Jugar con una persona para intentar gustarle, pero sin buscar una relación seria: *Los chicos y las chicas empiezan a tontear en la adolescencia.* □ [El significado **2** es coloquial]. FAMILIA: → tonto.

tontería [sustantivo femenino] **1** Falta de inteligencia o de capacidad para razonar: *¿De quién habrás heredado tanta tontería?* **2** Lo que se hace o se dice sin una base razonable: *Piensa bien lo que vas a contestar y no sueltes más tonterías.* **3** Cosa tonta o sin importancia: *No vale la pena discutir por una tontería.* □ SINÓNIMOS: **2,3** bobada. **2** tontada, tontuna, bobería. **3** pamplina, niñería, pequeñez, chorrada. FAMILIA: → tonto.

tonto, ta [adjetivo] **1** Sin base razonable: *Es tonto que me preguntes si he venido, ahora que me estás viendo.* **2** Que ocurre sin un motivo claro: *De vez en cuando me entra una risa tonta que no puedo controlar.* **3** Pesado o demasiado cariñoso: *Mi hermanito se pone un poco tonto cuando está enfermo.* **4** [adjetivo o] Que actúa con poca inteligencia: *La muy tonta no se dio cuenta de que la estaban engañando.* **5** [expresión] **a tontas y a locas** Sin orden y sin pensar: *Reflexiona antes de hablar y no contestes a tontas y a locas.* **hacerse alguien el tonto** Dar la impresión de que no se entera de lo que pasa: *Deja de hacerte el tonto y contesta, que sé muy bien que me has oído.* **tonto de capirote** o **tonto del bote** El que lo es mucho: *Si te has creído esa trola, es que eres tonta de capirote.* □ [Las expresiones son coloquiales. Se usa como insulto]. SINÓNIMOS: **4** bobo, necio, estúpido, burro, memo. CONTRARIOS: **1** racional, razonable, lógico. **4** inteligente. FAMILIA: tontorrón, tontaina, tontería, tontada, tontuna, tontear, atontar, atontolinado.

tontorrón, -a [adjetivo o sustantivo] Tonto: *¡Anda, tontorrona, que te lo crees todo!* □ [Es coloquial]. SINÓNIMOS: bobalicón. FAMILIA: → tonto.

tontuna [sustantivo femenino] Lo que se hace o se dice sin una base razonable: *Cuando empiezas a hacer tontunas, prefiero no hacerte caso.* □ [Es coloquial]. SINÓNIMOS: tontería, tontada, bobada, bobería. FAMILIA: → tonto.

tope [sustantivo masculino] **1** Punto extremo al que se puede llegar: *He llegado al tope de mi resistencia y ya no puedo más.* **2** Pieza que sirve para detener un movimiento o para impedir que se pase al otro lado: *Pon un tope detrás de la puerta para que no choque con la pared al abrirla.* **3** [expresión] **a tope** Hasta el límite: *Hay mucho que hacer y estamos trabajando a tope.* □ [El significado **3** es coloquial]. SINÓNIMOS: **1** límite.

[topless] [sustantivo masculino] Falta de ropa en una mujer de cintura para arriba: *En la playa había muchas chicas en topless.* □ [Es una palabra inglesa. Se pronuncia «tóp lés»].

topo [sustantivo masculino] **1** Animal del tamaño de un ratón, de pelo casi negro, con el sentido de la vista muy poco desarrollado y con fuertes uñas que le sirven para cavar la tierra: *Los topos abren galerías bajo tierra con sus uñas.* **2** Persona que se mete en una organización para actuar al servicio de otros: *Descubrieron que ese empleado era un topo que espiaba para otra empresa.* □ [El significado **2** es coloquial].

toque [sustantivo masculino] **1** Golpe suave: *Di un toque en la puerta antes de entrar.* **2** Sonido producido por un instrumento: *Cuando el árbitro da tres toques de silbato, acaba el partido.* **3** Aviso que se da a alguien, generalmente para llamarle la atención por algo: *Si sigues llegando tarde al trabajo, te van a dar un toque.* **4** Lo que le da un carácter especial a algo: *Esa flor en el ojal de la chaqueta te da un toque de elegancia.* **5** Operación que se hace para terminar o para empezar una obra: *La pintura*

está casi terminada, a falta de algunos toques. □ FAMILIA: → tocar.

toquetear [verbo] Tocar de manera repetida: *¡Deja de toquetearte los granos!* □ FAMILIA: → tocar.

toquilla [sustantivo femenino] Especie de pañuelo grande para cubrir los hombros o la espalda: *Mi abuela siempre está en casa con una toquilla para no tener frío.*

TOQUILLA

tórax [sustantivo masculino] Parte del cuerpo donde están el corazón y los pulmones: *Las costillas son una protección para los órganos que están en el tórax.* □ [No varía en singular y en plural].

torbellino [sustantivo masculino] **1** Movimiento del viento con vueltas muy rápidas: *El torbellino iba arrastrando todo lo que encontraba a su paso.* **2** Gran cantidad de cosas que se producen al mismo tiempo: *Tengo tal torbellino de preocupaciones que no sé cuál atender primero.* **3** Persona que se mueve mucho o que siente interés por muchas cosas: *Esa muchacha es un torbellino y no sabe estarse sin hacer nada.* □ [El significado **3** es coloquial].

torcer [verbo] **1** Hacer curvo o con ángulos algo que estaba recto: *Hay que tener mucha fuerza para torcer un hierro con las manos.* **2** Inclinar algo o ponerlo en una dirección no debida: *El cuadro se ha torcido.* **3** Poner la cara con un gesto que indique disgusto: *Cuando mi padre tuerce la cara, es que algo no le parece bien.* **4** Doblar un miembro del cuerpo forzándolo: *Pisé mal y me torcí el tobillo.* **5** Cambiar de dirección: *Tuerce por la primera calle a la derecha y llegarás a mi casa.* **6 torcerse** Ir mal un asunto o fracasar: *Al principio, todo iba bien, pero un golpe de mala suerte hizo que se torcieran las cosas.* □ [Es irregular y se conjuga como COCER]. SINÓNIMOS: **1,5** doblar. CONTRARIOS: **1** enderezar. FAMILIA: torcido, retorcer, retorcido.

torcido, da [adjetivo] Que no es recto o que no está recto: *Si hago las rayas sin regla,*

a

me salen torcidas. □ CONTRARIOS: derecho, recto. FAMILIA: → torcer.

b **tordo, da 1** [adjetivo o sustantivo] Dicho de un caballo, que tiene el pelo blanco mezclado con negro:

c *Vimos una yegua torda, con un pelaje que parecía gris.* **2** [sustantivo] Pájaro de plumas

d grises en la parte superior, y amarillas en el vientre, con el pico delgado y negro: *Los tordos comen insectos y frutos.*

e

f **torear** [verbo] **1** Ponerse frente a un toro en la plaza, hacerlo obedecer y darle muerte

g según determinadas reglas: *En la corrida de hoy torean tres toreros famosos.* **2** Evitar con habilidad algo que molesta o que no

h gusta: *Eres único para torear las dificultades y escurrir el bulto.* □ [El significado **2** es

i coloquial]. SINÓNIMOS: **1** lidiar. FAMILIA: → toro.

j **toreo** [sustantivo masculino] Arte de torear toros: *En las plazas de toros, los toros se lidian según las*

k *reglas del toreo.* □ FAMILIA: → toro.

l **torero, ra 1** [adjetivo] Relacionado con el arte de torear: *El traje torero suele llevar bordados en oro o plata.* **2** [sustantivo] Persona que se de-

m dica a torear: *El toro estuvo a punto de coger al torero.* **3** [sustantivo femenino] Chaqueta que no llega a

n la cintura, que se pega al cuerpo y que no suele tener botones: *Llevaba una blusa blan-*

ñ *ca y una torera encima.* **4** [expresión] **saltarse algo a la torera** Evitarlo con habilidad o sin

o preocuparse de si se hace bien o mal: *Si todos nos saltamos las normas a la torera, esto será*

p *un caos.* □ [Los significados **1** y **4** son coloquiales]. SINÓNIMOS: **2** diestro. FAMILIA: → toro.

q **tormenta** [sustantivo femenino] **1** Situación del ambiente en la que hay fuertes vientos, lluvias y true-

r nos: *Nos pilló una tormenta a mitad de camino y nos empapamos.* **2** Gran cantidad de

s algo: *Esa decisión puede desencadenar una tormenta de protestas.* □ SINÓNIMOS: **1** tem-

t pestad, temporal. FAMILIA: tormentoso.

u **tormento** [sustantivo masculino] **1** Dolor físico con que se castiga a alguien para que diga alguna cosa:

v *Antes, a los presos se les daba tormento para obligarlos a confesar.* **2** Lo que hace

w sufrir mucho o causa un gran dolor: *Las víctimas del terremoto vivieron un verdadero*

x *tormento.* □ SINÓNIMOS: tortura. **2** suplicio. CONTRARIOS: **2** placer. FAMILIA: atormentar.

y **tormentoso, sa** [adjetivo] **1** Dicho del tiem-

z po, que tiene o puede tener tormentas: *La*

primavera es una estación tormentosa. **2** Con muchos problemas o disgustos: *Esos dos tienen una relación tormentosa y discuten cada dos por tres.* □ FAMILIA: → tormenta.

torneo [sustantivo masculino] **1** Lucha que se hacía a caballo entre varios caballeros: *En la Edad Media los torneos se celebraban como un espectáculo.* **2** Serie de competiciones o de juegos en la que compiten varias personas o equipos entre sí: *Quedamos eliminados en la primera fase del torneo de tenis.*

tornillo 1 [sustantivo masculino] Pieza de metal larga y con unas marcas en forma de círculos que permiten meterla en otra pieza dándole vueltas: *Las partes de este mueble están unidas entre sí con tornillos.* **2** [expresión] **faltarle a alguien un tornillo** Estar loco o tener poco sentido común: *A ti te falta un tornillo y no dices más que disparates.* □ [El significado **2** es coloquial]. FAMILIA: atornillar, desatornillar, destornillar, destornillador.

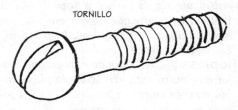

TORNILLO

torno [sustantivo masculino] **1** Máquina en la que se pone un objeto para que gire sobre sí mismo: *El alfarero puso la arcilla en el torno para modelarla.* **2** Estructura colocada en el hueco de una pared y que se hace girar para pasar cosas de un lado a otro: *En los conventos de clausura suelen tener tornos para que las monjas den o reciban cosas sin ver a la gente*

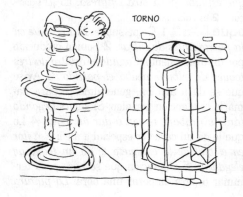

TORNO

del exterior. **3** [expresión] **en torno** Alrededor de: *El niño no dejaba de dar vueltas en torno mío.* **en torno a** En relación con: *Toda la discusión giró en torno al mismo tema.*

toro [sustantivo] [masculino] **1** Animal de cuatro patas, con dos cuernos en la cabeza y una cola larga: *La hembra del toro es la vaca.* **2** Persona muy fuerte: *Hay que ser un toro para levantar semejante peso.* **3** [plural] Fiesta o corrida en la que se torea: *Los toros son una fiesta típica de España.* 🐂 página 343. **4** [expresión] **coger el toro por los cuernos** Hacer frente a una dificultad con decisión: *Si tienes un problema, más vale que cojas el toro por los cuernos y que no te hagas el loco.* **pillar a alguien el toro** Echársele el tiempo encima y no poder acabar algo: *Tienes que estudiar desde el primer día para que no te pille el toro al final de curso.* □ [Las expresiones son coloquiales]. FAMILIA: torear, toreo, torera, torero, taurino, tauro.

torpe [adjetivo] **1** Poco hábil en algo: *Soy muy torpe para los trabajos manuales y sólo me salen chapuzas.* **2** De inteligencia corta o lenta: *Hay que ser un poco torpe para no entender algo tan claro.* □ [No varía en masculino y en femenino]. SINÓNIMOS: **1** inepto, negado. CONTRARIOS: **1** hábil, capaz, mañoso, diestro. **2** listo, despierto. FAMILIA: torpeza, entorpecer.

torpedo [sustantivo] [masculino] Especie de bala de gran tamaño que se lanza bajo el agua: *El submarino lanzó dos torpedos que hundieron el barco enemigo.*

torpeza [sustantivo] [femenino] **1** Falta de habilidad para hacer algo bien: *No me ha quedado mal el dibujo, a pesar de mi torpeza para estas cosas.* **2** Falta de inteligencia para entender bien: *No digas que la culpa la tiene tu torpeza, porque lo único que te pasa a ti es que no pones ningún interés.* **3** Lo que se hace y resulta poco adecuado: *Me puse roja de vergüenza cuando me di cuenta de la torpeza que acababa de cometer.* □ SINÓNIMOS: **1,3** desacierto. CONTRARIOS: **1** habilidad, facilidad, destreza, arte, maña, maestría, tino, mano. **3** acierto. FAMILIA: → torpe.

torre [sustantivo] [femenino] **1** Construcción o edificio mucho más alto que ancho: *Los centinelas vigilaban desde la torre del castillo.* 🏰 pá-

gina 156. **2** Estructura de metal de gran altura: *Aquella torre en medio del mar es de una plataforma petrolífera.* 🗼 páginas 538, 540. □ FAMILIA: torreón.

torrencial [adjetivo] Abundante y con fuerza: *Las inundaciones fueron causadas por lluvias torrenciales.* □ [No varía en masculino y en femenino]. FAMILIA: → torrente.

torrente [sustantivo] [masculino] Corriente de agua que se mueve de forma rápida y con fuerza: *Los torrentes se forman en tiempo de lluvias y deshielos.* □ FAMILIA: torrencial.

torreón [sustantivo] [masculino] Torre grande para defender un castillo: *Había un torreón en cada esquina del castillo.* □ FAMILIA: → torre.

torrija [sustantivo] [femenino] Trozo de pan mojado en leche o en vino, bañado en huevo y frito en aceite: *Las torrijas son un dulce típico de Semana Santa.*

torso [sustantivo] [masculino] Parte del cuerpo comprendida entre la cabeza, los brazos y la cintura: *Se quitó la camisa y se quedó con el torso desnudo.*

torta [sustantivo] [femenino] **1** Masa redonda y plana, hecha con harina, agua y otros productos: *En mi pueblo son típicas las tortas de aceite.* **2** Golpe dado con la mano abierta: *Me has dejado los dedos marcados de la torta que me has dado.* **3** Golpe fuerte: *Si no miras por dónde vas, te vas a dar una torta contra un árbol.* **4** [expresión] **ni torta** Nada: *Hablaban en otra lengua y no entendí ni torta.* □ [Los significados **2, 3 y 4** son coloquiales]. FAMILIA: tortazo, tortel, tortita, tortilla.

tortazo [sustantivo] [masculino] **1** Golpe dado en la cara con la mano abierta: *Como me enfades más, te doy un tortazo.* **2** Golpe muy fuerte: *¡Menudo tortazo se han dado esos dos coches!* □ [Es coloquial]. SINÓNIMOS: **1** bofetada. **2** porrazo, trompazo, trastazo. FAMILIA: → torta.

[tortel [sustantivo] [masculino] Bollo en forma circular y con un agujero en el centro: *He merendado un tortel de hojaldre.* □ FAMILIA: → torta.

tortícolis [sustantivo] [femenino] Dolor que se siente a un lado del cuello y que impide moverlo bien o tenerlo derecho: *Dormí en una mala postura y me levanté con tortícolis.* □ [No varía en singular y en plural].

tortilla 1 [sustantivo] [femenino] Comida que se hace con huevos, y a veces con otros productos mez-

a
b
c
d
e
f
g
h
i
j
k
l
m
n
ñ
o
p
q
r
s
t
u
v
w
x
y
z

clados, y que se cocina en aceite: *La típica tortilla española se hace con patatas.* **2** [expresión] **volverse la tortilla** Cambiar por completo la suerte: *¡No eches las campanas al vuelo antes de tiempo, que todavía se puede volver la tortilla!* □ [El significado **2** es coloquial]. FAMILIA: → torta.

tortita [sustantivo] [femenino] Dulce plano y redondo, hecho con una masa de harina y agua: *Para merendar nos pusieron tortitas con nata y mermelada.* □ FAMILIA: → torta.

tórtolo, la [sustantivo] **1** Ave de color parecido al rosa, que vuela muy rápido: *Las tórtolas se parecen a las palomas.* **2** Persona que muestra amor en todo momento a la persona que quiere: *Ese par de tortolitos está todo el día de la mano.* □ [El significado **2** es coloquial y se dice mucho *tortolito*].

tortuga [sustantivo] [femenino] **1** Animal que se mueve muy despacio y que tiene el cuerpo cubierto por una concha redonda y plana: *La tortuga puede meter la cabeza entera dentro de su caparazón.* 🐢 página 537. **2** Lo que se mueve muy despacio: *Ese coche viejo es una tortuga.* □ [El significado **2** es coloquial].

tortura [sustantivo] [femenino] **1** Dolor muy fuerte con que se castiga a alguien para que diga alguna cosa: *En España la tortura está prohibida por la ley.* **2** Lo que molesta mucho o causa un gran dolor: *¡Qué tortura oíros discutir todo el día!* □ SINÓNIMOS: tormento. **2** suplicio. CONTRARIOS: **2** placer. FAMILIA: torturar.

torturar [verbo] Producir un dolor o una pena continuos: *En la película los malos torturaron al protagonista, pero éste resistió y no delató a nadie.* □ SINÓNIMOS: atormentar. FAMILIA: → tortura.

tos [sustantivo] [femenino] Ruido que se hace al echar el aire de los pulmones de manera violenta: *He cogido frío en la garganta y tengo tos.* □ FAMILIA: toser.

tosco, ca [adjetivo] **1** Poco fino o de poca calidad: *Los sacos se suelen hacer con telas toscas.* **2** Con poca educación o poco delicado al tratar a los demás: *¡No seas tan tosco y trata a los demás con educación!* □ SINÓNIMOS: basto, rudo. CONTRARIOS: delicado, fino, refinado. **2** cortés.

toser 1 [verbo] Tener tos: *El humo me hace*

toser. **2** [expresión] **toserle a alguien** Llevarle la contraria o hacerle frente: *¡Cualquiera le tose a ése, con el genio que tiene...!* □ [El significado **2** es coloquial]. FAMILIA: → tos.

tostada [sustantivo] [femenino] Trozo de pan que se ha puesto al fuego hasta tener un color dorado: *Para desayunar tomo tostadas con mantequilla y mermelada.* □ FAMILIA: → tostar.

tostador [sustantivo] [masculino] Aparato que sirve para calentar alimentos y hacer que tomen un color dorado: *En casa preparamos las tostadas con un tostador.* □ FAMILIA: → tostar.

tostar [verbo] **1** Poner un alimento al fuego hasta que tome un color dorado, sin llegar a quemarse: *Mete el bizcocho al horno hasta que se tueste.* **2** Poner morena la piel: *Tomo el sol para tostarme un poco.* □ [Es irregular y se conjuga como CONTAR]. FAMILIA: tostada, tostador.

tostón [sustantivo] [masculino] Lo que aburre, cansa o molesta: *La película era un tostón y no fui capaz de acabar de verla.* □ [Es coloquial]. SINÓNIMOS: rollo, pesadez, petardo, peñazo, lata.

total 1 [adjetivo] De todas las partes que forman un todo: *Van a hacer una reforma total del edificio.* [sustantivo] [masculino] **2** Resultado de una suma: *En las tiendas tienen máquinas que calculan automáticamente el total de las compras.* **3** Conjunto de todos los que forman un grupo: *El total de los alumnos estuvimos de acuerdo con la propuesta de visitar un museo.* **4** [adverbio] En conclusión: *Total, que después de tanto discutir aún no os habéis decidido.* □ [Cuando es adjetivo no varía en masculino y en femenino]. SINÓNIMOS: **1** completo. **2** suma. **3** totalidad. **4** en resumen, en suma. CONTRARIOS: **1** parcial. FAMILIA: → todo.

totalidad [sustantivo] [femenino] Conjunto de todos los que forman un grupo: *La totalidad de la clase se apuntó a la excursión.* □ SINÓNIMOS: total. FAMILIA: → todo.

tóxico, ca [adjetivo o sustantivo masculino] Dicho de una sustancia, que es venenosa: *Algunos productos de limpieza son tóxicos.* □ FAMILIA: intoxicar, intoxicación.

tozudo, da [adjetivo] **1** Que tiene ideas fijas y no se deja convencer: *No lograrás que cambie de opinión, porque es muy tozudo.* **2**

Dicho de un animal, que no obedece o no se deja controlar: *No hay animal más tozudo que una mula.* □ SINÓNIMOS: **1** testarudo, terco, mulo, borrico.

trabajador, -a 1 [adjetivo] Que trabaja mucho: *Con lo lista que eres, si fueras más trabajadora, conseguirías lo que quisieras.* **2** [sustantivo] Persona que trabaja a cambio de un salario: *Esa empresa tiene empleados a diez trabajadores.* □ SINÓNIMOS: **1** laborioso. **2** obrero. CONTRARIOS: **1** holgazán, vago, gandul, zángano. FAMILIA: → trabajar.

trabajar [verbo] **1** Realizar una actividad para la que se necesita esfuerzo: *Tengo que trabajar más si quiero acabar bien el curso.* **2** Realizar una actividad como profesión: *Mi padre trabaja como camarero.* **3** Mantener relaciones comerciales con determinada empresa: *Esta empresa trabaja con varios bancos.* **4** Cuidar la tierra y las plantas para que produzcan frutos: *El arado se utiliza para trabajar la tierra.* **5** Dar forma a una materia con las manos: *Los alfareros trabajan la arcilla.* □ [Siempre se escribe con j]. SINÓNIMOS: **4** cultivar. CONTRARIOS: **1** holgazanear, vaguear. FAMILIA: trabajo, trabajador, trabajoso.

trabajo [sustantivo masculino] **1** Actividad que se realiza con esfuerzo: *La jefa me felicitó porque había hecho un gran trabajo.* **2** Esfuerzo para conseguir algo: *Me costó mucho trabajo decidirme a hablar contigo.* **3** Actividad que se realiza a cambio de un sueldo: *He conseguido un trabajo como electricista.* **4** Lugar en el que se realiza esta actividad: *El trabajo me pilla cerca y puedo ir andando.* **5** [expresión] **trabajos forzados** Los que tiene que realizar un prisionero como parte de la pena que le han puesto: *Fue condenado a trabajos forzados picando piedra.* □ SINÓNIMOS: **1** labor, quehacer, tarea, ocupación, faena. **3** profesión, oficio, empleo, puesto. FAMILIA: → trabajar.

trabajoso, sa [adjetivo] Que se realiza con mucho trabajo o esfuerzo: *Escribir un libro es una tarea trabajosa.* □ SINÓNIMOS: laborioso. FAMILIA: → trabajar.

trabalenguas [sustantivo masculino] Palabra o expresión difíciles de pronunciar: *A ver si eres capaz de repetir el trabalenguas «Tres tristes tigres*

comían trigo en un trigal». □ [No varía en singular y en plural]. FAMILIA: → lengua.

trabar [verbo] **1** Agarrar o coger con fuerza: *Se cerraron las puertas del autobús cuando yo entraba y me trabaron la pierna.* **2** Unir unas ideas con otras: *Sabes convencer porque trabas muy bien tus argumentos.* **3** Poner dificultades al desarrollo de algo: *Deja que decida por ella misma y no trabes su libertad.* **4** Empezar una relación con alguien: *Desde el principio nos caímos bien y enseguida trabamos amistad.* **5 trabarse** Hablar con dificultad o equivocándose al pronunciar: *Estaba tan nerviosa que me trababa y me salían las palabras a medias.* □ [No confundir con *tramar*].

tracción [sustantivo femenino] Fuerza con la que se empuja o se mueve algo: *Los carromatos son vehículos de tracción animal y los coches, de tracción mecánica.* □ FAMILIA: → traer.

tractor [sustantivo masculino] Vehículo de motor con cuatro ruedas, las dos posteriores muy grandes, que se usa para las tareas del campo: *El agricultor enganchó un remolque al tractor para transportar la cosecha.* □ FAMILIA: → traer. 🖎 página 846.

tradición [sustantivo femenino] Conjunto de costumbres, creencias e ideas que se mantienen iguales a través de los tiempos: *Adornar un árbol en Navidad es una tradición.* □ FAMILIA: tradicional.

tradicional [adjetivo] De la tradición o relacionado con ella: *Fuimos toda la familia al tradicional concierto de Año Nuevo.* □ [No varía en masculino y en femenino]. FAMILIA: → tradición.

traducción [sustantivo femenino] Cambio a una lengua de lo que estaba expresado en otra: *Me han encargado la traducción de una novela alemana al francés.* □ FAMILIA: → traducir.

traducir [verbo] **1** Expresar en una lengua lo que está expresado en otra: *Traduje al español un texto en inglés.* **2** Explicar algo de otra forma para que se entienda: *¿Te importa traducirme lo que has dicho en palabras más normales?* **3** Volverse una cosa algo distinto, o tener determinadas consecuencias: *Tus esfuerzos de hoy se traducirán en un futuro mejor.* □ [Es irregular y se conjuga

a

como CONDUCIR]. FAMILIA: traducción, traductor.

traductor, -a [sustantivo] Persona que se dedica a traducir: *En los organismos internacionales trabajan muchos traductores.* □ FAMILIA: → traducir.

traer [verbo] **1** Llevar algo hasta donde está el que habla: *¿Puedes traer el pan cuando vuelvas?* **2** Tener como efecto: *Las guerras sólo traen desgracias.* **3** Vestir o llevar algo puesto: *Traía un vestido y unas joyas muy elegantes.* **4** Tener a una persona en el estado que se indica: *Me traes loco con tantas preguntas.* **5** Contener algo un libro o un periódico: *Esa revista trae la programación de televisión.* **6** [expresión] **traérselas** Ser muy difícil o muy malo: *Parecía sencillo, pero el jueguecito se las trae.* □ [Es irregular]. SINÓNIMOS: **2** causar, producir, ocasionar, generar, acarrear, motivar. CONTRARIOS: **1** llevar. FAMILIA: tracción, tractor, atraer, contraer, extraer, distraer.

traficante [sustantivo] Persona que se dedica a la compra y venta de productos de manera

no legal: *Han encarcelado a varios traficantes de drogas.* □ [No varía en masculino y en femenino]. FAMILIA: → tráfico.

traficar [verbo] Comprar y vender productos de manera no legal: *Traficar con armas está prohibido.* □ [La c se cambia en qu delante de e, como en SACAR]. FAMILIA: → tráfico.

tráfico [sustantivo masculino] **1** Circulación de vehículos: *A estas horas siempre hay mucho tráfico.* **2** Actividad que consiste en comprar y vender mercancías, generalmente de forma no legal: *Han detenido a los responsables del tráfico de drogas de esta zona de la ciudad.* □ FAMILIA: traficar, traficante.

tragaperras [sustantivo femenino] Máquina de juego que funciona echando monedas: *En muchos bares hay tragaperras.* □ [No varía en singular y en plural]. FAMILIA: → perra.

tragar [verbo] **1** Hacer pasar un alimento desde la boca al interior del cuerpo: *Mastica bien la comida antes de tragarla.* **2** Hacer pasar algo al interior o a la parte más profunda de una cosa: *Las cañerías se han atascado y no tragan más agua.* **3** Creerse de manera fácil lo que alguien cuenta aunque no sea verdad: *¡No te habrás tragado esa mentira!* **4** Sufrir con paciencia algo que no resulta agradable: *No sé cómo te puedes tragar esa película tan aburrida.* □ [La g se cambia en gu delante de e, como en PAGAR]. SINÓNIMOS: **4** aguantar, soportar, tolerar. FAMILIA: trago, tragón, atragantarse.

tragedia [sustantivo femenino] **1** Obra de teatro o de cine que trata temas tristes y que suele terminar mal: *En ese teatro representan una tragedia en la que al final muere el protagonista.* **2** Suceso o situación que producen dolor o pena: *El incendio fue una tragedia en la que murieron varias personas.* □ SINÓNIMOS: drama. FAMILIA: trágico.

trágico, ca [adjetivo] **1** Que produce mucho dolor y mucha pena: *Perdió la vida en un trágico accidente.* **2** Que escribe obras de teatro que tratan temas tristes y terminan mal: *Es un autor trágico y sólo escribe dramas.* **3** Que representa papeles que provocan la compasión del público: *Le gusta ser actriz trágica porque prefiere hacer llorar que reír.* □ SINÓNIMOS: **1** dramático. CONTRARIOS: cómico. FAMILIA: → tragedia.

a b c d e f g h i j k l m n ñ o p q r s **t** u v w x y z

traer	conjugación	
INDICATIVO	**SUBJUNTIVO**	
presente	**presente**	
traigo	traiga	
traes	traigas	
trae	traiga	
traemos	traigamos	
traéis	traigáis	
traen	traigan	
pretérito imperfecto	**pretérito imperfecto**	
traía	trajera, -ese	
traías	trajeras, -eses	
traía	trajera, -ese	
traíamos	trajéramos, -ésemos	
traíais	trajerais, -eseis	
traían	trajeran, -esen	
pretérito indefinido	**futuro**	
traje	trajere	
trajiste	trajeres	
trajo	trajere	
trajimos	trajéremos	
trajisteis	trajereis	
trajeron	trajeren	
futuro	**IMPERATIVO**	
traeré		
traerás	**presente**	
traerá	trae	(tú)
traeremos	traiga	(él)
traeréis	traigamos	(nosotros)
traerán	traed	(vosotros)
	traigan	(ellos)
condicional	**FORMAS NO PERSONALES**	
traería		
traerías	**infinitivo**	**gerundio**
traería	traer	trayendo
traeríamos		
traeríais	**participio**	
traerían	traído	

trago [sustantivo] [masculino] **1** Parte de un líquido que se traga de una vez: *Se bebió el agua de un trago.* **2** Bebida alcohólica: *¿Vamos al bar a tomar un traguito?* **3** Disgusto o situación que hacen sufrir: *Fue un trago tener que decirle que su padre había sufrido un accidente.* □ [El significado **3** es coloquial]. FAMILIA: → tragar.

tragón, -a [adjetivo o] [sustantivo] Que traga o que come mucho: *Este niño es un tragón y parece que nunca se le quita el hambre.* □ [Es coloquial]. FAMILIA: → tragar.

traición 1 [sustantivo] [femenino] Comportamiento que supone una falta a la confianza que alguien tiene en nosotros: *En el ejército, la traición es un delito muy grave.* **2** [expresión] **a traición** Con engaño: *Me atacó a traición, cuando no podía defenderme.* □ CONTRARIOS: **1** lealtad, fidelidad. FAMILIA: traicionar, traidor, traicionero.

traicionar [verbo] **1** Faltar a la confianza de alguien o dejar de serle fiel: *Es una gran amiga mía y nunca me traicionará.* **2** No ser algo como se esperaba, porque no se puede controlar: *Me traicionaron los nervios cuando más necesitaba mantener la calma.* □ SINÓNIMOS: **2** fallar. FAMILIA: → traición.

traicionero, ra 1 [adjetivo] Que produce daño aunque parece inofensivo: *Este tiempo es muy traicionero y aunque ahora haga sol, luego puede llover.* **2** [adjetivo o] [sustantivo] Que falta a la confianza de alguien o que deja de serle fiel: *No volveré a confiar en una persona tan traicionera.* □ SINÓNIMOS: traidor. CONTRARIOS: **2** fiel, leal. FAMILIA: → traición.

traidor, -a 1 [adjetivo] Que produce daño aunque parece inofensivo: *Este sol es muy traidor y, aunque parece que no calienta, te puede quemar.* **2** [adjetivo o] [sustantivo] Que falta a la confianza de alguien o que deja de serle fiel: *Le formaron un consejo de guerra por traidor a la patria.* □ [El significado **1** es coloquial]. SINÓNIMOS: traicionero. CONTRARIOS: **2** fiel, leal. FAMILIA: → traición.

traje [sustantivo] [masculino] **1** Vestido exterior completo de una persona: *Los que bailaban iban vestidos con trajes regionales.* **2** Vestido formado por una chaqueta y un pantalón o una falda: *El novio llevaba un traje de rayas muy elegante.* **3** [expresión] **traje de etiqueta** El que es muy elegante y se usa en algunos actos importantes: *A la entrega de premios había que ir con traje de etiqueta.* **traje de luces** El que llevan los toreros para torear: *El primer torero llevaba un traje de luces con los bordados de plata.* **traje sastre** El de mujer que se parece al de hombre: *Un traje sastre lleva la chaqueta y la falda de la misma tela.*

trajín [sustantivo] [masculino] Gran actividad o movimiento continuo: *He tenido un día de mucho trajín y estoy agotada.* □ CONTRARIOS: calma. FAMILIA: trajinar.

trajinar [verbo] Tener gran actividad o ir de un sitio a otro sin parar: *Me he pasado el día trajinando y estoy que no puedo con mi alma.* □ FAMILIA: → trajín.

tramar [verbo] Organizar algo con habilidad y poniéndose de acuerdo con otros: *¿Qué estáis tramando con tantos cuchicheos?* □ [No confundir con *trabar*].

tramo [sustantivo] [masculino] **1** Cada una de las partes en que se divide algo largo: *Están arreglando un tramo de la carretera.* **2** Parte de una escalera formada por cada grupo de escalones: *Los tramos de una escalera están separados por descansillos.*

trampa [sustantivo] [femenino] **1** Aparato para cazar, en el que el animal cae por engaño: *Los cepos para ratones son un tipo de trampas.* **2** Engaño para hacer caer a alguien o para causarle algún daño: *La policía tendió una trampa para atrapar al ladrón.* **3** Lo que se hace sin tener en cuenta las normas: *Si te vuelvo a pillar en una trampa, dejamos de jugar a las cartas.* □ FAMILIA: tramposo.

trampolín [sustantivo] [masculino] **1** Especie de tabla que sirve para impulsar a alguien en un salto: *¡A que no te atreves a saltar desde el trampolín de la piscina!* 🔍 página 155. **2** Lo que empuja a alguien hacia una posición o una situación mejores: *Si tu libro tiene éxito, será el trampolín que te lance a la fama.*

tramposo, sa [adjetivo o] [sustantivo] Que hace trampas: *El muy tramposo estaba jugando con cartas marcadas.* □ FAMILIA: → trampa.

trancazo [sustantivo] [masculino] Gripe: *Me he pasado dos días en cama con un trancazo muy fuerte.* □ [Es coloquial].

tranquilidad [sustantivo] [femenino] **1** Falta de actividad o de ruido: *La tranquilidad del campo no se encuentra en las ciudades.* **2** Capacidad

a
b
c
d
e
f
g
h
i
j
k
l
m
n
ñ
o
p
q
r
s
t
u
v
w
x
y
z

a
b
c
d
e
f
g
h
i
j
k
l
m
n
ñ
o
p
q
r
s
t
u
v
w
x
y
z

para mantenerse tranquilo y no perder los nervios: *Procura no perder la tranquilidad, pase lo que pase.* □ SINÓNIMOS: calma, sosiego. **1** paz. **2** serenidad. CONTRARIOS: intranquilidad. **2** nervios, nerviosismo, impaciencia. FAMILIA: → tranquilo.

tranquilizar [verbo] Poner tranquilo: *Me he tomado una tila para tranquilizarme, porque estaba muy nerviosa.* □ [La z se cambia en c delante de e, como en CAZAR]. SINÓNIMOS: sosegar, calmar, apaciguar, serenar. CONTRARIOS: irritar, inquietar, preocupar, acalorarse, acelerarse. FAMILIA: → tranquilo.

tranquilo, la [adjetivo] **1** En paz, quieto o sin movimiento: *Por las noches, las calles se quedan tranquilas.* **2** Sin nervios o sin preocupaciones: *Estáte tranquilo, que no pasa nada grave.* □ CONTRARIOS: **2** intranquilo, nervioso, inquieto. FAMILIA: tranquilidad, tranquilizar, intranquilo, intranquilidad.

transatlántico [sustantivo/masculino] Barco de pasajeros muy grande: *Hizo un crucero en un transatlántico que tenía todo tipo de instalaciones de recreo.* □ [Se escribe también *trasatlántico*].

transbordador [sustantivo/masculino] **1** Barco que hace viajes de ida y vuelta entre dos puntos, llevando viajeros y vehículos: *Para cruzar el río, puedes ir andando por el puente o coger el transbordador.* **2** Nave que se usa para llevar algo al espacio: *Los satélites de comunicaciones se llevan al espacio con transbordadores.* □ FAMILIA: → transbordo.

transbordo [sustantivo/masculino] Cambio de línea o de tren que se hace en un viaje: *Para venir a mi casa, tienes que hacer transbordo en la segunda estación.* □ [También se escribe *trasbordo*]. FAMILIA: transbordador.

transcurrir [verbo] Pasar el tiempo o los acontecimientos: *Todo transcurrió con normalidad.* □ [También se escribe *trascurrir*]. SINÓNIMOS: correr, discurrir.

transeúnte [adjetivo o/sustantivo] Que pasa por un lugar: *Como no llevaba reloj, pregunté la hora a un transeúnte.* □ [No varía en masculino y en femenino]. FAMILIA: → transitar.

transformación [sustantivo/femenino] **1** Proceso por el que algo se vuelve distinto: *Esta ciudad ha sufrido grandes transformaciones en los últimos años.* **2** Cambio que sufre algo y que hace que empiece a ser una cosa distinta:

La transformación del hombre lobo tenía lugar las noches de luna llena. □ [También se escribe *trasformación*]. SINÓNIMOS: **1** variación, alteración, modificación, novedad. **2** conversión, metamorfosis. FAMILIA: → transformar.

transformar [verbo] **1** Hacer que algo sea distinto: *Las obras están transformando el barrio.* **2** Hacer que algo tenga un cambio y empiece a ser una cosa distinta: *En el cuento, una bruja transforma al príncipe en rana.* □ [También se escribe *trasformar*]. SINÓNIMOS: **1** cambiar, modificar, alterar. **2** convertir. FAMILIA: transformación.

transfusión [sustantivo/femenino] Introducción de la sangre de una persona en el cuerpo de otra: *El herido había perdido mucha sangre y tuvieron que hacerle una transfusión.* □ [También se escribe *trasfusión*].

transición [sustantivo/femenino] Paso de una situación o de un estado a otros: *Después de la dictadura hubo una transición a la democracia.* □ FAMILIA: → transitar.

transistor [sustantivo/masculino] Aparato que recibe el sonido comunicado a través del aire: *Escucho las noticias en un transistor de pilas.* □ SINÓNIMOS: radio.

transitar [verbo] Andar o moverse por un lugar: *A estas horas no transita nadie por esta calle.* □ SINÓNIMOS: circular. FAMILIA: transición, transeúnte.

transmisor, -a 1 [adjetivo o/sustantivo] Que lleva algo de un lugar a otro: *Algunos animales son transmisores de enfermedades.* **2** [sustantivo/masculino] Aparato que sirve para emitir señales a distancia: *La radio, el telégrafo y la televisión necesitan transmisores para emitir las señales.* □ CONTRARIOS: **2** receptor. FAMILIA: → transmitir.

transmitir [verbo] **1** Comunicar, pasar o llevar algo de un lugar a otro: *Transmite mi felicitación a tu amigo. Algunos animales transmiten enfermedades.* **2** Emitir un programa en la televisión o en la radio: *Esta noche transmiten por la tele ese partido de baloncesto.* **3** Hacer llegar una sensación o un estado de ánimo: *Tu cara transmite lo que sientes.* □ [También se escribe *trasmitir*]. SINÓNIMOS: **3** comunicar. FAMILIA: transmisor, retransmitir, retransmisión.

transparencia [sustantivo] [femenino] **1** Cualidad que tiene un cuerpo que deja pasar la luz y permite ver algo a través de él: *La transparencia del agua nos permitió ver el fondo del río.* **2** Posibilidad de ver algo o de dar información sobre ello: *En una democracia debe haber transparencia en todos los asuntos.* □ [También se escribe *trasparencia*]. FAMILIA: → transparente.

transparentar [verbo] **1** Permitir un cuerpo que se vea algo a través de él: *Esta tela tan fina transparenta. Para calcar un dibujo puedes coger un papel que se transparente.* **2** Mostrar algo o dejarlo ver: *La expresión de tu cara transparenta tus sentimientos.* □ [También se escribe *trasparentar*]. SINÓNIMOS: **2** clarearse. FAMILIA: → transparente.

transparente [adjetivo] **1** Que deja pasar la luz y permite ver algo a través de él: *Los cristales de las gafas son transparentes.* **2** Claro, evidente o que se entiende bien: *Como te conozco muy bien, tus propósitos son transparentes para mí.* □ [No varía en masculino y en femenino. También se escribe *trasparente*]. CONTRARIOS: **1** opaco. FAMILIA: transparentar, transparencia.

transportar [verbo] Llevar algo de un lugar a otro: *En las estaciones suele haber unos señores que transportan el equipaje con una especie de carrito.* □ [También se escribe *trasportar*]. FAMILIA: → transporte.

transporte [sustantivo] [masculino] **1** Hecho de llevar algo de un lugar a otro: *Ese vehículo se utiliza para el transporte de viajeros desde el avión hasta el edificio del aeropuerto.* **2** Cualquier vehículo que sirve para llevar algo de un lugar a otro: *Tardarás menos en llegar al centro de la ciudad si utilizas el transporte público.* □ [También se escribe *trasporte*]. FAMILIA: transportar, transportista.

transportista [adjetivo o] [sustantivo o] Que se dedica a llevar cosas de un lugar a otro: *Ese señor es transportista y traslada muebles en su camión.* □ [No varía en masculino y en femenino]. FAMILIA: → transporte.

tranvía [sustantivo] [masculino] Especie de autobús que va sobre unas vías y funciona con electricidad: *Antes de existir el metro y el autobús, el tranvía era el medio de transporte más usual en las grandes ciudades.*

TRANVÍA

trapecio [sustantivo] [masculino] **1** Barra colgada del techo por dos cuerdas, en la cual se hacen ejercicios: *Bajo el trapecio del circo había una red por si se caía algún trapecista.* **2** Figura plana con cuatro lados, dos de ellos paralelos: *El trapecio es una figura que no tiene los cuatro lados iguales.* ⚓ página 429. □ FAMILIA: trapecista.

trapecista [sustantivo] Artista que hace ejercicios en un trapecio: *Yo nunca sería trapecista de circo, porque me dan mucho miedo las alturas.* □ [No varía en masculino y en femenino]. FAMILIA: → trapecio.

trapero, ra [sustantivo] Persona que coge, compra o vende ropa vieja y otros objetos usados: *¿Por qué no llamas a un trapero para que se lleve todos estos trastos?* □ FAMILIA: → trapo.

trapo [sustantivo] [masculino] **1** Trozo de tela viejo, roto o que no sirve para nada: *Cuando las camisas están viejas, las uso como trapos para limpiar los cristales.* **2** Trozo de tela: *Necesito un trapo de cocina para secar las cucharas.* **3** [expresión] **a todo trapo** Muy deprisa: *Me vestí a todo trapo porque llegaba tarde.* **sacar los trapos sucios** Recordar a alguien las cosas que hizo mal en el pasado: *Aunque estés enfadado conmigo, no saques los trapos sucios delante de todos.* □ [Las expresiones son coloquiales]. FAMILIA: trapero.

tras [preposición] Después de algo: *Tras el lunes viene el martes.* □ FAMILIA: → atrás.

trascendencia [sustantivo] [femenino] Importancia de algo, o influencia en el futuro: *Parece que la lesión no es grave y no tendrá trascendencia.* □ [También se escribe *transcendencia*].

trasero, ra 1 [adjetivo] Que está atrás: *Metí las maletas en la parte trasera del coche.* **2** [sustantivo] [masculino] Culo: *No se te ocurra darme en el trasero.* □ [El significado **2** es coloquial]. FAMILIA: → atrás.

trasladar [verbo] **1** Llevar o cambiar algo de un lugar a otro: *¿Me ayudas a trasladar to-*

a
b
c
d
e
f
g
h
i
j
k
l
m
n
ñ
o
p
q
r
s
t
u
v
w
x
y
z

a

dos estos libros a la estantería del comedor? **2** Cambiar el lugar de trabajo: *Me han trasladado al departamento del segundo piso.* **3** Cambiar la fecha y la hora de algo: *Mi madre ha trasladado al viernes la cita con el médico porque hoy no podía ir.*

trasluz [expresión] **al trasluz** Dicho de la forma de ver algo, poniéndolo entre los ojos y la luz: *Si miras las diapositivas al trasluz, verás las imágenes que hay en ellas.* □ FAMILIA: → luz.

trasnochar [verbo] Irse tarde a dormir, o pasar la noche sin dormir: *Los sábados me dejan trasnochar un poco porque al día siguiente no tengo que levantarme pronto para ir al colegio.* □ FAMILIA: → noche.

traspasar [verbo] **1** Pasar de una parte a otra, o pasar al otro lado de algo: *La grasa del bocadillo ha traspasado el papel en el que estaba envuelto.* **2** Meter algo en un sitio de forma que entre por una parte y salga por otra: *La bala le traspasó la pierna.* **3** Dar algo o entregarlo: *Ese señor ha traspasado el negocio a su hijo.* **4** Pasar un límite: *Algunos aviones traspasan la barrera del sonido.* **5** Hacer sentir algo con fuerza: *El dolor de verte tan mal me traspasa el corazón.* □ SINÓNIMOS: **2** atravesar. FAMILIA: → pasar.

trasplantar [verbo] **1** Poner una planta en un lugar distinto al que estaba: *Mi padre trasplantó los geranios a una maceta más grande.* **2** Introducir en el cuerpo un órgano de otra persona para sustituir el de la persona que está enferma: *Puede seguir viviendo gracias a que le trasplantaron un riñón.* □ FAMILIA: → planta.

trasplante [sustantivo masculino] Introducción en el cuerpo de un órgano de otra persona para sustituir un órgano que está enfermo: *Está esperando que le hagan un trasplante de corazón.* □ FAMILIA: → planta.

trastada [sustantivo femenino] Acción mala pero de poca importancia: *Niños, estaos quietos y dejad ya de hacer trastadas.* □ [Es coloquial]. SINÓNIMOS: travesura. FAMILIA: → trasto.

trastazo [sustantivo masculino] Golpe muy fuerte al caerse o al chocar: *¡Qué trastazo me he dado con la puerta!* □ SINÓNIMOS: porrazo, trompazo, batacazo. FAMILIA: → trasto.

trastero, ra [sustantivo masculino] Cuarto que se usa para guardar objetos inútiles o que no se emplean de manera habitual: *Guardé las maletas en el trastero.* □ FAMILIA: → trasto.

trasto [sustantivo masculino] **1** Cualquier objeto viejo o poco útil: *Quita de mi vista todos esos trastos y mételos en el desván.* **2** Persona que hace travesuras: *¡Qué niña más trasto!* **3** [expresión] **tirarse los trastos a la cabeza** Discutir de manera violenta: *Dejad ya de tiraros los trastos a la cabeza, que parecéis chiquillos.* □ SINÓNIMOS: **1** cachivache. **2** pillo, travieso, revoltoso. FAMILIA: trastada, trastazo, trastero.

trastornar [verbo] **1** Cambiar algo que se pensaba hacer: *El mal tiempo ha trastornado nuestros planes de salir de excursión.* **2** Producir grandes molestias: *Si no te trastorna mucho, ayúdame a terminar esto.* **3** Hacer perder la razón o perderla: *La soledad lo ha trastornado.* □ FAMILIA: → trastorno.

trastorno [sustantivo masculino] **1** Cambio que no resulta normal: *Los biólogos están estudiando los trastornos del comportamiento de ese animal.* **2** Molestia que produce algo: *Me causa un gran trastorno tener que salir ahora a la calle.* □ FAMILIA: trastornar.

tratado [sustantivo masculino] **1** Obra que trata sobre una materia determinada: *Este libro es un tratado sobre costumbres antiguas.* **2** Acuerdo que hacen dos países sobre un asunto: *Mañana los dos presidentes firmarán un tratado en el que se comprometen a acabar con la guerra.* □ FAMILIA: → tratar.

tratamiento [sustantivo masculino] **1** Forma de dirigirnos a una persona según su edad u otras características: *«Señor» y «caballero» son dos tipos de tratamiento.* **2** Forma de tratar a alguien: *Todos merecemos un tratamiento respetuoso.* **3** Lo que se hace para cambiar algo: *Este producto se usa para el tratamiento de aguas contaminadas.* **4** Lo que se hace para curar una enfermedad: *Si el enfermo no responde a este tratamiento, se lo cambiaremos por otro.* □ SINÓNIMOS: **1** trato. **4** terapia. FAMILIA: → tratar.

tratar [verbo] **1** Tener un determinado comportamiento con una persona o un animal: *Me trató con afecto cuando estuve en su* *casa.* **2** Usar un objeto de determinada manera: *Traté el tocadiscos que me habían prestado con mucho cuidado.* **3** Tener relación con una persona o dirigirle la palabra: *Por mi trabajo, tengo que tratar con mucha gente.* **4** Hablar con una persona de determinada manera: *Trato a los desconocidos de usted.* **5** Tener como tema: *La película trata de las relaciones entre un hombre y una mujer.* **6** Hacer que algo reciba determinada acción: *Si el agua está contaminada, hay que tratarla antes de beberla.* **7** Intentar hacer algo: *Traté de subirme al árbol, pero no pude.* □ SINÓNIMOS: **7** pretender, procurar, probar, aspirar. CONTRARIOS: **7** renunciar. FAMILIA: trato, tratamiento, tratado, maltratar, intratable.

trato [sustantivo] [masculino] **1** Forma que tenemos de comportarnos o de hablar con una persona o un animal: *Es una persona encantadora y tuvo conmigo un trato muy amable.* **2** Manera de usar algo: *Los zapatos se te rompen porque no les das un buen trato.* **3** Relación o comunicación con una persona: *Es una persona muy rara y no tiene trato con casi nadie.* **4** Lo que se decide entre dos partes y ambas deben cumplir: *No estoy de acuerdo con ese trato, porque sólo te beneficia a ti.* □ SINÓNIMOS: **1** tratamiento. **3** roce. **4** pacto, acuerdo. FAMILIA: → tratar.

trauma [sustantivo] [masculino] Impresión fuerte producida por algo y que influye en nuestra forma de ser: *El psicólogo le dijo que ver morir a su padre le había creado un trauma.*

través [expresión] **a través de algo** De uno a otro lado de ello, o por medio de ello: *La bala pasó a través de la puerta. Lo supe a través de mi hermana.* □ FAMILIA: → atravesar.

travesía [sustantivo] [femenino] **1** Calle estrecha que cruza de una calle principal a otra: *La tienda está en una de las travesías que dan a la avenida.* **2** Viaje, sobre todo si es por mar o por aire: *La travesía en barco duró dos horas.* □ FAMILIA: → atravesar.

[travesti o **[travestí** [sustantivo] Persona que se viste con ropas propias del sexo contrario: *En este local canta un travesti que imita a las cantantes de moda.* □ [No varían en mas-culino y en femenino]. SINÓNIMOS: travestido. FAMILIA: → vestir.

travestido, da [sustantivo] Persona que se viste con ropas propias del sexo contrario: *En la película, todo el mundo pensaba que el travestido era una mujer.* □ SINÓNIMOS: travesti, travestí. FAMILIA: → vestir.

travesura [sustantivo] [femenino] Falta pequeña y sin importancia: *Mi hijo siempre está haciendo travesuras.* □ SINÓNIMOS: diablura, trastada. FAMILIA: → travieso.

travieso, sa **1** [adjetivo] Que hace travesuras: *Es un niño muy travieso y en todos lados se quiere meter.* **2** [sustantivo] [femenino] Cada una de las piezas que unen las dos barras de hierro que forman las vías del tren: *Las traviesas impiden que los dos raíles de una vía se junten.* □ SINÓNIMOS: **1** pillo, trasto, revoltoso. FAMILIA: travesura.

trayecto [sustantivo] [masculino] **1** Conjunto de lugares por los que se pasa para ir de un sitio a otro: *El trayecto entre tu casa y la mía es muy corto.* **2** Movimiento que se hace al ir de un lugar a otro: *Durante el trayecto en autobús, me mareé.* □ SINÓNIMOS: **1** camino, itinerario, ruta, recorrido. FAMILIA: trayectoria.

trayectoria [sustantivo] [femenino] **1** Línea que dibuja en el espacio algo que se mueve: *La policía analiza la trayectoria de la bala para saber desde dónde se hizo el disparo.* **2** Desarrollo de algo en una actividad y a lo largo del tiempo: *Como ese actor me encanta, he seguido toda su trayectoria.* □ FAMILIA: → trayecto.

trazar [verbo] **1** Dibujar o hacer líneas: *Traza un círculo.* **2** Pensar la forma de realizar algo: *He trazado un plan para que mis padres me dejen salir.* □ [La c se cambia en z delante de e, como en CAZAR]. FAMILIA: trazo.

trazo [sustantivo] [masculino] Línea que se escribe o se dibuja: *Con tres trazos, mi hermano me hizo una caricatura.* □ FAMILIA: → trazar.

trébol [sustantivo] [masculino] Planta que tiene las hojas divididas en tres hojitas: *Los tréboles crecen en las praderas.*

trece **1** [pronombre] [numeral] Número 13: *Aquí hay trece personas.* **2** [expresión] **seguir alguien en sus trece** Mantenerse en una opinión o en una idea a pesar de las razones que hay en contra: *Sigues en tus trece y no hay forma de*

a
b
c
d
e
f
g
h
i
j
k
l
m
n
ñ
o
p
q
r
s
t
u
v
w
x
y
z

a

b

c

d

e

f

g

h

i

j

k

l

m

n

ñ

o

p

q

r

s

t

u

v

w

x

y

z

convencerte de que no tienes razón. □ [No varía en masculino y en femenino]. FAMILIA: → tres.

trecho [sustantivo] [masculino] Espacio de lugar o de tiempo: *Después de andar un buen trecho, me paré a descansar.*

tregua [sustantivo] [femenino] Descanso que se da al enemigo o que se hace en una actividad: *Después de una tregua de dos días, el ejército ha vuelto a atacar la ciudad.*

treinta [pronombre] [numeral] Número 30: *Mi profesor tiene treinta años.* □ [No varía en masculino y en femenino]. FAMILIA: → tres.

tremendo, da 1 [adjetivo] Muy grande: *Tengo unas ganas tremendas de verte.* **2** [expresión] **tomarse algo a la tremenda** Darle demasiada importancia: *No te tomes ese problema a la tremenda, porque no es tan grave.* □ [El significado **2** es coloquial].

tren [sustantivo] [masculino] **1** Vehículo formado por varios vagones que circula sobre vías y que se usa para llevar personas y cosas de una ciudad a otra: *Prefiero viajar en tren que en autocar.* 📷 página 847. **2** Conjunto de máquinas e instrumentos que se usan para hacer determinadas cosas: *En esa gasolinera hay tren de lavado para limpiar los coches.* **3** Forma de vida de alguien que tiene mucho dinero: *Ese actor es muy rico y lleva un tren de vida muy lujoso.* **4** [expresión] **a todo tren** Muy deprisa: *Comí a todo tren porque llegaba tarde.* **estar como un tren** Ser muy atractivo y tener un cuerpo muy bonito: *Todas las chicas están locas por ese chico y dicen que está como un tren.* **para parar un tren** En gran cantidad: *Ese señor tiene dinero para parar un tren.* □ [Las expresiones son coloquiales].

trenca [sustantivo] [femenino] Prenda de vestir parecida a un abrigo, pero más corta y con una parte para cubrirse la cabeza: *Cuando empezó a llover, me puse la capucha de la trenca para no mojarse.*

TRENCA

trenza [sustantivo] [femenino] **1** Forma de peinarse que consiste en cruzar entre sí tres partes del pelo: *¿Me ayudas a hacerme la trenza?* **2** Bollo que tiene esta forma: *Las trenzas están cubiertas de azúcar por arriba.*

trepar [verbo] **1** Subir a un lugar alto ayudándose de los pies y las manos: *El gato trepó a las ramas altas del árbol.* **2** Crecer una planta y subir apoyándose en alguna superficie: *La hiedra trepa por las paredes del chalé.* **3** Conseguir un trabajo más importante usando medios poco buenos: *No me gusta la gente que sólo piensa en trepar en el trabajo.* □ [El significado **3** es coloquial].

tres 1 [pronombre] [numeral] Número 3: *Como el lunes es fiesta, este fin de semana tenemos tres días libres.* **2** [expresión] **ni a la de tres** De ningún modo: *No pude meter el tornillo en su agujero ni a la de tres.* □ [No varía en masculino y en femenino. El significado **2** es coloquial]. FAMILIA: trescientos, tercero, tercer, tercio, trío, trece, treinta, tresillo, triciclo, trillizo, triptongo, triplicar.

trescientos, tas [pronombre] [numeral] Número 300: *En este salón de actos caben trescientas personas.* □ FAMILIA: → tres.

tresillo [sustantivo] [masculino] Mueble que sirve para que se sienten tres personas: *Siéntate con nosotros en el tresillo.* □ FAMILIA: → tres.

treta [sustantivo] [femenino] Lo que se hace con habilidad para conseguir lo que se quiere: *Utilizó una de sus tretas para engañarnos a todos.* □ SINÓNIMOS: artimaña, ardid.

triangular [adjetivo] Con tres lados: *Normalmente, las señales de tráfico que indican peligro son triangulares.* □ [No varía en masculino y en femenino]. FAMILIA: → triángulo.

triángulo [sustantivo] [masculino] **1** Figura plana con tres lados y tres ángulos: *Las caras de las pirámides tienen forma de triángulo.* 📷 página 429. **2** Instrumento musical con la forma de esta figura: *El triángulo se toca con un palito.* 📷 página 607. □ FAMILIA: triangular.

tribu [sustantivo] [femenino] **1** Grupo de personas que se organizan y viven de una forma más sencilla que la nuestra: *El jefe de algunas tribus es también su sacerdote.* **2** Grupo de personas con alguna característica común:

Ese chico que lleva el pelo pintado y de punta pertenece a una tribu urbana.

tribuna [sustantivo] [femenino] **1** Superficie que se levanta a cierta altura del suelo y desde donde se puede ver un espectáculo: *El alcalde vio el desfile desde la tribuna preparada para él.* **2** Tipo de asiento en un campo de deporte, que está situado en el sitio desde donde mejor se ve: *Tengo una entrada de tribuna para ver el partido.* □ FAMILIA: tribunal.

tribunal [sustantivo] [masculino] **1** Persona o conjunto de personas que pueden juzgar a los que cometen delitos o faltas: *El tribunal ha declarado culpable al acusado.* **2** Lugar donde se juzga a las personas que realizan delitos o faltas: *Ese tribunal de justicia está en el centro de la ciudad.* **3** Conjunto de personas que se ocupan de valorar algo o de dar un premio: *El tribunal ha dado a conocer los resultados de los exámenes a catedrático.* □ FAMILIA: → tribuna.

triciclo [sustantivo] [masculino] Vehículo que usan los niños y que tiene una rueda delante y dos detrás: *Mi hermano pequeño ya sabe montar en triciclo.* □ FAMILIA: → tres. ✖ página 846.

tricolor [adjetivo] De tres colores: *La bandera alemana es tricolor porque tiene negro, rojo y amarillo.* □ [No varía en masculino y en femenino]. FAMILIA: → color.

trigal [sustantivo] [masculino] Campo de trigo: *Una máquina recorre los trigales cortando el trigo.* □ FAMILIA: → trigo.

trigo 1 [sustantivo] [masculino] Planta cuyo grano se usa para hacer la harina: *El trigo ya maduro es de color amarillo.* **2** [expresión] **no ser trigo limpio** No ser todo lo bueno que debería ser: *Esa persona no es trigo limpio y no me extrañaría que me engañara en este asunto.* □ [El significado **2** es coloquial]. FAMILIA: trigal.

trillar [verbo] Partir el trigo u otras plantas parecidas para separar el grano de los tallos: *El trigo y los cereales se trillan para separar el grano de la paja.*

trillizo, za [adjetivo o sustantivo] Que ha nacido a la vez que otros dos hermanos: *Cuando uno de los trillizos llora, los otros dos también.* □ FAMILIA: → tres.

trimestral [adjetivo] **1** Que sucede o se repite cada tres meses: *Esa revista es trimestral, así que al año salen cuatro números.* **2** Que dura tres meses: *Este curso de idiomas es trimestral.* □ [No varía en masculino y en femenino]. FAMILIA: → mes.

trimestre [sustantivo] [masculino] Período de tiempo de tres meses: *En las vacaciones de Navidad acaba el primer trimestre del curso.* □ FAMILIA: → mes. ✖ página 153.

trinar 1 [verbo] Cantar algunos pájaros: *Este canario no deja de trinar.* **2** [expresión] **estar alguien que trina** Sentir gran enfado: *Mi compañero está que trina porque no lo han admitido en el equipo.* □ [El significado **2** es coloquial]. FAMILIA: → trino.

trinchera [sustantivo] [femenino] Agujero grande donde se meten los soldados para disparar al enemigo: *Los soldados cavaron las trincheras antes de que comenzase la batalla.*

trineo [sustantivo] [masculino] Vehículo sin ruedas y que sirve para moverse por la nieve: *Los trineos suelen ir tirados por perros.* ✖ página 846.

trino [sustantivo] [masculino] Canto característico de algunos pájaros: *Los trinos de mi canario alegran la casa.* □ FAMILIA: trinar.

trío [sustantivo] [masculino] **1** Conjunto formado por tres cosas: *Los tres formáis un trío de hermanos muy simpáticos.* **2** Música que se toca con tres instrumentos o en la que cantan tres voces: *Ha compuesto un trío para que lo canten estos tres famosos cantantes.* □ FAMILIA: → tres.

tripa [sustantivo] [femenino] **1** Parte del cuerpo donde están el estómago y otros órganos: *El ombligo está en la tripa.* **2** Especie de tubo que está en el interior del cuerpo, después del estómago: *Las tripas de los animales se limpian y se utilizan para meter carne y hacer embutidos.* **3** [plural] Lo que hay en el interior de algunas cosas: *Abrió la radio y le sacó las tripas para ver si podía arreglarla.* **4** [expresión] **hacer de tripas corazón** Hacer muchos esfuerzos para aguantarse algo: *Me cae tan mal que tuve que hacer de tripas corazón para invitarlo a venir.* □ [El significado **4** es coloquial]. SINÓNIMOS: **1** barriga. **2** intestino. FAMILIA: destripar.

triple [pronombre] [numeral] **1** Que consta de tres, o que es adecuado para tres: *El triple salto es una prueba de atletismo que consiste en dar un salto de longitud con tres pasos.* **2** Que es tres veces mayor: *Seis es el triple de dos.* □ [No varía en masculino y en femenino].

a b c d e f g h i j k l m n ñ o p q r s **t** u v w x y z

a

b

c

d

e

f

g

h

i

j

k

l

m

n

ñ

o

p

q

r

s

t

u

v

w

x

y

z

triplicar [verbo] Multiplicar por tres o hacer tres veces mayor: *Esta empresa ha triplicado sus ventas este año.* □ [La c se cambia en qu delante de e, como en SACAR]. FAMILIA: → tres.

trípode [sustantivo] [masculino] Aparato formado por tres patas y que sirve para sujetar algo sin que se mueva: *Me he comprado un trípode para la cámara de fotos.* 🔍 página 348.

triptongo [sustantivo] [masculino] Conjunto de tres vocales que se pronuncian en una misma sílaba: *En la última sílaba de «limpiáis» hay un triptongo.* □ FAMILIA: → tres.

tripulación [sustantivo] [femenino] Conjunto de personas que conducen un barco o un avión y prestan algún servicio en ellos: *La tripulación del buque estaba preparada para hacer las maniobras de salida del puerto.* □ FAMILIA: → tripular.

tripulante [sustantivo] Persona que conduce un barco o un avión y presta algún servicio en ellos: *Los tripulantes del barco llevaban un uniforme blanco.* □ [No varía en masculino y en femenino]. FAMILIA: → tripular.

tripular [verbo] Conducir un barco o un avión y prestar algún servicio en ellos: *El piloto que tripulaba el avión saludó a los pasajeros desde su cabina.* □ FAMILIA: tripulación, tripulante.

triste [adjetivo] **1** Que siente pena o dolor por algo: *Estoy triste porque mis abuelos se van de mi casa.* **2** Que produce pena o dolor: *Es una historia muy triste y tengo ganas de llorar.* **3** Que produce daño o desgracias: *Ha habido un triste accidente en la carretera.* **4** Pequeño o escaso: *No sé cómo puede mantenerse toda la familia con ese triste sueldo.* □ SINÓNIMOS: **2** doloroso, penoso. CONTRARIOS: **1** contento, radiante. **1,2** alegre. FAMILIA: tristeza, entristecer.

tristeza [sustantivo] [femenino] Sensación que se tiene cuando nos sentimos tristes: *Siento mucha tristeza cuando alguien querido se va a vivir a otra ciudad.* □ SINÓNIMOS: pena, pesar, dolor, sufrimiento. CONTRARIOS: alegría, gozo, contento, dicha, felicidad. FAMILIA: triste. 🔍 página 430.

triturar [verbo] Partir algo en trozos pequeños: *Para hacer puré hay que triturar los alimentos.*

triunfador, a [adjetivo o sustantivo] Que ha triunfado en algo o que suele triunfar: *El triunfador de la carrera ha brindado con champán.* □ FAMILIA: → triunfo.

triunfal [adjetivo] Que celebra un triunfo: *El equipo vencedor hizo una entrada triunfal en el aeropuerto.* □ [No varía en masculino y en femenino]. FAMILIA: → triunfo.

triunfar [verbo] **1** Ganar a un contrario: *Estáis muy bien preparados y triunfaréis en el torneo.* **2** Tener éxito: *Si estudias y haces bien tu trabajo, triunfarás.* □ SINÓNIMOS: vencer. CONTRARIOS: fracasar. FAMILIA: → triunfo.

triunfo [sustantivo] [masculino] **1** Victoria sobre un contrario: *Nuestro triunfo sobre el equipo contrario fue total porque les marcamos ocho goles.* **2** Éxito que se obtiene en algo: *Para él, su mejor triunfo en la vida es su familia.* **3** Palo de una baraja que tiene más valor que los otros: *Gané la partida porque tenía muchas cartas del triunfo.* **4** Objeto que se recibe por una victoria: *Cuando estuve en su casa, me enseñó sus triunfos en ese deporte.* □ SINÓNIMOS: **1** victoria. **4** trofeo. CONTRARIOS: **1,2** derrota, fracaso. FAMILIA: triunfar, triunfador, triunfal.

trocear [verbo] Partir algo en trozos: *Mi madre pidió al chico que la estaba atendiendo que le troceara el pollo.* □ FAMILIA: → trozo.

trofeo [sustantivo] [masculino] **1** Objeto que se da como premio al vencer en algo: *El capitán del equipo recogió el trofeo en nombre de todos.* **2** Objeto que sirve de recuerdo y como adorno de una victoria: *En el mesón tenían colgados en la pared una cabeza de ciervo y otros trofeos de caza.* □ SINÓNIMOS: **1** triunfo.

trola [sustantivo] [femenino] Mentira: *Se te nota en la cara que lo que estás contando es una trola.* □ [Es coloquial]. SINÓNIMOS: bola, embuste, falsedad.

trombón [sustantivo] [masculino] Instrumento musical de metal parecido a una trompeta, pero con forma de «U»: *El trombón es un instrumento de viento.* 🔍 página 607.

trompa [sustantivo] [femenino] **1** Especie de nariz muy larga que tienen algunos animales, como el elefante: *El elefante cogía el agua del río con su trompa.* **2** Lo que tiene una forma parecida a esta especie de nariz: *Las mariposas chupan el néctar de las flores con su* *trompa*. **3** Instrumento musical formado por un tubo en forma de rizo que se hace cada vez más ancho: *La trompa es más grande que la trompeta.* ✍ página 606. **4** Borrachera: *Ese hombre lleva tal trompa que va haciendo eses.* ☐ [El significado **4** es coloquial].

trompazo [sustantivo][masculino] Golpe muy fuerte al caerse o al chocar: *Al levantarme de la cama me di un trompazo con la mesilla.* ☐ SINÓNIMOS: porrazo, trastazo.

trompeta [sustantivo][femenino] Instrumento musical formado por un tubo muy ancho por uno de los extremos: *Para tocar la trompeta hay que soplar con fuerza por la boquilla.*

TROMPETA

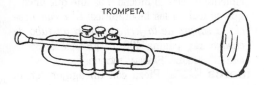

trompicón 1 [sustantivo][masculino] Tropiezo que damos al ir andando: *Di un par de trompicones, pero no me caí.* **2** [expresión] **a trompicones** De forma no continua o con dificultades: *Cuando me pongo muy nervioso, hablo a trompicones.*

[trompo [sustantivo][masculino] Movimiento en círculo que hace un coche: *Frenó bruscamente y el coche hizo un trompo.*

tronar [verbo] **1** Sonar truenos: *Se está acercando una tormenta, porque se oye tronar.* **2** Producir un ruido fuerte: *A lo lejos se oía tronar un cañón.* ☐ [Es irregular y se conjuga como CONTAR]. FAMILIA: → trueno.

tronchar [verbo] **1** Partir o romperse un tallo o una rama: *El fuerte viento ha tronchado varias ramas de los árboles.* **2 troncharse** Reírse mucho: *Me troncho con tus chistes.* ☐ [El significado **2** es coloquial].

tronco [sustantivo][masculino] **1** Parte dura de los árboles de la que salen las ramas: *El tronco de los árboles sale de la tierra.* **2** Parte del cuerpo de una persona o de un animal que está entre la cabeza y las extremidades: *Hay esculturas antiguas de las que sólo queda el tronco.* **3** Parte principal de algo de la que salen o vienen otras cosas: *El español, el francés y el italiano tienen el latín como*

tronco común. **4** [expresión] **como un tronco** Dormido con un sueño profundo: *Duermo como un tronco y ningún ruido me despierta.* ☐ [El significado **4** es coloquial].

trono [sustantivo][masculino] Asiento grande y con adornos en el que se sientan en algunos actos las personas muy importantes: *En el palacio vimos el trono en el que el rey recibía a los embajadores.* ☐ FAMILIA: destronar.

TRONO

tropa [sustantivo][femenino] **1** Grupo de personas de un ejército que tienen la categoría más baja: *La tropa desfiló ante el capitán.* **2** Grupo grande de personas: *Una tropa de niños ocupaba toda la tienda.* **3** [plural] Conjunto de personas que forman un ejército: *Las tropas desfilaron.*

tropezar [verbo] **1** Dar con los pies en algo al ir andando: *Tropecé con una piedra y casi me caigo.* **2** Encontrarse por casualidad con una persona: *Me tropecé con un amigo del pueblo donde veraneo.* **3** Encontrar una dificultad que impide el desarrollo normal de algo: *Llevaba muy bien los estudios, pero este año he tropezado con las matemáticas.* ☐ [Es irregular y se conjuga como EMPEZAR]. FAMILIA: tropezón, tropiezo.

tropezón [sustantivo][masculino] **1** Paso que se da mal porque se choca con los pies en algo: *Di tal tropezón que casi me caigo de narices.* **2** Trozo pequeño de algún alimento que se echa en una comida líquida: *La sopa tenía tropezones de jamón y huevo.* ☐ FAMILIA: → tropezar.

tropical [adjetivo] De las zonas de la Tierra donde hace mucho calor y hay mucha humedad: *En los climas tropicales abunda la vegetación.* ☐ [No varía en masculino y en femenino]. FAMILIA: → trópico.

trópico [sustantivo][masculino] **1** Cada uno de los dos paralelos menores en los que se considera dividida la Tierra: *Uno de los trópicos está en la mitad norte de la Tierra y el otro, en la*

a
b
c
d
e
f
g
h
i
j
k
l
m
n
ñ
o
p
q
r
s
t
u
v
w
x
y
z

mitad sur. **2** Zona que está entre estos dos círculos: *El clima de los trópicos es cálido.* □ FAMILIA: tropical.

tropiezo [sustantivo/masculino] **1** Paso que se da mal porque se choca con los pies en algo: *Dio un tropiezo y se ha roto la pierna.* **2** Dificultad que se encuentra en algo, o error que se tiene sin querer: *Es normal que en tu primer trabajo tengas algunos tropiezos.* □ FAMILIA: → tropezar.

trotar [verbo] Andar un caballo con paso rápido pero sin llegar a correr: *El caballo empezó a trotar.* □ FAMILIA: trote.

trote [sustantivo/masculino] **1** Modo de andar rápido de los caballos: *Los caballos que van al trote andan más despacio que los que van al galope.* **2** Trabajo que se hace con prisas o que cansa: *No me hagáis correr, que a mi edad ya no estoy para estos trotes.* □ FAMILIA: → trotar.

trozo [sustantivo/masculino] Parte que se separa de un todo: *¿Alguien quiere otro trozo de tarta?* □ SINÓNIMOS: pedazo, cacho, porción, fracción, fragmento. FAMILIA: trocear, destrozar, destrozo.

trucha [sustantivo/femenino] Pez comestible de río, que tiene la carne blanca o rosa: *Hoy he ido al río y he pescado dos truchas.* 🐟 página 609.

truco [sustantivo/masculino] **1** Lo que se hace para conseguir un efecto falso, pero que parece real: *El mago no quiso explicar cuál era el truco de su juego de manos.* **2** Trampa que se usa para lograr un fin: *Lo del catarro fue uno de sus trucos para no ir al colegio.* **3** Habilidad que se logra por la experiencia: *Los cocineros saben mil trucos para que la comida esté más sabrosa.*

trueno [sustantivo/masculino] Ruido que sigue a un rayo: *La tormenta era tan grande que los truenos hacían vibrar los cristales de las ventanas.* □ FAMILIA: tronar.

tu [pronombre/posesivo] Tuyo: *¿Me invitas a tu casa? ¿Éstos son tus amigos?* □ [No confundir con *tú*. Va siempre delante de un sustantivo. No varía en masculino y en femenino]. FAMILIA: → tú.

tú [pronombre/personal] Indica la segunda persona del singular: *Tú sabes inglés, pero yo, no.* □ [No confundir con *tu*. No varía en masculino y en femenino. Funciona como sujeto: *¿Tú me quieres?*]. FAMILIA: te, ti, contigo, tuyo, tu, tutear.

tuba [sustantivo/femenino] Instrumento musical de viento:

La tuba es un instrumento de metal. 🎺 página 607.

tubería [sustantivo/femenino] Tubo por el que va un líquido o un gas: *El fontanero ha dicho que una de las tuberías se ha atascado.* □ SINÓNIMOS: cañería. FAMILIA: → tubo.

tubo [sustantivo/masculino] **1** Pieza alargada y hueca que suele estar abierta por los dos extremos: *Para bucear necesitas las aletas, las gafas y el tubo para respirar.* **2** Recipiente alargado que suele tener un extremo cerrado y en el otro, un agujero que se cierra con un tapón: *¿Me pasas el tubo de pegamento, por favor?* **3** [expresión] **por un tubo** Muchísimo: *Es muy simpático y tiene amigos por un tubo.* **tubo de ensayo** Recipiente de cristal mucho más alto que ancho, que se usa en los laboratorios: *El médico vació la sangre de la jeringuilla en un tubo de ensayo.* 🧪 página 498. □ [La expresión *por un tubo* es coloquial]. FAMILIA: tubería.

tuerca [sustantivo/femenino] Pieza con un agujero en el que se mete un tornillo dándole vueltas: *Si no pones la tuerca para asegurar el tornillo, acabará soltándose.*

TUERCA

tuerto, ta [adjetivo o/sustantivo] Que no tiene visión en un ojo: *Lo dejaron tuerto de una pedrada.* □ [Es distinto de *bizco*, que es el que tuerce la mirada de uno o de los dos ojos].

tufo [sustantivo/masculino] Mal olor: *¡A ver si te lavas, porque menudo tufo echas!* □ [Es coloquial]. FAMILIA: atufar.

tulipán [sustantivo/masculino] Planta de hojas lisas, que tiene una sola flor muy grande y de vivos colores: *Los tulipanes son flores típicas de Holanda.* 🌷 página 347.

tumba **1** [sustantivo/femenino] Lugar en el que se entierra a un muerto: *Las pirámides eran las tumbas de los faraones.* **2** [expresión] **ser una tumba** Guardar muy bien un secreto: *Sabes que no diré nada porque soy una tumba.* □ [El significado **2** es coloquial].

tumbar [verbo] **1** Tirar o caer al suelo: *Me tumbó de un solo puñetazo.* **2** Poner en posición paralela al suelo: *Me tumbé sobre la toalla para tomar el sol.* □ Sinónimos: **1** abatir. Contrarios: **2** enderezar. Familia: tumbona.

tumbona [sustantivo femenino] Especie de silla de tela que sirve para estar casi tumbado: *El respaldo de las tumbonas se puede subir y bajar.* □ Sinónimos: hamaca. Familia: → tumbar. ✗ página 155.

tumor [sustantivo masculino] Bulto anormal que aparece en un órgano o en una parte del cuerpo por un aumento del número de células: *El médico le ha dicho que tiene que operarlo para quitarle el tumor.*

tumulto [sustantivo masculino] Situación producida por la presencia en un lugar de un gran número de personas: *La presencia de la policía evitó que se produjeran tumultos.*

tuna [sustantivo femenino] Mira en **tuno, na**.

tunda [sustantivo femenino] Golpes que se dan a alguien: *¡Menuda tunda te van a dar como se enteren de que has hecho novillos!* □ [Es coloquial]. Sinónimos: paliza, zurra.

tundra [sustantivo femenino] Terreno llano sin árboles y con la parte de debajo de la tierra helada: *La tundra es una vegetación típica de Siberia.* ✗ página 845.

túnel [sustantivo masculino] Especie de camino que está cavado por debajo del suelo: *Para pasar al otro lado de la montaña puedes subir el puerto o ir por el túnel.* ✗ página 539.

túnica [sustantivo femenino] Vestido amplio y largo: *En la Antigüedad, las mujeres griegas y romanas se vestían con túnicas.*

TÚNICA

tuno, na 1 [sustantivo] Miembro de un conjunto musical formado por estudiantes que van vestidos con medias negras y con capa: *Uno de los tunos daba saltos y volteretas mientras tocaba la pandereta.* **2** [sustantivo femenino] Conjunto musical formado por estos estudiantes: *Me han hecho una prueba para ver si me admiten en la tuna de la universidad.*

tuntún [expresión] **al tuntún** Sin pararse a pensar: *Las cosas no te salen bien porque las haces al tuntún y sin poner atención.* □ [Es coloquial].

tupé [sustantivo masculino] Conjunto de pelos que se llevan levantados sobre la frente: *Pasa horas peinándose para que el tupé le quede bien tieso.*

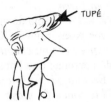

TUPÉ

turbante [sustantivo masculino] Especie de sombrero formado por una tela que se enrolla alrededor de la cabeza: *El encantador de serpientes llevaba un turbante.*

TURBANTE

turbar [verbo] **1** Hacer que cambie el estado o el desarrollo normal de algo: *Unos gritos turbaron mi sueño.* **2** Sorprender a una persona y dejarla sin que pueda hablar o actuar: *Sus halagos me turbaron y me puse colorada.*

turbio, bia [adjetivo] **1** Que no es transparente: *Después de la tormenta, el agua del río está muy turbia.* **2** Oscuro o poco claro: *La policía lo vigila porque creen que está metido en turbios negocios.* □ Contrarios: claro. Familia: enturbiar, turbulento.

[turbo [adjetivo] Dicho de un vehículo, que tiene un motor especial, con más fuerza que uno normal: *Tu coche es muy veloz porque es turbo.* □ [No varía en masculino y en femenino].

turbulento, ta [adjetivo] **1** Dicho de un líquido, que está agitado y es poco transparente: *Las aguas turbulentas del río hicieron volcar la canoa.* **2** Dicho de una situación, que resulta muy movida y sin orden: *Después de pasar una época turbulenta, pa-*

rece que ahora se ha tranquilizado y su vida es más normal. □ FAMILIA: → turbio.

turco, ca [adjetivo o sustantivo] **1** De Turquía, que es un país de Europa y de Asia: *Ankara es la capital turca.* **2** De un antiguo pueblo que se estableció por esa zona: *Los turcos venían de Asia e invadieron Europa.* **3** [sustantivo masculino] Lengua de Turquía y de otros países: *Ese libro está escrito en turco.*

turismo [sustantivo masculino] **1** Forma de viajar por gusto y para ver cosas nuevas: *Cuando hago turismo siempre llevo mi cámara de fotos.* **2** Conjunto de personas que hace este tipo de viajes: *En España, el turismo se suele concentrar en las zonas de playa.* **3** Coche de cuatro o cinco plazas: *En las ciudades, los turismos pueden circular como máximo a cincuenta kilómetros por hora.* □ FAMILIA: turista, turístico.

turista [sustantivo] Persona que viaja por gusto y para conocer cosas nuevas: *Los turistas que han bajado del autobús están visitando la catedral.* □ [No varía en masculino y en femenino]. FAMILIA: → turismo.

turístico, ca [adjetivo] De los viajes que se realizan por gusto y para conocer cosas nuevas: *Esta zona de playa es muy turística.* □ FAMILIA: → turismo.

turnarse [verbo] Sustituirse en una obligación unas personas por otras, siguiendo un orden repetido y continuo: *Como somos tres, nos turnaremos para vigilar y cada uno estará despierto una hora.* □ FAMILIA: → turno.

turno [sustantivo masculino] **1** Orden según el cual se van sustituyendo varias personas que tienen que llevar a cabo una actividad o una función: *Cuidaremos al enfermo por turnos, y así no nos cansaremos.* **2** Momento u ocasión de hacer algo por orden: *Espera tu turno y no intentes colarte.* **3** Grupo de personas que se sustituyen en algo: *Los que estén* en el turno de mañana tienen que entrar a las ocho y los del turno de tarde, a las tres. **4** [expresión] **de turno** Muy conocido, habitual o sabido por todos: *Ya has tenido que salir con la tontería de turno.* □ [El significado **4** es coloquial]. SINÓNIMOS: **2** vez, vuelta. FAMILIA: turnarse.

turolense [adjetivo o sustantivo] De la provincia de Teruel o de su capital: *Muchos pueblos turolenses se han quedado deshabitados.* □ [No varía en masculino y en femenino].

turrón [sustantivo masculino] Tipo de dulce que se suele comer en Navidad: *El turrón que más me gusta es el de chocolate.*

turulato, ta [adjetivo] Sin saber qué decir ni cómo actuar: *Lo que me has dicho me ha sorprendido tanto que me ha dejado turulata.* □ [Es coloquial].

tutear [verbo] Tratar de *tú* a una persona y no de *usted*: *Yo tuteo a mis profesores.* □ FAMILIA: → tú.

tutor, -a [sustantivo] **1** Persona que está autorizada por la ley para cuidar y proteger a otra: *Se quedó sin padres y sus tutores son sus tíos.* **2** En un colegio, profesor que tiene una clase a su cuidado: *Los problemas que puedas tener con otros profesores debes contárselos a tu tutor.* □ FAMILIA: tutoría.

tutoría [sustantivo femenino] Trabajo de la persona que cuida o dirige a otras: *Las horas de tutoría están para que los alumnos le cuenten al tutor los problemas que tienen en el colegio.* □ FAMILIA: → tutor.

[tutti-frutti [sustantivo masculino] Frutas mezcladas: *Mi helado preferido es el de tutti-frutti.* □ [Es una palabra italiana. Se pronuncia «tutifrúti»].

tuyo, ya [pronombre posesivo] Indica que algo pertenece a la segunda persona del singular: *Este abrigo es mío, ¿cuál es el tuyo?* □ [Cuando va delante de un sustantivo se cambia en tu: *tu libro, tus amigas*]. FAMILIA: → tú.

U u

u 1 [sustantivo femenino] Letra número veintidós del abecedario: «*Unir*» *empieza por* «*u*». **2** [conjunción] Se usa como la conjunción *o* delante de palabras que empiezan por *o-* o por *ho-*: *No sé si tomar granizado u horchata.* □ [En las sílabas *gue* y *gui*, la *u* no se pronuncia: *guerra, guitarra.* Cuando se escribe *güe* o *güi*, la *u* sí se pronuncia: *cigüeña, pingüino.* Su plural es *us* o *úes* (más culto)].

ubicarse [verbo] Estar colocado en un lugar: *¿Sabe usted dónde se ubica este hotel, por favor?* □ [La *c* se cambia en *qu* delante de *e*, como en SACAR].

úlcera [sustantivo femenino] Herida que sale en la piel o en otras partes del cuerpo: *Mi padre tiene úlcera de estómago y el médico le ha puesto un régimen de comidas.* □ SINÓNIMOS: llaga.

ultimar [verbo] Dar fin a algo: *Ya sólo nos queda ultimar unos detalles para tenerlo todo preparado.* □ SINÓNIMOS: terminar, acabar, concluir. CONTRARIOS: empezar, iniciar, comenzar. FAMILIA: → último.

ultimátum [sustantivo masculino] Última oferta que se hace a una persona cuando se está intentando llegar a un acuerdo con ella: *Esto es un ultimátum: o haces lo que te digo, o no vienes con nosotros.* □ [Es una palabra que viene del latín. Aunque el plural culto es *ultimatos*, se usa más los *ultimátum*]. FAMILIA: → último.

último, ma [adjetivo] **1** Que no tiene ningún otro por detrás: *La «z» es la última letra del abecedario.* **2** Que es el peor de un grupo: *El corredor con el dorsal número cinco llegó el último.* **3** Que acaba de ocurrir: *Acabamos de oír las últimas noticias por televisión.* **4** Que está muy lejos o muy escondido: *He buscado hasta en el último rincón de la casa, pero no lo encuentro.* **5** [expresión] **a la última** Con la moda más actual: *La gente famosa va siempre vestida a la última.* **a últimos** Al final de un período de tiempo: *A últimos de junio nos dan las vacaciones de verano.* **estar en las últimas** Estar a punto de acabarse: *Hay que comprar más leche, porque esta botella está ya en las últimas.* **por último** Finalmente: *Llegué, paseé y, por último, me fui a casa.* □ SINÓNIMOS: **3** reciente, caliente, fresco. CONTRARIOS: **1,2**

primero. FAMILIA: ultimar, ultimátum, penúltimo, antepenúltimo.

ultrajar [verbo] Ofender gravemente: *Nadie tiene derecho a ultrajar a los demás.* □ [Siempre se escribe con *j*].

ultramarinos [sustantivo masculino] Tienda en la que se venden comestibles que se conservan muy bien sin estropearse: *En este ultramarinos venden todo tipo de latas de conserva.* □ [No varía en singular y en plural].

ultravioleta [adjetivo] Se dice de algunos rayos de luz que no se pueden ver y que pueden servir para curar algunas enfermedades: *Los rayos ultravioletas ponen moreno, pero pueden producir quemaduras.* □ [No varía en masculino y en femenino]. FAMILIA: → violeta.

umbilical [adjetivo] Del ombligo o relacionado con él: *Cuando un niño nace, hay que cortar el cordón umbilical que lo une a la madre.* □ [No varía en masculino y en femenino]. FAMILIA: → ombligo.

umbral [sustantivo masculino] **1** Parte inferior de una puerta: *Entra, no te quedes esperando en el umbral.* **2** Principio de algo que comienza: *En el año 2000 estaremos en el umbral del nuevo siglo.* □ [El significado **1** es distinto de *dintel*, que es la parte superior de la puerta].

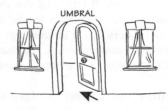

UMBRAL

un, -a 1 [artículo] Se usa delante de un nombre para indicar su género y su número: *El elefante es un animal. Mis padres han comprado una televisión.* **2** [pronombre indefinido] Uno: *He visto pasar a una señora que corría.* □ [El plural de *un* es *unos*. *Un* va siempre delante de un sustantivo masculino singular].

unanimidad [sustantivo femenino] Decisión común de un grupo de personas: *La pandilla aprobó por unanimidad la propuesta de ir al cine.*

undécimo, ma [pronombre numeral] Que ocupa el lu-

*a b c d e f g h i j k l m n ñ o p q r s t **u** v w x y z*

gar número once en una serie: *Este edificio tiene veinte pisos y yo vivo en el undécimo.* □ [No debe decirse *decimoprimero*]. FAMILIA: → once.

único, ca **1** [adjetivo] Raro y muy poco frecuente: *Este animal es un prodigio único en su especie.* **2** [adjetivo o sustantivo] Que sólo es él, sin que exista otro igual: *Soy hija única porque no tengo hermanos.* □ SINÓNIMOS: **1** aislado, excepcional, singular. CONTRARIOS: común. FAMILIA: → uno.

unicornio [sustantivo masculino] Animal imaginario con forma de caballo y un cuerno recto en mitad de la frente: *El unicornio es el símbolo de lo imposible.* □ FAMILIA: → cuerno.

UNICORNIO

unidad [sustantivo femenino] **1** Carácter de lo que no puede dividirse: *La unidad del Estado español está defendida por la Constitución.* **2** Cosa separada de otras: *Una docena consta de doce unidades.* **3** Carácter común a varias cosas distintas: *En este grupo no hay unidad de opinión, porque cada uno piensa una cosa distinta.* **4** Cantidad que se toma como medida: *El metro es la unidad de longitud.* **5** Número 1: *La unidad seguida de dos ceros es el número cien.* □ SINÓNIMOS: **5** uno. CONTRARIOS: **3** variedad. FAMILIA: → uno.

uniformar [verbo] **1** Hacer que dos o más cosas sean iguales o semejantes: *Tenemos que uniformar nuestros puntos de vista para actuar todos de acuerdo.* **2** Hacer que una persona vaya vestida con uniforme: *El nuevo director del colegio ha propuesto uniformar a los alumnos.* □ FAMILIA: → uno.

uniforme **1** [adjetivo] Que tiene las mismas características: *Para actuar como un auténtico equipo, debemos seguir criterios uniformes.* **2** [sustantivo masculino] Traje que sirve para identificar a personas con el mismo trabajo: *El uniforme de los bomberos lleva casco.* 🔧

páginas 794-795. □ [El significado **1** no varía en masculino y en femenino]. FAMILIA: → uno.

unión [sustantivo femenino] **1** Proceso por el que se juntan elementos distintos para que formen un conjunto: *Con este pegamento conseguirás la perfecta unión de las dos piezas.* **2** Relación o comunicación que hay entre cosas distintas: *Entre mis hermanos y yo existe una unión muy fuerte.* □ FAMILIA: → unir.

unir [verbo] **1** Juntar elementos distintos para que formen un conjunto: *Si unes todas las piezas del rompecabezas, verás un bonito paisaje. ¿Te quieres unir a nosotros y participar en nuestra fiesta?* **2** Relacionar dos cosas distintas: *La risa suele ir unida a la alegría.* □ SINÓNIMOS: juntar. CONTRARIOS: desunir, separar, alejar, apartar. FAMILIA: unión, desunir, reunir, reunión.

universal [adjetivo] **1** Que es conocido en todas partes: *Esta actriz tiene fama universal.* **2** Que afecta a todo el mundo: *El amor es un sentimiento universal.* **3** Del universo o relacionado con él: *Estos científicos estudian los movimientos universales de los astros.* □ [No varía en masculino y en femenino]. SINÓNIMOS: **1** mundial, internacional. CONTRARIOS: **2** particular. FAMILIA: → universo.

universidad [sustantivo femenino] **1** Centro donde se estudian las distintas carreras: *En la universidad se realizan muchos trabajos de investigación.* **2** Conjunto de edificios donde se siguen esos estudios: *Mi hermana mayor estudia arquitectura y va todos los días a la universidad.* □ FAMILIA: universitario.

universitario, ria **1** [adjetivo] De la universidad o relacionado con ella: *Mi hermano mayor es estudiante universitario y este año termina la carrera de Historia.* **2** [sustantivo] Persona que estudia en la universidad: *Mis padres se conocieron cuando eran universitarios.* □ FAMILIA: → universidad.

universo [sustantivo masculino] Conjunto de todo lo que existe: *La Tierra es sólo una parte del universo.* □ SINÓNIMOS: cosmos, mundo, creación. FAMILIA: universal.

uno, na **1** [pronombre numeral] Número 1: *Dame sólo un pastel. Me falta una peseta.* **2** [pronombre indefinido] Indica persona o cosa que no están determinadas: *Han venido unos que dicen que te conocen. He traído unas cosas para ti.* **3** [expresión] **no dar una** Hacer todo mal: *No sé qué me pasa, pero hoy no doy una.* **unos cuantos** Cantidad que no está determinada: *Aún me quedan unas cuantas páginas para acabar el libro.* □ [Cuando uno va delante de un sustantivo masculino singular, se cambia por un: *un perro*]. Sinónimos: **1** unidad. Familia: unidad, único, uniforme, uniformar.

untar [verbo] **1** Extender una sustancia grasa sobre una superficie: *Si untas la mantequilla sobre una tostada caliente, se derrite. Si tienes sucias las botas, úntalas bien de betún y cepíllalas para que brillen.* **2** Pagar a una persona para que haga algo que no está permitido por la ley: *En el periódico ha salido la noticia del soborno, con los nombres de las personas a las que se había untado.* □ [El significado **2** es coloquial].

uña **1** [sustantivo] [femenino] Parte dura y transparente que crece al final de los dedos: *No te muerdas las uñas. Mi madre se pinta las uñas de rojo.* **2** [expresión] **con uñas y dientes** Con todas las fuerzas: *Yo defiendo a mis amigos con uñas y dientes.* **estar de uñas** Estar muy enfadado: *Si llego a saber que estabas de uñas, no te hubiese invitado a mi fiesta.* **ser uña y carne** Entenderse muy bien dos personas y estar siempre juntas: *Mi hermana y yo somos uña y carne.* □ Familia: pezuña, pintaúñas, cortaúñas.

urbanidad [sustantivo] [femenino] Buena educación: *¿Es que a este maleducado nadie le ha enseñado urbanidad?* □ Sinónimos: cortesía.

urbanización [sustantivo] [femenino] **1** Conjunto de viviendas muy parecidas, con jardines, tiendas y todos los servicios necesarios: *Mi familia veranea en una urbanización de chalés, a las afueras de un pueblo de la sierra.* **2** Proceso por el que un terreno vacío se convierte en un núcleo de población: *La urbanización de una zona supone la instalación de luz, agua y teléfono, y la construcción de calles y viviendas.* 🖎 página 796. □ Familia: → urbano.

urbano, na [adjetivo] De la ciudad o relacionado con ella: *Los grandes núcleos urbanos suelen tener problemas de contaminación ambiental.* □ Contrarios: rural. Familia: urbanización, suburbio.

urgencia [sustantivo] [femenino] **1** Necesidad de que algo se haga lo antes posible: *La urgencia de esa cita me obligó a dejar de hacer otras cosas menos importantes.* **2** [plural] En un hospital, zona en la que se trata a las personas que están muy graves y necesitan cuidados médicos rápidamente: *Los heridos en el accidente de tráfico fueron llevados a urgencias en ambulancia.* □ Sinónimos: **1** prisa. Familia: → urgir.

urgente [adjetivo] **1** Que corre mucha prisa: *Es urgente que solucionemos el problema cuanto antes.* **2** Dicho del correo, que se reparte mucho más rápido de lo normal: *Las cartas urgentes llevan sellos más caros.* □ [No varía en masculino y en femenino]. Familia: → urgir.

urgir [verbo] Ser muy necesario que algo se haga cuanto antes: *Me urge saberlo, así que dímelo en cuanto te enteres.* □ [La g se cambia en *j* delante de *a, o,* como en DIRIGIR]. Familia: urgente, urgencia.

urinario, a **1** [adjetivo] De la orina o relacionado con ella: *Los riñones y la vejiga forman parte del aparato urinario.* **2** [sustantivo] [masculino] Lugar destinado para hacer pis: *En casi todos los parques hay urinarios públicos.* □ Familia: → orina.

urna [sustantivo] [femenino] **1** Caja transparente, con una abertura en la parte superior para poder meter los votos: *En las elecciones, la gente deposita sus votos en las urnas.* **2** Caja transparente que se usa para tener a la vista objetos de valor sin que puedan tocarse: *En el museo había monedas antiguas expuestas en urnas de cristal blindado.*

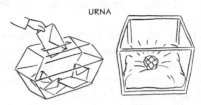

URNA

urraca [sustantivo] [femenino] Ave con las plumas blancas en el vientre y negras en el resto del cuerpo: *Las urracas tienen la cola larga.* 🖎 página 20.

usar [verbo] **1** Coger algo para hacer alguna cosa: *El cuchillo se usa para cortar.* **2** Gastar un determinado producto: *Este coche*

a b c d e f g h i j k l m n ñ o p q r s t u v w x y z

a

usa gasolina sin plomo. **3** Ponerse habitualmente una prenda de vestir: *Yo nunca uso sombrero.* **4 usarse** Estar de moda: *Ya no se usa que los hombres lleven capa.* □ SINÓNIMOS: **1** emplear, utilizar. **2** consumir. **3** llevar. **4** llevarse. FAMILIA: → uso.

uso [sustantivo] [masculino] **1** Empleo de algo para un fin: *La madera tiene muchos usos: para hacer muebles, como leña, etc.* **2** Empleo habitual de un determinado producto: *El uso de la lejía para lavar la ropa estropea mucho los tejidos.* **3** Lo que se hace con frecuencia: *En algunos pueblos se conservan antiguos usos que ya han desaparecido en las ciudades.* **4** [expresión] **uso de razón** Capacidad de una persona para saber lo que está bien y lo que está mal: *Cuando hago tonterías, mi madre dice que parece que no tengo uso de razón.* □ SINÓNIMOS: **1** utilización. **2** consumo. **3** costumbre, hábito. CONTRARIOS: **1** desuso. FAMILIA: usar, usual, desuso.

usted [pronombre] [personal] Indica la segunda persona y se usa para hablar con respeto y de forma educada a una persona: *Usted nos dijo que viniéramos. ¿Son ustedes los que me han llamado?* □ [No varía en masculino y en femenino. Se usa con el verbo en tercera persona].

usual [adjetivo] **1** Que no sorprende, porque siempre es así: *En mi casa es muy usual merendar un vaso de leche.* **2** Que se usa mucho: *La palabra «dar» es muy usual en español.* □ [No varía en masculino y en femenino]. SINÓNIMOS: común, habitual, natural, lógico, normal, corriente, ordinario. CONTRARIOS: anormal, raro, sorprendente, extraño. FAMILIA: → uso.

usurero, ra [sustantivo] Persona que presta dinero con la condición de que se le devuelva mucho más de lo que prestó: *Los usureros se enriquecen aprovechándose de la necesidad de los demás.* □ [Es despectivo].

utensilio [sustantivo] [masculino] **1** Herramienta que se puede usar con las manos: *Las tijeras son un utensilio que sirve para cortar.* **2** Herramienta necesaria en un trabajo: *En las papelerías venden lápices, bolígrafos, cuader-*

nos y otros utensilios de oficina. □ FAMILIA: → útil.

útero [sustantivo] [masculino] Parte del cuerpo de las mujeres o de las hembras de algunos animales donde se desarrollan los hijos antes de nacer: *En el interior del útero materno va creciendo el feto durante nueve meses.*

útil [adjetivo] **1** Que puede servir o puede ser aprovechado para algo: *Una sombrilla es útil para protegerse del sol.* **2** Que resulta bueno para algo: *Para este trabajo es muy útil saber inglés.* **3** [sustantivo masculino plural] Herramientas de trabajo: *El martillo y los alicates son útiles de carpintería.* □ [Cuando es adjetivo no varía en masculino y en femenino]. SINÓNIMOS: **1,2** beneficioso, provechoso, conveniente. CONTRARIOS: **1,2** inútil. FAMILIA: utilidad, utilizar, utilización, utensilio, inútil.

utilidad [sustantivo] [femenino] **1** Capacidad de servir o de ser aprovechado para algo: *Los ordenadores son máquinas de una gran utilidad.* **2** Fruto o ganancia que se obtiene de algo: *Debes aprender a sacar utilidad hasta de las situaciones más difíciles.* □ SINÓNIMOS: **2** beneficio, provecho. FAMILIA: → útil.

utilización [sustantivo] [femenino] Empleo de algo para un fin: *La utilización de ordenadores ha facilitado mucho el trabajo administrativo.* □ SINÓNIMOS: uso. FAMILIA: → útil.

utilizar [verbo] Coger algo para hacer alguna cosa: *Mi profesora siempre utiliza bolígrafo rojo para corregir.* □ [La z se cambia en c delante de e, como en CAZAR]. SINÓNIMOS: usar, emplear. FAMILIA: → útil.

uva 1 [sustantivo] [femenino] Fruta de la que se extrae el vino: *Las uvas crecen en las vides en forma de racimos.* **2** [expresión] **mala uva** Mal carácter, mal humor o mala intención: *No tengas mala uva y deja de molestar a tu hermano pequeño.* □ [El significado **2** es coloquial].

uve 1 [sustantivo] [femenino] Nombre de la letra *v*: *«Volver» se escribe con dos uves.* **2** [expresión] **uve doble** Nombre de la letra *w*: *La palabra «walkman» empieza por uve doble.*

[uvi [sustantivo] [femenino] Zona de un hospital donde están los enfermos muy graves: *En la uvi, los enfermos están bajo la vigilancia continua de los médicos.*

vegetación

bosque

campiña

pradera

estepa

sabana

jungla

tundra

pampa

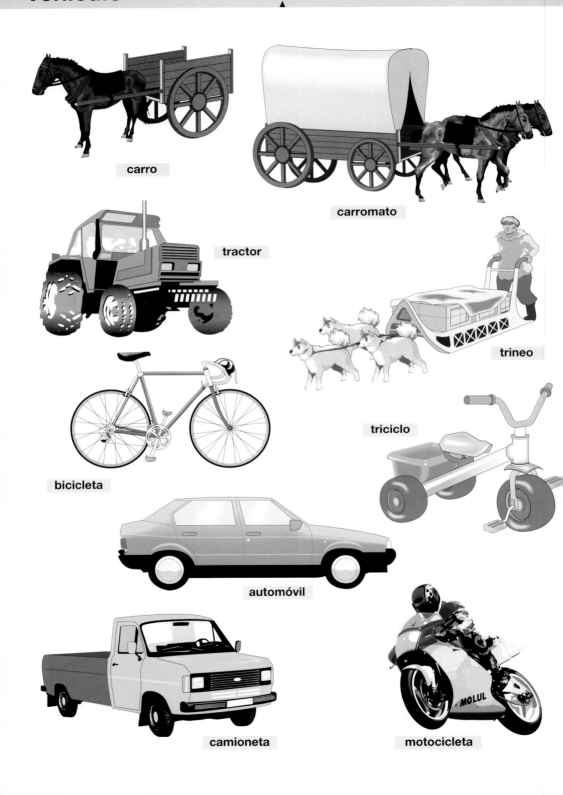

carro

carromato

tractor

trineo

triciclo

bicicleta

automóvil

camioneta

motocicleta

taxi

autobús

furgoneta

camión

tren

velero

barco

cohete

avión

vagabundo, da [adjetivo o/sustantivo] Que va de un lugar a otro sin tener un sitio fijo donde vivir: *Algunos vagabundos viven de pedir limosna.* □ FAMILIA: → vagar.

vagar [verbo] **1** Andar sin ir a ningún sitio en especial: *El turista vagó sin rumbo fijo por las calles de la ciudad.* **2** Ir sin ningún control: *Dejó vagar su imaginación y se vio a sí misma de mayor como una científica de fama mundial.* □ [La g se cambia en gu delante de e, como en PAGAR]. SINÓNIMOS: **1** errar. FAMILIA: vagabundo.

vagina [sustantivo/femenino] Parte del cuerpo de la mujer y de las hembras de algunos animales por donde salen los hijos cuando nacen: *La vagina es uno de los órganos femeninos de la reproducción.*

vago, ga **1** [adjetivo] Poco exacto: *Tengo una vaga idea de lo que haremos, pero no te puedo dar detalles.* **2** [adjetivo o/sustantivo] Que no quiere trabajar aunque tenga que hacerlo: *No seas vago y ayúdame.* □ SINÓNIMOS: **1** impreciso, inexacto. **2** holgazán, gandul, zángano. CONTRARIOS: **1** preciso, exacto. **2** trabajador, laborioso. FAMILIA: vaguear.

vagón [sustantivo/masculino] Parte del tren en la que viajan los pasajeros o se llevan productos: *Este tren tiene tres vagones de pasajeros, uno de mercancías y otro para el ganado.* □ FAMILIA: vagoneta.

vagoneta [sustantivo/femenino] Vagón pequeño que se usa para llevar productos de un lado a otro: *En las minas, el mineral extraído se transporta en vagonetas.* □ FAMILIA: → vagón. 🔎 página 539.

vaguear [verbo] No trabajar cuando hay que hacerlo: *No vaguees tanto y ayúdame a hacer las camas.* □ CONTRARIOS: trabajar. FAMILIA: → vago.

vaho [sustantivo/masculino] Vapor que despide un cuerpo: *Cuando hace mucho frío, la gente, al respirar, suelta nubecillas de vaho.*

vaina [sustantivo/femenino] **1** Cubierta donde se guarda la espada, el puñal o algún arma parecida cuando no se está utilizando: *Los espadachines sacaron sus espadas de la vaina y se batieron en duelo.* **2** Cáscara alargada que contiene las semillas de algunas plantas: *Las judías verdes son vainas.*

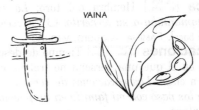

VAINA

vainilla [sustantivo/femenino] Planta cuyo fruto se usa mucho para hacer dulces: *Los helados de vainilla suelen ser de color amarillo pálido.*

vaivén [sustantivo/masculino] Movimiento repetido de un lado a otro: *El movimiento del péndulo de un reloj es un movimiento de vaivén.* □ SINÓNIMOS: balanceo. FAMILIA: → venir.

vajilla [sustantivo/femenino] Conjunto de platos, fuentes y otros recipientes para servir en la mesa: *Esta vajilla tiene platos soperos, platos llanos, platos de postre y cuatro fuentes.* □ FAMILIA: lavavajillas.

vale [sustantivo/masculino] **1** Papel que se puede cambiar por otra cosa: *Si presentas este vale, en la próxima compra te harán descuento.* **2** Papel que prueba que se ha entregado algo a la persona indicada: *Cuando recibas el paquete que te envié, tendrás que firmar un vale.* □ FAMILIA: → valer.

valenciano, na **1** [adjetivo o/sustantivo] De Valencia o de su comunidad autónoma: *Las fiestas valencianas más conocidas son las Fallas.* **2** [sustantivo/masculino] Lengua oficial de esta comunidad autónoma: *El valenciano procede del latín.*

valentía [sustantivo/femenino] Falta de miedo: *Me impresiona la valentía de los toreros.* □ SINÓNIMOS: valor, coraje. CONTRARIOS: cobardía. FAMILIA: → valer.

valer **1** [sustantivo/masculino] Conjunto de características

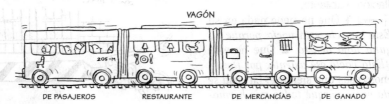

VAGÓN

DE PASAJEROS   RESTAURANTE   DE MERCANCÍAS   DE GANADO

buenas de algo: *Eres una persona de gran valer.* [verbo] **2** Tener algo determinado precio o valor: *¿Cuánto vale este lápiz, por favor?* **3** Ser útil o apropiado para algo: *Esta cuerda no me vale para atar esto, porque es demasiado gruesa.* **4** Tener como consecuencia: *Mi esfuerzo me valió una recompensa.* **5** Dar protección o ayuda: *¡Que Dios me valga en esta situación tan difícil!* **6 valerse** Utilizar algo en beneficio propio: *Se valió de todas sus mañas para convencernos.* **7** [expresión] **vale** Se usa para indicar que se está de acuerdo con algo: *Vale, me parece bien lo que propones.* □ [Como verbo es irregular]. SINÓNIMOS: **1** valor. **2** costar. **3** servir. **5** proteger. **7** bueno. FAMILIA: vale, valentía, valiente, valeroso, valioso, validez, válido, valor, minusválido, inválido, desvalido.

valeroso, sa [adjetivo] Que no tiene miedo: *Un valeroso grupo de aventureros se adentró en la jungla.* □ SINÓNIMOS: valiente, bravo. CONTRARIOS: cobarde, cagón, cagado, miedoso, miedica. FAMILIA: → valer.

validez [sustantivo femenino] Carácter de lo que resulta

valer		conjugación
INDICATIVO		**SUBJUNTIVO**
presente		**presente**
valgo		valga
vales		valgas
vale		valga
valemos		valgamos
valéis		valgáis
valen		valgan
pretérito imperfecto		**pretérito imperfecto**
valía		valiera, -ese
valías		valieras, -eses
valía		valiera, -ese
valíamos		valiéramos, -ésemos
valíais		valierais, -eseis
valían		valieran, -esen
pretérito indefinido		**futuro**
valí		valiere
valiste		valieres
valió		valiere
valimos		valiéremos
valisteis		valiereis
valieron		valieren
futuro		**IMPERATIVO**
valdré		
valdrás		**presente**
valdrá		vale (tú)
valdremos		valga (él)
valdréis		valgamos (nosotros)
valdrán		valed (vosotros)
		valgan (ellos)
condicional		**FORMAS NO PERSONALES**
valdría		
valdrías		**infinitivo** **gerundio**
valdría		valer valiendo
valdríamos		
valdríais		**participio**
valdrían		valido

adecuado para algo: *El cheque no tiene validez si no está firmado.* □ CONTRARIOS: nulidad. FAMILIA: → valer.

válido, da [adjetivo] Que vale porque resulta adecuado: *El árbitro dijo que el gol era válido.* □ CONTRARIOS: nulo. FAMILIA: → valer.

valiente [adjetivo o sustantivo] Que no tiene miedo: *Has sido muy valiente al atreverte a entrar tú solo en la cueva.* □ [No varía en masculino y en femenino]. SINÓNIMOS: valeroso, bravo. CONTRARIOS: cobarde, miedoso, miedica, cagón, cagado, gallina. FAMILIA: → valer.

valioso, sa [adjetivo] De mucho valor: *En este museo se exponen valiosas obras de arte.* □ SINÓNIMOS: precioso. CONTRARIOS: mísero. FAMILIA: → valer.

valla [sustantivo femenino] **1** Línea de tablas o de palos que se colocan alrededor de un lugar para protegerlo o para marcarlo: *La valla de la finca impide que el ganado se escape.* 🔎 página 796. **2** Superficie sobre la que se colocan grandes anuncios de publicidad: *En esta calle han colocado unas vallas en las que anuncian una marca de ropa.* **3** En algunos deportes, barrera que deben saltar los corredores: *Las carreras de vallas son una especialidad de atletismo.* □ [No confundir con *baya*, que es un tipo de fruto, ni con *vaya* (del verbo *ir*)]. FAMILIA: vallar, vallado.

vallado [sustantivo masculino] Construcción que se hace alrededor de un lugar para protegerlo o para marcarlo: *El vallado de la granja impide que los animales se escapen.* □ SINÓNIMOS: cerca. FAMILIA: → valla.

vallar [verbo] Colocar una línea de palos o de tablas alrededor de un lugar para protegerlo o para marcarlo: *Estamos vallando el gallinero para que no se escapen las gallinas.* □ SINÓNIMOS: cercar. FAMILIA: → valla.

valle [sustantivo masculino] Terreno llano y hondo que hay entre dos montañas: *El valle donde veraneo está rodeado de altísimas montañas.* □ SINÓNIMOS: cuenca. 🔎 página 709.

vallisoletano, na [adjetivo o sustantivo] De la provincia de Valladolid o de su capital: *Olmedo es un pueblo vallisoletano.*

valor [sustantivo masculino] **1** Conjunto de características buenas de algo: *Tu generosidad es uno de tus muchos valores.* **2** Precio de algo: *Este collar es una joya de mucho valor.* **3** Sig-

a
b
c
d
e
f
g
h
i
j
k
l
m
n
ñ
o
p
q
r
s
t
u
v
w
x
y
z

nificado de algo: *No he entendido el valor de sus palabras.* **4** Falta de miedo: *Demostró mucho valor enfrentándose a los ladrones.* **5** Falta de vergüenza o de respeto: *¿Cómo tienes el valor de mentir?* □ SINÓNIMOS: **1** valer. **4** valentía. **5** descaro. CONTRARIOS: **4** cobardía. FAMILIA: valorar, valoración.

valoración [sustantivo femenino] Reconocimiento del valor de algo: *La valoración que has hecho de esta escultura está por encima de su precio real.* □ FAMILIA: → valor.

valorar [verbo] Reconocer el valor de algo: *Te agradezco que valores el esfuerzo tan grande que he hecho.* □ SINÓNIMOS: estimar, evaluar. FAMILIA: → valor.

vals [sustantivo masculino] Música que se baila en parejas, dando vueltas una y otra vez: *«Danubio Azul» es el título de un famoso vals del compositor austríaco Johann Strauss.* 📷 página 117.

válvula [sustantivo femenino] Aparato que controla la salida o la entrada de un gas: *Para inflar las ruedas de la bici, tienes que colocar la bomba de aire en la válvula.*

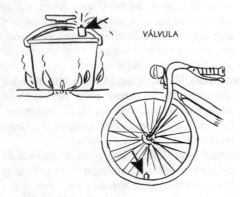

VÁLVULA

vampiro [sustantivo masculino] Ser imaginario que vive por las noches y se alimenta de la sangre de los seres humanos: *La leyenda del conde Drácula cuenta la historia de un vampiro.*

VAMPIRO

vanguardia [sustantivo femenino] Movimiento cultural que va por delante de las modas y gustos de una época: *Las vanguardias artísticas resultan muchas veces incomprensibles para la mayoría.*

vanidad [sustantivo femenino] Sensación de creerse mejor que los demás: *No soporto la vanidad de las personas que desprecian a los demás por creerse más listos que ellos.* □ SINÓNIMOS: orgullo, soberbia, humos. CONTRARIOS: modestia, humildad. FAMILIA: vanidoso.

vanidoso, sa [adjetivo o sustantivo] Que se cree mejor que los demás y lo manifiesta: *Las personas vanidosas no soportan las críticas.* □ SINÓNIMOS: orgulloso, soberbio. CONTRARIOS: modesto, humilde. FAMILIA: → vanidad.

vapor [sustantivo masculino] Gas en que se transforma un líquido por efecto del calor: *Cuando el agua hierve, el humo que sale hacia arriba es el vapor.* □ FAMILIA: evaporar, evaporación.

vaquero, ra 1 [adjetivo] De un tipo de tela resistente y de color azul: *Tengo una cazadora vaquera con muchos bolsillos.* **2** [sustantivo] Pastor de vacas: *En las películas del Oeste americano, los vaqueros saben montar muy bien a caballo.* **3** [sustantivo masculino plural] Pantalones hechos con una tela resistente y de color azul: *Siempre que voy al campo llevo vaqueros.* □ FAMILIA: → vaca.

vara [sustantivo femenino] Palo delgado, liso y largo: *El niño jugaba con una vara como si fuese una espada.* □ FAMILIA: varilla.

variable [adjetivo] **1** Que varía o que puede variar: *El horario de clases es variable de un curso para otro.* **2** Que cambia mucho y no es siempre igual: *Mi amigo tiene un carácter muy variable y tan pronto está contentísimo como se pone a llorar.* □ [No varía en masculino y en femenino]. CONTRARIOS: invariable. FAMILIA: → variar.

variación [sustantivo femenino] Cambio o diferencia pequeños: *No ha habido ninguna variación en los planes, así que todo sigue igual.* □ SINÓNIMOS: transformación, alteración, modificación, novedad. FAMILIA: → variar.

variado, da [adjetivo] Que está compuesto por cosas distintas pero de la misma clase: *Hemos comprado medio kilo de pasteles variados.* □ SINÓNIMOS: surtido. CONTRARIOS: igual. FAMILIA: → variar.

variar [verbo] Hacer que algo sea diferente o distinto de como era antes: *Tu carácter ha variado mucho en estos dos últimos años.* □ [Se conjuga como GUIAR]. SINÓNIMOS: transformar, modificar, alterar. FAMILIA: variación, vario, variado, variedad, variable, invariable.

varicela [sustantivo] [femenino] Enfermedad contagiosa cuya principal característica es la aparición de granos rojos por todo el cuerpo: *La varicela es una enfermedad infantil.*

variedad [sustantivo] [femenino] **1** Diferencia que hay en las cosas de una misma clase: *Parece mentira que todos seáis hermanos y que haya tanta variedad de carácter entre unos y otros.* **2** Gran cantidad de cosas distintas: *En esta heladería hay mucha variedad de sabores.* **3** Cada uno de los grupos en que se divide otro grupo mayor: *Hay muchas variedades de manzanas.* □ SINÓNIMOS: **1,2** diversidad. CONTRARIOS: unidad. FAMILIA: → variar.

varilla [sustantivo] [femenino] Cada una de las barras largas y finas que sujetan la tela de los paraguas y de los abanicos: *Este paraguas está viejo y tiene varias varillas rotas.* □ FAMILIA: → vara.

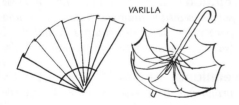

VARILLA

vario, ria 1 [adjetivo] Que presenta variedad: *En esta tienda venden productos varios.* **2** [plural] Algunos: *Tengo varios amigos que viven en mi calle.* □ [El significado **1** se usa siempre detrás de un sustantivo]. FAMILIA: → variar.

varón [sustantivo] [masculino] Persona de sexo masculino: *Mi madre está embarazada y el otro día le dijeron que el bebé será varón.* □ [No confundir con *barón*]. SINÓNIMOS: hombre. CONTRARIOS: mujer. FAMILIA: varonil.

varonil [adjetivo] **1** Del hombre o relacionado con él: *La barba es un rasgo varonil.* **2** Que tiene las características que se consideran propias del hombre: *Los protagonistas de las películas de aventuras suelen ser hombres muy varoniles.* □ [No varía en masculino y

en femenino]. CONTRARIOS: **2** afeminado. FAMILIA: → varón.

vasallo, lla [adjetivo o sustantivo] Que está bajo la autoridad de alguien y tiene la obligación de obedecerlo: *En una película de la Edad Media salía un rey que protegía a todos sus vasallos.*

vasco, ca 1 [adjetivo o sustantivo] De la comunidad autónoma del País Vasco: *San Sebastián es una ciudad vasca.* **2** [sustantivo] [masculino] Lengua de las comunidades autónomas del País Vasco y de Navarra: *El vasco no procede del latín.* □ SINÓNIMOS: **2** euskera, eusquera, vascuence. FAMILIA: vascuence.

vascuence [sustantivo] [masculino] Lengua de las comunidades autónomas del País Vasco y de Navarra: *Mis abuelos son de Bilbao y en su casa hablan vascuence.* □ SINÓNIMOS: euskera, eusquera, vasco. FAMILIA: → vasco.

vasija [sustantivo] [femenino] Recipiente hondo y pequeño, que se suele usar para guardar líquidos o alimentos: *He ido a una tienda de cerámica y me he comprado una vasija de adorno.* □ FAMILIA: → vaso.

vaso [sustantivo] [masculino] **1** Recipiente que se usa para beber: *¿Me llenas el vaso de agua, por favor?* **2** Especie de tubo por el que circulan ciertos líquidos en las plantas y en los animales: *Las venas y las arterias son vasos por los que circula la sangre.* □ FAMILIA: posavasos, vasija.

vasto, ta [adjetivo] Muy grande o muy extenso: *Los sabios tienen una vasta cultura.* □ [No confundir con *basto*].

váter [sustantivo] [masculino] **1** Recipiente que hay en el cuarto de baño y en el que hacemos pis y caca: *Mi hermanita todavía no sabe usar el váter y hace pis en el orinal.* **2** Habitación en la que está este recipiente: *En mi casa, el botiquín está en un armarito en el váter.* □ [Es una palabra de origen inglés. Es coloquial]. SINÓNIMOS: **1** inodoro, retrete. **2** baño, servicio.

vaya [interjección] Se usa para expresar sorpresa, admiración o disgusto: *¡Vaya bicicleta tiene esa niña! ¡Vaya, he llegado tarde y no me han esperado!* □ [No confundir con *baya*, que es un tipo de fruto, ni con *valla*, que es una especie de tapia].

vecindad [sustantivo] [femenino] Conjunto de los vecinos

a b c d e f g h i j k l m n ñ o p q r s t u **v** w x y z

a
b
c
d
e
f
g
h
i
j
k
l
m
n
ñ
o
p
q
r
s
t
u
v
w
x
y
z

de una población, de un barrio o de un edificio: *La vecindad ha protestado ante el anuncio de que iban a destruir el parque para construir una gasolinera.* □ SINÓNIMOS: vecindario. FAMILIA: → vecino.

vecindario [sustantivo/masculino] Conjunto de los vecinos de una población, de un barrio o de un edificio: *Nunca me pierdo la fiesta que organiza el vecindario.* □ SINÓNIMOS: vecindad. FAMILIA: → vecino.

vecino, na 1 [adjetivo] Que está a muy poca distancia: *España y Francia son países vecinos.* **2** [sustantivo] Persona que vive en la misma población, en el mismo barrio o en el mismo edificio que otra: *Yo vivo en el tercero y soy muy amiga del vecino del quinto.* □ SINÓNIMOS: **1** cercano. FAMILIA: vecindad, vecindario.

vega [sustantivo/femenino] Terreno llano por el que pasa un río: *Las vegas son terrenos muy fértiles en los que hay muchos sembrados.* ✍ página 709.

vegetación [sustantivo/femenino] **1** Conjunto de plantas propias de una zona o de un clima: *La vegetación de la sabana es muy distinta de la vegetación de la selva.* ✍ página 845. **2** [plural] Crecimiento excesivo de unos órganos que tenemos en la garganta: *Cuando era pequeño me operaron de vegetaciones porque respiraba muy mal.* □ FAMILIA: → vegetal.

vegetal 1 [adjetivo] De las plantas o relacionado con ellas: *El aceite de girasol es un aceite vegetal.* **2** [sustantivo/masculino] Ser vivo que crece y vive en un lugar y que no puede moverse: *Los árboles y las plantas son vegetales.* □ [El significado **1** no varía en masculino y en femenino]. SINÓNIMOS: planta. FAMILIA: vegetación, vegetariano.

vegetariano, na [adjetivo] Que no come nada de carne: *Los vegetarianos se alimentan de verduras, legumbres, frutas, huevos y leche.* □ FAMILIA: → vegetal.

vehículo [sustantivo/masculino] Cualquier medio de transporte: *El tren es el vehículo que más me gusta para viajar.* ✍ páginas 846-847.

veinte [pronombre/numeral] Número 20: *Los dedos de las manos y de los pies juntos suman veinte.* □ [No varía en masculino y en femenino]. FAMILIA: veintiún, veintiuno, veintidós, veintitrés, vein-

ticuatro, veinticinco, veintiséis, veintisiete, veintiocho, veintinueve.

veinticinco [pronombre/numeral] Número 25: *Once más catorce son veinticinco.* □ [No varía en masculino y en femenino]. FAMILIA: → veinte.

veinticuatro [pronombre/numeral] Número 24: *Doce más doce son veinticuatro.* □ [No varía en masculino y en femenino]. FAMILIA: → veinte.

veintidós [pronombre/numeral] Número 22: *Once más once son veintidós.* □ [No varía en masculino y en femenino]. FAMILIA: → veinte.

veintinueve [pronombre/numeral] Número 29: *Veinte más nueve son veintinueve.* □ [No varía en masculino y en femenino]. FAMILIA: → veinte.

veintiocho [pronombre/numeral] Número 28: *Siete por cuatro son veintiocho.* □ [No varía en masculino y en femenino]. FAMILIA: → veinte.

veintiséis [pronombre/numeral] Número 26: *Once más quince son veintiséis.* □ [No varía en masculino y en femenino]. FAMILIA: → veinte.

veintisiete [pronombre/numeral] Número 27: *Dieciséis más once son veintisiete.* □ [No varía en masculino y en femenino]. FAMILIA: → veinte.

veintitrés [pronombre/numeral] Número 23: *Veintiséis menos tres son veintitrés.* □ [No varía en masculino y en femenino]. FAMILIA: → veinte.

veintiún [pronombre/numeral] Veintiuno: *En mi clase somos veintiún alumnos y nos falta uno para poder hacer dos equipos de fútbol.* □ [Va siempre delante de un sustantivo masculino]. FAMILIA: → veinte.

veintiuno, na [pronombre/numeral] Número 21: *Un primo mío tiene veintiún años.* □ [Cuando veintiuno va delante de un sustantivo masculino, se cambia por veintiún: *En este aparcamiento caben veintiún coches*]. FAMILIA: → veinte.

vejez [sustantivo/femenino] **1** Último período de la vida de una persona, cuando ya tiene muchos años: *Las edades de la vida son: infancia, juventud, madurez y vejez.* **2** Conjunto de características de los viejos: *La vejez suele ir acompañada de enfermedades y achaques.* □ [Su plural es vejeces]. CONTRARIOS: juventud. FAMILIA: → viejo.

vejiga [sustantivo/femenino] Órgano del cuerpo en el que se va almacenando el pis antes de salir al exterior: *La orina se produce en los riñones y se almacena en la vejiga.*

vela [sustantivo/femenino] **1** Objeto de cera con una cuerda por dentro que se prende para que dé luz: *Cuando se fue la luz durante la tormenta, tuvimos que alumbrarnos con velas.* **2** Trozo de tela que llevan algunos barcos para ser empujados por el viento: *En verano, la costa se llena de barcos de vela.* **3** Deporte que consiste en navegar en barcos de este tipo: *La vela es el deporte que más me gusta de las olimpiadas.* 🔱 página 292. **4** [plural] Mocos que asoman por la nariz: *Ven que te limpie la nariz, que da asco ver las velas que llevas.* **5** [expresión] **en vela** Sin dormir: *He pasado toda la noche en vela pensando que hoy nos íbamos a la playa de vacaciones.* **quedarse a dos velas** Quedarse sin nada: *Me he gastado todo el dinero y me he quedado a dos velas.* □ [El significado **4** y la expresión *quedarse a dos velas* son coloquiales]. FAMILIA: velero, velar, desvelar, velatorio.

velar [verbo] **1** Cuidar algo con mucho interés: *Los padres velaron al enfermo por la noche.* **2** Pasar la noche junto al cadáver de una persona: *Los familiares velaron al difunto hasta que fue llevado al cementerio.* **3** **velarse** Estropearse un carrete fotográfico porque le ha dado la luz: *Si abres la cámara sin enrollar el carrete, se te velará y no saldrá ninguna foto.* □ SINÓNIMOS: **1** vigilar, custodiar. CONTRARIOS: desvelar. FAMILIA: revelar, revelación.

velatorio [sustantivo masculino] Lugar en el que se pasa la noche junto al cadáver de una persona: *Muchos amigos del fallecido acudieron al velatorio.* □ FAMILIA: → vela.

velero [sustantivo masculino] Barco de vela: *La mar estaba en calma y muchos veleros salieron a navegar.* □ FAMILIA: → vela. 🔱 página 847.

veleta **1** [sustantivo] Persona que cambia demasiado de opinión: *No seas un veleta y no digas ahora que sí, si hace dos minutos decías que no.* **2** [sustantivo femenino] Objeto que señala en qué dirección sopla el viento: *En la torre del campanario hay una veleta con forma de gallo.* □ [El significado **1** no varía en masculino y en femenino y es coloquial].

VELETA

vello [sustantivo masculino] Pelo suave y fino que las personas tenemos por todo el cuerpo: *Muchas mujeres se depilan el vello de las piernas.* □ [No confundir con *bello*].

velo [sustantivo masculino] Tela muy fina y transparente: *La novia llevaba un traje con un velo que le cubría la cara.*

velocidad [sustantivo femenino] **1** Gran rapidez con que se hace algo: *Vine a toda velocidad en cuanto me dijeron que me estabas buscando.* **2** Relación que existe entre la distancia recorrida y el tiempo que se tarda en recorrerla: *Hemos venido a una velocidad de noventa kilómetros por hora.* □ SINÓNIMOS: **1** prontitud, rapidez, diligencia. CONTRARIOS: **1** lentitud, pesadez, tranquilidad. FAMILIA: → veloz.

veloz [adjetivo] Que se mueve muy rápidamente o a gran velocidad: *El leopardo es un animal muy veloz.* □ [No varía en masculino y en femenino. Su plural es *veloces*]. SINÓNIMOS: rápido. CONTRARIOS: lento. FAMILIA: velocidad.

vena [sustantivo femenino] **1** Especie de tubo por el que la sangre va hacia el corazón: *En mi libro de ciencias, las venas están dibujadas en color azul y las arterias, en rojo.* **2** Lo que nos hace actuar de determinada manera sin saber por qué: *¿Pero qué vena te ha dado para ponerte así conmigo?* □ [El significado **1** es distinto de *arteria*, que es por donde la sangre sale del corazón. El significado **2** es coloquial].

venado, da **1** [adjetivo] Un poco loco: *Ese tipo está venado y no me fío nada de él.* **2** [sustantivo masculino] Animal de color marrón casi rojo, que se alimenta de hierba y cuyo macho tiene unos cuernos muy grandes: *En el castillo había una cabeza de venado colgada de la pared.* **3** [sustantivo femenino] Ataque de locura: *De repente le dio una venada y empezó a tirar cosas por la ventana.* □ [Los significados **1** y **3** son coloquiales]. SINÓNIMOS: ciervo.

vencedor, -a [adjetivo o sustantivo] Que consigue la victoria: *Los vencedores de la prueba subieron al podio a recoger sus trofeos.* □ SINÓNIMOS: ganador, campeón. CONTRARIOS: perdedor. FAMILIA: → vencer.

vencer [verbo] **1** Derrotar al enemigo o al contrario: *Hemos vencido al equipo de la otra clase por dos puntos.* **2** Dominar un sentimiento a una persona: *No hay que dejarse vencer por la pereza.* **3** Superar una

a
b
c
d
e
f
g
h
i
j
k
l
m
n
ñ
o
p
q
r
s
t
u
v
w
x
y
z

a b c d e f g h i j k l m n ñ o p q r s t u v w x y z

dificultad: *Debes vencer tus dudas y decidirte por lo que creas que es mejor.* **4** Terminar un período de tiempo: *¿Qué día vence el plazo para hacer la matrícula del nuevo curso?* **5 vencerse** Torcerse a causa del exceso de peso: *No pongas más cosas en ese mueble, porque los estantes se están venciendo.* □ [La c se cambia en z delante de a, o]. SINÓNIMOS: triunfar. CONTRARIOS: **1** derrotar. **1,3** caer. FAMILIA: vencedor, invencible.

venda [sustantivo] [femenino] Tela que se pone alrededor de una parte del cuerpo para protegerla o impedir que la movamos: *Me he torcido un tobillo y me han puesto una venda para que se me cure.* □ FAMILIA: vendar, vendaje.

vendaje [sustantivo] [masculino] Colocación de una venda alrededor de una parte del cuerpo para protegerla o evitar que la movamos: *No tardaron nada en hacerme un vendaje en la muñeca.* □ FAMILIA: → venda.

vendar [verbo] Colocar una venda alrededor de una parte del cuerpo para protegerla o evitar que la movamos: *Me han tenido que vendar el tobillo porque me dolía mucho.* □ FAMILIA: → venda.

vencer	conjugación
INDICATIVO	**SUBJUNTIVO**
presente venzo, vences, vence, vencemos, vencéis, vencen	**presente** venza, venzas, venza, venzamos, venzáis, venzan
pretérito imperfecto vencía, vencías, vencía, vencíamos, vencíais, vencían	**pretérito imperfecto** venciera, -ese, vencieras, -eses, venciera, -ese, venciéramos, -ésemos, vencierais, -eseis, vencieran, -esen
pretérito indefinido vencí, venciste, venció, vencimos, vencisteis, vencieron	**futuro** venciere, vencieres, venciere, venciéremos, venciereis, vencieren
futuro venceré, vencerás, vencerá, venceremos, venceréis, vencerán	**IMPERATIVO** **presente** vence (tú), venza (él), venzamos (nosotros), venced (vosotros), venzan (ellos)
condicional vencería, vencerías, vencería, venceríamos, venceríais, vencerían	**FORMAS NO PERSONALES** **infinitivo** vencer **gerundio** venciendo **participio** vencido

vendaval [sustantivo] [masculino] Viento muy fuerte: *Ayer hubo un vendaval y los barcos no pudieron salir a navegar.* □ FAMILIA: → viento.

vendedor, -a [sustantivo] Persona que vende cosas: *Si no sabes cuánto cuesta ese libro, pregúntaselo a la vendedora.* □ CONTRARIOS: comprador. FAMILIA: → vender.

vender [verbo] Dar algo a cambio de dinero: *Mis padres vendieron el piso en el que vivíamos y han comprado otro más grande.* □ CONTRARIOS: comprar, adquirir. FAMILIA: vendedor, venta.

vendimia [sustantivo] [femenino] Cosecha de la uva: *En la vendimia se recoge la uva para venderla.* □ FAMILIA: vendimiador, vendimiar.

vendimiador, -a [sustantivo] Persona que trabaja en la cosecha de la uva: *Los vendimiadores se protegían del sol con sombreros de paja.* □ FAMILIA: → vendimia.

vendimiar [verbo] Recoger la uva de las viñas cuando ya está madura: *En mi pueblo se vendimia a finales de septiembre.* □ FAMILIA: → vendimia.

veneno [sustantivo] [masculino] **1** Sustancia que produce graves daños en los seres vivos y que puede llegar a matarlos: *Las víboras tienen veneno y por eso son tan peligrosas sus mordeduras.* **2** Lo que resulta muy malo: *Para los enfermos del hígado, las bebidas alcohólicas son puro veneno.* □ CONTRARIOS: antídoto. FAMILIA: envenenar, venenoso.

venenoso, sa [adjetivo] Que tiene veneno o que resulta muy malo: *Algunas setas son venenosas y pueden producir la muerte a quien las coma.* □ FAMILIA: → veneno.

venezolano, na [adjetivo o sustantivo] De Venezuela, que es un país de América del Sur: *La capital venezolana es Caracas.*

venganza [sustantivo] [femenino] Daño que hacemos a alguien porque antes nos lo hizo a nosotros: *La venganza nace del odio.* □ CONTRARIOS: perdón. FAMILIA: → vengar.

vengar [verbo] Responder con otro daño a un daño que se nos ha hecho: *El protagonista de la película juró que se vengaría de los que habían herido a sus padres.* □ [La g se cambia en gu delante de e, como en PAGAR]. CONTRARIOS: perdonar. FAMILIA: venganza.

venida [sustantivo] [femenino] **1** Movimiento hacia el lugar en el que estamos en el momento de hablar:

Estoy cansado de tantas idas y venidas de casa al colegio y del colegio a casa. **2** Aparición o comienzo de algo: *Con la venida del buen tiempo, todo el mundo va en manga corta.* **3** Vuelta al lugar del que se partió: *La ida no fue tan pesada como la venida.* □ SINÓNIMOS: llegada. **3** regreso, vuelta, regreso. CONTRARIOS: ida. **1** abandono. FAMILIA: → venir.

venidero, ra [adjetivo] Que está por venir o por suceder: *En los días venideros se celebrarán grandes fiestas en todo el país.* □ FAMILIA: → venir.

venir [verbo] **1** Moverse una persona hacia el lugar en el que estamos en el momento de hablar: *¿Quién ha venido? Ven aquí, por favor.* **2** Empezar, tener origen o tener principio: *Ayer por la noche me vino un dolor de cabeza horroroso.* **3** Hacerse algo presente en la mente: *Me acaba de venir a la cabeza una idea fabulosa.* **4** Estar escrito o estar impreso: *En esta revista viene una foto de mi colegio.* **5** Ser algo apropiado o resultar bien: *¿Qué tal te viene que quedemos esta*

venir	conjugación
INDICATIVO	**SUBJUNTIVO**
presente	**presente**
vengo	venga
vienes	vengas
viene	venga
venimos	vengamos
venís	vengáis
vienen	vengan
pretérito imperfecto	**pretérito imperfecto**
venía	viniera, -ese
venías	vinieras, -eses
venía	viniera, -ese
veníamos	viniéramos, -ésemos
veníais	vinierais, -eseis
venían	vinieran, -esen
pretérito indefinido	**futuro**
vine	viniere
viniste	vinieres
vino	viniere
vinimos	viniéremos
vinisteis	viniereis
vinieron	vinieren
futuro	**IMPERATIVO**
vendré	
vendrás	**presente**
vendrá	ven (tú)
vendremos	venga (él)
vendréis	vengamos (nosotros)
vendrán	venid (vosotros)
	vengan (ellos)
condicional	**FORMAS NO PERSONALES**
vendría	
vendrías	**infinitivo** **gerundio**
vendría	venir viniendo
vendríamos	**participio**
vendríais	venido
vendrían	

tarde? **6 venga** [interjección] Se usa para animar a alguien o para meter prisa: *¡Venga, que ya no falta nada para llegar!* □ [Es irregular]. SINÓNIMOS: **2** nacer, provenir, proceder, obedecer. **3** acudir. FAMILIA: venida, venidero, provenir, convenir, prevenir, porvenir, vaivén, bienvenida, bienvenido.

venta [sustantivo femenino] **1** Entrega de un producto a cambio de dinero: *La venta de drogas está castigada por la ley.* **2** Cantidad de cosas vendidas: *Las ventas de este libro han sido muy altas.* **3** Lugar donde antiguamente paraban a comer y a descansar los viajeros: *Los comerciantes pararon a dormir en una venta que había en el camino.* □ SINÓNIMOS: **3** fonda, posada. CONTRARIOS: **1,2** compra. FAMILIA: → vender.

ventaja [sustantivo femenino] **1** Características que hacen que algo sea superior a otra cosa: *Ese corredor tiene ventaja sobre mí porque ha entrenado y yo no.* **2** Lo que algo tiene de bueno: *Antes de decidirte, mira bien cuáles son las ventajas y desventajas.* **3** Distancia que dejamos a otra persona cuando pensamos que somos mejor que ella: *Venga, sal tú ya, que te doy varios metros de ventaja.* □ SINÓNIMOS: **2** pro. CONTRARIOS: desventaja, pega, inconveniente. FAMILIA: ventajoso, aventajar, aventajado, desventaja.

ventajoso, sa [adjetivo] Que tiene ventajas o que las proporciona: *Los negocios ventajosos generan muchas ganancias.* □ SINÓNIMOS: beneficioso. FAMILIA: → ventaja.

ventana [sustantivo femenino] **1** Hueco que hay en las paredes de los edificios para que entre la luz: *Me asomé a la ventana y vi que estaba lloviendo.* **2** Lo que tapa ese hueco e impide que entre el frío: *Cierra la ventana, por favor, que me estoy quedando helada.* **3** Cada uno de los dos agujeros de la nariz: *Cuando me sale sangre por la nariz, siempre me ponen un algodón en las ventanas nasales.* □ FAMILIA: ventanal, ventanilla.

ventanal [sustantivo masculino] Ventana grande: *Esta habitación tiene dos ventanales con vistas al mar.* □ FAMILIA: → ventana. 🔎 página 605.

ventanilla [sustantivo femenino] **1** Ventana de un vehículo: *Cuando voy en coche, me gusta bajar el cristal de la ventanilla.* **2** Lugar donde se atiende al público: *Me han dicho que los se-*

a b c d e f g h i j k l m n ñ o p q r s t u **v** w x y z

a
b
c
d
e
f
g
h
i
j
k
l
m
n
ñ
o
p
q
r
s
t
u
v
w
x
y
z

llos se compran en la ventanilla del fondo. □ FAMILIA: → ventana.

ventilación [sustantivo/femenino] Renovación del aire: *Si tienes siempre las ventanas cerradas, no habrá ventilación y el ambiente estará muy cargado.* □ FAMILIA: → viento. 🔎 página 538.

ventilador [sustantivo/masculino] Aparato que gira y que sirve para dar aire: *En verano, en el cuarto de estar de mi casa ponemos un ventilador.* □ FAMILIA: → viento.

ventilar [verbo] **1** Poner algo al aire, o hacer que dé el aire en un sitio: *Todas las mañanas abro la ventana de mi habitación para ventilarla.* **2** Dar a conocer un secreto: *Esa noticia es mejor no ventilarla.* **3 ventilarse** Terminar rápidamente: *No me puedo creer que te hayas ventilado tú sola una fuente de pasteles.* □ SINÓNIMOS: **1** airear. FAMILIA: → viento.

ventosa [sustantivo/femenino] **1** Objeto de goma que se queda pegado a una superficie al ser apretado contra ella: *En el cristal de la ventana de mi cuarto tengo pegado un muñeco de peluche con una ventosa.* **2** Órgano que tienen algunos animales para sujetarse a una superficie: *Los pulpos tienen ventosas en los tentáculos.* □ FAMILIA: → viento.

ventrículo [sustantivo/masculino] Una de las partes en que se divide el corazón: *En el hombre, los ventrículos están en la parte de abajo del corazón.* □ [Es distinto de *aurícula*, que es la parte superior del corazón. No confundir con *ventrílocuo*].

ventrílocuo, cua [sustantivo] Persona que sabe hablar sin mover los labios para que no se le note: *Ese humorista es un ventrílocuo muy famoso.* □ [No confundir con *ventrículo*].

VENTRÍLOCUO

ver [verbo] **1** Percibir las cosas a través de la vista: *Si no ves bien, enciende la luz. Como estabas escondido, no te veía.* **2** Comprender o entender algo: *¡Ah, ya veo lo que querías decir!* **3** Observar con atención: *¿Quieres que veamos juntos cuál es la solución de este problema?* **4** Considerar o juzgar: *No veo nada malo en que vayas con ellos.* **5** Intentar averiguar algo: *Anda a ver si tu hermana quiere ya la merienda.* **6** Visitar a una persona: *Vamos a ver a los abuelos.* **7 verse** Encontrarse en determinada situación: *Si me veo solo, te llamaré.* **8** [expresión] **a ver** Se usa para pedir algo o para llamar la atención de alguien: *A ver, ¿quién quiere venir conmigo al cine?* **vérselas con alguien** Enfrentarse a él: *Como pegues a mi hermano pequeño, te las verás conmigo.* □ [Es irregular. Su participio es *visto*]. FAMILIA: visión, vista, visto, vistazo, vistoso, visual, visibilidad, visible, invisible, prever, retrovisor, revisar, revisión, revisor, vídeo.

veranear [verbo] Pasar las vacaciones de verano en un lugar distinto de donde se vive

ver	conjugación
INDICATIVO	**SUBJUNTIVO**
presente	**presente**
veo	vea
ves	veas
ve	vea
vemos	veamos
veis	veáis
ven	vean
pretérito imperfecto	**pretérito imperfecto**
veía	viera, -ese
veías	vieras, -eses
veía	viera, -ese
veíamos	viéramos, -ésemos
veíais	vierais, -eseis
veían	vieran, -esen
pretérito indefinido	**futuro**
vi	viere
viste	vieres
vio	viere
vimos	viéremos
visteis	viereis
vieron	vieren
futuro	**IMPERATIVO**
veré	
verás	**presente**
verá	ve (tú)
veremos	vea (él)
veréis	veamos (nosotros)
verán	ved (vosotros)
	vean (ellos)
condicional	**FORMAS NO PERSONALES**
vería	
verías	**infinitivo** **gerundio**
vería	ver viendo
veríamos	**participio**
veríais	visto
verían	

todo el año: *Mis padres me han dicho que este año vamos a veranear en la playa.* □ FAMILIA: → verano.

veraneo [sustantivo/masculino] Vacaciones de verano cuando se pasan en un lugar distinto de donde se vive todo el año: *¿Dónde vas a ir este año de veraneo?* □ FAMILIA: → verano.

veraniego, ga [adjetivo] Del verano o relacionado con esta estación del año: *Las vacaciones veraniegas son las más largas del año.* □ FAMILIA: → verano.

verano [sustantivo/masculino] Estación del año entre la primavera y el otoño: *El verano es la estación más calurosa.* □ FAMILIA: veranear, veraneo, veraniego.

veras [expresión] **de veras** De verdad: *No puedo ir, de veras.*

verbal [adjetivo] **1** Que se expresa con palabras o que está relacionado con ellas: *La mímica no es un lenguaje verbal porque se hace sólo con gestos.* **2** Que se dice hablando y no por escrito: *El teléfono es un medio de comunicación verbal.* **3** Del verbo o relacionado con esta clase de palabra: *Los verbos tienen muchas formas verbales.* □ [No varía en masculino y en femenino]. SINÓNIMOS: **2** oral. FAMILIA: → verbo.

verbena [sustantivo/femenino] Fiesta popular que se celebra generalmente por la noche y al aire libre: *En las fiestas de mi barrio hay una verbena y mis padres siempre van a bailar.* 🔍 página 343.

verbo [sustantivo/masculino] Clase de palabra que expresa una acción: *En la frase «Jugaremos en la calle», «jugaremos» es el verbo.*

verdad [sustantivo/femenino] **1** Lo que es o pasa en la realidad: *No es verdad que yo sea la pequeña de mis hermanos, porque detrás de mí hay otra de seis años.* **2** Lo que decimos tal y como lo sentimos o lo pensamos: *¿Es verdad lo que has dicho de que querías venir con nosotros?* **3** [expresión] **de verdad** Se usa para insistir en que lo que se ha dicho es cierto: *Eres mi mejor amigo, de verdad.* □ CONTRARIOS: **1,2** falsedad, mentira. **2** embuste. FAMILIA: verdadero, verídico.

verdadero, ra [adjetivo] Que no es falso: *Sabes que te tengo un verdadero cariño.* □ SINÓNIMOS: sincero, franco, auténtico, verídico.

CONTRARIOS: aparente, afectado, falso. FAMILIA: → verdad.

verde [adjetivo] **1** Dicho de una planta, que no está seca: *Aunque ese árbol parece que está seco, no lo cortes, porque tiene ramas verdes.* **2** Dicho de un fruto, que no está maduro: *La fruta verde está muy ácida.* **3** Dicho de una zona, que está destinada a ser un parque o un jardín: *En las zonas verdes no se pueden construir casas.* **4** Dicho de una persona, que está poco preparada para algo: *Llevo poco tiempo entrenando y aún estoy verde para participar en los campeonatos.* **5** Que trata de sexo: *No me hacen ninguna gracia los chistes verdes.* [adjetivo o sustantivo] **6** Del color de la hierba fresca: *El verde se obtiene mezclando el azul y el amarillo.* 🔍 página 160. **7** Que defiende la necesidad de proteger el medio ambiente: *Varias asociaciones ecologistas se han unido para formar un partido político verde.* **8** [sustantivo/masculino] Hierba o césped: *El jardinero está segando el verde.* **9** [expresión] **poner verde** Criticar: *No consiento que pongas verde a mis amigos delante de mí.* □ [Cuando es adjetivo no varía en masculino y en femenino. Los significados **4**, **5**, **7** y **9** son coloquiales]. SINÓNIMOS: picante. CONTRARIOS: **1** seco. **2** maduro. **4** preparado. FAMILIA: verdor, verdoso, verdura, verdulero.

verdor [sustantivo/masculino] Color verde de las plantas: *El verdor de esta pradera es maravilloso.* □ FAMILIA: → verde.

verdoso, sa [adjetivo] De un color parecido al verde: *Tienes los ojos de un azul verdoso muy bonito.* □ FAMILIA: → verde.

verdugo [sustantivo/masculino] **1** Persona encargada de matar a las personas condenadas a muerte: *En una película vi cómo el verdugo colocaba la soga alrededor del cuello del condenado.* **2** Gorro de lana que tapa la cabeza y el cuello y sólo deja la cara al aire: *Cuando hace mucho frío, llevo un verdugo para que no me duelan los oídos.*

verdulero, ra [sustantivo] **1** Persona que vende verduras: *He comprado al verdulero del mercado unas judías verdes buenísimas.* **2** Persona muy mal educada: *No seas verdulera y deja de decir tacos.* □ FAMILIA: → verde.

verdura [sustantivo/femenino] Planta comestible que se

a
b
c
d
e
f
g
h
i
j
k
l
m
n
ñ
o
p
q
r
s
t
u
v
w
x
y
z

cultiva en una huerta: *Las zanahorias y los guisantes son las verduras que más me gustan.* □ FAMILIA: → verde.

vergonzoso, sa [adjetivo] **1** Que produce vergüenza: *Fue vergonzoso ver lo mal que te portaste cuando estuvimos de visita.* **2** Que siente vergüenza por todo: *Soy muy vergonzosa y me pongo roja enseguida.* □ SINÓNIMOS: **1** bochornoso. CONTRARIOS: **2** desvergonzado. FAMILIA: → vergüenza.

vergüenza [sustantivo femenino] **1** Sensación producida por algo que no nos parece digno: *Me puse rojo de vergüenza cuando la profesora me regañó delante de todos.* 🔎 página 430. **2** Respeto que una persona se tiene a sí misma: *Si tuvieras un poco más de vergüenza, no se te ocurriría aprovecharte de los más débiles.* **3** Lo que causa enfado: *Me parece una vergüenza que mientas con tanto descaro.* **4** [plural] Órganos sexuales externos de una persona: *No sé cómo no te da apuro ir enseñando tus vergüenzas cuando sales de la ducha.* □ [El significado **4** es coloquial]. SINÓNIMOS: **1** bochorno. FAMILIA: avergonzar, desvergonzado, sinvergüenza.

verídico, ca [adjetivo] Que es verdad y no es falso: *Lo que te estoy contando es verídico, aunque te parezca algo increíble.* □ SINÓNIMOS: auténtico, verdadero. FAMILIA: → verdad.

verja [sustantivo femenino] Reja que se utiliza como puerta, como ventana o como cerca: *El patio de mi colegio está rodeado por una verja.*

vermú o **vermut** [sustantivo masculino] Bebida alcohólica que se obtiene a partir del vino: *Fuimos a tomar el aperitivo a un bar y mis padres pidieron un vermú.* □ [Son palabras de origen alemán. Su plural es *vermús* o *vermutes*].

verruga [sustantivo femenino] Bulto pequeño y redondo que sale en la piel: *En un cuento vi dibujada una bruja con una verruga en la nariz.*

versión [sustantivo femenino] **1** Cada una de las distintas formas que pueden darse a una misma obra: *Estoy escribiendo un cuento y ésta es ya la tercera versión.* **2** Cada una de las distintas interpretaciones que pueden darse de un mismo suceso: *Mi versión es distinta de la tuya, porque tú dices que me caí, y yo digo que me empujaste.*

verso [sustantivo masculino] Cada una de las líneas en

que se divide un poema: *Algunas oraciones están escritas en verso, como, por ejemplo, el avemaría.*

vértebra [sustantivo femenino] Cada uno de los huesos que forman la columna vertebral: *Si bajas la cabeza y te tocas el cuello por detrás, notarás las vértebras.* □ FAMILIA: vertebrado, invertebrado.

vertebrado, da [adjetivo o sustantivo masculino] Dicho de un animal, que tiene esqueleto: *Los mamíferos son animales vertebrados.* □ CONTRARIOS: invertebrado. FAMILIA: → vértebra.

vertedero [sustantivo masculino] Lugar donde se tiran las basuras: *Los vertederos suelen estar llenos de ratas.* □ SINÓNIMOS: basurero. FAMILIA: → verter.

verter [verbo] **1** Dejar caer un líquido de forma que se extienda: *Se me ha caído el vaso y he vertido la leche en el mantel.* **2** Dar la vuelta a un recipiente para vaciarlo: *Vierte la jarra de agua en la pila, porque está muy caliente y así no hay quien la beba.* □ [Es irregular y se conjuga como PERDER]. SINÓNIMOS: **1** derramar. **2** volcar. FAMILIA: pervertir, invertir, convertir, vertedero.

vertical [adjetivo] Paralelo a una pared: *Las patas de esta cama son verticales y el somier, horizontal.* □ [No varía en masculino y en femenino]. CONTRARIOS: horizontal.

vértice [sustantivo masculino] Punto en el que se unen dos o más líneas: *Un cuadrado tiene cuatro vértices, que son las cuatro esquinas.*

vértigo [sustantivo masculino] Miedo producido por estar a gran altura: *Vivo en un décimo piso y me da vértigo asomarme al balcón.*

vestíbulo [sustantivo masculino] En una casa o en un edificio, patio o habitación situados a la entrada: *Los vestíbulos de los hoteles suelen ser muy amplios.* □ SINÓNIMOS: hall.

vestido, da 1 [adjetivo] Con ropa puesta: *No pases, que todavía no estoy vestido.* **2** [sustantivo masculino] Prenda de vestir femenina de una sola pieza: *Me gustan más las faldas y las blusas que los vestidos.* □ CONTRARIOS: **1** desnudo. FAMILIA: → vestir.

vestimenta [sustantivo femenino] Ropa que usan las personas para vestirse: *¡Qué vestimenta tan variada usan los actores!* □ SINÓNIMOS: indumentaria. FAMILIA: → vestir.

vestir [verbo] **1** Poner ropa a alguien: *Hoy he*

vestido yo a mi hermanito. **2** Adornar algo: *En primavera, los campos se visten de flores.* **3** Resultar muy elegante: *El color negro viste mucho.* ☐ [Es irregular y se conjuga como PEDIR]. CONTRARIOS: **1** desnudar, desvestir. FAMILIA: vestido, vestuario, vestimenta, desvestir, travesti, travestido.

vestuario [sustantivo] [masculino] **1** Conjunto de prendas de vestir: *Todo mi vestuario está en el armario.* **2** Lugar para cambiarse de ropa: *Cuando voy a la piscina, me pongo el bañador en los vestuarios.* ☐ FAMILIA: → vestir.

veta [sustantivo] [femenino] Zona de mineral que se encuentra bajo tierra: *Se ha empezado a explotar una nueva veta de carbón en la mina.* 👁 página 538.

veterano, na [adjetivo o] [sustantivo] Que lleva mucho tiempo realizando una misma actividad y ya tiene experiencia en ella: *Esa actriz es muy veterana porque empezó a trabajar en el teatro a los ocho años de edad.*

veterinario, ria 1 [adjetivo] De la veterinaria o relacionado con esta ciencia: *He llevado a mi perro a una clínica veterinaria para vacunarlo.* **2** [sustantivo] Persona que trabaja curando animales: *Mi hermana es veterinaria y trabaja en una granja.* **3** [sustantivo] [femenino] Ciencia que estudia las enfermedades de los animales: *Cuando sea mayor quiero estudiar veterinaria, porque me gustan mucho los animales.*

vez [sustantivo] [femenino] **1** Cada una de las ocasiones en que algo se hace o se repite: *¿Te acuerdas de la primera vez que nos vimos?* **2** Momento en que algo ocurre: *Una vez estuve en tu casa y me invitaste a merendar chocolate.* **3** Lugar que ocupa una persona en una fila o en un turno: *Ya me ha tocado la vez en la carnicería, y ahora el carnicero me está atendiendo a mí.* **4** [expresión] **a la vez** Al mismo tiempo: *Si habláis los tres a la vez no os entiendo.* **a veces** No siempre: *A veces me quedo a dormir en casa de mi vecino.* **de vez en cuando** No muy a menudo: *De vez en cuando vamos al campo, aunque a mí me gustaría ir todos los fines de semana.* **tal vez** Indica duda o posibilidad: *Tal vez me vaya con vosotros, aunque todavía no lo sé.* ☐ [Su plural es veces]. SINÓNIMOS: **3** turno.

vía [sustantivo] [femenino] **1** Lugar por donde va el tren: *El*

tren en el que vienen los abuelos ha llegado por la vía número uno. **2** Camino por el que se va a un lugar: *Las carreteras son vías públicas que pueden ser utilizadas por todo el mundo.* **3** Especie de tubo que hay dentro del cuerpo humano: *Cuando estás constipado se taponan las vías respiratorias.* **4** Medio de hacer algo: *Este asunto tan urgente tenemos que arreglarlo por la vía más rápida.* **5** [expresión] **en vías de algo** A punto de conseguirlo: *Los países en vías de desarrollo son países que están mejorando su economía.* ☐ SINÓNIMOS: **2** camino. **3** conducto. FAMILIA: vial.

viajante [sustantivo] Persona que tiene que viajar mucho por cuestiones de trabajo: *Los viajantes suelen ser vendedores.* ☐ [No varía en masculino y en femenino]. FAMILIA: → viaje.

viajar [verbo] Ir de un lugar a otro, generalmente utilizando algún vehículo: *Me gusta mucho viajar en tren.* ☐ [Se escribe siempre con j]. FAMILIA: → viaje.

viaje [sustantivo] [masculino] Movimiento de un lugar a otro, generalmente utilizando algún vehículo: *Los viajes en avión son más rápidos que en coche.* ☐ FAMILIA: viajar, viajante, viajero.

viajero, ra [adjetivo o] [sustantivo] Que viaja: *Las cigüeñas son pájaros viajeros porque emigran.* ☐ FAMILIA: → viaje.

vial [adjetivo] Del tráfico o relacionado con la circulación: *En el colegio nos enseñan educación vial.* ☐ [No varía en masculino y en femenino]. FAMILIA: → vía.

víbora [sustantivo] [femenino] **1** Serpiente venenosa: *Las mordeduras de víbora son muy peligrosas.* **2** Persona que habla muy mal de los demás: *Sois todos unas víboras porque os pasáis el día criticando a los demás.* ☐ [El significado **2** es coloquial].

vibración [sustantivo] [femenino] Movimiento rápido y repetido de un lado a otro: *¿No notas la vibración del suelo cuando el metro pasa por debajo?* ☐ FAMILIA: → vibrar.

vibrante [adjetivo] Que vibra: *En un vibrante discurso, el presidente prometió terminar con los problemas que preocupan a los ciudadanos.* ☐ [No varía en masculino y en femenino]. FAMILIA: → vibrar.

vibrar [verbo] **1** Moverse algo de un lado a

otro con movimientos pequeños y muy rápidos: *Cuando hay un terremoto de poca intensidad, los cristales de las ventanas vibran.* **2** Estar insegura la voz a causa de los nervios: *Su voz vibraba de emoción al despedirse de nosotros.* **3** Emocionarse por algo: *El público vibró ante la gran actuación de los cantantes.* □ FAMILIA: vibración, vibrante.

viceversa [adverbio] Al revés: *Cuando no esté yo, lo harás tú, y viceversa.*

vicio [sustantivo masculino] **1** Lo que no es bueno pero nos resulta muy difícil de dejar: *Para muchas personas, el alcohol es un vicio, y son incapaces de dejar de beber.* **2** Actitud o forma de ser que se consideran malas: *Creo que la pereza es un vicio tan malo como la necesidad de trabajar a todas horas.* **3** Lo que gusta mucho: *El chocolate es un vicio para mí.* **4** [expresión] **de vicio** Muy bueno o muy bien: *Me lo pasé de vicio en el zoo.* □ CONTRARIOS: **1,2** virtud. FAMILIA: vicioso.

vicioso, sa [adjetivo o sustantivo] Que tiene algún vicio: *Es un vicioso del tabaco y, aunque tiene los pulmones destrozados, sigue fumando.* □ CONTRARIOS: virtuoso. FAMILIA: → vicio.

víctima [sustantivo femenino] Persona que sufre algún daño: *Afortunadamente, no ha habido víctimas en el incendio.*

victoria 1 [sustantivo femenino] Éxito que se obtiene al ganar a un contrario o al vencer un obstáculo: *Nuestro equipo celebró la victoria con una gran fiesta.* **2** [expresión] **cantar victoria** Presumir de un triunfo: *No cantes victoria todavía, porque aún no sabemos cómo va a acabar este asunto.* □ SINÓNIMOS: **1** triunfo. CONTRARIOS: **1** derrota. FAMILIA: victorioso.

victorioso, sa [adjetivo] Que ha vencido en algo: *Los jugadores del equipo victorioso saludaron al público que los aplaudía.* □ SINÓNIMOS: vencedor. CONTRARIOS: perdedor. FAMILIA: → victoria.

vid [sustantivo femenino] Planta cuyo fruto es la uva: *En La Mancha hay muchos terrenos plantados de vides.*

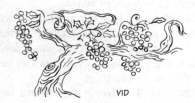

VID

vida [sustantivo femenino] **1** Lo que tenemos las personas, los animales y las plantas, y que nos permite nacer, desarrollarnos y reproducirnos, antes de morir: *Los minerales no tienen vida. Un cadáver es un cuerpo sin vida.* **2** Período de tiempo que transcurre desde que se nace hasta que se muere: *La vida de un perro suele durar doce años.* **3** Lo que dura una cosa: *Estas pilas tienen una vida de más de un año.* **4** Actividad o conjunto de actividades: *Esta ciudad tiene mucha vida cultural.* **5** Energía o animación: *Los niños tienen mucha vida y parece que nunca se cansan.* **6** [expresión] **ganarse la vida** Ganar el dinero suficiente para poder vivir: *Soy arquitecto, pero ahora no tengo trabajo y me gano la vida de camarero.* **la otra vida** Lo que hay después de la muerte: *Yo creo en la otra vida y sé que no todo termina con la muerte.* **perder la vida** Morir: *Perdieron la vida en un accidente de tráfico.* □ CONTRARIOS: muerte. FAMILIA: salvavidas, vital, vitalidad, vivo, avivar, vivir.

vídeo [sustantivo masculino] **1** Sistema para emitir imágenes y sonidos grabándolos en una cinta: *Mis padres grabaron en vídeo mi fiesta de cumpleaños.* **2** Aparato que permite ver y oír imágenes y sonidos así grabados: *Enciende el vídeo, que vamos a ver una película.* **3** Cinta donde se graban imágenes y sonidos: *Tengo un vídeo de las vacaciones, ¿quieres verlo?* □ FAMILIA: → ver.

[videoclip] [sustantivo masculino] Grabación de una canción en vídeo: *¿Has visto ya el videoclip del último disco de este cantante?* □ [Es una palabra inglesa]. FAMILIA: → clip.

[videoclub] [sustantivo masculino] Tienda en la que se pueden alquilar y comprar cintas de vídeo: *Me he hecho socia de un videoclub para alquilar películas.* □ FAMILIA: → club.

[videojuego] [sustantivo masculino] Juego para el ordenador: *Por mi cumpleaños me han regalado varios videojuegos, y soy el campeón en uno de marcianos.* □ FAMILIA: → jugar.

vidrio [sustantivo masculino] **1** Material duro y transparente que se rompe fácilmente: *Estas copas son de un vidrio muy frágil.* **2** Hoja plana de este material: *¿Quién ha roto el vidrio de esta ventana?* □ SINÓNIMOS: cristal.

viejo, ja [adjetivo] **1** Que existe desde hace

mucho tiempo: *Somos viejos amigos y nos conocemos desde hace muchos años.* **2** Que está gastado o estropeado porque se ha usado mucho: *Estas botas están muy viejas y tienen agujeros en la suela.* **3** [adjetivo o][sustantivo] Que tiene ya mucha edad o muchos años y que está en la última etapa de su vida: *Cuando los perros tienen diez años ya empiezan a ser viejos.* □ SINÓNIMOS: **3** abuelo. CONTRARIOS: **2** nuevo. **3** joven, mozo, juvenil. FAMILIA: envejecer, envejecimiento, vejez.

viento 1 [sustantivo][masculino] Aire en movimiento: *El viento empujaba los veleros por el mar.* **2** [expresión] **contra viento y marea** A pesar de cualquier obstáculo o dificultad: *Lucharé contra viento y marea para conseguir mis propósitos.* **irse a tomar viento** Estropearse o fracasar: *Nuestros planes se fueron a tomar viento.* **ir viento en popa** Ir muy bien: *Las cosas entre nosotros van viento en popa y somos muy amigos.* □ [Las expresiones son coloquiales]. SINÓNIMOS: **1** aire. FAMILIA: vendaval, ventilar, ventilador, ventilación, ventosa.

vientre 1 [sustantivo][masculino] Parte del cuerpo donde están el estómago y otros órganos: *Los intestinos están en el vientre.* **2** [expresión] **hacer de vientre** Hacer caca: *El médico me preguntó si tenía problemas para hacer de vientre.* □ SINÓNIMOS: **1** tripa, barriga, abdomen.

viernes [sustantivo][masculino] Quinto día de la semana: *El viernes está entre el jueves y el sábado.* □ [No varía en singular y en plural].

viga [sustantivo][femenino] Tabla larga y gruesa de madera o de hierro, que se usa para sujetar el techo de una casa: *En los edificios actuales, las vigas suelen ser de hierro.* ⚒ página 796.

vigente [adjetivo] Que todavía no ha perdido su valor: *Algunas de las modas vigentes en tiempos pasados hoy ya están totalmente olvidadas.* □ [No varía en masculino y en femenino].

vigía [sustantivo] Persona encargada de vigilar algo desde un lugar elevado: *Los vigías del castillo avisaron de la presencia del ejército enemigo.* □ [No varía en masculino y en femenino]. FAMILIA: → vigilar.

vigilancia [sustantivo][femenino] Cuidado y atención que alguien pone para hacer algo bien o para evitar problemas: *Gracias a la vigilancia de los centinelas, no hubo ataques contra el campamento.* □ SINÓNIMOS: cuidado, espionaje, acecho. FAMILIA: → vigilar.

vigilante [sustantivo] Persona encargada de vigilar un sitio: *En este edificio, los fines de semana hay un vigilante para evitar robos.* □ [No varía en masculino y en femenino]. FAMILIA: → vigilar.

vigilar [verbo] Estar muy atento a lo que pasa en un sitio: *Los centinelas vigilaban que nadie se acercase al campamento.* □ SINÓNIMOS: acechar, espiar, custodiar. FAMILIA: vigilancia, vigilante, vigía.

vigor [sustantivo][masculino] **1** Fuerza o energía de una persona: *Las personas sanas están llenas de vigor.* **2** Situación en que se encuentra algo que todavía sirve: *La nueva ley entrará en vigor a partir del próximo martes.* □ SINÓNIMOS: **1** fuerza, energía, vitalidad, nervio.

villa [sustantivo][femenino] **1** Ciudad muy importante por algo: *Madrid es villa y corte desde los tiempos del rey Felipe II.* **2** Casa muy grande y lujosa: *En Italia se conservan importantes villas construidas hace varios siglos.* □ FAMILIA: villano.

villancico [sustantivo][masculino] Canción típica de Navidad: *En Nochebuena, todos cantamos villancicos con panderetas y zambombas.*

villano, na [adjetivo o][sustantivo] Que realiza acciones muy malas: *Sólo un villano ha podido ser capaz de semejante atrocidad.* □ FAMILIA: → villa.

vinagre [sustantivo][masculino] Líquido que se obtiene del vino y que se usa en las ensaladas, junto con el aceite y la sal: *Mi madre aliña las ensaladas con limón en lugar de con vinagre.* □ FAMILIA: vinagrera, vinagreta.

vinagrera [sustantivo][femenino] **1** Recipiente donde se sirve el vinagre en la mesa: *Siempre confundo la vinagrera con la aceitera, y la ensalada me sale malísima.* **2** [plural] Conjunto de recipientes que sirven para sacar a la mesa el aceite y el vinagre: *¿Me pasas las vinagreras, por favor?* □ [No confundir con vinajera]. SINÓNIMOS: **2** aceiteras. FAMILIA: → vinagre.

vinagreta [sustantivo][femenino] Salsa fría hecha con vinagre, aceite, cebolla y otros ingredientes: *De aperitivo hemos tomado patatas en vinagreta.* □ FAMILIA: → vinagre.

vinajera [sustantivo][femenino] **1** Jarro pequeño que se

a b c d e f g h i j k l m n ñ o p q r s t u **v** w x y z

usa en misa para que el sacerdote se sirva el agua o el vino: *El sacerdote echó un poco de vino de la vinajera en el cáliz.* **2** [plural] Conjunto formado por estos dos jarros y la bandeja en la que se colocan: *En el altar estaban preparadas las vinajeras.* □ [No confundir con vinagrera]. FAMILIA: → vino.

vino [sustantivo] [masculino] Bebida alcohólica que se obtiene de las uvas: *El vino tinto se suele beber con las carnes y el blanco, con los pescados.* □ FAMILIA: vinajera.

viña [sustantivo] [femenino] Terreno lleno de vides: *Después de la vendimia, en la viña apenas quedaba uva.* □ FAMILIA: viñedo.

viñedo [sustantivo] [masculino] Terreno grande lleno de vides: *En La Rioja hay muchos viñedos.* □ FAMILIA: → viña.

viñeta [sustantivo] [femenino] Cada uno de los dibujos que forman la historieta de un tebeo: *En esta viñeta el personaje está enfadado y el dibujante ha hecho que le salga humo de las orejas.*

viola [sustantivo] [femenino] Instrumento musical parecido a una guitarra pequeña, que se hace sonar rozando sus cuerdas con un arco: *La viola es un poco más grande que el violín y más pequeña que el violonchelo.* □ FAMILIA: → violín. 🔎 página 606.

violación [sustantivo] [femenino] **1** Lo que se hace cuando no se obedece una ley o una norma: *La violación de las normas de circulación puede provocar accidentes.* **2** Realización del acto sexual con una persona por la fuerza y en contra de su voluntad: *Fue condenado a prisión, acusado de la violación de varias menores de edad.* □ FAMILIA: → violar.

violador, ra [sustantivo] Persona que obliga a otra a mantener relaciones sexuales con ella: *El violador fue condenado a veinte años de prisión.* □ FAMILIA: → violar.

violar [verbo] **1** Desobedecer una ley o una norma: *Has violado los límites de velocidad, y por eso te han puesto una multa.* **2** Obligar a una persona a mantener relaciones sexuales: *Fue condenado a prisión por violar a una mujer.* □ SINÓNIMOS: **2** forzar, abusar. FAMILIA: violación, violador, violencia, violento.

violencia [sustantivo] [femenino] **1** Uso de la fuerza en contra de los demás: *En la película había*

muchas escenas de violencia, con palizas y asesinatos.* **2** Ímpetu o fuerza con que algo se produce: *Dio un portazo de tal violencia que rompió la puerta.* □ FAMILIA: → violar.

violento, ta [adjetivo] **1** Que usa la fuerza contra los demás: *No seas tan violento y aprende de una vez que las cosas no se arreglan a puñetazos.* **2** Que se hace con mucho ímpetu o con mucha fuerza: *Si todavía tienes la espalda lesionada, procura no hacer movimientos violentos.* **3** Dicho de una situación, que resulta molesta para todos: *Me resultó muy violento que me preguntase por qué no lo había invitado a mi fiesta.* □ CONTRARIOS: **1** pacífico. FAMILIA: → violar.

violeta 1 [adjetivo o sustantivo masculino] De un color morado claro: *El violeta es el séptimo color del arco iris.* 🔎 página 160. **2** [sustantivo] [femenino] Planta cuyas flores son de este color: *La violeta que me regalaste huele muy bien.* 🔎 página 346. □ [Cuando es adjetivo no varía en masculino y en femenino]. FAMILIA: ultravioleta.

violín [sustantivo] [masculino] Instrumento musical parecido a una guitarra pequeña, que se hace sonar rozando sus cuerdas con un arco: *Los instrumentos que más me gustan de la orquesta son el violín y la flauta.* □ FAMILIA: viola, violón, violonchelo, violinista.

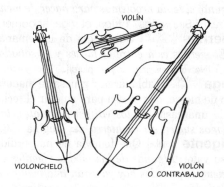

VIOLÍN

VIOLONCHELO

VIOLÓN O CONTRABAJO

violinista [sustantivo] Músico que toca el violín: *Los violinistas se apoyan el violín en el hombro y lo sujetan con la barbilla.* □ [No varía en masculino y en femenino]. FAMILIA: → violín.

violón [sustantivo] [masculino] Instrumento musical parecido a una guitarra grande, que se hace sonar rozando sus cuerdas con un arco: *El violón se toca apoyándolo en el suelo.* □ [Es una palabra que ya casi no se usa]. SINÓNIMOS: contrabajo. FAMILIA: → violín.

violonchelo [sustantivo/masculino] Instrumento musical parecido a una guitarra grande, que se hace sonar rozando sus cuerdas con un arco: *El violonchelo es más grande que la viola y más pequeño que el contrabajo.* □ [Se usa mucho la forma abreviada *chelo*]. FAMILIA: → violín. ✍ página 607.

virar [verbo] Cambiar la dirección que se llevaba: *Al llegar a la esquina, vira a la derecha.* □ SINÓNIMOS: girar.

virgen [adjetivo] **1** Dicho de una persona, que nunca ha realizado el acto sexual: *Ambos llegaron vírgenes al matrimonio.* **2** Dicho de una cinta, que no ha sido utilizada para grabar: *Si te doy esta cinta virgen, ¿me puedes grabar el disco en tu equipo de música?* **3** Que está tal como era, sin que nadie lo haya cambiado: *En algunas zonas interiores de la selva quedan tierras vírgenes que ningún explorador ha descubierto.* **4** [femenino] En el cristianismo, la madre de Jesucristo: *En la ermita había una imagen de la Virgen.* □ [Cuando es adjetivo no varía en masculino y en femenino. El significado **4** se suele escribir con mayúscula]. FAMILIA: → virgo.

virgo [adjetivo o/sustantivo] Uno de los doce signos del horóscopo: *Los que son virgo han nacido entre el 23 de agosto y el 22 de septiembre.* □ [No varía en masculino y en femenino]. FAMILIA: virgen.

virtud [sustantivo/femenino] **1** Cualidad o característica que se considera buena: *Es una persona honrada y con muchas virtudes.* **2** Poder para causar un determinado efecto: *Tienes la virtud de sacarme de quicio, rico.* □ CONTRARIOS: vicio. FAMILIA: virtuoso.

virtuoso, sa [adjetivo o/sustantivo] Que tiene alguna virtud: *Las personas virtuosas suelen pasar por la vida haciendo el bien a los demás.* □ CONTRARIOS: vicioso. FAMILIA: → virtud.

viruela [sustantivo/femenino] Enfermedad contagiosa cuya principal característica es la aparición de ampollas llenas de pus sobre la piel: *Ya no hay viruela porque la vacuna contra esta enfermedad consiguió eliminarla casi totalmente.*

virus [sustantivo/masculino] **1** Microbio que transmite enfermedades: *La gripe está producida por un virus.* **2** En informática, programa que estropea la memoria de un ordenador y que se va pasando de unas máquinas a otras: *El disquete que me prestaste tenía un virus, y ahora tengo el ordenador estropeado.* □ [No varía en singular y en plural].

viruta [sustantivo/femenino] Tira delgada que sale al trabajar la madera u otros materiales: *Al sacar punta a los lápices, lo que se tira a la papelera son las virutas.*

viscoso, sa [adjetivo] Dicho de un líquido, que es pegajoso y muy espeso: *La miel es un líquido muy viscoso.*

visera [sustantivo/femenino] **1** Parte de una gorra que sobresale por delante y que evita que el sol nos dé en los ojos: *En verano, siempre uso una gorra con visera.* **2** En un casco, parte que se puede subir y bajar y que protege la cara: *Cuando voy en moto siempre llevo bajada la visera del casco.*

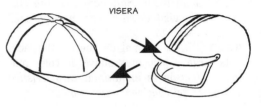

VISERA

visibilidad [sustantivo/femenino] Posibilidad de ver o de ser visto: *Con tanta niebla hay muy poca visibilidad.* □ FAMILIA: → ver.

visible [adjetivo] Que se puede ver: *Los microbios sólo son visibles con un microscopio.* □ [No varía en masculino y en femenino]. CONTRARIOS: invisible. FAMILIA: → ver.

visillo [sustantivo/masculino] Cortina de tela muy fina, que se coloca en la parte de dentro de las ventanas: *Aunque tengo la persiana subida, nadie puede verme desde la calle porque tengo visillos en las ventanas.*

visión [sustantivo/femenino] **1** Acto de percibir algo con los ojos: *La visión es imposible con los ojos cerrados.* **2** Lo que se ve desde un lugar: *Estoy impresionado por la visión de un paisaje tan espléndido.* **3** Capacidad para comprender o entender las cosas: *Me gusta la visión tan optimista que tienes de la vida.* **4** Opinión o punto de vista que una persona tiene sobre algo: *Tu visión de ese asunto es muy distinta a la visión que me dio tu hermana.* **5** Ser imaginario que creemos ver

a b c d e f g h i j k l m n ñ o p q r s t u v w x y z

a
b
c
d
e
f
g
h
i
j
k
l
m
n
ñ
o
p
q
r
s
t
u
v
w
x
y
z

como si fuera real: *He tenido una horrible pesadilla, con visiones de monstruos que se metían en mi cuarto.* □ SINÓNIMOS: **1,2** vista. **5** fantasma. FAMILIA: → ver.

visita [sustantivo] [femenino] **1** Hecho de ir a ver a una persona a su casa: *Ayer unos amigos de mis padres nos hicieron una visita y vinieron a casa a merendar.* **2** Persona que va a ver a alguien: *Mamá, ha venido una visita.* **3** Viaje a un lugar: *En mi última visita a Londres compré regalos para toda la familia.* □ FAMILIA: visitar, visitante.

visitante [sustantivo] Persona que visita a otra o un lugar: *Por este museo pasan varios millones de visitantes al año.* □ [No varía en masculino y en femenino]. FAMILIA: → visita.

visitar [verbo] **1** Ir a ver a una persona al lugar en el que está: *Cuando estuve en el hospital, vino mucha gente a visitarme.* **2** Viajar a un lugar: *Salamanca es una ciudad que he visitado en muchas ocasiones.* □ FAMILIA: → visita.

visón [sustantivo] [masculino] Animal de cuerpo alargado, cola larga y pelo muy suave de color marrón: *El visón es un animal característico del norte del continente americano.*

VISÓN

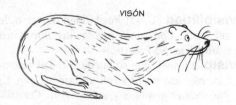

víspera [sustantivo] [femenino] Día inmediatamente anterior a otro determinado: *El sábado es la víspera del domingo.*

vista [sustantivo] [femenino] Mira en **visto, ta**.

vistazo [sustantivo] [masculino] Mirada rápida, sin fijarse mucho: *Echa un vistazo a la cocina a ver si ya está caliente la leche.* □ [Se usa mucho en la expresión *echar un vistazo*]. FAMILIA: → ver.

visto, ta 1 Participio irregular de **ver**. **2** [adjetivo] Muy conocido y poco original: *No me gusta ese tipo de tela, porque todo el mundo la lleva y está ya muy vista.* [sustantivo] [femenino] **3** Sentido que permite percibir algo por los ojos: *Uso gafas porque tengo un problema en la vista.* **4** Hecho de percibir algo por los ojos: *La vista de este paisaje me causó una gran*

impresión. **5** Mirada: *Me dio tanta vergüenza que bajé la vista.* **6** Lo que se ve desde un lugar: *Desde este ático hay una preciosa vista de toda la ciudad.* **7** [expresión] **corto de vista** Miope: *Uso gafas porque soy corta de vista.* **hacer la vista gorda** Hacer como que no te das cuenta de algo: *Ayer no hice la cama, pero mi madre hizo la vista gorda y no me regañó.* **hasta la vista** Se usa para despedirse de alguien a quien se espera volver a ver: *¡Hasta la vista, que ya nos vamos!* **vista cansada** Defecto de la vista, propio de las personas mayores: *Mi abuela tiene vista cansada y usa gafas para leer.* □ SINÓNIMOS: **4,6** visión. FAMILIA: → ver.

vistoso, sa [adjetivo] Que llama la atención porque es bonito o atractivo: *Esta tela con tantos colorines es muy vistosa.* □ FAMILIA: → ver.

visual [adjetivo] De la vista o relacionado con ella: *Uso gafas porque tengo un pequeño defecto visual.* □ [No varía en masculino y en femenino]. FAMILIA: → ver.

vital [adjetivo] **1** De la vida o relacionado con ella: *La alimentación es necesaria para el desarrollo vital.* **2** Muy importante: *Es vital que vengas cuanto antes.* **3** Dicho de una persona, que tiene mucha energía y mucho ánimo: *Mi abuela es una mujer muy vital y siempre está de buen humor.* □ [No varía en masculino y en femenino]. FAMILIA: → vida.

vitalidad [sustantivo] [femenino] Energía, ánimo y ganas de hacer cosas: *Los niños tienen tanta vitalidad que a veces agotan a las personas mayores.* □ SINÓNIMOS: vigor, fuerza, energía, nervio. CONTRARIOS: apatía, desgana. FAMILIA: → vida.

vitamina [sustantivo] [femenino] Sustancia que está en los alimentos y que es necesaria para el desarrollo de los seres vivos: *La zanahoria tiene mucha vitamina A.*

vitrina [sustantivo] [femenino] Armario con las puertas de cristal: *En el salón de mi casa hay una vitrina llena de figuras de porcelana.* 👁 página 119.

[vitrocerámica [sustantivo] [femenino] Material que es muy resistente al calor: *Las cocinas de vitrocerámica no existían hace años.*

viudo, da [adjetivo o] [sustantivo] Que estaba casado pero ahora ya no, porque su marido o su mujer han muerto: *Mi abuela murió y mi abuelo se quedó viudo.* □ FAMILIA: enviudar.

víveres [sustantivo masculino plural] Conjunto de alimentos necesarios para un grupo de personas: *Cuando vamos de campamento llevamos víveres para todos.* □ FAMILIA: → vivir.

vivero [sustantivo masculino] **1** Lugar donde se crían plantas para llevarlas a otro sitio: *Quiero plantar árboles en mi jardín y los compraré en un vivero.* **2** Lugar donde se crían peces y otros animales acuáticos: *En este vivero venden marisco vivo.* □ FAMILIA: → vivir.

vividor, -a [sustantivo] Persona a la que le gusta mucho divertirse: *Toda su vida fue un vividor y nunca se preocupó por trabajar.* □ SINÓNIMOS: juerguista. FAMILIA: → vivir.

vivienda [sustantivo femenino] Lugar donde se vive: *La masía es una vivienda típica catalana.* □ FAMILIA: → vivir.

viviente [adjetivo] Que está vivo: *He visto una película de miedo en la que había muertos vivientes.* □ FAMILIA: → vivir.

vivir [verbo] **1** Tener vida: *Mi bisabuela vivió más de ochenta años.* **2** Tener una persona todo lo necesario: *El sueldo que ganan mis padres nos permite vivir muy bien.* **3** Ocupar un lugar y hacer vida en él: *Mis abuelos viven en un pueblo.* **4** Actuar o comportarse de determinada manera: *Es muy nervioso y todo lo vive con emoción.* **5** Tener una experiencia: *Nunca he vivido una situación tan divertida como la del otro día.* □ SINÓNIMOS: residir, habitar, poblar. CONTRARIOS: morir. FAMILIA: vivo, vivienda, vividor, viviente, vivero, convivir, convivencia, sobrevivir, superviviente, víveres.

vivo, va [adjetivo] **1** Que tiene vida: *Las plantas son seres vivos.* **2** Muy intenso o muy fuerte: *El naranja es un color vivo.* **3** Que todavía dura: *En mi familia sigue viva la tradición del aguinaldo.* **4** Rápido: *La carrera tuvo un ritmo muy vivo.* **5** [adjetivo o sustantivo] Que se da cuenta de las cosas con facilidad: *Esta niña es muy viva y se entera de todo.* **6** [expresión] **en vivo** Dicho de un programa de radio o de televisión, que se hace al mismo tiempo que lo vemos o lo oímos: *Hoy retransmiten por la tele un concierto en vivo.* □ SINÓNIMOS: **6** en directo. CONTRARIOS: muerto. FAMILIA: → vivir.

vizcaíno, na [adjetivo o sustantivo] De Vizcaya, que es una provincia española: *Tengo unos primos vizcaínos que viven en Bilbao.*

vocablo [sustantivo masculino] Conjunto de sonidos que usamos para nombrar algo: *En español no hay vocablos que terminen en «q».* □ SINÓNIMOS: palabra, término, voz.

vocabulario [sustantivo masculino] Conjunto de palabras de una lengua: *En clase de inglés hemos aprendido una lista de vocabulario relacionado con los alimentos.*

vocación [sustantivo femenino] Atracción que una persona siente hacia una profesión, una actividad o una forma de vida: *Desde pequeña tuvo vocación de violinista.*

vocal 1 [adjetivo] De la voz o relacionado con ella: *Los coros son conjuntos de música vocal, no instrumental.* **2** [sustantivo] Persona que representa a otras y tiene derecho a hablar por ellas en las reuniones: *El presidente acudió acompañado de varios vocales.* **3** [sustantivo femenino] Letra que se pronuncia cuando el aire sale de la boca sin chocar con nada: *En español, las vocales son «a», «e», «i», «o», «u».* □ [En los significados **1** y **2** no varía en masculino y en femenino. El significado **3** es distinto de consonante, que es la letra que se pronuncia cuando el aire choca con algún obstáculo de la boca al salir]. FAMILIA: vocálico.

vocálico, ca [adjetivo] De las vocales o relacionado con ellas: *Los sonidos vocálicos del español son cinco.* □ FAMILIA: → vocal.

vocear [verbo] Hablar a gritos: *¿Quieres dejar de vocear, que me vas a dejar sordo?* □ SINÓNIMOS: vociferar. CONTRARIOS: susurrar, murmurar. FAMILIA: → voz.

vociferar [verbo] Hablar a gritos: *Se enfadó mucho y empezó a vociferar.* □ SINÓNIMOS: vocear. CONTRARIOS: susurrar, murmurar. FAMILIA: → voz.

vodca o **vodka** [sustantivo] Bebida alcohólica muy fuerte y de origen ruso: *El vodca es un tipo de aguardiente.* □ [Son palabras de origen ruso. Se puede decir el vodka y la vodka sin que cambie de significado].

volador, -a [adjetivo] Que puede volar: *Los peces voladores saltan por encima del agua y parece que vuelan.* □ FAMILIA: → volar.

volandas [expresión] **en volandas** Sujeto de manera que no toque el suelo: *Cuando me*

a
b
c
d
e
f
g
h
i
j
k
l
m
n
ñ
o
p
q
r
s
t
u
v
w
x
y
z

rompí el pie, mis amigos me cogieron en volandas. □ FAMILIA: → volar.

volante 1 [adjetivo] Que vuela: *He visto una película en la que unos extraterrestres llegaban en un platillo volante.* [sustantivo/masculino] **2** Pieza redonda que sirve para dirigir un automóvil: *Si haces girar el volante a la derecha, el coche tuerce hacia ese lado.* **3** Tira de tela que se coloca como adorno en una prenda de vestir: *El traje típico andaluz para las mujeres es un traje lleno de volantes.* **4** Hoja de papel que sirve para justificar algo: *Ya tengo el volante del médico para ir al especialista.* □ [El significado **1** no varía en masculino y en femenino]. FAMILIA: → volar.

VOLANTE

volar [verbo] **1** Ir por el aire: *El águila es un ave que vuela a gran altura. He volado en avión varias veces, pero nunca he volado en globo.* **2** Desaparecer muy deprisa: *Ya han volado los caramelos que me regalaste.* **3** Ir muy deprisa, o hacer algo muy rápidamente: *Ven volando, que no puedo esperar.* **4** Hacer explotar: *Una bomba voló el puente, y ya nadie pudo cruzar el río.* □ [Es irregular y se conjuga como CONTAR]. FAMILIA: vuelo, volador, volante, en volandas, revolotear.

volcán [sustantivo/masculino] Monte con un agujero en la cima, por donde salen al exterior sustancias que hay en el interior de la Tierra: *El volcán entró en erupción y empezó a expulsar lava y cenizas.* □ FAMILIA: volcánico. 🔍 página 709.

volcánico, ca [adjetivo] De los volcanes o relacionado con ellos: *Se ha detectado bastante actividad volcánica en esa zona.* □ FAMILIA: → volcán.

volcar [verbo] **1** Dar la vuelta a un recipiente para vaciarlo: *Ten cuidado, no vayas a volcar el azucarero.* **2** Darse un vehículo la vuelta y quedar boca abajo: *Se desconocen las causas por las que el autobús se salió de la carretera y volcó en la cuneta.* **3** volcar-

se Poner el máximo interés: *Las personas generosas se vuelcan en ayudar a los demás.* □ [Es irregular]. SINÓNIMOS: **1** verter. FAMILIA: revolcarse.

voleibol [sustantivo/masculino] Deporte que consiste en pasar un balón por encima de una red que separa a los dos equipos, usando sólo las manos y sin que toque el suelo: *En voleibol cada equipo puede dar sólo tres veces al balón antes de pasárselo al otro equipo.* □ [Es una palabra de origen inglés]. SINÓNIMOS: balonvolea.

VOLEIBOL O BALONVOLEA

volcar	conjugación
INDICATIVO	**SUBJUNTIVO**
presente	**presente**
vuelco	vuelque
vuelcas	vuelques
vuelca	vuelque
volcamos	volquemos
volcáis	volquéis
vuelcan	vuelquen
pretérito imperfecto	**pretérito imperfecto**
volcaba	volcara, -ase
volcabas	volcaras, -ases
volcaba	volcara, -ase
volcábamos	volcáramos, -ásemos
volcabais	volcarais, -aseis
volcaban	volcaran, -asen
pretérito indefinido	**futuro**
volqué	volcare
volcaste	volcares
volcó	volcare
volcamos	volcáremos
volcasteis	volcareis
volcaron	volcaren
futuro	**IMPERATIVO**
volcaré	
volcarás	**presente**
volcará	vuelca (tú)
volcaremos	vuelque (él)
volcaréis	volquemos (nosotros)
volcarán	volcad (vosotros)
	vuelquen (ellos)
condicional	**FORMAS NO PERSONALES**
volcaría	
volcarías	**infinitivo** **gerundio**
volcaría	volcar volcando
volcaríamos	**participio**
volcaríais	volcado
volcarían	

voltereta [sustantivo femenino] Vuelta que da una persona en el suelo o en el aire: *En clase de gimnasia hemos aprendido a hacer la voltereta hacia atrás.* ☐ FAMILIA: → volver.

voltio [sustantivo masculino] **1** Unidad que se usa para medir la corriente eléctrica: *En mi casa, la corriente es de 220 voltios.* **2** Paseo: *¿Te apetece que nos demos un voltio por el parque?* ☐ [El significado **2** es coloquial].

volumen [sustantivo masculino] **1** Espacio que ocupa una cosa: *El volumen de un sofá es mayor que el de un taburete.* **2** Importancia o cantidad: *No te puedes hacer una idea del volumen de trabajo que tenemos estos días.* **3** Fuerza de la voz o de otro sonido: *¿Te importaría bajar el volumen de la música?* **4** Cada uno de los libros en que se divide una obra escrita: *En casa tenemos una enciclopedia de diez volúmenes.* ☐ FAMILIA: voluminoso.

voluminoso, sa [adjetivo] Que ocupa mucho espacio: *Ese señor tan voluminoso debe de pesar por lo menos ciento treinta kilos.* ☐ FAMILIA: → volumen.

voluntad [sustantivo femenino] **1** Capacidad de las personas para decidir qué quieren hacer: *Lo hice por propia voluntad.* **2** Fuerza de una persona para hacer un esfuerzo o un sacrificio: *Para seguir un régimen de adelgazamiento hace falta tener mucha voluntad.* **3** Intención de hacer algo: *Lo siento mucho, porque lo hice sin voluntad de molestarte.* ☐ FAMILIA: voluntario, involuntario.

voluntario, ria **1** [adjetivo] Que se hace queriendo: *Perdona, no ha sido un pisotón voluntario.* **2** [adjetivo o sustantivo] Que hace las cosas porque quiere, y no porque sea su obligación: *Me he ofrecido voluntaria para actuar en la obra de teatro.* ☐ SINÓNIMOS: **1** consciente. CONTRARIOS: **1** inconsciente, involuntario, automático. FAMILIA: → voluntad.

volver [verbo] **1** Ir de nuevo al punto del que se había partido: *Me voy de viaje, pero vuelvo mañana.* **2** Hacer algo otra vez: *Vuelve a decírmelo, por favor, que no te he entendido.* **3** Suceder algo otra vez: *Todos los años vuelve el buen tiempo.* **4** Dar la vuelta: *Me volví al oír que me llamaban.* **5** Hacer cambiar: *Con el tiempo, el papel blanco se vuelve amarillento.* ☐ [Es irregular. Su participio es *vuelto*]. SINÓNIMOS: **1** regresar. FAMILIA: vuelta, vuelto, voltereta, devolver, revolver.

vomitar [verbo] Expulsar por la boca lo que estaba en el estómago: *Me mareé en el coche y vomité.* ☐ SINÓNIMOS: devolver, arrojar. FAMILIA: → vómito.

vómito [sustantivo masculino] **1** Expulsión por la boca de lo que estaba en el estómago: *Ayer no pude ir a clase porque estuve toda la noche con vómitos.* **2** Lo que estaba en el estómago y sale por la boca: *Cuidado, no pises ese vómito que hay en la acera.* ☐ SINÓNIMOS: **2** devuelto. FAMILIA: vomitar, vomitona.

vomitona [sustantivo femenino] Vómito grande y repetido: *Me encuentro fatal, porque llevo toda la mañana con una vomitona horrible.* ☐ [Es coloquial]. FAMILIA: → vómito.

vosotros, tras [pronombre personal] Indica la segunda persona del plural: *¿Vosotras dos sois amigas?* ☐ [Funciona como sujeto: *Vosotros saltáis*]. FAMILIA: os, vuestro.

votación [sustantivo femenino] Elección que realizan varias personas, diciendo cada una de ellas qué elige entre varias cosas: *¿Cuándo es la*

volver	**conjugación**
INDICATIVO	**SUBJUNTIVO**
presente	**presente**
vuelvo	vuelva
vuelves	vuelvas
vuelve	vuelva
volvemos	volvamos
volvéis	volváis
vuelven	vuelvan
pretérito imperfecto	**pretérito imperfecto**
volvía	volviera, -ese
volvías	volvieras, -eses
volvía	volviera, -ese
volvíamos	volviéramos, -ésemos
volvíais	volvierais, -eseis
volvían	volvieran, -esen
pretérito indefinido	**futuro**
volví	volviere
volviste	volvieres
volvió	volviere
volvimos	volviéremos
volvisteis	volviereis
volvieron	volvieren
futuro	**IMPERATIVO**
volveré	
volverás	**presente**
volverá	vuelve (tú)
volveremos	vuelva (él)
volveréis	volvamos (nosotros)
volverán	volved (vosotros)
	vuelvan (ellos)
condicional	**FORMAS NO PERSONALES**
volvería	
volverías	**infinitivo** **gerundio**
volvería	volver volviendo
volveríamos	**participio**
volveríais	vuelto
volverían	

a b c d e f g h i j k l m n ñ o p q r s t u **v** w x y z

a
b
c
d
e
f
g
h
i
j
k
l
m
n
ñ
o
p
q
r
s
t
u
v
w
x
y
z

votación para elegir al nuevo presidente? □ FAMILIA: → votar.

votante [sustantivo] Persona que vota: *Los votantes depositaron sus votos en las urnas.* □ [No varía en masculino y en femenino]. FAMILIA: → votar.

votar [verbo] Decir una persona qué elige de entre varias cosas: *Hemos votado para elegir delegado de clase.* □ [No confundir con botar]. FAMILIA: votación, votante, voto.

voto [sustantivo masculino] **1** Opinión con la que una persona elige una cosa entre varias: *Las elecciones las gana el partido político que obtenga más votos.* **2** Derecho a votar: *Mi hermana mayor ha cumplido dieciocho años y ya tiene voto para las próximas elecciones.* **3** Promesa que algunas personas hacen a Dios: *Muchas comunidades religiosas tienen el voto de pobreza.* □ FAMILIA: → votar.

voz [sustantivo femenino] **1** Sonido que produce el aire al salir de los pulmones cuando hablamos: *Por teléfono, mi voz y la de mi hermano se parecen mucho.* **2** Conjunto de sonidos que usamos para nombrar algo: *La palabra «sándwich» es una voz inglesa.* **3** [expresión] **a media voz** En voz baja: *Hablaban a media voz para no despertar al bebé.* **correr la voz** Hacer que se extienda un rumor: *Se ha corrido la voz de que el profesor nos va a aprobar a todos.* □ [Su plural es voces]. SINÓNIMOS: **2** palabra, término, vocablo. FAMILIA: vocear, vociferar, portavoz, altavoz.

vuelo [sustantivo masculino] **1** Desplazamiento por el aire: *Me gusta ver el vuelo de los pájaros.* **2** Viaje que se realiza por el aire: *Mi vuelo llega a las ocho al aeropuerto.* **3** Lo que hace que algunas faldas sean muy anchas por debajo: *Las faldas con vuelo quedan preciosas cuando das vueltas al bailar.* **4** [expresión] **al vuelo** Con mucha rapidez: *Esta niña tan lista entiende todo al vuelo.* □ FAMILIA: → volar.

vuelto, ta 1 Participio irregular de **volver**. [sustantivo femenino] **2** Movimiento en círculo o alrededor de un punto: *Al corro se juega dando vueltas de la mano.* **3** Lugar donde algo tuerce: *Mi casa está a la vuelta de la esquina.* **4** Regreso al punto de partida: *Fuimos en autocar y la vuelta la hicimos en avión.* **5** Dinero que sobra al pagar algo: *No te vayas, que aún no nos han traído la vuelta.* **6** Momento u ocasión de hacer algo por orden: *En la próxima vuelta se acaba la partida.* **7** [expresión] **a la vuelta de la esquina** Muy cerca: *Mi cumpleaños ya está a la vuelta de la esquina.* **dar una vuelta** Dar un paseo: *¿Te apetece que demos una vuelta por el parque?* **dar vueltas a algo** Pensar mucho sobre ello: *No hago más que dar vueltas a lo que me dijiste, pero no le veo solución.* □ SINÓNIMOS: **2** giro, rotación. **4** venida, llegada. **6** turno, vez. CONTRARIOS: **4** abandono, ida. FAMILIA: → volver.

vuestro, tra [pronombre posesivo] Indica que algo pertenece a la segunda persona del plural: *Me gustaría visitar vuestro pueblo.* □ FAMILIA: → vosotros.

vulgar [adjetivo] **1** Que es normal y no destaca por nada: *El pelo rubio resulta vulgar en los países del norte de Europa.* **2** Que no se considera propio de una persona culta o educada: *Los tacos son palabras vulgares.* □ [No varía en masculino y en femenino]. FAMILIA: vulgaridad.

vulgaridad [sustantivo femenino] Lo que se considera vulgar: *No me hace ninguna gracia que digas vulgaridades.* □ FAMILIA: → vulgar.

vulva [sustantivo femenino] Órgano sexual femenino: *La vulva es la parte externa de la vagina.* □ SINÓNIMOS: coño.

W w

w [sustantivo femenino] Letra número veinticuatro del abecedario: *La palabra inglesa «whisky» empieza por «w».* □ [Su nombre es *uve doble*. A veces se pronuncia como la *b*, pero en casi todas las palabras se pronuncia como *gu*: *whisky* se lee «güíski»].

[walkie-talkie [sustantivo masculino] Aparato de radio portátil que permite a dos personas hablar y escucharse a determinada distancia: *Mi vecino y yo nos hablamos desde las habitaciones de nuestras casas con un walkie-talkie.* □ [Es una palabra inglesa. Se pronuncia «gualkitálki»].

[walkman [sustantivo masculino] Aparato pequeño que sirve para poner cintas y escucharlas y que se escucha con unos cascos que se ponen en las orejas: *Siempre que voy a correr al parque llevo el walkman para ir oyendo música.* □ [Es una palabra inglesa. Se pronuncia «guólman»].

[waterpolo [sustantivo masculino] Deporte que se practica en una piscina entre dos equipos de siete nadadores y en el que éstos intentan meter la pelota en la portería del equipo contrario: *En waterpolo la pelota se lanza con las manos.* □ [Es una palabra inglesa. Se pronuncia «guaterpólo»]. 🔎 página 292.

WATERPOLO

whisky [sustantivo masculino] Güisqui: *El whisky es una bebida alcohólica.* □ [Es una palabra inglesa. Se pronuncia «güíski»].

[windsurf [sustantivo masculino] Deporte que consiste en usar una tabla con una vela para moverse sobre las olas empujados por el viento: *En verano, viene a esta playa mucha gente que practica el windsurf, y el agua se llena de velas de colores.* □ [Es una palabra inglesa. Se pronuncia «güindsúrf»]. 🔎 página 292.

WINDSURF

a
b
c
d
e
f
g
h
i
j
k
l
m
n
ñ
o
p
q
r
s
t
u
v
w
x
y
z

X x

a
b
c
d
e
f
g
h
i
j
k
l
m
n
ñ
o
p
q
r
s
t
u
v
w
x
y
z

x [sustantivo] [femenino] Letra número veinticinco del abecedario: *La tercera letra de «saxo» es una «x»*. ☐ [Su nombre es equis. Cuando va entre vocales o al final de palabra, se pronuncia como la combinación «ks»: *examen, tórax* (se leen «eksámen», «tóraks»). En los demás casos, se pronuncia como una s: *xilófono* (se lee «silófono»)].

xenofobia [sustantivo] [femenino] Odio o antipatía hacia los extranjeros: *La xenofobia es un sentimiento que todos deberíamos echar fuera de nuestros corazones.* ☐ FAMILIA: xenófobo.

xenófobo, ba [adjetivo] Que siente odio o antipatía por los extranjeros: *Estoy muy preocupado porque últimamente han surgido peligrosos grupos xenófobos que maltratan y apalean a otras personas por el hecho de ser extranjeras.* ☐ FAMILIA: xenofobia.

xilófono [sustantivo] [masculino] Instrumento de música formado por varias barras de madera de distinto tamaño, que se golpean con dos palos terminados en una bola: *Por mi cumpleaños me han regalado un xilófono de colores, y ya sé tocar varias canciones.*

XILÓFONO

Y y

y 1 [sustantivo] [femenino] Letra número veintiséis del abecedario: *La palabra «yo» empieza por «y».* [conjunción] **2** Se usa para añadir palabras y frases: *Quiero el helado de fresa y vainilla. Vinieron a verme mis primos y mis tíos.* **3** Al inicio de frase, se usa para dar más fuerza a lo que se dice: *¿Y dices que mi hermano y yo no nos parecemos?* □ [En el significado **1**, su nombre es *i griega*. Cuando es conjunción y va delante de una palabra que empieza por *i-* o por *hi-*, se usa la forma *e*: *Es nervioso e inquieto*].

ya [adverbio] **1** Indica tiempo pasado: *Eso ya me lo has contado otro día.* **2** Indica tiempo presente: *Lo sabía, pero ahora ya no me acuerdo. Ya los veo venir.* **3** Indica tiempo futuro: *Ya lo haremos mañana, ¿vale?* **4** Indica que se está de acuerdo con algo: *Ya veo que estás nervioso, pero así no vas a solucionar nada.* **5** [conjunción] Se usa para expresar dos cosas diferentes: *Ya vengas, ya te quedes, yo pienso ir al concierto de todas formas.* **6** [interjección] Se usa para indicar que no nos creemos lo que se nos dice: *¡Ya, hombre, y después llegó un oso y te dio la patita, ¿no?* **7** [expresión] **ya que** Se usa para indicar causa o condición: *No protestes, ya que no tienes razón. Ya que te crees tan listo, ¿por qué no lo haces tú solo, rico?*

yacer [verbo] **1** Estar una persona tumbada o acostada: *Varios heridos yacían en las camas del hospital.* **2** Estar una persona enterrada en un sitio: *En esa sepultura yacen mis bisabuelos.* □ [Es irregular]. FAMILIA: yacimiento.

yacimiento [sustantivo] [masculino] Lugar en el que hay minerales o restos de antiguas culturas: *En esta zona hay un importante yacimiento de diamantes. En Andalucía hay muchos yacimientos de la civilización árabe.* □ FAMILIA: → yacer. 🔍 página 538.

yanqui [adjetivo o] [sustantivo] De los Estados Unidos, que es un país de América del Norte: *He pasado varios veranos en Nueva York y tengo muchos amigos yanquis.* □ [Es una palabra de origen inglés. Es coloquial. No varía en masculino y en femenino].

yate [sustantivo] [masculino] Barco de lujo: *Me encantaría hacer un crucero en un yate.*

yedra [sustantivo] [femenino] Hiedra: *El muro del jardín está cubierto de yedra.*

yegua [sustantivo] [femenino] Hembra del caballo: *La ganadora de la carrera en el hipódromo fue una yegua blanca preciosa.* □ [Es distinto de *caballa*, que es un tipo de pez]. SINÓNIMOS: jaca.

yema [sustantivo] [femenino] **1** Parte amarilla de un huevo: *Cuando como huevos fritos, me encanta mojar la yema con pan.* **2** Dulce que se elabora con esta parte del huevo y con azúcar: *Las yemas de Ávila tienen mucha fama.* **3** Parte de la planta de donde nacerán las ramas, las hojas y las flores: *Cuando llega la primavera, los árboles se llenan de yemas.* **4** Parte final y blanda del dedo: *Cuando te toman las huellas dactilares, te manchan de tinta la yema del pulgar.*

yerba [sustantivo] [femenino] Hierba: *Las vacas comen yerba.*

yacer	conjugación
INDICATIVO	**SUBJUNTIVO**
presente	**presente**
yazco, yazgo o yago	yazca, yazga o yaga
yaces	yazcas, yazgas o yagas
yace	yazca, yazga o yaga
yacemos	yazcamos, yazgamos o yagamos
yacéis	yazcáis, yazgáis o yagáis
yacen	yazcan, yazgan o yagan
pretérito imperfecto	**pretérito imperfecto**
yacía	yaciera, -ese
yacías	yacieras, -eses
yacía	yaciera, -ese
yacíamos	yaciéramos, -ésemos
yacíais	yacierais, -eseis
yacían	yacieran, -esen
pretérito indefinido	**futuro**
yací	yaciere
yaciste	yacieres
yació	yaciere
yacimos	yaciéremos
yacisteis	yaciereis
yacieron	yacieren
futuro	**IMPERATIVO**
yaceré	
yacerás	**presente**
yacerá	yace o yaz (tú)
yaceremos	yazca, yazga o yaga (él)
yaceréis	yazcamos, yazgamos o yagamos (nosotros)
yacerán	yaced (vosotros)
	yazcan, yazgan o yagan (ellos)
condicional	**FORMAS NO PERSONALES**
yacería	
yacerías	**infinitivo** **gerundio**
yacería	yacer yaciendo
yaceríamos	**participio**
yaceríais	yacido
yacerían	

a
b
c
d
e
f
g
h
i
j
k
l
m
n
ñ
o
p
q
r
s
t
u
v
w
x
y
z

a

yerno [sustantivo] [masculino] Lo que es un hombre en relación con los padres de su mujer: *Mi hija se ha casado y su marido es mi yerno.* □ [Su femenino es *nuera*].

b

c

yeso [sustantivo] [masculino] Sustancia blanca que se usa en las obras para tapar los ladrillos cuando ya han sido colocados formando las paredes: *El albañil tenía toda la ropa manchada de yeso.* □ FAMILIA: enyesar.

d

e

[yeti [sustantivo] [masculino] Ser imaginario parecido a un hombre gigantesco y cubierto de pelo que se dice que habita en las montañas con nieve: *Las leyendas sobre el yeti dicen que habita en el Himalaya, que es una cadena montañosa de Asia.*

f

g

h

[yeyé [adjetivo o] [sustantivo] Que sigue la moda de los años sesenta: *La música yeyé era una música con mucho ritmo.* □ [Es una palabra francesa. No varía en masculino y en femenino].

i

j

yo [pronombre] [personal] Indica la primera persona del singular: *Yo puedo ayudarte.* □ [No varía en masculino y en femenino. Funciona como sujeto: *Yo me llamo Nieves*]. FAMILIA: mí, me, conmigo, mío, mi.

k

l

m

yodo [sustantivo] [masculino] Sustancia de color oscuro que se encuentra en el mar y que es muy necesaria para el organismo: *Las algas tienen mucho yodo.*

n

ñ

yoga [sustantivo] [masculino] Actividad del cuerpo y de la mente, que tiene como objetivo conseguir la perfección del espíritu: *El yoga es de origen hindú.*

o

p

yogur [sustantivo] [masculino] Alimento que se obtiene de la leche y que tiene aspecto de crema: *Hoy he merendado un yogur con sabor a fresa.* □ [Es una palabra que viene del turco].

q

r

yóquey o **yoqui** [sustantivo] [masculino] Jinete profesional de carreras de caballos: *Los yoquéis suelen ser bajitos y pesan poco para que el caballo pueda ir más rápido.* □ [Son palabras de origen inglés. Su plural es *yoquéis* o *yoquis*. Es distinto de *hockey*, que es un deporte].

s

t

u

yoyó [sustantivo] [masculino] Juguete formado por dos mitades redondas unidas por un eje, y que se hace subir y bajar con una cuerda que se sujeta con la mano: *Se me ha roto la cuerda del yoyó y he tenido que arreglarla con un nudo.*

v

w

x

y

yudo [sustantivo] [masculino] Deporte en el que dos personas se pelean sin armas, usando las manos y los pies: *En el colegio nos dan clases de yudo.* □ [Es una palabra de origen japonés. Se escribe también *judo*].

z

yugo [sustantivo] [masculino] **1** Instrumento de madera que se coloca a algunos animales en el cuello para que tiren de un carro o de un arado sin separarse: *Cada vez se ven menos bueyes con el yugo en los campos.* **2** Fuerza y dominio que obligan a obedecer: *La ciudad vivía oprimida bajo el yugo del tirano.*

YUGO
YUNTA
YUGO

yugoslavo, va [adjetivo o] [sustantivo] De Yugoslavia, que era un antiguo país del centro de Europa: *Belgrado era la capital yugoslava.*

yunque [sustantivo] [masculino] Instrumento de hierro donde se colocan los metales para darles forma cuando están calientes: *En todas las herrerías hay un yunque.*

YUNQUE

yunta [sustantivo] [femenino] Conjunto de dos animales que tiran de un carro o del arado: *Una yunta de bueyes tiraba del arado para arar la tierra.*

Z z

z [sustantivo] [femenino] Letra número veintisiete del abecedario: *La palabra «pez» acaba en «z».* □ [Su nombre es *zeta*].

zafiro [sustantivo] [masculino] Piedra de color azul o verde, que se usa mucho para hacer joyas: *Tengo unos pendientes de oro y zafiros.*

zalamería [sustantivo] [femenino] Demostración de amor para que se note mucho: *Mis tíos se pasan el día haciéndonos zalamerías a mi hermanito y a mí.* □ FAMILIA: → zalamero.

zalamero, ra [adjetivo] Que hace demostraciones de amor para que se note mucho: *Cuando te pones tan zalamero sé que quieres pedirme algo.* □ FAMILIA: zalamería.

zamarra [sustantivo] [femenino] Especie de abrigo que está hecho de lana o de piel con pelo: *Las zamarras son los abrigos de los pastores.*

ZAMARRA

zambomba 1 [sustantivo] [femenino] Instrumento musical formado por una especie de tambor con un palo largo y fino en el centro: *En Navidad cantamos villancicos con panderetas y zambombas.* **2** [interjección] Se usa para indicar sorpresa, admiración o disgusto: *¡Zambomba, vaya notas que has sacado!* □ [El significado **2** es coloquial].

zambullida [sustantivo] [femenino] Lo que hacemos cuando nos tiramos de golpe al agua: *¿Qué os parece si nos damos una zambullida en la piscina?* □ FAMILIA: → zambullir.

zambullir [verbo] Meter de golpe en el agua: *Hace tanto calor que me zambulliría en una piscina ahora mismo.* □ [Es irregular]. FAMILIA: zambullida. 🔍 página 876.

zamorano, na [adjetivo o sustantivo] De la provincia de Zamora o de su capital: *El lago de Sanabria está en tierras zamoranas.*

zampar [verbo] Comer con muchas ganas y tragando deprisa: *Cuando llego del colegio, me zampo todo lo que encuentro en la ne-*
vera. □ [Es coloquial]. SINÓNIMOS: engullir, devorar.

zanahoria [sustantivo] [femenino] Planta que tiene la raíz alargada y de color naranja y que se puede comer: *A los conejos les encantan las zanahorias.*

zancada [sustantivo] [femenino] Paso largo que da una persona: *Es muy alto y anda a grandes zancadas.* □ FAMILIA: → zanco.

zancadilla [sustantivo] [femenino] Especie de empujón que da una persona metiendo una pierna por entre las de otra persona para que se caiga: *Me caí porque un compañero me puso una zancadilla.* □ FAMILIA: → zanco.

zanco [sustantivo] [masculino] Cada uno de los dos palos largos a los que se sube una persona para parecer muy alta: *En las fiestas había gigantes, cabezudos y payasos con zancos.* □ FAMILIA: zancada, zancadilla, zancudo.

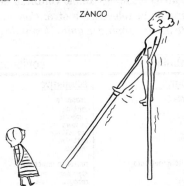
ZANCO

zancudo, da [adjetivo] Que tiene las patas o las piernas muy largas: *La cigüeña es un ave zancuda.* □ FAMILIA: → zanco.

zángano, na 1 [sustantivo] Persona que no quiere hacer nada cuando hay que trabajar: *No soy un zángano, es que estoy muy cansado.* **2** [sustantivo] [masculino] Macho de la abeja: *Los zánganos de las colmenas no tienen aguijón y no hacen miel.* □ [El significado **1** es coloquial]. SINÓNIMOS: **1** holgazán, vago, gandul. CONTRARIOS: **1** trabajador, laborioso.

zanja [sustantivo] [femenino] Agujero largo y estrecho que se hace en la tierra: *Han hecho una zanja en la calle para meter unas tuberías.* □ SINÓNIMOS: foso.

a
b
c
d
e
f
g
h
i
j
k
l
m
n
ñ
o
p
q
r
s
t
u
v
w
x
y
z

a

zapatería [sustantivo/femenino] Tienda en la que se venden zapatos: *Me he comprado estas botas azules en la zapatería de la esquina.* □ FA-MILIA: → zapato.

b

c

zapatero, ra 1 [sustantivo] Persona que hace, arregla o vende zapatos: *Llevé las botas al zapatero para que me pegara las suelas.* [sustantivo/masculino] **2** Mueble que sirve para guardar zapatos: *Tengo todos mis zapatos ordenados en un zapatero.* **3** Insecto de color negro con seis patas muy delgadas: *Los zapateros se mueven muy deprisa sobre la superficie del agua.* □ FAMILIA: → zapato.

d

e

f

g

h

zapatilla [sustantivo/femenino] Zapato que suele ser de tela y tiene el piso delgado: *Cuando llego de la calle, me pongo las zapatillas de estar en casa.* □ FAMILIA: → zapato.

i

j

zapato [sustantivo/masculino] Prenda de vestir que cubre los pies hasta el tobillo: *Mi madre se pone zapatos de tacón cuando va a una fiesta.* □ FAMILIA: zapatilla, zapatero, zapatería.

k

l

[zapping [sustantivo/masculino] Cambio continuo de una cadena de la televisión a otra: *Como no dejes de hacer zapping te quito el mando a dis-*

m

n

ñ

zambullir	conjugación
INDICATIVO	**SUBJUNTIVO**
presente	**presente**
zambullo	zambulla
zambulles	zambullas
zambulle	zambulla
zambullimos	zambullamos
zambullís	zambulláis
zambullen	zambullan
pretérito imperfecto	**pretérito imperfecto**
zambullía	zambullera, -ese
zambullías	zambulleras, -eses
zambullía	zambullera, -ese
zambullíamos	zambulléramos, -ésemos
zambullíais	zambullerais, -eseis
zambullían	zambulleran, -esen
pretérito indefinido	**futuro**
zambullí	zambullere
zambulliste	zambulleres
zambulló	zambullere
zambullimos	zambulléremos
zambullisteis	zambullereis
zambulleron	zambulleren
futuro	**IMPERATIVO**
zambulliré	
zambullirás	**presente**
zambullirá	zambulle (tú)
zambulliremos	zambulla (él)
zambulliréis	zambullamos (nosotros)
zambullirán	zambullid (vosotros)
	zambullan (ellos)
condicional	**FORMAS NO PERSONALES**
zambulliría	
zambullirías	**infinitivo** **gerundio**
zambulliría	zambullir zambullendo
zambulliríamos	**participio**
zambulliríais	zambullido
zambullirían	

o

p

q

r

s

t

u

v

w

x

y

z

tancia. □ [Es una palabra inglesa. Se pronuncia «zápin»].

zar [sustantivo/masculino] Antiguo gobernante de Rusia: *El zar era un emperador que tenía todo el poder.* □ [El femenino es zarina]. FAMILIA: zarina.

zaragozano, na [adjetivo o sustantivo] De la provincia de Zaragoza o de su capital: *Calatayud es una población zaragozana.*

zarandear [verbo] Mover de un lado a otro con un poco de violencia: *Se enfadó cuando le quité el balón y me zarandeó para que se lo devolviera.* □ SINÓNIMOS: sacudir.

zarina [sustantivo/femenino] Mujer que gobernaba antiguamente en Rusia: *La zarina era la mujer del zar.* □ [El masculino es zar]. FAMILIA: → zar.

zarpa [sustantivo/femenino] Mano o pie de un animal, con fuertes uñas: *Los leones y los tigres tienen zarpas.* □ SINÓNIMOS: garra. FAMILIA: zarpazo.

zarpar [verbo] Salir un barco del puerto: *Desde el puerto vimos zarpar algunos barcos.* □ CONTRARIOS: atracar.

zarpazo [sustantivo/masculino] Golpe y herida hechos con las zarpas: *En el zoo vimos un león que daba zarpazos a otro para quitarle la comida.* □ FAMILIA: → zarpa.

zarza [sustantivo/femenino] Zarzamora: *Me enganché la blusa en una zarza y se me rompió.* □ FA-MILIA: zarzal, zarzamora, enzarzar.

zarzal [sustantivo/masculino] Lugar lleno de zarzas: *Me caí en un zarzal y me llené de arañazos.* □ FAMILIA: → zarza.

zarzamora [sustantivo/femenino] **1** Arbusto con muchos tallos largos y llenos de espinas, que tiene flores blancas o rosas y unos frutos de color morado que se pueden comer: *El camino estaba bordeado de zarzamoras en flor.* **2** Fruto de este arbusto: *Las zarzamoras son parecidas a las moras de las moreras, pero más pequeñas.* □ [En el significado **1** se usa mucho la forma abreviada zarza]. FAMILIA: → zarza.

zarzuela [sustantivo/femenino] Obra musical española en la que hay partes cantadas y partes habladas: *Una zarzuela muy conocida es «Agua, azucarillos y aguardiente».*

zeta [sustantivo/femenino] Nombre de la letra *z*: *La palabra «zumo» empieza por zeta.*

zigzag [sustantivo/masculino] Línea que forma ángulos que entran y salen: *Los esquiadores bajaban la colina en zigzag.*

ZIGZAG

zombi 1 [adjetivo o sustantivo] Que está medio dormido: *Hoy estoy un poco zombi y no me entero de nada.* **2** [masculino] Persona muerta que anda como si estuviera viva: *Algunas personas creen que hay zombis y otras dicen que es imposible.* □ [Como adjetivo no varía en masculino y en femenino. El significado **1** es coloquial].

zona [sustantivo femenino] **1** Espacio que forma parte de un todo: *Vivo en una zona del sur de la ciudad. Me duele mucho la zona de la espalda.* **2** Terreno que está dentro de ciertos límites: *Un jugador de baloncesto no puede estar más de tres segundos en la zona.* □ SINÓNIMOS: área.

zoo [masculino] Zoológico: *Hemos ido al zoo con el colegio para ver animales salvajes.* 🔍 página 848.

zoología [sustantivo femenino] Ciencia que estudia los animales: *La zoología describe y estudia la vida de los animales.* □ FAMILIA: zoológico.

zoológico, ca 1 [adjetivo] De la zoología o relacionado con esta ciencia: *En un estudio zoológico de esta zona se ha comprobado que han desaparecido dos especies animales.* **2** [sustantivo masculino] Lugar en el que se tienen todo tipo de animales para que los vea la gente: *La única forma de ver animales salvajes en una ciudad es en el zoológico.* 🔍 página 848. □ [En el significado **2** se usa mucho la forma abreviada zoo]. FAMILIA: → zoología.

zoquete [adjetivo o sustantivo] Que tiene dificultad para entender las cosas: *Mi hermano no es un zoquete, lo que pasa es que es pequeño todavía.* □ [No varía en masculino y en femenino. Es coloquial. Se usa como insulto]. SINÓNIMOS: tarugo.

zorro, rra 1 [adjetivo o sustantivo] Dicho de una persona, que es lista y tiene habilidad para conseguir lo que quiere: *El muy zorro siempre sabe salir de las situaciones difíciles.* **2** [sustantivo] Animal que tiene el pelo de color marrón y una cola muy larga y muy gruesa: *Entró un zorro en el corral y mató tres gallinas.* **3** [sustantivo femenino] Prostituta. **4** [expresión] **hecho unos zorros** Muy cansado o muy estropeado: *Hacía mucho que no corría y he acabado la carrera hecha unos zorros. El gato me ha dejado las cortinas hechas unos zorros.* □ [Los significados **1** y **4** son coloquiales. El uso del significado **3** es vulgar]. SINÓNIMOS: **1** astuto, pillo, pícaro, cuco.

zueco [sustantivo masculino] **1** Especie de zapato con la suela de madera, que deja el talón descubierto: *Los enfermeros y las enfermeras suelen usar zuecos blancos.* **2** Especie de zapato de madera que usaban los campesinos: *Antiguamente, en los pueblos se usaban zuecos para no mancharse los zapatos de barro.*

zumbar [verbo] **1** Producir un ruido continuo y que molesta: *En verano, las moscas zumban en todas partes.* **2** Pegar o golpear: *Estáte quieto si no quieres que te zumbe.* **3** [expresión] **zumbando** Muy deprisa: *Si no has hecho todavía los deberes, vete zumbando a hacerlos.* □ [Los significados **2** y **3** son coloquiales]. SINÓNIMOS: **2** zurrar. FAMILIA: zumbido.

zumbido [sustantivo masculino] Ruido continuo y que molesta: *La nevera debe de estar estropeada, porque tiene un zumbido muy raro.* □ FAMILIA: → zumbar.

zumo [sustantivo masculino] Líquido que sale de las frutas: *Todas las mañanas me tomo un zumo de naranja.*

zurcido [sustantivo masculino] Forma de coser un roto en una tela para que no se note: *Si haces un zurcido con hilo rojo en un pantalón blanco, se notará mucho.* □ FAMILIA: → zurcir.

zurcir 1 [verbo] Coser un roto en una tela para que no se note: *Mi madre me zurce los calcetines que se me rompen.* **2** [expresión] **que te zurzan** Se usa para indicar que algo no interesa: *Si no quieres hacerme caso, anda y que te zurzan.* □ [La c se cambia en z delante de a, o. El significado **2** es coloquial]. FAMILIA: zurcido. 🔍 página 878.

zurdo, da 1 [adjetivo o sustantivo] Que tiene más habilidad con la mano o con la pierna izquierda que con la derecha: *Los zurdos escriben mejor con la mano izquierda.* **2** [sustantivo femenino] Pierna o mano izquierdas: *El futbolista dio una patada al balón con la zurda.* □ SINÓNIMOS: **2** izquierda. CONTRARIOS: **1** diestro. **2** derecha.

a b c d e f g h i j k l m n ñ o p q r s t u v w x y **z**

zurra [sustantivo] [femenino] Conjunto de golpes que se dan a alguien: *Como sigas haciendo el bobo y molestando a tus hermanos, te vas a ganar una zurra.* □ SINÓNIMOS: paliza, tunda. FAMILIA: → zurrar.

zurrar [verbo] Pegar o golpear: *Un chico me ha amenazado con zurrarme a la salida de clase.* □ SINÓNIMOS: zumbar. FAMILIA: → zurra.

zurrón [sustantivo] [masculino] Bolsa grande que se cuelga de un hombro: *El pastor llevaba su comida en el zurrón.*

ZURRÓN

zutano, na [sustantivo] Palabra que se usa para nombrar a una persona cualquiera: *Allí estaban Fulano, Mengano, Zutano y toda la panda.* □ [Se suele escribir con mayúscula]. SINÓNIMOS: fulano, mengano.

zurcir	conjugación
INDICATIVO	**SUBJUNTIVO**
presente	**presente**
zurzo	zurza
zurces	zurzas
zurce	zurza
zurcimos	zurzamos
zurcís	zurzáis
zurcen	zurzan
pretérito imperfecto	**pretérito imperfecto**
zurcía	zurciera, -ese
zurcías	zurcieras, -eses
zurcía	zurciera, -ese
zurcíamos	zurciéramos, -ésemos
zurcíais	zurcierais, -eseis
zurcían	zurcieran, -esen
pretérito indefinido	**futuro**
zurcí	zurciere
zurciste	zurcieres
zurció	zurciere
zurcimos	zurciéremos
zurcisteis	zurciereis
zurcieron	zurcieren
futuro	**IMPERATIVO**
zurciré	
zurcirás	**presente**
zurcirá	zurce (tú)
zurciremos	zurza (él)
zurciréis	zurzamos (nosotros)
zurcirán	zurcid (vosotros)
	zurzan (ellos)
condicional	**FORMAS NO PERSONALES**
zurciría	
zurcirías	**infinitivo** **gerundio**
zurciría	zurcir zurciendo
zurciríamos	
zurciríais	**participio**
zurcirían	zurcido